◈ 쓰촨 성 四川省(Sìchuānshěn

청두 028 成都(Chéngdū)	면 绵

◈ 안후이 성 安徽省(Ānhuīshěn

허페이 0551 合肥(Héféi)	류 六

◈ 윈난 성 云南省(Yúnnánshěng

쿤밍 0871 昆明(Kūnmíng)	다리 0872 大理(Dàlǐ)	취징 0874 曲靖(Qūjìng)

◈ 장시 성 江西省(Jiāngxīshěng)

난창 0791 南昌(Nánchāng)	주장 0792 九江(Jiǔjiāng)	징더전 0798 景德镇(Jǐngdézhèn)

◈ 장쑤 성 江苏省(Jiāngsūshěng)

난징 025 南京(Nánjīng)	우시 0510 无锡(Wúxī)	쑤저우 0512 苏州(Sūzhōu)

◈ 저장 성 浙江省(Zhèjiāngshěng)

항저우 0571 杭州(Hángzhōu)	닝보 0574 宁波(Níngbō)	사오싱 0575 绍兴(Shàoxīng)

◈ 지린 성 吉林省(Jílínshěng)

창춘 0431 长春(Chángchūn)	지린 0432 吉林(Jílín)	옌지 0433 延吉(Yánjí)

◈ 칭하이 성 青海省(Qīnghǎishěng)

시닝 0971 西宁(Xīníng)	하이둥 0972 海东(Hǎidōng)	거얼무 0979 格尔木(Gé'ěrmù)

◈ 푸젠 성 福建省(Fújiànshěng)

푸저우 0591 福州(Fúzhōu)	샤먼 0592 厦门(Xiàmén)	취안저우 0595 泉州(Quánzhōu)

◈ 하이난 성 海南省(Hǎinánshěng)

하이커우 0898 海口(Hǎikǒu)	싼야 0898 三亚(Sānyà)	단저우 0898 儋州(Dānzhōu)

◈ 허난 성 河南省(Hénánshěng)

정저우 0371 郑州(Zhèngzhōu)	카이펑 0378 开封(Kāifēng)	뤄양 0379 洛阳(Luòyáng)

◈ 허베이 성 河北省(Héběishěng)

스자좡 0311 石家庄(Shíjiāzhuāng)	청더 0314 承德(Chéngdé)	친황다오 0335 秦皇岛(Qínhuángdǎo)

◈ 헤이룽장 성 黑龙江省(Hēilóngjiāngshěng)

하얼빈 0451 哈尔滨(Hā'ěrbīn)	치치하얼 0452 齐齐哈尔(Qíqíhā'ěr)	무단장 0453 牡丹江(Mǔdānjiāng)

◈ 후난 성 湖南省(Húnánshěng)

창사 0731 长沙(Chángshā)	주저우 0731 株洲(Zhūzhōu)	헝양 0734 衡阳(Héngyáng)

◈ 후베이 성 湖北省(Húběishěng)

우한 027 武汉(Wǔhàn)	징저우 0716 荆州(Jīngzhōu)	이창 0717 宜昌(Yíchāng)

MINJUNG'S
POCKET
KOREAN-CHINESE
DICTIONARY

포켓

韓中辭典

민중서림 편집국 편

민중서림

머리말

오늘날 중국은 명실공히 미국과 어깨를 나란히 하는 강대국으로 성장하였으며, 그 위상 또한 과거와는 비교도 안 될 만큼 높아졌다. 이에, 자연히 많은 세계인들이 중국어를 배우거나, 갖가지 목적과 이유로 중국을 찾고 있으며, 이런 상황은 우리나라도 크게 다르지 않다. 현재 우리나라는 다른 나라들에 비해 훨씬 많은 사람들이 자유롭고 빈번하게 중국을 오가고 있으며, 중국어 학습자 또한 그 직업과 연령대가 매우 다양해져서, 학교와 학원은 물론이고 지하철이나 버스에서도 중국어 학습자를 쉽게 접할 수 있게 되었다.

이런 상황 하에 중국어 사전에 대한 수요도 하루가 다르게 늘고 있으며, 최근에는 무겁고 휴대하기 힘든 대사전보다 항상 휴대하면서 학습 및 여행·비즈니스에 다양하게 활용할 수 있는 소형 사전의 수요가 훨씬 많아지고 있는 추세다.

이 사전은 이러한 시대적 상황과 독자들의 끊임없는 요구를 충족시키기 위해 기획되었으며, 다음과 같은 몇 가지 특징을 가지고 있다.

1) 언제 어디서나 간편하게 휴대하여 학습 및 여행·비즈니스에 수시로 활용할 수 있도록 포켓판으로 제작되었다.

2) 크기는 작지만, 기본 어휘 및 전문어, 신조어, 외래어, 관용구, 속담 등 실생활에 필요한 38,000여 개의 어휘들을 엄선하여 수록하였다.

3) 표제어의 모든 대역어는 최대한 중국에서 실제로 쓰이는 단어를 찾아 정확한 중국어 발음과 함께 수록하였다.

4) 모든 용례는 표제어의 의미와 쓰임새를 이해하는 데 도움을 줄 수 있고, 실생활에서 바로 사용할 수 있는 간결하고 실용적인 문장으로 수록하였다.

5) 지면의 제약으로 인해 표제어로 수록하지 못한 일부 복합어와 합성어를 용례와 함께 수록하고, 지명·인명 등을 따로 모아 부록에 수록하는 등, 독자들을 위해 가능한 한 많은 단어들을 수록하기 위해 각고의 노력을 기울였다.

아무쪼록 이 사전이 여러분의 학습·여행·비즈니스에 많은 도움을 줄 수 있기를 바라며, 앞으로도 끊임없는 수정과 개정을 통해 여러분의 기대에 부응할 수 있도록 노력할 것임을 약속한다.

2012년 1월

민중서림 편집국

✦ 표제어와 부표제어

1. 범위

1) 표준어를 중심으로 일상생활에서 흔히 사용하는 기본 어휘와 전문어, 신조어, 외래어, 관용구, 속담 등을 엄선하여 총 38,000여 어휘를 수록하였다. 단, 제한된 지면에 가능한 한 많은 어휘를 수록하기 위하여 일부 복합어와 합성어는 표제어로 내세우지 않고 용례와 함께 수록하였다.

> 예 **토착**(土着) 명하자 土著 *tǔzhù* ¶~민 土著民 / ~화 土著化

2) 지명과 인명 등의 고유명사는 특별한 경우를 제외하고는 본문에 표제어로 삽입하지 않고 권말에 부록으로 수록하였다.

2. 배열

1) 한글 맞춤법에 따라 가나다순으로 배열하였으며, 자모의 순서는 다음과 같다.
초성: ㄱ, ㄲ, ㄴ, ㄷ, ㄸ, ㄹ, ㅁ, ㅂ, ㅃ, ㅅ, ㅆ, ㅇ, ㅈ, ㅉ, ㅊ, ㅋ, ㅌ, ㅍ, ㅎ
중성: ㅏ, ㅐ, ㅑ, ㅒ, ㅓ, ㅔ, ㅕ, ㅖ, ㅗ, ㅘ, ㅙ, ㅚ, ㅛ, ㅜ, ㅝ, ㅞ, ㅟ, ㅠ, ㅡ, ㅢ, ㅣ
종성: ㄱ, ㄲ, ㄳ, ㄴ, ㄵ, ㄶ, ㄷ, ㄹ, ㄺ, ㄻ, ㄼ, ㄽ, ㄾ, ㄿ, ㅀ, ㅁ, ㅄ, ㅂ, ㅄ, ㅅ, ㅆ, ㅇ, ㅈ, ㅊ, ㅋ, ㅌ, ㅍ, ㅎ

2) 자모의 배열 순서에 따라 고유어, 한자어, 외래어의 순으로 놓고, 한자어는 다시 총획순으로 배열하였으며, 접두사, 접미사, 어미는 순서대로 맨 뒤에 위치하였다. 표기가 동일한 표제어들끼리는 어깨번호로 구분하였다.

> 예 선지   대:검(大劍)   생(生)
>   선지(先知)   대:검(大檢)   생-(生)
>   대:검(帶劍)   -생¹(生)
>   -생²(生)

3) '-거리다'의 형식을 가진 어휘를 기본 표제어로 삼아 뜻풀이하고 '-대다'는 동의어로 보였으며, 중첩형은 '-거리다'의 부표제어로 삼았다.

> 예 **달그락-거리다** 자타 咣当咣当 *guāngdāngguāngdāng*; 呱嗒呱嗒 *guā-dāguādā* ≒ 달그락대다 달그락-달그락 부하자타

4) 관용구와 속담은 시작 단어를 주표제어로 삼아 해당 표제어 밑에 가나다순으로 배열하였으며, 속담을 먼저 배열하고 그 뒤에 다시 관용구를 배열하는 형식을 취했다.

> 예 말이 씨가 된다 속담
>   말 한마디에 천 냥 빚도 갚는다 속담
>   말(을) 놓다 구
>   말(을) 돌리다 구
>   말(을) 듣다 구

5) 부표제어에서 교체 가능한 성분은 '[   ]' 안에 표시하였으며, 생략 가능한 성
분은 '(   )' 안에 제시하였다. 교체 가능한 성분이 여럿 있을 경우에는 '/'로
구분하여 제시하였다.

 예 개같이 벌어서 정승같이 산다[먹는다] 속담

   남의 잔치[장 / 제사]에 감 놓아라 배 놓아라 한다 속담

   더위(를) 먹다 구

3. 표기

1) 복합어는 붙임표 '-'로 분석하여 제시하였으며, 복합어이어도 구성 성분이 음
절로 나누어지지 않을 때는 붙임표를 제시하지 않았다.

 예 빗-기다

   이등분-선

   눌리다

2) 표제어가 장음일 경우는 표제어에 함께 표기하였다.

 예 눈:-보라

   의:무-감

3) 한자 표기가 두 가지 이상일 경우에는 해당 한자를 모두 병기하되, 기본이 되는
한자어를 먼저 제시하였으며, 그 사이를 '·'로 구분하였다. 단, 한자 표기가
두 가지 이상인 한자어가 다른 말과 결합하여 복합어를 이룰 경우 복합어에는
기본이 되는 한자어만을 제시하였다.

 예 사기(沙器·砂器)

   사기-그릇(沙器—)

4) 한자어와 외래어는 표제어 뒤 괄호 안에 원어를 밝혔으며, 만일 고유어와 결합
한 표제어이면 고유어 부분을 '—'로 표시하였다.

 예 빗-각(—角)

   사과-나무(沙果—)

   삼-쌍둥이(Siam雙—)

   섹시-하다(sexy-)

5) 외래어의 경우는 원어 앞에 약호를 사용하여 해당 언어명을 제시하였으며, 로
마자 이니셜로 이루어진 단어의 원말은 표제어 바로 뒤에 '[   ]'를 써서 제시
하였다.

 예 살롱(프salon)

   룸바(에rumba)

   시에프(CF)[commercial film]

6) 중국이나 일본어를 원음대로 차용한 경우는 로마자로 표기하고 그 뒤 '[   ]'
안에 한자를 제시하였다.

 예 사무라이(일samurai[侍])

   짜장면(←중zhajiangmian[炸醬麵])

7) 표제어가 해당 언어에 존재하지 않고 우리말에서 쓰는 외래어의 조합일 경우는

원어와 원어 사이에 '+'를 사용하였다.

> **예** **핸드-폰**(hand+phone)
>
>   **바나나-킥**(banana+kick)

8) 표제어가 원어에 없는 줄어든 형태로 쓰이는 경우나 발음이 현저히 변하였을 경우에는 그 원형을 제시하고 앞에 '←'를 표기하였다.

> **예** **샐러리-맨**(← salaried man)
>
>   **짬뽕**(←일champon)
>
>   **콘센트**(← concentic plug)

◆ 풀 이

1) 전문어와 고유 명사에는 해당 전문 영역을 표시하였으며, 띄어쓰기를 한 표제어에는 품사 표시를 하지 않았다

2) 다의어의 대역어는 품사별로 ⊟, ⊟, ⊟과 같이 나누고 의미별로 **1, 2, 3**과 같이 나누었으며, 대역어가 여러 개일 경우는 ' ; '를 써서 사용 빈도순으로 나열하였다.

3) 대역어의 설명이 필요한 경우 대역어 뒤에 '《 》'를 사용해 쓰임새와 의미를 추가 설명하였다.

> **예** **끌끌** 慁 啧啧 zézé《不满的咂舌声》¶혀를 ~ 차다 啧啧地咂舌头

4) 대역어 옆에 한어병음을 병기하였으며, 이 표기는 중국의 '한어병음방안'을 근거로 하였다.

5) 한어병음의 모든 성조는 성조 변화에 상관없이 원래 성조대로 표기하였다.

6) 일부 어휘의 풀이는 내용에 따라 대역어 대신 다음과 같이 표기하였다.

준말 → 'ㅇㅇ'的略词

잘못 → 'ㅇㅇ'的错误

구칭 → 'ㅇㅇ'的旧称

속칭 → 'ㅇㅇ'的俗称

방언 → 'ㅇㅇ'的方言

별칭 → 'ㅇㅇ'的别称

비칭 → 'ㅇㅇ'的鄙称

피동사 → 'ㅇㅇ'的被动词

사동사 → 'ㅇㅇ'的使动词

강조어 → 'ㅇㅇ'的强调语

경어, 경칭 → 'ㅇㅇ'的敬词

겸칭, 겸사 → 'ㅇㅇ'的卑词

◆ 용 례

1) 가능한 한 실생활에서의 활용 가능성이 높고, 그 단어의 쓰임새를 가장 잘 나타낼 수 있는 용례를 위주로 선별하여 수록하였다.

2) 용례의 시작은 '¶'로 표시하였고, 용례 안에서의 표제어는 글자 수에 관계없이 '~'를 표기하고 생략하였으며, 용례를 여러 개 제시할 경우는 용례와 용례 사이를 '/'로 구분하였다.

3) 이미 열거한 용례와 같은 용례를 더 열거하고자 할 때는 '='표를 하고 보기와 같이 표기하였다

> 예 **삼루**(三壘) 명 【體】(棒球的) 三壘 sānlěi ¶~수 三壘手 / ~타 三壘打 =[三壘安打]

4) 표제어 및 용례에 쓰인 모든 한글 어휘의 맞춤법과 띄어쓰기는 국립국어연구원의 표준국어대사전을 기준으로 하였다.

품 사

명 명사	의명 의존명사	대 대명사
자 자동사	부 부사	타 타동사
형 형용사	조 조사	감 감탄사
관 관형사	수 수사	어미 어미
접두 접두사	접미 접미사	보동 보조동사
보형 보조형용사	속담 속담	관 관용구

하자 --하다 자 '하다'가 붙어 자동사가 됨
하타 --하다 타 '하다'가 붙어 타동사가 됨
하형 '하다'가 붙어 형용사가 됨
하자타 --하다 자타 '하다'가 붙어 자동사 및 타동사가 됨
하자형 --하다 자형 '하다'가 붙어 자동사 및 형용사가 됨
하타형 --하다 타형 '하다'가 붙어 타동사 및 형용사가 됨
히부 '히'가 붙어 형용사가 됨

기 호

㉠, ㉡, ㉢	같은 표제어의 품사가 달라진 경우
1, 2, 3	같은 표제어의 뜻이 달라진 경우
¶	용례 시작
~	용례에서 표제어 부분의 생략 표시
/	여러 용례의 구분
=	동의어
←	원래의 형태에서 변한 외래어
–	복합어의 표시
–	접두사, 접미사, 어미의 표시
—	고유어 음절
:	장음 표시
+	표제어가 우리말에서 쓰는 외래어의 조합일 때
‖	전체 의항에 해당되는 동의어

외래어

그······ 그리스 어	네······ 네덜란드 어	노······ 노르웨이 어
독······ 독일어	라······ 라틴 어	러······ 러시아 어
루······ 루마니아 어	말······ 말레이 어	몽······ 몽골 어
베······ 베트남 어	불······ 불가리아 어	산······ 산스크리트 어
스······ 스웨덴 어	아······ 아랍 어	에······ 에스파냐 어
이······ 이탈리아 어	인······ 인도네시아 어	일······ 일본어
중······ 중국어	체······ 체코 어	타······ 타이 어
터······ 터키 어	페······ 페르시아 어	포······ 포르투칼 어
폴······ 폴란드 어	프······ 프랑스 어	형······ 헝가리 어
히······ 히브리 어	힌······ 힌디 어	

전문어

【建】 건설	【經】 경제	【古】 고적	【蟲】 곤충
【工】 공업, 공학	【鑛】 광업, 광물	【教】 교육	【交】 교통
【軍】 군사	【機】 기계	【論】 논리	【農】 농업
【動】 동물	【文】 문학	【物】 물리	【美】 미술
【民】 민속	【法】 법률	【佛】 불교	【社】 사회
【生】 생물, 생리	【手工】 수공	【水】 수산	【數】 수학
【植】 식물	【心】 심리	【藥】 약학	【魚】 어류
【言】 언론	【語】 언어	【史】 역사	【演】 연영
【藝】 예술	【體】 운동	【音】 음악	【醫】 의학
【人】 인명	【印】 인쇄, 출판	【電】 전기, 전자	【政】 정치
【鳥】 조류	【宗】 종교	【地理】 지리	【地】 지명
【書】 책명	【天】 천문	【哲】 철학	【컴】 컴퓨터
【信】 통신	【貝】 패류	【韓醫】 한의학	【航】 항공
【海】 해양	【化】 화학		

가:¹ 〔名〕 **1** 边 biān; 滨 bīn; 畔 pàn; 沿 yán **2** 旁边 pángbiān; 边 biān ¶의 의자 ~에는 손잡이가 있다 这把椅子的两边有扶手

가² 〔助〕 **1** 表示主语的助词 ¶제~ 하겠습니다 我来做 **2** 在 '되다' 或 '아니다' 前面表示所变化的对象或者所否定的对象 ¶올챙이~ 개구리가 되었다 蝌蚪变成了青蛙

가:(可) 〔名〕〔하〕 对 duì; 是 shì; 行 xíng; 可能 kěnéng; 可以 kěyǐ

가-(假) 〔接头〕 假 jiǎ; 临时 línshí; 实验 shíyàn ¶~계약서 临时合同书 / ~등기 临时登记

-가(哥) 〔接尾〕 姓 xìng ¶그는 박~입니다 他姓是朴

-가(家) 〔接尾〕 **1** 师 shī; 家 jiā 《表示专做的人》 건축 - 建筑师 / 작곡가 - 作曲家 / 평론 - 评论家 **2** 家 jiā 《表示在某方面擅长的人》 ¶외교家 - 外交家 / 이론 - 理论家 **3** 家 jiā; 者 zhě 《表示拥有某种东西的人》 ¶장서 - 藏书家 / 자본 - 资本家 **4** 者 zhě; 人 rén 《表示有某种特性的人》 ¶애주 - 爱酒者

-가(街) 〔接尾〕 街 jiē; 区 qū ¶상점~ - 商店街 / 주택 - 住宅街 / 종로 3~ 钟路3街

-가(歌) 〔接尾〕 歌 gē ¶유행 - 流行歌 / 응원~ - 加油歌

-가(價) 〔接尾〕 价 jià ¶최고 - 最高价 / 상한~ - 上限价

가가호호(家家戶戶) 〔名/副〕 家家 jiājiā; 家家户户 jiājiāhùhù; 每家 měijiā ¶~ 김장을 하느라 바쁘다 家家户户都在忙着做过冬的辣白菜

가감(加減) 〔名〕〔하〕 **1** 加减 jiājiǎn ¶~ 없이 말하다 没有加减地说 **2** 〔数〕= 가감산 ¶~법 加减法

가감-산(加減算) 〔名〕〔数〕 加减 jiājiǎn = 가감2

가감승제(加減乘除) 〔名〕〔数〕 加减乘除 jiājiǎnchéngchú

가-건물(假建物) 〔名〕 临时建筑 línshí jiànzhù; 临时建筑物 línshí jiànzhùwù

가-게 〔名〕 **1** 商店 shāngdiàn; 小铺子 xiǎopùzi ¶저녁 9시에 문을 닫는다 那家商店晚上九点关门 **2** 货摊 huòtān; 摊子 tānzi

가격(加擊) 〔名〕〔하〕 捶 chuí; 打 dǎ; 击 jī ¶주먹으로 한 대 ~하다 打一拳头

가격(價格) 〔名〕 价格 jiàgé; 价钱 jiàqián ¶최고 - 最高价格 / 최저 ~ 最低价格 / 출고 - 出厂价格 / 경쟁 ~ 竞争价 / 자유화 价格自由化 / 파괴 跳楼抛售价 / 저렴한 ~ 低廉的 / ~을 내리다 降低价格 / ~을 흥정하다 讲价钱

가격-대(價格帶) 〔名〕 价格带 jiàgédài ¶~를 조정하다 调整价格带

가격-표(價格表) 〔名〕〔經〕 价格表 jiàgébiǎo; 价目表 jiàmùbiǎo; 价目单 jiàmùdān

가:결(可決) 〔名〕〔하他〕 《会议的案件》 通过 tōngguò ¶법률을 ~하다 通过法律

가계(家系) 〔名〕 家系 jiāxì ¶~도 家系图

가계(家計) 〔名〕 **1** 家计 jiājì **2** 生计 shēngjì; 家境 jiājìng ¶~가 곤란하다 家境很困难 **3** 〔經〕 家庭 jiātíng ¶~ 소득 家庭收入

가계-부(家計簿) 〔名〕 家庭账簿 jiātíng zhàngbù; 家庭记账簿 jiātíng jìzhàngbù; 家庭记账本 jiātíng jìzhàngběn

가-계약(假契約) 〔名〕〔하他〕 〔法〕 草约 cǎoyuē; 临时合同 línshí hétong; 草合同 cǎohétong ¶~을 체결하다 缔结草约

가곡(歌曲) 〔名〕〔音〕 歌曲 gēqǔ; 艺术歌曲 yìshù gēqǔ ¶~집 歌曲集

가공(加工) 〔名〕〔하他〕 加工 jiāgōng ¶~ 무역 加工贸易 / ~법 加工法 / 식품 ~업 加工业 / ~품 加工品 / ~ 기술 加工技术 / 식품 ~ 食品加工 / 원자재를 ~하다 对原材料进行加工

가:공(架空) 〔名〕〔하他〕 **1** 架空 jiàkōng ¶~ 케이블 架空线 **2** 虚构 xūgòu; 虚假 xūjiǎ ¶~인물 虚构人物 / 용은 ~의 동물이다 龙是虚构的动物

가:공-적(架空的) 〔冠名〕 虚构(的) xūgòu(de) ¶~ 이야기 虚构故事

가:공-하다(可恐—) 〔形〕 可怕 kěpà; 可恐 kěkǒng ¶가공할 만한 위력을 지니다 具有可怕的威力

가:관(可觀) 〔名〕 **1** 够瞧 gòuqiáo ¶그 사람의 행동은 정말 ~이다 那个人的行动真是够瞧的 **2** 可观 kěguān ¶영화는 매우 ~이다 这部电影大有可观

가:교(架橋) 〔名〕〔하自〕 **1** 架桥 jiàqiáo; 搭桥 dāqiáo ¶~ 공사 架桥工程 **2** 牵线搭桥 qiānxiàn dāqiáo; 搭桥 dāqiáo ¶사

랑의 ~ 역할을 하다 搭爱情桥

가:교(假橋) 〖建〗임시교량 línshíqiáo

가구(家口) 〖法〗1 住户 zhùhù; 住家 zhùjiā ¶~당 한 마리씩만 개를 키울 수 있다 每个住户只能养一只狗 2 家 jiā; 户 hù ¶십여 ~의 주민 十几户的居民

가구(家具) 〖명〗家具 jiājù ¶주방 ~ 厨房家具 / ~ 공장 家具厂 / ~점 家具店 / 새로 들여놓은 ~ 新买进的家具

가극(歌劇) 〖명〗〖晋〗= 오페라 ¶~단 歌剧团

가금(家禽) 〖명〗家禽 jiāqín

가:급-적(可及的) 〖부〗尽可能 jìnkěnéng; 尽量 jǐnliàng ¶나는 그에게 ~ 많은 도움을 주고 싶다 我要给他尽可能多的帮助

가까스로 〖부〗1 将将 jiāngjiāng; 勉强 miǎnqiáng ¶그는 3일 만에 ~ 그 일을 완성했다 将将三天, 他把那件事情办完了 2 好不容易 hǎobùróngyì; 好容易 hǎoróngyì ¶나는 ~ 반장에 뽑혔다 我好容易当上了班长

가까이 〖부〗1 (거리 一个地점) 近 jìn; 接近 jiējìn; 靠近 kàojìn ¶이쪽으로 ~ 와라 离我这边靠近点儿 2 差不多 chàbuduō; 几乎 jīhū; 近 jìn ¶그는 한 달 ~ 출근을 안 했다 他近一个月没有上班/ 나이가 마흔 ~ 된 남자 年近四十岁的男人 3 亲 qīn; 亲近 qīnjìn; 亲密 qīnmì; 近 jìn ¶나는 그와 매우 ~ 지낸다 我跟他走得很近 ⇒부근 附近 fùjìn ¶멀리 가지 말고 ~에 있어라 不要走远在这附近啊

가까이-하다 〖타〗1 亲近 qīnjìn; 亲 qīn; 近 jìn 2 打交道 dǎ jiāodào; 沾 zhān ¶책을 ~ 跟书打交道

가깝다 〖형〗1 (距离) 近 jìn; 不远 bùyuǎn ¶여기는 학교에서 아주 ~ 这儿离学校很近 / 그와 나는 매우 가까운 곳에 산다 他和我住在很近的地方 2 (时间) 不久 bùjiǔ ¶가까운 장래 不久的将来 3 接近 jiējìn; 近 jìn; 亲密 qīnmì ¶나는 그와 최근에 가까워졌다 我和他最近很亲密

가꾸다 〖타〗1 养 yǎng 培育 péiyù; 栽培 zāipéi; 种植 zhòngzhí; 种 zhòng ¶과일 나무를 ~ 栽培果树 2 打扮 dǎban ¶그녀는 평소에 잘 가꾸지 않는다 她平时不爱打扮

가끔 〖부〗间或 jiànhuò; 偶尔 ǒu'ěr; 有时 yǒushí; 有时候(儿) yǒushíhou(r) = 종종 ¶그는 ~ 학교에 지각을 한다 他偶尔上课迟到

가끔-가다 〖부〗= 가끔가다가

가끔-가다가 〖부〗间或 jiànhuò; 偶尔 ǒu'ěr; 有时 yǒushí; 有时候(儿) yǒushíhou(r) = 가끔가다 ¶그는 ~ 심술을

부리곤 한다 他偶尔也会使坏心眼儿

가난 〖명〗〖하다〗〖형부〗贫困 pínkùn; 贫穷 pínqióng; 穷 qióng; 穷苦 qióngkǔ; 寒苦 hánkǔ; 贫寒 pínhán ¶~에 쪼들리다 被贫穷所困扰 / ~에 허덕이다 在贫穷中苦苦挣扎 / 그는 어렸을 때 집이 ~했다 他小时家境贫寒

가난 구제는 나라[나라님]도 못한다 〖속담〗救济贫困, 国家也无奈

가난이 죄다 〖속담〗贫穷便是罪

가난-뱅이 〖명〗穷人 qióngrén; 穷汉 qiónghàn; 穷户 qiónghù

가내(家內) 〖명〗= 집안 ¶~ 수공업 家庭手工业

가날프다 〖형〗1 (身体) 软弱 ruǎnruò; 瘦弱 shòuruò ¶그녀는 몸이 가날파서 힘든 일을 할 수 없다 她身体瘦弱, 干不了重活 2 (声音) 细弱 xìruò; 微弱 wēiruò ¶소리가 ~ 声音细弱

가녀리다 〖형〗1 (身体) 软弱 ruǎnruò; 瘦弱 shòuruò 2 (声音) 细弱 xìruò; 微弱 wēiruò

가누다 〖타〗1 挺 tǐng ¶우리 아기는 지금 벌써 목을 가눌 수 있다 我的宝宝现在都会挺脖子了 2 镇定 zhèndìng; 稳定 wěndìng ¶정신을 ~ 镇定精神

가느-다랗다 〖형〗很细 hěnxì; 细细 xìxì; 细长 xìcháng; 微弱 wēiruò ¶가느다란 목소리 细细的嗓音 / 가느다란 손가락 细长的手指

가는-귀 〖명〗耳背 ěrbèi; 听力欠佳 tīnglì qiànjiā

가는귀-먹다 〖자〗耳背 ěrbèi ¶가는귀 먹은 노인 耳背的老人

가늘다 〖형〗1 细 xì; 纤细 xiānxì ¶가는 베 细麻布/가는체 细筛子/가는허리 细腰 ¶그녀는 팔목이 ~ 她胳膊很细 2 (宽度) 窄 zhǎi 3 (声音) 尖细 jiānxì; 细 xì ¶가는 목소리 尖细的声音 4 (摇动的幅度) 小 xiǎo 5 (颗粒) 细小 xìxiǎo; 细 xì ¶가는 모래 细沙 / 가는 소금 细盐 =[精盐]

가늠 〖명〗〖하다〗1 瞄准 miáozhǔn ¶~한 후에 다시 총을 쏘다 瞄准以后再开枪 2 打量 dǎliang; 掂掇 diānduo; 估计 gūjì; 衡量 héngliáng; 权衡 quánhéng ¶다각도로 상황을 ~하다 多角度打量情况 / 득실을 ~하다 衡量得失

가늠-쇠 〖명〗〖軍〗准星 zhǔnxīng

가늠-자 〖명〗〖軍〗准尺 zhǔnchǐ

가:능(可能) 〖명〗〖하다〗可能 kěnéng; 有可能 yǒukěnéng ¶실현 ~한 목표 可能实现的目标

가:능-성(可能性) 〖명〗可能性 kěnéngxìng ¶~이 희박하다 可能性很 小 / 실현 ~이 적다 实现的可能性小 / 비가 올 ~이 높다 下雨的可能性大

가다 〖자타〗1 (向前) 去 qù; 走 zǒu;

dào ¶식당에 가서 밥을 먹다 到饭馆儿吃饭 / 이 길을 곧장 가면 바다가 나온다 从这条路走就可以到海边儿 2 (交通工具) 开往 kāiwǎng; 到 dào ¶베이징으로 가는 열차 开往北京的列车 3 参加 cānjiā; 去 qù ¶시사회에 ~ 参加试映会 4 入 rù; 上 shàng ¶대학에 ~ 上大学 / 군대에 ~ 入伍 5 理解 lǐjiě; 同情 tóngqíng ¶나는 그가 그렇게 한 상황에 이해가 간다 我理解他那样做的情况 6 等于 děngyú; 相当 xiāngdāng ¶그는 그의 한 달 월급이나 가는 새 핸드폰을 샀다 他买了一个新手机, 相当于他一个月的工资 7 (时间) 过去 guòqù; 流去 liúqù ¶세월 가는 세월 流去的岁月 8 (灯光、电力) 熄灭 xīmiè ¶조금 지나자 현관의 등이 갔다 过了一会儿, 门厅的灯光熄灭了 9 死亡 sǐwáng ¶병으로 갔다 因病死亡 10 (味道) 变 biàn ¶김치 맛이 갔다 泡菜味道变了 11 吸引 xīyǐn; 引起 yǐnqǐ ¶그에게 호감이 ~ 引起对他的好感 12 费 fèi; 花费 huāfèi ¶손이 많이 ~ 费好多工夫 13 值 zhí ¶천만 금이 ~ 可值千万金 14 娶 qǔ; 嫁 jià ¶장가를 ~ 娶媳妇 / 시집을 ~ 出嫁
가는[가던] 날이 장날 【속담】 我去的不是时候
가는 말이 고와야 오는 말이 곱다 【속담】 你光说他秃, 他不说你眼睛
가는 정이 있어야 오는 정이 있다 【속담】 人心换人心, 八两换半斤; 人心换人心, 人情一把揪; 你对人无情, 人对你薄意
갈수록 태산(이라) 【속담】 过了一山又一山; 壁坑落井 = 산 넘어 산이다
가다듬다 他 1 (把精神、想法、心情 等) 集中 jízhōng; 振作 zhènzuò; 稳住 wěnzhù; 镇定 zhèndìng; 抖擞 dǒusǒu ¶정신을 ~ 集中精力 2 (把嗓子) 清理 qīnglǐ; 清 qīng ¶목소리를 ~ 清理一下嗓子
가다랑어 【鱼】 鲣 jiān; 鲣鱼 jiānyú
가닥 몡 1 分枝 fēnzhī; 叉支 fēnchà; 分支 fēnzhī; 丫枝 yāzhī ¶철로의 ~ 铁路的分叉 2 线 xiàn; 股 gǔ; 条(儿) gēn(r); 缕 lǚ ¶한 ~ 희망 一线希望 / 한 ~ 광명 一线光明
　가닥을 잡다 団 有目头
　가닥이 잡히다 団 有目头
가닥-가닥 몡뮈 一支支 yīzhīzhī; 一股股 yīgǔgǔ; 一缕缕 yīlǚlǚ; 一根一根 yīgēnyīgēn ¶실이 ~ 풀려 나왔다 线一根一根地抽出来了
가담(加擔) 명하자 参加 cānjiā; 参与 cānyù; 加入 jiārù; 加担 jiādān ¶~자 参与者 / 시위에 ~하다 加入示威游

행 / 공격에 ~하다 加入进攻
가당-연유(加糖炼乳) 몡 加糖炼乳 jiātáng liànrǔ
가:당찮다(可當一) 혱 欠妥 qiàntuǒ; 十分不妥 shífēn bùtuǒ ¶가당찮은 핑계 欠妥的借口 가:당찮-이 뮈
가:당-하다(可當一) 혱 1 恰当 qiàdàng; 妥当 tuǒdàng ¶일을 가당하게 처리하다 办得很妥当 2 般配 bānpèi; 相当 xiāngdāng; 配上 pèishang 가:당-히 뮈
가:도(街道) 몡 1 道路 dàolù; 街道 jiēdào 2 前途 qiántú; 路 lù; 道 dào ¶성공-를 달리다 走成功之路
가:독-성(可讀性) 몡 可读性 kědúxìng ¶이 책은 ~이 비교적 높다 这本书的可读性比较高
가동(稼動) 명하자 开动 kāidòng; 运行 yùnxíng; 运转 yùnzhuǎn ¶~를 开动率 / 기계를 ~하다 开动机器
가두(街頭) 몡 街头 jiētóu ¶~방송 街头广播 / ~시위 街头示威 / ~연설 街头演讲 / ~집회 街头集会
가두다 团 1 关 guān; 圈 juàn; 关押 guānyā; 禁闭 jìnbì; 囚禁 qiújìn; 收监 shōujiān; 收押 shōuyā ¶범인을 감옥에 ~ 把犯人关押在监狱 / 헛간에 ~ 关在堆房里 2 (水) 积储 jīchǔ; 积聚 jījù
가:두-판매(街頭販賣) 몡 街头销售 jiētóu xiāoshòu; 街头出售 jiētóu chūshòu; 街头售货 jiētóu shòuhuò; 街头贩卖 jiētóu fànmài 2 ~하다
가드(guard) 몡【體】 1 (篮球的) 后卫 hòuwèi ¶포인트 ~ 控球后卫 2 (拳击的) 防御姿势 fángyù zīshì 3 (击剑等的) 防御 fángyù
가드-레일(guard-rail) 몡【交】 1 (铁路的) 护轨 hùguǐ 2 (公路的) 护栏 hùlán
가득 뮈하형뮈 1 满 mǎn; 满满 mǎnmǎn ¶술을 잔에 ~ 붓다 满上一杯酒 2 充 chōng; 充塞 chōngsè; 塞满 sāimǎn; 满 mǎn ¶회의장이 사람들로 ~ 찼다 会场里人都满了 / 充满 chōngmǎn
가든-파티(garden party) 몡 庭园晚会 tíngyuán wǎnhuì; 游园会 yóuyuánhuì; 花园派对 huāyuán pàiduì
가:-등기(假登記) 몡【法】 临时登记 línshí dēngjì; 临时注册 línshí zhùcè
가디건 몡 '카디건'의 잘못
가뜩 뮈 = 가뜩이나
가뜩-이나 뮈 本来就 běnlái jiù; 何况 hékuàng; 己经…也 yǐjīng…yě; 再加上 zàijiāshàng = 가뜩 ¶그는 ~ 몸이 좋지 않은데, 며칠 동안 자지 못하까지 해서 더욱 초췌해졌다 他本来身体就不好, 再加上几天没睡就更加

췌었
가라사대 困 설 shuō; 曰 yuē; 云 yún ¶공자는 ～ 孔子曰
가라-앉다 困 1 沉 chén; 沦 lún; 沉淀 chéndiàn; 沉入 chénrù; 沉没 chénmò; 沉下 chénxià ¶돌이 바다에 ～ 石沉大海 / 모든 먼지가 컵 밑에 가라앉았다 所有的灰尘都沉淀到杯子底了 2 (风或水) 静下来 jìngxiàlái; 停 tíng; 住 zhù ¶바람이 가라앉았다 风住了 3 (心绪或痛苦) 安定 āndìng; 平静 píngjìng; 消失 xiāoshī; 镇定 zhèndìng; 止住 zhǐzhù ¶마음이 가라앉았다 心情镇定了 / 두통이 가라앉았다 头疼消失了 4 (声音或气氛) 安静 ānjìng; 静下来 jìngxiàlái ¶분위기가 ～ 气氛安静下来 5 消 xiāo; 消退 xiāotuì ¶부은 것이 가라앉았다 消肿了 / 염증이 가라앉았다 炎症消退了
가라앉-히다 他 '가라앉다'의 사동사 ¶폐선을 해저에 ～ 把废船沉入海底 / 마음을 ～ 使心情平静下来 / 도저히 마음을 가라앉힐 수 없다 心怎么也平静不下来 / 주사로 겨우 아픔을 ～ 打针才止住了疼
가라오케(일karaoke) 图 卡拉OK kǎlāOK; 伴奏录音 bànzòu lùyīn; 伴奏器 bànzòuqì
가라테(일karate) 图【體】空手道 kōngshǒudào
가락¹ 图 根(儿) gēn(r); 条 tiáo; 枝 zhī ¶엿 한 ～ 一枝软糖 / 대나무 장대 한 ～ 一根竹竿
가락² 图 1 调 diào; 调子 diàozi; 腔调 qiāngdiào; 腔(儿) qiāng(r); 曲调 qǔdiào; 곡조 yīndiào ¶오래된 ～ 古老曲调 2【音】旋律 xuánlǜ = 선율
가락-국수 图 粗面条 cū miàntiáo
가락지 图 戒指 jièzhi; 指环 zhǐhuán
가랑-가랑 厨 奄奄 yǎnyǎn
가랑-거리다 困 '가르랑거리다'의 略词 = 가랑대다 **가랑-가랑²** 厨하지 ¶그의 목구멍에서 ～ 소리가 난다 他喉咙里呼噜呼噜地响
가랑-눈 图 小雪 xiǎoxuě ¶어젯밤에 내린 ～ 昨晚下的小雪
가랑-머리 图 双辫 shuāngbiàn ¶～를 한 여자아이 双辫女孩
가랑-비 图 毛毛雨 máomáoyǔ; 细雨 xìyǔ; 小雨 xiǎoyǔ ¶～가 내리다 下细雨
가랑비에 옷 젖는 줄 모른다 俗語 细雨漫漫打湿衣裳, 豆腐渣吃掉了家当; 花花酒吃垮家当, 绵绵雨打湿衣裳; 毛毛细雨湿衣裳, 小事不防大大当
가랑이 图 1 叉 chǎ; 大腿叉 dàtuǐchā ¶～를 벌리다 叉开大腿叉 2 裤腿 kùtuǐ ¶～를 걷어 올리다 卷起裤腿

가랑이(가) 찢어지다[째지다] 団 家贫如洗; 家徒壁立; 家徒四壁 = 통구멍(이) 찢어지다[째지다]
가랑-잎 图 干叶子 gānyèzi
가랑잎이 솔잎더러 바스락거린다고 한다 俗語 乌鸦说猪黑; 乌鸦笑猪黑
가래¹ 图 条(儿) tiáo(r); 根(儿) gēn(r) ¶떡 두 ～ 两根条糕
가래² 图 1【農】铁锹 tiěqiāo; 锹铲 qiāochǎn; 铲 chǎn ¶～로 눈을 치우다 用铁锹铲除雪 2 锹 qiāo; 锹铲 qiāochǎn ¶두 ～의 흙을 퍼내다 铲两锹土
가래³ 图【生】痰 tán = 가래침2·담(痰)1 ¶～를 뱉다 吐痰
가래-떡 图 条糕 tiáogāo
가래-침 图 1 痰涎 tánxián; 痰唾 tántuò ¶～을 뱉다 吐痰涎 2【生】= 가래³
-가량(假量) 접미 大概 dàgài; 大约 dàyuē; 来 lái; 前后 qiánhòu; 上下 shàngxià; 左右 zuǒyòu ¶1미터～ 쌓인 눈 大约一米厚的雪 / 그는 하루에 다섯 시간～ 잔다 他一天睡五个小时左右
가려-내다 他 1 (在多数中) 挑出 tiāochū; 分出 fēnchū; 分辨 fēnbiàn ¶불량품을 ～ 挑出残品 2 辨别 biànbié; 分辨 fēnbiàn; 分别 fēnbié; 分清 fēnqīng; 区分 qūfēn ¶진짜와 가짜를 ～ 分辨出真假 / 진범을 ～ 辨别真凶
가려움 图 痒痒 yǎngyang; 瘙痒 sàoyǎng; 痒感 yǎnggǎn; 瘙痒感 sàoyǎnggǎn ¶～을 느끼다 感到痒痒 / ～을 덜기 위해 손으로 긁다 为了减轻瘙痒用手挠挠
가려워-하다 困 痒 yǎng; 痒痒 yǎngyang ¶가려워하는 아이를 보니 정말 마음이 아프다 看着孩子痒痒真是心疼
가:련-하다(可憐—) 圈 可怜 kělián; 可怜巴巴 kěliánbābā; 可怜见(儿) kěliánjiàn(r); 令人怜悯 lìngrén liánmǐn ¶가련한 신세 可怜的身世 / 가련한 처지에 놓이다 处于可怜的环境 **가:련-히** 厨
가:렴-주구(苛斂誅求) 图 苛敛诛求 kēliǎn zhūqiú; 横征暴敛 héngzhēng bàoliǎn
가렵다 圈 发痒 fāyǎng; 痒 yǎng; 痒痒 yǎngyang; 瘙痒 sàoyǎng ¶가려운 데를 긁다 挠痒痒 / 온몸이 계속 ～ 全身一直瘙痒
가려운 곳을[데를] 긁어 주다 団 搔到痒处; 哪里痒痒, 挠到哪里
가:령(假令) 图 1 假如 jiǎrú; 假使 jiǎshǐ; 假若 jiǎruò ¶～ 네가 그러면 너는 어떻게 하겠니? 假如你那么做, 你会怎么做? 2 比如 bǐrú; 例如 lìrú ¶～ 어떤 사람이 칼로 너를 공격했다고 치자 例

如有一个人拿一把刀来攻击你

가로(街路) 图 街道 jiēdào; 마로 mǎlù; 公路 gōnglù

가로 目图 横 héng ¶ 옆으로 찍은 사진 横拍的照片 / 줄무늬 横条纹 目图 横 héng ¶침대에 ~ 드러누워 잠을 자다 横躺在床上睡觉

가로-글씨 图 横排文字 héngpái wénzì = 횡서2

가로-놓이다 困 1 横摆着 héngbǎizhe; 横放着 héngfàngzhe ¶회의실에 긴 탁자가 가로놓여 있다 会议厅横摆着一张长条桌 2 (障碍等) 摆 bǎi ¶어려움이 앞에 ~ 困难摆在前面

가로-눕다 困 横躺 héngtǎng; 横卧 héngwò ¶한 남자가 길 가운데 가로누워 있다 一男子横躺在路中间

가로-등(街路燈) 图 街灯 jiēdēng; 路灯 lùdēng ¶길가의 ~이 켜지기 시작했다 路边的街灯亮了起来

가로-막다 目 1 挡 dǎng; 拦 lán; 阻隔 zǔgé; 阻断 zǔduàn; 阻挡 zǔdǎng; 拦挡 lándǎng; 拦挡 lánjié; 拦挡 lánzhù; 挡住 dǎngzhù; 阻截 zǔjié ¶까만색 승용차 한 대가 갑자기 내 앞을 가로막았다 突然一辆黑色轿车挡住了我的去路 2 (行动·语言·进行等) 阻挡 zǔdǎng; 拦阻 lánzǔ; 拦挡 lándǎng; 阻止 zǔzhǐ ¶그들이 나의 행동을 가로막았다 他们阻止我的行动 3 挡 dǎng; 挡住 dǎngzhù; 遮 zhē; 遮蔽 zhēbì ¶시선을 ~ 遮挡视线

가로막-히다 困 '가로막다'의 被动词

가로-무늬 图 横纹 héngwén = 횡문 (横纹)

가로-세로 图 纵横 zònghéng ¶~ 서로 교차하다 纵横互相交错

가로-수(街路樹) 图 行道树 xíngdàoshù; 街道树 jiēdàoshù; 街树 jiēshù; 林阴树 línyīnshù

가로쓰-기 图하目 横写 héngxiě ¶서

가로-젓다 目 (把手或头) 摇 yáo ¶그는 쓴웃음을 지으며 고개를 가로저었다 他苦笑着摇摇头

가로-줄 图 横线 héngxiàn = 횡선2

가로-지르다 目 1 横插 héngchā ¶문 뒤에 빗장을 ~ 把门闩横插在门后 2 横穿 héngchuān; 横跨 héngkuà ¶큰길을 가로질러 뛰어가다 横着横穿马路

가로채-기 图[體] = 인터셉트

가로-채다 目 1 夺 duó; 抢 qiǎng; 抢夺 qiǎngduó ¶공을 ~ 抢球 / 그가 내 지갑을 가로채 갔다 他抢走了我的钱包 2 篡夺 cuànduó; 霸占 bàzhàn; 攘夺 rǎng; 夺获 duóhuò ¶남의 땅을 ~ 霸占别人的土地 3 打断 dǎduàn ¶말을 ~ 打断谈话

가로-획(─劃) 图 横 héng; 横划 hénghuà ¶이 글자는 ~을 먼저 그어야 한다 这个字要先画横的

가루 图 粉 fěn; 粉末 fěnmò; 面(儿) miàn(r); 碎末 suìmò = 분말2 · 분말 ¶~분 香粉 / 백색 ~ 白色粉末 / 를 내다 磨成粉 / 고추를 빻아서 ~로 만들다 把辣椒捣成粉

가루-받이 图动자[植] = 수분(受粉)

가루-비누 图 1 肥皂粉 féizàofěn 2 洗衣粉 xǐyīfěn

가루-약(─藥) 图 散剂 sǎnjì; 粉剂 fěnjì; 药粉 yàofěn; 药面 yàomiàn = 산제4

가르다 目 1 分 fēn; 分割 fēngē; 分开 fēnkāi ¶수박 하나를 두 번 잘라 네 조각으로 ~ 把一个西瓜切两刀分成四块 2 穿过 chuānguò; 掠过 lüèguò ¶비행기가 하늘을 ~ 飞机在空中翱翔 3 区分 qūfēn; 区别 qūbié; 衡量 héngliáng; 分辨 fēnbiàn ¶잘못을 ~ 分辨对错 4 决定 juédìng ¶그가 승부를 가르는 홈런을 쳐 냈다 他打出了决定胜负的本垒打 5 剖 pōu; 剖开 pōukāi ¶칼을 들고 생선의 배를 ~ 操刀剖鱼肚子

가르랑 图 呼噜呼噜 hūlūhūlū

가르랑-거리다 困目 呼噜呼噜地响 hūlūhūlūde xiǎng = 가르랑대다 ¶감기로 목이 가르랑거린다 因为感冒了, 嗓子呼噜呼噜地响

가르마 图 分缝 fēnfèng; 头发分缝 tóufa fēnfèng; 分缝线 fēnfèngxiàn ¶그녀는 항상 가운데에 ~를 탄다 她总是把分缝梳在中间

가르치다 目 1 教 jiāo; 指导 zhǐdǎo; 指教 zhǐjiào; 传授 chuánshòu; 教育 jiàoyù ¶내가 너에게 운전하는 법을 가르쳐 주마 我教你开车 / 그는 초등학교에서 1학년 학생들을 가르친다 他在小学里教一年级的小学生 2 管教 guǎnjiào ¶버르장머리 없는 아이를 엄히 ~ 对不懂礼貌的孩子严加管教 3 教养 jiàoyǎng; 教育 jiàoyù ¶그들은 자식을 가르치기 위해 서울로 이사했다 他们为了教育孩子, 把家搬到了首尔 4 指 zhǐ; 指点 zhǐdiǎn; 告诉 gàosu ¶내가 너희에게 비밀 하나를 가르쳐 주마 我告诉你们一个秘密 5 训 xùn; 训诫 xùnjiè; 教导 jiàodǎo; 教育 jiàoyù ¶네가 감히 나를 가르치려 드느냐? 你敢训我?

가르침 图 教导 jiàodǎo; 教诲 jiàohuì; 教育 jiàoyù; 指教 zhǐjiào ¶나는 그의 ~을 잊지 않았다 我没有忘记他的教诲

가리 图 (稻·柴等的) 堆 duī; 垛 duò ¶장작 한 ~ 一堆木柴

가리-가리 图 粉碎 fěnsuì; 凌乱无绪 língluànwúxù; 乱七八糟 luànqībāzāo;

그의 편지를 ~ 찢어 버리다 把他的信
撕得粉碎

가리-개 〖명〗 **1** 曲屏 qūpíng **2** 挡板
dǎngbǎn；屏障 píngzhàng；挡(儿)
dǎng(r)；挡子 dǎngzi ¶에어컨 ~ 空调
挡板

가리다¹ 〖자〗被遮 bèizhē；被遮蔽 bèi-
zhēbì；被挡 bèidǎng；被遮盖 bèizhē-
gài；被遮掩 bèizhēyǎn ¶안개에 가려서
잘 안 보인다 被雾遮着看不清 / 앞 건
물에 가려서 햇볕이 잘 안 든다 被前
面的建筑物挡着见不着阳光

가리다² 〖타〗遮 zhē；遮蔽 zhēbì；挡
dǎng；掩饰 yǎnshì；掩 yǎn；掩盖
yǎngài；遮盖 zhēgài；遮掩 zhēyǎn；覆
盖 fùgài ¶커튼을 쳐서 햇빛을 ~ 拉上
窗帘掩盖阳光 / 방수포로 차를 ~ 用
苫布遮盖汽车

가리다³ 〖타〗**1** 择 zé；挑选 tiāoxuǎn；选
选 xuǎn ¶수단과 방법을 가리지 않다 不
择手段 **2** 认生 rènshēng；怕生 pà-
shēng ¶아기가 낯을 ~ 宝宝认生 **3**
辨别 biànbié；分辨 fēnbiàn；辨 biàn；
分别 fēnbié；分清 fēnqīng；划分 huà-
fēn；区别 qūbié；区分 qūfēn ¶시비를
~ 分清是非 / 진상을 ~ 辨别真相 / 옥
석을 ~ 辨别玉石 **4** 懂得 dǒngde ¶대
소변을 ~ 懂得大小便 **5** 挑食 tiāoshí；
挑嘴 tiāozuǐ；偏食 piānshí ¶음식을 가
리지 마라 吃饭不要挑食

가리마 〖명〗'가르마'의 错误

가리비 〖명〗〖贝〗扇贝 shànbèi；海扇
hǎishàn

가리키다 〖타〗指 zhǐ；指点 zhǐdiǎn；指
示 zhǐshì ¶지도를 가리키면서 설명하
다 指点着地图说明 / 시계가 9시를 ~
时针指着九点

가마¹ 〖명〗= 가마솥

가마² 〖명〗窑 yáo ¶숯 ~ 煤窑

가마³ 〖명〗旋(儿) xuán(r) ¶그녀는 ~가
둘이다 她头上有两个旋儿

가마⁴ 〖명〗= 가마니

가:마⁵ 〖명〗轿子 jiàozi；轿 jiào ¶~꾼
轿夫 / ~ 한 채 一顶轿子 / ~를 타다
坐轿子 / ~를 메다 扛轿子

가마니 〖명〗**1** 草包 cǎobāo；草袋 cǎo-
dài ¶~를 짜다 编草袋 **2** 草袋 cǎodài；
袋(儿) dài(r) ¶밀가루 한 ~ 一袋儿面
粉 ‖ = 가마⁴

가마-솥 〖명〗铁坩埚 tiěgānguō；铁锅
tiěguō = 가마¹ ¶물을 ~에 넣고 끓이
다 水放在铁锅里烧

가마우지 〖명〗〖鸟〗鸬鹚 lúcí；水老鸦
shuǐlǎoyā；鱼鹰 yúyīng

가만 〖一무〗**1** 没有动 méiyǒudòng；一动
不动 yīdòngbùdòng；就那样 jiù nàyàng；
就那么 jiù nàme；一言不发 yīyánbùfā；
默默 mòmò；默然 mòrán ¶그는 아무

것도 하지 않고 ~ 누워만 있다 他什
么也不做，就那么躺着 **2** 放 fàng；放过
fàngguò；就那样算 jiù nàyàng suàn；搁
搁 gē；视而不见 shì'érbùjiàn；任凭 rèn-
biàn；任凭 rènpíng ¶이 일은 그 한 사
람이 결정하는 대로 ~ 놔둘 수 없다
这事不能任凭由他一人决定 **3** 静静地
jìngjìngde；默默地 mòmòde ¶지난 일
을 ~ 생각해 보다 静静地想着往事 **4**
细心 xìxīn；仔细 zǐxì ¶~ 살펴보니,
그 둘은 매우 닮았다 仔细看来, 他们
俩很像 ‖ = 가만히1 〖一감〗等等 děng-
děng；慢着 mànzhe；且慢 qiěmàn ¶
~, 생각 좀 해 보자 等等让我想一想

가만-두다 〖타〗不管 bùguǎn；客气 kè-
qi；放过 fàngguò；不惹 bùrě；饶 ráo ¶
그를 좀 가만두어라 不要惹他 / 네가
만약 나를 버린다면 가만두지 않겠
다 如果你抛弃我, 我就不客气了

가만-있다 〖자〗**1** (安静地) 呆在那儿
dāizàinàr；呆着 dāizhe；没有动 méiyǒu-
dòng；一动不动 yīdòngbùdòng **2** 不出
头 bùchūtóu；袖手旁观 xiùshǒupáng-
guān；旁观 pángguān ¶친구가 어려움
에 처했는데 우리가 가만있을 순 없지
朋友有困难, 咱们不能袖手旁观 **3** 让
我想想 ràngwǒ xiǎngxiǎng；等等 děng-
děng；等想想 děng xiǎngxiǎng ¶가만
있자, 그가 도대체 누구더라? 等想想,
他到底是谁?

가만-히 〖무〗**1** = 가만〖一무〗**2** 轻手轻脚
地 qīngshǒuqīngjiǎode；悄不声儿地 qiāo-
bushēngrde；静悄悄地 jìngqiāoqiāode ¶
아기가 깨지 않게 ~ 걸어가다 怕惊醒
入睡的宝宝轻手轻脚地走过去

가:망(可望) 〖명〗可能 kěnéng；可能性
kěnéngxìng；指望 zhǐwàng ¶이번 사태
는 ~이 없다 这次事件没有可能性

가:망-성(可望性) 〖명〗可能 kěnéng；可
能性 kěnéngxìng；指望 zhǐwàng ¶성공
할 ~이 매우 많다 成功的可能性很大

가맹(加盟) 〖명〗〖하자〗加盟 jiāméng；加入
jiārù；参加同盟 cānjiā tóngméng ¶~
신청 加盟申请 / 유엔에 ~하다 加入
联合国

가맹-점(加盟店) 〖명〗特约商店 tèyuē-
shāngdiàn

가:면(假面) 〖명〗= 탈 ¶~극 面具戏
剧 / ~무도회 面具舞会 / ~을 쓰다 戴
假面具

가면(을) 벗다 〖관〗撕下伪装

가면(을) 쓰다 〖관〗伪装

가면을 벗기다 〖관〗剥去伪装

가:명(假名) 〖명〗**1** 假名 jiǎmíng **2** 〖佛〗
虚名 xūmíng

가무(歌舞) 〖명〗歌舞 gēwǔ ¶~극 歌舞
剧 / ~단 歌舞团 / ~에 능하다 善于歌
舞

가무잡잡-하다 혱 黑不溜秋 hēibuliūqiū

가무퇴퇴-하다 혱 黑不溜秋 hēibuliūqiū

가문(家門) 몡 家очки jiāmén; 家世 jiāshì; 门第 méndì; 门阀 ménfá; 门庭 méntíng ¶~의 명예 门家的荣誉 / ~을 빛내다 给家门争光 / ~을 일으키다 振兴家门

가물 몡 = 가뭄
  가물에 단비 속답 久旱逢甘露
  가물에 콩 나듯 속답 寥寥无几; 寥若晨星

가물-거리다 짜 1 忽明忽暗 hūmínghūàn; 明灭 míngmiè; 闪闪 shǎnshǎn; 闪烁不定 shǎnshuòbùdìng ¶가물거리는 불빛 闪烁不定的灯光 2 晃动 huàngdòng; 隐约 yǐnyuē; 摇晃 yáohuàng; 摇摆 yáobǎi ¶배들이 부두에서 조금씩 가물거린다 一些船在停泊处微微晃动 3 (精神) 恍惚 huǎnghū ¶정신이 ~ 精神恍惚 ‖ = 가물대다 **가물-가물** 튀혱

가물다 짜 旱 hàn; 干旱 gānhàn ¶날이 ~ 天气干旱

가물치 몡 [魚] 乌鳢 wūlǐ; 乌鱼 wūyú; 黑鱼 hēiyú

가뭄 몡 干旱 gānhàn; 旱 hàn; 旱天 hàntiān = 가물 ¶~이 들다 天旱 / 극심한 ~ 极度干旱

가미(加味) 몡하타 加 jiā ¶소금을 조금 더 ~했더니 맛이 훨씬 좋아졌다 再加点盐, 才更有味道

가:-발(假髮) 몡 假发 jiǎfà; 假头发 jiǎtóufa ¶~을 쓰다 戴假发

가방 몡 包 bāo; 书包 shūbāo ¶서류 ~ 文件包 / 가죽 ~ 皮包 / 여행 ~ 旅行包 / ~을 메다 背包

가벼이 튀 1 轻 qīng; 轻便 qīngbiàn; 轻轻 qīngqīng ¶~ 생각하다 想得很轻 2 轻快 qīngkuài; 轻爽 qīngshuǎng ¶공부는 ~ 할 수 있는 일이 아니다 学习不是轻松可以做的事 3 轻率 qīngshuài ¶~ 발언하다 轻率发言

가:-변(可變) 몡 可变 kěbiàn; 可调 kětiáo ¶~성 可变性 / ~ 차로 可变车道 / ~ 축전기 可变电容器

가볍다 혱 1 (重量) 轻 qīng; 轻便 qīngbiàn ¶체중이 ~ 体重很轻 / 가방이 ~ 书包很轻 / 짐이 ~ 行李轻便 2 (心情) 轻松 qīngsōng; 轻爽 qīngshuǎng ¶마음이 ~ 心情轻松 3 (程度) 轻 qīng; 轻微 qīngwēi ¶가벼운 감기 轻微感冒 / 가벼운 실수 轻微错误 / 부상이 비교적 ~ 受伤较轻 4 简单 jiǎndān; 轻微 qīngwēi; 简易 jiǎnyì ¶가벼운 아침 식사 简单的早餐 / 가벼운 운동 轻微

运动 5 (想法、行动等) 轻薄 qīngbó; 轻浮 qīngfú; 轻率 qīngshuài; 松 sōng ¶입이 ~ 嘴很松 / 가볍게 행동하다 行为轻浮 6 (动作) 轻 qīng; 轻快 qīngkuài; 轻巧 qīngqiǎo ¶발걸음이 ~ 脚步很轻 7 容易 róngyì; 易 yì; 轻易 qīngyì; 轻松 qīngsōng ¶가볍게 이기다 轻松取胜 8 轻轻 qīngqīng; 轻微 qīngwēi; 轻 qīng; 微微 wēiwēi; 微 wēi ¶그가 가볍게 내 어깨를 두드렸다 他轻轻拍了拍我的肩膀

가보(家譜) 몡 家谱 jiāpǔ

가보(家寶) 몡 传家宝 chuánjiābǎo ¶그것을 ~로 삼아 대대로 전하다 把它当作传家宝一代传一代

가:-봉(假縫) 몡하타 = 시침바느질

가:-부(可否) 몡 1 是非 shìfēi; 可否 kěfǒu ¶~를 가리다 表明可否 / ~를 가리다 分辨可否 2 可否 kěfǒu ¶투표로 ~를 정하다 用投票表决定可否

가부-장(家父長) 몡 家长 jiāzhǎng

가부장-적(家父長的) 몡 家长的 jiāzhǎngde; 父权的 fùquánde

가부장-제(家父長制) 몡 [社] 家长制 jiāzhǎngzhì; 父权制 fùquánzhì; 父系制 fùxìzhì

가부-좌(跏趺坐) 몡하짜 [佛] 跏趺 jiāfū ¶~를 틀고 앉다 结跏趺坐

가부키(일kabuki [歌舞伎]) 몡 [演] 歌舞伎 gēwǔjì

가:-분수(假分數) 몡 [數] 假分数 jiǎfēnshù

가:-불(假拂) 몡하타 预付 yùfù; 预支 yùzhī ¶~금 预付款 = [预支款] / 월급 5만 위안을 ~했다 从工资里预付五万元

가빠-지다 짜 (呼吸) 越来越吃力 yuèláiyuè chīlì; 越来越费劲 yuèláiyuè fèijìn; 越来越急促 yuèláiyuè jícù; 越来越难受 yuèláiyuè nánshòu ¶호흡이 ~ 呼吸越来越吃力

가뿐-하다 혱 1 轻便 qīngbiàn; 轻 qīng ¶그들은 가뿐한 짐만 가지고 떠났다 他们只带着轻便的行李起程了 2 轻快 qīngkuài; 轻爽 qīngshuǎng; 轻松 qīngsōng ¶시험이 끝나니 마음이 ~ 结束了考试, 感到很轻快 **가뿐-히** 튀

가쁘다 혱 1 急促 jícù ¶숨이 ~ 呼吸急促 2 吃力 chīlì; 辛苦 xīnkǔ

가사(家事) 몡 1 家务 jiāwù; 家政 jiāzhèng ¶~ 노동 家务劳动 / ~량 家务量 / ~를 맡아 하다 操持家务 2 家事 jiāshì

가:-사(假死) 몡 [醫] 假死 jiǎsǐ ¶~ 상태 假死状态

가사(袈裟) 몡 [佛] 袈裟 jiāshā ¶~를 걸치다 披袈裟

가사(歌詞) 몡 [音] 歌词 gēcí = 노랫

말 ¶그 노래의 ~를 외우다 背那首歌的歌词

가산(加算) 명하타 1 加 jiā; 加算 jiāsuàn; 加上 jiāshàng ¶~점 加分/이자를 ~하다 加算利息 2 【數】 = 덧셈

가산(家産) 명 家財 jiācái; 家产 jiāchǎn; 家当 jiādàng(r); 家资 jiāzī ¶~을 탕진하다 倾家荡产

가상(假想) 명하타 虚拟 xūnǐ; 假想 jiǎxiǎng; 设想 shèxiǎng; 试想 shìxiǎng ¶~ 공간 假想空间/[虚拟空间]/~극 假想剧/~ 현실 虚拟现实/~의 적 假想的敌人

가상(嘉尚) 명 嘉 jiā; 可嘉 kějiā; 嘉尚 jiāshàng; 行 xíng ¶용기가 참으로 ~하다 勇气真可嘉

가:상-훈련(假想訓鍊) 명 模拟训练 mónǐ xùnliàn

가:-석방(假釋放) 명하타 【法】假释 jiǎshì

가:-선(縇) 명 【手工】 边(儿) biān(r) ¶치마에 ~을 하나 두르다 在裙子上沿一道边儿

가:-설(架設) 명하타 架设 jiàshè; 安装 ānzhuāng; 装 zhuāng ¶다리를 ~하다 架设桥梁/전화를 ~하다 安装电话/전등을 ~하다 装电灯

가:-설(假設) 명하타 临时设置 línshí shèzhì; 临时 línshí ¶~무대 临时设置舞台/~ 공사 临时工程/~극장 临时剧场

가:-설(假說) 명 【論】假说 jiǎshè ¶~을 검증하다 检定假说/~을 세우다 立假设

가:-성(苛性) 명 【化】苛性 kēxìng ¶~ 소다 苛性苏打/~ 염기 苛性碱/~ 알코올 苛性酒精

가:-성(假性) 명 假性 jiǎxìng ¶~ 근시 假性近视

가:-성(假聲) 명 1 假嗓子 jiǎsǎngzi 2 【音】假声 jiǎshēng

가세(加勢) 명하자 助威 zhùwēi; 帮助 bāngzhù

가세(家勢) 명 家道 jiādào; 家境 jiājìng ¶~가 기울다 家道衰落

가:-소-롭다(可笑—) 형 好笑 hǎoxiào; 可笑 kěxiào ¶가소로운 녀석 可笑的家伙 **가:소로이** 부

가:-소-성(可塑性) 명 【物】可塑性 kěsùxìng

가속(加速) 명하타 加速 jiāsù ¶~ 비행 加速飞行/~ 운동 加速运动/~화 加速化

가속-기(加速器) 명 【物】 = 가속 장치

가속도(加速度) 명 1 加速度 jiāsùdù 2 【物】 速率 sùlù

가속 장치(加速裝置) 명 【物】加速器 jiā-

~쇠기 = 가속기

가속 페달(加速pedal) 【機】 = 엑셀러레이터

가솔린(gasoline) 명 【化】汽油 qìyóu = 휘발유 ¶~ 기관 汽油机/~차 汽油车/ ~ 첨가제 汽油添加剂

가수(歌手) 명 歌手 gēshǒu

가:수:(假睡) 명하자 假睡 jiǎshuì ¶~ 상태 假睡状态

가수 분해(加水分解) 명 【化】水解 shuǐjiě

가:-수요(假需要) 명 【經】虚假需求 xūjiǎ xūqiú

가스(gas) 명 1 气 qì; 气体 qìtǐ ¶질소 ~ 氮气 2 瓦斯 wǎsī; 煤气 méiqì; 燃气 ránqì ¶~ 경보기 煤气报警器/ ~라이터 煤气打火机/~ 요금 煤气费/~ 중독 煤气中毒/~총 煤气枪/~를 켜다 点燃煤气/~가 누출되다 煤气泄漏 3 毒气 dúqì ¶~실 毒气室/~를 마시고 자살하다 吸毒气 4 (消化器官内的) 气 qì

가스-관(gas管) 명 煤气管道 méiqì guǎndào; 瓦斯管 wǎsīguǎn

가스-난로(gas暖爐) 명 燃气取暖炉 ránqì qǔnuǎnlú; 煤气取暖炉 méiqì qǔnuǎnlú; 燃气取暖器 ránqì qǔnuǎnqì; 煤气取暖器 méiqì qǔnuǎnqì; 煤气暖炉 méiqì nuǎnlú; 煤气炉子 méiqì lúzi; 瓦斯暖炉 wǎsī nuǎnlú

가스-등(gas燈) 명 煤气灯 méiqìdēng; 汽灯 qìdēng; 瓦斯灯 wǎsīdēng = 와사등

가스-레인지(gas range) 명 煤气灶 méiqìzào; 煤气炉 méiqìlú; 燃气炉 ránqìlú

가스-버너(gas burner) 명 煤气喷灯 méiqì pēndēng; 燃气喷嘴 ránqì pēnzuǐ; 煤气燃烧器 méiqì ránshāoqì

가스-보일러(gas boiler) 명 燃气锅炉 ránqì guōlú; 煤气锅炉 méiqì guōlú

가스-오븐레인지(gas oven range) 명 煤气烤炉 méiqì kǎolú; 燃气烤箱炉 ránqì kǎoxiānglú

가스-탄(gas彈) 명 【軍】毒气弹 dúqìdàn; 瓦斯弹 wǎsīdàn

가스-통(gas桶) 명 煤气罐 méiqìguàn; 煤气桶 méiqìtǒng

가스펠 송(gospel song) 【音】福音歌曲 fúyīn gēqǔ

가스 폭발(gas爆發) 【化】煤气爆炸 méiqì bàozhà; 瓦斯爆炸 wǎsī bàozhà

가슬-가슬 부하자 毛毛的 máomaode

가슴 명 1 【生】胸 xiōng; 胸部 xiōngbù; 胸膛 xiōngtáng; 心口 xīnkǒu ¶~ 근육 胸肌/~을 쭉 펴다 挺胸 2 胸怀 xiōnghuái; 胸 xiōng; 怀 huái; 心里 xīnli; 心 xīn; 心胸 xīnxiōng ¶~이 두근거

리다 心里乱跳 / ~이 뿌듯하다 心里
很激动 / ~이 떨리다 心里打鼓 / ~이
후련하다 心里很舒畅 / ~이 아프다
心里很痛苦 / ~을 아프게 하다 刺痛
心里 / ~이 따뜻하다 心里热乎乎的 /
~을 울리다 动人心弦 / ~이 답답하다
心里沉闷 / ~이 벅차다 心里激情 **3**
胸前 xiōngqián / ~에 명찰을 달다 在
胸前佩戴姓名牌 **4** = 젖가슴 / ~이
풍만하다 胸部丰满

가슴(을) 저미다 ⇨ 心如刀割
가슴(을) 태우다 ⇨ 焦心
가슴(을) 펴다 ⇨ 挺起胸膛
가슴에 새기다 ⇨ 铭记在心
가슴에 손을 얹다 ⇨ 扪心; 扪心自问
가슴을 도려내다 ⇨ 令人心疼; 叫人
心痛
가슴이 뜨겁다 ⇨ 心里热乎乎的; 心
潮起伏
가슴이 미어지다 ⇨ 胸口梗塞; 悲痛
欲绝
가슴(에) 찔리다 ⇨ 内疚
가슴이 찢어지다 ⇨ 刺心裂肝

가슴-골 몡 乳沟 rǔgōu; 胸沟 xiōng-
gōu
가슴-둘레 몡 胸围 xiōngwéi ¶~를 재
다 量胸围
가슴-살 몡 胸肉 xiōngròu ¶닭 ~ 鸡
胸肉
가슴-속 몡 = 마음속
가슴-앓이 몡하자 烧心 shāoxīn
가슴-지느러미 몡 【魚】 胸鳍 xiōngqí
가슴-팍 몡 胸 xiōng; 胸脯 xiōngpú;
胸膛 xiōngtáng
가습(加濕) 몡 加湿 jiāshī ¶~기 加湿
器 =[增湿器] / ~ 기능이 있는 에어
컨 具有加湿功能的空调
가시 몡 **1** 刺(儿) cì(r) ¶철조망의 ~
铁丝网的刺 / ~가 돋치다 长刺儿 **2**
(물고기의) 刺(儿) cì(r) ¶생선 ~ 를 바르다
剔除鱼刺 **3** (화괄) 刺(儿) cì(r) ¶~
돋친 말 带刺儿的话 **4** 【植】 (식물의)
刺(儿) cì(r); 针 zhēn = 침(針)② ¶선
인장 ~ 仙人掌刺儿
가시(가) 돋다 (화괄) 带刺儿
가시(가) 돋치다 ⇨ (화괄) 带刺儿
가:-시(可視) 몡 可见 kějiàn; 可视 kě-
shì ¶~거리 可视距离 =[可视距离] /
~ 상태 可视状态
가시-고기 몡 【魚】 刺鱼 cìyú; 九刺鱼
jiǔcìyú
가:-시-광선(可視光線) 몡 【物】 可见
光 kějiànguāng; 可视光 kěshìguāng;
可视线 kěshìxiàn
가:-시-권(可視圈) 몡 可见圈 kějiàn-
quān; 可视圈 kěshìquān
가시-나무 몡 **1** 荆棘 jīngjí **2** 【植】 荆
jīng; 茨棘 cíjí **3** 【植】 青栲 qīngkǎo

가시-넝쿨 몡 【植】 刺蔓 cìmàn; 刺藤
cìténg = 가시덩굴
가시다 ① 困 消失 xiāoshī; 消亡 xiāo-
wáng; 停息 tíngxī; 除掉 chúdiào; 去掉
qùdiào; 消除 xiāochú ¶약을 먹고 난
후 통증이 ~ 吃药后除掉痛症 ② 国
涮 shuàn; 洗涮 xǐshuàn; 漱 shù ¶우
유병을 ~ 涮一下奶瓶 / 물로 입을 ~
用水漱口
가시-덤불 몡 荆棘丛莽 jīngjí cóngmǎng
¶~을 뚫고 가다 穿越荆棘丛莽
가시-덩굴 몡 = 가시넝쿨
가시-방석(一方席) 몡 = 바늘방석
가시-밭 몡 荆棘丛 jīngjícóng
가시밭-길 몡 **1** 荆棘路 jīngjílù **2** 苦
道儿 kǔdàor ¶~을 가다 走苦道儿
가시-연(一蓮) 몡 【植】 = 가시연꽃
가시연-꽃(一蓮一) 몡 【植】 芡 qiàn
= 가시연
가시-오갈피 몡 【植】 刺五加 cìwǔjiā
가:시-적(可視的) 관몡 可见的 kějiàn-
de; 可视的 kěshìde
가:시-화(可視化) 몡하자 可见化 kě-
jiànhuà; 可视化 kěshìhuà
가:-식(假飾) 몡하자 矫揉造作 jiǎoróu
zàozuò; 虚情假意 xūqíngjiǎyì; 装假
zhuāngjiǎ; 做作 zuòzuò ¶그의 태도는
~이 없다 他毫无虚情假意
가십(gossip) 몡 闲话 xiánhuà; 闲谈
xiántán; 绯闻 fēiwén; 小道传闻 xiǎodào
chuánwén ¶~난 闲话栏 =[闲谈栏]
가:-압류(假押留) 몡하자 【法】 临时
扣押 línshí kòuyā ¶~ 결정 临时扣押
决定 / ~ 명령 临时扣押命令
가야-금(伽倻琴) 몡 【音】 伽倻琴 jiā-
yēqín ¶~을 타다 弹伽倻琴 / ~ 병창
伽倻琴弹唱
가:-약(佳約) 몡 佳约 jiāyuē; 海誓山盟
hǎishìshānméng ¶~을 맺다 发海誓山
盟
가:-언(假言) 몡 【論】 假设 jiǎshè; 假言
jiǎyán ¶~ 명제 假言命题 / ~적 명제
假言命令 / ~적 추론 假言推理
가업(家業) 몡 **1** 家业 jiāyè; 世业 shì-
yè ¶~을 물려받다 继承世业 **2** 家业
jiāyè; 家产 jiāchǎn
가:-없다 톙 漫无边际 mànwúbiānjì;
无边 wúbiān; 无际 wújì; 无涯 wúyá
¶가없는 욕망의 세계 漫无边际的欲望
世界 **가:-없-이** 児 ~ 넓은 사막 无际
沙漠
가:-역(可逆) 몡 【物】 可逆 kěnì ¶~
반응 可逆反应 / ~ 변화 可逆变化
가:-연(可燃) 몡 可燃 kěrán ¶~성 可
燃性
가:-열(加熱) 몡하자 加热 jiārè ¶~기
加热器 / ~ 살균 加热杀菌 / 고온으로
~한 기름 高温加热的油

ㄱ

가:없다 혱 令人怜悯 lìngrén liánmǐn; 怜悯 liánmǐn; 可怜 kělián ¶나는 그녀가 ~ 我可怜她 / 가엾은 상황에 처하다 处在可怜的境地中 가:없-이 쀼 ~ 여기다 感到怜悯

가오리 몡〔魚〕鳐鱼 yáoyú; 鳐鱼 yáoyú

가오리-연 鱼风筝 yúfēngzhēng; 鳐鱼风筝 yáoyú fēngzhēng

가옥(家屋) 몡 房屋 fángwū; 住房 zhùfáng; 房子 fángzi ¶전통 ~ 传统住房 / ~의 구조 房屋结构

가외(加外) 몡 额外 éwài ¶~로 하는 일 作额外的工作 / ~ 수입 额外收入

가요(歌謠) 몡 1〔音〕= 대중가요 大众歌曲 ¶~를 애창하다 谱写歌曲 / ~ 순위 流行歌曲排行榜 / 최신 ~ 最新流行歌曲 2 歌谣 gēyáo

가요-계(歌謠界) 몡 歌坛 gētán ¶~에 복귀하다 重返歌坛

가요-제(歌謠祭) 몡 歌唱比赛 gēchàng bǐsài; 歌手大赛 gēshǒu dàsài ¶방송국에서 주최하는 ~ 参加电视台主办的歌手大赛

가:용(可用) 몡 可用 kěyòng ¶~ 자원 可用资源 / ~ 기한 可用期限 / ~액 可用额

가운(家運) 몡 家运 jiāyùn ¶~이 호전되다 家运好转

가운(gown) 몡 1 (法官、律师的) 长外衣 chángwàiyī; 法衣 fǎyī 2 毕业服 bìyèfú 3 医生制服 yīshēng zhìfú; 卫生服 wēishēngfú 4 长袍 chángpáo; 睡袍 shuìpáo; 睡衣 shuìyī

가운데 몡 1 (空间上的) 中间 zhōngjiān; 中央 zhōngyāng; 中心 zhōngxīn; 当中 dāngzhōng; 间 jiàn; 当中 dāngjiànr; 中 zhōng ¶꽃병을 탁자 ~에 놓다 把花瓶放在桌子中间 / 호수 ~에 섬 하나가 있다 湖中心有一个岛 2 (两边的) 中间 zhōngjiān; 间 jiàn; 当中 dāngzhōng ¶사진에서 ~가 우리 엄마이시다 照片上，当中是我妈妈 3 (一定范围的) 当中 dāngzhōng; 里面 lǐmiàn; 当中 zhōngjiànr; 之中 zhīzhōng; 中 zhōng ¶우리들 ~ 그가 제일 똑똑하다 在我们当中他最聪明 / 일 년 ~ 가장 바쁜 계절이 돌아왔다 一年中最忙的季节到了

가운뎃-발가락 몡 中趾 zhōngzhǐ; 中脚趾 zhōngjiǎozhǐ

가운뎃-손가락 몡 中指 zhōngzhǐ; 中拇指 zhōngmǔzhǐ = 장지(長指)·중지(中指) ¶그는 나에게 ~을 치켜세웠다 他对我竖起了中指

가운뎃-점(一點) 몡〔語〕间隔号 jiàngéhào = 중점(中點)2

가위¹ 몡 1 剪刀 jiǎndāo; 剪子 jiǎnzi ¶~로 종이를 오리다 拿剪刀剪纸 / 이

~는 매우 잘 든다 这把剪刀很快 2 剪刀 jiǎndāo ¶내가 ~를 내고 그가 보를 냈다 我出剪刀，他出布

가위² 몡 梦魇 mèngyǎn ¶나는 거의 매일 ~에 눌린다 我几乎每天都梦魇

가위-눌리다 재 发魇 fāyǎn; 梦魇 mèngyǎn ¶나는 몸이 안 좋아서 밤에 자주 가위눌린다 我身体不好，夜晚常常发魇

가위바위보 몡 石头剪刀布 shítou jiǎndāo bù; 剪刀石头布 jiǎndāo shítou bù; 划拳 huáquán; 猜拳 cāiquán; 剪包锤 jiǎnbāochuí ¶누가 먼저 들어갈지 ~로 정하다 用石头剪刀布来决定谁先进去

가위-질 몡하자 1 拿剪刀剪 ná jiǎndāo jiǎn; 剪 jiǎn; 用剪刀 yòng jiǎndāo ¶그는 ~이 매우 능숙하다 他很熟练用剪刀 2 (把作品或新闻) 剪掉 jiǎndiào; 剪裁 jiǎncái ¶이 영화는 많은 부분을 ~당했다 这部电影很多地方被剪掉了

가위-표(一標) 몡 叉 chā ¶~를 치다 打叉

가윗-날 몡 剪刀刃 jiǎndāorèn; 剪刀刃 jiǎnrèn

가을 몡 秋 qiū; 秋季 qiūjì; 秋天 qiūtiān; 秋令 qiūlìng ¶~밤 秋夜 / ~비 秋雨 / ~ 풍경 秋景 / ~ 날씨 秋季的天气 / 우리는 올 ~에 결혼할 계획이다 我们打算今年秋天结婚

가을-갈이 몡하타〔農〕秋耕 qiūgēng

가을-걷이 몡하타〔農〕= 추수 ¶농부들이 ~에 바쁘다 农夫忙着秋收

가을-날 몡 秋 qiū; 秋季 qiūjì; 秋天 qiūtiān

가을-바람 몡 秋风 qiūfēng = 추풍 ¶~이 불다 吹秋风

가을-빛 몡 秋色 qiūsè ¶~으로 물들다 染上秋色

가을-철 몡 秋季 qiūjì; 秋令 qiūlìng; 秋天 qiūtiān ¶벌써 ~이 되었다 秋天已经到了

가이드(guide) 몡 1 导游 dǎoyóu; ~ 자격증 导游资格证 / ~ 자격 시험 导游资格证考试 / 그는 상하이에서 ~ 일을 하고 있다 他在上海做导游 2 = 가이드북1

가이드-라인(guide-line) 몡〔經〕指导线 zhǐdǎoxiàn; 指导方针 zhǐdǎo fāngzhēn ¶임금 인상 ~ 工资指导线

가이드-북(guidebook) 몡 1 旅行指南 lǚxíng zhǐnán = 가이드2 2 说明书 shuōmíngshū; 手册 shǒucè ¶구매 ~ 购物手册

가이-없다 혱 '가없다'의 错误

가:인(佳人) 몡 1 = 미인 2 佳人 jiārén

가-일층(加一層) 뿌쀼 更 gèng; 更加

gèngjiā 二명하타 进一步 jìnyíbù

가입(加入) 명하자 参加 cānjiā; 加入 jiārù; 进入 jìnrù; 入 rù; 投 tòu ¶~ 신청서 加入申请书 / 보험에 ~하다 投保 / 조직에 ~하다 加入组织

가입-비(加入費) 명 加入费 jiārùfèi; 入会费 rùhuìfèi

가입-자(加入者) 명 加入者 jiārùzhě; 用户 yònghù; 投…人 tòu…rén; 加入人 jiārù…rén ¶보험 ~ 投保人 / 휴대전화 ~ 手机用户

가자미 명 【魚】比目鱼 bǐmùyú; 鲽鱼 diéyú; 鲆鱼 píngyú ¶~눈 比目鱼似的眼

가:작(佳作) 명 佳作 jiāzuò ¶~으로 당선되다 被选为佳作

가장 图 最 zuì; 顶 dǐng; 至 zhì; 极 jí; 上 shàng; 首 shǒu; 头 tóu; 头等 tóuděng; 无上 wúshàng ¶~ 좋은 물건 最好的东西 / 세계에서 ~ 높은 산 世界上最高的山 / 인생에서 ~ 중요한 시기 人生中最重要的时期 / ~ 좋은 방법 顶好的办法

가장(家長) 명 家长 jiāzhǎng; 家主 jiāzhǔ ¶~ 노릇을 잘하다 当好家长

가:장(假裝) 명하자타 1 假装 jiǎzhuāng; 伪装 wěizhuāng ¶혁명을 ~하다 伪装革命 2 化装 huàzhuāng; 乔装 qiáozhuāng; 装扮 zhuāngbàn ¶~행렬 化装游行

가장귀 명 丫杈 yāchà; 杈(儿) chà(r); 杈枝 chàzhī; 枝丫 zhīyā; 树杈 shùchà; 丫杈 yāzhī

가장귀-지다 자 分杈 fēnchà

가:장-무도(假裝舞蹈) 명 化装舞 huàzhuāngwǔ; 化装舞蹈 huàzhuāng wǔdǎo ¶~회 化装舞会

가:장-자리 명 边 biān; 边缘 biānyuán; 沿(儿) yán(r) ¶눈~가 빨갛다 眼眶发红 / 길 ~에 차를 세우다 把车停在路边

가:재 명 【動】蝲蛄 làgǔ; 螯虾 àoxiā ⸤속담⸥ 가재는 게 편 鱼找鱼, 虾找虾, 乌龟王八结亲家; 螃蟹找螃蟹, 鸽鸭找鸽鸭 = 가재는 게 편이요 초록은 한빛이라

가재는 게 편이요 초록은 한빛이라 ⸤속담⸥ = 가재는 게 편

가재(家財) 명 家财 jiācái

가재-도구(家財道具) 명 家什 jiāshí; 家伙 jiāhuo ¶~을 장만하다 购置家什 / ~를 정리하다 拾掇家伙

가전(家電) 명 = 가전제품 ¶주방 ~ 厨房家电

가전-제품(家電製品) 명 家用电器 jiāyòng diànqì; 家电 jiādiàn = 가전 ¶고급 ~ 高档家电 / ~ 전문 매장 家用电器专卖店

가:절(佳節) 명 1 良辰 liángchén 2 佳节 jiājié

가정(家政) 명 家政 jiāzhèng; 家务 jiāwù ¶~과 家政科 / ~학 家政学

가정(家庭) 명 家庭 jiātíng; 家 jiā ¶~폭력 家庭暴力 / ~ 방문 家庭访问 / ~법원 家庭法院 / ~상비약 家庭常备药 / ~생활 家庭生活 / ~ 용품 家庭用品 / ~의례 家庭仪礼 / ~ 통신 家庭通讯 / ~ 파괴범 家庭破坏犯 / ~ 학습 家庭学习 / ~이 화목하다 家庭和睦 / 결혼하여 ~을 이루다 结婚成家 / ~을 돌보다 照顾家庭

가:정(假定) 명하자타 1 假定 jiǎdìng; 假设 jiǎshè ¶최악의 상황을 ~하다 假设最恶劣情况 2 【論】假说 jiǎshuō

가정-교사(家庭敎師) 명 家庭教师 jiātíng jiàoshī; 家教 jiājiào ¶그는 우리 집에서 ~로 일한다 他在我家做家庭教师

가정-교육(家庭敎育) 명 家庭教育 jiātíng jiàoyù; 家教 jiājiào ¶이 아이는 ~을 제대로 받지 못했다 这孩子缺少家教

가:정-법(假定法) 명【語】虚拟式 xūnǐshì; 假定法 jiǎdìngfǎ

가정-부(家政婦) 명 保姆 bǎomǔ; 家庭服务员 jiātíng fúwùyuán ¶~를 구하다 找保姆 / ~로 일하다 做保姆

가정-불화(家庭不和) 명 家庭纠纷 jiātíng jiūfēn; 家庭不和 jiātíng bùhé

가정-적(家庭的) 관명 家庭的 jiātíngde; 有关家庭的 yǒuguānjiātíngde

가정-주부(家庭主婦) 명 = 주부

가정-집(家庭一) 명 普通家庭 pǔtōng jiātíng

가정-환경(家庭環境) 명 家庭环境 jiātíng huánjìng ¶좋은 ~에서 자란 아이 在良好的家庭环境中长大的孩子

가:제(假題) 명 = 가제목

가:제(독Gaze) 명 = 거즈(gauze)

가:-제목(假題目) 명 临时题目 línshí tímù = 가제(假題)

가:-제본(假製本) 명하타【印】临时装订 línshí zhuāngdìng

가져-가다 타 带走 dàizǒu; 拿去 náqù; 拿走 názǒu; 移走 yízǒu ¶도대체 누가 내 지갑을 가져갔을까? 究竟是谁拿走了我的钱包呢?

가져다-주다 타 1 拿给 nágěi; 端来 duānlái; 送去 sòngqù ¶그녀는 노인에게 쌀과 돈을 가져다주었다 她给老人送去米和钱 2 带给 dàigěi; 带来 dàilái ¶사람들에게 행복을 ~ 给人带来幸福

가져-오다 타 1 搬来 bānlái; 端来 duānlái; 拿来 nálái ¶이 앞치마는 그녀가 주방에서 가져온 것이다 这条围裙是她从橱房里拿来的 2 带来 dàilái

造成 zàochéng ¶좋은 결과를 ~ 带来 好结果

가족(家族) 圀 家人 jiārén; 家口 jiākǒu; 家 jiā; 家属 jiāshǔ; 家庭 jiātíng; 家族 jiāzú; 眷属 juànshǔ ¶~석 家族 席 / ~묘 家族墓 / ~사 家史 / ~회의 家庭会议 / ~ 관계 家庭关系 / 구성 원 家庭成员 / ~을 먹여 살리다 抚养家 属 / ~을 먹여 살리다 养活家口

가족-계획(家族計劃) 圀 【社】家庭计 划 jiātíng jìhuà; 家庭生育计划 jiātíng shēngyù jìhuà; 计划生育 shēngyù jìhuà

가족-력(家族歷) 圀 【醫】家族病史 jiāzú bìngshǐ; 家族病史 jiāzúshǐ

가족-사진(家族寫眞) 圀 全家福 quán-jiāfú; 全家合影 quánjiā héyǐng ¶~을 찍다 拍摄全家福

가족-적(家族的) 圀圀 像一家人 xiàng-yījiārén; 분위기가 매우 ~이다 气氛 很像一家人

가죽 圀1 (动物的) 皮 pí ¶토끼의 ~ 을 벗기다 扒兔子的皮 2 皮革 pígé ¶~끈 皮绳 / ~점퍼 皮夹克 / ~가방 皮包 / ~구두 皮鞋 / ~지갑 皮 钱包 / ~벨트 皮带 / 재생 ~ 再生皮 革 / ~제품 皮革制品 / ~으로 가방을 만들다 用皮革做皮包 3 (人的) 皮 pí; 皮肤 pífū

가죽만 남다 圀 瘦得只剩一层皮

가중(加重) 圀뀁 加重 jiāzhòng ¶~ 처벌 加重处罚 / 병이 ~되다 病情加 重 / ~되는 스트레스 加重的压力 / 벌 을 ~시키다 加重体罚

가중-치(加重値) 圀 加权值 jiāquán-zhí; 权数 quánshù

가:증-스럽다(可憎-) 圀 可恨 kěhèn; 可憎 kězēng; 讨厌 tǎoyàn ¶가증스러운 표정 可憎的表情 **가:증 스레** 뀁

가지[1] 圀 树枝 shùzhī; 枝(儿) zhī(r); 条 tiáo ¶~가 뻗다 长枝儿 / ~를 꺾다 打断树枝 / ~를 치다 剪枝

가지[2] 圀【植】茄子 qiézi ¶~를 심다 种茄子

가지[3] 圀圀 种 zhǒng; 个 gè; 类 lèi; 条 tiáo; 样儿 yàngr ¶여러 ~ 各种各 样 / 두 ~ 방법 两个办法 / 세 ~ 상품 三种产品

가지-가지[1] 圀 各式各样 gèshìgè-yàng; 各种各样 gèzhǒnggèyàng; 样样 yàngyàng; 种种 zhǒngzhǒng ¶암의 증 상도 ~이다 癌症的症状也是各种各样 的

가지-가지[2] 뀁 一枝一枝 yīzhīyīzhī; 一枝枝 yīzhīzhī; 枝枝 zhīzhī

가지-각색 圀 各色 gèsè; 各色各样 gèsègèyàng; 各式各样 gèshìgèyàng; 五光十色 wǔguāngshísè; 五花八门

wǔhuābāmén; 形形色色 xíngxíngsèsè ¶~의 그릇 形形色色的器皿 / ~의 복 장 各色服装

가지다 圀[타] 1 带 dài; 拿 ná ¶손에 소설책 한 권을 가지고 있다 手里拿一 本小说 / 돈을 가지고 다니다 带着钱 2 保有 bǎoyǒu; 持有 chíyǒu; 含有 hányǒu; 具有 jùyǒu; 拥有 yǒngyǒu; 有 yǒu ¶풍부한 경험을 ~ 拥有丰富的经 验 / 역사적 의의를 ~ 具有历史意义 3 抱 bào; 怀 huái ¶믿음을 ~ 怀着信 心 / 희망을 ~ 抱着希望 4 怀孕 huái-yùn; 有 yǒu; 有喜 yǒuxǐ ¶아기를 ~ 怀孕 5 保持 bǎochí; 建立 jiànlì ¶좋은 관계를 ~ 建立良好的关系 / 안정을 ~ 保持安静 6 进行 jìnxíng; 举行 jǔ-xíng; 开 kāi ¶회담을 ~ 举行会谈 / 경 기를 ~ 举行比赛 / 토론을 ~ 进行讨 论 7 用 yòng; 拿 ná; 使用 shǐyòng ¶ 기계를 가지고 채소를 심다 用机器来 种菜 圀[보험] 来 lái; 因为 yīnwèi ¶날 씨가 너무 덥고 아기 등에 땀 띠가 났다 因为天气太热, 宝宝背上长 了痱子

가지런-하다 圀 整齐 zhěngqí ¶치아 가 ~ 牙齿很整齐 **가지런히** 뀁 ¶물 건을 ~ 놓다 把东西放得整整齐齐

가지-치기 圀【農】剪枝 jiǎnzhī; 修枝 xiūzhī; 整枝 zhěngzhī = 전지(剪枝)

가짓-수(一數) 圀 品种 pǐnzhǒng; 种 类 zhǒnglèi ¶~가 늘다 增加品种

가:짜(假一) 圀 假 jiǎ; 假的 jiǎde; 假 冒 jiǎmào; 冒牌 màopái; 冒牌货 mào-pái ¶~ 신분증 假身份证 / ~ 상품 假 冒商品 / 이 물건들은 모두 ~이다 这 东西都是假的

가:차(假借) 圀뀁 1 看情况 kàn qíng-kuàng; 姑息 gūxí; 留情 liúqíng; 宽恕 kuānshù; 严惩 yánchéng ¶~ 없이 징 계하다 毫不姑息地予以惩戒 2【語】 假借 jiǎjiè 3【語】假借字 jiǎjièzì = 가 차자

가:차-자(假借字) 圀【語】= 가차3

가창(歌唱) 圀뀁 歌唱 gēchàng

가창-력(歌唱力) 圀 唱功 chànggōng ¶그는 뛰어난 ~으로 팬들을 열광시 켰다 他那强有力的唱功, 为歌迷所倾 倒

가:책(呵責) 圀뀁 斥责 chìzé; 责备 zébèi ¶양심의 ~을 느끼다 受到良心 责备

가:-처분(假處分) 圀뀁【法】临时 处置 línshí chùzhì ¶~ 명령 临时处置 命令

가:청(可聽) 圀 可听 kětīng ¶~ 신호 可听信号 / ~음 可听声 = [可听音]

가축(家畜) 圀 牲口 shēngkou; 家畜 jiāchù ¶~을 사육하다 饲养牲口

가축-병:원(家畜病院) 몡 动物医院 dòngwù yīyuàn

가출(家出) 몡하자 离家出走 líjiā chūzǒu; 出走 chūzǒu ¶~ 청소년 离家出走的青少年 / 그는 고등학교 다닐 때 ~한 적이 한번 있다 他高中时离家出走过一次

가치(價値) 몡 价值 jiàzhí; 值 zhí ¶~ 척도 价值尺度 / ~ 판단 价值判断 / 재산 ~ 财产价值 / ~가 높다 价值很高 / 가장 ~ 있는 선물 最有价值的礼物

가치-관(價値觀) 몡[心] 价值观 jiàzhíguān ¶도덕적 ~ 道德价值观 / 올바른 ~을 길러 주다 培养良好价值观

가칠-가칠 튀형 粗 cū; 粗糙 cūcāo; 毛 máo; 粗涩 cūsè

가칠-하다 형 粗 cū; 粗糙 cūcāo; 毛 máo; 粗涩 cūsè ¶감촉이 ~ 手感粗糙

가:칭(假稱) 몡하자 别称 biéchēng; 外号 wàihào

가:타-부타 튀 不哼不哈 bùhēngbùhā; 不置可否 bùzhìkěfǒu

가탈-스럽다 형 '까다롭다'의 错误

가택(家宅) 몡 家 jiā; 家宅 jiāzhái; 住宅 zhùzhái ¶~ 연금을 당하다 被软禁在家宅内

가톨릭(Catholic) 몡[宗] **1** 加特力 jiātèlì; 天主教徒 tiānzhǔjiàotú **2** = 가톨릭교

가톨릭-교(Catholic教) 몡[宗] 罗马公教 luómǎgōngjiào; 天主教 tiānzhǔjiào; 加特力教 jiātèlìjiào = 가톨릭2 · 천주교

가톨릭-교도(Catholic教徒) 몡[宗] 天主教信徒 tiānzhǔjiào xìntú; 天主教徒 tiānzhǔjiàotú = 천주교도

가파르다 형 陡 dǒu; 陡峭 dǒuqiào; 峻峭 jùnqiào ¶가파른 산길 陡峭的山路

가:판(街販) 몡 = 가두판매

가풍(家風) 몡 家风 jiāfēng; 家庭风气 jiātíng fēngqì; 门风 ménfēng ¶좋은 ~ 良好的家风

가필(加筆) 몡하자 补正 bǔzhèng; 加工 jiāgōng; 删改 shāngǎi; 修改 xiūgǎi ¶문장 한 편을 ~하다 删改一篇文章

가-하다(加─) **1** 튀 加 tiān; 添 tiān; 增添 zēngtiān; 添加 tiānjiā ¶10점을 가하다 加十点 **2** 加 jiā; 加上 jiāshàng; 加以 jiāyǐ; 上 shàng; 施加 shījiā ¶통제를 ~ 施加管束 / 압력을 ~ 施加压力 / 형벌을 ~ 上刑

가학(加虐) 몡하자타 残害 cánhài; 迫害 pòhài ¶~ 행위 残害行为

가해(加害) 몡하자 加害 jiāhài ¶~ 행위 加害行为 / 남을 ~하다 加害于人

가해-자(加害者) 몡 加害者 jiāhàizhě; 加害人 jiāhàirén ¶교통사고 ~ 交通事

故的加害者

가호(加護) 몡하자타 保佑 bǎoyòu ¶신의 ~를 빌다 祈求上帝保佑我

가:혹(苛酷) 몡형혜부 严酷 yánkù; 苛酷 kēkù; 苛刻 kēkè ¶~한 현실 严酷的现实 / ~한 시련을 당하다 遭受苛酷的折磨 / 처벌이 너무 ~하다 处罚太严酷

가황(加黃) 몡하자[化] 硫化 liúhuà ¶~ 고무 硫化橡胶

가훈(家訓) 몡 家训 jiāxùn

가:-히(可─) 튀 可以 kěyǐ; 能够 nénggòu; 足以 zúyǐ ¶그의 기술은 ~ 세계적이라 할 수 있다 他的技术可以说是世界上最高

각(各) 관 各 gè; 各个 gègè; 每 měi; 每个 měigè ¶~ 가정 各个家庭 / ~ 학교 每个学校

각(角) 몡 **1** 棱角 léngjiǎo; 角 jiǎo; 棱 léng ¶얼굴이 ~이 지다 脸有棱有角 **2**【数】= 각도2 **3**【数】角 jiǎo

각각(各各) 몡 **1** 各 gè; 各个 gègè; 各自 gèzì; 各别 gèbié ¶개개인의 생각이 ~ 다르다 每个人的想法各不相同

각개(各個) 몡 各个 gègè; 每个 měigè; 个个 gègè ¶~ 격파 各个击破 / ~ 전투 各个战斗 / ~ 훈련 各个训练

각계(各界) 몡 各界 gèjiè ¶~ 전문가 各界专家 / ~의 의견을 청취하다 听取各界意见

각계-각층(各界各層) 몡 各阶层 gèjiēcéng; 各个阶层 gège jiēcéng; 社会各层 shèhuì gècéng ¶~의 관심을 받다 受到社会各层的关注 / ~의 친구들과 사귀다 交各阶层的朋友

각고(刻苦) 몡하자 刻苦 kèkǔ ¶다년에 걸친 ~의 연구 끝에 마침내 신약을 개발해 냈다 经过多年刻苦研究，终于开发出了新药品

각골(刻骨) 몡 刻骨 kègǔ ¶~난망 刻骨难忘 / ~통한 刻骨痛恨

각광(脚光) 몡 **1** 注目 zhùmù; 瞩目 zhǔmù; 欢迎 huānyíng **2**【演】脚灯 jiǎodēng; 脚光 jiǎoguāng

각광(을) 받다[입다] 판 受人瞩目

각국(各國) 몡 各国 gèguó; 每个国家 měigè guójiā ¶세계 ~ 世界各国 / ~ 대표 各国代表

각기(各其) 몡튀 各自 gèzì; 各 gè ¶~ 다르게 各别对待 / 저녁 식사 후 ~ 방으로 돌아가 휴식한다 晚饭后, 各自回到房间休息

각기(脚氣) 몡 脚气 jiǎoqì; 脚风湿 jiǎofēngshī = 각기병

각-기둥(角─) 몡【数】角柱 jiǎozhù

각기-병(脚氣病) 몡[醫] = 각기(脚氣)

각도(角度) 圏 1 각도 jiǎodù ¶다른 ~에서 문제를 보다 从不同角度看问题 2【數】각도 jiǎodù; 角 jiǎo = 각(角)2 ¶~기 量角器 / ~를 재다 测角 / ~가 크다 角度大

각-도장(角圖章) 圏 1 방块도장 fāngkuài túzhāng 2 각章 jiǎozhāng

각료(閣僚) 圏【政】각员 géyuán; 阁僚 géliáo

각막(角膜) 圏【生】각막 jiǎomó ¶~염 角膜炎 / ~이식 角膜移植

각목(角木) 圏 方木 fāngmù; 角材 jiǎocái

각박-하다(刻薄─) 톙 1 각박 kèbó; 薄情 bóqíng ¶인심이 ~ 人情刻薄 2 (土地) 薄 báo; 瘠薄 jíbó ¶이 땅은 매우 ~ 这儿地很薄 **각박-히** 倶

각반(脚絆) 圏 绑腿 bǎngtuǐ ¶~을 차다 带绑腿

각방(各房) 圏 各个房间 gègè fángjiān; 各住一间 gèzhù yìjiān ¶부부가 ~을 쓰다 两口子各住一间

각별(各別) 톙囝 倶 格外 géwài; 非常 fēicháng; 分外 fènwài; 特别 tèbié ¶~한 사이 特别的关系 / 비 오는 날 운전할 때는 더 조심해야 한다 雨天开车要格外小心

각본(脚本) 圏【演】脚本 jiǎoběn; 剧本 jùběn; 戏本 xìběn = 극본 ¶~가 脚本家 / 영화 ~ 电影脚本 / ~을 쓰다 写剧本

각-뿔(角─) 圏【數】角锥 jiǎozhuī; 角锥体 jiǎozhuītǐ; 棱锥 léngzhuī

각-사탕(角砂糖) 圏 = 각설탕

각색(各色) 圏 1 各色 gèsè; 五色 wǔsè; 五彩 wǔcǎi 2 = 각종

각색(脚色) 圏톙困 改编 gǎibiān; 改写 gǎixiě ¶소설을 ~하여 드라마 극본을 만들다 将小说改编为电视剧本

각서(覺書) 圏 1 保证书 bǎozhèngshū ¶~를 쓰다 写保证书 2【政】备忘录 bèiwànglù; 照会 zhàohuì ¶쌍방이 공식적인 ~를 교환하다 双方交换正式照会

각선-미(脚線美) 圏 腿线美 tuǐxiànměi ¶~를 드러내다 显示腿线美

각설(却說) 圏톙困 却说 quèshuō

각-설탕(角雪糖) 圏 方糖 fāngtáng = 각사탕

각성(覺醒) 圏톙困 1 唤醒 huànxǐng; 惊醒 jīngxǐng 2 觉悟 juéwù; 觉寤 jué-wù; 觉醒 juéxǐng; 醒觉 xǐngjué ¶~제 觉醒剂

각시 圏 1 '아내'의 별칭 ¶~를 얻다 娶老婆 2 = 새색시 3 布娃娃 bùwáwá

각양-각색(各樣各色) 圏 各色各样 gèsègèyàng; 各式各样 gèshìgèyàng; 各种各样 gèzhǒnggèyàng; 形形色色

xíngxíngsèsè; 五光十色 wǔguāngshí-sè; 五花八门 wǔhuābāmén ¶~의 사람들과 교류하다 与各式各样的人交流 / ~의 애완동물을 기르다 饲养各色各样的宠物

각오(覺悟) 圏톙困 决心 juéxīn; 精神准备 jīngshén zhǔnbèi; 思想准备 sīxiǎng zhǔnbèi

각운(脚韻) 圏【文】脚韵 jiǎoyùn

각인(刻印) 圏톙困 1 石章 kèzhāng 2 刻印 kèyìn ¶그의 말은 사람들의 마음속에 깊이 ~되었다 他的话深深刻印在人们的心头

각자(各自) 圏倶 各自 gèzì; 各 gè; 各个 gègè ¶모두가 ~ 자기 일로 바쁘다 大家各忙各的 / ~의 위치로 가다 各就各位

각종(各種) 圏 各项 gèxiàng; 各种 gèzhǒng = 각색(各色)2 ¶~ 형식 各种形式 / ~ 규칙 各项规则 / ~ 게임 各种游戏

각주(脚註) 圏 脚注 jiǎozhù ¶~를 달다 加脚注

각주구검(刻舟求劍) 圏 刻舟求剑 kè-zhōuqiújiàn

각지(各地) 圏 各地 gèdì; 各处 gèchù; 各个地方 gègè dìfang ¶전국 ~ 全国各地 / ~를 순찰하다 各处巡查

각질(角質) 圏【生】角质 jiǎozhì ¶~층 角质层

각처(各處) 圏 各处 gèchù ¶~에서 수집한 골동품 从各处搜集来的古董

각-추렴(各─) 圏톙困 凑份子 còufènzi

각축(角逐) 圏톙자困 角逐 juézhú ¶~장 角逐场 / 角逐战 / 치열한 ~을 벌이다 展开激烈竞争

각출(各出) 圏톙困 分担 fēndān; 各自支付 gèzì zhīfù

각층(各層) 圏 各层 gècéng; 各阶层 gèjiēcéng ¶사회 ~ 인사 社会各层人士

각하(閣下) 圏 阁下 géxià ¶대통령 ~ 总统阁下

각혈(咯血) 圏톙困【醫】= 객혈

간 圏톙困 1 调味道 tiáowèidào ¶소금으로 ~을 하다 放盐调味道 / 간맞다 xiándàn ¶~을 맞추다 调剂咸淡 / ~이 딱 맞다 正好咸淡 / ~을 보다 尝咸淡

간(肝) 圏【生】肝 gān; 肝脏 gānzàng ¶~장 = 간장(肝臟) ¶~이식 肝移植 / ~경화증 肝硬化

간에 붙었다 쓸개에 붙었다 한다 [속담] 风大随风，雨大随雨；见风转舵；看风使舵

간(이) 떨어지다 [관용] 吓得半死；吓一跳

간(이) 붓다 [관용] 胆子太大

간에 기별도 안 가다 판 还不够塞牙
缝; 连塞牙缝都不够

간이 콩알만 해지다 판 心惊胆战

간:(間) 의존 1 间 jiān; 之间 zhījiān ¶
서울과 베이징 ~의 거리 汉城和北京
之间的距离 / 두 나라 ~ 两国间 / 부부
~ 夫妻间 2 不管 bùguǎn ¶어떤 일이
있었던지 ~에 不管有什么事

-간:(間) 접미 1 来 lái; 一段 yīduàn ¶
시간 shíjiān; 期间 qījiān ¶반년 ~의 유
학 생활 半年来的留学生活 / 나는 이
곳에 사흘~ 머무를 계획이다 我打算
在这里呆三天期间 2 铺 pù ¶대장~
铁匠铺

간:-이(間—) 뿐 1 间或 jiànhuò; 偶然 ǒurán; 有时 yǒushí ¶~ 누군가
의 웃음소리가 한두 마디 들렸다 间或
有人笑一两声 2 零散地 língsǎnde; 稀
稀拉拉 xīxīlālā; 稀稀落落 xīxīluòluò ¶
~ 눈에 띄다 稀稀落落地看到

간간-하다 형 略咸 lüèxián; 稍咸 shāo-
xián; 有点咸 yǒudiǎnxián ¶음식할 ~
菜做得有点咸 **간간-히** 뿐

간격(間隔) 명 1 (时间) 隔 gé; 间隔
jiàngé ¶일주일 ~으로 회의를 열다 每隔
周开会议 2 (空间) 间隔 jiàngé ¶일정
한 ~을 유지하다 保持一定间隔 3 隔
阂 géhé; 隔膜 gémó ¶두 사람 사이에
~이 있다 两人之间有些隔膜

간결-하다(簡潔—) 형 简洁 jiǎnjié; 简
练 jiǎnliàn ¶그의 글은 간결하고 이해
하기 쉽다 他的文章简洁易懂

간계(奸計) 명 奸计 jiānjì; 奸策 jiāncè;
圈套 quāntào ¶~에 넘어가다 中了奸
计 / ~를 부리다 施奸计

간:-곡-하다(懇曲—) 형 恳切 kěnqiè;
诚恳 chéngkěn; 苦苦 kǔkǔ; 苦口 kǔ-
kǒu; 谆谆 zhūnzhūn; 殷切 yīnqiè **간:
곡-히** 뿐 ¶~ 부탁하다 恳切地请求

간과(看過) 명하타 忽视 hūshì; 看得
过 kàndeguò; 忽略 hūlüè; 视而不见
shì'érbùjiàn; 漠视 mòshì; 无视 wúshì;
置之不理 zhìzhībùlǐ ¶나는 이 문제를
~할 수 없다 我不能忽视这个问题 /
사람들이 ~하기 쉬운 몇 가지 상식
容易被人忽略的几种常识

간교(奸巧) 명하형 奸猾 jiānhuá;
奸狡 jiānjiǎo; 奸诈 jiānzhà; 狡诈 jiǎo-
zhà ¶~한 미소 奸狡的微笑 / 음흉하고
~한 陰险狡诈

간:-구(懇求) 명하타 恳求 kěnqiú; 祈求
qíqiú ¶도움을 ~하다 祈求帮助

간극(間隙) 명 缝隙 fèngxì; 间隙 jiàn-
xì; 空隙 kòngxì ¶담에 ~이 생겼다 墙
壁裂开了一条缝隙 / ~을 좁히다 缩小
间隙

간난(艱難) 명형하 艰苦 jiānkǔ;
艰难 jiānnán ¶~의 세월 艰难的岁月

간난-신고(艱難辛苦) 명하자 艰难辛苦
jiānnánxīnkǔ; 艰辛 jiānxīn

간:뇌(間腦) 명 『生』间脑 jiānnǎo

간단-하다(簡單—) 형 1 简单 jiǎn-
dān; 简易 jiǎnyì ¶간단한 조작 简单的
操作 / 간단한 방법 简易办法 2 简便
jiǎnbiàn; 轻便 qīngbiàn ¶간단한 짐 轻
便行李 **간단-히** 뿐 ¶~ 몇 마디만 하
겠다 我简单地说几句话

간단명료-하다(簡單明瞭—) 형 简单
明了 jiǎndānmíngliǎo; 简明 jiǎnmíng ¶
~ 간명하다 **간단명료-히** 뿐

간:담(肝膽) 명 肝胆 gāndǎn ¶
간담이 서늘하다 판 胆寒万战心惊

간:담(懇談) 명하자 恳谈 kěntán; 畅叙
chàngxù ¶~회 恳谈会

간:-덩이(肝—) 명 肝 gān ¶
간덩이(가) 붓다 판 胆子太大

간드러-지다 형 娇媚 jiāoméi; 娇滴滴
jiāodīdī ¶간드러진 목소리 娇滴滴的声
音

간들-거리다 자타 摇摇欲坠 yáoyáo-
yùzhuì; 摇曳 yáoyè = 간들대다 ¶광
고탑이 ~ 广告牌摇摇欲坠 / 간들거리
는 등불 摇曳的烛光 **간들-간들** 뿐
하자타

간:-디스토마(肝distoma) 명 『動』肝
吸虫 gānxīchóng; 肝蛭 gānzhì

간략-하다(簡略—) 형 简略 jiǎnlüè;
简约 jiǎnyuē ¶내용이 ~ 内容简略 **간
략-히** 뿐 ¶~ 소개해 주세요 请您简
略地介绍一下

간만(干滿) 명 『地理』涨落 zhǎngluò ¶
조수 ~의 차 潮水涨落差

간명-하다(簡明—) 형 = 간단명료하
다 ¶간명한 해답 简明的解答 **간명-히** 뿐

간:발(間髮) 명 细微 xìwēi
간발의 차이 판 细微差别

간-밤 명 ~至 zuórè ¶~에 눈이 많이
내렸다 昨夜雪下得很多

간병(看病) 명하타 护理 hùlǐ; 陪护
péihù; 看护 kānhù = 병시중 ¶~인
护理员 =[看工] / 환자를 ~하다 看护
病人

간부(幹部) 명 干部 gànbù ¶~ 회의
干部会议 / ~급 干部级 / ~진 干部队
伍

간:-빙-기(間氷期) 명 『地理』间冰期
jiānbīngqī

간사(奸詐) 명하형 奸 jiān; 奸诈
jiānzhà; 狡猾 jiǎohuá; 诡诈 guǐzhà ¶
~하게 웃다 奸诈地笑

간사(幹事) 명 干事 gànshi ¶학생회
~ 学生会干事

간사-하다(奸邪—) 형 奸 jiān; 奸邪
jiānxié ¶간사하고 교활한 사람 奸巧的
人 **간사-히** 뿐

간석-지(干潟地) 명 海涂 hǎitú; 滩涂 tāntú

간:선(間選) 명하다 【政】'간접 선거'의 약칭 ¶~제 间接选举制

간선(幹線) 명 干线 gànxiàn; 正线 zhèngxiàn; 主线 zhǔxiàn ¶~ 도로 干线公路

간섭(干涉) 명하자타 1 干涉 gānshè; 管 guǎn; 干预 gānyù ¶아이의 사생활을 지나치게 ~하다 过多干涉孩子的私生活 / 내 일에 ~하지 마라 你别管我的事 2 【物】干扰 gānrǎo

간소-하다(簡素—) 형 简朴 jiǎnpǔ ¶간소한 예식 简朴婚礼 / 그는 옷차림이 매우 ~ 他衣着很简朴 **간소-히** 부

간소-화(簡素化) 명하타 简化 jiǎnhuà; 简缩 jiǎnsuō; 精简 jīngjiǎn ¶수속을 ~하다 简化手续

간수 명하타 保管 bǎoguǎn; 收 shōu; 保藏 bǎocáng; 收放 shōufàng ¶이 책을 잘 ~해 두어라 把这本书好好保藏吧

간수(—水) 명 盐卤 yánlǔ; 卤水 lǔshuǐ; 卤 lǔ; 卤汁 lǔzhī

간수(看守) 명하타 1 看管 kānguǎn; 看守 kānshǒu; 守卫 shǒuwèi 2 【法】看守 kānshǒu

간:식(間食) 명하자 点心 diǎnxin; 零吃 língchī; 零食 língshí ¶~을 먹다 吃零食

간신(奸臣) 명 奸臣 jiānchén

간신-히(艱辛—) 부 好容易(地) hǎoróngyì(de); 不容易(地) bùróngyì(de); 很吃力地 hěnchīlìde; 很费劲地 hěnfèijìnde; 勉强(地) miǎnqiáng(de) ¶그는 ~ 대학에 합격했다 他好不容易考上大学了 / 그녀의 휴대폰 번호를 ~ 알아냈다 好容易得到她的手机号码

간악(奸惡) 명하형 허무 奸恶 jiān'è; 歹毒 dǎidú ¶~한 무리 奸恶之徒

간:암(肝癌) 명 肝癌 gān'ái

간언(諫言) 명하타 谏 jiàn; 谏言 jiànyán ¶~을 하다 进谏

간여(干與) 명하자 过问 guòwèn; 干预 gānyù; 干与 gànyù

간:염(肝炎) 명 【醫】肝炎 gānyán

간유(肝油) 명 【藥】肝油 gānyóu; 鱼肝油 yúgānyóu = 어간유

간:음(姦淫) 명하자타 奸淫 jiānyín ¶~죄를 범하다 犯奸淫罪

간:이(簡易) 명 简易 jiǎnyì; 小 xiǎo ¶~병실 简易病房 / ~침대 简易床 / ~화장실 简易厕所

간:이-식당(簡易食堂) 명 小吃部 xiǎochībù; 小吃店 xiǎochīdiàn

간:이-역(簡易驛) 명 小站 xiǎozhàn

간장(—醬) 명 酱油 jiàngyóu = 장(醬)1 ¶~독 酱油缸

간장(肝腸) 명 肝肠 gāncháng; 心肝 xīngān

간:장(肝臟) 명 【生】= 간(肝)

간:절-하다(懇切—) 형 恳切 kěnqiè; 迫切 pòqiè; 热切 rèqiè; 心切 xīnqiè; 殷切 yīnqiè; 苦苦 kǔkǔ; 苦口 kǔkǔ ¶간절한 바람 热切的心愿 **간:절-히** 부 ¶~ 바라다 恳切地希望

간접(間接) 명 间接 jiànjiē ¶~경험 间接经验 / ~목적어 间接宾语 / ~세 间接税 / ~인용 间接引用 / ~조명 间接照明 / ~투자 间接投资 / ~화법 间接语法 / ~흡연 间接吸烟 =[吸二手烟]

간:접 선거(間接選擧) 【政】间接选举 jiànjiē xuǎnjǔ

간:접-적(間接的) 관명 间接的 jiànjiē(de) ¶~인 원인 间接原因 / ~으로 마음을 전하다 间接传达情感

간조(干潮) 명 【地理】落潮 luòcháo; 退潮 tuìcháo

간주(看做) 명하자타 当 dāng; 当做 dāngzuò; 看做 kànzuò; 看成 kànchéng ¶그는 능력있는 변호사로 ~되었다 他被当做有能力的律师

간:주(間奏) 명 【音】1 间奏 jiànzòu 2 = 간주곡

간:주-곡(間奏曲) 명 【音】1 插曲 chāqǔ 2 间奏曲 jiànzòuqǔ = 간주(間奏)2

간증(干證) 명 【宗】表白 biǎobái

간지(干支) 명 干支 gānzhī

간지럼 명 发痒 fāyǎng; 痒 yǎng ¶~을 타다 怕痒

간지럽다 형 1 痒 yǎng; 痒痒 yǎngyang; 发痒 fāyǎng ¶피부가 ~ 皮肤发痒 2 (심、손、입) 痒 yǎng; 发痒 fāyǎng

간지럽-히다 타 = 간질이다

간직 명하타 1 珍藏 zhēncáng; 收藏 shōucáng; 收存 shōucún; 藏 cáng ¶그가 여러 해 동안 ~하고 있던 사진 he 珍藏多年的照片 2 (생각이나 기억) 藏 cáng; 珍藏 zhēncáng ¶영원히 마음속에 ~하다 永远珍藏在心

간질(癎疾) 명 【醫】癫痫 diānxián; 痫症 xiánzhèng; 羊病 yángbìng; 羊角风 yángjiǎofēng = 간질병

간질-거리다 타 1 痒 yǎng; 痒痒 yǎngyang; 发痒 fāyǎng = 간질대다 ¶목구멍이 ~ 嗓子痒痒 **간질-간질** 부 하자타형 ¶코가 ~ 그냥 계속 막재채기가 나오와 鼻子发痒老是想打喷嚏

간:질-병(癎疾病) 명 【醫】= 간질

간질-이다 타 胳肢 gézhi = 간지럽히다 ¶그의 겨드랑이를 ~ 胳肢他腋窝

간척(干拓) 명하타 围垦 wéikěn; 填海 tiánhǎi ¶~지 填海造地 / 대규모 ~사업 大规模围垦工程

간:**첩**(間諜) 阅 间谍 jiāndié；特务 tè-wù；侦探 zhēntàn = 스파이·첩자 ¶~ 죄 间谍罪 / ~ 선 间谍船

간:**청**(懇請) 阅[하타] 恳求 kěnqiú；恳请 kěnqǐng；祈求 qíqiú；祈请 qíqǐng；请求 qǐngqiú；央告 yānggào ¶도움을 ~ 하다 祈求帮助

간체—**자**(簡體字) 阅 简体字 jiǎntǐzì

간—**추리다** 타 1 收拾 shōushi；整顿 zhěngdùn；整理 zhěnglǐ ¶자료를 ~ 整理材料 2 摘要 zhāiyào ¶간추려서 기록하다 摘要记录

간:**택**(揀擇) 阅[하자][史] 拣择 jiǎnzé；挑选 tiāoxuǎn

간:**통**(姦通) 阅[하자] 私通 sītōng；通奸 tōngjiān ¶~ 죄 通奸罪 / ~ 행위 私通行为

간파(看破) 阅[하타] 看穿 kànchuān；看透 kàntòu；看破 kànpò；看出 kànchū；识破 shípò ¶상대방의 속셈을 ~ 하다 看穿对方的心计 / 한눈에 그의 약점을 ~ 했다 一眼就看出他的弱点了

간판(看板) 阅 牌子 páizi；招牌 zhāopái ¶~을 걸다 挂上招牌

간판(을) **따다** 団 镀金

간판—**스타**(看板star) 阅 王牌 wángpái ¶~ 아나운서 王牌播音员

간편—**하다**(簡便—) 혱 简便 jiǎnbiàn；轻便 qīngbiàn ¶사용이 ~ 使用简便

간편—**히** 閉

간—**하다** 타 1 调味 tiáowèi；调味道 tiáo wèidao ¶소금으로 ~ 放盐调味 2 腌渍 yānzì ¶간한 고기 腌肉

간—**하다**(諫—) 타 谏 jiàn；进谏 jìnjiàn

간행(刊行) 阅[하타][印] 刊 kān；刊出 kānchū；刊行 kānxíng ¶~본 刊本 / 수정판을 ~ 하다 刊行修订版

간행—**물**(刊行物) 阅 刊物 kānwù ¶정기 ~ 定期刊物

간:**혈**(間歇) 阅[하자] 间歇 jiànxiē

간:**혈**—**적**(間歇的) 관]阅 间歇(的) jiànxiē(de)；间歇性 jiànxiēxìng ¶~인 두통 间歇性头痛

간호(看護) 阅[하타] 护理 hùlǐ；看护 kānhù ¶환자를 ~ 하다 看护病人 / 밤새도록 엄마를 ~하다 通宵看护妈妈

간호—**사**(看護師) 阅 护士 hùshi

간혹(間或) 閉[阅] 间或 jiànhuò；偶尔 ǒu'ěr；有时 yǒushí = 혹(或)2 ¶그도 ~ 실수할 때가 있다 他偶你也犯错误

갇히다 자 被关 bèiguān；禁闭 jìnbì 《 '가두다1'의 被动词 》 ¶범죄자가 감옥에 ~ 犯罪者被关监狱

갈:**—가리** 阅 '가리가리'의 略词

갈겨—**쓰다** 타 潦草地写 liáocǎodeхiě；乱写 luànxiě ¶칠판에 글씨를 ~ 在黑板上乱写字

갈:**고**—**닦다** 타 切磋 qiēcuō；磨炼 mó-

**liàn；切磋琢磨 qiēcuōzhuómó ¶학문을 ~ 切磋学问 / 실력을 ~ 磨炼才干

갈고랑—**이** 阅 钩(儿) gōu(r)；钩子 gōuzi = 갈고리

갈고리 阅 = 갈고랑이

갈구(渴求) 阅[하타] 渴求 kěqiú ¶평화를 ~ 하다 渴求和平

갈:**근**(葛根) 阅[韓醫] 葛根 gégēn ¶~차 葛根茶

갈:**기** 阅 鬃 zōng；鬃毛 zōngmáo

갈기—**갈기** 閉 一条一条 yītiáoyītiáo；一缕一缕 yīlǚyīlǚ；碎片 suìpiàn；粉碎 fěnsuì ¶종이를 ~ 찢다 把纸撕成一条一条

갈기다 타 1 鞭打 biāndǎ；抽打 chōu-dǎ；打 dǎ；揍 zòu ¶따귀를 ~ 打嘴巴 / 말 궁둥이에 채찍을 ~ 鞭打马屁股 2 潦草地写 liáocǎode xiě；乱写 luànxiě ¶마구 ~ 猛打 měngdǎ；扫射 sǎoshè ¶기관총을 들고 사람들에게 ~ 持机关枪朝人群扫射 4 (尿、唾沫等) 撒 sā；吐 tǔ ¶다리에서 오줌을 ~ 在桥上撒尿

갈—**꽃** 阅[植] = 갈대꽃

갈다1 타 换 huàn；更换 gēnghuàn；替换 tìhuàn ¶전구를 ~ 更换灯泡 / 어항의 물을 ~ 换鱼缸里的水 / 부품을 ~ 更换零件

갈:**다**2 타 1 磨 mó ¶칼을 ~ 磨刀 / 날을 ~ 磨刃 2 磨碾 mòniǎn；磨 mò；研 yán ¶콩을 갈아 가루를 내다 把豆子磨成粉末 3 研 yán ¶먹을 ~ 研墨 4 (把牙齿) 磨 mó；咬 yǎo ¶이를 ~ 磨牙齿

갈:**다**3 타 耕 gēng；翻耕 fāngēng ¶밭을 ~ 耕地

갈—**대** 阅[植] 芦苇 lúwěi；芦 lú；苇 wěi；苇子 wěizi ¶여자의 마음은 ~와 같다 女人的心像芦苇一样变化无定

갈대—**꽃** 阅[植] 芦花 lúhuā = 갈꽃

갈대—**밭** 阅 芦田 lútián；芦苇地 lúwěidì；芦荡 lúdàng；苇荡 wěidàng

갈댓—**잎** 阅 苇叶 wěiyè；芦苇叶子 lúwěiyèzi = 갈잎2

갈등(葛藤) 阅 纠纷 jiūfēn；纠葛 jiūgé ¶~을 일으키다 惹起纠纷 / ~을 중재하다 排解纠纷 / 그들 사이에는 ~이 있었다 他们之间有过纠葛

갈라—**놓다** 타 1 离间 líjiàn；拆散 chāisàn ¶그가 우리 사이를 갈라놓으려 하고 있다 他要离间我们的关系 2 分割 fēngē；分裂 fēnliè；隔开 gékāi ¶두 번호 사이를 쉼표로 ~ 两个号码之间用逗号隔开

갈라—**서다** 자 1 分开站 fēnkāi zhàn ¶남학생과 여학생으로 ~ 男生女生分开站 2 分别 fēnbié；分开 fēnkāi；分手 fēnshǒu ¶다른 사람들은 모두 우리가 갈라설 것이

라고 말한다 别人都说我们会分开

갈라-지다 困 **1** 裂 liè; 裂开 lièkāi; 龟裂 jūnliè ¶상처가 ~ 裂痕 / 발이 ~ 田地龟裂 **2** 嘶哑 sīyǎ ¶목소리가 ~ 嗓音嘶哑 **3** 分 fēn; 分裂 fēnliè; 分歧 fēnqí ¶의견이 ~ 意见分歧 / 이 길은 여기에서 두 갈래로 갈라진다 此路到这里分成两条 **4** 分手 fēnshǒu ¶우리들은 1년여 동안 같이 살고 갈라졌다 我们在相处了一年多之后就分开了

갈락토오스(galactose) 图 【化】半乳糖 bànrǔtáng

갈래 图 **1** 分类 fēnlèi; 支系 fēnzhī ¶한국 문학의 ~ 韩国文学的分支 **2** 条 tiáo; 支 zhī ¶세 ~ 길 三条路 / 머리를 두 ~로 묶다 把头发束成两条辫子

갈래-갈래 튀 一绺绺 yīlǚlǚ; 一条条 yītiáotiáo

갈래-머리 图 两股辫 liǎnggǔbiàn

갈리다¹ 困 **1** 分 fēn; 分开 fēnkāi 《'가르다¹'의 피동사》 ¶그들은 둘로 갈렸다 他们俩分到两个 **2** '가르다⁴'의 피동사

갈-리다² 困 '갈다'의 피동사

갈-리다³ 困 '갈다²'의 피동사 ¶모서리가 갈렸다 棱角被磨了 / 쌀이 갈려 가루가 되다 大米被磨成面粉

갈-리다⁴ '갈다³'의 피동사

갈림-길 图 岔道(儿) chàdào(r); 岔路 chàlù; 歧路 qílù = 기로 ¶~에 站在岔路口上 / 인생의 ~ 人生歧路

갈마-들다 困 交集 jiāojí; 交加 jiāojiā ¶슬픔과 기쁨이 ~ 悲喜交加 / 바람과 눈이 ~ 风雪交加

갈망(渴望) 图하타 渴望 kěwàng; 盼望 pànwàng; 渴求 kěqiú ¶자유와 평화를 ~하다 渴望自由与和平

갈매기 图 【鳥】海鸥 hǎi'ōu; 鸥鸟 ōu'niǎo

갈무리 图하타 **1** 收拾 shōushi; 收藏 bǎoguǎn **2** 收尾 shōuwěi; 收场 shōuchǎng; 扫尾 sǎowěi

갈보 图 娼妇 chāngfù; 娼妓 chāngjì; 卖淫妇 màiyínfù; 野鸡 yějī; 野妓 yějì

갈분(葛粉) 图 葛粉 géfěn; 葛根粉 gēgēnfěn

갈비 图 **1** 排骨 páigǔ; 肋条 lèitiáo; 肋条骨 lèitiáogǔ ¶~구이 烤排骨 / ~찜 炖排骨 / ~탕 排骨汤 **2** = 갈비씨

갈비-뼈 图 肋骨 lèigǔ

갈비-씨 图 皮包骨头 píbāogǔtou = 갈비2

갈빗-대 图 【生】肋骨 lèigǔ; 肋巴骨 lèibāgǔ ¶~가 부러지다 肋巴骨折断

갈색(褐色) 图 褐色 hèsè; 黄黑色 huánghēisè; 棕色 zōngsè ¶~ 눈동자 褐色的眼睛 / ~인종 褐色人种

갈수록 튀 越来越 yuèláiyuè ¶신체가

~ 풍만해지다 身material越来越丰满 / 기능이 ~ 강해지다 功能越来越强大

갈아-엎다 타 翻地 fāndì; 翻耕 fāngēng ¶우리는 지금 땅을 갈아엎어야 한다 我们现在就动手翻地吧

갈아-입다 困타 更换 gēnghuàn; 换穿 huànchuān; 改换 gǎihuàn ¶양복으로 ~ 换穿西装

갈아입-히다 '갈아입다'의 사동사 ¶아이에게 새 옷을 ~ 给孩子改换新衣服

갈아-타다 困타 倒车 dǎochē; 换车 huànchē; 转车 zhuǎnchē ¶다음 역에서 ~ 在下一站换车

갈-잎¹ 图 '가랑잎'의 略词

갈-잎² 图 = 갈댓잎

갈조(褐藻) 图 【植】褐藻 hézǎo

갈조-류(褐藻類) 图 【植】褐藻类 hèzǎolèi; 褐藻植物 hèzǎo zhíwù = 갈조식물

갈조-식물(褐藻植物) 图 【植】 = 갈조류

갈증(渴症) 图 口渴 kǒukě; 干渴 gānkě; 渴 kě; 口干 kǒugān ¶~을 해소하다 消除干渴 / ~을 느끼다 感到口渴 / ~이 나다 口渴

갈지-자(一之字) 图 之字 zhīzì ¶~걸음 之字步

갈지자-형(一之字形) 图 之字形 zhīzìxíng = 지그재그

갈채(喝采) 图하타 喝彩 hècǎi; 欢呼 huānhū ¶관중들이 챔피언에게 ~를 보내다 群众向冠军喝彩

갈취(喝取) 图하타 掠取 lüèqǔ; 抢夺 qiāngduó ¶그가 그녀의 가방을 ~했다 他抢夺她的皮包

갈치 图 【魚】带鱼 dàiyú; 刀鱼 dāoyú

갈퀴 图 耙子 pázi ¶~질用耙子归拢

갈탄(褐炭) 图 【鑛】褐煤 hèméi; 褐炭 hètàn

갈팡-질팡 튀하자 东奔西窜 dōngbēnxīcuàn; 东奔西逃 dōngbēnxītáo; 东逃西窜 dōngtáoxīcuàn; 惊慌失措 jīnghuāngshīcuò ¶사람들은 총소리를 듣고 ~했다 人群听到枪声惊慌失措

갈피 图 头绪 tóuxù; 线索 xiànsuǒ ¶~를 잡을 수 없다 找不到头绪

갉다 타 **1** 啃 kěn ¶쥐가 옥수수를 ~ 老鼠啃玉米 **2** 诋毁 dǐhuǐ; 诽谤 fěibàng; 毁谤 huǐbàng; 中伤 zhòngshāng ¶남을 ~ 中伤别人 **3** 剥削 bōxuē; 揩油 kāiyóu

갉아-먹다 타 剥削 bōxuē; 揩油 kāiyóu ¶부자들은 가난한 사람을 갉아먹어 재산을 모은다 富人靠剥削穷人发财

감:¹ 图 **1** 材料 cáiliào; 料儿 liàor; 料子 liàozi ¶이런 ~은 바라지 않는다

이런 재료가 되지는 않는다 **2** 재료 cáiliào; 대상 duìxiàng〈選擇的對象〉¶그는 연극을 할 ~이 아니라 다시는 연기를 하는 재료

감:² 〔감〕 柿子 shìzi

감:(感) 〔감〕**1** 감각 gǎnjué **2** = 감도

감:가(減價) 〔감〕〔하타〕 감가 jiǎnjià

감:가-상각(減價償却)〔經〕折旧 zhéjiù =〔감〕¶~비 折旧费

감:각(感覺) 〔감〕〔하자〕**1** 감각 gǎnjué; 감지 gǎnzhī ¶ 기관 감각기관 / ~기능 감각 기능 / ~세포 感知细胞 / ~신경 感觉神经 / ~이 무디다 感觉迟钝 / ~이 예민하다 感觉敏锐 **2** 감 gǎn; 감각 gǎnjué; 품위 pǐnwèi ¶패션 ~ 衣着品位

감감 〔부〕〔하〕 渺茫 miǎománg; 杳 yǎo; 杳然 yǎorán; 全然 quánrán

감감-무소식(─無消息) 〔감〕 杳无音信 yǎowúyīnxìn

감:개(感慨) 〔감〕〔하자〕 感慨 gǎnkǎi

감:개-무량(感慨無量) 〔감〕〔형〕 不胜感 慨 bùshènggǎnkǎi; 感慨万端 gǎnkǎi-wànduān; 感慨无量 gǎnkǎiwúliàng; 无 限感慨 wúxiàngǎnkǎi

감:격(感激) 〔감〕〔하자〕**1** 격동 jīdòng; 감동 gǎndòng; 흥분 xīngfèn ¶~의 눈물 을 흘리다 激动得流泪 **2** 감격 gǎnjī

감:격-스럽다(感激─) 〔형〕 感动 gǎndòng; 激动 jīdòng; 흥분 xīngfèn

감:격-적(感激─) 〔관〕〔명〕 感动(的) gǎndòng(de); 激动(的) jīdòng(de); 흥분 xīngfèn(de)

감광(感光) 〔감〕〔하자〕 感光 gǎnguāng ¶~계 感光计 / ~도 感光度 / ~성 感光 性 / ~제 感光乳剂 / ~지 感光纸 / ~ 필름 感光胶片

감귤(柑橘) 〔植〕 柑橘 gānjú

감금(監禁) 〔감〕〔하타〕 监禁 jiānjìn; 禁闭 jìnbì; ~ 关禁 guānjìn; 关押 guānyā ¶그 를 작은 방에 ~했다 把他监禁在小房 间里

감:기(感氣) 〔감〕〔醫〕 感冒 gǎnmào; 伤 风 shāngfēng; 着凉 zháoliáng ¶~약 感 冒药 / ~가 유행하다 时行感冒 / ~ 에 걸리다 患感冒 / ~를 예방하다 预 防感冒

감-기다¹ 〔자〕 '감다¹'의 被动词 ¶눈이 저절로 ~ 自然而然地闭上眼睛

감-기다² 〔자〕 缠绕 chánrào; 缠住 chán-zhù; 卷 juǎn ('감다³'의 被动词) ¶부 가 기어에 ~ 螺帽把齿轮缠住了 / 뱀 이 나무에 감겨 있다 蛇缠绕在树上

감-기다³ 〔타〕 洗 xǐ ('감다²'의 사동词) ¶어머니가 아이의 머리를 감겼다 妈 妈给小孩洗了头

감:-나무 〔감〕〔植〕 柿树 shìshù; 柿子 shìzi

감내(堪耐) 〔감〕〔하타〕 忍耐 rěnnài; 忍受 rěnshòu

감:다¹ 〔타〕 闭 bì; 合上 héshàng ¶눈을 ~ 闭眼

감:다² 〔타〕〔头发〕洗 xǐ ¶머리를 ~ 洗 头

감:다³ 〔타〕**1** 绊 bàn; 绑 bǎng; 缠 chán; 卷 juǎn; 绕 rào ¶한데 ~ 缠在 一起 / 실패에 실을 ~ 把线绕在线板 上 **2** 上 shàng ¶태엽을 ~ 上弦

감당(堪當) 〔감〕〔하타〕**1** 承担 chéngdān; 承受 chéngshòu; 顶 dǐng; 胜任 shèng-rèn; 吃得消 chīdexiāo ¶치료비를 ~할 능력이 없다 无力承受治疗费用 / 책임 을 ~하다 承担责任 / 직무를 ~하다 承担职务 **2** 承受 chéngshòu; 经得起 jīngdeqǐ; 支持 zhīchí; 禁受 jìnshòu ¶ ~할 수 없는 고통 承受不起的痛苦

감:도(感度) 〔감〕 感应度 gǎnyìngdù; 灵 敏度 língmǐndù = 감(感)2

감독(監督) 〔감〕〔하타〕**1** 监督 jiāndū ¶~ 관 监督官 / 시험 ~ 考试监督 **2** 〔法〕 监督 jiāndū ¶금융 ~ 金融监督 **3** 导 演 dǎoyǎn ¶영화 ~ 电影导演 **4** 主 教练 zhǔjiàoliàn; 教练 jiàoliàn ¶축구 대표팀 ~ 足球代表队主教练

감:-돌다 〔자〕**1** 围绕 wéirào; 盘绕 pánrào; 围绕 wéirào ¶연무가 감돌아 올라가다 烟雾缭绕上升 / 산봉우리에 흰 구름이 ~ 山峰上白云缭绕 **2** 浮现 fúxiàn ¶쓴웃음이 그의 얼굴에 ~ 一丝 苦笑浮现在他脸上 **3** 萦绕 yíngrào ¶ 마음에 감도는 선율 萦绕心头的旋律 ─〔타〕 环绕 huánrào ¶도시를 감도는 있는 산들 环绕城市的群山

감:동(感動) 〔감〕〔하자〕 感动 gǎndòng; 打 动 dǎdòng; 动人 dòngrén; 激动 jīdòng ¶~하여 눈물을 흘리다 感动得流出眼 泪 / 청중이 깊이 ~하다 听众深为感 动

감:동-적(感動的) 〔관〕〔명〕 感动(的) gǎn-dòng(de); 感人(的) gǎnrén(de); 动人 (的) dòngrén(de) ¶~인 이야기 动人的 故事 / 그의 편지는 매우 ~이다 他的 信很感人

감람-나무(橄欖─) 〔植〕 橄榄 gǎn-lǎn; 橄榄树 gǎnlǎnshù

감량(減量) 〔감〕〔하자타〕 减 jiǎn; 减轻 jiǎn-qīng ¶체중을 ~하다 减轻体重 / 5킬 로그램을 ~하다 减轻五公斤

감률(甘栗) 〔감〕**1** 板栗 bǎnlì = 단밤1 **2** 糖炒栗子 tángchǎolìzi

감리(監理) 〔감〕〔하타〕 监理 jiānlǐ ¶공사 ~ 工程监理

감리-교(監理教) 〔宗〕 卫理宗 wèi-lǐzōng

감리 교:회(監理教會) 〔宗〕 卫理公会 wèilǐ gōnghuì

감마(減摩) 〔감〕〔하타〕 减摩 jiānmó ¶~유 减摩油 / ~제 减摩剂

감마(ㄱgamma) 똉 伽马 jiāmǎ

감마-선(ㄱgamma線) 똉 【物】丙种射线 bǐngzhǒng shèxiàn; 伽马射线 jiāmǎ shèxiàn

감:면(減免) 똉하타 减免 jiǎnmiǎn ¶소득세를 ~해 주다 减免所得税

감:명(感銘) 똉하자 感受 gǎnshòu ¶매우 ~ 깊다 感受很深

감미-롭다(甘味一) 휑 甜 tián; 甜蜜 tiánmì; 甜软 tiánruǎn ¶감미로운 목소리 甜蜜的声音 / 작은 새가 감미롭게 노래를 부른다 小鸟甜蜜地歌唱 **감미로이** 튄

감미-료(甘味料) 똉 甘旨素 gānzhǐsù

감방(監房) 똉 监房 jiānfáng; 牢房 láofáng; 囚房 qiúfáng; 囚室 qiúshì ¶사형수~ 死刑犯监房 / 범인을~에 가두다 把罪犯关在囚室里

감별(鑑別) 똉하타 鉴别 jiànbié; 判别 pànbié; 识别 shíbié ¶~력 鉴别力 / ~사 鉴别师 / 말을~하다

감:복(感服) 똉하자 拜服 bàifú; 佩服 pèifú; 钦佩 qīnpèi; 信服 xìnfú ¶나는 그녀의 용기에~한다 我钦佩她的勇气

감:봉(減俸) 똉하타 减薪 jiǎnxīn; 减俸 jiǎnfèng ¶~ 처분을 당하다 受到减薪处分

감:사(感謝) 똉하자타 基图 感谢 gǎnxiè; 感激 gǎnjī; 谢谢 xièxiè ¶~편지 感谢信 / ~의 뜻을 표하다 表示感谢 / ~합니다! 谢谢你了! / 너는 그에게~해야 한다 你应该感谢他

감사(監査) 똉하타 监查 jiānchá; 审计 shěnjì ¶국정~ 国政监查 / ~원 监查院

감:사-장(感謝狀) 똉 感谢信 gǎnxièxìn; 感谢状 gǎnxièzhuàng ¶~을 수여하다 授予感谢状

감:사-패(感謝牌) 똉 感谢牌 gǎnxièpái ¶그에게 ~를 증정하다 向他赠送了感谢牌

감:상(感傷) 똉하자 感伤 gǎnshāng ¶~주의 感伤主义 =[多情多恨] / ~에 젖다 沉溺感伤

감:상(感想) 똉 感想 gǎnxiǎng ¶~문 感想文 / 매일의 ~을 적다 写下每天的感想

감상(鑑賞) 똉하타 欣赏 xīnshǎng; 观赏 guānshǎng; 鉴赏 jiànshǎng; 玩赏 wánshǎng ¶음악을 ~하다 欣赏音乐 / 명화를 ~하다 观赏名画

감:상-적(感傷的) 관톙 感伤(的) gǎnshāng(de)

감색(紺色) 똉 天青 tiānqīng; 藏青 zàngqīng ¶~옷 藏青的衣服

감:성(感性) 똉 感性 gǎnxìng; 感受性 gǎnshòuxìng ¶~주

의 感性主义 / ~지수 感性指数

감:성-적(感性的) 관톙 感性(的) gǎnxìng(de)

감:세(減稅) 똉하타 减税 jiǎnshuì; 减租 jiǎnzū

감:소(減少) 똉하자타 减少 jiǎnshǎo; 减 jiǎn ¶인구~ 人口减少 / ~량 减少量 / ~율 减少率 / ~폭 减幅 / 생산량을 ~하다 减少产量

감:속(減速) 똉하타 减速 jiǎnsù ¶~기 减速机 / 기어 减速齿轮 / ~ 장치 减速装置

감수(甘受) 똉하타 甘受 gǎnshòu; 甘心忍受 gānxīn rěnshòu; 情愿接受 qíngyuàn jiēshòu ¶고통을 ~하다 甘心忍受痛苦

감수(監修) 똉하타 监修 jiānxiū ¶~자 监修者

감:수-성(感受性) 똉 【生】感受性 gǎnshòuxìng ¶~이 풍부하다 感受性很丰富

감시(監視) 똉하타 监视 jiānshì ¶레이더 监视雷达 / ~망 监视网 / ~선 监视船 / ~자 监视者 / ~를 받다 受到监视 / 적들의 일거일동을 ~하다 监视敌人的一举一动

감식(鑑識) 똉하타 鉴别 jiànbié; 鉴定 jiàndìng ¶지문~ 指纹鉴定 / 유전자를 ~하다 鉴定基因

감-싸다 타 1 包 bāo; 缠裹 chánguǒ; 裹 guǒ ¶갓난아이를 모포로~ 用毛毯把孩子裹起来 2 包庇 bāobì; 庇护 bìhù; 袒护 tǎnhù ¶아이의 잘못을 ~袒护孩子的错误

감안(勘案) 똉하타 斟酌 zhēnzhuó; 酌酌 zhuó; 考虑 kǎolǜ ¶그의 상황을 ~해서 일정을 짜다 考虑到他的情况, 按排日程

감언(甘言) 똉 甘言 gānyán; 甜言 tiányán

감언-이설(甘言利說) 똉 花言巧语 huāyánqiǎoyǔ; 甜言蜜语 tiányánmìyǔ ¶그녀는 무수한~로 사람들을 미혹시켰다 她用无数的甜言蜜语迷住了人们

감:염(感染) 똉하자 感染 gǎnrǎn; 污染 wūrǎn ¶~경로 感染途径 / ~원 感染源 / ~자 感染者

감옥(監獄) 똉 监狱 jiānyù; 监牢 jiānláo; 牢狱 láoyù; 囚牢 qiúláo = 옥(獄) ¶~에 갇히다 被关在监狱 / 그를~에 보내다 把他送进监狱

감옥-살이(監獄一) 똉하자 监狱生活 jiānyù shēnghuó = 옥살이

감:원(減員) 똉하타 裁员 cáiyuán; 减员 jiǎnyuán ¶~ 조정 裁员整顿

감:응(感應) 똉하자 1 感触 gǎnchù; 感应 gǎnyìng; 共鸣 gòngmíng ¶~을 일으키다 引发共鸣 2 【物】感应 gǎnyìng ¶~ 계수 感应系数

감:-잎 阅 柿叶 shìyè ¶~차 柿叶茶

감자 阅 【植】土豆 tǔdòu; 马铃薯 mǎlíngshǔ ¶~채 炒土豆丝 / ~떡 土豆饼 / ~전 土豆煎饼 / ~튀김 炸土豆片 / ~를 캐다 挖土豆

감:-전(感電) 阅하자 【電】触电 chùdiàn; 电击 diànjī ¶~ 사고 触电事故 / ~사 触电死亡 / 부주의로 ~되다 因为不留神而触电

감:-점(減點) 阅하타 减分 jiǎnfēn; 扣分 kòufēn ¶~을 받다 被减分

감:-정(感情) 阅 感情 gǎnqíng; 情绪 qíngxù ¶~ 싸움 感情摩擦 / ~이입 感情引入 / 반미 ~ 反美情绪 / ~이 풍부하다 感情丰富 / ~을 드러내다 表露感情

감:-정(憾情) 阅 遗憾 yíhàn; 意见 yìjian ¶나 너한테 무슨 ~ 있니? 你对我有意见吗?

감정(鑑定) 阅하타 鉴定 jiàndìng; 评估 pínggū ¶~가 鉴定价 / ~서 鉴定书 / 보석을 ~하다 鉴定宝石

감주(甘酒) 阅 甜酒 tiánjiǔ = 단술

감:-지(感知) 阅하타 感知 gǎnzhī ¶위험을 ~하다 感知危险 / 변화를 ~하다 感知变化

감:-지-기(感知器) 阅 【物】传感器 chuángǎnqì; 感知器 gǎnzhīqì; 灵敏装置 língmǐn zhuāngzhì = 센서(sensor)

감:-지덕지(感之德之) 图 感恩戴德 gǎn'ēndàidé; 感激之至 gǎnjīzhīzhì

감질-나다 图 着急 zháojí; 急 jí ¶비가 정말 감질나게 온다 这个雨得太少真让人着急

감쪽-같다 图 巧夺天工 qiǎoduótiāngōng; 巧妙 qiǎomiào; 灵巧 língqiǎo; 神妙 shénmiào; 神乎其神 shénhūqíshén; 神不知鬼不觉 shénbùzhīguǐbùjiào ¶감쪽같은 계획 巧妙的计艺 / 감쪽같은 솜씨 巧夺天工的手艺

감쪽같-이 图 巧夺天工

감찰(監察) 阅하타 监察 jiānchá; 督察 dūchá ¶~ 제도 监察制度

감청(紺青) 阅 【美】绀青 gànqīng

감청(監聽) 阅하타 【軍】监听 jiāntīng

감초(甘草) 阅 【植】甘草 gāncǎo

감:-촉(感觸) 阅하타 手感 shǒugǎn; 感觉 gǎnjué = 촉감1 ¶부드러운·软软的手感 /~이 좋다 手感很好

감추다 团 1 藏 cáng; 隐藏 yǐncáng; 隐匿 yǐnnì ¶물건을 ~ 把东西藏起来 2 瞒 mán; 掩盖 yǎngài; 掩饰 yǎnshì; 隐瞒 yǐnmán; 遮盖 zhēgài; 遮瞒 zhēmán; 遮掩 zhēyǎn ¶결함을 ~ 掩盖缺陷 / 불안을 ~ 掩饰不安

감:-축(減縮) 阅하자타 减缩 jiǎnsuō; 缩减 suōjiǎn ¶예산을 ~하다 缩减预算 / 인원을 ~하다 裁减人员

감:-치다 团 缭 liáo; 锁 suǒ ¶단춧구멍을 ~ 锁扣眼

감:-칠-맛 阅 1 合口味 hékǒuwèi; 美味 měiwèi; 有味道 yǒuwèidào ¶~이 있다 有味道 2 魅力 mèilì; 吸引力 xīyǐnlì

감:-침-질 阅하타 缭 liáo; 锁 suǒ

감탄(感歎·感嘆) 阅하자타 感叹 gǎntàn; 赞叹 zàntàn; 赞许 zànxǔ ¶~문感叹句 /~법 感叹法 /~사 感叹词 / 그의 실력에 ~을 금치 못하다 对他的能力赞叹不已

감탄 부호(感歎符號) 【語】= 느낌표

감:-퇴(減退) 阅하자 减退 jiǎntuì; 减弱 jiǎnruò; 减少 jiǎnshǎo; 衰退 shuāituì ¶시력이 ~하다 视力减弱 / 기억력이 ~하다 记忆力减退

감투 阅 1 乌纱帽 wūshāmào; 乌纱 wūshā 2 官职 guānzhí

감투(를) 쓰다 阅 戴乌纱帽; 身居高位

감:-행(敢行) 阅하타 敢于 gǎnyú; 干出 gànchū; 敢于 gǎnyú; 举行 jǔxíng ¶파업을 ~하기로 결정하다 决定举行罢工

감:-형(減刑) 阅하자타 【法】减刑 jiǎnxíng; 减 jiǎn ¶사형을 무기 징역으로 ~하다 死刑减为无期徒刑

감호(監護) 阅하타 监护 jiānhù ¶~ 조치 监护措施 / 어린이를 ~하다 监护儿童

감:-화(感化) 阅하자타 感化 gǎnhuà; 感染 gǎnrǎn; 感召 gǎnzhào; 熏陶 xūntáo; 影响 yǐngxiǎng ¶~ 교육 感化教育 / 인격으로 사람을 ~시키다 用人格感化人

감:-회(感懷) 阅 感怀 gǎnhuái; 怀旧 huáijiù ¶~가 깊다 感怀深 / 깊은 ~에 젖다 沉浸在深深感怀之中

감:-흥(感興) 阅 感兴 gǎnxìng ¶~이 일다 生感兴 / ~을 불러일으키다 激起感兴

감:-히(-히) 图 敢 gǎn; 胆敢 dǎngǎn; 敢于 gǎnyú; 竟敢 jìnggǎn ¶~ 어떻게 그런 말을 할 수 있는 거니? 你怎么敢这样说?

갑(匣)(兒) 阅 盒子 hé(r); 盒子 hézi; 匣 xiá ¶빈 ~ 空盒子 2 盒 hé ¶담배한 ~ 一盒烟

갑(岬) 阅 【地理】岬 jiǎ; 岬角 jiǎjiǎo; 地角 dìjiǎo ¶海岬 hǎijiǎ; 海角 hǎijiǎo

갑각(甲殼) 阅 【動】甲壳 jiǎqiào ¶~류 甲壳类

갑갑-하다 图 憋闷 biēmen; 烦得慌 fándehuāng; 闷气 mēnqì; 烦闷 fánmèn; 闷 mèn; 郁闷 yùmèn ¶장소가 비좁아서 ~ 地方狭窄, 有些闷

갑골(甲骨) 阅 甲骨 jiǎgǔ

갑골-문(甲骨文) 명 【語】 = 갑골 문자

갑골 문자(甲骨文字) 【語】甲骨文 jiǎ-gǔwén = 갑골문

갑남을녀(甲男乙女) 명 张三李四 zhāngsānlǐsì

갑론을박(甲論乙駁) 명하자 你争我辩 nǐzhēngwǒbiàn; 辩来辩去 biànláibiàn-qù; 争论不休 zhēnglùnbùxiū

갑문(閘門) 명 【建】 闸门 zhámén; 水闸 shuǐzhá

갑부(甲富) 명 富豪 fùháo; 首富 shǒu-fù

갑상-선(甲狀腺) 명 【生】甲状腺 jiǎ-zhuàngxiàn ¶~ 기능 저하증 甲状腺功能低下症=[甲状腺功能不全] / ~ 기능 항진증 甲状腺功能亢进症 / ~ 비대 甲状腺肥大 / ~ 암 甲状腺癌

갑-오징어(甲—) 명 【動】乌贼 wūzéi

갑-옷(甲—) 명 부 jiǎ; 铠甲 kǎijiǎ ¶~을 입고 출정하다 穿着铠甲出征

갑자기 부 突然 tūrán; 突然间 tūrán-jiān; 忽然 hūrán; 陡然 dǒurán; 顿时 dùnshí; 霍然 huòrán; 遽然 jùrán; 蓦地 mòdì; 倏地 shūdì; 骤然 zhòurán; 骤 zhòu ¶그가 ~ 내 손을 잡았다 他突然握住了我的手 / 날씨가 ~ 추워지다 天气忽然转冷 / 기온이 ~ 내려가다 气温骤降

갑작-스럽다 형 突然 tūrán; 突如其来 tūrúqílái; 意外 yìwài; 意想不到 yì-xiǎngbùdào ¶갑작스러운 질문 突如其来的提问 / 모든 것이 너무 ~ 一切来得太突然了 **갑작스레** 부

갑절 명 = 배(倍)1

갑주(甲胄) 명 甲胄 jiǎzhòu

갑판(甲板) 명 甲板 jiǎbǎn; 舱面 cāngmiàn

값 명 1 价 jià; 价格 jiàgé; 价钱 jiàqian ¶~이 비싸다 价格很贵 / ~이 싸다 价格便宜 / ~을 깎다 砍价 / ~을 흥정하다 讨价还价 2 成效 chéngxiào; 代价 dàijià; 意义 yìyì / ~을 발휘하다 发挥成效 3 值得 zhídé; 价值 jiàzhí ¶~이 없는 일 没价值的事 4 费 fèi; 费用 fèiyong ¶신문~ 报费 / 음식~ 餐费 5 【數】值 jiǎngzhí

값-나가다 자 值钱 zhíqián ¶값나가는 물건 值钱的东西

값-비싸다 형 1 贵 guì; 价格高 jiàgé gāo; 昂贵 ángguì ¶값비싼 화장품 昂贵的化妆品 2 值钱 zhíqián; 沉重 chénzhòng; 宝贵 bǎoguì ¶값비싼 대가 沉重的代价 / 값비싼 경험 宝贵的经验

값-싸다 형 1 便宜 piányi ¶값싸고 튼튼한 상품 又便宜又结实的产品 2 不值钱 bùzhíqián; 廉价 liánjià ¶값싼 동정 不值钱的同情

값없다 형 1 无价 wújià ¶값없는 보배 无价之宝 2 不值钱 bùzhíqián; 没有价值 méiyǒujiàzhí; 白白 báibái ¶값없는 일 没有价值的事情 **값없이** 부 ¶~ 죽다 白白送死

값-지다 형 1 值钱 zhíqián ¶값진 그림 值钱的图画 2 有价值 yǒu jiàzhí; 宝贵 bǎoguì ¶값진 희생 有价值的牺牲

갓¹ 명 1 笠子帽 lìzimào ¶~을 쓰다 头戴笠子帽 2 (灯의) 罩(儿) zhào(r); 罩子 zhàozi

갓² 명 【植】盖菜 gàicài; 芥菜 gàicài ¶~김치 芥菜泡菜

갓³ 부 刚 gāng; 刚刚 gānggāng ¶~ 태어난 아기 刚出生的婴儿

갓-길 명 路肩 lùjiān; 路边儿 lùbiānr ¶고속도로 ~ 高速公路路肩 / ~ 주행 在路肩上行驶

갓난-아기 명 婴儿 yīng'ér; 宝宝 bǎobao

갓난-아이 명 婴儿 yīng'ér; 新生儿 xīnshēng'ér = 신생아

갓난-쟁이 명 毛孩子 máoháizi; 娃娃 wáwá; 婴儿 yīng'ér; 婴孩 yīnghái

강(鋼) 명 【工】= 강철

강(江) 명 江 jiāng; 河 hé; 江河 jiānghé ¶~을 건너다 过江 / 한 줄기 ~ 一条河

강 건너 불 보듯 부 = 강 건너 불구경

강 건너 불구경 부 隔岸观火 = 강 건너 불구경

강-(强) 접두 强 qiáng ¶~행군 强行军 / ~타자 强击手

강-가(江—) 명 河边 hébiān; 河沿 héyán; 江边 jiāngbiān = 강변 ¶~를 거닐다 逛河边

강-간(强姦) 명하자 强奸 qiángjiān ¶~범 强奸犯 / ~죄 强奸罪

강강-술래 명 【民】羌羌水越来 qiāngqiāngshuǐyuèlái

강건-하다(剛健—) 형 刚健 gāngjiàn; 刚毅 gāngyì ¶강건한 성격 刚毅的性格 / 풍격이 ~ 风格刚健 **강건-히** 부

강건-하다(强健—) 형 强健 qiángjiàn; 强壮 qiángzhuàng; 健壮 jiànzhuàng ¶체질이 ~ 体制健壮 **강건-히** 부

강경(强勁 · 强硬) 명하자부 坚强 jiānqiáng; 强劲 qiángjìn; 强硬 qiángyìng ¶~론 强劲论 / ~책 强硬政策 / ~파 硬派 / ~한 태도 强硬的态度 / ~어조 强硬的语调

강골(剛骨) 명 刚骨 gānggǔ; 硬骨头

yìnggǔtou ¶—한 硬骨头

강공(强攻) 图해타 强攻 qiánggōng

강:구(講究) 图해타 谋划 móuhuà; 谋求 móuqiú; 摸索 mōsuǒ; 求索 qiúsuǒ ¶해결책을 ~하다 摸索解决方法

강국(强國) 图 强国 qiángguó ¶세계 ~ 世界强国

강:권(强勸) 图해타 强劝 qiángquàn; 硬劝 yìngquàn ¶국민들에게 선거 참여를 ~하다 硬劝国民参加选举

강-기슭(江一) 图 江岸 hé'àn; 江岸 jiāng'àn

강-나루(江一) 图 江津 jiāngjīn; 河渡口 hédùkǒu

강남(江南) 图 江南 jiāngnán

강낭-콩 图 菜豆 càidòu; 四季豆 sìjìdòu; 芸豆 yúndòu

강냉이 图 **1** 玉米 = 옥수수 **2** 炸玉米 zháyùmǐ

강녕-하다(康寧一) 图 康宁 kāngníng; 安康 ānkāng ¶생활이 ~ 生活安康 **강녕-히** 图

강-다짐(一해타) **1** 干咽 gànyàn **2** 强迫 qiángpò; 无理 wúlǐ; 硬 yìng

강단(剛斷) 图 果断 guǒduàn; 坚忍不拔的意志 jiānrěnbùbáde yìzhì ¶~이 있다 有坚忍不拔的意思

강·단(講壇) 图 讲坛 jiǎngtán; 讲台 jiǎngtái ¶~에 서다 站在讲坛上

강·당(講堂) 图 **1** 讲堂 jiǎngtáng; 礼堂 lǐtáng ¶학교 ~ 学校礼堂 **2** 〖佛〗讲院 jiǎngyuàn

강-대(講臺) 图 讲台 jiǎngtái

강대-국(强大國) 图 强大国 qiángdàguó; 强大国家 qiángdà guójiā

강-대(講臺卓) 图 讲桌 jiǎngzhuō

강대-하다(强大一) 图 强大 qiángdà; 强盛 qiángshèng ¶강대한 국가 强盛的国家 / 강대한 세력 强大的势力 **강대-히** 图

강도(剛度) 图 〖物〗刚度 gāngdù

강·도(强盜) 图해타 强盜 qiángdào; 盗劫 dàojié; 抢劫 qiǎngjié ¶~ 사건 盗劫案 / 은행 ~ 银行抢劫

강도(强度) 图 **1** 强度 qiángdù ¶~ 높은 훈련 强度大的训练 **2** 〖物〗强度 qiángdù = 세기

강·도-사(講道師) 图 〖宗〗讲道师 jiǎngdàoshī

강·도-질(强盜一) 图해자 抢劫 qiǎngjié; 盗劫 dàojié

강·독(講讀) 图해타 讲读 jiǎngdú; 阅读 yuèdú; 精读 jīngdú ¶문학 ~ 文学精读

강-된장(一醬) 图 纯大酱 chúndàjiàng; 纯黄酱 chúnhuángjiàng

강-둑(江一) 图 河堤 hédī ¶~길 河堤路

강·등(降等) 图해자타 降 jiàng; 降低 jiàngdī; 降级 jiàngjí

강력-범(强力犯) 图 〖法〗凶犯 xiōngfàn

강력-분(强力粉) 图 强力面粉 qiánglì miànfěn

강력-하다(强力一) 图 强力 qiánglì; 强有力 qiángyǒulì; 强便 qiángyìng; 严重 yánzhòng ¶강력한 엔진 强有力的引擎 / 강력한 조치를 취하다 采取强便措施 **강력-히** 图 ¶~ 항의하다 严重抗议

강렬-하다(强烈一) 图 强烈 qiángliè ¶강렬한 햇빛 强烈的阳光 / 소망이 ~ 愿望强烈 **강렬-히** 图

강령(綱領) 图 大纲 dàgāng; 纲领 gānglǐng ¶행동 ~ 行动纲领

강·론(講論) 图해타 讲论 jiǎnglùn

강·림(降臨) 图해자 降临 jiànglín ¶신선이 세상에 ~하다 神仙降临人间

강-마르다 图 **1** 干巴 gānba; 干巴巴 gānbābā ¶비가 부족해서 땅이 강말랐다 雨水不足, 地里干巴巴的 **2** 干瘦 gānshòu; 枯瘦 kūshòu ¶강마른 아이 干瘦的孩子

강·매(强買) 图해타 强买 qiángmǎi; 硬买 yìngmǎi

강·매(强賣) 图해타 强卖 qiángmài; 强售 qiángshòu ¶물건을 ~하다 强卖东西

강모(剛毛) 图 **1** 硬毛 yìngmáo **2** 〖生〗刚毛 gāngmáo

강-모래(江一) 图 江沙 jiāngshā; 河沙 héshā

강-물(江一) 图 江水 jiāngshuǐ; 河水 héshuǐ ¶~이 붇다 江水涨了 / ~이 넘치다 江水溢出来

강물도 쓰면 준다 속담 近水不可枉用水, 近山不可枉烧柴

강-바닥(江一) 图 河槽 hécáo; 河底 hédǐ; 河床 héchuáng

강-바람(江一) 图 江风 jiāngfēng

강:박(强迫) 图해타 强迫 qiángpò; 逼迫 bīpò; 强温 qiǎngpǐ ¶~ 관념 强迫观念 / 그들의 실수를 인정하게 ~하다 逼迫他们承认错误

강변(江邊) 图 = 강가 ¶~길 河边路 =江边路 / ~도로 河边道路 =江边道路

강:변(强辯) 图해자타 强辩 qiángbiàn

강병(强兵) 图 **1** 强兵 qiángbīng **2** 强备武装 qiángbèi wǔzhuāng

강보(襁褓) 图 = 포대기

강북(江北) 图 江北 jiāngběi

강-비탈(江一) 图 河坡 hépō; 江坡 jiāngpō

강:사(講士) 图 讲演者 jiǎngyǎnzhě; 演讲者 yǎnjiǎngzhě

강:사(講師) 图 讲师 jiǎngshī ¶대학

~ 大学讲师 / ~ 자격 讲师资格

강삭(鋼索) 명 钢索 gāngsuǒ; 钢丝绳 gāngsīshéng = 와이어·와이어로프

강산(江山) 명 江山 jiāngshān; 河山 héshān; 山河 shānhé ¶아름다운 ~ 美丽的江山

강산(强酸) 명【化】强酸 qiángsuān

강-샘 명[하자] = 질투

강:설(降雪) 명[하자] 降雪 jiàngxuě ¶~ 량 降雪量

강설(講說) 명[하타] 说说 jiǎngshuō

강성-하다(强盛一) 형 强盛 qiángshèng ¶국가가 ~ 国家强盛 / 세력이 날로 강성해지다 势力日益强盛

강세(强勢) 명 1 强势 qiángshì 2【經】上升趋势 shàngshēng qūshì; 强势 qiáng shì 3【語】重音 zhòngyīn

강-소주(一燒酒) 명 纯烧酒 chúnshāojiǔ

강-속구(强速球) 명【體】速球 sùqiú ¶시속 150킬로의 ~를 던지다 投出时速150公里的速球

강:수(降水) 명 降水 jiàngshuǐ ¶~계 降水计 / ~량 降水量

강:술(講述) 명[하타] 讲述 jiǎngshù ¶관련 내용을 ~하다 讲述相关内容

강:습(講習) 명[하타] 讲习 jiǎngxí; 培训 péixùn ¶~회 讲习会 / ~반 讲习班 / ~생 讲习生 / ~소 讲习所 / 무용 ~ 舞蹈培训

강시(僵屍·殭屍) 명 僵尸 jiāngshī; 冻尸 dòngshī

강-심장(强心臟) 명 胆大 dǎndà; 钢铁心脏 gāngtiě xīnzàng ¶감히 이런 말까지 하다니, 너는 정말로 ~이다 你可真是胆大, 连这话也敢说

강아지 명 小狗 xiǎogǒu

강아지-풀 명【植】狗尾草 gǒuwěicǎo; 谷莠子 gǔyòuzi; 莠 yǒu

강-알칼리(强alkali) 명【化】= 강염기

강:압(强壓) 명[하타] 高压 gāoyā; 强加 qiángjiā; 强压 qiángyā; 强制 qiángzhì; 压制 yāzhì ¶이웃 나라의 ~을 받다 受到邻国的高压

강:압-적(强壓的) 관[명] 强压(的) qiángyā(de) ¶~인 방법 强压的方法

강약(强弱) 명 强弱 qiángruò ¶~ 부호 强弱符号 / ~을 조절하다 调节强弱

강-어귀(江一) 명 河口 hékǒu; 江口 jiāngkǒu; 入海口 rùhǎikǒu

강연(講演) 명[하타] 讲演 jiǎngyǎn; 演讲 yǎnjiǎng ¶~료 演讲费 / ~장 演讲会场 / ~회 演讲会 / 환경에 대한 ~ 关于环境的讲演

강-염기(强鹽基) 명【化】强碱 qiángjiǎn = 강알칼리

강:요(强要) 명[하자타] 逼迫 bīpò; 强

加 qiángjiā; 硬要 yìngyào; 强迫 qiǎngpò; 强求 qiǎngqiú; 迫 pò; 强逼 qiǎngbī; 遍 bī ¶자백을 ~하다 逼供 / 희생을 ~ 당하다 被迫牺牲 / 양보를 ~하다 强迫让步 / ~에 못 이겨 결혼하다 被逼无奈结婚

강:우(降雨) 명[하자] 降雨 jiàngyǔ

강:우-량(降雨量) 명 降雨量 jiàngyǔliàng; 雨量 yǔliàng = 우량(雨量)

강:의(講義) 명[하타] 讲授 jiǎngshòu; 上课 shàngkè; 课 kè; 教课 jiāokè; 讲课 jiǎngkè; 教学 jiāoxué; 教 jiào ¶~ 계획서 教学计划 / ~실 教室 / ~를 받다 上课 / ~를 하다 讲课

강인-하다(强靭一) 형 坚强 jiānqiáng; 坚韧 jiānrèn; 刚韧 gāngrèn ¶강인한 정신 坚韧的精神

강자(强者) 명 强者 qiángzhě ¶~가 되다 成为强者

강장(强壯) 명[하형] 强壮 qiángzhuàng ¶~ 효과 强壮效果

강장(腔腸) 명【動】腔肠 qiāngcháng ¶~동물 腔肠动物

강장-제(强壯劑) 명【藥】强壮剂 qiángzhuàngjì ¶자양 ~ 滋养强壮剂

강재(鋼材) 명【工】钢材 gāngcái

강적(强敵) 명 强敌 qiángdí; 劲敌 jìngdí ¶~을 만나다 碰上强敌

강:점(强占) 명[하타] 强占 qiángzhàn; 霸占 bàzhàn; 侵占 qīnzhàn ¶남의 국토를 ~하다 侵占别国国土

강점(强點) 명 强点 qiángdiǎn; 长处 chángchù; 优点 yōudiǎn ¶~을 살리다 发扬强点

강:점-기(强占期) 명 强占期 qiángzhànqī ¶일제 ~ 日本军国主义强占期

강정 명 江米条 jiāngmǐtiáo

강:제(强制) 명[하타] 逼迫 bīpò; 强制 qiángzhì; 强迫 qiángpò; 强 qiáng; 硬 yìng ¶~력 强制力 / ~성 强制性 / ~ 수단 强制手段 / ~처분 强制处分 / ~ 집행 强制执行 / ~ 해산 强制解散

강:제 수용(强制收容) 명【社】强制收容 qiángzhì shōuróng ¶~소 强制收容所

강:제-적(强制的) 관[명] 强制(的) qiángzhì(de)

강:조(强調) 명[하타] 强调 qiángdiào ¶~법 强调法 / 중요성을 ~하다 强调重要性 / 자기의 의견을 ~하다 强调自己的意见

강:좌(講座) 명 讲座 jiǎngzuò; 课 kè ¶영어 ~ 英语讲座

강-줄기(江一) 명 河流 héliú

강직-하다(剛直一) 형 刚直 gāngzhí; 刚正 gāngzhèng; 耿直 gěngzhí ¶강직한 사람 耿直的人

강진(强震) 명【地理】强震 qiángzhèn ¶~이 발생하다 发生强震

강짜 몡[하자] 吃醋 chīcù; 妒忌 dùjì; 嫉妒 jídù; 赖 lài ¶~를 부리다 耍赖

강철(鋼鐵) 몡【工】钢铁 gāngtiě; 钢 gāng = 강(鋼)·철강 ¶~못 钢钉 / ~봉 钢棍 /~을 만들다 铸造钢铁

강철-판(鋼鐵板) 몡 钢板 gāngbǎn = 강판(鋼板)

강촌(江村) 몡 江村 jiāngcūn

강-추위(强一) 몡 严寒 yánhán; 酷寒 kùhàn

강타(强打) 몡[하타] 1 猛打 měngdǎ; 猛击 měngjī 2 席卷 xíjuǎn ¶태풍이 남해안을 ~했다 台风席卷了南海岸 3 【體】猛力击球 měnglì jīqiú

강-타자(强打者) 몡 【體】(棒球的)强打者 qiángdǎzhě; 强击手 qiángjīshǒu

강탈(强奪) 몡[하타] 抢夺 qiǎngduó; 抢劫 qiǎngjié; 暴掠 bàoluè; 掠夺 lüèduó ¶남의 재물을 ~하다 抢夺别人的财物

강-태공(姜太公) 몡 1 【人】姜太公 Jiāngtàigōng 2 钓鱼人 diàoyúrén

강토(疆土) 몡 疆土 jiāngtǔ ¶~를 지키다 保护疆土

강-팀(强team) 몡 强队 qiángduì ¶~과 결승전을 치르다 与强队决赛

강판(薑板) 몡 擦菜板 cācàibǎn ¶양파를 ~에 갈다 把洋葱用擦菜板擦碎

강판(鋼板) 몡 = 강철판

강:판(降板) 몡[하자]【體】(棒球的)降板 jiàngbǎn

강:평(講評) 몡[하자] 讲评 jiǎngpíng; 评定 píngdìng ¶~회 讲评会

강포-하다(强暴—) 혱 强暴 qiángbào ¶강포한 침략 행위 强暴的侵略行为

강폭(江幅) 몡 河宽 hékuān

강-풀(江—) 몡 河草 hécǎo; 江草 jiāngcǎo

강풍(强風) 몡 1 强风 qiángfēng; 大风 dàfēng ¶~이 불다 刮大风 2 【地理】= 센바람

강:하(降下) 몡[하자타] 1 = 하강 下降 xiàjiàng ¶기온이 급격히 ~하다 气温急剧下降

강-하다(剛—) 혱 1 (物体) 结实 jiēshi; 坚固 jiāngù; 坚硬 jiānyìng; 硬 yìng ¶저 나무토막들은 아주 ~ 那些 木头块很结实 2 (性格) 刚强 gāngqiáng; 刚毅 gāngyì ¶강한 성격 刚毅的性格

강-하다(强—) 혱 1 (力气) 大 dà; 强 qiáng ¶손힘이 ~ 握力很强 2 (程度) 强 qiáng; 强硬 qiángyìng; 强劲 qiángjìn ¶책임감이 ~ 责任心很强

강:해(講解) 몡[하타] 讲解 jiǎngjiě ¶논어 ~ 论语讲解

강행(强行) 몡[하타] 强行 qiángxíng; 硬干 yìnggàn ¶공사를 ~하다 强行施工

강:-행군(强行軍) 몡[하자] 强行军 qiáng-

강호(江湖) 몡 江湖 jiānghú ¶~를 떠돌다 游走江湖

강호(强豪) 몡 强手 qiángshǒu; 强者 qiángzhě ¶새로운 ~가 등장하다 出现新强手

강-호령(一號令) 몡[하자] 无理斥责 wúlǐchìzé

강:-화(講和) 몡[하자] 讲和 jiǎnghé; 媾和 gòuhé ¶~ 조약 媾和条约 / ~ 회의 讲和会议

강화(强化) 몡[하타] 加强 jiāqiáng; 强化 qiánghuà; 增强 zēngqiáng ¶~ 훈련 强化训练 / ~우유 强化奶 /~식품 强化食品 / ~ 유리 强化玻璃 / 왕권을 ~하다 加强王权 / 관리를 ~하다 加强管理

강황(薑黃) 몡【植】姜黄 jiānghuáng

갖-가지 몡 '가지가지'의 略词 ¶~ 채소를 심다 种植各种蔬菜

갖다 타 '가지다'의 略词

갖-바치 몡 皮匠 píjiàng

갖-옷 몡 皮衣 píyī

갖은 팬 样样 yàngyàng; 各种 gèzhǒng; 一切 yīqiè; 种种 zhǒngzhǒng ¶~ 양념 种种调料 / ~ 수단을 다 쓰다 用尽一切手段

갖추다 타 1 具备 jùbèi; 齐备 qíbèi; 置备 zhìbèi; 做好 zuòhǎo ¶자격을 ~ 具备资格 / 조건을 ~ 具备条件 / 준비를 ~ 做好准备 2 端正 duānzhèng; 整齐 zhěng ¶자세를 ~ 端正姿势

갖춘-꽃 몡【植】完全花 wánquánhuā

갖춘-마디 몡【音】完全小节 wánquán xiǎojié

갖-풀 몡 = 아교풀

같다 혱 1 同样 tóngyàng; 同一 tóngyī; 一样 yīyàng; 相同 xiāngtóng ¶같은 학교 同一学校 / 나와 그는 나이가 ~ 我和他年龄一样大 2 好似 hǎosì; 如同 rútóng; 如:라 rú; 一样 yīyàng; 般 bān; 仿佛 fǎngfú 3 像 xiàng ¶추석 같은 명절 像中秋这样的节日 / 나 같은 사람 像这样的家伙 4 如果 rúguǒ; 若是 ruòshì; 要是 yàoshì ¶나 같으면 꼭 가겠다 要是我, 一定会去 5 好像 hǎoxiàng ¶눈에 올 것 ~ 好像要下雨 / 그는 집에 없는 것 ~ 他好像不在家

같아-지다 자 同化 tónghuà; 一样 yīyàng

같이 〔一〕 🅟 1 一起 yīqǐ; 一同 yītóng; 一道 yīdào; 一块儿 yīkuàir; 同时 tóngshí ¶~ 가다 一起去 / ~ 일하다 一起工作 2 照 zhào; 如 rú ¶예상하던 바와 ~ 如我所料 〔三〕🅩 1 像 xiàng…一样 xiàng…yīyàng; 同 tóng…一样 tóng…yīyàng; 宛如 wǎnrú; 像…似的 xiàng…shìde; 般 bān ¶쟁반 ~ 둥근 달 像盘

子一样圆圆的月亮 **2** 一大… yīdà…; 都 dōu; 就 jiù ¶새벽~ 출근하다 一大早上班/매일~ 지각하다 每天都迟到

같이-하다 탄 **1** 共同 gòngtóng; 一起 yīqǐ; 与共 yǔgòng ¶생사를 ~ 生死与共 / 자리를 ~ 坐在一起 **2** 同一 tóngyī; 一致 yīzhì ¶의견을 ~ 意见一致

같잖다 형 不三不四 bùsānbùsì; 不像样 bùxiàngyàng; 无聊 wúliáo **같잖-이** 튀

갚다 탄 **1** 还 huán; 偿还 chánghuán; 付 fù ¶빚을 ~ 还债 / 빌린 돈은 이미 갚았다 欠的钱已经还了 **2** 报 bào; 报答 bàodá ¶원수를 ~ 报仇 / 은혜를 원수로 ~ 以怨报德

개 명 〔動〕 狗 gǒu; 犬 quǎn ¶미친 ~ 疯狗 / ~ 한 마리 一条狗 / ~가 짖다 狗叫

개같이 벌어서 정승같이 산다[먹는다] 속담 狗一般挣钱, 宰相一般吃喝

개 패듯 귀 像打狗一样打

개(個·箇·介) 의명 个 gè; 块 kuài; 张 zhāng; 颗 kē ¶귤 세 ~ 三个橘子 / 사탕 한 ~ 一块糖 / 한 ~ 만 다오 给我一个

개:-가(改嫁) 명하자 改嫁 gǎijià; 转嫁 zhuǎnjià ¶재상 zàijià = 재가 ¶남편이 죽은 후 그녀는 ~하였다 丈夫死后, 她改嫁了

개:-가(開架) 명하자 (图书馆) 开架 kāijià ¶~식 开架式

개:-가(凱歌) 명 = 개선가

개:-각(改閣) 명하자 组阁 zǔgé; 内阁改组 nèigé gǎizǔ

개:-간(-刊) 명〔印〕重刊 chóngyìn; 改版 gǎibǎn; 改刊 gǎikān

개간(開墾) 명하타 开垦 kāikěn; 开荒 kāihuāng; 拓荒 tuòhuāng ¶~지 拓荒地

개강(開講) 명하타 开讲 kāijiǎng; 开学 kāixué ¶대학은 대체로 3월에 ~한다 大学一般份三月开学

개:-개-인(個個人) 명 每个人 měigèrén; 每人 měirén ¶~의 능력 每个人的能力

개:-고기 명 狗肉 gǒuròu; 香肉 xiāngròu

개:-고생(-苦生) 명 遭罪 zāozuì; 受罪 shòuzuì

개골-창 명 沟渠 gōuqú; 水沟 shuǐgōu

개:과(改過) 명하자 改过 gǎiguò; 悔过 huǐguò ¶~천선 改过迁善 / 잘못을 ~하다 改过错误

개관(開館) 명하자타 开馆 kāiguǎn ¶~식 开馆式

개:-관(概觀) 명하타 概观 gàiguān; 概述 gàishù

개:-괄(概括) 명하타 概括 gàikuò; 总结 zǒngjié ¶~하여 말하다 概括地说

개교(開校) 명하타 开办学校 kāibàn xuéxiào; 建校 jiànxiào ¶~기념일 建校纪念日 = [校庆日]

개구리 명 青蛙 qīngwā; 蛙 wā ¶개구리 올챙이 적 생각 못한다 속담 丢掉讨饭棍, 忘记叫街时

개구리-눈 명 青蛙眼 qīngwāyǎn

개구리-밥 명〔植〕浮萍 fúpíng; 水萍 shuǐpíng; 紫萍 zǐpíng = 부평초

개구리-헤엄 명 蛙泳 wāyǒng

개:-구멍 명〔動〕狗洞 gǒudòng ¶~으로 땡땡이치다 窜讨狗洞逃学

개:-구멍-바지 명 开裆裤 kāidāngkù

개구쟁이 명 淘气鬼 táoqìguǐ; 调皮鬼 tiáopíguǐ; 顽童 wántóng

개국(個國) 의명 个国家 gèguójiā ¶삼십 ~ 대표들 三十个国家代表团

개국(開國) 명하타 开国 kāiguó; 建国 jiànguó ¶~ 공신 开国功臣

개굴-개굴 튀하자 (青蛙) 呱呱(叫) guāguā(jiào) ¶개구리가 ~ 우는 소리 青蛙呱呱叫的声音

개그(gag) 명 插科打诨 chākēdǎhùn

개그-맨(gagman) 명 喜剧演员 xǐjù yǎnyuán; 搞笑演员 gǎoxiào yǎnyuán

개근(皆勤) 명하자타 全勤 quánqín ¶~상 全勤奖 / ~상장 全勤奖状 / 그는 오 년 동안 회사를 ~했다 五年来他一直全勤

개기(皆既) 〔天〕 = 개기식

개:-기름 명 皮脂 pízhī

개기-일식(皆既蝕) 명〔天〕全食 quánshí = 개기

개기 월식(皆既月蝕) 〔天〕月全食 yuèquánshí

개기 일식(皆既日蝕) 〔天〕日全食 rìquánshí

개:-꿈 명 乱七八糟的梦 luànqībāzāo de mèng

개:-나리 명〔植〕连翘 liánqiáo; 黄花条 huánghuātiáo

개나리-봇짐 명 '괴나리봇짐'의 错误

개년(個年) 의명 个年 gènián ¶경제 개발 오 ~ 계획 经济开发五个年计划

개:-념(概念) 명 概念 gàiniàn ¶~론 概念论 / ~이 명확치 않다 概念不明确

개:-놈 명 狗东西 gǒudōngxi

개:-다[1] 자 **1** 晴 qíng; 转晴 zhuǎnqíng ¶날이 ~ 天气放晴 **2** 散 sàn; 消散 xiāosàn ¶시름이 ~ 疲劳消散

개:-다[2] 탄 和 huò; 搅拌 jiǎobàn; 调 tiáo ¶밀가루 덩어리를 ~ 把面粉块儿和开

개:-다[3] 탄 叠 dié; 折叠 zhédié = 개키다

다 ¶이불을 ~ 叠被子／옷을 ~ 叠衣服

개도-국(開途國) 몡 '개발도상국'의 略词

개:-돼지 몡 猪狗 zhūgǒu

개:-떡 몡 1 糠饽饽 kāngbōbo 2 不象话 bùxiànghuà；一团糟 yītuánzāo

개:-똥 몡 1 狗屎 gǒushǐ 2 卑贱的 bēijiànde

개똥도 약에 쓰려면 없다 속담 想人药，狗屎也找不到《比喻平时到处都有的东西，一旦急需却很难找到》

개:똥-벌레 몡【蟲】= 반딧불이

개:똥-지빠귀 몡【鳥】斑鸫 bāndōng

개:똥-철학(一哲學) 몡 狗屎哲学 gǒushǐ zhéxué

개:략(概略) 몡하타 概略 gàilüè；大致 dàzhì；扼要 èyào

개:량(改良) 몡하타 改良 gǎiliáng ¶~복 改良服／~종 改良种／~품 改良品种／~ 한복 改良韩式服装／농기계를 ~하다 改良农具

개런티(guarantee) 몡 片酬 piànchóu

개:-론(概論) 몡하타 概论 gàilùn ¶사회학 ~ 社会学概论

개막(開幕) 몡자타 开幕 kāimù；启幕 qǐmù ¶~사 开幕词／~식 开幕式／~을 선언하다 宣布开幕

개:-망나니 몡 狗东西 gǒudōngxi

개:-망신(亡身) 몡하타 丢人又丢脸 diūdàrén；丢尽脸 diūjìnliǎn；丢人现眼 diūrén xiànyǎn

개:머리-판(一板) 몡【軍】枪托 qiāngtuō

개:-명(改名) 몡하자 改名 gǎimíng；更名 gēngmíng ¶~신청 改名申请

개:-미 몡【蟲】蚂蚁 mǎyǐ；蚁 yǐ
개미 새끼 하나 볼 수 없다 ☞ 连人影儿都见不着
개미 새끼 하나도 얼씬 못한다 ☞ 任何人都不允许接近

개:미-구멍 몡 1 蚁孔 yǐkǒng；蚂蚁洞 mǎyǐdòng 2 = 개미집

개:미-굴(一窟) 몡 1 蚁穴 yǐxué 2 = 개미집

개:미-떼 몡 蚁合 yǐhé；蚁结 yǐjié；蚁聚 yǐjù

개:미-집 몡 蚂蚁窝 mǎyǐwō = 개미구멍2·개미굴2

개:미-핥기 몡【動】食蚁兽 shíyǐshòu

개:미-허리 몡 蜂腰 fēngyāo；蚂蚁腰 mǎyǐyāo；细腰 xìyāo

개발(開發) 몡하타 1 开采 kāicǎi；开发 kāifā ¶~ 계획 开发计划／광산을 ~하다 开采矿山／자원을 ~하다 开发资源 2 启发 qǐfā ¶~ 교육 启发教育／능력을 ~하다 启发能力 3 开发 kāifā ¶~비 开发费用／~자 开发者／신

제품을 ~하다 开发新产品 4 发展 fāzhǎn

개발 도상국(開發途上國)【社】发展中国家 fāzhǎnzhōng guójiā

개발-새발 몡 信笔涂鸦 xìnbǐtúyā

개발 제:한 구역(開發制限區域)【法】绿带 lǜdài；绿化地带 lǜhuà dìdài = 그린벨트

개:-밥 몡 狗食 gǒushí
개밥에 도토리 속담 狗食里的橡子《比喻被众人嫌弃而孤立的人》

개방(開放) 몡하타 开放 kāifàng ¶~ 경제 开放性经济／~ 정책 开放政策／~주의 开放主义／문호를 ~하다 开放门户／도서관은 내일부터 ~된다 图书馆明天开放

개방-적(開放的) 관몡 开放的 kāifàng(de) ¶~인 성격 开放的性格

개:-벼룩 몡【蟲】狗蚤 gǒuzǎo

개벽(開闢) 몡하자 开辟 kāipì ¶천지가 ~하다 开辟天地

개:-별(個別) 몡 个别 gèbié ¶~ 면담 个别面谈／~ 방문 个别访问／~ 검사 个别检查／~ 지도 个别指导

개:-별-적(個別的) 관몡 个别的 gèbié(de)

개봉(開封) 몡하타 1 打开 dǎkāi；开封 kāifēng；启封 qǐfēng ¶병마개를 ~하다 开开瓶盖／편지를 ~하다 打开信封 2 首次上映 shǒucì shàngyìng；首映 shǒuyìng ¶~ 박두 首映迫近

개봉-관(開封館) 몡 头轮影院 tóulún yǐngyuàn

개:-불 몡【動】海肠 hǎicháng

개비 몡 根 gēn；块 kuài ¶담배 한 ~ 一根烟

개:비(改備) 몡하타 改换 gǎihuàn；更新 gēngxīn；换新 huànxīn

개:-불 몡 狗屁 gǒupì ¶사랑은 무슨 ~! 什么狗屁爱情！

개:-살구 몡 野杏 yěxìng

개:-살구-나무 몡【植】野杏树 yěxìngshù

개:-새끼 몡 狗崽子 gǒuzǎizi = 개자식

개:-선(改善) 몡하타 改善 gǎishàn；改进 gǎijìn；改良 gǎiliáng ¶체질을 ~하다 改善体质／작업 환경을 ~하다 改善工作环境／관계 ~을 위해 노력하다 为改善关系努力

개:-선(疥癣) 몡【韓醫】= 옴

개:-선(凱旋) 몡하자 凯旋 kǎixuán ¶~문 凯旋门／~군 凯旋将军／~ 행진곡 凯旋行进曲／축구 대표팀이 ~하여 돌아오다 足球队凯旋而归

개:-선-가(凱旋歌) 몡 凯歌 kǎigē = 개가(凱歌) ¶~를 높이 부르다 高唱凯歌

개:선-충(疥癬蟲) 몡【蟲】疥癬虫 jièxuǎnchóng

개설(開設) 몡하타 设 shè; 开 kāi; 开办 kāibàn; 开设 kāishè ¶계좌를 ～하다 开户/강좌를 ～하다 开讲座/새로운 과목을 ～하다 开办新课程

개:성(個性) 몡 个性 gèxìng ¶～화 个性化/～이 강한 사람 个性很强的人/매우 ～ 있는 헤어스타일 很有个性的发型

개:성-적(個性的) 관몡 很有个性 hěn yǒu gèxìng; 个性(的) gèxìng(de) ¶그는 얼굴부터 무척 ～으로 생겼다 他的脸长得很有个性

개:-소리 몡하자 放狗屁 fànggǒupì; 胡说八道 húshuōbādào; 废话 fèihuà

개:수(改修) 몡하타 重修 chóngxiū; 改建 gǎijiàn; 改进 gǎijìn ¶～ 공사 改建工程/도로를 ～하다 重修道路/집을 ～하다 重修房屋

개수 몡 = 개숫물

개:수(個數) 몡 个数 gèshù; 件数 jiànshù; 个儿 gèr ¶～가 부족하다 个数不够

개수-대(一臺) 몡 洗涤槽 xǐdícáo; 水槽 shuǐcáo

개:-수작(一酬酌) 몡하자 搞鬼 gǎoguǐ; 胡说 húshuō; 瞎扯 xiāchě ¶～하지 마라 别搞鬼

개수-통(一桶) 몡 洗碗水桶 xǐwǎnshuǐtǒng = 설거지통

개숫-물 몡 泔水 gānshuǐ; 洗碗水 xǐwǎnshuǐ = 개수·설거지물

개시(開市) 몡하타 开张 kāizhāng; 开市 kāishì

개시(開始) 몡하타 开始 kāishǐ ¶공격을 ～하다 开始攻击/작업을 ～하다 开始工作

개:신(改新) 몡하타 改新 gǎixīn ¶～교 改新教

개:-싸움 몡 = 투견

개암 몡 榛子 zhēnzi; 榛 zhēn; 榛实 zhēnshí

개암-나무 몡【植】榛树 zhēnshù; 榛 zhēn; 榛子 zhēnzi

개업(開業) 몡하타 开业 kāiyè; 开张 kāizhāng ¶～식 开业式/상점이 ～하다 商店开业

개:-연(蓋然) 몡 盖然 gàirán ¶～성 盖然性/～적 판단 盖然的判断

개:요(槪要) 몡 概要 gàiyào ¶논문 ～ 论文概要/보고서의 ～ 报告概要

개운-하다 톙 1 轻松 qīngsōng; 舒服 shūfu; 爽快 shuǎngkuai ¶감기에 걸려서 몸이 개운하지 않다 因为感冒了, 身体不舒服 2 爽口 shuǎngkǒu ¶국물이 매우 ～ 汤喝着很爽口

개울 몡 小溪 xiǎoxī; 小沟 xiǎogōu ¶

～에서 물고기를 잡다 在小溪里抓鱼

개울-가 몡 小溪边 xiǎoxībiān; 小沟边 xiǎogōubiān ¶～에서 빨래를 하다 在小溪边洗衣服

개울-물 몡 溪水 xīshuǐ; 沟水 gōushuǐ

개원(開園) 몡하타 开园 kāiyuán ¶이 유치원은 3월에 ～한다 这幼儿园三月份开园

개원(開院) 몡하타 开院 kāiyuàn ¶이 병원은 내일 정식으로 ～한다 这家医院明天正式开院

개월(個月) 의명 个月 gèyuè ¶이 ～ 两个月/몇 ～ 几个月

개:의(介意) 몡하자 介意 jièyì; 在意 zàiyì ¶방금 이 말은 제가 무심코 한 말이니, ～치 마십시오 刚才这句话我是无心中说的, 你可别介意

개이다 자 '개다'의 착글

개:-인(個人) 몡 个人 gèrén; 个体 gètǐ; 单人 dānrén; 私人 sīrén ¶～ 감정 个人感情/～상 个人事项/～ 소유 私人所有/～ 정보 个人信息/～주의 个人主义/～ 회사 私人公司/～ 경기 单人竞技/～ 기업 个人企业/～ 소득 个人所得/～ 비서 私人秘书/～ 투자가 私人投资者

개:-인 교수(個人教授) 몡【教】个别教学 gèbié jiàoxué; 私人教师 sīrén jiàoshī

개:-인-기(個人技) 몡 个人技术 gèrén jìshù

개:-인용 컴퓨터(個人用computer) 몡【컴】个人电脑 gèrén diànnǎo = 피시

개:-인-적(個人的) 관몡 个人(的) gèrén(de); 私人(的) sīrén(de) ¶～인 생각 个人想法/～인 문제 私人问题

개:-인-전(個人展) 몡 个人展 gèrénzhǎn

개:-인-전(個人戰) 몡【體】个人赛 gèrénsài

개:-인-차(個人差) 몡 个人差别 gèrén chābié

개:-인-택시(個人taxi) 몡 个体出租 gètǐ chūzū

개:-인-행동(個人行動) 몡 单独行动 dāndú xíngdòng

개:-입(介入) 몡하타 插手 chāshǒu; 介入 jièrù ¶남의 일에 ～하다 插手别人的工作

개:-자식(一子息) 몡 = 개새끼

개:-작(改作) 몡하타 改编 gǎibiān; 改写 gǎixiě

개장(開場) 몡하자타 1 开场 kāichǎng; 开张 kāizhāng; 开放 kāifàng; 开门 kāimén; 开始入场 kāishǐ rùchǎng ¶야간 ～ 夜间开场/새로 ～한 놀이공원 新开的游乐场 2【經】开盘 kāipán; 开市 kāishì

개점(開店) 명하타 开店 kāidiàn; 开张 kāizhāng ¶이 상점은 내일 ~할 계획이다 这家商店计划明天开张

개점-휴업(開店休業) 명 门可罗雀 ménkěluóquè

개:정(改正) 명하타 修正 xiūzhèng ¶~안 修正案

개:정(改定) 명하타 重订 chóngdìng; 改 gǎi; 改动 gǎidòng ¶잘못된 내용을 ~하다 改动错误的内容

개:정(改訂) 명하타 改订 gǎidìng; 修订 xiūdìng ¶~판 修订版 / 헌법을 ~하다 修订宪法

개정(開廷) 명하자 『法』开庭 kāitíng

개:조(改造) 명하타 改造 gǎizào ¶광장을 주차장으로 ~하다 把广场改造成停车场

개:종(改宗) 명하자 『宗』改教 gǎijiào; 改宗 gǎizōng

개:-죽음 명하자 白送死 báisòngsǐ; 无谓牺牲 wúwèi xīshēng

개:-중(個中) 명 个中 gèzhōng; 其中 qízhōng; 之中 zhīzhōng ¶~에는 처음 본 사람도 있었다 其中也有初次见面的人

개진(開陳) 명하자 陈述 chénshù; 陈情 chénqíng ¶자기의 의견을 ~하다 陈述自己的意见

개:-집 명 狗窝 gǒuwō; 狗舍 gǒushè

개:-차반 명 臭狗屎 chòugǒushǐ

개:찰(改札) 명하타 检票 jiǎnpiào; 剪票 jiǎnpiào ¶~기 检票机 / ~시간 检票时间

개척(開拓) 명하타 1 开垦 kāikěn; 开拓 kāituò ¶황무지를 ~하다 开垦荒地 2 开创 kāichuàng; 开辟 kāipì ¶새로운 분야를 ~하다 开辟新领域 / 판로를 ~하다 开辟销路

개척-기(開拓期) 명 1 开拓期 kāituòqī 2 开辟期 kāipìqī

개척-자(開拓者) 명 1 开拓人 kāituòrén 2 开辟者 kāipìzhě

개척-지(開拓地) 명 1 开拓地 kāituòdì 2 开辟地 kāipìdì

개천(—川) 명 1 河沟 hégōu; 水沟 shuǐgōu 2 = 내¹

개:-체(個體) 명 『生』个体 gètǐ ¶~변이 个体变异

개최(開催) 명하타 举办 jǔbàn; 主办 zhǔbàn; 举行 jǔxíng; 召开 zhàokāi ¶~국 主办国 = [东道国] / 올림픽 ~ 도시 奥运会主办城市 / 회의를 ~하다 主办会议 / 행사를 ~하다 主办活动

개최-지(開催地) 명 举办地 jǔbàndì; 主办地 zhǔbàndì ¶월드컵 ~ 世界杯主办地

개:-축(改築) 명하타 翻盖 fāngài; 翻建

개간(改刊) 명하타 改刊 gǎixiū; 改建 gǎijiàn; 改修 gǎixiū; 修葺 xiūqì ¶집을 ~하다 翻修房屋

개:칭(改稱) 명하타 改称 gǎichēng; 改换 gǎihuàn ¶회사의 이름을 ~하다 改换公司的名称

개:-코-원숭이 명 『動』狒狒 fèifèi(狒狒)

개키다 타 = 개다³ ¶옷을 ~ 叠衣服

개:-탄(慨歎·慨嘆) 명하자타 慨叹 kǎitàn ¶도덕의 타락을 ~하다 慨叹道德沦亡

개:-털 명 1 狗毛 gǒumáo 2 穷光蛋 qióngguāngdàn

개통(開通) 명하타 开通 kāitōng; 通车 tōngchē ¶~식 通车典礼 / 지하철이 ~되다 地铁开通 / 휴대폰을 ~하다 开通手机

개:-판 명 乱七八糟 luànqībāzāo; 一团糟 yītuánzāo; 狼藉 lángjí; 一锅粥 yīguōzhōu

개펄 명 泥滩 nítān = 펄

개:-편(改編) 명하타 改编 gǎibiān ¶조직을 ~하다 组织改编

개평 명 (賭博时从赢得的钱里抽的) 头 tóu

개평(을) 떼다 곤 抽头

개평(을) 치다 곤 抽头

개폐(開閉) 명하타 开闭 kāibì; 开关 kāiguān ¶~식 开闭式 / 자동 ~ 장치 自动开闭装置

개폐-기(開閉器) 명 『電』= 스위치

개:-표(改票) 명하자 检票 jiǎnpiào; 剪票 jiǎnpiào ¶~구 检票口 / ~ 업무 检票业务

개표(開票) 명하타 开票 kāipiào; 计票 jìpiào ¶~ 결과 计票结果

개학(開學) 명하자 开学 kāixué ¶~식 开学典礼 / 오늘은 ~하는 날이다 今天是开学的日子

개항(開港) 명하타 1 开辟港口 kāipì gǎngkǒu 2 开放港口 kāifàng gǎngkǒu

개:-헌(改憲) 명하타 『法』改宪 gǎixiàn ¶~안 改宪案

개:-헤엄 명 狗爬式游泳 gǒupáshì yóuyǒng

개:-혁(改革) 명하타 改革 gǎigé ¶~파 改革派 / 토지 ~ 土地改革 / 종교 ~ 宗教改革 / 제도를 ~하다 改革制度 / 기구를 ~하다 改革机构

개화(開化) 명하자 开化 kāihuà; 开明 kāimíng ¶문명 ~ 文明开化 / ~사상 开化思想

개화(開花) 명하자 1 开花 kāihuā 2 繁荣 fánróng ¶민족 문화의 ~ 民族文化的繁荣

개화-기(開化期) 명 『史』开化期 kāihuàqī

개화-기(開花期) 명 **1** 开花期 kāihuā-qī ¶이 꽃의 ～는 5월이다 这种花的开花期是五月 **2** 繁荣发展时期 fánróng fāzhǎn shíqī ¶민족 문화의 ～ 民族文化的繁荣发展时期

개:황(概況) 명 概况 gàikuàng

개회(開會) 명 开会 kāihuì ¶～사 开会辞 /～식 开会典礼 /～를 선언하다 宣布开会 /정시에 ～하다 准时开会

개-흙 명 河泥 héní

객(客) 명 **1** 客人 kèrén; 客 kè ¶낯선 ～ 陌生客 **2** 旅客 lǚkè

-객(客) 명 客 kè; 人 rén; 者 zhě ¶관람～ 观览者 /등산～ 爬山人 /불청～ 不速之客

객관(客觀) 명 客观 kèguān ¶～성 客观性 /～식 客观题 /～주의 客观主义 /～화 客观化

객관-적(客觀的) 관·명 客观(的) kèguān(de) ¶～인 증거 客观证据 /～으로 판단하다 客观地判断

객기(客氣) 명 血气 xuèqì; 血性 xuèxìng; 意气 yìqì ¶～를 부리다 意气用事

객사(客死) 명·하자 客死 kèsǐ ¶타향에서 ～하다 客死他乡

객석(客席) 명 客座 kèzuò; 客位 kèwèi ¶관중들이 ～을 가득 메웠다 观众们坐满了客座

객-식구(客食口) 명 寄居人 jìjūrén

객실(客室) 명 客房 kèfáng; 客舱 kècāng ¶～을 예약하다 预订客房

객원(客員) 명 客座 kèzuò; 客席 kèxí ¶～ 교수 客座教授 /～ 지휘자 客座指挥

객지(客地) 명 异乡 yìxiāng; 他乡 tāxiāng; 外乡 wàixiāng; 客地 kèdì ¶～ 생활 异乡生活 /～에서 생활하다 生活在他乡

객-쩍다(客一) 형 不必要 bùbìyào; 多余 duōyú; 无聊 wúliáo ¶말해도 소리를 하다 说多余的话 /객쩍은 행동 不必要的行为 객쩍-이 부

객차(客車) 명 交 客车 kèchē

객체(客體) 명 哲 客体 kètǐ

객혈(喀血·咯血) 명·하자 医 咯血 kǎxiě; 咳血 kéxiě = 각혈

갤러리(gallery) 명 **1** 画廊 huàláng; 展览室 zhǎnlǎnshì 走廊 zǒuláng **2** 体 (高尔夫球赛的) 观众 guānzhòng

갤런(gallon) 의명 加仑 jiālún ¶1～의 가솔린 一加仑汽油

갯-마을 명 海边村庄 hǎibiān cūnzhuāng

갯-바람 명 海风 hǎifēng

갯-바위 명 海边石头 hǎibiān shítou; 海岸岩石 hǎi'àn yánshí

갯-벌 명 泥滩 nítān

갯-지렁이 동 沙蚕 shācán

갱(坑) 명 矿 **1** 坑 kēng; 矿坑 kuàngkēng ¶구덩이2 = 갱도

갱(gang) 명 团伙 tuánhuǒ; 匪帮 fěibāng; 黑帮 hēibāng ¶～ 두목 匪帮头目 /～ 영화 黑帮片

갱구(坑口) 명 矿 坑口 kēngkǒu; 矿口 kuàngkǒu

갱-년-기(更年期) 명 更年期 gēngniánqī ¶～ 증상 更年期症状 /～ 우울증 更年期抑郁症

갱-단(gang團) 명 匪帮 fěibāng; 暴力团伙 bàolì tuánhuǒ

갱도(坑道) 명 矿 坑道 kēngdào; 坑路 kēnglù; 巷道 hàngdào = 갱(坑)2

갱-생(更生) 명·하자타 重生 chóngshēng; 更生 gēngshēng ¶～의 길 更生的道路 /～ 보호 更生保护

갱-신(更新) 명·하자타 **1** = 경신1 **2** 法 更新 gēngxīn ¶～하다 更新合同 / 비자를 ～하다 更新签证

갱-지(更紙) 명 劣质纸 lièpǐnzhǐ; 白报纸 báibàozhǐ

갱차(坑車) 명 矿 = 광차

갸:륵-하다 형 令人佩服 lìngrén pèifú; 可嘉 kějiā ¶정성이 ～하다 真诚可嘉 갸륵-히 부

갸름-하다 형 略长 lüècháng; 稍长 shāocháng ¶갸름한 얼굴형 稍长的脸型

갸우뚱-거리다 자타 晃动 huàngdòng; 摇摆 yáobǎi; 摇晃 yáohuàng = 갸우뚱대다 갸우뚱-갸우뚱 부자타

갸웃 부 稍歪 shāowāi; 微斜 wēixié ¶머리를 ～하다 微斜着头

갸웃-거리다 타 (头) 偏 piān; 歪 wāi = 갸웃대다 갸웃-갸웃 부타

갹출(醵出) 명·하타 凑份子 còu fènzi; 出份子 chū fènzi

걔 대 那个孩子 nàge háizi; 那个孩子 nà háizi; 他 tā; 她 tā ¶～는 이름이 뭐니? 他叫什么名字?

거 의명 **1** …的 …de ¶예쁜 ～ 好看的 / 높은 ～ 高的 / 새 ～ 新的 대 '그거'의 略词 ¶～ 참 좋다 那个真好

거간(居間) 명 **1** 介绍买卖 jièshào mǎimai; 居间 jūjiān **2** = 거간꾼

거간-꾼(居間-) 명 经纪人 jīngjìrén; 居间人 jūjiānrén = 거간2

거-구(巨軀) 명 大块头 dàkuàitóu

거-국(擧國) 명 举国 jǔguó; 全国 quánguó

거-국-적(擧國的) 명 举国(的) jǔguó(de)

거-금(巨金) 명 巨款 jùkuǎn ¶～을 투자하다 投资巨款

거기 대 那边 nàbian; 那儿 nàr; 那里

나리 ¶~까지 가다 到那儿去 / 탁자는 ~에 놓아 주세요 请把桌子放在那边

거꾸러-뜨리다 탄 **1** 打倒 dǎdǎo; 翻倒 fāndǎo; 推倒 tuīdǎo; 掀倒 xiāndǎo **2** 打垮 dǎkuǎ; 推翻 tuīfān ¶독재 정부를 ~ 推翻独裁政府 **3** 打死 dǎsǐ ‖= 거꾸러트리다

거꾸러-지다 자 **1** 倒下 dǎoxià; 倒栽葱 dàozāicōng; 跌倒 diēdǎo; 摔倒 shuāidǎo ¶바닥에 倒在地上 **2** 被推翻 bèituīfān; 倒塌 dǎotā; 垮台 kuǎtái; 下台 xiàtái ¶군사 정권이 거꾸러졌다 军事政权垮台了 **3** 倒下 dǎoxià; 死 sǐ ¶병사가 총탄에 맞아 ~ 士兵中弹倒下

거꾸로 뵈 倒 dǎo; 倒过来 dǎoguòlái; 颠倒 diāndǎo; 反过来 fǎnguòlái; 反转 fǎnzhuǎn; 转过来 zhuǎnguòlái ¶~ 흐르다 倒流 / ~ 넣다 倒装 / ~ 놓다 倒置 / ~ 돌다 倒转

거나-하다 톈 微醉 wēizuì; 半醉 bànzuì; 带醉意 dài zuìyì ¶술이 거나하게 취한 사람 喝得半醉的人 **거나-히** 뵈

거느리다 톈 带 dài; 领 lǐng; 率 shuài; 带领 dàilǐng; 率领 shuàilǐng ¶군대를 ~ 率领军队 / 대표단을 ~ 率领代表团

거:닐다 자 逛 guàng; 遛 liù; 溜达 liūda; 漫步 mànbù; 闲逛 xiánguàng; 游荡 yóudàng; 走来走去 zǒuláizǒuqù; 徜徉 chángyáng; 踱步 duóbù; 踱来踱去 duóláiduóqù ¶강가를 ~ 在河边溜达

거:담(去痰·去痰) 몡한자 祛痰 qūtán ¶~제 祛痰剂

거:대(巨大) 몡하형 巨大 jùdà; 宏大 hóngdà ¶~ 시장 巨大市场 / ~한 규모 巨大规模 / 몸집이 ~하다 身材巨大

거:대 도시 〖社〗大都会 dàdūhuì = 메트로폴리스

거:동(擧動) 몡동 举动 jǔdòng; 举止 jǔzhǐ; 行动 xíngdòng; 形迹 xíngjì

거:두(巨頭) 몡 巨头 jùtóu ¶암흑가의 ~ 黑暗社会的巨头

거두다 톈 **1** 获得 huòdé; 取得 qǔdé; 赢得 yíngdé ¶성과를 ~ 取得成果 **2** 收集 shōují; 收(起来) shōu(qǐlái) ¶흩어진 책을 ~ 收起来散落的书籍 **3** 收割 shōugē; 收获 shōuhuò ¶곡식을 ~ 收割庄稼 **4** 料理 liàolǐ; 拾掇 shíduo; 收拾 shōushi ¶방 안을 ~ 收拾房间 / 도구를 ~ 收拾工具 **5** 收取 shōuqǔ; 征收 zhēngshōu ¶세금을 ~ 征收税款 / 임대료를 ~ 收取租金 **6** 收敛 shōuliǎn; 收住 shōuzhù ¶웃음을 ~ 收住笑容 **7** 抚养 fǔyǎng; 抚育 fǔyù; 养 yǎng; 养育 yǎng-

~을 ¶아이를 ~ 抚养孩子

거두어-들이다 톈 **1** 收获 shōuhuò **2** 撤回 chèhuí

거:두-절미(去頭截尾) 몡하톈 去头截尾 qùtóujiéwěi

거들(girdle) 몡 塑身裤 sùshēnkù

거:들다 톈 **1** 帮忙 bāngmáng; 帮助 bāngzhù; 帮 bāng; 助 zhù ¶그를 한몫 ~ 助他一臂之力 / 한 사람도 ~ 들어 주지 않는다 没有一个人来帮忙 **2** 参与 cānyù; 插嘴 chāzuǐ; 干预 gānyù ¶이 일은 너와 상관없으니, 너는 거들지 마라 这事与你无关, 你不要参与

거들떠-보다 톈 理睬 lǐcǎi; 理会 lǐhuì; 理 lǐ ¶아무도 그를 거들떠보지 않다 谁也不理会他

거들먹-거리다 자 得意洋洋 déyìyángyáng; 趾高气扬 zhǐgāoqìyáng = 거들먹대다 ¶그는 머리를 쳐들고 활보하면서 거들먹거렸다 他昂首大步得意洋洋 **거들먹-먹** 뵈자

거듭-나다 자 **1** 〖宗〗重新做人 chóngxīn zuòrén **2** 出现新面貌 chūxiàn xīnmiànmào ¶그 회사는 거듭나지 않으면 경쟁력을 잃을 것이다 如果那家公司不出现新面貌的话, 一定会失去竞争力

거듭-하다 톈 **1** 重复 chóngfù; 再次 zàicì; 反复 fǎnfù ¶~되는 실패 反复更迭的失败 / 같은 동작을 ~하다 重复做同样的动作

거:뜬-하다 톈 **1** 轻 qīng; 轻便 qīngbiàn ¶거뜬한 신발 轻便的鞋子 **2** 轻快 qīngkuài; 轻松 qīngsōng; 轻爽 qīngshuǎng ¶일을 다 마치고 나니 마음이 ~ 完成了所有工作, 心里感到很轻松 **거:뜬-히** 뵈

-거라 어미 吧 ba ¶집에 있~ 呆在家里吧 / 어서 자~ 赶快睡吧

거:래(去來) 몡하톈 **1** 交易 jiāoyì; 买卖 mǎimai ¶~량 交易量 / ~가 이루어지다 做成交易 **2** 往来 wǎnglái; 来往 láiwǎng ¶이웃과의 ~가 잦다 和邻居的来往频繁

거:래-소(去來所) 몡 〖經〗交易所 jiāoyìsuǒ ¶증권 ~ 证券交易所

거:래-처(去來處) 몡 客户 kèhù

거:론(擧論) 몡하톈 提 tí; 挂齿 guàchǐ ¶지난 일은 다시 ~하지 마라 往事不再提

거룩-하다 톈 神圣 shénshèng; 伟大 wěidà ¶거룩한 희생 神圣牺牲 / 거룩한 말씀 神圣的话

거룻-배 몡 扁舟 piānzhōu; 无帆小船 wúfānxiǎochuán

거류(居留) 명 허자 居留 jūliú; 侨居 qiáojū ¶~지 侨居地

거류민-단(居留民團) 명 【法】侨民团 qiáomínтuán; 居留民团 jūliúmínтuán = 민단

거르다¹ 타 滤 lǜ; 过滤 guòlǜ ¶술을 ~ 滤酒 / 물을 ~ 滤水

거르다² 타 隔 gé; 漏 lòu; 跳过 tiàoguò; 没有 méiyǒu; 没 méi ¶끼니를 ~ 没吃饭 / 이틀 걸러 도서관에 다니다 隔两天去一趟图书馆

거름 명 肥料 féiliào; 肥 féi ¶~을 주다 施肥 ——**하다** 자타 施肥 shīféi

거름-종이 명 【化】滤纸 lǜzhǐ = 여과지

거름-통 명 粪桶 fèntǒng

거리¹ 명 = 길거리 ¶번화한 ~ 繁华的街道

거리² 의명 材料 cáiliào; 的 de; 料 liào; 题 tí; 柄 bǐng ¶웃음~ 笑柄 / 마실 ~ 喝的 / 반찬~ 做菜的材料

거·리(距離) 명 距离 jùlí ¶~가 매우 가깝다 距离很近 / 일정한 ~를 유지하다 维持一定距离 / ~를 재다 测量距离

거·리-감(距離感) 명 距离感 jùlígǎn; 隔膜 gémó

거리-끼다 자타 1 碍手碍脚 àishǒuàijiǎo; 妨碍 fáng'ài; 障碍 zhàng'ài ¶남의 일에 거리끼는 행위 妨碍别人工作的行为 2 顾虑 gùlǜ; 内疚 nèijiù ¶과거의 잘못이 마음에 ~ 对过去犯下的错误感到内疚

거리낌 명 1 碍手碍脚 àishǒuàijiǎo; 障碍 zhàng'ài 2 顾虑 gùlǜ; 顾忌 gùjì; 忌惮 jìdàn ¶~ 없이 말하다 毫无顾忌地说

거마(車馬) 명 车马 chēmǎ ¶~비 车马费

거·만(倨慢) 명 하자 허부 傲慢 àomàn; 骄傲 jiāo'ào ¶거만한 사람 傲慢的人 / 태도가 ~하다 态度傲慢 / ~하게 행동하다 举止傲慢

거·머리 명 【動】水蛭 shuǐzhì; 蛭 zhì; 蚂蟥 mǎhuáng

거·멀-못 명 绊钉 bàndīng; 搭钉 dādīng

거·멀다 형 深黑 shēnhēi; 黑 hēi ¶거먼 구름 深黑的云彩

거·메-지다 형 变黑 biànhēi; 发黑 fāhēi ¶이불이 거메졌다 被子变黑了

거·목(巨木) 명 巨木 jùmù ¶한국 문학계의 ~ 韩国文学界的巨木

거무스레-하다 형 = 거무스름하다

거무스름-하다 형 稍黑 shāohēi; 微黑 wēihēi = 거무스레하다·거뭇뭇하다 ¶햇빛에 그을어서 거무스름한 얼굴 被太阳晒得微黑的脸

거무죽죽-하다 형 黑不溜秋 hēibuliūqiū ¶그는 거무죽죽한 옷을 입고 있다 他穿着黑不溜秋的衣服

거무튀튀-하다 형 又黑又脏 yòuhēiyòuzāng ¶두 손이 ~ 双手又黑又脏

거문-고 명 【音】玄鹤琴 xuánhèqín

거·물(巨物) 명 1 巨物 jùwù 2 大人物 dàrénwù ¶정계의 ~ 政界大人物

거·물-급(巨物級) 명 大牌 dàpái; 老牌 láopái ¶~ 선수 老牌运动员

거뭇-하다 형 거무스름하다 ¶거뭇한 피부 微黑的皮肤

거미 【蟲】蜘蛛 zhīzhū; 蛛蛛 zhūzhū; 蛛 zhū ¶~집 蜘蛛窝

거미-줄 명 蜘蛛丝 zhīzhūsī; 蜘蛛网 zhīzhūwǎng; 蛛丝 zhūsī; 蛛网 zhūwǎng

거·병(擧兵) 명 하자 举兵 jǔbīng

거-봐 감 你看 nǐkàn

거·부(巨富) 명 巨富 jùfù; 百万富翁 bǎiwànfùwēng; 大财主 dàcáizhǔ

거·부(拒否) 명 하자 拒绝 jùjué; 否决 fǒujué ¶~권 否决权 / 승차를 ~하다 拒绝载客 / 환자가 치료를 ~하다 病人拒绝治疗

거·부 반응(拒否反應) 【醫】排异反应 páiyì fǎnyìng

거북 명 【動】龟 guī; 乌龟 wūguī

거북-선(一船) 명 【史】龟船 guīchuán; 龟甲船 guījiǎchuán

거·북-스럽다 형 别扭 bièniu; 不好意思 bùhǎoyìsi; 尴尬 gāngà; 难为情 nánwéiqíng **거·북스레** 부

거북-이 명 乌龟 wūguī

거북이-걸음 명 龟行 guīxíng

거·북-하다 형 1 尴尬 gāngà; 难堪 nánkān; 难为情 nánwéiqíng; 受窘 shòujiǒng 2 不舒服 bùshūfu; 不自在 bùzìzai; 拘束 jūshù 3 不得劲(儿) bùdéjìn(r); 不方便 bùfāngbiàn

거·사(巨事) 명 大事 dàshì ¶~를 치르다 办大事

거·사(擧事) 명 하자 举事 jǔshì; 起事 qǐshì

거·상(巨商) 명 巨商 jùshāng; 巨贾 jùgǔ

거상(居喪) 명 居丧 jūsāng

거·성(巨星) 명 1 【天】巨星 jùxīng 2 巨匠 jùjiàng; 泰斗 tàidòu

거·세(去勢) 명 하타 劁 qiāo; 骟 shàn; 阉割 yāngē

거세다 형 1 暴 bào; 猛 měng; 猛烈 měngliè; 汹涌 xiōngyǒng; 猛 měng ¶파도가 ~ 波浪汹涌 2 倔强 juéjiàng 3 强烈 qiángliè; 猛烈 měngliè; 激烈 jīliè ¶거센 저항 激烈抵抗

거·수(擧手) 명 하자 举手 jǔshǒu ¶~경례 举手敬礼 / ~로 표결하다 举手表决

거스러미 圈 1 (手指头的) 倒刺 dào-cì; 倒欠皮 dàoqiànpí 2 铁屑 tiěxuè; 毛刺 máocì

거스르다¹ 囤 1 逆 nì; 溯 sù ¶차도를 거슬러 가다 逆行 / 물을 거슬러 올라가다 溯流而上 2 抗 kàng; 对抗 duì-kàng; 抗拒 kàngjù ¶바람을 ~ 抗风 / 명령을 ~ 抗命

거스르다² 囤 找 zhǎo; 找钱 zhǎoqián ¶천 위안을 내고 칠십 위안을 거슬러 받았다 给了一千元, 找回七十元

거스름-돈 圈 找钱 zhǎoqián; 找头 zhǎotou = 잔돈(残~)2 ¶그에게 ~을 주다 找钱给他

거슬-거슬 囵(형) 1 粗糙 cūcāo; 粗涩 cūsè; 毛糙 máocāo ¶~한 가죽 粗糙的毛皮 2 直爽 zhíshuǎng ¶성격이 ~하다 性格直爽

거슬리다 囤 不顺耳 bùshùn'ěr; 不中听 bùzhòngtīng; 刺耳 cì'ěr; 碍眼 ài-yǎn; 不对眼 bùduìyǎn; 不顺眼 bù-shùnyǎn

거슴츠레 囵(형) 睡眼朦胧 shuìyǎn-ménglóng; 睡眼惺忪 shuìyǎnxīngsōng = 게슴츠레

거:시 圈 宏观 hóngguān ¶~ 경제학 宏观经济学

거시기 데(갑) 那个 nàge

거:시-적 圈 宏观 hóng-guān ¶~ 세계 宏观世界

거:식-증(拒食症) 圈【醫】拒食症 jù-shízhèng

거실(居室) 圈 起居室 qǐjūshì; 居室 jūshì

거:액(巨額) 圈 巨额 jù'é; 巨款 jù-kuǎn; 大额 dà'é ¶~을 기부하다 捐献巨款

거:역(拒逆) 圈(하(자)타) 违抗 wéikàng; 反抗 fǎnkàng; 抗拒 kàngjù ¶명령을 ~하다 违抗命令

거울 圈 1 镜子 jìngzi; 镜 jìng ¶~에 비추어 보다 照镜子 2 榜样 bǎng-yàng; 模范 mófàn; 借鉴 jièjiàn ¶~로 삼다 作为借鉴

거울-삼다 囤 借鉴 jièjiàn; 借镜 jiè-jìng ¶다른 기업의 경험을 ~ 借鉴其他企业的经验

거위 圈(鳥) 鹅 é

거:의 圈(부) 差不多 chàbuduō; 几乎 jī-hū ¶오늘 일은 ~ 끝났다 今天的工作差不多做完了

거:인(巨人) 圈 巨人 jùrén = 대인(大人)2 ¶~ 설화 巨人说话 / ~증 巨人症

거:장(巨匠) 圈 巨匠 jùjiàng

거저 圈 白 bái; 白白地 báibáide; 空 kōng; 空手 kōngshǒu ¶~ 주다 白给 / ~ 받다 白拿

거저-먹기 圈 非常容易 fēichángróng-yì; 非常顺利 fēicháng shùnlì; 轻而易举 qīng'éryìjǔ ¶이런 일은 그에게는 ~ 다 这件事儿对他来说是轻而易举的

거저-먹다 圈 非常容易 fēicháng róng-yì; 非常顺利 fēicháng shùnlì; 轻而易举 qīng'éryìjǔ ¶이런 일은 거저먹는 일이다 这种工作非常容易

거적 圈 草垫子 cǎodiànzi; 草帘 cǎo-lián; 草苫子 cǎoshānzi

거적-때기 圈 草垫子 cǎodiànzi; 草帘 cǎolián; 草苫子 cǎoshānzi

거:절(拒絕) 圈(하형) 拒绝 jùjué ¶그의 요구를 ~하다 拒绝他的要求 / 제안을 ~하다 拒绝提案

거:점(據點) 圈 据点 jùdiǎn ¶활동 ~ 活动据点

거주(居住) 圈(하자) = 주거 ¶~권 居住权 / ~민 居民 / ~자 居住者 / ~ 제한 居住限制 / ~지 居住地

거죽 圈 表面 biǎomiàn; 表皮 biǎopí; 外面 wàimiàn

거즈(gauze) 圈 薄纱 báoshā; 纱布 shābù = 가제(Gaze)

거:지 圈 乞丐 qǐgài; 叫花子 jiàohuā-zi; 要饭的 yàofànde; 叫化子 jiàohuāzi = 걸인

거:지-꼴 圈 乞丐的样子 qǐgàide yàng-zi; 叫花子模样 jiàohuāzi múyàng

거:지-발싸개 圈 一钱不值 yīqiánbù-zhí ¶~ 같은 놈 一钱不值的家伙

거:짓 圈 假 jiǎ; 假的 jiǎde; 伪妄 wěi-wàng; 虚伪 xūwěi ¶그의 말은 모두 ~이다 他的话都是假的

거:짓-되다 圈 假 jiǎ; 虚假 xūjiǎ; 伪妄 wěiwàng; 虚伪 xūwěi

거:짓-말 圈(하자) 谎 huǎng; 谎话 huǎnghuà; 假话 jiǎhuà; 谎言 huǎng-yán; 瞎话 xiāhuà ¶~을 하다 撒谎 = [说谎]
¶거짓말을 밥 먹듯 하다 ⇨ 说谎就像吃饭一样

거:짓말-쟁이 圈 谎话鬼 huǎnghuà-guǐ; 撒谎者 sāhuǎngzhě

거:짓말 탐지기(─探知機)【機】测谎仪 cèhuǎngyí; 测谎器 cèhuǎngqì

거:짓말-투성이 圈 瞎话三千 xiāhuà-sānqiān

거:-참 갑 真是 zhēnshì 《'그것참'의略词》

거:창-하다(巨創─) 圈 宏伟 hóng-wěi; 宏大 hóngdà ¶거창한 사업 宏伟的事业 / 거창한 계획 宏伟的计划 **거:창-히** 厚

거처(居處) 圈 住处 zhùchù; 居所 jū-suǒ ¶그에게 ~를 마련해 주다 给他安排住处

거:추장-스럽다 圈 1 碍手碍脚 àishǒuàijiǎo; 难弄 nánnòng ¶거추장스러운 옷차림 碍手碍脚的衣着 **2** 绊手绊脚 bànshǒubànjiǎo; 劳神 láoshén; 麻烦 máfan; 窒手碍脚 zhìshǒuàijiǎo ¶거추장스러운 일 绊手绊脚的事 **거:추장스레**

거:취(去就) 몡 **1** 方向 fāngxiàng; 去处 qùchù ¶요즘 그의 ~를 아는 사람은 없다 最近没有人关心他的去处 **2** 去就 qùjiù; 何去何从 héqùhécóng ¶~를 정하다 决定何去何从

거치(据置) 몡타 放置 fàngzhì

거치다 타 **1** 绊 bàn; 绊住 bànzhù ¶돌이 발에 ~ 石头绊住脚 **2** 经 jīng; 经过 jīngguò; 经由 jīngyóu ¶이 일은 내 손을 거쳐 처리되었다 这件事是经我手办的 / 난징을 거쳐 상하이에 가다 经由南京到上海

거치-대(据置臺) 몡 放置台 fàngzhìtái ¶휴대폰 ~ 手机放置台

거치적-거리다 짜 碍手碍脚 àishǒuàijiǎo; 绊手绊脚 bànshǒubànjiǎo; 累赘 léizhuì ¶거치적대다 ¶그 상자가 거치적거리니 치워라 那个箱子碍手碍脚, 拿走吧

거칠다 혭 **1** 粗糙 cūcāo; 粗涩 cūsè ¶거친 가죽 粗糙的毛皮 / 바닥이 ~ 低面粗糙 **2** 粗 cū ¶가루가 ~ 粉末粗 **3** 粗暴 cūbào; 粗鲁 cūlǔ; 鲁莽 lǔmǎng ¶성격이 ~ 性格鲁莽 ¶거칠게 행동하다 举止粗鲁 **4** 荒芜 huāngwú ¶밭이 ~ 田地荒芜 **5** 不精细 bùjīngxì; 草率 cǎoshuài; 潦草 liáocǎo ¶일을 거칠게 처리하다 草率地处理工作 **6** 不顺 bùshùn ¶눈에 ~ 不顺眼

거칠-하다 혭 粗糙 cūcāo; 粗涩 cūsè; 干涩 gānsè; 毛糙 máocāo ¶날씨가 추워져서 피부도 거칠해졌다 天气冷了, 皮肤也粗糙了

거침-없다 혭 毫无障碍 háowúzhàngài; 毫无顾忌 háowúgùjì; 毫无阻挡 háowúzǔdǎng ¶거침없는 행동 毫无顾忌的行动 **거침없-이** 뿐

거:포(巨砲) 몡 巨炮 jùpào

거푸 뿐하타 连 lián; 一连 yīlián ¶술잔을 들어 ~ 마시다 连连举杯喝酒

거푸-집 몡 铸型 zhùxíng; 铸模 zhùmú; 模板 múbǎn; 模子 múzi

거:품 몡 泡 pào; 泡沫 pàomò ¶비누 ~ 肥皂泡 / 맥주 ~ 啤酒泡沫 / ~기 泡沫器 / ~욕 泡沫浴 / ~이 나다 起泡沫

거-하다(居一) 짜 定居 dìngjū; 居 jū

거:함(巨艦) 몡 巨舰 jùjiàn

거:행(擧行) 몡자타 **1** 执行 zhíxíng; 办 bàn ¶본부대로 ~하다 按照吩咐执行 **2** 举行 jǔxíng ¶결혼식을 ~하다 举行婚礼

걱정 몡자하타 **1** 操心 cāoxīn; 担心 dān-

xīn; 担忧 dānyōu; 悬念 xuánniàn; 忧虑 yōulǜ; 忧心 yōuxīn ¶~이 많다 忧虑重重 **2** 责备 zébèi ¶~을 듣다 受到责备

걱정이 태산이다 귐 心事重重; 忧心忡忡

걱정-거리 몡 心事 xīnshì; 烦恼 fánnǎo; 心曲 xīnqū; 心病 xīnbìng; 愁帽 chóumào

걱정-스럽다 혭 担心 dānxīn; 担忧 dānyōu; 忧愁 yōuchóu; 忧虑 yōulǜ ¶큰 눈이 내릴까 ~ 担心下大雪 **걱정스레** 뿐

건(件) 몡의몡 件 jiàn; 项 xiàng ¶세 ~의 사고 三件事故

건-(乾) 졉투 干 gān ¶~울음 干哭 / ~명태 干明太鱼

건강(健康) 몡하몡 健康 jiànkāng ¶~미 健康美 / ~식 健康食 / ~상태 健康情况 / ~ 검진 健康检查 / ~ 관리 健康管理 / ~ 보험 健康险 / ~ 식품 健康食品 / ~ 증명서 健康证明书 / ~ 진단 健康检查 / ~ 진단서 健康检查书 / ~한 신체 健康的身体 / ~을 되찾다 恢复健康 / ~을 유지하다 保持健康

건곤(乾坤) 몡 **1** = 천지 **2** 堪舆 kānyú; 乾坤 qiánkūn ¶~일척 乾坤一掷

건과(乾果) 몡 干果 gānguǒ

건:-국(建國) 몡자타 建国 jiànguó ¶~ 시조 建国始祖 / ~ 신화 建国神话 / ~ 이념 建国理念 / ~ 훈장 建国勋章

건기(乾期) 몡 干季 gānjì; 旱季 hànjì; 干燥期 gānzàoqī

건:너 몡 对面 duìmiàn; 对过 duìguò ¶강~를 바라보다 望着河对面 **2** 隔 gé ¶이틀 ~ 한 번씩 머리를 감다 每隔两天洗一次头

건:너-가다 짜타 渡 dù; 渡过 dùguò; 通过 tōngguò; 越过 yuèguò ¶한길을 ~ 渡过马路 / 강을 ~ 渡过河 / 멀리 외국으로 ~ 远渡重洋

건:너다 타 **1** 渡 dù; 越 yuè ¶강을 ~ 渡河 / 바다를 ~ 越洋 **2** 传 chuán ¶소문은 이 집 저 집을 건너서 퍼졌다 那个消息一个传一个地传开了 **3** 隔 gé ¶이 약은 하루 건너 먹는다 这药隔天吃一次

건:너-뛰다 타 **1** 跳越 tiàoyuè ¶도랑을 ~ 跳越沟渠 **2** 跳 tiào; 越 yuè ¶2학년에서 4학년으로 ~ 从二年级跳到四年级

건:너-오다 짜타 渡过来 dùguòlái; 越过来 yuèguòlái

건:너-편(一便) 몡 对面 duìmiàn; 对过 duìguò ¶길 ~ 马路对面

건:넌-방(一房) 몡 对面房间 duìmiàn

건:널-목 명 渡口 dùkǒu; 交叉路口 jiāochālùkǒu

건:넛-마을 명 对面的村庄 duìmiànde cūnzhuāng

건:네다 타 1 递 dì; 递交 dìjiāo; 传递 chuándí; 交 jiāo; 交给 jiāogěi ¶그에게 명함을 ~ 把名片递给他 2 搭 dā ¶말을 ~ 搭话 3 渡 dù 《'건너다1'의 사동사》 ¶배로 사람을 ~ 用船渡人

건:네-주다 타 递给 dìgěi; 递过 dìguò ¶그에게 마이크를 ~ 把麦克风递给他

건달(乾達) 명 1 游手好闲 yóushǒuhàoxián; 游手好闲的人 yóushǒuhàoxiánde rén 2 穷光蛋 qióngguāngdàn

건더기 명 1 汤里的东西 tānglǐde dōngxi 2 材料 cáiliào 3 把柄 bǎbǐng; 小辫子 xiǎobiànzi 4 内容 nèiróng ¶무슨 ~도 없다 没有什么内容

건:드리다 타 1 碰 pèng; 触 chù; 触动 chùdòng ¶전시품을 함부로 건드리지 마라 别随便碰展品 2 (用话或行动) 触 chù; 触动 chùdòng; 惹 rě; 招惹 zhāorě ¶그의 심사를 ~ 触动他的心事 / 그의 아픈 곳을 ~ 触到他的痛处 3 着手 zhuóshǒu ¶한번 건드린 일은 끝까지 해야 한다 一旦着手就要做到底

건들-거리다 □자 1 轻拂 qīngfú 2 吊儿郎当 diào'erlángdāng □자타 活动 huódòng; 摇摆 yáobǎi; 摇晃 yáohuàng; 摇摇欲坠 yáoyáoyùzhuì ¶그녀는 요람을 건들거리고 있다 她摇晃着摇篮 ∥ = 건들대다 건들-건들 부 자자타

건-들다 타 '건드리다'의 略词

건:립(建立) 명하타 建立 jiànlì; 设立 shèlì ¶ ~자 建立者 / 공장을 ~하다 建立工厂 / 회사를 ~하다 设立公司

건:망-증(健忘症) 명【醫】健忘症 jiànwàngzhèng

건면(乾麵) 명 干面 gānmiàn

건:명태(乾明太) 명 = 북어

건:물(建物) 명 建筑物 jiànzhùwù; 建筑 jiànzhù; 楼房 lóufáng ¶콘크리트~ 混凝土建筑物 / ~을 짓다 搭盖建筑物

건물(乾物) 명 干燥食品 gānzào shípǐn

건-미역(乾一) 명 干海带 gānhǎidài

건:반(鍵盤) 명 键盘 jiànpán = 키보드1 ¶ ~악기 键盘乐器

건방 명 (态度) 傲慢 àomàn; 骄傲 jiāo'ào; 自高自大 zìgāozìdà

건방-지다 형 傲慢 àomàn; 骄傲 jiāo'ào; 自高自大 zìgāozìdà ¶건방진 태도 骄傲的态度 / 건방진 말 傲慢的言语

건배(乾杯) 명하자 干杯 gānbēi ¶우정

을 위해 ~! 为了友谊, 干杯!

건-빵(乾一) 명 硬饼干 yìngbǐnggān

건사 명하타 1 照看 zhàokàn ¶동생을 잘 ~하다 照看好弟弟 2 保藏 bǎocáng; 保存 bǎocún ¶그 사진을 잘 ~해 두다 好好保存那张照片

건:설(建設) 명하타 建设 jiànshè ¶기초 ~ 基础建设 / 자재 建设资材

건:설-업(建設業) 명 建设业 jiànshèyè; 建造行业 jiànzào hángyè ¶ ~자 建设业者

건:설-적(建設的) 관형 建设(的) jiànshè(de)

건성 명 表面上 biǎomiànshàng; 假意 jiǎyì ¶ ~으로 대답하다 假意回答

건성(乾性) 명 干性 gānxìng ¶ ~ 피부 干性皮肤

건성-건성 부 大致 dàzhì; 粗略地 cūlüède ¶ ~ 설명해 주었다 大致说明了一下

건수(件數) 명 件数 jiànshù

건습(乾濕) 명 干湿 gānshī ¶ ~계 干湿计 = 干湿表

건:실-하다(健實一) 형 1 可靠 kěkào; 踏实 tāshi; 忠实 zhōngshí ¶건실한 사람 忠实的人 2 结实 jiēshi ¶건실한 몸 结实的身体 건:실-히 부

건:아(健兒) 명 健儿 jiàn'ér ¶대한의 ~ 大韩的健儿

건어(乾魚) 명 = 건어물

건-어물(乾魚物) 명 干鱼 gānyú; 干鱼类 gānyúlèi; 干鱼品 gānyúpǐn = 건어

건:의(建議) 명하타 建议 jiànyì ¶ ~서 建议书 / ~안 建议案 / ~자 建议者 / ~를 제기하다 提出建议

건:장-하다(健壯一) 형 健壮 jiànzhuàng ¶건장한 몸 健壮的身体 건:장-히 부

건:재(建材) 명【建】'건축 용재'의 略词 ¶ ~상 建材商

건:재(健在) 명하형 健在 jiànzài; 健存 jiàncún ¶부모님은 모두 ~하시다 父母都健在

건:전(健全) 명하형 하부 健全 jiànquán ¶ ~한 사상 健全的思想

건-전지(乾電池) 명【化】干电池 gāndiànchí

건:조(建造) 명하타 建造 jiànzào; 制造 zhìzào ¶배를 ~하다 建造轮船

건조(乾燥) 명하자타 干燥 gānzào; 枯燥 kūzào ¶ ~기 干燥机 / ~대 干燥台 / ~식품 干燥食品 / ~장치 干燥装置 / ~주의보 干燥注意报 / ~한 환경 干燥的环境 / 기후가 ~하다 气候干燥 / 목재를 ~시키다 使木材干燥

건조-제(乾燥劑) 명【化】1 干燥剂 gānzàojì; 防潮剂 fángcháojì = 방습제

2 催干剂 cuīgānjì

건지다 〔타〕 **1** 打捞 dǎlāo; 捞 lāo ¶가라앉은 배를 ~ 打捞沉船 / 물에 빠진 사람을 ~ 捞上落水的人 **2** (把东儿) 捞 lāo ¶밑천을 ~ 捞本儿

건초(乾草) 〔명〕 干草 gāncǎo

건:집(腱鞘) 〔명〕 【生】 腱鞘 jiànqiào

건:축(建築) 〔명〕〔하타〕 建筑 jiànzhù ¶~가 建筑家 / ~ 구조 建筑结构 / ~물 建筑物 / ~ 설계 建筑设计 / ~학 建筑学

건:축 용:재(建築用材) 〔建〕 建材 jiàn-cái; 建筑材料 jiànzhù cáiliào; 建筑资材 jiànzhù zīcái = 건축 자재

건:축 자재(建築資材) 〔建〕 = 건축용재

건:투(健鬪) 〔명〕〔하자〕 健斗 jiàndòu

건판(乾板) 〔명〕 【化】 底板 dǐbǎn; 底片 dǐpiàn

건:평(建坪) 〔명〕 〔建〕 建筑面积 jiànzhù miànjī

건:폐-율(建蔽率) 〔명〕 建筑面积比 jiànzhù miànjībǐ

건-포도(乾葡萄) 〔명〕 葡萄干 pútaogān

걷:기 〔명〕 步行 bùxíng; 行走 xíngzǒu; 走 zǒu ¶~ 운동 步行运动

걷다¹ 〔자〕 **1** (云、雾) 消散 xiāosàn; 散 sàn; 流散 liúsàn ¶잔뜩 끼었던 구름이 걷고 맑은 하늘이 보이기 시작했다 重云散开, 开始见晴天了 **2** 晴 qíng; 放晴 fàngqíng ¶장마가 걷자마자 바로 무더위가 시작되었다 梅雨初晴, 就开始了炎热

걷:다² 〔자타〕 **1** 走 zǒu; 走路 zǒulù; 行走 xíngzǒu ¶걸어서 가다 走着去 / 천천히 ~ 慢慢地走 **2** 走向 zǒuxiàng; 走 zǒu ¶파멸의 길을 ~ 走向灭亡

걷다³ 〔타〕 **1** 撩 liāo; 搂 lōu; 卷 juǎn; 捋 luǒ; 绾 wǎn; 挽 wǎn ¶소매를 ~ 挽起袖子 **2** 拾掇 shíduǒ; 收 shōu; 收拾 shōushi ¶그물을 ~ 收网 **3** 收取 shōuqǔ ¶회비를 ~ 收取会费 / 임대료를 ~ 收取租金

걷어-붙이다 〔타〕 捋起 luǒqǐ; 卷起 juǎnqǐ; 挽起 wǎnqǐ ¶소매를 ~ 卷起袖子 / 팔을 ~ 挽起胳膊

걷어-차다 〔타〕 踢 tī; 踹 chuài ¶거치적거리는 돌을 ~ 踢开绊脚石

걷어-치우다 〔타〕 **1** 收起 shōuqǐ; 作罢 zuòbà ¶쓸데없는 말은 걷어치워라 收起那些废话 **2** 收拾 shōushi ¶책상 위에 있는 책들을 ~ 收拾书桌上的书

걷-잡다 〔타〕 **1** 收拾 shōushi; 挽救 wǎnjiù ¶걷잡을 수 없는 일 不可挽回的事情 **2** 压抑 yāyì; 压制 yāzhì ¶감정을 ~ 压抑感情

걷:-히다¹ 〔자〕 '걷다¹'의 피동사

걷:-히다² 〔자〕 '걷다³'의 피동사

걸걸-하다 〔형〕 **1** 大方 dàfāng; 豪爽 háoshuǎng ¶성격이 걸걸한 사람 性格豪爽的人 **2** (声音) 宏亮而略带嘶哑 hóngliàng ér lüèdàisīyǎ ¶그의 목소리는 ~ 他的声音宏亮而略带嘶哑

걸:다¹ 〔형〕 稠 chóu ¶쌀죽이 ~ 米粥稠 **2** (饮食) 丰盛 fēngshèng ¶음식이 ~ 饮食丰盛 **3** 不小气 bùxiǎoqi; 大方 dàfāng ¶말이 ~ 言谈大方

걸:다² 〔타〕 **1** 挂 guà; 搭 dā; 悬 xuán; 悬挂 xuánguà ¶옷을 옷걸이에 ~ 把衣服挂在衣架上 / 금메달을 목에 ~ 把金牌挂在脖子上 **2** 闩 shuān; 锁 suǒ ¶창문을 ~ 锁上窗户 **3** 挽 wǎn ¶팔에 바구니를 ~ 胳膊上挎着一个篮子 **4** (把椅阀) 坐 zuò ¶솥을 화로에 ~ 把锅坐在炉子上 **5** 起动 qǐdòng; 发动 fādòng; 拉 lā ¶차에 시동을 ~ 发动汽车 / 브레이크를 ~ 拉制动器 **6** (把钱) 悬 xuán; 下 xià; 下注 xiàzhù; 赌 dǔ ¶현상금을 ~ 悬赏 / 돈을 ~ 赌钱 **7** 打 dǎ ¶소송을 ~ 打官司 **8** 施 shī ¶최면을 ~ 施催眠术 **9** 凭 píng; 为 wèi ¶명예를 걸고 싸우다 为名誉而战 **10** 寄托 jìtuō; 寄予 jìyǔ ¶희망을 ~ 寄托希望 / 기대를 ~ 寄托期待 **11** (把话) 搭 dā ¶말을 ~ 搭话 **12** (把电话) 打 dǎ ¶전화를 ~ 打电话 **13** 搬弄 bānnòng; 开 kāi; 惹 rě ¶농을 ~ 开玩笑 / 시비를 ~ 搬弄是非 **14** 绊 bàn ¶그가 일부러 내 발을 걸었다 他故意绊了我一下

걸레 〔명〕 抹布 mābù ¶~로 닦다 用抹布擦 / ~를 빨다 洗抹布

걸레-질 〔명〕〔하타〕 (用抹布) 擦 cā; 抹 mǒ; 擦拭 cāshì

걸려-들다 〔타〕 **1** 落 luò; 上 shàng ¶그의 올가미에 ~ 落在他的网里 **2** 受骗 shòupiàn; 上当 shàngdàng; 中计 zhòngjì ¶꾐에 ~ 上当圈套

걸-리다 〔자〕 **1** '걸다²¹'의 피동사 ¶옷이 나뭇가지에 ~ 衣服被树枝挂住 **2** '걸다²²'의 피동사 **3** 花费 huāfèi; 需要 xūyào; 要 yào ¶두 시간이 ~ 需要两个小时 **4** 被阻挡 bèidǎngzhù; 被阻 bèizǔ ¶오토바이가 방지턱에 ~ 摩托车被防止柱阻住 **5** 患 huàn; 遭 zāo ¶병에 ~ 患病 **6** 犯 fàn ¶법에 ~ 犯法 **7** 抓住 zhuāzhù ¶용의자가 경찰에게 걸렸다 嫌疑犯被警察抓住了 **8** 过意不去 guòyìbùqù ¶마음에 ~ 过意不去 **9** 被骗 bèipiàn; 落入 luòrù; 上当 shàngdàng ¶그의 꾀에 ~ 落入他的圈套 **10** 被发觉 bèifājué; 被看 ¶눈에 ~ 被他发觉 **11** 不顺眼 bùshùnyǎn ¶눈에 ~ 不顺眼

걸리적-거리다 〔자〕 碍手碍脚 àishǒuàijiǎo; 绊手绊脚 bànshǒubànjiǎo; 累赘

léizhuì = 걸리적대다

걸림-돌 똉 绊脚石 bànjiǎoshí ¶경제 발전의 ~ 经济发展的绊脚石

걸-망(一網) 똉 网袋 wǎngdài

걸-맞다 혱 相称 xiāngchèn; 相配 xiāngpèi

걸머-지다 타 1 背负 bēifù; 背 背 bēi ¶짐을 ~ 背着行李 2 担负 dānfù; 负 fù ¶책임을 ~ 担负责任 / 빚을 ~ 担负

걸-상(一床) 똉 凳子 dèngzi ¶~을 들고 꿇어 앉아라! 把凳子举起来跪下 吧!

걸-쇠 똉 门扣 ménkòu

걸 스카우트(Girl Scouts) 社 女童 子军 nǚtóngzǐjūn

걸식(乞食) 똉하자 乞食 qǐshí; 讨饭 tǎofàn ¶그는 한때 거리에서 ~했다 他以前在街上讨过饭

걸신(乞神) 똉 馋嘴 chánzuǐ; 馋嘴 chánzuǐ

걸신-들리다(乞神一) 자 馋 chán; 馋嘴 chánzuǐ ¶걸신들린 아이 馋嘴的孩 子

걸어-가다 자타 走去 zǒuqù ¶집에서 학교까지 멀지 않아서 걸어갈 수 있다 从家到学校不远, 可以走去

걸어-오다 자타 走来 zǒulái; 走过来 zǒuguòlái ¶그가 맞은편에서 걸어왔다 他从我对面走过来了

걸음 囗똉 1 步伐 bùfá; 步调 bùdiào; 脚步 jiǎobù; 走 zǒu 2 来往 láiwǎng; 走动 zǒudòng 囗의똉 步 bù ¶한 ~ 전 진하다 一步前进

걸음아 날 살려라 囝 很快地逃跑

걸음을 떼다 囝 迈步

걸음을 재촉하다 囝 = 길을 재촉하 다

걸음-걸이 囝 脚步 jiǎobù; 步伐 bùfá

걸음-마 囗똉 学步 xuébù 囗감 走吧, 走吧 zǒuba, zǒuba

걸인(乞人) 똉 = 거지

걸작(傑作) 똉 杰作 jiézuò ¶不朽의 ~ 不朽的杰作

걸쭉-하다 혱 (液體) 稠 chóu; 浓稠 nóngchóu ¶걸쭉한 기름 浓稠的油

걸출(傑出) 똉하자 杰出 jiéchū ¶~한 인물 杰出人物

걸-치다 囗자 1 架 jià; 连接 liánjiē ¶그 다리는 두 마을 사이에 걸쳐 있다 那座桥架在两个村庄之间 2 花费 huāfèi; 花 huā ¶두 시간에 걸쳐 공항 에 도착하였다 花了两个小时到达机 场 3 牵涉 qiānshè; 涉及 shèjí ¶고금 에 ~ 涉及古今 囗타 披 pī ¶옷을 ~ 披着衣服 / 외투를 ~ 披着大衣

걸-터앉다 자 坐 zuò ¶의자에 ~ 坐 在椅子上

걸핏-하면 囝 动不动就… dòngbu-dòng jiù…; 动辄…dòngzhé… ¶그는 ~

화를 낸다 他动不动就生气 / 그녀는 ~ 운다 她动不动就哭

검:(劍) 똉 剑 jiàn ¶~ 한 자루 一把剑

검:객(劍客) 똉 剑客 jiànkè

검:거(檢擧) 똉하타 【法】检举 jiǎnjǔ

검:다 혱 1 黑 hēi ¶검은 연기 黑烟 2 阴险 yīnxiǎn ¶검은 마음 阴险的心思

검:도(劍道) 똉 剑道 jiàndào ¶~복 剑道服 / ~장 剑道场

검둥-개 똉 黑狗 hēigǒu

검:문(檢問) 똉하타 盘查 pánchá; 盘 问 pánwèn; 检查 jiǎnchá ¶~소 检查 站

검:-버섯 똉 寿斑 shòubān; 老年斑 lǎoniánbān

검:법(劍法) 똉 剑法 jiànfǎ

검:-붉다 혱 黯红 ànhóng; 黑红 hēi-hóng; 赭红 zhěhóng

검:사(檢査) 똉하타 检查 jiǎnchá; 验 yàn ¶~필 检查完毕 / 제품의 질을 ~ 하다 检查产品的质量

검:사(檢事) 똉 【法】检察官 jiǎnchá-guān

검:색(檢索) 똉하타 检索 jiǎnsuǒ; 搜 索 sōusuǒ ¶~ 엔진 搜索引擎 / 사전에 서 관련 내용을 ~하다 在词典里检索 相关内容

검:소(儉素) 똉하혱히부 俭朴 jiǎnpǔ ¶생활이 ~하다 生活俭朴

검:수(檢收) 똉하타 验收 yànshōu ¶제 品을 ~하다 验收产品

검:술(劍術) 똉 剑术 jiànshù

검:시(檢屍) 똉하타 【法】验尸 yànshī ¶~관 验尸官

검:역(檢疫) 똉하타 【法】检疫 jiǎnyì ¶~소 检疫所 =[檢疫站] / ~원 检疫 员 / ~증 检疫证

검:열(檢閱) 똉하타 1 【軍】检阅 jiǎn-yuè ¶군대를 ~하다 检阅军队 2 (工作等) 检查 jiǎnchá ¶위생을 ~하다 检 查卫生 3 【法】(出版物、邮件等) 审 查 shěnchá; 审阅 shěnyuè ¶出版物을 ~하다 审查出版物 / 우편물을 ~하다 审查邮件

검은-건반(一鍵盤) 똉 【音】黑键 hēi-jiàn

검은-깨 똉 黑芝麻 hēizhīma

검은-돈 똉 黑钱 hēiqián; 黑金 hēijīn

검은-빛 똉 黑色 hēisè

검은-색(一色) 똉 黑色 hēisè = 흑 (黑)・흑색 ¶~ 상자 黑色箱子

검은-손 똉 黑手 hēishǒu ¶~을 뻗치 다 伸出黑手

검은-자위 똉 黑眼珠 hēiyǎnzhū; 黑 眼珠子 hēiyǎnzhūzi

검은-콩 똉 = 검정콩

검인(檢印) 똉 1 验讫章 yànqìzhāng ¶~을 찍다 盖验讫章 2 (作者的) 检验

검정 **38**

章 jiǎnyànzhāng ¶작자가 ～을 찍었다 作者盖了检验章

검:정 몜 黑色 hēisè; 黑色染料 hēisè rǎnliào ¶머리를 ～으로 물들였다 把头发用黑色染料染了

검정(檢定) 몜하타 审定 shěndìng

검:정-고시(檢定考試) 몜 同等学历考试 tóngděng xuélì kǎoshì; 学历文凭考试 xuélì wénpíng kǎoshì

검정-콩 몜 黑豆 hēidòu; 黑大豆 hēidàdòu; 乌豆 wūdòu = 검은콩

검-증(檢證) 몜하타 **1** 【法】 对证 duìzhèng **2** 查验明白 cháyàn míngbai; 验证 yànzhèn

검:-지(一指) 몜 = 집게손가락

검:-진(檢診) 몜하타 【醫】 诊察病情 zhěnchá bìngqíng

검:-찰(檢察) 몜하타 【法】 检察 jiǎnchá ¶～청 检察院 / ～ 총장 检察长

검:-출(檢出) 몜하타 【化】 检出 jiǎnchū ¶～기 检出器

검침(檢針) 몜하타 检针 jiǎnzhēn ¶～ 기 检针器 / ～원 检针员

검:-토(檢討) 몜하타 检查 jiǎnchá; 审查研究 shěnchá yánjiū; 研讨 yántǎo ¶방안을 ～하다 研讨方案 / 가능성을 ～하다 审查研究可能性

검:-표(檢票) 몜하타 查票 chápiào; 检票 jiǎnpiào

검:-푸르다 혱 深蓝 shēnlán; 深绿 shēnlǜ ¶검푸른 바다 深蓝的大海

겁(怯) 몜 胆怯 dǎnqiè; 害怕 hàipà; 畏惧 wèijù

겁(에) 질리다 분 害怕; 危惧

겁(劫) 몜 【佛】 劫 jié

겁-나다(怯一) 짜 胆怯 dǎnqiè; 害怕 hàipà; 畏惧 wèijù ¶나 혼자 집에 있으면 겁난다 我一个人在家真害怕

겁-내다(怯一) 타 胆怯 dǎnqiè; 害怕 hàipà; 畏惧 wèijù ¶겁내지 마, 별거 없어 别害怕, 没有什么东西

겁-먹다(怯一) 짜 胆怯 dǎnqiè; 害怕 hàipà; 畏惧 wèijù ¶겁먹지 마, 뭐가 무서워? 别害怕, 害怕什么？

겁-쟁이(怯一) 몜 胆小鬼 dǎnxiǎoguǐ

겁-주다(怯一) 타 吓唬 xiàhu; 恫吓 dònghè; 唬住 hǔzhù; 恐吓 kǒnghè

겁탈(劫奪) 몜하타 **1** 强夺 qiángduó ¶길거리에서 여자의 가방을 ～하다 在街上强夺妇女的皮包 **2** 强奸 qiángjiān

것 의몜 **1** …的 …de ¶마실 ～ 喝的 / 큰 ～ 大的 / 이 책은 그의 ～이다 这本书是他的 **2** 所 suǒ ¶내가 말한 ～ 我所说的 **3** 表示命令或规则 ¶담배 피우지 말 ～ 禁止吸烟

걸 몜 表面 biǎomiàn; 外表 wàibiǎo ¶봉투 ～에 주소를 쓰다 在信封表面写上地址 / ～으로 보기에는 괜찮은 것

같다 从表面上看还可以

걸 다르고 속 다르다 속담 表里不一

걸-가죽 몜 外皮 wàipí = 외피2

걸-감 몜 面(儿) miàn(r) ¶이불의 ～ 被面儿

걸-겨 몜 粗糠 cūkāng

걸-껍데기 몜 表皮 biǎopí; 外壳 wàiké; 外皮 wàipí

걸-껍질 몜 表皮 biǎopí; 外壳 wàiké; 外皮 wàipí = 외피1

걸-늙다 짜 老相 lǎoxiàng; 显老 xiǎnlǎo ¶걸늙은 사람 显老的人

걸-대 몜 菜帮(儿) càibāng(r)

걸-돌다 짜 **1** (车轮, 机器等) 空打转 kōngdǎzhuàn; 空转圈儿 kōngzhuànquānr ¶바퀴가 ～ 轮子空打转 **2** 隔阂 géhé ¶그는 여러 사람들 사이에서 걸돌고 있다 他和大伙儿有些隔阂 **3** 浮 fú; 浮游 fúyóu ¶강물에 기름이 ～ 油浮在河水上

걸-멋 몜 架子 jiàzi ¶～을 부리다 摆架子

걸-면(一面) 몜 表面 biǎomiàn; 外面 wàimiàn = 외면(外面)1

걸-모습 몜 外表 wàibiǎo; 外貌 wàimào ¶～으로 사람을 판단하지 마라 别通过外表判断为人

걸-모양(一模樣) 몜 外表 wàibiǎo; 外貌 wàimào = 외양

걸-보기 몜 表面 biǎomiàn; 外表 wàibiǎo

걸-봉(一封) 몜 封皮 fēngpí; 信封 xìnfēng = 걸봉투 ¶～에 쓰인 주소 信封上写着的地址

걸-봉투(一封套) 몜 = 걸봉

걸씨-식물(一植物) 몜 【植】 裸子植物 luǒzǐ zhíwù

걸-옷 몜 外衣 wàiyī

걸-자락 몜 大襟 dàjīn

걸-장(一張) 몜 **1** 最外面的一张 zuìwàimiàn de yīzhāng **2** 封面 fēngmiàn ¶～의 제목을 읽어 보아라 把封面的题目念一下

걸-치레 몜하자타 装饰门面 zhuāngshì ménmiàn; 装饰外表 zhuāngshì wàibiāo ¶～만 추구하다 只追求装饰门面

걸-표지(一表紙) 몜 封面 fēngmiàn

걸-핥기 타 不求甚解 bùqiú shènjiě; 浅尝 qiǎncháng; 一知半解 yīzhībànjiě

게: 몜 【動】 螃蟹 pángxiè; 蟹 xiè

게 눈 감추듯 분 狼吞虎咽

게 때 哪儿 nàr; 那里 nàli (「거기」的略词) ¶너 ～ 있어라 你在那里呆着

게:-거품 몜 **1** 螃蟹口沫 pángxiè kǒumò **2** 唾沫 tuòmò ¶그는 화가 나서 ～을 뿜으면서 욕을 했다 他气极了, 满嘴唾沫地骂人

게걸 몜 馋 chán; 贪吃 tānchī

게걸-스럽다 웹 饞 chán; 贪吃 tānchī ¶네가 게걸스럽게 먹어 대니 정말 짜증난다 你这么贪吃让人讨厌 **게걸스레** 悶

게-걸음 몡 横着走 héngzhezǒu; 蟹步 xièbù

게놈(독Genom) 몡 【生】= 유전체 ¶～ 분석 基因组分析

게다가 悶 加上 jiāshang; 再说 zàishuō; 加之 jiāzhī; 而且 érqiě; 再加上 zàijiāshang; 又加上 yòujiāshang

게르마늄(독Germanium) 몡 【化】 锗 zhě

게릴라(에guerilla) 몡 【軍】 **1** = 유격대 **2** 游击战 yóujīzhàn

게릴라-전(에guerilla戰) 몡 【軍】 = 유격전

게릴라 전술(guerilla戰術) 【軍】游击战术 yóujī zhànshù

게맛-살 몡 蟹棒 xièbàng; 干蟹肉 gānxièròu

게-살 몡 蟹肉 xièròu

게스트(guest) 몡 客人 kèrén; 来宾 láibīn ¶오늘 프로그램의 ～ 今天参加节目的来宾

게슴츠레 悶웹(웹) = 거슴츠레 ¶그는 어젯밤에 밤을 새서 하루 종일 눈이 ～ 했다 他因为昨晚打夜车, 整天睡眼惺松

게시(揭示) 몡하타 布告 bùgào; 公告 gōnggào ¶～문 布告文 / ～판 布告牌

게양(揭揚) 몡하타 升 shēng; 悬挂 xuánguà ¶국기를 ～하다 升国旗

게양-대(揭揚臺) 몡 旗台 qítái

게우다 타 = 토하다1 ¶이 요리는 입맛에 맞지 않아 게우고 싶다 这个菜的味道对我不合适, 想吐

게으르다 웹 懒 lǎn; 懒惰 lǎnduò ¶그는 너무 ～ 他太懒惰

게으름 몡 懒 lǎn; 懒惰 lǎnduò ¶～ 피우다 偷懒

게으름-뱅이 몡 懒鬼 lǎnguǐ; 懒汉 lǎnhàn; 懒人 lǎnrén

게을러-빠지다 웹 懒惰 lǎnduò; 懒 lǎn = 게을러터지다 ¶여자가 그렇게 게을러빠져서 뭿에 쓰겠니? 女人这么懒惰, 怎么做家务?

게을러-터지다 웹 = 게을러빠지다

게을리 悶하타 懒惰(地) lǎnduò(de); 懒洋洋(地) lǎnyángyáng(de)

게이(gay) 몡 男性同性恋者 nánxìng tóngxìngliànzhě

게이샤(일geisha[藝]) 몡 艺妓 yìjì

게이지(gauge) 몡 【工】 标准尺 biāozhǔnchǐ; 规格 guīgé; 量表 liàngbiǎo; 量规 liàngguī

게이트-볼(gate + ball) 몡 【體】 门球 ménqiú

게임(game) 몡 **1** 游戏 yóuxì; 玩耍 wánshuǎ **2** 赛 sài; 比赛 bǐsài; 竞赛 jìngsài

게임-기(game機) 몡 游戏机 yóuxìjī ¶～를 가지고 놀다 玩游戏机

게:-장(一醬) 몡 **1** 蟹酱 xièjiàng **2** 蟹酱油 xièjiàngyóu

게:-재(揭載) 몡하타 登载 dēngzǎi ¶신문에 관련 내용을 ～하다 把相关内容登载在报纸上

겔(독Gel) 몡 【化】 冻胶 dòngjiāo; 凝胶体 níngjiāotǐ; 凝胶 níngjiāo; 胶 jiāo

겨 몡 糠 kāng; 糠稻 kāngdào; 谷糠 gǔkāng

겨:냥 몡하타 瞄准 miáozhǔn; 对准 duìzhǔn ¶목표를 ～하다 瞄准目标

겨누다 타 **1** 对准 duìzhǔn; 瞄准 miáozhǔn; 针对 zhēnduì ¶과녁을 ～ 瞄准靶子 **2** 比一比 bǐyìbǐ; 量一量 liángyìliáng ¶두 사람이 키를 겨누어 보다 两个人比一比身高

겨드랑-이 몡 胳肢窝 gēzhīwō; 腋窝 yèwō; 腋下 yèxià

겨레 몡 **1** 同胞 tóngbāo **2** = 겨레붙이

겨레-붙이 몡 同族 tóngzú = 겨레2

겨루다 타 比 bǐ; 比试 bǐshì; 比赛 bǐsài; 竞赛 jìngsài; 竞争 jìngzhēng ¶승부를 ～ 比胜负 / 우리 둘 중 누구 힘이 더 센지 겨뤄 보자 我们俩比一比, 看谁的力气大

겨를 의명 工夫 gōngfu; 空儿 kòngr; 余暇 yúxiá; 暇 xiá = 틈1 ¶자신을 돌볼 ～도 없다 自顾不暇

겨우 悶 **1** 好不容易 hǎobùróngyì; 好容易 hǎoróngyì; 才 cái ¶3년 재수 끝에 ～ 대학에 합격했다 复读三年, 才考上了大学 **2** 仅仅 jǐnjǐn; 仅 jǐn; 只 zhǐ ¶오늘 회의에 참석한 대표는 ～ 10명밖에 없었다 参加今天会议的代表仅有十人

겨우-내 悶 一冬 yìdōng

겨울 몡 冬季 dōngjì; 冬天 dōngtiān; 冬 dōng ¶～바람 冬风 / ～밤 冬夜 / ～비 冬雨 / ～스포츠 冬季运动 / ～작물 冬季作物

겨울나-기 몡 = 월동

겨울 방학(一放學) 【教】寒假 hánjià

겨울-옷 몡 = 동복(冬服)

겨울-잠 몡 【動】= 동면

겨울-철 몡 冬季 dōngjì; 冬 dōng = 동계

겨자 몡 **1** 【植】芥菜 jiècài; 芥 jiè ¶～씨 芥子 **2** 芥末 jièmo ¶냉면에 ～를 치다 在冷面里放芥末

겨잣-가루 몡 芥末 jièmo; 芥黄 jièhuáng

격감(激減) 몡하타 锐减 ruìjiǎn ¶양이

~하다 数量锐减 / 소득이 ~하다 收入锐减

격납-고(格納庫) 명 飞机库 fēijīkù

격년(隔年) 명하자 隔年 génián

격노(激怒) 명하자 激愤 jīfèn; 激怒 jīnù = 격분

격동(激動) 명하자타 1 动荡 dòngdàng ¶국제 정세가 ~하다 国际局势动荡 2 激动 jīdòng

격려(激勵) 명하타 激励 jīlì; 鼓励 gǔlì ¶~의 말씀 鼓励的话 / 병사들의 투지를 ~하다 激励士兵的斗志

격렬-하다(激烈─) 혱 激烈 jīliè ¶전투가 매우 ~ 战斗很激烈 / 격렬한 투쟁 激烈的斗争 **격렬-히** 분

격론(激論) 명 激论 jīlùn ¶~을 벌이다 展开激论

격류(激流) 명 激流 jīliú

격리(隔離) 명하타 隔离 gélí ¶~ 환자 隔离患者 / 병동 隔离病房 / 환자를 ~하다 隔离病人

격문(檄文) 명 檄文 xíwén

격물(格物) 명 格物 géwù ¶~치지 格物致知

격발(擊發) 명하자타 发射 fāshè; 击发 jīfā ¶~ 장치 击发装置

격변(激變) 명 剧变 jùbiàn; 骤变 zhòubiàn; 剧烈变化 jùliè biànhuà ¶~기 骤变期

격분(激忿) 명하자 = 격노 ¶그의 행위는 사람들의 ~을 자아냈다 他的行为激怒了大家

격세(隔世) 명하자 隔世 géshì ¶~지감 隔世感 =[隔世之感]

격식(格式) 명 格式 géshì; 规格 guīgé; 规矩 guīju; 礼节 lǐjié; 排场 páichǎng ¶~을 차리다 讲排场 / ~에 맞다 合乎规格

격앙(激昂) 명하자 激昂 jī'áng ¶~된 목소리 激昂的声音

격언(格言) 명 格言 géyán

격월(隔月) 명하자 隔一个月 géyígè yuè; 隔月 géyuè

격월-간(隔月刊) 명 双月刊 shuāng-yuèkān

격음(激音) 명 [語] 送气音 sòngqìyīn ¶~화 送气音化

격일(隔日) 명하자 隔日 gérì; 隔天 gétiān; 隔一日 géyírì ¶~제 隔日制 / ~로 근무하다 隔天上班

격자(格子) 명 格子 gézi; 方格 fānggé ¶~무늬 方格纹

격전(激戰) 명하자 激战 jīzhàn ¶~지 激战地

격정(激情) 명 激情 jīqíng ¶~을 누르다 抑制激情

격조(格調) 명 格调 gédiào ¶~가 높다 格调高雅

격주(隔週) 명하자 隔周 gézhōu; 隔一个星期 gé yīgè xīngqī

격차(隔差) 명 差距 chājù ¶~를 줄이다 缩小差距

격추(擊墜) 명하자타 打落 dǎluò; 击落 jīluò ¶적기를 ~하다 击落敌机

격침(擊沈) 명하자타 击沉 jīchén; 炸沉 zhàchén ¶적함을 ~하다 击沉敌舰

격퇴(擊退) 명하자타 击退 jītuì ¶적들을 ~하다 击退敌人

격투(格鬪) 명하자 格斗 gédòu; 搏斗 bódòu

격투-기(格鬪技) 명 [體] 格斗技 gédòujì; 格斗 gédòu ¶~ 선수 格斗运动员

격파(擊破) 명하타 1 击毁 jīhuǐ; 击破 jīpò ¶적기를 ~하다 击毁敌机 2 击败 jībài; 打垮 dǎkuǎ; 击溃 jīkuì

격-하다(激─) 명하자 激动 jīdòng; 激烈 jīliè ¶감정이 ~ 感情激动

격화(激化) 명하자 激化 jīhuà; 尖锐化 jiānruìhuà ¶모순이 ~되다 矛盾激化

견(絹) 명 丝绸 sīchóu; 绢 jiàn

견갑-골(肩胛骨) 명 [生] = 어깨뼈

견강-부회(牽强附會) 명하자 牵强附会 qiānqiǎngfùhuì

견고-하다(堅固─) 혱 坚固 jiāngù; 牢固 láogù; 巩固 gǒnggù; 结实 jiēshi ¶견고한 제방 坚固的堤坝 견고-히 분 ¶기초를 ~ 다지다 基础打得很牢固

견과(堅果) 명 [植] 坚果 jiānguǒ; 壳果 kéguǒ

견디다 자타 1 坚持 jiānchí; 经受 jīngshòu; 经得起 jīngdeqǐ; 忍耐 rěnnài; 忍受 rěnshòu ¶시련을 ~ 经受考验 / 이를 악물고 끝까지 ~ 咬紧牙关忍耐到底 2 耐用 nàiyòng; 搁得住 gédezhù ¶아무리 튼튼한 물건이라도 네가 이렇게 사용하면 견디어 낼 수 없지 않니? 再结实的东西也搁不住你这么使啊

견-문(見聞) 명하타 见闻 jiànwén ¶~록 见闻录

견-물생심(見物生心) 명 见财起意 jiàncái qǐyì

견-본(見本) 명 样本 yàngběn; 样品 yàngpǐn

견-본-품(見本品) 명 样品 yàngpǐn

견사(絹絲) 명 绢丝 juànsī ¶~ 방적 绢丝纺织

견-습(見習) 명하타 见习 jiànxí ¶~공 见习工 / 기술을 ~하다 见习技术

견-식(見識) 명 见识 jiànshi ¶~이 넓다 见识广

견실-하다(堅實—) 혱 坚定 jiāndìng; 可靠 kěkào; 踏实 tāshí; 稳健 wěnjiàn ¶견실한 사상 坚定的思想 / 견실한 사람 可靠的人 견실-히 틘

견우(牽牛) 【文】牛郎 niúláng ¶~직녀 牛郎织女

견우-성(牽牛星) 몡 【天】牵牛星 qiān-niúxīng

견원지간(犬猿之間) 몡 冤家对头 yuān-jiā duìtóu

견인(牽引) 몡하타 牵引 qiānyǐn ¶~력 牵引力

견인-자동차(牽引自動車) 몡 = 견인차1

견인-차(牽引自動車) 몡 1 牵引车 qiānyǐnchē = 견인자동차 2 火车头 huǒchētóu

견장(肩章) 몡 肩章 jiānzhāng

견:적(見積) 몡하타 报价 bàojià ¶~서 报价单

견제(牽制) 몡하타 牵掣 qiānchè; 牵制 qiānzhì; 钳制 qiánzhì ¶~구 牵制球

견주다 타 比较 bǐjiào; 相比 xiāngbǐ ¶두 상품의 가격을 견주어 보다 比较两种商品的价格

견:지(見地) 몡 观点 guāndiǎn; 见地 jiàndì; 看法 kànfǎ

견지(堅持) 몡하타 坚持 jiānchí ¶자신의 입장을 ~하다 坚持自己的立场

견직(絹織) 몡 【手工】绢织 juànzhī ¶~물 绢织物 =[丝织品]

견:책(譴責) 몡하타 谴责 qiǎnzé ¶~소설 谴责小说

견:출-지(見出紙) 몡 标贴纸 biāotiē-zhǐ

견치(犬齒) 몡 【生】= 송곳니

견:학(見學) 몡하타 参观 cānguān; 参观学习 cānguān xuéxí; 考察 kǎochá ¶공장을 ~ 参观工厂

견:해(見解) 몡 见解 jiànjiě ¶자신의 ~를 밝히다 表达自己的见解

겯:다¹ 자타 浸 jìn; 沤 òu; 渍 zì ¶기름에 결은 손 浸了油的手

겯:다² 타 1 编 biān ¶삿자리를 ~编席子 / 바구니를 ~ 编筐子 2 并 bìng; 挽 wǎn ¶손에 손을 ~ 手挽手

결 몡 纹 wén; 纹理 wénlǐ ¶~이 곱다 纹理漂亮

결 의명 1 时候 shíhou ¶어느 ~에 겨울도 다 갔다 不知不觉的时候, 冬天已经过去了 2 '겨를'의 略词형

결강(缺講) 몡하자타 缺课 quēkè

결격(缺格) 몡하자 不够资格 bùgòu zī-gé ¶~ 사유 不够资格的理由

결과(結果) 몡하자 1 结果 jiéguǒ 2 结果 jiéguǒ ¶~론 结果论 / 연구 ~ 研究结果 / 노력의 ~ 努力的结果 / 검사 ~가 아주 안 좋다 检查的结果很糟糕

결과-물(結果物) 몡 (物质上的) 结果 jiéguǒ; 果实 guǒshí

결과-적(結果的) 관몡 结果 jiéguǒ

결구(結球) 몡하자 【植】结球 jiéqiú ¶~배추 结球白菜

결국(結局) 몡 结果 jiéguǒ; 终究 zhōng-jiū; 终于 zhōngyú ¶그는 ~ 성공했다 他终于成功了

결근(缺勤) 몡하자 缺勤 quēqín; 请假 qǐngjià ¶~계 请假条

결단(決斷) 몡하타 果断 guǒduàn; 决断 juéduàn; 断定 duàndìng ¶~력 果断力 / ~성 果断性 / ~을 내리다 做出决断

결단-코(決斷—) 틘 一定 yídìng; 绝对 juéduì; 决 jué; 断然 duànrán ¶나는 ~ 그를 용서할 수 없다 我绝对不会原谅他

결딴 完蛋 wándàn; 糟糕 zāogāo

결딴-나다 자 完蛋 wándàn; 糟糕 zāo-gāo

결딴-내다 타 搞坏 gǎohuài; 搞糟 gǎo-zāo ('결딴나다'의 使动词)¶일을 ~把事情搞糟

결렬(決裂) 몡하자 1 破裂 pòliè 2 决裂 juéliè

결례(缺禮) 몡하자 失礼 shīlǐ; 不礼貌 bùlǐmào ¶~를 용서하십시오 请原谅我的失礼

결론(結論) 몡하타 1 结束语 jiéshùyǔ; 结语 jiéyǔ = 맺음말 2 结论 jiélùn ¶~을 내리다 下结论

결론-짓다(結論—) 타 下结论 xià jié-lùn

결리다 자 1 受压制 shòuyāzhì 2 抻得痛 chēndetòng

결막(結膜) 몡 【生】结膜 jiémó ¶~염 结膜炎

결말(結末) 몡 结果 jiéguǒ; 结局 jiéjú; 结尾 jiéwěi

결말-짓다(結末—) 타 结束 jiéshù; 结尾 jiéwěi

결맹(結盟) 몡하자 结盟 jiéméng

결명-자(決明子) 몡 【韓醫】决明子 juémíngzǐ ¶~차 决明子茶

결명-차(決明茶) 몡 【植】决明 jué-míng

결박(結縛) 몡하타 绑 bǎng; 捆 kǔn; 束缚 shùfù

결백(潔白) 몡하형 清白 qīngbái; 无辜 wúgū; 洁白 jiébái ¶자신의 ~을 주장하다 主张自己清白

결번(缺番) 몡하자 空号 kōnghào ¶지금 거신 번호는 ~입니다 您拨打的号码是空号

결벽(潔癖) 몡 洁癖 jiépǐ ¶~증 洁癖

결별(訣別) 몡하자 1 告别 gàobié; 诀别 juébié 2 决裂 juéliè

결부(結付) 명하타 结合 jiéhé; 连接 liánjiē; 联系 liánxì

결빙(結氷) 명하자 结冰 jiébīng ¶~기 结冰期

결사(決死) 명하자 决死 juésǐ; 誓死 shìsǐ ¶~ 반대 誓死反对

결사(結社) 명하타 【法】结社 jiéshè

결사-대(決死隊) 명 敢死队 gǎnsǐduì

결산(決算) 명하타 1 结算 jiésuàn; 结账 jiézhàng; 决算 juésuàn; 清算 qīngsuàn ¶~ 보고 结算报告 2 总结 zǒngjié

결석(缺席) 명하자 缺席 quēxí; 缺课 quēkè; 不上课 bùshàngkè ¶~률 缺席率 / ~생 缺席学生 / 병이 나서 학교에 ~하다 因病缺课

결석(結石) 명 【醫】结石 jiéshí

결선(決選) 명하자 决赛 juésài ¶연말 ~에 진출하다 进入年底总决赛

결성(結成) 명하타 结成 jiéchéng; 组成 zǔchéng ¶단체를 ~하다 结成团体

결속(結束) 명하자타 1 捆 kǔn; 束 shù 2 结束 jiéshù 3 团结 tuánjié

결손(缺損) 명 亏损 kuīsǔn; 赔钱 péiqián ¶~금 亏损金 / ~액 亏损额

결손 가정(缺損家庭) 【社】单亲家庭 dānqīn jiātíng

결승(決勝) 명 = 결승전 ¶~에 오르다 进入决赛

결승-선(決勝線) 명 【體】决胜线 juéshèngxiàn; 终点线 zhōngdiǎnxiàn = 골라인1

결승-전(決勝戰) 명 决赛 juésài = 결승

결승-점(決勝點) 명 1 终点 zhōngdiǎn ¶~으로 들어오다 跑到终点 2 赛末点 sàimòdiǎn

결식(缺食) 명하자 缺粮 quēliáng ¶~ 아동 缺粮儿童

결실(結實) 명하자 1 结果 jiēguǒ; 结实 jiēshí 2 结果 jiéguǒ; 收获 shōuhuò

결심(決心) 명하자타 决心 juéxīn ¶굳은 ~ 坚定的决心 / 그와 헤어지기로 ~하다 下定决心和他分手

결여(缺如) 명하타 缺乏 quēfá; 缺失 quēshī; 缺少 quēshǎo

결연(結緣) 명하자 结缘 jiéyuán; 联姻 liányīn

결연-하다(決然—) 혭 毅然决然 yìrán juérán 결연-히 튀 ¶그는 ~ 집을 떠났다 他毅然决然地离开了家

결원(缺員) 명하자 空额 kòng'é; 空缺 kòngquē; 缺额 quē'é; 缺 quē ¶~을 채우다 补充缺额 / ~을 보충하다 补缺 / ~이 생기다 出缺

결의(決議) 명하타 = 의결(議決) ¶~문 议决书 / ~안 决议案

결의(決意) 명하자타 决意 juéyì; 誓师 shìshī; 誓 shì ¶~ 대회 誓师大会 / 복수를 ~하다 决意报仇

결의(結義) 명하자 结拜 jiébài; 结义 jiéyì ¶~ 형제 结拜兄弟

결자해지(結者解之) 명하자 结者解之 jiézhějiězhī

결장(缺場) 명하자 缺场 quēchǎng

결장(結腸) 명 【生】结肠 jiécháng

결재(決裁) 명하타 裁决 cáijué; 批准 pīzhǔn ¶~권 裁决权

결전(決戰) 명하자 决战 juézhàn ¶~을 벌이다 展开决战

결절(結節) 명 【醫】结节 jiéjié ¶성대 ~ 声带结节

결점(缺點) 명 毛病 máobìng; 缺点 quēdiǎn

결정(決定) 명하타 决定 juédìng; 决议 juéyì ¶~권 决定权 / ~권자 决策人 / ~을 내리다 做决定

결정(結晶) 명하자 【化】结晶 jiéjīng ¶~ 구조 结晶结构

결정-적(決定的) 관명 决定性(的) juédìngxìng(de); 关键(的) guānjiàn(de) ¶~인 순간 关键时刻 / ~인 실수 决定性错误

결정-짓다(決定—) 자타 下决定 xiàjuédìng; 决定 juédìng

결정-판(決定版) 명 定本 dìngběn

결제(決濟) 명하타 付清 fùqīng; 清账 qīngzhàng

결집(結集) 명하자타 结集 jiéjí

결초-보은(結草報恩) 명하자 结草 jiécǎo; 结草报恩 jiécǎobào'ēn

결-코(決—) 명 决(不) jué(bù); 绝(不) jué(bù) ¶이것은 ~ 우연한 현상이 아니다 这绝不是偶然现象

결탁(結託) 명하자 勾结 gōujié ¶반대 세력이 서로 ~하다 反对势力彼此勾结

결투(決鬪) 명하자 决斗 juédòu ¶~를 신청하다 申请决斗 / ~를 벌이다 展开决斗

결판(決判) 명하자 定论 dìnglùn; 定 dìng

결판-나다(決判—) 자 得出定论 déchū dìnglùn; 有定论 yǒu dìnglùn; 胜负定 shèngfù dìng

결판-내다(決判—) 타 得出定论 déchū dìnglùn; 有定论 yǒu dìnglùn; 胜负定 shèngfù dìng

결핍(缺乏) 명하자 缺乏 quēfá; 短缺 duǎnquē ¶애정 ~ 爱情缺乏

결함(缺陷) 명 不足之处 bùzúzhīchù; 短处 duǎnchù; 毛病 máobìng; 缺陷 quēxiàn; 缺欠 quēqiàn

결합(結合) 명하자타 结合 jiéhé

결항(缺航) 명하자 停航 tíngháng

결핵(結痰) 명 【醫】结核 jiéhé; 结核

병 jiéhébìng = 결핵병 ¶~ 환자 结核病人 / ~에 걸리다 得结核病

결핵-병(結覈病) 圐【醫】= 결핵

결행(決行) 圐【하타】 断然进行 duànrán jìnxíng; 决然实行 juérán shíxíng

결혼(結婚) 圐【하자】 结婚 jiéhūn; 婚姻 hūnyīn; 婚 hūn ¶~ 생활 婚姻生活 / ~관 结婚观 / ~사진 结婚照片 =[婚照] / ~기념일 结婚纪念日 / ~반지 结婚戒指 / ~ 상담소 婚姻介绍所 =[婚介] / 그 둘은 작년에 ~했다 他们俩去年结婚了

결혼-식(結婚式) 圐 婚礼 hūnlǐ; 结婚典礼 jiéhūn diǎnlǐ = 예식2 · 혼례 · 혼례식

겸(兼) 읭圐 1 顺便 shùnbiàn; 捎带 shāodài ¶산보도 하고 영화도 볼 ~ 나왔다 出来散步顺便看看电影 2 兼 jiān; 兼用 jiānyòng ¶서재 ~ 응접실 书房兼客厅

겸비(兼備) 圐【하타】 兼备 jiānbèi; 双全 shuāngquán ¶문무 ~ 文武双全 / 재능과 미모를 ~하다 才貌双全

겸사-겸사(兼事兼事) 圄【하자】 要…又要… yào…yòuyào… 《表示同时兼做事事》

겸상(兼床) 圐【하타】 共餐 gòngcān ¶온 식구가 ~하다 全家人共餐

겸손(謙遜) 圐【하자】 谦虚 qiānxū; 谦逊 qiānxùn ¶~한 태도 谦虚的态度

겸양(謙讓) 圐【하자타】 谦让 qiānràng

겸양-어(謙讓語) 圐【語】 谦语 qiānyǔ

겸연-쩍다(慊然一) 휑 不好意思 bùhǎoyìsi

겸용(兼用) 圐【하타】 兼用 jiānyòng

겸임(兼任) 圐【하타】 兼任 jiānrèn ¶~ 교수 兼任教授

겸자(鉗子) 圐【醫】 钳子 qiánzi

겸직(兼職) 圐【하타】 兼职 jiānzhí ¶세 가지 일을 ~하다 做三个职

겸-하다(兼一) 타 兼 jiān; 兼职 jiānzhí; 兼做 jiānzuò

겸허(謙虛) 圐【하타부】 谦虚 qiānxū ¶모두의 비판을 ~히 받아들이다 谦虚地接受大家的批评

겹 圐 层 céng; 夹 jiā; 重 chóng; 叠 dié ¶이 옷은 ~으로 되어 있다 这件衣服是夹的 / 옷을 두 ~으로 껴입다 穿两层衣服

겹겹 圐 重重 chóngchóng; 层层 céngcéng; 重重叠叠 chóngchongdiédié ¶~으로 둘러싸다 重重围住

겹겹-이 圄 重重 chóngchóng; 层层 céngcéng; 重重叠叠 chóngchongdiédié ¶~ 포위하다 重重包围

겹-경사(一慶事) 圐 双喜 shuāngxǐ

겹-눈 圐【動】复眼 fùyǎn

겹다 휑 1 充满 chōngmǎn; 满怀 mǎn-

huái ¶기쁨에 겨운 목소리 满怀喜悦的声音 2 吃力 chīlì; 费劲 fèijìn ¶공부가 힘에 ~ 学习吃力 / 일이 힘에 ~ 工作吃力

겹-사돈(一査頓) 圐【하자】 亲上加亲 qīnshàngjiāqīn; 亲上亲 qīnshàngqīn

겹-실 圐 双线 shuāngxiàn; 双股线 shuānggǔxiàn

겹-옷 圐 夹衣 jiáyī

겹쳐-지다 자 叠 dié; 叠合 diéhé; 重叠 chóngdié

겹-치다 자타 1 叠 dié; 叠合 diéhé; 重叠 chóngdié ¶내용이 ~ 内容重复 / 책 두 권을 겹쳐 놓다 把两本书叠在一起 2 重复 chóngfù; 重叠 chóngdié; 赶 gǎn ¶공휴일이 일요일과 ~ 假日赶在星期日

경(京) 囝 京 jīng

경(卿) 圐대 卿 qīng

경(經) 圐 1 = 경서 2【民】咒文 zhòuwén 3【佛】= 불경 ¶~을 읽다 念经

-경(頃) 젭미 大约 dàyuē; 左右 zuǒyòu ¶오전 9시~ 上午九点左右

-경(鏡) 젭미 镜 jìng ¶망원~ 望远镜 / 보안~ 护目镜 / 반사~ 反射镜

경-(輕) 젭두 轻 qīng ¶~공업 轻工业 / ~범죄 轻罪

경각(警覺) 圐【하타】 警觉 jǐngjué; 警惕 jǐngtì ¶~심 警觉心

경각(頃刻) 圐 顷刻 qǐngkè; 瞬息 shùnxī; 转瞬间 zhuǎnshùnjiān

경감(輕減) 圐【하타】 减轻 jiǎnqīng; 减 jiǎn ¶고통을 ~하다 减轻痛苦

경-감(警監) 圐【法】 警监 jǐngjiān

경거-망동(輕擧妄動) 圐【하자】 轻举妄动 qīngjù wàngdòng

경계(境界) 圐 边界 biānjiè; 境界 jìngjiè; 界 jiè ¶~선 界线

경-계(警戒) 圐【하타】 戒备 jièbèi; 警戒 jǐngjiè; 警惕 jǐngtì; 戒 jiè ¶~ 태세 戒备状态 / ~망 警戒网 / ~심 戒心 / ~를 강화하다 加强警戒

경-고(警告) 圐【하타】 警告 jǐnggào; 警示 jǐngshì ¶~ 사격 警告射击 / ~장 警告状 =[警告信]

경-공업(輕工業) 圐【工】 轻工业 qīnggōngyè

경과(經過) 圐【하자타】 过程 guòchéng; 经过 jīngguò; 经历 jīnglì; 来龙去脉 láilóngqùmài; 原委 yuánwěi ¶~보고 经过报告

경관(景觀) 圐 景色 jǐngsè; 景致 jǐngzhì; 景观 jǐngguān

경-관(警官) 圐 = 경찰관

경구(經口) 명 经口 jīngkǒu; 口服 kǒufú ¶~ 감염 经口感染 / ~ 피임약 口服避孕药

경국지색(傾國之色) 명 倾国之色 qīngguózhīsè; 倾国倾城 qīngguóqīngchéng

경극(京劇) 명【演】京剧 jīngjù

경-금속(輕金屬) 명【化】轻金属 qīngjīnshǔ

경기(景氣) 명【經】景气 jǐngqì; 行情 hángqíng; 商况 shāngkuàng; 市面 shìmiàn ¶~ 과열 景气过热 =[经济过热] / ~ 지수 景气指数 / ~ 회복 景气复苏 =[经济复苏]

경:기(競技) 명하자 比赛 bǐsài; 竞技 jìngjì; 赛 sài; 竞赛 jìngsài ¶~ 규칙 比赛规则 / ~에 출전하다 参赛 / ~를 벌이다 展开竞技

경기(驚氣) 명【韓醫】惊气 jīngqì

경:기-장(競技場) 명 赛场 sàichǎng; 比赛场 bǐsàichǎng; 竞技场 jìngjìchǎng

경단(瓊團) 명 汤圆 tāngyuán; 元宵 yuánxiāo

경:대(鏡臺) 명 镜台 jìngtái; 梳妆台 shūzhuāngtái

경도(硬度) 명【鑛】= 굳기

경도(經度) 명【地理】经度 jīngdù

경락(經絡) 명【韓醫】经络 jīngluò ¶~ 마사지 经络按摩 / 얼굴의 ~을 자극하다 刺激脸部的经络

경량(輕量) 명 轻量 qīngliàng ¶~급 轻量级

경력(經歷) 명하자 经历 jīnglì; 资历 zīlì ¶~자 经历者 / ~직 经历职 / ~이 짧다 资历很浅 / ~을 쌓다 积累经历

경련(痙攣) 명하자 【醫】抽搐 chōuchù; 抽筋 chōujīn; 痉挛 jìngluán ¶얼굴에 갑자기 ~이 일다 脸部突然抽搐

경:례(敬禮) 명하자갑 敬礼 jìnglǐ; 行礼 xínglǐ ¶상관에게 ~하다 向上官行礼

경:로(敬老) 명하자 敬老 jìnglǎo ¶~ 사상 敬老思想 / ~석 敬老席 / ~ 잔치 敬老宴

경로(經路) 명 1 路 lù; 路途 lùtú; 路线 lùxiàn 2 途径 tújìng; 渠道 qúdào ¶수출 ~의 다각화

경:로-당(敬老堂) 명 敬老堂 jìnglǎotáng; 敬老院 jìnglǎoyuàn

경리(經理) 명 1 经营管理 jīngyíng guǎnlǐ 2 会计 kuàijì; 财务 cáiwù; 财务职员 cáiwù zhíyuán ¶~ 장부 财务账簿 / ~ 부서 财务部

경:마(競馬) 명【體】赛马 sàimǎ

경:마-장(競馬場) 명 跑马场 pǎomǎchǎng; 赛马场 sàimǎchǎng = 마장(馬場)2

경망(輕妄) 명하형 부 轻浮 qīngfú;

轻率 qīngshuài; 轻妄 qīngwàng

경망-스럽다(輕妄一) 형 轻浮 qīngfú; 轻率 qīngshuài; 轻妄 qīngwàng ¶경망스러운 태도 轻率的态度 / 행동이 ~ 行动轻率

경망-스레 부

경:-매(競賣) 명하타 拍卖 pāimài ¶~물 拍卖物 / ~ 시장 拍卖市场 / ~인 拍卖人 / 골동품을 ~하다 拍卖古董 / 부동산을 ~하다 拍卖房产

경멸(輕蔑) 명하타 轻蔑 qīngmiè; 蔑视 mièshì; 轻视 qīngshì ¶~하는 눈빛으로 그를 쳐다보다 用轻蔑的眼神看他

경물(景物) 명 景物 jǐngwù

경미-하다(輕微一) 형 轻微 qīngwēi ¶경미한 사고 轻微的事故

경박-스럽다(輕薄一) 형 轻薄 qīngbó; 轻浮 qīngfú; 轻佻 qīngtiāo

경박-하다(輕薄一) 형 轻薄 qīngbó; 轻浮 qīngfú; 轻佻 qīngtiāo ¶경박한 사람 轻浮的人 / 태도가 ~ 态度轻佻 / 박하게 행동하다 举止轻薄 **경박-히** 부

경:배(敬拜) 명하자 敬拜 jìngbài ¶예수께 ~하다 敬拜耶稣

경-범죄(輕犯罪) 명【法】轻犯罪 qīngfànzuì

경:보(警報) 명 警报 jǐngbào; 警 jǐng ¶~음 警报音

경:보(競步) 명【體】竞走 jìngzǒu

경:보-기(警報器) 명 警报器 jǐngbàoqì; 报警器 bàojǐngqì ¶도난 ~ 防盗警报器 / ~가 울리다 响报警器

경비(經費) 명 经费 jīngfèi; 花费 huāfei; 费用 fèiyong ¶여행 ~ 旅游费用 / ~를 부담하다 承担费用 / ~를 삭감하다 削减经费

경:비(警備) 명하타 1 警备 jǐngbèi; 警卫 jǐngwèi; 守卫 shǒuwèi 2 = 경비원

경:비-망(警備網) 명 护卫 hùwèi; 警卫网 jǐngwèiwǎng; 警卫组织 jǐngwèi zǔzhī ¶물 샐 틈 없는 ~ 水泄不通的护卫

경:비-선(警備船) 명 警备船 jǐngbèichuán; 警卫船 jǐngwèichuán

경:비-실(警備室) 명 警备室 jǐngbèishì; 警卫室 jǐngwèishì

경:비-원(警備員) 명 门卫 ménwèi; 保安员 bǎo'ānyuán; 保安 bǎo'ān = 경비(警備)2

경:비-정(警備艇) 명 警备艇 jǐngbèitǐng; 警卫艇 jǐngwèitǐng

경-비행기(輕飛行機) 명【航】轻型飞机 qīngxíng fēijī

경사(傾斜) 명 倾斜 qīngxié ¶~각 倾斜角 / ~도 倾斜度 / ~면 倾斜面

경:-사(慶事) 명 喜庆事 xǐqìngshì; 喜事 xǐshì

경:사—스럽다(慶事—) 혱 可喜可贺 kěxǐkěhè; 值得庆贺 zhídéqìnghè ¶경사스러운 일 可喜可贺的事 / 유명한 대학에 붙어서 정말 ~ 考上著名大学, 真是可喜可贺 경사스레 뛷

경사—지다(傾斜—) 재 倾斜 qīngxié

경상(經常) 몡 经常 jīngcháng ¶~비 经常费 / ~ 수입 经常收入 / ~ 수지 经常收支

경상(輕傷) 몡혱자 轻伤 qīngshāng

경색(梗塞) 몡혱자 1 梗塞 gěngsè 2 【醫】梗死 gěngsǐ; 梗塞 gěngsè ¶심근 ~ 心肌梗死

경서(經書) 몡 经书 jīngshū; 经 jīng = 경(經)1

경선(經線) 몡【地理】经线 jīngxiàn

경:선(競選) 몡 竞选 jìngxuǎn ¶대통령 후보 ~ 总统候选人竞选

경솔(輕率) 몡혱자 轻率 qīngshuài; 轻浮 qīngfú; 轻妄 qīngwàng ¶한 언행 轻率言行 / 자신의 행동이 ~ 했음을 인정하다 承认自己行动轻率

경수(輕水) 몡 轻水 qīngshuǐ ¶~로 轻水炉

경—승용차(輕乘用車) 몡 轻型轿车 qīngxíng jiàochē; 轻轿车 qīngjiàochē = 경차2

경시(輕視) 몡혱타 轻视 qīngshì

경신(更新) 몡혱자 1 更新 gēngxīn = 갱신1 2 刷新 shuāxīn ¶기록을 ~ 하다 刷新记录

경악(驚愕) 몡혱자 吃惊 chījīng; 惊愕 jīng'è ¶~을 금치 못하다 不禁惊愕

경:애(敬愛) 몡혱타 敬爱 jìng'ài ¶~심 敬爱之情 / ~하는 선생님 敬爱的老师

경—양식(輕洋食) 몡 西式便餐 xīshì biàncān

경:어(敬語) 몡 敬语 jìngyǔ ¶~법 敬语法

경:연(競演) 몡혱자 比赛 bǐsài; 比赛会 bǐsàihuì; 赛 sài

경영(經營) 몡혱타 经营 jīngyíng ¶~권 经营权 / ~난 经营困难 / ~인 经营人 / ~자 经营者 / ~학 经营学

경옥(硬玉) 몡【鑛】硬玉 yìngyù

경:외(敬畏) 몡혱타 敬畏 jìngwèi ¶~심 敬畏之心 = [敬畏心]

경우(境遇) 몡 境遇 jìngyù; 情况 qíngkuàng ¶이런 ~에는 어떻게 해야 합니까? 遇到这样的情况我该怎么办?

경운(耕耘) 몡혱타【農】耕耘 gēngyún ¶~기 耕耘机

경위(經緯) 몡 1 经纬 jīngwěi 2 原委 yuánwěi ¶사건의 ~를 밝히다 弄清事件原委

경:위(警衛) 몡【法】警卫 jīngwèi

경유(經由) 몡혱타 经 jīng; 经由 jīngyóu; 路经 lùjīng ¶~지 经由地 / 그는 홍콩을 ~하여 베이징에 왔다 他经香港来到北京

경유(輕油) 몡【化】轻油 qīngyóu

경음(硬音) 몡【語】= 된소리

경—음악(輕音樂) 몡【音】轻音乐 qīngyīnyuè

경:의(敬意) 몡 敬意 jìngyì ¶그들에게 ~를 표시하다 向他们表示敬意

경이(驚異) 몡혱자 惊异 jīngyì ¶~감 惊异感

경이—롭다(驚異—) 혱 惊异 jīngyì; 让人惊异 ràngrén jīngyì ¶경이롭게 여기다 觉得惊异 경이로이 뛷

경작(耕作) 몡혱타 耕作 gēngzuò; 耕种 gēngzhòng ¶~권 耕作权 / ~물 耕作物 / 논밭을 ~하다 耕种田地

경작—지(耕作地) 몡 耕地 gēngdì; 耕作地 gēngzuòdì = 경지(耕地)

경:쟁(競爭) 몡혱자 竞争 jìngzhēng; 竞赛 jìngsài ¶~국 竞争国 / ~력 竞争力 / ~률 竞争率 / ~ 상대 竞争对手 / ~심 竞争心 / ~ 의식 竞争意识 / ~자 竞争者 / 치열한 ~ 激烈竞争 / ~을 벌이다 展开竞争 / ~이 과열되다 竞争过热

경:적(警笛) 몡 警笛 jīngdí ¶~ 소리 警笛声 / ~을 울리다 响警笛

경전(經典) 몡 经典 jīngdiǎn

경제(經濟) 몡【經】经济 jīngjì ¶~권 经济权 / ~난 经济难 / ~력 经济力量 / ~성 经济性 / ~인 经济人 / ~ 원조 经济援助 / ~ 관념 经济观念 / ~ 정책 经济政策 / ~ 특구 经济特区 / ~가 발전하다 经济发展 / ~를 살리다 使经济复苏

경제 사:범(經濟事犯) 몡【法】经济犯罪 jīngjì fànzuì; 经济犯 jīngjìfàn

경제 성장(經濟成長) 몡【經】经济增长 jīngjì zēngzhǎng ¶~률 经济增长率

경제—적(經濟的) 관몡 1 经济的 jīngjì-(de); 经济上(的) jīngjìshàng(de) ¶~인 문제 经济上的问题 / ~으로 어렵다 经济上很困难

경제—학(經濟學) 몡【經】经济学 jīngjìxué ¶~ 박사 经济学博士 / ~자 经济学者

경제 활동(經濟活動) 몡【經】经济活动 jīngjì huódòng ¶~ 인구 经济活动人口

경:—조사(慶弔事) 몡 红白喜事 hóngbái xǐshì; 红白事 hóngbáishì

경:종(警鐘) 몡【經】警钟 jīngzhōng ¶社会에 ~을 울리다 给社会敲响警钟

경:주(競走) 몡혱자 赛跑 sàipǎo; 赛 sài ¶~마 赛马 / ~를 벌이다 展开赛跑 / ~에 참가하다 参加赛跑

경중(輕重) 몡 轻重 qīngzhòng ¶일의 ~을 가리다 做事分清轻重

경증(輕症) 몡 轻症 qīngzhèng ¶~환

자 **轻**症患者

경지(耕地) 명 = 경작지 ¶~ 면적 耕地面积

경지(境地) 명 境地 jìngdì; 境域 jìng-yù; 境界 jìngjiè ¶최고의 ~에 도달하다 达到最高境界

경직(硬直) 명하타 1 僵直 jiāngzhí; 僵硬 jiāngyìng ¶근육이 ~되다 肌肉僵直 2 僵化 jiānghuà; 呆板 dāibǎn; 僵硬 jiāngyìng ¶분위기가 ~되다 气氛僵化

경질(更迭·更佚) 명하타 更迭 gēng-dié ¶축구 팀 감독을 ~하다 对足球队主教练进行更迭

경차(軽車) 명 1 轻车 qīngchē 2 = 경승용차

경:찰(警察) 명 1【法】警察 jǐngchá; 警 jǐng ¶~견 警犬 / ~ 기동대 警察机动队 / ~ 대학 警察大学 / ~차 警车 / ~청 警察厅 / ~ 학교 警察学校 / ~에 신고하다 向警察报案 2 = 경찰관

경:찰-관(警察官) 명 警察官 jǐngchá-guān; 警官 jǐngguān = 경관(警官)·경찰2

경:찰-서(警察署) 명【法】警察署 jǐng-cháshǔ; 警察局 jǐngchájú

경첩(建) 명 合叶 héyè

경청(傾聽) 명하타 倾听 qīngtīng; 静听 jìngtīng ¶그의 말을 ~하다 倾听他的话

경추(頸椎)【生】= 목뼈

경추-골(頸椎骨) 명【生】= 목뼈

경:축(慶祝) 명하타 庆祝 qìngzhù ¶~행사 庆祝活动

경치(景致) 명 风景 fēngjǐng; 风光 fēng-guāng; 景色 jǐngsè = 풍경(風景)1·풍광·풍물1 ¶~가 좋다 风景很好 / 아름다운 ~ 美丽的景色

경-치다(黥—) 재 挨打 áidǎ; 挨骂 ái-mà ¶만약에 골동품을 깨뜨리면 틀림없이 경칠 것이다 要是把古董打破了, 肯定要挨打

경칩(驚蟄) 명 惊蛰 jīngzhé

경쾌-하다(輕快—) 형 轻快 qīngkuài ¶경쾌한 마음 轻快的心情 / 경쾌한 음악 轻快的音乐 / 경쾌한 리듬 轻快的节奏

경:품(景品) 명 赠品 zèngpǐn ¶~권 赠品券 / ~을 추첨하다 抽赠品 / ~을 증정하다 送赠品

경향(傾向) 명 倾向 qīngxiàng; 趋势 qūshì; 趋向 qūxiàng

경험(經驗) 명하타 经验 jīngyàn; 经历 jīnglì ¶~담 经验之谈 / 풍부한 ~을 쌓다 积累丰富的经验 / 이런 일은 ~해 본 적이 없다 没有经历过这样的事

경험-자(經驗者) 명 过来人 guòláirén

경혈(經穴) 명【韓醫】经穴 jīngxué; 气穴 qìxué; ~ 穴 xué

경:호(警護) 명하타 警卫 jǐngwèi; 护卫 hùwèi ¶대통령을 ~하다 护卫总统

경:호-원(警護員) 명 保镖 bǎobiāo

경화(硬化) 명하자 硬化 yìnghuà ¶~유 硬化油 / ~제 硬化剂 / ~증 硬化症

경화(硬貨) 명【經】1 硬货 yìnghuò 2 硬币 yìngbì

경황(景況) 명 心思 xīnsi; 兴趣 xìng-qù; 兴致 xìngzhì

경황-없다(景況—) 형 没心思 méixīn-si; 没兴趣 méixìngqù ¶몸이 아파서 영화 구경할 ~ 身体不舒服, 没兴趣去看电影 **경황없이** 早

곁 명 侧 cè; 旁边 pángbiān; 身边 shēn-biān ¶부모 ~을 떠나다 离开父母身边 / 내 ~에 있어 주세요 请你在我身边

곁-가지 명 1 分杈 fēnchà; 分枝 fēn-zhī ¶나무의 ~ 树木的分枝 2 次要的 cìyàode; 枝节 zhījié

곁-길 명 岔路 chàlù

곁-눈 명 侧眼 cèyǎn; 斜眼 xiéyǎn

곁눈-질 명하타 斜视 xiéshì; 斜眼看 xiéyǎn kàn ¶~로 남을 보다 斜眼看人

곁-다리 명 1 次要的 cìyàode; 枝节 zhījié 2 局外人 júwàirén; 旁人 pángrén

곁들-이다 타 1 拼放 pīnfàng; 拼配 pīnpèi ¶스테이크에 야채와 과일을 ~ 牛排拼配蔬菜和水果拿上来 2 兼做 jiānzuò

곁-뿌리 명【植】侧根 cègēn

계:(契) 명 摇会 yáohuì; 会 huì

-계(系) 명 系统 xìtǒng; 裔 yì ¶한국~ 미국인 韩国裔美国人

-계(屆) 접미 条 tiáo; 表 biǎo; 单 dān ¶결근~ 请假条

-계(界) 접미 界 jiè ¶출판~ 出版界 / 산업~ 产业界

-계(計) 접미 计 jì; 表 biǎo ¶온도~ 温度计

계:간(季刊) 명 季刊 jìkān

계:간-지(季刊誌) 명 季报 jìbào; 季刊 jìkān; 季刊杂志 jìkān zázhì

계곡(溪谷) 명 溪谷 xīgǔ

계관(鷄冠) 명 1 鸡冠 jīguān 2【植】= 맨드라미

계:관(桂冠) 명 = 월계관

계관-화(鷄冠花) 명【植】= 맨드라미

계급(階級) 명 1 阶级 jiējí; 级 jí ¶~ 승진하여 升一级 2【社】阶级 jiējí ¶~ 사회 阶级社会 / ~ 의식 阶级意识 / ~주의 阶级主义 / ~ 투쟁 阶级斗争

계:기(契機) 명 契机 qìjī ¶~를 마련하다 抓住契机

계:기(計器) 명 仪表 yíbiǎo; 仪器 yíqì ¶~ 비행 仪表飞行 / ~판 仪表板

계단(階段) 몡 **1** 阶梯 jiētī；楼梯 lóutī；台阶 táijiē ¶~을 式 楼梯式／~을 오르다 上楼梯 **2** 阶 jiē ¶한 번에 두 ~씩 올라가다 一步上两阶

계·도(啓導) 몡하타 启迪 qǐdí ¶청소년을 ~하다 启迪青少年

계란(鷄卵) 몡 = 달걀 ¶~탕 鸡蛋汤

계란-형(鷄卵形) 몡 蛋圆形 dànyuánxíng；卵形 luǎnxíng = 달걀형

계·략(計略) 몡 计谋 jìmóu

계·량(計量) 몡하타 计量 jìliàng；测量 cèliàng；量 liáng ¶~기 计量器／~ 단위 计量单位／~스푼 量匙 =[量勺]／~컵 量杯

계류(溪流·谿流) 몡 溪水 xīshuǐ；溪涧 xījiàn；溪流 xīliú

계류(繫留) 몡하자타 [海] 系船 jìchuán

계륵(鷄肋) 몡 鸡肋 jīlèi

계·면(界面) 몡 界面 jièmiàn；接触面 jiēchùmiàn ¶~ 活性剂 界面活性剂

계명(階名) 몡 **1** 阶名 jiēmíng **2** [音] = 계이름

계·명(誡命) 몡 戒命 jièmìng ¶~을 따르다 遵戒命

계·모(繼母) 몡 = 의붓어머니

계·몽(啓蒙) 몡하타 发蒙 fāméng；开蒙 kāiméng；启蒙 qǐméng ¶~ 文学 启蒙文学／~ 思想 启蒙思想／~ 运动 启蒙运动

계·발(啓發) 몡하타 启发 qǐfā ¶창의력을 ~하다 启发创造力

계·보(系譜) 몡 系谱 xìpǔ；宗谱 zōngpǔ ¶~를 잇다 继承系谱

계·부(繼父) 몡 = 의붓아버지

계사(鷄舍) 몡 = 닭장

계·산(計算) 몡하타 计算 jìsuàn；算 suàn ¶~기 计算器／~원 计算员／관련 비용을 ~하다 计算相关费用／얼마나 되나 ~해 보세요 算算看有多少

계·산-대(計算臺) 몡 柜台 guìtái；收银台 shōuyíntái

계·산-법(計算法) 몡 [數] = 산법

계·산-서(計算書) 몡 清单 qīngdān ¶비용~ 费用清单

계·선(繫船) 몡하자타 系船 jìchuán ¶~료 系船费／~장 系船场

계·속(繼續) 몡부하자타 继续 jìxù；连续 liánxù；不断 bùduàn；连连 liánlián ¶관계를 ~해서 유지하다 继续保持关系／그 일을 ~ 해 나가다 把那件事继续做下去／비가 ~ 오다 不断下雨

계·수(係數) 몡 [物] 系数 xìshù

계·수(桂樹) 몡 [植] = 계수나무

계·수(計數) 몡 计数 jìshù ¶~관 计数管／~기 计数器

계·수-나무(桂樹一) 몡 [植] 桂树 guìshù = 계수(桂樹)

계·승(繼承) 몡하타 继承 jìchéng ¶~자 继承人 =[继承者]／민족 传统을 ~하다 继承民族传统

계·시(啓示) 몡하자 启示 qǐshì ¶신의 ~ 神的启示

계·시다 回자 有 yǒu；在 zài (('있다回2'의 敬词)) ¶할아버지는 집에 계신다 爷爷在家／선생님은 학교에 계신다 老师在学校里 回보동 在 zài；着 zhe；正 zhèng (('있다回1'의 敬词)) ¶할머니는 지금 주무시고 계시다 奶奶正在睡觉

계·시-록(啓示錄) 몡 [宗] = 요한 계시록

계·약(契約) 몡하타 合同 hétong；契约 qìyuē ¶~기간 合同期／~ 관계 合同关系／~을 맺다 订合同／~을 체결하다 缔结合同

계·약-금(契約金) 몡 [法] 预付款 yùfùkuǎn

계·약-서(契約書) 몡 合同 hétong；合同书 hétongshū ¶~를 쓰다 写合同书

계·약-자(契約者) 몡 订合同人 dìnghétongrén；合同签订人 hétong qiāndìngrén

계·엄(戒嚴) 몡 [法] 戒严 jièyán ¶~령 戒严令

계·열(系列) 몡 系列 xìliè ¶~사 系列企业

계·영(繼泳) 몡하자 [體] 游泳接力赛 yóuyǒng jiēlìsài

계율(戒律) 몡 [佛] 戒律 jièlǜ

계-이름(階一) 몡 [音] 唱名 chàngmíng = 계명(階名)2

계·전-기(繼電器) 몡 [電] 继电器 jìdiànqì

계·절(季節) 몡 季节 jìjié = 철¹ ¶~병 季节病／~ 商品 季节商品／~성 季节性

계·절-풍(季節風) 몡 [地理] 季候风 jìhòufēng；季风 jìfēng；季节风 jìjiéfēng = 몬순

계·절풍 기후(季節風氣候) [地理] 季风气候 jìfēng qìhòu = 몬순 기후

계·좌(計座) 몡 [經] 账户 zhànghù；账号 zhànghào ¶~를 개설하다 开账户

계·주(繼走) 몡 [體] 接力赛 jiēlìsài = 이어달리기

계·집 몡 **1** 丫头 yātou；娘儿们 niángérmen **2** 老婆 lǎopo

계·집-아이 몡 **1** 丫头 yātou；女孩(儿) nǚhái(r)；女孩子 nǚháizi **2** 女儿 nǚ'ér

계·집-애 몡 '계집아이'의 略词

계·집-종 몡 = 여종

계·책(計策) 몡 计策 jìcè

계층(階層) 몡 阶层 jiēcéng ¶상류 ~

上流阶层

계:통(系統) 圆 **1** 系统 xìtǒng **2** 血统 xuètǒng **3** 组织 zǔzhī

계:파(系派) 圆 派系 pàixì

계:피(韓醫) 圆 桂皮 guìpí ¶~차 桂皮茶

계:핏-가루(桂皮—) 圆 桂皮粉 guìpífěn

계:획(計劃·計畫) 图하타 计划 jìhuà ¶~ 경제 计划经济 / ~서 计划书 / ~ 표 计划表 / ~을 세우다 制定计划

계:획-적(計劃的) 圆 计划性(的) jìhuàxìng(de); 有计划(的) yǒujìhuà(de) ¶~인 범죄 有计划犯罪

곗:-돈(契—) 圆 会钱 huìqián

고 回 那 nà ¶~ 놈 那家伙 / ~ 사람 那个家伙

고:(故) 配 故 gù

고—(古) 접두 古 gǔ; 旧 jiù ¶~가구 古家具 / ~문헌 古文献 / ~미술품 古美术品 / ~시조 古诗调

고—(高) 접두 高 gāo ¶~기능 高功能 / ~농도 高浓度 / ~단수 高段数 / ~성능 高性能 / ~품질 高品质

—고(高) 접미 额 é; 量 liàng ¶판매~ 销售额

고가(高價) 圆 高价 gāojià ¶~품 高价品 / ~의 상품 高价商品

고가(高架) 圆 高架 gāojià ¶~ 도로 高架道路 / ~ 사다리 高架梯

고갈(枯渴) 图하자 **1** 干涸 gānhé; 枯竭 kūjié; 干枯 gānkū; 枯涸 kūhé ¶우물물이 ~되다 井水干涸 / ~되다 饮用水水源干涸 **2** 枯竭 kūjié; 枯耗 kūhào ¶자원이 ~되다 资源枯竭 / 생명력이 ~되다 生命力枯竭了

고—감도(高感度) 圆 高感度 gāogǎndù

고개[1] 圆 **1** 后颈 hòujǐng; 脖子 bózi ¶~가 뻣뻣하다 后颈发硬 **2** 头 tóu; 首 shǒu ¶~를 들다 抬头 / ~를 젓다 摇头 / ~를 끄덕이다 点头 / ~를 숙이다 올다 垂头哭泣

고개[2] 圆 **1** 山岗 shāngǎng; 山岭 shānlǐng ¶~를 넘다 翻过山岗 **2** 顶点 dǐngdiǎn; 关头 guāntóu; 极点 jídiǎn ¶위기의 ~를 넘기다 渡过危险期的顶点 **3** (年岁的) 关 guān; 大关 dàguān ¶70 을 넘었다 过了七十大关

고객(顧客) 圆 **1** 顾客 gùkè ¶~ 만족 顾客满意第一 **2** 常客 chángkè; 熟客 shúkè; 回头客 huítóukè; 老客 lǎokè

고갯-길 圆 坡道 pōdào; 坡路 pōlù

고갯-마루 圆 坡顶 pōdǐng

고갯-짓 图하자 摇头 yáotóu; 点头 diǎntóu

고갱이 圆(植) 菜心 càixīn; 树心 shùxīn; 心(儿) xīn(r) ¶배추 ~ 白菜心

고견(高見) 圆 高见 gāojiàn ¶~을 부

탁합니다 请提出高见

고결(高潔) 图하형 高洁 gāojié; 清高 qīnggāo ¶~한 품성 高洁的品质

고고-하다(孤高—) 형 孤高 gūgāo ¶ 고고한 자태 孤高的姿态

고고-학(考古學) 圆 考古学 kǎogǔxué ¶~자 考古学者

고공(高空) 圆 高空 gāokōng ¶~병 高空病 / ~ 비행 高空飞行 / ~ 정찰 高空侦察

고:과(考課) 图하타 考核 kǎohé ¶~ 인사 人事考核

고관(高官) 圆 高官 gāoguān ¶~대작 高官大爵

고—관절(股關節·臗關節) 圆(生) 髋关节 kuānguānjié ¶~염 髋关节炎

고교(高校) 圆(教) = 고등학교 ¶~ 시절 高中时光 / ~ 동창 高中同学 / ~를 졸업하다 高中毕业

고교—생(高校生) 圆 = 고등학생

고구마 圆(植) 红薯 hóngshǔ; 甘薯 gānshǔ; 白薯 báishǔ; 地瓜 dìguā; 番薯 fānshǔ

고:국(故國) 圆 故国 gùguó; 祖国 zǔguó ¶~산천 故国山川

고군(孤軍) 圆 孤军 gūjūn ¶~분투 孤军奋战

고:궁(古宮) 圆 古宫 gǔgōng

고귀-하다(高貴—) 형 高贵 gāoguì ¶ 고귀한 신분 高贵身分

고:금(古今) 圆 古今 gǔjīn; 古往今来 gǔwǎngjīnlái ¶~에 드문 일 古今罕见之事物

고—금리(高金利) 圆 高利率 gāolìlǜ; 高利息 gāolìxī ¶~ 정책 高利率政策

고급(高級) 图하형 高档 gāodàng; 高级 gāojí ¶~품 高档货 / ~ 상품 高档商品 / ~술 高档酒 **2** 高等 gāoděng; 高级 gāojí ¶~반 高级班 / ~ 장교 高级校官 / ~ 관리 高级官员

고급-스럽다(高級—) 형 显得高档 xiǎnde gāodàng; 高档 gāodàng; 高级 gāojí

고기[1] 圆 **1** 肉 ròu; 肉类 ròulèi ¶~ 두 肉包子 / ~반찬 肉菜 / ~소 肉馅儿 / ~구이 烤肉 / ~를 먹다 吃肉 **2**(動) = 물고기 ¶~떼 鱼群 / ~밥 鱼食 / ~ 세 마리 三条鱼

고기[2] 때 那边(儿) nàbian(r); 那儿 nàr; 那里 nàli ¶~서 걸만 건너면 바로 은행이다 从那边儿过马路就是银行

고—기압(高氣壓) 圆(地理) 高气压 gāoqìyā; 高压 gāoyā ¶~권 高气压圈

고기-잡이 图하자 **1** 捕鱼 bǔyú; 打鱼 dǎyú ¶~로 먹고살다 捕鱼为生 **2** 渔夫 yúfū

고기잡이—배 圆 = 어선

고깃-국 圓 肉汤 ròutāng

고깃-덩어리 圓 1 肉块 ròukuài 2 身躯 shēnqū = 고깃덩이2

고깃-덩이 圓 1 肉块 ròukuài 2 = 고깃덩어리2

고깃-배 圓 = 어선

고깔 圓 僧帽 sēngmào; 尖顶帽 jiāndǐngmào

고깔-모자(一帽子) 圓 僧帽 sēngmào; 尖顶帽 jiāndǐngmào

고깝다 圏 多心 duōxīn; 在意 zàiyì; 不快 bùkuài

고꾸라-지다 困 1 绊倒 bàndǎo; 倒下去 dǎoxiàqù ¶돌에 걸려 고꾸라졌다 被石头绊倒了 2 死 sǐ ¶총알에 맞아 ~ 被子弹射中而死

고난(苦難) 圓 苦楚 kǔchǔ; 苦难 kǔnàn; 苦痛 kǔtòng = 고초 ¶~을 겪다 经受苦难 / ~ 주간 苦难周 / ~ 주일 苦难主日

고-난도(高難度) 圓 高难度 gāonándù ¶~기술 高难度技术

고뇌(苦惱) 圓하타 苦恼 kǔnǎo ¶사랑때문에 ~하다 为爱情苦恼

고니 圓〔鳥〕天鹅 tiān'é = 백조

고:다 타 熬 áo; 炖 dùn ¶사골을 ~ 炖牛骨

고단-하다 圏 困乏 kùnfá; 疲乏 pífá; 疲倦 píjuàn; 疲劳 píláo; 疲困 píkùn ¶고단한 모습 疲劳的样子 / 고단한 얼굴 疲倦的脸庞 고단-히 男

고달프다 圏 累 lèi; 艰难 jiānnán; 苦 kǔ; 艰辛 jiānxīn ¶인생이 매우 ~ 人生很苦

고:대(古代) 圓 古代 gǔdài ¶~ 국가 古代国家 / ~ 문학 古代文学 / ~사 古代史 / ~ 사회 古代社会

고대(苦待) 圓하타 苦待 kǔdài; 苦苦等待 kǔkǔ děngdài; 期盼 qīpàn; 盼望 pànwàng ¶그가 돌아오기를 ~하다 苦苦等待他的归来

고대-광실(高臺廣室) 圓 高台广室 gāotái guǎngshì

고데(일kote[鏝]) 圓 1 火剪 huǒjiǎn; 电棒 diànbàng 2 用电棒烫 yòng diànbàng tàng

고도(高度) 圓 1 高度 gāodù ¶~계 度计 / ~를 제한하다 限制高度 2 高度 gāodù ¶~성장 高度增长 / ~로 발달하다 高度发达

고:도(古都) 圓 古都 gǔdū

고독(孤獨) 圓하타(히부) 孤独 gūdú ¶~감 孤独感 / ~한 남자 孤独的男人 / ~을 느끼다 感到孤独

고동 圓 汽笛 qìdí ¶~ 소리 汽笛声

고동(鼓動) 圓 跳动 tiàodòng ¶심장이 ~ 心脏的跳动

---

sè

고동-치다 困 跳动 tiàodòng ¶심장이 ~ 心脏跳动

고되다 圏 辛苦 xīnkǔ; 吃力 chīlì; 费劲 fèijìn ¶생활이 ~ 生活吃力 / 훈련이 매우 ~ 训练很辛苦

고두-밥 圓 硬饭 yìngfàn

고둥 圓〔貝〕海螺 hǎiluó; 螺蛳 luósī

고드름 圓 冰锥(儿) bīngzhuī(r); 冰锥子 bīngzhuīzi; 冰柱 bīngzhù; 冰溜 bīngliù

고-득점(高得點) 圓 高分 gāofēn ¶~으로 대학에 합격하다 高分考上大学

고들-고들 男형 硬邦邦 yìngbāngbāng ¶밥이 ~ 말랐다 饭干得硬梆梆的

고들-빼기 圓〔植〕苦菜 kǔcài ¶~김치 苦菜泡菜

고등(高等) 圓형 高等 gāoděng ¶~교육 高等教育 / ~ 동물 高等动物 / ~ 법원 高等法院

고등어 圓〔動〕高刀鱼 gāodāoyú; 青花鱼 qīnghuāyú ¶~구이 烤青花鱼 / ~조림 炖青花鱼

고등-학교(高等學校) 圓〔敎〕高级中学 gāojí zhōngxué; 高中 gāozhōng = 고교

고등-학생(高等學生) 圓〔敎〕高中生 gāozhōngshēng; 高中学生 gāozhōng xuéshēng = 고교생

고딕(Gothic) 圓 1〔建〕= 고딕 건축 2〔美〕= 고딕식2 ¶~ 미술 哥特式美术 3〔印〕= 고딕체

고딕 건축(Gothic建築) 圓〔建〕哥特式建筑 gētèshì jiànzhù; 哥特式 gētèshì = 고딕1·고딕식1

고딕-식(Gothic式) 圓 1〔建〕= 고딕 건축 2〔美〕哥特 gētè; 哥特式 gētèshì = 고딕2

고딕-체(Gothic體) 圓〔印〕哥特体 gētètǐ; 黑体 hēitǐ = 고딕3

고라니 圓〔動〕牙獐 yázhāng; 河鹿 hélù

고락(苦樂) 圓 苦乐 kǔlè; 甘苦 gānkǔ ¶~을 같이하다 同甘共苦

고랑 一圓 垄沟 lǒnggōu 二의圓 垄 lǒng

고래 圓〔魚〕鲸鱼 jīngyú; 鲸 jīng

고래-고래 男 大声 dàshēng; 高声 gāoshēng ¶~ 소리 지르다 高声喊叫

고래-잡이 圓하자 捕鲸 bǔjīng = 포경(捕鯨)

고래잡이-배 圓 = 포경선

고랭-지(高冷地) 圓〔地理〕高冷地 gāolěngdì ¶~ 농업 高冷地农业

고량(高粱) 圓〔植〕高粱 gāoliáng

고량-미(高粱米) 圓 = 수수쌀

고량-주(高粱酒) 圓 高粱酒 gāoliángjiǔ; 白酒 báijiǔ; 白干儿 báigānr = 배갈·백주(白酒)2

고려(高麗) 몡 【史】 高丽 Gāolí ¶ ~ 인삼 高丽人参 / ~ 자기 高丽瓷器 / ~ 청자 高丽青瓷

고려(考慮) 몡하타 考虑 kǎolǜ; 着想 zhuóxiǎng; 斟酌 zhēnzhuó ¶그의 상황을 ~하다 考虑到他的情况

고려-장(高麗葬) 몡하타 高丽葬 gāolìzàng

고령(高齡) 몡 高龄 gāolíng; 高寿 gāoshòu ¶~자 高龄者

고령-토(高嶺土) 몡 【鑛】 高岭土 gāolǐngtǔ = 백토2

고령-화(高齡化) 몡 高龄化 gāolínghuà ¶~ 사회 高龄化社会

고-로(故-) 몡 = 그러므로

고로쇠 몡 【植】 = 고로쇠나무

고로쇠-나무 몡 【植】 槭树 qìshù = 고로쇠

고료(稿料) 몡 = 원고료

고루 튀 1 均等 jūnděng; 均衡 jūnhéng; 均匀 jūnyún; 平均 píngjūn; 平平 píng ¶~ 나누다 平分2 齐全 qíquán; 俱备 jùbèi ¶설비를 ~ 갖추다 设备齐全

고루-하다(固陋-) 톙 陈旧 chénjiù; 固陋 gùlòu; 墨守成规 mòshǒu chéngguī; 顽固守旧 wángù shǒujiù ¶고루한 견해 顽固守旧的观点 / 고루한 사상을 비판하다 批评顽固守旧的思想

고르다[1] 타 挑 tiāo; 挑选 tiāoxuǎn; 选择 xuǎnzé; 拣 jiǎn ¶그를 위해 선물을 ~ 为他挑选礼物

고르다[2] 타 1 平整 píngzhěng; 填平 tiánpíng; 整平 zhěngpíng ¶땅을 ~ 整平地面 2 (笔) 搽 tiàn ¶붓을 ~ 把毛笔搽搽

고르다[3] 톙 1 均衡 jūnhéng; 均匀 jūnyún; 平均 píngjūn; 齐 qí; 匀称 yúnchèn; 匀和(儿) yúnhuo(r); 匀净 yúnjing; 匀整 yúnzhěng ¶나무가 고르게 자랐다 树木长得很均匀 / 색깔이 ~ 色彩均匀 2 正常 zhèngcháng; 常 cháng ¶음계가 ~ 音阶变化正常

고름[1] 몡 脓 nóng; 脓水 nóngshuǐ ¶~ 균 化脓菌 / ~을 짜내다 挤出脓水

고름[2] 몡 = 옷고름

고름-집 몡 【醫】 脓包 nóngbāo; 化脓处 huànnóngchù

고리[1] 몡 1 环 huán; 圈 quān ¶쇠·铁圈 / 문~ 门环 2 关键 guānjiàn; 环节 huánjié

고리[2] 몡 1 柳条 liǔtiáo ¶~ 柳条包 liǔtiáobāo; 柳条箱 liǔtiáoxiāng

고리(高利) 몡 1 高利息 gāolìxì 2 高利润 gāolìrùn

고리다 톙 臭 chòu; 腐臭 fǔchòu ¶고린 냄새 臭味 2 吝啬 lìnsè; 小气

---

xiǎoqi; 心胸狭隘 xīnxiōngxiá'ài

고리-대(高利貸) 몡 = 고리대금

고리-대금(高利貸金) 몡 高利贷 gāolìdài = 고리대

고리대금-업(高利貸金業) 몡 高利贷业务 gāolìdài yèwù; 高利贷业 gāolìdàiyè = 고리대업 ¶~자 放高利贷者 = [高利贷者]

고리대-업(高利貸金業) 몡 = 고리대금업

고리-버들 몡 【植】 红皮柳 hóngpíliǔ; 杞柳 qǐliǔ

고리-점(-點) 몡 【語】 句号 jùhào

고리-채(高利債) 몡 高利债 gāolìzhài

고리타분-하다 톙 陈腐 chénfǔ

고린-내 몡 臭气 chòuqì; 臭味 chòuwèi

고릴라(gorilla) 몡 【動】 大猩猩 dàxīngxing

고립(孤立) 몡하자 孤立 gūlì; 众叛亲离 zhòngpànqīnlí ¶~무원 孤立无援 / ~어 孤立语 / 태풍이 불어서 ~되다 刮台风, 被孤立

고:마움 몡 感恩之心 gǎn'ēnzhīxīn; 谢意 xièyì ¶~을 표시하다 表示谢意

고막(鼓膜) 몡 【生】 耳膜 ěrmó; 耳鼓 ěrgǔ; 鼓膜 gǔmó = 귀청 ¶~염 鼓膜炎 / ~ 파열 鼓膜破裂 / ~이 울리다 耳膜震动

고만고만-하다 톙 差不多 chàbuduō; 相差不多 xiāngchàbùduō

고만-때 몡 差不多那时候 chàbuduōnàshíhou; 就在那个时候 jiùzài nàge shíhou

고:맙다 톙 感激 gǎnjī; 感谢 gǎnxiè; 谢谢 xièxiè ¶선생님 고맙습니다! 谢谢老师! / 도와줘서 고마워 谢谢你帮助我

고명 몡 浇头 jiāotou ¶떡국에 ~을 얹다 在面片汤上加点浇头

고명(高明) 몡하 高明 gāomíng

고명-딸 몡 独生女 dúshēngnǚ

고모(姑母) 몡 姑姑 gūgu; 姑妈 gūmā; 姑母 gūmǔ

고모-부(姑母夫) 몡 姑父 gūfu; 姑夫 gūfu; 姑丈 gūzhàng

고모-할머니(姑母-) 몡 姑奶奶 gūnǎinai = 왕고모

고모-할아버지(姑母-) 몡 姑爷爷 gūyéye = 왕고모부

고목(枯木) 몡 枯木 kūmù; 枯树 kūshù = 고목나무 ¶뜻밖에도 ~에 꽃이 폈다 没想到枯木开花了

고목-나무(枯木-) 몡 = 고목

고무 몡 橡胶 xiàngjiāo; 橡皮 xiàngpí; 胶 jiāo ¶~노트 橡皮泥 / ~찰흙 橡皮泥 / ~ 밴드 橡皮圈儿 / ~ 튜브 橡皮圈 / ~공 橡胶球 / ~장화 橡胶靴 / ~

신 胶鞋 /~장갑 橡胶手套 /~호스 橡
皮管

고무(鼓舞) 圀하타 鼓舞 gǔwǔ

고무-나무 圀 【植】 橡胶树 xiàngjiāo-
shù

고무래 圀 【農】平耙 píngpá

고무-적(鼓舞的) 관圀 鼓舞人心 gǔwǔ
rénxīn ¶ 결과가 ~이다 结果鼓舞人心

고무-줄 圀 橡皮筋(儿) xiàngpíjīn(r);
皮筋儿 píjīnr; 猴皮筋儿 hòupíjīnr ¶~
놀이 跳皮筋儿

고무-지우개 圀 橡皮 xiàngpí; 橡皮擦
子 xiàngpícāzi = 지우개2

고무-풍선(一風船) 圀 气球 qìqiú; 橡
皮气球 xiàngpí qìqiú = 풍선(風船)2

고:문(古文) 圀 古文 gǔwén

고문(顧問) 圀 顾问 gùwèn ¶법률 ~
法律顾问 / ~변호사 顾问律师

고문(拷問) 圀하타 拷打 kǎodǎ; 拷问
kǎowèn; 刑讯 xíngxùn ¶~실 刑讯室 /
~치사 拷问致死 / 모진 ~을 당하다
遭到严刑拷打

고문-관(顧問官) 圀 顾问官 gùwèn-
guān

고물[1] 圀 沙 shā; 泥 ní ¶팥~ 豆沙 /
완두~ 豌豆泥 / 대추~ 枣泥

고물[2] 圀 船尾 chuánwěi

고:물(古物·故物) 圀 1 古董 gǔdǒng;
古玩 gǔwán; 古物 gǔwù 2 旧东西 jiù-
dōngxi; 旧货 jiùhuò

고:물-가게(古物一) 圀 旧货店 jiùhuò-
diàn; 旧货商店 jiùhuò shāngdiàn = 고
물상2

고물-거리다 재타 动弹 dòngdan; 蠕
动 rúdòng = 고물대다 = 고물-고물 凰
하자타

고:물-상(古物商) 圀 1 打小鼓儿的
dǎxiǎogǔrde; 旧货商 jiùhuòshāng 2 =
고물가게

고민(苦悶) 圀하자타 苦闷 kǔmèn; 苦
恼 kǔnǎo; 烦闷 fánmèn; 愁闷 chóumèn
¶~을 해결하다 解决烦闷 / 연애 문제
로 ~하다 为恋爱问题苦恼

고민-거리(苦悶一) 圀 烦恼 fánnǎo;
心事 xīnshì

고민-스럽다(苦悶一) 阌 苦闷 kǔmèn
¶고민스러운 표정 苦闷的表情 / 고민
스러운 얼굴 苦闷的脸 **고민스레** 凰

고:발(告發) 圀하타 1 告密 gàomì; 暴
露 bàolù 2 【法】告发 gàofā; 控告
kònggào; 检举 jiǎnjǔ; 举报 jǔbào ¶~
장 控告状 / ~인 控告人 / 그를 경찰에
~하다 向警察举报他

고배(苦杯) 圀 苦杯 kǔbēi ¶~를 마시
다 饮苦杯

고:백(告白) 圀하자타 表白 biǎobái; 告
白 gàobái; 坦白 tǎnbái ¶그에게 사랑
을 ~했지만 거절당했다 向他表白被拒

拒绝了

고:별(告別) 圀하자 告别 gàobié ¶~
사 告别词 / ~식 告别式

고봉(高峯) 圀 高峰 gāofēng

고부(姑婦) 圀 婆媳 póxí ¶~간 婆媳
间 / ~관계 婆媳关系 / ~사이 婆媳
之间

고:분(古墳) 圀 古坟 gǔfén ¶~벽화
古坟壁画

고분-고분 凰하형하타 服帖 fútiē; 服
服帖帖 fúfutiētiē; 顺从 shùncóng; 顺听
从从 shùnshuncóngcóng; 乖 guāi; 乖乖
(儿)的 guāiguāi(rde); 听话 tīnghuà ¶아
이가 참 ~하다 孩子真听话 / ~하게
말을 듣다 乖乖地听话

고-분자(高分子) 圀 【化】高分子 gāo-
fēnzǐ ¶~무기 화합물 高分子无机化
合物 / ~유기 화합물 高分子有机化
合物

고불-거리다 재 曲曲折折 qūqūzhé-
zhé; 弯弯曲曲 wānwānqūqū; 蜿蜒 wān-
yán = 고불대다 = 고불-고불 凰하자타

고비[1] 圀 关键 guānjiàn; 关头 guāntóu;
关口 guānkǒu; 关 guān ¶중요한 ~ 紧
要关头 / ~를 넘기다 过关

고비[2] 圀 【植】薇 wēi

고뿔 圀 感冒 gǎnmào; 伤风 shāngfēng;
着凉 zháoliáng

고삐 圀 缰绳 jiāngshéng; 缰 jiāng ¶~
를 당기다 拉住缰绳

고삐 놓은[없는·풀린] 말[망아지]
团 脱缰野马

고삐(가) 풀리다 团 脱缰

고삐를 늦추다 团 放松缰绳

고:사(考查) 圀하타 1 考查 kǎochá 2
考试 kǎoshì ¶월말 ~ 月底考试 / 기말
~ 期末考试

고:사(告祀) 圀하자 【民】祭祀 jìsì ¶
~떡 祭祀糕点

고사(固辭) 圀하타 推 tuī; 推辞 tuīcí;
辞 cí ¶출연을 ~하다 辞演

고:사(故事) 圀 故事 gùshi

고사(枯死) 圀하자타 枯死 kūsǐ

고사리 圀 【植】蕨菜 juécài ¶~나물
炒蕨菜

고사-하고(姑捨一) 凰 别说 bié-
shuō…lián…; 别说…来说 = bié-
shuō…jiùshì… ¶밥은 ~물도 모금
못 마셨다 别说吃饭, 连水都没喝一口

고산(高山) 圀 高山 gāoshān ¶~기후
高山气候 / ~지대 高山地带 / ~도시
高山城市 / ~병 高山病 / ~식물
植物 / ~지대 高山地带

고상-하다(高尚一) 阌 高尚 gāoshàng;
高雅 gāoyǎ **고상-히** 凰

고:색(古色) 圀 古色 gǔsè ¶~창연 古
色苍然

고생(苦生) 圀하자 劳苦 láokǔ; 辛苦

xīnkǔ; 辛劳 xīnláo; 风霜 fēngshuāng; 苦难 kǔnàn; 苦 kǔ ¶～길 苦难的道路 / 갖은 ～을 다 겪다 饱经风霜 / 하루 종일 ～하다 整天辛苦

고생 끝에 낙이 온다[있다] 〔속담〕 苦尽甘来

고ː생-대(古生代) 명 【地理】 古生代 gǔshēngdài

고ː-생물(古生物) 명 【生】古生物 gǔshēngwù ¶～학 古生物学

고생-스럽다(苦生—) 형 辛苦 xīnkǔ; 辛劳 xīnláo ¶돈 벌기가 매우 ～ 挣钱很辛苦

고ː서(古书) 명 1 古书 gǔshū = 고서적 2 旧书 jiùshū

-고서 어미 才 cái; 就 jiù ¶밥을 먹~왔다 吃了饭才来

고ː-서적(古书籍) 명 = 고서1

고ː-서화(古书畵) 명 古书画 gǔshūhuà

고성(高聲) 명 高声 gāoshēng ¶～방가 高声放歌

고ː-성(古城) 명 古城 gǔchéng

고ː소(告訴) 명하타 【法】告诉 gàosù; 控诉 kòngsù; 起诉 qǐsù ¶～인 起诉人

고소 공포증(高所恐怖症) 〔醫〕 恐高症 kǒnggāozhèng

고ː-소득(高所得) 명 高收入 gāoshōurù

고ː소-장(告訴狀) 명 【法】控诉书 kòngsùshū; 起诉书 qǐsùshū; 诉状 sùzhuàng

고소-하다 형 1 香 xiāng; 香喷喷 xiāngpēnpēn ¶고소한 참기름 香喷喷的香油 2 痛快 tòngkuài; 活该 huógāi

고속(高速) 명 高速 gāosù; 高速度 gāosùdù ¶～도로 高速公路 / ～버스 高速公交车 / ～철도 高速铁路 / ～화 高速化

고수(植) 香菜 xiāngcài; 芫荽 yuánsuī

고수(固守) 명하타 固守 gùshǒu; 坚持 jiānchí; 墨守 mòshǒu ¶기존의 방법을 ～하다 固守成法 / 자신의 입장을 ～하다 坚持自己的立场

고수(高手) 명 高手 gāoshǒu

고수(鼓手) 명 【音】鼓手 gǔshǒu

고수-머리 명 = 곱슬머리

고ː-수익(高收益) 명 高收益 gāoshōuyì

고스란-하다 형 全部 quánbù; 全然 quánrán; 完整无缺 wánzhěngwúquē; 原封不动 yuánfēngbùdòng; 照原样 zhàoyuányàng; 整个儿 zhěnggèr 고스란-히 부 ¶그녀에게 ～ 돌려주다 原封不动地还给她

고슴도치 명 【動】刺猬 cìwèi

고슴도치도 제 새끼가 제일 곱다고 한다 〔속담〕 刺猬也说自己的儿子是棉软的

고승(高僧) 명 【佛】高僧 gāosēng

고ː시(古詩) 명 古诗 gǔshī

고ː시(告示) 명하타 告示 gàoshì; 公布 gōngbù ¶～ 가격 公布价格

고시(高試) 명 【法】考试 kǎoshì ¶사법 ～ 司法考试 / 행정 ～ 行政考试

고심(苦心) 명하타 费心 fèixīn; 苦心 kǔxīn

고아(孤兒) 명 孤儿 gū'ér ¶～원 孤儿院

고안(考案) 명하타 创造 chuàngzào; 创制 chuàngzhì; 设计 shèjì; 研究 yánzhì

고압(高壓) 명 1 高压 gāoyā ¶～ 가스 高压气体 2 【物】高压 gāoyā 3 【電】高压 gāoyā; 高电压 gāodiànyā ¶～선 高压线 / ～ 전류 高压电流

고액(高額) 명 高额 gāo'é ¶～지폐 高额纸币

고약(膏藥) 명 膏药 gāoyao

고ː약-스럽다 형 非常坏 fēicháng huài; 讨厌 tǎoyàn; 可憎 kězēng; 不正 bùzhèng; 坏 huài ¶고약스러운 냄새 讨厌的气味 / 고약스러운 놈 可恶的家伙 / 성격이 ～ 性格非常坏 / 날씨가 정말 ～ 天气真坏

고ː약-하다 형 1 (味道, 气味) 非常坏 fēicháng huài; 讨厌 tǎoyàn ¶고약한 냄새 讨厌的气味 / 맛이 ～ 味道非常坏 2 可恶 kěwù; 可憎 kězēng; 怪僻 guàipì; 恶劣 èliè ¶인상이 ～ 印象恶劣 / 성질이 ～ 脾气怪僻 3 (天气) 不正 bùzhèng; 坏 huài ¶날씨가 ～ 天气很坏

고양(高揚) 명하타 昂扬 ángyáng; 发挥 fāhuī; 发扬 fāyáng; 提高 tígāo; 高扬 gāoyáng

고양이 명 【動】猫 māo

고양이 앞에 쥐[쥐걸음] 〔속담〕 猫前鼠충怯生生

고양이 쥐 생각 〔속담〕 猫哭老鼠; 猫哭耗子

고양이한테 생선을 맡기다 〔속담〕 把鱼交给猫看管

고ː어(古語) 명 = 옛말1

고역(苦役) 명 苦工 kǔgōng; 苦役 kǔyì; 劳役 láoyì

고열(高熱) 명 1 高热 gāorè; 高温 gāowēn ¶～ 반응 高温反应 2 高烧 gāoshāo ¶～이 나는 환자 发高烧的病人

고엽(枯葉) 명 枯叶 kūyè ¶～제 枯叶剂

고온(高溫) 명 高温 gāowēn ¶～ 처리 高温处理 / 건조법 高温干燥法 / ～압축 高温压缩

고요 명하타 安静 ānjìng; 寂静 jìjìng; 静寂 jìngjì; 静谧 jìngbì; 谧静 mìjìng; 宁静 níngjìng; 肃静 sùjìng ¶～한 산림

寂静的山林

고용(雇用) 몡하타 雇用 gùyòng; 雇 gù ¶가정부를 ~하다 雇用保姆

고용(雇傭) 몡하타 雇佣 gùyòng ¶계약 雇佣合同 / ~ 정책 雇佣政策 / ~ 조건 雇佣条件

고용-인(雇用人) 몡 雇用人 gùyòngrén; 雇工 gùgōng; 雇员 gùyuán

고용-주(雇用主) 몡 雇主 gùzhǔ

고원(高原) 몡 [地理] 高原 gāoyuán ¶~ 지대 高原地带

고원-하다(高遠—) 혭 高远 gāoyuǎn ¶고원한 이상 高远的理想

고위(高位) 몡 高位 gāowèi; 高级 gāojí ¶~ 간부 高级干部

고-위도(高緯度) 몡 [地理] 高纬度 gāowèidù

고위-층(高位層) 몡 1 高级 gāojí; 高层 gāocéng ¶~ 인사 高层人士 2 高阶层的人 gāojiēcéng de rén

고유(固有) 몡하 固有 gùyǒu ¶~ 명사 固有名词 / ~ 문자 固有文字 / ~문화 固有文化 / ~어 固有语

고육지계(苦肉之計) 몡 苦肉计 kǔròujì; 苦肉之计 kǔròuzhījì = 고육지책·고육책

고육지책(苦肉之策) 몡 = 고육지계

고육-책(苦肉策) 몡 = 고육지계

고을 몡 [史] 邑 yì; 郡 jùn

고음(高音) 몡 高音 gāoyīn = 높은소리

고음-부(高音部) 몡 [音] 高音部 gāoyīnbù

고음-부(高音符) 몡 [音] 高音符 gāoyīnfú = 높은음자리표

고:의(故意) 몡 故意 gùyì ¶내가 ~로 너를 밀어뜨린 것은 아니다 我不是故意推倒你的

고:의-범(故意犯) 몡 [法] 故意犯 gùyìfàn; 故意犯罪 gùyìfànzuì

고:이 튀 1 安稳 ānwěn; 安详 ānxiáng; 宁静 níngjìng; 恬静 tiánjìng ¶그는 ~ 잠들었다 他恬静地入睡了 2 精心 jīngxīn; 珍惜 zhēnxī; 珍重 zhēnzhòng ¶~ 간직하다 精心收藏 3 全然 quánrán; 完整 wánzhěng; 完整无缺 wánzhěngwúquē; 照原样 zhàoyuányàng; 整然 zhěngrán ¶그는 ~ 보고서를 돌려보냈다 把报告照原样送还给他

고이다[1] 잔 = 괴다[1] ¶눈에 눈물이 고였다 眼里充满了泪 / 마당에 물이 고였다 院子里积了水

고이다[2] 타 = 괴다[2] ¶턱을 ~ 托腮 / 밑을 ~ 垫底

고:인(故人) 몡 死者 sǐzhě; 故人 gùrén

고인-돌 몡 [古] 支石墓 zhīshímù

고자(鼓子) 몡 阉人 yānrén

고-자세(高姿勢) 몡 蛮横态度 mánhèng tàidù; 强硬态度 qiángyìng tàidù ¶그들은 이 문제에 관해서 ~이다 他们对这问题强硬态度

고:자-질(告者—) 몡하자타 小报告 xiǎobàogào; 告状 gàozhuàng ¶선생님께 ~하다 向老师打小报告

고작 몡튀 充其量 chōngqíliàng; 仅仅 jǐnjǐn; 就 jiù; 只 zhǐ; 至多 zhìduō ¶~ 열개를 넘지 못하다 至多也不过十个

고장 몡 1 地方 dìfang ¶이 ~ 사람 这地方的人 2 产地 chǎndì ¶사과의 ~ 苹果产地

고:장(故障) 몡 故障 gùzhàng; 毛病 máobìng ¶기계가 ~이 나서 움직이지 않는다 机器出了毛病不动了 / ~으로 인해 운행이 정지되다 因故障停运

고장-난명(孤掌難鳴) 몡 孤掌难鸣 gūzhǎng nánmíng

고쟁이 몡 窄裤腿内裤 zhǎikùtuǐ nèikù

고저(高低) 몡 = 높낮이

고적(古跡·古蹟) 몡 古迹 gǔjì

고적-운(高積雲) 몡 [地理] 高积云 gāojīyún

고:전(古典) 몡 古典 gǔdiǎn ¶~ 무용 古典舞蹈 / ~ 문학 古典文学 / ~미 古典美 / ~주의 古典主义

고전(苦戰) 몡하자 苦战 kǔzhàn

고:전 음악(古典音樂) [音] 古典音乐 gǔdiǎn yīnyuè = 클래식

고:전-적(古典的) 몡 古典的 gǔdiǎn(de) ¶~인 아름다움 古典的美

고정(固定) 몡하 固定 gùdìng; 锁定 suǒdìng; 定 dìng ¶~관념 固定观念 / ~ 자본 固定资本 / ~ 자산 固定资产 / ~ 환율 固定汇率 / 텔레비전 채널을 ~하다 锁定电视频道 / 못으로 거울을 벽에 ~하다 用钉子把镜子固定在墙上

고조(高祖) 몡 = 고조할아버지

고조(高潮) 몡 1 满潮 mǎncháo 2 高潮 gāocháo

고조(高調) 몡하자타 加剧 jiājù; 激越 jīyuè; 昂奋 ángfèn; 热起来 rèqǐlái ¶분위기가 ~되다 气氛热起来 / 위기감이 ~되다 危机感加剧

고-조모(高祖母) 몡 = 고조할머니

고-조부(高祖父) 몡 = 고조할아버지

고조-할머니(高祖—) 몡 高祖母 gāozǔmǔ = 고조모

고조-할아버지(高祖—) 몡 高祖父 gāozǔfù = 고조(高祖)·고조부

고졸(高卒) 高中毕业 gāozhōng bìyè; 高中 gāozhōng ('고등학교 졸업'의 略词) ¶~ 학력 高中毕业的学历

고종(姑從) 몡 姑表 gūbiǎo = 고종사촌 ¶~형 姑表兄

고종-사촌(姑從四寸) 명 = 고종.

고주-망태 명 술에 몹시 취한 모양. 烂醉如泥 lànzuìrúní ¶그는 ~가 되도록 술을 마셨다 他喝得烂醉如泥

고-주파(高周波) 명 [物] 高频 gāopín ¶~요법 高频疗法

고즈넉-하다 형 幽静 yōujìng; 寂寥 jìliáo; 雅静 yǎjìng ¶고즈넉한 산골짜기 幽静的山谷

고증(考證) 명하타 考证 kǎozhèng ¶~학 考证学 / 문헌을 ~하다 考证文献

고-지(告知) 명하자타 告知 gàozhī; 通知 tōngzhī

고지(高地) 명 1 高处 gāochù; 高地 gāodì 2 [軍] 高地 gāodì ¶~를 탈환하다 夺回高地

고지-서(告知書) 명 告知书 gàozhī-shū; 通知书 tōngzhīshū

고지식-하다 형 死心眼儿 sǐxīnyǎnr; 死板 sǐbǎn; 老实 lǎoshi

고지-혈증(高脂血症) 명 [醫] 高脂血症 gāozhīxuèzhèng

고진감래(苦盡甘來) 명하자 苦尽甘来 kǔjìngānlái

고질(痼疾) 명 痼疾 gùjí = 고질병

고질-병(痼疾病) 명 = 고질

고집(固執) 명하타 固执 gùzhí; 倔强 juéjiàng; 犟劲(儿) jiàngjìn(r) ¶~을 부리다 一个劲地固执 / ~이 세다 偏犟

고집불통(固執不通) 명 老顽固 lǎowán-gù; 顽固不通 wángùbùtōng

고집-스럽다(固執—) 형 固执 gùzhí ¶성격이 ~ 性格固执 **고집스레** 부

고집-쟁이(固執—) 명 老顽固 lǎowán-gù

고-차원(高次元) 명 高层次 gāocéng-cì; 高次元 gāocìyuán

고착(固着) 명하자 固定 gùdìng; 胶着 jiāozhuó; 粘着 zhānzhe

고-찰(古刹) 명 古刹 gǔchà; 古庙 gǔmiào; 古寺 gǔsì

고찰(考察) 명하타 考察 kǎochá

고-참(古參) 명 老手(儿) lǎoshǒu(r); 老资格(的人) lǎozīgé(derén) ¶그는 우리 회사의 최고 ~이다 他是我公司资格最老手

고-철(古鐵) 명 废铁 fèitiě ¶버려진 ~ 被扔掉的废铁

고체(固體) 명 [物] 固体 gùtǐ

고-제-시(古體詩) 명 [文] 古体诗 gǔtǐshī

고초(苦楚) 명 = 고난.

고추 명 [植] 辣椒 làjiāo ¶~기름 辣椒油 =[辣油] / ~장 辣椒酱 / ~씨 辣椒籽

고추-냉이 명 1 [植] 山葵 shānkuí 2 青芥辣 qīngjièlà; 绿芥末 lǜjièmo

고추-잠자리 명 [蟲] 红蜻 hóngqīng

고춧-가루 명 辣椒粉 làjiāofěn; 辣椒面儿 làjiāomiànr ¶~를 넣으다 放入辣椒面儿

고충(苦衷) 명 苦衷 kǔzhōng ¶그의 ~을 헤아리다 体谅他的苦衷

고취(鼓吹) 명하타 提倡 tíchàng; 宣传 xuānchuán

고층(高層) 명 高层 gāocéng; 高楼 gāolóu ¶~빌딩 高楼大厦 / ~건물 高层建筑

고층-운(高層雲) 명 [地理] 高层云 gāocéngyún

고치 명 蚕茧 cánjiǎn

고치다 타 1 修理 xiūlǐ; 修 xiū ¶기계를 ~ 修理机器 / 시계를 ~ 修理钟表 2 改 gǎi; 改正 gǎizhèng; 纠正 jiūzhèng; 修改 xiūgǎi ¶나쁜 버릇을 ~ 改不良习惯 / 틀린 글자를 ~ 修改错字 3 重 chóng; 另 lìng ¶잘 보이지 않으니 고쳐쓰세요 看不清楚, 重写一遍吧 4 治 zhì; 治疗 zhìliáo; 医治 yīzhì ¶병을 ~ 治病

고-칼로리(高calorie) 명 高卡路里 gāokǎlùlǐ

고-택(古宅) 명 古宅 gǔzhái

고통(苦痛) 명 苦痛 kǔtòng; 痛苦 tòng-kǔ ¶~을 견디다 忍受痛苦 / ~을 겪다 经受痛苦

고통-스럽다(苦痛—) 형 痛苦 tòngkǔ ¶고통스러운 표정 痛苦的表情 / 고통스러운 일 痛苦的事情 **고통스레** 부

고패 명 滑车 huáchē; 滑轮 huálún

고-풍(古風) 명 古风 gǔfēng; 古气 gǔqì

고-풍-스럽다(古風—) 형 古风盎然 gǔfēng àngrán; 古气盎然 gǔqì àngrán ¶고풍스러운 건물 古气盎然的建筑物

고프다 형 饿 è ¶배가 ~ 肚子饿

고하(高下) 명 1 高下 gāoxià 2 高低 gāodī; 贵贱 guìjiàn

고-하다(告—) 타 告 gào; 告诉 gào-su

고학(苦學) 명하자 半工半读 bàngōng-bàndú; 工读 gōngdú ¶~생 工读生

고-학년(高學年) 명 高年级 gāoniánjí

고-학력(高學歷) 명 高学历 gāoxuélì ¶~자 高学历者

고함(高喊) 명 大叫 dàjiào; 高喊 gāo-hǎn

고함-지르다(高喊—) 자 大叫 dàjiào; 高喊 gāohǎn

고함-치다(高喊—) 자 大叫 dàjiào; 高喊 gāohǎn

고-해(告解) 명하자 [宗] = 고해 성사 ¶~소 告解所 / ~실 告解室

고해(苦海) 명 [宗] 苦海 kǔhǎi

고-해 성-사(告解聖事) 명 [宗] 告解圣事 gàojiě shèngshì; 告解 gàojiě = 고

 곤죽

해(告解)

周折 zhōuzhé

고행(苦行) 명하자 【佛】苦行 kǔxíng ¶ ~자 苦行者

고향(故鄉) 명 故乡 gùxiāng; 故里 gùlǐ; 故土 gùtǔ; 老家 lǎojiā; 家乡 jiā-xiāng ¶~을 그리워하다 思念故乡

고혈(膏血) 명 膏血 gāoxuè; 血汗 xuè-hàn ¶~을 짜내다 榨取膏血

고-혈압(高血壓) 명 高血压 gāoxuèyā ¶~환자 高血压患者

고형(固形) 명 固态 gùtài; 固体 gùtǐ ¶~비료 固体肥料 / ~사료 固体饲料

고혹(蠱惑) 명하자 蛊惑 gǔhuò

고-화(古畫) 명 古画 gǔhuà

고-화질(高畵質) 명 高画质 gāohuà-zhì ¶~텔레비전 高画质电视

고환(睾丸) 명 【生】睾丸 gāowán ¶~염 睾丸炎

고황(膏肓) 명 膏肓 gāohuāng
고황에 들다 ☞ 病入膏肓

고-희(古稀) 명 古稀 gǔxī ¶~연 古稀宴

곡(哭) 명하자 号丧 hàosàng; 哭丧 kū-sàng

곡(曲) 명 1 = 곡조 2 【音】 = 악곡 3 首 shǒu; 支 zhī ¶노래 한 ~을 부르다 唱一首歌

곡-괭이(農) 명 【農】十字镐 shízìgǎo

곡류(穀類) 명 谷类 gǔlèi; 谷物 gǔwù

곡마(曲馬) 명 马戏 mǎxì ¶~단 马戏团

곡면(曲面) 명 【數】曲面 qūmiàn

곡명(曲名) 명 【音】曲名 qǔmíng = 곡목

곡목(曲目) 명 【音】1 节目 jiémù; 曲目 qǔmù 2 = 곡명

곡물(穀物) 명 谷物 gǔwù; 粮食 liáng-shi = 곡식

곡사(曲射) 명하타 【軍】曲射 qūshè ¶~포 曲射炮

곡선(曲線) 명 曲线 qūxiàn; 曲线条 qūxiàntiáo ¶~미 曲线美 / ~운동 曲线运动 / ~자 曲线尺

곡성(哭聲) 명 = 곡소리

곡-소리(哭—) 명 号哭声 hàokūshēng = 곡성

곡식(穀食) 명 = 곡물

곡예(曲藝) 명 杂技 zájì ¶~비행 杂技飞行

곡예-단(曲藝團) 명 马戏团 mǎxìtuán; 杂技团 zájìtuán

곡예-사(曲藝師) 명 技艺师 jìyìshī; 杂技演员 zájì yǎnyuán

곡우(穀雨) 명 【民】谷雨 gǔyǔ

곡절(曲折) 명 1 理由 lǐyóu; 情由 qíng-yóu; 由来 yóulái; 原因 yuányīn; 缘由 yuányóu 2 波折 bōzhé; 曲折 qūzhé;

曲调 qiāng; 腔调 qiāng-diào; 曲 qǔ; 曲调 qǔdiào = 曲(曲)1 2 曲 qǔ; 支 zhī; 首 shǒu

곡주(穀酒) 명 谷酒 gǔjiǔ

곡창(穀倉) 명 1 谷仓 gǔcāng 2 谷仓 gǔcāng; 米粮川 mǐliángchuān ¶~지대 谷仓地带

곡척(曲尺) 명 【建】= 곱자

곡해(曲解) 명하타 曲解 qūjiě ¶그는 내 말을 ~했다 他曲解了我说的话

-곤 어미 用于动词词干后的接续形词尾，表示反复 ¶그들은 주말이면 공원으로 놀러가~ 한다 他们周末常去公园玩

곤-경(困境) 명 困境 kùnjìng ¶~에 빠지다 陷入困境

곤-고-하다(困苦—) 형 困苦 kùnkǔ
곤-고-히 부

곤-궁(困窮) 명하형형부 穷困 qióng-kùn

곤돌라(이gondola) 명 1 贡多拉 gòng-duōlā; 风尾船 fēngwěichuán; 公朵拉 gōngduōlā 2 吊篮 diàolán

곤두박-이 명 倒栽 dàozāi; 翻跟头 fāngēntou

곤두박-이다 자 倒栽 dàozāi

곤두박이-치다 자 1 倒栽下去 dǎozāi-xiàqù; 翻跟头 fāngēntou

곤두박-질 명하자 翻跟头 fāngēntou; 翻筋斗 fānjīndòu

곤두박질-치다 자 翻跟头 fāngēntou; 翻筋斗 fānjīndòu

곤두-서다 자 1 悚然 sǒngrán; 竖起 shùqǐ; 立起 lìqǐ ¶머리카락이 다 ~ 头发都竖起来 2 紧张 jǐzhāng; 过敏 guò-mǐn ¶신경이 ~ 神经紧张

곤두세우다 타 ‘곤두서다’的使动词

곤드레-만드레 泥醉 nízuì; 酩酊大醉 mǐngdǐngdàzuì; 烂醉 lànzuì

곤-란(困難) 명하형형부 困难 kùnnán; 尴尬 gāngà; 不便 bùbiàn ¶대답하기 ~한 질문 不便回答的问题 / 호흡이 ~하다 呼吸困难

곤로(일konro[焜爐]) 명 = 풍로

곤-룡포(袞龍袍) 명 【史】衮龙袍 gǔn-lóngpáo = 용포

곤봉(棍棒) 명 【體】棍棒 gùnbàng; 棒 bàng ¶~체조 棒操

곤봉(棍棒) 명 琵翠 kūnruò

곤-욕(困辱) 명 侮辱 wǔrǔ

곤-욕-스럽다(困辱—) 형 侮辱 wǔrǔ

곤장(棍杖) 명 棍杖 gùnzhàng

곤죽(—粥) 명 1 烂饭 lànfàn ¶밥이 ~이 되다 饭煮成了烂饭 2 泥泞 níníng ¶이 길은 비만 오면 ~이 된다 这条路一下雨就泥泞不堪 3 乱七八糟 luànqī-bāzāo; 一团糟 yītuánzāo 4 瘫软如泥

tānruǎnrúní ¶술에 취해 ~이 되다 醉
得瘫软如泥

곤지 몡 吉祥痣 jíxiángzhì

곤충〈昆蟲〉 몡 昆虫 kūnchóng ¶~기
昆虫记 / ~ 채집 昆虫采集 / ~ 표본
昆虫标本 / ~학 昆虫学

곤:-하다〈困─〉 톙 1 累 lèi; 疲劳 pí-
láo; 疲倦 píjuàn ¶곤한 몸 疲倦的身体
2 酣 hān ¶곤한 잠이 들다 酣睡

곤:혹〈困惑〉 몡 困惑 kùnhuò

곤:혹-스럽다〈困惑─〉 톙 困惑 kùn-
huò

곧 튀 1 立刻 lìkè; 立时 lìshí; 马上
mǎshàng; 一…就 yī…jiù ¶~는 집에
돌아가자 ~ 방을 청소했다 他一到家
就打扫房间 2 眼看 yǎnkàn; 快 kuài;
快要 kuàiyào ¶이제 ~ 개학이다 快要
开学了 3 就 jiù; 就是 jiùshì ¶이것은
~ 하늘의 이치다 这就是老天的道理

곧다 톙 1 直 zhí; 笔直 bǐzhí ¶곧은
소나무 笔直的松树 / 등을 곧게 펴다
把背伸直 2 正直 zhèngzhí ¶그는 곧고
성실하다 他正直无私

곧-바로 튀 1 立即 lìjí; 马上 mǎshàng
¶이 일을 끝내면 ~ 시작할 것이다 做
完这件工作, 立即开始 2 一直 yìzhí ¶
이 길을 따라 ~ 가다 沿着这条路一直
走 3 径直 jìngzhí ¶그는 다른 데 들르
지 않고 ~ 집에 돌아왔다 他没别的
地方, 径直回了家

곧은-창자 몡 【生】 直肠 zhícháng =
직장〈直腸〉

곧이 튀 听信 tīngxìn; 认真 rènzhēn

곧이-곧대로 튀 确确实实地 quèque-
shíshíde; 如实地 rúshíde

곧이-듣다 타 听信 tīngxìn ¶그의 말
을 ~ 听信他的话

곧-이어 튀 接着 jiēzhe; 接下来 jiē-
xiàlái

곧잘 튀 1 相当好 xiāngdāng hǎo ¶글
씨를 ~ 쓴다 字写得相当好 2 常常
chángcháng; 经常 jīngcháng ¶그는 ~
놀러 온다 他经常来玩

곧장 튀 1 一直 yìzhí ¶~ 앞으로 가
세요 一直往前走 2 立即 lìjí; 马上
mǎshàng

곧추 튀 笔直 bǐzhí; 立 lì; 竖 shù; 直
zhí ¶~서다 笔直站立

골¹ 몡 恼怒 nǎonù

골² 몡 楦子 xiànzi; 楦头 xiàntou; 楦
xuàn

골³ 몡【生】 1 = 골수 2 = 뇌

골〈goal〉 몡 1 〈赛跑의〉 终点 zhōng-
diǎn; 终点 zhōngdiǎn ¶~을 기록하
다 记录得分 2 球门 qiúmén

골격〈骨格・骨骼〉 몡 【生】 骨骼 gǔ-
gé ¶경제 이론의 기본 = 经济理论的
基本骨架

골고루 튀 均 jūn; 平均 píngjūn; 匀
yún ¶~ 나누다 分配得很匀

골골 튀하ㅣ 〈呻吟〉 哼哼 hēnghēng

골골-거리다 = 〈呻吟〉 哼哼 hēng-
hēng = 골골대다

골-나다 재 生气 shēngqì; 发火 fāhuǒ

골-내다 재 发火 fāhuǒ; 发脾气 fāpí-
qi; 生气 shēngqì

골-네트〈goalnet〉 몡【體】 球门网
qiúménwǎng

골:다 타 打呼噜 dǎhūlu; 打鼾 dǎhān
¶코를 ~ 打呼噜

골다공-증〈骨多孔症〉 몡 【醫】骨多孔
症 gǔduōkǒngzhèng

골-대〈goal〉 몡【體】 = 골포스트

골덴 〈'코르덴'의 틀린 말〉

골동-품〈骨董品〉 몡 古董 gǔdǒng; 古
玩 gǔwán ¶~을 감정하다 鉴定古董

골똘-하다 톙 专心一意 zhuānxīnyīyì

　　골똘-히 튀

골-라인〈goal line〉 몡 【體】 1 = 결
승선 2 球门线 qiúmén xiàn

골-라잡다 타 1 选定 xuǎndìng 2 挑
选 tiāoxuǎn

골-머리 몡 '머릿골'의 俗称

　　골머리(를) 앓다 타 伤脑筋

골-목 몡 胡同 hútòng; 小巷 xiǎoxiàng
骨门路

골-목-길 몡 = 골목

골-목-대장〈一大將〉 몡 孩子头儿 hái-
zitóur; 孩子王 háiziwáng

골몰〈汨沒〉 몡하ㅣ재ㅣ 埋头 máitou; 专
心 zhuānxīn ¶일에 ~하다 埋头于工
作

골무 몡 顶针(儿) dǐngzhēn(r)

골-문〈goal門〉 몡【體】 球门 qiúmén

골반〈骨盤〉 몡 【生】 骨盆 gǔpén = 골
반

골반-뼈〈骨盤─〉 몡【生】 = 골반

골:-방〈一房〉 몡 后房 hòufáng

골-백번〈一百番〉 몡 几百次 jǐbǎicì

골뱅이 몡 1 【貝】玉螺 yùluó 2 〈컴〉
圈a quān a

골-병〈一病〉 몡 膏肓 gāohuāng ¶젊어
서 고생을 많이 하여 ~이 들었다 年
轻时干极度辛苦, 病入膏肓

골병-들다〈一病─〉 재 病入膏肓 bìng-
rù gāohuāng

골-세포〈骨細胞〉 몡【生】 骨细胞 gǔ-
xìbāo

골수〈骨髓〉 몡 1 【生】骨髓 gǔsuǐ =
골³¹・뼛골・뼛속 ¶~ 세포 骨髓细
胞 / ~이식 骨髓移植 2 极限 jíxiàn ¶
~팬 极限爱好者

골 에어리어〈goal area〉 【體】球门区
qiúménqū

골육〈骨肉〉 몡 1 骨肉 gǔròu 2 骨肉之
亲 gǔròuzhīqīn; 骨肉 gǔròu = 골육정

친 ¶~상잔 骨肉相残

골육지친(骨肉之親) 몡 = 골육2

골인(goal+in) 몡 【體】 1 进球 jìnqiú; 破门 pòmén 2 到达终点 dàodá zhōngdiǎn ¶일등으로 ~하다 第一名到达终点

골자(骨子) 몡 要点 yàodiǎn; 要旨 yàozhǐ

골재(骨材) 몡 【建】 骨材 gǔcái

골절(骨折) 몡 【醫】 骨折 gǔzhé ¶~상 骨折伤伤

골조(骨組) 몡 骨架 gùjià

골-조직(骨組織) 몡 【生】 骨组织 gǔzǔzhī

골질(骨質) 몡 骨质 gǔzhì

골짜기(骨一) 몡 山谷 shāngǔ; 山沟 shāngōu; 峡谷 xiágǔ

골초(一草) 몡 1 次烟 cìyān; 坏烟 huàiyān 2 烟鬼 yānguǐ

골치 몡 脑袋 nǎodai; 脑瓜子 nǎoguāzi; 脑子 nǎozi; 脑筋 nǎojīn; 头 tóu ¶~를 썩다 伤脑筋 / ~가 아프다 脑子很疼

골칫-거리 몡 伤脑筋的事儿 shāngnǎojīn de shìr

골칫-덩어리 몡 = 골칫덩이

골칫-덩이 몡 伤脑筋的人 shāngnǎojīn de rén = 골칫덩어리

골-키퍼(goal keeper) 몡 【體】 守门员 shǒuményuán

골-킥(goal kick) 몡 【體】 球门发球 qiúmén fāqiú

골탕 몡 大亏 dàkuī; 苦头 kǔtou ¶골탕(을) 먹다 ⓕ 吃大亏; 吃苦头

골통 몡 1 脑袋 nǎodai; 脑瓜子 nǎoguāzi; 脑子 nǎozi 2 狗头 gǒutóu

골-판지(一板紙) 몡 瓦楞纸 wǎléngzhǐ

골패(骨牌) 몡 骨牌 gǔpái

골-포스트(goalpost) 몡 【體】 门柱 ménzhù = 골대

골-풀 몡 【植】 灯芯草 dēngxīncǎo; 灯心草 dēngxīncǎo

골품(骨品) 몡 【史】 骨品 gǔpǐn ¶~제도 骨品制度

골프(golf) 몡 【體】 高尔夫 gāo'ěrfū; 高尔夫球 gāo'ěrfūqiú ¶~공 高尔夫球 / ~장 高尔夫球场

골프-채(golf一) 몡 【體】 高尔夫球杆 gāo'ěrfūqiúgǎn = 클럽2

곪:다 자 化脓 huànóng; 鼓脓 gǔnóng ¶상처가 ~ 疮口化脓

곯다1 자 腐烂 fǔlàn; 坏 huài; 烂 làn ¶계란이 곯았다 鸡蛋烂了

곯다2 자 挨饿 ái'è; 饿 è ¶배를 ~ 肚子挨饿

곯아-떨어지다 자 酣睡 hānshuì; 呼呼大睡 hūhūdàshuì; 沉沉入睡 chén-

chén rùshuì

곰: 몡 1 【動】 熊 xióng 2 笨蛋 bèndàn

곰-곰 읨 仔细(地) zǐxì(de) = 곰곰이

곰-곰이 읨 = 곰곰 ¶이 문제를 ~ 생각해 보세요 请仔细思考这个问题

곰-국 몡 (炖的) 牛肉汤 niúròutāng; 肉汤 ròutāng = 곰탕

곰방-대 몡 小烟袋 xiǎoyāndài; 小烟杆 xiǎoyāngān

곰:-보 몡 麻子 mázi; 麻脸 máliǎn; 麻脸人 máliǎnrén

곰:-삭다 자 1 糟了 zāole ¶옷들이 곰삭았다 衣服糟了 2 (虾酱等) 放坏了 fànghuàile

곰:-살맞다 혱 和蔼 hé'ǎi; 和气 héqì; 温和 wēnhé

곰:-탕(一湯) 몡 = 곰국

곰:-팡-내 몡 霉味儿 méiwèir ¶~가 나다 发霉味儿

곰:-팡-이 몡 【植】 霉 méi ¶~가 피다 发霉

곱1 몡 脓头 nòngtóu ¶~이 끼다 生脓头了

곱2 몡 1 = 배(倍)1 2 = 곱절2

곱다1 혱 1 好看 hǎokàn; 美 měi; 美丽 měilì; 漂亮 piàoliang ¶고운 여자 漂亮的女人 / 고운 꽃 美丽的花 2 善良 shànliáng ¶심성이 ~ 心地善良 3 细 xì; 细腻 xìnì ¶살결이 ~ 皮肤细腻 / 밀가루가 ~ 面粉很细 4 平安无事 píng'ānwúshì; 平安无恙 píng'ānwúyàng ¶곱게 자라다 平安无事地长大 5 原封不动 yuánfēngbúdòng ¶받은 선물을 곱게 돌려주다 把收到的礼物原封不动地退回去 6 好听 hǎotīng ¶고운 목소리 好听的嗓音

곱다2 혱 1 冻僵 dòngjiāng ¶손가락이 곱았다 手指冻僵了 2 (牙) 倒了 dǎole ¶귤을 많이 먹었더니 이가 곱아서 씹지 못하겠다 吃了好多橘子牙倒了, 再也吃不了了

곱다3 자혱 曲 qū; 弯 wān; 弯曲 wānqū; 驼 tuó ¶등이 ~ 驼背

곱-빼기 몡 1 双份合成一份 shuāngfèn héchéng yīfèn 2 接连两次 jiēlián liǎngcì; 一连两次 yīlián liǎngcì

곱사-등 몡 佝偻 gōulóu; 驼背 tuóbèi

곱사등-이 몡 驼背 tuòzi; 驼背 tuóbèi = 곱추

곱-셈(一) 혱타 【數】 乘 chéng; 乘法 chéngfǎ ¶~법 乘法 / ~ 부호 乘号

곱슬-곱슬 읨혱 卷曲 juǎnqū; 卷卷 juǎnjuǎn; 鬈 quán ¶~한 머리 卷卷的头发

곱슬-머리 몡 卷发 juǎnfà = 고수머리

곱-씹다 타 1 反复咀嚼 fǎnfù jǔjué 2 反复 fǎnfù ¶곱씹어 말하다 反复说 /

곱씹어 생각하다 反复想

곱-자 图【建】钩尺 gōuchǐ; 矩尺 jǔchǐ = 곡척

곱-절 图 **1** = 배(倍)1 **2** 倍 bèi = 곱²2 ¶세 ~ 三倍

곱-창 图 (牛的) 小肠 xiǎocháng

곱-하기 图하타【數】乘 chéng; 乘法 chéngfǎ

곱-하다 타 乘 chéng ¶2에 3을 곱하면 6이 된다 二乘三等于六

곳 图 地方 dìfang; 场所 chǎngsuǒ; 处 chù; 地点 dìdiǎn ¶다른 ~ 别的地方 / 아픈 ~ 痛处 / 조용한 ~ 安静的地方

곳-간(─間) 图 仓库 cāngkù

곳-곳 图 处处 chùchù; 到处 dàochù; 每个角落 měigèjiǎoluò ¶~에 남은 흔적 留下在每个角落的痕迹

곳곳-이 图 处处 chùchù; 到处 dàochù; 每个角落 měigèjiǎoluò

공: 图 球 qiú ¶~을 던지다 扔球 / ~을 받다 接球 / ~를 차다 踢球 / ~을 치다 拍球

공(公) 图 公 gōng ¶~과 사를 구별하다 公私分明

공(功) 图 = 公로 gōng ¶~이 크다 功劳大 / ~을 세우다 立功

공-(空) 접두 **1** 空 kōng ¶~방 空房 **2** 白 bái ¶~밥 白饭 / ~구경 白看 / 일 白干

-공(工) 접미 工 gōng ¶숙련~ 熟练工 / 인쇄~ 印刷工

공간(空間) 图 空间 kōngjiān ¶~ 개념 空间概念 / 생활 ~ 生活空间 / 우주 ~ 宇宙空间 / 좁은 ~ 狭窄空间

공:갈(恐喝) 图하자타 **1** 恐吓 kǒnghè; 威吓 wēihè; 恫吓 dònghè; 诈欺 zhà~ ¶~罪 恐吓罪 / ~을 치다 进行讹诈 / ~해서 금품을 우려먹다 恐吓人勒索钱财 **2** '거짓말'의 俗称

공:갈-치다(恐喝─) 자 恐吓 kǒnghè; 威吓 wēihè; 恫吓 dònghè; 讹诈 ézhà

공:감(共感) 图하자 共鸣 gòngmíng; 同感 tónggǎn ¶나는 그 말에 크게 ~한다 我对那个说法大有同感 / 그의 주장은 많은 사람의 ~을 불러일으켰다 他的主张引起了许多人的共鸣

공개(公開) 图하타 公开 gōngkāi ¶~ 강좌 公开讲座 / ~ 방송 公开播放 / ~ 재판 公开审判 / ~ 투표 公开投票 / 회의에 참석한 사람의 이름을 모두 ~했다 参加会议的人名都公开了

공개-적(公開的) 관【公開的】公开(的) gōngkāi(de) ¶~으로 비난하다 公开批评

공:격(攻擊) 图하타 攻击 gōngjī; 进攻 jìngōng; 攻 gōng ¶~력 攻击力 / ~성 攻击性 / ~수 攻击手 / ~자 攻击者 / ~ 개시 攻击开始 / ~을 개시하다 开始进攻 / ~을 받다 遭受攻击

공경(恭敬) 图하타형图 恭敬 gōngjìng; 尊敬 zūnjìng ¶부모를 ~하다 尊敬父母

공고(工高) 图【教】'공업 고등학교'的略词

공고(公告) 图하타 公布 gōngbù; 公告 gōnggào; 告示 gàoshì ¶~문 公告文 / 관련 내용을 ~하다 公布相关内容

공고-하다(鞏固─) 형 巩固 gǒnggù; 坚固 jiāngù; 牢固 láogù ¶공고한 진지 巩固的阵地 공고-히 图

공공(公共) 图 公共 gōnggòng; 公 gōng ¶~건물 公共建筑 / ~시설 公共设施 / ~질서 公共秩序 / ~장소 公共场所 / ~기관 公共机构 / ~ 생활 公共生活 / ~의 적 公敌

공공연-하다(公公然─) 형 公开 gōngkāi; 公然 gōngrán ¶공공연하게 주장하다 公开主张 공공연-히 图

공과(工科) 图【教】工科 gōngkē

공과 대학(工科大學)【教】工科大学 gōngkē dàxué; 工业大学 gōngyè dàxué; 工大 gōngdà = 공업 대학

공업 대학(工業大學)【教】= 공과 대학

공관(公館) 图 公馆 gōngguǎn

공교-롭다(工巧─) 형 巧 qiǎo; 凑巧 còuqiǎo; 碰巧 pèngqiǎo; 恰巧 qiàqiǎo; 正好 zhènghǎo ¶백화점에서 공교롭게 그를 만났다 在百货商店正好碰上他 공교로이 图

공-교육(公教育) 图 公共教育 gōnggòng jiàoyù

공구(工具) 图 工具 gōngjù

공군(空軍) 图【軍】空军 kōngjūn ¶~기지 空军基地 / ~ 사관학교 空军士官学校

공권(公權) 图【法】公权 gōngquán ¶~력 公权力

공그르다 타 缲 qiāo

공금(公金) 图 公款 gōngkuǎn ¶~을 횡령하다 贪污公款

공-급(供給) 图하타 供给 gōngjǐ; 供应 gōngyìng; 提供 tígōng ¶~ 곡선 供应曲线 / ~ 과잉 供应过剩 / ~량 供应量 / ~소 供应站 / ~원 供应源 / ~자 供应者 / 물자를 ~하다 供应物资 / 식량을 ~하다 供应粮食

공-기 图하자 抓石子儿 zhuāshízǐr ¶~놀이 抓石子儿 / ~를 놀다 玩抓石子儿

공기(空氣) 图 **1** 空气 kōngqì; 气 qì ¶~ 냉각 空气冷却 / ~ 저항 空气抵抗 / ~ 청정기 空气净化器 / ~ 气氛 qìfēn

공기(空器) 图 **1** 空器皿 kōngqìmǐn **2** 饭碗 fànwǎn; 碗 wǎn ¶밥 한 ~ 一碗饭

공기-압(空氣壓) 图【物】空气压力

공-기업(公企業) 閔 〖經〗公共企业 gōnggòng qǐyè

공기-총(空氣銃) 閔 气枪 qìqiāng

공:-놀이 閔하자 打球 dǎqiú

공단(工團) 閔 〖工〗工业区 gōngyèqū; 工业园区 gōngyè yuánqū

공:단(公團) 閔 公团 gōngtuán

공단(貢緞) 閔 贡缎 gòngduàn

공대(工大) 閔 〖教〗'공과 대학'的略词

공덕(功德) 閔 功德 gōngdé

공-돈(空一) 閔 白得的钱 báidéde qián

공:-동(共同) 閔 共同 gòngtóng; 公gòng; 联合 liánhé; 共 gòng ¶~묘지 公墓 [公共坟地] gōngmù=[公共坟地] / ~ 우승 共享冠军 / ~ 개최 联合举办 / ~ 운영 共同经营 / ~ 관리 共同管理 / ~ 대표 共同代表 / ~ 소유 共同所有 / ~ 수역 共同水域 / ~ 투자 共同投资

공동(空洞) 閔 空洞 kōngdòng

공:동-체(共同體) 閔 〖社〗共同体 gòngtóngtǐ

공동-화(空洞化) 閔하자 空洞化 kōngdònghuà ¶~ 현상 空洞化现象

공:-들다(功一) 자 费工 fèigōng; 苦心 kǔxīn

공든 탑이 무너지랴 속담 老天不负苦心人, 苍天不负有心人

공:-들이다(功一) 자 下功夫 xià gōngfu; 用功夫 yòng gōngfu ¶공들인 보람이 없다 白下功夫

공란(空欄) 閔 空格 kōnggé; 空栏 kōnglán

공로(功勞) 閔 功劳 gōngláo = 공(功)

공론(公論) 閔하타 1 公议 gōngyì 2 公论 gōnglùn 3 = 여론

공:-룡(恐龍) 閔 〖動〗恐龙 kǒnglóng ¶~ 영화 恐龙影片 / ~ 시대 恐龙时代

공리(公利) 閔 公利 gōnglì

공리(功利) 閔 功利 gōnglì ¶~심 功利心 / ~주의 功利主义

공립(公立) 閔 公立 gōnglì ¶~학교 公立学校 / ~ 대학 公立大学

공명(功名) 閔하자 功名 gōngmíng ¶~심 名利心

공:-명(共鳴) 閔하자 1 〖物〗共鸣 gòngmíng ¶~기 共鸣器 / ~ 상자 共鸣箱 / ~판 共鸣板 2 同感 tónggǎn; 共鸣 gòngmíng

공명-선거(公明選擧) 閔 公正选举 gōngzhèng xuǎnjù

공명-심(功名心) 閔 功名心 gōngmíngxīn

공명정대-하다(公明正大一) 閔 光明正大 guāngmíng zhèngdà 공명정대-히 閔

공명-하다(公明一) 閔 公正 gōngzhèng

¶공명한 판결 公正的判决 공명-히 閔

공모(公募) 閔하타 1 征 zhēng; 征招 zhēngzhāo; 征集 zhēngjí ¶~전 征展 2 〖經〗公募 gōngmù

공모(共謀) 閔하타 〖法〗同谋 tóngmòu; 共谋 gòngmòu ¶~자 同谋者

공무(公務) 閔 公务 gōngwù; 公事 gōngshì ¶~원 公务员 / ~를 처리하다 办理公务

공문(公文) 閔 = 공문서 ¶~을 보내다 发公函

공-문서(公文書) 閔 公函 gōnghán; 公文 gōngwén = 공문

공:-물(貢物) 閔 〖史〗贡品 gòngpǐn; 贡物 gòngwù

공민(公民) 閔 公民 gōngmín ¶~권 公民权

공-밥(空一) 閔 白吃饭 báichīfàn; 吃闲饭 chīxiánfàn ¶~을 먹다 不做事白吃饭

공방(工房) 閔 工房 gōngfáng

공:-방(攻防) 閔 攻防 gōngfáng ¶~전 攻防战 / ~을 벌이다 展开攻防

공방(空房) 閔 空房 kōngfáng

공-배수(公倍數) 閔 〖數〗公倍数 gōngbèishù ¶최소 ~ 最小公倍数

공백(空白) 閔 空白 kòngbái; 空白点 kòngbáidiǎn ¶~기 空白期 / ~ 상태 空白状态

공:-범(共犯) 閔하자 〖法〗共犯 gòngfàn ¶~자 共犯者 / ~죄 共犯罪

공법(工法) 閔 工法 gōngfǎ; 施工法 shīgōngfǎ ¶특수 ~ 特殊施工法

공법(公法) 閔 〖法〗公法 gōngfǎ

공병(工兵) 閔 〖軍〗工兵 gōngbīng ¶~대 工兵队

공병(空瓶) 閔 空瓶 kōngpíng

공보(公報) 閔 公报 gōngbào ¶~ 기관 公报机关 / ~실 公报室

공복(空腹) 閔 空腹 kōngfù; 空肚子 kōngdùzi ¶~감 空腹感

공부(工夫) 閔하타 学习 xuéxí; 学 xué; 念书 niànshū; 用功 yònggōng ¶~방 学习房间 / 열심히 ~하다 努力学习 / ~를 게을리하다 懒得学习 / 그는 ~를 매우 잘한다 他学习非常好

공분(公憤) 閔 公愤 gōngfèn

공비(公費) 閔 公费 gōngfèi

공사(工事) 閔하자 工程 gōngchéng; 工事 gōngshì; 施工 shīgōng; 工程 gōngchéng ¶~비 工程费 / ~를 벌이다 展开施工

공사(公私) 閔 公私 gōngsī ¶~를 구분하다 分清公私

공사(公使) 閔 〖法〗公使 gōngshǐ ¶~관 公使馆

공사(公社) 閔 〖法〗公社 gōngshè

공사-장(工事場) 閔 工地 gōngdì

공사-판(工事一) 閔 工地 gōngdì

공·산(共産) 圐 1 共产 gòngchǎn 2 【社】= 공산주의 ¶~ 국가 共产主义国家

공산-당(共産黨) 圐【政】共产党 gòngchǎndǎng

공·산-주의(共産主義) 圐【社】共产主义 gòngchǎnzhǔyì = 공산2 / ~자 共产主义者

공산-품(工産品) 圐 工业产品 gōngyè chǎnpǐn

공상(工商) 圐 工商 gōngshāng

공상(公傷) 圐 公伤 gōngshāng

공상(空想) 圐 空想 kōngxiǎng ¶~가 空想家

공상 과학 소설(空想科學小說)【文】科幻小说 kēhuàn xiǎoshuō; 科学幻想小说 kēxué huànxiǎng xiǎoshuō = 에스에프

공상 과학 영화(空想科學映畵)【演】科幻片 kēhuànpiàn; 科幻电影 kēhuàn diànyǐng; 科学幻想电影 kēxué huànxiǎng diànyǐng

공·생(共生) 圐困困 共生 gòngshēng ¶~ 관계 共生关系

공석(公席) 圐 1 公开的场合 gōngkāide chánghé 2 公座 gōngzuò

공석(公席) 圐 = 빈자리

공설(公設) 圐困困 公设 gōngshè; 公立 gōnglì ¶~ 운동장 公立运动场

공·세(攻勢) 圐 攻势 gōngshì

공소(公訴) 圐困困【法】公诉 gōngsù ¶~권 公诉权 / ~ 사실 公诉事实 / ~시효 公诉时效 / ~를 제기하다 提出公诉

공소-장(公訴狀) 圐【法】起诉状 qǐsùzhuàng = 기소장

공손-하다(恭遜—) 圐 谦恭 qiāngōng; 恭敬 gōngjìng 공손-히 囝

공·수(攻守) 圐 攻防 gōngfáng ¶~ 전환이 빠르다 攻防转换很快

공수(空手) 圐 = 빈손

공수(空輸) 圐困困 空运 kōngyùn ¶보급품을 ~하다 空运补给品

공·수(拱手) 圐困困 拱手 gǒngshǒu

공·수-병(恐水病) 圐【醫】= 광견병

공수 부대(空輸部隊)【軍】空降部队 kōngjiàng bùduì = 낙하산 부대

공수-표(空手票) 圐 空头支票 kōngtóu zhīpiào ¶~를 날리다 开空头支票

공습(空襲) 圐困困 空袭 kōngxí ¶~ 경보 空袭警报

공시(公示) 圐困困 公告 gōnggào; 布告 bùgào; 告示 gàoshì; 公示 gōngshì ¶~가 公告现值 / ~가 公告地价

공식(公式) 圐 1 正式 zhèngshì ¶~ 방문 正式访问 / ~ 회담 正式谈判 2 【數】公式 gōngshì ¶수학 ~ 数学公式

공식-적(公式的) 圐圐 正式(的) zhèng-

shì(de) ¶~으로 인정하다 正式承认

공신(功臣) 圐 功臣 gōngchén ¶일등 ~ 一等功臣

공신-력(公信力)【法】公信力 gōngxìnlì

공안(公安) 圐 公安 gōng'ān

공약(公約) 圐困困 承诺 chéngnuò ¶선거 ~ 竞选公约

공-약수(公約數)【數】公因数 gōngyīnshù; 公约数 gōngyuēshù ¶최대 ~ 最大公因数

공·양(供養) 圐困困 1 供养 gòngyǎng ¶시부모를 ~하다 供养公婆 2 【佛】供养 gòngyǎng; 供奉 gòngfèng ¶~미 供养米

공언(公言) 圐困困 声称 shēngchēng; 声言 shēngyán; 宣称 xuānchēng; 公开讲 gōngkāi jiǎng

공업(工業) 圐 工业 gōngyè ¶~용수 工业用水 / ~ 지대 工业地带 / ~ 단지 工业区 =[工业园区]

공업 고등학교(工業高等學校)【教】工业职业高级中学 gōngyè zhíyè gāojí zhōngxué; 工业职业高中 gōngyè zhíyè gāozhōng

공업-용(工業用) 圐 工业用 gōngyèyòng; 工业 gōngyè ¶~ 기름 工业油脂

공연(公演) 圐困困 公演 gōngyǎn; 表演 biǎoyǎn; 演出 yǎnchū ¶축하 ~ 庆祝演出 / ~장 表演场 / ~이 시작되다 表演开始

공연-스럽다(空然—) 圐 白白的 báibáide; 多余的 duōyúde; 徒然 túrán; 枉然 wǎngrán; 无谓的 wúwèide; 无用的 wúyòngde = 괜스럽다 공연스레 囝

공연-하다(空然—) 圐 白白的 báibáide; 多余的 duōyúde; 空 kōng; 徒然 túrán; 枉然 wǎngrán; 无谓的 wúwèide; 无用的 wúyòngde = 공연한 걱정 多余的担心 / 공연한 일 无谓的事情 공연-히 囝

공영(公營) 圐困困 公营 gōngyíng ¶~ 방송 公营广播 / ~ 기업 公营企业

공예(工藝) 圐 工艺 gōngyì ¶~품 工艺品

공용(公用) 圐困困 公用 gōngyòng

공·용(共用) 圐困困 共用 gòngyòng ¶남녀 ~ 男女共用 / ~ 면적 共用面积

공용-어(公用語) 圐 通用语 tòngyòngyǔ

공원(公園) 圐 公园 gōngyuán ¶~묘지 公园墓地

공유(公有) 圐【法】公有 gōngyǒu ¶~림 公有林 / ~ 재산 公有财产 / ~지 公有地 =[公地]

공·유(共有) 圐困困 共有 gòngyǒu ¶~ 면적 共有面积 / ~물 共有物品 / ~화 共有化

공-으로(空—) 🟦 白 bái; 白白地 báibáide; 白得的 báidéde

공이 🟩 杵 chǔ

공익(公益) 🟩 公共利益 gōnggòng lìyì; 公益 gōngyì ¶～广告 公益广告 / ～사업 公益事业 / ～성 公益性

공인(公人) 🟩 公人 gōngrén

공인(公認) 🟩 公认 gōngrèn

공인 회:계사(公認會計士) 【法】高级会计师 gāojí kuàijìshī; 会计师 kuàijìshī

공일(空日) 🟩 空日 kōngrì; 休日 xiūrì

공임(工賃) 🟩 工钱 gōngqián; 工资 gōngzī

공자(公子) 🟩 公子 gōngzǐ

공작(公爵) 🟩 公爵 gōngjué ¶～ 부인 公爵夫人

공작(工作) 🟩🟧 1 工作 gōngzuò ¶특수～ 特务工作 2 劳作 láozuò; 手工 shǒugōng

공:작(孔雀) 【鳥】孔雀 kǒngquè = 공작새

공:작-새(孔雀—) 🟩 【鳥】= 공작(孔雀)

공작-원(工作員) 🟩 特工 tègōng ¶북한 ～ 北朝鲜特工

공장(工場) 🟩 工厂 gōngchǎng; 工场 gōngchǎng; 厂 chǎng; 制造厂 zhìzàochǎng ¶～도 가격 厂价 / ～장 厂长 / 폐수 工厂废水

공저(共著) 🟩🟧 合编 hébiān; 合著 hézhù

공적(功績) 🟩 功绩 gōngjì; 功劳 gōngláo ¶～을 쌓다 建立功绩

공-적(公的) 🟦 公(的) gōng (de); 公共(的) gōnggòng (de); 公家(的) gōngjia (de) ¶～ 자금 公积金

공전(工錢) 🟩 工钱 gōngqián; 工价 gōngjià

공전(公轉) 🟩🟧 【天】公转 gōngzhuàn = 공전 운동 ¶～ 궤도 公转轨道 / ～ 주기 公转周期

공전(空前) 🟩 空前 kōngqián ¶～의 성공 空前成功

공전(空轉) 🟩🟧 空转 kōngzhuàn ¶바퀴가 ～하다 车轮空转

공전 운동(公轉運動) 【天】= 공전(公轉)

공정(工程) 🟩 工序 gōngxù; 流程 liúchéng

공정(公正) 🟩🟧🟦 公正 gōngzhèng; 公道 gōngdao; 公平 gōngpíng ¶～ 거래 公平交易 / ～ 보도 公平报道 / ～성 公正性 / ～한 판정 公正判决 ¶～히 처리하다 公正地处理

공정(公定) 🟩 公定 gōngdìng; 法定 fǎdìng

공정-가(公定價) 🟩 【經】= 공정 가격

공정 가격(公定價格) 【經】公定价格 gōngdìngjià; 公定价格 gōngdìngjiàgé = 공정가

공:제(控除) 🟩🟧 扣 kòu; 扣除 kòuchú; 减除 jiǎnchú ¶수입에서 필요 경비를 ～하다 从收入中减除费用

공:조(共助) 🟩🟧 互济 hùjì; 互助 hùzhù

공:존(共存) 🟩🟧 共处 gòngchù; 共存 gòngcún ¶평화 ～ 和平共处 / ～공영 共存共荣

공주(公主) 🟩 公主 gōngzhǔ ¶～병 公主病

공중(公衆) 🟩 公共 gōnggòng; 公众 gōngzhòng; 公用 gōngyòng ¶～목욕탕 公共浴池 / ～위생 公共卫生

공중(空中) 🟩 空中 kōngzhōng ¶～그네 空中秋千 / ～급유 空中加油 / ～분해 空中解体 / ～폭격 空中爆击 / ～회전 空中回转

공중-누각(空中樓閣) 🟩 空中楼阁 kōngzhōng lóugé = 신기루2

공중-도덕(公衆道德) 🟩 公共道德 gōnggòng dàodé; 公德 gōngdé

공중-변소(公衆便所) 🟩 公厕 gōngcè; 公共厕所 gōnggòng cèsuǒ = 공중화장실

공중-전(空中戰) 🟩 【軍】空战 kōngzhàn

공중-전화(公衆電話) 🟩 公用电话 gōngyòng diànhuà ¶～ 카드 公用电话卡

공중-제비(空中—) 🟩 跟头 gēntou = 텀블링 ¶～를 하다 翻跟头

공중-화장실(公衆化粧室) 🟩 = 공중변소

공증(公證) 🟩🟧 【法】公证 gōngzhèng ¶～ 문서 公证书 / ～인 公证人

공지(公知) 🟩🟧 公告 gōnggào; 通知 tōngzhī ¶～ 사항 通知事项

공직(公職) 🟩 公职 gōngzhí ¶～자 公职人员

공진(共振) 🟩🟧 【物】共振 gòngzhèn

공-집합(空集合) 🟩 【數】空集合 kōngjíhé

공짜(空—) 🟩 免费 miǎnfèi; 白 bái; 不花钱 bùhuāqián ¶～로 먹다 白吃 ¶이것은 모두 ～이다 这一切都是免费的

공채(公採) 🟩🟧 公开招聘 gōngkāi zhāopìn; 公招 gōngzhāo ¶시험 公招考试

공채(公債) 🟩 公债 gōngzhài ¶～증권 公债证券

공책(空册) 🟩 笔记本 bǐjìběn; 本子 běnzi = 노트1

공:처-가(恐妻家) 🟩 妻管严 qīguǎnyán; 惧内男人 jùnèi nánrén

공천(公薦) 圄[하타] **1** 公众推荐 gōngzhòng tuījiàn **2** 〖政〗公荐 gōngjiàn

공청-회(公聽会) 圄〖政〗公听会 gōngtīnghuì ¶~를 열다 召开公听会

공:-치기 圄[하자] 打球 dǎqiú

공-치다(空一) 재타 白费工夫 báifèi gōngfu ¶사람이 모자라서 하루를 공쳤다 因为缺人, 白费了一天工夫

공-치사(功致辭) 圄[하타] 卖功 màigōng; 自夸 zìkuā

공-치사(空致辭) 圄[하자타] 白表扬 báibiǎoyáng; 空表扬 kōngbiǎoyáng

공-터(空一) 圄 空地 kōngdì = 빈터

공:-통(共通) 圄[하혱] 共同 gòngtóng; 公 gōng ¶~분모 公分母 / ~성 共同性 / ~어 共通语 / ~점 共同点

공:-통-적(共通的) 괸圄 共同(的) gòngtóng(de) ¶~인 견해 共同见解

공판(公判) 圄[하자] 〖法〗公判 gōngpàn; 公审 gōngshěn ¶~기일 公审日期

공평(公平) 圄[하혱][히부] 公平 gōngpíng; 公道 gōngdào; 公正 gōngzhèng ¶~한 방식 公平的方式 / ~하게 심사하다 公正地审查

공평-무사(公平無私) 圄[하혱][히부] 公平无私 gōngpíngwúsī; 大公无私 dàgōngwúsī

공포(公布) 圄[하자타] 公布 gōngbù; 颁布 bānbù; 颁发 bānfā

공포(空砲) 圄 空炮 kōngpào; 空枪 kōngqiāng ¶~탄 空炮弹 / ~를 쏘다 开空枪

공:-포(恐怖) 圄 恐怖 kǒngbù; 恐惧 kǒngjù ¶~감 恐怖感 / ~심 恐怖心理 / ~를 느끼다 感到恐怖

공표(公表) 圄[하자타] 公开发表 gōngkāi fābiǎo

공학(工學) 圄〖工〗工程学 gōngchéngxué; 工学 gōngxué; 工艺学 gōngyìxué ¶~박사 工学博士 / ~부 工学部

공:-학(共學) 圄 同学 tóngxué; 同校 tóngxiào ¶남녀 ~ 男女同校

공항(空港) 圄 机场 jīchǎng ¶국제 ~ 国际机场 / ~버스 机场大巴 / ~에 마중 나가다 去机场接人

공해(公害) 圄 公害 gōnghài ¶~병 公害病 / ~ 산업 公害产业

공해(公海) 圄〖法〗公海 gōnghǎi

공허-하다(空虚一) 혱 空虚 kōngxū ¶인생은 ~ 人生很空虚

공허-감(空虚感) 圄 感到茫然 gǎndào mángrán; 空虚感 kōngxūgǎn

공:-헌(貢獻) 圄[하자] 贡献 gòngxiàn ¶사회 발전에 ~하다 贡献社会发展

공:-화(共和) 圄〖政〗共和 gònghé ¶~국 共和国 / ~정부 共和政府 / ~정치 共和政治

공:-황(恐慌) 圄 恐慌 kǒnghuāng ¶~장애 恐慌障碍 / ~ 상태에 빠지다 陷入恐慌状态

공회(公會) 圄 公会 gōnghuì; 公共礼堂 gōnggòng lǐtáng

공훈(功勳) 圄 功勋 gōngxūn; 功 gōng; 功劳 gōngláo

공휴-일(公休日) 圄 公休日 gōngxiūrì; 公休 gōngxiū

곶 〖地理〗海岬 hǎijiǎ; 海角 hǎijiǎo

곶-감 圄 柿饼 shìbǐng; 柿干 shìgān

과 조 和 hé; 同 tóng; 根 gēn; 与 yǔ; 及 jí ¶선생님~ 学生与老师和学生们 / 친구들~ 같이 놀다 跟朋友们一起玩儿

과(課) 圄 **1** 课 kè; 科 kē ¶총무~ 总务课 / 비서~ 秘书课 **2** 课 kè ¶제 1~ 第一课

과(科) 圄 **1** 科 kē ¶소아~ 小儿科 / 마취~ 麻醉科 **2** 系 xì ¶중문~ 中文系 / 영문~ 英文系

과:감-하다(果敢一) 혱 果敢 guǒgǎn ¶과감한 행동 果敢的行动 / 과감하게 행동하다 果敢地行动 **과:감-히** 부

과:객(過客) 圄 过客 guòkè

과거(科擧) 圄〖史〗科举 kējǔ; 考 kǎo ¶~ 제도 科举制度 / 급제 科举及第 / ~를 보러 가다 赶考

과:거(過去) 圄 **1** 过去 guòqù; 既往 jìwǎng; 往日 wǎngrì; 往事 wǎngshì ¶말 못할 ~ 不可告人的过去 / ~를 회상하다 回顾往事 **2**〖語〗过去 guòqù ¶~ 분사 过去分词 / ~ 완료 过去完成 / ~ 진행 过去进行 / ~형 过去形

과:거-사(過去事) 圄 往事 wǎngshì = 과거지사

과:거지사(過去之事) 圄 = 과거사

과:격-하다(過激一) 혱 过激 guòjī; 激进 jìjìn; 过火 guòhuǒ; 激烈 jīliè ¶과격한 행위 过激行为 / 그는 성질이 ~ 他脾气很过火 **과:격-히** 부

과:-꽃 圄〖植〗翠菊 cuìjú; 江西腊 jiāngxīlà; 七月菊 qīyuèjú

과:녁 圄 靶 bǎ; 靶子 bǎzi; 鹄的 húdì ¶~을 맞히다 打中靶子

과:-년(過年) 圄[하혱] 已过婚龄 yǐguò hūnlíng ¶~한 처녀 已过婚龄的姑娘

과:-다(過多) 圄[하혱][히부] 过多 guòduō ¶출혈 ~ 出血过多 / 지출 支出过多

과:-단(果斷) 圄[하혱] 果断 guǒduàn

과:-당(果糖) 圄〖化〗果糖 guǒtáng

과:-당(過當) 圄 过度 guòdù ¶~ 경쟁 过度竞争

과:-대(過大) 圄[하혱][히부] 过大 guòdà; 过高 guògāo

과:-대(誇大) 圄[하타] 夸大 kuādà ¶~광

고 夸大广告 /～망상 夸大妄想

과:대-평가(過大評價) 명하타 过于高估 guòyú gāogū; 过高估计 guògāo gūjì; 过高评价 guògāo píngjià

과:도(果刀) 명 水果刀 shuǐguǒdāo

과:도(過度) 명하형 부 过度 guòdù ¶～하게 긴장하다 过度紧张

과:도(過渡) 명 过渡 guòdù ¶～ 현상 过渡现象 /～기 过渡期

과:두(寡頭) 명 寡头 guǎtóu ¶～ 정치 寡头政治

과:량(過量) 명하형 过量 guòliàng ¶～ 섭취 过量摄取

과:로(過勞) 명하자 过劳 guòláo; 过度疲劳 guòdù píláo ¶～사 过劳死 /～로 쓰러지다 因过度疲劳晕倒

과립(顆粒) 명 颗粒 kēlì ¶～제 颗粒剂

과목(科目) 명 【教】 科目 kēmù; 课程 kèchéng ¶필수～ 必修课

과:묵(寡默) 명하형 부 寡默 guǎmò; 寡言 guǎyán; 少言寡语 shǎoyán guǎyǔ

과:민(過敏) 명하자 过敏 guòmǐn ¶～ 반응 过敏反应 /～성 체질 过敏性体质

과:반(過半) 명 过半 guòbàn ¶～수 过半数

과:-보호(過保護) 명하타 = 과잉보호

과:-부하(過負荷) 명 【電】 超负荷 chāofùhè ¶～ 전류 超负荷电流

과:분-하다(過分-) 형 过分 guòfèn ¶과분한 칭찬 过分的称赞 **과:분-히** 부 과분한 칭찬 过分的称赞

과:-산화(過酸化) 명 【化】 过氧化 guòyǎnghuà ¶～나트륨 过氧化钠 /～물 过氧化物 /～수소 过氧化氢 /～수 过氧化氢溶液 [双氧水]

과세(課稅) 명하타 课税 kèshuì ¶～ 표준 课税标准

과세-율(課稅率) 명 【法】 课税率 kèshuìlù = 세율

과:소(過小) 명하형 부 过小 guòxiǎo; 过低 guòdī; 过小 guòxiǎo

과:-소비(過消費) 명하자 超前消费 chāoqián xiāofèi; 高消费 gāoxiāofèi; 过度消费 guòdù xiāofèi

과:소-평가(過小評價) 명하타 低估 dīgū; 过低估计 guòdīgūjì; 过低评价 guòdīpíngjià

과:속(過速) 명하자 超速 chāosù; 超速驾驶 chāosù jiàshǐ ¶～ 차량 超速车辆 /～하지 마세요 请不要超速驾驶

과:수-원(果樹園) 명 果园 guǒyuán; 果树园 guǒshùyuán

과:시(誇示) 명하타 夸示 kuāshì; 显示 xiǎnshì; 夸耀 kuāyào ¶실력을 ～하다 显示实力 / 자기의 능력을 ～하다 夸耀自己的能力

과:식(過食) 명하타 吃得过多 chīde guòduō

과:신(過信) 명하타 过信 guòxìn; 过于相信 guòyúxiāngxìn; 过于信赖 guòyúxìnlài ¶자신을 ～하다 过于相信自己

과:실(過失) 명 错误 cuòwù; 过失 guòshī = 과오 ¶～로 인한 致死 치사죄 过失致死罪 /～ 치상 过失致伤

과:실(果實) 명 1 = 과일 2 = 열매

과:실-나무(果實-) 명 果树 guǒshù = 과실수・과일나무

과:실-수(果實樹) 명 = 과실나무

과:실-주(果實酒) 명 果酒 guǒjiǔ; 果子酒 guǒzǐjiǔ

과:실-즙(果實汁) 명 = 과일즙

과:언(過言) 명하자 说得过火 shuōde guòhuǒ; 言过其实 yánguò qíshí; 过分 guòfèn ¶그를 세계적 문호라 해도 ～이 아니다 称他为世界上的文豪也并非说得过火

과업(課業) 명 任务 rènwù

과:연(果然) 부 1 果然 guǒrán; 果然是 guǒránshì; 果真是 guǒzhēnshì ¶그는 ～ 천재로구나 他果然是个天才 2 究竟 jiūjìng; 到底 dàodǐ ¶그는 ～ 어떤 사람일까? 他究竟是什么人?

과:열(過熱) 명하자 过热 guòrè ¶기계가 ～되다 机器过热 / 경쟁이 ～되다 竞争过热

과:오(過誤) 명 = 과실(過失)

과외(課外) 명 1 课外 kèwài; 额外 éwài; 业余 yèyú ¶～ 지도 课外指导 /～ 활동 课外活动 2 【教】 课外辅导 kèwài fǔdǎo = 과외 수업

과외 수업(課外授業) 【教】 = 과외2

과:욕(過慾) 명하타 贪心过渡 tānxīn guòdù

과:용(過用) 명하타 过度使用 guòdù shǐyòng; 过用 guòyòng

과:유불급(過猶不及) 명 过犹不及 guòyóubùjí

과:육(果肉) 명 果肉 guǒròu

과:음(過飮) 명하타 饮酒过量 yǐnjiǔ guòliàng; 喝酒过多 hējiǔ guòduō; 喝过劲 hēguòjìn ¶～해서 머리가 심하게 아프다 喝酒过多头痛得厉害

과:인(寡人) 대 寡人 guǎrén

과:일 명 水果 shuǐguǒ; 果 guǒ = 과실(果实)1

과:일-나무 명 = 과실나무

과:일-즙(-汁) 명 果汁 guǒzhī = 과실즙・과즙

과:잉(過剩) 명하자 过剩 guòshèng ¶

~ 생산 過剩生産

과:잉-보호(過剩保護) 명[하타] 过分保护 guòfèn bǎohù ¶ = 과보호

과자(菓子) 명 饼干 bǐnggān; 点心 diǎnxin ¶ ~를 먹다 吃饼干

과장(課長) 명 科长 kēcháng

과:장(誇張) 명[하타] 夸张 kuāzhāng ¶ ~법 夸张法

과:점(寡占) 명 【經】垄断 lǒngduàn

과:정(過程) 명 过程 guòchéng ¶진행 ~ 进行过程

과정(課程) 명 【教】课程 kèchéng ¶정규 ~ 正规课程

과제(課題) 명 课题 kètí; 问题 wèntí ¶연구 ~ 研究课题

과:중-하다(過重) 형 过重 guòzhòng ¶과중한 업무 过重的工作 과:중-히 閈

과:즙(果汁) 명 = 과일즙

과:찬(過讚) 명[하타] 过奖 guòjiǎng

과:채(果菜) 명 果菜 guǒcài ¶~류 果菜类

과:태-료(過怠料) 명 【法】罚款 fákuǎn

과:-하다(過) 형 过分 guòfèn; 过度 guòdù ¶말씀이 좀 과하시군요 话说得有点过分了啊

과학(科學) 명 科学 kēxué ¶~계 科学界 / ~ 교육 科学教育 / ~자 科学家

관(官) 명 官 guān

관(棺) 명 棺 guān; 棺材 guāncái ¶~에 들어가다 进棺材 / ~을 짜다 做棺材

관(冠) 명 【史】冠 guàn ¶~을 쓰다 加冠

-관(官) 접미 员 yuán; 官 guān ¶소방 ~ 消防员 / 검시 ~ 验尸官

-관(館) 접미 馆 guǎn ¶도서 ~ 图书馆 / 대사 ~ 大使馆

-관(觀) 접미 观 guān ¶인생 ~ 人生观 / 가치 ~ 价值观

관:개(灌漑) 명[하자] 灌溉 guàngài; 灌水 guànshuǐ ¶~ 시설 灌溉设备 / 용수 灌溉用水 / ~ 공사 灌溉工程

관객(觀客) 명 观众 guānzhòng ¶~석 观众席

관건(關鍵) 명 关键 guānjiàn ¶문제 해결의 ~은 거기에 있다 解决问题的关键在于那儿

관계(官界) 명 官界 guānjiè

관계(關係) 명 1 关系 guānxi ¶국제 ~ 国际关系 / 남녀 ~ 男女关系 / ~를 끊다 断绝关系 2 相干 xiānggàn; 有关 yǒuguān ¶~자 有关人员 3 性交 xìngjiāo; 做爱 zuò'ài ¶그와 ~를 갖다 跟他做爱 4 由于…的关系 yóuyú…de guānxi ¶시간 ~로 일부를 생략하다 由于时间的关系省略一部分

관계-없다(關係—) 형 没有关系 méiyǒuguānxi; 无关 wúguān 관계없-이 閈

관계-있다(關係—) 형 有关 yǒuguān; 有关系 yǒuguānxi

관-공서(官公署) 명 官厅 guāntīng; 机关 jīguān

관광(觀光) 명[하타] 观光 guānguāng; 旅游 lǚyóu; 游览 yóulǎn ¶~객 观光客 / ~단지 观光区 / ~ 도시 旅游城市 / ~버스 旅游巴士 / ~ 사업 观光事业 / ~ 산업 旅游产业 / ~ 자원 旅游资源 / ~지 旅游地

관군(官軍) 명 【軍】官军 guānjūn

관기(官妓) 명 官妓 guānjì

관내(管內) 명 管辖区内 guǎnxiáqūnèi

관념(觀念) 명 观念 guānniàn; 意识 yìshí; 思想 sīxiǎng ¶시간 ~ 时间观念 / ~론 观念论

관노(官奴) 명 【史】官奴 guānnú

관능(官能) 명 官能 guānnéng ¶~미 官能美

관-다발(管—) 명 【植】维管束 wéiguǎnshù ¶~ 식물 维管束植物

관대-하다(寬大—) 형 宽大 kuāndà; 宽容 kuānróng ¶자식에게 매우 ~ 对孩子很宽容 관대-히 閈

관:-두다(官軍) 타 '고만두다'의 略词

관람(觀覽) 명[하타] 观看 guānkàn; 观览 guānlǎn; 看 kàn; 欣赏 xīnshǎng ¶경기를 ~하다 观看比赛

관람-객(觀覽客) 명 观客 guānkè; 观众 guānzhòng

관람-권(觀覽券) 명 入场券 rùchǎngquàn

관람-료(觀覽料) 명 票价 piàojià; 票钱 piàoqián

관람-석(觀覽席) 명 观众席 guānzhòngxí; 看台 kàntái

관람-자(觀覽者) 명 观看者 guānkànzhě; 观览者 guānlǎnzhě; 观众 guānzhòng

관련(關聯·關連) 명[하자] 关联 guānlián; 关 guān; 有关 yǒuguān; 关系 guānxi; 联系 liánxì; 牵连 qiānlián; 涉 qiānshè; 相关 xiāngguān; 瓜葛 guāgé ¶~자 有关人 / ~ 보도 有关报道 / ~짓다 联系起来 / 서로 밀접한 ~이 있다 相互密切关联

관례(慣例) 명 惯例 guànlì ¶~를 따르다 遵守惯例

관:-록(貫祿) 명 威严 wēiyán; 派头 pàitou; 架子 jiàzi

관료(官僚) 명 官僚 guānliáo ¶~주의 官僚主义

관리(官吏) 명 官吏 guānlì

관리(管理) 명[하타] 管理 guǎnlǐ; 管 guǎn; 掌管 zhǎngguǎn ¶~원 管理员 / ~인 管理人 / ~비 管理费 / 창고

를 ~하다 管理仓库 / 재산을 ~하다
管理财产

관망(觀望) 〖명〗〖하타〗 观望 guānwàng ¶
사태를 ~하다 观望事态

관목(灌木) 〖명〗【植】灌木 guànmù ¶~
림 灌木林

관문(關門) 〖명〗 **1** 关门 guānmén **2** 关
口 guānkǒu; 关 guān ¶입시의 ~을 통
과하다 突破入学考试的关口

관복(官服) 〖명〗 官服 guānfú

관비(官婢) 〖명〗 官婢 guānbì

관사(冠詞) 〖명〗【語】冠词 guàncí

관사(官舍) 〖명〗 官邸 guāndǐ; 官舍 guān-
shè

관상(冠狀) 〖명〗 冠状 guànzhuàng ¶~동
맥 冠状动脉 / ~정맥 冠状静脉

관상(觀相) 〖명〗〖하타〗【民】看相 kànxiàng;
相面 xiàngmiàn

관상(觀賞) 〖명〗〖하타〗 观赏 guānshǎng;
赏玩 shǎngwán; 欣赏 xīnshǎng ¶~식
물 观赏植物 / ~어 观赏鱼 / ~용 观赏
用

관상-가(觀相家) 〖명〗 相士 xiàngshì; 相
面先生 xiàngmiàn xiānsheng; 看相的
kànxiàngde

관성(慣性) 〖명〗【物】惯性 guànxìng ¶
~력 惯性力 / ~의 법칙 惯性定律

관세(關稅) 〖명〗【法】关税 guānshuì ¶
~동맹 关税同盟 / ~법 关税法 / ~율
关税率 / ~장벽 关税壁垒 / ~정책
关税政策 / ~조약 关税条约 / ~협정
关税协定

관세음(觀世音) 〖명〗【佛】= 관세음보
살

관세음-보살(觀世音菩薩) 〖명〗【佛】观
世音菩萨 guānshìyīn; 观世音菩萨 guānshì-
yīnpúsà; 观音 guānyīn = 관세음

관솔 〖명〗 松明 sōngmíng ¶~불 松明火

관습(慣習) 〖명〗 规矩 guīju; 习惯 xíguàn
¶~법 习惯法

관심(關心) 〖명〗〖하자타〗 关怀 guānhuái;
关切 guānqiè; 关心 guānxīn; 关注
guānzhù; 过问 guòwèn; 在意 zàiyì; 照
顾 zhàogù; 注意 zhùyì ¶아무런 ~도
없다 漠不关心

관심-거리(關心─) 〖명〗 = 관심사

관심-사(關心事) 〖명〗 关心的事情
guānxīnde shìqíng; 注目的事 zhùmù de
shì = 관심거리

관아(官衙) 〖명〗 公衙 gōngyá; 官衙 guān-
yá

관악(管樂) 〖명〗【音】管乐 guǎnyuè ¶~
기 管乐器 / ~대 管乐队 / ~합주 管
乐合奏

관여(關與) 〖명〗〖하자〗 干预 gānyù; 管
guǎn; 参与 cānyù; 干涉 gānshè ¶내
일에 ~하지 마라 别管干预的事

관엽 식물(觀葉植物) 【植】观叶植物

guānyè zhíwù

관영(官營) 〖명〗 官营 guānyíng; 官办
guānbàn ¶~ 기업 官办企业

관용(慣用) 〖명〗〖하타〗 惯用 guànyòng

관용(寬容) 〖명〗〖하타〗 宽容 kuānróng; 宽
恕 kuānshù ¶~을 베풀다 给以宽容

관용-구(慣用句) 〖명〗【語】惯用语 guàn-
yòngyǔ = 관용어2 · 성어2 · 숙어

관용-어(慣用語) 〖명〗 **1** 惯用词语
guànyòng cíyǔ **2** = 관용구

관원(官員) 〖명〗 벼슬아치

관인(官印) 〖명〗 公印 gōngyìn; 公章
gōngzhāng; 官印 guānyìn

관자-놀이(貫子─) 〖명〗 颞颥窝 nièrú; 太
阳穴 tàiyángxué

관장(館長) 〖명〗 馆长 guǎnzhǎng ¶미술
관 ~ 美术馆馆长

관:장(灌腸) 〖명〗【醫】灌肠 guàn-
cháng ¶~제 灌肠剂

관장(管掌) 〖명〗〖하타〗 掌管 zhǎngguǎn;
掌握 zhǎngwò ¶사무를 ~하다 掌管事
务

관저(官邸) 〖명〗 府第 fǔdì; 官邸 guāndǐ

관전(觀戰) 〖명〗〖하타〗 观战 guānzhàn ¶~
기 观战记 / ~평 观战点评

관절(關節) 〖명〗【生】关节 guānjié = 뼈
마디 ¶무릎 ~ 膝关节 / ~염 关节炎 /
~통 关节痛

관점(觀點) 〖명〗 观点 guāndiǎn; 角度
jiǎodù ¶새로운 ~으로 사물을 보다 用
新观点看事物

관제(管制) 〖명〗〖하타〗 管制 guānzhì ¶교
통 ~ 시스템 交通管制系统 / ~탑 管
制塔

관조(觀照) 〖명〗〖하타〗 观照 guānzhào ¶인
생을 ~하다 观照人生

관중(觀衆) 〖명〗 观众 guānzhòng ¶모든
~이 기립 박수를 치다 全场观众起立
鼓掌

관중-석(觀衆席) 〖명〗 观众席 guān-
zhòngxí; 看台 kàntái

관직(官職) 〖명〗 官职 guānzhí

관찰(觀察) 〖명〗〖하타〗 观察 guānchá; 观
看 guānkàn; 观瞻 guānzhān ¶~자 观
察者 / 주변의 사물을 자세하게 ~하다
仔细观察身边的事物

관:철(貫徹) 〖명〗〖하타〗 贯彻 guànchè; 体
现 tǐxiàn ¶끝까지 ~하다 贯彻到底

관청(官廳) 〖명〗 官府 guānfǔ; 官厅 guān-
tīng

관측(觀測) 〖명〗〖하타〗 观测 guāncè ¶기상
~ 气象观测 / ~기 观测器 / ~소 观测
站 / ~자 观测者

관:통(貫通) 〖명〗〖하타〗 贯穿 guànchuān;
穿通 chuāntōng; 打通 dǎtōng; 穿
chuān; 射穿 shèchuān ¶~상 贯通伤

관포지교(管鮑之交) 〖명〗 管鲍之交 guǎn-
bàozhījiāo

관-하다(關一) 区 关于 guānyú; 就jiù; 有关 yǒuguān ¶政治에 관한 견해 关于政治的观点

관할(管轄) 圐 管辖 guǎnxiá; 掌管 zhǎngguǎn ¶～ 구역 管辖区域/～권 管辖权/～ 법원 管辖法院

관행(慣行) 圐 常规 chángguī; 惯例 guànlì; 习惯做法 xíguàn zuòfǎ ¶잘못된 ～ 错误的习惯做法/～을 깨다 打破惯例

관현-악(管絃樂) 圐【音】管弦乐 guǎnxiányuè ¶～기 管弦乐器

관현악-단(管絃樂團) 圐【音】管弦乐队 guǎnxiányuèduì = 오케스트라

관형-사(冠形詞) 圐【語】冠形词 guànxíngcí

관형-어(冠形語) 圐【語】冠形语 guànxíngyǔ

관혼(冠婚) 圐 冠婚 guànhūn ¶～상제 冠婚丧祭

괄괄-하다 톙 1 (声音) 粗大 cūdà; 粗声粗气 cūshēngcūqì ¶목소리가 ～ 音粗大 2 (性格) 又活泼又急躁 yòuhuópòyòujízào; 又开朗又泼辣 yòukāilǎngyòupōlà ¶그녀는 성격이 ～ 性格又开朗又泼辣 괄괄-히 튀

괄목(刮目) 圐톙区 刮目 guāmù ¶～상대 刮目相看

괄시(恝視) 圐톙区 欺侮 qīwǔ; 欺负 qīfu; 歧视 qíshì; 轻视 qīngshì; 小看 xiǎokàn

괄약-근(括約筋) 圐【生】括约肌 kuòyuējī

괄호(括弧) 圐【語】括号 kuòhào; 括弧 kuòhú

광: 圐 仓库 cāngkù; 地窖 dìjiào; 堆房 duīfáng; 库房 kùfáng

광(光) 圐 1 = 빛1 ¶～전도 光导/～전류 光电流/～전자 光电子/～전지 光电池/～ 통신 光通信/～화학 化学 = [光化] 2 光泽 guāngzé; 光亮 guāngliàng; 亮光(儿) liàngguāng(r)

-광(狂) 젭미 狂 kuáng; 迷 mí ¶독서～ 读书狂

-광(鑛) 젭미 矿 kuàng ¶금～ 金矿

광:각(廣角) 圐 广角 guǎngjiǎo ¶～렌즈 广角镜

광견(狂犬) 圐 = 미친개

광견-병(狂犬病) 圐【醫】恐水病 kǒngshuǐbìng; 狂犬病 kuángquǎnbìng = 공수병

광경(光景) 圐 情景 qíngjǐng; 光景 guāngjǐng; 景况 jǐngkuàng; 景象 jǐngxiàng; 状况 zhuàngkuàng ¶참혹한 ～ 残酷情景

광:고(廣告) 圐톙타 广告 guǎnggào; 启事 qǐshì; 招贴 zhāotiē ¶～료 广告费/～비 广告费用/～지 广告单/

주 广告主/～ 대행사 广告代理公司/～판 广告牌/전면 ～ 整页广告/～ 효과 广告效果/～를 내다 做广告

광기(狂氣) 圐 狂 kuáng; 狂气 kuángqì

광-나다(光一) 区 发亮 fāliàng; 光亮 guāngliàng; 亮 liàng

광-내다(光一) 타 使发亮 shǐ fāliàng; 使光亮 shǐ guāngliàng

광녀(狂女) 圐 狂女 kuángnǚ; 疯女 fēngnǚ

광년(光年) 回圐【天】光年 guāngnián

광:대 圐【民】戏子 xìzi; 艺人 yìrén; 小丑 xiǎochǒu

광:대(廣大) 톙젭훼무 广大 guǎngdà ¶～한 우주 广大的宇宙

광:대-뼈 圐【生】颧骨 quánggǔ; 孤拐 gūguǎi; 颊骨 jiágǔ

광도(光度) 圐【物】光度 guāngdù ¶～계 光度计

광란(狂亂) 圐톙区 疯狂 fēngkuáng; 狂乱 kuángluàn ¶～의 파티 疯狂派对

광:맥(鑛脈) 圐【鑛】矿脉 kuàngmài = 맥3

광명(光明) 圐톙훼무 光明 guāngmíng

광:목(廣木) 圐 粗棉布 cūmiánbù

광:물(鑛物) 圐【鑛】矿物 kuàngwù ¶～ 자원 矿物资源 = [矿源]/～학 矿物学/～성 섬유 矿物纤维

광:물-질(鑛物質) 圐 1【鑛】矿物质 kuàngwùzhì 2【生】= 미네랄

광:-범위(廣範圍) 圐톙훼 广泛 guǎngfàn ¶～하게 조사하다 广泛调查

광:범-하다(廣範一) 톙 广大 guǎngdà; 广泛 guǎngfàn ¶광범한 대중 운동 广泛的群众运动 광:범-히 튀

광복(光復) 圐톙区 光复 guāngfù ¶～군 光复军/～절 光复节

광부(鑛夫) 圐 矿工 kuànggōng

광분(狂奔) 圐톙区 狂奔 kuángbēn

광-분해(光分解) 圐【物】光解 guāngjiě ¶～ 반응 光解反应

광:산(鑛山) 圐 矿山 kuàngshān; 矿 kuàng ¶～업 矿山业/～ 지대 矿区/～을 개발하다 开发矿山

광:상(鑛床) 圐【鑛】矿床 kuàngchuáng

광:석(鑛石) 圐【鑛】矿石 kuàngshí ¶～을 캐다 挖掘矿石

광선(光線) 圐【物】光线 guāngxiàn ¶～ 광 光疗/～ 치료 光疗

광-섬유(光纖維) 圐【物】光导纤维 guāngdǎo xiānwéi; 光学纤维 guāngxué xiānwéi; 光纤 guāngxiān; 光纤维 guāngxiānwéi = 광학 섬유

광속(光速) 圐【物】= 광속도 ¶～계 光束计

광-속도(光速度) 圐【物】光速 guāngsù; 光速度 guāngsùdù = 광속

광시-곡(狂詩曲) 【音】 狂想曲 kuángxiǎngqǔ

광신(狂信) 【하타】 狂信 kuángxìn ¶~도 狂信徒

광:야(曠野·廣野) 【명】 旷野 kuàngyě; 广野 guǎngyě

광:어(廣魚) 【명】 【魚】 比目鱼 bǐmùyú; 偏口鱼 piānkǒuyú = 넙치

광:업(鑛業) 【명】 矿业 kuàngyè ¶~ 도시 矿业城市

광:역(廣域) 【명】 广域 guǎngyù ¶~시 广域市

광영(光榮) 【명】 = 영광

광우-병(狂牛病) 【명】 【醫】 疯牛病 fēngniúbìng

광원(光源) 【명】 【物】 光源 guāngyuán

광음(光陰) 【명】 光阴 guāngyīn; 岁月 suìyuè; 时间 shíjiān

광인(狂人) 【명】 疯子 fēngzi; 狂人 kuángrén

광:장(廣場) 【명】 广场 guāngchǎng

광:재(鑛滓) 【명】 【鑛】 矿渣 kuàngzhā; 矿滓 kuàngzǐ = 슬래그

광-저기(廣저기) 【植】 豇豆 jiāngdòu

광:적(狂的) 【명】 狂热的 kuángrè(de); 疯狂(的) fēngkuáng(de) ¶~인 축구 팬 狂热球迷

광주리 【명】 筐 kuāng; 篮 lán; 箩筐 luǒkuāng

광:차(鑛車) 【명】 【鑛】 矿车 kuàngchē; 斗车 dǒuchē = 갱차

광채(光彩) 【명】 光彩 guāngcǎi; 光华 guānghuá; 光辉 guānghuī ¶~를 발하다 放出光彩 / ~를 더하다 增添光彩

광:천(鑛泉) 【地理】 矿泉 kuàngquán ¶~수 矿泉水

광-케이블(光cable) 【信】 光缆 guānglǎn

광택(光澤) 【명】 光润 guāngrùn; 光泽 guāngzé; 色泽 sèzé; 光 guāng ¶~ 나는 피부 有光泽的皮肤

광파(光波) 【명】 【物】 光波 guāngbō

광-폭(廣幅) 【명하타】 宽幅 kuānfú

광풍(狂風) 【명】 狂风 kuángfēng

광학(光學) 【명】 【物】 光学 guāngxué ¶~ 렌즈 光学镜 / ~ 기기 光学仪器 / ~ 현미경 光学显微镜

광학 섬유(光學纖維) 【物】 = 광섬유

광-합성(光合成) 【명】 【植】 光合作用 guānghé zuòyòng

광:활-하다(廣闊~) 【형】 广阔 guāngkuò ¶광활한 대지 广阔的大地 광:활-히 【부】

괘념(掛念) 【명하자타】 惦念 diànniàn; 挂心 guàxīn; 挂念 guàniàn

괘도(掛圖) 【명】 【教】 挂图 guàtú

괘:선(罫線) 【명】 格子线 gézixiàn; 横格

héngqé

괘씸-하다 【형】 可恨 kěhèn; 可恶 kěwù; 可气 kěqì ¶정말 ~ 真可恶 괘씸-히 【부】

괘종-시계(掛鐘時計) 【명】 挂钟 guàzhōng

괜-스럽다 【형】 = 공연스럽다 괜:스레 【부】

괜찮다 【형】 1 不错 bùcuò; 还可以 háikěyǐ; 可以 kěyǐ; 行 xíng; 不大离儿 bùdàlír; 差不离 chàbùlí ¶他手艺还算可以 / 그는 얼굴이 괜찮게 생겼다 他长得还可以 2 没关系 méiguānxi; 没什么 méishénme; 不妨 bùfáng; 不要紧 bùyàojǐn ¶오늘 못하면 내일 해도 ~ 今天不做, 明天做也没关系 괜찮-이 【부】

괜:-하다 【형】 = 공연하다 ¶괜한 짓 徒劳的行动 괜:-히 【부】 ¶~ 사람을 불안하게 하다 给人造成无谓的不安

괭이 【명】 【農】 镐 gǎo; 镐头 gǎotou ¶~질하다 用镐刨地块

괭:이-갈매기 【명】 【鳥】 海猫 hǎimāo

괴나리-봇짐 【명】 (走远路时背的) 包袱 bāofu; 包裹 bāoguǒ; 小包 xiǎobāo

괴:다¹ 【자】 (眼泪或口水) 盈 yíng; 积 jī; 汪 wāng ¶그녀의 눈에 갑자기 눈물이 가득 괴었다 她的眼里突然盈满了泪水 2 (水滴) 积 jī; 汪 wāng; 积聚 jījù ¶마당에 빗물이 괴었다 院子里积了雨水 ‖ = 고이다

괴:다² 【타】 垫 diàn; 支 zhī; 托 tuō; 支撑 zhīchēng; 撑 chēng = 고이다² ¶손으로 턱을 ~ 用手支下巴 / 돌멩이로 책상다리를 ~ 拿石头垫桌子腿

괴담(怪談) 【명】 奇谈怪论 qítán guàilùn

괴:도(怪盜) 【명】 怪盗 guàidào

괴력(怪力) 【명】 超人的力气 chāorénde lìqì; 强力 qiánglì; 蛮力 mánlì

괴로움 【명】 痛苦 tòngkǔ; 苦头(儿) kǔtou(r); 苦衷 kǔzhōng; 难过 nánguò ¶~을 이겨 내다 战胜痛苦 / ~을 달래다 消除痛苦

괴로워-하다 【자타】 难过 nánguò; 难受 nánshòu; 感到痛苦 gǎndào tòngkǔ ¶너무 괴로워하지 마라 你不要太难过

괴롭다 【형】 难过 nánguò; 难受 nánshòu; 痛苦 tòngkǔ; 苦 kǔ ¶마음이 무척 ~ 心里很难过 괴로이 【부】

괴롭-히다 【타】 折磨 zhémo; 刁难 diāonàn; 欺负 qīfu; 为难 wéinán; 折腾 zhēteng; 困扰 kùnrǎo ¶너 왜 이렇게 나를 괴롭히는 거니? 你为什么这么折磨我?

괴:뢰(傀儡) 【명】 = 꼭두각시2 ¶~군 傀儡军 =[伪军] / ~ 정권 傀儡政权 / ~ 정부 傀儡政府

괴리(乖離) 【명하자】 乖离 guāilí

괴:멸(壞滅) 명하타 覆灭 fùmiè; 毁灭 huǐmiè; 破灭 pòmiè

괴:물(怪物) 명 1 怪物 guàiwù 2 怪人 guàirén

괴:발-개발 명 信笔涂鸦 xìnbǐtúyā

괴:벽(怪癖) 명 怪癖 guàipǐ

괴벽-하다(乖僻一) 형 别扭 bièniu 古怪 gǔguài; 拐脾 guǎigǔ; 孤僻 gūpǐ; 乖僻 guāipǐ ¶그는 성미가 괴벽해서 모두 다 싫어한다 他性格古怪, 人家都不喜欢他 괴벽-히 부

괴:병(怪病) 명 = 괴질

괴:사(壞死) 명 【醫】坏死 huàisǐ

괴상(怪常) 명하타 古怪 gǔguài; 见鬼 jiànguǐ; 奇怪 qíguài; 奇异 qíyì ¶모양이 매우 ~하다 样子很古怪 / ~한 소리가 들리다 听到奇怪的声音 괴상-히 부

괴상망측-하다(怪常罔測一) 형 怪诞 guàidàn; 怪诞不经 guàidànbùjīng; 离奇古怪 líqígǔguài; 莫明其妙 mòmíngqímiào; 千奇百怪 qiānqíbǎiguài ¶괴상망측한 그림 离奇古怪的画儿 / 괴상망측한 말투 怪诞不经的语调

괴:석(怪石) 명 怪石 guàishí; 奇岩 qíyán; 奇岩怪石 qíyánguàishí

괴:성(怪聲) 명 怪声 guàishēng ¶~을 내다 发出怪声

괴수(怪獸) 명 怪兽 guàishòu

괴수(魁首) 명 魁首 kuíshǒu; 头目 tóumù; 头子 tóuzi; 罪魁祸首 zuìkuíhuòshǒu

괴이-하다(怪異一) 형 = 이상야릇하다 ¶괴이한 태도 怪异的态度 괴이-히 부

괴:질(怪疾) 명 怪病 guàibìng; 怪疾 guàijí = 괴병

괴:짜(怪一) 명 1 怪家伙 guàijiāhuo; 怪人 guàirén 2 怪货 guàihuò; 怪物 guàiwu

괴-팍-스럽다(乖愎一) 형 乖僻 guāipì; 怪僻 guàipì; 乖戾 guāilì 괴팍스레 부

괴-팍-하다(乖愎一) 형 乖僻 guāipì; 怪僻 guàipì; 乖戾 guāilì ¶성격이 ~性格怪僻

괴:한(怪漢) 명 怪汉 guàihàn; 怪家伙 guàijiāhuo

괴:-현상(怪現象) 명 怪现象 guàixiànxiàng

괴:혈-병(壞血病) 명 【醫】坏血病 huàixuèbìng

굄:-돌 명 垫石 diànshí; 支石 zhīshí

굉음(轟音) 명 轰鸣 hōngmíng; 轰响 hōngxiǎng

굉장-하다(宏壯一) 형 1 宏大 hòngdà; 宏伟 hòngwěi; 雄伟 xióngwěi; 庞大 pángdà ¶굉장한 건물 宏伟的建筑 2 盛大 shèngdà; 极大 jídà; 了不起 liǎobuqǐ; 厉害 lìhai; 真大 zhēndà ¶굉장한 실력 很了不起的力量 / 비바람이 ~ 风雨真大 굉장-히 부

교:가(校歌) 명 校歌 xiàogē

교각(橋脚) 명 【建】桥脚 qiáojiǎo; 桥柱 qiáozhù; 桥墩 qiáodūn

교감(交感) 명하자 交感 jiāogǎn ¶~신경 交感神经

교:감(校監) 명 【教】校监 xiàojiān

교:과(教科) 명 【教】课 kè; 所教科目 suǒjiàomù

교:과 과정(教科課程) 【教】课程 kèchéng = 교육 과정·커리큘럼

교:과-서(教科書) 명 【教】课本 kèběn; 教科书 jiàokēshū = 교본

교관(教官) 명 教官 jiàoguān

교:구(教具) 명 【教】教学用具 jiàoxué yòngjù; 教具 jiàojù

교:구(教區) 명 【宗】教区 jiàoqū

교:권(教權) 명 教权 jiàoquán

교:내(校內) 명 校内 xiàonèi ¶~ 활동 校内活动 / ~ 방송 校内广播

교:단(教壇) 명 1 讲台 jiǎngtái ¶~를 떠나다 离开讲台 2 教育机关 jiàoyù jīguān; 学校 xuéxiào

교대(交代) 명하자타 轮流 lúnliú; 轮换 lúnhuàn; 倒班 dǎobān; 换班 huànbān; 交班 jiāobān ¶~로 기계를 지키다 轮流守在机器旁

교:대(教大) 명 【教】教大 jiàodà (「교육 대학」의 略词)

교:도(教徒) 명 教徒 jiàotú ¶기독교 ~ 基督教教徒

교:도(教導) 명하타 教导 jiàodǎo; 指导 zhǐdǎo

교:도-관(矯導官) 명 【法】狱警 yùjǐng

교:도-소(矯導所) 명 【法】监狱 jiānyù

교두-보(橋頭堡) 명 【軍】桥头堡 qiáotóubǎo

교란(攪亂) 명하타 搅乱 dǎoluàn; 搅乱 jiǎoluàn; 扰乱 rǎoluàn; 扰害 rǎohài ¶~ 작전 扰乱作战 / 사회 질서를 ~하다 搅乱社会秩序

교량(橋梁) 명 桥梁 qiáoliáng

교:련(教鍊) 명하타자 操练 cāoliàn; 训练 xùnliàn; 上操 shàngcāo

교류(交流) 명하자타 1 交流 jiāoliú; 沟通 gōutōng; 通 tōng ¶대외 ~ 对外交流 / 문화 예술 ~ 文艺交流 / 서로 ~하다 互相交流 2 【電】交流电 jiāoliúdiàn; 交流 jiāoliú ¶~기 交流机

교:리(教理) 명 【宗】教理 jiàolǐ; 教义 jiàoyì ¶문답 教理问答

교만(驕慢) 명하형하부 傲慢 ào'màn; 高傲 gāo'ào; 骄傲 jiāo'ào

교목(喬木) 명 【植】乔木 qiáomù

교묘-하다(巧妙一) 형 巧妙 qiāomiào; 巧 qiǎo; 妙 miào ¶교묘한 계책 妙计

교교-히 男

교:무(教務) 명 【教】教务 jiàowù ¶~실 教务室 / ~ 주임 教务主任 / ~처 教务处

교:문(校門) 명 校门 xiàomén

교미(交尾) 명하자 【動】交尾 jiāowěi ¶~기 交尾期

교민(僑民) 명 侨民 qiáomín ¶~회 侨民会

교배(交配) 명하타 【生】交配 jiāopèi

교배-종(交配種) 명 【生】杂交种 zájiāozhǒng

교:복(校服) 명 校服 xiàofú

교:본(教本) 명 【教】= 교과서

교부(交付 · 交附) 명하타 发给 fāgěi; 交付 jiāofù; 交给 jiāogěi ¶증명서를 ~ 하다 发给证明书

교분(交分) 명 交情 jiāoqíng ¶~이 깊다 交情深厚 / ~아 없다 没有交情

교:사(教師) 명 【教】教师 jiàoshī ¶영어 ~ 英语教师

교:사(教唆) 명하타 教唆 jiàosuō; 唆使 suōshǐ ¶~범 教唆犯 / ~죄 教唆罪 / 범죄를 ~하다 教唆犯罪

교:사(校舍) 명 校舍 xiàoshè

교살(絞殺) 명하타 绞杀 jiǎoshā

교:생(教生) 명 【教】实习教师 shíxí jiàoshī; 实习老师 shíxí lǎoshī ¶~ 실습 教师实习 = [교원실습]

교:서(教書) 명 【政】国情咨文 guóqíng zīwén

교섭(交涉) 명하자타 交涉 jiāoshè ¶해당 부문과 ~하다 与有关部门交涉

교성(嬌聲) 명 娇声 jiāoshēng

교:수(絞首) 명하타 【法】绞首 jiǎoshǒu; 绞 jiǎo ¶~대 绞架 / ~형 绞刑

교:수(教授) 명하타 教授 jiàoshòu; 教学 jiàoxué ¶영문학과 ~ 英文系教授 / ~법 教学法

교:습(教習) 명하타 辅导 fǔdǎo; 培训 péixùn; 教学 jiàoxué; 传授 chuánshòu ¶~소 培训所 / 개인 ~ 私人辅导 / 운전 ~ 驾驶培训

교신(交信) 명하자 通信 tōngxìn; 互通信息 hùtōng xìnxī

교:실(教室) 명 1 教室 jiàoshì 2 课堂 kètáng

교:양(教養) 명하타 教养 jiàoyǎng; 修养 xiūyǎng ¶~ 서적 修养书籍 / ~ 있는 사람 有修养的人

교언(巧言) 명하자 巧言 qiǎoyán ¶~ 영색 巧言令色

교역(交易) 명하타 交易 jiāoyì; 买卖 mǎimai

교:열(校閱) 명하타 校阅 jiàoyuè ¶원고를 ~하다 校阅稿子

교외(郊外) 명 郊区 jiāoqū; 郊外 jiāowài

교:외(校外) 명 校外 xiàowài ¶~ 실습 校外实习 / ~ 지도 校外指导

교우(交友) 명하자 交友 jiāoyǒu; 交际 jiāojì; 朋友 péngyou ¶~ 관계 交际关系

교:우(校友) 명 校友 xiàoyǒu

교:우(教友) 명 教友 jiàoyǒu

교:원(教員) 명 【教】教员 jiàoyuán

교:육(教育) 명하타 教育 jiàoyù; 教育 jiào ¶~가정 家庭教育 =[家教] / ~비 教育费用 / ~ 기관 教育机构 / ~부 教育部 / ~자 教育者 / ~청 教育厅 / ~학 教育学 / ~적 효과 教育效果

교:육 과정(教育課程) 【教】= 교과 과정

교:육 대학(教育大學) 【教】教育大学 jiàoyù dàxué

교:인(教人) 명 教徒 jiàotú

교자(餃子) 명 = 만두

교자-상(交子床) 명 方形大饭桌 fāngxíng dàfànzhuō

교잡(交雜) 명하자타 【生】交配 jiāopèi; 杂交 zájiāo

교:장(校長) 명 【教】校长 xiàozhǎng ¶~실 校长室

교:재(教材) 명 【教】教材 jiàocái ¶중국어 ~ 汉语教材 / ~비 教材费

교전(交戰) 명하자 交战 jiāozhàn; 会战 huìzhàn; 交兵 jiāobīng; 交锋 jiāofēng ¶~ 지역 交战地区 / ~국 交战国

교점(交點) 명 【數】交点 jiāodiǎn; 交叉点 jiāochādiǎn

교접(交接) 명하자 接触 jiēchù; 交接 jiāojiē

교:정(校正) 명하타 【印】校对 jiàoduì; 校正 jiàozhèng; 校 jiào ¶~본 校本 / ~쇄 校样 / 원고를 ~하다 校对原稿

교:정(矯正) 명하타 矫正 jiáozhèng; 纠正 jiūzhèng ¶시력을 ~하다 矫正视力 / 발음을 ~하다 纠正发音

교:정(校庭) 명 校园 xiàoyuán

교제(交際) 명하자 交际 jiāojì; 交往 jiāowǎng; 来往 láiwǎng ¶그는 그녀와 8년간 ~했다 他跟她交往了八年

교:주(教主) 명 【宗】教主 jiàozhǔ

교:지(教旨) 명 教旨 jiàozhǐ

교:직(教職) 명 【教】教职 jiàozhí; 教师职务 jiàoshī zhíwù

교-집합(交集閤) 명 【數】交集合 jiāojíhé

교차(交叉) 명하타 交叉 jiāochā; 交集 jiāojí; 交汇 jiāohuì ¶~로 交叉路 / ~점 交叉点 / 만감이 ~하다 百感交集 / 한류와 난류가 ~하다 寒流和暖流交汇

교착(膠着) 명하자 胶着 jiāozhuó ¶~ 상태 胶着状态

교체(交替·交遞) 명하타 交替 jiāotì；替换 tìhuàn；更替 gēngtì；更换 gēnghuàn；更代 gēngdài；换 huàn；掉换 diàohuàn；对调 duìdiào；倒换 dǎohuàn ¶자동차 부품을 새것으로 ~하다 把汽车的零件更换成新的

교:칙(校則) 명 校规 xiàoguī ¶~을 준수하다 遵守校规

교:탁(敎卓) 명 讲桌 jiǎngzhuō

교태(嬌態) 명 娇 jiāo；娇态 jiāotài ¶~를 부리다 撒娇

교통(交通) 명 交通 jiāotōng ¶~경찰 交通警察 =[交警] / ~량 交通量 / ~망 交通网 / ~ 법규 交通法规 / 사고 交通事故 =[车祸] / ~수단 交通手段 / ~ 정보 交通信息 / ~신호 交通信号 / ~질서 交通秩序 / ~정리 疏导交通 / 이 편리하여 交通方便

교통안전 표지(交通安全標識) 명[交] 交通标识 jiāotōng biāozhì；交通安全标识 jiāotōng ānquán biāozhì = 교통 표지·도로 표지

교통 표지(交通標識) 명[交] = 교통안전 표지

교:파(敎派) 명[宗] 教派 jiàopài

교:편(敎鞭) 명 教鞭 jiàobiān
　　교편(을) 놓다 꾸 辞去教员职务
　　교편(을) 잡다 꾸 任教；执教

교포(僑胞) 명 侨胞 qiáobāo ¶해외 ~ 海外侨胞 / 재일 ~ 在日侨胞

교:풍(校風) 명 校风 xiàofēng

교향-곡(交響曲) 명[音] 交响曲 jiāoxiǎngqǔ = 심포니

교향-악(交響樂) 명[音] 交响乐 jiāoxiǎngyuè ¶~단 交响乐团

교향-시(交響詩) 명[音] 交响诗 jiāoxiǎngshī

교:환(交換) 명하타 1 交换 jiāohuàn ~ 교수 交换教授 / ~권 交换券 / ~기 交换机 / ~소 交换所 / ~ 학생 交换生 / 선물을 ~하다 交换礼物 / 반지를 ~하다 交换戒指 2 = 교환원 3 (电话) 接线 jiēxiàn

교:환-대(交換臺) 명 电话总机 diànhuàzǒngjī；交换台 jiāohuàntái

교:환-원(交換員) 명 话务员 huàwùyuán = 교환2

교활-하다(狡猾-) 형 狡猾 jiǎohuá ¶교활한 여우 狡猾的狐狸 **교활-히** 부

교:황(敎皇) 명 教皇 jiàohuáng ¶~청 教皇厅

교:회(敎會) 명[宗] 教会 jiàohuì；教会堂 jiàohuìtáng；教堂 jiàotáng = 교회당

교:회-당(敎會堂) 명[宗] = 교회

교:훈(敎訓) 명 教训 jiàoxùn ¶~을 얻다 得到教训

구(九) 수관 九 jiǔ ¶~ 미터 九米 / ~ 년 九年

구(具) 의명 具 jù ¶시체 세 ~ 三具尸体

구(區) 명 区 qū ¶선거~ 选举区

구(球) 명[數] 球 qiú

-구(口) 접미 口 kǒu ¶출입~ 出入口 / 분화~ 喷口

구가(謳歌) 명하타 歌颂 gēsòng；讴歌 ōugē

구간(區間) 명 区间 qūjiān；段 duàn

구:강(口腔) 명[生] 口腔 kǒuqiāng ¶~ 건조증 口腔干燥症 / ~암 口腔癌 / ~염 口腔炎

구:개(口蓋) 명[生] = 입천장

구:개-음(口蓋音) 명[語] 颚音 èyīn ¶~화 颚音化

구걸(求乞) 명하타 乞求 qǐqiú；讨乞 tǎoqǐ；乞讨 qǐtǎo；要饭 yàofàn；讨饭 tǎofàn ¶거리에서 ~하다 沿街讨饭 / 목숨을 ~하다 乞求生命

구겨-지다 자 起皱 qǐzhòu；皱 zhòu ¶옷이 구겨졌다 衣服皱了

구:경 명하타 参观 cānguān；观看 guānkàn；看 kàn；看热闹 kàn rènao ¶영화를 ~하다 看电影 / 전시회를 ~하다 参观展览

구:경(口徑) 명 口径 kǒujìng

구경(球莖) 명[植] = 알줄기

구:경-거리 명 可看的 kěkànde；热闹(儿) rènao(r)；热闹事 rènaoshì ¶동물원에는 ~가 많다 动物园里可看的东西很多

구:경-꾼 명 看热闹的 kànrènaode；游人 yóurén；观众 guānzhòng

구:경-나다 자 看热闹 kànrènao ¶아이들은 악기 소리가 나자 구경났다고 달려나갔다 乐器一响，孩子们就跑出去看热闹了

구공-탄(九孔炭) 명 蜂窝煤 fēngwōméi；九孔炭 jiǔkǒngtàn

구관-조(九官鳥) 명[鳥] 鹩哥 liáogē

구구 부감 咕咕 gūgū (鸡或鸽子的声音)

구구-단(九九段) 명[數] 九九乘法 jiǔjiǔchéngfǎ；九九法 jiǔjiǔfǎ

구구-법(九九法) 명[數] 九九乘法 jiǔjiǔchéngfǎ；九九法 jiǔjiǔfǎ

구구절절(句句節節) 명부 句句 jùjù ¶~ 일리가 있다 句句有道理

구구-하다(區區-) 형 1 不一致 bùyīzhì；纷纭 fēnyún；各种 gèzhǒng ¶구구한 소문 各种传闻 / 의견이 ~ 意见纷纭 2 琐碎 duōsuǒ；尴尬 gāngà；寒碜 hánchen；可耻 kěchǐ；难为情 nánwéiqíng；恬不知耻 tiánbùzhīchǐ ¶구구한 사정을 말하다 说些难为情的话 / 구구하게 변명하다 恬不知耻地辩白

구구-히 튀

구-국(救國) 명하자 救国 jiùguó ¶~
운동 救国运动

구균(球菌) 명【生】球菌 qiújūn; 球状
菌 qiúzhuàngjūn

구근(球根) 명【植】= 알뿌리

구금(拘禁) 명하타【法】禁闭 jìnbì; 拘
禁 jūjìn; 拘留 jūliú; 监禁 jiānjìn; 扣押
kòuyā; 囚禁 qiújìn

구:급(救急) 명하타 救急 jiùjí; 救急
jiùjí; 抢救 qiǎngjiù ¶~낭 急救包 ¶~
상자 急救箱 ¶~약 急救药

구:급-차(救急車) 명 急救车 jíjiùchē;
救护车 jiùhùchē = 앰뷸런스·응급차

구기(球技) 명【體】球技 qiújì; 球类运
动 qiúlèi yùndòng ¶~ 시합 球技 比赛

구기다 타 捏皱 niēzhòu; 弄皱 nòng-
zhòu; 揉绉 róuzhòu ¶치마를 ~ 弄皱
裙子

구기-자(枸杞子) 명【韓醫】枸杞子
gǒuqǐzǐ

구기자-나무(枸杞子一) 명【植】枸杞
gǒuqǐ

구김 = 구김살

구김-살 명 1 褶皱 zhězhòu; 褶子
zhězi; 皱纹 zhòuwén ¶다리미로 치마
의 ~을 펴며 用熨斗熨平裙子的褶皱
2 (心里) 阴影 yīnyǐng ‖ = 구김

구깃-거리다 타 捏皱 niēzhòu; 揉皱
róuzhòu = 구깃대다 **구깃-구깃** 튀
하타

구내(構內) 명 场内 chǎngnèi; 境内
jìngnèi; 区内 qūnèi; 院内 yuànnèi ¶~
식당 院内食堂

구단(球團) 명 球团 qiútuán

구더기 명【蟲】蛆 qū

구덩이 명 1 土坑 tǔkēng; 坑 kēng 2
【鑛】= 갱(坑)1

구도(構圖) 명【美】构图 gòutú

구독(購讀) 명하타 订阅 dìngyuè; 购
阅 gòuyuè ¶~료 订阅费 / ~자 订阅
者 / 잡지를 ~ 하다 订阅杂志

구동(驅動) 명하타 驱动 qūdòng ¶~력
驱动力 / ~장치 驱动装置

구두 명 皮鞋 píxié; 鞋 xié ¶~끈 鞋
带 / ~약 鞋油 / ~를 닦다 擦皮鞋 / ~
를 수선하다 修理皮鞋

구:두(口頭) 명 口头 kǒutóu ¶~지시
口头指示 / ~ 보고 口头报告 / ~계약
口头合同

구두-닦이 명 擦鞋工 cāxiégōng; 擦
鞋匠 cāxiéjiàng

구두쇠 명 吝啬鬼 lìnsèguǐ; 守财奴
shǒucáinú

구두-점(句讀點) 명【語】标点符号
biāodiǎn fúhào

구두-창 명 皮鞋底 píxiédǐ; 鞋底 xiédǐ

구둣-방(一房) 명 鞋铺 xiépù; 修鞋铺
xiūxiépù

구둣-솔 명 皮鞋刷 píxiéshuā; 鞋刷子
xiéshuāzi

구둣-주걱 명 鞋拔子 xiébázi

구들 명【建】火炕 huǒkàng; 炕 kàng;
暖炕 nuǎnkàng

구들-장 명 炕板石 kàngbǎnshí; 炕石
kàngshí

구렁 명 1 坑 kēng; 洼地 wādì ¶깊은
~ 深坑 2 深渊 shēnyuān ¶죄악의 ~
罪恶的深渊

구렁이 명【動】蟒 mǎng

구렁이 담 넘어가듯 속담 大蟒爬墙
一样

구렁-텅이 명 1 泥坑 níkēng; 深坑
shēnkēng 2 泥潭 nítán; 深渊 shēnyuān

구레-나룻 명 络腮胡子 luòsāihúzi; 连
鬓胡子 liánbìnhúzi

구:령(口令) 명 口令 kǒulìng ¶~소리
口令声 / ~을 붙이다 喊口令

구루(佝僂·痀瘻) 명하자 佝偻 gōulóu
¶~병 佝偻病

구류(拘留) 명하타【法】拘留 jūliú; 扣
押 kòuyā ¶~처분 拘留处分

구르다1 자타 滚 gǔn; 骨碌 gūlu; 转动
zhuàndòng; 滚动 gǔndòng ¶계단에서
굴러 떨어지다 从楼梯骨碌下来

구:르다2 타 跺 duò; 顿 dùn ¶발을 ~
跺脚

구름 명 云 yún; 云彩 yúncai; 云头 yún-
tóu ¶달이 ~ 속으로 사라지다 月亮消
失在云彩中

구름-다리 명【建】吊桥 diàoqiáo; 天
桥 tiānqiáo

구름-판(一板) 명【體】踏板 tàbǎn

구릉(丘陵) 명 = 언덕

구리 명【化】铜 tóng ¶~ 합금 铜合
金

구리다 형 1 臭 chòu; 腐臭 fǔchòu ¶
구린 냄새 腐臭的气味 2 不磊落 bù-
lěiluò; 可疑 kěyí ¶구린데가 있다 可
疑 3 卑鄙 bēibǐ; 丑恶 chǒu'è; 无耻
wúchǐ ¶구린 짓을 하다 作出无耻的行
为

구린-내 명 臭气 chòuqì; 臭味 chòu-
wèi

구릿-빛 명 古铜色 gǔtóngsè ¶~으로
그을린 피부 被太阳晒成古铜色的皮
肤

구만-리(九萬里) 명 九万里 jiǔwànlǐ

구매(購買) 명하타 购买 gòumǎi; 采购
cǎigòu; 采买 cǎimǎi ¶~력 购买力 / ~
욕 购买欲 / ~자 购买者 / ~처 购买
处 / 물품을 ~ 하다 购买物品

구멍 명 1 洞 dòng; 孔 kǒng; 眼 yǎn ¶
벽에 ~을 내다 在墙上打个孔 / ~을
뚫다 钻孔 2 亏空 kuīkōng; 漏洞 lòu-
dòng; 缺点 quēdiǎn ¶~이 나다 出现

漏洞 / ~을 메우다 填补亏空 / ~을 막다 堵漏洞 **3** 出路 chūlù; 活路 huólù; 门路 ménlù ¶~이 없다 没有活路

구멍-가게 图 小铺子 xiǎopùzi

구:면(舊面) 图 老相识 lǎoxiāngshí; 旧相识 jiùxiāngshí; 熟人 shúrén

구면(球面) 图〖数〗球面 qiúmiàn

구명(究明) 图[하타] 查明 chámíng; 弄清 nòngqīng ¶원인을 ~하다 查明原因

구:명(救命) 图[하타] 救生 jiùshēng; 救命 jiùmìng ¶~보트 救生艇 / ~부표 救生圈 / ~조끼 救生衣

구:미(口味) 图 = 입맛1 ¶~에 맞다 可口

구미가 당기다[돌다] ⇨ 感兴趣

구미(歐美) 图 欧美 ōuměi

구미-호(九尾狐) 图 九尾狐 jiǔwěihú

구민(區民) 图 区民 qūmín

구박(驅迫) 图[하타] 虐待 nüèdài; 欺负 qīfu; 压迫 yāpò; 折磨 zhémo ¶~을 받다 受压迫

구:변(口辯) 图 = 언변

구별(區別) 图[하타] 区别 qūbié; 分辨 fēnbiàn; 分 fēn ¶공사를 ~하다 区别公私

구보(驅步) 图[하자] 跑步 pǎobù

구부러-뜨리다 国 弄弯 nòngwān = 구부러트리다 ¶철사를 ~ 把铁丝弄弯

구부러-지다 園 弯曲 wānqū

구부리다 使弯曲 shǐwānqū

구부스름-하다 園 稍微弯曲 shāowēi wānqū ¶구부스름한 철사 稍微有些弯曲的铁丝 **구부스름-히** 国

구부정-하다 園 稍微弯曲 shāowēi-wānqū; 稍微驼背 shāowēituóbèi ¶앞에서 등이 구부정한 노인이 걸어왔다 前面走来了一位稍微驼背的老人 **구부정-히** 国

구분(區分) 图[하타] 区分 qūfēn; 分 fēn; 划分 huàfēn ¶데이터를 크기에 따라 ~하다 把数据按大小划分

구불-거리다 图 弯曲折折 qūqūzhézhé; 弯弯曲曲 wānwanqūqū; 蜿蜒 wānyán = 구불대다 ¶구불거리는 오솔길 蜿蜒的小路 **구불-구불** 国[하타]

구비(具備) 图[하타] 具备 jùbèi; 备有; 具有 jùyǒu ¶서류를 ~하다 具备文件

구:비(口碑) 图 口碑 kǒubēi; 口传 kǒuchuán

구:비 문학(口碑文學)〖文〗口承文学 kǒuchéng wénxué; 口传文学 kǒuchuán wénxué; 口头文学 kǒutóu wénxué = 구전 문학

구사(驅使) 图[하타] **1** 驱使 qūshǐ; 驱赶 qūgǎn **2** 运用 yùnyòng ¶언어 ~력 言语运用力

구사-일생(九死一生) 图[하자] 九死一

生 jiǔsǐyīshēng

구상(具象) 图 具象 jùxiàng ¶~미술 具象美术 / ~ 예술 具象艺术

구상(球狀) 图 球状 qiúzhuàng ¶~관절 球状关节

구상(構想) 图[하타] 构思 gòusī; 构想 gòuxiǎng ¶작품을 ~하다 构思作品

구색(具色) 图[하타] 俱全 jùquán; 齐全 qíquán

구석 图 角落 jiǎoluò; 隅 yú; 旮旯 gālá ¶마당의 한쪽 ~ 院子的一个角落

구석-구석 图 到处 dàochù; 每个角落 měigè jiǎoluò ¶~을 뒤지다 寻遍每个角落

구:-석기(舊石器) 图〖史〗旧石器 jiùshíqì ¶~ 시대 旧石器时代

구석-지다 園 偏僻 piānpì; 偏僻 piānpì ¶구석진 마을 偏僻的村庄

구성(構成) 图[하타] 构成 gòuchéng; 组成 zǔchéng ¶~ 단위 构成单位 / ~체 构成体 / ~ 요소 构成因素 / 열 명으로 ~된 위원회 由十人组成的委员会

구성-원(構成員) 图 成员 chéngyuán ¶사회 ~ 社会成员

구성-지다 園 有趣 yǒuqù; 动人 dòngrén; 动听 dòngtīng; 悦耳 yuè'ěr ¶구성진 노랫소리 悦耳的歌声

구:세(救世) 图[하자] 救世 jiùshì ¶~주 救世主 / ~군 救世军

구:-세대(舊世代) 图 旧时代 jiùshídài

구속(拘束) 图[하타] **1** 约束 yuēshù; 拘束 jūshù; 束缚 shùfù; 限制 xiànzhì ¶~력 约束力 / ~을 받다 受到限制 **2**〖法〗拘留 jūliú; 拘捕 jūbǔ; 逮捕 dàibǔ ¶~ 영장 逮捕证

구수-하다 園 **1** 香 xiāng; 香喷喷 xiāngpēnpēn ¶구수한 냄새 香喷喷的气味 **2** 津津有味 jīnjīnyǒuwèi; 有趣 yǒuqù; 有声有色 yǒushēngyǒusè; 有意思 yǒuyìsi ¶구수한 옛날이야기 津津有味的故事 / 말이 ~ 话说的有声有味 **구수-히** 国

구:술(口述) 图[하타] 口述 kǒushù; 口头 kǒutóu ¶~시험 口试

구슬 图 **1** 珠(儿) zhū(r); 珠子 zhūzi **2** 弹珠 dànzhū ¶~치기 打弹珠

구슬이 서 말이라도 꿰어야 보배라 ⇨
속담 玉不琢不成器

구슬-땀 图 汗珠子 hànzhūzi; 汗珠(儿) hànzhū(r)

구슬리다 国 引逗 yǐndòu; 逗 dòu; 哄 hōng; 哄逗 hǒngdòu ¶아이를 ~ 哄逗孩子

구슬프다 園 凄凉 qīliáng; 悲哀 bēi'āi; 悲惨 bēicǎn; 悲痛 bēitòng

구슬피 国 凄凉 qīliáng; 悲哀 bēi'āi; 悲惨 bēicǎn; 悲痛 bēitòng

구:습(舊習) 图 旧习 jiùxí; 旧习惯 jiùxíguàn

구:-시대(舊時代) 〔명〕 旧时代 jiùshídài

구:식(舊式) 〔명〕 旧式 jiùshì; 老式 lǎo-shì; 老式样 lǎoshìyàng; 旧样式 jiù-yàngshì

구실 〔명〕 本分 běnfèn; 分内事情 fènnèi shìqing; 作用 zuòyòng ¶자기 ~을 잘하다 做好自己的分内事情

구:실(口實) 〔명〕 借口 jièkǒu; 口实 kǒu-shí; 由头 yóutóu ¶그는 매일 늦으면서 ~도 많다 他每天迟到, 但借口很多

구심(求心) 〔물〕 向心 xiàngxīn ¶~력 向心力

구심(球心) 〔명〕 球心 qiúxīn

구십(九十) 〔수관〕 九十 jiǔshí ¶~ 일 九十 그램 九十克

구애(求愛) 〔명〕〔하자〕 求爱 qiú'ài ¶그녀에게 ~를 하다 向她求爱

구애(拘礙) 〔명〕〔하자〕 拘泥 jūní; 顾虑 gù-lǜ; 拘束 jūshù; 约束 yuēshù ¶사소한 일에 ~되다 拘泥小节

구:약(舊約) 〔명〕 **1** 旧约 jiùyuē **2** 〔종〕 = 구약 성경

구:약 성경(舊約聖經) 〔종〕 旧约全书 jiùyuē quánshū; 旧约圣经 jiùyuē shèng-jīng = 구약2

구:어(口語) 〔어〕 口语 kǒuyǔ ¶~체 口语体

구역(區域) 〔명〕 地段 dìduàn; 区 qū; 区域 qūyù

구역-질(嘔逆—) 〔명〕〔하자〕 恶心 ěxin; 发呕 fā'ǒu; 作呕 zuò'ǒu

구:연(口演) 〔명〕〔하자〕 口演 kǒuyǎn

구연-산(枸櫞酸) 〔화〕 = 시트르산

구완 〔명〕〔하자〕 (患者或产妇) 护理 hùlǐ ¶환자를 ~하다 护理病人

구우-일모(九牛一毛) 〔명〕 九牛一毛 jiǔniújiǔmáo

구:원(救援) 〔명〕〔하자〕 救援 jiùyuán; 挽救 wǎnjiù ¶~ 투수 救援投手 / ~자 救援者

구월(九月) 〔명〕 九月 jiǔyuè

구유 〔명〕 食槽 shícáo; 饮水槽 yǐnshuǐ-cáo

구이 〔명〕 烤 kǎo ¶생선~ 烤鱼

구인(求人) 〔명〕 招工 zhāogōng; 招聘 zhāopìn ¶~ 광고 招聘启事 / ~난 招工难

구인(拘引) 〔명〕〔하자〕〔법〕 拘捕 jūbǔ

구입(購入) 〔명〕〔하자〕 购进 gòujìn; 买进 mǎijìn; 购买 gòumǎi; 买 mǎi ¶~가 购买价 / 기계를 ~하다 购进机器

구장(球場) 〔명〕〔체〕 球场 qiúchǎng

구:전(口傳) 〔명〕〔자동〕 口传 kǒuchuán ¶~ 민요 口传民谣 / ~ 설화 口传传说话

구전(口錢) 〔명〕 佣金 yòngjīn; 佣钱 yòng-

qián; 牙钱 yáqián

구:전 문학(口傳文學) 〔문〕 = 구비문학

구절(句節) 〔명〕 句 jù; 段 duàn; 章节 zhāngjié ¶성경 ~ 圣经句章

구:정(舊正) 〔명〕 春节 chūnjié

구정-물(—) 〔명〕 污水 wūshuǐ; 脏水 zāng-shuǐ = 오수(汚水)

구:제(救濟) 〔명〕〔하자〕 救济 jiùjì ¶~품 救济品 / 난민을 ~하다 救济难民

구제(驅除) 〔명〕〔하자〕 驱除 qūchú; 驱 qū ¶해충을 ~하다 驱除害虫

구:-제역(口蹄疫) 〔명〕〔농〕 口蹄疫 kǒutíyì

구:조(救助) 〔명〕〔하자〕 搭救 dājiù; 救护 jiùhù; 救生 jiùshēng; 抢救 qiǎngjiù ¶~대 抢救队 / ~사다다서 救生伸 / ~선 救生船 / 인명을 ~하다 抢救人命

구조(構造) 〔명〕〔하자〕 结构 jiégòu; 构造 gòuzào ¶~도 结构图 / ~ 설계 结构设计 / 내부 ~ 内部结构

구조-물(構造物) 〔명〕 构筑物 gòuzhù-wù; 构造物 gòuzàowù

구조-적(構造的) 〔관〕 结构(的) jié-gòu(de); 结构性(的) jiégòuxìng(de) ¶~인 실업 结构性失业

구주(救主) 〔명〕〔종〕 救主 jiùzhǔ

구중(九重) 〔명〕 **1** 九层 jiǔcéng; 九重 jiǔchóng **2** = 구중궁궐

구중-궁궐(九重宮闕) 〔명〕 九重宫阙 jiǔchóng gōngquè = 구중2

구직(求職) 〔명〕 谋职 móuzhí; 求职 qiúzhí; 寻找职业 xúnzhǎo zhíyè ¶~난 求职难 / ~자 求职者

구질-구질 〔부-하자〕 **1** 污秽 wūhuì; 脏 zāng; 纠缠不清 jiūchánbùqīng **2** 绵绵地 miánmiánde; 一个劲儿地 yígèjìnrde ¶~ 비가 온다 雨一个劲儿地下

구:차(苟且) 〔명-하자〕 **1** 贫穷 pín-qióng; 穷苦 qióngkǔ; 艰难 jiānnán **2** 厚着脸皮 hòuzheliǎnpí; 恬不知耻 tián-bùzhīchǐ ¶그는 ~하게 변명을 찾았다 他报不知耻地找了借口

구천(九泉) 〔명〕〔불〕 九泉 jiǔquán

구체(具體) 〔명〕 具体 jùtǐ ¶~성 具体性 / ~화 具体化

구체-적(具體的) 〔관〕 具体(的) jùtǐ-(de) ¶~인 의견을 제시하다 提出具体意见 / ~으로 설명하다 具体有解释

구축(構築) 〔명〕〔하자〕 构筑 gòuzhù; 构建 gòujiàn; 打 dǎ ¶진지를 ~하다 构筑阵地 / 새로운 체계를 ~하다 构建新体系

구축(驅逐) 〔명〕〔하자〕 驱逐 qūzhú ¶~함 驱逐舰

구:출(救出) 〔명〕〔하자〕 救出 jiùchū; 拯救 zhěngjiù ¶그들을 ~해 내다 把他们救

出来

구충(驅蟲) 몡하타 驱虫 qūchóng ¶~
제 驱虫剂

구:취(口臭) 몡 口臭 kǒuchòu = 입내²

구치(臼齒) 몡 【生】 = 어금니

구치(拘置) 몡하타 【法】 拘留 jūliú ¶
~소 拘留所 = [看守所]

구타(毆打) 몡하타 殴打 ōudǎ ¶그들
은 나를 사정없이 ~했다 他们无情地
殴打了我

구태-여 몜 何必 hébì ¶누구나 다 아
는 사실을 ~ 더 말할 필요가 있겠느냐?
众所周知的事实, 何必再说呢?

구:태의연-하다(舊態依然—) 혱 依然
故我 yīrán gùwǒ; 蹈常袭故 dǎocháng
xígù 구:태의연-히 몜

구토(嘔吐) 몡하타 呕吐 ǒutù ¶~증
呕吐症

구-하다(求—) 타 1 求 qiú; 寻求 xún-
qiú; 寻找 xúnzhǎo; 找 zhǎo ¶일자리를
~ 寻找工作 / 집을 ~ 找房子 2 请
qǐng; 求 qiú; 请求 qǐngqiú ¶양해를 ~
请求谅解

구:-하다(救—) 타 救 jiù; 救济 jiùjì;
救命 jiùmìng; 搭救 dājiù; 拯救 zhěngjiù
¶난민을 ~ 救济难民 / 부상자를 구해
내다 把伤员救出

구현(具現·具顯) 몡하타 贯彻 guàn-
chè; 实现 shíxiàn; 体现 tǐxiàn ¶남녀
평등을 ~하다 体现男女平等

구형(求刑) 몡하타 【法】求刑 qiúxíng;
求处 qiúchù ¶징역 20년 형을 ~받다
求处20年徒刑

구형(球形) 몡 球形 qiúxíng

구:형(舊型) 몡 旧式 jiùshì; 老式 lǎo-
shì ¶~ 자동차 老式汽车 / ~ 냉장고
老式冰箱

구:호(口號) 몡 口号 kǒuhào; 标语
biāoyǔ ¶큰 소리로 ~를 외치다 大声
呼叫口号

구:호(救護) 몡하타 救护 jiùhù; 救济
jiùjì; 接济 jiējì ¶~금 救济金 = [救济
款] / 물자 救济物资 / ~소 救护所

구혼(求婚) 몡하자 求婚 qiúhūn ¶공개
~ 公开求婚 / ~ 광고 求婚广告 / ~자
求婚者 / 그의 ~을 받아들이다 接受
他的求婚

구:황(救荒) 몡하타 救荒 jiùhuāng ¶~
식물 救荒植物 / ~작물 救荒作物

구획(區劃) 몡하타 1 区 qū ¶~행
정 = 行政区划 2 划理 区划整理 2
划定 huádìng; 划分 huáfēn

구:휼(救恤) 몡하타 救济 jiùjì; 救恤 jiù-
xù ¶~사업 救济事业

국 몡 汤 tāng ¶~을 끓이다 煮汤

-국(國) 졉미 国 guó; 国家 guójiā ¶회
원~ 成员国 / 강대~ 强大国

국가(國家) 몡 国家 guójiā = 나라¹ ¶

~ 기관 国家机关 / ~ 대표 国家代
表 / ~ 대표팀 国家队 / ~ 소유 国家
所有

국가(國歌) 몡 国歌 guógē

국경(國境) 몡 国境 guójìng; 边境 biān-
jìng; 境 jìng; 国界 guójiè ¶~ 도시 边
境城市 / ~ 분쟁 边境纷争 / ~을 초월
한 사랑 超越国境的爱

국경-선(國境線) 몡 边界线 biānjièxiàn;
国界线 guójièxiàn; 国境线 guójìngxiàn

국경-일(國慶日) 몡 国庆节 guóqìng-
jié; 国庆日 guóqìngrì

국고(國庫) 몡 【經】 国库 guókù ¶~금
国库金

국-공립(國公立) 몡 国公立 guógōnglì
¶~ 학교 国公立学校

국교(國交) 몡 国交 guójiāo; 邦交
bāngjiāo ¶~ 정상화 邦交正常化 / ~
단절 断绝邦交 / ~를 맺다 建立国交

국교(國敎) 몡 国教 guójiào

국군(國軍) 몡 国军 guójūn; 军 jūn ¶~
의 날 建军节

국-그릇 몡 汤碗 tāngwǎn

국기(國技) 몡 国技 guójì

국기(國旗) 몡 国旗 guóqí ¶~를 게양
하다 升挂国旗

국내(國內) 몡 国内 guónèi ¶~ 여행
国内旅游 / ~선 国内线 / ~ 시장 国内
市场 / ~ 우편 国内邮件

국내-산(國內産) 몡 = 국산

국내-외(國內外) 몡 国内外 guónèi-
wài; 海内外 hǎinèiwài

국내 총생산(國內總生産) 【經】国内
生产总值 guónèi shēngchǎn zǒngzhí =
지디피

국도(國道) 몡 【交】国道 guódào

국력(國力) 몡 国力 guólì ¶~이 강하
다 国力强大

국론(國論) 몡 国论 guólùn

국립(國立) 몡 国立 guólì; 国家 guójiā
¶~공원 国家公园 / ~ 극장 国家大剧
院 / ~묘지 国家公墓 / ~대학 国立大
学 / ~ 도서관 国家图书馆 / ~ 박물관
国家博物馆

국면(局面) 몡 局面 júmiàn; 定局 dìng-
jú; 局势 júshì ¶새로운 ~으로 접어들
다 进入新局面

국명(國名) 몡 国名 guómíng; 国号 guó-
hào = 국호

국모(國母) 몡 国母 guómǔ

국무(國務) 몡 国务 guówù ¶~ 위원
国务委员 / ~ 회의 国务会议

국무-총리(國務總理) 몡 【法】国务总
理 guówù zǒnglǐ = 총리²

국문(國文) 몡 国文 guówén

국-물 몡 汤水 tāngshuǐ; 菜汤 cài-
tāng; 汤 tāng ¶~을 마시다 喝汤水

국물도 없다 꽌 捞不到油水

국민(國民) 圀 国民 guómín; 人民 rénmín ¶~감정 国民感情 / ~ 경제 国民经济 / ~성 国民性 / ~ 소득 国民收入 / ~의례 国民仪礼 / ~연금 国民年金

국민 총생산(國民總生産) 【經】国民生产总值 guómín shēngchǎn zǒngzhí = 지엔피

국민 투표(國民投票) 【政】国民投票 guómín tóupiào ¶~제 国民投票制

국-밥 泡饭 pàofàn; 汤泡饭 tāngpàofàn

국방(國防) 圀 国防 guófáng ¶~력 国防力量 / ~부 国防部 / ~비 国防费 / ~을 강화하다 加强国防

국번(局番) 圀 局号 júhào

국법(國法) 圀 【法】国法 guófǎ

국보(國寶) 圀 国宝 guóbǎo

국부(局部) 圀 局部 júbù

국부 마취(局部痲醉) 【醫】= 국소 마취

국비(國費) 圀 公费 gōngfèi; 国家经费 guójiā jīngfèi ¶~생 公费生

국빈(國賓) 圀 国宾 guóbīn ¶~급의 대우를 받다 享受国宾级待遇

국사(國事) 圀 国事 guóshì = 나랏일 ¶~를 돌보다 操劳国事

국사(國史) 圀 国史 guóshǐ

국산(國産) 圀 国产 guóchǎn = 국내산 ¶~ 장비 国产装备

국산-품(國産品) 圀 国产品 guóchǎnpǐn; 国货 guóhuò ¶~을 애용하다 爱用国产品

국상(國喪) 圀 【史】国丧 guósàng

국새(國璽) 圀 国玺 guóxǐ

국선 변호인(國選辯護人) 【法】指定辩护人 zhǐdìng biànhùrén

국세(國税) 圀 【法】国税 guóshuì ¶~청 国税厅

국소(局所) 圀 局部 júbù

국소 마취(局所痲醉) 【醫】局部麻醉 júbù mázuì = 국부 마취 ¶~제 局部麻醉剂

국수 圀 面 miàn; 面条 miàntiáo = 면(麵) ¶~를 삶다 煮面条

국수(國手) 圀 (棋类等的) 国手 guóshǒu

국수(國粹) 圀 国粹 guócuì ¶~주의 国粹主义

국숫-집 圀 1 切面铺 qiēmiànpù 2 面馆 miànguǎn; 面条店 miàntiáodiàn

국악(國樂) 圀 【音】国乐 guóyuè ¶~기 国乐器

국어(國語) 圀 国语 guóyǔ ¶~ 교육 国语教育 / ~ 국문학 国语国文学 / ~ 사전 国语词典

국영(國營) 圀하타 国营 guóyíng ¶~기업 国营企业 / ~ 방송 国营广播 /

~화 国营化

국왕(國王) 圀 国王 guówáng; 国君 guójūn

국외(國外) 圀 国外 guówài; 海外 hǎiwài

국외 시장(國外市場) 【經】国外市场 guówài shìchǎng; 海外市场 hǎiwài shìchǎng

국운(國運) 圀 国运 guóyùn ¶~이 기울다 国运衰微

국위(國威) 圀 国威 guówēi ¶~를 선양하다 发扬国威

국유(國有) 圀 国有 guóyǒu ¶~림 国有林 / ~ 재산 国有财产 / ~지 国有地 / ~ 철도 国有铁道 / ~화 国有化

국-으로 圄 老老实实地 lǎolǎoshíshíde

국익(國益) 圀 国家利益 guójiā lìyì

국자 勺子 sháozi; 汤勺 tāngsháo

국장(局長) 圀 局长 júzhǎng

국장(國葬) 圀하자 国葬 guózàng

국적(國籍) 圀 【法】国籍 guójí ¶~ 변경 国籍变更 / ~ 불명의 비행기 国籍不明飞机 / 미국 ~을 취득하다 取得美国国籍

국정(國定) 圀하타 国定 guódìng; 国家规定 guójiā guīdìng ¶~ 교과서 国定教科书 / ~ 세율 国定税率

국정(國政) 圀 国政 guózhèng ¶~ 감사 国政监查

국정(國情) 圀 国情 guóqíng

국제(國際) 圀 国际 guójì ¶~결혼 国际结婚 / ~경찰 国际警察 / ~공항 国际机场 / ~관계 国际关系 / ~금융 国际金融 / ~법 国际法 / ~ 사회 国际社会 / ~선 国际航线 / ~ 영화제 国际电影节 / ~ 우편 国际邮件 / ~ 전화 国际电话 / ~ 정세 国际形势 / ~화 国际化

국제-기관(國際機關) 圀 国际机构 guójì jīgòu; 国际机关 guójì jīguān = 국제기구

국제-기구(國際機構) 圀 = 국제기관

국제 무:역(國際貿易) 【經】= 外国贸易

국제 연합(國際聯合) 【政】联合国 liánhéguó = 유엔 ¶~군 联合国军 / ~기 联合国旗

국제 올림픽 경기 대회(國際Olympic競技大會) 【體】国际奥林匹克运动会 guójì àolínpǐkè yùndònghuì; 奥运会 àoyùnhuì; 奥林匹克运动会 àolínpǐkè yùndònghuì; 奥林匹克 àolínpǐkè; 奥运 àoyùn = 올림픽·올림픽 대회

국제 올림픽 위원회(國際Olympic委員會) 【體】国际奥林匹克委员会 guójì àolínpǐkè wěiyuánhuì; 奥林匹克委员会 àolínpǐkè wěiyuánhuì = 아이오시·올림픽 위원회

국제-적(國際的) 관명 国际(的) guójì(de); 国际性(的) guójìxìng(de) ¶~인 행사 国际性活动 / ~으로 망신을 당하다 在国际上丢脸

국제 축구 연맹(國際蹴球聯盟) 【體】 国际足球联盟 guójì zúqiú liánméng; 国际足球联合会 guójì zúqiú liánhéhuì; 国际足联 guójì zúlián

국제 통화 기금(國際通貨基金) 【經】 国际货币基金组织 guójì huòbì jījīn zǔzhī = 아이엠에프

국채(國債) 명【經】国债 guózhài

국책(國策) 명 国策 guócè ¶~ 사업 国策事业

국토(國土) 명 国土 guótǔ; 疆土 jiāngtǔ ¶~ 개발 国土开发

국학(國學) 명 国学 guóxué

국한(局限) 명하타 局限 júxiàn; 限定 xiàndìng; 限制 xiànzhì; 限于 xiànyú ¶이런 문제는 도시에만 ~된 것이 아니다 这些问题不仅限于城市

국호(國號) 명 = 국명

국화(國花) 명 国花 guóhuā

국화(菊花) 명【植】菊花 júhuā = 국화꽃 ¶~주 菊花酒 / ~차 菊花茶

국화-꽃(菊花-) 명【植】= 국화꽃(菊花-)

국회(國會) 명【政】国会 guóhuì ¶~ 의사당 国会大厦 / ~ 의원 国会议员 / ~ 의장 国会议长 / ~ 해산 解散国会

군(君) 의명명 君 jūn; 小 xiǎo ¶김 ~ 小金

군(軍) 명 1 = 군대 2 军 jūn; 军队 jūnduì ¶인민~ 人民军队 / 예비~ 后备军

군(郡) 명 郡 jùn《行政区划之一》

군가(軍歌) 명 军歌 jūngē

군-것-질 명하자 吃零食 chīlíngshí; 吃零嘴儿 chīlíngzuǐr

군견(軍犬) 명 = 군용견

군경(軍警) 명 军警 jūnjǐng

군계-일학(群鷄一鶴) 鹤立鸡群 hèlìjīqún

군-고구마 명 烤白薯 kǎobáishǔ; 烤甘薯 kǎogānshǔ

군국-주의(軍國主義) 명【政】军国主义 jūnguó zhǔyì

군권(軍權) 명 军权 jūnquán

군기(軍紀) 명 军纪 jūnjì ¶~가 해이해지다 军纪松弛

군기(軍旗) 명【軍】军旗 jūnqí

군납(軍納) 명하타 军供 jūngōng ¶~품 军供品

군-내 명 臭味 chòuwèi; 腐烂味 fǔlànwèi

군단(軍團) 명【軍】军团 jūntuán; 军jūn ¶~장 军长

군대(軍隊) 명 军队 jūnduì; 军 jūn =

군(軍)1 ¶~ 생활 军队生活 / ~ 용어 军队用语 / ~에 들어가다 参军

군-더더기 명 多余的 duōyúde; 累赘 léizhuì; 赘瘤 zhuìliú; 赘物 zhuìwù

군데 의명 处 chù; 地方 dìfang ¶몇 군데 / 한 ~ 一个地方

군데-군데 명부 处处 chùchù; 这儿那儿 zhèrnàr; 这里一块那里一块 zhèlǐyíkuài nàlǐyíkuài ¶시멘트 발라 놓은 것이 ~ 떨어져 있다 抹了的水泥这里一块那里一块脱落了

군도(群島) 명 群岛 qúndǎo

군락(群落) 명 群落 qúnluò

군란(軍亂) 명 兵变 bīngbiàn; 兵乱 bīngluàn; 哗变 huábiàn

군량(軍糧) 명 军粮 jūnliáng; 军饷 jūnxiǎng ¶~미 军粮米

군림(君臨) 명하자 高踞 gāojù; 称雄 chēngxióng ¶대중 위에 ~하다 高踞于群众之上

군마(軍馬) 명 1 军马 jūnmǎ; 兵马 bīngmǎ 2 战马 zhànmǎ

군-만두(-饅頭) 명 煎饺子 jiānjiǎozi; 锅贴儿 guōtiēr

군-말 명하자 多嘴 duōzuǐ; 废话 fèihuà; 唠叨 làodāo; 牢骚话 láosāohuà; 闲话 xiánhuà; 怨言 yuànyán

군모(軍帽) 명 军帽 jūnmào

군무(群舞) 명 集体舞 jítǐwǔ; 群舞 qúnwǔ ¶~를 추다 跳群舞

군무(軍務) 명 军务 jūnwù ¶~원 军务人员

군-밤 명 炒栗子 chǎolìzi; 糖炒栗子 tángchǎo lìzi

군번(軍番) 명【軍】番号 fānhào

군벌(軍閥) 명 军阀 jūnfá ¶~ 정치 军阀政治 / ~주의 军阀主义

군법(軍法) 명【法】军法 jūnfǎ ¶~ 회의 军法会议

군복(軍服) 명 军服 jūnfú; 军装 jūnzhuāng; 戎装 róngzhuāng

군부(軍部) 명【軍】军部 jūnbù ¶~ 독재 军部独裁

군-부대(軍部隊) 명 部队 bùduì

군-불 명 1 炕火 kànghuǒ ¶~을 지피다 烧炕火 2 白费的火 báifèi de huǒ

군비(軍備) 명【軍】军备 jūnbèi ¶~ 축소 裁减军备 =[裁军]

군비(軍費) 명【軍】= 군사비

군사(軍士) 명 1 士兵 shìbīng; 兵卒 bīngzú; 兵 bīngshì = 군졸·병졸 2【軍】军士 jūnshì

군사(軍事) 명【軍】军事 jūnshì; 军 jūn ¶~ 기밀 军事机密 / ~ 기지 军事基地 / ~ 교육 军事教育 / ~ 도시 军事城市 / ~ 분계선 军事分界线 / ~ 시설 军事设施 / ~ 우편 军邮

군사-력(軍事力) 명 兵力 bīnglì; 军力

jūnlì; 军事力量 jūnshì lìliàng

군-사령관(軍司令官) 圏 【軍】军司令官 jūnsīlìng; 军司令官 jūnsīlìngguān

군-사령부(軍司令部) 圏 【軍】军司令部 jūnsīlìngbù

군사-비(軍事費) 圏 【軍】军费 jūnfèi = 군비(軍費)

군사 훈련(軍事訓練) 【軍】军训 jūnxùn; 军事训练 jūnshì xùnliàn; 军操 jūncāo

군:-살 圏 赘疣 zhuìyóu; 肥肉 féiròu; 肥 féi

군상(群像) 圏 群像 qúnxiàng

군:-소리 圏하자 1 废话 fèihuà; 牢骚话 láosāohuà 2 梦话 mènghuà; 梦呓 mèngyì

군:수(郡守) 圏 郡守 jùnshǒu

군수(軍需) 圏 军需 jūnxū ¶~ 公业 军需工业 / ~ 工场 军需工厂 / ~ 物资 军需物资 / ~品 军需品

군수 산업(軍需産業) 【軍】= 防卫 산업

군:-식구(一食口) 圏 寄客 jìkè; 食客 shíkè

군신(君臣) 圏 君臣 jūnchén ¶~有의 君臣有义

군악(軍樂) 圏 【音】军乐 jūnyuè ¶~기 军乐器 / ~대 军乐队

군영(軍營) 圏 兵营 bīngyíng; 军营 jūnyíng

군왕(君王) 圏 = 임금

군용(軍用) 圏 军用 jūnyòng ¶~기 军用飞机 / ~ 담요 军用毛毯 / ~ 트럭 军用卡车 / ~ 열차 军用列车 / ~品 军用品

군용-견(軍用犬) 圏 军犬 jūnquǎn = 군견

군웅(群雄) 圏 群雄 qúnxióng ¶~할거 群雄割据

군:-음식(一飮食) 圏 点心 diǎnxin; 零食 língshí

군의-관(軍醫官) 圏 【軍】军医 jūnyī

군인(軍人) 圏 军人 jūnrén ¶~ 연금 军人年金 / ~ 아저씨 军人叔叔

군자-금(軍資金) 圏 军事资金 jūnshì zījīn

군자(君子) 圏 君子 jūnzǐ

군장(軍裝) 圏 军装 jūnzhuāng ¶~을 꾸리다 收拾军装

군제(軍制) 圏 【軍】军制 jūnzhì

군졸(軍卒) 圏 = 군사(軍士)1

군주(君主) 圏 君主 jūnzhǔ ¶~국 君主国

군중(群衆) 圏 群众 qúnzhòng ¶~ 심리 群众心理 / ~집회 群众集会

군집(群集) 圏하자 群集 qúnjí; 群聚 qúnjù

군:청(郡廳) 圏 郡厅 jùntīng

군청(群青) 圏 1 藏青颜料 zàngqīng yánliào 2 = 군청색

군청-색(群青色) 圏 藏青色 zàngqīng-sè = 군청(群青)2

군축(軍縮) 圏하자 裁军 cáijūn (《'군비 축소'의 略语》) ¶~ 위원회 裁军委员会 / ~ 회의 裁军会议

군:-침 圏 涎 xián; 唾沫 tuòmò; 唾液 tuòyè

군침(을) 삼키다[흘리다] 귄 1 啧啧咂嘴 2 垂涎三尺

군침(이) 돌다 귄 1 产生食欲 2 眼馋

군함(軍艦) 圏 【軍】兵舰 bīngjiàn; 军舰 jūnjiàn

군항(軍港) 圏 【軍】军港 jūngǎng

군화(軍靴) 圏 军鞋 jūnxié; 军靴 jūnxuē

굳건-하다 圏 坚强 jiānqiáng ¶굳건한 의지 坚强的意志 **굳건-히** 閈

굳기 圏 【鑛】硬度 yìngdù = 경도(硬度)

굳다 目자 1 发硬 fāyìng; 硬结 yìngjié; 凝固 nínggù ¶빵이 ~ 面包发硬 / 시멘트가 아직 굳지 않았다 水泥还没凝固 2 发僵 fājiāng; 发硬 fāyìng ¶혀가 ~ 舌头发僵 3 绷 bēng; 硬 yìng; 死板 sǐbǎn; 生硬 shēngyìng ¶긴장 때문에 얼굴이 굳어 있다 紧得绷了脸 目圐 1 坚 jiān; 坚硬 jiānyìng; 坚固 jiāngù; 硬 yìng ¶굳은 바위 坚硬的岩石 2 紧 jǐn; 坚固 jiāngù; 紧 jǐn; 坚强 jiānqiáng; 坚定 jiāndìng ¶의지가 ~ 意志坚定 / 입을 굳게 다물다 紧闭嘴巴

굳어-지다 자 1 变硬 biànyìng; 硬化 yìnghuà ¶돌처럼 ~ 像石头一样变硬 2 麻木 mámù; 呆板 dāibǎn; 凝滞 níngzhì; 木然 mùrán ¶표정이 ~ 表情麻木起来 3 僵 jiāng; 僵硬 jiāngyìng ¶얼어서 ~ 冻僵 4 坚定 jiāndìng; 坚强 jiānqiáng ¶투지가 더욱 굳어졌다 斗争意志更为坚强了

굳은-살 圏 趼子 jiǎnzi; 茧子 jiǎnzi; 胼胝 piánzhī; 老茧 lǎojiǎn ¶손바닥에 ~이 박이다 手掌生上了茧子

굳이 閈 一定 yīdìng; 特意 tèyì; 硬 yìng ¶~ 원하신다면 양보해 드리지요 如果您一定要, 就让给您吧

굳-히다 目 1 使…凝固 shǐ…nínggù; 坚凝 jiānníng ¶석고를 ~ 使石膏凝固 2 坚定 jiāndìng ¶나의 입장을 ~ 坚定我的立场

굴 圏 【貝】牡蛎 mǔlì; 蛎黄 lìhuáng; 蚝 háo = 석화(石花)

굴:(窟) 圏 1 洞窟 dòngkū; 窟 kū; 窑

洞 yáodòng **2** 隧道 suìdào **3** 坑 kēng;
矿坑 kuàngkēng **4** = 소굴

굴곡(屈曲) 명[하되] 曲折 qūzhé; 弯曲
wānqū ¶~이 심한 길 弯曲的道路

굴:다 타 用于副词和副词形后, 表示
行为动作 ¶못 견디게 ~ 折磨得受不
了

굴:-다리(窟一) 명 通道桥 tōngdàoqiáo

굴:-대 명[機] 车轴 chēzhóu

굴:-뚝 명 烟囱 yāncōng; 烟筒 yāntong

굴:뚝-같다 형 巴不得 bābude; 迫切
pòqiè ¶굴:뚝-같이 뷔

굴러-가다 재 滚 gǔn; 滚去 gǔnqù; 滚
动 gǔndòng; 旋转 xuánzhuàn ¶너무 무
거워서 굴러가지 않는다 太重, 滚不动

굴러-다니다 재 **1** 滚来滚去 gǔnlái-
gǔnqù ¶발밑에서 ~ 在脚底下滚来滚
去 **2** 辗转 zhǎnzhuǎn; 飘泊 piāobó; 漂
泊 piāobó

굴렁-쇠 명 铁环 tiěhuán ¶~를 굴리
다 滚铁环

굴레 명 **1** (牛马的) 笼头 lóngtou **2** 羁
绊 jībàn; 束缚 shùfù ¶구사상의 ~에
서 벗어날 수 없다 摆脱不了旧思想的
束缚

굴:리다 타 **1** 滚 gǔn ¶공을 ~ 滚球 /
눈덩이를 ~ 滚雪球 **2** 搁置不管 gē-
zhìbùguǎn; 乱放 luànfàng; 乱扔 luàn-
rēng ¶책을 함부로 ~ 把书随便乱扔

굴복(屈服) 명[하되] 屈服 qūfú ¶난관
앞에서 ~하지 않다 在障碍面前不屈
服

굴비 명 干黄花鱼 gànhuánghuāyú

굴삭-기(掘削機) 명 = 굴착기

굴욕(屈辱) 명 屈辱 qūrǔ; 侮辱 wǔrǔ ¶
~감 屈辱感

굴절(屈折) 명[하되] [物] 折射 zhéshè;
屈折 qūzhé ¶~각 折射角 / ~계 折射
计 / ~ 광선 折射光线 / ~률 折射率 /
~면 折射面

굴지(屈指) 명[하되] 屈指 qūzhǐ; 屈指
一算 qūzhǐyīsuàn; 首屈一指 shǒuqūyī-
zhǐ; 数一数二 shùyīshǔ'èr ¶~의 대기
업 屈指一算的大企业

굴착(掘鑿) 명[하타] 掘凿 juézáo; 挖掘
wājué

굴착-기(掘鑿機) 명 挖掘机 wājuéjī;
掘土机 juétǔjī = 굴삭기

굴-하다(屈一) 재 屈 qū; 屈从 qū-
cóng; 屈服 qūfú; 屈膝 qūxī ¶운명에
굴하지 않다 不向命运屈服

굵:다 형 粗 cū; 粗大 cūdà; 大 dà ¶굵
은 쇠줄 粗铁丝 / 목소리가 ~ 声音粗

굵:은-소금 명 粗盐 cūyán; 大盐 dà-
yán

굵직-하다 형 粗大 cūdà; 很粗 hěn-
cū; 挺粗 tǐngcū ¶다리가 ~ 腿很粗

굶-기다 타 '굶다'의 사동사 ¶아이를

굶겨서 학교에 보내다 让孩子饿着肚
子上学

굶:다 재타 不吃 bùchī; 饿 è; 没吃
méichī; 挨饿 ái'è ¶나는 하루 종일 굶
었다 我一整天没吃东西了

굶:-주리다 재 **1** 挨饿 ái'è; 饥饿 jī'è ¶
그녀는 헐벗고 굶주린 아이들을 정성
껏 보살폈다 她精心照顾了受冻挨饿
的孩子们 **2** 渴望 kěwàng ¶배움에 굶
주렸던 어린 시절을 돌아보다 回顾渴
望学习的童年

굶:-주림 명 饥饿 jī'è = 기아 ¶~에
시달리다 被饥饿折磨

굼:-뜨다 형 迟钝 chídùn; 迟缓 chí-
huǎn; 慢吞吞 màntūntūn ¶행동이 ~
行动迟缓

굼:-벵이 명 **1** [蟲] 地蚕 dìcán; 地老
虎 dìlǎohǔ; 蛴螬 qícáo **2** 老牛破车
lǎoniúpòchē; 慢劲儿 mànjìnr; 慢性子
mànxìngzi

굼벵이도 밟으면 꿈틀한다 속담 是
人都有三分火; 割断脖子的鸡还要扑
棱一阵子; 蛇死要摆尾, 虎死跳三跳;
剥了皮的蛤蟆, 临死还要跳下三

굽 명 **1** 蹄 tí; 蹄子 tízi **2** 跟(儿) gēn-
(r); 后跟儿 hòugēnr ¶~을 갈다 换后
跟儿 **3** (碗、杯、碟的) 底 dǐ

굽:다¹ 타 **1** 烤 kǎo; 炙 zhì; 炒 chǎo;
煎炙 jiānzhì; 灼 zhuó ¶고기를 ~ 烤
肉 **2** 烧 shāo ¶숯을 ~ 烧炭

굽:다² 재형 屈折 qūzhé; 弯曲 wānqū;
曲 qū; 弯 wān; 驼 tuó ¶등이 ~ 背驼

굽실 부[하되타] (行礼时) 弯腰 wānyāo
¶허리를 ~하며 인사를 하다 弯腰行
礼

굽실-거리다 타 弯腰 wānyāo = 굽실
대다 굽실-굽실 부[하되타]

굽어-보다 타 **1** 俯视 fǔshì ¶영마루
에 서서 논밭을 굽어봤다 站在山顶上
俯视田野 **2** 照顾 zhàogù; 照看 zhào-
kàn ¶그를 굽어보아 주다 照顾他

굽이 명 拐弯处 guǎiwānchù; 曲折之
处 qūzhézhīchù; 转弯处 zhuǎnwānchù

굽이-굽이 명 弯弯曲曲 qūqūzhé-
zhé; 弯弯曲曲 wānwānqūqū; 蜿蜒 wān-
yán

굽이-돌다 재 蜿蜒 wānyán ¶이 강
은 굽이돌아 바다로 들어간다 这条河
蜿蜒流入大海

굽이-치다 재 弯弯曲曲地流 wānwan-
qūqūde liú; 蜿蜒前进 wānyánqiánjìn

굽-히다 타 **1** 弄弯 nòngwān; 弯 wān
(《굽다²》的使动词) ¶허리를 ~ 弯腰
2 屈服 qūfú; 屈 qū

굿 명[하되] **1** 热闹事 rènaoshì **2** [民]
跳神(儿) tiàoshén(r)

궁(宮) 명 = 궁궐

궁궐(宮闕) 명 宮殿 gōngdiàn; 宮 gōng;

궁정 gōngtíng; 宫阙 gōngquè; 阙 què
= 궁·궁전·궁정·궐·대궐

궁극(窮極) 圕 终极 zhōngjí; 终究 zhōngjiū; 最后 zuìhòu; 最终 zuìzhōng ¶~의 목표 终极目标

궁극-적(窮極的) 団 终极(的) zhōngjí(de); 终究(的) zhōngjiū(de) ¶~인 문제 终极问题

궁금-증(一症) 圕 疑问 yíwèn; 疑 yí; 悬疑 xuányí ¶~을 풀다 解疑

궁금-하다 圏 1 想知道 xiǎngzhīdao ¶결과가 어떤지 정말 ~ 真想知道结果如何 2 有点儿饿 yǒudiǎn'rè **궁금-히** 凰

궁녀(宫女) 圕 【史】 = 나인

궁둥이 圕 屁股 pìgu; 臀部 túnbù
궁둥이가 무겁다[질기다] 凰 = 엉덩이가 무겁다[질기다]
궁둥이를 붙이다 凰 = 엉덩이를 붙이다

궁리(窮理) 圕뤶 考虑 kǎolù; 思考 sīkǎo; 想 xiǎng; 研究 yánjiū ¶이리저리 ~하다 左思右想

궁문(宫門) 圕 = 궐문

궁벽-하다(窮僻一) 圏 偏僻 piānpì; 穷僻 qióngpì **궁벽-히** 凰

궁상(窮狀) 圕 寒酸相 hánsuānxiàng; 穷酸相 qióngsuānxiàng; 穷样子 qióngyàngzi

궁상(窮相) 圕 穷相 qióngxiàng
궁상-맞다(窮狀一) 圏 穷酸 qióngsuān; 寒酸 hánsuān

궁색-하다(窮塞一) 圏 穷困 qióngkùn; 拮据 jiéjū; 窘迫 jiǒngpò ¶생활이 매우 ~ 生活很穷困

궁수(弓手) 圕 【史】 弓箭手 gōngjiànshǒu; 弓手 gōngshǒu; 射手 shèshǒu

궁여지책(窮餘之策) 圕 不得已之计 bùdéyǐzhījì; 穷于之策 qióngyúzhīcè

궁인(宫人) 圕 【史】 = 나인

궁전(宮殿) 圕 = 궁궐

궁정(宫廷) 圕 = 궁궐 ¶~ 시인 宫廷诗人 / ~ 화가 宫廷画家

궁중(宮中) 圕 宫中 gōngzhōng; 宫廷 gōngtíng ¶~ 요리 宫廷菜 / ~ 음악 宫廷乐

궁지(窮地) 圕 困境 kùnjìng; 穷境 qióngjìng ¶~에 빠지다 陷入困境

궁핍(窮乏) 圕뤶凰 贫困 pínkùn; 穷困 qióngkùn

궁-하다(窮一) 圏 1 贫穷 pínqióng; 穷 qióng ¶궁한 생활 贫穷的生活 2 光 guāng; 空 kōng ¶주머니 속이 ~ 口袋空了 3 窘 jiǒng; 窘迫 jiǒngpò ¶궁한 모습 窘迫的模样

궁합(宫合) 圕 【民】 命相 mìngxiàng

궁형(宫刑) 圕 【史】 宫刑 gōngxíng

궂다 圏 1 不好 bùhǎo; 不吉利 bùjílì;

坏 huài 2 粗糙 cūcāo

궂은-비 圕 苦雨 kǔyǔ; 阴雨 yīnyǔ

궂은-일 圕 1 粗活 cūhuó; 脏活 zānghuó 2 不吉利的事 bùjílì de shì; 丧事 sāngshì

권(卷) 의벶 1 本 běn ¶책 두 ~ 两本书 2 册 cè; 卷 juàn

-권(權) 凕벶 权 quán ¶平等~ 平等权 / 选举~ 选举权

권·고(勧告) 圕뤶 劝 quàn; 劝告 quàngào; 规劝 guīquàn; 劝勉 quànmiǎn; 劝说 quànshuō ¶~사직 劝辞

권능(權能) 圕 权能 quánnéng ¶절대적인 ~ 绝对的权能

권력(權力) 圕 权力 quánlì; 权柄 quánbǐng; 权势 quánshì ¶~을 잡다 掌握权力

권력-자(權力者) 圕 权力家 quánlìjiā; 权力者 yǒuquánlìzhě

권리(權利) 圕 【法】 权利 quánlì ¶~를 침해하다 侵害权利 / ~를 행사하다 使权利

권·면(勧勉) 圕뤶 劝勉 quànmiǎn; 勉励 miǎnlì

권모-술수(權謀術數) 圕 诡计 guǐjì; 权谋 quánmóu; 权术 quánshù; 手腕 shǒuwàn

권문-세가(權門勢家) 圕 权门世家 quánmén shìjiā

권·법(拳法) 圕 【體】 拳法 quánfǎ = 권술

권·사(勧士) 圕 【宗】 劝士 quànshì

권·선(勧善) 圕뤶 劝善 quànshàn ¶~징악 劝善惩恶

권·설(卷舌·捲舌) 圕뤶쟤 卷舌 juǎnshé ¶~음 卷舌音

권세(權勢) 圕 权势 quánshì ¶~를 누리다 享受权势

권수(卷數) 圕 册数 cèshù; 卷数 juànshù

권·술(拳術) 圕 【體】 = 권법

권·양-기(捲揚機) 圕 【機】 = 윈치

권운(卷雲) 圕 【地理】 卷云 juǎnyún = 새털구름 ¶~층 卷云层

권위(權威) 圕 权威 quánwēi; 威信 wēixìn ¶~서 权威图书 / ~주의 权威主义

권위-자(權威者) 圕 权威 quánwēi; 权威人士 quánwēi rénshì

권·유(勧誘) 圕뤶 劝 quàn; 劝说 quànshuō; 规劝 guīquàn; 劝诱 quànyòu ¶그에게 금연을 ~하다 劝他戒烟

권익(權益) 圕 权益 quányì ¶국민의 ~을 보호하다 保护国民权益

권·장(勧奬) 圕뤶 劝勉 quànmiǎn; 奖励 jiǎnglì; 鼓励 gǔlì ¶독서를 ~하다 奖励读书

권-적운(卷積雲) 圕 【地理】 卷积云

juǎnjīyún

권:주(勸酒) 圐하자 劝酒 quànjiǔ ¶~
가 劝酒歌

권:총(拳銃) 圐 手枪 shǒuqiāng ¶~집
手枪套 / ~을 쏘다 开手枪

권-층운(卷層雲) 圐 【地理】卷层云
juǎncéngyún

권:태(倦怠) 圐 倦怠 juàndài; 厌倦
yànjuàn ¶~기 倦怠期 / ~를 느끼다
感到倦怠

권:태-롭다(倦怠-) 圀 倦怠 juàndài;
厌倦 yànjuàn **권:태로이** 昱

권:토-중래(捲土重來) 圐하자 卷土重
来 juǎntǔchónglái

권:투(拳鬪) 圐 拳击 quánjī =
복싱 ¶~ 시합 拳击赛 / ~ 선수 拳击
手

권:-하다(勸一) 자타 **1** 劝 quàn; 劝告
quàngào; 劝说 quànshuō ¶의사가 나
에게 입원을 권했다 医生劝我住院 **2**
敬 jìng; 劝 quàn; 让 ràng; 请 qǐng ¶
술을 ~ 劝酒 / 자리를 ~ 让座

권한(權限) 圐 权限 quánxiàn; 权 quán
¶~ 대행 代理权限 / ~을 부여하다
赋予权限

궐(闕) = 궁궐

궐기(蹶起) 圐하자 动员 dòngyuán; 奋
起 fènqǐ ¶~ 대회 动员大会

궐련(卷煙) 圐 卷烟 juǎnyān

궐문(闕門·闕門) 圐 宫门 gōngmén; 阙门
quèmén = 궁문

궤(櫃) 圐 柜 guì; 柜子 guìzi; 箱子
xiāngzi

궤:도(軌道) 圐 **1** 轨道 guǐdào **2** 〔交〕
= 선로1

궤:멸(潰滅) 圐하자타 溃灭 kuìmiè; 毁
灭 huǐmiè ¶적군이 ~하다 敌军溃灭

궤:변(詭辯) 圐 【論】诡辩 guǐbiàn ¶~
론 诡辩论 / ~가 诡辩家

궤:양(潰瘍) 圐 【醫】溃疡 kuìyáng

궤적(軌跡·軌迹) 圐 **1** 轨迹 guǐjì **2**
车辙 chēzhé

궤:-짝(櫃一) 圐 柜 guì; 柜子 guìzi;
木箱 mùxiāng; 箱子 xiāngzi

귀 圐 **1** 耳 ěr; 耳朵 ěrduo ¶~를 후비
다 掏耳朵 / ~에 거슬리다 逆耳 / ~가
먹다 耳聋 / ~가 밝다 耳朵尖 **2** 〔勝〕
= 귓바퀴 ¶~를 뚫다 穿耳 **3** 角 jiǎo
¶~가 나다 有棱角 **4** (针的) 孔 kǒng;
眼(儿) yǎn(r); 针鼻儿 zhēnbír; 针门
zhēnmén ¶바늘~ 针眼儿

귀(가) 따갑다 团 刺耳

귀(를) 기울이다 团 侧耳; 倾听

귀(에) 익다 团 耳熟

귀가 가렵다[간지럽다] 团 耳朵发热

귀가 얇다[엷다] 团 耳朵软; 耳软

귀가 어둡다 团 耳背

귀를 의심하다 团 怀疑自己听错

귀에 들어가다 团 听进去; 传进耳
朵

귀에 못이 박히다 团 听腻了; 耳朵
听出茧子

귀:(貴) 꽌 贵 guì ¶~ 학교 贵校 / ~
기관 贵机构

귀-가(歸家) 圐하자 回家 huíjiā; 归家
guījiā; 还家 huánjiā ¶~를 서두르다
赶着回家

귀각(龜殼) 圐 龟壳 guīké = 귀갑1

귀감(龜鑑) 圐 榜样 bǎngyàng; 典范
diǎnfàn; 龟鉴 guījiàn; 龟镜 guījìng; 模
范 mófàn

귀갑(龜甲) 圐 **1** = 귀각 **2** 龟甲 guījiǎ

귀갓-길(歸家一) 圐 回家的路 huíjiā
de lù

귀-걸이 圐 **1** 耳包儿 ěrbāor; 耳朵帽
儿 ěrduomàor; 耳套 ěrtào = 귀마개2
2 = 귀고리

귀-결(歸結) 圐하자 归结 guījié; 归宿
guīsù; 结果 jiéguǒ; 结局 jiéjú ¶~이
있다 有结局

귀-결점(歸結點) 圐 = 귀착점

귀-경(歸京) 圐하자 返回京城 fǎnhuí
jīngchéng; 归京 guījīng

귀-고리 圐 耳环 ěrhuán; 耳坠(儿) ěr-
zhuì(r); 耳坠子 ěrzhuìzi = 귀걸이2 ¶
~를 끼다 戴耳环

귀:곡(鬼哭) 圐 鬼哭 guǐkū ¶~성 鬼
哭声

귀:-공자(貴公子) 圐 **1** 公子哥儿 gōng-
zǐgēr; 花花公子 huāhuāgōngzǐ; 纨绔子
弟 wánkùzǐdì **2** 贵公子 guìgōngzǐ

귀:교(貴校) 圐 贵校 guìxiào

귀:-국(歸國) 圐하자 回国 huíguó; 返
国 fǎnguó; 归国 guīguó ¶~길에 오르
다 踏上回国之路

귀:-금속(貴金屬) 圐 贵金属 guìjīnshǔ
¶~ 공예 贵金属工艺

귀:납(歸納) 圐하자 【論】归纳 guīnà ¶
~법 归纳法 / ~ 추리 归纳推理

귀:-농(歸農) 圐하자 【社】归农 guī-
nóng; 返农 fǎnnóng ¶~ 생활 归农生
活

귀담아-듣다 타 侧耳倾听 cè'ěr qīng-
tīng; 倾听 qīngtīng; 洗耳恭听 xǐ'ěr
gōngtīng ¶남의 충고를 ~ 倾听别人的
忠告

귀:대(歸隊) 圐하자 【軍】归队 guīduì

귀두(龜頭) 圐 【生】龟头 guītóu ¶~염
龟头炎

귀뚜라미 圐 【蟲】蟋蟀 xīshuài; 蛐蛐
qūqū

귀뚤-귀뚤 昱 唧唧 jījī (蟋蟀叫声)

귀-띔 圐하타 暗示 ànshì; 告知 gào-
zhī; 示意 shìyì; 提醒 tíxǐng

귀:-로(歸路) 圐 归路 guīlù; 归途 guītú

귀:리 圐 【植】燕麦 yànmài = 연맥

귀-마개 명 1 耳塞 ěrsāi 2 = 귀걸이1

귀-머거리 명 聋子 lóngzi; 聋人 lóng-rén

귀머거리 삼 년이요 벙어리 삼 년이라 [속담] 聋三年哑三年

귀-먹다 자 耳背 ěrbèi; 耳沉 ěrchén; 耳聋 ěrlóng

귀-밑 명 耳根 ěrgēn; 耳朵根子 ěr-duogēnzi

귀밑-머리 명 鬓发 bìnfà

귀밑-샘 명 【生】 腮腺 sāixiàn = 이하선 ¶~염 腮腺炎

귀밑-털 명 = 살쩍

귀밝이-술 명 【民】 耳明酒 ěrmíngjiǔ; 聪酒 ěrcóngjiǔ

귀:-부인(貴夫人) 명 贵妇人 guìfùrén

귀-빈(貴賓) 명 【生】 贵宾 guìbīn; 贵客 guì-kè ¶~석 贵宾席 / ~실 贵宾室

귀-빠지다 [자] 长尾巴 zhǎng wěiba; 出生 chūshēng

귀-뿌리 명 耳根 ěrgēn; 耳朵根子 ěr-duogēnzi

귀:성(歸省) 명하자 归省 guīxǐng; 归省 guīxǐng ¶~객 归省客 / ~열차 归乡列车

귀:소(歸巢) 명 归巢 guīcháo ¶~본 归巢性

귀:속(歸屬) 명하자타 归属 guīshǔ; 归于 guīyú

귀:순(歸順) 명하자 归顺 guīshùn; 投诚 tóuchéng ¶~자 归顺者

귀:신(鬼神) 명 1 鬼 guǐ; 鬼神 guǐ-shén 2 精通 jīngtōng

귀신 씻나락 까먹는 소리 [속담] 含糊其辞

귀신이 곡할 노릇[일]이다) [속담] 鬼使神差; 见鬼; 活见鬼

귀신(이) 씌다 [구] 被鬼缠住

귀신도 모르다 [구] 神不知鬼不觉

귀양 명 【史】 发配 fāpèi; 流放 liúfàng; 流配 liúpèi ¶~살이 流放生活 / ~지 流放地

귀엣-말 명하자 耳语 ěryǔ; 私语 sī-yǔ; 咬耳朵 yǎo ěrduo = 귓속말 ¶~을 하다 咬耳朵

귀:여워-하다 [타] 1 疼 téng; 疼爱 téng'ài; 宠爱 chǒng'ài

귀:염-둥이 명 小宝贝儿 xiǎobǎobèir; 宝贝(儿) bǎobèi(r); 宝宝 bǎobao

귀:엽다 [형] 可爱 kě'ài ¶그녀의 딸은 매우 ~ 她的女儿很可爱

귀-울림 명 【醫】 耳鸣 ěrmíng = 이명

귀:의(歸依) 명하자 归依 guīyī; 皈依 guīyī

귀-이개 명 耳勺 ěrsháo; 耳挖勺儿 ěrwāsháor; 耳挖子 ěrwāzi

귀:인(貴人) 명 贵人 guìrén

귀:재(鬼才) 명 鬼才 guǐcái

귀:족(貴族) 명 贵族 guìzú ¶~ 계급 贵族阶级 / ~주의 贵族主义

귀:중-품(貴重品) 명 贵重品 guì-zhòngpǐn

귀:중-하다(貴重一) [형] 宝贵 bǎoguì; 贵重 guìzhòng ¶귀중한 선물 贵重的礼物

귀:-지 명 耳垢 ěrgòu; 耳屎 ěrshǐ ¶~를 후비다 掏耳垢

귀:착(歸着) 명하자 1 返回 fǎnhuí; 回到 huídào; 回来 huílái ¶비행기가 공항에 ~하다 飞机返回机场 2 归结于 guījiéyú; 归于 guīyú; 总归于 zǒngguī-yú ¶같은 결론에 ~하다 归结于同一结论

귀:착-점(歸着點) 명 归结点 guījié-diǎn; 终点 zhōngdiǎn = 귀결점

귀찮다 [형] 麻烦 máfan; 讨厌 tǎoyàn; 厌烦 yànfán; 懒得 lǎnde; 懒洋洋 lǎnyángyáng ¶방을 치우기가 ~ 懒得收拾房间 / 귀찮은 일이 생기다 发生麻烦的事情

귀:천(貴賤) 명 贵贱 guìjiàn

귀:청 명 【生】 = 고막

귀청(이) 떨어지다 [구] 震耳欲聋

귀:추(歸趨) 명 趋向 qūxiàng ¶~가 주목되다 引人注目

귀퉁이 명 1 部分 bùfen; 角(儿) jiǎo(r) 2 耳边 ěrbiān

귀:-하(貴下) 一명 (用在书信上的) 足下 zúxià 二대 您 nín

귀:-하다(貴一) [형] 1 (身份) 贵 guì; 富贵 fùguì; 尊贵 zūnguì ¶귀한 집안 富贵人家 2 宝贵 bǎoguì; 贵 guì; 可贵 kě-guì; 贵重 guìzhòng ¶귀한 생명 宝贵的生命 / 귀한 시간 宝贵的时间 3 稀 xī; 稀罕 xīhan; 罕见 hǎnjiàn; 罕有 hǎnyǒu

귀:-항(歸航) 명하자 返航 fǎnháng; 归航 guīháng

귀:-항(歸港) 명하자 返回港口 fǎnhuí-gǎngkǒu

귀:-향(歸鄕) 명하자 归乡 guīxiāng; 回乡 huíxiāng

귀:-화(歸化) 명하자 【法】 归化 guīhuà; 归顺 guīshùn

귀:-환(歸還) 명하자 归回 guīhuí; 归来 guīlái ¶고국으로 ~하다 归回故国

귀-후비개 명 '귀이개'의 방언

귓-가 명 耳边 ěrbiān

귓가에 맴돌다[돌다] [구] 回荡在耳边

귓-구멍 명 耳孔 ěrkǒng

귓-바퀴 명 【生】 耳廓 ěrkuò; 耳 ěr = 귀2

귓-밥 명 '귀지'의 방언

귓-병(一病) 명 耳病 ěrbìng

귓-불 명 耳垂 ěrchuí

귓-속 명 1 耳朵里 ěrduolǐ 2 耳语

ēryǔ; 私语 sīyǔ

귓속-말 몡하타 = 귀엣말

귓-전 몡 耳边 ěrbiān; 耳轮 ěrlún ¶ 에 맴돌다 回荡在耳边

규격(规格) 몡 规格 guīgé ¶~品 规格 品

규격-화(规格化) 몡하타 标准化 biāo-zhǔnhuà; 规格化 guīgéhuà

규명(糾明) 몡하타 查明 chámíng; 追究 zhuījiū ¶원인을 ~하다 查明原因

규모(规模) 몡 规模 guīmó ¶~가 크다 规模很大

규방(閨房) 몡 闺房 guīfáng ¶~ 가사 闺房歌词 / ~ 문학 闺房文学

규범(规范) 몡 规范 guīfàn ¶~화 规范化 / ~생활 生活规范

규사(硅沙·硅砂) 몡 【鑛】硅沙 guī-shā ¶~염 硅酸盐

규산(硅酸·珪酸) 몡 【化】硅酸 guī-suān ¶~염 硅酸盐

규석(硅石·珪石) 몡 【鑛】硅石 guīshí

규소(硅素·珪素) 몡 硅 guī; 硅 素 guīsù = 실리콘(silicon) ¶~강 硅钢 / ~철 硅铁

규소 수지(硅素樹脂) 【化】硅树脂 guī-shùzhǐ; 硅酮树脂 guītóng shùzhī = 실리콘(silicone)

규수(閨秀) 몡 闺秀 guīxiù

규약(规约) 몡 规约 guīyuē; 规章 guī-zhāng; 章程 zhāngchéng

규율(规律) 몡 规律 guīlǜ

규정(规定) 몡하타 规定 guīdìng; 规程 guīchéng ¶심사 ~ 审查规程

규제(规制) 몡하타 控制 kòngzhì; 管制 guǎnzhì; 限制 xiànzhì ¶~ 완화 放宽管制 / 학교가 학생들의 복장을 ~하다 学校限制学生的服装

규칙(规则) 몡 规则 guīzé; 规程 guī-chéng; 规定 guīdìng; 规矩 guīju; 绳墨 shéngmò; 准则 zhǔnzé; 规律 guīlǜ ¶~성 规则性 / ~을 지키다 遵守规则 / ~을 위반하다 违反规则

규칙-적(规则的) 몡 有规律 yǒuguī-lǜ ¶~으로 생활하다 有规律地生活

규탄(糾彈) 몡하타 诘责 jiézé; 谴责 qiǎnzé; 弹劾 tánhé; 指责 zhǐzé ¶일본의 독도 영유권 주장을 ~하다 谴责日本主张独岛领有圈

규합(糾合) 몡하타 搭伙 dāhuǒ; 纠合 jiūhé; 纠集 jiūjí; 拼凑 pīncòu; 团结 tuánjié

균(菌) 몡 1【生】菌 jūn ¶~세포 菌细胞 2【植】= 균류

균등(均等) 몡하타하부 均等 jūnděng; 均匀 jūnyún; 平均 píngjūn ¶기회가 ~하다 机会均等

균류(菌類) 몡 【植】菌类 jūnlèi = 균2 ¶~학 菌类学

균사(菌絲) 몡 【植】菌丝 jūnsī ¶~체 菌丝体

균열(龜裂) 몡하자 1 龟裂 jūnliè; 裂缝 lièféng; 裂痕 lièhén ¶墙上出现裂缝 2 隔阂 géhé

균일(均一) 몡하형 均一 jūnyī; 均等 jūnděng ¶~제 均一制 / ~가 均一价 / ~화 均一化

균형(均衡) 몡 均衡 jūnhéng; 平衡 pínghéng; 平均 píngjūn ¶~감 平衡感 / ~ 이론 均衡理论 / ~이 잡히다 均衡

귤(橘) 몡 【植】橘子 júzi

귤-나무(橘一) 몡 【植】橘子树 júzi-shù; 橘 jú

귤피(橘皮) 몡 【韓醫】橘皮 júpí ¶~차 橘皮茶

그 데관 1 他 tā ¶~는 내 동생이다 他是我弟弟 2 那 nà; 那个 nàge; 它 tā ¶~ 사람 那个人 / ~ 책 那本书 / ~ 회사 那家公司

그 아버지에 그 아들 속담 有其父必有其子

그-간(一間) 몡 = 그사이

그-거 데 那 nà

그-것 데 那 nà; 那个 nàge ¶~은 내 것이 아니다 那个不是我的

그-곳 데 那儿 nàr; 那个地方 nàge dìfang; 那 nàli ¶~은 내 고향이다 那里是我的故乡

그-글피 몡 大大后天 dàdàhòutiān

그-까짓 관 那样的 nàyàngde; 那一类 nàyīlèi ¶~ 일은 나 혼자서도 하겠다 那样的事, 我一个人也能干完

그-끄저께 몡부 大前天 dàqiántiān

그끄제 몡 '그끄저께'의 약칭

그-나마 부 连那个 liánnàge ¶이 환자는 죽밖에 못 먹는데 ~ 많이 먹을 수도 없다 这个病人只能吃粥, 然而连那个也不能多吃

그-날 몡 那天 nàtiān; 那一天 nàyī-tiān; 当天 dāngtiān ¶~ 저녁 那天晚上 / ~ 다시 만나자 当天再见吧

그날-그날 몡부 天天 tiāntiān; 每天 měitiān; 日日 rìrì ¶~ 해야 할 일 天天应该做的事情

그-냥 부 1 老是 lǎoshì; 仍旧 réngjiù; 仍然 réngrán; 照样 zhàoyàng ¶하루종일 비가 ~ 퍼붓는다 整天老是大雨倾盆 2 就那样 jiùnàyàng ¶배를 씻어먹지 않고 ~ 먹었다 没有洗, 就那样把梨吃了

그냥-저냥 부 就那样 jiùnàyàng ¶하루하루를 ~ 지냈다 就那样一天天混日子

그:네 몡 【民】秋千 qiūqiān ¶~를 타다 打秋千

그-녀(一女) 데 她 tā ¶나는 ~를 사

랑한다 我爱她

그늘 〔형〕 **1** 阴 yīn; 阴影 yīnyǐng; 荫 yīn; 荫影 yīnyǐng = 음영1 ¶나무 ~ 树荫 **2** 保护 bǎohù; 抚养 fǔyǎng ¶할머니의 ~ 밑에서 자라나다 在祖母的抚养下长大成人 **3** 愁容 chóuróng; 忧愁 yōuchóu; 阴影 yīnyǐng ¶얼굴에 비낀 ~ 脸上的愁容

그늘-지다 〔자〕 **1** 成荫 chéngyīn; 成阴 chéngyīn **2** 阴郁 yīnyù; 忧郁 yōuyù ¶그의 얼굴에 그늘진 표정이 드러났다 他的脸上显出了忧愁的表情

그-다지 〔부〕 **1** 并不怎么 bìngbùzěnme; 不太 bùtài; 不那么 bùnàme ¶~ 좋지 않다 并不怎么好 / 그 일은 ~ 어렵지 않다 那件工作不那么难 **2** 那么 nàme; 那样 nàyàng = 그리도 ¶너는 어째서 ~ 也 멍청하니? 你怎么那么 笨? ‖ = 그리²2

그-대 〔대〕 你 nǐ

그-대로 〔부〕 **1** 照样(儿) zhàoyàng(r); 原原本本地 yuányuánběnběndì; 本本 yuányuánběnběndì; 原封不动地 yuánfēngbùdòngde; 依然 yīrán; 仍然 réngrán; 照旧 zhàojiù; 如实(地) rúshí(de); 照实(地) zhàoshí(de) ¶내가 말한 것을 그에게 ~ 말해라 你把这回事元元本 地对他说一说 **2** 照搬 zhàobān ¶~ 받아들이다 照搬接受

그-동안 〔명〕 那段时间 nàduàn shíjiān

그득 〔부〕 丰富地 fēngfùde; 丰盛地 fēngshèngde; 满 mǎn; 满满地 mǎnmǎnde ¶밥을 한 그릇 ~ 담았다 满满地盛了一碗饭

그득-그득 〔부〔형〕〕〔부사〕满满 mǎnmǎn; 丰富 fēngfù; 丰盛 fēngshèng; 满 mǎn

그득-하다 〔형〕 **1** 丰富 fēngfù; 丰盛 fēngshèng; 满 mǎn; 满满 mǎnmǎn ¶그릇에 밥이 ~ 碗里饭盛满了饭 **2** (肚子)胀 zhàng ¶먹은 것이 잘 내리지 않아 속이 ~ 吃的东西不消化, 肚子发胀

그득-히 〔부〕 那时 nàshí; 那时候 nàshíhou ¶~ 나는 아직 학생이었다 那时候我还是学生

그-때 〔명〕 那时 nàshí; 那时候 nàshíhou ¶~ 나는 아직 학생이었다 那时候我还是学生

그때-그때 〔명〕 及时 jíshí; 每个时期 měigè shíqī ¶제기되는 문제를 ~ 처리하다 及时处理提出的问题

그랑프리 〔grand prix〕 〔명〕 大奖赛 dàjiǎngsài; 大奖赛 dàjiǎngsài

그래 〔감〕 **1** 好 hǎo; 对 duì; 是啊 shì'a ¶~, 그럼 네 의견대로 하자! 好, 就照你的意见做吧! 是吗 shìma ¶~? 알았어! 是吗? 我知道了!

그래-도 〔부〕 还 hái; 但是 dànshì; 可是 kěshì; 不过 bùguò; 还是 háishi ¶~ 오늘은 따뜻한 편이다 今天还是温和

그래서 〔부〕 所以 suǒyǐ; 因此 yīncǐ; 于是 yúshì ¶나 혼자는 어째야 좋을지 모르겠다, ~ 너와 의논하러 왔다 我一个人不知道怎么办好, 因此跟你商量来了

그래프(graph) 〔명〕 图表 túbiǎo; 曲线图 qūxiàntú

그래픽(graphic) 〔명〕 绘画 huìhuà; 图解 tújiě; 图形 túxíng

그래픽 디자이너(graphic designer) 〔印〕 平面设计师 píngmiàn shèjìshī

그래픽 디자인(graphic design) 〔印〕 平面设计 píngmiàn shèjì

그랜드 피아노(grand piano) 〔음〕 三角钢琴 sānjiǎogāngqín; 大钢琴 dàgāngqín

그램(gram) 〔명〕 克 kè ¶돼지고기 삼백 ~ 三百克猪肉

그러그러-하다 〔형〕 **1** 平常 píngcháng; 普通 pǔtōng; 一般 yìbān; 这样那样 zhèyàngnàyàng ¶그의 성적도 ~ 他的成绩也那么 **2** 那么个 nàmexiēgè; 那些 nàxiē ¶그러그러한 문제를 가지고 토론하였다 讨论了那么个些问题

그러나 〔부〕 不过 bùguò; 但是 dànshì; 可是 kěshì; 然而 rán'ér; 但 dàn; 可 kě ¶~ 그의 말에도 일리가 있다 不过他说的也有点儿道理

그러니까 〔부〕 所以 suǒyǐ; 因此 yīncǐ ¶~ 말이야, 그렇지 않으면 내가 왜 이런 말을 하겠니! 所以呀, 要不然我么这么说呢!

그러데이션(gradation) 〔명〕 〔美〕 = 바림

그러-면 〔부〕 那么 nàme; 那 nà; 那样 nàyàng ¶~ 내일 다시 얘기합시다 那么明天再说吧

그러-모으다 〔타〕 收捡 shōujiǎn; 收拢 shōulǒng

그러므로 〔부〕 因此 yīncǐ; 因而 yīn'ér; 所以 suǒyǐ = 고로 ¶10은 2의 배수이다, ~ 10은 짝수이다 十是二的倍数, 所以十是偶数

그러저러-하다 〔형〕 这样那样 zhèyàng-nàyàng

그러-하다 〔형〕 那样 nàyàng ¶그러한 상황 那样的情况

그럭-저럭 〔부〔하〕자〕 凑合着 còuhezhe; 凑凑合合(地) còucouhéhé(de); 就这么 jiù zhème ¶이럭저럭 一去二去(地) yīqù'èrqù(de); 过一天算一天(地) guò yìtiān suàn yìtiān(de) ¶이 물건은 낡았지만 아직은 ~ 쓸 수 있다 这个东西虽然旧, 还可以凑合着用

그런 〔관〕 那么 nàme; 那样的 nàyàngde ¶~ 일은 없다 没有那样的事

그런-대로 〔부〔하〕자〕 凑合着 còuhezhe; 凑凑合合(地) còucouhéhé(de); 就这么

그런데 閈 不过 bùguò；但是 dànshì；可是 kěshì；只是 zhǐshì ¶나는 너의 제안에 찬성이야, ~ 한 가지 조건이 있어 我倒赞成你的提议, 不过有一个条件

그럴-듯하다 혭 1 不错 bùcuò；有理 yǒulǐ；不离谱 bùlípǔ ¶말은 그럴듯하지만 행하기는 매우 어렵다 话是不错, 不过很难办到 2 像样 xiàngyàng；像样子 xiàngyàngzi；像个样儿 xiànggèyàngr ¶그럴듯한 양복 한 벌 요려면 적어도 백만 원 정도는 써야 된다 要买一件像样的西服, 至少得花一百万多块钱 ‖ = 그럴싸하다

그럴싸-하다 혭 = 그럴듯하다

그럼[1] '그러면'의 略词

그럼[2] 閉 当然 dāngrán；可不是 kěbùshì；是啊 shì'a；可不 kěbù ¶너도 갈거야? 그럼, 가야지 你也去吗? 可不, 我应该去

그렁-그렁 閉하혭 满满 mǎnmǎn；汪汪 wāngwāng ¶눈물이 ~하다 眼泪汪汪

그렇게 閉 那么 nàme；那样 nàyàng ¶왜 ~ 화를 내니? 你怎么那么生我的气呢?

그렇다 혭 是那样 shì nàyàng；就是 jiùshì

그렇지-만 閉 但 dàn；但是 dànshì；可是 kěshì；可 kě；不过 bùguò；然而 rán'ér

그루 冈맹 桩子 zhuāngzi；茬儿 chár ¶의맹 1 棵 kē；株 zhū ¶소나무 한 ~ 一棵松树 2 茬 chá；次 cì；回 huí ¶한 해에 벼농사를 두 ~ 짓다 一年种两茬稻子

그루-터기 冈 1 桩子 zhuāngzi 2 茬子 cházi

그룹(group) 冈 1 集团 jítuán；批 pī；群 qún；团体 tuántǐ；小组 xiǎozǔ ¶몇 ~의 사람 一群人 / 사람들이 삼삼오오 ~을 지어 서 있다 人们三五成群地站着 2 集团 jítuán；财团 cáituán

그룹-사운드(group+sound) 冈 【音】音乐小组 yīnyuè xiǎozǔ；小组 xiǎozǔ；乐团 yuètuán

그르다 冈맹 不对 bùduì；错 cuò；非 fēi ¶옳고 그른 것을 가리다 明辨是非 冈재 没有希望 méiyǒu xīwàng；糟 zāo；糟糕 zāogāo ¶그 일은 글렀다 那件事没有希望

그르치다 匭 搞错 gǎocuò；搞坏 gǎohuài；弄错 nòngcuò；弄坏 nònghuài ¶너무 덤비면 일을 그르칠 수 있다 太慌张是会把事情搞坏的

그릇[1] 冈 1 器皿 qìmǐn；食具 shíjù；成器 chéngqì；碗 wǎn 2 能力 nénglì；量 qìliàng；气量 qìliàng ¶그는 그 정도의 ~은 아니다 他没有那种器量 3 碗 wǎn ¶세 ~ 三碗

그릇[2] 閉하혭 不好 bùhǎo；错 cuò；错误 cuòwù

그리[1] 閉 那边 nàbian；那里 nàlǐ；那头 nàtóu ¶~ 가면 우체국이다 往那边走就是邮局

그리[2] 閉 1 那么 nàme；那样 nàyàng 2 = 그다지 ¶~ 멀지 않다 不怎么远 / ~ 좋지 않다 不怎么好

그리고 閉 还有 háiyǒu；又 yòu；而且 érqiě；并且 bìngqiě；以及 yǐjí ¶너 ~ 나 你还有我

그리다[1] 匭 怀念 huáiniàn；思念 sīniàn；想念 xiǎngniàn；想 xiǎng ¶고향을 ~ 思念家乡

그리다[2] 匭 1 画 huà；绘 huì；描 miáo ¶그림을 ~ 画画儿 2 刻画 kèhuà；描绘 miáohuì；描写 miáoxiě ¶미래를 그린 소설 描绘未来的小说 3 憧憬 chōngjǐng；向往 xiàngwǎng ¶내일의 행복한 생활을 ~ 憧憬明天的幸福生活 4 回忆 huíyì；回想 huíxiǎng；追忆 zhuīyì ¶그 사람의 모습을 ~ 回想那个人的模样

그리-도 閉 = 그다지2

그리스도(←Kristos) 冈 【宗】基督 Jīdū ¶예수 ~ 耶稣基督

그리움 冈 思恋 huáiliàn；怀念 huáiniàn；想念 xiǎngniàn

그리워-하다 匭 想念 xiǎngniàn；想 xiǎng；怀念 huáiniàn；怀恋 huáiliàn；思恋 sīliàn；思念 sīniàn ¶집을 ~ 想家 / 모두가 너를 그리워하고 있다 大家想着你呢

그리-하여 閉 结果 jiéguǒ；所以 suǒyǐ；因此 yīncǐ；于是 yúshì；这么着 zhèmezhe；这样 zhèyàng

그린-벨트(greenbelt) 冈 【法】= 개발 제한 구역

그린-카드(green card) 冈 绿卡 lǜkǎ

그릴(grill) 冈 1 烤架 kǎojià；铁格子 tiěgézi 2 烤肉餐厅

그:림 冈 画 huà；绘画 huìhuà；图兄 túhuà ¶~일기 绘画日记 / ~을 그리다 画画儿

그림의 떡 画饼充饥

그림-물감 冈 【美】美术颜料 měishù yánliào = 물감2

그림-엽서(一葉書) 冈 美术明信片 měishù míngxìnpiàn

그:림자 冈 影 yǐng；影子 yǐngzi；阴影 yīnyǐng ¶수면에 산의 ~가 비치다 水面上倒映着山影

그:림-책(一冊) 冈 1 画报 huàbào；画

册 huàcè 2 连环画 liánhuánhuà

그립다 [형] 1 想念 xiǎngniàn; 想 xiǎng; 怀念 huáiniàn; 怀恋 huáiliàn; 思念 sīliàn; 思念 sīniàn ¶나는 네가 무척 ~ 我想想你 2 渴求 kěqiú; 希望得到 xīwàng dédào; 需要 xūyào

그-만 [부] 1 到此为止 dàocǐ wéizhǐ; 到 这儿为止 dàozhèr wéizhǐ; 就此 jiùcǐ ¶밤이 깊었으니 ~ 돌아가자 夜已深了，就此回去吧 2 就 jiù ¶그는 이 말을 듣자마자 ~ 화를 냈다 他一听到这话就生气 3 可以 kěyǐ; 行 xíng ¶이래도 ~, 저래도 ~ 这样也行, 那样也行 4 没办法 méibànfǎ; 无可奈何 wúkěnàihé ¶극장에 갔다가 만원이 되어 ~ 돌아왔다 到剧场去了, 已经客满了, 没办法只好回来

그만-하다 [형] 差不多 chàbuduō; 相差不多 xiāngchàbuduō ¶나이는 차이가 있어도 키는 ~ 年龄虽然不同, 但身高差不多

그만-두다 [타] 放下 fàngxià; 拉倒 lādǎo; 算了 suànle; 作罢 zuòbà; 停止 tíngzhǐ; 废弃 fèi ¶하던 일을 ~ 手头的工作放下不干了

그-만큼 [부] 那么点 nàmediǎn; 那样程度 nàyàng chéngdù ¶~ 있으면 충분하다 有那么点就足够了

그만-하다¹ [타] 废 fèi; 别再… biézài…; 不要再… búyào zài…; 作罢 zuòbà ¶잔소리 좀 그만해라 不要再唠叨

그만-하다² [형] 差不多 chàbuduō; 相差不多 xiāngchàbuduō; 就那样 jiùnàyàng; 那么多 nàmeduō; 那些 nàxiē

그맘-때 [명] 差不多那时候 chàbuduō nàshíhou

그물 [명] 1 网 wǎng ¶~코 网眼 / ~을 치다 撒网 2 圈套 quāntào

그믐 = 그믐날

그믐-날 [명] 晦 huì; 三十一日 sānshí yīrì = 그믐 · 말일2

그-사이 [명] 隔段时间 nàduàn shíjiān; 这期间 zhè qījiān; 这些日子里 zhèxiē rìzilǐ = 그간 ¶~ 무슨 일 없었나? 这期间没发生什么事吗

그-새 [명] '그사이'의 략어

그슬-리다 [자] 被烧焦 bèi shāojiāo ¶불에 그슬린 나무 被火烧焦的树木 = 烧焦 shāojiāo

그야-말로 [부] 实在 shízài; 确是 quèshì; 简直 jiǎnzhí; 正是 zhèngshì; 的确 díquè ¶이번 승리는 ~ 기적이다 这次胜利简直是奇迹

그윽-하다 [형] 1 幽静 yōujìng; 幽深 yōushēn ¶그윽한 골짜기 幽静的山谷 2 沉 chén; 深 shēn ¶그윽한 생각에 잠기다 陷入沉思 3 浓郁 nóngyù ¶그

윽한 향기 浓郁的香气

그을다 [타] 熏 xūn; 熏黑 xūnhēi; 晒 shài; 晒黑 shàihēi ¶연기에 ~ 被烟熏黑了

그을-리다 [자] '그을다'의 被动词 ¶햇볕에 검게 ~ 被太阳晒黑

그을음 [명] 炱 tái; 煤烟子 méiyānzi; 烟子 yānzi

그-이 [대] 那个人 nàgèren; 他 tā

그-자(者) [대] 那个人 nàgèren; 他 tā

그저 [부] 1 照旧 zhàojiù; 仍然 réngrán 2 就是 jiùshì; 只是 zhǐshì; 仅仅是 jǐn-jǐnshì ¶~ 습관적으로 쓰는 것이다 只是因为写惯了才有的 3 随便 suíbiàn; 无意地 wúyìde ¶~ 물어 보는 겁니다 随便问一问的 4 光 guāng; 只顾 zhǐgù ¶~ 한쪽에만 전념해서는 안 된다 只顾一方面不行

그저께 [부] 前天 qiántiān = 전전날2

그-전(一前) [명] 前 qián; 以前 yǐqián ¶~前未曾有 이런 대풍으로는 수 없었다 以前未曾有过这样的大丰收

그제 [명] '그저께'의 략어

그제-야 [부] 那时才 nàshí cái; 这时才 zhèshí cái; 这时 zhèshí ¶이렇게 되니 이제야 这么一来 zhème yīlái ¶그는 창문에 햇살이 비친 것을 보고 ~ 일어났다 他看见阳光从窗户射进来, 这才起了身

그-중(一中) [명] 当中 dāngzhōng; 就中 jiùzhōng; 其中 qízhōng

그지-없다 [형] 无限 wúxiàn; 无穷 wúqióng; 无垠 wúyín; 无比 wúbǐ ¶그지없는 행복 无限的幸福 그지없-이 [부]

그-쪽 [대] 那边 nàbiān; 那一方 nàyī-fāng

그치다 [타] 停 tíng; 停息 tíngxī; 歇 xiē ¶비가 그쳤다 雨住了 / 바람이 그쳤다 风停了 tíngxī; 停止 tíngzhǐ; 止 zhǐ; 止息 zhǐxī; 住 zhù ¶비가 그쳤다 雨住了 / 바람이 그쳤다 风停了

그-토록 [부] 那样 nàyàng ¶우리가 ~ 말렸지만, 그는 끝내 떠나갔다 我们那样劝阻他, 可是他终于走掉了

그-해 [명] 当年 dāngnián; 那年 nànián; 那一年 nàyīnián

극(極) [명] 1 极点 jídiǎn; 极端 jíduān ¶긴장이 ~에 달했다 紧张到了极点 2 【物】极 jí 3 【地理】极 jí 4 【天】极 jí

극(劇) [명] 【文】剧 jù; 戏剧 xìjù ¶~문학 戏剧文学

극구(極口) [명] 极口 jíkǒu; 极力 jílì; 高度 gāodù ¶~ 반대하다 极力反对

극기(克己) [명] [하다][자] 克己 kèjǐ

극단(極端) [명] 极端 jíduān ¶~으로 치닫다 走极端

극단(劇團) [명] 【演】剧团 jùtuán

극단-적(極端的) [관] 极端 jíduān ¶그것은 지나치게 ~인 예이다 那是个

과도한 극단의 예
극도(極度) 圐 극도 jídù; 극단 jíduān ¶~로 긴장하다 극도 긴장

극동(極東) 圐 **1** 극 동 jídōng **2** [地理] 원동 yuǎndōng

극락(極樂) 圐 [佛] 극락 jílè; 극락세 界 jílè shìjiè; 극락정토 jílè jìngtǔ ¶~ 왕생 극락 왕생

극력(極力) 圐副自 극력 jílì; 진력 jìnlì ¶~지지하다 극력 지지

극복(克服) 圐他 극복 kèfú ¶어려움 을 ~하다 극복 곤란

극본(劇本) 圐 [演] = 각본

극비(極祕) 圐 절밀 juémì ¶~문서 절 밀당안

극빈(極貧) 圐自形 적빈 chìpín ¶~자 적빈자

극성(極盛) 圐自形 내근 láijìn; 창궐 chāngjué; 역강 chěngqiáng; 역위 chěngwēi; 역흉 chěngxiōng ¶~을 피우 다 역강

극성-떨다(極盛—) 自 내근 láijìn; 창 궐 chāngjué; 역강 chěngqiáng; 역위 chěngwēi

극성-맞다(極盛—) 形 역강 chěng- qiáng; 역위 chěngwēi

극성-스럽다(極盛—) 形 역강 chěng- qiáng; 역위 chěngwēi; 여해 lìhai 극성 스레 副

극소(極小) 圐自形 극소 jíxiǎo

극소(極少) 圐自形 극소 jíshǎo

극-소량(極少量) 圐 극소량 jíshǎo- liàng

극-소수(極少數) 圐 극소수 jíshǎoshù

극심-하다(極甚—·劇甚—) 形 여해 lìhai; 엄중 yánzhòng; 태심 tàishēn; 극 심 jíshēn ¶교통 체증이 ~ 교통 도색 엄중 극심-히 副

극악(極惡) 圐 만오 wàn'è

극악-무도(極惡無道) 圐自形 죄대오 극 zuìdà'èjí; 만오 wàn'è

극약(劇藥) 圐 **1** [藥] 열성약 lièxìng- yào **2** 극단방식 jíduān fāngshì ¶~로 처 방을 내리다 용극단방식 해결

극우(極右) 圐 극단우경 jíduān yòu- qīng; 극우 jíyòu; 극유 jíyòu ¶~ 세력 극우세력 / ~파 극우파

극-작가(劇作家) 圐 극작가 jùzuòjiā

극장(劇場) 圐 극장 jùchǎng; 극원 jù- yuàn; 희원 xìyuàn

극-적(劇的) 冠 희극(般的) xìjù- (bānde); 희극성(的) xìjùxìng(de) ¶~ 인 효과 희극성효과

극점(極點) 圐 극점 jídiǎn ¶갈등이 ~ 에 이르다 모순도색 극점

극좌(極左) 圐 과좌 guòzuǒ; 극단좌경 jíduān zuǒqīng; 극좌익 jízuǒyì; 극좌 jízuǒ ¶~파 극좌파

극진-하다(極盡—) 形 무미부지 wú- wēi bùzhì; 진지 zhēnzhì; 진성 zhēn- chéng; 지성 zhìchéng; 성간 chéngkěn ¶극진한 보살핌 무미부지적관회 극 진-히 副

극찬(極讚) 圐他 극찬양 jí zànyáng; 극기칭찬 jíqí chēngzàn

극치(極致) 圐 정봉 dǐngfēng; 극치 jízhì ¶미의 ~ 미적극치

극피(棘皮) 圐 [動] 극피 jípí ¶~동물 극피동물

극한(極限) 圐 극한 jíxiàn ¶~ 상황 극 한상황 / ~에 달하다 달도극한

극형(極刑) 圐 극형 jíxíng ¶~에 처하 다 처이극형

극화(劇化) 圐他 희극화 xìjùhuà ¶ 그의 일생은 ~ 되었다 타적인생피희 극화료

극-히(極—) 副 극 jí; 극위 jíwéi; 극 기 jíqí; 극단 jíduān ¶~ 미세한 입자 극기미소적립자 / ~ 드물다 극기희유

근(斤) 量依 근 jīn ¶돼지고기 한 근 일근저육

근(近) 冠 근 jìn ¶~ 백년 근백년

근(近間) 圐 = 요사이 ¶~의 상황 최근적정황

근간(根幹) 圐 **1** 근간 gēngàn **2** 골간 gǔgàn; 기간 jīgàn ¶사회의 ~ 사회적 골간

근거(根據) 圐自他 근거 gēnjù ¶사실 에 ~하다 근거사실 / ~ 없는 말 없어 근거적화

근-거리(近距離) 圐 근거리 jìnjùlí

근거-지(根據地) 圐 근거지 gēnjùdì = 본거지·아지트 ¶투쟁의 ~ 투쟁 적근거지

근검(勤儉) 圐自形副 근검 qínjiǎn ¶~절약 근검절약

근경(近景) 圐 근경 jìnjǐng

근교(近郊) 圐 근교 jìnjiāo ¶도시 ~ 도시근교 / ~ 농업 근교농업

근-근-이(僅僅—) 副 호용이(地) hǎo- róngyì(de); 불용이 hǎobùróngyì- (de); 흔흘력지 hěnchīlìde; 흔비경지 hěnfèijìnde; 면강(地) miǎnqiáng(de)

근대 圐 [植] 첨채 tiáncài

근-대(近代) 圐 [史] 근대 jìndài ¶~ 사회 근대사회 / ~ 국가 근대국가 / ~ 문학 근대문학 / ~사 근대사 / ~ 화 근대화

근대 오ː종 경ː기(近代五種競技) [體] 오항전능 wǔxiàng quánnéng

근데 副 '그런데'의 약어

근-래(近來) 圐 근래 jìnlái; 최근 zuìjìn ¶~에 보기 드물다 근래한견

근력(筋力) 圐 **1** 기기 jīqì ¶~ 강화 운 동 증강기기단련 **2** 정신 jīngshen; 기 력 qìlì; 원기 yuánqì ¶~이 없다 没有

气力

근:로(勤勞) 몡하자 노동 láodòng; 근로 láo ¶~ 기준법 劳动法准法=[工龄] / ~자 劳动者 / ~자의 날 劳动节

근린(近隣) 몡 1 이웃 línlín 2 = 근처

근면(勤勉) 몡하형부 근면 qínmiǎn; 근로 qínláo

근:무(勤務) 몡하자 1 工作 gōngzuò ¶~ 시간 工作时间 / ~ 연한 工作年限=[工龄] / ~자 工作人员 / ~지 工作地点 2 班 bān; 值班 zhíbān ¶~ 교대 交班

근:방(近方) 몡 = 근처

근본(根本) 몡 근본 gēnběn ¶~ 원인을 분석하다 分析根本原因

근본-적(根本的) 관형 근본(的) gēnběn(de); 根本上 gēnběnshàng ¶~으로 해결하다 从根本上解决

근:사-치(近似値) 몡 數 근사치 jìnsìzhí

근:사-하다(近似一) 형 1 아주 仿佛 fǎngfó; 近似 jìnsì; 相仿 xiāngfǎng 2 꽤 할 만하다 háikěyǐ; 较好 jiàohǎo

근성(根性) 몡 근성 gēnxìng; 劣根性 lièɡēnxìng

근소-하다(僅少一) 형 很少 hěnshǎo; 극히 jíshǎo; 微弱 wēiruò ¶근소한 차이 微弱差距

근:속(勤續) 몡하자 연속근무 liánxù-gōngzuò ¶~ 연한 连续工作年限=[工龄]

근수(斤數) 몡 斤数 jīnshù ¶~를 달다 量斤数

근:시(近視) 몡 醫 근시 jìnshì ¶~ 경 近视眼镜 =[近视镜]

근:시-안(近視眼) 몡 근시 jìnshì; 近视眼 jìnshìyǎn

근:신(謹愼) 몡하자 谨慎 jǐnshèn

근심 몡하자타 操心 cāoxīn; 担心 dānxīn; 惦念 diànniàn; 挂念 guàniàn; 牵挂 qiānguà; 忧虑 yōulǜ

근심-거리 몡 愁事 chóushì; 心上疙瘩 xīnshàngɡēda; 心事 xīnshì

근심-스럽다 형 操心 cāoxīn; 担心 dānxīn; 发愁 fāchóu; 忧虑 yōulǜ; 郁悒 yùyì ¶근심스레 하다

근:엄-하다(謹嚴一) 형 谨严 jǐnyán; 严厉 yánlì; 严肃 yánsù ¶근엄한 표정 严肃的神情

근원(根源) 몡 根源 gēnyuán ¶~지 根源地

근:위(近衛) 몡 近卫 jìnwèi ¶~대 近卫队 / ~병 近卫兵

근육(筋肉) 몡 生 肌肉 jīròu; 筋肉 jīnròu; 筋 jīn ¶~ 운동 肌肉运动 / 주사 肌肉注射 / ~통 肌肉酸痛

근절(根絕) 몡하타 杜绝 dùjué; 根绝

근절 gēnjué; 根除 gēnchú; 消除 xiāochú ¶부동산 투기를 ~하다 根除房地产投机

근접(近接) 몡하자 接近 jiējìn; 邻近 línjìn; 靠近 kàojìn ¶선진국 수준에 ~하다 接近世界领先水平

근:조(謹弔) 몡 谨弔 jǐndiào

근종(筋腫) 몡 醫 肌瘤 jīliú ¶자궁 ~ 子宫肌瘤

근질-거리다 자 1 痒痒 yǎngyǎng; 痒 fāyǎng; 痒 yǎng 2 手痒 shǒuyǎng ‖ = 근질대다 근질-근질 부자

근채(根菜) 몡 根菜 gēncài = 뿌리채소 ¶~류 根菜类

근:처(近處) 몡 附近 fùjìn; 近处 jìnchù; 左近 zuǒjìn = 근방2·근방 ¶우리 집 ~ 我家附近
근처도 못 가다 관 不可相提并论; 望尘莫及

근:친(近親) 몡 近亲 jìnqīn; 近族 jìnzú ¶~혼 近亲结婚 / ~ 교배 近亲交配 / ~상간 近亲通奸

근:하-신년(謹賀新年) 몡 恭贺新禧 gōnghèxīnnián; 恭贺新禧 gōnghèxīnxǐ

근:해(近海) 몡 地理 近海 jìnhǎi ¶~어업 近海渔业

근호(根號) 몡 數 根号 gēnhào

근:황(近況) 몡 近况 jìnkuàng ¶그의 ~을 알아보다 打听他的近况

글 몡 1 文章 wénzhāng; 文 wén ¶~을 쓰다 写文章 2 학식 xuéshí; 学问 xuéwen 3 = 글자

글-공부(一工夫) 몡하자 读书 dúshū; 念书 niànshū; 学习 xuéxí; 学文化 xuéwénhuà

글-귀(一句) 몡 句 jù; 文句 wénjù; 句 yǔjù; 字句 zìjù; 字眼 zìyǎn

글라스(glass) 몡 = 유리잔

글라이더(glider) 몡 航 滑翔机 huáxiángjī

글래머(←glamour) 몡 丰腴女人 fēngyú nǚrén; 丰满女人 fēngmǎn nǚrén

글러브(glove) 몡 體 手套 shǒutào; 棒球手套 bàngqiú shǒutào; 拳击手套 quánjī shǒutào

글루텐(gluten) 몡 化 麸质 fūzhì; 面筋 miànjīn

글리세린(glycerin) 몡 化 甘油 gānyóu; 丙三醇 bǐngsānchún

글리코겐(glycogen) 몡 生 糖原 tángyuán; 肝糖 gāntáng

글-방(一房) 몡 私塾 sīshú; 学堂 xuétáng = 서당·학당1

글썽-거리다 자타 (泪水) 汪汪 wāngwāng = 글썽대다 ¶눈물이 ~ 眼泪汪汪 글썽-글썽 부자타형

글썽-이다 자타 (眼水) 汪汪 wāngwāng

글쎄 【감】 是呀 shìya

글씨 【명】 **1** 字体 zìtǐ; 字 zì **2** = 글자 **3** 书法 shūfǎ; 写字 xiězì

글씨-체(一體) 【명】 = 서체

글-자(一字) 【명】 文字 wénzì; 字 zì = 글3·글씨2·자²(字)1

글-짓기 【명】[하자] 作文 zuòwén; 做文章 zuò wénzhāng

글피 【명】 大后天 dàhòutiān

긁다 【타】 **1** 挠 náo; 搔 sāo; 刮 guā; 抓 zhuā ¶가려운 데를 ~ 抓痒 2 惹 rě; 挑逗 tiǎodòu ¶남의 비위를 ~ 惹人生气 / 그녀의 감정을 긁지 마라 不要惹她 **3** 诋毁 dǐhuǐ; 诽谤 fěibàng ¶제멋대로 상사를 긁어대다 肆意诋毁上司 **4** 扒拉 bāla ¶갈퀴로 낙엽을 ~ 用耙子扒拉落叶 **5** 刮 guā ¶냄비 밑을 긁어내다 刮锅底 **6** 刷 shuā ¶카드를 ~ 刷卡

긁어-모으다 【타】 **1** 扒拢 bālǒng; 搂 lǒu ¶불 나무를 ~ 搂柴火 **2** 搜 sōu; 搜刮 sōuguā; 赚 zhuàn ¶돈을 ~ 搜刮金钱 **3** 七拼八凑 qīpīnbācòu; 收罗 shōuluó; 东拼西凑 dōngpīnxīcòu

긁적-거리다 【타】 喀哧喀哧地挠痒 kāchīkāchīde náoyǎng = 긁적대다 **긁적-긁적** 【부】[하타]

긁-히다 【자타】 '긁다1'의 被动词 ¶손이 철망에 ~ 手被铁丝网刮破了

금¹ 【명】[하자] 价格 jiàgé; 价钱 jiàqián; 价jià ¶~을 매기다 定价

금² 【명】 **1** 线 xiàn; 线条 xiàntiáo; 纹路 wénlù ¶~을 긋다 划线 **2** 裂 liè; 裂痕 lièhén; 裂口 lièkǒu; 裂纹 lièwén ¶~이 가다 龟裂

금(金) 【명】 **1** 【鑛】金 jīn; 黄金 huángjīn; 金子 jīnzi ¶~시계 金表 / ~도금 镀金 / ~가루 金粉 / ~귀고리 金耳环 / ~반지 金戒指 / ~부처 金佛 / ~비녀 金簪 / ~팔찌 金手镯 **2** = 금메달

금-(金) 款 kuǎn; 金 jīn ¶장학금 奖学金 / 보증~ 押金 / 기부~ 捐款

금-값(金一) 【명】 **1** 黄金价格 huángjīn jiàgé **2** 高价 gāojià; 贵 guì; 价高 jiàgāo

금강-석(金剛石) 【명】【鑛】金刚石 jīngāngshí; 金刚钻 jīngāngzuàn; 钻石 zuànshí = 다이아 · 다이아몬드1

금고(金庫) 【명】 保险柜 bǎoxiǎnguì; 保险箱 bǎoxiǎnxiāng; 金库 jīnkù

금:고(禁錮) 【명】【法】禁锢 jìngù = 금고형

금:고-형(禁錮刑) 【명】【法】禁锢 jìngù

금관(金冠) 【명】 金冠 jīnguàn ¶머리에 ~을 쓰다 头戴金冠

금관 악기(金官樂器) 【音】铜官乐器

금광(金鑛) 【명】【鑛】**1** 金矿 jīnkuàng **2** = 금광석

금-광석(金鑛石) 【명】【鑛】金矿石 jīnkuàngshí = 금광2

금괴(金塊) 【명】 = 금덩이

금권(金權) 【명】 金权 jīnquán ¶~ 정치 金权政治

금귤(金橘) 【명】【植】金橘 jīnjú

금:기(禁忌) 【명】[하타] 禁忌 jìnjì

금년(今年) 【명】 = 올해

금년-도(今年度) 【명】 今年 jīnnián; 今年度 jīnniándù ¶~ 재무 보고서 今年度财务报告

금-니(金一) 【명】 金牙 jīnyá

금:-단(禁斷) 【명】[하타] 戒断 jièduàn ¶~증세 戒断综合症

금-덩이(金一) 【명】 金块 jīnkuài = 금괴

금란지교(金蘭之交) 【명】 金兰之交 jīnlánzhījiāo

금:법(禁法) 【명】 禁法 jìnfǎ; 禁令 jìnlìng

금리(金利) 【명】【經】利息 lìxī ¶~ 정책 利息政策

금맥(金脈) 【명】【鑛】金脉 jīnmài

금-메달(金medal) 【명】 金牌 jīnpái = 금¹(金)2 ¶~을 따다 拿到金牌

금-메달리스트(金medalist) 【명】 金牌得主 jīnpái dézhǔ

금:-물(禁物) 【명】 **1** 违禁品 wéijìnpǐn; 严禁物 yánjìnwù **2** 切忌 qièjì; 忌讳 jìhuì ¶환자에게 술은 ~이다 病人忌讳喝酒

금박(金箔) 【명】 金箔 jīnbó ¶~지 金箔纸 / ~을 입히다 贴上金箔

금발(金髮) 【명】 金发 jīnfà ¶~의 미녀 金发美女

금방(今方) 【부】 刚才 gāngcái; 刚 gāng; 马上 mǎshàng ¶부모님은 ~ 오실 것이다 父母马上就要来了

금방(金房) 【명】 = 금은방

금번(今番) 【명】 = 이번

금-붕어(金一) 【명】【魚】金鱼 jīnyú

금-붙이(金一) 【명】 金制品 jīnzhìpǐn

금-빛(金一) 【명】 金光 jīnguāng; 金色 jīnsè ¶~ 모래 金色细沙

금상(金賞) 【명】 金奖 jīnjiǎng ¶~을 타다 获得金奖

금:상첨화(錦上添花) 【명】 锦上添花 jīnshàngtiānhuā

금색(金色) 【명】 金色 jīnsè ¶~ 단추 金色扣子

금:서(禁書) 【명】 禁书 jìnshū

금성(金星) 【명】【天】金星 jīnxīng; 启明星 qǐmíngxīng = 비너스2

금세 【부】 立刻 lìkè; 马上 mǎshàng ¶한 下子 yíxiàzi; 很快(地) hěnkuài(de) ¶방이 ~ 따뜻해졌다 房间一下子暖和起来

금속(金屬) 【명】 金属 jīnshǔ = 쇠붙이1

¶ ~ 공예 金属工艺 / ~ 재료 金属材料 / ~ 원소 金属元素 / ~ 활자 金属活字

금속-성(金屬性) 圐 金属性 jīnshǔxìng ¶~물질 金属性物质

금수(禽獸) 圐 禽兽 qínshòu; 飞禽走兽 fēiqín zǒushòu ¶~만도 못한 놈 禽兽不如的家伙

금:수(錦繡) 圐 锦绣 jǐnxiù ¶~강산 锦绣河山

금시-초문(今時初聞) 头一次听到 tóuyīcì tīngdào; 闻所未闻 wénsuǒwèiwén ¶그런 말은 ~이다 那种话还是头一次听到

금:식(禁食) 圐하자 禁食 jìnshí; 不吃 bùchī ¶~ 기도 禁食祷告 / 수술 전에는 ~를 해야 한다 手术前要禁食

금-실(金-) 圐 金线 jīnxiàn; 金丝 jīnsī

금실(←琴瑟) 圐 琴瑟 qínsè ¶~이 좋다 琴瑟和好 [琴瑟和谐]

금-싸라기(金-) 圐 金粒 jīnlì 2 宝贵 zhēnguì; 黄金 huángjīn ¶~ 땅 黄金地段

금액(金額) 圐 金额 jīn'é; 款数 kuǎnshù; 款额 kuǎn'é; 钱数 qiánshù; 款项 kuǎnxiàng ¶일정한 ~을 지불하다 交一定金额

금:연(禁煙) 圐하자 1 禁烟 jìnyān; 禁止吸烟 jìnzhǐ xīyān ¶~ 광고 禁烟广告 / ~ 구역 禁烟区 / ~석 禁烟座 2 戒烟 jièyān ¶~을 결심하다 下定决心戒烟

금요(金曜) 圐 星期五 xīngqīwǔ; 礼拜五 lǐbàiwǔ; 周五 zhōuwǔ ¶~ 모임 周五聚会

금-요일(金曜日) 圐 星期五 xīngqīwǔ; 礼拜五 lǐbàiwǔ; 周五 zhōuwǔ

금:욕(禁慾) 圐하자 禁欲 jìnyù ¶~주의 禁欲主义

금융(金融) 圐 【經】金融 jīnróng ¶~가 金融街 / ~ 거래 金融交易 / ~계 金融界 / ~ 기관 金融机关 / ~ 시장 金融市场 / 실명제 金融实名制 / ~업 金融业 / ~ 자본 金融资本 / ~ 자산 金融资产 / ~ 회사 金融公司

금은(金銀) 圐 金银 jīnyín ¶~보석 金银宝石

금은-방(金銀房) 圐 金银店 jīnyíndiàn; 金店 jīndiàn = **금방**(金房)

금:의-환향(錦衣還鄕) 圐하자 衣锦还乡 yījǐnhuánxiāng

금일(今日) 圐 1 = 오늘 2 ~ 사이

금-일봉(金一封) 圐 红包 hóngbāo

금자-탑(金字塔) 圐 金字塔 jīnzìtǎ ¶~을 세우다 修建金字塔

금-잔디(金-) 圐 1 【植】结缕草 jiélǚcǎo 2 草坪 cǎopíng

금잔-화(金盞花) 圐 【植】金盏花 jīnzhǎnhuā

금:장(襟章) 圐 襟章 jīnzhāng; 领章 lǐngzhāng

금장(金裝) 圐하타 金装 jīnzhuāng

금전(金錢) 圐 1 = 금화 2 【經】= 화폐 ¶~등록기 收银机 / ~ 출납부 流水账 / ~ 거래 金钱交易

금제(金製) 圐 金制 jīnzhì; 金制品 jīnzhìpǐn ¶~ 장신구 金制首饰

금:제(禁制) 圐하자 禁制 jìnzhì; 禁止 jìnzhǐ ¶~품 禁制品 / 밀무역 / 밀수 ~ 禁止走私

금주(今週) 圐 本周 běnzhōu; 这(个)星期 zhè(ge)xīngqī ¶~ 안에 일을 끝낼 계획이다 计划本周完成任务

금:주(禁酒) 圐하자 1 禁酒 jìnjiǔ ¶~령 禁酒令 2 戒酒 jièjiǔ ¶~를 결심하다 决心戒酒

금-줄(金-) 圐 1 金链子 jīnliànzi 金线 jīnxiàn ¶~을 두르다 镶上金线

금-줄(←-) 圐 【民】金绳 jìnshéng

금:지(禁止) 圐하타 禁止 jìnzhǐ; 禁止 jìn; 免 miǎn ¶~ 출입 禁止出入 / ~령 禁止令 / ~법 禁止法 / 관계자 외 출입 ~ 闲人免进 / 통행을 ~하다 禁止通行 / 사냥을 ~하다 禁止捕猎

금지-옥엽(金枝玉葉) 圐 金枝玉叶 jīnzhīyùyè

금:지-품(禁止品) 圐 【法】禁品 jìnpǐn; 违禁品 wéijìnpǐn; 违禁物 wéijìnwù

금쪽-같다(金-) 圀 宝贵 bǎoguì; 珍贵 zhēnguì

금칠(金漆) 圐하타 金漆 jīnqī; 镀金 dùjīn ¶~한 액자 金漆的相框儿

금-침(衾枕) 圐 衾枕 qīnzhěn

금-테(金-) 圐 金边(儿) jīnbiān(r); 金框(儿) jīnkuàng(r) ¶~ 안경 金边儿 / ~를 두르다 镶金边儿

금품(金品) 圐 钱财 qiáncái; 金钱 jīnqián ¶~을 요구하다 要求金钱 / ~을 갈취하다 勒索钱财

금:-하다(禁-) 圐 禁 jìn; 禁止 jìnzhǐ ¶출입을 ~ 禁出入 2 禁 jīn ¶실소를 금치 못하다 不禁失笑 / 눈물을 금치 못하다 不住眼泪

금혼-식(金婚式) 圐 金婚庆典 jīnhūn qìngdiǎn; 金婚 jīnhūn

금화(金貨) 圐 金币 jīnbì = 금전1 ¶~ 한 닢 一枚金币

금후(今後) 圐 今后 jīnhòu ¶~ 10년의 계획 今后十年的计划 / ~의 연구 방향 今后的研究方向

급(級) 圐 等级 děngjí; 级 jí; 级别 jíbié ¶수준~ 水平级别 / 정상~ 高峰级 / ~이 낮은 사람 级别低的人 / ~이 높다 级别高

급-(急一) [접두] 急 jí; 冲 chóng; 急忙 jímáng ¶~가속 急加速 / ~커브 急弯 / ~출발 急出发 / ~하강 俯冲

급감(急減) [명][하자] 剧減 jùjiǎn; 骤減 zhòujiǎn ¶수입이 ~하다 收入剧減 / 공급이 ~하다 供应剧減 / 양이 ~하다 数量骤减

급강하(急降下) [명][하자] 1 急降 jíjiàng ¶기온이 ~하다 气温急降 2 (飞机) 俯冲 fǔchōng ¶~ 폭격 俯冲轰炸

급격하다(急激一) [형] 急剧 jíjù; 急遽 jíjù; 激剧 jíjù ¶급격한 변화가 일어나다 发生急剧的变化 **급격-히** [부] ¶병세가 ~ 악화되다 病情急剧恶化

급경사(急傾斜) [명] 急倾斜 jíqīngxié; 大倾斜 dàqīngxié / ~면 大倾斜面

급구(急求) [명][하타] 急求 jíqiú

급급-하다(汲汲一) [형] 汲汲 jíjí; 急于 jíyú; 忙于 mángyú ¶개인의 이익에만 ~ 汲汲于个人的利益 / 돈벌이에 ~ 忙于赚钱 **급급-히** [부]

급기야(及其也) [부] 终究 zhōngjiū; 终于 zhōngyú; 最后 zuìhòu ¶~ 그는 실패하고 말았다 终于他失败了

급등(急騰) [명][하자] 飞涨 fēizhǎng; 猛涨 měngzhǎng; 激涨 jīzhǎng ¶~세 涨势 / 가격이 ~하다 价格飞涨 / 물가가 ~하다 物价飞涨

급락(急落) [명][하자] 剧降 jùjiàng; 猛跌 měngdiē; 猛降 měngjiàng ¶~세 猛降势 / 가격이 ~하다 价格猛跌

급랭(急冷) [명][하타] 激冷 jīlěng

급료(給料) [명] 工资 gōngzī; 工钱 gōngqián; 薪水 xīnshuǐ ¶~를 지급하다 支付薪水 / ~를 삭감하다 削减工资

급류(急流) [명] 激流 jīliú; 急流 jíliú; 流流 liú ¶~ 타기 漂流运动 / ~에 휩쓸리다 被急流冲走

급매(急賣) [명][하타] 急卖 jímài

급박-하다(急迫一) [형] 急迫 jípò; 紧迫 jǐnpò ¶급박한 국제 정세 急迫的国际局势 **급박-히** [부]

급변(急變) [명][하자] 急变 jíbiàn; 剧变 jùbiàn; 突变 tūbiàn ¶정세가 ~하다 形势剧变 / 날씨가 ~하다 天气剧变

급병(急病) [명] 急病 jíbìng

급-부상(急浮上) [명] 1 快速浮上 kuàisù fúshàng ¶수면으로 ~하다 快速浮上水面 2 突然跃升 tūrán yuèshēng ¶그가 영웅으로 ~하다 他突然成为英雄

급-브레이크(急brake) [명] 急刹车 jíshāchē ¶~를 걸다 踩急刹车

급사(急死) [명][하자] 暴死 bàosǐ; 暴毙 bàobì; 暴卒 bàozú; 猝死 cùsǐ ¶그는 갑자기 ~했다 他突然猝死了

급살(急煞) [명][民] 急煞 jíshā

급살(을) 맞다 [구] 暴死 猝死

급-상승(急上昇) [명][하자] 攒升 cuánshēng; 急速上升 jísùshàngshēng

급-선무(急先務) [명] 当务之急 dāngwùzhījí

급-선회(急旋回) [명][하자] 急弯 jíwān; 急转弯 jízhuǎnwān ¶자동차가 ~를 해서 북쪽으로 갔다 汽车转了个急弯, 朝着北方跑去

급성(急性) [명] 急性 jíxìng ¶~ 맹장염 急性盲肠炎 / ~ 위염 急性胃炎 / ~병 急性病 / ~ 전염병 急性传染病

급-성장(急成長) [명][하자] 急速成长 jíchéngzhǎng; 快速成长 kuàisù chéngzhǎng ¶중국 경제의 ~ 中国经济的快速成长

급소(急所) [명] 1 (身上的) 要害 yàohài; 致命处 zhìmìngchù ¶~를 맞고 쓰러졌다 打中要害倒了下去 2 弱点 ruòdiǎn; 要害 yàohài ¶~를 찌르다 中要害 / ~에 명중하다 命中要害

급속(急速) [명][하형][부] 急速 jísù; 迅速 xùnsù; 迅速 xùnsù; 速 sù ¶~ 냉동 速冻 / ~한 발전 飞速发展

급-속도(急速度) [명] 急速 jísù; 高速 gāosù; 高速度 gāosùdù ¶~로 발전하다 高速发展

급수(級數) [명] 级 jí; 级别 jíbié; 级数 jíshù ¶~ 등차 ~ 算术级数

급수(給水) [명][하자] 给水 jǐshuǐ; 供水 gōngshuǐ ¶~ 설비 给水设备 / ~ 펌프 给水泵 / ~ 공사 给水工程 / ~관 给水管

급수-차(給水車) [명] 供水车 gōngshuǐchē = 물자동차2·물车

급습(急襲) [명][하타] 奇袭 qíxí; 突袭 tūxí

급식(給食) [명][하자] 供应食物 gōngyìng shíwù; 伙食 huǒshí ¶~비 伙食费 / 학생들에게 무료로 ~하다 免费向学生供应食物

급여(給與) [명][하자] 1 工资 gōngzī; 工钱 gōngqián; 薪俸 xīnfèng; 薪金 xīnjīn; 薪水 xīnshuǐ ¶~를 지급하다 支付工资 2 供给 gōngjǐ; 供应 gōngyìng ¶식량을 ~하다 供给粮食

급우(級友) [명] 同班 tóngbān; 同班同学 tóngbān tóngxué

급유(給油) [명][하자] 加油 jiāyóu; 上油 shàngyóu ¶~기 加油机 / ~차 加油车 / ~ 장치 加油装置

급작-스럽다 [형] 突然 tūrán; 忽然 hūrán; 猛然 měngrán; 骤然 zhòurán ¶급작스러운 변화 突然的变化 / 급작스럽게 사고가 났다 突然发生了事故 **급작스레** [부]

급전(急電) [명] 急电 jídiàn ¶~을 치다

발급 急电

급전(急錢) 图 急用的钱 jíyòng de qián; 应急的钱 yìngjí de qián ¶~을 마련하다 准备应急的钱

급전(急轉) 图하자 急转 jízhuǎn; 突然变化 tūrán biànhuà ¶상황이 ~했다 局面急转直下

급-정거(急停车) 图하자타 急停车 jítíngchē; 急刹车 jíshāchē

급제(及第) 图하자 史 及第 jídì; 及格 jígé ¶과거에 ~하다 科举及第

급조(急造) 图하타 赶制 gǎnzhì; 抢建 qiǎngjiàn ¶~된 건물 抢建的建筑 / 제품을 ~하다 赶制产品

급증(急增) 图 急增 jízēng; 激增 jīzēng; 剧增 jùzēng; 猛增 měngzēng ¶인구가 ~하다 人口激增

급진(急進) 图하자 急进 jíjìn; 激进 jījìn ¶~ 세력 激进势力 / ~주의 激进主义 / ~파 激进派

급진-적(急進的) 配图 激进的 jījìn(de); 急进的 jíjìn(de) ¶~인 정책 激进的政策 / ~ 관념 激进的观念

급-진전(急進展) 图하자 急速进展 jísù jìnzhǎn ¶작업의 ~ 工作的急速进展

급파(急派) 图하타 急派 jípài ¶사고현장에 구조대를 ~하였다 急派了救援队前往事故现场

급-하다(急一) 图 1 急 jí; 急切 jíqiè ¶급하게 뛰어 나가다 急跑 / 그 사람은 성미가 ~ 那个人性子急 2 着急 zháojí ¶급하게 굴지 말고 문제를 상의해 보자 别着急, 有问题商量商量 3 陡峭 dǒuqiào ¶지세가 ~ 地势陡峭 / 급한 고비를 넘겼다 度过了陡峭的关头 **급-히** 图

급행(急行) 图하자 1 急趋 jíqū; 急行 jíxíng 2 = 급행열차 ¶~을 타다 乘坐快车

급행-열차(急行列車) 图 快车 kuàichē ¶= 급행2

급환(急患) 图 急病 jíbìng; 急症 jízhèng ¶그는 ~으로 입원했다 他因为急症住院了

급-회전(急回轉) 图하자타 急回转 jíhuízhuǎn; 急转弯 jízhuǎnwān

급훈(級訓) 图 班训 bānxùn

긋:다 田 1 勾 gōu; 划 huá; 画 huà ¶선을 ~ 划线 / 연필로 종이에 금을 ~ 用铅笔在纸上划线 2 擦 cā; 划 huá ¶성냥을 ~ 擦火柴

긍:정(肯定) 图하타 肯定 kěndìng; 赞成 zànchéng ¶~ 명제 肯定命题 / ~문 肯定句

긍:정-적(肯定的) 配图 肯定(的) kěndìng(de); 正面 zhèngmiàn ¶~인 효과 正面效应 / ~인 평가 正面评价 / ~인

태도를 보이다 表现出肯定的态度 / ~으로 판단하다 肯定地判断

긍:지(矜持) 图 骄傲 jiāo'ào; 自豪 zìháo; 自豪感 zìháogǎn ¶민족의 ~ 民族的骄傲 / ~를 느끼다 感到自豪

기(氣) 图 1 气 qì 2 傲气 àoqì; 元气 yuánqì ¶~가 센 사람 傲气十足的人 / ~가 부족하다 元气不足 3 劲儿 jìnr; 力气 lìqi; 力 lì ¶~를 쓰다 用力

기(基) 恼图 座 zuò ¶비석 1~ 一座碑石

기(期) 图 1 届 jiè; 期 qī ¶제1~ 졸업생 第一届毕业生 / 같은 ~의 졸업생 同期毕业生 2 [在后缀] 期 qī; 期间 qījiān; 성장 ~ 农忙期 / 성장 ~ 成长期 / 발전 ~ 发展期 / 전성 ~ 全盛期

기(旗) 图 旗 qí; 旗号 qíhào; 旗帜 qízhì; 旗子 qízi ¶~를 달다 挂旗子 / ~를 흔들다 摇旗

-기(記) 웹미 记 jì ¶여행~ 游记 / 체험~ 体验记

-기(期) 웹미 期 qī ¶사춘~ 青春期 / 농번~ 农忙期

-기(器) 웹미 器 qì ¶주사~ 注射器 / 호흡~ 呼吸器 / 생식~ 生殖器

-기(機) 웹미 机 jī ¶발전~ 发电机 / 폭격~ 轰炸机

기가(giga) 图 千兆 qiānzhào ¶~바이트 千兆字节

기각(棄却) 图하타 法 驳斥 bóchì; 驳回 bóhuí; 批驳 pībó; 取消 qǔxiāo ¶상소를 ~하다 驳回上诉

기간(基幹) 图 基本 jīběn; 基础 jīchǔ; 基干 jīgàn ¶~산업 基础产业

기간(期間) 图 期 qī; 期间 qījiān ¶휴가 ~ 休假期间 / 계약 ~ 合同期间

기강(紀綱) 图 纪纲 jìgāng; 法度 fǎdù ¶~ 확립 确立纪纲 / ~을 바로잡다 纠正纪纲

기개(氣槪) 图 气度 qìdù; 气概 qìgài; 气派 qìpài; 气魄 qìpò; 气宇 qìyǔ ¶~가 있는 사나이 颇有气概的男人 / 영웅의 ~ 英雄气概

기거(寄居) 图하자 寄居 jìjū ¶친척 집에 ~하다 寄居在亲戚家里

기겁(氣怯) 图하자 惊愕 jīng'è; 惊吓 jīngxià; 惊慌 jīnghuáng ¶아이가 ~하고 울기 시작하다 孩子受了惊吓, 哭起来了

기결(旣決) 图하타 已经处理 yǐjīng chǔlǐ; 已经解决 yǐjīng jiějué; 已决 yǐjué; 旣决 jìjué ¶~ 사항 已经解决的事项 / ~ 서류 已经处理的文件 / ~수 旣决犯 =[旣决囚] / ~안 旣决案

기계(機械) 图 机械 jīxiè; 机器 jīqì ¶~ 생산 机器生产 / 生产机械 / 농업 ~ 农业机械 / ~ 공학 机械工程学 / ~실 机器房 / ~유 机械油 / ~를 조작하다 操作

机器

기계(器械) 명 器械 qìxiè ¶운동 ~ 运动器械 / ~ 运动 器械运动 / ~ 체조 器械体操 = [器械体操]

기계-적(機械的) 관형 机械(的) jīxiè-(de) ¶~인 고장 机械故障 / 일하는 방법이 너무 ~이다 工作方法太机械

기계-화(機械化) 명하자타 机械化 jīxièhuà; 机器化 jīqìhuà ¶농업의 ~ 农业的机械化 / ~ 작업 机械化作业

기고(起稿) 명하타 打稿子 dǎgǎozi; 起稿 qǐgǎo

기고(寄稿) 명하타 寄稿 jìgǎo; 投稿 tóugǎo ¶~하다 给文学杂志投稿 / 문학잡지에 ~하다

기고-만장(氣高萬丈) 명자형 气势汹汹 qìshìxiōngxiōng; 气焰万丈 qìyànwànzhàng; 气冲斗牛 qìchōngdòuniú; 趾高气扬 zhǐgāoqìyáng

기골(氣骨) 명 1 骨气 gǔqì; 气节 qìjié ¶~이 있는 사나이 有气节的男子汉 2 骨格 gǔgé; 体格 tǐgé; 身材 shēncái ¶~이 장대한 사람 身材魁梧的人

기공(起工) 명하타 动工 dònggōng; 开工 kāigōng; 兴工 xīnggōng; 起工 qǐgōng ¶흙을 파헤치고 ~하다 破土动工

기공(氣功) 명[體] 气功 qìgōng

기공(氣孔) 명[植] 气孔 qìkǒng

기공-식(起工式) 명 开工典礼 kāigōng diǎnlǐ

기관(機關) 명 1 机关 jīguān; 机 jī ¶~실 机房 / 증기 ~ 蒸汽机 2 (组织) 机关 jīguān; 机构 jīgòu ¶교육 ~ 教育机关 / 정부 ~ 政府机关 / ~원 机关人员

기관(器官) 명[生] 器官 qìguān ¶호흡 ~ 呼吸器官 / 감각 ~ 感觉器官

기관(氣管) 명[生] 气管 qìguǎn; 喉管 hóuguǎn = 숨통

기관(汽罐) 명 汽罐 qìguàn

기관-사(機關士) 명[交] (火车、轮船等的) 司机 sījī; 驾驶员 jiàshǐyuán = 엔지니어2

기관-지(氣管支) 명[生] 支气管 zhīqìguǎn ¶~염 支气管炎

기관-차(機關車) 명 机车 jīchē; 火车头 huǒchētóu

기관-총(機關銃) 명[軍] 机关枪 jīguānqiāng; 机枪 jīqiāng

기괴-하다(奇怪—) 형 怪异 guàiyì; 奇怪 qíguài; 奇异 qíyì ¶기괴한 현상 奇怪的现象

기교(技巧) 명 技巧 jìqiǎo ¶~가 뛰어나다 技巧高超 / ~를 부리다 玩弄技巧

기구(器具) 명 工具 gōngjù; 器具 qìjù;

仪器 yíqì; 用具 yòngjù ¶주방 ~ 厨房用具 / 운동 ~ 运动器具 / 실험 ~ 实验用具

기구(機構) 명 机构 jīgòu; 组织 zǔzhī ¶정부 ~ 政府机构 / ~를 설립하다 设立机构

기구(氣球) 명 气球 qìqiú = 풍선(風船)1 ¶기상 ~ 气象气球 / ~를 띄우다 放气球

기구-하다(崎嶇—) 형 坎坷 kǎnkě; 坎坷不平 kǎnkěbùpíng; 崎岖 qíqū ¶기구한 운명 坎坷的命运 / 기세 坎坷不平的身世

기권(棄權) 명하자타 弃权 qìquán ¶~ 弃权者 / ~표 弃权票 / ~승 弃权胜 / 투표에서 ~하다 在投票中弃权

기근(飢饉·饑饉) 명 1 饥荒 jīhuang; 饥馑 jījǐn; 荒 huāng ¶~에 대비하다 防荒 2 缺 quē; 缺乏 quēfá ¶물 ~ 缺水

기금(基金) 명 基金 jījīn; 资金 zījīn ¶농업 발전 ~ 农业发展基金 / ~을 마련하다 筹备基金 / ~을 모으다 募集基金

기기(機器·器機) 명 机器 jīqì; 仪器 yíqì; 机械 jīxiè ¶생산 ~ 生产机器 / 그 ~는 고장 났다 那台机器坏了

기기묘묘-하다(奇奇妙妙—) 형 奇妙 qímiào; 奇奇妙妙 qíqímiàomiào ¶기기묘묘한 재주 奇妙的才能

기꺼이 부 欣然 xīnrán; 高兴地 gāoxìngde; 情愿地 qíngyuànde; 心甘 xīngān ¶~ 승낙하다 欣然应允 / ~ 동의하다 欣然同意

기껍다 형 高兴 gāoxìng; 欣然 xīnrán; 心甘 xīngān; 甘愿; 欣喜 xīnxǐ; 愉快 yúkuài ¶실패를 기껍게 여기지 않다 不甘失败

기-껏 부 尽力 jìnlì; 尽量 jìnliàng; 尽情 jìnqíng; 拼命 pīnmìng

기-껏-해야 부 充其量 chōngqíliàng; 大不了 dàbùliǎo; 顶多 dǐngduō; 至多 zhìduō; 最多 zuìduō ¶여기서 학교까지 ~ 100미터밖에 안 된다 从这里到学校顶多也就一百米 / 임금은 ~ 천 원인 정도다 工资顶多也就一千块

기내(機內) 명 飞机内 fēijīnèi; 机上 jīshàng ¶~식 飞机餐 / ~ 방송 机上广播

기네스-북(Guinness Book) 명[書] 吉尼斯世界纪录大全 Jínísī shìjiè jìlù dàquán

기녀(妓女) 명 = 기생(妓生)

기념(記念·紀念) 명하타 纪念 jìniàn ¶~결혼 ~ 结婚纪念 / ~관 纪念馆 / ~비 纪念碑 / ~사진 纪念照片 = [纪念照] / ~식 纪念典礼 = [纪念仪式] / ~주화 纪念币 / ~촬영 纪念摄影 / ~탑 纪念塔 / ~품 纪念品 / ~회 纪念会

~으로 간직하다 留个纪念

기념-일(紀念日) 圀 纪念日 jìniànrì ¶결혼 ~ 结婚纪念日

기능(技能) 圀 技能 jìnéng; 技术 jìshù ¶노동자의 ~을 훈련시키다 训练工人技能

기능(機能) 圀 1 机能 jīnéng; 功能 gōngnéng ¶생리적 ~ 生理机能/언어의 사회적 ~ 语言的社会功能/~이 다양하다 功能多样 2 职能 zhínéng ¶기관의 ~이 마비되다 机构的职能麻痹

기능-공(技能工) 圀 技工 jìgōng

기능-성(機能性) 圀 功能性 gōngnéngxìng

기다 困재 1 爬 pá; 爬行 páxíng ¶원숭이가 나무에 기어 올라가다 猴子爬上树 2 속도가 느리다 速度慢 sùdù màn 3 唯命是从 wéimìngshìcóng; 唯唯诺诺 wéiwéinuònuò ¶그녀는 남에게 설설 기는 사람이다 她是唯命是从的人

기:-다랗다 톄 长长 chángcháng ¶기다란 나뭇가지 长长的树枝

기다리다 困 等 děng; 等待 děngdài; 待 dài; 等候 děnghòu; 盼 pàn; 守候 shǒuhòu ¶배를 ~ 等船 / 애타게 ~ 焦急地等待 / 조금만 기다려 주세요 请稍等

기단(氣團) 圀 【地理】气团 qìtuán

기담(奇談·奇譚) 圀 奇谈 qítán ~; 怪谈 奇谈怪说

기대(期待·企待) 圀톄困 期待 qīdài; 企望 qīwàng; 期望 qīwàng; 指望 zhǐwàng ¶~ 심리 期待心理 / 그녀에 대한 ~가 크다 对她的期待很高 / 선생님의 ~를 저버리다 辜负老师的期待

기대-감(期待感) 圀 期待感 qīdàigǎn; 期待 qīdài

기:대다 困톄 凭倚 píngyǐ; 倚 yǐ; 靠 kào; 倚靠 yǐkào ¶난간에 몸을 ~ 把身体靠在栏杆上 依靠 yīkào; 依赖 yīlài ¶친구에게 ~ 依靠朋友 / 부모에게 기대어 살다 依靠父母生活

기:대-서다 困 依…站 yī…zhàn ¶책상에 몸을 ~ 把身体依在桌子上站着

기대-주(一株) 圀 坏子 pīzi

기대-치(期待值) 圀 期待值 qīdàizhí ¶~에 미치지 못하다 达不到期待值

기도(企圖) 圀톄困 图谋 tú; 试 shì; 企图 qītú ¶자살을 ~하다 企图自杀

기도(祈禱) 圀톄困 祷告 dǎogào; 祈祷 qídǎo ¶~문 祈祷文 / ~회 祷告会 / 하나님께 ~하다 向神祷上帝

기도(氣道) 圀 【生】气道 qìdào

기독-교(基督教) 圀 【宗】基督教 jīdūjiào = 예수교1

기독교-인(基督教人) 圀 基督教徒 tú-

dūjiàotú = 크리스천

기동(機動) 圀 机动 jīdòng ¶~성 机动性 / ~력 机动力 / ~ 부대 机动部队 / ~ 작전 机动作战

기둥 圀 1 柱 zhù; 柱子 zhùzi ¶~을 세우다 立柱子 / ~ 뒤에 몸을 숨기다 藏在柱子后面 2 房梁柱 dǐngliángzhù; 栋梁 dòngliáng; 支柱 zhīzhù ¶나라의 ~ 国家的栋梁 / 그는 집안의 ~이다 他是家里的顶梁柱

기동-서방(一書房) 圀 男鸨 nánbǎo

기득(既得) 圀톄 既得 jìdé ¶~권 既得权 / ~이익 既得利益

기량(技倆·伎倆) 圀 本领 běnlǐng; 本事 běnshì; 技能 jìnéng ¶~이 뛰어나다 技巧高超 / 마음껏 ~을 발휘하다 尽情发挥本领

기량(器量) 圀 器量 qìliàng; 本领 běnlǐng; 能耐 néngnai ¶~을 겨루다 比能耐

기러기 圀 【鳥】大雁 dàyàn; 雁 yàn

기력(氣力) 圀 精力 jīnglì; 气力 qìlì; 元气 yuánqì ¶~이 다하다 耗尽气力 / ~이 좋다 精力充沛

기로(岐路) 圀 ~ 갈림길 ¶人生的 ~에 서 있다 站在人生的岐路上

기록(記錄) 圀톄 1 记录 jìlù; 记 jì ¶사건 ~ 事件记录 / 강의 내용을 ~해 두다 把讲课内容记录下来 2 记录 jìlù; 记录 jìlù ¶세계 ~를 세우다 创造世界纪录 / ~을 깨다 打破纪录

기록-적(記錄的) 圀톄 记录的 jìlù(de); 记录性 jìlùxìng ¶~인 증가 记录性增加

기뢰(機雷) 圀 【軍】水雷 shuǐléi ¶~를 설치하다 布水雷

기류(氣流) 圀 【地理】气流 qìliú

기르다 톄 1 饲养 sìyǎng; 养 yǎng ¶동물을 ~ 饲养动物 / 개를 ~ 养狗 / 닭을 ~ 养鸡 2 培养 péiyǎng ¶인재를 ~ 培养人才 3 留 liú; 蓄 xù ¶수염을 ~ 留胡子 / 머리를 ~ 留头发 4 养成 yǎngchéng ¶좋은 습관을 ~ 养成好习惯

기름¹ 圀 1 油 yóu ¶식물성 ~ 植物性油 / ~을 바르다 上油 / ~에 튀기다 油炸 2 石油 shíyóu; 油 yóu ¶차에 ~을 넣다 给车加油

기름² 圀 肥 féi; 肥肉 féiròu ¶~이 많은 고기 很肥的肉

기름-기(一氣) 圀 1 油 yóu; 油水 yóushuǐ; 油腻 yóunì ¶~가 너무 많다 油太重 / ~가 없는 반찬 没油水的菜 2 滑腻 huánì; 油光 yóuguāng ¶얼굴에 ~가 가득하다 满面油光

기름-때 圀 油垢 yóugòu

기름-종이 圀 1 油纸 yóuzhǐ 2 吸油纸 xīyóuzhǐ ¶~로 얼굴의 기름을 제

거하다 用吸油纸吸去脸上的油脂

기름-지다 〔형〕 **1** 油腻 yóunì ¶기름진 반찬 油腻的菜 **2** 肥 féi ¶그 고기는 매우 ~ 那块肉很肥 **3** 肥沃 féiwò; 肥 féi ¶땅이 매우 ~ 土地很肥沃

기름-칠(一漆) 〔명〕〔자타〕 油漆 yóuqī

기리다 〔타〕 褒扬 bāoyáng; 称颂 chēngsòng; 称赞 chēngzàn; 歌颂 gēsòng; 赞誉 zànyù ¶고인의 공적을 ~ 褒扬故人的功绩

기린(麒麟) 〔명〕 **1** 〔动〕 长颈鹿 chángjǐnglù **2** 〔民〕 麒麟 qílín

기린-아(麒麟兒) 〔명〕 麒麟儿 qílín'ér

기립(起立) 〔명〕〔자〕 起立 qǐlì ¶~ 박수 起立鼓掌

기마(騎馬) 〔명〕〔자〕 骑马 qímǎ = 승마 1 ¶~ 자세 骑马姿势

기-막히다(氣—) 〔자〕 **1** 气坏 qìhuài; 气死 qìsǐ ¶기막혀서 말이 안 나온다 气死得说不出话来 **2** 不得了 bùdéliǎo; 极为 jíwéi; 极 jí ¶기막히게 훌륭한 작품 极为出色的作品 / 기막히게 아름답다 美极了

기만(欺瞞) 〔명〕〔타〕 欺瞒 qīmán; 欺骗 qīpiàn; 欺罔 qīwǎng ¶~ 행위 欺骗行为 / 독자를 ~하는 신문 광고 欺骗读者的报纸广告

기말(期末) 〔명〕 期末 qīmò ¶~ 고사 期末考试

기명(記名) 〔명〕〔자타〕 记名 jìmíng; 署名 shǔmíng; 签名 qiānmíng ¶~ 투표 记名投票 / ~ 공채 记名公债 / ~ 증권 记名证券

기모(起毛) 〔명〕〔타〕 〔手工〕 起毛 qǐmáo

기묘-하다(奇妙—) 〔형〕 奇妙 qímiào ¶기묘한 모습 奇妙的样子 / 기묘한 풍습 奇妙的风俗 **기묘-히** 〔부〕

기물(器物) 〔명〕 器物 qìwù; 家什 jiāshi; 用具 yòngjù

기미 〔명〕 黑痣 hēizhì; 痣 zhì ¶얼굴의 ~ 脸上的黑痣

기미(幾微・機微) 〔명〕 = 낌새 ¶비가 올 듯한 ~ 요有下雨的兆头

기민-하다(機敏—) 〔형〕 机敏 jīmǐn; 灵敏 língmǐn ¶기민한 반응 机敏的反应 / 동작이 ~ 动作灵敏 **기민-히** 〔부〕

기밀(機密) 〔명〕 机密 jīmì; 绝机 juémì ¶~문서 机密文件 / ~을 누설하다 泄露机密

기반(基盤) 〔명〕 基础 jīchǔ; 基地 jīdì; 基盘 jīpán ¶경제적 ~을 닦다 打下经济基础 / ~을 다지다 夯实基础

기발-하다(奇拔—) 〔형〕 **1** 出奇 chūqí; 奇特 qítè; 新奇 xīnqí; 新颖 xīnyǐng ¶생각이 매우 ~ 想法很新奇 **2** 超群 chāoqún; 出众 chūzhòng ¶기발한 구상 超群的构想

기백(氣魄) 〔명〕 气魄 qìpò ¶~이 없다

没有气魄

기법(技法) 〔명〕 手法 shǒufǎ; 方法 fāngfǎ; 技法 jìfǎ ¶표현 ~ 表现手法 / 전통 ~ 传统技法

기별(奇別) 〔명〕〔타〕 通知 tōngzhī; 消息 xiāoxi; 信(儿) xìn(r); 信息 xìnxī; 讯息 xùnxī; 音信 yīnxìn ¶~을 보내다 送信 / ~이 없다 杳无音信 / ~을 받다 接到消息 / 도착하면 곧 ~해라 到了立刻来个信儿

기병(騎兵) 〔명〕〔军〕 骑兵 qíbīng ¶~대 骑兵队

기복(起伏) 〔명〕〔자〕 起伏 qǐfú; 沉浮 chénfú ¶~이 심한 산 连绵起伏的山 / 감정의 ~이 심하다 感情起伏不定

기본(基本) 〔명〕 基本 jīběn; 基础 jīchǔ ¶~ 구조 基本构造 / ~권 基本权 / ~ 기 基本技能 / ~ 단위 基本单位 / ~ 어휘 基本词汇 / ~ 원칙 基本原则 / ~ 자세 基本姿势

기본-급(基本給) 〔명〕 基本工资 jīběn gōngzī; 底薪 dǐxīn = 본봉

기본-요금(基本料金) 〔명〕 起程价 qǐchéngjià; 起程基价 qǐchéng jījià ¶택시 ~ 出租车起程价

기본-적(基本的) 〔관〕 基本(的) jīběn(de); 根本(的) gēnběn(de) ¶~인 문제 基本问题 / 문제는 ~으로 해결되었다 问题基本解决了

기부(寄附) 〔명〕〔타〕 捐 juān; 捐献 juānxiàn; 捐赠 juānzèng; 捐助 juānzhù; 施舍 shīshě; 赠送 zèngsòng ¶~금 捐款 / 돈을 ~하다 捐款 / ~를 권유하다 劝捐 / 재산을 ~하다 捐赠财产

기분(氣分) 〔명〕 **1** 心情 xīnqíng; 情绪 qíngxù; 心 xīn; 心境 xīnjìng; 心绪 xīnxù; ~파 情绪派 / ~이 나쁘다 心情不好 / ~이 좋다 心情很好 / ~ 전환을 하다 散心 **2** 空气 kōngqì; 气氛 qìfēn ¶명절 ~ 节日气氛

기쁘-하다 〔타〕 高兴 gāoxìng; 欢快 huānkuài; 欢喜 huānxǐ; 欣喜 xīnxǐ ¶으로 은근히 ~ 心中暗自高兴 / 내가 돌아온 것을 보고 어머니는 매우 기뻐하셨다 看到我回来, 妈妈非常高兴

기쁘다 〔형〕 高兴 gāoxìng; 欢快 huānkuài; 欢欣 huānxīn; 庆幸 qìngxìng; 愉快 yúkuài; 欣喜 xīnxǐ ¶나는 이 소식을 듣고 매우 기뻤다 听到这个消息, 我非常高兴

기쁨 〔명〕 高兴 gāoxìng; 欢悦 huānyuè; 喜悦 xǐyuè; 欣喜 xīnxǐ ¶~을 느끼다 感到高兴

기사(技師) 〔명〕 工程师 gōngchéngshī

기사(技士) 〔명〕 = 운전기사 ¶버스 ~ 公共汽车司机

기사(記事) 〔명〕 记事 jìshì; 消息 xiāoxi ¶신문에 난 ~ 报纸上的消息 / ~를

쓰다 写记事

기사(棋士·碁士) 몡 棋手 qíshǒu ¶프로 ~ 职业棋手

기사(騎士) 몡 骑士 qíshì ¶~도 骑士道/백마 탄 ~ 骑着白马的骑士

기사-회생(起死回生) 몡하재 起死回生 qǐsǐ huíshēng ¶~의 영약 能起死回生的仙丹

기산(起算) 몡하재 起算 qǐsuàn ¶~일 起算日/1일부터 ~해서 이자를 셈한다 从一日开始起算利息

기상(氣像) 몡 气概 qìgài; 气派 qìpài; 气魄 qìpò = 의기(意氣)2

기상(起床) 몡하재 起床 qǐchuáng; 起床时间 ¶~나팔 起床号/매일 5시에 ~하다 每天五点起床

기상(氣象) 몡 [地理] 气象 qìxiàng; 天气 tiānqì ¶~ 관측 气象观测/~ 관측소 气象观测站/~대 气象台(气象站)/~도 气象图/~ 예보 气象预报/~ 위성 气象卫星/~ 이변 气象异变

기상-천외(奇想天外) 몡형 异想天开 yìxiǎngtiānkāi ¶~의 방법 异想天开的方法/~한 사건 异想天开的事件

기상-학(氣象學) 몡 气象学 qìxiàngxué ¶~자 气象学家

기색(氣色) 몡 1 气色 qìsè; 神情(儿) shénqíng(r); 神采 shéncǎi; 神色 shénsè ¶부끄러운 ~ 惭愧的神色 2 迹象 jìxiàng; 苗头儿 miáotour; 征候 zhēnghòu ¶끝날 ~이 전혀 없다 并没有结束迹象

기생(妓生) 몡 妓女 jìnǚ; 艺妓 yìjì = 기녀

기생(寄生) 몡하재 [生] 寄生 jìshēng ¶체내 ~ 内寄生/외부 ~ 外部寄生/~ 동물 寄生动物

기생-오라비(妓生—) 몡 小白脸儿 xiǎobáiliǎnr

기생-집(妓生—) 몡 妓馆 jìguǎn; 妓院 jìyuàn; 青楼 qīnglóu

기생-충(寄生蟲) 몡 寄生虫 jìshēngchóng

기선(汽船) 몡 汽船 qìchuán; 轮船 lúnchuán ¶~을 타다 乘坐汽船

기선(機先) 몡 先机 xiānjī ¶~을 잡다 抢占先机

기성(既成) 몡하재 既成 jìchéng; 现成 xiànchéng ¶~사실 既成事实/~세대 既成世代/~세력 既成势力

기성-복(既成服) 몡 成衣 chéngyī

기세(氣勢) 몡 气势 qìshì; 气焰 qìyàn; 派头(儿) pàitóu(r); 劲头(儿) jìntóu(r); 声势 shēngshì; 势焰 shìyàn ¶~가 대단하다 派头真大/~가 충천하다 气势冲天

기세등등-하다(氣勢騰騰—) 형 风风

火火 fēngfenghuǒhuǒ; 气势磅礴 qìshì pángbó

기소(起訴) 몡하재 [法] 起诉 qǐsù; 告状 gàozhuàng; 控告 kònggào ¶~유예 起诉犹豫/그는 수뢰죄로 ~되었다 他被控告犯了受贿罪

기소-장(起訴狀) 몡 [法] = 공소장

기수(旗手) 몡 旗手 qíshǒu ¶선수단의 ~ 代表队的旗手/개혁의 ~ 改革的旗手

기수(騎手) 몡 骑手 qíshǒu; 骑师 qíshī

기수(既遂) 몡 1 已经完成 yǐjīng wánchéng 2 [法] 既遂 jìsuì; 已遂 yǐsuí ¶~범 既遂犯

기숙(寄宿) 몡하재 寄居 jìjū; 寄宿 jìsù; 住 zhù ¶~사 宿舍/~생 寄宿生/~ 학교 寄宿学校

기술(技術) 몡 技术 jìshù ¶~도입 引进技术/~력 [技术力量]/~이전 技术转让/~자 技术人员/~제휴 技术合作/~을 배우다 学习技术/~이 숙련되다 技术熟练

기술(記述) 몡하재 记述 jìshù ¶~ 내용 记述的内容

기술-적(技術的) 관형 1 技术(的) jìshù(de); 技术上的 jìshùshàng(de) ¶~ 문제 技术上的问题 2 有技术的 yǒujìshù(de); 有本事的 yǒuběnshì(de); 有能耐的 yǒunéngnài(de) ¶~인 처리 有技术的处理

기슭 몡 1 岸 àn; 边 biān ¶맞은편~ 对岸 2 麓 lù; 缘 yuán

기습(奇襲) 몡하재 奇袭 qíxí; 突袭 tūxí; 偷袭 tōuxí ¶적을 측면에서 ~하다 从侧翼奇袭敌人

기습-적(奇襲的) 관형 奇袭的 qíxí(de); 突袭的 tūxí(de)

기승(氣勝) 몡하재 1 好强 hàoqiáng; 好胜 hàoshèng 2 逞威 chéngwēi; 厉害 lìhai ¶복더위가 ~을 부리다 伏热逞威

기승전결(起承轉結) 몡 [文] 起承转结 qǐchéngzhuǎnjié

기십(幾十) 수관 几十 jǐshí ¶~ 대의 기계 几十台机器/~ 명의 학생 几十名学生

기-십만(幾十萬) 수관 几十万 jǐshíwàn ¶~ 명의 시민 几十万名市民

기아(饑餓·飢餓) 몡 饥荒 jīhuang ¶추위와 ~에 허덕이는 난민 挣扎在寒冷和饥饿中的难民/~선상에서 허덕이다 挣扎在饥饿线上

기악(器樂) 몡 [音] 器乐 qìyuè ¶~곡 器乐曲

기안(起案) 몡하재 草拟 cǎonǐ; 起草 qǐcǎo; 起稿 qǐgǎo ¶공문을 ~하다 起草公文稿

기암(奇岩) 명 奇岩 qíyán ¶~괴석 奇岩怪石／~절벽 奇岩绝壁

기압(氣壓) 명 [物] 气压 qìyā ¶~계 气压计／~골 气压槽／~이 높다 气压高／~이 낮다 气压低

기약(旣約) 명 [數] 不可约分 bùkě yuēfēn; 旣约 jìyuē ¶~분수 旣约分数

기약(期約) 하타 约定 yuēdìng ¶다시 만날 날을 ~하다 约定再次相会的日期

기어(gear) 명 [機] 1 = 톱니바퀴 2 排挡 páidàng; 挡 dǎng ¶~를 넣다 挂挡

기어-가다 자타 爬 pá; 爬动 pádòng; 爬行 páxíng ¶아이가 엄마 쪽으로 ~／小孩子爬向妈妈／벌레가 꿈틀꿈틀 ~／虫子蠕蠕爬行

기어-들다 자 1 混入 hùn(jìn); 爬(进) pá(jìn); 潜入 qiánrù; 钻(进) zuān(jìn) ¶적의 내부로 ~ 潜入敌人内部／침대 밑으로 기어들어 숨다 钻到床底下藏起来 2 缩进去 suōjìnqù 3 压低 yādī ¶기가 죽어 목소리가 ~ 屏息呼吸, 压低嗓门

기어-오르다 자 1 攀爬 pānpá; 攀 pān ¶나무에 ~ 爬树／줄을 잡고 위로 기어오르다 抓着绳子往上爬 2 爬到头顶上 pádào tóudǐngshang ¶형에게 ~ 爬到哥哥头顶上

기어-이(期於-) 부 = 기어코 ¶이번 시험은 ~ 합격해야 한다 这次考试一定要及格

기어-코(期於-) 부 1 偏 piān; 偏偏 piānpiān; 死活 sǐhuó; 一定要…… yīdìngyào……; 非要…(不可) fēiyào…(bùkě) ¶그더러 얘기하지 말라고 해도 그는 ~ 얘기하려 한다 不让他说, 他偏要说 2 到底 dàodǐ; 终于 zhōngyú; 最终 zuìzhōng ¶그는 ~ 가 버렸다 他们终于还是走了 ‖ 기어이

기억(記憶) 명하타 记 jì; 想 xiǎng; 记忆 jìyì ¶~력 记忆力／~이 나다 想起／~이 새롭다 记忆犹新／똑똑히 ~하다 清楚地记住

기억-나다(記憶-) 자 回忆 huíyì; 想起 xiǎngqǐ ¶어제 갑자기 기억났다 突然想起了昨天发生的事

기억 상실(記憶喪失) [醫] 失忆 shīyì; 记忆丧失 jìyì sàngshī

기억 용량(記憶容量) [컴] 内存 nèicún = 메모리1

기억 장치(記憶裝置) [컴] 存储器 cúnchǔqì = 메모리2

기업(企業) 명 [經] 企业 qǐyè ¶벤처 ~ 风险企业／개인 ~ 私人企业／다국적 ~ 跨国企业／~가 企业家／~인 企业家／~주 企业主／~체 企业体／~을 세우다 创立企业／~을 경영하

다 经营企业

-기에 어미 表示原因、理由、根据 ¶그가 부르~ 가 봤다 他叫我去, 所以去了

기여(寄與) 명하자 贡献 gòngxiàn ¶~도 贡献度／산업 발전에 ~하다 为产业的发展做贡献

기염(氣焰) 명 气概 qìgài; 气势 qìshì; 气焰 qìyàn; 气 qì ¶~을 토하다 吐气

기예(技藝) 명 技艺 jìyì ¶~를 전수하다 传授技艺／~가 출중하다 技艺超群

기온(氣溫) 명 气温 qìwēn ¶~ 차이가 심한 지역 气温差异严重的地区／~이 낮다 气温低／~이 높다 气温高／~이 점차 올라가다 气温逐渐升高／밤 사이에 ~이 많이 내려갔다 夜间气温下降了很多

기와(瓦) 명 瓦 wǎ; 屋瓦 wūwǎ ¶~지붕 瓦屋顶／~로 지붕을 이다 用瓦盖房顶

기와-집 명 瓦房 wǎfáng; 瓦舍 wǎshè; 瓦屋 wǎwū

기왓-장(-張) 명 瓦 wǎ; 瓦片 wǎpiàn ¶태풍이 ~을 날려 보냈다 台风刮走了瓦片

기왕(旣往) 一명 曾经 céngjīng; 旣往 jìwǎng; 以前 yǐqián; 以往 yǐwǎng ¶~의 잘못은 추궁하지 않는다 旣往不咎 二부 = 기왕에 ¶~ 왔으니 열심히 일해라 旣然来了, 就好好工作吧

기왕-에(旣往-) 부 旣然 jìrán = 기왕1 ¶~ 가려면 빨리 떠나는 것이 좋다 旣然要走, 还是早点动身好

기왕지사(旣往之事) 명 往事 wǎngshì; 旣往之事 jìwǎngzhīshì; 事已至此 shìyǐzhìcǐ

기용(起用) 명하타 起用 qǐyòng; 任用 rènyòng; 提拔 tíbá ¶우수한 인재를 ~하다 起用优秀人才／그는 요직에 ~되었다 他被起用到要职

기우(杞憂) 명 杞人之忧 qǐrénzhīyōu; 杞人忧天 qǐrén yōutiān; 杞忧 qǐyōu

기우(祈雨) 명하자 祈雨 qíyǔ; 求雨 qiúyǔ ¶~제 祈雨祭

기우뚱 부자타 稍斜 shāoxié; 斜着 xiézhe; 歪着 wāizhe ¶~하게 걸려 있다 画挂得有点歪

기우뚱-거리다 자 颠簸 diānbǒ; 晃动 huàngdòng; 踉跄 liángqiàng; 摇摆 yáobǎi; 摇晃 yáohuàng; 摇摇摆摆 yáoyáobǎibǎi ¶배가 ~ 船左右摇晃 **기우뚱-기우뚱** 부자타

기운 명 1 力气 lìqi; 劲头 jìntóu; 精力 jīnglì; 精神 jīngshen ¶~을 내다 振作精神／~이 세다 力气大 2 气 qì; 味 wèi ¶매운 ~ 辣味 3 苗头 miáotou;

头 zhàotou ¶감기 ~이 있다 有着凉的
苗头

기운(氣運) 명 空气 kōngqì; 气氛 qì-
fēn; 气势 qìshì; 趋势 qūshì; 形势
xíngshì; 气 qì ¶불길한 ~ 煞气 / 바른
~ 正气

기운-차다 협 精神饱满 jīngshén bǎo-
mǎn; 雄赳赳 xióngjiūjiū; 元气旺盛
yuánqì wàngshèng; 有劲 yǒujìn; 有力
yǒulì ¶기운찬 모습 雄赳赳的姿态

기울 명 麸壳 fūké; 麸皮 fūpí; 麸子
fūzi

기울-기 명 【数】横斜度 héngxiédù;
倾斜 qīngxié; 斜率 xiélǜ

기울다 图 **1** 倾斜 qīngxié; 偏斜 piān-
xié; 歪 wāi; 歪斜 wāixié ¶해가 서쪽
으로 ~ 太阳向西方倾斜 / 배가 기울
기 시작했다 船开始倾斜了 **2** 倾向 qīng-
dǎoxiàng; 倾向 qīngxiàng ¶고전주의에
기운 음악가 倾向古典主义的音乐家 **3**
(大势) 已去 yǐqù ¶국세가 ~ 大势已
去 / 국운이 ~ 国势已去

기울어-지다 困 **1** 倾斜 qīng; 倾斜
qīngxié; 偏斜 piān; 歪 wāi; 歪斜 wāixié ¶
해가 ~ 太阳偏西了 **2** 倾向 qīngxiàng;
倾向 qīngxiàng ¶마음이 그 여자에게
~ 心倒向了她 **3** (大势) 已去 yǐqù

기울-이다 目 **1** '기울다'의 사동사 ¶
몸을 오른쪽으로 ~ 向右歪着身子 **2**
贯注 guànzhù; 花费 huāfèi; 集中 jí-
zhōng; 倾注 qīngzhù; 倾 qīng ¶학문에
심혈을 ~ 把心血倾注在学问上 / 노력
을 ~ 倾注努力 / 그의 말에 귀를 ~
倾听他说的话

기웃 튀협타 东张西望 dōngzhāngxī-
wàng; 探头探脑 tàntóutùnnǎo; 偷看
tōukàn ¶그는 이리 ~ 저리 ~ 하고 있
다 他四处东张西望

기웃-거리다 困 东张西望 dōngzhāng-
xīwàng; 探头探脑 tàntóutùnnǎo; 偷看
tōukàn; 偷窥 tōukuī = 기웃대다 ¶남
의 집을 ~ 偷窥别人家 / 방안을 기웃
거리며 살펴보다 东张西望地向屋里
张望 **기웃-기웃** 튀협타

기원(紀元) 명 **1** 公元 gōngyuán **2** 纪
元 jìyuán ¶새로운 ~을 열다 开启新
纪元的

기원(祈願) 명협타 祈愿 qíyuàn; 祝
zhù; 祈求 qíqiú ¶당신의 건강을 ~합
니다 祝您健康 / 세계의 평화를 ~하
다 祈愿世界和平

기원(棋院·碁院) 명 棋院 qíyuàn

기원(起源·起原) 명협타 起源 qǐyuán
¶생명의 ~ 生命的起源 / 종의 ~ 物
种起源 / 현대 인류는 아프리카에서
~한다 现代人类起源于非洲

기원-전(紀元前) 명 公元前 gōngyuán-
qián = 비시 ¶~ 5세기 公元前5世

纪初

기원-후(紀元候) 명 公元后 gōngyuán-
hòu = 서기(西紀) · 서력2 · 에이디

기율(紀律) 명 纪律 jìlǜ ¶~이 엄하다
纪律严明

기이-하다(奇異—) 협 奇异 qíyì; 奇
怪 qíguài ¶기이한 현상 奇异的现象 /
기이한 경험을 하다 有了奇异的经历

기인(奇人) 명 怪人 guàirén; 奇人 qí-
rén ¶그 노인은 ~이다 那位老人是个
怪人

기인(起因) 명협자 起因 qǐyīn; 缘由
yuányóu ¶이번 분쟁은 종교 문제에서
~한다 这次纷争起因于宗教问题

기일(忌日) 명 **1** 祭日 jìrì; 忌辰 jìchén
2 【民】忌日 jìrì

기일(期日) 명 期限 qīxiàn; 日期 rìqī;
期日 qīrì; 规定期限 ¶~을 지키다
守住日期 / 정해진 ~ 내에 완성하
다 在规定日期内完成

기입(記入) 명협타 记入 jìrù; 记上 jì-
shàng; 填上 tiánshàng; 填写 tiánxiě ¶
장부에 ~하다 记入账簿

기자(記者) 명 记者 jìzhě ¶~단 记者
团 / 신문 ~ 报社记者 / 종군 ~ 随军
记者 / 회견 记者招待会

기-자재(機資材·器資材) 명 器材 qì-
cái ¶건축 ~ 建筑器材

기장[1] 명 【植】黍 shǔ; 黍子 shǔzi; 黄
米 huángmǐ ¶~쌀 黄米 / ~떡 黄米糕

기장[2] 명 (衣服的) 长度 chángdù; 长
cháng ¶소매 ~이 40cm 袖长40
厘米

기장(機長) 명 (飞机的) 机长 jīzhǎng

기장(記帳) 명협타 记账 jìzhàng; 记 jì
¶가계부와 소비 ~를 하다 把购
物内容记在家庭账簿里

기재(記載) 명협타 记载 jìzǎi; 载 zǎi ¶
~ 사항 记载事项 / 장부에 ~된 내용
账簿上所记载的内容

기재(器才) 명 器材 qìcái ¶실험용 ~
实验器材

기저귀 명 尿布 niàobù; 褯子 jièzi ¶종
이 ~ 纸尿布 / ~를 갈다 换尿布 / 아
이에게 ~를 채우다 给孩子垫上尿布

기적(汽笛) 명 汽笛 qìdí ¶~을 울리
다 响汽笛

기적(奇跡·奇迹) 명 奇迹 qíjì ¶한강
의 ~ 汉江奇迹 / 놀라운 ~을 만들어
내다 创造出令人震惊的奇迹

기전(紀傳) 명 纪传 jìzhuàn ¶~체 纪
传体

기절(氣絕) 명협자 昏厥 hūndòu; 昏过
去 hūnguòqù; 晕倒 yūndǎo; 晕厥 yūn-
jué ¶울다가 ~하다 哭得昏过去 / 갑자
기 ~하다 突然晕倒

기절-초풍(氣絕一風) 명협자 惊厥
jīngjué; 吓昏 xiàhūn; 吓破胆 xiàpòdǎn ¶

기점(起點) 〔명〕 出发点 chūfādiǎn; 起点 qǐdiǎn ¶道路의 ～ 道路的起点

기점(基点) 〔명〕 基点 jīdiǎn ¶여기를 ～으로 하다 以这里为基点

기정(既定) 〔명〕 既定 jìdìng; 成既 jìchéng; 已定 yǐdìng ¶～ 방침 既定方针 / ～ 목표 既定目标 / ～ 사실 既成事实 [既定事实]

기조(基調) 〔명〕 基调 jīdiào ¶作品의 ～ 作品的基调 / ～연설 基调演说

기존(既存) 〔명〕 既有 jìyǒu; 现成 xiànchéng; 现存 xiàncún; 现有 xiànyǒu ¶～의 풍습 现有的风俗 / ～ 질서를 무너뜨리다 推翻现有的秩序

기-죽다(氣—) 〔자〕 消沉 xiāochén; 气馁 qìněi; 灰心 huīxīn; 无精打采 wújīng dǎcǎi

기-죽이다(氣—) 〔타〕 '기죽다'的使动词

기준(基準) 〔명〕 基准 jīzhǔn; 标准 biāozhǔn ¶～ 가격 基准价格 / ～량 标准量 / ～면 基准面 / ～선 基准线 / ～ 시가 基准时价 / ～점 基准点 / ～에 맞다 符合标准 / 새로운 ～을 만들다 制定新标准

기중기-기(起重機) 〔명〕 【机】起重机 qǐzhòngjī = 크레인 ¶～선 起重机船

기증(寄贈) 〔명〕〔하타〕 捐赠 juānzèng; 捐赠 juānzèng ¶～자 捐赠人 = [捐赠者] / ～품 捐赠品 / 장기를 ～하다 捐赠脏器 / 그는 학교 도서관에 많은 책을 ～하였다 他向学校图书馆捐赠了很多书

기지(基地) 〔명〕 基地 jīdì ¶군사 ～ 军事基地 / 공군 ～ 空军基地 / ～촌 基地村 / ～를 건설하다 建设基地

기지(機智) 〔명〕 机灵 jīlíng; 机智 jīzhì ¶～를 발휘하여 위기를 모면하다 发挥机智, 避免危机

기지개(—) 〔명〕〔하자〕 懒腰 lǎnyāo ¶그는 ～를 켜며 일어났다 他伸了一下懒腰站起来了

기지-국(基地局) 〔명〕 基地台 jīdìtái; 基站 jīzhàn ¶이동 통신 ～ 移动通信基地台

기진(氣盡) 〔명〕〔하자〕 力竭 lìjié; 精疲力竭 jīngpílìjié; 精疲力尽 jīngpílìjìn ¶～하여 바닥에 쓰러지다 精疲力竭, 倒在地上

기진-맥진(氣盡脈盡) 〔명〕〔하자〕 力竭 lìjié; 精疲力竭 jīngpílìjié; 筋疲力尽 jīnpílìjìn

기질(氣質) 〔명〕 脾气 píqi; 品德 pǐndé; 品质 pǐnzhì; 气质 qìzhì; 性情 xìngqíng ¶급한 ～ 急脾气

기차(汽車) 〔명〕 火车 huǒchē ¶～역 火车站 / ～표 火车票 / ～가 연착했다 火车误点了 / ～를 타고 여행을 하다 坐火车去旅行

기-차다(氣—) 〔형〕 很好 hěnhǎo; 极好 jíhǎo; 挺好 tǐnghǎo; 真棒 zhēnbàng; 真好 zhēnhǎo ¶～는 노래를 기차게 잘 부른다 他唱歌真棒

기찻-길(汽車—) 〔명〕 铁道 tiědào; 铁轨 tiěguǐ

기척 〔명〕 动静 dòngjìng; 声息 shēngxī ¶방 안은 쥐죽은 듯 아무런 ～도 없다 屋子里静悄悄的, 没有一点动静 / 그는 방 안에 있으면서도 ～도 안 한다 他在屋子里, 却没发出一点动静

기체¹(氣體) 〔명〕 福体 fútǐ; 贵体 guìtǐ; 玉体 yùtǐ = 기체후

기체²(氣體) 〔명〕 【物】气体 qìtǐ ¶～연료 气体燃料

기체(機體) 〔명〕 机身 jīshēn ¶～가 심하게 흔들리다 机身震动得很厉害

기체-후(氣體候) 〔명〕 = 기체¹(氣體)

기초(起草) 〔명〕〔하타〕 草拟 cǎonǐ; 起草 qǐcǎo ¶결의서를 ～하다 起草决议

기초(基礎) 〔명〕 基础 jīchǔ ¶～ 공사 基础工程 / ～ 과학 基础科学 / ～ 대사 基础代谢 / ～ 산업 基础产业 / ～화장 基础化妆 / ～ 화장품 基础化妆品 / ～가 튼튼하다 基础牢固 / ～를 다지다 打基础

기초-하다(基礎—) 〔자〕 根据 gēnjù; 基于 jīyú ¶사실에 기초한 보고서 基于事实的报告

기축(機軸) 〔명〕 机轴 jīzhóu

기층(氣層) 〔명〕 【物】大气层 dàqìcéng; 气层 qìcéng

기층(基層) 〔명〕 基层 jīcéng ¶～ 조직 基层组织 / ～ 문화 基层文化

기치(旗幟) 〔명〕 旗帜 qízhì ¶민주주의의 ～를 높이 올리다 高举民主主义的旗帜

기침 〔명〕〔하자〕 【醫】咳嗽 késou ¶～ 소리 咳嗽声 / ～이 멎다 停止咳嗽 / ～을 심하게 하다 咳嗽得很厉害

기타(guitar) 〔명〕 【音】吉他 jítā ¶～를 치다 弹吉他

기타(其他) 〔명〕 其他 qítā; 其它 qítā; 其外 qíwài ¶～ 내용 其他内容 / ～ 사항 其他事项

기타리스트(guitarist) 〔명〕 吉他手 jítāshǒu

기탁(寄託) 〔명〕〔하타〕 寄存 jìcún; 寄托 jìtuō ¶～금 寄存金 / 짐을 ～하다 寄存行李

기탄(忌憚) 〔명〕〔하타〕 顾忌 gùjì; 顾虑 gùlǜ

기탄-없다(忌憚—) 〔형〕 毫无顾忌 háowúgùjì; 毫无束缚 háowúshùfù ¶기탄없는 의견 毫无顾忌的意见 **기탄없-이** 〔부〕 ¶사실을 ～ 말해 보아라 毫无顾忌地谈谈事实吧

기통(氣筒·汽筒) 〔명〕 【機】= 실린더

기특-하다(奇特—) 〖형〗可嘉 kějiā ¶그 아이는 기특한 일을 했다 那个孩子做了可嘉的事情 **기특-히** 〖부〗

기틀 〖명〗关键 guānjiàn; 要害 yàohài ¶~을 잡다 抓住要害

기포(氣泡) 〖명〗气泡 qìpào; 泡沫 pàomò ¶~가 생기다 起气泡

기포-제(氣泡劑) 〖명〗〖하자〗起泡 qǐpào ¶~성 起泡性 / ~제 起泡剂

기폭(起爆) 〖명〗起爆 qǐbào ¶~ 장치 起爆装置

기폭-제(起爆劑) 〖명〗1〖化〗起爆药 qǐbàoyào; 引爆药 yǐnbàoyào; 引发剂 yǐnfājì 2 导火线 dǎohuǒxiàn; 导火索 dǎohuǒsuǒ ¶그 사건은 독립 운동의 ~가 되었다 那个事件成了独立运动的导火索

기표(記票) 〖명〗〖하자〗记票 jìpiào ¶~소 记票站

기품(氣品) 〖명〗秉性 bǐngxìng; 气质 qìzhì; 性格 xìnggé ¶~이 있는 사람 有气质的人

기풍(氣風) 〖명〗风气 fēngqì; 习气 xíqì; 作风 zuòfēng ¶관료적인 ~ 官僚作风

기피(忌避) 〖명〗逃避 táobì; 回避 huíbì; 忌避 jìbì; 忌讳 jìhuì ¶의무를 ~하다 逃避义务 / 병역을 ~하다 逃避兵役

기필-코(期必—) 〖부〗= 반드시 ¶이번 협상을 ~ 성사시켜야 한다 这次协商一定要成功

기하(幾何) 〖명〗〖數〗= 기하학

기하-급수(幾何級數) 〖명〗〖數〗几何级数 jǐhéjíshù ¶~적인 속도 几何级数的速度 / ~적으로 증가하다 几何级数上升

기-하다(期—) 〖타〗1 作为起点 zuòwéi qǐdiǎn; 为期 wéiqī 2 以期 yǐqī; 以求 yǐqiú; 求得 qiúdé ¶만전을 ~ 以求万全 / 공정을 ~ 求得公正

기한(期限) 〖명〗期限 qīxiàn; 期限 qīxiàn ¶전세 ~ 租赁期限 / 빚을 ~ 안에 갚다 在期限内偿还债务

기합(氣合) 〖명〗1 叫喊 jiàohǎn; 喊声 hǎnshēng 2 纪律训练 jìlǜ xùnliàn; 体罚 tǐfá ¶~을 받다 受体罚

기행(紀行) 〖명〗纪行 jìxíng

기행(奇行) 〖명〗奇行 qíxíng

기행-문(紀行文) 〖명〗〖文〗游行 yóujì; 纪行 jìxíng = 여행记

기-현상(奇現象) 〖명〗奇现象 qíguài xiànxiàng ¶~이 나타나다 发生奇怪现象

기혈(氣血) 〖명〗〖韓醫〗气血 qìxuè

기형(畸形) 〖명〗〖生〗畸形 jīxíng ¶~적인 발전 畸形发展

기호(記號) 〖명〗符号 fúhào; 记号 jìhào ¶원소 ~ 元素符号 / 곱셈 ~ 乘法符号 / ~를 붙이다 打记号

기호(嗜好) 〖명〗嗜好 shìhào; 喜好 xǐhào ¶~ 식품 嗜好食品 / ~품 嗜好品 / 소비자의 ~를 파악하다 搞清楚消费者的嗜好

기혼(旣婚) 〖명〗〖하자〗已婚 yǐhūn ¶~자 已婚者 / ~ 여성 已婚妇女 / 남성 已婚男子

기화(氣化) 〖명〗〖하자〗〖物〗气化 qìhuà ¶~열 气化热

기회(機會) 〖명〗机会 jīhuì ¶절호의 ~ 绝好机会 / ~를 기다리다 等待机会 / ~를 놓치다 错过机会 / ~를 잡다 抓机会

기회-주의(機會主義) 〖명〗机会主义 jīhuì zhǔyì ¶~자 机会主义者

기획(企劃) 〖명〗策划 cèhuà; 筹划 chóuhuà; 筹 chóu ¶~부 策划部 / ~서 策划书 / ~력 策划能力

기후(氣候) 〖명〗〖地理〗气候 qìhòu ¶대륙성 ~ 大陆性气候 / 변덕스러운 ~ 多变的气候

긴가민가 〖명〗〖하〗然否 ránfǒu; 是否 shìfǒu

긴급(緊急) 〖명〗〖하〗〖형〗紧急 jǐnjí ¶~ 구속 紧急拘捕 / ~ 명령 紧急命令 / ~ 사태 紧急事态 / ~ 조치 紧急措施 / 회의를 ~ 소집하다 紧急召集会议

긴-긴 〖관〗漫长 màncháng ¶~밤 漫长的夜晚 / ~ 여름날 漫长的夏日

긴-말 〖명〗〖하자〗多嘴 duōshuǐ; 啰唆话 luōsuohuà ¶~ 할 것 없다 不用多说 / ~이 필요 없다 没有必要多说

긴밀-하다(緊密—) 〖형〗紧密 jǐnmì; 密切 mìqiè ¶긴밀한 관계를 유지하다 保持紧密的关系 / 관계를 더욱 긴밀하게 하다 进一步加强密切关系 **긴밀-히** 〖부〗~ 협조하다 密切协助

긴박(緊迫) 〖명〗〖하〗〖형〗〖부〗紧急 jǐnjí; 紧迫 jǐnpò; 迫切 pòqiè ¶~한 국내 정세 紧迫的国内局势 / 상황이 매우 ~하다 情况十分紧急

긴박-감(緊迫感) 〖명〗紧迫感 jǐnpògǎn; 迫在眉睫之感 pòzàiméijiézhīgǎn ¶~을 주다 使人感到紧迫感 / ~이 감도는 회의장 充满紧迫感的会场

긴-병(一病) 〖명〗久病 jiǔbìng ¶긴병에 효자 없다 [속담] 久病床前无孝子

긴-사설(一辭說) 〖명〗长篇大论 chángpiāndàlùn; 啰啰唆唆 luōluosuōsuō ¶그는 늘 ~을 늘어놓는다 他老是长篇大论

긴-소매 〖명〗长袖 chángxiù; 长袖子 chángxiùzi

긴요-하다(緊要—) 〖형〗紧要 jǐnyào;

要紧 yàojǐn; 重要 zhòngyào = 요긴하다 ¶긴요한 문제부터 해결하다 从要紧的问题开始解决

긴장(緊張) 圀ᄒᆞ困 1 紧张 jǐnzhāng ¶~감 紧张感 / ~된 마음 紧张的心情 / ~된 분위기 紧张的气氛 / ~이 풀리다 紧张缓和 / 너무 그렇게 ~할 것 없다 不用那么紧张 2 圀生圀 紧张 jǐnzhāng ¶~성 경련 紧张性痉挛

긴축(緊縮) 圀ᄒᆞ困 紧缩 jǐnsuō; 节约 jiéyuē ¶~ 예산 紧缩预算 / ~ 재정 紧缩财政

긴-치마 圀 长裙 chángqún = 롱스커트

긴-팔 圀 长袖 chángxiù; 长袖子 chángxiùzi ¶~ 티셔츠 长袖T恤

긴-하다(緊—) 圀 很必要 hěnbìyào; 紧要 jǐnyào; 要紧 yàojǐn ¶아주 긴하게 썼다 用在紧要之处 / 긴한 물건 要紧的东西 **긴-히** 凰

긷:다 圀 打 dǎ; 汲 jí ¶그는 우물로 물을 길러 갔다 他到井边打水去了

길[1] 圀 1 路 lù; 道(儿) dào(r); 道路 dàolù ¶~을 잃다 迷路 / ~을 건너다 过街 / ~을 걷다 走路 / ~을 터닦다 铺路 2 途 tú; 道 dào; 路程 lùchéng ¶집까지의 ~은 아직 멀다 到家路还远着呢 / 돌아오는 ~에 선물을 샀다 在归途买了礼物 3 方面 fāngmiàn ¶그 ~의 전문가 那方面的高手 4 道理 dàolǐ; 路 lù; 路径 lùjìng; 门路 ménlù; 途径 tújìng ¶생활의 ~을 강구하다 谋求生活的途径 5 方法 fāngfǎ ¶이 문제를 해결할 ~이 없다 这个问题没有方法解决

길(을) 뚫다 圀 找门子 / 找路子

길을 재촉하다 圀 赶路 = 걸음을 재촉하다

길[2] 圀 1 驯 xùn; 使 shǐ ¶~이 잘 든 말 驯好的马

길-가 圀 路边 lùbiān; 路旁 lùpáng = 노변 ¶~에 있는 집 位于路边的房子

길-거리 圀 大街 dàjiē; 街道 jiēdào = 거리 ¶~에 쌓인 낙엽 堆积在街道上的落叶

길:-이[1] 凰 1 如雷 rúléi ¶~ 날뛰다 暴跳如雷 2 很高 hěngāo; 高高地 gāogāode ¶눈이 ~ 쌓이다 雪难得很高

길:눈 圀 认路能力 rènlù nénglì

길눈(이) 밝다 圀 会认路

길눈(이) 어둡다 圀 不会认路

길:다[1] 圀 长 cháng ¶머리가 꽤 많이 길었다 头发长了很多

길:다[2] 圀 长 cháng; 漫长 màncháng; 悠长 yōucháng ¶긴 세월 漫长的岁月 / 머리카락이 ~ 头发长 / 다리가 ~ 腿长 / 말하자면 ~ 说来话长

길-동무 圀 旅伴 lǚbàn = 同伴 tóng-

伴; 同路人 tónglùrén; 同行者 tóngxíngzhě = 길벗 ¶~를 찾다 寻找旅伴

길드(guild) 圀 圀社圀 基尔特 jīěrtè

길-들다 圀 1 好使 hǎoshǐ; 好用 hǎoyòng ¶가마솥이 길들었다 锅好使了 2 驯 xùn; 巡调 xúntiáo; 驯养 xùnyǎng ¶말이 잘 길들었다 马驯好了 3 熟 shú; 习惯 xíguàn; 熟练 shúliàn; 掌握 zhǎngwò ¶나는 기숙사 생활에 길들었다 我习惯宿舍生活了

길-들이다 圀 调教 tiáojiào; 驯 xùn; 驯服 xùnfú; 驯养 xùnyǎng ¶호랑이를 ~ 驯虎

길라-잡이 圀 = 길잡이1

-길래 어미 因为 yīnwèi = 서 wèi

길-모퉁이 圀 路拐弯处 lùguǎiwānchù; 拐角(儿) guǎijiǎo(r); 路拐 lùguǎi

길-목 圀 路口 lùkǒu ¶~마다 경찰이 지키고 있다 每个路口都有警察把守

길몽(吉夢) 圀 好梦 hǎomèng = 吉梦 jímèng

길-바닥 圀 1 路面 lùmiàn; 路 lù = 노면 ¶비가 와서 ~이 미끄럽다 由于下雨, 路面很滑 2 路上 lùshang; 路 lù ¶~에서 시간을 버리다 在路上浪费时间 ∥ = 노상(路上)

길-벗 圀 = 길동무

길-섶 圀 路边 lùbiān; 路旁 lùpáng ¶~에 핀 꽃 开在路边的花

길-손 圀 过客 guòkè; 旅客 lǚkè; 过路的 guòlùde ¶먼 곳에서 온 ~ 来自远方的旅客

길쌈 圀ᄒᆞ困 纺织 fǎngzhī

길어-지다 圀 变长 biàncháng; 长起来 chángqǐlái; 拉长 lācháng; 拖长 tuōcháng ¶회의가 ~ 会议拖长了

길-옆 圀 路两边 lùliǎngbiān; 路两旁 lùliǎngpáng ¶~으로 비켜서다 让到路两边站着

길운(吉運) 圀 大运 dàyùn; 好运 hǎoyùn; 红运 hóngyùn

길-이[1] 圀 长 cháng; 长度 chángdù; 长短 chángduǎn ¶~를 재다 测量长度 / 치마의 ~ 裙子的长度

길-이[2] 凰 永久 yǒngjiǔ; 永远 yǒngyuǎn ¶이 위대한 업적은 역사에 ~ 남을 것이다 这伟大的业绩将永远载入史册

길이-길이 凰 永久 yǒngjiǔ; 永远 yǒngyuǎn

길일(吉日) 圀 吉日 jírì ¶~을 택하다 择吉日

길-잡이 圀 1 带路人 dàilùrén; 向导 xiàngdǎo; 引导 yǐndǎo = 길라잡이 ¶앞에서 ~를 하다 在前面当向导 2 马前卒 mǎqiánzú; 前驱 qiánqū

길조(吉兆) 圀 吉兆 jízhào

길조(吉鳥) 圀 吉鸟 jíniǎo

길-짐승 閔 走兽 zǒushòu

길쭉-하다 圈 稍长 shāocháng; 长 cháng ¶당근을 길쭉하게 썰다 把红萝卜切成长条 **길쭉-길쭉** 圈[부]

길-하다(吉一) 圈 吉利 jílì ¶까치가 우는 것은 길한 징조다 喜鹊叫是吉利的兆头

길흉(吉凶) 閔 吉凶 jíxiōng ¶~화복 吉凶祸福/~을 점치다 占卜吉凶

김:¹ 閔 1 热气 rèqì; 蒸汽 zhēngqì ¶가마에서 ~이 난다 蒸汽从锅里冒出来 2 气 qì; 气息 qìxī ¶~이 나가다 有气无力/~이 빠지다 泄气/입의 ~으로 손을 녹이다 呵口气暖暖手

김:² 閔 杂草 zácǎo; 草 cǎo ¶~을 매다 除草

김:³ 閔[植] 紫菜 zǐcài ¶~구이 烤紫菜

김⁴ 의閔 乘…机会 chéng…jīhuì; 顺便 shùnbiàn; 捎带 shāodài; 就势 jiùshì; 顺便 jiùbiàn ¶가는 ~에 들르다 去的路上顺便进去一趟 / 나가는 ~에 책을 사 왔다 出去的时候, 顺便买了书

김-매다 回 除草 chúcǎo ¶바쁘게 김 매는 농부들 忙碌的锄草农夫们

김:-밥 閔 紫菜饭卷 zǐcài fànjuǎn; 紫菜包饭 zǐcài bāofàn; 紫菜饭 zǐcàifàn

김:-빠지다 回 1 漏气 lòuqì; 跑气 pǎoqì ¶김빠진 콜라 跑了气的可乐 2 泄气 xièqì; 扫兴 sǎoxìng

김:-새다 回 扫兴 sǎoxìng ¶일이 이렇게 되어서 정말 김샌다 事情弄成这样, 真是扫兴

김장 閔하자 (过冬的) 泡菜 pàocài ¶~독 泡菜缸/~철 腌泡菜的时候/~을 담그다 腌泡菜

김치 閔 泡菜 pàocài; 腌菜 yāncài ¶배추~ 白菜泡菜/~전 泡菜煎饼/~찌개 泡菜汤/~를 담그다 腌泡菜

김칫-국 閔 1 泡菜汤 pàocàitāng 2 泡菜汁 pàocàizhī

김칫국부터 마신다 속담 = 떡 줄 사람은 꿈도 안 꾸는데 김칫국부터 마신다

김칫-독 閔 泡菜缸 pàocàigāng; 腌菜缸 yāncàigāng

깁: 閔 缣 jiān; 纱罗 shāluó

깁:다 回 缝补 féngbǔ; 补 bǔ; 补缀 bǔzhuì ¶옷을 ~ 补衣服

깁스(독Gips) 閔[鑛] 1 = 석고 2 【醫】 = 석고 붕대

깁스-붕대(독Gips繃帶) 閔 【醫】 = 석고 붕대

깁스-하다(독Gips一) 回回 打石膏绷带 dǎ shígāo bēngdài; 用石膏绷带绑 yòng shígāo bēngdài bǎng ¶부러진 다리를 ~ 打骨折的腿打上石膏绷带

깃¹ 閔 1 = 깃털 ¶새의 ~ 鸟的羽毛

2 (鸟的) 翅膀 chìbǎng; 翅 chì ¶~을 접다 折翅/~을 펴다 展翅

깃² 閔 1 = 웃깃 2 被틀 bèitóu

깃-대(旗一) 閔 旗杆 qígān ¶~를 세우다 立旗杆

깃-들다 回 1 渗入 shènrù; 渗透 shèntòu 2 包含 bāohán; 蕴含 yùnhán; 带 dài ¶미소가 깃든 얼굴 带着微笑的脸

깃-발(旗一) 閔 1 旗 qí; 旗帜 qízhì; 旗子 qízi ¶승리의 ~ 胜利的旗帜/~이 휘날리다 旗帜飘扬 2 旗脚 qíjiǎo

깃-털 閔 羽毛 yǔmáo = 깃1

깊다 圈 1 (深度) 深 shēn ¶깊은 물 深水 / 깊은 산속 深深的山中 / 그 호수는 매우~ 那个湖很深 2 (程度) 深 shēn; 深奥 shēn'ào; 深远 shēnyuǎn; 深沉 shēnchén ¶상처가 매우 ~ 受伤很深 / 그는 나에게 깊은 인상을 남겼다 他给我留下了很深的印象 3 深厚 shēnhòu ¶깊은 우정 深厚的友谊 / 깊은 사랑 深厚的爱 4 浓 nóng; 浓郁 nóngyù ¶깊은 그늘 浓郁的树荫 / 밤이 ~ 夜色正浓

깊숙-이 閏 深深地 shēnshēnde; 幽深地 yōushēnde; 幽邃地 yōusuìde; 深 shēn

깊숙-하다 圈 幽暗 yōu'àn; 深沉 shēnchén; 幽深 yōushēn; 幽邃 yōusuì ¶깊숙한 터널 幽深的隧道 / 깊숙한 산골 幽深的山谷

깊-이¹ 閔 1 深度 shēndù; 深浅 shēnqiǎn ¶우물의 ~ 井的深度 2 深沉 shēnchén; 稳重 wěnzhòng ¶~ 있게 행동하다 举止稳重 3 (内容) 深刻 shēnkè

깊-이² 閏 深 shēn; 深为 shēnwéi; 深沉 shēnchén; 深刻(地) shēnkè(de); 深(地) shēnshēn(de) ¶가슴속에 ~ 간직한 사랑 深藏在心里的爱情 / 땅을 ~ 파다 深挖地/그는 매우 ~ 잠들었다 他睡得十分深沉

까까-머리 閔 光头 guāngtóu; 和尚头 héshangtóu ¶머리를 깎고 ~가 되었다 理了头发变成了光头

까까-중 閔 光头 guāngtóu; 光头和尚 guāngtóu héshang

까끄라기 閔 芒 máng

까나리 閔 【魚】 玉筋鱼 yùjīnyú

까-놓다 回 剖露 pōulù; 摊开 tānkāi; 打开 dǎkāi ¶까놓고 이야기하다 打开天窗说亮话

까다¹ 回 1 剥 bāo; 嗑 kē ¶해바라기 씨를 ~ 嗑葵花子/콩을 ~ 剥豆子 2 孵 fū ¶병아리를 ~ 孵小鸡/알을 ~ 孵卵 3 打破 dǎpò ¶곤봉으로 대가리를 ~ 用棍棒打破脑袋 4 打击 dǎjī; 攻击 gōngjī ¶남을 까지 마라 不要打击别人

까다² 〔一자〕 瘦削 shòuxuē ¶몸이 ~ 身体瘦削 〔三타〕 **1** (财产) 减少 jiǎnshǎo **2** 除去 chúqù; 减掉 jiǎndiào; 刨去 páoqù ¶1원에서 점심값 30전을 ~ 从一元里除去三角饭钱

까:다롭다 〔형〕 **1** 烦难 fánnán; 麻烦 máfan; 伤脑筋 shāngnǎojīn ¶까다로운 산수 문제 烦难的算题 / 까다로운 규칙 麻烦的规则 **2** 挑剔 tiāotī; 别扭 bièniu ¶까다로운 사람 挑剔的人 / 까다로운 성격 别扭的性格 **까:다로-이** 〔부〕

까닭 〔명〕 原故 yuángù; 原由 yuányóu; 理由 lǐyóu; 原因 yuányīn ¶까다로운 ~로 늦었느냐? 因为什么原因迟到了?

까딱 〔부하자부〕 **1** 点 diǎn ¶고개를 ~ 하다 点头 **2** 一不小心 yībùxiǎoxīn ¶너 ~ 잘못하다가는 물병을 또 깨뜨리겠다 你一不小心又要把水瓶打碎了

까딱-거리다 〔타〕 **1** 摇晃 yáohuàng ¶나뭇가지가 바람에 ~ 树枝在风中摇晃 **2** 点 diǎn ¶고개를 ~ 点头 ‖ = 까딱대다

까딱-없다 〔형〕 毫无问题 háowúwèntí ¶심한 지진에도 이 집은 ~ 尽管发生严重地震, 这幢房子也毫无问题 **까딱없-이** 〔부〕

까딱하면 〔부〕 差一点儿 chàyìdiǎnr; 稍不小心 shāobùxiǎoxīn; 差点 chàdiǎn; 稍一不慎 shāoyíbùshèn ¶~ 큰일난다 差点出大事 / ~ 죽을 뻔했다 差点死了

까르르 〔부하자〕 **1** 哈哈 hāhā ¶내 모습을 보고 친구들이 ~ 웃어 댔다 看到我的样子, 朋友们都哈哈笑了起来 **2** 哇哇 wāwā ¶아이가 갑자기 ~ 울기 시작했다 孩子突然哇哇地哭了起来

까마귀 〔명〕 〔鳥〕 乌鸦 wūyā; 老鸹 lǎoguā
까마귀 고기를 먹었나[먹었느냐] 〔속담〕 耗子算卦, 捅乍爪子就忘
까마귀 날자 배 떨어진다 〔속담〕 瓜李之嫌

까마득-하다 〔형〕 **1** 久远 jiǔyuǎn; 遥远 yáoyuǎn ¶까마득한 어린이 시절 久远的少年时代 / 까마득한 고향 遥远的故乡 / 까마득하게 먼 곳 遥远的地方 **2** (记忆) 模糊 móhu ¶까마득한 추억 模糊的记忆 **까마득-히** 〔부〕

까막-과부(―寡婦) 〔명〕 女儿寡 nǚ'érguǎ; 望门寡 wàngménguǎ

까막-눈 〔명〕 文盲 wénmáng; 睁眼瞎子 zhēngyǎn xiāzi ¶그는 문학에 대해서는 ~이나 다름없다 对于文学, 他就是像睁眼瞎子一样

까:맣다 〔형〕 **1** 漆黑 qīhēi; 深黑 shēnhēi; 乌黑 wūhēi; 黝黑 yǒuhēi ¶까만 구

슬 乌黑的珠子 / 까만 머리 乌黑的头发 **2** 一干二净 yīgān'èrjìng; 全然 quánrán ¶그의 말을 까맣게 잊어버렸다 把他的话忘了一干二净

까:매-지다 〔자〕 变黑 biànhēi; 发黑 fāhēi ¶얼굴이 타서 까매졌다 脸被太阳晒得变黑了

까-먹다 〔타〕 **1** 剥吃 bōchī; 嗑 kē ¶귤을 ~ 剥橘子吃 **2** 荡尽 dàngjìn; 花光 huāguāng ¶밑천을 다 까먹었다 本钱都花光了 **3** 忘掉 wàngdiào; 忘却 wàngquè ¶중요한 약속을 ~ 忘掉重要的约定

까무러-치다 〔자〕 昏厥 hūnjué; 昏过去 hūnguòqù; 昏厥 hūnjué; 晕厥 yūnjué; 晕倒 yūndǎo ¶그녀는 빈혈 때문에 가끔 까무러친다 她因为贫血, 有时就昏倒 / 그는 더위를 먹고 까무러쳤다 他中暑晕倒了

까무잡잡-하다 〔형〕 黑 hēi; 稍黑 shāohēi; 微黑 wēihēi ¶까무잡잡한 얼굴 稍黑的脸

까-발리다 〔타〕 **1** 剥离 bāodiào; 剥去 bāoqù ¶귤의 껍질을 ~ 剥掉橘子皮 **2** 揭穿 jiēchuān; 揭底 jiēdǐ; 揭露 jiēlù ¶그의 음모를 ~ 揭穿他的阴谋 / 사건의 진상을 ~ 揭穿事件的真相

까부수다 〔타〕 **1** 簸 bǒ ¶키로 벼를 ~ 用簸箕簸稻子 **2** 颠簸 diānbǒ; 上下动 shàngxià báidòng ¶아이를 까부르며 달래다 上下摆动着哄孩子

까-부수다 〔타〕 粉碎 fěnsuì ¶바위를 ~ 粉碎岩石

까불-거리다 〔一자〕 淘气 táoqì; 调皮 tiáopí; 顽皮 wánpí 〔二타〕 一翘一翘 yīqiàoyīqiào; 上下摆动 shàngxiàbǎidòng ‖ = 까불대다 **까불-까불** 〔부하자부〕

까불다¹ 〔자〕 **1** 得意忘形 déyìwàngxíng ¶그 사람은 정말 까분다 那个人真是得意忘形 **2** 轻浮 qīngfú; 轻佻 qīngtiāo; 调皮 tiáopí; 淘气 táoqì ¶이제 그만 까불어라 现在别淘气了

까불다² 〔자〕 '까부르다'의 略词

까불-이 〔명〕 轻浮的人 qīngfúde rén; 调皮鬼 tiáopíguǐ

까슬-까슬 〔부하자부〕 毛糙 máocāo; 粗糙 cūcāo; 粗涩 cūsè ¶수염이 ~하게 자랐다 胡子长得毛糙的

까옥 〔부하자〕 哑哑 yāyā 〔乌鸦叫声〕 ¶까마귀가 ~ 울다 乌鸦哑哑地叫

까지 〔조〕 **1** 到 dào; 到…为止 dào…wéizhǐ ¶광장 ~ 걸어가다 走到广场 / 내일 아침 ~ 기다리겠다 等到明天早上 **2** 连 lián; 甚至 shènzhì; 也 yě; 加上 jiāshàng ¶너 ~ 내 말을 안 믿는군 连你도 不相信我的话 / 눈보라가 치는 데다가 날 ~ 어두워졌다 起了暴风雪, 加上天也黑了

까-지다 困 破皮 pòpí; 破 pò; 剥落 bōluò ¶무릎이 까졌다 膝盖擦破皮了

까짓 판관 那一类 nàyīlèi; 那样 nàyàng; 那 nà ¶~ 일은 나 혼자서도 할 수 있다 那样的事, 我一个人也能完成

-까짓 접미 那一类 nàyīlèi; 那样 nàyàng; 那 nà ¶그~ 那个家伙 / 저~ 那个东西

까짓-것 판관 那样的 nàyàngde; 那一类 nàyīlèi ¶~ 누가 못하겠나 那样的事, 谁还不会做

까:치 图 〖鳥〗喜鹊 xǐquè; 鹊 què ¶~가 울다 喜鹊叫

까:치-발 图 踮脚 diǎnjiǎo; 踮脚跟 diǎnjiǎogēn ¶~을 하고 걷다 踮着脚走路

까:치-집 图 1 喜鹊巢 xǐquècháo 2 头发蓬乱 tóufa péngluàn

까칠-하다 톙 粗糙 cūcāo; 粗涩 cūsè; 毛糙 máocāo; 憔悴 qiáocuì ¶나이가 들어서 피부가 까칠해 보인다 因为年纪大了, 皮肤看上去很粗糙 **까칠-까칠** 부형자

까탈 图 障碍 zhàng'ài; 阻碍 zǔ'ài ¶~이 생기다 出现阻碍

까탈-스럽다 톙 = '까다롭다'의 잘못

까투리 图 = 암꿩

까풀 图 = 꺼풀 ¶한 ~ 벗기다 脱一外皮

깍 부형자 喳 zhā 《喜鹊和乌鸦的叫声》

깍-깍 부형자 喳喳 zhāzhā

깍깍-거리다 困 喳喳叫 zhāzhājiào = 깍作叫 ¶~까치가 나뭇가지에 앉아 ~ 喜鹊坐在树枝上喳喳叫

깍두기 图 泡萝卜块儿 pàoluóbokuàir

깍둑-썰기 图 切块 qiēkuài

깍둑-이 부 诚恳地 chéngkěnde; 恭敬地 gōngjìngde ¶~ 인사하다 恭敬地问候

깍듯-하다 톙 诚恳 chéngkěn; 恭敬 gōngjìng ¶노인을 깍듯하게 대하다 对老人恭敬相待

깍쟁이 图 1 吝啬鬼 lìnsèguǐ; 小气鬼 xiǎoqìguǐ ¶너 같은 ~는 처음 봤다 第一次见到你这样的小气鬼 2 机灵鬼 jīlíngguǐ ¶그 애는 나이가 어리지만 여간 ~가 아니다 那个孩子年纪虽小, 却是个地地道道的机灵鬼

깍지[1] 图 荚 jiá ¶콩의 ~ 豆荚

깍지[2] 图 (手指) 叉拢来 chālǒnglái; 紧叉 jǐnchā

깍지(를) 끼다 困 两手手指紧叉

깎다 国 1 削 xiāo ¶연필을 ~ 削铅笔 / 사과를 ~ 削苹果 / 밤을 ~[1] guā; 剥 guā; 推 tuī ¶수염을 ~ 刮胡子 / 머리를 ~ 推头 3 减 jiǎn; 杀 shā; 压 yā; 削减 xuējiǎn ¶값을 ~ 杀价 / 예산을 ~ 削减预算 4 诋毁 dǐhuǐ; 污损 wūsǔn; 玷

污 diànwū; 损害 sǔnhài ¶부모의 위신을 ~ 损害父母的威信

깎아-내리다 国 诋毁 dǐhuǐ; 污损 wūsǔn; 玷污 diànwū; 损害 sǔnhài ¶라이벌을 ~ 诋毁对手

깎아-지르다 톙 陡峭 dǒuqiào ¶깎아지른 듯한 절벽 陡峭的绝壁

깎-이다 困 = '깎다'의 被动词 ¶소나무가 비바람에 ~ 松树被风雨削平 / 체면이 ~ 丢面子

깐깐-하다 톙 慎密 shènmì; 细致 xìzhì; 仔细 zǐxì ¶깐깐해 보이는 사람 看上去很仔细的人 / 그는 일에 대해서는 매우 깐깐한 사람이다 他是一个对工作很仔细的人 **깐깐-히** 부

깔-개 图 垫子 diànzi ¶~를 깔다 铺垫子

깔기다 国 随地大便 suídì dàbiàn; 随地小便 suídì xiǎobiàn ¶개가 오줌을 함부로 ~ 狗随地小便

깔깔 부형자 嘎嘎 gāgā; 咯咯 gēgē; 哈哈 hāhā ¶학생들이 ~ 웃어 대다 学生们哈哈笑了起来

깔깔-거리다 困 哈哈笑 hāhā xiào; 哈哈大笑 hāhā dàxiào

깔깔-하다 톙 1 粗糙 cūcāo; 扎手 zhāshǒu ¶깔깔한 무명옷 粗糙的布衣 / 깔깔한 수염 扎手的胡须 2 干涩 gānsè ¶혀가 ~ 舌头干涩

깔끔-하다 톙 干净利落 gānjìng lìluo; 精明能干 jīngmíng nénggàn ¶깔끔한 성격 精明能干的性格 / 그 사람은 깔끔하게 생겼다 他长得精明能干 **깔끔-히** 부

깔다 国 1 铺 pū ¶양탄자를 ~ 铺地毯 / 바닥에 이불을 ~ 在地上铺席 / 방석을 ~ 垫 diàn ¶옷을 깔고 앉다 垫着衣服坐 3 向下看 xiàngxiàkàn ¶그는 눈을 아래로 깔며 말했다 他眼睛向下看着说

깔딱 부형자 奄奄 yǎnyǎn ¶숨이 ~ 넘어가다 奄奄一息

깔딱-거리다 困 奄奄一息 yǎnyǎnyīxī = 깔딱대다 ¶앓는 아이가 깔딱거리며 숨을 쉰다 生病的孩子奄奄一息

깔때기 图 漏斗 lòudǒu; 漏子 lòuzi

깔-리다 困 = '깔다'의 被动词 1 铺 pū ¶낙엽이 깔린 산길 铺满落叶的山路 2 垫 diàn ¶밑에 깔린 옷을 ~ 垫在下面的衣服 3 搁置 gēzhì; 压 yā ¶밑에 깔린 사람 被压在下面的人

깔-보다 国 看不起 kànbuqǐ; 瞧不起 qiáobuqǐ; 轻视 qīngshì; 藐视 miǎoshì; 小看 xiǎokàn ¶남을 ~ 看不起别人

깔아-뭉개다 国 1 压磨 yāmó; 压碎 yāsuì 2 克制 kèzhì; 压制 yāzhì

깔-창 图 鞋垫 xiédiàn

깜깜 〔부〕하얗[부] 1 漆黑 qīhēi ¶깜깜한 밤 漆黑的夜晚／등불이 꺼지자 방안은 온통～해졌다 灯一关，房间里就变成了一团漆黑 2 全然不知 quánrán bùzhī

깜깜-무소식(一無消息) 〔명〕石沉大海 shíchéndàhǎi；杳无音信 yǎowúyīnxìn ¶떠난 후로는～이다 离开后就杳无音信了

깜깜-절벽(一絕壁) 〔명〕无法沟通 wúfǎ gōutōng；全然不知 quánrán bùzhī

깜냥 〔명〕本事 běnshi；力量 lìliàng；能力 nénglì ¶내～에 무엇을 할 수 있겠니? 凭我的力量能做什么?

깜박 〔부〕자〕타〕 1 一闪 yīshǎn 2 眨 zhǎ；眨眼 zhǎyǎn ¶눈동자를 ～도 하지 않는다 眼睛也不眨一下 3 突然 tūrán；一下子 yīxiàzi ¶～ 一下 yīxià ~ 정신을 잃다 突然昏过去了；突然打了一下瞌睡／～잊었다 一下子给忘了／～속았다 一下子被骗住了

깜박-거리다 〔자〕타〕 1 忽明忽暗 hūmínghū'àn；忽明忽灭 hūshǎnhūshǎn；明灭 míngmiè；闪烁 shǎnshuò；一闪一闪 yīshǎnyīshǎn ¶등불이～일다 一闪一闪的／촛불이～ 烛光闪烁／형광등이 ～ 荧光灯忽闪忽闪的 2 眨 zhǎ；眨眼 zhǎyǎn ¶눈을～ 眨眼睛 ‖ 깜박대다

깜박-이다 〔타〕 1 忽闪忽闪 hūshǎnhūshǎn；一闪一闪 yīshǎnyīshǎn ¶등불이～ 灯火一闪一闪的 2 眨 zhǎ；眨眼 zhǎyǎn ¶눈을～ 眨眼睛

깜부기 〔명〕〔植〕黑穗 hēisuì

깜빡 1 明灭 míngmiè 2 眨眼 zhǎyǎn 3 完全 wánquán；一干二净 yīgān'èrjìng ¶～ 잊었다 忘了个一干二净

깜빡-거리다 〔자〕타〕 1 忽明忽暗 hūmínghū'àn；忽明忽灭 hūshǎnhūshǎn；明灭 míngmiè；闪烁 shǎnshuò；一闪一闪 yīshǎnyīshǎn ¶등불이 一闪一闪／촛불이 ～ 烛光闪烁 2 眨 zhǎ；眨眼 zhǎyǎn ¶눈을 아무말도 하지 않고 눈만 깜빡거린다 他什么话也不说，只是眼睛一眨一眨的 ‖ 깜빡대다·깜빡하[부]하다

깜빡-이다 〔자〕타〕 1 明灭 míngmiè ¶밤바다에서 깜빡이는 등불 深夜大海里明灭的灯火 2 眨 zhǎ；眨眼 zhǎyǎn

깜장 〔명〕黑色 hēisè；黑 hēi ¶～ 양복 黑色西装／～ 치마 黑裙子

깜짝¹ 〔부〕자〕타〕 眨 zhǎ；眨眼 zhǎyǎn ¶눈도 ～하지 않는다 连眼都不眨一下～

깜짝² 〔부〕자〕타〕 吓一跳 xiàyītiào ¶～ 놀라다 吓了一跳

깜짝-이야 〔감〕哎呀 āiya

깜찍-하다 〔형〕 1 伶俐 línglì ¶깜찍한 아이 伶俐的小孩 2 小巧玲珑 xiǎoqiǎo

líng lóng

깡그리 〔부〕光 guāng；全部 quánbù；统统 tǒngtǒng；整个 zhěngge；一干二净 yīgān'èrjìng ¶～ 없어지다 全部没有了／～ 잊어버리다 忘得一干二净

깡뚱-하다 〔형〕很短 hěnduǎn；短短 duǎnduǎn ¶깡뚱한 치마 很短的裙子／깡뚱한 바지 很短的裤子

깡-마르다 〔형〕瘦巴巴 shòubaba；精瘦 jīngshòu；瘦巴 shòuba；干瘦 gānshòu ¶깡마른 남자 瘦巴巴的男人

깡충 〔명〕蹦跳 bèngtiào

깡충-거리다 〔자〕蹦跳跳跳 bèngbeng tiàotiào；一蹦一跳 yībèngyítiào = 깡충대다 **깡충** 〔부〕자〕타〕토끼가 ～ 뛰어오다 兔子蹦蹦跳跳地跑过来

깡통(一筒) 〔명〕 1 罐头 guàntou；罐子 guànzi；罐 guàn ¶～을 따다 开罐头的 2 饭桶 fàntǒng；空脑袋 kōngnǎodai

깡패(一牌) 〔명〕恶棍 ègùn；匪帮 fěibāng；流氓 liúmáng；痞子 pǐzi；无赖 wúlài ¶～들 사이에 벌어진 싸움 在流氓之间展开的争斗

깨 芝麻 zhīma；荏子 rěnzǐ ¶～강 芝麻糖

깨갱 〔부〕嗷嗷 áo'áo (狗惨叫声)

깨갱-거리다 〔자〕(狗) 嗷嗷地惨叫 áoáode cǎnjiào = 깨갱대다

깨끗-하다 〔형〕 1 干净 gānjìng；清洁 qīngjié ¶깨끗하게 청소한 집 打扫得干干净净的屋子／깨끗하게 빤 옷 洗得干干净净的衣服 2 清秀 qīngxiù ¶얼굴이 깨끗하게 생겼다 脸长得清秀 3 清醒 qīngxǐng ¶정신이 ～ 神志清醒 4 纯洁 chúnjié；纯净 chúnjìng ¶마음이 ～ 心地纯洁 5 全部 quánbù；完全 wánquán ¶깨끗하게 다 가져갔다 全部拿光了／관련 내용을 깨끗하게 정리했다 相关内容完全整理好了 **깨끗-이** 〔부〕집안을 ～ 청소하다 家里打扫得干干净净／옷을 ～ 세탁하다 衣服洗得干干净净

깨:다¹ 〔자〕 1 醒 xǐng ¶잠에서 깨자마자 일어났다 一睡醒就起床了 2 觉悟 juéwù；觉醒 juéxǐng ¶머리가 깬 사람 头脑觉醒的人

깨:다² 〔타〕 1 打破 dǎpò ¶유리를 ～ 打破玻璃／세계 기록을 ～ 打破世界记录 2 破坏 pòhuài ¶기존의 규칙을 ～ 破坏现有规则／기존 질서를 ～ 破坏现有秩序

깨:다³ 〔타〕'까다²'의 被动词 ¶알에서 갓 깬 병아리 刚从卵中孵出的小鸡

깨닫다 〔타〕觉察 juéchá；觉悟 juéwù；理解 lǐjiě；认识 rènshi ¶자기의 잘못을 ～ 认识到自己的错误 2 发现 fāxiàn；意识 yìshí ¶닥쳐오는 위험을 ～ 意识到即将来临的危险

깨달음 图 觉悟 juéwù; 醒悟 xǐngwù ¶~을 얻다 得到觉悟

깨-뜨리다 囮 打破 dǎpò; 弄碎 nòng-suì; 摔 shuāi; 砸 zá; 破坏 pòhuài ¶그 릇을 ~ 把碗打破了 / 세계 기록을 ~ 打破世界纪录 / 약속을 ~ 破坏约定

깨-물다 囮 咬 yǎo ¶입술을 ~ 咬住 嘴唇 / 배를 한 입 ~ 咬了一口梨 / 자 기의 혀를 ~ 咬自己的舌头

깨:-부수다 囮 打破 dǎpò; 打碎 dǎsuì ¶모든 상식을 ~ 打破一切常规 / 접시 를 ~ 把碟子打碎

깨-소금 图 芝麻粉 zhīmáfěn; 芝麻盐 zhīmáyán

깨-알 图 芝麻粒儿 zhīmálìr; 芝麻 zhī-ma ¶~ 같은 글씨 芝麻大小的字

깨어-나다 困 1 醒 xǐng ¶꿈에서 ~ 从梦中醒来 / 마취에서 ~ 从麻醉中醒 来 2 清醒 qīngxǐng ¶명상에서 ~ 从 冥想中清醒过来

깨-우다 囮 叫醒 jiàoxǐng (《'깨다¹'의 사동사») ¶아이를 ~ 叫醒孩子

깨우치다 囮 启发 qǐfā; 开导 kāidǎo; 提醒 tíxǐng; 使明白 shǐ míngbai; 使领 悟 shǐ lǐngwù ¶그의 말씀이 우리를 깨 우쳐 주었다 他的话启发了我们

깨작-거리다¹ 图 懒洋洋 lǎnyángyáng; 慢吞吞 màntūntūn; 懒得 lǎnde = 깨작 대다

깨작-거리다² 图 乱写 luànxiě; 随便 写 suíbiànxiě = 깨작대다 ¶되는대로 깨작거려 놓은 글씨 随便乱写的字

깨-지다 囮 1 破 pò; 碎 suì; 破碎 pò-suì ¶유리병이 ~ 玻璃瓶破了 / 접시 가 ~ 碟子碎了 2 破灭 pòmiè ¶희망 이 ~ 希望破灭 / 혼담이 ~ 婚事破灭

깨-치다 囮 领悟 lǐngwù; 明白 míng-bai

깩 图 嗷 áo; 哎 ò ¶~ 소리를 질렀다 嗷的叫了起来

깩깩-거리다 图 嗷嗷叫 áo'áojiào = 깩 깩대다

깻-묵 图 芝麻油饼 zhīmáyóubǐng; 油 饼 yóubǐng

깻-잎 图 芝麻叶 zhīmáyè

꺼끌-꺼끌 图困图 粗糙 cūcāo; 毛糙 máocāo ¶표면이 꺼끌꺼끌한 벽 表面 粗糙的墙壁

꺼:-내다 囮 1 拿出 náchū; 掏出 tāo-chū ¶주머니에서 만년필을 ~ 从口 袋里掏出钢笔 / 서랍에서 돈을 ~ 从 抽屉里掏出钱来 2 说出 shuōchū; 淡 起 tánqǐ; 提起 tíqǐ ¶말을 ~ 说出话来

꺼-뜨리다 囮 弄灭 nòngmiè; 熄灭 xīmiè ¶불을 ~ 把火弄灭 / 촛불을 ~ 把蜡烛熄灭

꺼:리다 囮囮 顾忌 gùjì; 忌讳 jìhuì ¶ 꺼리는 말 忌讳的话 囮 (心里) 苦闷

꺼림칙-하다 图 担心 dānxīn; 很不放 心 hěnbúfàngxīn; 歉疚 qiànjiù = 꺼름 칙하다 ¶마음이 ~ 心里歉疚

꺼:멓다 图 黑 hēi; 漆黑 qīhēi ¶꺼먼 연기 黑烟

꺼무스레-하다 图 = 꺼무스름하다

꺼무스름-하다 图 稍黑 shāohēi; 微 黑 wēihēi = 꺼무스레하다

꺼:벙-하다 图 笨 bèn; 呆笨 dāibèn; 呆傻 dāishǎ; 傻 shǎ ¶꺼병한 모습 呆 傻的样子

꺼:벙-이 图 呆子 dāizi

꺼슬-꺼슬 图困图 粗糙 cūcāo; 粗涩 cūsè; 毛糙 máocāo ¶~한 옷 粗糙的 衣服

꺼이-꺼이 图 呜呜 wūwū ¶~ 울어 대다 呜呜哭了起来

꺼지다¹ 困 1 熄灭 xīmiè ¶등불이 ~ 灯火熄灭 / 촛불이 ~ 烛火熄灭 2 断 duàn; 死 sǐ ¶숨이 ~ 断气 3 消失 xiāoshī ¶거품이 ~ 泡沫消失 4 滚 gǔn; 滚开 gǔnkāi ¶썩 꺼져라! 给我滚 开!

꺼지다² 困 洼 wā; 陷 xiàn; 塌陷 tā-xiàn ¶땅이 ~ 地陷 / 지반이 ~ 地基 塌陷

꺼칠-하다 图 粗糙 cūcāo; 粗涩 cūsè; 毛糙 máocāo ¶꺼칠한 피부 粗糙的皮 肤

꺼풀 图 1 表皮 biǎopí; 外皮 wàipí; 皮 pí ¶~이 얇다 表皮薄 2 层 céng ¶한 ~ 벗기다 剥掉一层 | = 까풀

꺼풀-지다 困 长出外皮 chángchū wài-pí; 形成表皮 xíngchéng biǎopí

꺽다리 图 = 키다리

꺾-꽂이 图困 【植】 插条 chātiáo; 插 枝 chāzhī

꺾다 囮 1 折断 zhéduàn; 折 zhé ¶나 뭇가지를 ~ 折断树枝 2 拐弯 guǎi-wān; 拐 guǎi ¶동쪽길에서 이쪽으로 꺾어 들어오다 从东边路上向这边拐 进来 3 弯 wān ¶허리를 꺾어 인사를 하다 哈腰把行李拿上来 4 折叠 zhédié ¶종이를 한번 더 ~ 把纸再对 叠一次 5 (锐气) 挫 cuò ¶기를 ~ 挫 锐气

꺾-쇠 图 【建】 绊钉 bàndīng; 锔子 jū-zi

꺾어-지다 困 折断 zhéduàn ¶나뭇가 지가 ~ 树枝折断了

꺾-이다 图 1 折断 zhéduàn ¶태풍에 나무가 꺾였다 树木被台风折断了 2 拐弯 guǎiwān 3 拐弯 guǎiwān ¶이 길 은 저기에서 오른쪽으로 꺾인다 这条 路从那里向右拐弯 4 挫败 cuòbài ¶기 ~ 气势被挫败

껄껄 图困图 哈哈 hāhā; 呵呵 hēhē;

嘿嘿 hēihēi ¶그는 갑자기 ~ 웃기 시
작했다 他突然哈哈笑了起来

껄껄-거리다 困 哈哈大笑 hāhādàxiào
= 껄껄대다

껄껄-하다 휑 **1** 粗糙 cūcāo; 毛糙
máocāo ¶껄껄한 피부 粗糙的皮肤 **2**
(性格) 生硬 shēngyìng ¶성미가 ~ 性
格生硬

껄끄럽다 휑 **1** 扎 zhā ¶등에 꺼끄러
기가 들어가서 ~ 芒刺粘在背上, 扎
得很 **2** 粗糙 cūcāo; 毛糙 máocāo ¶껄
끄러운 표면 粗糙的表面 **3** 别扭 biè-
niu; 尴尬 gāngà ¶관계가 ~ 关系尴
尬

껄렁 凰휑 **1** 吊儿郎当 diàoerláng-
dāng **2** 差劲儿 chàjìnr; 次;坏 huài;
劣 liè ¶그가 하는 말은 ~해서 잘 듣
지 않는다 他说的话很差劲儿, 我听都
不爱听

껄렁-껄렁 凰휑 **1** 吊儿郎当 diàoer-
lángdāng ¶~ 세월을 보내다 吊儿郎当
混日子 **2** 差劲儿 chàjìnr; 次; 次; 坏
huài; 劣 liè

껌(←gum) 몡 口香糖 kǒuxiāngtáng ¶
~을 씹다 嚼口香糖

껌껌-하다 휑 **1** 漆黑 qīhēi; 黑黑 hēi-
hēi ¶껌껌한 밤 漆黑的夜 / 껌껌한 골
목 漆黑的巷子 **2** 阴险 yīnxiǎn ¶속이
껌껌한 사람 内心阴险的人

껌:다 黑 hēi ¶껌은 머리 黑头发 /
껌은 옷 黑衣服

껌뻑 凰휑타 **1** (灯火) 一闪 yīshǎn
2 yīzhǎ

껌뻑-거리다 困타 **1** (灯火) 一闪一闪
yīshǎnyīshǎn ¶먼 곳에서 등불이 ~ 远
处灯火一闪一闪的 **2** 一眨一眨
yīzhǎyīzhǎ ¶눈을 ~ 眼睛一眨一眨的
∥ = 껌뻑대다

껍데기 몡 **1** 外壳 wàikè; 壳 ké ¶호두
~ 核桃壳 **2** 面 miàn; 外皮 wàipí

껍질 몡 皮 pí; 表皮 biǎopí; 外皮 wài-
pí ¶나무 ~ 树皮 / 과일 ~ 水果皮

-껏 젭미 尽 jìn; 尽量 jìnliàng ¶힘 ~
尽力 / 마음 ~ 尽情

껑충 凰 **1** 蹦 bèng; 蹿 cuàn; 蹦跳
bèngtiào ¶그는 ~ 담 위로 뛰어올랐다
他一蹿就跳到墙上去了 **2** 飞 fēi; 跃
yīyuè; 飞跃 fēiyuè ¶물가가 ~ 뛰다 物
价飞涨

껑충-거리다 困 蹦蹦跳跳 bèngbeng-
tiàotiào; 一蹦一跳 yībèngyītiào ¶= 껑충
대다 껑충-껑충 凰휑困

껑충-하다 휑 细高 xìgāo; 高大 gāo-
dà ¶키가 ~ 个子高大

-께 젭 给 gěi; 向 xiàng (('에게'의 敬
词)) ¶부모님 ~ 드리는 편지 给父母的
信 / 선배님 ~ 드리는 책 给学长的书

께름칙-하다 휑 = 꺼림칙하다

께서 젭 对人尊敬的主格助词 ¶아버
지~ 오셨다 父亲来了 / 선생님~ 하
신 말씀 老师说的话

껴-들다 재타 '끼어들다'의 略词

껴-안다 타 搂 lǒu; 搂抱 lǒubào ¶아
이를 껴안고 자다 搂着孩子睡觉 ¶
包揽 bāolǎn ¶혼자서 집안일을 ~ 一
个人包揽家务

껴-입다 타 (衣服) 加穿 jiāchuān; 穿
chuān ¶스웨터를 ~ 加穿毛衣 / 옷을
잔뜩 ~ 多穿衣服

꼬깃-거리다 타 捏皱 niēzhòu; 揉皱
róuzhòu = 꼬깃대다 꼬깃-꼬깃 凰
하타휑

꼬:까 몡 彩色童装 cǎisètóngzhuāng ¶
花衣服 huāyīfu

꼬:까-신 몡 彩色童鞋 cǎisètóngxié ¶
花鞋子 huāxiézi

꼬:까-옷 몡 彩色童装 cǎisètóng-
zhuāng ¶花衣服 huāyīfu

꼬꼬 一휑 **1** 鸡 jī 二휑 略略 gēgē; 喈
喈 jiējiē; 咕咕 gūgū 〈鸡叫声〉

꼬꼬댁 凰 略略 gēgē; 喈喈 jiējiē; 咕
咕 gūgū 〈鸡叫声〉

꼬끼오 凰 喔喔 wōwō 〈雄鸡叫声〉

꼬:다 타 **1** 搓 cuō; 捻 niǎn ¶새끼를
~ 搓草绳 / 노끈을 ~ 捻绳子 **2** (身
子) 扭动 niǔdòng; 交叉 jiāochā ¶다리
를 꼬고 앉아 있다 双腿交叉坐着 / 아
이가 몸을 꼬고 있다 那个孩子扭动
着身子 **3** = 비꼬다

꼬드기다 타 撺掇 cuānduo; 鼓动 gǔ-
dòng; 劝诱 quànyòu; 扇动 shāndòng;
唆使 suōshǐ ¶남을 꼬드기다 唆使别
人 / 싸움을 하라고 ~ 撺掇别人打架

꼬들-꼬들 凰휑 干硬 gānyìng ¶~
한 밥 干硬的饭

꼬락서니 몡 熊样 xióngyàng ¶그런 ~
는 보기도 싫다 那副熊样, 我都不愿意
意看

꼬르륵 凰휑 **1** (肚子) 咕咕 gūgū;
咕噜咕噜 gūlūgūlū **2** (液体) 咕噜 gūlū

꼬르륵-거리다 재 **1** (肚子) 咕咕响
gūgū xiǎng; 咕咕叫 gūgū jiào ¶배가 고
파서 계속 꼬르륵 ~ 肚子饿得
了, 肚子咕咕直叫 **2** (液体) 咕噜咕噜
响 gūlūgūlū xiǎng ¶물이 병부리로 꼬르
륵거리며 나온다 水从瓶口咕嘟咕嘟
响流出来 ∥ = 꼬르륵대다 꼬르륵-꼬
르륵 凰휑재

꼬리 몡 **1** (动物的) 尾巴 wěiba; 尾
wěi ¶~를 흔들다 摇尾巴 **2** (事物的)
尾巴 wěiba; 尾 wěi ¶혜성의 ~ 彗尾 /
비행기 ~ 飞机的尾巴 **3** 后面 hòumiàn
¶남의 ~만 따라다니다 老跟在别人后
面

꼬리가 길면 밟힌다 【속담】 多行不义必自毙

꼬리(가) 길다 ⑦ **1** 长期干坏事 **2** 不关门

꼬리(를) 감추다 ⑦ 销声匿迹

꼬리(를) 물다 ⑦ 层出不穷; 一个接一个

꼬리(를) 밟히다 ⑦ 露出马脚; 露馅儿

꼬리(를) 치다 ⑦ 撒娇诱惑

꼬리-곰탕 【명】 牛尾汤 niúwěitāng

꼬리-뼈 【명】【生】尾骨 wěigǔ = 미골

꼬리-지느러미 【명】【鱼】尾鳍 wěiqí

꼬리-털 【명】尾巴毛 wěibamáo

꼬리-표(一票) 【명】行李牌 xínglipái; 货签 huòpiān

꼬마 【명】**1** 小朋友 xiǎopéngyou; 小鬼 xiǎoguǐ ¶~야, 네 이름은 뭐냐? 小朋友, 你叫什么名字? **2** 小 xiǎo; 小的 xiǎode ¶~ 자동차 小汽车 **3** 矮子儿 ǎigèr

꼬막 【명】【贝】蚶子 hānzi; 泥蚶 níhān

꼬맹이 【명】**1** 小朋友 xiǎopéngyou; 小鬼 xiǎoguǐ **2** 矮子儿 ǎigèr

꼬물-거리다 【자】 **1** 蠕动 rúdòng ¶벌레가 땅바닥에서 ~ 虫子在地面上蠕动爬行 **2** 迟缓 chíhuǎn; 缓慢 huǎnmàn; 慢腾腾 mànténgténg 【타】 一动一动的 yīdòngyīdòng = 꼬물대다 **꼬물-꼬물** 【부】【자·타】

꼬박 【부】 **1** 一直 yīzhí; 整整 zhěngzhěng; 苦苦 kǔkǔ ¶이틀 밤을 ~ 새웠다 一直熬了两夜

꼬박-꼬박 【부】 一丝不苟 yīsībùgǒu; 不折不扣 bùzhébùkòu

꼬부라-들다 【자】 蜷曲 quánqū; 弯弯 wān ¶철사가 꼬부라들었다 铁丝弯了

꼬부라-지다 【자】 歪 wāi; 弯 wān; 弯曲 wānqū ¶꼬부라진 산길 弯曲的山路 / 허리가 ~ 腰弯了

꼬부랑 【명】 弯 wān; 曲 qū ¶~ 할머니 弯腰的老奶奶

꼬부랑-글자(一字) 【명】 **1** 洋字儿 yángzìr **2** 歪歪扭扭的字 wāiwāiniǔniǔ de zì

꼬부랑-길 【명】 曲径 qūjìng; 羊肠小道 yángchángxiǎodào

꼬부리다 【타】 使蜷曲 shǐ quánqū; 使弯曲 shǐ wānqū; 蜷缩 quánsuō ¶몸을 꼬부리고 오랫동안 일을 하다 蜷缩着身体, 长期地工作

꼬불-거리다 【자】 弯曲 wānqū; 弯 = 꼬불대다 ¶꼬불거리는 산길 弯曲的山路 **꼬불-꼬불** 【부】【자·타】

꼬시다 '꾀이다'의 错误

꼬이다¹ 【자】 = 꾀다²

꼬이다² 【자】 **1** (事情) 不顺利 bùshùnlì; 不顺手 bùshùnshǒu; 不顺 bùshùn ¶일

이 꼬여서 시간이 오래 걸렸다 事情不顺利, 花了很长时间 **2** 拐扭 biéniǔ; 顺心 bùshùnxīn ¶그는 마음이 꼬였는지 말을 하지 않는다 他可能是不顺心, 所以不说话

꼬-이다³ 【자】 **1** 纠结 jiūjié; 缠绕 chánrào **2** 拌蒜 bànsuàn ¶두 다리가 ~ 两脚拌蒜

꼬이다⁴ 【타】 = 꾀다²

꼬장-꼬장 【부】【형】 **1** 硬朗 yìngland; 矍铄 juéshuò ¶그 노인은 아직도 ~ 하다 那位老人依然很硬朗 **2** 心直 xīnzhí; 耿直 gěngzhí; 死心眼儿 sǐxīnyǎnr ¶성미가 ~한 사람 性格耿直的人

꼬질-꼬질 【부】【형】 肮脏 āngzang; 脏 zāng

꼬집다 【타】 **1** 拧 nǐng; 掐 qiā; 揪 jiū ¶허벅지를 ~ 拧大腿 **2** 强调 qiángdiào; 揭底 jiēdǐ; 揭露 jiēlù; 指出 zhǐchū

꼬챙이 【명】 扦(儿) qiān(r); 扦子 qiānzi; 签子 qiānzi = 꼬치2 ¶~에 양고기를 꿰어 굽다 把羊肉穿在扦子上烤

꼬치 【명】 **1** 串(儿) chuàn(r) ¶양고기 羊肉串儿 **2** = 꼬챙이 **3** 串(儿) chuàn(r) ¶오징어 한 ~ 一串鱿鱼

꼬치-꼬치 【부】 寻根究底 xúngēnjiūdǐ(de); 寻根问底 xúngēnwèndǐ ¶그는 사건의 전말을 ~ 캐물었다 他寻根究底地盘问事情的始末

꼬투리 【명】 **1** 头绪 tóuxù ¶~를 캐다 弄清头绪 **2** 话柄 huàbǐng; 柄 bǐng; 话把儿 huàbǎr ¶~를 잡다 抓话柄 **3**【植】豆荚 dòujiá

꼭¹ 【부】 **1** 使劲(儿) shǐjìn(r); 紧 jǐn; 好好(儿) hǎohǎo(r) ¶~ 누르다 使劲压 / 입을 ~ 다물다 紧闭着嘴 / 문이 ~ 닫혀 있다 门紧闭着 **2** 极力 jílì; 拼命 pīnmìng ¶~ 참다 拼命忍着头疼

꼭² 【부】 **1** 一定 yīdìng; 必定 bìdìng; 必须 bì; 准 zhǔn; 务必 wùbì ¶오늘 나는 ~ 그에게 고백할 것이다 今天我一定向他表白 / 내일 ~ 오세요 明天请务必来了 **2** 刚 gāng; 正 zhèng; 完全 wánquán; 刚好 gānghǎo; 正好 zhènghǎo; 恰 qià; 恰好 qiàhǎo ¶옷이 몸에 ~ 맞는다 衣服正合适 / 아버지와의 얼굴과 ~ 같다 和爸爸长得完全一样

꼭-꼭¹ 【부】 **1** 使劲(儿) shǐjìn(r); 紧 jǐn; 好好(儿) hǎohǎo(r) **2** 极力 jílì; 拼命 pīnmìng **3** 严实 yánshí

꼭-꼭² 【부】 务必 wùbì; 一定 yīdìng; 必定 bìdìng; 准 zhǔn ¶그는 날마다 한번 씩 ~ 온다 他每天准来一次

꼭대기 【명】 **1** 顶 dǐng; 顶端 dǐngduān; 头 tóu ¶시계탑 ~ 钟楼顶端 / 나무 ~ 树顶 **2** = 정수리

꼭두-각시 【명】 **1** 木偶 mù'ǒu; 傀儡

kuílěi 2 傀儡 kuílěi; 伪 wěi = 괴뢰
꼭두-새벽 명 拂晓 fúxiǎo; 黎明 límíng; 破晓 pòxiǎo
꼭지 명 1 把手 bǎshǒu; 龙头 lóngtóu ¶냄비 ~ 锅盖把手 / ~를 잠그다 关龙头 2 蒂 dì ¶감 ~ 柿子蒂 / 호박 ~ 南瓜蒂
꼭짓-점(—点) 명 〖數〗 顶点 dǐngdiǎn
꼴[1] 명 熊相 xióngxiàng; 样子 yàngzi ¶ ~이 흉하다 样子难看 / 저 ~을 보시오 看他那熊相吧
꼴[2] 명 饲草 sìcǎo; 草料 cǎoliào = 목초 ¶소에게 ~을 먹이다 给牛喂草料
-꼴 접미 表示单价 ¶사과 두 근에 십 위안이면 한 근에 오 위안~이다 假如苹果十块钱二斤, 那么一斤就是五块钱
꼴깍 부하타 1 咕嘟 gūdū ¶그는 물 한 모금을 ~ 삼켰다 他咕嘟喝了一口水 2 勉强 miǎnqiǎng; 硬 yìng ¶분을 ~ 참다 勉强忍住怒气 3 一下子 yīxiàzi ¶숨이 ~ 넘어가다 一下子咽了气
꼴-등(—等) 명 倒数第一 dàoshù dìyī; 末位 mòwèi
꼴딱 부하자타 1 咕嘟 gūdū ¶물 한 컵을 ~ 삼켰다 咕嘟一声把一杯水吞了下去 2 满满(地) mǎnmǎn(de) ¶찻주전자에 물이 ~ 찼다 茶壶里的水满满的 3 整整 zhěngzhěng ¶~ 사흘을 굶었다 整整饿了三天 4 完全 wánquán ¶해가 ~ 넘어갔다 太阳完全落山了
꼴뚜기 명 〖魚〗 望潮 wàngcháo ¶~젓 望潮酱
꼴-리다 자 生气 shēngqì; 气死 qìsǐ
꼴-불견(—不見) 명 不顺眼 bùshùnyǎn; 不像样(儿) bùxiàngyàng(r); 不像话 bùxiànghuà; 丑样儿 chǒuyàngr; 刺眼 cìyǎn ¶여자가 소리 지르는 모습은 참으로 ~이다 女人大呼小叫的样子实在不像话
꼴-사납다 형 难看 nánkàn; 丑 chǒu; 令人讨厌 lìngrén tǎoyàn ¶그렇게 꼴사납게 굴지 마라 不要那么令人讨厌
꼴찌 명 倒数第一 dàoshù dìyī; 末尾 mòwěi; 最后一个 zuìhòu yīgè ¶성적이 ~인 학생 成绩倒数第一的学生 / 달리기에서 ~를 하다 在赛跑中得了倒数第一
꼴통 명 笨蛋 bèndàn; 笨东西 bèndōngxi
꼼꼼 부하형히부 精细 jīngxì; 细致 xìzhì; 仔细 zǐxì; 细心 xìxīn ¶~한 성격 细致的性格 / ~히 살피다 仔细查看
꼼-수 명 小动作 xiǎodòngzuò; 小手段 xiǎoshǒuduàn ¶~를 부리다 搞小动作
꼼지락 부하자타 躁动 zàodòng; 一动一动 yīdòngyīdòng; 蠕动 rúdòng
꼼지락-거리다 자타 躁动 zàodòng; 一动一动 yīdòngyīdòng; 蠕动 rúdòng = 꼼지락대다 ¶강아지가 바닥에서 ~ 小狗在地板上蠕动 **꼼지락-꼼지락** 부하자타
꼼짝 부하자타 动弹 dòngtan; 动 dòng; 一动 yīdòng ¶~ 말고 거기에 있어라 不要动, 在那里呆着吧 / ~도 하지 않다 一动也不动
꼼짝 못하다 구 不敢动
꼼짝-달싹 부하자 动弹 dòngtan; 动 dòng; 一动 yīdòng ¶그 환자는 다리를 다쳐서 ~ 못한다 那个病人腿受伤了, 一动也不能动
꼼짝-없다 형 毫无办法 háowúbànfǎ; 无可奈何 wúkěnàihé **꼼짝없-이** 부
꼽다 타 1 扳 bān; 屈 qū ¶손가락을 꼽아가며 날짜를 세다 屈指算日子 2 数 shǔ ¶우리 학교에서 노래로는 그를 첫째로 꼽는다 在我们学校里, 唱歌要数他最好
꼽추 명 佝偻 gōulóu; 罗锅(儿) luóguō(r) = 곱사등이
꼽-히다 자 '꼽다' 的被动词 ¶전국에서 손에 꼽히는 미녀 在全国数得着的美女
꼿꼿-이 부 1 笔直(地) bǐzhí(de); 直挺挺(地) zhítǐngtǐng(de) ¶~ 서다 直挺挺地站着 2 耿直(地) gěngzhí(de)
꼿꼿-하다 형 1 笔直 bǐzhí; 直挺挺 zhítǐngtǐng ¶대나무가 꼿꼿하게 자랐다 竹子长得笔直 / 꼿꼿하게 앉아 있다 坐得直挺挺的 2 耿直 gěngzhí ¶마음이 ~ 心地耿直 / 성미가 ~ 性格耿直
꽁꽁 부 1 紧紧(地) jǐnjǐn(de) ¶~ 묶다 紧紧地捆 / 짐을 ~ 싸다 把行李包得紧紧的 2 硬邦邦 yìngbāngbāng; 硬梆梆 yìngbāngbāng ¶생선이 ~ 얼었다 鱼冻得硬邦邦的
꽁무니 명 1 屁股 pìgu; 臀部 túnbù 2 末尾 mòwěi; 尾 wěi; 尾巴 wěiba = 뒤꽁무니 ¶대열의 ~를 따라가다 尾随队伍而去
꽁무니를 따라다니다 구 跟随; 尾随
꽁무니(를) 빼다 구 拔腿就跑; 抱头鼠窜; 溜走
꽁-생원(—生員) 명 心胸狭窄的人 xīnxiōngxiázhǎide rén; 小气鬼 xiǎoqìguǐ
꽁지 명 1 (鸟类的) 尾羽 wěiyǔ; 尾巴 wěiba 2 尾巴 wěiba; 尾 wěi
꽁초 명 烟头(儿) yāntóu(r); 烟蒂 yāndì ¶~를 아무데나 버리다 随地乱扔烟蒂
꽁치 명 〖魚〗 秋刀鱼 qiūdāoyú
꽁:-하다 一자 耿耿于怀 gěnggěngyúhuái; 怀恨在心 huáihènzàixīn; 赌气

dǔqì ¶조그마한 일에도 공하는 사람 对于一点小事都耿耿于怀的人 □혱 心胸狭窄 xīnxiōng xiázhǎi ¶성미가 공한 사람 心胸狭窄的人

꽂다 囲 插 chā; 别 bié; 簪 zān ¶깃발을 ~ 插旗子 / 꽃을 머리에 ~ 把花簪在头上

꽂-히다 困 '꽂다'의 피동사 ¶꽃이 꽃병에 꽂혀 있다 花插在花瓶里

꽃 명 花(儿) huā(r); 花朵 huāduǒ ¶~가마 花轿 / ~가지 花枝 / ~동산 花园 / ~마차 花马车 / ~말 花语 / ~구니 花篮 / ~반지 花戒指 / ~병 花瓶 / ~신 花鞋 / ~향기 花香 / 한송이 ~을 심다 种一枝花 / 아름다운 ~들이 여기저기 피어 있다 美丽的花朵处处开着

꽃-가루 명【植】花粉 huāfěn = 화분 (花粉)

꽃-게 명【動】梭子蟹 suōzixiè; 蝤蛑 yóumóu

꽃-구경 명[하자] 观花 guānhuā; 赏花 shǎnghuā

꽃-꽂이 명[하자] 插花 chāhuā

꽃-나무 명 花树 huāshù; 花木 huāmù

꽃-눈 명【植】花芽 huāyá

꽃-다발 명 花束 huāshù ¶~을 보내다 送花束

꽃-답다 혱 花一般美丽 huāyìbān měilì ¶꽃다운 여자 花一般美丽的女子 / 꽃다운 시절 花一般美丽的年华

꽃-대 명【植】花轴 huāzhóu; 花茎 huājīng

꽃-망울 명 花苞 huābāo; 花蕾 huālěi = 망울2 · 몽우리 ¶~이 터지다 花蕾绽放

꽃-무늬 명 花纹 huāwén; 花样 huāyàng; 花 huā = 화문 ¶~ 천 花布 / ~를 수놓다 绣花纹

꽃-받침 명【植】花萼 huā'è

꽃-밥 명【植】花药 huāyào

꽃-밭 명 花圃 huāpǔ; 花园 huāyuán

꽃-뱀 명【動】花蛇 huāshé

꽃봉오리 명 蓓蕾 bèilěi; 花蕾 huālěi; 花骨朵 huāgūduo = 봉오리

꽃-부리 명【植】花冠 huāguān = 화관1

꽃-사슴 명【動】斑鹿 bānlù; 梅花鹿 méihuālù

꽃-삽 명 花铲 huāchǎn

꽃샘-추위 명 倒春寒 dàochūnhán; 春寒 chūnhán

꽃-송이 명 花朵 huāduǒ

꽃-술 명【植】花蕊 huāruǐ

꽃-잎 명【植】花瓣 huābàn = 판(瓣) · 화판

꽃-자루 명【植】花柄 huābǐng; 花梗 huāgěng

꽃-집 명 花店 huādiàn

꽃-차례(-次例) 명【植】花序 huāxù

꽃-피다 困 繁荣发展 fánróng fāzhǎn; 欣欣向荣 xīnxīn xiàngróng

꽃-피우다 囲 繁荣发展 fánróng fāzhǎn; 欣欣向荣 xīnxīn xiàngróng

꽝당 男 咣当 guāngdāng; 哐当 kuāngdāng; 砰訇 pēnghōng

꽈-리 명【植】酸浆果 suānjiāngguǒ

꽈-배기 명 麻花 máhuā

꽉 男 1 紧 jǐn; 紧紧 jǐnjǐn; 使劲(儿) shǐjìn(r); 用力 yònglì ¶~ 붙들고 놓지 않다 紧紧咬住不松口 / ~ 잡다 紧紧抓住 2 满满 mǎnmǎn; 满 mǎn ¶강당 안에 학생들이 ~ 들어찼다 礼堂里挤满了学生们

꽝[1] 男 没中 méizhòng; 没抽中 méichōuzhòng

꽝[2] 男 1 咣 guāng; 哐 kuāng; 砰 pēng; 咣当 guāngdāng; 空隆 kōnglóng ¶문이 ~하고 닫혔다 门咣当一声关上了 2 轰 hōng; 轰隆 hōnglóng ¶~하고 폭탄이 터졌다 轰隆一声, 炸弹爆炸了

꽤 男 颇为 pōwéi; 颇 pō; 相当 xiāngdāng ¶~ 멀다 颇远 / ~ 재미있는 이야기 有意思的故事

꽥 男 嗷 áo ¶그녀가 갑자기 소리를 ~ 질렀다 她突然嗷地叫了一声

꽥-꽥 男[하자] 嗷嗷 áo'áo

꽥꽥-거리다 困 嗷嗷地叫 áo'áode jiào = 꽥꽥대다

꽹과리 명【音】小锣 xiǎoluó ¶~를 치다 敲小锣

꾀 명 计策 jìcè; 计谋 jìmóu ¶~를 쓰다 用计谋

꾀꼬리 명【鳥】黄鹂 huánglí; 黄莺 huángyīng

꾀꼴 男 唧哩 jīlī (黄鹂叫声)

꾀꼴-꾀꼴 男[하자] 唧哩唧哩 jīlījīlī

꾀:다[1] 困 (虫子) 聚集 jùjí; 爬满 pá mǎn = 꼬이다1 ¶장독에 파리가 ~ 酱缸里爬满苍蝇

꾀:다[2] 困 诱骗 yòupiàn; 引诱 yǐnyòu; 诱 yòu = 꼬이다2 ¶부잣집 아들을 ~ 诱骗有钱人家的儿子

꾀-병(-病) 명 装病 zhuāngbìng = 생병2

꾀-부리다 困 耍滑头 shuǎhuátou; 耍滑 shuǎhuá; 耍奸 shuǎjiān

꾀죄죄-하다 혱 肮里肮脏 āngliʼāngzāng; 邋遢 lāta; 邋邋遢遢 lātalātā ¶꾀죄죄한 옷차림 邋邋遢遢的衣着

꾀-하다 囲 谋求 móuqiú; 图谋 túmóu; 求 qiú; 策划 cèhuà; 谋划 móuhuà ¶이익을 ~ 图利 / 반역을 ~ 谋逆

꾐 명 骗局 piànjú; 骗 piàn ¶~에 빠지다 受骗

꾸기다 囲 捏皱 niēzhòu; 弄皱 nóngzhòu; 揉皱 róuzhòu ¶꾸겨진 편지 揉

꾀的信 / 옷을 ～ 把衣服弄皱

꾸:다¹ 匪 做 zuò ¶꿈을 ～ 做梦 / 악
몽을 ～ 做恶梦

꾸:다² 匪 借 jiè ¶돈을 ～ 借钱

꾸덕-꾸덕 匪困 硬邦邦 yìngbāng-
bāng; 硬梆梆 yìngbāngbāng ¶～ 마르
다 干得硬邦邦的

-꾸러기 接尾 虫 chóng; 包 bāo; 鬼
guǐ ¶장난～ 淘气包 / 잠～ 瞌睡虫

꾸러미 名 包 bāo; 串 chuàn; 封 fēng;
捆 kǔn ¶열쇠 ～ 钥匙串 / 과자 ～ 点
心包 / 옷 꾸 ～ 一包衣服

꾸리다 匪 **1** 包 bāo; 打 dǎ; 捆 kǔn ¶
짐을 ～ 打行礼 / 배낭을 ～ 打背包 **2**
操持 cāochí; 搞好 gǎohǎo; 办好 bàn-
hǎo; 经营 jīngyíng ¶살림을 ～ 操持家
务

꾸물-거리다 自匪 **1** 缓慢 huǎnmàn;
慢腾腾 mànténgténg ¶그렇게 꾸물거
리지 말고 빨리 가거라 不要那么慢腾
腾的, 快点去吧 **2** 蠕动 rúdòng ¶달팽
이가 ～ 蜗牛蠕动 ‖ = 꾸물대다 **꾸
물-꾸물** 匪自困

꾸미다 匪 **1** 装饰 zhuāngshì; 布置
bùzhì; 打扮 dǎban; 修饰 xiūshì; 修饰
¶방을 ～ 布置房间 / 겉모양을 ～ 装
饰外观 **2** 编造 biānzào; 编 biān; 捏造
niēzào; 假造 jiǎzào; 造 zào ¶그가 꾸
며 낸 이야기 他编造出来的故事 **3** 搞
gǎo; 谋划 móuhuà; 策划 cèhuà ¶음모
를 ～ 策划阴谋 **4** 编写 biānxiě ¶각본
을 ～ 编写剧本

꾸밈-없다 形 毫无掩饰 háowúyǎnshì;
不加雕饰 bùjiā diāoshì; 朴实无华
pǔshíwúhuá **꾸밈없-이** 匪

꾸밈-음(一音) 名 [音] 装饰音 zhuāng-
shìyīn

꾸벅 匪困 点 diǎn; 点头 diǎntóu ¶
～ 인사하다 点头打招呼

꾸벅-거리다 匪 点 diǎn; 点头 diǎntóu
= 꾸벅대다 **꾸벅-꾸벅** 匪困匪 ¶～ 졸
다 头一点一点地打瞌睡

꾸불-거리다 匪 曲 qū 曲折折 qūqūzhé-
zhé; 弯弯曲曲 wānwānqūqū; 蜿蜒
wānyán = 꾸불대다 **꾸불-꾸불** 匪
困自형

꾸준-하다 形 坚持不懈 jiānchíbùxiè;
孜孜不倦 zīzībùjuàn; 孜孜不息 zīzī-
bùxī; 不懈 bùxiè; 坚韧 jiānrèn; 持续
chíxù ¶꾸준한 노력 不懈的努力 **꾸
준-히** 匪 一 일하다 孜孜不倦地工作

꾸중 名困 = 꾸지람

꾸지람 名困 训斥 xùnchì; 批评 pī-
píng; 责备 zébèi; 骂 mà; 斥责 chìzé;
说 shuō ¶꾸중 ¶어머니한테서 ～ 을
들었다 受到了母亲的责备

꾸짖다 匪 训斥 xùnchì; 批评 pīpíng;
责备 zébèi; 骂 mà; 斥责 chìzé; 说

shuō ¶거짓말을 하지 말라고 아이를
꾸짖었다 责备孩子不要说谎

꾹 匪 **1** 使劲(儿) shǐjìn(r); 紧 jǐn; 好
好(儿) hǎohǎo(r) ¶ ～ 누르다 使劲按 /
입을 ～ 다물다 紧紧地闭住嘴 **2** 极力
jílì; 拼命 pīnmìng ¶아픔을 ～ 참다 极
力忍住疼痛 / 화를 ～ 참다 极力忍住
怒气

-꾼 接尾 人 rén; 子 zi; 的 de ¶사냥
～ 猎人 / 구경 ～ 看热闹的 / 사기 ～ 骗
子

꿀 名 蜂蜜 fēngmì; 蜜 mì = 벌꿀 ¶
～단지 蜂蜜罐 / ～떡 蜜糕 / ～물 蜜水
¶**꿀 먹은 벙어리** 俗 哑巴吃蜜, 喜在
心里

꿀꺽 匪困 **1** 咕咚 gūdōng ¶침을 ～
삼키다 咕咚一声咽了口水 **2** 勉强
miǎnqiáng ¶눈물이 나는 것을 ～ 삼키
다 勉强忍住眼泪 **3** 吞 tūn; 吞吃 tūn-
chī; 吞没 tūnmò; 私吞 sītūn ¶공금을
～ 하다 吞吃公款

꿀꺽-거리다 匪 咕咚咕咚地响 gū-
dōnggūdōngde xiǎng = 꿀꺽대다 **꿀
꺽-꿀꺽** 匪困

꿀꿀 匪自 哼哼 hēnghēng 《猪叫声》
¶돼지가 ～ 울다 猪哼哼叫

꿀꿀-거리다 自 哼哼叫 hēnghēng jiào
= 꿀꿀대다

꿀꿀-이 名 **1** 猪 zhū **2** 贪心鬼 tān-
xīnguǐ = 꿀돼지

꿀-돼지 名 = 꿀꿀이2

꿀떡 匪 咕咚 gūdōng ¶떡을 ～ 삼
켰다 把年糕咕咚咽了下去

꿀떡-거리다 匪 咕咚咕咚 gūdōnggū-
dōng = 꿀떡대다 **꿀떡-꿀떡** 匪困匪

꿀-맛 名 甜 tián; 甜美 tiánměi; 香
xiāng ¶밥맛이 ～ 이다 吃饭饭很香

꿀-밤 名 栗暴 lìbào ¶머리에 ～ 몇
대를 맞았다 头上挨了几个栗暴
¶**꿀밤(을) 먹다** 俗 挨栗暴

꿀-벌 名 [虫] 蜜蜂 mìfēng

꿇다 匪 跪 guì; 下跪 xiàguì ¶바닥에
무릎을 ～ 跪在地上

꿇-리다¹ '꿇다'的被动词

꿇-리다² 匪 '꿇다'的使动词

꿇어-앉다 匪 跪坐 guìzuò; 跪下 guì-
xià; 跪 guì ¶그의 앞에 ～ 低着头跪坐
在他面前

꿇어앉-히다 匪 '꿇어앉다'的使动词
¶그를 내 앞에 ～ 让他在我面前跪下

꿈 名 **1** 梦 mèng ¶달콤한 ～ 甜蜜的
梦 / 불길한 ～ 噩梦 / ～을 꾸다 做梦
2 梦想 mèngxiǎng; 理想 lǐxiǎng ¶실현될
수 없는 ～ 不能实现的梦想 / ～이다
나의 오랜 ～이다 这是我多年的梦想
¶**꿈(을) 깨다** 俗 别梦想; 别做梦
¶**꿈도 못 꾸다** 俗 做梦也没想到
¶**꿈도 야무지다** 俗 梦做得真美

꿈-같다 휑 如梦 rúmèng; 像做梦一样 xiàng zuòmèng yíyàng ¶꿈같은 세상 如梦的世界 꿈같-이 閅 ¶30년이 ~ 흘러갔다 三十年就像做梦一样过去了

꿈-결 휑 梦中 mèngzhōng; 梦 mèng ¶~에 들은 이야기 梦中听到的故事 / ~같이 흘러간 세월 如梦般流逝的岁月

꿈-꾸다 태 1 做梦 zuòmèng 2 幻想 huànxiǎng; 梦想 mèngxiǎng ¶자유를 ~ 梦想自由

꿈-나라 명 梦乡 mèngxiāng ¶~로 가다 进入梦乡

꿈-나무 명 坯子 pīzi; 新苗 xīnmiáo

꿈-속 명 梦中 mèngzhōng; 梦里 mèngli ¶~을 헤매다 在梦中徘徊

꿈-자리 명 梦兆 mèngzhào

꿈지럭 閅 蠕动 rúdòng; 动弹 dòngtan; 慢慢地动 mànmànde dòng

꿈지럭-거리다 재 蠕动 rúdòng; 动弹 dòngtan; 慢慢地动 mànmànde dòng = 꿈지럭대다 꿈지럭-꿈지럭 閅

꿈쩍 閅하태 动弹 dòngtan; 动 dòng; 一动 yídòng

꿈쩍 못하다 귄 不敢动

꿈틀 閅하자태 蠕动 rúdòng; 蠕蠕 rúrú; 躁动 zàodòng

꿈틀-거리다 재태 蠕动 rúdòng; 蠕蠕 rúrú; 躁动 zàodòng = 꿈틀대다 꿈틀-꿈틀 閅하자태

꿉꿉-하다 휑 潮湿 cháoshī; 潮潮 ¶습기가 심해서 옷이 꿉꿉하게 되었다 因为湿气重, 衣服都潮了

꿋꿋-하다 휑 坚强 jiānqiáng; 坚定 jiāndìng; 坚贞 jiānzhēn; 坚挺 jiāntǐng ¶꿋꿋한 사람 坚强的人 / 꿋꿋한 성격 坚强的性格 꿋꿋-이 閅 ¶~ 살아가다 坚强地活下去

꿍 閅 1 咣 guāng; 哐 kuāng; 砰 pēng; 咣当 guāngdāng; 空隆 kōnglóng 2 轰 hōng; 轰隆 hōnglóng

꿍꿍-이 명 鬼胎 guǐtāi; 鬼心眼儿 guǐxīnyǎnr; 闷葫芦里的药 mènhúlulide yào

꿍꿍이-수작(──酬酌) 명하태 闷葫芦里的药 mènhúlúli de yào; 鬼胎 guǐtāi; 鬼(儿)心眼(儿)耍 ¶~을 부리다 搞鬼

꿍-하다 휑 耿耿于怀 gěnggěngyúhuái; 怀恨在心 huáihènzàixīn; 赌气 dǔqì ¶심흉 心胸狭窄 xīnxiōng xiázhǎi ¶꿍한 성격 心胸狭窄的性格 / 그는 꿍해서 친구가 없다 因为他心胸狭窄, 没有朋友

꿩 명 [动] 野鸡 yějī; 雉 zhì; 山鸡 shānjī

꿩 먹고 알 먹는다[먹기] 속담 一举两得

꿰-다 태 1 穿 chuān ¶바늘에 실을 ~

穿针 / 구슬을 ~ 穿珠子 2 熟悉 shúxī ¶그녀는 나의 사정을 죄다 꿰고 있었다 她熟悉我所有的事情

꿰-뚫다 태 1 穿过 chuānguò; 穿穿 chuān; 贯穿 guànchuān; 贯通 guàntōng ¶총알이 과녁을 ~ 子弹贯穿了靶子 / 작은 강이 공원을 ~ 小河贯穿了公园 2 看透 kàntòu; 看穿 kànchuān; 熟悉 shúxī; 精通 jīngtōng ¶적의 음모를 ~ 看穿敌人的阴谋 / 상대방의 마음속을 꿰뚫어 봤다 看透了对方的内心

꿰-매다 태 补 bǔ; 缝 féng; 缝合 fénghé ¶옷을 ~ 补衣服 / 양말을 ~ 补袜子 / 상처를 ~ 缝合伤口

꿰-이다 재 '꿰다'의 被动词 ¶바늘에 꿰인 실 穿在针上的线

꿰-차다 태 取得 qǔdé; 占 zhàn ¶주임의 자리를 ~ 取得主任的地位

뀌-다 태 放 fàng ¶방귀를 ~ 放屁

끄나-풀 명 小绳子 xiǎoshéngzi ¶~로 묶다 用小绳儿捆 2 走狗 zǒugǒu; 奸细 jiānxì; 爪牙 zhǎoyá ¶적의 ~ 敌人的走狗

끄다 태 1 熄 xī; 灭 miè; 熄灭 xīmiè ¶담뱃불을 비벼 ~ 掐灭香烟 / 불을 ~ 灭火 2 关 guān; 关上 guānshang ¶텔레비전을 ~ 关电视 / 라디오를 ~ 关收音机 / 기계를 ~ 关上机器

끄덕 閅하태 点 diǎn; 点头 diǎntóu ¶~ 인사하다 点头打招呼

끄덕-거리다 태 点 diǎn; 点头 diǎntóu = 끄덕대다 ¶그는 말은 하지 않고 계속 고개만 끄덕거린다 他不说话, 一个劲地点头 끄덕-끄덕 閅하태

끄덕-이다 태 点头 diǎntóu ¶웃음을 머금고 고개를 ~ 含笑点头

끄떡 閅하태 1 点 diǎn; 点头 diǎntóu 2 动弹 dòngtan; 动 dòng; 一动 yídòng ¶짐이 얼마나 큰지 ~도 않는다 行李太大了, 动弹不得

끄떡-거리다 재태 点 diǎn; 点头 diǎntóu 2 动弹 dòngtan; 动 dòng; 一动 yídòng ‖ = 끄떡대다 끄떡-끄떡 閅하자태

끄떡-없다 휑 坚如磐石 jiānrúpánshí; 毫不动摇 háobùdòngyáo; 稳如泰山 wěnrútàishān ¶끄떡없는 태도 坚如磐石的态度 끄떡없-이 閅

끄떡-이다 태 点 diǎn; 点头 diǎntóu ¶고개를 ~ 点头 태재 动弹 dòngtan; 动 dòng; 一动 yídòng

끄르다 태 打开 dǎkāi; 解开 jiěkāi ¶보따리를 ~ 打开包袱 / 짐을 ~ 打开行李 / 단추를 ~ 解开纽扣

끄물-거리다 재 1 阴沉 yīnchén; 阴沉沉 yīnchénchén ¶하늘이 끄물거리더니 한차례 소나기가 퍼부었다 天空

阴沉沉的, 下了一场雷阵雨 **2** 忽闪忽闪的 hūshǎnhūshǎnde ¶숯불이 바람 속에서 끄물거린다 烛光在风中忽闪忽闪的 ‖ ⇒ 끄물대다 **끄물-끄물** 〔부〕〔하자〕

끄집어-내다 〔타〕 **1** 抽出 chōuchū; 拿出 náchū; 掏出 tāochū ¶주머니에서 동전을 끄집어냈다 从口袋里掏出硬币 **2** 揭开 jiēkāi; 揭穿 jiēchuān; 揭发 jiēfā ¶약점을 ~ 揭发短处 **3** 提起 tíqǐ; 提 tí ¶지나간 일을 다시 ~ 旧事重提 **4** 得出 déchū; 找出 zhǎochū ¶결론을 ~ 得出结论

끄트머리 〔명〕 头(儿) tóu(r); 端头 duān(r); 末端 mòduān; 梢(儿) shāo(r); 末尾 mòwěi ¶실의 ~ 线头 / 밧줄의 ~ 绳子头 / 채찍의 ~ 鞭梢

끈 〔명〕 **1** 绳子 shéngzi; 绳(儿) shéng(r) ¶세 가닥 ~ 三根绳子 / ~을 풀다 解开绳子 **2** 带子 dàizi; 带(儿) dài(r) ¶모자의 ~ 帽子带儿 / 신발 ~을 매다 鞋带子

끈-기(一氣) 〔명〕 **1** 黏 nián; 黏性 niánxìng; 黏度 niándù **2** 恒心 héngxīn; 耐性 nàixìng; 韧性 rènxìng; 毅力 yìlì ¶~가 없으면 일을 해내지 못한다 没有恒心, 事情就不可能完成

끈끈-이 〔명〕 苍蝇纸 cāngyingzhǐ; 黏胶纸 niánjiāozhǐ

끈끈이-주걱 〔명〕 〔植〕 茅膏菜 máogāocài; 毛毡苔 máozhāntái;

끈끈-하다 〔형〕 **1** 黏糊 nián húf; 黏糊糊 niánhūhū ¶끈끈한 풀 黏糊糊的 浆糊 / 벌레가 끈끈한 거미줄에 걸렸다 虫子挂在黏糊糊的蜘蛛网上了 **2** (身上) 黏 nián; 黏糊 nián húf; 黏糊糊 niánhūhū ¶땀이 나서 몸이 ~ 出了汗, 身上黏糊糊的 **3** 深厚 shēnhòu; 厚厚 hòuhòu ¶끈끈한 우정 深厚的友情 **끈-히** 〔부〕

끈적-거리다 〔자〕 黏 nián; 黏糊 niánhu; 黏糊糊 niánhūhū = 끈적대다 ¶속옷까지 땀에 젖어 끈적거린다 连内衣都被汗水浸湿了, 黏黏糊糊的 / 풀이 손에 묻어 끈적거린다 手上沾了浆糊, 黏糊糊的 **끈적-끈적** 〔부〕〔하자〕

끈적-이다 〔자〕 黏 nián; 黏糊 niánhu; 黏糊糊 niánhūhū

끈-질기다 〔형〕 坚韧不拔 jiānrènbùbá; 不断 bùduàn; 不休 bùxiū; 不停 bùtíng; 坚持不懈 jiānchíbùxiè; 执意 zhíyì ¶끈질긴 의지 坚韧不拔的意志 / 끈질긴 성미 坚韧不拔的性格 / 그는 끈질기게 그녀의 행방을 추적했다 他不断地追踪她的下落

끊-기다 〔자〕 **1** '끊다1'의 被动词 ¶실이 갑자기 ~ 线突然断了 **2** '끊다2'의 被动词 ¶연락이 ~ 联系中断 / 소식이 ~ 消息断绝 **3** '끊다4'의 被动词 ¶전기가 ~ 电被掐断了 **4** '끊다5'의 被动词 ¶그는 병원에 이송되자마자 숨이 끊겼다 被送到医院就断气了 **5** '끊다6'의 被动词 **6** '끊다10'의 被动词 **7** 没有了 méiyǒule ¶막차가 이미 끊겼다 末班车已经没有了

끊다 〔타〕 **1** 断 duàn; 弄断 nòngduàn; 掐 qiā; 剪断 jiǎn ¶테이프를 ~ 剪彩 / ~ 把带子弄断 **2** 断绝 duànjué; 中断 zhōngduàn; 绝 jué ¶관계를 ~ 断绝关系 / 왕래를 ~ 断绝往来 / 인연을 ~ 断缘 **3** 戒止 jièzhǐ; 忌 jì ¶담배를 ~ 戒烟 / 술을 ~ 戒酒 **4** 停止 tíngzhǐ; 断水 duànshuǐ; 掐断 qiāduàn ¶수도를 ~ 断水 / 지원을 ~ 停止援助 **5** 结束 jiéshù; 断 duàn ¶스스로 목숨을 ~ 结束自己的生命 **6** 切断 qiēduàn ¶보급로를 ~ 切断补给路 **7** 顿 dùn; 停顿 tíngdùn **8** 买 mǎi ¶표를 ~ 买票 **9** 开 kāi ¶수표를 ~ 开支票 / 영수증을 ~ 开发票 **10** 挂 guà; 断 duàn ¶전화를 ~ 挂电话

끊어-지다 〔자〕 **1** 断 duàn; 被断 bèiduàn; 掐 qiā; 被掐 qiā ¶끈이 ~ 绳子断了 **2** 断绝 duànjué; 中断 zhōngduàn; 断 duàn; 绝 jué ¶연락이 ~ 断了联系 / 소식이 끊어졌다 消息断了 **3** 停止 tíngzhǐ; 停 tíng ¶수도가 ~ 水断了 **4** 结束 jiéshù; 断 duàn ¶숨이 ~ 断气 **5** 顿 dùn; 停顿 tíngdùn **6** 挂 guà; 断 duàn ¶전화가 ~ 电话断了

끊-이다 〔자〕 中断 zhōngduàn; 绝 jué; 断 duàn ¶주문이 끊이지 않는다 订单不断 / 차량 통행이 끊이지 않는다 车辆通行不断

끊임-없다 〔형〕 不断 bùduàn; 绵绵 miánmián; 连连 liánlián; 不绝 bùjué; 绵连 miánlián; 不懈 bùxiè ¶끊임없는 경쟁 连续不断的竞争 / 끊임없는 노력 不懈的努力 **끊임없-이** 〔부〕 ¶~ 밀려오는 사람들 不断涌来的人们

끌 〔명〕 凿子 záozi; 凿 záo

끌끌 〔부〕 啧啧 zézé 《不满的咂舌声》 ¶혀를 ~ 차다 啧啧地咂舌头

끌:다 〔타〕 **1** 拉 lā; 拖 tuō; 牵 qiān; 拽 zhuài ¶슬리퍼를 끌면서 걷다 拖着拖鞋走 / 의자를 책상 옆으로 끌어오다 把椅子拉到桌子旁边来 **2** 开 kāi; 驾驶 jiàshǐ; 牵 qiān; 拉 lā; 挽 wǎn ¶수레를 ~ 拉车 **3** 吸引 xīyǐn; 引 yǐn = 이끌다2 ¶흥미를 ~ 引起兴趣 / 주목을 ~ 引人注目 **4** 磨 mó; 拖延 tuōyán ¶날짜를 ~ 拖延日子 / 시간을 ~ 拖延时间 **5** 拉长 lācháng; 拖长 tuōcháng ¶소리를 ~ 拖长声音 **6** 带 dài; 拉 lā; 扯 chě ¶그들이 그를 끌고 갔다

他们把他拉走了 **7** 引用 yǐnyòng ¶이 말은 다른 작품에서 끌어 온 것이다 这句话是从其他作品中引用的

끌:려-가다 困 被拉(走) bèilā(zǒu); 被牵(走) bèiqiān(zǒu); 被扯(走) bèichě(zǒu) ¶경찰서로 ~ 被拉到警察局 里

끌:려-오다 困 被拉(来) bèilā(lái); 牵(来) bèiqiān(lái); 被扯(来) bèichě(lái) ¶도살장에 끌려온 돼지 被拉到屠宰场 来的猪

끌:-리다 困 1 '끌다1'의 被动词 ¶바 지가 길어 땅에 끌린다 裤子太长, 拖 到了地上 2 '끌다3'의 被动词 ¶마음 이 ~ 心被吸引 3 '끌다6'의 被动词

끌:어-내다 困 拉出 lāchū; 牵引 qiānchū; 拖出 tuōchū ¶상자를 창고에 서 ~ 把箱子从仓库里拖出来 / 学생을 교실에서 운동장으로 ~ 把学生强行 从教室拉到了运动场上 2 引出 yǐnchū ¶정확한 결론을 ~ 引出正确的结论

끌:어-당기다 困 1 拉到 lādào; 拉过来 lāguòlái; 拖到 tuōdào; 拖过来 tuōguòlái; 牵 qiān; 牵引 qiānyǐn ¶의자를 앞으로 ~ 把椅子向前拉 2 吸引 xīyǐn; 吸住 xīzhù; 引动 yǐndòng; 招引 zhāoyǐn

끌:어-들이다 困 扯 chě; 拉 lā; 拖 tuō; 拉进 lājìn; 拉入 lārù; 引进 yǐnjìn ¶그를 나쁜 길로 ~ 拖别人下水 / 그를 싸 움에 ~ 把他拉进战斗中来

끌:어-안다 困 1 搂 lǒu; 抱 bào; 搂 抱 lǒubào; 拥抱 yōngbào ¶아이를 ~ 搂抱孩子 / 어머니의 목을 끌어안고 울다 抱着妈妈的脖子哭泣 2 包揽 bāolǎn; 包 bāo

끌:어-올리다 困 提高 tígāo ¶시청률 을 ~ 提高收视率

끓는-점(─點) 圕 【化】沸点 fèidiǎn

끓다 困 1 滚 gǔn; 开 kāi; 沸腾 fèiténg ¶물이 펄펄 ~ 水哗哗开 2 发热 fārè; 发烧 fāshāo ¶몸이 절절 ~ 身子烧得很厉害 3 洋溢 yángyì; 沸腾 fèiténg ¶뜨거운 피가 ~ 热血沸腾 / 情 열이 ~ 热情洋溢 4 冒火 màohuǒ ¶속 에서 화가 ~ 心里冒火 5 咕噜咕噜响 gūlūgūlū xiǎng ¶뱃속이 ~ 肚子咕噜咕噜 响 6 扯 chě ¶가래가 ~ 扯痰 7 熙攘 xīrǎng; 拥挤 yōngjǐ

끓이다 困 烧 shāo; 烧开 shāokāi; 煮 zhǔ; 炖 dùn ¶물을 ~ 烧开水 2 焦 jiāo; 焦急 jiāojí ¶속을 ~ 焦急

끔벅 困하자困 1 忽闪忽闪 hūshǎnhūshǎnhūshǎn 2 眨眼 zhǎyǎn; 眨 zhǎ ¶눈을 ~하다 眨着眼睛

끔벅-거리다 자타困 1 忽闪忽闪 hūshǎnhūshǎn 2 眨眼 zhǎyǎn; 眨 zhǎ ‖ = 끔벅대다 **끔벅-끔벅** 困하자困

끔뻑-이다 困 1 忽闪忽闪 hūshǎnhūshǎn 2 眨眼 zhǎyǎn; 眨 zhǎ

끔찍-스럽다 闃 1 可怕 kěpà; 厉害 lìhai; 惊人 jīngrén ¶눈이 끔찍스럽게 많이 내린다 雪下得真厉害 2 惨不忍 睹 cǎnbùrěndǔ; 残酷 cánkù; 骇人听闻 hàirén tīngwén ¶끔찍스러운 장면 惨不 忍睹的场面 3 热忱 rèchén; 真挚 zhēnzhì 끔찍스레 禹

끔찍-이 禹 1 可怕地 kěpàde; 厉害 lìhai 2 惨不忍睹地 cǎnbùrěndǔde 3 非 常 fēicháng; 不得了 bùdéliǎo; 疼 téng ¶자식을 ~ 사랑하다 疼爱孩子

끔찍-하다 闃 1 可怕 kěpà; 厉害 lìhai; 惊人 jīngrén ¶날씨가 정말 끔찍하 게 덥다 天气热得真厉害 2 惨不忍睹 cǎnbùrěndǔ; 残酷 cánkù; 骇人听闻 hàirén tīngwén ¶끔찍한 살인 사건 骇人听 闻的杀人案 3 非常 fēicháng; 热忱 rèchén; 真挚 zhēnzhì; 不得了 bùdéliǎo; 疼 téng ¶할머니는 나를 끔찍하게 사 랑한다 奶奶特别疼我

끗-발 圕 手风 shǒufēng; 手气 shǒuqì; 운气 yùnqi **끗발이 좋다** 困 手气好 yùnqi hǎo

끙 떼 哎哟 āiyō; 哼哼 hēnghēng; 吭哧 kēngchī

끙-끙 禹하困 哎哟 āiyō; 哼哼 hēnghēng; 吭哧 kēngchī ¶~ 앓다 病得直 哼哼

끙끙-거리다 困 哼哼呻吟 hēnghēng shēnyín; 吭哧吭哧响 kēngchīkēngchī xiǎng ‖ = 끙끙대다

끝 圕 1 (时间、空间、事物的) 端 duān; 尽头 jìntóu; 头 tóu; 末 mò; 末 尾 mòwěi; 止境 zhǐjìng ¶복도의 맨 ~ 走廊的最尽头 / ~까지 그와 함께하다 陪他到最后 2 (条状东 西的) 尖 (儿) jiān(r); 端 duān; 梢 shāo; 头 tóu ¶붓 ~ 笔尖儿 / 손가락 ~ 手指尖 3 (顺序的) 最后 zuìhòu ¶그들은 맨 ~에 입장한다 他们最后入 场 / 끝 jiéguǒ; 结束 jiéshù; 终于 zhōngyú; 经过 jīngguò; 以后 yǐhòu ¶오랜 연구 ~에 결론을 내리다 经过长 期的研究, 得出了结论

끝-끝내 禹 '끝내'의 强调语 ¶그는 ~ 가 버렸다 他终究还是走了

끝-나다 困 结束 jiéshù; 完 wán; 终了 zhōngliǎo; 收场 shōuchǎng; 了结 liǎojié; 完结 wánjié; 完了 wánliǎo ¶회의가 ~ 会议结束 / 시합이 ~ 比赛结束

끝내 禹 1 始终 shǐzhōng; 一直 yīzhí; 还是 háishi ¶그는 ~ 입을 열지 않았 다 他还是没有开口 / 그녀는 ~ 오지 않았다 她始终没来 2 终究 zhōngjiū; 终于 zhōngyú; 最后 zuìhòu ¶그는 ~ 자신의 소원을 이루었다 他终于实现

了 자신의 愿望

끝내다 他 办完 bànwán; 结束 jiéshù; 完成 wánchéng; 做完 zuòwán; 终止 zhōngzhǐ; 完毕 wánbì (《'끝나다'의 使动词) ¶작업을 ~ 完成工作 / 숙제를 ~ 做完作业

끝-마무리 他(하다) 扫尾 sǎowěi; 收尾 shōuwěi; 善后 shànhòu; 结束 jiéshù; 结尾 jiéwěi

끝-마치다 他 办完 bànwán; 结束 jiéshù; 完成 wánchéng; 做完 zuòwán; 终止 zhōngzhǐ; 完毕 wánbì ¶행사를 ~ 结束活动 / 숙제를 ~ 做完作业 / 회의를 ~ 结束会议

끝-맺다 他 办完 bànwán; 结束 jiéshù; 完成 wánchéng; 做完 zuòwán; 终止 zhōngzhǐ; 完毕 wánbì

끝-물 名 末季 mòjì; 最后一茬 zuìhòu yīchá ¶수박이 ~이 되니 맛이 없다 西瓜是最后一茬, 没什么味道

끝-없다 形 无边 wúbiān; 无边无际 wúbiānwújì; 无限 wúxiàn; 无垠 wúyín; 一望无际 yīwàngwújì ¶끝없는 초원 无垠的草原 / 끝없는 바다 一望无际的大海 **끝없-이** 副 ~ 펼쳐진 들판 无限延伸的原野

끝-장 名 结束 jiéshù; 最后 zuìhòu; 完蛋 wándàn

끝장(을) 보다 句 见到结束; 做完

끝장-나다 自 1 结束 jiéshù; 完 wán; 终止 zhōngzhǐ 2 完蛋 wándàn ¶내 인생은 끝장났다 我的人生完蛋了

끝장내다 他 1 做到底 zuòdàodǐ; 结束 jiéshù ¶시작한 일은 끝장내고야 말겠다 已经开始做的工作, 就要做到底 2 使完蛋 shǐ wándàn

끼[1] 名 顿 dùn; 餐 cān ¶밥 한 ~ 一顿饭 / 두 ~를 굶다 饿两顿

끼[2] 名 1 素养 sùyǎng; 素质 sùzhì; 才能 cáinéng 2 花心 huāxīn; 风骚 fēngsāo

끼니 名 1 饭 fàn ¶~를 때우다 当饭吃 / ~를 거르다 饿饭 2 顿 dùn; 餐 cān ¶밥 한 ~ 一顿饭 / 매일 세 ~를 먹다 每日吃三餐

끼:다[1] 名 ('끼이다'의 略词)

끼:다[2] 他 1 笼罩 lǒngzhào; 弥漫 mímàn ¶안개가 산허리에 ~ 云雾弥漫在山腰 2 积 jī; 粘 zhān ¶옷에 때가 ~ 衣服上积污垢 3 长 zhǎng; 生 shēng ¶이끼가 ~ 长苔藓 / 곰팡이가 ~ 长霉菌 / 물때가 ~ 长水垢

끼다[3] 他 1 插 chā; 夹 jiā; 塞 sāi; 插入 chārù ¶가방을 겨드랑이에 끼고 걷다 夹起书包走 2 安 ān; 装 zhuāng; 戴 dài (《'끼우다'의 略词) ¶반지를 ~ 戴戒指 / 안경을 ~ 戴眼镜 / 장갑을 ~ 戴手套 3 挎 kuà; 挽 wǎn; 抱 bào;

抄 chāo; 交叉 jiāochā ¶깍지를 ~ 手指交叉 / 그와 팔짱을 끼고 산책을 하다 挎着他的胳膊散步 4 沿 yán ¶강을 끼고 걷다 沿着河流走 / 버스가 산기슭을 끼고 달리다 公共汽车沿着山麓奔驰 5 加 jiā; 加上 jiāshang ¶양말을 껴 신다 加双袜子 **-끼리** 接尾 伙儿 huǒr; 一起 yīqǐ ¶우리~ 咱们一起

끼리-끼리 副 搭帮结伙地 dābāngjiéhuǒde; 一帮一伙地 yībāngyīhuǒde ¶끼리끼리 어울리다 物以类聚 wùyǐlèijù ¶~ 모이다 物以类聚 / 무리 저 여행을 가다 大家搭帮结伙地去旅游

끼어-들다 自 插 chā; 插队 chāduì; 插手 chāshǒu; 掺和 chānhuo; 介入 jièrù ¶한마디 ~ 插一句话 / 남의 일에 ~ 插手别人的事情

끼-얹다 他 泼 pō; 浇 jiāo ¶몸에 물을 ~ 往身上浇水

끼우다 他 1 插 chā; 夹 jiā; 塞 sāi; 塞入 chārù ¶열쇠를 열쇠 구멍에 ~ 把钥匙塞进钥匙孔 2 安 ān; 装 zhuāng; 戴 dài ¶전구를 소켓에 ~ 把灯泡装在灯头上 3 搭 dā ¶끼워 팔다 搭售

끼-이다 自 1 '끼다[3]'의 被动词 2 '끼다[3]2'의 被动词 3 塞 sāi ¶잇새에 낀 고기 塞在牙缝里的肉 4 挤 jǐ; 挤进 jǐjìn

끼치다[1] 自 1 (鸡皮疙瘩) 起 qǐ ¶소름이 ~ 起鸡皮疙瘩 2 (气味、风等) 扑 pū ¶추운 김이 확 끼쳐 들어왔다 凉气一下子扑了进来

끼치다[2] 他 添 tiān; 给 gěi; 叫 jiào ¶폐를 ~ 添麻烦

낏 副(하다) 充其量 chōngqíliàng; 顶多 dǐngduō; 至多 zhìduō

낏-소리 名 哼声 hēngshēng; 哼一声 hēngyīshēng ¶~도 못하다 连哼都不敢哼一声

낏연(喫煙) 名(하다) = 흡연 ¶~실 吸烟室

낄낄 副(하다) 嗤嗤 chīchī; 咯咯 gēgē ¶~ 웃다 嗤嗤地笑

낄낄-거리다 自 嗤嗤地笑 chīchīde xiào = 낄낄대다 ¶그는 텔레비전을 보고 낄낄거렸다 他看着电视嗤嗤地笑

김새 名 苗头 miáotou; 情况 qíngkuàng; 征兆 zhēngzhào = 기미(幾微) ¶~를 보다 看情况 / ~를 채다 看出苗头 / ~가 수상하다 苗头不寻常

낑낑 副(하다) 哼哼 hēnghēng; 哼哧 hēngchī

낑낑-거리다 自 哼哼 hēnghēng; 哼哧 hēngchī = 낑낑대다 ¶낑낑거리며 고개를 올라가다 爬过山坡, 累得直哼哼

ㄴ

나 一㈹ 我 wǒ; 咱 zán; 俺 ǎn 《后面有助词 '가', 就变成 '내'》二㈹ 自己 zìjǐ ¶**나 먹자니 싫고 개 주자니 아깝다** 俗語 自己不吃了怕牙痛, 送别人又心痛; 吃了怕饿, 放了怕丢 ¶**나 몰라라 하다** 句 见死不救; 袖手傍观

나가다 旬 **1** 出去 chūqù; 上 shàng ¶**우리는 나가서 좀 걸어야겠다** 我们该出去走走了! **2** 往前走 wǎngqián zǒu ¶**차에 시동을 걸자 천천히 앞으로 나갔다** 车开动了, 慢慢地向前走 **3** 推广 tuīguǎng ¶**이 제품은 대기업의 유통망을 통해 전국으로 나갔다** 这个产品通过大企业的流通网向全国推广 **4** 传开 chuánkāi; 散播 sànbō ¶**이 말이 밖으로 나가지 않도록 조심하세요** 注意不让这话向外传开 **5** 进入社会 jìnrù shèhuì ¶**사회로 나가 새로운 체험을 하다** 进入社会经历新的体验 **6** 上班 shàngbān; 上工 shànggōng ¶**너 요즘 어느 회사에 나가니?** 你最近在哪个公司上班? **7** 参加 cānjiā; 赴 fù ¶**동창 모임에 ~** 赴同窗聚会 / **그는 이번에도 시의원 선거에 나갔지만 낙선되고 말았다** 他这次又参加了市议员的选举, 但是落选了 **8** 退出 tuìchū; 出走 chūzǒu; 离开 líkāi ¶**회사에서 ~** 从公司退出 / **아이가 집을 ~** 孩子离家出走 **9** 值…(钱) zhí…(qián); 有…重 yǒu…zhòng ¶**이 그림은 값이 무려 3천만 원이나 나간다** 这幅画画竟值三千万韩币 / 体重竟有一百公斤重 **10** 支出 zhīchū ¶**요즘은 물가가 너무 올라서 생활비가 너무 많이 나간다** 最近物价很贵, 生活费支出太多 **11** 碎 suì; 裂 liè; 破 pò; 断 duàn ¶**접촉 사고로 자동차 범퍼가 나갔다** 接触事故汽车保险杠破了 / **앞니가 모두 나갔다** 门牙全颗破了 / **갈비뼈가 두 대나 나갔다** 肋骨断了两根 **12** 掉 diào; 失去 shīqù ¶**정신이 ~** 失去意识 **13** 卖出去 màichūqù ¶**전세를 싸게 놓았더니 놈자마자 방이 나갔다** 降低押金后, 房子马上租出去了 **14** (电) 停 tíng; 熄灭 xīmiè ¶**전기가 ~** 停电了 **15** 好卖 hǎomài; 畅销 chàngxiāo ¶**이 잡지는 요즘에 많이 나간다** 这本杂志最近很畅销 **16** 进行到 jìnxíngdào; 上到 shàngdào; 做到 zuòdào ¶**영어는 3과**

까지 나갔다 英语上到第三课 **17** 下去 xiàqù ¶**그는 붓을 들고 단숨에 글을 써나갔다** 他提起毛笔一口气写了下去

나가-동그라지다 旬 = 나둥그라지다

나가-떨어지다 旬 **1** 摔倒 shuāidǎo; 跌倒 diēdǎo ¶**그는 바닥에 나가떨어졌다** 他在地上摔倒了 **2** 累垮 lèikuǎ ¶**네가 도와주기에 망정이지 안 그랬으면 나는 나가떨어졌을 것이다** 你能帮助我, 否则我会累垮的 **3** 掉 shuāidiào; 跌掉 diēdiào 放弃 fàngqì; 栽倒 zāidǎo ¶**투자자의 절반이 나가떨어졌다 投资者被跌掉了一半

나가-자빠지다 旬 **1** 摔掉 shuāidiào; 四肢朝天 sìzhīcháotiān; 倒下去 dǎoxiàqù ¶**누군가 길바닥에 나가자빠져 있다** 有人四肢朝天倒在地上 **2** 抛弃 pāoqì; 弃权 qìquán; 赖 lài; 弃置不顾 qìzhìbùgù ‖ = 나자빠지다

나각(螺角) 阅 [音] 螺角 luójiǎo; 螺号 luóhào

나귀 阅 [動] = 당나귀

나그네 阅 客 kè; 过客 guòkè; 行旅 xínglǚ; 游子 yóuzi

나그네-길 阅 旅途 lǚtú ¶**머나먼 ~** 远远的旅途

나긋-나긋 副 形 **1** 软软 ruǎnruǎn; 细嫩 xìnèn **2** 亲切 qīnqiè; 和蔼 hé'ǎi ¶**그녀는 ~ 미소를 지으며 다가왔다** 她带着亲切的微笑走过来

나긋-하다 形 **1** 软 ruǎn; 细嫩 xìnèn **2** (性情、态度) 软 ruǎn; 温和 wēnhé; 温柔 wēnróu

나나니 阅 [蟲] 螺蠃 guǒluǒ = 나나니벌

나나니-벌 阅 [蟲] = 나나니

나날 阅 日子 rìzi; 一天一天 yītiān yītiān; 一天天 yītiāntiān

나날-이 阅 **1** 天天 tiāntiān; 一天天 yītiāntiān **2** 日渐 rìjiàn; 日益 rìyì ¶**세상은 ~ 좋아지고 있다** 世界日益变小

나노-(nano) 頭토 毫微 háowēi ¶**~그램** 毫微克 = [纳米] / **~테크놀로지** 纳米技术 = [毫微技术]

나누-기 阅 하자토 [數] 除 chú

나누다 旬 **1** 分 fēn; 分开 fēnkai; 劈 pī; 劈开 pīkāi ¶**둘로 ~** 分开两个 **2** 区 qū; 区分 qūfēn; 划分 huàfēn ¶**유형을 ~** 区分类型 **3** 分配 fēnpèi; ¶**상금을 ~** 分配奖金 **4** 一块吃喝

yīkuài chīfǎ ¶다과를 함께 ~ 一块吃喝茶果 **5** 交谈 jiāotán ¶서로 대화를 ~ 互相交谈 **6** 共享 gòngxiǎng¶同享 tóngxiǎng ¶고통을 함께 ~ 共享痛苦 **7** 【數】除 chú ¶7을 2로 나누면 3하고 1이 남는다 七除二得三余一

나누어-지다 困 **1** 离开 líkāi **2** 分成 fēnchéng **3** (被…)分配 fēnpèi **4** 【數】(被…)除 chú

나누이-다 困 '나누다'의 被动词

나눗-셈 【數】除法 chúfǎ

나눗셈-표 图【數】除号 chúhào

나뉘다 困 '나누이다'의 略词

나다¹ 困 **1** 生 shēng; 出 chū; 发 fā; 长 zhǎng; 起 qǐ ¶이가 ~ 生牙 / 싹이 ~ 发芽 / 종기가 ~ 起疙瘩 **2** 有 yǒu ¶맛이 ~ 有味道 **3** 产生 chǎnshēng ¶기운이 ~ 产生力气 **4** 出产 chūchǎn; 产 chǎn ¶사과가 나는 지역 出产苹果的地方 **5** 结束 jiéshù; 作出 zuòchū ¶결말이 ~ 结束 / 结论이 ~ 作出结论 **6** 发表 fābiǎo; 登 dēng ¶신문에 ~ 登在报上 **7** 害怕 hàipà ¶겁이 ~ 害怕 **8** 发生 fāshēng; 出 chū; 起 qǐ ¶일이 ~ 出事儿 **9** 出产 bèichū ¶인재가 ~ 辈出人材 **10** 出生 chūshēng; 生 shēng ¶그는 1970년에 났다 他生于1970年 **11** (从身体面面) 出 chū; 发 fā; 冒 mào ¶땀이 ~ 出汗 / 열이 ~ 发烧

나다² 困 **1** 过 guò ¶겨울을 ~ 过冬 **2** 分家 fēnjiā ¶결혼하여 살림을 ~ 结婚分家

나-다니다 困他 出去转 chūqù zhuàn ¶나다니지 말고 집에 있어라 不要出去转, 呆在家里

나-대다 困 **1** (淘气地) 狂来狂去 kuángláikuángqù; (轻佻地) 狂荡 kuángdàng **2** 折腾 zhēteng; 淘气 táoqì = 나부대다 ¶늦었는데 나대지 말고 빨리 자 时间不早了, 别淘气了, 这么晚还不睡

나-돌다 困他 **1** '나돌아다니다'의 略词 **2** 传来传去 chuánláichuánqù; 传这传那 chuánzhèchuánnà ¶동네에 괴상한 소문이 나돈다 怪闻在邻里之间传来传去 **3** 呈现 chéngxiàn; 露出 lùchū ¶입가에 나도는 웃음 露在嘴角的笑容

나-돌아다니다 困他 出去转 chūqù zhuàn; 乱窜 luàncuàn 瞎逛 xiāguàng ¶나는 혼자 여기저기 나돌아다니길 좋아한다 我喜欢一个人到处瞎逛

나-동그라지다 困 跌跟头 diē gēntou; 栽跟头 zāi gēntou = 나가동그라지다 ¶길이 미끄러워 ~ 路滑得跌跟头

나-뒹굴다 困 **1** 滚 gǔn ¶그는 발길에 걷어차여 바닥에 나뒹굴었다 他被踢一脚, 滚在地上 **2** 滚来滚去 gǔnláigǔnqù; 打滚儿 dǎgǔnr; 翻滚 fāngǔn **3**

강아지가 마당에서 ~ 小狗在地上打滚儿 **3** 东倒西歪 dōngdǎoxīwāi; 散落 sànluò ¶길바닥에 크고 작은 돌들이 ~ 地上散落着大大小小的石头

나-들다 困 드나들다

나-들목 图【交】= 인터체인지

나들-이 图他[자] 串门(儿) chuànmén(r); 串门子 chuànménzi ¶바깥나들(r)

나들이-옷 图 外出服 wàichūfú

나라 图 **1** 国家 guójiā; 国 guó; 邦 bāng = 국가 ¶나라를 사랑하다 热爱国家 **2** 世界 shìjiè; 境 jìng; 乡 xiāng ¶꿈의 세계 梦梦

나락(奈落 · 那落) 图 **1** 【佛】地狱 dìyù ¶~으로 떨어지다 下地狱 **2** 苦海 kǔhǎi; 火坑 huǒkēng

나란-하다 厦 并排 bìngpái; 并 bìng; 整齐 zhěngqí **나란-히** 屢 ¶~ 걸어오다 并排走来

나랏-일 图 = 국사(國事)

나래 图 **1** (在文学作品上的) 翅膀 chìbǎng; 羽翅 yǔchì; 翼 yì **2** = 날개

나래(를) 펴다 = 날개(를) 펴다

나레이션 图【演】'내레이션'의 错误

나레이터 图 '내레이터'의 错误

나루 图 渡津 dùjīn

나루-터 图 渡口 dùkǒu ¶~지기 守渡口的

나룻-가 图 渡口附近 dùkǒu fùjìn

나룻-배 图 渡船 dùchuán; 渡轮 dùlún

나르다 囮 搬运 bānyùn; 运送 yùnsòng; 搬 bān; 运 yùn ¶목재를 트럭으로 ~ 木材用卡车搬运

나르시스(프Narcisse) 图【文】纳瑟斯 Nàsèsī

나르시시스트(narcissist) 图 自恋者 zìliànzhě

나르시시즘(narcissism) 图 自我陶醉 zìwǒ táozuì; 自恋 zìliàn

나른-하다 厦 发软 fāruǎn; 软 ruǎn 松软 sōngruǎn; 没劲(儿) méijìn(r); 乏力 fálì; 发懒 fālǎn ¶날씨가 더워지니 몸이 ~ 天热了身体发软 **나른-히** 屢

나름 义 **1** 表示 "…要看什么" ¶책도 책 ~이지 그 따위 책이 무슨 도움이 되겠니? 书也要看是什么书, 那类书能有什么用? **2** 随…便 suí…biàn ¶나는 내 ~대로 일을 하겠다 我随我的便做事儿

나:리 图 老爷 lǎoye

나마 困 尽管 jǐnguǎn; 虽然 suīrán; 虽说 suīshuō ¶네 덕에 늦게~ 일을 마칠 수 있었다 托你的福, 虽说晚了点儿, 事情还是办完了了

-나마 어미 尽管 jǐnguǎn; 虽然 suīrán ¶변변치는 못하~ 받아주세요 尽管是不足挂齿的, 也请收下吧

나막-신 图 木履 mùjī; 木屦 mùlǔ; 呱

哒板儿 guǎdābǎnr; 跩拉板儿 tǎlābǎnr ¶~을 신다 穿木屐

나머지 〖명〗 **1** 余 yú; 剩 shèng; 剩余 shèngyú = 여분 ¶회비의 ~는 다음으로 돌립시다 剩余的会费转到下届吧 **2** 【数】余 yú ¶10을 3으로 나누면 3이 되고 ~는 1이다 十除以三立三余一 **3** …得…de ¶기쁜 ~ 눈물이 나왔다 高兴得哭了起来

나무 〖명〗 **1** 树 shù; 树木 shùmù ¶~를 심다 种树 ¶~가 우거지다 树木茂盛 / ~를 베다 砍树 **2** 木 mù; 木头 mùtou ¶~ 상자 木箱 / ~로 만든 탁자 用木头做的桌子 **3** = 땔나무 ——**하다** 〖자〗打柴 dǎchái

나무-껍질 〖명〗 树皮 shùpí

나무-꾼 〖명〗 樵夫 qiáofū; 打柴的 dǎcháide ¶~과 선녀 樵夫与仙女

나무-늘보 〖동〗 懒熊 lǎnxióng

나무-다리 〖명〗 木桥 mùqiáo

나무라다 〖타〗 **1** 责备 zébèi; 责怪 zéguài; 怪 guài; 怪罪 guàizuì ¶컵은 그가 깼는데 왜 저를 나무라십니까? 杯子明明是他打碎的, 为什么怪我? **2** 指摘 zhǐzhāi; 挑剔 tiāoti; 非议 fēiyì ¶나무랄 데가 없다 无可非议

나무-못 〖명〗 木钉 mùdīng

나무-배 〖명〗 목조선

나무-뿌리 〖명〗 树根 shùgēn

나무-숲 〖명〗 树林 shùlín = 수림

나무-아미타불 〖명〗 【佛】 **1** 南无阿弥陀佛 nánwúāmítuófó **2** 白费工夫 báifèi gōngfu; 一事无成 yīshì wúchéng; 前功尽弃 qiángōng jìnqì; 付诸东流 fùzhū dōngliú ¶10년 공로가 ~이 되었다 十年功劳, 白费工夫了

나무-젓가락 〖명〗 木筷子 mùkuàizi ¶~을 조개다 分开木筷子

나무-토막 〖명〗 木头 mùtou; 木块 mùkuài; 木片 mùpiàn ¶~ 같은 사람 像木头一样的人

나무-통(—桶) 〖명〗 木桶 mùtǒng

나무-판자(—板子) 〖명〗 널빤지

나물 〖명〗 **1** 野菜 yěcài; 蔬菜 shūcài **2** 凉拌菜 liángbàncài ¶~을 무치다 掺拌野菜

나뭇-가지 〖명〗 树枝 shùzhī ¶~를 꺾다 折断树枝

나뭇-결 〖명〗 木纹 mùwén; 木理 mùlǐ; 树纹 shùwén ¶~이 곱다 木纹很漂亮

나뭇-잎 〖명〗 树叶 shùyè ¶~이 떨어지다 树叶落下

나뭇-조각 〖명〗 木片 mùpiàn; 木块 mùkuài

나박-김치 〖명〗 萝卜片泡菜 luóbopiàn pàocài

나발 〖←나팔(喇叭)〗 〖명〗 **1** 【音】 喇叭 lǎba **2** 什么的 shénmede ¶돈이고 ~

이고 다 필요 없다 钱什么的都不要

나발(을) **불다** 〖구〗 **1** 吹牛 chuīniú; 说大话 shuōdàhuà; 吹牛皮 chuīniúpí **2** 胡说 húshuō; 瞎说 xiāshuō; 信口开河 xìnkǒu kāihé **3** 拿着瓶喝 názhepíng hē **4** 招认 zhāorèn; 供认 gòngrèn ‖ = 나팔(을) 불다

나병(癩病) 〖의〗 麻风 máfēng; 麻风病 máfēngbìng; 癞病 làibìng; 汉森氏病 hànsēnshìbìng

나병원(癩病院) 〖명〗 麻风医院 máfēng yīyuàn

나부끼다 〖자타〗 飘扬 piāoyáng; 飘动 piāodòng; 招展 zhāozhǎn ¶태극기가 ~ 太极旗飘扬

나부-대다 〖자〗 淘气 táoqì; 折腾 zhēteng = 나대다2 ¶아이가 ~ 小孩子淘气

나부대대-하다 〖형〗 (脸蛋) 扁圆 biǎnyuán

나부랭이 〖명〗 **1** 碎块 suìkuài; 碎片 suìpiàn **2** 鸡毛蒜皮的 jīmáosuànpíde; 货色 huòsè; 烂 làn ¶소설 ~ 破小说 = [烂小说]

나불-거리다 〖자타〗 **1** 飘动 piāodòng; 飘摇 piāoyáo; 飘 piāo ¶나뭇잎 飘飘摇摇的 **2** 多嘴多舌 duōzuǐ duōshé; 喋喋不休 diédiébùxiū ¶그는 쉴 새 없이 나불거린다 他喋喋不休 ‖ = 나불대다 **나불-나불** 〖부·하(여)자타〗 ~ 말도 잘한다 多嘴多舌他很会说话

나-붙다 〖자〗 贴出 tiēchū; 张贴 zhāngtiē ¶벽보가 ~ 贴出壁报

나비[1] 〖명〗 宽 kuān; 幅 fú

나비[2] 〖충〗 蝴蝶 húdié; 蝶 dié

나비-넥타이(—necktie) 〖명〗 蝴蝶领结 húdié lǐngjié; 领结 lǐngjié; 领花 lǐnghuā

나비-매듭 〖명〗 【手工】 蝴蝶结 húdiéjié

나쁘-지다 〖자〗 坏 huài; 变坏 biànhuài

나쁘다 〖형〗 **1** 不好 bùhǎo; 不灵 bùlíng; 不良 bùliáng; 劣 liè ¶머리가 ~ 脑子不灵 / 발음이 ~ 发音不好 / 안색이 ~ 脸色不好 / 평판이 ~ 名声不好 **2** 有害 yǒuhài; 不好 bùhǎo ¶밤을 새는 몸에 ~ 熬夜对身体有害 **3** 坏 huài; 不好 bùhǎo ¶거짓말은 ~ 说谎是不好的

나사(螺絲) 〖명〗 螺钉 luódīng; 螺丝钉 luósīdīng; 螺丝 luósī ¶~를 돌리다 拧螺丝 / ~를 죄다 拧紧螺丝

나사가 빠지다 〖구〗 糊涂; 晕头转向

나사가 풀리다 〖구〗 糊神松懈

나사(羅紗) 〖명〗 罗纱 luóshā

나사(NASA) 〖항〗 美国宇航局 Měiguó Yǔhángjú; 美国国家航空航天局 Měiguó Guójiā Hángkōng Hángtiānjú

나사-돌리개(螺絲—) 〖명〗 螺丝刀 luósīdāo; 改锥 gǎizhuī; 螺丝起子 luósī

qǐzi = 드라이버

나사—못(螺絲—) 몡 螺钉 luódīng; 螺丝钉 luósīdīng

나사—산(螺絲山) 몡 螺纹 luówén; 螺丝扣 luósīkòu

나상(螺狀) 몡 = 나선형

나서—다 㘣자 1 站出来 zhànchūlái; 走到前边去 zǒudào qiánbiān qù; 走出来 zǒuchūlái 2 出面 chūmiàn; 出现 chūxiàn; 显现 xiǎnxiàn; 展现 zhǎnxiàn ¶관중 앞에 ~ 出现在观众面前 3 干涉 gānshè; 参与 cānyù ¶이 일에 나서지 마라 不要干涉这件事 4 主导 zhǔdǎo; 挺身而出 tǐngshēn'érchū ¶네가 나선다고 될 일이 아니다 这不是你主导而成的事 㘣타 出发 chūfā; 离开 líkāi ¶학교를 ~ 从学校出发

나선(螺旋) 몡 螺旋 luóxuán ¶~ 계단 螺旋楼梯 / ~ 운동 螺旋运动

나선—상(螺旋狀) 몡 = 나선형

나선—형(螺旋形) 몡 螺旋状 luóxuánzhuàng; 螺旋形 luóxuánxíng = 나상·나선상

나스닥(NASDAQ) 몡 【經】那斯达克 Nàsīdákè

나아—가다 㘣 1 前进 qiánjìn; 往前走 wǎngqián zǒu; 前去 qiánqù; 上前 shàngqián ¶한 발짝 앞으로 ~ 往前走一步 2 进展 jìnzhǎn; 进行 jìnxíng ¶공사가 순조롭게 ~ 工程进行得很顺利

나아—가서 몝 乃至 nǎizhì; 进而 jìn'ér

나아—지다 자 好转 hǎozhuǎn; 变好 biànhǎo; 有起色 yǒu qǐsè ¶병세가 ~ 病情好转

나앉다 자 1 往…坐 wǎng…zuò ¶앞으로 ~ 往前坐 2 流落 liúluò; 落脚 luòjiǎo ¶가산을 탕진하여 온 가족이 거리에 나앉게 생겼다 荡尽家产, 全家要流落街头了

나:약(懦弱·愞弱) 몡하형 懦弱 nuòruò; 软弱 ruǎnruò ¶인간은 ~한 존재다 人类是懦弱的存在

나열(羅列) 몡하자타 1 罗列 luóliè ¶사실을 ~하다 罗列事实 / 알고 있는 유명 상표를 ~해 보세요 请罗列出你知道的名牌 2 排列 páiliè; 列入 lièrù; 排 pái ¶상품이 한 줄로 ~되어 있다 商品排成一排

나—오다 㘣자 1 出 chū; 出来 chūlái ¶방에서 ~ 从房间里走出来 / 복숭아에서 벌레가 한 마리 ~ 桃子里出来一条虫子 2 露出 lùchū ¶웃음이 ~ 露出笑容 3 上班 shàngbān; 参加 cānjiā; 出席 chūxí; 来 lái; 到 dào ¶직장에 ~ 上班 / 회의에 ~ 出席会议 4 出产 chūchǎn; 生产 shēngchǎn; 上市 shàngshì ¶수박이 나오기 시작했다 西瓜上市了 5 辞职 cízhí; 离开 líkāi; 退出 tuìchū ¶직장에서 ~ 离开岗位 6 (书报等) 登出 dēngchū; 刊登 kāndēng; 出自 chūzì ¶그 기사가 어제 신문에 나왔다 那个新闻冒在昨天的报纸上 7 采取 cǎiqū ¶강경한 태도로 ~ 采取强硬的态度 8 (肚子等) 凸起 tūqǐ; 凸出来 tūchūlái ¶아버지는 배가 많이 나오셨다 父亲肚子凸出了不少 㘣타 毕业 bìyè ¶고등학교를 ~ 高中毕业

나위 의몡 余 yú; 余地 yúdì; 必要 bìyào; 再 zài; 更 gèng; 比 bǐ ¶말할 나위 없다 尤其余事 / 기분이 더할 ~ 없이 좋다 心情无比好

나으리 몡 '나리'의 잘못

나이 몡 年龄 niánlíng; 年纪 niánjì; 年岁 niánsuì = 연령 ¶너는 올해 ~가 몇이니? 今年你几岁了? / ~가 좀 많다 年龄有点大 / ~ 차이가 많이 나는 커플 年龄差距很大的情侣

나이(가) 아깝다 판 年岁怪可惜 (讥讽所作所为与幼稚得同年龄不相称)

나이롱 몡 'nylon'의 잘못

나이롱—환자(←nylon患者) 몡 假装的病人 jiǎzhuāngde bìngrén

나이—테(—) 몡 【植】年轮 niánlún = 연륜 1 ¶나무의 ~ 树木的年轮

나이트(night) 몡 = 나이트클럽

나이트—가운(nightgown) 몡 (女用) 长睡衣 chángshuìyī; 睡袍 shuìpáo

나이트—쇼(night+show) 몡 夜秀 yèxiù; 夜场演出 yèchǎng yǎnchū

나이트—클럽(nightclub) 몡 夜总会 yèzǒnghuì = 나이트

나이팅게일(nightingale) 몡 【鳥】夜莺 yèyīng

나이프(knife) 몡 1 小刀 xiǎodāo; 餐刀 cāndāo ¶포크와 ~ 叉子和餐刀

나—인 몡 【史】宫女 gōngnǚ; 宫人 gōngrén; 宫娥 gōng'é; 女官 nǚguān = 궁녀·궁인·시녀1

나일론(nylon) 몡 【化】尼龙 nílóng; 耐纶 nàilún ¶~ 스타킹 尼龙长袜

나잇—값 몡 与年龄相应 yǔ niánlíng xiāngfú; 懂事 dǒngshì ¶그는 아직도 ~을 못한다 他还不懂事 / ~을 하다 做与年龄相符

나잇—살 몡 较大年龄 jiàodà niánlíng; 一把年纪 yìbǎ niánjì; 上岁数 shàng suìshu ¶~이나 먹었으면서도 제 할 일을 못한다 较大年龄也做不了自己的责任

나—자빠지다 자 = 나가자빠지다

나전(螺鈿) 몡 【手工】螺钿 luódiàn ¶~ 칠기 螺钿漆器

나절 의몡 半天 bàntiān; 半晌 bànshǎng; 晌 shǎng ¶아침 ~ 上半天

나:중 몡몝 以后 yǐhòu; 过后 guòhòu; 下次 xiàcì; 后来 hòulái; 然后 ránhòu;

~ 일 以后의 事 /~에 만나서 以后再 見 / 나는 그 일을 ~에야 알았다 我那 件事情后来才知道了

나중에 보자는 사람[양반] 무섭지 않 다 **속담** 说走着瞧的人并不可怕

나즈막-하다 '나지막하다'의 错误

나지막-이 图 (声音或高度) 很低地 hěndìde; 小小地 xiǎoxiāode

나지막-하다 图 (声音或高度) 很低 hěn dī; 小小 xiǎoxiǎo; 很矮 hěn ǎi

나직-이 图 (声音或高度) 很低地 qīngqīngde; 小小地 xiǎoxiāode; 很低地 hěn dīde ¶ ~ 말하 다 轻轻地说话

나직-하다 图 轻轻 qīngqīng; 小小 xiǎoxiǎo; 很低 hěn dī; 很矮 很矮 ǎi 爬爬 ǎipápá

나:체(裸體) 图 = 알몸1 ¶ ~ 사진 裸 体照片 [裸照] / ~상 裸体像 / ~화 裸体画 / ~로 돌아다니다 裸体走来走 去

나:체-쇼(裸體show) 图 = 누드쇼

나치(독Nazi) 图 **史** **1** = 나치스2 = 나치스2

나치스(독Nazis) 图 **史** 纳粹党 Nà-cuìdǎng = 나치1

나치스트(독Nazist) 图 **1** 纳粹分子 Nàcuì fènzǐ **2** **史** 纳粹党员 Nàcuì-dǎngyuán = 나치2

나치즘(Nazism) 图 纳粹主义 Nàcuì zhǔyì

나침-반(羅針盤) 图 **物** 罗盘 luó-pán = 나침판 ¶ ~으로 방위를 가늠 하다 用罗盘测定方位

나침-판(羅針─) 图 **物** = 나침반

나타-나다 困 **1** 出現 chūxiàn; 露面 (儿) lòumiàn(r) ¶ 서쪽 하늘에 검은 구 름이 나타났다 西方的天空出現了一 片乌云 **2** 表現出 biǎoxiànchū; 露出 lùchū; 显出 xiǎnchū ¶취하면 본성이 나타난다 一醉就暴露了本性 **3** 产生 chǎnshēng; 发生 fāshēng; 出来 chūlái ¶새로운 사실이 차례로 나타났다 新 事实一个接一个地出来了

나타-내다 囲 **1** 出現 chūxiàn ¶회의 장에 모습을 ~ 出現在会场 **2** 显示 xiǎnshì; 显出 xiǎnchū; 表露 biǎolù; 露 出 lùchū; 表達 biǎodá ¶언짢은 기 색을 ~ 显出不高兴的神色 / 감정을 겉으로 ~ 表露情感 **3** 表达 biǎodá; 表示 biǎoshì ¶이 기호는 맑음을 나타 낸다 这个符号表示晴天

나:태(懶怠) 图图 懶惰 lǎnduò; 懈怠 lǎnduò ¶~한 생활을 하다 懒惰生活

나토(NATO)[North Atlantic Treaty Organization] 图 **政** = 북대서 양 조약 기구

나트륨(독Natrium) 图 **化** 钠 nà ¶ ~ 불꽃 钠火花 / ~ 비누 钠肥皂

나팔(喇叭) 图 **音** **1** 喇叭 lǎba **2** 号 hào ¶기상~ 起床号

나팔(을) 불다 귄 = 나발(을) 불다

나팔-관(喇叭管) 图 **生** **1** 半规管 bànguīguǎn **2** 输卵管 shūluǎnguǎn; 喇 叭管 lǎbaguǎn

나팔-꽃(喇叭─) 图 **植** 喇叭花 lǎ-bahuā; 牵牛花 qiānniúhuā

나팔-바지(喇叭─) 图 喇叭裤 lǎbakù

나팔-수(喇叭手) 图 喇叭手 lǎbashǒu; 号手 hàoshǒu

나:포(拿捕) 图图 **1** 逮捕 dàibǔ; 捉 拿 zhuōná; 捕获 bǔzhuō **2** 扣押 kòu-yā; 截获 jiéhuò; 截船 ¶~선 截获 获船 拦海上侵犯的船舶 ¶~하다 扣押侵犯领海的船舶

나풀-거리다 困 飘动 piāodòng; 飘扬 piāoyáng; 飘摇 piāoyáo; 招展 zhāo-zhǎn = 나풀대다 ¶国旗가 바람에 ~ 国旗仰风招展 나풀-나풀 图图困

나프탈렌(naphthalene) 图 **化** 萘 nài; 臭樟脑 chòuzhāngnǎo; 石脑油精 shínǎoyóujīng

나:-환자(癩患者) 图 麻风病人 máfēng bìngrén; 癞病人 làibìngrén

나흘 图 四天 sìtiān ¶~ 동안 굶었다 四天什么都没吃

낙(樂) 图 乐 lè; 快乐 kuàilè; 乐趣 lè-qù; 愉快 yúkuài ¶먹는 ~으로 살다 以 吃为乐

낙관(落款) 图图 落款 luòkuǎn; 款识 kuǎnzhì

낙관(樂觀) 图图자困 乐观 lèguān ¶승 리를 ~하다 对胜利持乐观态度

낙관-론(樂觀論) 图 乐观论 lèguānlùn ¶~ 乐观论者 = 낙관주의 낙관론자 = 낙관주의자

낙관-적(樂觀的) 型图 乐观 lèguān ¶그는 어 떤 일에도 매우 ~이다 他对什么事都 很乐观

낙관-주의(樂觀主義) 图 **哲** = 낙 천주의

낙낙-하다 图 稍大 shāo dà; 稍多 shāo duō ¶옷은 좀 ~ 이 입는 편이 좋 다 衣服穿得稍大一点儿比较好 / 돈을 좀 낙낙하게 들고 가거라 拿去稍多的 钱 낙낙-히 图

낙농(酪農) 图 **農** = 낙농업 ¶~ 기 계 酪农机器 / ~품 酪农产品

낙농-업(酪農業) 图 **農** 酪农 lào-nóng; 酪农业 làonóngyè; 乳制品农业 rǔzhìpǐn nóngyè = 낙농

낙담(落膽) 图图자困 灰心 huīxīn; 气馁 qìněi; 丧气 sàngqì ¶시험에 떨어져 ~ 하다 没考上很灰心

낙동-강(洛東江) 图 **地** 洛东江 Luò-dōngjiāng

낙동강 오리알 귄 落东江鸭蛋 (凄凉 得周围一个人也没有)

낙뢰(落雷) 〖명〗〖하자〗 雷 léi；落雷 luòléi；打雷 dǎléi ¶~로 인한 정전 因落雷的停电

낙마(落馬) 〖명〗〖하자〗 落马 luòmǎ；坠马 zhuìmǎ ¶~하여 다치다 落马受伤

낙방(落榜) 〖명〗〖하자〗 1 〖史〗 下第 xiàdì；落榜 luòbǎng；落第 luòdì = 낙제 3 2 不及格 bùjígé；落榜 luòbǎng；没考上 méikǎoshàng

낙법(落法) 〖명〗〖體〗 安全倒地法 ānquán dǎodìfǎ；落法 luòfǎ

낙상(落傷) 〖명〗〖하자〗 跌伤 diēshāng；摔伤 shuāishāng

낙서(落書) 〖명〗〖하자〗 乱写 luànxiě；乱涂 luàntú；胡写乱画 húxiě luànhuà；信手涂写 xìnshǒu túxiě ¶~ 금지 乱写乱禁止 / 벽에 ~가 있다 墙上胡写乱画有

낙석(落石) 〖명〗 落石 luòshí；滚石 gǔnshí ¶~으로 인한 교통사고 落石引起的交通事故

낙선(落選) 〖명〗〖하자〗 落选 luòxuǎn ¶자 落选者 / 그는 이번 선거에서 ~했다 他这次选举落选了

낙성(落成) 〖명〗〖자타〗 落成 luòchéng；竣工 jùngōng；建成 jiànchéng ¶~식 落成典礼

낙수(落水) 〖명〗 屋檐落水 wūyán luòshuǐ；檐溜 yánliū

낙수-받이(落水一) 〖명〗 1 (屋檐下的) 笕槽 jiǎncáo；水槽 shuǐcáo 2 落水地 luòshuǐdì；落水盘 luòshuǐpán

낙숫-물(落水一) 〖명〗 屋檐水 wūyán-shuǐ；檐溜 yánliū

낙승(樂勝) 〖명〗〖하자〗 轻取 qīngqǔ；轻易取胜 qīngyì qǔshèng ¶우리 팀이 이번 경기에서 ~을 거뒀다 这次比赛我们队轻易取胜了

낙심(落心) 〖명〗〖하자〗 灰心 huīxīn；失望 shīwàng；沮丧 jǔsàng；心灰意冷 xīnhuīyìlěng；气馁 qìněi ¶~이 크다 极度沮丧

낙엽(落葉) 〖명〗 落叶 luòyè ¶~ 관목 落叶灌木 / 교목 落叶乔木 / ~송 落叶松 / ~수 落叶树 / 나무에서 ~ 从树上翻腾飞的落叶

낙오(落伍) 〖명〗〖하자〗 落伍 luòwǔ；掉队 diàoduì；落后 luòhòu ¶~병 落伍兵 / ~자 落伍者 / ~하지 않도록 기운을 내라 抖起精神，以免落伍

낙원(樂園) 〖명〗 乐园 lèyuán；乐土 lètǔ；天堂 tiāntáng；天国 tiānguó；极乐世界 jílè shìjiè

낙인(烙印) 〖명〗 烙印 làoyìn ¶그에 의해 반역자의 ~이 찍히다 被他上反徒的烙印

낙인-찍다(烙印—) 〖타〗 打烙印 dǎ làoyìn

낙인-찍히다(烙印—) 〖자〗 被打烙印

낙장(落張) 〖명〗 1 缺页 quēyè；少页 shǎoyè；掉页 diàoyè ¶~본 缺页本 = [掉页本] 2 打出的牌 dǎchūde pái ¶~불입 牌落地不悔

낙점(落點) 〖명〗〖하타〗 选 xuǎn；选任 xuǎnrèn；选定 xuǎndìng ¶주인공으로 ~되다 被选定为主人公

낙제(落第) 〖명〗〖하자〗 1 (考试) 不及格 bùjígé；没考上 méikǎoshàng ¶시험에 ~하다 考试不及格 2 落第 luòdì；落榜 luòbǎng；留级 liújí ¶~생 落第生 / 점 落第分数 3 〖史〗 = 낙방 1

낙조(落照) 〖명〗 落照 luòzhào；夕照 xīzhào ¶아름다운 서해의 ~ 美丽的西海落照

낙지 〖명〗〖動〗 小章鱼 xiǎozhāngyú；章鱼 zhāngyú；八带鱼 bādàiyú ¶~볶음 炒章鱼 / ~전골 章鱼荤杂烩 / ~젓 章鱼酱

낙진(落塵) 〖명〗 1 放射性尘埃 fàngshèxìng chén'āi；放射尘 fàngshèchén 2 落尘 luòchén；降尘 jiàngchén

낙차(落差) 〖명〗 1 (水的) 落差 luòchā ¶~가 큰 하천 落差很大的河川 2 高低差 gāodīchā 3 差距 chājù；落差 luòchā

낙착(落着) 〖명〗〖하자〗 着落 zhuóluò；落实 luòshí；了结 liǎojié；放射尘 fàngshèchén ¶~이 겨우 ~되었다 纠纷好容易才了结

낙찰(落札) 〖명〗〖하타〗 〖經〗 中标 zhòngbiāo；得标 débiāo；标落 biāoluò ¶~가 中标价 / ~자 中标人 / 이번 경매에서 우리가 ~ 받았다 这次拍卖中，我们中标了

낙천(樂天) 〖명〗 乐天 lètiān；乐观 lèguān ¶~가 乐天家 / ~론 乐天论

낙천-적(樂天的) 〖관〗〖명〗 乐天 lètiān ¶~인 삶 乐天人生

낙천-주의(樂天主義) 〖명〗〖哲〗 乐天主义 lètiān zhǔyì = 낙관주의 ¶~자 乐天主义者

낙타(駱駝) 〖명〗〖動〗 骆驼 luòtuó；驼 tuó

낙태(落胎) 〖명〗〖하자〗〖醫〗 1 = 유산(流产) 1 2 坠胎 zhuìtāi；人工流产 réngōng liúchǎn

낙하(落下) 〖명〗〖하자〗 落下 luòxià；降落 jiàngluò；堕 duò；堕下 duòxià ¶~ 운동 落下运动 / ~지점 落下地点 / 운석이 ~하다 陨石落下来

낙하-산(落下傘) 〖명〗 降落伞 jiàngluò-sǎn

낙하산 부대(落下傘部隊) 〖軍〗 = 공수 부대

낙향(落鄉) 〖명〗〖하자〗 下乡 xiàxiāng；还乡 huánxiāng；回乡 huíxiāng ¶~하여 여생을 보내다 还乡过余生

낙화(落花) 명한자 落花 luòhuā; 落红 luòhóng

낙화-생(落花生) 명【植】= 땅콩

낙후(落後) -되다 명 落后 luòhòu ¶생산 기술이 ~되다 生产技术落后 / ~한 국 가 落后国家

낚다 타 1 钓 diào ¶고기를 ~ 钓鱼 2 谋취 móuqǔ; 沾 gū 3 勾引 gōuyǐn; 引 诱 yǐnyòu ¶여자 친구를 ~ 勾引女朋 友 4 诱骗 yòupiàn

낚시 명 1 钓钩 diàogōu; 钓鱼钩 diàoyúgōu = 낚싯바늘 2 钓鱼具 diào- yújù; 钓具 diàojù 3 = 낚시질1 ¶~꾼 钓鱼人 / ~회 钓鱼会 / ~를 가다 去钓 鱼 4 勾引 gōuyǐn; 引诱 yǐnyòu

낚시-질 명 1 钓鱼 diàoyú; 垂钓 chuídiào = 낚시3 2 勾引 gōuyǐn; 引 诱 yǐnyòu

낚시-찌 명 鱼漂(儿) yúpiāo(r) = 찌

낚시-터 명 钓鱼处 diàoyúchù; 钓台 diàotái ¶~를 물색하다 物色钓鱼处

낚시-대 명 钓鱼竿 diàoyúgān; 钓竿 (儿) diàogān(r); 鱼竿 yúgān

낚싯-바늘 명 = 낚시1

낚싯-밥 명 = 미끼1 ¶~을 던지다 投鱼饵

낚싯-배 명 钓鱼船 diàochuán; 钓鱼船 diàoyúchuán

낚싯-줄 명 钓鱼线 diàoyúxiàn; 钓线 diàoxiàn; 钓丝 diàosī

낚아-채다 타 1 用力拉钓鱼线 yònglì lā diàoyúxiàn 2 拽过来 zhuàiguólái; 一 把揪住 yībǎ jiūzhù ¶머리채를 ~ 一把 揪住头发 3 扒 pá; 窃 qiè; 抢 qiǎng; 夺取 duóqǔ; 霸占 bàzhàn ¶돈가방을 낚아채 달아나다 抢了装钱的包就跑 / 남의 재산을 ~ 霸占别人的财产

낚-이다 자 1 被钓 bèidiào 2 被勾引 bèigōuyǐn; 被诱骗 bèiyòupiàn

난(亂) 명 = 난리1 ¶~을 일으키다 作乱

난(蘭) 명【植】= 난초 ¶난을 치다 画兰

-난(難) 접미 荒 huāng ¶주택~ 房荒 / 인재~ 人才荒

난간(欄杆・난간) 명【建】栏杆 lángān

난감-하다(難堪-) 형 难堪 nánkān; 难 办 nánbàn; 尴尬 gāngà ¶难为情 nán- wéiqíng ¶난감한 처지에 놓이다 处于 尴尬境地 **난감-히** 부

난공(難攻) 명 难攻 nángōng

난공불락(難攻不落) 명 坚不可摧 jiān- bùkěcuī; 百攻不破 bǎigōngbùpò ¶~의 수비 百攻不破的防守

난관(難關) 명 难关 nánguān; 险关 xiǎnguān ¶~에 부딪치다 遇到难关 / ~을 극복하다 克服难关 / ~을 뚫다 突破难关

난국(難局) 명 僵局 jiāngjú; 困难局面 kùnnan júmiàn; 难关 nánguān ¶~을 타개하다 打开僵局

난-기류(亂氣流) 명【地理】乱气流 luànqìliú; 不规则气流 bùguīzé qìliú ¶ 비행기가 ~를 만나다 飞机遇上乱气 流

난-놈 명 有出息的 yǒuchūxide ¶내가 보기에, 너는 ~이다 依我看, 你是个 有出息的

난-대(暖帶・煖帶) 명【地理】= 아열 대

난-대림(暖帶林) 명【地理】暖带林 nuǎndàilín = 아열대림

난-데없다 형 突如其来 tūrúqílái; 突 然出现 tūrán chūxiàn; 来历不明 láilì bùmíng; 无根无据 wúgēnwújù ¶난데없 는 고함 소리 突如其来的喊叫声 **난-데 없이** 부 ¶~ 글꼴이 바뀌었다 无根 无据的字体变形了

난-도-질(亂刀-) 명한타 乱砍 luàn- kǎn; 细剁 xìduò ¶그는 ~을 당하며 잔인하게 살해됐다 他被残忍一阵乱砍 死了

난독(難讀) 명한형 难读 nándú ¶~증 难读症

난-동(亂動) 명한자 制造混乱 zhìzào hùnluàn; 捣乱 dǎoluàn; 骚乱 sāoluàn; 暴乱 bàoluàn ¶그가 우리 집에 와서 ~을 부렸다 他来我家里捣乱

난-로(暖爐・煖爐) 명 暖炉 nuǎnlú; 火 炉子 huǒlúzi; 炉 lú; 火炉(儿) huǒlú(r); 取暖器 qǔnuǎnqì ¶~에 불을 지피다 生火炉 / ~를 쬐다 取暖火炉

난-롯-가(煖爐-) 명 炉边 lúbiān ¶~ 에서 이야기를 나누다 炉边谈话

난-롯-불(煖爐-) 명 炉火 lúhuǒ

난-류(暖流・煖流) 명【地理】暖流 nuǎnliú = 한류 暖流与寒流

난-류-성(暖流性) 명 暖流性 nuǎnliú- xìng ¶~ 어류 暖流性鱼类

난-리(亂離) 명 1 乱 luàn; 战乱 zhàn- luàn; 离乱 líluàn; 变乱 biànluàn = 난 (亂) ¶~를 겪다 历经离乱 2 动乱 dòngluàn; 灾难 zāinàn; 难 nàn ¶~를 피하다 避难 3 混乱 hùnluàn; 骚乱 sāoluàn

난-무(亂舞) 명한자 1 乱舞 luànwǔ; 乱 蹦乱跳 luànbēngluàntiào; 狂舞 kuáng- wǔ 2 肆无忌惮 sìwújìdàn; 横行霸道 héngxíngbàdào

난민(難民) 명 难民 nànmín; 灾民 zāi- mín ¶~ 수용소 难民收容所 / ~촌 难 民村 / ~으로 인정받다 被承认难民

난-방(暖房・煖房) 명 供暖 gōngnuǎn; 取暖 qǔnuǎn ¶~ 설비 供暖设备 / ~ 시설 供暖设施 / ~ 장치 暖气设备 / ~ 이 안 되는 방 没有供暖的房间

난:백(卵白) 〖生〗 蛋白 dànbái; 蛋清 dànqīng = 단백 ¶~분 蛋白粉

난봉 〖명〗 放荡 fàngdàng; 浪荡 làngdàng; 吃喝嫖赌 chīhēpiáodǔ ¶~을 부려 가산을 탕진하다 吃喝嫖赌, 放荡不羁, 倾了家荡家产

난봉-꾼 〖명〗 浪子 làngzǐ

난:사(亂射) 〖명〗〖하자타〗 1 乱放 luànfàng; 盲目射击 mángmù shèjī ¶권총을 ~하다 乱放手枪 2 乱射 luànshè; 乱照 luànzhào ¶빛이 ~하다 光线乱射

난-사람 〖명〗 有出息的 yǒuchūxide; 杰出人物 jiéchū rénwù

난산(難產) 〖명〗〖하자타〗 难产 nánchǎn ¶첫째 아이는 ~이었다 头生儿是难产 / 법안의 성립은 ~이 예상된다 法案恐怕要难产

난:색(暖色·煖色) 〖명〗 〖美〗 暖色 nuǎnsè

난색(難色) 〖명〗 难色 nánsè ¶~을 보이다 显出难色

난:생(-生) 〖부〗 有生以来 yǒushēng yǐlái; 从来 cónglái

난:생(卵生) 〖명〗〖자〗 〖動〗 卵生 luǎnshēng ¶~ 동물 卵生动物

난:생-처음(-生--) 〖명〗 有生以来头一次 yǒushēng yǐlái tóuyīcì; 生来头一次 shēnglái tóuyīcì; 平生第一次 píngshēng dìyīcì ¶~ 지진을 겪다 有生以来第一次经历地震

난:세(亂世) 〖명〗 乱世 luànshì ¶~는 영웅을 낸다 乱世出英雄

난센스(nonsense) 〖명〗 荒诞 huāngxián; 荒诞 huāngdàn; 荒唐 huāngtáng; 荒谬 huāngmiù; 胡闹 húnào ¶이건 완전히 ~다 这完全是个荒诞

난:소(卵巢) 〖명〗 〖生〗 卵巢 luǎncháo ¶~낭 卵巢囊 / ~암 卵巢癌 / ~염 卵巢炎 / ~호르몬 卵巢荷尔蒙

난:시(亂視) 〖명〗 〖生〗 散光 sǎnguāng ¶~안 散光眼 / 나는 두 눈 모두 ~이다 我两眼都是散光

난-시청(難視聽) 〖명〗 难视听 nánshìtīng ¶~ 지역 难视听地区

난이-도(難易度) 〖명〗 难易度 nányìdù; 难易程度 nányì chéngdù; 难度 nándù ¶일의 ~에 따라 보수가 다르다 按工作的难易程度报酬不同

난:입(亂入) 〖명〗〖하자〗 (无秩序地) 闯入 chuǎngrù; 闯进 chuǎngjìn; 拥入 yǒngrù ¶한 무리의 폭도가 회의장에 ~했다 一帮暴徒闯进了会场

난:자(卵子) 〖명〗 〖生〗 卵子 luǎnzǐ

난:잡-하다(亂雜--) 〖형〗 1 不检点 bùjiǎndiǎn; 乌七八糟 wūqībāzāo ¶난잡한 행위 不检点的行为 2 脏乱 zāngluàn; 杂乱 záluàn; 乱七八糟 luànqībāzāo ¶신발짝이 난잡하게 널려 있다 鞋子摆

得乱七八糟

난:잡-스럽다 〖형〗 1 不检点 bùjiǎndiǎn ¶난잡스러운 이성 관계 不检点的异性关系 2 乱七八糟 luànqībāzāo; 紊乱 wěnluàn ¶방 안이 ~ 屋里乱七八糟

난:잡스레 〖부〗

난:장-판(亂場--) 〖명〗 一团糟 yītuánzāo; 乱糟糟 luànzāozāo; 一塌糊涂 yītāhútu; 乱场 luànchǎng ¶기념식이 ~이 되었다 纪念典礼成了个乱场了

난쟁이 〖명〗 矮子 ǎizi; 矬人 cuórén; 侏儒 zhūrú

난적(難敵) 〖명〗 难敌 nándí

난점(難點) 〖명〗 难点 nándiǎn

난제(難題) 〖명〗 难题 nántí

난:조(亂調) 〖명〗 混乱 hùnluàn; 乱套 luàntào; 乱手脚 luànshǒujiǎo; 乱节奏 luànjiézòu; ¶~ 불협 bùxié

난처-하다(難處--) 〖형〗 为难 wéinán; 难为情 nánwéiqíng; 难为 nánwéi; 尴尬 gāngà ¶입장이 ~ 立场尴尬 / 그를 난처하게 하지 마라 你不要为难他

난청(難聽) 〖명〗 1 收听效果不好 shōutīng xiàoguǒ bùhǎo ¶~ 지역 收听效果不好的地区 2 〖醫〗 听觉障碍 tīngjué zhàngài; 耳背 ěrbèi ¶~아 听觉障碍儿童

난초(蘭草) 〖명〗 兰花 lánhuā; 兰 lán; 草 lán兰草 ~草

난치(難治) 〖명〗〖하〗 难治 nánzhì ¶~병 难治之病 =[难治病] / ~성 难治性

난:타(亂打) 〖명〗〖하자〗 乱打 luàndǎ; 乱揍 luànzòu; 乱敲 luànqiāo ¶종을 ~하다 乱敲钟

난:투(亂鬪) 〖명〗〖자〗 乱斗 luàndòu; 乱打 luàndǎ; 混战 hùnzhàn ¶~극 混战闹剧

난파(難破) 〖명〗〖자〗 (船泊) 难破 nánpò; 遇险 yùxiǎn; 失事 shīshì ¶~선 遇险船只 / 배가 암초에 부딪쳐 ~되었다 船触礁失事了

난:폭(亂暴) 〖명〗〖하형〗 粗野 cūyě; 粗暴 cūbào; 狂暴 kuángbào; 蛮 mán; 残暴 cánbào; 粗鲁 cūlǔ; 蛮横 mánhèng ¶~한 행위 粗暴行为 / 이 아이는 너무 ~하다 这孩子太蛮

난항(難航) 〖명〗 1 难航 nánháng; 难行 nánxíng 2 搁浅 gēqiǎn; 不顺 bùshùn; 进展困难 jìnzhǎn kùnnan ¶발굴 계획이 ~을 거듭하다 发掘计划屡次搁浅

난해-하다(難解--) 〖형〗 难解 nánjiě; 费解 fèijiě; 难以理解 nányǐ lǐjiě ¶난해한 문제 难解的问题

난:핵(卵核) 〖명〗 〖生〗 卵核 luǎnhé

난향(蘭香) 〖명〗 兰香 lánxiāng

난형난제(難兄難弟) 〖명〗〖형〗 难兄难弟 nánxiōngnándì

난화(蘭花) 〖명〗 兰花 lánhuā

난-황(卵黄) 阅 〔生〕卵黄 luǎnhuáng; 蛋黄 dànhuáng ¶~막 卵黄膜 / ~분 卵黄粉 =[蛋黄粉] / ~색 卵黄色

낟: 阅 谷粒 gǔlì

낟: -**가리** 阅 谷堆 gǔduī; 稻谷垛 dàogǔduǒ

낟: -**알** 阅 1 谷颗 gǔkē; 谷粒 gǔlì 2 = 쌀알

날¹ 曰阅 1 天 tiān; 一天 yìtiān; 一日 yírì ¶~이 저물었다 天黑了 / 어느 ~ 有一天 2 白天 báitiān 3 = 날씨 ¶~ 이 우중충한 것이 비가 올 것 같다 天气阴沉沉的, 好像要下雨了 4 = 날짜 2 5 时期 shíqī; 时候 shíhou ¶그가 이 사실을 알게 되는 ~이면 우리는 책임을 면하기 어려울 것이다 当他知道这个事实的时候, 我们难免要负责 曰阅阅 天 tiān; 日 rì ¶여러 ~ 好几天

날(을) 받다 阅 择日; 择期; 选定吉日 = 날 잡다

날(을) 잡다 꿔 = 날(을) 받다

날이면 날마다 꿔 = 날마다; 天天

날² 阅 刃(儿) rèn(r); 刀口 dāokǒu; 刀刃 dāorèn ¶~을 갈다 开刃儿

날(을) 세우다 꿔 使刀刃锋利; 把刀磨得锋利

날(이) 서다 꿔 刀刃锋利

날- 〔접두〕 1 生 shēng; 青 qīng ¶~고기 生肉 2 凶恶的 xiōng'è de; 万恶的 wàn'è de ¶~강도 凶恶的强盗

날-가죽 阅 = 생가죽

날-감자 阅 = 생감자

날-개(가) 돋치다 阅翅膀 chìbǎng; 羽翅 yǔchì; 翼 yì ¶~를 펼치다 展开翅膀 / ~를 치다 拍翅膀 / ~ 없는 천사 没有翅膀的天使 2 机翼 jīyì; 翼 yì 3 (电风扇等的) 叶片 yèpiàn

날개(가) 돋치다 꿔 1 畅销; 走俏 2 意气风发; 意气昂然 3 不胫而走 4 (财产等) 骤增

날개(를) 펴다 꿔 飞扬 = 나래(를) 펴다

날갯-죽지 阅 1 翅膀根儿 chìbǎng-gēnr; 膀(儿) bǎng(r); 膀子 bǎngzi 2 '날개1'의 俗称 ¶~를 파닥이다 扑棱着翅膀

날갯-짓 阅〔하자〕拍翅膀 pāidǎ chìbǎng; 扇动翅膀 shāndòng chìbǎng

날-건달(만악의) 阅 流氓 liúmáng ¶그는 평생을 ~로 살고 있다 他一生作为一个流氓活着

날-것 阅 生的 shēngde; 生东西 shēngdōngxi; 未熟的东西 wèishúde dōngxi ¶~을 함부로 먹지 마라 不要乱吃生冷的东西

날-계란(一鸡卵) 阅 = 날달걀 ¶~을 먹으면 목소리가 좋아진다 吃生鸡蛋, 声音就好了

날-고구마 阅 生白薯 shēngbáishǔ = 생고구마

날-고기 阅 = 생고기

날고-뛰다 困 才能出众 cáinéng chū-zhòng; 能干 nénggàn ¶그가 제 아무리 날고뛰어도 나를 따라올 수는 없다 虽然他才能出众, 但是赶不上我

날-김치 阅 生泡菜 shēngpàocài; 没发酵的泡菜 méifājiàode pàocài = 생김치

날-내 阅 (没熟好的) 生味 shēngwèi

날다¹ 困困 1 飞 fēi; 飞行 fēixíng; 飞翔 fēixiáng ¶새가 무리를 지어 ~ 飞鸟群飞 2 飞奔 fēibēn; 飞 fēi; 飞快地走 fēikuàide zǒu 3 溜掉 liūdiào; 溜走 liūzǒu; 逃跑 táopǎo; 逃窜 táocuàn; 逃 táo; 跑 pǎo ¶도둑이 멀리 날았다 盗贼逃之夭夭

나는 새도 떨어뜨린다 〔속담〕势不可当; 叱咤风云

난다 긴다 하다 꿔 出类拔萃; 超群; 拔尖

날 것 같다 꿔 (身体、心情) 轻松; 轻快

날다² 困 1 褪 tuì; 掉 diào ¶색이 ~ 褪色 / 붉은색은 날기 쉽다 红色容易掉色 2 蒸发 zhēngfā ¶향수가 ~ 香水蒸发 3 挥发 huīfā ¶휘발유가 ~ 汽油挥发

날-다람쥐 阅〔动〕飞鼠 fēishǔ; 鼯鼠 wúshǔ ¶그는 ~처럼 민첩하다 他像飞鼠一样敏捷

날-달걀 阅 生鸡蛋 shēngjīdàn = 날계란

날도둑-놈 阅 (男) 强盗 (nán)qiángdào ¶~ 같으니라고! 像强盗一样的!

날도둑-질 阅〔하타〕抢夺 qiǎngduó; 掠夺 lüèduó

날-뛰다 困 1 跳上跳下 tiàoshàngtiào-xià; 上跳下蹿 shàngtiàoxiàcuān ¶갑자기 말이 날뛰는 바람에 깜짝 놀라 떨어졌다 马突然跳上跳下的, 从马背上掉了下来 2 猖狂 chāngkuáng; 猖獗 chāng-jué; 疯狂 fēngkuáng; 嚣张 xiāozhāng ¶폭력배가 날뛰는 거리 暴徒猖獗的街道 3 雀跃 quèyuè; 蹦跳 bèngtiào; 蹦蹦跳跳 bèngbengtiàotiào ¶기뻐 ~ 高兴得蹦蹦跳跳

날라리 阅 1 小人 xiǎorén; 不可信的人 bùkěxìnde rén 2 草率 cǎoshuài; 粗糙 cūcāo; 马马虎虎 mǎmǎhūhū ¶일을 이렇게 ~로 처리하면 어떻게 하니 做事这么草率怎么行

날래다 阅 敏捷 mǐnjié; 灵快 língkuài; 快捷 kuàijié; 麻利 máli ¶그는 동작이 매우 ~ 他动作很敏捷

날려-쓰다 꿔 '갈겨쓰다'의 착오

날-렵-하다 阅 1 敏捷 mǐnjié; 灵快 língkuài; 快捷 kuàijié; 麻利 máli ¶날

한 동작 敏捷的动作 **2** (姿态) 美丽 méilì; (样子) 漂亮 piàoliang ¶몸매가 ~ 身材美丽 날:접-히 **튀**

날-로¹ **튀** 一天比一天 yītiān bǐ yītiān; 天天 tiāntiān; 日益 rìyì; 日渐 rìjiàn; 一天天 yītiāntiān ¶ ~ 발전하는 과학 기술 一天比一天发展起来的科技

날-로² **튀** = 생으로 ¶음식을 ~ 먹 을 때는 조심해야 한다 要小心生吃食 物

날름 **튀하자타** **1** 伸一下 shēn yīxià ¶ 혀를 ~ 내밀다 伸一下舌头 **2** 很快 hěnkuài; 倏地 shūde; 迅速 xùnsù; 一 下子 yīxiàzi ¶그가 내 손에 든 돈을 ~ 가져갔다 他把我手里的钱倏地拿走了

날름-거리다 **자타** **1** 窜来窜去 cuàn-láicuànqù ¶불길이 ~ 火焰窜来窜去 **2** (舌头) 一伸一伸的 yīshēnyīshēnde; 一 伸一缩 yīshēnyīsuō ¶뱀이 혀를 ~ 蛇 信子一伸一缩的 **3** (舌头) 舔来舔去 tiānláitiānqù ‖ = 날름대다 **날름-날름** **튀하자타**

날-리다¹ 被放到飞 bèi fàngfēi; 被风 吹 bèi fēngchuī; 飞扬 fēiyáng; 飘 piāo; 飘扬 piāoyáng; 吹散 chuīsǎn (《'날리다'의 피동词》) ¶흙먼지 가 바람에 ~ 尘土被风吹起 / 눈발이 ~ 雪花飞扬

날-리다² **타** 放 fàng; 放飞 fàngfēi; 使飞 shǐfēi; 打出 dǎchū (《'날리다¹'의 사 동词》) ¶연을 ~ 放风筝 / 비둘기를 날 려 보내다 放飞鸽子 / 홈런을 ~ 本垒打 **2** 任凭吹拂 rènpíng chuīfú ¶옷 자락이 바닷바람에 ~ 衣角任凭海风 吹拂 **3** 出名 chūmíng; 扬名 yáng-míng; 驰名 chímíng ¶그녀는 왕년에 이름을 날리던 가수였다 他是以前 很出名的歌手 **4** 荡尽 dàngjìn; 花光 huāguāng; 挥 霍 zhíhuò; 折 zhé; 输 shū ¶부 모님이 물려주신 재산을 ~ 荡尽父母 留下来的财产 / 밑천을 ~ 折了本 **5** 草率 cǎoshuài; 马虎 mǎhu ¶그 집은 날려 지어서 이리저리 금이 가 있다 那个房子盖得马虎, 到处有裂缝 **6** 挥 动 huīdòng; 挥舞 huīwǔ ¶주먹을 ~ 挥动拳头

날림 **명 1** 草率 cǎoshuài; 马虎虎虎 mǎmǎhūhū; 粗糙 cūcāo ¶ ~ 공사 粗糙 施工 **2** 粗制品 cūzhìpǐn; 粗货 cūhuò

날-바닥 **명** = 맨바닥 ¶ ~ 에서 자다 睡在光地板上

날-밤¹ **명** 通宵 tōngxiāo
날밤(을) 새우다 **문** 熬通宵; 开夜车

날-밤² **명** 生栗子 shēnglìzi = 생률² · 생밤

날-벌레 **명** 飞虫 fēichóng

날-벼락 **명 1** 晴天霹雳 qíngtiānpīlì **2** (严厉的) 责备 zébèi

날-변 (一邊) **명** 日息 rìxī

날-불이 **명** 刃具 rènjù; 刀具 dāojù

날-수 (一數) **명** 日数 rìshù; 天数 tiān-shù; 日子 rìzi ¶ ~ 가 모자라다 天数不够

날-숨 **명** 呼气 hūqì

날-실 **명** (布匹的) 经线 jīngxiàn; 经 丝 jīngsī

날쌔다 **형** 快捷 kuàijié; 敏捷 mǐnjié; 机敏 jīmǐn; 灵活 línghuó ¶그는 동작 이 다람쥐처럼 ~ 他动作像松鼠一样 敏捷

날씨 **명** 天气 tiānqì = 날¹**튀**3 · 일기 (日氣) ¶ ~ 가 좋다 天气很好 / ~ 가 화 창하다 天气晴和

날씬-하다 **형 1** 苗条 miáotiáo ¶그녀 는 몸매가 ~ 她身材很苗条 **2** 颀长 qícháng; 修长 xiūcháng

날아-가다 **자** 飞行 fēixíng; 飞走 fēizǒu; 飞去 fēiqù ¶비둘기가 ~ 鸽子 飞走 **2** 飞快地走 fēikuàide zǒu **3** 掉下 来 diàoxiàlái; 没了 méile; 化为乌有 huàwéiwūyǒu; 消失 xiāoshī ¶모든 권력 이 일순간에 날아갔다 一切权力一刹 那间都没了

날아-다니다 **자타** 飞来飞去 fēiláifēi-qù; 来回飞 láihuífēi; 飘来飘去 piāolái-piāoqù ¶모기 한 마리가 웽웽거리며 ~ 有一只蚊子在飞来飞去嗡嗡

날아-들다 **자 1** 飞入 fēirù; 飞进 fēijìn ¶새 한 마리가 ~ 有一只鸟飞进来 **2** (突然) 飞来 fēilái; 传来 chuánlái ¶그 의 주먹이 나를 향해 ~ 他的拳头朝 我飞来 / 그의 사망 소식이 ~ 突然传 来他去世的消息

날아-오다 **자 1** 飞来 fēilái; 飞过来 fēiguòlái ¶나비가 날아왔다 蝴蝶飞来 了 **2** (枪弹、球等) 飞来 fēilái; 冲来 chōnglái ¶형의 주먹이 날아왔다 哥哥 的拳头飞过来 / 총알이 어디서 날아오 는지 알 수 없다 枪子儿不知道从哪儿 飞来 **3** (突然) 传来 chuánlái ¶면접 소식이 ~ 传来面试通知

날아-오르다 **자타** 飞上 fēishang; 腾 跃 téngyuè ¶새떼가 하늘로 ~ 一群鸟 飞上半空

날염 (捺染) **명하타** [手工] 印染 yìnrǎn; 印花(儿) yìnhuā(r) ¶ ~ 기 印染机 / ~ 공장 印染厂

날인 (捺印) **명하자** 盖章 gàizhāng ¶계 약서에 ~ 하다 在合同上盖章

날조 (捏造) **명하타** 捏造 niēzào; 假造 jiǎzào; 编造 biānzào ¶ ~ 극 捏造剧 / 기록을 ~ 하다 捏造一些记录

날-짐승 **명** 飞禽 fēiqín

날-짜 **명 1** 时日 shírì; 时间 shíjiān ¶ 어느 정도 ~ 가 걸리다 需要一定的时 日 **2** 日期 rìqī; 日子 rìzi = 날¹**□**2

일자(日子) ¶ ~ 변경선 日期变更线 =[日期线]/~를 정하다 定日子

날치 图 [魚] 飞鱼 fēiyú;文鳐鱼 wényáoyú

날-치기 图(하다) 抢东西 qiǎng dōngxi;抢东西的小偷 qiǎngdōngxide xiǎotōu ¶ ~꾼 抢东西的小偷

날카롭다 图 1 尖 jiān;快 kuài;锐利 ruìlì;锋利 fēnglì ¶칼날이 ~ 刀刃锋利 2 敏锐 mǐnruì ¶질문이 ~ 问题敏锐 3 尖锐 jiānruì;凌厉 línglì ¶양쪽의 의견이 날카롭게 대립하다 双方意见尖锐对立 4 过敏 guòmǐn;神经质 shénjīngzhì;偏激 piānjī ¶신경이 ~ 神经过敏 **날카로이**

날-콩 图 生豆 shēngdòu;未熟豆 wèishúdòu = 생콩 ¶~가루 生豆粉

날-품 图 1 穷光蛋 qióngguāngdàn ¶나 같은 ~한테 누가 시집을 오려 하겠니? 像我这样的穷光蛋,谁愿意嫁过来呢? 2 瞎做 xiāzuò;瞎干 xiāgàn;胡乱 húluàn;胡来 húlái ¶일을 ~으로 하다 胡乱干活

날-품 图 日工 rìgōng;短工 duǎngōng;零工 línggōng = 일용(日傭)

날품(을) 팔다 打短工,打零工

날품-삯 图 日工钱 rìgōngqián;日工资 rìgōngzī

날품팔-이 图(하자) 1 打零工 dǎ línggōng;打短工 dǎ duǎngōng;日工 rìgōng;零工 línggōng ¶~로 생계를 도모하다 打零工谋生 2 = 날품팔이꾼

날품팔이-꾼 图 打短工的 dǎduǎngōngde;日工 rìgōng;零工 línggōng = 날품팔이2

낡다 图 1 旧 jiù;陈旧 chénjiù;老旧 lǎojiù ¶낡은 책 旧书 2 老 lǎo;过时 guòshí;陈腐 chénfǔ ¶낡은 제도와 사상을 타파하다 打破陈腐的制度与思想

남 图 1 别人 biéren;人家 rénjia;他人 tārén;旁人 pángren ¶~의 물건을 가져가다 拿别人的东西 2 外人 wàirén ¶너 스스로 ~이라고 생각하지 마라 你不要认为你自己是个外人

남의 손의 떡은 커 보인다 俗談 人家碗里肉甜;隔墙果子分外甜

남의 잔치[장/제사]에 감 놓아라 배 놓아라 한다 俗談 鸭行老板管闲事

남의 장단에 놀아나다 随声附和

남이야 전봇대로 이를 쑤시건 말건 俗談 不干己事不张口,一问摇头三不知;鸭行老板管闲事

남의 등(을) 쳐 먹다 互 巧取豪夺;敲竹杠

남(男) 图 1 = 남자1 2 = 남성(男性)

남(南) 图 南쪽

남-(男) 접미 ¶~학생 男生

~선생 男老师 =[男教师]

-남(男) 접미 男 nán;夫 fū ¶유부-有妇之夫/약혼- 未婚夫

남가새 图 [植] 疾藜 jílí

남가-일몽(南柯一夢) 南柯一梦 = 남가지몽

남가지몽(南柯一夢) 图 = 남가일몽

남국(南國) 图 南国 nánguó

남극(南極) 图 1 [物] 南极 nánjí 2 [地理] 南极 nánjí ¶~광 极光/~권 南极圈/~기단 南极气团/~기류 南极气流/~기지 南极基地/~대륙 南极大陆/~점 南极点/~지방 南极地区 =[南极洲]

남극-노인성(南極老人星) 图 [天] 南极老人星 nánjí lǎorénxīng;老人星 lǎorénxīng;南极星 nánjíxīng = 남극성·노인성(老人星)·수성(壽星)

남극-성(南極星) 图 [天] = 남극노인성

남극-해(南極海) 图 [地理] 南极海 nánjíhǎi;南冰洋 nánbīngyáng;南大洋 nándàyáng

남근(男根) 图 男根 nángēn;男茎 nánjīng;阴茎 yīnjīng

남-기다 匡 1 剩 shèng;剩下 shèngxià ¶음식을 ~ 剩下饭菜 2 获得 huòdé;挣 zhèng;赚 zhuàn ¶이익을 ~ 获利 3 (在某处) 留下 liúxià ¶遗留 yíliú ¶집에 아이들을 남겨 두고 일하러 나가다 把孩子留在家里出去干活 4 (印象、财产等) 留 liú;留下 liúxià;遗留 yíliú;遗传 yíchuán ¶후세에 이름을 ~ 给后人留下英名/좋은 인상을 ~ 留下好印象/유산을 ~ 遗留财产

남김-없이 图 光 guāng;光光(地) guāngguāng(de);毫无保留地 háowúbǎoliúdì;全部(地) quánbù(de);清 qīng;尽 jìn;所有 suǒyǒu;一切 yíqiè ¶네 몫을 ~ 다 먹어라 把你的份儿吃光了/그에 관한 정보를 ~ 나에게 알려다오 你毫无保留地告诉我有关他的信息

남-남 图 外人 wàirén;陌生 mòshēng;陌路 mòlù;没任何关系 méi rènhé guānxì ¶~이 모여 하나가 되다 陌生的聚在一起,成了一家人/나는 벌써 그 사람하고는 ~이 되었다 我已没与他任何关系了

남남-북녀(南男北女) 图 南男北女 nánnánběinǚ

남녀(男女) 图 男女 nánnǚ ¶~ 공학 男女同校/~ 관계 男女关系/~ 노소 男女老少/~ 유별 男女有别/합반 男女同班/한 쌍의 ~ 一对男女

남녀상열지사(男女相悅之詞) 图 [文] 男女相悦之词 nánnǚxiāngyuèzhīcí

남녀-추니(男女一) 圐 兩性人 liǎng-xìngrén; 阴阳人 yīnyángrén

남녀칠세부동석(男女七歲不同席) 圐 男女七岁不同席 nánnǚ qīsuì bùtóngxí

남녀-평등(男女平等) 圐 男女平等 nánnǚ píngděng; 男女同权 nánnǚ tóngděng ¶~권 男女平等权 [男女同权]

남녀(男一) 圐 = 남쪽

남녘-땅(南一) 圐 1 南方 nánfāng; 南边 nánbiān 2 南韩 nánhán

남:다[团] 1 剩 shèng; 剩余 shèngyú; 余 yú; 盈余 yíngyú ¶먹다 남은 밥 吃剩的饭 / 5를 2로 나누면 1이 남는다 五被二除余一 2 (在某处) 留 liú; 留下 liúxià; 遗留 yíliú ¶방과 후에 학교에 ~ 放学后留在学校 3 (名声、印象等) 留 liú; 留下 liúxià; 遗留 yíliú; 遗传 yíchuán ¶이름이 후세에 길이 ~ 留下一世英名 4 有赚头 yǒu zhuàntou; 盈利 yínglì; 有利润 yǒu lìrùn ¶이 장사는 이윤이 많이 남는다 这个生意利润很大

남-다르다[혤] 与众不同 yǔzhòngbù-tóng; 特别 tèbié; 独特 dútè ¶그는 생각이 ~ 他想得与众不同

남단(南端) 圐 南端 nánduān; 南头(儿) nántóu(r)

남-달리[閠] 与众不同地 yǔzhòngbù-tóngde; 分外 gèwài; 分外 fēnwài; 特别 tèbié ¶그의 성격은 ~ 뛰어나다 他的成绩格外优秀

남도(南道) 圐 南道 nándào ¶~ 민요 南道民歌

남-동생(男一) 圐 弟弟 dìdi

남동-쪽(南東一) 圐 东南 dōngnán; 东南方 dōngnánfāng ¶= 남동 ¶~에서 날아온 제비 한 마리 一只从东南方飞来的燕子

남동-풍(南東風) 圐 = 동남풍

남:루(襤褸) 圐혤回 褴褛 lánlǚ; 破烂 pòlàn; 破旧 pòjiù; 破烂衣服 pòlàn yīfu ¶옷차림이 ~하다 衣裳褴褛 ¶~을 걸치다 穿破烂衣服 / 그는 ~한 옷을 입고 있다 他穿着破烂的衣服

남매(男妹) 圐 1 兄妹 xiōngmèi; 姐弟 jiědì 2 兄弟姐妹 xiōngdì jiěmèi ¶우리 집은 삼 ~이다 我家有三个兄弟姐妹

남매-간(男妹間) 圐 兄妹之间 xiōng-mèizhījiān; 姐弟之间 jiědìzhījiān ¶우애 兄妹之爱 =[姐妹之爱]

남면(南面) 圐혤困 面朝南 miàncháo-nán; 面向南 miànxiàngnán

남-모르다 圐 人家不知 rénjiābùzhī; 偷偷摸摸 tōutōu; 暗 àn; 隐 yǐn ¶남모르게 눈물을 흘리다 偷偷流泪

남-몰래[閠] 人家不知地 rénjiābùzhīde; 偷偷(地) tōutōu(de); 暗地(里) àn'àn-

(de); 暗地(里) àndì(lǐ) ¶그는 ~ 좋은 일을 많이 했다 他暗地里做了不少好事

남문(南門) 圐 南门 nánmén

남미(南美) 圐【地】= 남아메리카 ¶~ 대륙 南美大陆

남바위 圐 御寒帽 yùhánmào

남-반구(南半球) 圐【地理】南半球 nánbànqiú

남:발(濫發) 圐혤回 1 滥发 lànfā; 滥颁 lànbān; 乱发 luànfā; 乱发行 luàn fā-xíng ¶신용카드를 ~하다 乱发行信用 2 乱说 luànshuō; 乱承诺 luàn chéngnuò; 说空话 shuō kōnghuà ¶후보자들이 공약을 ~하다 竞选人乱承诺誓言

남방(南方) 圐 1 = 남쪽 2 南方 nánfāng; 南部地区 nánbù dìqū 3 = 남방셔츠

남방-셔츠(南方shirts) 圐 短袖衬衫 duǎnxiù chènshān; 夏威夷衬衫 xiàwēi-yí chènshān ¶= 남방

남-배우(男俳優) 圐 男演员 nányǎn-yuán; 男角 nánjué = 남우

남벌(南伐) 圐혤回 南伐 nánfá; 南征 nánzhēng

남:벌(濫伐) 圐혤回 滥伐 lànfā; 滥砍滥伐 lànkǎnlànfá

남-보라(藍一) 圐 蓝紫 lánzǐ

남부(南部) 圐 南部 nánbù ¶~ 지방 南部地方

남-부끄럽다 圐 没脸见人 méiliǎn jiàn-rén; 丢面子 diūmiànzi; 丢脸 diūliǎn; 羞愧 xiūkuì; 惭愧 cánkuì ¶남부끄러워 말도 못하겠다 怕没脸见人, 无法说清

남부끄러이 [閠]

남-부럽다 圐 羡慕别人 xiànmù biérén ¶남부럽지 않게 잘살다 过着不羡慕别人的幸福生活

남부럽잖다 圐 无可羡慕 wúkě xiànmù ¶남부럽잖게 호강하다 好日子过得无可羡慕

남북(南北) 圐 1 南北 nánběi ¶~ 격차 南北差距 / ~ 전쟁 南北战争 2 南北韩 nánběihán; 南北韩 nánběi ¶~ 관계 南北关系 / ~ 대화 南北韩对话 / ~통일 南北统一 =[南北统一] / ~ 회담 南北韩会谈

남북-문제(南北問題) 圐 1【經】南北问题 nánběi wèntí 2【政】南北问题 nánběihán wèntí

남-빛(藍一) 圐 蓝色 lánsè = 쪽빛

남-사당(男一) 圐【民】男寺堂 nánsì-táng; 男歌舞艺人 nángéwǔ yìrén ¶~놀이 男歌舞艺人游戏 / ~패 男歌舞艺人集团

남사-스럽다 圐 = 남우세스럽다

남새 圐 = 채소

남새-밭 圐 = 채소밭

남색(藍色) 명 蓝色 lánsè; 靛色 diànsè

남생-이 명 【動】淡水乌龟 dànshuǐ-sèguī; 水龟 shuǐguī; 石龟 shíguī

남서(南西) 명 남서쪽

남서-쪽(南西一) 명 西南 xīnán; 西南方 xīnánfāng = 남서

남서-풍(南西風) 명 = 서남풍

남성(男性) 명 1 男性 nánxìng; 男 nán; 男子 nánzǐ; 男人 nánrén = 남(男)2 ¶~ 우월주의 大男子主义 / 전용 상점 男人专用商店 2 【語】阳性 yángxìng ¶~ 대명사 阳性代词 / ~ 명사 阳性名词

남성(男聲) 명 【音】男声 nánshēng

남성-관(男性觀) 명 男性观 nánxìng-guān ¶모든 여성들은 저마다 다른 ~을 가지고 있다 每个女性各有不同的男性观

남성-미(男性美) 명 男性美 nánxìng-měi; 阳刚之美 yánggāngzhīměi ¶그는 ~가 풍부한 사람이다 他是个充满男性美的人

남성-복(男性服) 명 男装 nánzhuāng; 男性服装 nánxìng fúzhuāng; 男士服装 nánshì fúzhuāng

남성-적(男性的) 관명 男性(的) nán-xìng(de); 像男人 xiàng nánrén ¶~인 매력 男性魅力

남성 중창(男聲重唱) 【音】男声重唱 nánshēng chóngchàng ¶~단 男声重唱团

남성 합창(男聲合唱) 【音】男声合唱 nánshēng héchàng ¶~단 男声合唱团

남성 호르몬(男性hormone) 【生】男性荷尔蒙 nánxìng hé'ěrméng; 雄性激素 xióngxìng jīsù

남실-거리다 자타 1 翻滚 fāngǔn; 荡漾 dàngyàng; 滚滚 gǔngǔn ¶산들바람에 잔물결이 ~ 微风下涟漪荡漾 2 闪动 shǎndòng; 飘动 piāodòng ¶커튼 자락이 바람에 ~ 窗帘角随风飘动 3 满만 mǎnmǎn ¶그는 술이 잔에 남실거릴 정도로 따라 마셨다 他酒倒了满满一杯酒喝了下去 ‖ = 남실대다 남실-남실 부자타

남실-바람 명 【地理】轻风 qīngfēng

남아(男兒) 명 1 = 남자아이 2 男儿 nán'ér; 大丈夫 dàzhàngfu; 男子汉 nánzǐhàn

남아-돌다 자 有余 yǒuyú; 富余 fùyú; 余 yú; 多 duō ¶일손이 ~ 人手有余 / 돈이 남아도는 듯 물건을 사들이다 东西买得像钱那么有余一样

남-아메리카(南America) 명 【地】南美 Nánměi = 남미

남:용(濫用) 명하타 滥用 lànyòng; 乱用 luànyòng ¶약물을 ~하다 滥用药品 / 직권을 ~하다 滥用职权

남우(男優) 명 = 남배우 ¶~ 주연상 最佳男主角奖

남우세-스럽다 형 受人嘲弄 shòurén-cháonòng; 遭人耻笑 zāorénchǐxiào; 被人嘲笑 bèirénchǎoxiào = 남사스럽다 ¶남우세스러워서 누구한테 말도 못하겠다 怕受人嘲笑, 不能跟人家说话 남우세스럽-이 부

남위(南緯) 명 【地理】南纬 nánwěi ¶~선 南纬线

남의-눈 他人眼目 tārén yǎnmù; 众人耳目 zhòngrén ěrmù; 众目 zhòngmù ¶~을 피하다 避开他人眼目

남의집-살다 자 寄人篱下 jìrénlíxià; 做长工 zuò chánggōng

남의집-살이 명하자 1 寄人篱下 jìrén-líxià 2 寄人篱下的人 jìrénlíxiàde rén; 长工 chánggōng

남자(男子) 명 1 男子 nánzǐ; 男 nán; 男人 nánrén; 男性 nánxìng = 남(男) ¶~ 친구 男朋友 / ~ 화장실 男厕所 =[男厕] 2 男儿 nán'ér; 男子汉 nánzǐhàn = 답다 像个男子汉 3 男人 nánren

남자-관계(男子關係) 명 男子关系 nánzǐ guānxi ¶~가 복잡하다 男子关系暧昧

남자-아이(男子一) 명 男孩(儿) nán-hái(r); 男孩子 nánháizi = 남아1 · 동자(童子)

남작(男爵) 명 男爵 nánjué ¶~ 부인 男爵夫人

남장(男裝) 명하자 (女扮)男装 nán-zhuāng ¶~미인 男装美女

남정-네(男丁一) 명 (女人称)男人们 nánrénmen

남존-여비(男尊女卑) 명 重男轻女 zhòngnánqīngnǚ; 男尊女卑 nánzūn-nǚbēi ¶~ 사상 男尊女卑思想

남짓 의명하명 名多 duō; 有余 yǒu-yú; 有零 yǒulíng; 出头(儿) chūtóu(r); 冒尖(儿) màojiān(r) ¶두 시간 ~ 기다리다 等两个多小时 / 마흔 ~한 나이 四十出头的年纪

남-쪽(南一) 명 南边 nánbiān; 南面(儿) nánmiàn(r); 南方 nánfāng; 南 nán = 남(南) · 남녘 · 남방1 ¶~ 나라 南国 / ~ 하늘 南天

남창(男娼) 명 男娼 nánchāng; 男妓 nánjì

남촌(南村) 명 南村 náncūn ¶그는 ~에 산다 他住在南村

남측(南側) 명 1 南侧 náncè; 南边 nánbiān 2 南韩 nánhán ¶~ 대표 南韩代表

남침(南侵) 명하자 南侵 nánqīn ¶~으로 인해 전쟁이 시작되었다 因南侵而战争开始了

남탕(男湯) 명 남자목욕탕 nánzǎotáng

남파(南派) 명하타 向南派遣 xiàngnán pàiqiǎn; 派往南方 pàiwǎng nánfāng

남편(男便一) 명 丈夫 zhàngfu; 男人 nánren; 先生 xiānsheng

남편 복 없는 여자는[것은] 자식 복도 없다 속담 没有好丈夫, 没有好子息

남편-감(男便一) 명 可当丈夫的 kědāngzhàngfude; 候补丈夫 hòubǔ zhàngfu ¶훌륭한 ~ 很优秀的候补丈夫

남포-등(一燈) 명 煤油灯 méiyóudēng = 램프2 ¶~을 밝히다 照亮一盏煤油灯

남풍(南風) 명 南风 nánfēng

남하(南下) 명하자 南下 nánxià ¶군대를 따라 ~하다 随军南下

남-학교(男學校) 명 男校 nánxiào; 男子学校 nánzǐ xuéxiào

남-학생(男學生) 명 男学生 nánxuéshēng; 男生 nánshēng

남한(南韓) 명 南韩 nánhán = 이남2

남해(南海) 명 南海 nánhǎi ¶~안 南海岸

남행(南行) 명하자 南行 nánxíng; 开往南去 kāiwǎngnánqù ¶~ 열차 南行火车

남향(南向) 명하자 向南 xiàngnán; 向阳 xiàngyáng; 朝南 cháonán ¶~집 向阳房 / 우리 집은 ~이다 我家房子是向阳的

남-회귀선(南回歸線) 명 [地理] 南回归线 nánhuíguīxiàn

남:획(濫獲) 명하타 滥捕 lànbǔ; 滥猎 lànliè ¶밀렵꾼이 동물을 ~하다 偷猎者滥捕动物

납1(化) 명 铅 qiān ¶~독 铅毒 / ~중독 铅中毒 2 = 땜납

납골(納骨) 명하자 纳骨 nàgǔ; 安放骨灰 ānfàng gǔhuī

납골-당(納骨堂) 명 骨灰堂 gǔhuītáng; 骨灰馆 gǔhuīguǎn

납관(納棺) 명하타 入殓 rùliàn

납기(納期) 명 缴纳期 jiǎonàqī

납-덩이 명 铅块 qiānkuài

납덩이-같다 형 1 面无人色 miànwúrénsè; 脸上没有血色 liǎnshàng méiyǒu xuèsè 2 气氛沉闷 qìfēn chénmèn 3 全身沉沉 quánshēn chénchén ¶온몸이 납덩이같이 피곤하다 疲倦得全身发沉

납득(納得) 명하타 理解 lǐjiě; 想通 xiǎngtōng; 谅解 liàngjiě; 领会 lǐnghuì; 领悟 lǐngwù ¶~할 수 없는 일이 일어나다 发生理解不了的事

납-땜 명하타 锡焊 xīhàn ¶~질 做锡焊

납땜-인두 명 烙铁 làotiě; 锡焊烙铁 xīhàn làotiě = 인두2

납량(納凉) 명하자 纳凉 nàliáng; 乘凉 chéngliáng ¶~ 특집 프로그램 纳凉特辑节目

납부(納付·納附) 명하타 缴纳 jiǎonà; 交纳 jiāonà; 缴 jiǎo ¶세금을 ~하다 缴纳税款

납부-금(納付金) 명 缴纳金 jiǎonàjīn; 缴纳费 jiǎonàfèi; 缴纳钱 jiǎonàqián; 缴纳额 jiǎonà'é = 납입금·불입금·불입액

납부-증(納付證) 명 缴纳证明 jiǎonà zhèngmíng; 缴纳收据 jiǎonà shōujù = 납입증

납도(拉到) 명하타 绑架到北韩 bǎngjiàdào běihán ¶~ 인사 绑架到北韩的人士

납-빛 명 铅色 qiānsè; 蓝灰色 lánhuīsè ¶얼굴이 놀라서 ~으로 변했다 脸色惊讶得变铅色了

납세(納稅) 명하자 纳税 nàshuì; 缴税 jiǎoshuì ¶~ 납세额 纳税额 / 고지 纳税通知 / ~ 의무 纳税义务 / ~ 제도를 개혁하다 改革纳税制度

납세-자(納稅者) 명 纳税的人 jiǎoshuìde rén [法] 纳税人 nàshuìrén; 纳税义务人 nàshuì yìwùrén; 纳税主体 nàshuì zhǔtǐ

납시다 자 起驾 qǐjià; 回銮 huíluán

납월(臘月) 명 腊月 làyuè

납입(納入) 명하타 缴纳 jiǎonà; 交纳 jiāonà; 上缴 shàngjiǎo ¶~ 고지 纳税通知 / 소득세를 은행에 ~ 向银行交纳所得税

납입-금(納入金) 명 = 납부금

납입-증(納入證) 명 = 납부증

납작 부하타 贴着地 tiēzhe dì ¶엎드리다 贴着地趴下

납작-코 명 扁鼻子 biǎnbízi; 塌鼻梁 tābíliáng

납작-하다 형 1 扁扁 biǎnbiǎn; 扁平 biǎnpíng; 扁圆 biǎnyuán ¶코가 ~ 鼻子扁扁的 / 뒤통수가 ~ 后脑勺扁平 2 贴着地 tiēzhe dì ¶그는 몸을 납작하더니 땅에 엎드렸다 他把身体贴着地趴下

납죽 부 1 (嘴) 一张一闭 yīzhāngyībì ¶과자를 ~ 받아먹다 嘴巴一张一闭地吃 2 (身体) 贴着地 tiēzhe dì ¶~ 엎드려 사과하다 贴着磕头道歉

납죽-거리다 타 1 (嘴) 一张一闭 yīzhāngyībì; (嘴) 吧唧 bāda 2 (身体) 一贴一贴 yītiēyītiē ‖ = 납죽대다 **납죽-납죽** 부

납치(拉致) 명하타 绑架 bǎngjià; 绑票(儿) bǎngpiào(r); 劫持 jiéchí ¶어린이를 ~ 绑架孩子

납치-범(拉致犯) 명 绑匪 bǎngfěi; 绑

票(儿)的 **bǎngpiào(r)de**; 绑架犯 **bǎngjiàfàn**; 劫寄犯 **jiéchífàn**

납폐(納幣) 몡[하자] 【民】 (婚礼上) 纳币 **nàbì**; 聘礼 **pìnlǐ**; 彩礼 **cǎilǐ**; 送彩礼 **sòngcǎilǐ**

납품(納品) 몡[하자] 交货 **jiāohuò**; 送货 **sònghuò** ¶~ 기일 交货日期

낫 몡 镰刀 **liándāo** ¶~자루 镰刀把 / ~질 用镰刀割

낫 놓고 기역 자도 모른다 [속담] 目不识丁; 不识一丁

낫·다[¹] 재 愈 yù; 好 hǎo; 痊愈 **quányù** ¶병이 ~ 病好了

낫·다[²] 휑 胜过 **shèngguò**; 胜 **shèng**; 比~이 好ㆍ~好; 更好 **gènghǎo**; 强 **qiáng** ¶그는 너보다 ~ 他比你好 / 내 아이디어가 더 나을 것이다 我的主意会更好

낫·살 몡 '나잇살'의 略词

낭군(郎君) 몡 郎君 **lángjūn**; 夫君 **fūjūn**

낭·독(朗讀) 몡[하자] 朗读 **lǎngdú**; 诵读 **sòngdú**; 宣读 **xuāndú** ¶~ 朗读人 / 판결문을 ~하다 宣读判决书

낭-떠러지 몡 悬崖 **xuányá**; 峭壁 **qiàobì**

낭:랑-하다(朗朗一) 휑 瞭亮 **liáoliàng**; 朗朗 **lǎnglǎng** ¶낭랑한 목소리로 노래를 부르다 用瞭亮的声音歌唱 **낭:랑-히** 틧

낭:만(浪漫) 몡 浪漫 **làngmàn** ¶~이 넘치다 充满浪漫

낭:만-적(浪漫(的)) 팬몡 浪漫 **làngmàn(de)** ¶이 이야기는 매우 ~이다 这故事很浪漫

낭:만-주의(浪漫主義) 몡 【藝】 浪漫主义 **làngmàn zhǔyì** = 로맨티시즘

낭:만-파(浪漫派) 몡 【藝】 浪漫派 **làngmànpài**; 浪漫主义派 **làngmànzhǔyìpài**

낭:보(朗報) 몡 好消息 hǎo xiāoxi; 喜讯 **xǐxùn** ¶~가 들려오다 传来好消息

낭:비(浪費) 몡[하자] 浪费 **làngfèi**; 白费 **báifèi** 旷费 **kuàngfèi** ¶~벽 浪费癖 / 헛되이 시간만 ~하게 됐다 浪费时间 / 재료를 ~하지 마라 不要浪费材料

낭:설(浪說) 몡 浪说 **làngshuō**; 谣言 **yáoyán**; 瞎说 **xiāshuō** ¶근거 없는 ~ 没有根据的谣言

낭:송(朗誦) 몡[하타] 朗诵 **lǎngsòng**; 朗读 **lǎngdú** ¶시를 ~하다 朗诵诗歌

낭자(娘子) 몡 小姐 **xiǎojie**; 姑娘 **gūniang**

낭:자-하다(狼藉一) 휑 1 狼藉 **lángjí**; 斑斑 **bānbān** ¶血흔이 ~ 血迹斑斑 2 吵吵嚷嚷 **chǎochaorāngrāng**; 吵吵闹闹 **chǎochaonàonào**; 闹腾 **nàoteng**; 响亮 **xiǎngliàng** ¶매미가 낭자하게 울어 대다 知了叫得很响亮

낭중지추(囊中之錐) 몡 囊中之锥 **náng-**

zhōngzhīzhuī; 锥处囊中 **zhuīchùnángzhōng**

낭:패(狼狽) 몡[하타] 狼狈 **lángbèi**; 糟糟 **zāogāo** ¶벌써 기차가 떠났다니, 이것 참 ~로군 火车已经开走了, 真让人狼狈啊

낭패(狼狽) 몡 出岔子; 遭到失败

낭:패-스럽다(狼狽一) 휑 狼狈 **lángbèi**; 糟糟 **zāogāo**; 糟糟糟糟 **zāogāo** ¶정말 ~ 真够狼狈的 **낭:패스레** 틧

낮 몡 1 白天 **báitiān**; 白昼 **báizhòu** ¶~이 짧아졌다 白天短了 2 中午 **zhōngwǔ** ¶~에는 햇살이 따갑다 中午的阳光很强

낮-교대(一交代) 몡[하자] 白班 **báibān**; 日班 **rìbān**

낮다 휑 1 (高度) 低 **dī**; 矮 **ǎi**; 不高 **bùgāo** ¶물은 낮은 곳으로 흐른다 水往低处流 / 굽이 낮은 구두 低跟皮鞋 / 비행기가 낮게 날다 飞机飞得很低 / 의자가 좀 ~ 椅子有点矮 2 (数值或程度) 低 **dī** ¶기온이 ~ 气温很低 / 내 혈압은 비교적 ~ 我的血压较低 / 이번 선거는 투표율이 다소 낮았다 今届选举投票率稍低 3 (水平、能力、质量等) 差 **chà**; 低 **dī** ¶品질이 ~ 质量很差 / 성적이 ~ 成绩很差 / 수준이 ~ 水平很差 4 (地位、阶级、等级等) 低贱 **dīwéi**; 低劣 **dīliè**; 低 **dī** ¶신분이 ~ 身份低微 / 계급이 낮은 군인 军阶低的军人 5 低 **dī**; 悄 **qiāo** ¶낮은 목소리로 말하다 低声说话

낮-도깨비 몡 白天鬼 **báitiānguǐ**

낮-말 몡 白天说话 **báitiān shuōhuà**

낮말은 새가 듣고 밤말은 쥐가 듣는다 [속담] 白天说话鸟听见, 夜里说话鼠听见; 隔墙有耳, 窗外岂无人; 路上说话, 草里有人; 山前讲话, 山后有人

낮-술 몡 白天喝酒 **báitiān hējiǔ** ¶~에 얼굴이 붉어졌다 白天喝酒, 脸红了

낮은-음(一音) 몡 = 저음

낮은음자리-표(一音一標) 몡 【音】 低音谱号 **dīyīn pǔhào**; 低音符号 **dīyīn fúhào**

낮-일(一) 몡[하자] 白天工作 **báitiān gōngzuò**

낮-잠 몡 午睡 **wǔshuì**; 午觉 **wǔjiào** = 오수(午睡) ¶~을 자다 睡午觉

낮-잡다 타 1 (把价格) 压低 **yādī**; 压低 **yā** ¶판매가를 낮잡아 부르다 压低售价 2 看不起 **kànbuqǐ**; 小看 **xiǎokàn**; 低估 **dīgū** ¶상대를 낮잡아 보다 小看对方

낮-추다 타 1 降低 **jiàngdī**; 调低 **tiáodī**; 压低 **yādī**; 减低 **jiǎndī**; 降 **jiàng**; 低下 **dīxià** (《'낮다'의 使动词》) ¶몸을 ~ 降低身子 / 요금을 ~ 降低收费 / 목소리를 낮추어 말하다 压低嗓门

说 / 온도를 ~ 调低温度 **2** 放低 fàng-dī; 降低敬阶 jiàngdī jìngjiē; 不使用敬语 bùshǐyòng jìngyǔ ¶말씀을 낮추십시오 说话请放低

낯 몡 **1** 脸 liǎn; 面 miàn; 脸孔 liǎn-kǒng; 脸面 liǎnmiàn; 面孔 miànkǒng **2** 体面 tǐmiàn; 面子 miànzi; 情面 qíngmiàn; 脸 liǎn = 면목2 ¶나는 그를 볼 ~이 없다 我没面子见他了

낯(을) 들다 판 = 얼굴을 들다

낯(이) 두껍다 판 = 얼굴이 두껍다

낯(이) 뜨겁다 판 不好意思

낯이 깎이다 판 丢脸

낯-가리다 자 认生 rènshēng; 怕生 pàshēng

낯-가림 몡하자 认生 rènshēng; 怕生 pàshēng ¶~이 심하다 怕生得很厉害

낯-가죽 몡 脸皮 liǎnpí; 面皮 miànpí

낯가죽(이) 두껍다 판 = 얼굴이 두껍다

낯가죽(이) 얇다 판 脸皮薄

낯-간지럽다 판 不好意思 bùhǎoyìsi; 难为情 nánwéiqíng; 没脸见人 méiliǎnjiànrén; 惭愧 cánkuì ¶내가 해 놓고도 참 ~ 虽然我自己做了, 但是真不好意思

낯-모르다 자 不认识 bùrènshi ¶낯모를 사람 不认识的人

낯-부끄럽다 판 惭愧 cánkuì; 丢脸 diūliǎn; 不好意思 bùhǎoyìsi; 害羞 hàixiū ¶이런 말을 하자니 참 ~ 说起这种话来, 真不好意思

낯-빛 몡 脸色 liǎnsè; 面色 miànsè; 气色 qìsè ¶그 말을 듣는 순간 ~이 변했다 一听那句话, 脸色就变了

낯-설다 형 **1** 面生 miànshēng; 陌生 mòshēng ¶낯선 사람 陌生人 **2** 生疏 shēngshū ¶낯선 고장 生疏的地方

낯-익다 형 **1** 面熟 miànshú ¶이 아이는 무척 낯익구나! 这孩子好面熟啊! **2** 熟习 shúxí; 熟悉 shúxī ¶낯익은 곳 熟悉的地方

낯-짝 몡 脸 liǎn; 面脸 liǎnmiàn(《'낯1'의 俗称》) ¶무슨 ~으로 그런 말을 하느냐? 有什么脸说这句话?

낱 몡 个 gè; 成个 chénggè ¶물건을 ~으로 사다 个个买东西

낱-개(一個) 몡 单个 dāngè; 零个儿 línggèr; 一个 yīgè ¶~로 떼어서 팔다 个个分开卖

낱-개비 몡 零根 línggēn; 单根 dāngēn; 一根 yīgēn ¶~로 파는 담배 单根卖的香烟

낱-권(一卷) 몡 零卷 língjuǎn; 单卷 dānjuǎn; 册 dāncè ¶책을 ~으로 사다 零买全书

낱:낱-이 튄 一一(地) yīyī(de); 一个

一个(地) yīgèyīgè(de); 一五一十 yīwǔ-yīshí; 兜底(儿) dōudǐ(r); 无遗漏地 wúyílòude; 不漏 bùlòu ¶위법 행위를 ~ 들추어내다 一一暴露违法行为

낱-말 몡 【語】 = 단어

낱-알 몡 单颗 dānkē; 单粒 dānlì; 一颗 yīkē; 一粒 yīlì

낱-자(一字) 몡 【語】 = 자모(字母)

낱-잔(一盞) 몡 零杯 língbēi; 一杯 yī-bēi ¶술을 ~으로 팔다 一杯一杯卖酒

낱-장(一張) 몡 单张 dānzhāng; 零张 língzhāng; 一张 yīzhāng

낳:다 타 **1** 生 shēng; 生下 shēngxià; 产 chǎn; 下 xià ¶쌍둥이를 ~ 生下双胞胎 / 닭이 알을 ~ 鸡生蛋 / 아들딸 낳고 잘 살다 生子女好好生活 **2** 产生 chǎnshēng; 造成 zàochéng; 酿成 niàngchéng ¶비극을 ~ 造成悲剧 / 좋은 결과를 ~ 产生良好的结果 **3** 辈出 bèichū; 造就 zàojiù ¶그는 우리나라가 낳은 천재적인 과학자이다 他是我国造就的天才科学家

내:¹ 몡 小河 xiǎohé = 개천2 ¶~를 건너다 过小河

내² 몡 烟 yān; 烟气 yānqì ¶매캐한 ~ 때문에 눈을 뜰 수 없다 为焦辣辣的烟, 睁不开眼

내³ 몡 = 냄새 ¶방 안에서 향긋한 ~ 나다 屋子里有香味

내⁴ 대 我 wǒ; 我的 wǒde ¶~가 읽은 책 由我读过的书 / 그것은 ~ 시계이다 那是我的表

내 코가 석 자 속담 泥菩萨过河, 自身难保; 自顾不暇

내:(内) 의명 内 nèi; 里 lǐ; 之内 zhīnèi ¶이 달 ~에 제출해라 在这个月内交出 / 기한 ~에 끝마친다 限期内完成 / 건물 ~에서는 금연이다 屋内禁止吸烟

-내 접미 始终 shǐzhōng; 一直 yīzhí; 整个 zhěnggè ¶여름~ 整个夏天 / 저녁~ 整个晚上

내:-가다 타 拿出去 náchūqù ¶밥상을 ~ 把饭桌拿出去

내:-각(内角) 몡 【數】 内角 nèijiǎo

내:-각(内閣) 몡 【政】 内阁 nèigé; 阁 gé ¶새 ~의 명단을 발표하다 公布新内阁的名单

내:-각 책임제(内閣責任製) 몡 【政】 = 의원 내각제

내:-갈기다 타 **1** 抽打 chōudǎ; 猛打 měngdǎ ¶뺨을 ~ 抽打耳光 **2** (书写) 草草 cǎocǎo; 乱七八糟 luànqībāzāo; 乱写 luànxiě ¶글씨를 ~ 写字写得乱七八糟 **3** (枪·炮) 乱射 luànshè ¶기관총을 ~ 乱射机枪 **4** (粪·尿等) 乱撒 luànsā

내:객(來客) 몡 来客 láikè; 来宾 láibīn

¶~을 맞이하다 接应来宾

내:-걸다 🈺 1 挂出去 guàchūqù ¶깃발을 하나 ~ 把一面旗帜挂出去 2 提出 tíchū ¶요구 조건을 ~ 提出要求条件 3 不惜 bùxī; 豁出去 huōchuqu ¶목숨을 내걸고 싸우다 不惜性命打仗

내:-골 격(內骨格) 몡 【生】内骨格 nèigǔgé

내:-공(內攻) 몡하 内攻 nèigōng

내:-과(內科) 몡【醫】内科 nèikē ¶~의 内科医生

내:-관(內官) 몡【史】= 내시

내:-구(耐久) 몡하 耐久 nàijiǔ; 持久 chíjiǔ ¶~력 耐久力 ¶~성 耐久性

내:-국(內國) 몡 1 本国 běnguó; 祖国 zǔguó 2 国内 guónèi; 内国 nèiguó

내:-국-인(內國人) 몡 国人 guórén; 内国人 nèiguórén; 本国公民 běnguó gōngmín; 本国人 běnguórén

내:-규(內規) 몡 内部规定 nèibù guīdìng; 内规 nèiguī ¶회사의 ~를 준수하다 遵守公司内部规定

내:-근(內勤) 몡하 内勤 nèiqín ¶~직원 内勤职员 / ~ 부서로 옮기다 调到内勤单位

내:-기 몡하 打赌 dǎdǔ; 赌 dǔ ¶바둑 棋赌 / ~를 걸다 打赌

-내기 젭미 1 出身 chūshēn; 人 rén ¶서울~ 首尔人/人家 ~ 乡下人 2 表示具有什么特点的人 ¶풋~ 新手/보통~ 普通仔/신출~ 新手

내:-깔기다 🈺 1 胡乱拉屎 húluàn lāshǐ; 胡乱撒尿 húluàn sāniào ¶도랑에 오줌을 ~ 朝沟里胡乱撒尿 2 甩了 shuǎixià; 丢下 diūxià ¶그는 나에게 한마디 툭 내깔겼다 他朝我甩了一句话就走了 3 (枪等)乱射 luànshè ¶적군에게 기관총을 ~ 向敌军乱射机枪

내:-내 🈔 始终 shǐzhōng; 一直 yìzhí; 一向 yíxiàng; 直 zhí; 总 zǒng ¶아침부터 ~ 그 꼴이다 从早一直这样子

내년(來年) 몡 明年 míngnián; 来年 láinián; 过年 guònian ← 익년2 ¶우리 아들은 ~에 학교에 간다 我儿子明年要上学了

내년-도(來年度) 몡 明年度 míngniándù; 来年度 láiniándù; 明年 míngnián ¶~예산을 짜다 安排明年的预算案

내로라-하다 혱 '내로라하다'의 잘못된 표기

내:-놓다 🈺 1 拿出来 náchūlái; 搬出来 bānchūlái; 搬去 bānqù ¶화분을 마당에 ~ 把花盆搬到院子里去了 2 放出来 fàngchūlái; 放 fàng; 释放 shìfàng ¶돼지를 우리에서 ~ 把猪从猪圈里放出来 3 接待 jiēdài; 招待 zhāodài ¶손님에게 차와 과일을 ~ 招待客人吃茶点水果 4 腾腾 téng;

공: 卖 mài ¶집을 ~ 腾出房子 5 投放 tóufàng; 推出 tuīchū; 发表 fābiǎo; 出版 chūbǎn ¶신제품을 ~ 投放新商品/신작을 ~ 发表新作品 6 提 tí; 提出 tíchū; 提起 tíqǐ ¶타협안을 ~ 提出妥协方案 7 交出 jiāochū; 捐献 juānxiàn; 让出 ràngchū ¶전 재산을 양로원에 ~ 把全部的财产捐献给养老院 / 대표 자리를 ~ 让出代表位子 8 露出 lù; 露出 lùchū ¶배꼽을 ~ 露出肚脐 9 撇开 piěkāi; 放弃不管 fàngqì bùguǎn ¶집에서 내놓은 자식 家里都放弃不愿管的家伙 10 冒险 màoxiǎn; 不惜 bùxī ¶목숨을 내놓고 싸우다 不惜性命打仗

내:-다 🈔🈩 1 (路) 开 kāi; 开辟 kāipì ¶길을 ~ 开路 / 숲 속에 산책로를 ~ 树林里开辟散步路 2 钻 zuān; 开 kāi ¶구멍을 ~ 开洞 / 손가락으로 벽에 구멍을 ~ 用手指头在墙壁上挖个洞 3 发 fā; 登 dēng ¶신문에 광고를 ~ 在报纸上登广告 4 (店) 开 kāi ¶다방을 ~ 开茶馆 5 (秋) 插 chā; 揷了 chāle 他朝我甩了一句话就走了 6 拿出去 náchūqù; 搬出去 bānchūqù ¶방에 있던 책상을 밖으로 ~ 把房间里的桌子拿出去 7 传播 chuánbō; 散布 sànbù; 扬 yáng ¶동네에 소문을 ~ 在邻里散布传闻 / 전국에 이름을 ~ 扬名于全国 8 出 chū; 提 tí; 提出 tíchū ¶시험 문제를 ~ 出考题 / 问题를 하나 ~ 提一个问题 9 发 fā; 耍 shuǎ; 鼓起 gǔqǐ ¶짜증을 ~ 发脾气 / 화를 ~ 发火 / 용기를 ~ 鼓起勇气 10 交 jiāo; 缴 jiǎo; 提交 tíjiāo; 捐 juān ¶세금을 ~ 交税 / 원서를 ~ 提交志愿书 / 학교에 기부금을 ~ 向学校捐款 11 请 qǐng; 请客 qǐngkè; 请客 qǐngkè; 招待 zhāodài ¶동네 사람들에게 점심을 ~ 招待村里人吃午饭 12 造出 zàochū; 引起 yǐnqǐ; 闹出 nàochū ¶사고를 ~ 造出事故 / 희생자를 ~ 闹出人命 13 掀起 xiānqǐ; 扬起 yángqǐ; 发出 fāchū ¶먼지를 ~ 掀起灰尘 / 소리를 ~ 发声音 14 抽 chōu; 抽出 chōuchū; 休 xiū ¶시간을 ~ 抽出时间 / 3일간의 휴가를 ~ 休三天假 15 显露 xiǎnlù; 露出 lùchū ¶멋을 ~ 显露风姿 / 촌티를 ~ 露出乡土气 16 得出 déchū; 出现 chūxiàn; 产生 chǎnshēng ¶결론을 ~ 得出结论 / 흑자를 ~ 出现黑字 / 역효과를 ~ 产生逆效果 17 出 chū; 出版 chūbǎn; 发行 fāxíng ¶책을 ~ 出版书 / 시집을 ~ 发行诗集 18 模仿 mófǎng; 仿效 fǎngxiào; 学 xué ¶군인 흉내를 ~ 学军人的样子 19 借 jiè; 贷 dài ¶빚을 내어 병을 고치다 借贷治病 / 은행에서 빚을 ~ 向银行借债 20 (租) 出 chū ¶세를 ~ 出租给别人 🈔🈩 1 보동 出 chū; 起 qǐ; 住 zhù ¶시련을 견뎌

경수기 考验 / 그의 이름을 생각해 ~
想出他的名字

내:다-보다 〔他〕 **1** 向外看 xiàngwàikàn ¶창밖을 ~ 向窗外看 **2** 展望 zhǎnwàng; 眺望 tiàowàng; 料到 liàodào ¶장래를 내다보고 계획하다 展望未来打算 / 한치 앞을 내다볼 수 없다 料不到眉捷

내:다-보이다 〔自〕 **1** 望得见 wàngdejiàn; 看到 kàndào; 被看到 bèikàndào ¶창밖으로 바다가 ~ 从窗外看得见大海 **2** 望见 wàngjiàn; 预见 yùjiàn ¶앞날이 ~ 预见未来 **3**(往밖) 看见 kànjiàn; 看出 kànchū; 露出 lùchū ¶치마가 너무 짧아 허벅지가 내다보인다 裙子太短, 大腿都露出来了

내:-닫다 〔自他〕 快跑 kuàipǎo; 飞奔 fēibēn; 疾步 jíbù ¶다급한 마음에 병원까지 내달았다 心理发慌飞奔到医院

내-달(來─) 〔名〕 下个月 xiàgèyuè; 下月 xiàyuè ¶~ 중순 下月中旬

내:-달리다 〔自〕 飞奔 fēibēn; 奔驰 bēnchí ¶필사적으로 ~ 拼命地奔驰

내:-던지다 〔他〕 **1**(用力) 抛 pāo; 扔 rēng; 甩 shuǎi; 摔 shuāi ¶화가 나서 시계를 ~ 因生气, 把表抛掉 **2** 放弃 fàngqì; 弃置不顾 qìzhì bùgù; 抛弃 pāoqì ¶직장을 ~ 抛弃职守 **3** 牺牲 xīshēng; 豁 huò ¶온몸을 ~ 牺牲一身

내:-동댕이치다 〔他〕 扔 rēng; 抛 pāo ¶학교에서 오자마자 책가방을 ~ 一从学校回来, 就把书包抛掉

내:-두르다 〔他〕 **1** 挥舞 huīwǔ; 挥动 huīdòng 挥来挥去 huīláihuīqù ¶손을 ~ 把手挥来挥去 **2** 任意支使 rènyì zhīshǐ; 任意摆布 rènyì bǎibù ¶부하를 마음대로 ~ 随意支使部下

내:-둘리다 〔自〕 '내두르다'의 被动词

내:-드리다 〔他〕 **1** 上呈 shàngchéng; 呈递 chéngdì ¶서류를 ~ 上呈档案 **2** 让 ràng; 让步 ràngbù ¶노인께 자리를 ~ 向老人让步座位

내:-디디다 〔他〕 **1** 迈 mài; 迈步 màibù; 迈出 màichū ¶천천히 발을 내디뎠다 慢慢迈了一步 **2** 踏足 tàzú; 开始 kāishǐ; 起步 qǐbù; 着手 zhuóshǒu ¶정계에 발을 ~ 踏足政界

내:-딛다 〔他〕 '내디디다'의 略词 ¶앞으로 발을 내딛기가 힘들다 很难向前迈步 / 사회에 발을 ~ 踏足社会

내:-뛰다 〔自〕 **1** 向前跑 xiàngqián pǎo ¶부리나케 앞으로 내뛰기 시작했다 火速地向前跑起来 **2** 逃跑 táopǎo; 逃跑 táopǎo ¶그는 이미 내뛰어 달아났다 他已经逃走了

내:-란(內亂) 〔名〕 内乱 nèiluàn; 内战 nèizhàn; 内讧 nèihòng ¶~죄 内乱罪 /

소요가 ~으로 번지다 骚扰变成内乱

내레이션(narration) 〔名〕 〔演〕叙述 xùshù; 讲叙 jiǎngxù; 讲述 jiǎngshù; 解说 jiěshuō; 画外音 huàwàiyīn

내레이터(narrator) 〔名〕 〔演〕解说员 jiěshuōyuán; 叙述人 xùshùrén; 讲述者 jiǎngshùzhě

내려-가다 〔自〕 **1** 下 xià; 下去 xiàqù ¶아래층으로 ~ 下楼 / 어서 내려가라 赶快下去吧 **2** 下乡 xiàxiāng; 下 xià ¶시골로 ~ 下农村 **3** 消化 xiāohuà ¶점심 먹은 것이 아직 내려가지 않았다 还没消化完中饭 **4** 下降 xiàjiàng; 下跌 xiàdiē; 降低 jiàngdī; 降落 jiàngluò ¶온도가 ~ 温度下降 / 물가가 ~ 物价下跌 〔他〕 下 xià; 向下挪 xiàngxià nuó; 向下搬 xiàngxià bān ¶계단을 ~ 下楼梯 / 언덕을 ~ 下坡

내려-놓다 〔他〕 **1** 放 fàng; 放下 fàngxià; 搁下 gēxià; 摆下 bǎixià ¶수화기를 ~ 放下受话器 / 짐을 땅에 내려놓아라 把行李放在地上 **2** 让 ràng; 下车 xiàchē ¶승객을 ~ 让乘客下车

내려다-보다 〔他〕 **1** 俯视 fǔshì; 鸟瞰 niǎokàn ¶비행기에서 ~ 在飞机上俯视 **2** 看不起 kànbuqǐ; 轻视 qīngshì; 小看 xiǎokàn ¶가난한 나라라고 ~ 为贫穷的国家, 就看不起

내려-뜨리다 〔他〕 **1** 往下扔 wǎngxià rēng; 扔下来 rēngxiàlái; 丢下来 diūxiàlái; 摔下来 shuāixiàlái ¶식탁 위의 접시를 내려뜨려 깨다 把饭桌上的碟子扔下来打碎 **2** 垂下来 chuíxiàlái ¶머리를 어깨 위로 ~ 披肩发垂下肩来 ‖ 내려트리다

내려-서다 〔自〕 往…下站 wǎng…xiàzhàn ¶풀밭으로 ~ 往草地下站 〔他〕 站下来 zhànxiàlái; 站在下面 zhànzàixiàmian

내려-앉다 〔自〕 **1** 往下坐 wǎngxià zuò; 往下落 wǎngxià luò; 落 luò ¶참새가 나뭇가지에 ~ 麻雀飞落在树枝上 **2** 坍 tān; 塌 tā; 坍塌 tāntā ¶천장이 ~ 天棚塌下来 **3**(夜幕) 降临 jiànglín; 低垂 dīchuí ¶도시에 어둠이 ~ 城市夜幕降临 **4**(雾气) 弥漫 mímàn; 低垂 dīchuí ¶안개가 ~ 浓雾弥漫 **5**(职位) 降 jiàng; 下台 xiàtái ¶부장에서 과장으로 ~ 从部长降到科长 **6**(心) 沉重 chénzhòng; 心 ~ chénxiàlái ¶가슴이 덜컥 ~ 心猛地沉下来

내려-오다 〔自〕 **1**(从高处) 下来 xiàlái; 下到 xiàdào ¶산에서 ~ 从山上下到 〔他〕 下来 xiàlái; 下到 xiàdào ¶서울에서 내려오신 큰아버지 从首尔下来的伯父 **2** 传下来 chuánxiàlái; 流传下来 liúchuánxiàlái; 相传至今 xiāngchuánzhìjīn ¶조상 대대로 내려오는

가로 世世代代传下来的家宝 **4** 向下传送 xiàngxià chuándì; 下达 xiàdá ¶상부에서 명령이 ~ 从上级下达命令 □**타** (아래로) 내려놓다 nàxiàlái; 拿下来 nàxiàlái; 卸下来 xièxiàlái ¶위층에서 의자를 내려오너라 从楼上把椅子挪下来

내력(來歷) **명 1** 来历 láilì; 来路 láilu; 经历 jīnglì ¶자기의 ~을 들려주다 给人听自己的来历 **2** 遗传 yíchuán ¶부지런한 것은 그 집안의 ~이다 勤勉是他家的遗传

내로라-하다 **자** 自豪 zìháo ¶세상에 내로라하는 장사들 人间有些自豪的大力士

내:-륙(內陸) **명** 〖地理〗 内陆 nèilù ¶~국 内陆国家 / ~성 内陆性 / ~분지 内陆盆地 / ~지방 内陆地区 / ~호 内陆湖

내리 **甼 1** 往下 wǎngxià; 向下 xiàngxià **2** 一直 yīzhí; 一连 yīlián; 始终 shǐzhōng ¶~ 세 시간을 서 있다 一直站着三个小时 **3** 大肆 dàsì; 随便 suíbiàn ¶~ 짓밟다 大肆蹂躏

내리-갈기다 **타 1** 抽打 chōudǎ ¶채찍을 바닥에 ~ 向地板抽打鞭子 **2** (写字) 潦草 liáocǎo ¶글씨를 너무 내리갈겨 쓰다 字写得太潦草

내리-긋다 **타 1** 向下划 xiàngxià huá **2** 直划线 zhíhuàxiàn

내리-깔다 **타 1** 垂眼 chuíyǎn; 向下看 xiàngxià kàn **2** 铺在下方 pūzài xiàfāng; 铺在下面 pūzài xiàmiàn

내리-깔리다 **자** '내리깔다'의 피동사

내리-꽂다 **타** 扣倒 kòudǎo; 摁倒 èndǎo; 揪倒 zhuāidǎo ¶상대를 땅바닥에 ~ 把对方摁倒在地 / 공을 코트에 ~ 把球扣在地板上

내리꽂-히다 **자** '내리꽂다'의 피동사

내리-누르다 **타 1** 压 yā; 按 àn; 下按 xiààn ¶수레 두를 ~ 按锏刀 **2** 压制 yāzhì; 压迫 yāpò ¶부하를 ~ 压制部下 **3** 给压力 gěi yālì; 压制 yāzhì; 压住 yāzhù ¶피로가 온몸을 ~ 疲劳压制全身

내리-눌리다 **자** '내리누르다'의 피동사 ¶쓰러지는 기둥에 온몸을 ~ 全身被塌倒的柱子压制

내리다 □**자** **1** (物体) 降 jiàng; 下 xià; 落 luò; 降落 jiàngluò ¶비행기가 ~ 飞机降下来 **2** (物价、温度等) 降落 jiàngluò; 落 luò; 落下来 diluò ¶물가가 ~ 物价降落 **3** (雨、雪等) 下 xià; 降 jiàng ¶비가 ~ 下雨 / 이슬이 ~ 降露水 **4** (从车或飞机上) 下 xià ¶하차 下车 / 비행기에서 ~ 下飞机 **5** 瘦 shòu; 消瘦 xiāoshòu ¶살이 ~ 身体消瘦 **6** (鬼神) 附身 fùshēn ¶신이 내려 병을 앓다 鬼神附身就病了 **7** (根) 生 shēng; 扎 zhá ¶뿌리가 ~

근 □**타 1** (把物体) 拿下 náxià; 挪下 nuóxià; 拉下 lāxià; 放下 fàngxià; 移下 yíxià ¶커튼을 ~ 拉下窗帘 / 짐을 ~ 拿下行李 **2** (把物价、温度等) 降低 jiàngdī; 降 jiàng; 降下 jiàngxià; 减低 jiǎndī ¶값을 ~ 降下价格 **3** 下 xià; 发布 fābù; 以 yǐ; 给予 jǐyǔ; 下达 xiàdá ¶명령을 ~ 下命令 / 상을 ~ 给奖 **4** (把判断、评价、结论等) 做 zuò; 下 xià ¶결론을 ~ 下结论 **5** 筛 shāi; 过 guò ¶밀가루를 체로 ~ 把面粉过筛

내리-닫다 **자 1** 往下跑 wǎngxià pǎo; 跑下去 pǎoxiàqù ¶산비탈 아래로 ~ 向山坡下跑下去 **2** 奔跑 bēnpǎo ¶무작정 앞으로 ~ 盲目往前奔跑

내리-뛰다 **자 1** 往下跳 wǎngxià tiào; 跳下去 tiàoxiàqù ¶지붕에서 아래로 ~ 从屋顶往下跳 **2** 往下跑 wǎngxià pǎo; 跑下去 pǎoxiàqù ¶언덕 아래로 ~ 往山坡下面跑下去

내리-뜨다 **자** 向下看 xiàngxià kàn ¶눈을 지그시 내리뜨고 꼼짝도 하지 않다 悄悄向下看一动也不动

내리막 **명 1** 下坡 xiàpō **2** 滑坡 huápō; 衰退 shuāituì; 下坡 xiàpō; 低潮 dīcháo; 低谷 dīgǔ ¶기승을 부리던 더위도 ~에 접어들었다 猛烈的暑气也开始衰退了

내리막-길 **명 1** 下坡路 xiàpōlù ¶~을 걷다 走下坡路 **2** 衰退期 shuāituìqī ¶인생의 ~로 들어서다 进入人生的衰退期

내리-붓다 **자타 1** (大雨或大雪等) 覆盆 fùpén; 倾盆 qīngpén ¶비가 온종일 ~ 大雨整天覆盆 **2** 喷泻 pēnxiè; 往下倒 wǎngxià dào

내리-비추다 **타** 向下照 xiàngxià zhào; 洒向 sǎxiàng ¶달빛이 고요히 세상을 내리비추다 月光静静地洒向人间

내리-사랑 **명** 长辈疼爱晚辈 zhǎngbèi ài wǎnbèi
¶내리사랑은 있어도 치사랑은 없다 **속담** 有爱子之心，没有爱老校贤

내리-쬐다 **자** 直射 zhíshè; 暴晒 bàoshài ¶여름 햇볕이 쨍쨍 夏天阳光暴晒

내리-찍다 **타** (向下) 砍 kǎn ¶도끼로 장작을 ~ 用斧砍劈柴

내리-치다 □**타** (向下) 猛打 měngdǎ; 捶打 chuídǎ ¶손바닥으로 책상을 ~ 用手掌猛打书桌 □**자** (风雨雷电) 大作 dàzuò; 大起 dàqǐ ¶번개가 ~ 雷电大起

내리-퍼붓다 □**자** (雨、雪等) 猛下不停 měngxià bùtíng; 倾盆 qīngpén ¶큰비가 내리퍼붓고 있다 大雨倾盆 □**타** 倾泻 qīngxiè; 倾倒 qīngdào; 喷洒 pēnsǎ ¶소방차가 물줄기를 ~ 消防车

洒水柱

내림-굿 〖명〗〖하자〗 下神祭 xiàshénjì; 请神祭 qǐngshénjì

내림-세(一勢) 〖명〗 跌势 diēshì; 跌潮 diēcháo; 跌风 diēfēng ¶쌀값이 ~를 보이다 米价在跌潮

내림-수(一次) 〖數〗 降幂 jiàngmì ¶~ 순 降幂顺序

내림-표(一標) 〖音〗 降号 jiànghào; 降音符 jiàngyīnfú; 降半音符号 jiàngbànyīn fúhào = 플랫

내:-막(內幕) 〖명〗 内幕 nèimù; 底子 dǐzi; 内情 nèiqíng; 底细 dǐxì ¶사건의 ~ 事件内幕 / ~을 캐다 揭开内幕

내:-맡기다 〖타〗 1 委托 wěituō; 交给 jiāogěi; 委任 wěirèn; 托付 tuōfù ¶운영권 일체를 ~ 委托一切运营的权利 2 放任 fàngrèn; 听任 tīngrèn; 推给 tuīgěi ¶운명에 ~ 听任命运

내:-면(內面) 〖명〗 1 里面 lǐmian 2 精神世界 jīngshén shìjiè; 心理 xīnlǐ; 内心 nèixīn ¶~세계 内心世界 / 인간의 ~을 들여다보다 窥视人的精神世界

내:-명부(內命婦) 〖명〗〖史〗 内命妇 nèimìngfù

내:-몰다 〖타〗 1 赶 gǎn; 赶走 gǎnzǒu; 赶上 gǎnshàng; 驱逐 qūzhú ¶청년들을 훈련소로 ~ 把青年人赶上训练所 2 突然 tūrán ¶차를 갑자기 ~ 突然换驾驶汽车 3 催 cuī; 加速 jiāsù; 促进 cùjìn; 推动 tuīdòng; 推进 tuījìn; 追赶 zhuīgǎn; 催逼 cuībī ¶빨리 가자고 운전기사를 ~ 催逼驾驶员快开

내:-몰리다 〖자〗 '내몰다'의 被动词 ¶거리로 내몰린 사람들 被赶出街上的人们

내:-무(內務) 〖명〗 内务 nèiwù ¶~반 内务班 / ~ 생활 内务生活

내:밀(內密) 〖명〗〖하타〗 秘密 mìmì; 机密 jīmì; 隐密 yǐnmì ¶~한 거래 秘密交易 / ~히 일을 처리하다 隐密地处理事情

내:-밀다 〖타〗 1 出 chū; 伸出 shēnchū; 挺 tǐng; 努 nǔ; 探出 tànchū; 出示 chūshì ¶문 밖으로 손을 ~ 向门外伸出手 / 입을 ~ 努着嘴 2 拿出 náchū; 递出 dìchū; 出 chū ¶명함을 ~ 拿出名片

내방(來訪) 〖명〗〖하자타〗 来访 láifǎng ¶~한 손님을 맞이하다 接待来访的客人

내:-배엽(內胚葉) 〖명〗〖生〗 内胚层 nèipēicéng; 内胚叶 nèipēiyè

내:-배유(內胚乳) 〖명〗〖植〗 内胚乳 nèipēirǔ

내:-뱉다 〖타〗 1 吐 tǔ; 啐 cuì ¶가래침을 ~ 吐痰 2 没好气地说 méihǎoqìde shuō; 随口说出 suíkǒu shuōchū ¶그는 내뱉듯이 한 마디 하고는 가 버렸

다 他没好气地说了一句，就走了

내:버려-두다 〖타〗 1 搁 gē; 搁置 gēzhì; 放 fàng; 放置 fàngzhì; 置之不理 zhìzhībùlǐ ¶그 상처는 내버려두기만 하면 저절로 낫는다 那伤口置之不理就自然会好的 2 不管 bùguǎn; 放任 fàngrèn; 放任不管 fàngrèn bùguǎn; 任凭 rènpíng ¶제 자식을 어찌 내버려둘 수 있나 自己的孩子怎么能放任不管呢

내:-버리다 〖타〗 1 扔 rēng; 丢 diū; 扔掉 rēngdiào; 抛弃 pāoqì; 舍弃 shěqì ¶낡은 깡통을 쓰레기통에 ~ 把老旧的罐头扔在垃圾箱 2 不管 bùguǎn; 弃置不顾 qìzhìbùgù ¶목숨을 내버릴 각오가 되어 있다 有着不顾性命的决心

내:-벽(內壁) 〖명〗〖建〗 内壁 nèibì; 内墙 nèiqiáng ¶건물 ~ 建筑物内壁

내:-보내다 〖타〗 1 放出 fàngchū; 送出去 sòngchūqù ¶자식을 외국으로 ~ 让孩子送出国去 2 退出 tuìchū; 除名 chúmíng; 解雇 jiěgù ¶가정부를 ~ 解雇保姆 3 播出 bōchū ¶텔레비전 광고를 ~ 播出电视广告 4 放走 fàngzǒu; 释放 shìfàng; 放开 fàngkāi ¶인질을 ~ 释放人质

내보-이다 〖자〗 露出 lùchū ¶팬티가 ~ 内裤露出来 〖타〗 出示 chūshì; 表露 biǎolù ¶신분증을 ~ 出示身份证 / 초조한 기색을 ~ 表露焦躁的神情

내:-복¹(內服) 〖명〗 1 = 속옷 2 保暖内衣 bǎonuǎn nèiyī; 防寒内衣 fánghán nèiyī = 내의2

내:-복²(內服) 〖명〗〖하타〗 口服 kǒufú; 内服 nèifú ¶~약 口服药 =[内服药]

내:-부(內部) 〖명〗 1 内部 nèibù; 内 nèi; 里面(儿) lǐmiàn(r); 里边(儿) lǐbiān(r); 里头 lǐtou ¶방의 ~ 房间里面(儿) / 감각 内部感觉 / 시설 内部设备 2 (组织的) 内部 nèibù; 内 nèi ¶~ 규칙 内部规则 / 감사 内部监察

내:부 기억 장치(內部記憶裝置) 〖컴〗 内存储器 nèicúnchǔqì

내:부-적(內部的) 〖명〗 内部的 nèibù(de); 内部性 nèibùxìng ¶~ 갈등이 밖으로 드러나다 内部矛盾露出

내:-분(內紛) 〖명〗 内讧 nèihòng; 内乱 nèiluàn; 内部矛盾 nèibù máodùn ¶~이 일다 起内讧 / 당의 ~을 수습하다 平息党内矛盾

내:-분비(內分泌) 〖명〗〖生〗 内分泌 nèifēnmì ¶~물 内分泌物 / ~샘 内分泌腺 / ~ 장애 内分泌失调

내:-비치다 〖자〗 1 向外照 xiàngwài zhào; 向前照 xiàngqián zhào; 透亮 tòuliàng ¶불빛이 ~ 灯光向外照 2 显露 xiǎnlù; 表露 biǎolù ¶속살이 ~ 显露皮肤 〖타〗 1 给人看 gěirén kàn; 含蓄 ~ 给人看脸孔一时 2 暗含

ànhán; 透露 tòulù; 流露 liúlù ¶가능성
을 ~ 暗含可能性

내빈(來賓) 图 来宾 láibīn ¶~석 来宾
席 /~을 접대하다 接待来宾 /~을 맞
이하다 迎接来宾

내:-빼다 困 跑掉 pǎodiào; 溜掉 liū-
diào = 빼다³² ¶골목으로 ~ 从巷子
里溜掉

내:-뻗다 日困 伸出 shēnchū; 延伸
yánshēn; 伸展 shēnzhǎn; 蔓延 mànyán
¶마을로 곧게 내뻗은 길 一直延伸到
村里的路 日困 伸出 shēnkāi; 伸展
shēnzhǎn ¶팔을 힘껏 ~ 加劲伸开胳
膊

내:-뿜다 타 冒 mào; 吐 tǔ; 喷 pēn;
放出 fàngchū; 涌 yǒng ¶담배 연기를
~ 把烟雾吐出来 / 술 냄새를 ~ 放出
酒味儿

내:사(內査) 图하다 内查 nèichá; 暗查
ànchá ¶은밀하게 ~에 들어갔다 隐隐
地内查开始了

내:상(內傷) 图 [醫] 内伤 nèishāng

내:색(一色) 图하다 声色 shēngsè; 神
色 shénsè; 表情 biǎoqíng; 露出 lùchū;
表露 biǎolù ¶싫은 ~을 보이다 表出
不喜欢的神色

내:선(內線) 图 内线 nèixiàn ¶~ 전화
内线电话

내:성(內城) 图 内城 nèichéng

내:성(耐性) 图 1 耐受性 nàishòuxìng
2 [生] 耐药性 nàiyàoxìng; 抗药性
kàngyàoxìng

내:성-적(內省的) 图 内向 nèixiàng;
内向性 nèixiàngxìng ¶그는 ~이고 과
묵한 사람이다 他是个又内向又寡默的
人

내세(來世) 图 [佛] 来世 láishì ¶~ 사
상 来世思想

내:-세우다 타 1 让站出来 ràng zhàn-
chūlái ¶반장을 맨 앞 줄에 ~ 让班长
站在最前列 2 推出 tuīchū; 树为 shù-
wéi; 推举 tuījǔ ¶그를 대표로 ~ 推
举他为代表 3 颂扬 sòngyáng; 宣扬
xuānyáng ¶자신의 업적을 ~ 宣扬自
己的业绩 4 提出 tíchū ¶언제나 자기
입장만 ~ 老提出自己的立场

내:수(內需) 图 内需 nèixū ¶~ 산업
内需产业 /~ 시장 内需市场 /~를 늘
리다 增加内需 /~ 경기가 살아나다
内需景气恢复

내:수-용(內需用) 图 内需用 nèixū-
yòng; 为内需的 wèinèixūde ¶~ 소비
재 为内需的消费材

내:숭 图형 阴险 yīnxiǎn; 笑面虎
xiàomiànhǔ ¶속으로 좋으면서 관심이
없는 척 ~이다 心里很好, 假装阴险

내:-쉬다 타 呼 hū; 出 chū; 叹 tàn ¶긴
한숨을 ~ 长叹一声

내시(內侍) 图 [史] 内侍 nèishì; 太监
tàijiān; 宦官 huànguān = 내관·환관
¶~부 内侍府

내:시-경(內視鏡) 图 [醫] 内视镜
nèikuìjìng ¶~ 검사 内窥镜检查

내:신(內申) 图하다 1 秘密报告 mìmì
bàogào 2 [教] 内审 nèishěn; 内审成
绩 nèishěn chéngjì ¶~ 성적 内审成
绩 / 제도 内审制度 /~만으로 신입
생을 뽑다 只按内审成绩选拔新生

내:신(內信) 图 国内消息 guónèi xiāoxi
¶오늘의 주요 ~ 기사 今日主要国内
消息报道

내:실(內實) 图 1 内情 nèiqíng ¶~은
겉모습과 달리 보잘 것 없다 内表与
表不同, 微不足道 2 内实 nèishí; 实
在 shízài; 实际内容 shíjì nèiróng; 内部
充实 nèibù chōngshí ¶~을 기하다 求
实在 / ~ 있는 삶을 추구하다 求活得
实在

내:심(內心) 图 = 속마음 ¶~을 털어
놓다 倾吐衷情 / 쾌재를 부르다 从
心称快

내:야(內野) 图 [體] (棒球的) 内场 nèi-
chǎng ¶~수 内场手 / ~석 内场席 /
~ 안타 内场安打 / ~ 플라이 内场飞
球

내:역(內譯) 图 明细 míngxì; 清单
qīngdān; 细目 xìmù ¶공사비 ~ 工程
费用清单

내:연(內緣) 图 1 隐密关系 yǐnmì guān-
xi 2 [法] 事实婚姻 shìshí hūnyīn; 非正
式婚姻 fēizhèngshì hūnyīn ¶~의 부부
非正式婚姻的夫妻

내:연(內燃) 图하다 内燃 nèirán ¶~
기관 内燃机 / ~기관차 内燃机车

내:연-성(耐燃性) 图 耐热性 nàirán-
xìng

내:열(耐熱) 图 耐热 nàirè; 抗热 kàng-
rè ¶~강 耐热钢 /~유리 耐热玻璃 / ~
재료 耐热材料

내:-오다 타 拿出来 náchūlái; 取出来
qǔchūlái; 上来 shànglai ¶과일을 ~ 上
来水果

내왕(來往) 图하다타 1 来往 láiwǎng;
来去 láiqù ¶사람들의 ~이 잦은 곳
은 곳이다 这是人家常常来常去的地方
2 来往 láiwǎng; 交往 jiāowǎng ¶이웃
과 ~을 트다 和邻居开始交往

내:외¹(內外) 图하다 内外 nèiwài; 里外
lǐwài ¶~ 정세 内外局势 / 경기장 ~
赛场内外 2 左右 zuǒyòu; 上下 shàng-
xià; 而外 nèiwài ¶200자 ~로 쓰시오
写两百字左右

내:외²(內外) 图 = 부부 ¶김씨 ~가
나란히 걸어간다 老金夫妻并排走

내:외³(內外) 图하다 (男女间) 回避 huí-

bì; 分里外 fēn lǐwài; 磨不开 mòbukāi ¶
남녀 간에 ~를 하지 않다 男女间不回
避

내:-외-간(內外間) 명 **1** 内外间 nèi-
wàijiān **2** 夫妻间 fūqījiān = 내외지
간·부부간 ¶~에 금실이 좋다 夫妻
卿卿

내:-외-분(內外—) 명 '부부'의 敬词

내:-외지간(內外之間) 명 = 내외간2

내:-용(內容) 명 **1** (文章或话里的)内
容 nèiróng ¶기사 ~이 사실과 다르다
报道内容不符其实 **2** (装的)东西
dōngxi; 内容 nèiróng ¶선물 꾸러미의
~ 礼物包里的内容 **3** 内幕 nèimù; 底
细 dǐxì; 情况 qíngkuàng; 内容 nèiróng
¶사건의 ~ 事件的内容

내:-용(耐用) 명 耐用 nàiyòng ¶~ 연
한 耐用年限

내:-용-물(內容物) 명 内装物品 nèi-
zhuāng wùpǐn; 内容 nèiróng

내:용 증명(內容證明) 【法】 邮品内容证
明 nèiróng zhèngmíng; 证
明邮寄内容证明 nèiróng zhèngmíng yóujì

내:-우(內憂) 명 内忧 nèiyōu; 内患 nèi-
huàn ¶~와 외환 内忧外患

내음 명 味儿 wèir; 香气 xiāngqì ¶바
다 ~ 海味儿

내:-의(內衣) 명 **1** = 속옷 ¶ **2** = 내복²

내:-이(內耳) 명 【生】 = 속귀 ¶~ 염
内耳炎

내일(來日) 뮈 **1** 明天 míngtiān; 明
日 míngrì; 明儿 míngr ¶~은 그의 생
일이다 明天是他的生日 / ~ 다시 이야
기하자 明天再说吧 **2** 未来 wèilái; 将
来 jiānglái; 明天 míngtiān ¶밝은 ~을
기약하다 希望光明的未来

내일-모레(來日—) 명·뮈 **1** = 모레 **2**
即将 jíjiāng ¶~면 벌써 서른이다 即
将到三十了

내:-장(內粧) 명·하타 【建】 装潢 zhuāng-
huáng ¶~ 공사를 마무리하다 结束装
潢施工

내:-장(內裝) 명·하타 内装 nèizhuāng ¶
자동차의 ~ 汽车内装

내:-장(內藏) 명·하타 内藏 nèicáng; 内
有 nèiyǒu ¶녹음 응답 기능이 ~된 전
화기 内有录音功能的电话机

내:-장(內臟) 명 【生】 内脏 nèizàng;
(食用动物的) 下水 xiàshui; (食用鸡鸭
的) 什件儿 shíjiànr = 장(臟) ¶~ 비
만 内脏肥胖

내:-재(內在) 명·하자 内在 nèizài ¶~되
어 있는 모순 内在的矛盾

내:-재-적(內在的) 관명 内在 nèizài ¶内
在性 nèizàixìng ¶~ 요인 内在因素 /
~ 모순 内在矛盾

내:-적(內的) 관명 内在 nèizài; 内部
nèibù ¶~ 원인 内部原因

내:-전(內戰) 명 内战 nèizhàn; 内乱
nèiluàn ¶오랜 ~을 겪다 经历好久的
内战

내:점(來店) 명·하자 来店 láidiàn

내:-접(內接) 【数】 内接 nèijiē;
内切 nèiqiē ¶~ 다각형 内接多边形 /
~원 内切圆 = [内接圆]

내:-젓다 타 **1** 挥动 huīdòng; 挥舞
huīwǔ; 舞动 wǔdòng ¶팔을 ~ 挥动胳
膊 **2** (头) 摇 yáo ¶설레설레 고개를
~ 摇摇头 **3** 搅动 jiǎodòng; 搅拌
jiǎobàn ¶손가락으로 막걸리를 ~ 用
指头搅动马酒力 **4** (桨) 划 huá ¶노를
내저어 앞으로 나가다 划桨往前走

내:-정(內定) 명·하타 **1** 暗中决定 àn-
zhōng juédìng **2** 内定 nèidìng ¶후임자
를 ~하다 内定继任人

내:-정(內政) 명 内政 nèizhèng ¶~을
간섭하다 干涉内政

내:-정(內情) 명 内情 nèiqíng

내:-조(內助) 명·하타 (妻子对丈夫的)
帮助 bāngzhù; 内助 nèizhù ¶그가 성
공하기까지는 아내의 ~의 공이 컸다
他终于成功, 太太对他很有帮助

내:-주(來週) 명 下星期 xiàxīngqī; 下周
xiàzhōu ¶~ 화요일 下周二

내:-주다 타 **1** 拿出 náchū ¶서랍에서
편지를 ~ 从抽屉里拿出信来 **2** 交给
jiāogěi; 递给 dìgěi ¶거스름돈을 ~ 交
给找钱 **3** 让给 rànggěi; 让出 ràngchū;
腾出 téngchū ¶따뜻한 아랫목을 ~ 让
出热乎乎的火炕

내:-지(乃至) 뮈 **1** 到 dào ¶한 달에
석 달 一个月到三个月 **2** = 또는

내:-지(內地) 명 内地 nèidì; 内陆 nèilù;
腹地 fùdì

내:-지-르다 타 **1** (拳头、武器等) 刺
cì; 捅 tǒng; 踢 tī ¶허공에 주먹을 ~
向空中捅拳头 **2** (使劲) 叫 jiào; 叫喊
jiàohǎn; 大喊大叫 dàhǎndàjiào ¶비명
을 ~ 惨叫

내:-진(內診) 명·하자 【醫】 内诊 nèizhěn

내:-진(來診) 명·하자 来诊治 lái zhěn-
zhì; 出诊 chūzhěn

내:-진(耐震) 명·하자 耐震 nàizhèn; 抗
震 kàngzhèn ¶~ 구조 抗震结构 /
~ 가옥 抗震房屋

내:-짚다 타 (向前) 拄 zhǔ ¶지팡이
를 내짚으며 걷다 拄着拐杖走路

내:-쫓기다 자 '내쫓다'의 被动词 ¶
집 밖으로 ~ 被赶出家外

내:-쫓다 타 **1** 解雇 jiěgù; 排挤 páijǐ
¶직장에서 ~ 在工作单位解雇 **2** 赶走
gǎnzǒu; 赶出 gǎnchū; 驱逐 qūzhú; 驱
逐 qūzhú; 打发 dǎfa ¶강아지를 ~ 赶
走小狗

내:-처 뮈 一口气 yīkǒuqì; 乘势
chéngshì; 顺便 shùnbiàn ¶하던 김에

~ 해 버리다 顺便做到底 **2** 一直 yīzhí; 一个劲儿 yīgejìnr ¶삼 일 ~ 비가 오다 三天一直下雨

내:-출혈(内出血) 몡 【醫】内出血 nèichūxuè

내:-치다 国 **1** 赶出 gǎnchū; 撵走 niánzǒu; 驱逐 qūzhú ¶임금은 간신의 말에 어진 신하들을 내쳤다 国王被佞臣的话语赶出仁爱的臣下 **2** 摔 shuāi; 扔掉 rēngdiào; 抛弃 pāoqì; 丢弃 diūqì ¶잡은 손을 내치고 밖으로 나갔다 摔了抓手就出去了

내:친-걸음 몡 既然已出来 jìrán yǐ chūlái; 既然已上路 jìrán yǐ shànglù ¶~에 영화관에 다녀오다 既然已出来, 去电影院一趟

내:친-김 몡 既然已着手 jìrán yǐ zhuóshǒu; 既然已开始 jìrán yǐ kāishǐ ¶~에 다 말하겠다 既然开始, 说到底

내키다 死 情愿 qíngyuàn; 肯 kěn; 动心 dòngxīn; 愿意 yuànyì; 上劲(儿) shàngjìn(r) ¶마음이 내키지 않는 다 心里不肯

내:통(内通) 몡하자터 **1** 通敌 tōngdí; 内应 nèiyìng; 勾通 gōutōng ¶은밀히 적과 ~하다 秘密通敌 **2** 暗中告诉 ànzhōng gàosu; 秘密告知 mìmì gàozhī **3** (男女) 私通 sītōng; 通奸 tōngjiān

내:-팽개치다 国 **1** 乱摔 luànshuāi; 扔掉 rēngdiào ¶가방을 ~ 乱摔书包 **2** 抛弃 pāoqì; 丢弃 diūqì ¶처자식을 내팽개치고 떠나다 抛弃妻子和孩子就离开 **3** 腾手 téngshǒu; 释手 shìshǒu ¶농사일은 내팽개치고 낮잠만 자다 腾手农事事只睡午觉

내:포(内包) 몡하자터 **1** 【論】内涵 nèihán **2** 包含 bāohán; 蕴含 yùnhán

내:-풍기다 자타 散发 sànfā; 熏人 xūnrén; 喷散 pēnsàn ¶고약한 냄새를 ~ 散发臭味

내:피(内皮) 몡 **1** = 속껍질 **2** 【動】内皮层 nèipícéng; 内皮 nèipí **3** 【植】内皮 nèipí

내:한(來韓) 몡하자 来韩 láihán; 访韩 fǎnghán ¶~ 공연 访韩演出

내:-행성(内行星) 몡 【天】内行星 nèixíngxíng

내:-호흡(内呼吸) 몡 【生】内呼吸 nèihūxī

내:홍(内訌) 몡 内讧 nèihòng; 内哄 nèihòng ¶~이 일어나다 发生内讧

내:-화(耐火) 몡하자 耐火 nàihuǒ ¶~ 건축 耐火建筑 / ~ 구조 耐火结构 / ~ 벽돌 耐火砖

내:환(内患) 몡 内患 nèihuàn

내-후년(來後年) 몡 大后年 dàhòunián = 후후년

내:훈(内訓) 몡 内训 nèixùn

낼 閅 '내일'의 略词 ¶~ 보자 明天见

낼:-모레 閅 '내일모레'의 略词

냄비 몡 小锅 xiǎoguō; 小锅子 xiǎoguōzi ¶~에 라면을 끓이다 锅里煮方便面

냄:새 몡 气味 qìwèi; 味(儿) wèi(r) = 내[3] ¶이상한 ~가 나다 闻到奇怪的味儿 / 옷에 ~가 배다 衣服上熏透气味

냄새(를) 맡다 囝 闻味儿; 察觉到

냄:새-나다 죄 有气味 yǒuqìwèi; 有臭味儿 yǒuchòuwèir; 味道不新鲜 wèidào bùxīnxiān

냅다 閅 猛(地) měng(de); 使劲(地) shǐjìn(de); 拼命(地) pīnmìng(de); 狠(地) hěn(de) ¶~ 던지다 猛投 / ~ 걸어차다 名踹 / ~ 도망치다 拼命逃跑

냅킨(napkin) 몡 餐巾 cānjīn; 餐纸 cānzhǐ; 餐巾纸 cānjīnzhǐ

냇:-가 몡 溪旁 xībiān; 小河边 xiǎohébiān ¶~에서 빨래를 하다 在溪边洗衣服

냇:-물 몡 溪水 xīshuǐ ¶~에 발을 담그다 把脚浸在溪水里

냇:-버들 몡 【植】河柳 héliǔ

냉:(冷) 몡 【韓醫】 **1** 风寒 fēnghán **2** = 냉병 **3** 带下 dàixià

냉:-(冷) 젇뒤 凉 liáng; 冷 lěng; 冰 bīng ¶~국 冷汤 / ~커피 冰咖啡

냉:-가슴(冷−) 몡 【韓醫】 (着凉) 胸痛 xiōngtòng **2** (独自) 窝火 wōhuǒ; 憋气 biēqì; 耿耿于怀 gěnggěngyúhuái

냉가슴(을) 앓다 囝 哑巴吃黄连; 哑巴亏 yǎba kuī

냉:-각(冷却) 몡하자터 **1** 冷却 lěngquè ¶~기 冷却器 / ~수 冷却水 / ~액 → 装置 冷却装置 / ~ 처리 冷却处理 / ~ 속도 冷却速度 **2** (关系나 气氛) 冷却 lěngquè ¶여야 관계를 ~ 在与野关系上流着冷气流

냉:-각-기(冷却期) = 냉각기간

냉:-각-기간(冷却期间) 몡 冷却期 lěngquèqī = 냉각기

냉:-골(冷−) 몡 冷炕 lěngkàng ¶난방이 들어오지 않아 방바닥이 ~이다 没有添火, 屋板成冷炕

냉:-국(冷−) 몡 冷汤 lěngtāng; 凉汤 liángtāng ¶오이 ~ 黄瓜冷汤

냉:-기(冷气) 몡 **1** 寒气 hánqì; 冷气 lěngqì; 冷空气 lěngkōngqì ¶방에 ~가 들다 房间里寒气逼人 / 방안의 ~를 없애다 驱除房间里的寒气 **2** 紧张气氛 jǐnzhāng qìfēn; 严肃氛围 yánsù fēnwéi

냉:-난방(冷煖房) 몡 冷暖气 lěngnuǎnqì ¶~ 시설을 완비하다 冷暖气齐备

냉:-담(冷淡) 몡하형 ᄇ형 冷淡 lěng-

dàn; 冷漠 lěngmò; 冷眼 lěngyǎn ¶그
는 정치 문제에 비교적 ~하다 他对政
治问题比较冷漠/~한 반응을 보이다
表出冷眼的反映

냉:대(冷待) 〔명〕〔하타〕 冷待 lěngdài; 怠
慢 dàimàn; 冷淡 lěngdàn; 白眼 bái-
yǎn; 白眼相待 báiyǎn xiāngdài; 慢待
mràndài = 푸대접 ¶~를 받다 吃白
眼/손님을 ~해서 보내다 怠慢客人
送回

냉:대(冷帶) 〔명〕〔地理〕 = 아한대

냉:동(冷凍) 〔명〕〔하타〕 冷冻 lěngdòng; 冻
dòng; 制冷 zhìlěng ¶~기 冷冻机 /~
법 冷冻法 /~선 冷冻船 / 식품 냉동
食品 /~실 冷冻室 /~육 冻肉 [冷
冻肉] /~차 冷冻货车 = [冷冻车] ¶
보관 冷冻保管

냉:랭-하다(冷冷—) 〔형〕**1** (기온) 冷
lěng; 冰冷 lěnglěng ¶냉랭한 공기 冷
冷的空气 **2** (태도) 冷淡 lěngdàn; 冷
漠 lěngmò; 冷冰冰 lěngbīngbīng ¶냉랭
한 분위기 冷漠的气氛/냉랭한 표정
으로 쳐다보다 冷淡的神情来看 **냉:
랭-히** 〔부〕

냉:매(冷媒) 〔명〕〔物〕 冷媒 lěngméi; 制
冷剂 zhìlěngjì

냉:면(冷麵) 〔명〕 冷面 lěngmiàn; 凉面
liángmiàn

냉:방(冷房) 〔명〕**1** 冷气 lěngqì ¶~ 시
설 冷气设备 **2** 冷房 lěngfáng; 冷房间
lěngfángjiān = 찬방

냉:방-병(冷房病) 〔명〕〔醫〕 空调病
kōngtiáobìng; 空调综合征 kōngtiáo
zōnghézhēng; 冷气病 lěngqìbìng

냉:방 장치(冷房裝置) 〔建〕 冷气设备
lěngqì shèbèi; 空调设备 kōngtiáo shè-
bèi

냉:방-차(冷房車) 〔명〕 空调车 kōngtiáo-
chē; 冷气车 lěngqìchē

냉:-병(冷病) 〔명〕〔韓醫〕 = 냉(冷)2

냉:소(冷笑) 〔명〕〔하타〕 冷笑 lěngxiào; 讥
笑 jīxiào ¶~를 냉소하며 带着讥神来

냉:소-적(冷笑的) 〔관〕 冷笑 lěngxiào; 讥
笑 jīxiào ¶~으로 대하다 冷笑看对
待

냉:소-주의(冷笑主義) 〔명〕〔哲〕 冷笑
主义 lěngxiào zhǔyì; 犬儒主义 quǎnrú
zhǔyì

냉:수(冷水) 〔명〕 = 찬물 ¶~마찰 冷水
摩擦 /~욕 冷水浴 /~를 단숨에 들이
키다 一下子喝掉冰水

냉수 먹고 속 차리다 〔숙담〕喝点冷
水, 冷冷心; 振作起精神来

냉:엄-하다(冷嚴—) 〔형〕**1** 严肃 yán-
sù; 严格 yángé; 严厉 yánlì ¶냉엄하게
말하다 严肃地说 **2** 冷酷 lěngkù; 严酷
yánjùn; 严酷 yánkù ¶냉엄한 현실 严

酷的现实 **냉:엄-히** 〔부〕

냉:온(冷溫) 〔명〕**1** 冷温 lěngwēn ¶~
겸용 冷温兼用 **2** 冷温度 lěngwēndù

냉:이 〔명〕〔植〕 荠菜 jìcài ¶~를 캐다
挖荠菜

냉잇-국 〔명〕 荠菜汤 jìcàitāng

냉:장(冷藏) 〔명〕〔하타〕 冷藏 lěngcáng ¶
~차 冷藏车 /~수송 冷藏输送

냉:장-고(冷藏庫) 〔명〕 冰箱 bīngxiāng;
电冰箱 diànbīngxiāng

냉:장-실(冷藏室) 〔명〕 (冰箱的) 冷藏
室 lěngcángshì ¶과일을 ~에 넣어 두
다 把水果存在冷藏室

냉:전(冷戰) 〔명〕**1**〔政〕 冷战 lěngzhàn
¶동서 진영의 ~ 东西阵营的冷战 /~
시대 冷战时代 **2** 冷战 lěngzhàn ¶나
는 지금 여자 친구와 ~ 중이다 我和
我的女朋友正处在冷战中

냉:정(冷靜) 〔명〕〔하타〕〔부〕 冷静 lěngjìng
¶~을 잃지 않다 保持冷静 /~하게
일을 처리하다 冷静办事

냉:정-하다(冷情—) 〔형〕 冷淡 lěngdàn;
冷漠 lěngmò; 冷冰冰 lěngbīngbīng; 冷
lěng ¶냉정한 말투 冷淡的口气 / 냉정
하게 거절하다 冷漠地拒绝 **냉:정-히**
〔부〕

냉:-찜질(冷—) 〔명〕〔하자〕〔醫〕 冷敷 lěng-
fū

냉:차(冷茶) 〔명〕 凉茶 liángchá; 冰茶
bīngchá

냉:채(冷菜) 〔명〕 凉菜 liángcài ¶해파리
~ 海蜇凉菜

냉:철-하다(冷徹—) 〔형〕 冷静透彻 lěng-
jìng tòuchè; 冷静深刻 lěngjìng shēnkè
¶냉철하게 사리를 판단하다 冷静透彻
地判断事理 **냉:철-히** 〔부〕

냉:-커피(冷coffee) 〔명〕 凉咖啡 liáng-
kāfēi; 冰咖啡 bīngkāfēi = 아이스커피

냉큼 〔부〕 很快地 hěnkuàide; 赶快 gǎn-
kuài; 赶紧 gǎnjǐn; 马上 mǎshàng; 立
刻 lìkè ¶~ 먹어 치우라 很快地吃掉/
~ 들어오너라 赶快进来吧

냉큼-냉큼 〔부〕 立刻 lìkè; 马上 mǎ-
shàng; 快快地 kuàikuàide ¶주는 대로
~ 잔을 비우다 倒杯马上就喝干

냉:탕(冷湯) 〔명〕 凉水澡堂 liángshuǐ zǎo-
táng

냉:풍(冷風) 〔명〕 冷风 lěngfēng; 凉风
liángfēng

냉:-하다(冷—) 〔형〕 冷 lěng; 凉 liáng;
寒冷 hánlěng ¶방이 ~ 房间很凉

냉:해(冷害) 〔명〕 冷害 lěnghài ¶~를 입
다 遭冷害

냉:혈(冷血) 〔명〕**1**〔韓醫〕 淤血 yūxuè
2 冷血 lěngxuè; 没有人情味 méiyǒu
rénqíngwèi; 无情 wúqíng ¶~ 인간 冷
血人

냉:혈 동물(冷血動物) 〔動〕 = 변온

동물

냉:혈-한(冷血漢) 명 冷血汉 lěngxuèhàn; 铁石人 tiěshírén ¶그는 피도 눈물도 없는 ~이다 他是个铁石人

냉:혹-하다(冷酷—) 혱 冷酷 lěngkù; 冷酷无情 lěngkù wúqíng ¶냉혹한 현실을 직시하다 正视冷酷的现实

남남 명 吧嗒 bādā 《吃东西的声音》

남남-거리다 조 1 吧嗒吧嗒 bādābādā ¶아이가 남남거리며 밥을 먹는다 孩子吧嗒吧嗒地吃饭 2 欲了还想吃 chīle hái xiǎngchī ¶그는 양이 안 차서 남남거린다 他没吃饱, 吃了还想吃 ‖ = 남남대다

냥(兩) 의명 两 liǎng ¶은 한 ~ 一两银子

너 대 你 nǐ ¶~는 어느 학교에 다니니? 你上哪个学校?/ ~ 참 귀엽게 생겼구나! 你真可爱!/ 그는 ~를 좋아한다 他很喜欢你

  너는 용빼는 재주가 있느냐 속담 你也没有回天之力
  너 나 할 것 없이 ⑨ 无论是谁; 不分彼此
  너 죽고 나 죽자 ⑨ 你死我活; 决一雌雄; 决一死战
  너는 너고 나는 나다 ⑨ 你是你, 我是我

너:2 관 四 sì ¶~ 말 四斗/~ 푼 四分钱

너구리 명 【動】 貉 hé; 狸 lí; 貉子 háozi

너그럽다 혱 宽大 kuāndà; 宽厚 kuānhòu; 宽 kuān ¶너그러운 성품 宽厚的性情 너그러이 뵘

너끈-하다 혱 充分 chōngfēn; 足够 zúgòu ¶이만한 집이면 둘이 살기에 ~ 这么大的房子, 两人才够生活 너끈-히 뵘

너나-들이 명하자 不分彼此 bùfēnbǐcǐ; 不分你我 bùfēnnǐwǒ; 亲密无间 qīnmìwújiàn ¶나와 그는 서로 ~하는 친구다 我和他是亲密无间的朋友

너나없-이 囝 无论是谁 wúlùnshìshéi; 不分你我 bùfēnnǐwǒ; 一律 yīlù ¶~ 일에 바쁘다 无论是谁忙于工作

너-댓 ㈜관 '네댓'의 錯误

너덜거리다 혱 1 一飘一飘 yīpiāo-yīpiāo; 遥遥摆摆 yáoyáobǎibǎi ¶옷이 해져서 ~ 衣裳绽裂, 一飘一飘 2 拨嘴撩牙 bōzuǐliáoyá; 胡言乱语 húzhuàngluàn ¶凭口说 píngkǒu shuō ~ 너덜대다 너덜-너덜 뵘하자활

너덧 ㈜관 = 네다섯 ¶~ 개 四五个/ 친구 ~이 함께 가다 四五个朋友一起去

너도-나도 囝 人人都 rénrén dōu; 争先恐后 zhēngxiānkǒnghòu ¶~ 구호의 손길을 뻗치다 人人都展开救护支援

너도-밤나무 명 【植】 山毛榉 shānmáojǔ

너르다 혱 1 (空间) 宽 kuān; 宽阔 kuānkuò; 广阔 guǎngkuò ¶너른 들판 旷野/너르고 시원한 마루 又宽又凉快的地板 2 (心胸) 宽 kuān; 开阔 kāikuò ¶마음이 ~ 心胸开阔

너머 명 那边 nàbiān; 后边 hòubian ¶산 ~ 山那边/ 고개 ~ 岭后边

너무 囝 太 tài; 过 guò; 过于 guòyú; 死 sǐ ¶할 일이 ~ 많다 工作过多/~ 걱정하지 마세요 别太担心了/ 이 문제는 정말 ~ 어렵다 这个问题可真太难了

너무-나 囝 '너무'의 强调语 ¶~ 피곤해서 집에 오자마자 잤다 累死了, 回家来就睡觉了

너무-너무 囝 '너무'의 强调语 ¶그 책의 내용은 ~ 부실하다 那本书的内容太不充实了

너무-하다 자형 过分 guòfèn; 过头(儿) guòtóu(r) ¶그것은 너무한 처사다 那是办得太过分

너부데데-하다 혱 (脸蛋) 扁圆 biǎnyuán ¶얼굴이 너부데데한 사람 脸蛋扁圆的人

너비 명 宽度 kuāndù; 宽 kuān = 폭(幅)1 ¶강의 ~ 河宽 / 도로의 ~를 재다 量公路的宽度

너비아니 명 烤牛肉片 kǎoniúròupiàn

너스레 명 1 算子 bìzi; 竹算子 zhúbìzi 2 天花乱坠 tiānhuāluànzhuì; 瞎白话 xiābáihuà ¶~를 떨다 收得天花乱坠

너울-거리다 ㈜자 荡漾 dàngyàng; 波涌 bōyǒng ㈜타 摇摇摆摆 yáoyáobǎibǎi ¶나비의 날개를 ~ 蝴蝶摇摆翅膀 ‖ = 너울대다 너울-너울 囝하자타

너저분-하다 혱 零乱 língluàn; 缤乱 bīnluàn; 凌乱 língluàn; 零七八碎 língqībāsuì; 杯盘狼籍 bēipánlángjí ¶집 안이 ~ 房子里杯盘狼籍 너저분-히 囝

너절-하다 혱 1 邋遢 lāta; 脏乱 zāngluàn; 肮脏 āngzàng ¶너절한 옷차림 邋遢的衣着 2 不三不四 bùsānbùsì; 粗鄙 cūbǐ; 粗俗 cūsú; 无聊 wúliáo ¶너절한 놈 不三不四的家伙 / 行动이 ~ 举止粗俗 / 너절한 변명을 늘어놓다 列出粗鄙的借口

너털-거리다 자 1 散乱飘动 sǎnluàn piāodòng 2 不自量 bùzìliàng 3 哈哈大笑 hāhā dàxiào ¶허공을 쳐다보며 ~ 望着空中哈哈大笑 ‖ = 너털대다 너털-거리다 囝하자타

너털-웃음 명 哈哈大笑 hāhā dàxiào ¶~을 치다 哈哈大笑

너트(nut) 명 【工】 螺母 luómǔ; 螺帽 luómào; 螺丝帽 luósīmào = 암나사

너풀-거리다 자타 飘飘扬扬 piāopiaoyángyáng; 飘飘荡荡 piāopiaodàngdàng = 너풀대다 ¶커튼이 바람에 ~ 窗帘迎风飘飘扬扬 **너풀-너풀** 匣허자타

너희 때 **1** 你们 nǐmen ¶~는 다 나의 좋은 친구이다 你们都是我的好朋友 **2** 你 nǐ ¶~ 집 你家 / ~ 엄마 你妈妈

넉 관 四 sì ¶~ 달 四个月 / 종이 ~ 장 四张纸

넉-가래 몡 木锨 mùxiān ¶~질 用木锨铲

넉넉-잡다 재 最多 zuìduō; 顶多 dǐngduō ¶그 일은 넉넉잡아 일주일이면 다 할 수 있다 这件事顶多一周内做得得

넉넉-하다 혱 **1** 多 duō; 够 gòu; 足够 zúgòu; 富余 fùyú; 多多有余 duōduōyǒuyú ¶시간이 ~ 时间多多有余 **2** 富裕 fùyù; 丰足 fēngzú; 宽裕 kuānyù; 厚 hòu ¶집안이 ~ 家境得丰足 **3** 大度 dàdù; 大方 dàfāng ¶사람에 ~ 为人很大度 **넉넉-히** 튀

넉-살 몡 厚脸皮 hòu liǎnpí; 厚颜 hòuyán ¶~을 떨다 厚着脸皮 / ~이 좋다 脸皮厚

넋 몡 **1** 灵魂 línghún; 魂魄 húnpò; 魂魄 húnhún; 魂灵 húnlíng = 혼백 ¶~을 위로하다 安慰魂魄 **2** 精神 jīngshén; 神志 shénzhì ¶서커스 구경에 ~이 빠져 있다 参观杂技入神

넋(을) 놓다 군 失神; 失魂

넋(을) 잃다 군 **1** 失神; 失魂 **2** 入迷; 入神

넋(이) 나가다 군 发呆; 发愣

넋-두리 몡허자타 牢骚 láosāo; 怨言 yuànyán; 诉冤 sùyuān ¶부질없는 ~를 늘어놓다 列出无用的怨言

넌 你 nǐ ('너는'의 略形) ¶~ 나를 너무 몰라 你太不了解我

넌더리 몡 极甚厌恶 jíshèn yànwù; 讨厌极了 tǎoyàn jíle; 恶心 ěxīn ¶~가 나다 极甚厌恶 / 이름만 들어도 ~를 낸다 只听名字也讨厌极了

넌덜-머리 몡 '넌더리'의 俗称

넌센스 몡 '난센스'의 错误

넌즈시 튀 '넌지시'의 错误

넌지시 튀 悄悄地 qiāoqiāode; 委婉地 wēiwǎnde ¶그의 생각을 ~ 떠보다 委婉地试探他的想法

널: 묑 **1** 跳板 tiàobǎn **2** 跳板游戏 tiàobǎn yóuxì ¶~을 뛰다 跳跳板 **3** 棺 guān

널 你 nǐ ('너를'의 略形) ¶나는 ~ 사랑하지 않아 我不爱你

널:다 타 晾 liàng; 晾开 liàngkāi; 铺展 pūzhǎn ¶빨래를 ~ 晾衣服 / 고추를 ~ 铺展辣椒

널-따랗다 혱 宽宽 kuānkuān; 宽敞 kuānchang; 宽阔 kuānkuò ¶널따라 바

위에 걸터앉다 坐在宽宽的岩石上

널:-뛰기 몡하자 [民] 跳板游戏 tiàobǎn yóuxì; 跳板 tiàobǎn

널:-뛰다 재 跳板 tiào tiàobǎn

널리 튀 **1** 广泛 guǎngfàn; 普遍 pǔbiàn; 广 guǎng; 遍 biàn ¶~ 전파되다 广为传播 **2** 宽 kuān; 多 duō; 宽大 kuāndà ¶~ 용서하여 주시기 바랍니다 请宽谅一下

널-리다 재 **1** '널다'의 被动词 **2** 遍布 biànbù; 布满 bùmǎn; 散布 sànbù; 遍地 biàndì ¶거리에 쓰레기가 잔뜩 널려 있다 街道上遍布着垃圾

널브러-뜨리다 타 乱扔 luànrēng; 乱散 luànsǎn; 乱放 luànfàng = 널브러트리다 ¶바다에 옷가지들을 ~ 把衣服乱扔在地上

널브러-지다 재 **1** 乱扔 luànrēng; 散放 luànsǎn; 乱放 luànfàng ¶마루에 장난감이 널브러져 있다 玩具散乱在地板上 **2** 横七竖八地躺倒 héngqīshùbā-de tǎngdǎo; 乱七八糟地趴着 luànqībā-zāode pàzhe ¶우리는 모두 기진맥진해서 바닥에 널브러졌다 我们都筋疲力尽, 横七竖八地躺倒在地上

널:-빤지 몡 木板 mùbǎn = 나무판자・널1 ¶1・널판1・판(板)∃1・판자 ¶~를 깔다 摆木板

널어-놓다 타 晾开 liàngkāi; 摆 bǎi; 摊开 tānkāi ¶빨랫줄에 빨래를 ~ 把衣服摆在晾衣绳上

널찍-널찍 튀허 宽宽 kuānkuān; 宽宽松松 kuānkuansōngsōng ¶길이 ~하다 公路宽宽松松的

널찍-이 튀 宽宽 kuānkuān; 宽敞 kuānchang ¶~ 자리를 잡다 安排宽敞的位子

널찍-하다 혱 宽宽 kuānkuān; 宽敞 kuānchang ¶널찍한 마당 宽敞的院子

널:-판(一板) 몡 **1** = 널빤지 **2** = 널[2]

널-판지(一板一) 몡 '널빤지'의 错误

넓다 혱 **1** (面积) 大 dà; 宽 kuān; 宽大 kuāndà; 宽敞 kuānchang; 宽阔 kuānkuò; 广 guǎng; 广大 guǎngdà; 广阔 guǎngkuò; 宽绰 kuānchuo ¶마당이 ~ 院子很大 **2** (幅度) 宽 kuān ¶넓은 길 宽宽路 **3** (性格) 宽大 kuāndà; 大方 dàfāng; 宽宏 kuānhóng ¶도량이 ~ 宽宏大量 **4** (范围) 广 guǎng; 广泛 guǎngfàn; 宏观 hóngguān; 广阔 guǎngkuò; 博 bó ¶식견이 ~ 知识渊博 / 발이 ~ 交游广阔

넓디-넓다 혱 无比宽广 wúbǐ kuānguǎng; 无比宽阔 wúbǐ kuānkuò ¶넓디넓은 세상으로 나가 많은 것을 경험하다 走出去无比宽广的世界, 积累多事

넓이 몡 宽窄 kuānzhǎi; 面积 miàn-

广度 guāngdù ¶삼각형의 ~를 구하다
求三角形的面积

넓적-넓적 〔튀〕〔하〕 宽宽 kuānkuān; 扁
平 biǎnpíng ¶떡을 ~ 자르다 扁平地
切糕

넓적-다리 〔명〕 大腿 dàtuǐ; 股 gǔ

넓적다리-뼈 〔명〕〔生〕 大腿骨 dàtuǐgǔ;
股骨 gǔgǔ

넓적-하다 〔형〕 扁 biǎn; 扁宽 kuān-
kuān; 扁平 biǎnpíng ¶넓적하고 두툼
한 손 又扁宽又厚厚的手

넓-히다 〔타〕 展宽 zhǎnkuān; 加宽 jiā-
kuān; 扩展 kuòzhǎn; 广 guǎng; 开阔
kāikuò; 拓宽 tuòkuān; 扩大 kuòdà
(《넓다》의 사동사) ¶길을 ~ 加宽公
路 / 견문을 ~ 以广听闻 / 행동반경을
~ 拓宽活动半径 / 시야를 ~ 开阔眼
界

넘겨다-보다 〔타〕 1 探头张望 tàntóu-
zhāngwàng; 窥探 kuītàn = 넘어다보
다1 ¶담장을 ~ 窥探墙头 2 眼热
yǎnrè; 觊觎 jìyú; 起贪心 qǐ tānxīn =
넘보다2 ¶재산을 ~ 对人家的财产起
贪心 3 揣测 chuǎicè; 猜测 cāicè

넘겨-받다 〔타〕 接受 jiēshòu; 继承 jì-
chéng; 承接 chéngjiē ¶자료를 ~ 接受
资料 / 경영권을 ~ 继承经营权

넘겨-주다 〔타〕 交 jiāo; 交出 jiāochū;
交给 jiāogěi; 让 ràng; 让给 rànggěi; 移
交 yíjiāo ¶서류를 ~ 交给档案 / 직위
를 ~ 交卸职位

넘겨-짚다 〔타〕 乱猜 luàncāi; 猜想 cāi-
xiǎng; 猜测 cāicè; 揣测 chuǎicè ¶내가
훔쳤을 거라고 넘겨짚지 마세요 别乱
猜是我偷的

넘-기다 〔타〕 1 (把…) 过去 guòqù; 过
guò; 出 chū; 超过 chāoguò (《넘다1》
의 사동사) 2 翻过 fānguò; 越过 yuè-
guò; 翻 fān (《넘다2》의 사동사) ¶담
너머로 공을 ~ 把球翻到墙外 3 (过
…) 溢 yì; 溢出 yìchū; 漾 漾 yàng (《넘
다3》의 사동사) 4 过 guò; 渡过 dù-
guò; 闯过 chuǎngguò (《넘다4》의 사동
词) ¶추운 겨울을 ~ 过寒冬 / 죽을 고
비를 ~ 闯过生死关头 5 翻 fān ¶책장
을 ~ 翻书 6 吞下 tūnxià ¶밥을 목구
멍으로 ~ 吞下饭 7 移交 yíjiāo; 让
yíjiāo; 让 ràng; 让给 rànggěi; 交 jiāo;
交给 jiāogěi ¶네가 할 일을 남에게 넘
기지 마라 别把你的事推给别人 8
放过去 fàngguòqù ¶이 일은 절대 가볍
게 넘길 수 없다 这件事决不能轻易放
过

넘:-나-들다 〔자타〕 出出进进 chūchu-
jìnjìn; 来来往往 láiláiwǎngwǎng ¶국경
을 ~ 出出进进边境

넘:-다 〔자타〕 1 过 guò; 出 chū; 超过
chāoguò; 逾 yú; 超 chāo ¶모은 돈이

백만 원을 ~ 存钱超过一百万圆 / 나
이가 사십이 ~ 年逾四十 2 越 yuè;
翻 fān; 越过 yuèguò; 翻越 fānyuè ¶산
을 ~ 翻山 3 溢出 yì; 溢出 yìchū; 漾
yàng ¶솥의 물이 ~ 锅里的水溢出来
4 渡过 dùguò; 闯过 chuǎngguò; 过
guò ¶숱한 고비를 ~ 过许多关

넘버(number) 〔명〕 数字 shùzì; 号码
hàomǎ; 数码 shùmǎ ¶등 뒤에 ~를 달
고 달리기를 하다 背上贴着号码跑步

넘버-원(number one) 〔명〕 第一 dìyī;
第一名 dìyīmíng; 头号 tóuhào

넘:-보다 〔타〕 1 欺负 qīfu; 鄙视 bǐshì;
看不起 kànbuqǐ ¶상대를 ~ 欺负对方
2 = 넘겨다보다2

넘실-거리다 〔자〕 1 探头探脑 tàntóu-
tànnǎo 2 汹涌 xiōngyǒng; 澎湃 péng-
pài; 滚滚 gǔngǔn ¶파도가 ~ 波涛汹
涌 3 (液体) 满满 mǎnmǎn; 充盈
chōngyíng; 盈溢 yíngyì ‖ = 넘실대다

넘실-넘실 〔튀〕〔하〕〔자타〕

넘어-지다 〔자〕 1 倒 dǎo; 摔倒 shuāi-
dǎo; 跌倒 diēdǎo ¶열 번 찍어 넘어가
지 않는 나무 없다 砍十次, 没有树不
倒 2 过 guò; 超过 chāoguò ¶점심 시
간이 ~ 过午饭时间 3 (太阳、月亮
等) 落 luò; 落下 luòxià ¶서산으로 해
가 ~ 太阳落到西山 4 转到 zhuǎn-
dào; 归于 guīyú ¶집의 소유권이 남에
게 ~ 房子的所有权转到别人身上 5
上当 shàngdàng; 受骗 shòupiàn ¶잔꾀
에 ~ 被小智术受骗 6 转向 zhuǎn-
xiàng; 转入 zhuǎnrù ¶본론으로 ~ 转
入本论 7 (书等) 翻过 fānguò ¶바람에
책장이 ~ 刮风书页翻过 8 迈过 mài-
guò; 翻过 fānguò; 爬过 páguò; 越过
yuèguò ¶고개를 ~ 翻过山岭 9 过去
guòqù; 渡过 dùguò ¶이것은 그렇게 얼
렁뚱땅 처리할 문제가 아니다 这不是
就那么可以糊弄过去的问题

넘어다-보다 〔타〕 1 = 넘겨다보다1 2
窥伺 kuīsì; 觊觎 jìyú; 盯着 dīngzhe

넘어-뜨리다 〔타〕 1 推倒 tuīdǎo; 摆倒
liàodǎo ¶의자를 ~ 推倒椅子 2 推翻
tuīfān; 颠覆 diānfù; 打倒 dǎdǎo ¶독재
정권을 ~ 颠覆专政 ‖ = 넘어트리다

넘어-서다 〔타〕 1 翻过 yuèguò; 翻过
fānguò ¶산을 넘어서면 마을이 있다
翻过山就有村 2 渡过 dùguò; 闯过
chuǎngguò ¶어려운 고비를 ~ 渡过难
关 3 超过 chāochū ¶이 분야에서는 그
를 넘어설 사람이 거의 없다 在这领域几乎没有人能超过他 4
过 guò; 过了 chāoguò ¶정오를 넘어섰다
过了子夜 5 出子 chūchū; 超出 chāochū
¶자신의 능력을 ~ 出乎能力之外

넘어-오다 〔자타〕 1 越过来 yuèguòlái;
翻过来 fānguòlái ¶산을 ~ 翻过山来 2

(从胃里) 反上来 fǎnshànglái; 吐出来 tǔchūlái ¶점심에 먹은 것이 넘어오는 것 같다 中午吃的东西, 像要吐出来 3 转到 zhuǎndào; 回到 huídào ¶토지의 소유권이 나에게 ~ 土地的所有权转到我 4 过渡 guòdù ¶20세기로 넘어오다 过渡到二十世纪

넘어-지다 困 1 倒 dǎo; 摔 shuāi; 倒塌 dǎotā; 摔倒 shuāidǎo; 跌倒 diēdǎo; 摔跟头 shuāi gēntou ¶길이 미끄러워 넘어졌다 路滑摔跟头了 2 倒闭 dǎobì; 失败 shībài; 垮 kuǎ ¶회사가 갑자기 ~ 公司突然倒闭了

넘쳐-흐르다 困 1 溢出 yìchū; 溢流 yìliú; 泛滥 fànlàn ¶개천이 ~ 水沟溢滥 2 洋溢 yángyì; 充满 chōngmǎn; 盎然 àngrán; 充沛 chōngfèi ¶봄기운이 ~ 春意盎然 / 매력이 ~ 魅力充满

넘-치다 困 1 溢出 yìchū; 泛滥 fànlàn; 漾出 yàngchū ¶강물이 ~ 河水泛滥 2 过分 guòfèn; 过于 guòyú ¶분수에 ~ 逾分 ∥ 逾分 chōngpèi; 横溢 héngyì; 洋溢 yángyì; 充满 chōngmǎn; 满怀 mǎnhuái ¶활기와 넘치는 경기 迫真感很充满的比赛

넙데데-하다 혱 '너부데데하다'의 略词

넙죽 冟 1 (嘴) 一张 yìzhāng ¶술을 주는 대로 ~ 받아 마시다 一倒酒就张嘴喝下去 2 一下子 yīxiàzi ¶~ 엎드리다 一下子趴下

넙치 魚 牙鲆 yápíng; 偏口鱼 piānkǒuyú = 광어

넝마 冟 破衣服 pòyīfu; 破烂(儿) pòlàn(r) ¶~를 걸친 거지 穿着破服的乞丐

넝마-장수 冟 估衣商 gùyīshāng; 卖破烂(儿)的 màipòlàn(r)de

넝마-주이 冟 捡破衣的 jiǎnpòlànde

넝쿨 植 = 덩쿨

넣:다 囲 1 装 zhuāng; 装进 zhuāngjìn; 放进 fàngjìn; 插进 chājìn; 放入 tóurù ¶가방에 책을 ~ 把书装在书包里 2 加 jiā; 下 xià; 放 fàng; 放进 fàngjìn ¶커피에 설탕을 좀 ~ 咖啡里加点糖 3 存 cún; 存入 cúnrù ¶돈을 은행에 ~ 把钱存入银行 4 报名 bàomíng; 应征 yīngzhēng; 提出 tíchū ¶회사에 이력서를 ~ 向公司提出履历表 5 容纳 róngnà ¶강당에 천 명을 넣을 수 있다 在礼堂里可以容纳一千人 6 算上 suànshàng; 包括 bāokuò; 纳入 nàrù ¶~을 태권도를 올림픽 종목에 태권도를 ~ 把跆拳道纳入奥林匹克比赛项目 7 开动 kāidòng; 启动 qǐdòng ¶컴퓨터 본체에 전원을 ~ 启动电脑主机电源 8 施加 shījiā; 加劲 jiājìn ¶압력을 ~ 施

压力

네 1 代 你 nǐ; 你的 nǐde ¶~가 한 짓이냐? 是你做的吗?/ ~ 이름은 무엇이냐 你的名字叫什么?

네:² 冠 四 sì ¶~ 사람 四个人 / ~ 가지 유형 四个类型

네³ 嘆 1 是 shì; 的是 shìde 2 什么 shénme 《反问》; 뭐라구요? 什么, 你说 什么话? ∥ = 예²

-네¹ 绝尾 1 们 men ¶우리~ 我们 / 부인~ 妇人们 2 家 jiā; 那儿 nàr ¶친구~ 朋友家

-네² 语尾 啊 a; 呀 ya 《用于谓词谓词干后, 带有感叹语气》 ¶벌써 꽃이 피었~ 已经开花了呀 / 집이 참 깨끗하~ 家里真干净呀

네:-거리 冟 十字路口 shízì lùkǒu; 十字街头 shízì jiētóu = 사거리 · 십자로 ¶종로 ~ 钟路十字街头

네거티브(negative) 冟 1 演 负片 fùpiàn; 底片 dǐpiàn; 阴图片 yīntúpiàn 2 = 음성 반응

네-까짓 冠 你这 nǐzhè ¶~ 놈이 뭘 안다고 你这小子懂什么

네-깟 冠 '네까짓'的略词

네:-다리 冟 四肢 sìzhī = 네발2 ¶~ 쭉 뻗고 자다 伸开四肢睡

네:-다섯 数冠 四五 sìwǔ = 너댓 · 네댓 ¶바구니에 생선 ~ 마리가 담겨 있다 在笼子里装四五条鱼

네:-댓 数冠 = 네다섯

네:-댓-새 冟 四五天 sìwǔtiān ¶일이 끝나려면 ~ 걸릴 것이다 做完事会得四五天

네:-모 冟 1 四角 sìjiǎo 2 数 = 사각형

네:모-꼴 冟 四角形 sìjiǎoxíng; 方形 fāngxíng

네:모-나다 혱 成四方形 chéng sìfāngxíng; 成方形 chéng fāngxíng; 四方 sìfāng; 方形 fāngxíng ¶종이를 네모나게 접다 把纸折成四方形 / 네모난 얼굴 方脸 [四方脸]

네:모반듯-하다 혱 四四方方 sìsìfāngfāng; 见棱见角 jiànléngjiànjiǎo ¶옷을 네모반듯하게 접어 놓다 把衣服叠得四四方方

네:모-지다 혱 成四方形 chéng sìfāngxíng; 成方形 chéng fāngxíng; 四方 sìfāng ¶네모진 도시락 四方形饭盒

네:-발 冟 1 四脚 sìjiǎo; 四足 sìzú ¶~ 짐승 四足动物 2 = 네다리

네온(neon) 冟 化 氖 nǎi; 氖元素 nǎiyuánsù; 霓虹 níhóng

네온-등(neon燈) 冟 電 = 네온전구

네온-사인(neon sign) 冟 電 霓虹灯广告 níhóngdēng guǎnggào; 霓虹

네온-전구(neon電球) 명【電】氖灯 néidēng; 氖灯泡 nǎidēngpào; 霓虹灯泡 níhóngdēngpào = 네온등

네크-라인(neckline) 명 领口 lǐngkǒu; 开领 kāilǐng

네트(net) 명【體】1 (网球、排球等的)球网 qiúwǎng; 网 wǎng ¶~ 에 擦 网球 qiúwǎng; ¶~ 터치 触网 chù wǎng 2 (足球、手球等的)球门网 qiúménwǎng

네트워크(network) 명 1【言】广播网 guǎngbōwǎng; 电视网 diànshìwǎng 2【컴】网络 wǎngluò; 联网 liánwǎng

네티즌(netizen) 명【컴】网民 wǎngmín

넥타이(necktie) 명 领带 lǐngdài; 领结 lǐngjié = 타이(tie) ¶양복 색깔과 잘 어울리는 ~ 和西服颜色相配的领带

넥타이-핀(necktiepin) 명 领带夹 lǐngdàijiā; 领带针 lǐngdàizhēn

넷 준 四 sì

넷-**째** 준몀 第四 dìsì; 第四个 dìsìgè ¶~ 딸 第四个女儿 / ~ 줄 第四行

-녀(女) 접미 女 nǚ; 妇 fù; 妻 qī(表示女性) ¶독신 ~ 单身女 / 유부 ~ 有夫之妇 / 약혼 ~ 未婚妻

녀석 몀몀 1 家伙 jiāhuo; 小子 xiǎozi ¶나쁜 ~ 坏小子 / 사내 ~ 男子家伙 2 小鬼 xiǎoguǐ; 小家伙 xiǎojiāhuo ¶고 ~ 참 영리하구나 这个小家伙很聪明

년 몀몀 娘儿们 niángrmen; 婆娘 póniáng; 丫头片子 yātou piànzi ¶못된 ~ 臭婆娘

년(年) 몀몀 年 nián; 年度 niándù ¶오십 ~ 五十年 / 그와 헤어진 지 삼 ~ 이 되었다 和他分手有三年了

년놈 명 '연놈'의 错误

년대(年代) 몀몀 年代 niándài ¶1990 ~ 1990年代

년도(年度) 몀몀 年 nián; 年份 niánfèn ¶1980 ~ 졸업생 1980年毕业生

녘 명 1 时候 shíhou; 时分 shífēn; 时 shí; 际 jì(表示时间)¶동틀 ~ 黎明之际 / 황혼 ~ 黄昏时 2 方 fāng; 面 miàn; 边 biān(表示方向或地域)

노(櫓) 명 橹 lǔ; 桨 jiǎng ¶~를 젓다 划桨

노(爐) 명 炉子 lúzi; 炉 lú

노:-(老) 접두 老 lǎo ¶~처녀 老姑娘 / ~부부 老夫妇

노가다(←일dokata[土方]) 명 1 土木工 tǔmùgōng; 小工(儿) xiǎogōng(r); 壮工 zhuànggōng; 苦力 kǔlì 2 恶棍 ègùn

노가리 명 小明太鱼 xiǎomíngtàiyú

노고(勞苦) 몀하좌 劳苦 láokǔ; 辛苦

xīnkǔ ¶~를 위로하다 安慰劳苦

노곤-하다(勞困一) 톙 疲劳 píláo; 困顿 kùndùn; 疲困 píkùn; 酸软 suānruǎn; 疲惫 píbèi ¶노곤한 몸을 잠깐 쉬다 使疲劳的身体休息一下

노골-적(露骨一) 관 露骨 lùgǔ ¶~인 표현 很露骨的表现 / ~으로 불만을 드러내다 露骨地表示不满

노:-**구**(老軀) 명 老躯 lǎoqū; 老身 lǎoshēn; 年迈之躯 niánmàizhīqū ¶~를 이끌고 나서다 带着老身出走

노:-**기**(怒氣) 명 怒气 nùqì; 怒火 nùhuǒ ¶~충천하다 怒气冲天

노끈 명 细绳 xìshéng; 绳子 shéngzi; 捻儿 niǎnr

노:-**년**(老年) 명 老年 lǎonián ¶~기 年期 / ~에 접어든 나이 进入老年的年龄

노:-**닐다** 자 闲逛 xiánguàng; 游荡 yóudàng; 游逛 yóuguàng ¶공원에서 ~ 在公园闲逛

노다지 명【鑛】富矿脉 fùkuàngmài ¶~를 캐다 挖掘富矿脉 2 洋财 yángcái; 滚滚财源 gǔngǔncáiyuán

노닥-거리다 자 唠叨不休 diédiébùxiū; 絮絮不休 xùxùbùxiū = 노닥대다 ¶오랜만에 친구들과 노닥거리느라 시간 가는 줄 몰랐다 好久没跟朋友喋喋不休 时间过得这么久也不觉得 **노닥-노닥** 부하자

노대(露臺) 명 1【建】= 발코니 2 露天舞台 lùtiān wǔtái

노동(勞動) 명 劳动 láodòng; 工作 gōngzuò ¶~량 劳动量 / ~법 劳动法 / ~ 시간 劳动时间 / ~ 시장 劳动市场 / ~ 운동 工人运动 =[工运] / ~인구 劳动人口

노동-력(勞動力) 명【經】劳动力 láodònglì = 노력(勞力)2

노동-자(勞動者) 명 1 劳动者 láodòngzhě; 工人 gōngrén 2 体力劳动者 tǐlì láodòngzhě

노동 쟁의(勞動爭議)【社】劳资纠纷 láozī jiūfēn; 劳动争议 láodòng zhēngyì; 工潮 gōngcháo

노동-조합(勞動組合) 명【社】工会 gōnghuì; 劳动组合 láodòng zǔhé = 노조

노드(node) 명【컴】节点 jiédiān

노:-**땅** 명 老头子 lǎotóuzi

노란-빛 명 黄色 huángsè

노란-색(一色) 명 黄色 huángsè

노랑 명 黄色 huángsè; 黄颜色 huángyánsè; 黄色染料 huángsè rǎnliào

노랑-나비 명【蟲】黄蝶 huángdié

노랑-머리 명 1 黄头发 huángtóufa; 黄发 huángfà 2 黄发人 huángfàrén

노랑-물 명 黄褐色 huángyánsè; 黄色

染料 huǎngsè rǎnliào; 黄 huáng ¶머리 카락을 ~을 들이다 把头发染黄 / 은 행잎이 ~을 들이기 시작했다 银杏树 叶开始变黄

노랑-이 명 1 黄狗 huánggǒu 2 小气鬼 xiǎoqìguǐ; 吝啬鬼 lìnsèguǐ

노:래-다 자 1 黄 huáng ¶노란 꽃 黄花 2 (脸色) 发黄 fāhuáng ¶너무 놀라 얼굴이 노랗게 변했다 吓得脸都发黄 3 (前途) 灰暗 huī'àn ¶앞날이 ~ 前途灰暗

노래 명하자타 1 歌 gē; 歌曲 gēqǔ; 唱歌 chànggē ¶목청껏 ~ 부르다 引吭高歌 / 잠새들이 ~하며 담장 위에 앉아 있다 麻雀唱着歌坐在墙上 2 韵文 yùnwén; 诗歌 shīgē; 歌唱 gēchàng; 歌颂 gēsòng ¶그의 시는 자연을 ~하고 있다 他的诗歌歌颂自然

노래기 명 〔蟲〕 马陆 mǎlù; 土马陆 tǔmǎlù; 百足虫 bǎizúchóng

노래-방 (一房) 명 练歌厅 liàngētīng; 歌厅 gētīng; 卡拉OK kǎlāOK

노래-자랑 명 歌咏比赛 gēyǒng bǐsài; 赛歌节目 sàigē jiémù

노: 래-하다 자 发黄 fāhuáng; 变黄 biànhuáng ¶배가 너무 아파 얼굴이 ~ 肚子痛得连脸色都变黄

노랫-가락 명 曲调 qǔdiào

노랫-말 명 歌词 gēcí ¶가사(歌词) ¶아름다운 ~을 짓다 作美丽的歌词

노랫-소리 명 歌声 gēshēng

노랭이 명 '노랑이'의 잘못

노략(擄掠) 명하타 掳掠 lǔlüè; 掠夺 lüèduó

노략-질(擄掠一) 명하타 掠夺 lüèduó; 强取豪夺 qiángqǔháoduó ¶~을 일삼다 专行掠夺

노려-보다 타 1 瞪 dèng; 盯 dīng; 瞵 lín ¶무서운 눈으로 ~ 虎视鹰隼 2 虎视眈眈 hǔshìdāndān ¶고양이가 쥐를 ~ 小猫虎视眈眈老鼠

노력(努力) 명하자 努力 nǔlì; 苦功 kǔgōng ¶~을 기울이다 倾注努力 / ~을 쏟다 下苦功 / 첨단 기술 개발에 ~하다 努力于开发尖端技术

노력(勞力) 명 1 劳力 láolì; 劳动 láodòng 2 = 劳动力

노:련-미(老鍊味) 명 老练风味 lǎoliàn fēngwèi ¶요리사가 ~ 넘치는 솜씨를 보이다 厨师表出老练风味的手艺

노:련-하다(老鍊一) 형 老练 lǎoliàn; 熟练 shúliàn ¶노련한 수법 老练的手法

노:령(老齡) 명 老龄 lǎolíng; 高龄 gāolíng ¶~화 老龄化 / 90세의 ~에도 불구하고 건강하다 九十高龄了, 身体依然健朗

노루 명 〔動〕 獐子 zhāngzi

노루-발 명 1 (缝纫机的) 压脚 yājiǎo ¶말아 박기 = 卷边压脚 2 = 노루발장도리

노루발-장도리 명 羊角锤 yángjiǎochuí = 노루발2

노르께-하다 형 微黄 wēihuáng = 노리끼리하다 ¶핏기 없는 노르께한 얼굴 没有血色的微黄的脸孔

노르딕 경기(nordic競技) 〔體〕 = 노르딕 종목

노르딕 종:목(nordic種目) 〔體〕 北欧两项 Běi Ōu liǎngxiàng; 北欧滑雪比赛 Běi Ōu huáxuě bǐsài = 노르딕 경기

노르마(라norma) 명 〔社〕 劳动定额 láodòng dìng'é

노르스름-하다 형 浅黄 qiǎnhuáng; 淡黄 dànhuáng = 노릇하다 **노르스름-히** 부

노른-자 명 = 노른자위

노른-자위 명 1 蛋黄 dànhuáng; 卵黄 luǎnhuáng ¶달걀의 ~ 鸡蛋蛋黄 2 (事物的) 核心 héxīn; 关键 guānjiàn ¶서울 한복판 ~ 땅 首尔中心的核心地方 ‖ = 노른자

노름 명하자 赌博 dǔbó; 赌钱 dǔqián; 耍钱 shuǎqián; 赌 dǔ = 도박1 ¶~에 빠지다 耽溺于赌博 / ~으로 전 재산을 날리다 赌博输掉了全部财产

노름-꾼 명 赌棍 dǔgùn; 赌徒 dǔtú = 도박꾼

노름-빚 명 赌债 dǔzhài

노름-판 명 赌场 dǔchǎng; 赌局 dǔjú = 도박판 ¶~에 끼다 参加赌场 / ~에서 돈을 다 날리다 在赌场输掉了所有的钱

노릇 명 1 做 zuò; 当 dāng 《指职业或职位》¶선생 ~ 当老师 2 做 zuò; 当 dāng 《指身份或义务》¶형 ~도 못하겠다 当不好哥哥

노릇-노릇 부 형 处处黄黄 chùchù huánghuáng ¶~하게 구운 빵 处处黄黄烘的面包

노릇-하다 형 = 노르스름하다

노리개 명 1 (女用) 腰佩 yāopèi 2 玩物 wánwù; 玩偶 wán'ǒu; 玩具 wánjù

노리끼리-하다 형 = 노르께하다 ¶노리끼리한 전등 불빛 微黄的电灯

노리다[1] 타 1 瞪 chéng; 怒视 nùshì; 盯 dīng 2 伺 sì; 窥伺 kuīsì; 虎视眈眈 hǔshìdāndān ¶钻 zuān ¶기회를 ~ 伺机 / 약점을 ~ 钻空子

노리다[2] 형 1 膻 shān; 膻气 shānqì ¶用心不良 yòngxīn bùliáng; 卑鄙 bēibǐ

노리-쇠 명 〔軍〕 枪栓 qiāngshuān; 栓 shuān

노린-내 명 膻味儿 shānwèir; 膻气 shānqì

노린내(가) 나다 구 有膻味儿《比

노:림-수(一數) 图 (暗藏的) 目的 mùdì; 诡计 guǐjì; 暗箭 ànjiàn; 圈套 quāntào ¶상대의 ~에 걸려들다 落在对方的圈套

노:-마님(老—) 图 老太太 lǎotàitai

노 마크(no+mark) 【體】无防守状态 wúfángshǒu zhuàngtài

노:망(老妄) 图 老糊涂 lǎohútu; 悖晦 bèihuì ¶~한 늙은이 老糟头子 / ~을 부리다 发糊涂

노:망-기(老妄氣) 图 悖晦 bèihuì ¶~가 들다 悖晦

노:망-나다(老妄—) 困 老糊涂 lǎohútu; 悖晦 bèihuì

노:망-들다(老妄—) 困 老糊涂 lǎohútu; 悖晦 bèihuì

노:면(路面) 图 = 길바닥1 ¶~ 보수 차 养路车 / ~ 표지 路面标志

노:모(老母) 图 老母 lǎomǔ; 老娘 lǎoniáng ¶~를 봉양하다 奉养老母

노무(勞務) 图 劳务 láowù ¶~ 관리 劳务管理 / ~비 劳务费 / ~자 劳务人员

노:반(路盤) 图【建】路基 lùjī ¶~ 공사 路基施工

노:발-대발(怒發大發) 图하자 大发雷霆 dàfāléitíng; 暴跳如雷 bàotiàorúléi; 勃然大怒 bórándànù ¶사장이 이 사실을 알게 되면 ~할 것이 분명하다 经理知道这事实, 肯定会勃然大怒的

노벨(Nobel, Alfred Bernhard)【人】诺贝尔 Nuòbèi'ěr ¶~상 诺贝尔奖

노:변(路邊) 图 路边 lùbiān = 길가 ¶~에 핀 들국화 路边开的野菊

노변(爐邊) 图 = 화롯가

노:병(老兵) 图 老兵 lǎobīng ¶~은 죽지 않는다, 다만 사라질 뿐이다 老兵不死, 只是凋零

노:병(老病) 图【醫】老病 lǎobìng; 衰 lǎoshuāi; 老年病 lǎoniánbìng

노:부(老父) 图 1 老父 lǎofù 2 家父 jiāfù

노:-부모(老父母) 图 老父母 lǎofùmǔ; 白首父母 báishǒu fùmǔ

노:-부부(老夫婦) 图 老夫妇 lǎofūfù; 老夫老妻 lǎofūlǎoqī; 年老夫妇 lǎonián fūfù; 老两口儿 lǎoliǎngkǒur

노비(奴婢) 图 奴婢 núbì ¶~ 문서를 없애다 去掉奴婢籍

노사(勞使) 图 劳资 láozī ¶~ 문제 劳资问题 / ~ 협의회 劳资协议会 / ~ 관계 劳资关系 / ~ 분규 劳资纠纷 / ~ 협약 劳资协议

노:-산(老產) 图하자 高龄出产 gāolíng chūchǎn

노상 图 老 lǎo; 老是 lǎoshi; 总是

zǒngshì; 一向 yīxiàng ¶그는 ~ 불평만 한다 他老鸣不平 / 그는 ~ 집에 없다 他老是不在家

노:상(路上) 图 = 길바닥 ¶~강도 拦路强盗 / ~ 방뇨 路上放尿 / ~ 주차 路上停车

노새 图【動】骡子 luózi

노:-선(路線) 图 1 路线 lùxiàn ¶버스 ~ 大巴路线 / 항공 ~ 航空路线 2 (思想, 政治, 工作上的) 路线 lùxiàn ¶당의 ~ 党的路线 / 독자적인 ~을 걷다 走独自路线

노:선-도(路線圖) 图 路线图 lùxiàntú ¶버스 ~ 公共汽车路线图 / 지하철 ~ 地铁路线图

노:선-버스(路線bus) 图 路线公共汽车 lùxiàn gōnggòng qìchē; 专线公共汽车 zhuānxiàn gōnggòng qìchē

노:소(老少) 图 老少 lǎoshào

노:-송(老松) 图 老松树 lǎosōngshù

노:-송-나무(老松—) 图【植】= 편백

노:쇠(老衰) 图하자 老衰 lǎoshuāi; 老衰 lǎoshuāi ¶~기 老衰期 / ~한 소 衰老的牛

노숙(露宿) 图하자 露宿 lùsù ¶~자 露宿者 / 산에서 하룻밤을 ~하다 在山中露宿一夜

노:숙-하다(老熟—) 图 老成 lǎochéng; 老练 lǎoliàn; 熟练 shúliàn

노:-스님(老—) 图【佛】1 祖师 zǔshī 2 老僧 lǎosēng

노스탤지어(nostalgia) 图 乡愁 xiāngchóu; 乡思 xiāngsī; 思乡病 sīxiāngbìng

노:승(老僧) 图 老僧 lǎosēng

노:신(老臣) 图대 老臣 lǎochén

노심-초사(勞心焦思) 图하자 劳心焦思 láoxīnjiāosī; 殚精竭虑 dānjīngjiélǜ ¶거짓말이 탄로 날까 봐 ~하다 怕漏露谎言劳心焦思

노아(Noah)【宗】诺亚 Nuòyà; 挪亚 Nuóyà ¶~ 의 방주 诺亚方舟

노 아웃(no out)【棒球】无出局 wúchūjú = 무사(無死)

노:-안(老眼) 图 老花眼 lǎohuāyǎn; 老视眼 lǎoshìyǎn

노:-안(老顏) 图 老颜 lǎoyán; 衰颜 shuāiyán ¶~을 뒤덮은 백발 笼罩老颜的白发

노:-안-경(老眼鏡) 图 = 돋보기1

노:-약(老弱) 图하자 老弱 lǎoruò

노:-약-자(老弱者) 图 老弱者 lǎoruòzhě; 老弱 lǎoruò ¶~ 보호석 老弱病残孕专座

노:-여움 图 怒气 nùqì; 怒 nù; 火(儿) huǒ(r); 恼怒 nǎonù; 气恼 qìnǎo ¶~을 풀다 息怒

노여움(을) 사다 됨 触怒

노:여워-하다 [재타] 生气 shēngqì; 恼怒 nǎonù; 气恼 qìnǎo ¶내 거짓말에 부모님께서 굉장히 노여워하셨다 由于我的谎言, 父母恼怒得很

노역(勞役) [명][하자] 劳役 láoyì; 劳务 láowù ¶~에 시달리다 苦于劳役

노:염 [명] '노여움'의 략어

노엽다 [형] 生气 shēngqì; 气恼 qìnǎo ¶너무 노엽게 생각하지 마라 别那么生气

노예(奴隷) [명] 奴隶 núlì; 奴仆 núpú ¶~근성 奴隶根性 =[奴性]/~제도 奴隶制度/~해방 解放奴隶/~로 삼다 当成奴隶/돈의 ~가 되다 被钱当奴隶

노을 霞 xiá ¶~빛 霞光/저녁~ 晚霞/~로 물든 서편 하늘 在晚霞中的西天

노이로제(독Neurose) [명][醫] 神经症 shénjīngzhèng; 神经衰弱 shénjīng shuāiruò

노이즈(noise) [명][電] 噪音 zàoyīn; 杂波 zábō

노:-익장(老益壯) [명] 老而益壮 lǎo'éryìzhuàng; 老当益壮 lǎodāngyìzhuàng ¶~을 과시하다 老当益壮

노:-인(老人) [명] 老人 lǎorén; 老年人 lǎoniánrén ¶~병 老年病/~정 老人亭/~복지 老年福利/팔십이 넘은 ~超过八十的老人/~을 공경하다 恭敬老人

노:-인-네(老人─) [명] 늙은이 ¶~취급을 받다 被当老年人

노:-인-성(老人星) [명][天] = 남극노인성

노:-인-성 치매(老人性癡呆) [醫] 老年性痴呆症 lǎoniánxìng chīdāizhèng

노:-인-장(老人丈) [명] 老人家 lǎorenjiā; 老丈 lǎozhàng; 老翁 lǎowēng

노일 전:쟁(露日戰爭) [史] = 러일전쟁

노임(勞賃) [명][經] 工资 gōngzī; 工钱 gōngqián ¶~이 비싸게 먹다 工资费多

노:자(路資) [명] 路费 lùfèi; 路费 lùfèi; 旅费 lǚfèi; 盘缠 pánchan; 盘费 pánfei ¶~가 떨어지다 花完了路费/~를 마련하다 准备旅费

노:잣-돈(路資─) [명] 路费 lùfèi; 路资 lùzī

노:장(老將) [명] **1** 老将 lǎojiàng; 宿将 sùjiàng **2** 老练的 lǎoliànde ¶~선수 老练的选手

노점(露店) [명] 地摊儿 dìtān(r); 摊子 tānzi; 摊儿 tān(r); 货摊儿 huòtān(r) ¶~상인 地摊商人

노점-상(露店商) [명] 地摊商人 dìtān shāngrén; 摊贩 tānfàn; 摊商 tānshāng

노:정(路程) [명] **1** 里程 lǐchéng **2** 路程

lùchéng; 行程 xíngchéng ¶험난한 ~艰难的路程

노:-제(路祭) [명][民] 路祭 lùjì; 路奠 lùdiàn

노조(勞組) [명][社] = 노동조합 ¶출판 ~出版工会/~를 결성하다 成立工会

노즐(nozzle) [명][機] 管嘴 guǎnzuǐ; 喷嘴 pēnzuǐ; 喷管 pēnguǎn

노지(露地) [명] 露地 lùdì; 露天地 lùtiāndì; 露天 lùtiān ¶~재배 露天栽培

노-질(櫓─) [명][하자] 摇橹 yáolǔ; 划桨 huájiǎng ¶힘에 겨워 ~을 잠시 멈추다 费劲停摇橹一会儿

노:-처녀(老處女) [명] 老姑娘 lǎogūniang; 老处女 lǎochǔnǚ

노천(露天) [명] = 한데² ¶~극장 露天剧场/~강의 露天授课/~카페 露天茶吧 =[露天茶座]/~시장 露天市场

노:-총각(老總角) [명] 老光棍儿 lǎoguānggùnr; 老处男 lǎochǔnán

노출(露出) [명][하자타] **1** 露出 lùchū; 现出 xiànchū; 裸露 luǒlù ¶~증 裸露癖/~광맥 裸露矿脉/허점을 ~하다 露出要害/위험에 ~되다 露出于危险 **2** [演] 曝光 bàoguāng ¶~이 부족하다 曝光不足

노:친(老親) [명] **1** 老亲 lǎoqīn; 老年双亲 lǎonián shuāngqīn; 老父老母 lǎofùlǎomǔ **2** 老夫人 lǎofūrén

노-코멘트(no comment) [명] 无可奉告 wúkěfènggào; 没有意见 méiyǒu yìjian ¶~로 일관하다 一直采取无可奉告的态度

노크(knock) [명][하자타] 敲 qiāo; 敲门 qiāomén ¶그는 항상 ~도 없이 들어온다 他总是不敲门就进来

노-타이(no+tie) [명] **1** = 노타이셔츠 **2** 不打领带 bùdǎ lǐngdài

노타이-셔츠(no tie+shirt) [명] 不必打领带的衬衫 bùbì dǎ lǐngdàide chènshān; 开襟衬衫 kāijīn chènshān = 노타이1

노-터치(no touch) [명][體] (棒球的) 未触球 wèichùqiú

노트(knot) [명][海] 节 jié

노트(note) [명][하타] **1** = 공책 ¶강의~讲课笔记本 **2** 手记 shǒujì; 笔记 bǐjì; 注解 zhùjiě ¶한국의 ~강의 내용을 매시간마다 ~하다 每一堂课做听课笔记

노트-북(notebook) [명] = 노트북 컴퓨터

노트북 컴퓨터(notebook computer) [컴] 笔记本电脑 bǐjìběn diànnǎo; 笔记本 bǐjìběn = 노트북

노:-티(老─) [명] 老相 lǎoxiàng; 老态 lǎotài

노:파(老婆) 명 老婆子 lǎopózi; 老奶奶 lǎonǎinai; 老太婆 lǎotàipó; 老媪 lǎo'ǎo; 老妪 lǎoyù

노:파-심(老婆心) 명 婆心 póxīn ¶~에서 하는 말이지만 인적 없고 어두운 곳에는 가지 마라 我苦口婆心, 别去又荒又暗的地方

노:폐-물(老廢物) 명 【生】 老废物 lǎofèiwù; 代谢物 dàixièwù

노:-하다(怒—) 자 发怒 fānù; 怒 nù

노-하우(know-how) 명 【經】 1 技术情报 jìshù qíngbào; 技术经验 jìshù jīngyàn 2 秘诀 mìjué

노:-형(老兄) 대 老兄 lǎoxiōng

노:-호(怒號) 명 1 怒号 nùhào; 怒吼 nùhǒu; 怒啸 nùxiào ¶군중이 ~하다 群众怒吼 2 怒号(声) nùhào-(shēng); 吼(声) hǒu(shēng); 啸(声) xiào(shēng) ¶~하는 바람 소리 啸风声

노:-화(老化) 명하자 【生】 老化 lǎohuà ¶~ 현상 老化现象 / ~ 방지 防止老化

노:-환(老患) 명 老衰 lǎoshuāi; 老病 lǎobìng ¶~으로 고생하다 因老病而苦

노:회(老會) 명 【宗】 老会 lǎohuì

노획(鹵獲) 명하자 房获 lǔhuò; 缴获 jiǎohuò; 俘获 fúhuò ¶~하다 缴获物品

노:후(老朽) 명 破旧无用 pòjiù wúyòng; 陈旧不堪 chénjiù bùkān ¶~한 시설 破旧无用的设备

노:-후(老後) 명 老后 lǎohòu; 晚年 wǎnnián ¶~ 대책을 마련하다 准备晚年对策

노:-후-화(老朽化) 명하자 化为破旧无用 huàwéi pòjiù wúyòng ¶~된 시내버스 化为破旧无用的市内巴士

노히트(no-hit+no-run) 【體】(棒球) 无安打无得分 wú'āndǎ wúdéfēn

녹(祿) 명 【史】 = 녹봉
녹(을) 먹다 団 受到俸禄

녹(을) 먹다 명 锈 xiù ¶~을 닦다 擦锈 / ~이 슬다 生锈

녹각(鹿角) 명 鹿角 lùjiǎo

녹-나무 명 【植】 樟 zhāng; 樟树 zhāngshù; 香樟 xiāngzhāng

녹-내(綠—) 명 锈味(儿) xiùwèi(r) ¶~가 나다 发锈味儿

녹-내장(綠內障) 명 【醫】 青光眼 qīngguāngyǎn

녹는-점(—點) 명 【化】 熔点 róngdiǎn; 熔解点 róngjiědiǎn = 융해점

녹다 자 1 (冰、雪等) 融化 rónghuà; 溶化 rónghuà; 融 róng; 溶 róng; 化 huà ¶강의 얼음이 모두 녹았다 河里的冰都化了 / 눈이 완전히 녹아 버렸다 雪完全融化了 2 (固体) 熔化 rónghuà; 熔

解 róngjiě; 溶化 rónghuà; 化 huà ¶주머니 속의 초콜릿이 다 녹았다 口袋里的巧克力都熔化了 / 쇠가 녹아 쇳물이 되다 铁熔化成铁水 3 (在液体里) 溶化 rónghuà; 溶解 róngjiě; 溶 róng; 化 huà ¶설탕은 뜨거운 물에서 더 빨리 녹는다 糖在热水里化得更快 / 소금이 아직 녹지 않았다 盐还没有完全溶解 4 暖과来 nuǎnguòlái; 暖和起来 nuǎnhuoqǐlái ¶몸이 ~ 身体暖和起来 5 软化 ruǎnhuà; 软下来 nuǎnxiàlái ¶얼었던 감정이 스르르 녹아 버렸다 不愉快的心情轻轻地软化了 6 迷住 mízhù; 沉迷 chénmí; 迷 mí; 迷惑 míhuò ¶그는 그 불여우에게 완전히 녹았다 他被那个狐狸精迷住了 7 好甜 hǎotián; 化开 huàkāi ¶생선회가 입 안에서 살살 녹는다 生鱼片在嘴里微微地化开了

녹-다운(knockdown) 명 【體】 (拳击的) 击倒 jīdǎo; 打倒 dǎdǎo

녹두(綠豆) 명 【植】 绿豆 lùdòu

녹두-전(綠豆煎) 명 = 빈대떡

녹로(轆轤) 명 1 辘轳 lùlu; 滑车 huáchē; 滑轮 huálún 2 旋盘 xuánpán

녹록-하다(碌碌—) 형 [碌碌 lùlù; 碌錄—] 명 1 碌碌 lùlù; 简单 jiǎndān 2 好对付 hǎoduìfu; 好欺负 hǎoqīfu《常用否定表现》¶그는 결코 녹록한 인물은 아니다 他决不是好对付的人物 녹록-히 부

녹-막이(綠—) 명하자 防止铁锈 fángzhǐ tiěxiù; 防锈 fángxiù ¶~ 도료 防锈涂料

녹말(綠末) 명 1 淀粉 diànfěn; 团粉 tuánfěn; 芡粉 qiànfěn 2 【化】 淀粉 diànfěn ‖ ~가루 = 녹말가루·전분

녹말-가루(綠末—) 명 = 녹말

녹-물(綠—) 명 锈水 xiùshuǐ ¶~이 들다 弄到锈水

녹변(綠便) 명 绿便 lùbiàn; 绿屎 lùshǐ

녹-병(綠病) 명 【農】 锈病 xiùbìng; 锈斑病 xiùbānbìng

녹봉(祿俸) 명 【史】 俸禄 fènglù = 녹(祿)

녹비(綠肥) 명 绿肥 lùféi ¶~ 작물 绿肥作物

녹-색(綠色) 명 绿色 lùsè ¶~ 식물 绿色植物 / ~ 혁명 绿色革命

녹색-등(綠色燈) 명 1 绿色灯 lùsèdēng 2 【交】 绿灯 lùdēng

녹색 조류(綠色藻類) 명 【植】 = 녹조류

녹-슬다(綠—) 자 1 生锈 shēngxiù; 长锈 zhǎngxiù; 锈 xiù ¶칼이 ~ 刀生锈 2 变钝 biàndùn; 钝滞 dùnzhì; 生锈 shēngxiù ¶머리가 ~ 脑子生锈

녹신-녹신 부하형 软洋洋 ruǎnyángyáng; 软绵绵 ruǎnmiánmián; 酥软 sūruǎn ¶사지가 ~해서 누워 있고만 싶다 四肢软洋洋只想躺下去

녹신-하다 혱 软洋洋 ruǎnyángyáng; 软绵绵 ruǎnmiánmián; 酥软 sūruǎn ¶하루 종일 걸었더니 두 다리가 ~ 走了一天路, 累得两腿酥软了

녹-십자(綠十字) 몡 绿十字 lǜshízì ¶~ 운동 绿十字运动

녹아-내리다 재 **1** 融下去 róngxiàqù; 融下来 róngxiàlái; 融化下来 rónghuàxiàlái ¶얼음이 ~ 冰融化下来 **2** 杀死; 减轻 jiǎnqīng; 软下来 ruǎnxiàlái ¶마음이 ~ 心情软下来

녹용(鹿茸) 몡 【韓醫】鹿茸 lùróng; 茸 róng

녹음(綠陰) 몡하타 绿阴 lǜyīn; 树阴 shùyīn ¶~의 계절 绿阴的季节 / ~이 우거지다 绿树成阴

녹음(錄音) 몡 录音 lùyīn ¶~기 录音机 / ~ 방송 录音广播 / ~테이프 录音磁带 =[录音带] / ~을 듣다 听录音 / ~노래를 ~하다 录音歌曲

녹의-홍상(綠衣紅裳) 몡 绿衣红裳 lǜyīhóngcháng; 绿裙绿袄 lǜqúnlǜǎo

녹-이다 타 '녹다'의 사동사 ¶설탕을 물에 넣어 ~ 把糖放进水里溶化 / 따뜻한 물로 손을 ~ 哈杯热水暖暖身子 / 남자의 마음을 ~ 让男人的心情软下来

녹작지근-하다 혱 酥软 sūruǎn; 软洋洋 ruǎnyángyáng ¶온종일 걸어다녔더니 온몸이 ~ 整天走来走去浑身酥软

녹조-류(綠藻類) 몡 【植】绿藻类 lǜzǎolèi; 绿藻植物 lǜzǎo zhíwù = 绿色藻류·녹조식물

녹조-식물(綠藻植物) 몡 【植】= 녹조류

녹즙(綠汁) 몡 绿汁 lǜzhī; 青汁 qīngzhī

녹즙-기(綠汁機) 몡 榨汁机 zhàzhījī

녹지(綠地) 몡 绿地 lǜdì ¶~를 조성하다 造成绿地

녹지-대(綠地帶) 몡 【地理】绿化带 lǜhuàdài

녹지 지역(綠地地域) 몡 【法】绿区 lǜqū

녹차(綠茶) 몡 绿茶 lǜchá

녹채(鹿寨) 몡 【史】鹿寨 lùzhài; 鹿寨 lùzhài

녹초 몡 **1** 瘫软 tānruǎn; 精疲力竭 jīngpílìjié; 垮了 kuǎle ¶~가 되도록 술을 마시다 喝酒喝得瘫软 **2** 破烂不堪 pòlànbùkān

녹초(綠草) 몡 绿草 lǜcǎo

녹취(錄取) 몡하타 录音 lùyīn ¶학교 방송을 ~한 테이프 录音学校广播的磁带

녹턴(nocturne) 몡 【音】夜曲 yèqǔ = 몽환곡·야상곡

녹토(綠土) 몡 绿土 lǜtǔ

녹화(綠化) 몡하타 绿化 lǜhuà ¶산림 ~ 山林绿化 / ~ 운동 绿化运动

녹화(錄畵) 몡하자타 录像 lùxiàng; 录뇨 ¶~ 방송 录像广播 / ~ 중계 录像转播 / 비디오카메라로 결혼식을 ~하다 用摄像机录结婚典礼

녹황-색(綠黃色) 몡 黄绿色 huánglǜsè

논 몡 水田 shuǐtián; 稻田 dàotián

논객(論客) 몡 论客 lùnkè; 论士 lùnshì; 辩论家 biànlùnjiā ¶이름난 ~ 著名的辩论家

논거(論據) 몡 论据 lùnjù ¶이 결론으로는 ~가 애매하다 这结论论据很模糊

논-고랑 몡 稻田沟 dàotiángōu

논공-행상(論功行賞) 몡하타 论功行赏 lùngōngxíngshǎng ¶~에 불만을 품다 不满于论功行赏

논-길 몡 田间小路 tiánjiān xiǎolù ¶~을 따라 걷다 随着田间小路走

논-꼬 몡 (水田里) 水口 shuǐkǒu ¶~를 트다 放水口

논-농사(一農事) 몡 种水稻 zhòngshuǐdào

논-도랑 몡 田旁小水沟 tiánpáng xiǎoshuǐgōu

논-두렁 몡 田埂 tiángěng

논-둑 몡 田埂 tiángěng; 护田堤 hùtiándī

논란(論難) 몡하타 论难 lùnnàn; 争论 zhēnglùn; 辩难 biànnàn ¶~을 벌이다 辩难 / ~을 불러일으키다 引起争论

논리(論理) 몡 **1** 逻辑 luójí ¶~의 비약 逻辑飞跃 **2** 【論】= 논리학

논리-성(論理性) 몡 【論】逻辑性 luójíxìng

논리-적(論理的) 관몡 带有逻辑性(的) dàiyǒu luójíxìng(de); 逻辑性(的) luójíxìng(de); 逻辑(的) luójí(de) ¶~ 사고 逻辑思维

논리-학(論理學) 몡 【論】逻辑学 luójíxué = 논리2

논-마지기 몡 小块水田 xiǎokuài shuǐtián

논-매기 몡하자 水田除草 shuǐtián chúcǎo

논-매다 재 水田除草 shuǐtián chúcǎo

논문(論文) 몡 论文 lùnwén ¶학위 ~ 学位论文

논-문서(一文書) 몡 田契 tiánqì

논문-집(論文集) 몡 论文集 lùnwénjí; 论集 lùnjí = 논집

논-바닥 몡 水田 shuǐtián ¶~이 쩍쩍 갈라지다 水田咔喳地裂开

논박(論駁) 몡하타 论驳 lùnbó; 辨驳 biànbó; 驳斥 bóchì; 驳倒 bódǎo

논-발 몡 田地 tiándì = 전답

논법(論法) 몡 论法 lùnfǎ

논설(論說) 몡하타 论说 lùnshuō; 评论 pínglùn; 评说 píngshuō ¶~란 评论

란/~위원 评论员/~을 싣다 登载评论/~로 사건을 다루다 以评论对待案件

논설-문(論說文) 圈 评论文 pínglùnwén; 议论文 yìlùnwén

논술(論述) 圈하자타 论述 lùnshù ¶~시험 论述考试/~ 형식 论述形式

논-스톱(nonstop) 圈 不停 bùtíng; 直达 zhídá: 直抵 zhǐdǐ ¶서울에서 부산까지 ~으로 가는 버스를 타다 坐从首尔到釜山直达的公共汽车

논어(論語) 【書】论语 Lúnyǔ

논의(論議) 圈하타 论议 lùnyì; 议论 yìlùn; 讨论 tǎolùn; 商议 shāngyì ¶끝에 결정을 내리다 经过讨论予下决定

논-일 圈하자 水田活(儿) shuǐtiánhuó(r)

논쟁(論爭) 圈하자타 论争 lùnzhēng; 争论 zhēnglùn; 辩论 biànlùn; 论战 lùnzhàn ¶격렬한 ~을 벌이다 展开激烈的论战

논저(論著) 圈하자 论著 lùnzhù

논점(論點) 圈 论点 lùndiǎn ¶~을 벗어난 질문 论点以外的问题

논제(論題) 圈 论题 lùntí; 议题 yìtí ¶토론회의 ~ 讨论会的论题

논조(論調) 圈 论调 lùndiào ¶신문의 ~ 报刊的论调

논지(論旨) 圈 论旨 lùnzhǐ ¶~가 매우 명쾌하다 论旨太明快

논집(論集) 圈 = 논문집

논파(論破) 圈하자타 驳倒 bódǎo ¶그릇된 그의 이론을 ~하다 驳倒他的错误理论

논평(論評) 圈하타 论评 lùnpíng; 评述 píngshù; 评论 pínglùn ¶호의적인 ~이 실리다 登载好意的评论

논-픽션(nonfiction) 圈 【文】纪实文学 jìshí wénxué; 纪实性电影 jìshíxìng diànyǐng; 非小说 fēixiǎoshuō

논-하다(論—) 圈타 论 lùn; 讲 jiǎng; 说明 shuōmíng ¶문학을 ~ 论文学 2 争论 zhēnglùn; 讨论 tǎolùn ¶일의 시비를 ~ 争论是非

놀: 圈 霞 xiá (《'노을'의 略称》) ¶~이 붉게 타다 霞光胭红

놀:-고-먹다 圈 坐吃 zuòchī; 吃闲饭 chīxiánfàn; 躺着吃 tǎngzhechī; 游手 yóushǒu; 游手好闲 yóushǒuhàoxián; 无所事事 wúsuǒshìshì

놀:다[1] 圈 1 玩(儿) wán(r); 游玩 yóuwán; 玩耍 wánshuǎ ¶아이들이 공을 차면서 우리 집에 놀러 오너라 孩子们踢着球玩 / 시간을 ~ 时间到我家来玩儿吧 2 游荡 yóudàng; 闲着 xiánzhe; 冗食 rǒngshí; 没工作 méigōngzuò; 坐吃 zuòchī ¶부모의 유산으로 놀고 지내다 光靠父母的遗产

冗食 3 休息 xiūxi; 歇 xiē ¶일요일에는 회사가 논다 星期天公司休息 4 闲 xián; 闲散 xiánsàn; 闲置 xiánzhì; 闲放 xiánfàng; 停放着 tíngfàngzhe ¶노는 돈이 있으면 좀 빌려다오 有闲钱借一下 5 松 sōng; 松动 sōngdòng; 活动 huódòng ¶나사가 논다 螺丝松动 6 胎动 tāidòng ¶배 속의 아이가 가끔 논다 肚子里的婴儿时时胎动

놀:다[2] 圈 耍 shuǎ; 玩 wán; 打 dǎ; 掷 zhì ¶윷을 ~ 掷柶戏

놀라다 困 1 吃惊 chījīng; 受惊 shòujīng; 吓 xià; 吓人 xiàrén ¶경적 소리에 화들짝 ~ 警号声听一跳 2 惊讶 jīngyà; 惊奇 jīngqí; 惊异 jīngyì ¶그의 박식함과 달변에 ~ 他又饱学又能说感到很惊奇

놀란 가슴 尺 心有余悸

놀:라움 圈 吃惊 chījīng; 惊讶 jīngyà ¶~을 금치 못하다 不禁惊讶

놀:랍다 圈 1 惊人 jīngrén; 令人惊奇 lìngrén jīngqí; 令人惊讶 lìngrén jīngyà ¶놀라운 발전 令人惊奇的发展 2 吓人 xiàrén; 骇人 hàirén 3 出人意料 chūrényìliào

놀:래다 困타 吓人 xiàrén; 吓唬 xiàhu; 令人惊讶 lìngrén jīngyà ¶갑자기 폭죽을 터뜨려 주위 사람들을 놀래 주다 突然放鞭炮让周围的人吃一惊

놀리다[1] 困 1 捉弄 zhuōnòng; 嘲弄 cháonòng; 作弄 zuònòng; 戏弄 xìnòng ¶사람을 ~ 戏弄人 2 逗 dòu; 逗弄 dòunòng; 取笑 qǔxiào

놀:-리다[2] 困 1 '놀다[1]'의 使动词 ¶아이를 잠시만 ~ 让孩子玩一会儿 2 '놀다[4]'의 使动词 ¶쓰지 않고 놀리는 기계를 다 팔아 버리다 把闲着不用的机器都卖出去了 3 动 dòng; 活动 huódòng ¶손발을 ~ 活动手脚 4 动 dòng; 耍 shuǎ ¶펜대를 ~ 要笔杆儿 5 随便说 suíbiànshuō; 胡说 húshuō ¶입 좀 작작 놀려라 别胡说

놀림 圈 戏弄 xìnòng; 捉弄 zhuōnòng; 嘲弄 cháonòng; 取笑 qǔxiào ¶~조 戏弄的语调 / ~을 당하다 被嘲弄

놀림-감 圈 笑料 xiàoliào; 捉弄的对象 zhuōnòngde duìxiàng; 取笑的对象 qǔxiàode duìxiàng ¶~이 되다 被当笑料

놀부 圈 1 【文】玩夫 Wánfū 2 贪鬼 tānguǐ; 贪心鬼 tānxīnguǐ

놀부 심사[심보] 尺 坏心眼儿

놀아-나다 困 1 被骗 bèipiàn; 听从 tīngcóng ¶사기꾼에게 ~ 被骗子骗了 / 남의 선동을 ~ 听从别人的煽动 2 迎和 yínghé; 附和 fùhè; 被摆布 bèi bǎibu ¶남의 손에 ~ 听他人摆布 3 胡搞 húgǎo; 放荡 fàngdàng; 堕落 duòluò; 鬼混 guǐhùn ¶외간 남자와 ~ 同

野男人鬼混

놀이 〔명〕〔하다〕 1 游玩 yóuwán; 玩(儿) wán(r); 游乐 yóulè ¶~기구 乐设施 /~동산 游乐园 /~공간 游乐空间 2 游戏 yóuxì; 玩耍 wánshuǎ; 戏 xì ¶주사위 ~ 色子游戏

놀이-마당 〔명〕 游戏场 yóuxìchǎng; 一场游戏 yīchǎng yóuxì ¶~을 펼치다 展开一场游戏

놀이-터 〔명〕 儿童游乐场 értóng yóulèchǎng; 儿童游戏场 értóng yóuxìchǎng; 游乐场 yóulèchǎng ¶아파트 단지 내 ~ 公寓小区的儿童游乐场

놈 〔명〕 1 家伙 jiāhuo; 小子 xiǎozi 《指男人》 ¶네 이 ~ 你这家伙 2 小鬼 xiǎoguǐ; 小家伙 xiǎojiāhuo 《指男孩子》 3 东西 dōngxi 《指事物或动物》 ¶큰 ~ 大的东西 4 佬 lǎo; 蛋 dàn; 货 huò ¶나쁜 ~ 坏蛋 / 미국 ~ 美国佬 5 妈的 māde; 他妈的 tāmāde; 鬼 guǐ ¶망할 ~의 세상 这个鬼 ~ / ~ 같은 세상 这个鬼 ~; 妈的! ~의 세상 这, 妈的!

놈-팡이 〔명〕 家伙 jiāhuo; 男人 nánrén ¶또 어떤 ~와 살림을 차린 모양이군 又和一个家伙一起置了家吧

놋 〔명〕〔工〕 놋쇠 ¶~대야 铜盆 / ~숟가락 铜匙子 / ~요강 铜夜壶 / ~젓가락 铜筷子

놋-그릇 〔명〕 黄铜器皿 huángtóng qìmǐn; 铜碗 tóngwǎn = 유기《鍮器》

놋-쇠 〔명〕〔工〕 黄铜 huángtóng; 铜 tóng = 놋·황동

농 〔명〕〔弄〕 = 농담《弄談》 ¶~을 걸다 开玩笑 / ~이 심하군 开玩笑开得过分

농《籠》 〔명〕 1 柳条箱 liǔtiáoxiāng 2 叠箱 diéxiāng 3 = 장롱

농가《農家》 〔명〕 农家 nóngjiā; 农户 nónghù ¶~ 소득 农家所得 / ~ 부채 农家负债

농-간《弄奸》 〔명〕〔하다〕 诡计 guǐjì; 搞鬼 gǎoguǐ; 捣鬼 dǎoguǐ; 耍奸 shuǎjiān ¶~을 부리다 耍奸 / ~에 넘어가다 被诡计捉弄

농-간질《弄奸—》 〔명〕 捣鬼 dǎoguǐ; 使坏 shǐhuài; 搞诡计 gǎoguǐjì

농경《農耕》 〔명〕〔하다〕 农耕 nónggēng ¶~ 사회 农耕社会 / ~ 생활 农耕生活 / ~ 시대 农耕时代

농경-기《農耕期》 〔명〕 = 농사철

농경-지《農耕地》 〔명〕 = 농사철

농과《農科》 〔명〕〔教〕 农科 nóngkē

농과 대:학《農科大學》 〔教〕 农业学院 nóngyè xuéyuàn

농구《籠球》 〔명〕〔體〕 篮球 lánqiú ¶~공 篮球 /~대 篮球架 /~장 篮球场 /~화 篮球鞋

농기《農機》 〔명〕 농기계

농-기계《農機械》 〔명〕〔農〕 农机 nóngjī

농업 기계 nóngyè jīxiè = 농기

농-기구《農器具》 〔명〕 农具 nóngjù

농-노《農奴》 〔명〕〔社〕 农奴 nóngnú ¶~ 제 农奴制

농:-단《壟斷·隴斷》 〔명〕〔하다〕 垄断 lǒngduàn ¶국정을 ~하다 垄断国政

농:-담《弄談》 〔명〕 玩笑 wánxiào; 戏谈 xìtán; 戏言 xìyán; 闹着玩儿 nàozhe wánr = 농《弄》 ¶~조 玩笑的口吻 / 객적은 ~을 하다 没出息地玩笑 / 지금 ~할 기분이 아니다 现在没心气开玩笑

농담《濃淡》 〔명〕 浓淡 nóngdàn ¶~을 조절하다 调节浓淡

농대《農大》 〔教〕 '농과 대학'의 略词

농도《濃度》 〔명〕 浓度 nóngdù ¶소금물의 ~ 盐水的浓度

농땡이 〔명〕 偷懒 tōulǎn; 懒墨 lǎnguǐ; 懒虫 lǎnchóng ¶근무 시간에 ~를 치다 在工作时间偷懒

농락《籠絡》 〔명〕〔하다〕 笼络 lǒngluò; 诱骗 yòupiàn 控制 kòngzhì ¶순진한 처녀를 ~하다 笼络天真的姑娘

농로《農路》 〔명〕 农用道路 nóngyòng dàolù

농림-업《農林業》 〔명〕 农林业 nónglín-yè; 农林 nónglín = 농림 ¶~에 종사하다 从事农林业

농민《農民》 〔명〕 农民 nóngmín; 农夫 nóngfū; 庄稼人 zhuāngjiarén

농밀-하다《濃密—》 〔명〕 1 浓密 nóngmì 2 亲密 qīmì; 亲近 qīnjìn ¶두 친구 사이가 ~ 两个朋友关系非常亲密

농번-기《農繁期》 〔명〕 农忙期 nóngmángqī; 农忙季节 nóngmáng jìjié ¶~ 일손 农忙期的手儿

농법《農法》 〔명〕 农法 nóngfǎ ¶새로운 ~을 개발하다 发明新农法

농본-주의《農本主義》 〔명〕 农本主义 nóngběn zhǔyì

농부《農夫》 〔명〕 农夫 nóngfū; 农民 nóngmín; 庄稼汉 zhuāngjiahàn ¶~가 农夫之歌 =〔農歌〕

농사《農事》 〔명〕〔하다〕 农活儿 nónghuór; 农事 nóngshì; 庄稼活儿 zhuāngjiahuór; 农业生产 nóngyè shēngchǎn ¶올해 ~는 잘 되었다 今年的庄稼真好

농사-꾼《農事—》 〔명〕 农夫 nóngfū; 农民 nóngmín; 庄稼汉 zhuāngjiahàn

농사-일《農事—》 〔명〕〔하다〕 农活儿 nónghuór; 庄稼活儿 zhuāngjiahuór ¶집에서 ~을 거들다 在家里帮助做庄稼活儿

농사-짓다《農事—》 〔명〕 种地 zhòngdì ¶직접 땅을 일구어 농사지어 먹고산다 亲自以耕地, 种地做生计

농사-철《農事—》 〔명〕 农时 nóngshí; 农季 nóngjì = 농경기

농산-물(農産物) 图 农产品 nóngchǎn-pǐn; 农产物 nóngchǎnwù

농삿-일(農事一) 图 '농사일'의 错误

농성(籠城) 图 **1** 笼城 lóngchéng; 守城 shǒuchéng **2** 静坐示威 jìngzuò shìwēi ¶~ 투쟁 静做示威斗争 / ~을 풀다 结束静坐示威

농수-로(農水路) 图 农用水路 nóng-yòng shuǐlù

농-수산(農水産) 图 = 농수산업

농수산-물(農水産物) 图 农水产物 nóngshuǐchǎnwù

농수산-업(農水産業) 图 农水产业 nóngshuǐchǎnyè = 농수산

농아(聾兒) 图 聾儿 lóng'ér

농아(聾啞) 图 聾哑 lóngyā ¶~ 학교 聾哑学校

농악(農樂) 图 【音】农乐 nóngyuè = 풍물놀이 ¶~대 农乐队 =[农乐团]

농약(農藥) 图 农药 nóngyào ¶~을 치다 撒农药

농어(魚) 图 鲈鱼 lúyú

농-어민(農漁民) 图 农渔民 nóngyúmín

농-어촌(農漁村) 图 农渔村 nóngyú-cūn

농업(農業) 图 农业 nóngyè; 农产业 nóngchǎnyè; 农业生产 nóngyè shēng-chǎn ¶~국 农业国家 / ~ 경제 农业经济 / ~ 사회 农业社会 / ~용수 农业用水 / ~ 인구 农业人口

농업 협동조합(農業協同組合) 【農】农业合作组合 nóngyè hézuò zǔhé

농염(濃艷) 图 浓艳 nóngyàn; 艳丽 yànlì ¶~하고 섹시한 여인 又艳丽又有性感的女人

농예(農藝) 图 农艺 nóngyì

농원(農園) 图 【農】农园 nóngyuán; 园艺农场 yuányì nóngchǎng

농-익다(濃一) 困 **1** 熟透 shútòu; 烂熟 lànshú ¶농익은 복숭아 烂熟的桃子 **2** 农 nóng; 盛 shèng; 成熟 chéngshú ¶분위기가 서서히 농익어 가다 气氛慢慢浓起来

농작-물(農作物) 图 农作物 nóngzuò-wù; 庄稼 zhuāngjia = 작물 ¶~을 수확하다 收获庄稼

농장(農場) 图 农场 nóngchǎng ¶~ 관리 农场管理 / ~동물 动物农场

농:조(弄調) 图 玩笑的口吻 wánxiàode kǒuwěn; 戏弄的语调 xìnòngde yǔdiào; 调侃的语气 diàokǎnde yǔqì ¶~로 말하다 玩笑的口吻来说话

농지(農地) 图 农地 nóngdì; 田地 tián-dì = 농경지 ¶~ 개간 开垦田地 / ~ 개혁 农地改革 / ~세 农地税 / ~ 전용 转用耕地 / ~조성 造成耕地

농촌(農村) 图 农村 nóngcūn ¶~ 생활 农村生活

농촌 활동(農村活動) 【社】农村打工 nóngcūn dǎgōng; 农村实习 nóngcūn shíxí

농축(濃縮) 图 하타 浓缩 nóngsuō ¶~ 세제 浓缩洗衣粉 / ~ 우라늄 浓缩铀 / 인체에 ~되는 각종 오염 물질 各种浓缩于人体的污染物质

농-축산물(農畜産物) 图 农畜产品 nóngxùchǎnwù; 农畜产品 nóngxùchǎn-pǐn

농:-치다(弄一) 困 玩笑 wánxiào; 开玩笑 kāi wánxiào; 说玩笑 shuō wánxiào

농토(農土) 图 耕地 gēngdì; 农田 nóng-tián ¶기름진 ~ 肥沃的耕地

농학(農學) 图 农学 nóngxué

농한(農閑) 图 农闲 nóngxián ¶~기 农闲期

농협(農協) 图 【農】'농업 협동조합'의 略语

농활(農活) 图 '농촌 활동'의 略词

농후-하다(濃厚一) 图 nóng; 浓 **1** (颜色、味道、成分等) 浓 nóng; 稠 chóu **2** 可能性大 kěnéngxìng dà ¶패배의 ~ 败北的可能性很大 **3** 浓厚 nónghòu; 明显 míngxiǎn; 严重 yánzhòng ¶관료주의 사상이 ~ 官僚主义思想很明显

높-낮이 图 高低 gāodī = 고저 ¶의자의 ~를 조절하다 调节椅子的高低

높다 图 **1** (从下向上的距离) 高 gāo ¶산이 ~ 山高 / 파도가 ~ 波涛高 / 굽높은 신발 高跟儿鞋 **2** (在质量、水平、能力、价值上) 高 gāo; 高深 gāoshēn; 高明 gāomíng; 高超 gāochāo ¶수준이 ~ 水平高 / 성적이 ~ 成绩高 **3** (在数值上) 高 gāo ¶압력이 ~ 压力高 / 온도가 ~ 温度高 **4** (在价格或比率上) 高 gāo ¶물가가 ~ 物价高 **5** (在地位或等级上) 高 gāo ¶계급이 ~ 阶级高 **6** (声音) 高 gāo ¶높은 소리 高声 **7** (名声) 高 gāo ¶명성이 ~ 名声高 **8** (气势) 高 gāo ¶투지가 ~ 斗志高 / 합격률이 ~ 及格率高

높-다랗다 图 很高 hěngāo ¶높다란 담에 둘러싸이다 被很高的墙墙围绕

높새 图 = 높새바람

높새-바람 图 东北风 dōngběifēng = 높새

높아-지다 困 涨 zhàng; 提高 tígāo; 高扬 gāoyáng; 增长 zēngzhǎng; 增高 zēnggāo ¶생산성이 ~ 生产性增长了 / 생활 수준이 ~ 生活水平提高了

높은-음(一音) 图 高音 gāoyīn

높은음자리-표(一音一標) 图 【音】高音谱号 gāoyīn pǔhào = 고음부

높이 一图 高度 gāodù; 高低 gāodī; 高程 gāochéng ¶산의 ~를 측량하다 测量山的高度 二則 高 gāo; 高度 gāodù;

高高 gāogāo; 高高地 gāogāode ¶해가
~ 뜨다 太阳高高地出来 / ~ 평가하
다 高高地评价

높이 사다 高高评价; 敬重

높-이다 〔他〕 **1** '높다'의 사동사 ¶언성
을 ~ 扛嗓子 / 안목을 ~ 提高眼力 **2**
尊称 zūnchēng; 用敬语 yòng jìngyǔ ¶
부부끼리 서로 말을 ~ 夫妇之间互相
尊称

높이-뛰기 〔名〕 〔體〕 跳高 tiàogāo

높임-말 〔名〕 〔語〕 尊称 zūnchēng; 敬
语 jìngyǔ = 존대어·존댓말·존칭어

놓다¹ 〔他〕 **1** (从手里) 放 fàng; 放下
fàngxià; 撒 sǎ; 撒开 sākāi ¶제자리에
~ 放在原处 / 놓지 말고 내 손을
꽉 잡아라 不要放手紧紧抓住我的手 **2**
(到一定的地方) 放 fàng; 搁 gē ¶화병
을 탁자 위에 ~ 把花瓶放在桌子上 **3**
布置 bùzhì; 设置 shèzhì; 安装 ān-
zhuāng; 安 ān, 装 zhuāng; 铺设 pū-
shè; 搭 dā ¶집에 전화를 ~ 在
家里安装电话 / 개울에 다리를 ~ 在小
河沟上搭桥 / 방에 구들을 ~ 房间里铺
炕 **4** (为了捕) 撒 sǎ; 放 fàng; 下 xià ¶
덫을 ~ 放捕兽器 / 쥐약을 ~ 下老鼠
药 / 그물을 놓아 고기를 잡다 撒网捕
鱼 **5** (心) 放 fàng; 松 sōng ¶그가 무
사하다는 소식에 나는 비로소 마음을
놓았다 听到他平安无事的消息, 我才
放了心 **6** (把工作、活儿) 撂 liào; 撂下
liàoxià; 放下 fàngxià ¶일손을 ~ 放下
手里的活儿 / 일이 끝나지 않았는데 어
떻게 손을 놓을 수 있겠느냐? 事情没
有完, 哪能就撂手? **7** 对 duì; 拿 ná ¶
그 문제를 놓고 의견이 분분하다 对那
个问题议论纷纷 **8** (算盘) 打 ¶주판
을 ~ 打算盘 **9** 扎 zhā; 注射
zhùshè ¶팔에 주사를 ~ 在胳膊上打
针 / 침을 ~ 扎针 **10** 进行 jìnxíng; 给
予 jǐyǔ; 作出 zuòchū ¶훼방을 ~ 进行
捣乱 / 퇴짜를 ~ 作出拒绝 / 아들에게
으름장을 ~ 对儿子进行威吓 **11** 加
jiā; 加紧 jiājǐn ¶속력을 ~ 加紧 / 속
력을 = 加快速度 **12** (火) 点 diǎn; 放
fàng ¶마당에 모깃불을 ~ 在院子里点
熏蚊火 **13** (绣) 绣 ¶오색실로 수를
~ 用五色线刺绣 **14** 调 tiáo ¶자동차
를 120km로 놓고 달리다 汽车调到一
百二十公里猛开 **15** (话) 随意 suíyì ¶
말씀을 놓으십시오 说话请随意点儿 /
그는 나와는 서로 말을 놓고 지냈다
他跟我说话比较随意 **16** 出租 chūzū;
出 chū; 放 fàng ¶전세를 ~ 出租房
子 / 사채를 ~ 放私债

놓다² 〔보동〕 **1** 着 zhe; 完 wán; 好 hǎo
《'-어 놓다'之形, 表示已完成的动作
或某些特征和状态继续存在》 ¶더우니
문을 열어 놓아라 天热, 把门开着吧

'-어 놓다'之形, 表示原因 ¶그녀는
워낙 약해 놓아서 겨울이면 꼭 감기가
든다 她本来体弱, 一到冬天就感冒

놓아-기르다 〔他〕 = 놓아기르다

놓아-두다 〔他〕 **1** 放 fàng; 放置 fàng-
zhì; 搁置 gēzhì ¶핸드백을 테이블 위
에 ~ 把提包放在桌子上 **2** 放任 fàng-
rèn; 不管 bùguǎn ¶참견 말고 그냥 놓
아두어라 别理, 不管它

놓아-먹이다 〔他〕 放养 fàngyǎng; 放牧
fàngmù; 放 fàng = 놓아기르다 ¶이
염소들은 모두 산에서 놓아먹인 것들
이다 这些山羊都是在山区放养

놓아-주다 〔他〕 放走 fàngzǒu; 放开
fàngkāi ¶잡았던 사냥감을 ~ 把捕到
的猎物放走 / 그녀를 사랑한다면 그녀
를 놓아주세요 爱她就放开她吧

놓-이다 〔他〕 '놓다'的被动词 ¶책상
위에 놓인 꽃병 放在桌子上的花瓶 /
마음이 놓이지 않는다 没安好心

놓-치다 〔他〕 **1** 失手 shīshǒu; 掉下来
diàoxiàlái ¶접시를 놓쳐서 깨뜨렸다 一
失手把碟子摔破了 **2** 放走 fàngzǒu;
放跑 fàngpǎo; 没抓住 méi zhuāzhù; 放
掉 fàngdiào ¶도둑을 ~ 放掉小偷 **3**
放过 fàngguò; 错过 cuòguò; 失 shī;
失掉 shīdiào; 错失 cuòshī; 误 wù ¶기
회를 ~ 错过机会 **4** 漏掉 lòudiào; 丢
掉 diūdiào ¶한 마디도 놓치지 않고 들
다 一句话都不丢掉听

놔:-두다 〔他〕 '놓아두다'的略词

놔:-주다 〔他〕 '놓아주다'的略词

뇌(腦) 〔名〕 〔生〕 脑 nǎo; 脑髓 nǎosuǐ
= 골³²·뇌수·두뇌¹·머릿골² ¶~경
색 脑梗塞 / ~수면 脑睡眠 / ~수종 脑
水肿 / ~신경 脑神经 / ~종양 脑肿
瘤 / ~진탕 脑震荡 / ~혈관 脑血管

뇌관(雷管) 〔名〕 雷管 léiguǎn; 信管 xìn-
guǎn; 引信 yǐnxìn ¶~이 터지다 雷管
爆发

뇌까리다 〔他〕 **1** 唠叨 láodao; 叨唠 dāo-
lao ¶했던 말을 자꾸 ~ 把说过的话叨
唠个没完 **2** 嘟囔 dūnang; 嘟哝 dū-
nong; 发牢骚 fā láosāo

뇌:다 〔他〕 唠叨 láodao; 叨念 dāoniàn;
念叨 niàndao ¶같은 말을 자꾸 ~ 总
是唠叨着同样的话

뇌리(腦裡) 〔名〕 头脑里 tóunǎoli; 脑里
nǎoli; 脑子里 nǎozili; 脑海里 nǎohǎili ¶
~에 박혀 있다 印在脑里 / ~를 스
치다 脑里一闪

뇌막(腦膜) 〔名〕 〔生〕 脑膜 nǎomó ¶~
염 脑膜炎

뇌물(賂物) 〔名〕 贿赂 huìlù; 贿 huì; 红
包 hóngbāo; 好处费 hǎo-chùfèi ¶~ 수
수 收受贿赂 / ~을 먹은 공무원 受贿
的官员

뇌병(腦病) 〔名〕 〔醫〕 脑病 nǎobìng

뇌사(腦死) 図 【醫】 脑死亡 nǎosǐwáng; 脑死 nǎosǐ ¶~자 脑死病人 =[뇌사자]

뇌성(雷聲) 図 = 천둥소리

뇌성 마비(腦性痲痺) 【醫】 脑性瘫痪 nǎoxìng tānhuàn; 脑性麻痹症 nǎoxìng mábìzhèng; 脑性小儿麻痹症 nǎoxìng xiǎo'ér mábìzhèng; 脑瘫 nǎotān

뇌수(腦髓) 図 【生】 = 뇌

뇌실(腦室) 図 【生】 脑室 nǎoshì

뇌압(腦壓) 図 【醫】 脑压 nǎoyā; 颅内压 lúnèiyā

뇌-염(腦炎) 図 【醫】 脑炎 nǎoyán ¶~ 예방 주사 脑炎预防针

뇌염-모기(腦炎一) 図 【蟲】 三带喙库蚊 sāndàihuìkùwén

뇌엽(腦葉) 図 【生】 脑叶 nǎoyè

뇌-졸중(腦卒中) 図 【醫】 脑卒中 nǎo-cùzhòng; 卒中 cùzhòng; 脑中风 nǎo-zhòngfēng

뇌-졸증(腦卒症) 図 【醫】 '뇌졸중'의 착오

뇌-척수(腦脊髓) 図 【生】 脑脊髓 nǎo-jǐsuǐ; 脑脊 nǎojǐ

뇌-출혈(腦出血) 図 【醫】 脑出血 nǎo-chūxuè; 脑溢血 nǎoyìxuè

뇌파(腦波) 図 【生】 脑波 nǎobō; 脑电波 nǎodiànbō ¶~ 검사 脑波检查

뇌-하수체(腦下垂體) 図 【生】 垂体 chuítǐ; 脑下垂体 nǎoxiàchuítǐ; 脑垂体 nǎochuítǐ

누:(累) 図 累 lèi; 连累 liánlèi; 牵连 qiānlián ¶~를 끼치다 累及 / ~가 되다 牵连

누(壘) 図【體】 = 베이스(base)

누가(프nougat) 図 牛轧糖 niúyàtáng; 果仁蛋白糖 guǒréndànbáitáng

누각(樓閣) 図 楼阁 lóugé; 阁 gé

누:계(累計) 図[하타] 累计 lěijì ¶경비의 ~ 费用的累计

누:관(淚管) 図 【生】 泪管 lèiguǎn

누구 때 1 谁 shéi; 什么人 shénmerén; 何人 hérén 《指不认识的人》 ¶너는 ~냐? 你是谁? 2 什么人; 任何人 rènhérén; 谁 shéi ¶~든지 오너라 无论是谁都会过来 / ~나 할 수 있는 일 任何人都能做的工作 3 有人 yǒurén; 某人 mǒurén; 有人 yǒurén ¶누군가가 밖에서 너를 부른다 外面有人在叫你

누구 할 것 없이 図 无论是谁 = 누구를 막론하고[물론하고]

누구를 막론하고[물론하고] 図 = 누구 할 것 없이

누구 코에 바르겠는가[붙이겠는가] 図 不够塞牙缝的; 粥少僧多

누구-누구 때 都是谁 dōushì shéi; 谁谁 shéishéi

누그러-들다 困 = 누그러지다 ¶목

소리가 ~ 嗓音软下来

누그러-뜨리다 固 缓和 huǎnhuo; 降低 jiàngdī; 软下来 ruǎnxiàlái; 放松 fàng-sōng; 减退 jiǎntuì = 누그러트리다 ¶험악한 분위기를 ~ 缓和凶恶的气氛

누그러-지다 困 缓和 huǎnhuo; 降低 jiàngdī; 软下来 ruǎnxiàlái; 减退 jiǎntuì = 누그러들다 ¶격한 감정이 ~ 激烈的感情软下来

누:기(漏氣) 図 潮气 cháoqì; 潮 cháo; 湿气 shīqì ¶~가 찬 방에서 자다 睡在发潮的房间里

누기(가) 차다 发潮; 犯潮

누:나 図 《弟弟称》 姐姐 jiějie; 姐 jiě 큰~ 大姐

누:-누이(累累一) 图 累累 lěiléi; 屡屡 lǚlǚ; 一再 yízài; 再三 zàisān; 反复地 fǎnfùde; 翻来覆去 fānláifùqù ¶~ 타이르다 再三说劝

누:님 図 '누나'의 경칭

누다 固 《屎、尿等》 拉 lā; 撒 sā; 解手 jiěshǒu ¶오줌을 ~ 撒尿 / 똥을 ~ 拉屎

누:대(累代) 図 累代 lěidài; 累世 lěishì; 世世代代 shìshìdàidài ¶~에 걸쳐 살아온 집 世世代代住下来的家

누더기 図 破衣烂衫 pòyīlànshān; 百衲衣 bǎinàyī; 破烂的衣服 pòlànde yīfu ¶~를 걸친 거지 穿着破衣烂衫的乞丐

누덕-누덕 图[하图] 补钉摞补钉 bǔding-luòbǔding; 补丁摞补丁 bǔdingluòbǔ-ding; 补了又补 bǔle yòu bǔ ¶~ 기운 바지를 입다 穿补钉摞补钉的裤子

누드(nude) 図 1 裸体 luǒtǐ; 赤身 chìshēn ¶~모델 裸体模特儿 / ~ 사진 裸体照 2 《美》 裸体画 luǒtǐhuà

누드-쇼(nude show) 図 【藝】 裸体表演 luǒtǐ biǎoyǎn; 裸体秀 luǒtǐxiù = 나체쇼

누:락(漏落) 図[하자타] 漏 lòu; 落 là; 脱漏 tuōlòu; 漏记 lòujì; 漏写 lòuxiě; 脱漏 tuō-lòu; 遗漏 yílòu ¶그의 이름이 명단에서 ~됐다 他的名字在名单里漏写

누렁 図 深黄色 shēnhuángsè; 深黄染料 shēnhuáng rǎnliào

누렁-개 図 = 누렁이

누렁-이 図 黄狗 huánggǒu = 누렁개·황구

누:렇다 図 黄 huáng; 金黄 jīnhuáng ¶벼가 누렇게 익었다 稻谷成熟得很黄

누렇게 뜨다 図 面黄; 面如土色; 脸色很黄

누:레-지다 困 变黄 biànhuáng; 发黄 fāhuáng

누룩 図 曲 qū; 酒曲 jiǔqū

누룩-곰팡이 図 【植】 曲霉 qūméi; 曲菌 qūjùn

누룽지 冤 锅巴 guōbā

누:르다¹ 〔ㅡ다〕 匣 1 按 àn; 摁 èn; 压 yā ¶초인종을 마구 ~ 乱按门铃 2 控制 kòngzhì; 压迫 yāpò; 压制 yāzhì ¶권력으로 백성을 ~ 以权力压制老百姓 3 抑制 yìzhì; 按捺 ànnà; 控制 kòngzhì; 压抑 yāyì; 捺 nà ¶슬픔을 누르고 미소 짓다 抑制悲哀微笑 4 赢 yíng; 打败 dǎbài ¶상대팀을 9대 5로 ~ 以九比五打败对方 三 闭 留 liú; 呆 dāi ¶여기에 눌러 살 작정이다 打算呆在这儿

누르다² 闭 黄 huáng; 金黄 jīnhuáng ¶가을이 되니 나뭇잎이 누르게 보인다 到了秋天树叶金黄

누르스레-하다 闭 = 누르스름하다

누르스름-하다 闭 浅黄 qiǎnhuáng; 淡黄 dànhuáng = 누르스레하다 ¶누르스름한 재생지 淡黄的更生纸 누르스름-히 周

누리 冤 世界 shìjiè; 世上 shìshàng; 大地 dàdì ¶온 ~가 눈으로 하얗게 덮이다 大地满被雪覆白

누리끼리-하다 闭 微黄 wēihuáng

누리다¹ 闭 享受 xiǎngshòu; 享有 xiǎngyǒu; 享 xiǎng; 过 guò; 走 zǒu ¶행복을 ~ 享受幸福 / 장수를 ~ 享有长寿 / 인기를 ~ 走红

누리다² 闭 膻 shān; 发膻 fāshān ¶양고기에는 누린 냄새가 많이 난다 羊肉膻味发得比较强

누린-내 冤 膻味儿 shānwèir

누릿-하다 闭 1 (味, 香) 微膻 wēishān 2 黑黄 hēihuáng; 暗黄 ànhuáng

누:명(陋名) 冤 冤枉 yuānwang; 不白之冤 bùbáizhīyuān ¶~을 쓰다 蒙受冤枉 / ~을 벗다 平反昭雪

누비 冤 绗 háng ¶~옷 绗棉衣

누비다 闭 1 绗 háng; 绗缝 hángféng ¶이불을 ~ 绗缝被子 2 穿行 chuānxíng; 穿梭 chuānsuō ¶전국을 ~ 穿行全国

누비-옷 冤 绗过的衣服 hángguòde yīfu

누비-이불 冤 绗过的被子 hángguòde bèizi

누상(壘上) 冤 〔體〕 (棒球的) 全上 lěishang ¶~에 주자가 나가 있다 跑手到垒上

누:설(漏泄·漏洩) 冤 闭 闭 泄露 xièlòu; 走漏 zǒulòu; 通风 tōngfēng ¶적에게 정보를 ~하다 给敌通风报信

누:수(漏水) 冤 漏水 lòushuǐ ¶~를 방지하기 위하여 미리 점검하다 提前检查以防漏水

누심(壘審) 冤 〔體〕 (棒球的) 全裁判 lěicáipàn

누에 冤 〔蟲〕 蚕 cán; 桑蚕 sāngcán ¶~고치 蚕茧 / ~섶 蚕蔟 / ~를 치다

养蚕

누에-나방 冤 〔蟲〕 蚕蛾 cán'é

누에 농사(─農事) 〔農〕 蚕农 cánnóng = 잠농

누에-치기 冤闭 〔農〕 = 양잠

누에-콩 冤 〔植〕 蚕豆 cándòu; 胡豆 húdòu; 罗汉豆 luóhàndòu

누이 冤 (男人称) 妹妹 mèimei; 姐姐 jiějie

누이 좋고 매부 좋다 속당 皆大欢喜; 两全其美

누이다¹ 闭 放倒 fàngdǎo; 放躺下 fàngtǎngxià (『눕다¹』의 사동어) = 눕히다 ¶아기를 담요 위에 ~ 让孩子放躺在毡毯上

누이다² 闭 把屎 bǎshī; 把尿 bǎniào (『누다』의 사동어)

누이-동생(─同生) 冤 (男人称) 妹妹 mèimei

누:적(累積) 冤闭闭 累积 lěijī; 积累 jīlěi ¶피로가 ~되다 疲劳积累

누:전(漏電) 冤闭闭 漏电 lòudiàn; 跑电 pǎodiàn ¶~ 차단기 漏电断路器

누:지다 闭 潮湿 cháoshī; 发潮 fācháo; 返潮 fǎncháo ¶장마철이라 방이 ~ 因为是雨期, 房间潮湿

누:진(累進) 冤闭闭 累进 lěijìn; 递增 dìzēng ¶~ 과세 累进收税 / ~세 累进税 / ~ 세율 累进税率 / ~율 累进率

누:차(累次) 冤 屡次 lǚcì; 累次 lěicì; 多次 duōcì ¶~ 당부하다 屡次三番地叮嘱 / ~ 강조하다 强调数遍

누:추-하다(陋醜─) 闭 丑陋 chǒulòu; 简陋 jiǎnlòu; 破旧 pòjiù; 陋 lòu ¶누추한 집 陋房 / 차림이 ~ 装相简陋

누:출(漏出) 冤闭闭 漏出 lòuchū; 泄漏 xièlòu; 泄露 xièlù ¶유독 가스가 ~되다 毒气泄漏 / 회사 기밀을 ~하다 泄露公司的秘密

눅눅-하다 闭 1 发软 fāruǎn ¶과자가 좀 눅눅해졌다 饼干有点儿发软了 2 潮湿 cháoshī; 湿润 shīrùn ¶방이 어둡고 ~ 房间阴暗潮湿 눅눅-히 周

눅진-거리다 闭 1 柔软 róuruǎn; 柔软 róuruǎn ¶녹아서 눅진거리는 갱엿 融化为柔软的牛轧糖 2 软粘 ruǎnzhān ‖ = 눅진대다 눅진-눅진 周[하] ¶뜨거운 태양열에 ~해진 아스팔트 도로 因炎热的太阳热而变得柔柔韧韧的柏油路面

눈¹ 冤 眼 yǎn; 眼睛 yǎnjing; 目 mù ¶~을 감다 闭眼 / ~을 뜨다 睁眼 / ~을 깜빡이다 眨眼 / ~을 흘기다 挤眼 2 视力 shìlì; 目力 mùlì; 眼力 yǎnlì ¶~이 나쁘다 视力不好 3 眼光 yǎnguāng; 眼力 yǎnlì ¶보는 ~이 있다 有眼力 4 眼神 yǎnshén; 眼光 yǎnguāng

¶부드러운 ~으로 바라보다 软软的眼光看 5 视线 shìxiàn ¶사람들의 ~을 끌다 吸引人们的视线 6 (台风的) 眼 yǎn ¶태풍의 ~ 台风之眼

눈 가리고 아웅 속담 掩耳盗铃; 自欺欺人

눈 감으면 코 베어 먹을 세상 속담 = 눈을 떠도 코 베어 간다

눈에 콩깍지가 씌었다 속담 情人眼里出西施

눈에는 눈(을) 이에는 이(를) 속담 以牙还牙, 以眼还眼

눈을 떠도 코 베어 간다 속담 人心皇皇; 人情不古; 刻薄寡恩 = 눈 감으면 코 베어 먹을 세상

눈 깜짝할 사이 녹 转眼; 一眨眼; 霎时间; 刹那(间); 俯仰之间; 弹指之间; 瞬息(之间); 瞬间

눈 뜨고 볼 수 없다 녹 目不忍睹; 目不忍视

눈 밖에 나다 녹 打烙印; 处置眼外

눈 하나 깜짝 안 하다 녹 无动于衷; 置之不理; 泰然处置

눈(에) 띄다 녹 显眼; 映入眼帘

눈(을) 돌리다 녹 转移注意力

눈(을) 맞추다 녹 对视; 眉来眼去; 眉目传情

눈(을) 붙이다 녹 打盹; 睡一觉

눈(을) 피하다 녹 避开视线

눈(이) 가다 녹 注视; 显眼

눈(이) 높다 녹 眼高

눈(이) 뒤집히다 녹 着魔; 发疯; 丧失理智 = 눈알이 뒤집히다

눈(이) 맞다 녹 气味相投; 互相中意; 互相钟情

눈(이) 벌겋다 녹 利令智昏; 看不上眼

눈(이) 삐다 녹 走眼; 打眼; 输眼力; 有眼无珠

눈에 거슬리다[걸리다] 녹 不顺眼; 碍眼; 刺眼

눈에 넣어도 아프지 않다 녹 心疼; 心尖; 心头肉; 命根儿; 命根子; 眼花儿

눈에 들다 녹 看上眼; 中意

눈에 밟히다 녹 牵肠挂肚; 映入眼帘; 眼前闪现

눈에 불을 켜다 녹 眼红; 气急败坏; 眼里冒金星

눈에 선하다 녹 历历在目; 历历在眼前

눈에 쌍심지를 켜다 녹 眼红; 两眼冒火; 怒目圆睁

눈에 이슬이 맺히다 녹 眼里噙着泪花

눈에 익다 녹 眼熟

눈에 차다 녹 看上(眼); 中意

눈에 흙이 들어가다[덮이다] 녹 死; 埋葬; 入土

눈에서 벗어나다 녹 摆脱监视

눈을 의심하다 녹 不相信自己的眼睛

눈이 빠지게[빠지도록] 기다리다 녹 直着眼睛等; 望穿秋水 = 눈알이 빠지게[빠지도록] 기다리다

눈² 몡 = 눈금 ¶저울의 ~을 속이다 诈骗砝星

눈³ 몡 网眼 wǎngyǎn; 网目 wǎngmù

눈:⁴ 몡 雪 xuě ¶흰 ~ 白雪 / ~이 내리다 下雪 / ~이 쌓이다 积雪 / ~을 쓸다 扫雪 / ~이 다 녹았다 雪都化了

눈⁵ 몡 【植】 芽 yá

눈-가 몡 眼边 yǎnbiān; 眼角 yǎnjiǎo = 눈언저리 ¶~에 이슬이 맺히다 眼边噙着泪花

눈-가림 몡하다 虚饰 xūshì; 表面掩饰 biǎomiàn yǎnshì; 掩人耳目 yǎnrén'ěrmù ¶~으로 일을 하다 虚饰的方法来做事

눈-감다 재 1 瞑目 míngmù; 断气 duànqì; 死 sǐ 2 闭一眼, 闭一眼; 睁只眼, 闭只眼; 装作没看见 zhuāngzuò méikànjiàn ¶한번만 눈감아 달라고 사정하다 恳求装作没看见一次

눈-곱 몡 1 眼屎 yǎnshǐ; 眼眵 yǎnchī; 眵 chī ¶~이 끼다 有眼眵 / ~을 닦다 擦眼屎 2 细小 xìxiǎo; 一点 yīdiǎn; 一点点 yīdiǎndiǎn ¶~만큼 ~이 없다 一点人情味儿都没有

눈곱만-하다 혱 微乎其微 wēihūqíwēi; 一丁点儿 yīdīngdiǎnr ¶눈곱만한 양심도 없다 一丁点儿的良心都没有

눈-구덩이 몡 雪坑 xuěkēng ¶미끄러져 ~에 처박히다 滑下来倒栽葱在雪坑里

눈-구름 몡 1 雪云 xuěyún 2 雪雾 xuěwù

눈-금 몡 (秤) 星 xīng; 刻度 kèdù = 눈² ¶~자 星尺 / ~을 재다 秤星

눈-길¹ 몡 目光 mùguāng; 视线 shìxiàn; 眼神 yǎnshén ¶~이 마주치다 碰到眼光 / ~을 돌리다 回避视线

눈길(을) 끌다 녹 触目; 引人注目; 抢眼

눈:-길² 몡 雪路 xuělù ¶~에 난 발자국 在雪路上的脚印

눈-까풀 몡 = 눈꺼풀

눈-깔 몡 '눈알'의 鄙称

눈깔(이) 뒤집히다 녹 着魔; 发疯; 丧失理智

눈깔(이) 삐다 녹 走眼; 打眼; 输眼力; 有眼无珠

눈깔-사탕(─沙糖) 몡 糖球 tángqiú

눈-꺼풀 몡 眼皮 yǎnpí; 眼睑 yǎnjiǎn = 눈까풀

눈-꼬리 몡 外眼角 wàiyǎnjiǎo; 外眦 wàizì = 눈초리2

눈꼴-사납다 형 不順眼 bùshùnyǎn; 讨人厌 tǎorényàn ¶눈꼴사납게 굴다 讨人厌地做

눈꼴-시다 형 不順眼 bùshùnyǎn; 讨人厌 tǎorényàn ¶눈꼴시어서 못 보겠다 看得很不顺眼

눈-꼽 명 '눈곱'의 잘못

눈:-꽃 명 雪花 xuěhuā ¶나뭇가지에 ~이 피었다 在树枝上开了雪花

눈-높이 명 1 眼的高度 yǎnde gāodù 2 (眼光) 水平 shuǐpíng ¶~를 낮추어 세상을 살다 让水平低下生活

눈-대중 명하타 目測 mùcè; 用眼估量 yòng yǎn gūliang ¶경기장에 모인 사람이 ~으로 삼천은 되어 보인다 赛场的人目测来看有三千

눈-덩이 명 雪球 xuěqiú ¶이자가 ~처럼 불어나다 利息像雪球般越滚越大

눈-도장(一圖章) 명 眼睛图章 yǎnjing túzhāng; 被到眼 bèidàoyǎn

눈-독(一毒) 명 (貪心) 眼红 yǎnhóng; 眼馋 yǎnchán
　　눈독(을) 들이다[올리다] 구 眼红; 眼馋
　　눈독(이) 들다[오르다] 구 眼红; 眼馋

눈-동냥 명 耳濡目染 ěrrúmùrǎn; 耳熏目染 ěrxūnmùrǎn

눈-동자(一瞳子) 명 瞳孔 tóngkǒng; 瞳人(儿) tóngrén(r); 瞳仁 tóngrén; 眸子 móuzǐ = 동공(瞳孔)·동자(瞳子)

눈-두덩 명 眼睑 yǎnjiǎn ¶눈두덩이 퉁퉁 붓다 眼睑肿

눈-뜨다 자 1 睡醒 shuìxǐng ¶이제 눈 뜰 시간이다 现在是睡醒的时间 2 觉醒 juéxǐng; 觉悟 juéwù; 启蒙 qǐméng; 开眼 kāiyǎn; 开眼界 kāiyǎnjiè ¶문학에 ~ 对文学开眼

눈뜬-장님 명 睁眼瞎 zhēngyǎnxiā; 睁眼瞎子 zhēngyǎnxiāzi

눈-망울 명 眼珠 yǎnzhū; 眼球 yǎnqiú ¶부리부리한 ~ 又大又精神的眼珠

눈-매 명 眼睛长相 yǎnjing zhǎngxiàng; 目光 mùguāng; 眼神 yǎnshén ¶고운 ~ 美丽的眼神 / ~가 서글서글하다 目光温厚

눈-멀다 자 1 失明 shīmíng; 瞎 xiā; 瞎眼 xiāyǎn; 盲 máng 2 盲目 mángmù; 迷或 míhuo ¶눈먼 사랑 盲目的爱情
　　눈먼 자식이 효자 노릇 한다 속담 盲人子息孝顺; 得益于望外
　　눈먼 돈 구 1 无主人的钱 2 捞钱

눈-물¹ 명 眼泪 yǎnlèi; 泪水 lèishuǐ; 泪液 lèiyè; 泪 lèi ¶~을 흘리다 流眼泪 / ~이 글썽글썽하다 眼泪汪汪 / ~을 닦다 擦眼泪 / ~이 어리다 噙泪
　　눈물(을) 거두다 구 收泪; 止住眼泪
　　눈물(을) 삼키다 구 忍住眼泪

눈물(을) 짜다 구 1 流下眼泪 2 强挤眼泪

눈물이 앞을 가리다 구 眼泪止不住地; 泪流满面

눈:-물² 명 雪水 xuěshuǐ

눈물-겹다 형 充满泪水 chōngmǎn lèishuǐ; 辛酸的 xīnsuānde; 令人流泪 lìngrén liúlèi ¶눈물겹도록 아름다운 이야기 令人流泪的美丽故事

눈물-바다 명 眼泪大海 yǎnlèi dàhǎi ¶~가 되다 眼泪汇成大海

눈물-방울 명 泪珠 lèizhū ¶~을 떨구다 落下泪珠

눈물-범벅 명 满脸眼泪 mǎnliǎn yǎnlèi ¶얼굴이 ~이 되다 满脸都是泪

눈물-샘 명 〔生〕泪腺 lèixiàn ¶~을 자극하다 刺激泪腺

눈물-짓다 자 流泪 liúlèi

눈:-바람 자 风雪 fēngxuě

눈:-발 명 雪帘 xuělián; 雪 xuě ¶~이 날리다 飘雪

눈-발 명 雪地 xuědì ¶~을 헤쳐 나아가다 拨开雪地

눈-병(一病) 명 眼病 yǎnbìng; 眼疾 yǎnjí

눈:-보라 명 暴风雪 bàofēngxuě; 风雪 fēngxuě ¶~가 치다 风雪交加

눈-부시다 형 炫目 xuànmù; 耀眼 yào-yǎn; 辉煌 huīhuáng; 有目的 yǒu duómù; 灿烂 cànlàn ¶눈부신 아침 햇살 灿烂的晨光 / 눈부신 활약 耀眼的活动

눈:-비 명 雨雪 yǔxuě

눈-빛 명 眼神 yǎnshén; 眼色 yǎnsè; 目光 mùguāng ¶차가운 ~으로 바라보다 用冷冷的目光看

눈:-사람 명 雪人(儿) xuěrén(r) ¶~을 만들다 堆雪人儿

눈:-사태(一沙汰) 명 雪崩 xuěbēng

눈-살 명 眉头 méitóu; 眉间皱纹 méi-jiān zhòuwén
　　눈살(을) 찌푸리다 구 皱眉; 皱眉头

눈-속임 명하타 障眼法 zhàngyǎnfǎ; 欺瞒 qīpián ¶마술은 ~의 일종이다 魔术是一种障眼法

눈:-송이 명 雪花 xuěhuā; 雪片 xuě-piàn ¶탐스러운 ~ 令人喜爱的雪花

눈:-시울 명 眼角 yǎnjiǎo; 眼眶 yǎnkuàng ¶~을 적시다 眼角润湿 / ~이 뜨겁다 眼眶很热

눈:-싸움¹ 명하자 不眨眼比赛 bùzhǎ-yǎn bǐsài

눈:-싸움² 명하자 雪仗 xuězhàng ¶~을 하다 打雪仗

눈:-썰매 명 雪橇 xuěqiāo

눈:-썰미 명 悟性 wùxìng; 一看就会 yí-kàn jiùhuì; 眼力见儿 yǎnlìjiànr; 过目不忘 guòmù bùwàng ¶~가 있어 무엇이든 잘한다 有眼力见儿什么都很会做

ㄷ썹 명 1 眉毛 méimáo; 眉 méi 2 =
속눈썹

눈썹도 까딱하지 않다 団 泰然自若

ㄷ-알 명 眼珠 yǎnzhū; 眼球 yǎnqiú;
眼 yǎn; 眼睛 yǎnjing = 안구 ¶~을
부라리다 瞪眼

눈알(이) 나오다 団 弹起眼珠

눈알이 뒤집히다 団 = 눈(이) 뒤집히
다

눈알이 빠지게[빠지도록] 기다리다
団 = 눈이 빠지게[빠지도록] 기다리
다

눈-앞 명 1 眼前 yǎnqián; 眼底 yǎndǐ;
眼底下 yǎndǐxia; 跟前 gēnqián ¶~에
펼쳐진 푸른 바다 展现在眼前的蓝海
2 当前 dāngqián; 眉前 méiqián; 目前
mùqián; 眼前 yǎnqián; 眼底 yǎndǐ; 眼
底下 yǎndǐxia; 即 jí ¶~의 이익 当前利益 / 위험이 ~에 닥치
다 危险在即 ‖ = 목전(目前)

눈앞이 캄캄하다 団 前途暗淡; 不知
所措

눈-언저리 명 = 눈가 ¶손수건으로
~를 닦다 用手绢擦干眼边

눈엣-가시 명 眼中钉 yǎnzhōngdīng;
肉中刺 ròuzhōngcì ¶~로 여기다 认为
眼中钉

눈여겨-보다 타 留心看 liúxīn kàn; 注
意看 zhùyì kàn ¶그의 행동을 눈여겨
보았다 注意看了他的行动

눈-요기(一療飢) 명[하자] 饱眼福 bǎo
yǎnfú

눈-웃음 명 眯笑 mīxiào; 眼笑 yǎn-
xiào ¶그는 항상 ~을 지으며 인사한
다 他常带着眼笑打招呼

눈웃음-치다 재 眯眯眼笑 mīmī yǎn-
xiào; 眯着眼睛 mīzhe yǎnjing xiào

눈-인사(一人事) 명[하자] 注目礼 zhù-
mùlǐ; 用眼睛打招呼 yòng yǎnjing dǎ-
zhāohū ¶~를 나누다 交换注目礼

눈-자위 명 眼眶 yǎnkuàng; 眼圈(儿)
yǎnquān(r)

눈-집작 명[하자] 目测 mùcè; 用眼估
量 yòng yǎn gūliang

눈-짓 명[하자] 眉语 méiyǔ; 眼色 yǎnsè
¶~을 주고받다 递眼色 / ~을 보내다
使眼色 =[丢眼色]

눈-초리 명 1 目光 mùguāng; 眼光
yǎnguāng; 眼神 yǎnshén ¶매서운 ~
严厉的目光 2 = 눈꼬리

눈-총 명 怒目 nùmù; 怒视 nùshì; 瞪
dèng ¶~을 받다 招嫌 / ~을 주다 怒
视

눈총(을) 맞다 団 招瞪; 讨人嫌

눈-치 명 1 眼力见儿 yǎnlìjiànr; 眼色
yǎnsè; 眼 yǎn ¶~가 없다 没眼色 /~
를 채다 看出苗头 2 神色 shénsè; 眼
色 yǎnsè; 脸色 liǎnsè ¶가고 싶어하는

~이다 是想去的脸色 / ~를 주다 表
出眼色

눈치(가) 빠르다 団 眼尖; 眼明; 有
眼力见儿

눈치(를) 보다 団 看眼色

눈치(를) 살피다 団 观察眼色

눈치-껏 튀 尽量看眼色 jǐnliàng kàn
yǎnsè ¶~ 대답하다 尽量看眼色回答

눈치-코치 명 '눈치'의 강조어

눈치코치도 모르다 団 不识相; 不懂
眉眼高低

눈칫-밥 명 眼下饭 yǎnxiàfàn

눈칫밥(을) 먹다 団 吃眼下饭; 寄人
篱下

눈-코 명 眼鼻 yǎnbí《眼睛和鼻子》

눈코 뜰 사이 없다 団 忙不过来; 脱
不开身

눋:다 재 烧焦 shāojiāo; 烧煳 shāohú;
焦 jiāo; 煳 hú

눌:러-놓다 타 压 yā ¶돌로 ~ 用石
头压

눌:러-쓰다 타 1 抹下来 māxiàlái ¶모
자를 눌러쓴 아이 把帽子抹下来的孩
子 2 使劲写字 shǐjìn xiězì ¶볼펜을 너
무 눌러쓰면 편지가 찢어졌다 给圆珠
子笔过分使劲, 信纸拆开了

눌:러-앉다 재 赖 lài; 待住 dāizhù;
坐占 zuòzhàn; 滞留 zhìliú

눌:리다¹ 재 '누르다㉠'의 被动词 ¶짐
짝에 ~ 被行李压 / 기세에 ~ 被气势
压制

눌리다² 타 弄爛 nònghú; 烤爛 kǎohú;
烧爛 shāohú《'눋다'의 使动词》¶밥을
~ 把饭弄爛

눌어-붙다 재 1 (锅底儿) 焦煳 jiāohú
¶밥이 ~ 饭焦煳了 2 粘着 niánzhe;
滞留 zhìliú; 呆着不动 dāizhebùdòng ¶
컴퓨터 앞에 몇 시간째 눌어붙어 앉아
있다 几个小时一直在电脑前粘坐着

눌은-밥 명 锅巴饭 guōbāfàn

눕:다 재 1 躺 tǎng; 卧 wò ¶침대에 누
워 자다 躺在床上睡觉 2 横 héng; 倒
dǎo; 躺 tǎng ¶태풍에 쓰러진 나무가
길에 누워 있다 由于台风倒来的树
木横在路上 3 病倒 bìngdǎo ¶과로로
자리에 ~ 因过劳而病倒

누울 자리 봐 가며 발을 뻗어라 속담
量体裁衣; 看水漂船; 看风下罩

누워서 떡 먹기 속담 以汤沃雪; 瓮
中捉鳖, 手到拿来

누워서 침 뱉기 속담 朝天坑里扔石
头, 屎尿溅在自己身上

눕-히다 타 = 누이다¹ ¶아이를 ~
使孩子躺以

뉘: 谁的 shéide《'누구의'의 略形》

뉘 집 개가 짖어 대는 소리냐 속담
胡说八道

뉘:다 타 放倒 fàngdǎo; 放躺下 fàng-

뉘앙스(《'누이다'의 略称》¶환자를 자리에 ~ 让病人放躺在床上

뉘앙스(nuance) 圏 语气 yǔqì; 语感 yǔgǎn; 色调 sèdiào; 语调 yǔdiào ¶두 단어의 ~ 차이 两个词之间的语感差别

뉘엿-거리다 재 1 慢慢西下 mànmàn xīxià 2 恶心 ěxin ‖ = 뉘엿대다 **뉘엿-뉘엿** 團혀자 ¶해가 ~ 저물어간다 太阳慢慢西下

뉘우치다 園 后悔 hòuhuǐ; 悔悟 huǐwù; 回头 huítóu; 懊悔 àohuǐ; 悔恨 huǐhèn ¶잘못을 ~ 后悔错误 / 뼈저리게 ~ 悔恨

뉘우침 圏 后悔 hòuhuǐ; 悔悟 huǐwù; 回头 huítóu; 懊悔 àohuǐ; 悔恨 huǐhèn

뉴스(news) 圏 1 新闻 xīnwén; 报道 bàodào; 新闻节目 xīnwén jiémù ¶ ~ 거리 新闻题材 / 텔레비전 ~ 电视新闻 2 消息 xiāoxi ¶빅 ~ 特大消息

뉴스 캐스터(news caster) 【言】 新闻广播员 xīnwén guǎngbōyuán; 新闻评论员 xīnwén pínglùnyuán

뉴 웨이브(new wave) 【音】 新浪潮 xīnlàngcháo

뉴턴(newton) 一圏【物】牛顿 niúdùn 一圏【人】牛顿 Niúdùn

느글-거리다 재 恶心 ěxin; 腻烦 nìfán = 느글대다 ¶속이 느글거려 못 먹겠다 肚子恶心吃不了 **느글-느글** 團혀자

느긋-이 團 宽松 kuānsong; 迟迟 chíchí; 不慌不忙 bùhuāngbùmáng ¶마음을 ~ 먹다 心情迟迟

느긋-하다 園 宽松 kuānsong; 迟迟 chíchí; 不慌不忙 bùhuāngbùmáng ¶느긋한 성격 宽松的性格

느끼다 타 1 (身体) 感觉 gǎnjué; 觉得 juéde; 感到 gǎndào ¶추위를 ~ 觉得很冷 2 (心里) 感到 gǎndào; 感受 gǎnshòu ¶슬픔을 ~ 感到悲哀 / 아픔을 ~ 感到疼痛 3 感到 yìshídào ¶책임감을 ~ 意识到责任感 4 体会到 tǐhuìdào ¶군중의 생각과 감정을 ~ 体会到群众的思想情感

느끼하다 園 1 油腻 yóunì; 油 yóu ¶난 중국 음식은 느끼해서 싫다 中国菜很油腻, 我不喜欢 2 腻有慌 nìdehuang; 腻 nì ¶샴겹살을 많이 먹었더니 느끼한 게 속이 좋지 않다 五花肉吃多了, 肚子里腻得难受 3 恶心 ěxin ¶그 사람은 말하는 게 정말 ~ 那个人说话真让人恶心

느낌 圏 感觉 gǎnjué; 感受 gǎnshòu; 感想 gǎnxiǎng ¶경쾌한 ~을 주는 음악 感觉愉快的音乐

느낌-표(-標) 圏【語】感叹号 gǎntànhào; 叹号 tànhào = 감탄 부호

느닷-없다 園 突然 tūrán; 忽然 hūrán; 意外 yìwài; 突如其来 tūrúqílái; 意想不到 yìxiǎngbùdào ¶느닷없는 질문에 순간 당황했다 在突然的问题慌张一刻了 **느닷없-이** 團

-느라 어미 = -느라고

-느라고 어미 ¶접 动词现在时之后, 表示'原因, 理由' = -느라 ¶급히 출발하느라 밥도 제대로 못 먹었다 急着出发, 饭都没吃

느릅-나무 圏【植】榆树 yúshù

느리다 園 1 慢 màn; 迟缓 chíhuǎn ¶동작이 ~ 动作很慢 2 (坡道) 缓慢 huǎnmàn ¶느린 산비탈 缓慢的山坡

느림-보 圏 懒虫 lǎnchóng; 懒鬼 lǎnguǐ

느릿-느릿 團혀자 1 慢慢腾腾 mànmànténgténg; 懒洋洋 lǎnyángyáng ¶걷다 慢慢腾腾 2 松 sōng; 稀疏 xīshū ¶ ~ 꼰 새끼 打得稀疏的绳子

느릿-하다 園 慢腾腾 mànténgténg; 缓慢 huǎnmàn ¶할아버지가 느릿하게 걸어가신다 爷爷慢腾腾走路

느물-거리다 재 溜滑 liūhuá; 狡猾 jiǎohuá; 赖皮 làipí; 赖皮赖脸 làipílàiliǎn = 느물대다 ¶계속 느물거리며 말을 붙이다 一直溜滑地攀谈 **느물-느물** 團혀자

느슨-하다 園 1 松 sōng; 松散 sōngsǎn; 松弛 sōngchí; 不紧 bùjǐn ¶허리띠가 ~ 腰带松弛 2 松劲 sōngjìn; 松懈 sōngxiè; 涣散 huànsǎn ¶사무실 분위기가 ~ 办公室气氛松懈 **느슨-히** 團

느지감-치 團 晚点 wǎndiǎn; 较晚 jiàowǎn; 迟些 chíxiē ¶난 ~ 가겠다 我要较晚去

느지막-이 團 晚点 wǎndiǎn; 较晚 jiàowǎn; 迟些 chíxiē ¶ ~ 저녁을 먹다 晚点吃晚饭

느지막-하다 園 晚点 wǎndiǎn; 较晚 jiàowǎn; 迟些 chíxiē ¶저녁 느지막하게 집에 들어가다 晚上迟些回家去

느직-이 團 晚点 wǎndiǎn; 较晚 jiàowǎn; 迟些 chíxiē ¶ ~ 일어나다 起得较晚

느직-하다 園 晚点 wǎndiǎn; 较晚 jiàowǎn; 迟些 chíxiē ¶아침을 느직하게 먹고 출발하다 早饭吃得较晚就离开

느타리 圏【植】糙皮侧耳 cāopícè'ěr; 金顶侧耳 jīndǐngcè'ěr = 느타리버섯

느타리-버섯 圏【植】= 느타리

느티-나무 圏【植】榉树 jǔshù; 光叶榉树 guāngyèjǔshù

늑골(肋骨) 圏【生】肋骨 lèigǔ

늑대 圏【動】狼 láng

늑막(肋膜) 圏【生】胸膜 xiōngmó; 肋膜 lèimó ¶ ~ 염 胸膜炎

늑장 圏 拖拉 tuōlā; 磨蹭 móceng; 磨

mó ＝ 늦장¶~을 부리다 磨蹭

는 图 1 表示强调叙述的对象¶나~ 학
생이다 我是学生 2 表示对照的语气
사과~ 먹어도 배~ 먹지 마라 苹果可
以吃, 梨子不要吃 3 表示强调¶그렇
게 천천히 걷다가~ 지각하겠다 走得
这么慢呀, 会迟到的

-는걸 [어미] 表示对某种行为或动作或现
象的感叹¶눈이 꽤 오~ 雪下得还挺
大 / 아기가 춥겠~ 孩子会冷的呀

-는구나 [어미] 表示现在时感叹, 有肯
定的口气¶너는 책을 굉장히 빨리 읽
~! 你看书看得真快啊!

-는군 [어미] '-는구나'的略形

-는다니 [어미] 1 表示意外或惊叹¶한
번 들은 것은 잊지 않~! 大端的记忆
력이군 过耳不忘, 真是好记性啊! 2 表
示不满或其叹¶이 많은 책을 언제 읽
~? 这么多书, 什么时候读完呢?

-는답시고 [어미] 用于闭音节的动词词
干后, 表示轻视¶그 사람은 시를 짓~
방 안에서 빈둥거리기만 한다 那个人
以做诗为借口, 在房间里闲得无聊

-는대 [어미] 1 表示疑问¶이 많은 책을
언제 읽~ 呢? 这么多书什么时候读完
呢? 2 表示'说是…'的意思¶서양 사
람들도 김치를 잘 먹~ 说是西方人也
很能吃泡菜

늘 得 经常 jīngcháng; 总是 zǒngshì;
总 zǒng; 老是 lǎoshì¶그는 말을
할 때 ~ 눈을 깜빡거린다 他说话时老
眨眼睛

늘그막 图 老来 lǎolái; 晚年 wǎnnián;
晚境 wǎnjìng; 老境 lǎojìng¶~에 아들
을 보다 老来得到儿子

늘다 困 1 增加 zēngjiā; 增长 zēng-
zhǎng; 增 zēng; 增多 zēngduō¶平均
수명이 ~ 平均寿命增加 2 提高 tí-
gāo; 进步 jìnbù; 发展 fāzhǎn¶실력이
~ 实力进步

늘리다 困 增加 zēngjiā; 提高 tígāo¶
확대 kuòdà (《'늘다'的使动词》)¶재산
을 ~ 增加财产

늘씬 튀 痛 tòng; 透 tòu; 惨重 cǎnzhòng
¶~ 두들겨 패다 痛打了一顿

늘씬-늘씬 [하형] 细高 xìgāo; 苗条
miáotiao; 修长 xiūcháng

늘씬-하다 [형] 1 细长 xìcháng; 苗条
miáotiao; 修长 xiūcháng¶몸매가 ~
身材苗条 2 痛 tòng; 透 tòu; 惨重 cǎn-
zhòng¶늘씬하게 두들겨 패다 痛打了
一顿

늘어-나다 困 增加 zēngjiā; 增长 zēng-
cháng; 扩大 kuòdà; 拉长 lācháng¶인
구가 ~ 人口增加

늘어-놓다 타 1 陈 chén; 摆 bǎi; 摆
放 bǎifàng; 列出 lièchū; 排列 páiliè;
罗列 luóliè¶한 줄로 ~ 列出一排 2

狼藉 lángjí¶장난감을 ~ 玩具狼藉 3
铺开 pūkāi; 摊开 tānkāi; 分布 fēnbù¶
사방에 늘어놓은 사업이 모두 잘된다
铺开四处的工作都很好 4 唠叨 láo-
suo; 唠叨 láodao¶잔소리를 ~ 嘴碎
啰唆

늘어-뜨리다 타 垂下 chuíxià; 垂挂
chuíguà; 下垂 xiàchuí; 耷拉 dāla; 搭
拉 dāla ＝ 늘어트리다¶밧줄을 ~ 把
绳垂下

늘어-서다 困 排 pái; 排列 páiliè; 林
立 línlì¶사람들이 매표소 앞에 늘어
섰다 人们排列在售票处口

늘어-지다 困 1 变长 biàncháng; 拉长
lācháng¶고무줄이 ~ 橡胶线拉长 2
下垂 xiàchuí; 悬垂 xuánchuí¶늘어진
버들가지 下垂的柳树 3 瘫软 tānruǎn
4 优无忧虑 wúyōuwúlǜ¶팔자가 ~ 八
字无忧无虑

늘어지게 자다 团 尽量睡觉

늘-이다 타 1 延长 yáncháng; 拉长
lācháng¶고무줄을 ~ 拉长橡胶线 2
垂挂 chuíguà; 下垂 xiàchuí¶발을 아
래로 ~ 把帘垂挂

늘임-표(―標) 图 [音] 延长号 yán-
chánghào

늙다 困 1 老 lǎo; 年老 niánlǎo¶늙으
면 늙을수록 잔소리가 많아진다 越老
越啰唆 / 이젠 늙어서 체력이 예전 같
지 않다 现在老了, 体力没有以前好 2
(蔬菜) 老 lǎo¶늙은 호박 老南瓜

늙수그레-하다 [형] 相当老 xiāngdāng
lǎo; 颇老 pōlǎo¶늙수구레한 남자 颇
老的男人

늙은-이 图 老人 lǎorén; 老年人 lǎo-
niánrén; 老头儿 lǎotóur ＝ 노인네

늙-히다 [(使之)] 变老 biànlǎo¶꽃
다운 청춘을 ~ 花样青春变老

늠-름하다(凜凜―) [형] 凛然 lǐnrán;
威风凛凛 wēifēng línlín¶늠름하고 자
신만만한 태도 威风凛凛而满有信心
的态度 늠:름-히 튀

능(陵) 图 [史] 陵 líng; 陵墓 língmù;
陵寝 língqǐn

능가(凌駕) [하타] 凌驾 língjià; 超越
chāoyuè; 超过 chāoguò¶国际 수준을
~하다 超越国际水平

능-구렁이 图 1 [動] 赤链蛇 chìliàn-
shé; 黄颔蛇 huánghànshé; 环颈蛇
huánbànshé¶늙은 호박¶물 ~ 2 老
奸巨猾 lǎojiānjùhuá; 老江湖 lǎojiānghú¶그는
이 방면에서 빼가 굵은 ~다 他是在这
个方面很老的老奸

능글-거리다 [자] 猾头 huátóu; 狡猾
jiǎohuá; 奸猾 jiānhuá ＝ 능글대다 능
글-능글 [부하형] ¶~ 웃다 狡猾地笑

능글-맞다 [형] 猾头 huátóu; 狡猾 jiǎo-
huá; 奸猾 jiānhuá¶능글맞게 굴다 狡

猎地做

능금 몡 花红 huāhóng; 林檎 línqín; 沙果 shāguǒ

능금-나무 몡 【植】花红(树) huāhóng(shù); 林檎(树) línqín(shù); 沙果(树) shāguǒ(shù)

능동(能动) 몡 1 主动 zhǔdòng; 能动 néngdòng ¶~성 主动性 2 【语】主动 zhǔdòng; 能动 néngdòng ¶~태 主动态 / ~형 主动形

능동-적(能动的) 관몡 主动(性) zhǔdòng(xing); 能动(性) néngdòng(xing) ¶사태에 ~으로 대처하다 主动对事态做

능라(綾羅) 몡 绫罗 língluó

능란-하다(能爛─) 톙 巧 qiǎo; 熟练 shúliàn ¶화술이 ~ 嘴巧舌能 능란-히 뷔

능력(能力) 몡 能力 nénglì; 力量 lìliang; 本领 běnlǐng; 本事 běnshi; 才干 cáigàn ¶~자 有能力者 / 问题 해결 이 탁월하다 解决问题的能力卓越

능률(能率) 몡 效率 xiàolǜ ¶~이 오르 지 않다 没提高效率

능률-적(能率的) 몡 效率(性) xiàolǜ(xing) ¶~인 회사 경영 有效率的公司 经营

능멸(凌蔑 · 陵蔑) 몡하타 凌侮 língwǔ; 蔑视 mièshì ¶감히 나를 ~하느냐? 怎 敢蔑视我?

능변(能辩) 몡 能言善辩 néngyán-shànbiàn; 雄辩之辞 xióngbiànzhīcí

능사(能事) 몡 1 能事 néngshì ¶거짓 말을 ~로 삼다 把谎言当作能事 2 办 法 bànfǎ; 擅长的事 shàncháng de shì ¶ 어려운 일을 피하는 것만이 ~가 아니 다 回避难事不是办法

능선(稜線) 몡 山梁 shānliáng; 山脊 shānjǐ ¶~을 타다 上山脊

능수(能手) 몡 能手 néngshǒu; 高手 gāoshǒu ¶춤의 ~ 跳舞的高手

능수능란-하다(能手能爛─) 톙 纯熟 chúnshú ¶능수능란하게 기계를 다루 다 纯熟地操纵机器

능수-버들 몡 【植】垂柳 chuíliǔ

능숙-하다(能熟─) 톙 工 gōng; 善于 shànyú; 熟练 shúliàn; 娴熟 xiánshú ¶ 영어에 ~ 工于英语

능욕(凌辱 · 陵辱) 몡하타 凌辱 língrǔ; 欺辱 qīwǔ ¶~을 당하다 受欺辱

능이(能栮) 몡 【植】芽菌 yájūn; 芽齿 菌 yáchǐjūn = 능이버섯

능이-버섯(能栮─) 몡 【植】= 능이

능지-기기(陵─) 몡 守陵人 shǒulíngrén; 守墓人 shǒumùrén

능지-처참(陵遲處斬) 몡톙타 【史】凌 迟 língchí; 陵迟 língchí

능청 몡 装假 zhuāngjiǎ; 装蒜 zhuāng-

suàn; 假惺惺 jiǎxīngxīng; 不露心机 bùlù xīnjī; 装模作样 zhuāngmózuòyàng ¶~을 부리다 装蒜

능청(을) 떨다 뜀 装模作样

능청(을) 피우다 뜀 装模作样

능청-맞다 톙 装相 zhuāngxiàng; 装假 zhuāngjiǎ; 假惺惺 jiǎxīngxīng ¶능청맞 게 굴다 装蒜

능청-스럽다 톙 装相 zhuāngxiàng; 装 假 zhuāngjiǎ; 假惺惺 jiǎxīngxīng 능청 스레 뷔

능통-하다(能通─) 톙 通 tōng; 精 jīng; 精通 jīngtōng; 熟练 shúliàn ¶6개 국어에 ~ 精通于六种语言

능-하다(能─) 톙 善于 shànyú; 长于 chángyú; 熟于 shúyú; 擅长 shàncháng ¶임기응변에 ~ 善于机变 능-히 뷔

늦 〔접두〕晩 wǎn

늦-가을 몡 晩秋 wǎnqiū; 季秋 jìqiū; 深秋 shēnqiū; 暮秋 mùqiū = 만추

늦-겨울 몡 晩冬 wǎndōng; 季冬 jìdōng; 冬末 dōngmò

늦-깎이 몡 1 半路出家的人 bànlùchū-jiāde rén 2 晩熟的 wǎnshúde ¶나이 사 십의 ~ 大学生 四十岁的晩熟大学生

늦다 〔형〕1 迟 chí; 晩 wǎn ¶꽃이 늦 게 피다 花开得晩 / 매일 밤 늦게 귀가 하다 每天晩上回晚家 2 慢 màn ¶일 처리가 ~ 办事办得很慢 〔자〕迟 chí; 迟到 chídào; 来不及 láibùjí; 没赶上 méigǎnshàng ¶기차 시간에 늦었다 没 赶上火车

늦게 배운 도둑이 날 새는 줄 모른다

〔속담〕老了才学吹笛, 吹到眼翻白

늦-더위 몡 秋老虎 qiūlǎohǔ

늦-되다 〔자〕1 晩熟 wǎnshú ¶늦되는 과실 晩熟的果实 2 晩成 wǎnchéng ¶ 늦된 아이 晩成的孩子

늦-둥이 몡 晩胎子 wǎntāizi

늦-바람 몡 1 晩风 wǎnfēng 2 晩年放 荡 wǎnnián fàngdàng; 晩年贪色 wǎn-nián tānsè

늦-복(─福) 몡 1 晩年的福气 wǎn-niánde fúqì 2 迟来的福气 chíláide fúqì

늦-봄 몡 晩春 wǎnchūn; 季春 jìchūn; 暮春 mùchūn = 만춘

늦-여름 몡 晩夏 wǎnxià; 季夏 jìxià

늦-잠 몡 懒觉 lǎnjiào; 大觉 dàjiào ¶ ~을 자다 睡懒觉

늦잠-꾸러기 몡 贪睡的 tānshuìde

늦-장 몡 = 늑장

늦-장가 몡 娶晩 qǔwǎn ¶형은 나이 사십이 넘어 ~를 갔다 哥哥超了四十 岁结婚, 娶晚了

늦-추다 타 1 松 sōng; 松开 sōngkāi; 放松 fàngsōng ¶경계심을 늦추지 않다 不放松警惕 2 放宽 fàngkuān; 延缓 yánhuǎn; 延迟 yánchí; 推迟 tuīchí ~

개학 날짜를 ~ 延迟开学日子 **3** 减慢 jiǎnmàn; 放慢 fàngmàn ¶속력을 ~ 减慢速度 / 걸음을 ~ 放慢步儿

늦-추위 圀 春寒 chūnhán; 倒春寒 dàochūnhán ¶~가 기승을 부리다 春寒优势

늪 圀 池沼 chízhǎo; 泥沼 nízhǎo; 沼泽 zhǎozé ¶~지대 池沼地 带 / 자동차가 ~에 빠지다 汽车落在池沼里 / 침체의 ~에서 헤어나다 从死气的泥沼中摆脱出来

–니[1] 어미 **1** 表示原因、根据 ¶비가 오~ 가지 마라 下雨了，不要去了吧 **2** 表示发现或领悟 ¶서울역에 도착하~ 새벽이더라 到达首尔站, 已是凌晨了

–니[2] 어미 表示疑问的终结词尾 ¶뭘 먹고 있~? 你在吃什么呢? / 이것 좀 네가 해 주겠~? 你能帮我做这个吗?

–니까 어미 '–니'的强调语

니글-거리다 困 恶心 ěxin; 腻烦 nìfán; 作呕 zuò'ǒu = 니글대다 ¶속이

~ 肚子恶心 **니글–니글** 倝하자

니스(일nisu) 圀【化】= 바니시

니켈(nickel) 圀【化】镍 niè ¶~강 镍钢

니켈크롬–강(nickel-chrome鋼) 圀【化】镍铬钢 niègègāng

니코틴(nicotine) 圀【化】尼古丁 nígǔdīng; 烟碱 yānjiǎn ¶~ 중독 尼古丁中毒 / 烟碱中毒

니트(knit) 圀 织物 zhīwù; 编织品 biānzhīpǐn; 针织品 zhēnzhīpǐn

니퍼(nipper) 圀【工】钳子 qiánzi; 剪钳 jiǎnqián

님 의명 先生 xiānsheng; 君 jūn

–님 접미 **1** 用于人称后, 表示尊称 ¶사장~ 总经理 / 부모~ 父母大人 **2** 用在非人称后, 表示拟人 ¶달~ 月亮 / 婆婆 / 별~ 星星伯伯 / 호랑이~ 虎大王 / 해~ 太阳公公

님프(nymph) 圀【文】宁芙 níngfú

닢 의명 分 fēn; 张 zhāng ¶엽전 두 ~ 两分铜币 / 가마니 다섯 ~ 五张草袋

ㄷ

다:¹ 🈩[부] **1** 全 quán; 都 dōu; 全都 quándōu; 齐 qí ¶나는 어제 일을 그에게 ~ 말했다 我把昨天的事情都告诉他了 / 올 사람은 ~ 왔다 要来的人都来了 **2** 几乎 jīhū; 快要 kuàiyào ¶사람이 ~ 죽게 되었다 人儿乎要死了 / 신이 ~ 닳았다 鞋快要磨破了 **3** 竟然 jìngrán; 竟 jìng; 还有 háiyǒu 《表示意外、嘲笑》 ¶별사람 ~ 보겠군 还有这种人 / 그런 일이 ~ 있었어? 竟有这种事? **4** 不了 bùliǎo; 泡汤 pàotāng; 黄了 huángle ¶비가 오니 소풍은 ~ 갔다 下雨了郊游泡汤了 🈔[명] 总共 zǒnggòng; 一切 yīqiè; 所有 suǒyǒu; 全部 quánbù; 完 wán ¶미안하다면 ~야? 说声对不就完了? / 인생에서 돈이 ~가 아니다 金钱不是人生的全部

다² 区 不管…还是… bùguǎn…háishi 《接在体词后面 "…다…다" 形式表示并列》 ¶그는 농구~ 축구~ 못하는 운동이 없다 他不管篮球还是足球, 没有

다³ 区 '다가'의 략어 ¶침대를 어디에 ~ 둘까? 床放哪儿呢?

-다¹ [어미] 用于谓词词干之后的基本阶段述式终结形词尾 ¶물이 맑~ 水很清 / 사람은 생각하는 동물이~ 人是思考的动物

-다² 区 **1** '-다가1'의 략어 ¶가~ 되돌아오다 走到半路又回来 **2** '-다가2'의 략어 ¶일어났~ 앉았~ 어쩔 줄을 모르다 一会儿站起来, 一会儿坐下, 不知如何才好

다-(多) [접두] 多 duō ¶~방면 多方面 / ~기능 多功能

다가 区 副词格助词, 接在体词后, 表示动作的着落点 ¶탁자 위에~ 꽃병을 놓다 把花瓶放到桌子上

-다가 [어미] 用于谓词词干之后的接续形词尾, 标示某些动作、特征和事实的转变 ¶편지를 쓰~ 그 일이 생각났다 写着信想起了那件事 **2** 用于 "…다…다" 形式表示某种事实反复出现 ¶날씨가 갑자기 더웠~ 추웠~ 한다 天气忽冷忽热

다가-가다 区 走近 zǒujìn; 靠近 kàojìn; 挨近 āijìn; 接近 jiējìn; 傍 bàng; 傍近 bàngjìn; 走到 zǒudào; 凑 còu ¶그는 천천히 그녀에게 다가갔다 他慢慢地靠近她 / 그가 창문으로 ~ 他靠近窗户

다가-붙다 区 逼近 bījìn; 贴近 tiējìn; 靠近 kàojìn; 靠 kào ¶앞차에 너무 다가붙지 마라 不要跟前面的车贴得太近

다가-서다 区 靠近 kàojìn; 站近 zhànjìn; 靠近 kào; 紧靠 jǐnkào; 凑 còu ¶위험물에 다가서지 마세요 不要靠近危险物品

다가-앉다 区 坐近 zuòjìn; 靠近 kàojìn zuò; 靠着坐 kàozhe zuò; 贴着坐 tiēzhe zuò ¶할머니의 곁에 ~ 靠近在奶奶身边坐下

다가-오다 区 **1** 走近 zǒujìn; 接近 jiējìn; 靠近 kàojìn; 走过来 zǒuguòlái ¶그가 나에게로 다가왔다 他走近我身边 / 배들이 부두로 ~ 船只靠近码头 **2** 将近 jiāngjìn; 临近 línjìn; 迫近 pòjìn; 来临 láilín; 快要 kuàiyào ¶연말이 다가왔다 迫近关年了 / 벌써 점심 때가 다가왔다 已经临近中午了

다각(多角) [명] 多角度 duōjiǎodù; 多角 duōjiǎo; 多种 duōzhǒng; 多边 duōbiān; 多方面 duōfāngmiàn ¶기둥 多角柱=[多边柱] / 해결 방법을 ~으로 찾다 从多方面寻找解决方法

다각-도(多角度) [명] 多角度 duōjiǎodù; 各个角度 gègè jiǎodù; 多方面 duōfāngmiàn; 全方位 quánfāngwèi

다각도-로(多角度—) [부] = 여러모로 ¶~ 관찰하다 从各个角度观察 / ~ 고려하다 从多方面考虑

다각-적(多角一) [관형] 多边 duōbiān; 多种 duōzhǒng; 多方面 duōfāngmiàn; 多种多样 duōzhǒngduōyàng ¶~인 활동 多方面的活动 / 경제를 ~으로 발전시키다 多方面发展经济

다각-형(多角形) [명] [数] 多边形 duōbiānxíng; 多角形 duōjiǎoxíng

다각-화(多角化) [명][하타] 多角化 duōjiǎohuà; 多种化 duōzhǒnghuà; 多样化 duōyànghuà ¶농업 경제의 ~ 农业经济的多样化

다갈-색 [명] 茶色 chásè; 茶褐色 cháhèsè; 黄褐色 huánghèsè

다감-하다 [형] 感情丰富 gǎnqíng fēngfù; 多情 duōqíng ¶그는 다감한 사람이다 他是感情丰富的人

-다고 [접미] 终结形词尾 '다' 和表示引用的连接形词尾 '고' 的合成形 ¶아이는 아버지가 오신~ 떠들어대며 마당으로 달려나갔다 孩子叫嚷着爸爸来了, 朝着院子下了出去

다과(茶菓) 图 茶点 chádiǎn; 茶食 cháshí; 茶果 cháguǒ ¶손님들에게 ~를 대접하다 用茶点招待客人

다과-회(茶菓一) 图 茶话会 cháhuàhuì; 茶会 cháhuì

다구(茶具) 图 茶具 chájù

다-국적(多國籍) 图 跨国 kuàguó; 多国 duōguó ¶~ 자본 跨国资本 / ~군 多国部队 / ~ 기업 跨国公司

다그다 他 1 挪 nuó; 移 yí; 推 tuī ¶의자를 창쪽으로 다가 두어라 把椅子椰到窗边 2 提前 tíqián ¶계획보다 하루 다가 끝내다 比计划提前一天完成

다그-치다 他 赶 gǎn; 加紧 jiājǐn; 督促 dūcù; 促进 cùjìn; 推进 tuījìn ¶그에게 그 일을 빨리 끝내라고 ~ 督促他赶快做完那件事儿

다극(多極) 图 多极 duōjí ¶~화 시대 多极化时代

다금-바리[魚] 赤鲑 chìguī

다급-하다(一) 图 急忙 jímáng; 紧急 jǐnjí; 急促 jícù; 匆忙 cōngmáng; 慌张 huāngmáng ¶ 박절하다2 ¶다급한 발자국 소리 急促的脚步声 / 그는 다급하게 집을 떠났다 他匆忙出门去了 / 상황이 ~ 情况紧急 **다급-히** 剧

다기(茶器) 图 茶具 chájù

다-기능(多技能) 图 多功能 duōgōngnéng; 多技能 duōjìnéng ¶~ 전화기 多功能电话机

다난-하다(多難一) 图 多难 duōnàn; 困难重重 kùnnan chóngchóng ¶다난했던 해가 지나갔다 困难重重的一年过去了

다녀-가다 自他 来 lái; 去 qù; 到 dào ¶퇴근길에 잠깐 다녀갔다 下班的路上去了一趟

다녀-오다 自他 去了回来 qùle huílái; 回来 huílái; 走一趟 zǒu yìtàng ¶고향에 ~ 回一趟家乡 / 휴가를 ~ 度假回来

다년(多年) 图 多年 duōnián ¶~의 경험 多年的经验

다년-간(多年間) 图剧 多年 duōnián ¶~의 노력 多年的努力

다년-생(多年生) 图 [植] = 여러해살이 ¶~ 식물 多年生植物

-다니 语尾 表示意外、惊叹 ¶그가 여기에 오다니~! 他到这里来啦!

다니다 自他 1 来往 láiwǎng; 常去 chángqù 《经常去某一特定地方》¶병원에 ~ 上医院 / 너는 어느 미용실에 다니니? 你常去哪家发廊? 2 在…工作 gōngzuò; 在…学习 zài xuéxí; 上班 shàngbān; 上学 shàngxué ¶그녀의 딸은 대기업에 다닌다 她的女儿在大企业工作 3 (到处) 去 qù ¶전국으로 구경을 ~ 去全国各地旅游 4 过往

다과-왕 来回 láihuí; 经过 jīngguò; 走 zǒu ¶나는 늘 이 길로 다닌다 我走这条路 5 通 tōng; 通行 tōngxíng ¶폭설이 오면 그 길로는 차가 다닐 수 없다 下大雪时, 那条路就不能通车了

다다르다 自 1 抵达 dǐdá; 到 dào; 到达 dàodá ¶버스가 정류장에 다다랐다 公共汽车到站了 2 达到 dádào; 到达 dàodá ¶높은 수준에 ~ 达到高水平

다다-익선(多多益善) 图 多多益善 duōduō yìshàn

다닥-다닥 剧形 1 簇簇 cùcù; 满 mǎn; 累累 léiléi; 密密麻麻 mìmimámá ¶감나무에 감이 ~ 붙었다 柿子树上挂满了累累硕果 / 얼굴에 주근깨가 ~ 하다 脸上长满了雀斑 2 补丁摞补丁 bǔdīngluòbǔdīng ¶~ 기운 옷 补丁摞补丁补好的衣服

다-단계(多段階) 图 多阶段 duōjiēduàn; 多级 duōjí; 多层次 duōcéngcì

다단계 판매(多段階販賣) [經] 传销 chuánxiāo; 多层次直销 duōcéngcì zhíxiāo

다단-하다(多端一) 图 多端 duōduān ¶사건이 복잡하다 ~ 事情复杂多端

다달-이 图 每月 měiyuè; 每个月 měigèyuè; 月月 yuèyuè = 매달①·매월② ¶생산량이 ~ 증가하다 产量月月

다당-류(多糖類) 图 [化] 1 多糖 duōtáng; 多聚糖 duōjùtáng 2 多糖类 duōtánglèi; 多聚糖类 duōjùtánglèi

다대기[tata[叩]ki] 图 辣椒调料 làjiāo tiáoliào

다도(茶道) 图 茶道 chádào ¶~를 연구하다 研究茶道

다도-해(多島海) 图 [地理] 多岛海 duōdǎohǎi

다독(多讀) 图他 多读 duōdú ¶소설을 ~하다 多读小说

다독-거리다 他 (轻轻) 拍压 pāiyā; 拍打 pāida = 다독대다 ¶아기가 칭얼댈 때는 살살 다독거리거나 달래 주어라 小孩子哭闹的时候, 要轻轻拍打哄他 **다독-다독** 剧形

다독-이다 他 (轻轻) 拍压 pāiyā; 拍打 pāida

다-되다 图 完蛋 wándàn; 垮台 kuǎtái; 垮掉 kuǎdiào ¶다된 집안 垮掉的家门

다듬다 他 1 抿 mǐn; 修 xiū ¶머리를 ~ 抿头发 / 손톱을 ~ 修指甲 2 择 zhái ¶파를 ~ 择葱 3 修整 xiūzhěng; 研磨 yánmó; 打磨 dǎmó; 铺平 pūpíng; 滚平 gǔnpíng 4 推敲 tuīqiāo; 润色 rùnsè; 润饰 rùnshì; 琢磨 zhuómó ¶이 문장은 다시 다듬어야 한다 这篇文章还要再润色一下 5 捶平 chuípíng;

捶 chuí ¶옷을 ~ 捶衣服

다듬이 명[하] 1 = 다듬잇감 2 = 다듬이질

다듬이-질 명[하] 捶衣服 chuí yīfu; 捶平衣物 chuípíng yīwù = 다듬이2 ¶~을 하다 捶衣服

다듬잇-감 명 待捶的衣物 dàichuíde yīwù = 다듬이1

다듬잇-돌 명 (捶平衣物时垫在下面的) 捶布石 chuíbùshí; 砧石 zhēnshí

다듬잇-방망이 명 棒槌 bàngchuí

다락 명[建] 阁楼 gélóu = 다락방1

다락-방(一房) 명 1 = 다락 2 阁楼房 gélóufáng

다람-쥐 명[動] 松鼠 sōngshǔ; 栗鼠 lìshǔ

　다람쥐 쳇바퀴 돌듯 속담 松鼠走筛框一样 《比喻老是原地打转，不见进展》

다:랍다 형 1 肮脏 āngzāng ¶다라운 환경을 개선하다 改善肮脏的环境 2 小气 xiǎoqi; 吝啬 lìnsè ¶다라운 인간 小气的人

다랑-어(一魚) 명[魚] 참다랑어

다래 명[植] 猕猴桃 míhóutáo 3 棉桃 miántáo

다래끼 명[醫] 针眼 zhēnyǎn; 睑线炎 jiǎnxiànyán; 麦粒肿 màilìzhǒng ¶~가 나다 长了针眼

다래-나무 명[植] 猕猴桃树 míhóutáoshù = 다래

다량(多量) 명[量] 大量 dàliàng; 多量 duōliàng ¶물품을 ~으로 구입하다 大量购进物品

다루다 타 1 经营 jīngyíng; 经管 jīngguǎn; 管理 guǎnlǐ; 掌管 zhǎngguǎn; 管 guǎn ¶무역 업무를 ~ 经营贸易业务 2 操纵 cāozòng; 操作 cāozuò; 使用 shǐyòng; 演奏 yǎnzòu ¶기계를 ~ 操作机器 / 악기를 ~ 演奏乐器 3 对待 duìdài; 对付 duìfu; 管教 guǎnjiào ¶아이들을 엄격하게 ~ 孩子管得很严

다르다 형 1 不同 bùtóng; 不一样 bùyīyàng; 异 yì; 殊 shū; 歧 qí ¶서로 다른 관점 彼此不同的观点 2 不同凡响 bùtóngfánxiǎng; 不一样 bùyīyàng; 与众不同 yǔzhòngbùtóng ¶고장 난 문을 감쪽같이 고치다니 기술자는 역시 다르구나 把坏了的门修得完好如初，技术员果然不同凡响

다른 관 别 bié; 别的 biéde; 其他 qítā; 其他的 qítāde = 딴2 ¶ 사람에게 자리를 양보하다 给别人让座 / 그녀는 ~ 여자들과 다르다 她跟别的女人不一样

다름-없다 형 一样 yīyàng; 无异 wúyì; 没有两样 méiyǒu liǎngyàng; 没有区

别 méiyǒu qūbié ¶그런 짓은 동물과 那种 行径和动物没有区别 **다름없-이** 부 ¶그는 평소와 ~ 일하고 있다 他和平时一样工作

다리¹ 명 1 (人或动物的) 腿 tuǐ ¶~털 腿毛 / ~통 腿圈 / 그는 ~가 매우 길다 他腿很长 / ~에 갑자기 쥐가 났다 腿突然抽筋了 2 (物体的) 腿 tuǐ ¶의자는 ~ 하나가 망가졌다 我椅子的一个腿坏了

다리² 명 1 桥 qiáo; 桥梁 qiáoliáng; 大桥 dàqiáo ¶~ 난간 桥梁栏杆 / ~를 건너다 过桥 / 세 개의 ~를 놓다 搭三座桥 2 (两个事物或两个人之间的) 桥 qiáo; 桥梁 qiáoliáng ¶~ 역할 桥梁作用

다리다 타 熨 yùn; 烫 tàng ¶남편에게 셔츠를 다려 주다 给老公熨衬衫

다리미 명 熨斗 yùndǒu ¶~로 옷을 다리다 用熨斗熨衣服

다리미-질 명[하] 熨 yùn

다리미-판(一板) 명 熨衣板 yùnyībǎn

다리-뼈 명[生] 下肢骨 xiàzhīgǔ

다림-질 명[하] '다리미질'의 略词

다림-판(一板) 명 '다리미판'의 略词

다릿-심 명 腿力 tuǐlì; 腿劲儿 tuǐjìnr

다:만 부 1 只 zhǐ; 只是 zhǐshì; 但 dàn; 单 dān; 仅 jǐn; 仅仅 jǐnjǐn; 光 guāng; 独 dú; 就 jiù = 단지(但只) ¶ ~ 이것뿐이냐? 只有这么一点? / 내게 있는 것은 ~ 동전 한 닢 뿐이다 我身边仅有一分钱 2 至少 zhìshào; 少算 shǎosuàn ¶공부를 잘하려면 ~ 책이라도 충분히 볼 수 있어야 할 것이 아닌가 要想学习好，至少有足够的书能看呀

다망(多忙) 명[하] 繁忙 fánmáng; 忙碌 mánglù ¶~한 한 해가 지나갔다 忙碌的一年过去了

다모-작(多毛作) 명[하자][農] 复种 fùzhòng; 一年多茬栽培 yīnián duōchá zāipéi; 一年多茬种植 yīnián duōchá zhòngzhí

다목-적(多目的) 명 多目的 duōmùdì; 多用途 duōyòngtú; 多功能 duōgōngnéng ¶~ 댐 多用途水坝 / 이것은 ~으로 건설된 댐이다 这是作为多用途而建成的水坝

다물다 타 闭 bì ¶입을 ~ 闭嘴

다-민족(多民族) 명 多民族 duōmínzú ¶~ 국가 多民族国家

다반-사(茶飯事) 명 家常便饭 jiāchángbiànfàn; 家常饭 jiāchángfàn = 일상다반사 ¶결근을 ~로 하다 把缺勤当成家常便饭

다발 명 1 束 shù; 捆 kǔn ¶꽃~ 花束 / 수수깡 ~ 秫秸捆 2 束 shù; 捆 kǔn ¶꽃 한 ~ 一束花 / 시금치 두

两捆菠菜

다발(多發) 〖명〗〖하자〗 **1** 多发 duōfā ¶이
곳은 사고 ~ 지역이다 这里是事故多
发地段 **2** 多引擎 duōyǐnqíng

다발-성(多發性) 〖명〗 多发性 duōfāxìng
¶~ 신경염 多发性神经炎

다방(茶房) 〖명〗 茶馆 cháguǎn; 咖啡馆
kāfēiguǎn

다-방면(多方面) 〖명〗 多方面 duōfāng-
miàn ¶~의 지식 多方面的知识

다방면-적(多方面的) 〖관〗〖명〗 多方面的
duōfāngmiànde ¶~으로 연구하다 从
多方面的研究

다변(多辯) 〖명〗〖하형〗 多辩 duōbiàn; 善辩
shànbiàn; 能说会道 néngshuōhuìdào;
能言善辩 néngyánshànbiàn ¶~한 여
자 能言善辩的女人

다변(多變) 〖명〗〖하형〗 多变 duōbiàn ¶~
하는 국내 상황 多变的国内状况

다변-화(多邊化) 〖명〗〖하자타〗 多边化 duō-
biànhuà ¶~ 추세 多边化趋势

다복(多福) 〖명〗〖하형〗 有福气 yǒufúqì; 多
福 duōfú ¶~한 가정 有福气的家庭

다부지다 〖형〗 **1** 精明强干 jīngmíng-
qiánggàn ¶그는 일 하나는 다부지게
잘한다 他做事精明强干 **2** 健壮 jiàn-
zhuàng; 结实 jiēshi ¶키는 작아도 몸은
~ 个子不高, 但身体很结实

다분-하다(多分—) 〖형〗 很多 hěnduō;
较多 jiàoduō ¶그 아이는 성공할 가능
성이 ~ 那个孩子有很多成功的可能
性 **다분-히** 〖부〗 그럴 가능성이 ~ 있
다 这种可能性很高

다사-다난(多事多難) 〖명〗〖하형〗 多灾多
难 duōzāiduōnàn; 多事 duōshì ¶~했
던 한 해 多灾多难的一年

다산(多産) 〖명〗〖하자〗 多产 duōchǎn;
多生育 duōshēngyù ¶~성 动物 多产
性动物 **2** 多生产 duōshēngchǎn

다색(多色) 〖명〗 多色 duōsè; 各种颜色
gèzhǒng yánsè ¶~인쇄 多色印刷

다섯 〖수관〗 五 wǔ; 五个 wǔgè ¶~ 명
의 아이 五个孩子 / ~ 가지 방법 五个
方法 / 우리 집은 식구가 ~이다 我家
有五口人

다섯-째 〖수관〗 第五 dìwǔ; 第五个 dì-
wǔgè ¶~ 아들 第五个儿子 / ~ 줄에
서다 排在第五队

다-세대(多世帶) 〖명〗 多代 duōdài

다-세포(多細胞) 〖명〗〖生〗 多细胞 duō-
xìbāo ¶~ 생물 多细胞生物 / ~ 식물
多细胞植物

다소(多少) 〖명〗 多少 duōshǎo ¶~를
불문하고 있는대로 가져와라 不管多
少, 都拿来吧 〖부〗 多少 duōshǎo; 稍
微 shāowēi; 若干 ruògān; 稍为 shāo-
wéi; 稍稍 shāoshāo ¶~ 좋은 점이 있
다 多少有些优点 / ~ 배울 바가 있다

稍为有些值得学习的地方

다소-간(多少間) 〖명〗 多少 duōshǎo ¶
若干 ruògān ¶~의 의견 차이 多少意
见差别 〖부〗 多少 duōshǎo; 若干 ruò-
gān ¶그는 말로 ~ 실망했다 看到他,
多少有些失望

다소곳-이 〖부〗 低着头 dīzhetóu; 低头
不语 dītóu bùyǔ; 俯首无言 fǔshǒu wú-
yán ¶무릎에 두 손을 얹고 ~ 앉아 있
다 双手放在膝盖上低着头坐着

다소곳-하다 〖형〗 低着头 dīzhetóu; 低
头不语 dītóu bùyǔ ¶그곳에 다소곳한
모습으로 앉아 있다 坐在那里, 摆出
一副低头不语的姿态

다수(多數) 〖명〗〖하형〗〖부〗 多数 duōshù ¶
~당 多数党 / ~의 의견에 따르다 遵
照多数的意见

다수-결(多數決) 〖명〗 多数决 duōshù-
jué; 多数决定 duōshù juédìng ¶~의
원칙 多数决原则 =[多数规则]

다-수확(多收穫) 〖명〗 高产 gāochǎn; 丰
产 fēngchǎn; 丰收 fēngshōu ¶~ 작물
高产作物

다스(일dásu) 〖의명〗 打 dá ¶연필 한
~ 一打铅笔

다스리다 〖타〗 **1** 治 zhì; 统治 tǒngzhì;
治理 zhìlǐ; 掌管 zhǎngguǎn ¶나라를
~ 治理国家 / 가정을 ~ 掌管家庭 **2**
惩治 chéngzhì ¶죄인을 ~ 惩治罪犯 **3**
治疗 zhìliáo; 治病 zhìbìng ¶병을 ~ 治疗疾
病 **4** 镇定 zhèndìng; 镇静 zhènjìng ¶
감정을 ~ 神色镇定

다슬기 〖貝〗 川螺 chuānluó; 短沟
蜷螺 duǎngōuquánluó

다습(多濕) 〖명〗〖하형〗 多湿 duōshī ¶~한
기후 多湿的气候

다시 〖부〗 再 zài; 又 yòu; 再次 zàicì;
重新 chóngxīn ¶~ 시작하다
重新开始 / ~ 한번 설명하다 再说明
一次 / ~ 그녀를 보고 싶지 않다 再
也不想见到她了

다시-금 〖부〗 '다시'의 강조어

다시다 〖타〗 **1** 咂 zā; 舔 tiǎn; 吧嗒 bāda
¶입맛을 ~ 咂嘴 **2** 吃 chī ¶하루 종일
일하느라고 아무것도 다시지 못했다
干了一天活, 什么也没吃

다시마 〖명〗〖植〗 海带 hǎidài; 昆布
kūnbù

다시-없다 〖형〗 无比 wúbǐ; 无上 wú-
shàng; 无限 wúxiàn ¶다시없는 영광
无上的光荣 / 다시없는 기회 无比的机
会 **다시없이** 〖부〗

-다시피 〖어미〗 在用言词干后, 表示
'和这个一样'的意思 ¶회사에서 살~
하다 和住在公司里一样

다식(多識) 〖명〗 多识 duōshí; 见闻多
duōwén; 学识渊博 xuéshí yuānbó ¶그
는 매우 ~하여 모르는 것이 없다 他

学识渊博, 没有不知道的东西

다신-교(多神教) 명【宗】多神教 duō-shénjiào

다양-성(多樣性) 명 多样性 duōyàngxìng

다양-하다(多樣一) 형 多样 duōyàng; 多种 duōzhǒng; 多种多样 duōzhǒngduōyàng ¶다양한 내용 多样的内容 / 다양한 색깔로 그린 그림 用多种颜色绘制的图画

다양-화(多樣化) 명 多样化 duōyànghuà

다-오 [보동] 微敬阶命令式, 用于第一人称, 表示'给我吧' ¶그 책을 이리 좀 ~ 把那本书给我吧

다-용도(多用途) 명 多用途 duōyòngtú ¶~ 칼 多用途刀 / ~ 보관함 多用途保管盒

다운(down) 명 하자타 1 向下 xiàngxià; 下去 xiàqù; 降低 jiàngdī; 降下 jiàngxià ¶가격을 ~시키다 降低价格 2 【體】击倒 jīdǎo; 打倒 dǎdǎo 3 【컴】死机 sǐjī; 停机 tíngjī

다운로드(download) 명 하타 【컴】下载 xiàzài

다운-재킷(down jacket) 명 羽绒夹克 yǔróng jiákè; 羽绒服 yǔróngfú

다운 증후군(Down症候群) 명【醫】唐氏综合症 tángshì zōnghézhèng; 唐氏综合征 tángshì zōnghézhèng; 先天愚型 xiāntiānyúxíng

다운타운(downtown) 명 市区 shìqū

다원(多元) 명 多元 duōyuán ¶~론 多元论 / 방송 多元广播 / ~ 방정式 多元方程 / ~주의 多元主义 / ~화 多元化

다육(多肉) 명 하형 多肉 duōròu ¶~식물 多肉植物

다음 명 1 (顺序의) 下 xià; 下个 xiàge; 下次 xiàcì; 其次 qícì; 下回 xiàhuí; 第二 dì'èr ¶~ 주 下周 / ~ 달 下个月 / ~ 날 第二天 / ~ 역 下一站 2 以后(后) zhīhòu; 之后 zhīhòu; 然后 ránhòu ¶일이 끝난 ~에 만나자 工作结束以后, 见个面吧 3 往后 wǎnghòu; 回头 huítóu; 下次 xiàcì; 下回 xiàhuí ¶~에 또 봅시다 回头再见 4 下面 xiàmian; 下列 xiàliè ¶~을 읽고 묻는 말에 답하시오 读下面, 回答问题

다음-가다 자 次于 cìyú; 次等 cìděng; 仅次于 jǐncìyú ¶사장 다음가는 지위 仅次于经理的地位

다음-날 명 第二天 dì'èrtiān; 次日 cìrì; 翌日 yìrì ¶~ 다시 오세요 请第二天再来

다음-번(一番) 명 下次 xiàcì

다의(多義) 명 하형 多义 duōyì ¶~어 多义词

다이내믹-하다(dynamic—) 형 有活力 yǒu huólì; 有生气 yǒu shēngqì; 生动 shēngdòng

다이너마이트(dynamite) 명【化】炸药 zhàyào

다이빙(diving) 명 하자 【體】跳水 tiàoshuǐ = 다이빙 경기 ¶~ 선수 跳水运动员

다이빙 경기(diving競技) 【體】= 다이빙

다이빙-대(diving臺) 명【體】跳台 tiàotái

다이아(←diamond) 명【鑛】= 금강석

다이아몬드(diamond) 명 1【鑛】= 금강석 ¶~ 반지 钻石戒指 2【體】(奖牌的) 方块 fāngkuài

다이어리(diary) 명 1 日记簿 rìjìbù = 日记账

다이어트(diet) 명 减肥 jiǎnféi ¶~ 식단 减肥食谱 / ~ 약 减肥药 / ~ 식품 减肥食品 / 나는 지금 ~ 중이다 我正在减肥中

다이얼(dial) 명 1 (电话机的) 拨号盘 bōhàopán ¶전화의 ~ 电话的拨号盘 2 (各种仪器的) 度盘 dùpán; 标度盘 biāodùpán ¶라디오의 ~ 을 돌리다 旋转收音机的刻度盘

다이옥신(dioxine) 명【化】二噁英 èrèyīng

다작(多作) 명 하타 1 多作 duōzuò = 多产 duōchǎn; 高产 gāochǎn

다잡다 타 1 紧抓 jǐnzhuā; 紧握 jǐnwò ¶총대를 ~ 紧握枪杆 2 管束 guǎnshù; 控制 kòngzhì ¶그의 부모님은 그를 어린애처럼 다잡는다 他父母像管小孩那样管束他 3 定 dìng; 安定 āndìng; 镇定 zhèndìng; 镇静 zhènjìng ¶마음을 다잡고 공부를 시작하다 定下心来开始学习

다재-다능(多才多能) 명 하형 多才多艺 duōcáiduōyì ¶여러 방면에 ~한 사람 在多个方面多才多艺的人

다정(多情) 명 하형 多情 duōqíng; 情深 qíngshēn; 热情 rèqíng; 亲切 qīnqiè ¶~한 사람 多情的人 / ~히 그를 바라보다 情深地望着他

다정-다감(多情多感) 명 하형 부형 多情善感 duōqíng shàngǎn; 多情多感 duōqíng duōgǎn; 富有感情 fùyǒu gǎnqíng; 感情丰富 gǎnqíng fēngfù ¶그 여자는 정말 ~하다 那个女人实在感情丰富

다종(多種) 명 多种 duōzhǒng ¶~의 방식 多种方式

다종-다양(多種多樣) 명 하형 多种多样 duōzhǒngduōyàng; 各种各样 gèzhǒnggèyàng ¶~한 선물을 받다 收到

多种多样的礼物

다중(多衆) 명 很多人 hěnduōrén; 众人 zhòngrén; 多众 duōzhòng

다중 방·송(多重放送) 명 【電】多通道广播 duōtōngdào guǎngbō

다지다 타 1 打 dǎ; 轧 yà; 夯 hāng; 压 yā ¶집의 터를 ～ 打房子地基 / 땅을 ～ 轧地 2 加强 jiāqiáng; 巩固 gǒnggù ¶기반을 ～ 巩固基础 3 下 xià; 下定 xiàdìng; 坚定 jiāndìng; 立 lì ¶결의를 ～ 下决心 / 마음을 다져 먹다 心意下定 4 叮嘱 dīngzhǔ ¶꼭 오라고 몇 번씩 ～ 再三叮嘱一定要来 5 剁 duò; 捣 dǎo ¶고기를 ～ 剁肉 / 마늘을 ～ 捣蒜

다짐 명하다 1 保证 bǎozhèng ¶～을 받다 得到保证 2 决心 juéxīn ¶내일부터 열심히 공부하겠다고 ～을 하다 下定决心从明天开始努力学习

다짜─고짜 부 = 다짜고짜로

다짜고짜─로 부 不管三七二十一 bùguǎn sānqīèrshíyí; 不分青红皂白 bùfēn qīnghóngzàobái; 不由分说 bùyóufēnshuō = 다짜고짜 ¶들어오자마자 그를 한바탕 꾸짖었다 一进门, 就不分青红皂白地教训了一顿

다채─롭다(多彩─) 형 精彩 jīngcǎi; 丰富多彩 fēngfù duōcǎi = 컬러풀하다 ¶다채로운 축하 행사 精彩的庆典活动

다처─제(多妻制) 명 = 일부다처제

다층(多層) 명 多层 duōcéng ¶～ 구조 多层结构 / ～ 건물 多层建物

다치다 자타 1 (身体) 受伤 shòushāng; 伤 shāng; 伤害 shānghài ¶칼에 손을 다쳤다 被刀伤了手 2 (把心情、体面等) 伤 shāng; 伤害 shānghài; 害 hài; 惹 rě; 打扰 dǎrǎo ¶그 사람은 대치지 마라 不要惹他

다큐멘터리(documentary) 명 【演】纪实 jìshí; 实录 shílù; 纪录 jìlù ¶～ 채널 纪录频道 / ～ 영화 纪录片

다크─호스(dark horse) 명 黑马 hēimǎ ¶그 분야의 ～ 那个领域的黑马

다투다 자타 1 争 zhēng; 竞争 jìngzhēng; 争先 zhēngzhēngdòu ¶승부를 ～ 争胜负 / 선두를 ～ 竞争先机 / 순위를 ～ 争夺名次 2 争吵 zhēngchǎo; 争执 zhēngzhí; 闹气 nàoqì; 争嘴 zhēngzuǐ ¶闹别扭 nàobièniǔ ¶声音을 높여 ～ 提高嗓门争吵 3 争辩 zhēngbiàn ¶그 문제에 대하여 다툴 여지가 없다 对于那个问题, 没有争辩的余地

다툼 명하다타 争斗 zhēngdòu; 斗争 dòuzhēng ¶吵嘴 chǎozuǐ; 争吵 zhēngchǎo ¶권력 ～을 하다 进行权力斗争

다트[1](dart) 명 【手工】缝褶 féngzhě

다트[2](dart) 명 【體】飞镖 fēibiāo ¶～ 게임 飞镖游戏 / ～ 놀이를 하다 玩飞镖

다:─하다 타 1 结束 jiéshù; 完成 wánchéng; 干完 gànwán; 做完 zuòwán; 完毕 wánbì ¶일을 ～ 结束工作 / 임무를 ～ 完成任务 2 尽 jìn; 竭尽 jiéjìn; 尽力 jìnlì; 竭力尽职 ¶책임을 ～ 尽责 / 최선을 ～ 竭尽所能 / 있는 힘을 ～ 尽一切力量

다한─증(多汗症) 명 【醫】多汗症 duōhánzhèng

다행(多幸) 명하다 희부 幸运 xìng; 多幸 duōxìng; 侥幸 jiǎoxìng; 大幸 dàxìng; 幸运 xìngyùn ¶불행 중 ～이다 不幸中的大幸

다행─스럽다(多幸─) 형 侥幸 jiǎoxìng; 幸亏 xìngkuī; 幸运 xìngyùn; 欣幸 xīnxìng ¶무사히 도착하다니 정말 ～ 平安到达, 真是侥幸 **다행스레** 부

다혈─질(多血質) 명 【心】多血质 duōxuèzhì; 活泼型 huópóxíng ¶～의 성격 多血质性格

다홍(─紅) 명 深红 shēnhóng ¶～색 深红色 / ～치마 深红裙子 = [深红裙]

닥 【植】 명 다나무 ☞ 닥나무

닥─나무 【植】构 gòu; 构树 gòushù; 楮 chǔ = 닥

닥지─닥지 부하다 (尘垢) 厚厚 hòuhòu ¶때가 ～ 낀 손 积满厚厚污垢的手

닥쳐─오다 자 临近 línjìn; 迫近 pòjìn; 降临 jiànglín; 临头 líntóu; 遇到 yùdào; 来到 láidào ¶시험 날짜가 ～ 考试日期临近 / 위험이 ～ 危险临头

닥치다[1] 자 1 面临 miànlín; 来临 láilín; 临近 línjìn; 迫近 pòjìn; 迫在 ¶시련이 ～ 面临考验 / 위험이 눈앞에 ～ 危险迫在眉睫 2 抓到 zhuādào; 遇到 yùdào ¶물건을 닥치는 대로 집어 던지다 抓到什么拐什么

닥치다[2] 타 闭嘴 bìzuǐ; 住口 zhùkǒu; 住嘴 zhùzuǐ ¶제발 입 좀 닥쳐 줄래? 你给我闭嘴好不好?

닦다 타 1 擦 cā; 拭 shì; 擦拭 cāshì ¶책상을 ～ 擦拭桌子 / 땀을 ～ 擦汗 2 刷 shuā; 抹 mǒ ¶이를 ～ 刷牙 3 奠定 diàndìng; 打 dǎ ¶발전의 기초를 ～ 奠定发展的基础 4 修 xiū; 修筑 xiūzhù ¶길을 ～ 修路 5 钻研 zuānyán; 琢磨 zhuómó; 修炼 xiūliàn ¶학문을 ～ 钻研学问 / 마음을 ～ 修炼心灵

닦달 명하다타 1 训斥 xùnchì; 责备 zébèi; 责骂 zémà ¶그를 심하게 ～하였다 严厉地训斥了他 2 修整 xiūzhěng; 收拾 shōushí ¶책상을 ～하다 修整桌子

닦아─세우다 타 训斥 xùnchì; 责备

닦이다

zébèi; 责骂 zémà ¶다시는 거짓말을 하지 말라고 ~ 训斥说再也不许说谎了

닦이다 困 '닦다'의 被动词 ¶깨끗이 닦인 유리창 擦得干干净净的玻璃窗

단:¹ 困 1 捆儿 kǔnr; 把儿 bǎr; 束 shù ¶~을 묶다 捆成捆儿 2 捆 kǔn ¶볏짚 한 ~ 一捆稻草 / 시금치 두 ~ 两捆芹菜

단² 困 = 옷단

단(段) ⊖困 1 (印刷物의) 段 duàn; 段落 duànluò ¶~을 나누다 分段 2 (运动의) 段 duàn ¶~을 따다 升段 / 그는 바둑이 3~이다 他是围棋三段 3 阶段 jiēduàn; 阶梯 jiētī; 台阶 táijiē ¶이 높다 阶梯很高 4 级 jí; 个 gè ¶계단을 한 번에 두 ~씩 뛰다 一步跨两个台阶 ⊜의屈 (车의) 档 dàng ¶기어를 1~에 넣다 齿轮调到一档

단(壇) 困 1 台 tái; 坛 tán 2 祭坛 jìtán

단(單) 판 只 zhǐ; 只有 zhǐyǒu; 仅 jǐn ¶~ 한 사람 只有一个人 / 한 번 只一次

단:(但) 툇 但是 dànshì; 但 dàn

단:(短) 접두 短 duǎn ¶~거리 短距离 / ~기간 短期

단:(單) 접두 单 dān ¶~세포 单细胞

-단(團) 접미 团 tuán; 队 duì ¶대표~ 代表团 / 관광~ 旅游团

단가(單價) 困 单价 dānjià; 价格 jiàgé ¶~표 单价标 / ~를 매기다 定单价 / ~가 높다 单价高 / ~를 조정하다 调整单价

단감 困 【植】 甜柿子 tiánshìzi; 甜柿 tiánshì

단감-나무 困 【植】 甜柿树 tiánshìshù; 甘柿子树 gānshìzishù; 甜柿树 tiánshìshù

단:-거리(短距離) 困 短距离 duǎnjùlí; 短程 duǎnchéng; 短距离 duǎnjù ¶~ 노선 短距离路线 / ~ 竞走 短距离赛跑 = [短跑] / ~ 선수 短跑运动员 = [短跑运动员]

단걸음-에 困(單一) 툇 = 단숨에

단:(短劍) 困 短剑 duǎnjiàn ¶~을 휘두르다 挥舞短剑

단-것 困 甜食 tiánshí

단결(團結) 困하자 团结 tuánjié = 단합 ¶~력 团结力 = [团结力量] / ~심 团结心 / ~의 힘 团结的力量

단계(段階) 困 阶段 jiēduàn ¶준비 ~ 筹备阶段 / 마무리 ~에 이르다 进入收尾阶段

단계-적(段階的) 판 阶段性 jiēduànxìng; 分阶段 fēn jiēduàn ¶일을 ~으로 하다 工作阶段进行

단골 困 1 熟铺子 shúpùzi; 常去 chángqù = 단골집 2 = 단골손님 ¶그녀는 그 집의 ~이다 她是那家店的熟客

단골-손님 困 老主顾 lǎozhǔgù; 熟客 shúkè = 단골2

단골-집 困 = 단골1

단과(單科) 困 单科 dānkē ¶~ 학원 单科补习班

단과 대학(單科大學) 【教】 学院 xuéyuàn; 单科大学 dānkē dàxué; 专科大学 zhuānkē dàxué = 단과2

단:교(斷交) 困하자 断交 duànjiāo; 绝交 juéjiāo ¶~를 선포하다 宣布断交 / 친구와 ~하다 和朋友绝交

단구(段丘) 困 【地理】 台地 táidì ¶해안 ~ 海岸台地

단궤(單軌) 困 【交】 单轨 dānguǐ ¶~ 철도 单轨铁路 = [轨道railway]

단:기(短期) 困 = 단기간 ¶~ 연수 短期进修

단:-기간(短期間) 困 短期 duǎnqī ¶~ 期间 duǎnqī jiān ¶공사가 ~에 끝났다 工程在短期内完成

단:-기적(短期的) 판명 短期 duǎnqī ¶~ 목표 短期目标 / 투자 短期投资

단:-꿈 困 甜梦 tiánmèng; 美梦 měimèng ¶~을 꾸다 做美梦

단:-내¹ 困 甜味儿 tiánwèir

단:-내² 困 1 焦味 jiāowèi ¶솥에서 ~가 났다 锅里发出了焦味 2 (鼻子里出来的) 热气 rèqì ¶어찌나 급히 달렸는지 코에서 ~가 난다 跑得太快, 鼻子里都冒出了热气

단:-념(斷念) 困하타 断念 duànniàn; 死心 sǐxīn; 打消念头 dǎxiāo niàntou ¶나는 그 일을 아직도 ~하지 않았다 对那件事, 我仍不死心

단단-하다 휑 1 硬 yìng; 坚硬 jiānyìng; 坚固 jiāngù ¶단단한 바위 坚硬的岩石 / 땅이 ~ 地面坚固 2 结实 jiēshi ¶그는 체격이 매우 ~ 他身体很结实 / 단단하게 매다 捆得结实 3 紧 jǐn; 牢 láo ¶나사가 풀어지지 않도록 단단하게 조여라 螺丝拧紧点儿, 以防脱落 4 坚强 jiānqiáng; 坚决 jiānjué; 坚定 jiāndìng; 刚强 gāngqiáng ¶단단한 의지 坚定的意志 / 결심 坚定的决心 5 严重 yánzhòng; 厉害 lìhai ¶감기가 아주 단단하게 걸렸다 感冒很严重 = 단단히

단당(單糖) 困 【化】 单糖 dāntáng

단당-류(單糖類) 困 【化】 单糖类 dāntánglèi

단:-도(短刀) 困 短刀 duǎndāo

단:도-직입(單刀直入) 困하자 单刀直入 dāndāozhírù; 直截了当 zhíjiéliǎodàng ¶~으로 말하다 直截了当地说

단:도직입-적(單刀直入的) 판명 单刀直入 dāndāozhírù; 直截了当 zhíjiéliǎodàng ¶~인 질문 直截了当的质问 / ~으로 묻다 直截了当地问

단독(單獨) 명 단독 dāndú; 독자 dúzì; 단신 dānshēn; 독 dú ¶~범 단독범 /~ 인터뷰 단독 채방 /~으로 결정하다 단독결정

단독 주:택(單獨住宅) 【建】 독립식 주택 dúlìshì zhùzhái; 단독 주택 dāndú zhùzhái; 독립옥 dúlìwū; 독립 주택 dúlì

단-돈 명 일푼돈 yìfēn qián; 일점전 yìdiǎn qián ¶지금 나한테는 ~ 1원도 없다 现在我连一分钱都没有

단: 두-대(斷頭臺) 명 단두대 duàntóutái; 참두대 zhǎntóutái ¶~에 오르다 上断头台

단-둘 명 딱 두 사람 zhǐyǒu liǎnggè rén; 둘 두 개 인 zhǐ liǎnggè rén ¶우리~ 만의 비밀 只有我们两个人知道的秘密

단락(段落) 명 1 (일의) 단락 duànluò ¶이번 일은 여기서 ~을 맺는다 这次的事到这里告一段落 2 【語】(文章의) 단락 duànluò; 분단 fēnduàn; 단 duàn ¶이 글은 세 개의 ~으로 나눌 수 있다 这篇文章可以分成三段

단란-하다(團欒一) 형 행복 xìngfú; 화목 hémù; 유쾌 yúkuài; 미호 mĕihǎo ¶단란한 가정 幸福的家庭 / 단란한 시간을 보내다 度过愉快的时光 단란-히 튀

단련(鍛鍊) 명 하다 1 단련 liàn; 단련 duànliàn; 마련 mólìán; 마련 mólì; 저 dǐlì ¶잘 ~된 쇠로 만든 낫 用练好的铁做的镰刀 2 단련 duànliàn ¶날마다 몸을 ~하다 每天锻炼身体

단리(單利) 명 【經】 단리 dānlì ¶~법 单利法

단막-극(單幕劇) 명 【演】 독막극 dúmùjù; 단막극 dānmùjù

단말(端末) 명 컴 1 = 단말기 2 단구 dūankǒu

단말-기(端末機) 명 【컴】 종단 zhōngduān; 종단기 zhōngduānjī = 단말1

단:-말마(斷末魔) 명 1 수사 chuísǐ; 임사 línsǐ; 임종 línzhōng ¶~의 비명 垂死的惨叫 2 【佛】 단말마 duànmòmò; 말마 mòmò

단-맛 명 단맛 gānwèi; 감미 gānwèi; 첨두(儿) tiántou(r); 첨 tián

단면(斷面) 명 1 포면 pōumiàn; 절면 jiémiàn; 단면 duànmiàn; 절면 qiēmiàn ¶지층의 ~ 地层的截面 2 단면 duàn ¶사회의 한 ~을 나타내다 表现社会的一个片段

단:-면-도(斷面圖) 명 포면도 pōumiàntú; 절면도 jiémiàntú; 단면도 duànmiàntú; 절면도 qiēmiàntú

단:-면적(斷面積) 명 절면적 jiémiànjī

단:-명(短命) 명 형 하다 단명 duǎnmìng ¶~한 사람 短命的人

단-모음(單母音) 명 【語】 단원음 dānyuányīn; 단모음 dānmǔyīn

단-무지 명 황복 卜泡菜 huángluóbo pàocài; 황복 卜 huángluóbo

단문(單文) 명 【語】 단구 dānjù = 홀 문장

단:-문(短文) 명 하셨 1 단문 duǎnwén 2 학식천박 xuéshí qiǎnbó

단-물 명 1 = 민물 2 첨수 tiánshuǐ 3 정화 jīnghuá ¶~만 빨아먹다 只吸取 精华

단박 튀 입각 lìkè; 입즉 lìjí; 일하자 yīxiàzi; 당장 dāngchǎng ¶범인을 ~에 알아보다 一下子认出罪犯

단발(單發) 명 1 일발 yìfā; 단발 dānfā ¶~에 명중시키다 一发命中 2 일차성 yícìxìng ¶~ 단발 dānfā; 단인경 dānyǐnqíng 4 【軍】 = 단발총

단:-발(短髮) 명 단발 duǎnfà

단:-발(斷髮) 명 하자 전발 jiǎnfà; 전두발 jiǎntóufà; 리발 lǐfà ¶~령 전발령 / ~머리 전발

단발-성(單發性) 명 1 일차성 yícìxìng 2 【醫】 단발성 dānfāxìng

단발-총(單發銃) 명 【軍】 단발총 dānfāchòng = 단발(單發)4

단-밤 명 1 첨률자 tiánlìzi; 첨률 tiánlì 2 = 감률1

단방(單放) 명 1 일창 yìqiāng ¶~에 쏘아 맞히다 一枪命中 2 = 단번

단:-백(蛋白) 명 【生】= 난백 ¶~뇨 蛋白尿

단:-백-질(蛋白質) 명 【生】 단백질 dānbáizhì

단번(單番) 명 튀 일차 yícì = 단방2

단번-에(單番一) 튀 일하자 yīxiàzi; 일차 yícì ¶~ 맞히다 一次打中 / ~ 먹어 치우다 一下子吃光

단:-벌(單一) 명 1 유일적일투 wéiyīde yítào ¶~ 양복 唯一的一套西服 2 유일적 wéiyīde; 독일무이 dúyīwú'èrde

단:-봇짐(單褓一) 명 간단행리 jiǎndān xínglǐ ¶~을 꾸려 집을 떠나다 收拾好简单行李离开家门

단봉-낙타(單峰駱駝) 명 【動】 단봉락 타 dānfēng luòtuó; 단봉타 dānfēngtuó

단-비 명 희우 xǐyǔ; 감림 gānlín; 감우 gānyǔ ¶~가 내리다 天降喜雨

단:-산(斷産) 명 하자 절육 juéyù; 단산 duànchǎn; 불재생육 bùzài shēngyù

단상(壇上) 명 대상 tái(shang); 주석대상 zhǔxí táishang; 강대상 jiǎngtái (shang); 강단상 jiǎngtán shang ¶~에 오르다 走上讲台

단:-상(斷想) 명 하자 단상 duànxiǎng; 점적감상 diǎndī gǎnxiǎng; 수상 suíxiǎng ¶생활의 ~ 生活断想 /~을 뮤

이에 적다 把随想记在纸上

단색(單色) 〖명〗 单色 dānsè; 单一色 dānyīsè; 单一颜色 dānyīyánsè ¶~광 单色光 =[单光]/~ 印刷 单色印刷/그림을 ~으로 그리다 画单色画/~ 옷을 입다 穿单色衣服

단:서(但書) 〖명〗 但书 dànshū; 附言 fùyán; 附条 fùtiáo; 附记 fùjì ¶계약서에 ~를 붙이다 在合同里附加附言

단서(端緒) 〖명〗 端绪 duānxù; 头绪 tóuxù; 线索 xiànsuǒ; 眉目 méimù; 门路 ménlù; 蛛丝马迹 zhūsīmǎjì ¶결정적인 ~ 决定性的线索/~를 남기다 留下蛛丝马迹

단선(單線) 〖명〗 单线 dānxiàn

단:선(斷線) 〖명〗〖하타〗 断线 duànxiàn

단선 궤도(單線軌道) 【交】 单轨 dānguǐ; 单线轨道 dānxiàn guǐdào

단성(單性) 【生】 单性 dānxìng ¶~생식 单性生殖

단-세포(單細胞) 〖명〗 1 【生】 单细胞 生物 ~ 动物 单细胞动物/~ 식물 单细胞植物 2 单细胞 dānxìbāo ¶사고방식이 ~인 사람 思维方式单细胞的人

단세포 생물(單細胞生物) 【生】 单细胞生物 dānxìbāo shēngwù; 单细胞 dānxìbāo = 단세포1

단:소(短簫) 〖명〗〖音〗 短箫 duǎnxiāo ¶~를 불다 吹短箫

단속(團束) 〖명〗〖하타〗 1 取缔 qǔdì; 管制 guǎnzhì; 限制 xiànzhì; 拘管 jūguǎn; 检查 jiǎnchá ¶~ 규정 取缔规定/~반 取缔组/불량 제품을 ~하다 取缔不良产品/음주 운전에 대한 ~을 강화하다 加强对酒后驾驶的检查 2 管教 guǎnjiào; 管束 guǎnshù; 管 guǎn ¶부하 직원들을 ~하다 管束手下职员

단:속(斷續) 〖명〗〖하자타〗 断续 duànxù; 间续 jiānxù; 间歇 jiānxiē ¶~음 断续音

단:속-적(斷續的) 〖관·명〗 间断(的) jiànduàn(de); 断续(的) duànxù(de) ¶~으로 들려오는 개 짖는 소리 断断续续传来的狗叫声

단수(單數) 〖명〗 1 单数 dānshù ¶~와 복수 单数和复数 2 【語】单数 dānshù = 홑수 ¶삼인칭 ~ 형태 第三人称单数形态

단수(段數) 〖명〗 (围棋、柔道等的) 段数 duànshù ¶유도의 ~ 柔道的段数/~가 높다 段数高

단:수(斷水) 〖명〗〖하타〗 停水 tíngshuǐ; 断水 duànshuǐ; 停止供水 tíngzhǐ gōngshuǐ

단수 여권(單數旅券) 【法】 一次性护照 yīcìxìng hùzhào

단순(單純) 〖명〗〖하형〗〖부〗 单纯 dānchún;

단일(單一) 〖명〗 单一 dānyī; 单 dān; 简单 jiǎndān ¶~ 개념 简单概念/~ 골절 单纯骨折/~ 노동 简单劳动/~한 생각 单纯的想法/~하게 생각하다 想得单纯

단-술(—) 〖명〗 = 감주

단숨-에(單—) 〖부〗 一口气 yīkǒuqì; 一气(儿) yīqì(r); 一下子 yīxiàzi; 一股作气 yīgǔ zuòqì; 一鼓劲儿 yīgǔjìnr ¶한 걸음에 ¶찬물 한 그릇을 ~ 들이켰다 一口气喝了一碗凉水

단:-시간(短時間) 〖명〗 短时间 duǎnshíjiān ¶이 일은 ~에 끝낼 수 없다 这件工作短时间内无法完成

단:-시일(短時日) 〖명〗 短时间 duǎnshíjiān ¶~에 완성하다 短时间内完成

단식(單式) 〖명〗 1 单式 dānshì; 简单形式 jiǎndān xíngshì 2 【體】 = 단식 경기

단:식(斷食) 〖명〗 断食 duànshí; 绝食 juéshí ¶~ 투쟁 绝食斗争

단식 경:기(單式競技) 【體】 单打 dāndǎ; 单打赛 dāndǎsài; 单打比赛 dāndǎ bǐsài = 단식(單式)2·싱글3

단:식-법(斷食法) 【醫】 断食疗法 duànshí liáofǎ; 断食法 duànshífǎ; 绝食疗法 juéshí liáofǎ; 绝食法 juéshífǎ = 단식 요법

단:식 요:법(斷食療法) 【醫】 = 단식법

단신(單身) 〖명〗 1 = 홀몸 2 单身 dānshēn; 独身 dúshēn ¶외지에서 ~으로 살다 独身在外

단:신(短身) 〖명〗 小个子 xiǎogèzi

단:신(短信) 〖명〗 简讯 jiǎnxùn; 简报 jiǎnbào; 零讯 língxùn ¶스포츠 ~ 体育简讯

단심(丹心) 〖명〗 丹心 dānxīn; 诚心 chéngxīn

단아-하다(端雅—) 〖형〗 端雅 duānyǎ; 端装典雅 duānzhuāng diǎnyǎ ¶단아한 자세 端雅的姿态/용모가 ~ 容貌端雅

단:-안(單眼) 〖명〗 1 独眼 dúyǎn 2 单眼 dānyǎn

단:안(斷案) 〖명〗〖하타〗 1 判断 pànduàn; 断定 duàndìng ¶최후의 ~을 내리다 做出最后的判断 2 断案 duàn'àn

단:애(斷崖) 〖명〗 断崖 duànyá ¶험준한 ~ 险峻的断崖

단어(單語) 〖명〗〖語〗 单词 dāncí; 词 cí = 낱말 ¶영어 ~ 英语单词/상용~ 常用单词/~를 외우다 背单词

단어-장(單語帳) 〖명〗 1 单词本 dāncíběn ¶영어 ~ 英语单词本 2 = 단어집

단어-집(單語集) 〖명〗 单词书 dāncíshū = 단어장2

단:언(斷言) 〖명〗〖하타〗 断言 duànyán; 断语 duànyǔ; 断定 duàndìng ¶~을 내리다 下断言/그 문제는 ~할 수 없다

단역(端役) 圀 〖演〗 配角 pèijué = 엑스트라 ¶~을 맡아 출연하다 出演配角

단역 배우(端役俳優) 〖演〗 临时演员 línshí yǎnyuán

단:연(斷然) 🖫 断然 duànrán = 단연코 ¶~ 앞서다 断然挺身而出

단:연-코(斷然—) 🖫 = 단연

단:연-하다(斷然—) 휑 断然 duànrán; 毅然决然 yìránjuérán ¶단연한 표정 断然的表情 단:연-히 🖫 ¶~ 거절하다 断然拒绝

단:열(斷熱) 圀하짜 〖物〗 绝热 juérè; 隔热 gérè ¶~ 효과 绝热效果 / ~ 공사 隔热工程

단:열-재(斷熱材) 〖建〗 绝热材料 juérè cáiliào; 隔热材料 gérè cáiliào

단엽(單葉) 圀 〖植〗 单叶 dānyè = 홑잎1

단엽-기(單葉機) 圀 〖航〗 = 단엽 비행기

단엽 비행기(單葉飛行機)〖航〗单翼机 dānyìjī; 单翼飞机 dānyì fēijī = 단엽기

단오(端午) 圀 〖民〗 端午 duānwǔ; 端阳 duānyáng; 端午节 duānjié; 端午节 duānwǔjié = 단옷날

단오-절(端午節) 圀 〖民〗 端午节 duānwǔjié; 端阳节 duānyángjié

단옷-날(端午—) 圀 〖民〗 = 단오

단원(單元) 圀 1 〖敎〗 单元 dānyuán ¶~ 학습 单元学习 / 교과 ~ 授课单元 2 —元 yīyuán = 일원(一元)1

단원(團員) 圀 团员 tuányuán; 队员 duìyuán ¶합창단 ~ 合唱团团员 / ~을 뽑다 选拔团员

단위(單位) 圀 单位 dānwèi ¶질량 ~ 质量单位 / ~ 면적 单位面积 / 일 개월 ~로 급여를 지급하다 以一个月为单位支付工资

단음(單音) 圀 〖語〗 单音 dānyīn = 홑소리

단:음(短音) 圀 〖語〗 短音 duǎnyīn

단:음(斷音) 圀 〖語〗 断音 duànyīn

단음 기호(斷音記號) 〖音〗 = 스타카토

단-음절(單音節) 圀 〖語〗 单音节 dānyīnjié

단-음절-어(單音節語) 圀 〖語〗 单音词 dānyīncí; 单音节词 dānyīnjiécí

단일(單一) 圀 单一 dānyī; 单独 dāndú ¶~ 상품 单一商品 / ~ 후보 单一候选人 / ~ 경제 单一经济 / ~ 국가 单一国家 / ~ 민족 单一民族 / ~팀 单一队

단일-화(單一化) 圀하짜타 单一化 dānyīhuà; 统一 tǒngyī ¶후보 ~ 候选人单一化

단자(單子) 圀 1 礼单 lǐdān ¶먼저 ~를 드리다 先送上礼单 2 单子 dānzi

단:-자(短資) 圀 〖經〗 拆款 chāikuǎn; 短期贷款资金 duǎnqī dàikuǎn zījīn

단자(端子) 圀 〖電〗 端子 duānzǐ ¶입력 ~ 输入端子 / ~를 꽂다 插入端子

단-잠(斷—) 圀 酣睡 hānshuì; 熟睡 shúshuì ¶~에 빠지다 熟睡

단장(丹粧) 圀하타 1 化装 huàzhuāng; 打扮 dǎban ¶~한 여자 化妆的女人 2 装饰 zhuāngshì ¶새롭게 ~한 집 装饰一新的房子

단:-장(短杖) 圀 短手杖 duǎnshǒuzhàng; 短拐棍儿 duǎnguǎigùnr; 文明棍儿 wénmínggùnr ¶~을 짚은 신사 拄着文明棍儿的绅士

단장(團長) 圀 团长 tuánzhǎng ¶대표단 ~ 代表团团长 / 방문단 ~ 访问团团长

단장(斷腸) 圀 断肠 duàncháng

단-적(端的) 괸圀 明显的 míngxiǎnde; 显然的 xiǎnránde; 确凿的 quèzáode ¶~인 증거 确凿的证据 / ~인 예 明显的例子

단전(丹田) 圀 丹田 dāntián

단전(斷電) 圀하짜 短电 duǎndiàn; 停电 tíngdiàn ¶~ 조치 停电措施 / ~으로 불편을 겪다 因为停电, 遇到很多不便

단:절(斷絶) 圀하타 断绝 duànjué; 中断 zhōngduàn; 断 duàn ¶국교를 ~하다 断交 / 대화가 ~되다 对话中断

단:점(短點) 圀 短处 duǎnchu; 缺点 quēdiǎn; 不足之处 bùzúzhīchù ¶~을 들추다 揭发短处 / ~을 고치다 改正缺点 / ~을 극복하다 克服缺点

단:정(斷定) 圀하타 断定 duàndìng; 判定 pàndìng; 确定 quèdìng ¶그를 범인으로 ~하다 判定他是罪犯

단정-하다(端正—) 휑 端正 duānzhèng ¶품행이 ~ 品行端正 단정-히 🖫 ¶태도를 ~ 하다 端正态度

단조(單調) 圀하휑 单调 dāndiào ¶~한 생활 单调的生活 / ~한 무늬 单调的图案

단조(短調) 圀 〖音〗 小调 xiǎodiào

단조-롭다(單調—) 휑 单调 dāndiào; 平板 píngbǎn; 无聊 wúliáo; 乏味 fáwèi ¶그는 단조로운 생활을 하고 있다 他过着单调的生活 / 단조로운 가락 平板的曲调 단조로이 🖫

단:-죄(斷罪) 圀하짜 判罪 pànzuì ¶~를 당하다 被判罪 / ~의 대상이 되다 成了判罪的对象

단:지(但只) 🖫 = 다만1

단지 圀 坛(儿) tán(r); 坛子 tánzi; 罐子 guànzi; 缸子 gāngzi ¶고추장 ~ 辣酱坛子

단지(團地) 圀 区 qū; 小区 xiǎoqū; 地基 dìjī; 园区 yuánqū ¶공업 ~ 工业园区 /아파트 ~ 公寓小区

단-진자(單振子) 圀 【物】单振子 dānzhènzǐ

단-짝(單一) 圀 挚友 zhìyǒu; 哥们儿 gēmenr; 哥儿们 gērmen; 哥俩儿 gēliǎr; 好朋友 hǎopéngyou ¶그들은 ~이다 他们是挚友

단청(丹青) 圀 丹青 dānqīng

단체(團體) 圀 1 团体 tuántǐ; 组织 zǔzhī ¶이익 ~ 利益团体 / 민간·민간 团体 2 集体 jítǐ ¶~ 사진 集体照片 / ~ 관람 集体观看 /~상 集体奖 / ~전 集体赛 / 행동 集体行动 / ~ 생활 集体生活

단추 圀 1 纽扣(儿) niǔkòu(r); 扣子 kòuzi; 衣纽 yīniǔ; 纽子 niǔzi ¶~를 채우다 扣上纽扣 / ~를 달다 钉扣子 / ~가 떨어졌다 扣子掉了 2 按钮(儿) ànniǔ(r); 钮 niǔ ¶~를 누르다 按按钮

단축(短縮) 圀하자 缩短 suōduǎn ¶공정을 ~ 하다 缩短工期 / 시간을 ~ 하다 缩短时间

단출-하다 圀 1 少 shǎo; 不多 bùduō ¶식구가 ~ 家里人口少 2 简便 jiǎnbiàn; 简陋 jiǎnlòu ¶차림새가 ~ 穿着简便 **단출-히** 閉

단천-고리 圀 纽襻儿 niǔpàn(r)

단천-구멍 圀 扣眼儿 kòuyǎn(r)

단층(單層) 圀 1 单层 dāncéng 2 = 단층집

단층(斷層) 圀 【地理】断层 duàncéng ¶~면 断层面 / ~ 해안 断层海岸 / ~구조 断层结构

단층-집(單層─) 圀 平房 píngfáng = 단층(單層)

단-층 촬영(斷層撮影) 【醫】断层摄影 duàncéng shèyǐng

단-칸(單一) 圀 单间 dānjiān; 独间 dújiān

단칸-방(單─房) 圀 单间 dānjiān; 独间 dújiān

단-칼(單一) 圀 一刀 yīdāo ¶~에 자르다 一刀斩断 / ~에 두 동강을 내다 一刀两断

단타(單打) 圀【體】= 일루타

단-타(短打) 圀【體】短打 duǎndǎ

단-파(短波) 圀【物】短波 duǎnbō ¶~ 방송 短波广播

단판(單─) 圀 一次 yīcì ¶~으로 승부를 결정하다 一次决赛定胜负

단-팥죽(一粥) 圀 甜小豆粥 tiánxiǎodòuzhōu ¶~을 쑤어 먹다 熬甜小豆粥喝

단-편(短篇) 圀【文】1 短篇 duǎnpiān ¶~ 작가 短篇作家 2 = 단편 소설 ¶~을 쓰다 写短篇小说

단-편(斷片) 圀 1 断片 duànpiàn 2 片断 piànduàn ¶일상생활의 ~ 日常生活的片断

단-편 소설(短篇小說) 【文】短篇小说 duǎnpiān xiǎoshuō = 단편(短篇)2 ¶~집 短篇小说集

단-편 영화(短篇映畵) 【演】短片 duǎnpiān

단-편-적(斷片的) 圀 片断的 piànduànde; 片面的 piànmiànde ¶~ 견해 片断的见解 / ~인 생각 片面的想法

단-편-집(短篇集) 圀 短篇集 duǎnpiānjí

단-평(短評) 圀 短评 duǎnpíng ¶시사 ~ 时事短评

단풍(丹楓) 圀 1 红叶 hóngyè ¶이들다 树叶变红了 2 【植】= 단풍나무

단풍-나무(丹楓─) 圀【植】槭 qì; 枫树 fēngshù ¶~ = 단풍2

단풍-놀이(丹楓─) 圀하자 赏红叶 shǎng hóngyè

단풍-잎(丹楓─) 圀 1 红叶 hóngyè 2 枫树叶 fēngshùyè

단합(團合) 圀하자 = 단결 ¶우리 팀은 ~이 아주 잘 된다 我队团结得很好

단-행(斷行) 圀하타 坚决实行 jiānjué shíxíng ¶개각을 ~하다 坚决实行内阁改组

단행-본(單行本) 圀【印】单行本 dānxíngběn

단-호박 圀 南瓜 nánguā ¶ ~ 샐러드 南瓜沙拉 / ~찜 蒸南瓜

단-호-하다(斷乎─) 圀 断然 duànrán; 坚决 jiānjué ¶그의 태도는 매우 ~ 他的态度十分坚决 **단-호-히** 閉 ¶~ 거절하다 断然拒绝 / ~ 반대하다 坚决反对

단화(短靴) 圀 短腰皮鞋 duǎnyāopíxié 2 低跟鞋 dīgēnxié

달[1] 곤 跑 pǎo; 驰 chí; 疾驰 jíchí ¶전속력으로 ~ 全速疾弛

닫[2] 囘 关 guān; 闭 bì ¶창문을 ~ 关窗户 / 입을 ~ 闭嘴 / 서랍을 ~ 关抽屉 / 문을 ~ 关门

닫아-걸다 囘 关了以后扣上 guānle yǐhòu chǎshang ¶방문을 ~ 关了房门以后扣上

닫-히다 圂 '닫다'의 피동어 ¶문이 바람에 ~ 门被风关上

달[1] 圀 1 【天】月亮 yuèliang; 月球 yuèqiú ¶~이 뜨다 月亮升起 / ~이 지다 月亮落下去 2 = 달빛 ¶~이 밝다 月色明亮 3 月 yuè ¶지난 ~ 上月 二回의웹 月 yuè ¶~이 갔다 一个月过去了

달가닥 閉하자 哐当 guāngdāng; 呱哒 guādā; 呱嗒 guādā ¶ ~ 소리가 나다 门被锁关上

传来咣当的响声
달가닥-거리다 짜탸 咣当咣当 guāng-dāngguāngdāng xiǎng; 呱嗒呱嗒响 guā-dāguādā xiǎng = 달가닥대다 ¶서랍을 ~ 把抽屉拉得咣当咣当响 **달가닥-달가닥** 昙짜탸

달가워-하다 탸 心甘 xīngān; 甘心 gān-xīn; 情愿 qíngyuàn

달갑다 혱 心甘 xīngān; 甘心 gānxīn; 心甘 xīngān; 情愿 qíngyuàn ¶달갑잖은 情愿 gānyuàn

달걀 鸡蛋 jīdàn; 鸡子儿 jīzǐr = 계란 ¶~노른자 鸡蛋黄 / ~흰자 鸡蛋清

달거리 명하짜 『生』= 월경(月經)

달관(達觀) 명하 达观 dáguān ¶인생을 ~하다 达观人生

달구 『建』夯 hāng

달구다 탸 1 烧热 shāorè; 弄热 nòngrè ¶쇠를 ~ 把铁烧热 2 烧暖 shāonuǎn ¶방을 ~ 把屋子烧暖

달구지 牛车 niúchē ¶~를 끌다 拉牛车

달구-질 명하 打夯 dǎhāng; 夯 hāng ¶건물의 터를 ~하다 夯建筑的地基

달그락 昙하탸 咣当 guāngdāng; 呱哒 guādā; 咣噹 guādā

달그락-거리다 짜탸 咣当咣当响 guāng-dāngguāngdāng xiǎng; 呱嗒呱嗒响 guā-dāguādā xiǎng = 달그락대다 **달그락-달그락** 昙하짜탸

달-나라 명 月宫 yuègōng; 月亮 yuè-liang

달-님 명 月亮 yuèliang

달:다[1] 혱 1 热 rè; 烫 tàng ¶쇠가 달았다 铁烧热了 2 发烧 fāshāo ¶그녀는 부끄러워서 얼굴이 화끈 달았다 她脸上一阵阵地发烧了 3 焦急 jiāojí; 着急 zháojí; 急 jí ¶마음이 ~ 心里焦急 / 애가 ~ 心急

달다[2] 탸 1 挂 guà; 悬 xuán ¶그림을 벽에 ~ 把画挂在墙上 2 钉 dìng; 扣 kòu ¶단추를 ~ 钉扣子 3 加 jiā ¶주를 ~ 加注 4 记 jì ¶장부에 ~ 记在账簿上 5 安装 ānzhuāng; 装 zhuāng ¶전화를 ~ 安电话

달다[3] 탸 称 chēng ¶저울로 무게를 ~ 用秤称重量 / 체중을 ~ 称体重

달:다[4] 탸(보) 给 gěi; 要 yào; 请求 qǐng-qiú ¶아이가 과자를 달라고 보챈다 孩子缠着要点心 匚(보동) 给我 gěiwǒ ¶그 책을 좀 빌려 다오 把那本书借给我吧

달다[5] 혱 1 (味道) 甜 tián; 甘 gān; 甘美 gānmeǐ ¶단 음식 甜食 / 맛이 ~ 味道甜 2 (对胃口) 香 xiāng ¶밥을 달게 먹다 饭吃得很香 3 (心情) 好 hǎo; 香 xiāng ¶달게 자다 睡得很香 4 甘 gān; 甘愿 gānyuàn ¶벌을 달게 받다 甘

受罚

달달[1] 명하짜탸 1 哆哆嗦嗦 duōduo-suōsuō; 哆嗦 duōsuo ¶몸을 ~ 떨다 身子哆嗦 2 吱吱嘎嘎 zhīzhigāgā ¶세 발자전거가 ~ 굴러간다 三轮自行车吱吱嘎嘎地走

달달[2] 閉 1 哔哔剥剥 bìbǐbōbō ¶콩을 ~ 볶다 哔哔剥剥地炒豆子 2 苦苦 kǔkǔ ¶식구들을 ~ 들볶다 苦苦地折腾着人

달-동네 명 贫民区 pínmínqū; 贫穷社区 pínqióng shèqū = 산동네

달라-붙다 짜 1 粘 zhān; 粘贴 zhān-tiē; 贴 tiē ¶신발에 달라붙은 껌 粘在鞋底的口香糖 2 跟随 gēnsuí; 跟着 gēnzhe ¶강아지가 나에게 달라붙어 떨어질 줄을 모른다 小狗紧紧跟着我, 不愿离开 3 埋头 máitóu; 投入 tóurù

달라-지다 짜 变 biàn; 变化 biànhuà; 改变 gǎibiàn ¶시대가 달라졌다 时代变了 / 그는 몰라보게 달라졌다 他变得让人认不出来了

달랑[1] 閉 1 叮当 dīngdāng; 当啷 dāng-lāng ¶방울이 ~ 울리다 铃铛叮当响 2 轻妄하게 qīngwàngde; 冒失 màoshi; 鲁莽 lǔmǎng

달랑[2] 閉 只 zhǐ; 光 guāng; 孤零零 gū-línglíng ¶밥상 위에는 컵 하나만 ~ 놓여 있다 饭桌上只放着一个杯子

달랑-거리다 짜탸 1 叮当叮当响 dīng-dāngdīngdāng xiǎng; 当啷当啷响 dāng-lāngdānglāng xiǎng ¶방울이 바람에 ~ 铃铛在风中叮当作响 2 轻妄 qīng-wàng; 冒失 màoshi; 鲁莽 lǔmǎng ‖ 달랑대다 **달랑-달랑** 閉하짜탸

달래 명 『植』野蒜 yěsuàn; 山蒜 shān-suàn; 单花葱 dānhuācōng ¶~를 캐다 挖野蒜

달래다 탸 1 哄 hǒng; 哄逗 hǒngdòu; 安慰 ānwèi; 抚慰 fǔwèi ¶그가 우는 아이를 달랬다 他哄好了哭着的孩子 2 压 yā; 解 jiě; 消除 xiāochú; 解除 jiě-chú ¶향수를 ~ 解乡愁 / 외로움을 ~ 解除孤独 3 劝 quàn; 劝导 quàndǎo

달러(dollar) 명의 美元 měiyuán = 불(弗) ¶~로 계산하다 用美元结算

달려-가다 짜 跑 pǎo; 跑过去 pǎo-guòqù; 奔跑 bēnpǎo; 奔赴 bēnfù ¶목표를 향해 ~ 向着目标奔去 / 언덕길을 ~ 在坡路上奔跑

달려-들다 짜 1 扑 pū; 扑上去 pū-shàngqù; 冲上去 chōngshàngqù ¶엄마품에 ~ 扑进妈妈怀里 / 호랑이가 토끼에게 ~ 老虎向兔子扑上去 2 投入 tóurù; 加紧 jiājǐn; 抓紧 zhuājǐn

달려-오다 짜 跑 pǎo; 跑过来 pǎoguò-lái ¶먼 길을 달려왔다 跑了很远的路

달력(一曆) 명 月历 yuèlì; 历 lì ¶벽걸

이 ~ 挂历 / 만년 ~ 万年历 / 탁상 ~ 台历

달리 🔢 不同 bùtóng; 另外 lìngwài; 另 lìng; 别 bié ¶~ 처리하라 另外处理 / ~ 의도가 있다 别有用意 / ~ 방법이 없다 没有别的办法

달리-기 명하자 跑 pǎo; 跑步 pǎobù; 赛跑 sàipǎo ¶~ 선수 赛跑选手 / 시합 赛跑

달-리다¹ 🔢 1 挂 guà; 悬挂 xuánguà; 垂挂 chuíguà; 牵挂 qiānguà ¶벽에 그림이 달려 있다 墙上挂着图画 2 属于 shǔyú; 取决于 qǔjuéyú ¶합격 여부는 노력에 달렸다 及格与否, 取决于付出的努力 3 在 (一起) zài (yìqǐ) ¶그는 하루종일 기계 옆에 달려 있다 他整天在机器旁边 4 '달다²'의 被动态词 || 달리는 말에 채찍질 🔢 快马加鞭

달리다² 🔢 1 缺乏 quēfá; 缺 quē; 乏 fá; 不足 bùzú; 不上 bùshàng ¶일손이 ~ 人手缺乏 / 공급이 ~ 供应不上 / 체력이 ~ 体力不足

달리다³ 🔢 티 '닫다'의 使动词 ¶말을 ~ 跑马 🔢자 跑 pǎo; 疾驶 jíshǐ; 奔驰 bēnchí; 驰骋 chíchěng; 奔跑 bēnpǎo ¶말이 ~ 马奔驰 / 자동차가 ~ 汽车疾驶 / 전속력으로 ~ 全速奔驰

달리아(dahlia) 명 【植】 大丽花 dàlìhuā; 大丽菊 dàlìjú; 西番莲 xīfānlián

달리-하다 티 别有 bié yǒu; 不一致 bùyízhì; 不同 bùtóng; 另外 lìngwài ¶의견을 ~ 意见不同

달마티안(dalmatian) 명 【動】 大麦町犬 dàmàidīngquǎn; 达尔马提亚狗 dá'ěrmǎtíyàgǒu; 斑点狗 bāndiǎngǒu

달-맞이 명하자 【民】 迎月 yíngyuè; 赏月 shǎngyuè

달맞이-꽃 명 【植】 月见草 yuèjiàn-cǎo; 待霄草 dàixiāocǎo; 月苋草 yuè-jiàncǎo; 夜来香 yèláixiāng

달무리 명 月晕 yuèyùn ¶~가 지다 有月晕

달-밤 명 月夜 yuèyè

달변(-邊) 명 月息 yuèxī; 月利 yuèlì = 월리

달변(達辯) 명 能说善辩 néngshuō-shànbiàn; 能说善道 néngshuōshàndào ¶그의 ~은 따를 사람이 없다 没有人比得上他能说善辩

달-빛 명 月光 yuèguāng; 月色 yuèsè = 월색² · 월광² ¶밝은 ~ 明亮的月光

달성(達成) 명하자 达成 dáchéng; 达成 dá dá ¶목표를 ~하다 达到目标

달아-나다 🔢 1 奔驰 bēnchí; 飞奔 fēibēn ¶말이 벌판을 쏜살같이 ~ 骏马在草原上箭也似的飞奔 2 跑 táopǎo; 逃走 táozǒu; 跑 pǎo; 溜走 liū-

zǒu; 逃 táo; 逃奔 táobēn; 逃脱 táotuō ¶그는 해외로 달아났다 他逃到了海外 / 범인이 달아났다 犯人逃跑了 3 掉 diào; 没有 méiyǒu; 丢失 diūshī; 不见 bùjiàn ¶단추가 달아났다 纽扣掉了 / 목이 ~ 掉脑袋 4 失 shī; 跑掉 pǎodiào; 消失 xiāoshī ¶잠이 다 달아났다 睡意都跑掉了 / 입맛이 ~ 胃口消失

달아-오르다 🔢 1 (铁器, 铁片 등) 热 rè; 烧 shāo; 烧热 shāorè ¶난로가 빨갛게 ~ 炉子烧得红红的 / 쇠가 달아올랐다 铁烧热了 2 (脸上) 烧 shāo; 热 rè; 涨 zhàng; 热乎乎 rèhūhū ¶너무 부끄러워서 얼굴이 붉게 ~ 因为过于害羞, 脸都烧得通红 / 지나친 흥분으로 얼굴이 벌겋게 ~ 因为过度兴奋, 脸涨得通红 3 (气氛 등) 热起来 rèqǐ-lái; 进入高潮 jìnrù gāocháo ¶분위기가 점점 ~ 气氛渐渐热起来

달음박-질 명하자 跑 pǎo; 奔跑 bēn-pǎo; 跑步 pǎobù

달음박질-치다 🔢 跑 pǎo; 奔跑 bēn-pǎo; 跑步 pǎobù

달이다 🔢 티 1 做 zuò ¶간장을 ~ 做酱油 2 煎 jiān; 熬 áo ¶약을 ~ 煎药 / 차를 ~ 煎茶

달인(達人) 명 达人 dárén; 高人 gāorén

달착지근-하다 휑 甜甜 tiántián ¶달짝지근한 맛 甜甜的味道

달콤-하다 휑 甜甜 tián tián; 甜蜜 tiánmì; 香甜 xiāngtián; 甜美 tiánměi; 甜蜜蜜 tián-mìmì; 甜丝丝 tiánsīsī ¶달콤한 맛 甜味 / 달콤한 말 甜言蜜语 / 달콤한 잠에 빠지다 睡得香甜

달팽이 명 【動】 蜗牛 wōniú = 와우

달팽이-관(-管) 명 【生】 耳蜗 ěrwō = 와우관

달-포 명 一个多月 yígèduōyuè; 个把月 gèbǎyuè ¶~가 지났다 过了一个多月

달-하다(達一) 🔢 1 达 dá; 达到 dá-dào ¶관객이 수만 명에 ~ 观众多达数万人 / 불만이 극에 ~ 不满达到极点 2 到达 dàodá; 到 dào ¶목적지에 ~ 到达目的地

닭 명 【鳥】 鸡 jī ¶한 마리 ~ 一只鸡 / ~고기 鸡肉 / ~똥집 鸡嗉子 / ~띠 属鸡的 / ~발 鸡爪 / 볶음탕 炒鸡肉汤 / ~백숙 清汤鸡 / ~죽 鸡肉粥 / ~찜 炖鸡 / 튀김 炸鸡 / ~을 고다 炖鸡 / ~ 모이를 주다 喂鸡 / ~이 울다 鸡叫

닭-살 명 1 鸡皮 jīpí 2 鸡皮疙瘩 jīpí gēda ¶~이 돋다 起鸡皮疙瘩

닭-싸움 명하자 1 斗鸡 dòujī 2 撞拐子 zhuàngguǎizi

닭-장(-欌) 명 鸡舍 jīshè; 鸡笼 jīlǒlóng; 鸡窝 jīwō = 계사

닭-튀김 〔명〕 炸鸡 zhájī = 치킨

닮:다 〔타〕 **1** 像 xiàng; 似 sì; 相似 xiāngsì ¶그녀는 어머니를 많이 닮았다 她长得很像母亲 2 学 xué; 学习 xuéxí; 效法 xiàofǎ ¶말썽은 그만 부리고 네형을 좀 닮아라 不要淘气, 向你哥学着点儿

닮:은-꼴 〔명〕〔數〕相似形 xiāngsìxíng

닳다 〔자〕 **1** 磨 mó; 磨损 mósǔn; 磨破 mópò; 磨耗 máhào ¶연필이 다 닳았다 铅笔磨秃了 / 신발이 닳아서 鞋子磨破了 2 (液体等) 干了 gānle; 烧干 shāogān; 熬干 áogān ¶찌개가 닳아서 짜다 汤熬干了 3 花费 huāfèi; 费钱 fèiqián ¶그 차는 기름이 많이 닳는다 这辆车很费油 4 精明 jīngmíng; 圆滑 yuánhuá; 有心计 yǒuxīnjì

닳아-빠지다 〔자〕 圆滑 yuánhuá; 精明 jīngmíng ¶닳아빠진 계집 精明的丫头

담¹ 〔명〕 墙 qiáng; 围墙 wéiqiáng; 墙壁 qiángbì = 담장 ¶~을 쌓다 垒墙 / ~을 뛰어넘다 翻越围墙

담:² '다음'의 略词

담:(痰) 〔명〕 **1** 〔醫〕 = 가래 **2** 〔韓醫〕 痰症 tánzhèng

담:(膽) 〔명〕 **1** = 담력 ¶~이 크다 胆大 / ~이 작다 胆小 **2** 〔生〕 = 쓸개

─담(談) 〔접미〕谈 tán; 之谈 zhītán ¶경험~ 经验之谈

담그다 〔타〕 **1** 泡 pào; 浸 jìn; 沤 ōu ¶빨래를 물속에 ~ 把要洗的衣服泡在水里 / 시냇물에 발을 ~ 把脚泡在溪水里 2 腌 yān; 酿 niàng; 泡 pào; 做 zuò ¶김치를 ~ 腌泡菜 / 술을 ~ 酿酒

담금-질 〔명〕〔타〕〔工〕淬火 cuìhuǒ; 蘸火 zhànhuǒ ¶~로 쇠를 단단하게 만들다 通过淬火, 让铁变得结实

담-기다 〔자〕 **1** '담다1'의 被动词 ¶바구니에 담긴 과일 装在篮子里的水果 2 '담다2'의 被动词 ¶정성이 담긴 선물 带着诚意的礼物

담:낭(膽囊) 〔명〕〔生〕 = 쓸개 ¶~염 胆囊炎

담:다 〔타〕 **1** 盛 chéng; 装 zhuāng; 搁 gē ¶물을 ~ 盛水 / 밥을 그릇에 ~ 把饭盛在碗里 / 사과를 바구니에 ~ 把苹果装在篮子里 **2** 含 hán; 包含 bāohán; 带 dài; 反映 fǎnyìng ¶얼굴에 웃음을 ~ 脸上带着笑容 / 작가의 세계관을 담은 작품 反映作者世界观的作品

담:담-하다(淡淡─) 〔형〕 **1** 平静 píngjìng; 从容不迫 cóngróngbùpò; 平心静气 píngxīnjìngqì ¶담담한 어조 平静的口调 / 담담한 표정 平静的表情 **2** (水) 清澈 qīngchè ¶담담한 호수 清澈的湖水 **3** = 담백하다 **4** = 담박하다 **3**

그는 담담한 음식을 좋아한다 他喜欢吃清淡的食物 **담:-히** 〔부〕

담당(擔當) 〔명〕〔하타〕 **1** 担当 dāndāng; 担负 dānfù; 担任 dānrèn; 负责 fùzé; 担 dān; 承担 chéngdān **2** = 담당자

담당-자(擔當者) 〔명〕 责任人 zérènrén; 负责人 fùzérén = 담당2

담:대-하다(膽大─) 〔형〕 胆大 dǎndà; 大胆 dàdàn; 有胆量 yǒudǎnliàng ¶담대한 젊은이 胆大的年轻人 **담:대-히** 〔부〕

담:력(膽力) 〔명〕 胆力 dǎnlì; 胆 dǎn; 胆量 dǎnliàng = 담(膽)1 ¶~이 세다 胆量大 / ~을 기르다 增加胆量

담론(談論) 〔명〕〔하자〕 谈论 tánlùn; 议论 yìlùn ¶그 사건에 대한 ~을 벌이다 就那一事件展开谈论

담:배 〔명〕 **1** 〔植〕 烟草 yāncǎo; 烟 yān = 연초(煙草) ¶ 种植烟草 2 烟 yān; 香烟 xiāngyān; 旱烟 hànyān; 卷烟 juǎnyān; 纸烟 zhǐyān ¶~ 한 갑 一盒烟 / ~ 한 개비 一根烟 / ~ 두 보루 两条烟 / ~를 피우다 抽烟 = [吸烟] / ~를 끊다 戒烟 / ~를 끄다 灭烟

담:배-꽁초 〔명〕 烟头(儿) yāntóu(r); 烟蒂 yāndì ¶~를 함부로 버리지 마세요 不要乱扔烟头

담:백-하다(淡白─) 〔형〕 **1** 坦白 tǎnbái; 坦率 tǎnshuài ¶마음이 ~ 心地坦白 2 (味道) 淡 dàn; 口轻 kǒuqīng = 담담하다3 ¶맛이 좀 ~ 味道有点淡 3 清淡 qīngdàn = 담담하다4 ¶맛이 담백하다 味道清淡的家

담:뱃-갑(─匣) 〔명〕 烟盒 yānhé

담:뱃-값 〔명〕 **1** 烟价 yānjià ¶~이 많이 올랐다 烟价涨了很多 2 零用的小钱 língyòngde xiǎoqián ¶~조차 없다 连零用的小钱都没有

담:뱃-대 〔명〕 烟袋 yāndài; 旱烟袋 hànyāndài ¶~를 입에 물다 叼烟袋

담:뱃-불 〔명〕 **1** (烟头的) 火 huǒ ¶~을 비벼 끄다 掐灭烟头的火 2 (点烟) 火 huǒ ¶~을 붙이다 点火 / 실례합니다만 ~ 좀 빌려주십시오 劳驾, 给我借个火

담:뱃-잎 〔명〕 烟叶 yānyè; 烟 yān

담:뱃-재 〔명〕 烟灰 yānhuī ¶~를 털다 往烟灰缸里弹烟灰

담:뱃-진(─津) 〔명〕 烟焦油 yānjiāoyóu

담:벼락 〔명〕 **1** 墙面 qiángmiàn; 墙上 qiángshang; 墙 qiáng ¶~에 낙서하지 마세요 不要在墙上乱写乱画 2 墙壁 qiángbì; 墙 qiáng ¶~에 부딪히다 撞墙 / ~이 무너지다 墙倒了 3 有孽劲 yǒujìngjìnde; 老顽固 lǎowángù

담보(擔保) 〔명〕〔하타〕 **1** 保证 bǎozhèng; 担保 dānbǎo ¶믿음직한 ~ 可靠的担保 2 〔法〕 抵押 dǐyā; 担保 dānbǎo ¶

~물 担保物 / ~ 물권 担保物权 /
대출 担保贷款 / 집을 ~로 돈을 빌리
다 用房子做抵押借钱

담비 罝【動】貂 diāo

담뿍 뷘하톙 满满(地) mǎnmǎn(de); 满
mǎn; 足足(地) zúzú(de) ¶광주리에 ~
담다 装了满满一筐 / 붓에 먹물을 ~
묻히다 毛笔上蘸满了墨水

담석(膽石) 罝【醫】胆石 dǎnshí; 胆结
石 dǎnjiéshí ¶~증 胆结石病

담소(談笑) 罝하쟈 谈笑 tánxiào; 说笑
shuōxiào ¶모두가 한데 모여 ~를 나
누다 大家聚在一起谈笑

담:수(淡水) 罝 = 민물

담:수-어(淡水漁) 罝【魚】= 민물고
기

담:수-호(淡水湖) 罝【地理】淡水湖
dànshuǐhú

담-쌓다 쟈 1 垒墙 lěiqiáng 2 绝交
juéjiāo; 隔阂 géhé ¶그녀는 이웃과 담
쌓고 지낸다 她和邻居有隔阂

담:-요(毯一) 罝 毯 tǎn; 毯子 tǎnzi;
毛毯 máotǎn ¶~를 덮고 자다 盖着毯
子睡觉

담임(擔任) 罝하톙 担任 dānrèn; 班主
任 bānzhǔrèn; 担当 dāndāng ¶학급 ~
班主任 / 선생님 班主任老师 / ~ 교
사 班主任教师 / 졸업반을 ~하다 担
任毕业班

담-장(一墙) 罝 = 담¹

담쟁이-넝쿨 罝【植】= 담쟁이덩굴

담쟁이-덩굴 罝【植】爬山虎 páshān-
hǔ; 地锦 dìjǐn; 爬墙虎 páqiánghǔ =
담쟁이넝쿨 · 아이비2

담:즙(膽汁) 罝【生】= 쓸개즙

담:채(淡綵) 罝 1 淡彩 dàncǎi [美]
= 담채화

담:채-화(淡綵畵) 罝 [美] 淡彩画
dàncǎihuà = 담채2

담판(談判) 罝하톙 谈判 tánpàn ¶~이
결렬되다 谈判破裂 / ~을 벌이다 举
行谈判

담합(談合) 罝하쟈 串通 chuàntōng ¶~
행위 串通行为 / 입찰~ 串通投标 / ~
하여 가격을 인상하다 串通涨价

담화(談話) 罝하톙 谈话 tánhuà ¶~문
谈话文 / ~를 발표하다 发表谈话

답(答) 罝 1 = 대답 ¶그의 질문에
~하다 回答他的提问 2 = 해답 ¶~
이 틀리다 答案不对 / ~이 정확하다
答案正解 3 = 회답 ¶아직 ~이 없다
还没有回答

-답다 젭밑 像 xiàng; 一样 yīyàng; 不
愧 bùkuì; 像样 xiàngyàng ¶꽃다운 아
이들 花一样的孩子 / 남자~ 不愧是男
人

답답-하다 톙 1 闷 mèn; 烦 fán; 憋闷
biēmen; 堵 dǔ; 烦闷 fánmèn; 发闷

fāmèn ¶가슴이 ~ 胸口憋闷 / 마음이
너무 ~ 心里堵得慌 2 着急 zháojí; 急
人 jírén; 憋气 biēqì ¶그것도 모르다니
참 답답하구나! 连那个都不知道，真
急人! 3 死板 sǐbǎn; 不开窍 bùkāiqiào
¶그는 너무 ~ 他太死板了 4 闷 mèn
¶방 안이 너무 답답하고 덥다 房间太
闷热

답례(答禮) 罝하쟈 还礼 huánlǐ; 答礼
dálǐ; 回礼 huílǐ; 回 huí; 答谢 dáxiè ¶
~의 선물 回礼 / ~품 答谢品

답변(答辯) 罝하톙 答辩 dábiàn; 回答
huídá; 答复 dáfù ¶~ 내용 答辩内容 /
공식적인 ~ 正式答复 / ~을 기다리다
静候答复

답보(踏步) 罝하톙 = 제자리걸음2 ¶
그 사업은 아직 ~ 상태이다 那项工作
还处于停滞不前的状态

답사(答辭) 罝하쟈 答词 dácí; 答辞
dácí ¶~를 하다 致答词

답사(踏查) 罝하톙 实地调查 shídì diào-
chá; 勘查 kānchá; 考察 kǎochá ¶현장
~ 现场实地调查 / 지질 구조를 ~하
다 勘查地质结构

답서(答書) 罝하쟈 = 답장

답습(踏襲) 罝하톙 承袭 chéngxí; 继承
jìchéng; 沿袭 yánxí; 因循 yīnxún; 蹈
袭 dǎoxí ¶인습을 ~하다 沿袭因习

답신(答信) 罝하톙 回信 huíxìn; 复信
fùxìn; 复函 fùhán; 回电 huídiàn; 回音
huíyīn ¶~이 없다 没有回信 / ~이 왔
다 回信来了

답안(答案) 罝 答案 dá'àn ¶~지 答案
纸 / ~을 쓰다 写答案 / ~을 제출하다
提交答案

답장(答狀) 罝하톙 回信 huíxìn; 复信
fùxìn; 复函 fùhán = 답서 · 답찰 · 회
한(回翰) ¶~을 쓰다 写回信 / ~을 받
다 受到回信

답찰(答札) 罝하톙 = 답장

닷 팬 五 wǔ ¶~ 되 五升 / 말 五
斗 / ~ 냥 五两

닷새 罝 1 五天 wǔtiān = 닷샛날2 ¶~
가 걸리다 花了五天工夫 2 五日
wǔrì; 五号 wǔhào

닷샛-날 罝 1 初五 chūwǔ; 五日 wǔrì;
五号 wǔhào ¶~에 집을 떠날 것이다
五号动身 2 = 닷새1

당(唐) 罝【史】唐 Táng; 唐朝 Táng-
cháo

당(堂) 罝 1【建】= 대청 2 书房
shūfáng 3【民】= 당집

당(當) 罝 1 本 běn; 目 jí ¶~ 공장 本
工厂 / 회사의 제품 本公司的产品
2 现在 xiànzài ¶~ 20세의 젊은이 现
在二十岁的年轻人

당(黨) 罝【政】党 dǎng = 정당

당-(堂) 〔접투〕 堂 táng ¶~형제 堂兄弟 / ~고모 堂姑

-당(當) 〔접미〕 每 měi; 每一 měiyī ¶매호~ 每户 / 1인~ 每人

강겨-쓰다 〔타〕 提前使用 tíqián shǐyòng; 挪用 nuóyòng; 借貸 nuójiè ¶다음 달 급여를 ~ 挪用下个月的工资

강교(糖菓) 〔명〕 糖果 tángguǒ

당구(撞球) 〔명〕〔體〕 台球 táiqiú; 撞球 zhuàngqiú ¶~공 台球 / ~대 台球台 / ~장 台球场 / ~를 치다 打台球

당국(當局) 〔명〕〔하자〕 当局 dāngjú ¶행정 ~ 行政当局 / 관계 ~ 关系当局

당국(當國) 〔명〕 1 本国 běnguó 2 = 당사국 掌管国家政务 zhǎngguǎn guójiā zhèngwù

당권(當權) 〔명〕〔하자〕 当权 dāngquán; 执政 zhízhèng; 掌权 zhǎngquán = 집권

당규(黨規) 〔명〕 党纪 dǎngjì; 党规 dǎngguī = 당칙 ¶~를 위반하다 违反党纪 / ~를 집행하다 执行党纪

당근(唐一) 〔명〕〔植〕 胡萝卜 húluóbo; 红萝卜 hóngluóbo = 홍당무1

당기다 〔타1〕 1 拉 lā; 拖 tuō; 拽 zhuài ¶그물을 ~ 拉网 / 활을 ~ 拉弓 2 提前 tíqián ¶결혼 날짜를 ~ 结婚日期提前 〔자2〕 1 吸引 xīyǐn; 引起 yǐnqǐ; 产生 chǎnshēng ¶호기심이 ~ 产生好奇心 2 胃口好 wèikǒuhǎo; 引起 yǐnqǐ 식욕이 ~ 引起食欲

당-나귀(唐一) 〔명〕〔動〕 驴 lú; 驴子 lúzi; 毛驴 máolü

당내(黨内) 〔명〕 党内 dǎngnèi

당년(當年) 〔명〕 当年 dāngnián

당뇨-병(糖尿病) 〔명〕〔醫〕 糖尿病 tángniàobìng

당당-하다(堂一) 〔형〕 1 凛凛 lǐnlǐn 위풍이 ~ 威风凛凛 2 堂堂 tángtáng; 当之无愧 dāngzhīwúkuì; 理直气壮 lǐzhíqìzhuàng ¶기세가 ~ 气势堂堂 당-히 〔부〕

당대(當代) 〔명〕 1 当代 dāngdài; 当今 dāngjīn ¶~ 문학 当代文学 / ~의 대학자 当代的大学者 2 该时代 gāishídài; 一世 jīnshì; 今代 jīndài ¶~의 대표적 사건 该时代的代表事件 3 一辈子 yībèizi; 一生 yīshēng; 一世 yīshì ¶~에 모은 재산 一辈子积攒的财产

당도(當到) 〔명〕〔하자〕 到 dào; 到达 dàodá; 抵达 dǐdá ¶목적지에 ~하다 到达目的地

당돌-하다(唐突一) 〔형〕 唐突 tángtū; 冒失 màoshi; 冒昧 màomèi ¶당돌한 태도 冒失的态度 / 말하는 것이 ~ 出言唐突 당돌-히 〔부〕

당류(糖類) 〔명〕〔化〕 糖类 tánglèi

당리(黨利) 〔명〕 党的利益 dǎng de lìyì ¶~만 꾀하다 只谋求党的利益

당면(唐麵) 〔명〕 粉条儿 fěntiáor ¶~을 삶다 煮粉条儿

당면(當面) 〔명〕〔하자〕 1 当前 dāngqián; 目前 mùqián; 面临 miànlín ¶~ 과업 目前的任务 / ~ 문제 面临的问题 2 = 대면

당명(黨命) 〔명〕 党的命令 dǎng de mìnglìng ¶~을 어기다 违抗党的命令

당목(唐木) 〔명〕 细棉布 ximiánbù; 细白布 xìbáibù; 白市布 báishìbù = 당목면

당목-면(唐木綿) 〔명〕 = 당목

당번(當番) 〔명〕〔하자〕 值班 zhíbān; 值勤 zhíqín; 值日 zhírì ¶~이 되다 值班 / 번갈아 ~을 서다 轮值班

당벌(黨閥) 〔명〕 党派 dǎngpài; 党阀 dǎngfá

당부(當付) 〔명〕〔하자타〕 嘱咐 zhǔfù; 吩咐 fēnfù; 叮嘱 dīngzhǔ; 叮咛 dīngníng ¶신신 ~ 再三叮嘱 / 간곡히 ~하다 殷殷叮嘱

당분(糖分) 〔명〕 糖分 tángfèn

당분-간(當分間) 〔부〕 临时 línshí; 暂时 zànshí; 暂且 zànqiě; 权且 quánqiě; 姑且 gūqiě ¶~ 휴식하다 暂时休息 / 친구 집에서 지내다 暂且住在朋友家里

당비(黨費) 〔명〕 党费 dǎngfèi ¶~를 내다 交党费

당사(當社) 〔명〕 该公司 gāigōngsī; 本公司 běngōngsī ¶~는 하루 휴업한다 本公司休业一天

당사-국(當事國) 〔명〕 有关国家 yǒuguān guójiā; 当事国 dāngshìguó = 당국(當國)2

당사-자(當事者) 〔명〕 当事者 dāngshìzhě; 事主 shìzhǔ; 当事人 dāngshìrén; 本人 běnrén

당선(當選) 〔명〕〔하자〕 当选 dāngxuǎn; 当选者 dāngxuǎnzhě / ~작 当选作 / 대표로 ~이 되었다 当选为代表

당세(黨勢) 〔명〕 党的力量 dǎng de lìliang ¶~를 강화하다 加强党的力量

당수(黨首) 〔명〕 党魁 dǎngkuí; 党首 dǎngshǒu

당숙(堂叔) 〔명〕 堂叔 tángshū

당-숙모(堂叔母) 〔명〕 堂叔母 tángshūmǔ; 堂婶 tángshěn

당시(當時) 〔명〕 当时 dāngshí; 那时 nàshí; 那会儿 nàhuìr ¶~를 회상하다 回想当时 / ~ 명성을 떨치다 名震当时

당신(當身) 〔대〕 您 nín; 你 nǐ ¶~은 누구십니까? 您是谁?

당연-시(當然視) 〔명〕〔하타〕 认为理所当然 rènwéi lǐsuǒdāngrán ¶모두가 ~하다 大家都认为理所当然

당연지사(當然之事) 〔명〕 当然之事 dāng-

ránzhīshì; 理所当然的事情 lǐsuǒdāng-
ránde shìqing ¶사람이 만나고 헤어지
는 것은 ~이다 人聚散离合是当然之
事

당연-하다(當然—) 혭 当然 dāngrán;
理所当然 lǐsuǒdāngrán; 应当 yīng-
dāng; 应该 yīnggāi ¶당연한 결과 当
然的结果 / 이렇게 처리하는 것은 당연
하다 这样处理是当然 **당연-히** 閈

당원(黨員) 똉 党员 dǎngyuán

당월(當月) 똉 当月 dàngyuè ¶~
의 생산 계획 当月的生产计划

당위(當爲) 똉 当为 dāngwéi; 义务 yì-
wù; 本分 běnfèn ¶~성 当为性 / 적
당为的 / 역사적 ~ 历史的必然

당일(當日) 똉 当天 dāngtiān; 当日
dāngrì; 即日 jírì ¶~로 돌아오다 当天
返回

당일-치기(當日—) 똉혭 一日 yīrì;
当天结束 dāngtiān jiéshù; 当天做完
dāngtiān zuòwán ¶~ 여행 当天结束的
旅行

당자(當者) 똉 本人 běnrén; 当事人
dāngshìrén

당장(當場) 똉 1 当地 dāngdì; 就地
jiùdì ¶~에서 문제를 해결했다 就地解
决了问题 2 立即 lìjí; 立刻 lìkè; 马上
mǎshàng ¶지금 ~ 필요하다 现在马上
就要用

당쟁(黨爭) 똉 [史] 党争 dǎngzhēng

당적(黨籍) 똉 党籍 dǎngjí

당정(黨政) 똉 党政 dǎngzhèng ¶~协
의 党政协商

당정(黨情) 똉 党的情况 dǎngde qíng-
kuàng ¶~을 파악하다 了解党的情况

당좌(當座) 똉 [經] ~ 当座 예금

당좌 수표(當座手票) 【經】 活期支票
huóqī zhīpiào

당좌 예:금(當座預金) 【經】 活期存款
huóqī cúnkuǎn; 活期储蓄 huóqī chǔxù
= 당좌

당직(當直) 똉혭 值班 zhíbān; 值日
zhírì; 值勤 zhíqín ¶~자 值班人 / 돌
아가며 ~을 서다 轮流值班

당-집(堂—) 똉 [民] 堂 táng; 神殿
shéndiàn = 당(堂)3

당차다 혭 刚强 gāngqiáng; 有魄力
yǒu pòlì; 有胆量 yǒu dǎnliàng; 坚强
jiānqiáng ¶당찬 표정 坚强地表情 / 당
차게 말하다 很有魄力地说话 / 사람이
~ 为人刚强

당착(撞着) 똉혭 1 碰撞 pèngzhuàng
2 矛盾 máodùn ¶자가~ 自我矛盾 /
~에 빠지다 陷入矛盾

당-찮다(當—) 혭 不当 bùdàng; 没有
道理 méiyǒu dàolǐ; 荒谬 huāngmiù; 不
合适 bùhéshì ¶그 무슨 당찮은 소리
냐? 这是什么荒谬的说法?

당첨(當籤) 똉혭자 中签 zhòngqiān; 抽
中 chōuzhōng; 中奖 zhòngjiǎng ¶~자
中奖者 / 복권에 ~되다 彩票中奖

당첨-금(當籤金) 똉 奖金 jiǎngjīn

당초(當初) 똉 起初 qǐchū; 当初 dāng-
chū ¶~의 결심이 흔들리다 当初的决
心动摇了

당최 閈 根本 gēnběn; 从来 cónglái;
压根儿 yàgēnr ¶무슨 말인지 ~ 모르
겠다 压根儿就不明白是什吗意思

당츠(當—) = 당초

당파(黨派) 똉 党派 dǎngpài

당-하다(當—) 자 1 被 bèi ¶사기꾼에
게 ~ 被骗子骗了 2 碰到 pèngdào; 遇
到 yùdào; 面对 miànduì ¶어려운 때를
~ 面对困难 3 抵挡 dídǎng; 对付 duì-
fu; 比得上 bǐdeshàng; 比得过 bǐdeguò
¶그 사람을 당해 낼 사는 아무도 없다
没有能比得上他的 4 蒙受 méngshòu;
遭到 zāodào; 遭受 zāoshòu; 受 shòu
¶조롱을 ~ 遭到嘲笑 5 担当 dān-
dāng; 承担 chéngdān ¶혼자서는 이 많
은 일을 당해 낼 도리가 없다 一个人
无法担当这么多工作 6 相当于 xiāng-
dāngyú 7 合乎 héhū; 合乎情理 hé-
hū qínglǐ; 有道理 yǒu dàolǐ ¶그게 어
디 당할 소린가? 哪有这样道理?

당해(當該) 똉 该 gāi ¶~ 기관 该机
关 / ~ 부서 该部门

당헌(黨憲) 똉 党纲 dǎnggāng ¶~을
수정하다 修改党纲

당혹(當惑) 똉혭자 困惑 kùnhuò; 疑惑
yíhuò; 迷惑 míhuò; 为难 zuònán ¶~
한 표정 疑惑的表情

당황(唐慌·唐惶) 똉혭자閈 惊慌 jīng-
huāng; 慌张 huāngzhāng ¶그의 얼굴
에는 ~한 기색이 역력하다 他的脸上
满是惊慌 / 사람을 ~하게 하다 令人
慌张

닻 똉 锚 máo; 碇 dìng ¶~줄 锚索
/ ~을 올리다 起锚 / ~을 내리다 抛锚

닿다 자 1 碰 pèng; 接触 jiēchù; 触及
chùjí ¶손이 천장에 ~ 手碰到天花板
2 到达 dàodá; 抵达 dǐdá; 到 dào ¶기
차가 제시간에 와~ 船准点到达 3 传到
chuándào; 传达 chuándá; 得到 dédào
¶소식이 이미 닿았다 消息已经传到了
4 (机会) 有 yǒu; (力) 尽 jìn ¶기회가
닿으면 연락하죠 有机会的话再联系 5
(道理) 有 yǒu; (情理) 合乎 héhū ¶그
의 말은 이치에 닿는다 他的话合乎情
理 6 通顺 tōngshùn; 通畅 tōngchàng ¶
뜻이 잘 닿지 않는 글 不太通顺的文
章 7 有瓜葛 yǒu guāgé 牵连上 ¶단체에
줄이 닿아 있다 企业人团体有瓜葛

대¹ ① 똉 1 茎 jīng; 秸 jiē; 杆 gǎn ¶수
숫~ 高粱杆 / 붓~ 毛笔杆 2 细杆
xìgǎn ¶~가 부러지다 细杆断了 3 心 xīn

地 xīndì ¶~가 곧다 心地正直 ㊁의명 1 支 zhī ¶담배 한 ~ 一支烟 2 下 xià ¶한 ~ 맞다 挨一下 3 针 zhēn ¶주사 한 ~ 맞다 打了一针

대² 명 〖植〗 竹 zhú; 竹子 zhúzi

대:(大) 명 1 大号 dàhào ¶~를 입어야 한다 要穿大号的 2 (重要的) 大 dà ¶소를 버리고 ~를 구하다 舍小取大

대(代) ㊀명 1 代 dài; 世 shì; 辈 bèi ¶~를 잇다 传宗接代 2 年代 niándài; 代 dài ¶청~ 清代 3 〖地理〗 代 dài ¶고생~ 古生代 / 신생~ 新生代 ㊁의명 1 年龄层 niánlíngcéng ¶십~ 소녀 十岁年龄层的少女 2 代 dài ¶4~ 임금 弟四代君王

대(隊) 명 队 duì; 队伍 duìwu ¶~를 지어 나아가다 列队前进

대(對) ㊀명 对儿 duìr; 对 duì ¶~를 이루다 成对 ㊁의명 1 对 duì; 比 bǐ ¶1~1 一比一 2 付 fù ¶주련 한 ~ 一付对联

대¹(臺) 명 1 台子 táizi ¶~에 오르다 登上台子 2 托子 tuōzi; 台 tái ¶화분~ 花盆托子 / 촛~ 烛台

대²(臺) 의명 架 jià; 辆 liàng; 台 tái; 枚 méi ¶자동차 두~ 两辆车 / 기계 한 ~ 一台机器

-대(代) 접미 款项 kuǎnxiàng; 费 fèi; 钱 qián ¶서적~ 书籍费 / 도서~ 图书费

-대(帶) 접미 带 dài; 地带 dìdài ¶주파수~ 周波数带 / 화산~ 火山带

대:가(大家) 명 宗师 zōngshī; 权威 quánwēi; 大师 dàshī ¶회화의 ~ 绘画大师

대:가(代價) 명 1 = 대금(代金) 2 代价 dàijià ¶노력의 ~ 努力的代价

대가리 명 1 头 tóu; 脑袋 nǎodai ¶~가 아프다 头疼 2 头 tóu ¶기차 ~ 火车头 / 못~ 钉子头

대:-가족(大家族) 명 大家族 dàjiāzú

대:각-선(對角線) 명 〖數〗 对角线 duìjiǎoxiàn

대:감(大監) 명 〖史〗 大监 dàjiān

대:감(大鑑) 명 大鉴 dàjiàn ¶미술 ~ 美术大鉴 / 서예 ~ 书法大鉴

대:갓-집(大家—) 명 大户人家 dàhùrénjiā; 大家庭 dàjiātíng

대:강(大綱) ㊀명 大纲 dàgāng = 대개㊀2 ¶논문의 ~ 论文的大纲 ㊁부 大致 dàzhì; 大概 dàgài; 大略 dàlüè ¶~ 이야기를 들었다 大略听到了 / ~ 설명하다 大概说明

대:-강당(大講堂) 명 大讲堂 dàjiǎngtáng

대:강-대강(大綱大綱) 부 草草 cǎocǎo; 马马虎虎 mǎmǎhūhū ¶일을 ~ 마무리하다 事情草草了结了

대:개(大概) ㊀명 1 = 대부분 2 = 대강 ㊁부 大致 dàzhì; 大略 dàlüè; 通常 tōngcháng ¶추석이라면 ~ 고향에 돌아간다 每当中秋, 大致都回家

대:거(大擧) 부 大举 dàjǔ ¶유명 인사가 ~ 참석한 기념식 社会名流大举出席的纪念仪式

대:-거리(對—) 명하자 顶嘴 dǐngzuǐ; 回嘴 huízuǐ ¶감히 내게 ~하다니! 你竟敢和我顶嘴!

대:검(大劍) 명 战刀 zhàndāo

대:검(大檢) 명 〖法〗 = 대검찰청

대:검(帶劍) 명 枪刀 qiāngdāo; 刺刀 cìdāo

대:-검찰청(大檢察廳) 명 〖法〗 大检察厅 dàjiǎnchátīng = 대검(大檢)

대:-게(大—) 명 〖魚〗 雪蟹 xuěxiè

대견-스럽다 형 心满意足 xīnmǎnyìzú; 满意 mǎnyì; 自豪 zìháo; 骄傲 jiāo'ào ¶대견스럽게 생각하다 觉得很满意 **대견스레** 부

대견-하다 형 自豪 zìháo; 骄傲 jiāo'ào ¶자기가 한 일에 대해 대견하게 생각하다 对自己所做的事感到骄傲 **대견-히** 부

대:결(對決) 명하자 较量 jiàoliàng; 对决 duìjué ¶불가피한 ~ 不可避免的对决

대:경(大驚) 명하자 大惊 dàjīng; 大吃一惊 dàchīyījīng

대:경-실색(大驚失色) 명하자 大惊失色 dàjīngshīsè ¶아들의 말에 어머니는 ~을 하였다 听了儿子的话, 妈妈大惊失色

대:계(大計) 명 大计 dàjì ¶국가의 ~ 国家大计

대:공(對空) 명 对空 duìkōng ¶~ 연습 对空演习 / ~ 사격 对空射击

대:-공원(大公園) 명 大公园 dàgōngyuán

대:-관절(大關節) 부 到底 dàodǐ; 究竟 jiūjìng ¶~ 어찌 된 일이냐? 究竟是怎么回事?

대:-괄호(大括弧) 명 〖語〗 大括弧 dàkuòhú; 大括号 dàkuòhào

대구(大口) 명 〖魚〗 鳕鱼 xuěyú

대구-탕(大口湯) 명 = 대굿국

대:국(大局) 명 大局 dàjú; 全局 quánjú; 整体 zhěngtǐ ¶~을 좌우하다 左右大局

대:국(大國) 명 大国 dàguó ¶경제 ~ 经济大国 / 군사 ~ 军事大国

대:국-적(大局的) 관명 大局的 dàjúde; 全局的 quánjúde; 整体的 zhěngtǐde ¶~ 차원 全局的层面 / ~인 면모 整体的面貌

대:군(大軍) 명 大军 dàjūn; 大兵 dàbīng = 대병 ¶백만 ~ 百万大军

대굴-대굴 튀 하자 咕噜噜 gūlūlū ¶공이 ~ 구르다 球咕噜噜直滚

대굿-국(大口一) 명 鳕鱼汤 xuěyútāng = 대구탕

대:-권(大權) 명【法】大权 dàquán ¶~을 잡다 掌握大权

대:-궐(大闕) 명 宫阙 gōngquè; 宫殿 gōngdiàn = 궁궐

대:-규모(大規模) 명 大规模 dàguīmó ¶~ 집회 大规模集会 / ~ 생산 大规模生产

대:-금(大金) 명 巨款 jùkuǎn; 大笔款子 dàbǐkuǎnzi; 大钱 dàqián ¶~을 모으다 积攒巨款

대:-금(大芩) 명【音】大答 dàjìn

대:-금(代金) 명 价款 jiàkuǎn; 货款 huòkuǎn = 대가(代價) ¶~을 지불하다 支付货款

대:-기(大氣) 명 1 大气 dàqì ¶~권 大气圈 / ~ 오염 大气污染 2 空气 kōngqì ¶신선한 ~ 新鲜空气

대:-기(待機) 명 하자 待机 dàijī; 待命 dàimíng; 等待时机 děngdài shíjī ¶~중에 있다 等待时机

대:-기록(大記錄) 명 大纪录 dàjìlù

대:-기-실(待機室) 명 候客室 hòukèshì

대-꼬챙이 명 竹扞子 zhúgānzi

대:꾸(對一) 명 하자 回答 huídá; 答话 dáhuà ¶~가 없다 不回答

대:-꾼-하다(眼睛) 형 无神 wúshén ¶힘들어서 눈이 ~ 累得两眼无神 **대:꾼-히** 튀

대-나무 명【植】竹 zhú; 竹子 zhúzi

대:-남(對南) 명 对南 duìnán ¶~ 간첩 对南间谍 / ~ 방송 对南广播

대:-납(代納) 명 하자 代付 dàifù; 代缴 dàijiǎo ¶세금을 ~하다 代缴税金

대:-낮 명 白天 báitiān; 白昼 báizhòu = 백주(白晝)

대:-내(對內) 명 对内 duìnèi ¶~ 정책 对内政策

대:-놓고 튀 当面 dāngmiàn ¶~ 욕하다 当面辱骂

대뇌(大腦) 명【醫】大脑 dànǎo

대님 명 裤脚带 kùjiǎodài ¶~을 매다 系裤脚带

대다 자타 1 到达 dàodá; 抵达 dǐdá; 赶到 gǎndào; 赶 gǎn ¶기차 시간에 대도록 서두르자 快点走, 好赶火车 2 对着 duìzhe; 指着 zhǐzhe ¶하늘에 대고 하소연을 했다 对着天空哭诉 타 1 接触 jiēchù; 触动 chùdòng; 触摸 chùmō ¶귀중한 문물이니 손을 대지 마세요 这是贵重的文物, 请不要触摸 2 用 yòng; 着手 zhuóshǒu; 开始 kāishǐ ¶일에 손을 ~ 着手干 3 停 tíng; 靠 kào; 停泊 tíngbó; 停靠 tíngkào ¶차

를 길옆에 ~ 把车停到路边 4 接济 jiējì; 提供 tígōng; 供给 gōngjǐ; 供应 gōngyìng ¶비용을 ~ 提供费用 5 靠 kào; 依靠 yīkào ¶벽에 등을 대고 앉다 背靠着墙坐 6 对准 duìzhǔn ¶총을 적의 가슴에 ~ 把枪对准敌人的胸口 7 下赌 xià dǔzhù ¶내기에서 돈 만원을 ~ 下一万元赌注 8 介绍 jièshào ¶건설 현장에 인부를 ~ 给建筑工地中介劳力 9 (水) 引 yǐn; 灌 guàn; 灌溉 guàngài ¶논에 물을 ~ 引水灌田 10 连接 liánjiē; 接 jiē; 牵线 qiānxiàn ¶장관과 만날 수 있도록 줄을 ~ 牵线引见部长 11 依 yī; 依偎 yīwēi; 靠 kào ¶아들의 등에 머리를 ~ 靠在儿子的背上 12 比 bǐ; 对比 duìbǐ; 比较 bǐjiào; 相比 xiāngbǐ ¶키를 대보다 比比个子 13 (理由) 找 zhǎo; 拿出 náchū ¶핑계를 ~ 找借口 14 告诉 gàosu; 供出 gōngchū; 说出 shuōchū ¶경찰에게 알리바이를 ~ 向警察说出不在犯罪现场的事实

대:-다수(大多數) 명 大多数 dàduōshù

대:-단원(大團圓) 명 1【演】大团圆 dàtuányuán 2 结尾 jiéwěi; 结局 jiéjú

대-단찮다 형 没什么了不起的 méishénme liǎobuqǐde ¶대단찮은 일 没什么了不起的事

대:단-하다 형 1 严重 yánzhòng; 重zhòng; 厉害 lìhai; 得很 dehěn ¶추위가 ~ 寒气很重 / 고집이 ~ 固执得很 2 巨大 jùdà; 可观 kěguān; 相当 xiāngdāng ¶대단한 규모 巨大规模 3 了不起 liǎobuqǐ; 超群 chāoqún; 出众 chūzhòng ¶대단한 인물 了不起的人物 **대:단-히** 튀

대:-담(大膽) 명 하자 형 튀 大胆 dàdǎn ¶~한 행동 大胆的举动

대:-담(對談) 명 하자 面谈 miàntán ¶~을 나누다 面谈

대:담-스럽다(大膽一) 형 大胆 dàdǎn; 勇敢 yǒnggǎn ¶대담스러운 생각 大胆的想法 **대:담스레** 튀

대:-답(對答) 명 하자 回答 huídá = 답1 ¶질문에 ~하다 回答问题

대:-대(大隊) 명【軍】营 yíng; 大队 dàduì

대:-대(代代) 명 代代 dàidài; 世世代代 shìshìdàidài

대:-대-로(代代一) 튀 代代 dàidài; 世世代代 shìshìdàidài ¶~ 농사를 짓던 농민 世世代代务农的农民

대:-대손손(代代孫孫) 명 子子孙孙 zǐzǐsūnsūn ¶~ 부귀영화를 누리다 子子孙孙享受荣华富贵

대:-대-장(大隊長) 명【軍】大队长 dàduìzhǎng

대:도시(大都市) 〖명〗大都会 dàdūhuì; 大城市 dàchéngshì

대:동(大同) 〖명〗〖하형〗1 大同 dàtóng ¶~ 세계 大同世界 2 相仿 xiāngfǎng; 相似 xiāngsì ¶성격이 ~하다 性格相仿

대:동(帶同) 〖명〗〖하타〗带领 dàilǐng; 偕同 xiétóng ¶친구를 ~하고 가다 带领朋友去

대:-동맥(大動脈) 〖명〗1 〖醫〗大动脉 dàdòngmài 2 大动脉 dàdòngmài ¶교통의 ~ 交通大动脉

대:동-소이(大同小異) 〖명〗〖하형〗大同小异 dàtóngxiǎoyì ¶그들의 의견은 ~이다 他们的意见大同小异

대두(大豆) 〖명〗〖植〗大豆 dàdòu

대두(擡頭) 〖명〗〖자〗抬头 táitóu; 兴起 xīngqǐ ¶신흥 세력이 ~하다 新兴势力抬头了

대:-들다 〖자〗顶撞 dǐngzhuàng ¶어른에게 ~ 顶撞大人

대-들보(大一) 〖건〗1 大梁 dàliáng; 脊檩 jǐlǐn; 正梁 zhèngliáng = 대량(大樑) 2 栋梁 dòngliáng; 大梁 dàliáng ¶나라의 ~가 되다 成为国家栋梁

대등(對等) 〖명〗〖하형〗对等 duìděng; 平等 píngděng ¶~한 지위 对等的地位

대뜸 〖부〗马上 mǎshàng; 立刻 lìkè; 当即 dāngjí; 当场 dāngchǎng ¶~ 잔소리부터 하다 马上发起了牢骚

대:-란(大亂) 〖명〗大乱 dàluàn ¶~이 일어나다 发生大乱

대략(大略) 〖명〗梗概 gěnggài; 大概 dàgài ¶~의 상황 大概的情况 〖부〗大约 dàyuē; 约 yuē; 约摸 yuēmo; 大体上 dàtǐshàng; 约计 yuējì ¶일이 ~ 끝났다 工作大致结束了 / ~ 백만 원이 들었다 约计花了一百万元

대:량(大量) 〖명〗大量 dàliàng; 大批 dàpī ¶~ 주문 大量订货 / ~ 공급 大量供应

대:-량(大樑) 〖명〗〖建〗大梁 dàliáng = 대들보1

대:-련(對鍊) 〖명〗〖하자〗〖體〗对练 duìliàn ¶선수와 ~하다 和运动员对练

대:-령(大領) 〖명〗〖軍〗大校 dàxiào; 上校 shàngxiào

대로[1] 〖의명〗1 多少… 多少 duōshǎo…duōshǎo; 几…几 jǐ…jǐ; 什么…什么 shénme…shénme; 怎么…怎么 zěnme…zěnme ¶아는 ~ 말하세요 你知道多少就说多少吧 / 아는 ~까지 ¶집에 도착하는 ~ 편지를 쓰다 一到家就写信 3 至极 zhìjí ¶지칠 ~ 지친 마음 疲惫至极的心 4 尽可能 jìnkěnéng ¶될 수 있는 ~ 빨리 와라 尽可能快点来

대로[2] 〖조〗1 按照 ànzhào; 照样 zhàoyàng; 遵照 zūnzhào; 依照 yīzhào; 依 yī; 照 zhào ¶법~ 依法处置 自己 zìjǐ ¶나는 나~ 생각이 있다 我有我自己的想法

대로(大路) 〖명〗大路 dàlù; 大道 dàdào; 大街 dàjiē

대롱-거리다 〖자〗(悬挂的小物) 摇摇晃晃 yáoyáohuànghuàng = 대롱대다 ¶나뭇잎 하나가 가지에 매달려 ~ 树枝上挂着一片树叶摇摇晃晃 **대롱-대롱** 〖부〗〖하자〗

대:-류(對流) 〖명〗〖物〗对流 duìliú

대:-륙(大陸) 〖명〗〖地理〗大陆 dàlù ¶~붕 大陆架 / ~판 大陆板块

대:-륙-성(大陸性) 〖명〗大陆性 dàlùxìng ¶~ 기후 大陆性气候

대:-륙-적(大陸的) 〖관〗大陆的 dàlùde; 大陆性的 dàlùxìngde ¶~인 기질 大陆的气质 / ~인 면모 大陆性的面貌

대리(代理) 〖명〗〖하타〗代理 dàilǐ; 代办 dàibàn ¶~인 代理人 / ~점 代理店

대:-리-석(大理石) 〖명〗〖鑛〗大理石 dàlǐshí

대:-립(對立) 〖명〗〖하자〗对立 duìlì ¶의견의 ~ 意见的对立 / ~ 관계 对立关系

대-마루 〖명〗1 屋脊 wūjǐ 2 = 대마루판

대마루-판 〖명〗决胜阶段 juéshèng jiēduàn = 대마루2 ¶~에 이르다 进入决胜阶段

대:마-유(大麻油) 〖명〗大麻油 dàmáyóu

대:마-초(大麻草) 〖명〗大麻 dàmá ¶~를 피우다 吸食大麻

대:-만원(大滿員) 〖명〗爆满 bàomǎn; 爆棚 bàopéng

대:-망(大望) 〖명〗大志 dàzhì ¶~을 품다 胸怀大志

대:-망(待望) 〖명〗〖하타〗盼望 pànwàng

대:-맥(大麥) 〖명〗〖植〗大麦 dàmài; 大麦 dàmài; 大麦 dàmài; 보리

대:머리 〖명〗秃头 tūtóu; 秃顶 tūdǐng

대면(對面) 〖명〗〖하자타〗见面 jiànmiàn; 会面 huìmiàn = 당면(當面)2 ¶첫 ~ 初次见面

대:-명사(代名詞) 〖명〗〖語〗代名词 dàimíngcí; 代词 dàicí

대:-명-천지(大明天地) 〖명〗光天化日 guāngtiānhuàrì

대:-목 〖명〗1 忙季 mángjì; 旺季 wángjì; 旺市 wángshì ¶설 ~ 春节旺市 / ~을 만나다 逢旺季 2 阶段 jiēduàn ¶주목할 만한 ~ 值得注意的阶段 3 段落 duànluò; 段 duàn; 部分 bùfen ¶그 ~은 감동적이었다 那段落非常感人

대-못(大一) 〖명〗大钉 dàdīng

대:-문(大門) 〖명〗大门 dàmén; 正门 zhèngmén ¶~짝 大门扇

대:-물리다(代一) 配 传下 chuánxià; 传给 chuángěi; 留传 liúchuán ¶사업을 아들에게 ～ 把事业传给儿子

대:-물림(代一) 명하자타 1 传下 chuánxià; 留传 liúchuán; 留给 liúgěi ¶～으로 이어받은 땅 传下来的田地 2 传家宝 chuánjiābǎo ¶우리 집안의 ～ 我们家的传家宝

대:미(大尾) 명 结尾 jiéwěi; 结局 jiéjú

대-바구니 명 竹篮 zhúlán; 竹筐 zhú-kuāng; 竹篓 zhúlǒu

대-바늘 명 竹针 zhúzhēn

대-받다 配 反驳 fǎnbó; 驳斥 bóchì ¶어른이 하는 말을 ～ 反驳长辈说的话

대-발 명 竹帘 zhúlián

대-밭 명 竹园 zhúyuán; 竹林 zhúlín

대번 閉 = 대번에

대번-에 閉 一下子 yīxiàzi; 马上 mǎshàng = 대번 ¶～ 알아채다 马上就猜到了

대:-스럽다(大汎一) 혱 心胸开阔 xīnxiōng kāikuò; 宽宏大量 kuānhóng dàliàng; 胸襟开阔 xiōngjīn kāikuò; 雍容大度 yōngróng dàdù; 大方 dàfāng; 大度 dàdù ¶대범스럽게 행동하다 做事大方 대:-범스레 閉

대:-범-하다(大汎一) 혱 心胸开阔 xīn-xiōng kāikuò; 宽宏大量 kuānhóng dàliàng; 胸襟开阔 xiōngjīn kāikuò; 雍容大度 yōngróng dàdù; 大方 dàfāng; 大度 dàdù ¶대범한 성격 宽宏大量的性格 대:-범-히 閉

대법(大法) 명 【法】= 대법원

대:-법원(大法院) 명 【法】大法院 dà-fǎyuàn = 대법

대:-법원-장(大法院長) 명 【法】大法院院长 dàfǎyuàn yuànzhǎng

대:변(大便) 명 大便 dàbiàn

대변(代辯) 명하자타 代言 dàiyán; 辩护 biànhù ¶～인 代言人

대:병(大兵) 명 = 대군

대:-보다 配 相比 xiāngbǐ; 对比 duì-bǐ; 比较 bǐjiào; 比 bǐ ¶키를 ～ 比个子

대:-보름(大一) 명 【民】= 대보름날

대:-보름날(大一) 명 【民】元宵节 yuánxiāojié; 正月十五 zhēngyuèshíwǔ = 대보름

대본(臺本) 명 【文】剧本 jùběn ¶극의 ～ 戏剧的剧本

대:-부(貸付) 명하타 【經】贷款 dài-kuǎn; 贷放 dàifàng; 贷给 dàigěi; 借贷 jièdài ¶～금 贷款

대:-부분(大部分) 명閉 大部分 dàbù-fen = 대개¶1 ¶～ 반대하다 大部分反对

대:북(對北) 명 对北 duìběi ¶～ 방송 对北广播 / ～ 정책 对北政策

대:비(對比) 명하타 对比 duìbǐ; 对照 duìzhào; 反衬 fǎnchèn ¶색채 ～ 色彩对照

대비(對備) 명하타 对付 duìfu; 防备 fángbèi; 防 fáng; 预备 yùbèi; 应付 yìngfu; 应对 yìngduì ¶노후 ～ 预备养老 / 재난에 ～ 하다 防备灾害

대비-책(對備策) 명 对策 duìcè; 应对方案 yìngduì fāng'àn ¶안전 ～ 安全对策 / ～을 세우다 制定应对方案

대:사(大事) 명 1 大事 dàshì 2 婚事 hūnshì

대:사(大使) 명 【法】大使 dàshǐ ¶～ 관 大使馆

대사(臺詞 · 臺辭) 명 【演】台词 táicí ¶～를 외우다 背台词

대:상(大賞) 명 大奖 dàjiǎng ¶～을 받다 获得大奖 / ～을 타다 中了大奖

대:상(對象) 명 对象 duìxiàng ¶연구 ～ 研究对象 / 관심의 ～ 关心的对象 / ～자 对象

대:-서-특필(大書特筆) 명하타 大书特书 dàshū tèshū ¶신문에 ～로 게재되었다 报纸上被大书特书地登载出来

대:-선(大選) 명 【政】总统选举 zǒngtǒng xuǎnjǔ ¶～ 후보 大选候选人 / ～에 참가하다 参加大选

대:-선배(大先輩) 명 1 老前辈 lǎo-qiánbèi; 老先辈 lǎoxiānbèi ¶직장~ 工作上的老前辈 2 老学长 lǎoxuézhǎng; 老前辈 lǎoqiánbèi ¶대학 ～ 大学的老前辈

대:설(大雪) 명 大雪 dàxuě

대:성(大成) 명하자 大成就 dàchéng-jiù; 大成 dàchéng; 大气候 dàqìhòu ¶그런 사람은 ～할 수 없다 那种人成不了大气候

대:성(大聲) 명 大声 dàshēng

대:-성공(大成功) 명하자 大成功 dà-chénggōng; 大成就 dàchéngjiù ¶～을 거두다 取得大成功

대:-성-통곡(大聲痛哭) 명하자 大声痛哭 dàshēngtòngkū; 号啕大哭 háotáo dàkū = 방성대곡 ¶바닥에 엎드려 ～을 하다 趴在地上号啕大哭

대:-성황(大盛況) 명 极为热闹 jíwéi-rènao; 盛况空前 shèngkuàng kōngqián ¶～을 이루다 盛况空前

대:세(大勢) 명 1 大势 dàshì; 大局 dàjú; 局势 júshì ¶～를 따르다 跟随大势 2 大势 dàshì; 大权 dàquán ¶～를 쥐다 掌握大势

대:소(大小) 명 大小 dàxiǎo

대:소-변(大小便) 명 大小便 dàxiǎo-biàn

대:소-사(大小事) 명 大小事 dàxiǎo-shì; 大事小事 dàshì xiǎoshì; 大事小情 dàshì xiǎoqíng ¶회사의 ～를 도맡

包揽公司的大事小情

대-소쿠리 圀 竹筹筐 zhúluókuāng

대:수 圀 (主要用于疑问句) 了不起 liǎobuqǐ; 本事 běnshì; 上策 shàngcè ¶ 돈 벌이만 잘하면 ~냐? 只会赚钱, 很 了不起吗?

대수 (代数) 圀 【數】= 대수학

대수 (臺數) 圀 (车辆、机器、飞机等 的) 台数 táishù; 数量 shùliàng ¶자동 차 ~ 汽车台数

대:-수롭다 圀 了不起 liǎobuqǐ; 了不 得 liǎobude; 要紧 yàojǐn; 紧要 jǐnyào; 当事儿 dàngshìr ¶대수롭지 않은 일 无关紧要的小事 ¶~로이 閈 ¶~ 여 기지 않다 不当事儿

대:-수술 (大手術) 【醫】大手 术 dàshǒushù

대:-수학 (代数學) 圀 【數】代数学 dàishùxué = 대수(代数)

대-숲 圀 竹林 zhúlín

대:승 (大勝) 圀肭타 大勝利 dàshènglì; 大捷 dàjié ¶~를 거두다 取得大胜利

대:-승리 (大勝利) 圀肭타 大勝利 dà-shènglì; 大捷 dàjié ¶우리는 최후의 ~ 를 거두었다 我们取得了最后的大捷

대:식 (大食) 圀 1 大吃 dàchī 2 = 대식가

대:-식-가 (大食家) 圀 大肚皮 dàdùpí; 大肚汉 dàdùhàn; 大肚子 dàdùzi = 대 식2

대:-식구 (大食口) 圀 家里人口多 jiāli rénkǒu duō

대:신 (大臣) 圀 大臣 dàchén

대:-신 (代身) 圀肭타 1 代替 dàitì; 替代 tìdài; 顶替 dǐngtì ¶모유 ~에 우유를 먹이다 用牛奶代替母乳喂 2 替 tì; 代 dài; 替身 dài ¶편지를 ~ 써주다 代 写书信

대:-안 (代案) 圀 代案 dài'àn; 代行方案 dàixíng fāng'àn; 替代方案 tìdài fāng'àn ¶~을 제기하다 提出替代方案

대:-안 (對案) 圀 对策 duìcè; 应对 方案 yìngduì fāng'àn ¶~을 마련하다 准备应对方案

대야 圀 脸盆 liǎnpén

대:업 (大業) 圀 大业 dàyè; 大事业 dà-shìyè ¶조국 통일의 ~ 祖国统一大业

대:여 (貸與) 圀肭타 出租 chūzū; 出借 chūjiè; 贷 dài; 借 jiè ¶무료로 ~하다 免费出借

대:-여-료 (貸與料) 圀 租金 zūjīn

대:-여섯 仝圀 五六 wǔliù ¶젊은 사람 ~이 모이다 聚集了五六个年轻人

대:역 (大逆) 圀 【史】大逆 dànì ¶~의 죄를 범하다 犯了大逆之罪

대:역 (代役) 圀肭타 【演】代演 dàiyǎn; 替角 tìjué; 替身 tìshēn ¶~을 쓰다 使 用替身

대:-역 (對譯) 圀肭타 对译 duìyì; 对照 duìzhào ¶영한 ~ 소설 英韩对照小说

대열 (隊列) 圀 队列 duìliè; 行列 háng-liè ¶대오를 이루다 组成队 列 / ¶이 흐트러지다 队伍散了

대오 (隊伍) 圀 队伍 duìwu; 队 duì ¶~ 를 짓다 排队

대-오리 圀 竹签 zhúqiān; 竹条 zhú-tiáo

대:왕 (大王) 圀 1 大王 dàwáng 2 先王 xiānwáng

대:외 (對外) 圀 对外 duìwài ¶~ 교류 对外交流 / 관계 对外关系

대:외 무:역 (對外貿易) 【經】= 外国 贸易

대:외-적 (對外的) 관형 对外的 duì-wàide ¶~ 문제 对外的问题 / ¶인 원 조 对外的援助

대:요 (大要) 圀 大要 dàyào; 要点 yào-diǎn ¶사건의 ~ 事件的大要

대:용 (代用) 圀肭타 代用 dàiyòng ¶~ 식품 代用食品 / ~品 代用品

대:-용량 (大容量) 圀 大容量 dàróng-liàng ¶~ 냉장고 大容量冰箱

대:우 (待遇) 圀肭타 1 待遇 dàiyù ¶특 별 ~ 特殊待遇 2 (收入的水平或地 位) 待遇 dàiyù ¶~가 좋다 待遇好 3 款待 kuǎndài; 接待 jiēdài ¶정성어린 ~를 받다 受到诚挚的款待 4 招待 zhāodài ¶부장 ~ 部长级招待

대:-울타리 圀 竹篱 zhúlí

대원 (隊員) 圀 队员 duìyuán ¶신입 ~ 新队员 / 소방 ~ 消防队员

대:-위 (大尉) 圀 【軍】大尉 dàwèi

대:-유행 (大流行) 圀肭타 大流行 dà-liúxíng; 盛行 shèngxíng ¶올해는 미니 스커트가 ~이다 今年盛行超短裙

대:응 (對應) 圀肭타 1 应付 yìngfu; 对付 duìfu ¶~하다 法律上应付 2 相对 xiāngduì; 对立 duìlì ¶서로 ~ 관계를 이루다 形成彼此对立的关 系 3 【數】对应 duìyìng

대:응-책 (對應策) 圀 对应方案 duì-yìng fāng'àn ¶~을 제시하다 提出对应 方案

대:의 (大意) 圀 大意 dàyì = 대의(大 義)2 ¶~를 파악하다 了解大意

대:의 (大義) 圀 1 大义 dàyì 2 = 대의 (大意)

대:의 (代議) 圀 【政】代议 dàiyì

대:인 (大人) 圀 1 = 성인(成人) 2 = 거인(巨人) 3 = 대인군자 4 大人 dàrén

대:인 (對人) 圀肭타 对人 duìrén; 待人 dàirén ¶~ 관계가 원만하다 对人关系 融洽

대:-인-군자 (大人君子) 圀 正人君子 zhèngrén jūnzǐ = 대인(大人)3

대:입(大入) 〔명〕大学入学 dàxué rùxué ¶~ 시험 大学入学考试

대-자리 〔명〕竹席 zhúxí ¶~를 깔다 铺竹席

대:-자보(大字报) 〔명〕大字报 dàzìbào

대:작(大作) 〔명〕1 大作 dàzuò《优秀的作品》¶그 소설은 그의 ~이다 那本小说是他的大作 2 大作 dàzuò; 巨著 jùzhù; 大著 dàzhù ¶~을 내놓다 发表大作

대작(對酌) 〔명〕〔하자〕对酌 duìzhuó; 对饮 duìyǐn ¶두 사람이 ~하다 二人对酌

대:장(大将) 〔명〕1 首领 shǒulǐng; 头目 tóumù; 头(儿) tóu(r) ¶그는 아이들의 ~이다 他是孩子头儿 2 好…的人 hǎo…derén; 大王 dàwáng ¶거짓말~ 说谎大王 3 〔军〕大将 dàjiàng

대장(大肠) 〔생〕大肠 dàcháng ¶~암 大肠癌 / ~염 大肠炎

대장(臺帳) 〔명〕账簿 zhàngbù; 原账 yuánzhàng; 底账 dǐzhàng; 册册 cècè ¶출납 ~ 出纳账簿

대:장-간(一間) 〔명〕铁匠铺 tiějiangpù

대:장(大将軍) 〔명〕〔史〕大将军 dàjiāngjūn

대:장-균(大腸菌) 〔명〕〔生〕大肠菌 dàchángjūn

대:-장부(大丈夫) 〔명〕大丈夫 dàzhàngfu = 장부(丈夫)2

대:장-장이 〔명〕铁匠 tiějiang; 打铁的 dǎtiěde

대:장-질 〔명〕〔하자〕打铁活儿 dǎtiěhuór

대:적(大敵) 〔명〕大敌 dàdí; 强敌 qiángdí; 劲敌 jìngdí ¶~과 맞서다 与大敌对抗

대:적(對敵) 〔명〕〔하자〕1 敌 dí; 对敌 duìdí ¶~할 수 없다 敌不过 2 抵敌 dǐdí; 应敌 yìngdí

대:전(大戰) 〔명〕〔하자〕大战 dàzhàn ¶제1차 세계 ~ 第一次世界大战

대:전(對戰) 〔명〕〔하자〕对战 duìzhàn; 交战 jiāozhàn ¶강적과 ~하다 与强敌交战

대:-전제(大前提) 〔명〕〔論〕大前提 dàqiántí

대:절(貸切) 〔명〕〔하다〕包 bāo; 包租 bāozū ¶차를 ~하다 包车

대:접 〔명〕大碗 dàwǎn; 海碗 hǎiwǎn ¶물 한 ~ 一大碗水

대접(待接) 〔명〕〔하다〕1 接待 jiēdài; 招待 zhāodài ¶~이 소홀하다 招待不周 / 손님을 ~하다 招待客人 2 以… 对待 yǐ…zhāodài; 待遇 yǐ…dài; 待 dài ¶차를 ~하다 待茶

대:-정맥(大靜脈) 〔명〕〔生〕大静脉 dàjìngmài

대조(對照) 〔명〕〔하자〕1 对 duì; 核对 hé-

대:중(大衆) 〔명〕大众 dàzhòng; 群众 qúnzhòng; 民众 mínzhòng; 众 zhòng; 众人 zhòngrén ¶~ 매체 大众媒体 / ~목욕탕 大众浴池 / ~성 大众性 / ~음악 大众音乐

대:중-가요(大衆歌謠) 〔명〕〔音〕流行歌曲 liúxíng gēqǔ ＝ 가요1

대:중-교통(大衆交通) 〔명〕公共交通 gōnggòng jiāotōng; 公交 gōngjiāo

대:중-없다 〔형〕1 无法估计 wúfǎ gūjì; 无法估量 wúfǎ gūliáng; 没有把握 méiyǒu bǎwò ¶대중없는 말을 하다 说没有把握的话 2 无标准 wú biāozhǔn ¶차가 출발하는 시간은 ~ 发车无标准

대중없-이 〔부〕¶~ 마신 맥주 喝下无法估量的啤酒

대:중-화(大衆化) 〔명〕〔하자타〕大众化 dàzhònghuà ¶예술의 ~ 艺术的大众化

대:지(大地) 〔명〕大地 dàdì

대:지(大志) 〔명〕壮志 zhuàngzhì; 宏愿 hóngyuàn; 壮志 zhuàngzhì ¶젊은이는 ~를 품어야 한다 年轻人应该胸怀大志

대지(垈地) 〔명〕地基 dìjī ¶~ 면적 地基面积 / 신축 가옥의 ~ 新建房屋的地基

대지(臺紙) 〔명〕衬纸 chènzhǐ ¶~ 작업이 끝나다 衬纸工作结束

대:진(對陣) 〔명〕〔하자타〕对阵 duìzhèn; 对垒 duìlěi; 对赛 duìsài ¶~표 对阵表 / 적군과 ~하다 与敌军对阵

대:질(對質) 〔명〕〔法〕对质 duìzhì; 质证 zhìzhèng ¶~ 신문 对质讯问 / ~ 심문 对质审讯 / 목격자와 ~하다 和目击者对质

대-쪽 〔명〕1 ＝ 댓조각 2 性情刚直 xìngqíng gāngzhí ¶그의 성미는 ~ 같다 他的性情刚直

대:차(貸借) 〔명〕〔하타〕借贷 jièdài ¶~ 대조표 借贷对照表

대:책(對策) 〔명〕〔하타〕对策 duìcè; 措施 cuòshī; 方法 fāngfǎ ¶근본적인 ~ 根本的措施 / ~을 세우다 制定对策

대:처(對處) 〔명〕〔하자타〕对付 duìfu; 应对 yìngduì; 应接 yìngjiē; 支应 zhīyìng ¶효과적으로 ~하다 有效地应对

대:척(對蹠) 〔명〕正反对 zhèngfǎnduì

duì; 对照 duìzhào ¶번역문을 원문과 ~하다 把译文和原文对照一下 2 对比 duìbǐ; 对照 duìzhào ¶둘의 성격이 선명한 ~를 이루다 他们两人的性格形成了鲜明的对比

대:-주주(大株主) 〔명〕大股东 dàgǔdōng · 公司的大股东

대중(명)〔하타〕1 估摸 gūmo; 估量 gūliáng; 估计 gūjì ¶짐의 무게를 ~해 보다 估量行李的重量 2 标准 biāozhǔn; 根据 gēnjù ¶북극성을 ~으로 길을 걷다 以北极星为标准走路

正相反 zhèngxiāngfǎn ¶~되는 현상
正相反的现象

대:천(大川) 圐 大川 dàchuān; 大河
dàhé

대:첩(大捷) 圐[하자] 大捷 dàjié

대:청(大廳) 【建】 走廊 zǒuláng =
당(堂)1・대청마루

대:청-마루(大廳一) 圐【建】 = 대청

대:청-소(大淸掃) 圐[하타] 大扫除 dà-
sǎochú

대:체(大體) 一圐 梗概 gěnggài; 大体
dàtǐ; 大概 dàgài; 大致 dàzhì ¶사건의
~ 事件的梗概 二圕 究竟 jiūjìng; 到
底 dàodǐ ¶~ 어찌 된 일이냐? 究竟是
怎么回事

대:체(代替) 圐[하타] 代替 dàitì; 替代
tìdài ¶~ 에너지 替代能源 / ~ 방안
替代方案

대:체-로(大體一) 圕 梗概 gěnggài; 大
体 dàtǐ; 基本上 jīběnshang; 大抵 dà-
dǐ; 大致 dàzhì ¶~ 같다 大致相同 /
~자리가 좀하다 大致就绪

대:-초원(大草原) 圐 大草原 dàcǎo-
yuán

대:추 圐 大枣 dàzǎo; 枣 zǎo ¶~나무
枣树 / ~씨 枣核

대출(貸出) 圐[하타] 借 jiè; 贷 dài; 出
借 chūjiè; 出租 chūzū; 贷款 dàikuǎn;
借款 jièkuǎn ¶~금 贷款 / ~ 이자 贷
款利息 / 책을 ~하다 借书

대충 圕 大略 dàlüè; 粗略 cūlüè; 大概
dàgài; 大致 dàzhì; 草草 cǎocǎo; 应付
yìngfu ¶현장 상황을 ~ 이야기하다
现场的情况大略说 / 일을 ~ 끝내다
事情大致结束

대충-대충 圕 大略 dàlüè; 粗略 cūlüè;
大致 dàzhì; 大概 dàgài; 草草 cǎocǎo;
应付 yìngfu ¶~ 끝내다 草草收兵 / 일
을 ~ 하다 应付了事

대:치(代置) 圐[하타] 替换 tìhuàn; 代替
dàitì; 取代 qǔdài ¶주판을 계산기로 ~
하다 用计算机取代算盘

대:치(對峙) 圐[하자] 对峙 duìzhì; 对全
duìlěi ¶적과 아군이 ~하다 敌我对峙

대:칭(對稱) 圐 1【物】对称 duìchèn 2
【語】第二人称 dì'èr rénchēng 3【数】
对称 duìchèn ¶~ 곡선 对称曲线 / ~
이동 对称移动 / ~점 对称点

대통(一筒) 圐 1 竹筒儿 zhútǒng(r);
竹管儿 zhúguǎn(r) 2 = 죽통(竹筒)

대:통(大通) 圐 大通 dàtōng ¶만
사~이다 凡事大通

대:통(大統) 圐 大统 dàtǒng ¶세자가
~을 잇다 太子继承大统

대:통령(大統領) 圐【法】总统 zǒng-
tǒng

대:퇴-골(大腿骨) 圐【生】大腿骨 dà-

退骨 tuǐgǔ

대:-파(大一) 圐 大葱 dàcōng

대:파(大破) 圐[하타] 大破 dàpò; 大败
dàbài ¶적군을 ~하다 大破敌军

대:판(大一) 圐 大 dà; 大规模 dàguī-
mó; 大场面 dàchǎngmiàn = 대판거리
¶싸움을 ~ 벌이다 大打出手 / 잔치를
~으로 차리다 大摆筵席

대판-거리(大一) 圐 = 대판

대:패 圐【工】刨子 bàozi; 刮刨 guā-
bào; 推刨 tuībào

대:패-질 圐[하타] (用刨子) 推 tuī; 刨
bào ¶이 나무는 조금 더 ~을 해야겠
다 这块木头还得用刨子刨刨

대:포 圐 1 大酒杯 dàjiǔbēi; 大酒碗
dàjiǔwǎn 2 = 대폿술 3 (用大碗喝的)
酒 jiǔ

대:포(大砲) 圐 1【軍】大炮 dàpào;
炮 pào ¶~를 쏘다 放炮 2 吹牛 chuī-
niú

대:폭(大幅) 一圐 大幅度 dàfúdù; 大
幅 dàfú 二圕 大幅度(地) dàfúdù(de);
大大地 dàdàde ¶계획을 ~ 수정하다
大幅度修改计划

대:폿-술 圐 大碗酒 dàwǎnjiǔ = 대포2

대:폿-집 圐 酒铺 jiǔpù

대:표(代表) 圐[하타] 代表 dàibiǎo ¶~
단 代表团 / ~자 代表者 / ~작 代表作

대:표-적(代表的) 관 代表的 dài-
biǎode ¶~ 사례 代表的事例 / ~ 인물
代表的人物

대:풍(大風) 圐 大风 dàfēng ¶~이 불
다 刮大风

대:풍(大豐) 圐 大丰收 dàfēngshōu ¶
~이 들다 获得大丰收

대:피(待避) 圐[하자] 躲避 duǒbì ¶방공
호로 ~하다 躲避防空壕里

대:피-소(待避所) 圐 掩蔽所 yǎnbì-
suǒ; 掩护所 yǎnhùsuǒ

대:필(代筆) 圐 代笔 dàibǐ; 代写
dàixiě ¶논문을 ~하다 代写论文

대:하(大河) 圐 大河 dàhé; 大江 dà-
jiāng

대:하(大蝦) 圐【魚】对虾 duìxiā; 海
虾 hǎixiā = 왕새우

대:-하다(對一) 자타 1 面对 miànduì
¶벽을 대하고 앉아 있다 对着墙壁坐
着 2 待 dài; 对待 duìdài; 对 duì ¶그
는 누구에게나 친절하게 대한다 他对
谁都很热情 3 对于 duìyú; 关于 guān-
yú; 对 duì ¶그 문제에 대한 설명 关于
那个问题的说明

대:학(大學) 圐【教】1 大学 dàxué; 大
专院校 dàzhuān yuànxiào ¶~교수 大
学教授 / ~생 大学生 / ~에 다니다 上

大学 /∼을 졸업하다 大学毕业 **2** = 단과 대학

대:학-원(大學院) 명 【教】研究所 yán-jiūsuǒ; 研究生院 yánjiūshēngyuàn

대:학원-생(大學院生) 명 研究生 yán-jiūshēng

대:한(大寒) 명 大寒 dàhán

대:한-민국(大韓民國) 명 【地】大韩 民国 Dàhánmínguó; 韩国 Hánguó = 한국

대:함(大艦) 명 大舰 dàjiàn

대합(大蛤) 명 【貝】大蛤蜊 dàgélí = 백합(白蛤)

대:합-실(待合室) 명 候客室 hòukè-shì; 等候室 děnghòushì

대:항(對抗) 명 하자타 对抗 duìkàng; 抵抗 dǐkàng ¶∼전 对抗赛 / 무력으로 적에게∼하다 用武力对抗敌人

대:해(大海) 명 大海 dàhǎi; 沧海 cāng-hǎi ¶망망한∼ 茫茫大海

대:행(代行) 명 하타 代行 dàixíng; 代 理 dàilǐ; 代办 dàibàn ¶∼ 회사 代理公司 / ∼기관 代理机构 / 업 무를∼하다 代办业务

대:형(大型) 명 大型 dàxíng; 大 刑 重大 zhòngdà ¶∼ 버스 大巴 / 기 계 大型机械 / ∼ 사고 重大事故

대형(隊形) 명 队形 duìxíng ¶∼을 짓 다 排成队形 / ∼을 짜다 编排队形

대:-혼란(大混亂) 명 大混乱 dàhùn-luàn; 大乱 dàluàn ¶∼에 빠지다 陷入 大混乱

대:-홍수(大洪水) 명 大水 dàshuǐ; 大 洪水 dàhóngshuǐ; 特大洪水 tèdà hóng-shuǐ

대:화(對話) 명 하자 对话 duìhuà; 谈 话 tánhuà ¶∼ 내용 对话内容 / ∼문 对话文 / ∼체 对话体 / 우리는 많은∼ 를 나누었다 我们做了很多的对话

대:-환영(大歡迎) 명 热烈欢迎 rèliè huānyíng ¶∼을 받다 受到热烈欢 迎

대:회(大會) 명 大会 dàhuì; 大赛 dà-sài; 会 huì ¶∼장 大会场 / 올림픽∼ 奥运会 / ∼를 개최하다 主办大会

대:흉(大凶) 명 **1** = 대흉년 **2** = 대흉 작

대:-흉년(大凶年) 명 大灾荒 dàzāi-huāng; 大荒 dàhuāng; 大灾年 dàzāi-nián = 대흉 2

대:-흉작(大凶作) 명 大歉收 dàqiàn-shōu = 대흉2

댁(宅) ㄷ일 명 **1** 府上 fǔshàng ¶∼에서 편지가 왔습니다 府上来信了 **2** 夫人 fūrén ¶그 분은 누구의∼입니까? 那 位是谁的夫人? ㄷ대 您 nín ¶∼은 뉘 시오? 您是哪位?

-댁(宅) 접미 家 jiā ¶처남∼ 内弟家

댁-내(宅內) 명 府上 fǔshàng ¶∼ 두 루 평안하신지요? 府上都平安吧?

댁-네(宅一) 명 老婆 lǎopo; 妻子 qīzi ¶그의∼는 집에 있다 他老婆在家里

댁대구루루 뮈 咕噜噜 gūlūlū; 骨碌碌 gūlùlù ¶구슬이 마룻바닥에 떨어져∼ 굴러가다 珠子掉在地板上, 咕噜噜滚

댁대굴-댁대굴 뮈하자 咕噜噜 gūlū-lū; 骨碌碌 gūlùlù ¶공이∼ 구르다 球 咕噜噜直滚

댄서(dancer) 명 **1** 舞蹈家 wǔdǎojiā **2** 舞女 wǔnǚ

댄스(dance) 명 舞蹈 wǔdǎo; 舞 wǔ ¶∼파티 舞会 / ∼홀 舞厅

댐(dam) 명 【建】水坝 shuǐbà

댓 수관 五个左右的 wǔgèzuǒyòu ¶사과 ∼ 개 五个左右苹果

댓-바람 명 **1** 立即 lìjí; 毫不迟延 háo-bùchíyán ¶그 소식을 듣자마자∼에 달려왔다 一听到那个消息, 就立即跑 来了 **2** 一举 yījǔ; 一口气 yīkǒuqì ¶∼ 에 도둑놈을 때려눕혔다 一举把小偷 打倒了

댓-잎 명 竹叶 zhúyè

댓-조각 명 竹片 zhúpiàn = 대쪽1

댕 뮈 当 dāng (击打小铁片时的声音)

댕강 뮈 **1** 咔嚓 kāchā ¶나뭇가지를∼ 꺾었다 树枝咔嚓一声断了 **2** 孤零零 gūlínglíng; 孤丁丁 gūdīngdīng ¶나 혼 자 텅빈 교실 안에∼ 앉아 있다 我孤 零零一个人坐着空荡荡的教室里

댕그랑 뮈하자타 叮当 dīngdāng; 丁当 dīngdāng; 丁零 dīnglíng ¶종소리가∼ 나다 钟发出叮当声

댕그랑-거리다 자타 叮当叮当地响 dīngdāngdīngdāngde xiǎng ¶풍경 소리만∼ 只有风铃声叮当 叮当地响 **댕그랑-댕그랑** 뮈하자타

댕기 명 辫结 biànjié; 辫带 biàndài ¶∼ 를 드리다 结辫穗

댕기다 자타 着 zháo; 点 diǎn; 点燃 diǎnrán ¶불을∼ 点火 / 옷에 불이∼ 衣服点着了

댕-댕[1] 뮈하자타 当当 dāngdāng ¶종 소리가∼ 울리다 钟声当当响

댕-댕[2] 뮈하 **1** 紧绷绷 jǐnbēngbēng **2** 结实 jiēshi **3** (力气或权势) 大; 强 qiáng

댕댕-거리다 자타 当当响 dāngdāng xiǎng = 댕댕대다 ¶종지기가 종탑의 종을∼ 打钟人把钟楼里的钟敲得当 当响

더 뮈하 **1** 多 duō; 再 zài ¶∼ 많이 먹다 多吃 / 조금∼ 기다리자 再等一会儿 吧 **2** 多 duō; 更 gèng; 更加 gèngjiā ¶ 오늘 날씨가∼ 덥다 今天天气更热

더구나 뮈 = 더군다나

-더구나 어미 用于谓词词干后的基

본 阶 回忆 감탄 终结形 词尾 ¶오늘 행사는 참 재미있~ 今天的活动真有意思呀

-**더구려** 【语尾】用于谓词词干后的不定阶回忆感叹终结形词尾 ¶집을 참 잘 지었~ 房子盖得真好

-**더군다나** 〔副〕尤其 yóuqí；加之 jiāzhī；再加上 zàijiāshàng；再上 zàishàng；更 gèng；而且 érqiě ¶더구나 그 때 일이 바빴고 ~ 출장중이어서 선생님을 찾아뵙지 못했습니다 那个时候工作忙，再加上又出差，所以没能去看望老师

-**더냐** 〔语尾〕用于谓词词干后的基本阶回忆译文式终结形词尾 ¶집에 아무도 없~? 家里没有人吗？/ 김씨는 잘 있~? 小金好吗？

-**더니** 〔语尾〕用于‘이다’的词干或词尾‘으시’·‘었’·‘겠’的后面 1 表示过去的事情成为原因或条件 ¶이틀 밤을 꼬박 샜~, 힘들어 죽겠다 一连熬了两天夜，快累死了 2 表示以往的事实与现在的事实相反 ¶어렸을 때 예니레 비가 오~ 오늘에야 겨우 개었다 一连下了六七天的雨，今天总算晴了 3 表示除了过去的事实以外还有另外的事实 ¶어제는 그 기계가 없~, 오늘은 있구나 昨天还没有那台机器，今天就有了

더덕 【植】沙参 shāshēn

더덕-구이 〔名〕少羊乳 shǎoyángrǔ

더덕-더덕 〔副〕〔하동〕 1 补丁摞补丁 bǔdīngluòbǔdīng ¶~ 기운 옷 补丁摞补丁的衣服 2 簇簇 cùcù；累累 lěiléi ¶여드름 상처가 ~ 하다 青春豆疤痕累累

더덩실 〔副〕手舞足蹈 shǒuwǔ zúdǎo ¶~ 춤을 추다 手舞足蹈地跳舞

더듬-거리다 〔自他〕 1 摸 mō；摸索 mōsuǒ ¶장님이 지팡이로 ~ 盲人用拐棍摸索 2 摸 mō；摸索 mōsuǒ ¶한참 동안 더듬거려서 그의 숙소를 찾았다 摸了半天才找到他的宿舍 3 回想 huíxiǎng；回忆 huíyì ¶어린 시절의 상황을 ~ 回忆童年的情景 4 口吃 kǒuchī；结巴 jiēba ¶말을 ~ 说话结结巴巴 ‖ ＝ 더듬대다 **더듬-더듬** 〔副〕〔하자타〕

더듬다 〔他〕 1 摸 mō；摸索 mōsuǒ ¶주머니 속을 손으로 ~ 用手摸口袋 2 摸 mō；摸索 mōsuǒ ¶길을 더듬어 찾아가다 摸索着前路 3 回想 huíxiǎng；回忆 huíyì ¶과거를 ~ 回忆过去 4 口吃 kǒuchī；结巴 jiēba；磕磕巴巴 kēkebābā ¶말을 ~ 说话磕磕巴巴

더듬-이 【虫】触须 chùxū；触角 chùjiǎo ＝ 촉각(触角)

더디 〔副〕慢 màn；缓慢 huǎnmàn；迟缓 chíhuǎn ¶시간이 ~ 가다 时间过得很慢 / 일을 ~ 하다 做事很慢

더디다 〔形〕慢 màn；缓慢 huǎnmàn；迟缓 chíhuǎn；迟钝 chídùn ¶행동이 ~ 行动缓慢 / 반응이 ~ 反应迟钝

-**더라** 〔语尾〕用于‘이다’词干后，表示回忆和感想的终结形词尾 ¶광장에는 사람이 정말 많~ 广场上人真多 / 그곳은 경치가 참 좋~ 这个地方风景真好

-**더라도** 〔语尾〕即使 jíshǐ；不管 bùguǎn；不论 bùlùn ¶아무리 바빠~ 점심을 안 먹으면 안된다 即使再忙，也不能不吃午饭 / 무슨 일이 있~ 내일에 끝나야 한다 不管有什么事，明天都必须结束

더러[1] 〔副〕多少 duōshǎo；一些 yīxiē；一部分 yībùfen ¶그를 싫어 하는 사람도 ~ 있다 有一些不喜欢他的人 2 有时 yǒushí；间或 jiànhuò ¶그 기계는 ~ 고장이 나기도 한다 那台机器有时会发生故障

더러[2] 〔조〕向 xiàng；跟 gēn；叫 jiào；让 ràng；使 shǐ ¶그~ 오라고 해라 跟他说，叫他来一下

더:러움 〔形〕脏 zāng；肮脏 āngzāng；污点 wūdiǎn

더:러워-지다 〔自〕 1 弄脏 nòngzāng ¶더러워진 옷감 弄脏的布匹 2 变坏 biànhuài；丑恶 chǒu'è ¶마음이 ~ 心眼儿变坏 3 丧失 sàngshī ¶몸이 ~ 丧失贞操 4 玷污 diànwū ¶이름이 ~ 玷污名声

더럭 〔副〕 1 突然 tūrán；猛然 měngrán ¶화를 ~ 낸다 突然生气 2 突然 tūrán ¶돈이나 ~ 생기면 좋겠다 要是突然发了财就好了

더:럽다 〔形〕 1 脏 zāng；肮脏 āngzāng；污秽 wūhuì ¶더러운 옷 脏衣服 / 더러운 그릇 肮脏的器皿 2 卑鄙 bēibǐ；无耻 wúchǐ ¶比 huài ¶더러운 행실 卑鄙的行径 / 심보가 ~ 心眼坏 3 糟糕 zāogāo ¶일이 더럽게 변한 것 같다 事情好像变得糟糕 4 非常 fēicháng；格外 géwài ¶날씨가 더럽게 춥다 天气非常冷

더:럽-히다 〔他〕 1 弄脏 nòngzàng ¶옷을 ~ 弄脏衣服 / 벽을 ~ 弄脏墙壁 2 玷污 diànwū；败坏 bàihuài ¶명예를 ~ 玷污名誉 / 가문을 ~ 败坏门楣

더미 〔名〕堆 duī ¶쓰레기 ~ 垃圾堆 / 석탄~ 煤堆

더벅-머리 〔名〕 1 蓬头 péngtóu 2 头发蓬乱的人 tóufa péngluànde rén

더부룩-하다 〔形〕 1 茂盛 màoshèng；茂密 màomì ¶나무가 더부룩한 숲 树木茂盛的山林 2 (头发，胡须) 浓密 nóngmì ¶더부룩한 수염 浓密的胡须 / 머리카락이 ~ 头发浓密 3 (消化

良) 불편함 bùshūfu; 불편 bùshì ¶배가
~ 肚子不舒服 더부룩-이 用

더부-살이 몡하재 1 佣人 yōngrén; 佣
工 yōnggōng 2 寄生植物 jìshēng zhíwù

더불다 □불재 同 tóng; 跟 gēn; 一起
yīqǐ ¶친구들과 더불어 산에 올랐다
和朋友一起去爬山 □불타 领着 lǐng-
zhe; 带领 dàilǐng ¶아이를 더불고 이
민가다 领着孩子移居

더블(double) 몡 1 两倍 liǎngbèi 2 双
重 shuāngchóng ¶~로 배상하다 双重
赔偿 3 (위스키 등) 一杯双份 yībēi-
shuāngfèn; 两杯量 liǎngbēiliàng

더블-베드(double bed) 몡 双人床
shuāngrénchuáng

더블 베이스(double bass) 【音】= 콘
트라베이스

더블 유 에 이 치 오(WHO) 【World
Health Organization】 몡 【醫】 =
세계 보건 기구

더블유티오(WTO) 【World Trade
Organization】 몡 【經】 = 세계 무역
기구

더블 클릭(double click) 【컴】 双击
shuāngjī

더-없다 휑 无上 wúshàng; 再没有
zàiméiyǒu; 无比 wúbǐ ¶더없는 영광 无
上光荣

더-없이 用 无上 wúshàng; 再没有
zàiméiyǒu; 无比 wúbǐ ¶~ 영예로운 일
无上光荣的事情

더욱 用 更 gèng; 更加 gèngjiā; 更为
gèngwéi; 越发 yuèfā; 愈加 yùjiā ¶병세
가 ~ 악화되었다 病情更加恶化了

더욱-더 用 更 gèng; 更加 gèngjiā; 愈
加 yùjiā; 更为 gèngwéi; 越发 yuèfā ¶
~ 힘을 내다 更加用力/~ 열심히 일
을 하다 更努力工作

더욱-더욱 用 更 gèng; 更加 gèngjiā;
越发 yuèfā; 愈加 yùjiā ¶경제 발전이
~ 빨라졌다 经济发展越发快了/그
아이는 ~ 강하게 자랐다 那个孩子长
得更强壮了

더욱-이 用 更 gèng; 更加 gèngjiā; 而
且 érqiě; 加上 jiāshàng ¶이 집에는 문
이 하나밖에 없는 데다 ~ 매우 좁다
这座房子只有一个门，更有甚者还很
狭窄

더운-물 몡 热水 rèshuǐ; 温水 wēn-
shuǐ = 온수

더운-밥 몡 热饭 rèfàn

더위 몡 1 (天气) 热 rè; 暑 shǔ; 暑气
shǔqì ¶심한 ~ 炎热/~를 물리치다
祛暑 2 中暑 zhòngshǔ ¶~를 앓으면 中
暑

더위(를) 먹다 丑 中暑

더위(를) 타다 丑 怕热; 不耐热

더치페이(Dutch+pay) 몡 各自付费
gèzì fùfèi

더하기 몡하타 【數】 加 jiā; 加法 jiāfǎ
= 플러스1 ¶삼 ~ 사는 칠이다 三加
四等于七

더하기-표(―標) 몡 【數】 = 덧셈 부
호

더-하다 □재 加重 jiāzhòng; 加深 jiā-
shēn; 更深 gèngshēn; 添 tiān ¶병세가
갈수록 ~ 病情越来越加重了 □타 加
jiā; 加上 jiāshang ¶칠에 여섯을 ~ 七
加六 □휑 更 gèng; 更加 gèngjiā; 更
为 gèngwéi ¶더위는 작년보다 올해가
~ 今年比去年更热

더-한층(―層) 用 更 gèng; 更加 gèng-
jiā ¶그의 실력은 ~ 향상되었다 他的
能力更加提高了

덕(德) 몡 1 德 dé; 品德 pǐndé; 道德
dàodé ¶~이 높다 品德高尚 2 恩德
ēndé; 恩泽 ēnzé ¶백성들에게 ~을 베
풀다 向百姓施以恩德 3 托福 tuōfú;
沾光 zhānguāng ¶친구의 ~ 托朋友的
福 4 功德 gōngdé ¶~을 쌓다 积累功
德 5 利益 lìyì ¶주식 시세가 올라 많
은 사람들이 ~을 봤다 股市上涨, 很
多人从中获利益

덕담(德談) 몡하재 祝愿 zhùyuàn; 祝
福 zhùfú; 祝词 zhùcí ¶~을 나누다 说
些祝福的话

덕더그르르 用하재 1 骨碌碌 gūlūlū
(滚动声) 돌이 ~ 굴러떨어졌다 石
头骨碌碌地滚下来 2 轰轰 hōnghōng;
轰隆 hōnglōng (雷声) ¶~하는 천둥소
리 轰轰的雷声

덕망(德望) 몡 德望 déwàng ¶~이 높
은 스승 德望高的大师

덕목(德目) 몡 德目 démù

덕분(德分) 몡 托福 tuōfú; 多亏 duōkuī
= 덕택 ¶모두 선생님의 가르침 ~입
니다 多亏先生指教/~에 잘 먹었어
요 托您的福, 我吃好了

덕성(德性) 몡 德 dé; 品德 pǐndé; 德
行 déxíng ¶~이 높고 명망이 크다 德
高望重

덕성-스럽다(德性―) 휑 仁慈 réncí ¶
덕성스러워 보이는 얼굴 仁慈的面貌
덕성스레 用

덕-스럽다(德―) 휑 仁慈 réncí; 仁厚
rénhòu; 温厚 hòudào; 敦厚 dūnhòu ¶
덕스러운 사람 敦厚的人 **덕스레** 用

덕장 몡 晒鱼的架子

덕지-덕지 用하재 (尘垢) 厚厚 hòu-
hòu ¶바닥에 먼지가 ~ 쌓였다 地面
上厚厚地积满了尘土/손에 약을 ~
발랐다 手上抹了厚厚一层药

덕택(德澤) 몡 = 덕분

덕행(德行) 몡 德行 déxíng ¶~는 쌓

다 积累德行

덖다 国 炒 chǎo ¶찻잎을 ~ 炒茶叶

-던¹ 어미 用于谓词词干后的限定形词尾，表示 '过去持续，回忆' ¶옛날에 있~ 절 以前存在的寺庙 / 먹~ 밥 剩饭

-던² 어미 用于 '이다' 或谓词词干之后，'-더냐' 的略写 ¶그녀가 왔~? 她来了吗? / 날씨가 춥~? 天气冷了吧?

-던걸 어미 用于 '이다' 或谓词词干之后回忆过去表示自己的想法 ¶정말 말을 잘 하~ 真是会说话呢 / 싸움은 벌써 끝났~ 战斗已经结束了啊

-던데 어미 用于 '이다' 或谓词词干之后回顾过去的事实，提示自己的见解的接续形词尾 ¶따님이 내일 시집간다고 하~, 준비가 다 되었습니까 听说今媛明天过门, 都准备好了吗 2 용于听取别人的想法, 提出自己的主张的终结形词尾 ¶그도 공부를 잘 하~! 他学习也很好啊! / 그 사람 참, 잘 달리~! 那个人跑的真好!

던져-두다 国 1 扔 rēng; 放下 fàngxià; 置之不理 zhìzhìbùlǐ ¶책가방을 방구석에~ 把书包扔在屋角 2 (工作) 搁 gē; 丢开 diūkāi ¶하던 일을 던져두고 휴식을 취하다 手头的工作搁在一边休息

-던지 어미 1 用于 '이다' 或谓词词干之后, 回顾过去表示疑问的接续形词尾 ¶그 때 그가 몇 살이었~ 생각이 안 난다 那时候他几岁, 我已经记不清了 2 回顾过去的事实, 比表示成为引起另外事实的原因 ¶그 때 얼마나 춥~ 那时候多么冷

던지기 图 [體] 投 tóu; 扔 rēng; 掷 zhì; 投掷 tóuzhì ¶원반~ 掷铁饼

던지다 国 1 扔 rēng; 投 tóu; 投掷 tóuzhì; 投放 tóufàng; 抛 pāo ¶공을 ~ 抛球 / 돌을 ~ 扔石头 2 投 tóu; 扑 pū; 倒 dǎo ¶강에 몸을 던져 자살하다 投河自尽 3 投 tóu ¶반대표를 ~ 投反对票 4 投 tóu ¶어려운 질문을 ~ 抛出难题 5 投 tóu; 送 sòng; 丢 diū ¶추파를 ~ 送秋波 6 投 tóu; 放射 fàngshè ¶하늘에는 달이 밝은 빛을 던지고 있다 天空中月亮放射着明亮的光芒 7 (话) 搭 dā ¶이야기를 ~ 搭话 8 扔 rēng下; 放下 fàngxià ¶일을 던져놓고 달려갔다 扔下工作就跑了 9 舍身 xiàn-shēn; 舍身 shěshēn ¶나라를 위해 목숨을 ~ 为祖国献身

덜 图 少 shǎo; 不太 bùtài; 不够 bù-gòu; 还没全全 háiméiwánquán ¶입 안 ~ 먹다 少吃一口 / 배가 ~ 익다 梨还没完熟

덜거덕 [부][하][자][타] 光当 guāngdāng ¶문이 ~ 열렸다 光当一声门开了

덜거덕-거리다 [자][타] 光当光当响 guāng-dāngguāngdāng xiǎng = 덜거덕대다 ¶문짝이 ~ 大门光当光当响 덜거덕-덜거덕 [부][하][자][타]

덜거덩 [부][하][자][타] 空隆 kōnglóng ¶철문이 ~ 닫혔다 铁门空隆一声关上了

덜거덩-거리다 [자][타] 空隆空隆响 kōng-lóngkōnglóng xiǎng = 덜거덩대다 ¶바람에 대문이 덜거덩거린다 风刮得大门空隆空隆响 덜거덩-덜거덩 [부][하][자][타]

덜그럭 [부][하][자][타] 空隆 kōnglóng ¶방에서 ~하는 소리가 났다 房间里发出空隆声

덜그럭-거리다 [자][타] 空隆空隆响 kōng-lóngkōnglóng xiǎng = 덜그럭대다 ¶짐들이 서로 부딪치며 ~ 行李互相碰撞, 空隆空隆响 덜그럭-덜그럭 [부][하][자][타]

덜그렁 [부][하][자][타] 空隆 kōnglóng; 光当 guāngdāng ¶소리가 요란스레 들려왔다 传来杂乱的光当声

덜그렁-거리다 [자][타] 空隆空隆响 kōng-lóngkōnglóng xiǎng; 光当光当响 guāng-dāngguāngdāng xiǎng = 덜그렁대다 ¶종이 바람에 흔들려 덜그렁거린다 钟在风中摇晃, 发出光当光当声 덜그렁-덜그렁 [부][하][자][타]

덜:다 国 1 减 jiǎn; 减少 jiǎnshǎo; 消减 xiāojiǎn ¶다섯에서 둘을 ~ 五减二 / 밥그릇에서 밥을 ~ 减少碗里的饭 2 减轻 jiǎnqīng; 丢掉 diūdiào; 省 shěng; 解 jiě ¶걱정을 ~ 解忧 / 고통을 ~ 减轻痛苦

덜덜 图 1 哆嗦 duōsuo ¶추워서 ~ 冷得直打哆嗦 2 (车轮) 吱吱嘎嘎地响 zhīzhīgāgāde xiǎng ¶바퀴가 ~ 소리가 났다 轮子发出吱吱嘎嘎地响

덜덜-거리다 [자] 1 哆嗦 duōsuo ¶추워서 손이 자꾸 덜덜거린다 冻得手直打哆嗦 2 (车轮) 吱吱嘎嘎地响 zhī-zhīgāgāde xiǎng ¶달구지의 바퀴가 덜덜거린다 牛车的轮子吱吱嘎嘎地响 ‖ = 덜덜대다

덜덜-이 图 冒失鬼 màoshiguǐ; 愣头青 lèngtóuqīng ¶그런 ~를 어떻게 믿니? 怎么能相信那个冒失鬼?

덜:-되다 [형] 不成器 bùchéngqì; 没出息 méichūxi; 缺德 quēdé ¶덜된 소리 没出息的话 / 덜된 녀석 不成器的家伙

덜렁¹ 图 (铃声) 叮嘡 dāngling; 叮当 dīngdāng ¶방울 소리가 ~ 울렸다 铃铛叮叮当当响了 2 (身体) 轻 qīngchuán; 冒失 màoshi 3 (因受惊心里) 扑腾 pūtēng; 吃惊 chījīng ¶가슴이 ~ 내려앉다 心扑腾扑腾

덜렁² 图 孤零零 gūlínglíng; 孤单 gūdān ¶혼자만 ~ 남다 只有孤零零一个人

덜렁-거리다 자타 **1** 当啷当啷地响 dānglāngdānglāngde xiǎng; 叮叮当当地响 dīngdīngdāngdāngde xiǎng ¶ 덜렁거리던 대문이 뚝 떨어졌다 当啷当啷地响的大门哗啦一声掉了下来 **2** 轻率 qīngshuài; 冒失 màoshi ¶ 덜렁거리며 행동하다 冒失地行动 ‖ → 덜렁대다

덜렁-덜렁 부하자타

덜렁-쇠 명 冒失鬼 màoshiguǐ; 愣头青 lèngtóuqīng ¶ 덜렁이

덜렁-이 명 = 덜렁쇠

덜레-덜레 부 慢腾腾 mànténgténg ¶ ~ 골목길을 걸어가다 慢腾腾地走进巷子里

덜미 명 脖颈儿 bógěngr; 脖子 bózi; 后脑 hòunǎo = 목덜미
  덜미(를) 잡히다 구 **1** 被抓住后脖颈 **2** 触到痛处; 抓辫子

덜커덕 부하자타 哐啷 kuānglāng; 咔哒 kādā; 哗啦 huālā ¶ ~하고 문이 열리다 哐啷一声, 门开了

덜커덕-거리다 자타 哐啷哐啷地响 kuānglāngkuānglāngde xiǎng; 哗啦哗啦地响 huālāhuālāde xiǎng; 咔哒咔哒地响 kādākādāde xiǎng ¶ 문이 ~ 门哐啷哐啷地响 덜커덕-덜커덕 부하자타

덜커덩 부하자타 哗啦 huālā; 哐啷 kuānglāng; 咔哒 kādā ¶ 창문이 ~ 닫히다 哗啦一声, 窗户关上了

덜커덩-거리다 자타 咔哒咔哒地响 kādākādāde xiǎng; 哗啦哗啦地响 huālāhuālāde xiǎng; 哐啷哐啷地响 kuānglāngkuānglāngde xiǎng = 덜커덩대다 ¶ 문짝이 ~ 门哗啦哗啦地响 덜커덩-덜커덩 부하자타

덜컥¹ 부하자타 **1** (吓得) 扑腾 pūteng ¶ 가슴이 ~ 내려앉다 心扑腾扑腾的 **2** 突然 tūrán; 忽然 hūrán; 一下子 yīxiàzi ¶ ~ 앓아 눕다 突然病倒

덜컥² 부하자타 '덜커덕'的略词

덜컹¹ 부하자타 (吓得) 扑腾 pūteng

덜컹² 부하자타 '덜커덩'的略词

덜:-하다 형 减少 jiǎnshǎo; 减轻 jiǎnqīng ¶ 병세가 좀 ~ 病势减轻 / 맛이 어제보다 ~ 味道比昨天减轻

덤: 명 (买卖东西时, 不另外再算钱的) 饶头 ráotóu ¶ ~을 주다 给饶头

덤덤-하다 형 交情不厚 jiāoqíngbùhòu ¶ 덤덤한 사이 交情不厚的关系 **2** 沉默 chénmò; 默默 mòmò ¶ 덤덤하게 앉아만 있다 只是默默地坐着 **3** 淡淡 dàndàn ¶ 술맛이 ~ 酒味淡淡的 덤덤-히 부하

덤벙¹ 부하자타 噗通 pūtōng ¶ 호수 속에 ~ 뛰어들다 噗通一声跳入湖里

덤벙² 부 轻率 qīngshuài; 冒失 màoshi; 冒昧 màomèi ¶ 그는 늘 ~ 한다 他总是冒冒失失的

덤벙-거리다¹ 자타 噗通噗通 pūtōng pūtōng = 덤벙대다¹ ¶ 아이들이 물에서 덤벙거리며 놀다 孩子们噗通噗通地玩水 덤벙-덤벙¹ 부하자타

덤벙-거리다² 자타 轻率 qīngshuài; 冒失 màoshi; 冒昧 màomèi; 愣头愣脑 lèngtóulèngnǎo = 덤벙대다² ¶ 덤벙거리지 말고 자세히 말해보아라 不要冒失, 仔细说说看 덤벙-덤벙² 부하자타

덤벼-들다 자 扑 pū; 扑过来 pūguòlái; 猛扑 měngpū ¶ 어린 놈이 어른한테 덤벼든다 年幼的家伙朝着大人扑了过来

덤불 명 丛莽 cóngmǎng

덤비다 자 **1** 扑 pū; 猛扑 měngpū; 进犯 jìnfàn ¶ 발악적으로 덤비는 적 疯狂猛扑的敌人 **2** 撒野 sāyě ¶ 또 덤비겠느냐? 你还要撒野吗? **3** 慌张 huāngzhāng; 着慌 zhuóhuāng; 惊慌 jīnghuāng; 忙乱 mángluàn; 张皇 zhānghuáng; 愣头愣脑 lèngtóulèngnǎo ¶ 덤비지 말고 문제를 천천히 풀어라 不要着慌, 慢慢解决问题

덤뻑 부 猛然 měngrán; 一下子 yīxiàzi ¶ 물속에 ~ 뛰어들다 一下子跳进水里 / ~ 나서다 猛然挺身而出

덤터기 명 **1** 连累 liánlèi ¶ ~를 쓰다 受连累 **2** 冤枉 yuānwang; 委屈 wěiqū

덤프-트럭(dump truck) 명 自翻车 zìfānchē; 自动倾卸车 zìdòngqīngxièchē

덤핑(dumping) 명 【经】倾销 qīngxiāo ¶ ~판 反倾销 / ~ 정책 倾销政策 / ~ 가격 倾销价格 / ~ 판매 倾销 ¶ 소비자에게 ~ 공세를 펴다 向消费者展开了倾销攻势 / ~ 판정을 받다 被判定为倾销

덥:다 형 热 rè; 暑热 shǔrè ¶ 날씨가 ~ 天气热

덥석 부 猛然 měngrán ¶ 그의 손을 ~ 잡다 猛然抓住他的手

덥석-거리다 부 **1** 猛然 měngrán **2** 大口大口地 dàkǒudàkǒude = 덥석대다 ¶ 주는 대로 덥석거리며 받아먹다 猛然地吃光了给的食物 덥석-덥석 부하

덥수룩-하다 형 厚实 hòushi; 密实 mìshí ¶ 덥수룩한 수염 密实的胡子 덥수룩-이 부

덥히다 형 热 rè; 烧热 shāorè; 温 wēn; 炖 dùn; 烫 tàng (《'덥다'的使动词》) ¶ 반찬을 ~ 热菜

덧- 어미 用于名词词干之前, 表示'重复、添加' ¶ ~신 套鞋 / ~버선 袜套 / ~붙인 조항 附则

덧-나다¹ 자 **1** (病) 加重 jiāzhòng; 更厉害 gènglìhai ¶ 상처가 ~ 伤势加

덧-나다² [자] 長重牙 chángchóngyá ¶이가 ~ 長了重牙

덧-니 [명] 雙重牙 shuāngchóngyá; 重牙 chóngyá; 老虎牙 lǎohǔyá; 虎牙 hǔyá

덧-대다 [타] 再加一層 zài jiā yīcéng ¶널빤지를 ~ 再加一層木板

덧-문(-門) [명] **1** 外層門 wàicéngmén; 風門子 fēngménzi; 閘板 zhábǎn **2** 外層窗 wàicéngchuāng

덧-바르다 [타] 再糊 zàihú; 再抹 zàimǒ ¶진흙을 한 겹 ~ 再糊一層泥

덧-버선 [명] (在布袜上套的) 袜套儿 wàtàor

덧-붙다 [자] **1** 添加 tiānjiā; 附加 fùjiā; 又貼 yòutiē; 附上 fùshàng ¶그림 아래 설명이 덧붙었다 在圖片下附加了說明 **2** 靠 kào; 依靠 yīkào; 挨着 āizhe ¶친척 집에 덧붙어 살다 靠亲戚家生活

덧-셈 [명] 【數】加法 jiāfǎ = 가산(加算)2

덧셈 부호(一符號) 【數】加號 jiāhào = 더하기표·플러스4

덧-신 [명] 套鞋 tàoxié

덧-신다 [타] 再穿 zàichuān ¶양말 위에 덧신을 ~ 在袜子上再穿了套鞋

덧-쓰다 [타] 再蓋上一層 zài gàishàng yīcéng ¶모자 위에 머플러를 ~ 在帽子上再蓋上一層頭巾

덧-양말(一洋襪) [명] 套袜 tàowà

덧-없다 [형] **1** 空虚 kōngxū ¶덧없는 세월 空虚的岁月 **2** 头绪纷繁 tóuxùfēnfán; 零乱 língluàn ¶덧없는 상념 속으로 빠져들다 陷入了零乱的思绪中 **3** 无常 wúcháng ¶사람이 서로 만나고 헤어짐이 ~ 人的聚散离合实在无常

덧없-이 [부]

덧-옷 [명] 罩衣 zhàoyī

덧-입다 [타] 罩 zhào; 再加 zàijiā ¶양복 위에 코트를 덧입었다 西裝上面又罩了一件外套

덧-저고리 [명] 短外衣 duǎnwàiyī; 罩衫 zhàoshān

덧칠-하다(一漆) [타] 再漆一層 zài qī yīcéng; 再刷一層 zài shuā yīcéng ¶색깔을 ~ 再漆一層颜色

덩굴 [명] 【植】藤蔓 téngwàn; 蔓 wàn; 藤 téng = 넝쿨 ¶포도~ 葡萄藤

덩굴-지다 [자] 牽藤 qiānténg ¶지붕 위의 박이 덩굴지어 탐스러운 열매를 맺고 있다 葫芦在屋頂上牽藤, 结出了丰硕的果实

덩그렇다 [형] **1** 高大 gāodà; 聳立

sǒnglì; 高聳 gāosǒng ¶기와집 한 채가 덩그렇게 서 있다 聳立着一幢瓦房 **2** 空荡荡 kōngdàngdàng; 空落落 kōngluòluò ¶방학이라 교실이 덩그렇게 비었다 放假了, 教室里空荡荡的

덩-달다 [자] 随着 suízhe; 跟着 gēnzhe ¶덩달아서 울다 跟着哭

덩덩 [부][자] 冬冬 dōngdōng ¶북소리가 ~ 나다 发出冬冬的鼓声

덩실 [부] 手舞足蹈 shǒuwǔzúdǎo ¶~ 춤을 추다 手舞足蹈跳起了舞

덩실-거리다 [자][타] 手舞足蹈 shǒuwǔzúdǎo = 덩실대다 ¶어깨를 덩실거리며 춤을 추다 耸着肩膀手舞足蹈地跳舞 **덩실-덩실** [부][자][타]

덩실-하다 [형] 高大 gāodà; 巍然 wēirán ¶덩실한 기와집 高大的瓦房

덩어리 [명] **1** 塊 kuài; 團 tuán; 疙瘩 gēda; 錠 dìng ¶흙~ 土疙瘩 / 얼음~ 冰块 / ~가 지다 成块 **2** (量詞) 塊 kuài ¶고기 한 ~ 一块肉 / 수박 한 ~ 一块西瓜

덩어리-지다 [자] 成團 chéngtuán; 成塊 chéngkuài; 成疙瘩 chénggēda ¶덩어리진 흙 成块的泥土 / 밀가루에 물을 부으면 금세 덩어리지다 米粉加水容易成團

덩이 [명] **1** 塊 kuài; 團 tuán; 朵 duǒ; 疙瘩 gēda; 錠 dìng ¶얼음~ 冰块 / 눈~ 雪团 **2** (量詞) 塊 kuài ¶떡 한 ~ 一块年糕

덩치 [명] 軀体 qūtǐ; 体格 tǐgé; 塊头 kuàitóu = 몸집 ¶~가 크다 块头大

덩크 슛(dunk shoot) 【體】(篮球) 扣篮 kòulán

덫 [명] **1** 捕獸器 bǔshòuqì; 弩 jiàng ¶~을 놓다 安設捕獸器 **2** 圈套 quāntào; 陷阱 xiànjǐng; 陷坑 xiànkēng; 陷害窩 xiànhàiwō ¶~에 걸리다 中圈套

덮-개 [명] **1** 被子 bèizi ¶~를 덮다 蓋被子 **2** 蓋 gài; 套子 tàozi; 篷 péng; 罩儿 zhàor ¶항아리 ~ 缸盖 / ~를 씌운 마차 带篷的马车

덮다 [타] **1** 蓋 gài; 覆 fù; 蒙 méng; 遮 zhē; 扣 kòu; 搭 dā; 封 fēng ¶이불을 ~ 蓋被子 2 蓋 fùgài; 弥漫 mímàn ¶눈이 온 세상을 ~ 大雪覆盖着整个世界 **3** 閤 hé ¶책을 ~ 閤上书 **4** 掩蔽 yǎnbì; 隐蔽 yǐnbì; 掩盖 yǎngài; 隐匿 yǐnnì ¶자기의 결함을 덮어두다 掩盖自己的缺点

덮-밥 [명] 蓋饭 gàifàn

덮어-놓다 [타] 不問情由 bùwènqíngyóude; 盲目地 mángmùde; 不管三七二十一 bùguǎnsānqī'èrshíyī; 一味地 yīwèide ¶그는 덮어놓고 화만 낸다 他不管三七二十一只知道发火

덮어-쓰다 [타] **1** 蒙 méng ¶이불을 ~

蒙上被子 / 먼지를 ~ 蒙尘 **2** 蒙受 méngshòu; 遭受 zāoshòu ¶죄를 ~ 遭 受惩罚 / 오명을 ~ 蒙受坏名声

덮어-씌우다 〔타〕 '덮어쓰다'의 사동사

덮-이다 〔자〕 '덮다'의 피동사

덮-치다 〔자·타〕 扑 pū; 捕捉 bǔzhuō; 襲击 xíjī¶굶주린 호랑이가 먹이를 ~ 饿虎扑食 / 태풍이 연해 일대를 덮쳤다 台风袭击了沿海一带 〔자〕加 jiā ¶ 엎친 데 덮친 격이다 祸上加祸

데 〔의명〕 **1** 处 chù ¶갈 ~가 없다 无处 可去 **2** 时 shí ¶머리 아픈 ~에 먹는 약 头疼时吃的药 **3** 方面 fāngmiàn ¶ 노래를 부르는 ~ 소질이 있다 在唱歌 方面很有素质

데- 〔접두〕 用于一部分动词前, 表示 '没有完全……' ¶~삶기다 没有完全 熟 / ~알다 没有完全明白

-데 〔어미〕 用于谓语词词干后的对称阶回 忆叙述式终结形词尾 ¶일이 순조롭게 되~ 事情进展顺利 / 어제는 회의가 있~ 昨天开会了

데구루루 〔부〕 骨碌碌 gǔlùlù ¶산에서 돌이 ~ 굴러내렸다 石头从山上骨碌 碌滚下来

데굴-데굴 〔부·하다〕 骨碌碌 gǔlùlù ¶공 이 ~ 굴러갔다 球骨碌碌滚了下来

-데기 〔접미〕 用于一部分词的词根之 后, 表示 '轻视某种人'的意思 ¶새침 ~ 装蒜的 / 부엌~ 厨娘

데꺽[1] 〔부〕 嘎然 gārán; 咔嚓 kā-chā; 喀哒 kādā ¶기계가 ~하며 멎었 다 机器嘎然停下了

데꺽[2] 〔부·하다·자·타〕 立刻 lìkè; 立即 lìjí; 当即 dāngjí; 马上 mǎshàng ¶끝나 다 马上结束

데꾼-하다 〔형〕 (眼ır 疲劳) 陷进去无 神 xiànjìnqùwúshén ¶눈이 ~ 眼睛陷 进去无神 **데꾼-히** 〔부〕

데:다 〔자·타〕烫 tàng; 烫伤 tàngshāng; 烧伤 shāoshāng ¶손을 ~ 烫手 / 팔을 불에 데었다 胳膊被火烧疼了

데드 볼(dead+ball) 〔체〕= 사구(死 球)

데려-가다 〔타〕 带走 dàizǒu; 领走 lǐng-zǒu ¶아이를 ~ 把孩子带走

데려-오다 〔타〕 带来 dàilái; 领来 lǐng-lái; 招来 zhāolái; 领回 lǐnghuí; 接回 jiēhuí ¶친구를 집에 데려왔다 把朋友 领回了家

데리다 〔타〕 带 dài; 领 lǐng; 带领 dài-lǐng ¶아이를 데리고 공원에 가다 带 着孩子去公园

데릴-사위 〔명〕 赘婿 zhuìxù ¶~를 삼 다 招赘婿

데면-데면 〔부·하다·형〕 **1** 冷淡 lěng-dàn; 不热情 bùrèqíng ¶나에게 ~하다 待我冷淡 **2** 粗心 cūxīn; 粗心大意 cū-

xīn dàyì; 粗枝大叶 cūzhī dàyè; 草率 cǎoshuài ¶그는 ~하여 자주 실수를 저지른다 他很粗心, 总是犯错

데모(demo) 〔명·하다〕 = 시위운동 ¶ ~를 벌이다 举行示威游行

데뷔(프 début) 〔명〕 初次登台 chūcì dēngtái; 初出茅庐 chūchūmáolú; 初露 头角 chūlùtóujiǎo

데생(프 dessin) 〔명〕【美】图画 túhuà; 素描 sùmiáo; 图案 tú'àn

데스크(desk) 〔명〕 **1** 新闻部 xīnwénbù **2** 服务台 fúwùtái

데시-벨(decibel) 〔의명〕【物】分贝 fēnbèi

데우다 〔타〕 暖 nuǎn; 温 wēn; 炖 dùn; 热 rè; 烫 tàng ¶술을 ~ 烫酒 / 남은 반찬을 ~ 热剩菜

데이터(data) 〔명〕 数据 shùjù; 材料 cáiliào

데이터-베이스(database) 〔명〕【컴】 数据库 shùjùkù; 信息库 xìnxīkù; 资料 库 zīliàokù

데이트(date) 〔명·하다〕 约会 yuēhuì; 交 际 jiāojì ¶나는 내일 저녁에 ~가 있다 我明天晚上有约会

데:치다 〔타〕 焯 chāo ¶콩나물을 ~ 焯 豆芽

뎅 〔부〕 当 dāng ¶~ 하는 종소리에 감 짝 놀랐다 被当的钟声吓了一跳

뎅그렁 〔부·하다·자·타〕 当啷 dānglāng; 叮当 dīngdāng ¶~ 울리는 풍경 소리 叮当 的风铃声

뎅그렁-거리다 〔자·타〕 当啷当啷响 dāng-lāngdāngláng xiǎng; 叮当叮当响 dīng-dāngdīngdāng xiǎng = 뎅그렁대다 ¶ 방울을 ~ 铃铛当啷当啷响 **뎅그렁-뎅 그렁** 〔부·하다·자·타〕

도:(度) 〔명〕 程度 chéngdù; 限度 xiàn-dù ¶~가 지나치면 해롭다 超过限度 就会有害 〔의명〕度 dù ¶직각 90°~ 直角90度 / 섭씨 28~ 摄氏28度

도:[1](道) 〔명〕 **1** 道 dào; 道义 dàoyì; 道 德 dàodé ¶~를 어기다 违背道义 **2** 技艺 jìyì; 方法 fāngfǎ **3** 道 dào ¶~를 닦다 修道

도:[2](道) 〔명〕 **1** (行政区) 道 dào ¶전라 북~ 全罗北道 / 경기~ 京畿道 **2** = 도청(道廳)

도(이do) 〔명〕【音】哆 duō

도 〔조〕 **1** 表示 '也、也好、也罢、无 论……也' ¶일~ 중요하지만 건강도 중요하다 工作固然重要, 但健康也很 重要 **2** 表示 '强调, 感叹' ¶참, 신통 ~ 하지 真是妙板了

-도(度) 〔접미〕 年 nián; 年度 niándù ¶금년~ 今年度 / 2008년~ 2008年 度

-도(島) 〔접미〕 岛 dǎo ¶제주~ 济州

島 / 해남 ~ 海南島

-도(徒) 接尾 用于一部分词干之后, 表示'徒、人群' ¶학~ 学生 / 역~ 叛徒

-도(圖) 接尾 图 dú 【설계~ 设计图 / 평면~ 平面图

도가니 名 1 【工】坩埚 gānguō; 熔炉 rónglú 2 (兴奋、激动的) 漩涡 xuánwō 【감격과 흥분의 ~ 激动和兴奋的漩涡中

도강(渡江) 名|하자| 渡江 dùjiāng

도공(陶工) 名 陶工 táogōng = 옹기장이

도:관(導管) 名 1 【植】导管 dǎoguǎn 【나뭇잎의 ~ 树叶的导管 2 管 guǎn; 管子 guǎnzi ¶원유 ~ 原油管

도:교(道教) 名 【宗】道教 dàojiào = 도학(道學)

도:구(道具) 名 1 工具 gōngjù; 用具 yòngjù; 器具 qìjù ¶운반 ~ 运载工具 / 세수 ~ 洗脸用具 / ~를 使用하다 使用工具 2 手段 shǒuduàn 【출세의 ~로 삼다 作为入世的手段

도굴(盜掘) 名|하자| 盗掘 dàojué ¶많은 문화재들이 ~당하고 있다 很多文化遗产正在遭遇盗掘

도그마(dogma) 名 1 教条 jiàotiáo; 教理 jiàolǐ 2 【宗】教条 jiàotiáo

도:금(鍍金) 名|하자타| 【工】镀金 dùjīn ¶~ 공예 镀金工艺 / ~ 반지 镀金戒指

도급(都給) 名 1 承包 chéngbāo; 包活 bāohuó; 包工 bāogōng; 包干 bāogàn; 承办 chéngbàn ¶~량 包工量 / ~을 주다 包工 / 빌딩 짓는 것을 ~으로 맡다 承建建筑 2 【法】= 도급 계약

도급 계:약(都給契約) 【法】承包合同 chéngbāo hétong = 도급2

도기(陶器) 名 陶器 táoqì = 오지그릇

도깨비 名 鬼 guǐ; 鬼怪 guǐguài ¶~장난 捣鬼

도:끼 名 斧子 fǔzi; 斧头 fǔtou

도:끼-눈 名 怒目 nùmù ¶~으로 쏘아보다 怒目而视

도:끼-질 名|하자| (用斧头) 劈 pī; 砍 kǎn ¶~을 하다 劈柴

도난(盜難) 名 失窃 shīqiè; 失窃 shīqiè; 被盗 bèidào ¶~을 当하다 被盗

도넛(doughnut) 名 炸面圈 zhámiànquān; 多纳饼 duōnàbǐng; 多纳圈 duōnàquān

도다리 名 【魚】木叶蝶 mùyèdié

도닥-거리다 他 捶打 chuídǎ; 拍打 pāidǎ ¶등을 ~ 拍背 **도닥-도닥** 副

도:달(到達) 名|하자자| 到达 dàodá; 达到 dádào ¶목적지에 ~하였다 到达目的地

도당(徒黨) 名 匪帮 fěibāng; 集团 jí-

団; 党徒 dǎngtú; 伙 huǒ; 党羽 dǎng-yǔ

도-대체(都大體) 副 1 到底 dàodǐ; 究竟 jiūjìng ¶~ 어딜 갔어요? 你到底去哪里了? 2 根本 gēnběn ¶~ 무슨 말인지 모르겠다 根本不知道你说的是什么

도:덕(道德) 名 道德 dàodé ¶~관 道德观 / ~성 道德性 / ~심 道德心 / ~의식 道德意识

도-하다(倨-) 形 傲慢 àomàn; 高傲 gāo'ào; 孤傲 gū'ào ¶도도한 여자 高傲的女人 / 태도가 ~ 态度傲慢 **도:도-히** 副

도도-하다(滔滔-) 形 1 滔滔 tāotāo ¶도도하게 흐르는 강물 滔滔流淌的河水 2 滔滔不绝 tāotāobùjué ¶도도한 웅변 滔滔不绝的辩论 3 不可遏制 bù-kě'èzhì; 势不可挡 shìbùkědǎng ¶도도한 추세 势不可挡的趋势 **도도-히** 副

도돌이-표(一標) 名 【音】反始记号 fǎnshǐjìhào

도둑 名 窃贼 qièzéi; 贼盗 zéidào; 贼 zéi = 도적 ¶~을 잡다 捉贼
도둑이 제 발 저리다 俗语 做贼心虚

도둑-고양이 名 野猫 yěmāo

도둑-놈 名 毛贼 máozéi; 小偷 xiǎotōu

도둑-맞다 他 被盗窃 bèidàoqiè; 被偷 bèitōu ¶지갑을 도둑맞았다 钱包被偷了

도둑-질 名|하타| 偷 tōu; 偷盗 tōudào; 盗窃 dàoqiè ¶남의 지갑을 ~하다 偷别人的钱包

도드라-지다 自 1 鼓起 gǔqǐ; 隆起 lóngqǐ; 翘起 qiáoqǐ; 突出 tūchū ¶도드라진 입술 翘起的嘴唇 2 显著 xiǎnzhù; 显然 xiǎnrán; 突出 tūchū; 明显 míngxiǎn ¶학생들과 섞여 있어도 그의 모습은 항상 도드라진다 就算和学生们在一起, 他的面貌也是经常突出的

도라지 名 【植】桔梗 jiégěng ¶~나물 桔梗菜 / ~를 캐다 挖桔梗

도:락(道樂) 名 1 爱好 àihào; 癖好 pǐhào; 嗜好 shìhào ¶화초 가꾸는 일을 ~으로 삼다 把侍弄花草当成爱好 2 吃喝嫖赌 chīhēpiáodǔ; 放荡 fàngdàng; 不务正业 bùwùzhèngyè ¶~에 빠지다 沉迷于吃喝嫖赌

도란-거리다 自 窃窃私语 qièqièsīyǔ; 窃窃耳语 qièqiè'ěryǔ = 도란대다 ¶오랜만에 만난 친구와 밤새도록 ~ 熬夜和好久不见的朋友窃窃私语 **도란-도란** 副|하자|

도랑 名 沟 gōu; 水沟 shuǐgōu; 水渠 shuǐqú; 沟渠 gōuqú ¶~을 치다 掏水沟

도:래(到來) 名|하자자| 到来 dàolái; 来临 láilín ¶신시대의 ~ 新时代的到来 / 국

제화 시대가 ~하다 来临国际化时代

도:량(度量) 명·하타 1 度量 dùliàng; 胸襟 xiōngjīn; 气量 qìliàng; 器量 qìliàng ¶~이 크다 有度量 2 (测量长度要跟重量的) 度和量 dù hé liàng

도량(跳梁) 명·하자 猖獗 chāngjué; 猖狂 chāngkuáng ¶소매치기가 ~하다 小偷猖狂

도:량-형(度量衡) 명 度量衡 dùliàng-héng

도려-내다 타 剜 wān; 挖 wā ¶칼로 감자의 싹을 ~ 拿刀子剜掉土豆的芽

도:련 명 底摆 dǐbǎi; 下摆 xiàbǎi ¶~을 조절할 수 있는 재킷 可调节下摆的茄克

도련-님 명 1 公子 gōngzǐ; 少爷 shàoye 2 嫂子对小叔的尊称

도:령 명 公子 gōngzǐ; 少爷 shàoye

도로 부 1 还 huán; 回 huí; 复返 fùfǎn; 返回 fǎnhuí ¶그들은 다음날 ~ 돌아왔다 他们第二天返回来了 2 还 huán; 还原 huányuán ¶나는 그가 내게 준 선물을 ~ 그에게 돌려주었다 我把他给我的礼物还给他

도로(徒劳) 명 徒劳 túláo; 白劳 báiláo ¶몇 년간의 노력이 모두 ~에 그치다 这几年的努力都是白劳的

도:로(道路) 명 公路 gōnglù; 道路 dàolù; 马路 mǎlù; 路径 lùjìng ¶고속-高速公路 / ~망 道路网 / ~를 가로지르다 穿过马路

도로 표지(道路標識) 교 = 교통안전 표지

-도록 어미 用于谓词词干之后的连接词尾，表示程度或目的 1 밤이 공부하느라 学习到深度 / 입이 닳~ 얘기했는데 역시나 반응이 없다 说了半天，还是没有反应

도롱뇽 명 动 鲵 ní; 鲵鱼 níyú; 东北小鲵 dōngběi xiǎoní

도롱이 명 蓑衣 suōyī ¶~를 걸치다 披蓑衣

도료(塗料) 명 涂料 túliào; 油漆 yóuqī; 颜料 yánliào ¶방수 ~ 防水涂料 / 분말 ~ 粉末涂料

도루(盗壘) 명·하자 体 盗垒 dàolěi ¶~를 시도하다 试图盗垒

도루-묵 명 鱼 银鱼 yínyú; 反目鱼 fǎnmùyú

도륙(屠戮) 명·하타 屠杀 túshā; 杀戮 shālù = 도살 ¶~이 나다 遭屠杀

도르다 타 1 围起 wéiqǐ ¶돌담을 돌리다 围起石墙 2 暂借 zànjiè; 挪用 nuóyòng ¶임시로 공금을 돌라 쓰다 临时挪用公款 3 欺骗 qīpiàn ¶달콤한 말로 사람을 돌라대다 用甜言蜜语欺骗人家 4 分发 fēnfā; 分送 fēnsòng; 分给 fēngěi ¶복숭아를 친구들에게 돌라

주다 把水蜜桃分给朋友们

도르래 명 物 滑车 huáchē; 滑轮 huálún ¶~를 이용해 물건을 옮기다 利用滑车搬东西

도르르[1] 명 嘟噜噜 dūlūlū ¶신문을 말다 把新闻嘟噜噜卷起来

도르르[2] 명 骨碌碌 gūlūlū; 刷啦啦 shuālālā ¶진주가 쟁반 위를 ~ 굴러다 珍珠在盘子上骨碌碌滚动

도리 명 建 檩条 lǐntiáo; 檩子 lǐnzi

도:리(道理) 명 1 道理 dàolǐ; 道义 dàoyì; 情理 qínglǐ ¶~에 맞다 有道理 / ~에 맞지 않다 不合情理 2 方法 fāngfǎ; 办法 bànfǎ; 途径 tújìng ¶나도 별다른 ~가 없다 我也没有别的办法

도리깨 명 农 连枷 liánjiā

도리깨-질 명·하타 用连枷打场

도리다 타 剜 wān; 挖 wā ¶복숭아의 상한 부분을 ~ 把水蜜桃烂掉的部分剜掉 2 删去 shānqù ¶표제를 ~ 删去标题

도리-도리 명 摇摇摆摆 yáotóu yáotóu 《小孩摇头的动作》

도리-머리 명·하자 1 摇头 yáotóu 《表示否定或拒绝》= 도리질2 ¶약을 먹이려고 하면 ~을 친다 要给他吃药，他就摇头 2 = 도리질1

도리어 부 反倒 fǎndào; 反而 fǎn'ér; 却 què; 倒是 dàoshì; 倒 dào ¶늦은 것이 ~ 잘됐다 迟到了反倒好了

도리-질 명 1 (婴儿) 学摇头 xuéyáotóu = 도리머리2 2 = 도리머리1

도:립(道立) 명 道立 dàolì ¶~ 자연공원 道立自然公园

도마 명 菜板 (儿) càibǎn(r); 案板 ànbǎn; 墩子 dūnzi; 砧板 zhēnbǎn

도마-뱀 명 动 蜥蜴 xīyì; 蜥虎 xīhǔ; 四脚蛇 sìjiǎoshé

도막 명 1 片 piàn ¶나무 ~ 木片 2 段 duàn; 块 kuài ¶철사 두 ~ 两段铁丝 / 돼지고기 한 ~ 一块猪肉

도막-도막 명 段段 duànduàn; 块块 kuàikuài; 片片 piànpiàn ¶감자를 ~ 썰다 把土豆片片切段

도망(逃亡) 명·하자 逃跑 táopǎo; 逃走 táozǒu; 逃走 táozǒu = 도주 ¶강도가 ~을 가다 强盗逃走

도망-가다(逃亡-) 자 = 도망치다

도망-치다(逃亡-) 자 逃走 táozǒu; 逃奔 táopǎo; 逃奔 táopǎo = 도망가다 ¶살인범이 ~ 凶手逃奔

도-맡다 타 承担 chéngdān; 包办 bāobàn; 총担 chéngdān; 主管 zhǔguǎn ¶네가 책임을 도맡을 필요 없다 你不需承担责任 / 판매를 ~ 主管销售

도매(都賣) 명·하타 批发 pīfā ¶~가격 批发价格 / ~상 批发商业 / ~업 批发业 / ~점 批发店 / 시장 批发市场

도면(圖面) 명 图纸 túzhǐ; 图样 túyàng ¶건축 ~ 建筑图纸 / 기계 ~ 机械图纸

도모(圖謀) 명하타 谋谋 móu; 图谋 túmóu; 策划 cèhuà ¶살 길을 ~하다 谋生

도무지 閈 1 根本 gēnběn; 非常 fēicháng = 도통(都統)曰1 ¶그의 말은 ~ 믿을 수가 없다 他的话根本不能相信 2 完全 wánquán; 全然 quánrán = 도통(都統)曰2 ¶나는 그 일에 대해 ~ 아는 바가 없다 我对那件事完全没有把握

도:미(魚) 명 真鲷 zhēndiāo; 鲷鱼 diāoyú; 加吉鱼 jiājíyú

도미노(domino) 명 1 多米诺(骨牌) duōmǐnuò 2 多米诺现象 duōmǐnuò xiànxiàng ¶이번 조사로 야기된 ~ 현상 本次调查引发的多米诺现象

도민(島民) 명 岛民 dǎomín; 岛上的居民 dǎoshàngde jūmín

도박(賭博) 명하자 1 = 노름 ¶인터넷에서 ~을 하다 网上赌钱 2 冒险 màoxiǎn ¶주식은 ~이다 股票是冒险

도박-꾼(賭博一) 명 赌博 dǔchǎng; 赌局 dǔjú

도박-장(賭博場) 명 赌场 dǔchǎng; 赌局 dǔjú

도박-판(賭博一) 명 = 노름판

도발(挑發) 명하타 挑衅 tiǎoxìn; 挑拨 tiǎobō; 挑动 tiǎodòng ¶전쟁 ~ 战争挑拨

도발-적(挑發的) 관명 挑衅性 tiǎoxìnxìng; 挑动性的 tiǎodòngxìng ¶~인 말과 행동 挑衅性的语言与行动

도배(徒輩) 명 帮派 bāngpài; 团伙 tuánhuǒ

도배(塗褙) 명하타 裱糊 biǎohú ¶~장이 裱糊匠 / ~지 裱糊纸 / 천장을 ~하다 裱糊天花板

도벌(盜伐) 명하타 盗伐 dàofá; 滥伐 lànfá; 偷伐 tōufá ¶나무를 ~하다 盗伐树木

도벽(盜癖) 명 盗窃癖 dàoqièpǐ; 偷盗癖 tōudàopǐ ¶~이 있다 有盗窃癖

도보(徒步) 명하자 徒步 túbù; 走着去 zǒuzheqù ¶그는 매일 ~로 학교에 간다 他每天走着去学校

도:복(道服) 명 道袍 dàopáo; 道服 dàofú

도:붓-장사(到付一) 명하자 行商 xíngshāng; 跑单帮 pǎo dānbāng; 流动贩卖 liúdòng fànmài = 행상1

도:붓-장수(到付一) 명 行商 xíngshāng; 货郎 huòláng; 小贩 xiǎofàn; 单帮 dānbāng = 행상2・행상인

도:사(道士) 명 1 修道者 xiūdàozhě 道인1 2 道教信者 dàojiào xìnzhě 3 行家 hángjiā ¶컴퓨터라면 그가 ~이다

요 说电脑, 他是个行家

도:사(導師) 명【宗】导师 dǎoshī

도사리다 자타 1 盘 pán ¶그는 다리를 도사리고 앉아 신문을 보고 있다 他盘腿坐着看报纸 2 镇定 zhèndìng; 振作 zhènzuò ¶마음을 도사리고 임무를 완성하다 振作精神, 完成任务 3 蹲踞 pánjù; 踞 jù ¶산속에 도사리고 있는 도적을 소탕하다 讨伐盘踞在山中的盗贼 4 隐藏 yǐncáng ¶성공으로 가는 길목에는 많은 어려움이 도사리고 있다 到成功的路上隐藏着很多困难

도:산(倒産) 명하자 破产 pòchǎn; 倒闭 dǎobì ¶~의 위기에 직면하고 있다 面临着破产的危机

도살(屠殺) 명하타 1 = 도륙 2 宰杀 zǎishā; 屠宰 túzǎi ¶가축을 ~하다 宰杀家畜

도살-장(屠殺場) 명 屠场 túchǎng; 屠宰场 túzǎichǎng = 도축장

도:상(道上・途上) 명 1 道上 dàoshàng; 途上 túshàng 2 途中 túzhōng

도색(桃色) 명 1 桃红色 táohóngsè 2 色情 sèqíng ¶~ 소설 色情小说 / 잡지 色情杂志

도서(島嶼) 명 岛屿 dǎoyǔ ¶크고 작은 ~ 大小岛屿

도서(圖書) 명 图书 túshū ¶외국 ~ 外国图书 / 출판 ~ 出版图书 / ~관 图书馆 / ~실 图书室

도:선(導線) 명 导线 dǎoxiàn

도성(都城) 명 都城 dūchéng; 京城 jīngchéng ¶~을 옮기다 迁都城

도:수(度數) 명 1 次数 cìshù; 回数 huíshù ¶~가 줄다 减少次数 2 度数 dùshù ¶~가 높은 안경 度数高的眼镜 / 알코올 ~가 높은 술 酒精度数高的酒 3 程度 chéngdù ¶~가 갈수록 높아지다 程度变来越高

도수(徒手) 명 徒手 túshǒu; 空手 kōngshǒu

도:술(道術) 명 道术 dàoshù; 妖术 yāoshù ¶~을 부리다 施展道术

도시(都市) 명 城市 chéngshì; 都市 dūshì ¶~ 생활 都市生活 / ~가스 城市煤气 / ~인 城市人

도시(圖示) 명하타 图示 túshì; 图解 túhuì

도시락 명 盒饭 héfàn; 饭盒 fànhé ¶보온 ~ 保温饭盒 / 점심에 ~을 먹다 中午吃盒饭

도식(徒食) 명하자 游手好闲 yóushǒuhàoxián; 光吃不做 guāngchībúzuò ¶~闲饭 chīxiánfàn ¶무위~하다 光吃不做事

도식(圖式) 명 图形 túxíng; 图式 túshì; 图样 túyàng ¶~화 图式化 / ~으

로 개괄하다 概括为图式

도심(都心) 图 城市中心 chéngshì zhōngxīn

도안(圖案) 图 图案 tú'àn ¶의상 ~ 服装图案 / 문신 ~ 纹身图案

도야(陶冶) 图하타 陶冶 táoyě

도약(跳躍) 图하짜 1 跳跃 tiàoyuè ¶~ 운동 跳跃运动 2 跃入 yuèrù; 跃进 yuèjìn ¶자동차 산업의 눈부신 ~ 汽车产业的飞速跃进

도열(堵列) 图하짜 排成一列 páichéng yìliè ¶아이들을 ~시키다 让孩子排成一列

도예(陶藝) 图 【手工】陶艺 táoyì; 陶瓷艺术 táocí yìshù ¶~가 陶艺家 / ~작품 陶艺作品

도와-주다 타 帮助 bāngzhù; 援助 yuánzhù; 协助 xiézhù; 帮忙 bāngmáng; 接济 jiējì ¶외국인을 ~ 帮助外国人

도-외-시(度外視) 图하타 无视 wúshì; 忽视 hūshì; 视之度外 shìzhīdùwài; 置之度外 zhìzhīdùwài; 置之不理 zhìzhībùlǐ ¶현실을 ~하는 태도 无视现实的态度

도요-새 图 【鳥】鹬 yù

도용(盜用) 图하타 盗用 dàoyòng ¶자금을 ~하다 盗用资金 / 문장을 ~하다 盗用文章

도우미 图 导姐 dǎojiě

도움 图 帮助 bāngzhù; 援助 yuánzhù ¶그들은 지금 우리의 ~이 필요하다 他们现在需要我们的帮助

도움-말 图 忠告 zhōnggào; 建议 jiànyì

도읍(都邑) 图 1 京都 jīngdū; 首都 shǒudū; 都城 dūchéng ¶~지 首都 2 定都 dìngdū 3 城镇 chéngzhèn; 小城市 xiǎochéngshì

도:의(道義) 图 道义 dàoyì ¶이런 행동은 ~에 어긋난다 这种举动违背道义

도:-인(道人) 图 = 도사(道士)1

도:입(導入) 图하타 导入 dǎorù; 采用 cǎiyòng; 引进 yǐnjìn ¶새로운 업무 방식을 ~하다 采用新的工作方式

도자-기(陶瓷器) 图 陶瓷器 táocíqì; 陶瓷 táocí

도:장(道場) 图 1 练武场 liànwǔchǎng 2 【佛】道场 dàochǎng

도장(圖章) 图 印 yìn; 章 zhāng; 印章 yìnzhāng; 图章 túzhāng; 戳子 cuīzi; 戳 cuī = 인(印)1·인장 ¶~을 찍다 盖章

도:저-하다(到底一) 图 1 彻底 chèdǐ; 精深 jīngshēn; 精通 jīngtōng ¶그는 한 방 의학에 ~ 他对中医很精通 2 严谨 yánjǐn; 一丝不苟 yīsībùgǒu ¶도저한

행동 严谨的动作

도:-저-히(到底一) 图 无论如何 wúlùnrúhé; 怎么也 zěnmeyě ¶~ 포기할 수 없다 无论如何不能放弃

도적(盜賊) 图 盗贼 dàozéi; 盗匪 dàofěi; 贼 zéi; 小偷 xiǎotōu; 草寇 cǎokòu = 도둑

도전(挑戰) 图하짜 挑战 tiǎozhàn; 挑衅 tiǎoxìn ¶~자 挑战者 / ~장 挑战书 / ~에 직면하다 面临挑战 / 운명에 ~ 向命运挑战

도정(搗精) 图 搗米 dǎomǐ; 碾米 niǎnmǐ

도제(徒弟) 图 = 제자

도주(逃走) 图 = 도망

도-중(途中) 图 1 途中 túzhōng; 路上 lùshang; 中途 zhōngtú ¶출근하는 ~에 车 사고가 나다 上班的路上遇车祸 2 正在 zhèngzài; ⋯的时候 ⋯deshíhou; 时 shí ¶운전 ~에는 휴대폰을 사용할 수 없다 开车的时候不能使用手机

도:지다[1] 图 1 复发 fùfā ¶비염이 ~ 复发鼻炎 = 동하다3 2 发火 fāhuǒ ¶그의 얼굴을 보니 부아가 도진다 一看他的脸，就有发起火来 3 再次发作 zàicì fāzuò ¶그의 도벽이 다시 도졌다 他的盗癖再次发作了

도:지다[2] 图 1 狠狠地 hěnhěnde ¶그는 아들을 도지게 때렸다 他狠狠地揍了一顿儿子 2 结实 jiēshi; 健壮 jiànzhuàng ¶그는 팔뚝이 바윗돌처럼 ~ 他的手臂像岩石般地很健壮

도:-지사(道知事) 图 道知事 dàozhīshì

도:착(到着) 图하짜 到 dào; 到达 dàodá; 抵达 dǐdá ¶그들은 미국에 ~했다 他们到达了美国

도:착-순(到着順) 图 以到达时间为顺 yǐ dàodá shíjiān wéi shùn ¶입장은 ~으로 한다 入场以到达时间为顺

도:착-지(到着地) 图 目的地 mùdìdì

도:처(到處) 图 到处 dàochù; 处处 chùchù ¶~에 쓰레기가 널려있다 到处都是垃圾

도:청(道廳) 图 道办公厅 dàobàngōngtīng = 도2(道)2

도청(盜聽) 图하타 盗听 dàotīng; 偷听 tōutīng ¶~기 盗听器 / 휴대폰을 ~하다 盗听手机

도체(導體) 图 【物】导体 dǎotǐ

도축(屠畜) 图하타 屠宰家畜 túzǎi jiāchù

도축-장(屠畜場) 图 = 도살장

도:출(導出) 图하타 导出 dǎochū; 得出 déchū; 找出 zhǎochū ¶결론을 ~하다 得出结论

도취(陶醉) 图하짜 1 (酒) 醉 zuì ¶그는 술에 ~하여 노래를 부르기 시작했

다 他喝醉酒唱起歌来了 **2** 陶醉 táozuì; 沉醉 chénzuì; 冲昏头脑 chōnghūntóunǎo ¶아름다운 음악에 ～되다 沉醉在美丽的音乐中

도:치(倒置) 倒置 dàozhì; 倒装 dàozhuāng ¶위에서 아래로 ～되다 从上向下倒置

도탄(塗炭) 涂炭 tútàn; 水深火热 shuǐshēn huǒrè ¶～에 빠진 인생 涂炭的生灵

도탑다 深厚 shēnhòu ¶우정가 ～ 友情深厚

도태(淘汰) 淘汰 táotài ¶약자를 ～시키다 淘汰弱者

도토리(橡子) 橡子 xiàngzǐ; 橡实 xiàngshí ¶～묵 橡子凉粉

　도토리 키 재기 □ 彼此彼此

도톨-도톨 튀(하형)(物体表面) 麻麻 má; 不光滑 bùguānghuá ¶등 뒤에 여드름 같은 것이 몇 개 생겨서 만지면 ～하다 后背上长出了一些像痘痘的东西, 摸起来麻麻的

도톰-하다 형 厚 hòu ¶도톰한 입술 厚嘴唇 **도톰-히** 튀

도통(都統) 日합 = 도합 日튀 = 1 = 도무지1 2 = 도무지2

도:통(道通) 深明事理 shēnmíng shìlǐ; 精通 jīngtōng; 通晓 tōngxiǎo ¶고전 음악에 ～하다 他精通古典音乐

도판(圖板) 명 [印] 图板 túbǎn

도포(塗布) 명(하타) 涂抹 túmǒ

도:포(道袍) 명 道袍 dàopáo

도표(圖表) 명 图表 túbiǎo

도피(逃避) 명(하자) **1** 逃避 táobì; 逃遁 táodùn ¶～생활 逃避生活 **2** 回避 huíbì; 闭目塞听 bìmù sāitīng ¶현실에서 ～하다 回避现实

도핑 테스트(doping test) [體] = 약물 검사

도하(渡河) 명(하타) 渡河 dùhé ¶～ 공정 渡河工程

도:학(道學) 명 **1** 道学 dàoxué **2** [宗] = 도교

도:-함수(導函數) 명 [數] 导数 dǎoshù

도합(都合) 명 总共 zǒnggòng; 一共 yígòng; 归总 guīzǒng = 도통(都統)日 ¶～ 몇 분이십니까? 你们总共有几个人?

도해(圖解) 명(하타) 图解 tújiě; 图示 túshì

도형(圖形) 명 **1** 图形 túxíng **2** 图式 túshì

도홍(桃紅) 명 = 도홍색

도홍-색(桃紅色) 명 桃红色 táohóngsè = 도홍

도화(桃花) 명 桃花 táohuā

도화(圖畵) 명 **1** 图画 túhuà **2** 画画 huàhuà

도:화(導火) 명 **1** 导火 dǎohuǒ **2** 事因 shìyīn

도:화-선(導火線) 명 **1** 导火线 dǎohuǒxiàn; 导火索 dǎohuǒsuǒ; 药捻儿 yàoniǎnr ¶～에 불을 붙이다 点燃导火线 **2** 事因 shìyīn; 导火线 dǎohuǒxiàn ¶제2차 세계대전의 ～ 第二次世界大战的导火线

도화-지(圖畵紙) 명 图画纸 túhuàzhǐ

도회(都會) 명 总会 zǒnghuì

도회-지(都會地) 명 城市 chéngshì; 都市 dūshì; 都会 dūhuì

독 명 缸 gāng; 缸子 gāngzi; 瓮 wèng ¶쌀～ 米缸 ¶～에 넣어 보관하다 放在大瓮里储藏

　독 안에 든 쥐 □ 瓮中之

독(毒) 명 **1** 毒 dú ¶～을 없애다 消毒 **2** = 독약 **3** = 독기1 **4** = 해독(害毒)

독(獨) 접두 独 dú; 单 dān ¶～자 独生子 / ～차지하다 独占

독-가스(毒gas) 명 [化] 毒气 dúqì; 毒瓦斯 dúwǎsī ¶유독 가스

독감(毒感) 명 **1** 重感冒 zhòng gǎnmào ¶～에 걸렸다 得了重感冒 **2** [醫] = 유행성 감기

독-개미(毒—) 명 [蟲] 毒蚂蚁 dúmǎyǐ

독거(獨居) 명(하자) 独居 dújū ¶～노인 独居老人

독-그릇 명 陶器 táoqì

독-극물(毒劇物) 명 毒物 dúwù

독기(毒氣) 명 **1** 毒气 dúqì ¶～가 온몸에 퍼지다 毒气散满全身 **2** 怒气 nùqì; 杀气 shāqì = 독(毒)3 ¶～를 뿜다 消灭怒气 / 눈에 ～가 뚜렷하다 眼神突出杀气

독-나비(毒—) 명 [蟲] 毒蛾 dú'é

독녀(獨女) 명 独生女 dúshēngnǚ

독단(獨斷) 명(하자) **1** 独断 dúduàn; 专断 zhuānduàn; 擅自 shànzì; 武断 wǔduàn ¶～으로 결정하다 擅自决定 **2** [哲] 独断 dúduàn

독려(督勵) 명(하타) 督促鼓励 dūcù gǔlì

독립(獨立) 명(하자) 独立 dúlì ¶～국 独立国家 / ～군 独立军 / ～심 独立心 / ～운동 独立运动

독-무대(獨舞臺) 명 所向无敌 suǒxiàng wúdí; 无敌的赛场 wúdíde sàichǎng; 独擅胜场 dúshàn shèngchǎng; 独占鳌头 dúzhàn áotóu ¶이번 시합은 그녀의 ～였다 这次比赛她独擅胜场了

독물(毒物) 명 毒物 dúwù; 毒品 dúpǐn

독-바늘(毒—) 명 毒针 dúzhēn

독방(獨房) 명 单人房 dānrénfáng; 单

독배(毒杯) 몡 毒杯 dúbēi; 毒酒 dújiǔ ¶~를 들다 喝了毒酒

독백(獨白) 몡하자 1 自言自语 zìyánzìyǔ 2 [演] 独白 dúbái = 모놀로그

독백-체(獨白體) 몡 [文] 独白体 dúbáitǐ

독-버섯(獨—) 몡 [植] 毒蕈 dúxùn

독-벌(毒—) 몡 [虫] 毒蜂 dúfēng

독보-적(獨步的) 관몡 独步(的) dúbù-(de) ¶~인 업적을 쌓다 取得独步的业绩

독본(讀本) 몡 读本 dúběn

독불-장군(獨不將軍) 몡 1 独断专行者 dúduàn zhuānxíngzhě ¶그는 ~이라서 다른 사람의 말을 듣지 않는다 他是独断专行者, 不听别人的话 2 孤独的人 gūdúde rén; 孤立无援者 gūlìwúyuánzhě ¶그는 친구 하나 없는 ~이 되었다 他是身边没有一个朋友的孤立无援者 3 独木不成林 dúmùbùchénglín; 独木难支 dúmùnánzhī; 光杆司令 条不起舞来 guānggǎnsīlìng tiáobùqǐwǔlái ¶~이란 말처럼 서로 도와야 한다 独木不成林, 要互相帮助

독사(毒蛇) 몡 毒蛇 dúshé

독살(毒殺) 몡하자 毒死 dúsǐ ¶~당하다 被毒死

독살(毒煞) 몡 凶狠 xiōnghěn; 狠毒 hěndú; 怒气 nùqì ¶~이 가득차다 怒气冲冲

독서(讀書) 몡하자 读书 dúshū; 念书 niànshū

독선(獨善) 몡 独善 dúshàn ¶~주의 独善主义

독설(毒舌) 몡 挖苦话 wākǔhuà; 刻薄话 kèbáohuà; 刻毒话 kèdúhuà ¶한바탕 ~을 듣다 听到一连串的刻毒话

독성(毒性) 몡 毒性 dúxìng; 毒质 dúzhì

독소(毒素) 몡 [化] 毒素 dúsù

독수(毒手) 몡 毒手 dúshǒu ¶~를 쓰다 下毒手 ¶ 당하다 免遭毒手

독수-공방(獨守空房) 몡 独守空房 dúshǒu kōngfáng

독-수리(禿—) 몡 [鳥] 秃鹫 tūjiù; 老雕 lǎodiāo

독식(獨食) 몡하자 1 吃独食 chīdúshí 2 独占 dúzhàn ¶이익을 ~하다 独占利益

독신(獨身) 몡 独身 dúshēn; 单身 dānshēn ¶~ 자녀 独身子女 / ~ 여성 独身女人 / ~주의 独身主义

독실(獨室) 몡 = 독방

독실-하다(篤實—) 톙 笃实 dǔshí; 笃厚 dǔhòu

독심(毒心) 몡 恶意 èyì

독심-술(讀心術) 몡 读心术 dúxīnshù

독액(毒液) 몡 毒液 dúyè

독야청청(獨也青青) 몡톙 独守节操 dúshǒu jiécāo

독약(毒藥) 몡 毒药 dúyào = 독(毒)2

독어(獨語) 몡 [語] = 독일어

독음(讀音) 몡 1 读书声 dúshūshēng 2 (汉字的) 读音 dúyīn ¶한자 ~ 汉字读音

독일(獨逸) 몡 [地] 德国 Déguó; 德意志 Déyìzhì

독일-어(獨逸語) 몡 [語] 德语 Déyǔ = 독어

독자(獨子) 몡 = 외아들 ¶그는 4대 ~이다 他是四代独子

독자(讀者) 몡 读者 dúzhě ¶~란 读者栏 / ~층 读者层

독재(獨裁) 몡하자 1 独裁 dúcái; 专政 zhuānzhèng 2 [政] = 독재 정치

독재 정치(獨裁政治) [政] 独裁政治 dúcái zhèngzhì = 독재2

독점(獨占) 몡하자 1 = 독차지 2 [經] 独占 dúzhàn; 垄断 lǒngduàn ¶시장을 ~하다 独占市场

독종(毒種) 몡 1 恶汉 èhàn 2 恶种 èzhǒng

독주(毒酒) 몡 1 烈酒 lièjiǔ 2 毒酒 dújiǔ

독주(獨走) 몡하자 1 一个人跑 yīgèrén pǎo ¶마라톤은 외롭게 ~하는 경기이다 马拉松是一个人单独跑的比较孤独的比赛 2 (竞走时) 领先 lǐngxiān ¶우리 팀은 계속 ~하여 우승을 차지했다 我队一路领先, 得了冠军 3 单独行动 dāndú xíngdòng ¶우리는 그의 ~를 견제해야 한다 我们应该牵制他的单独行动

독주(獨奏) 몡하타 [音] 独奏 dúzòu ¶바이올린 ~ 小提琴独奏 / ~곡 独奏曲 / ~회 独奏会

독지-가(篤志家) 몡 笃志家 dǔzhìjiā; 慈善家 císhànjiā ¶한 ~가 일억 위안을 기부했다 一位慈善家捐赠了一亿元

독-차지(獨—) 몡하타 独占 dúzhàn; 垄断 lǒngduàn; 独霸 dúbà; 独占 dúzì zhànyǒu = 독점1 ¶이익을 ~하다 独占利益

독창(獨唱) 몡하자타 [音] 独唱 dúchàng

독창(獨創) 몡하타 独创 dúchuàng ¶~력 独创力 / ~성 独创性 / ~회 独唱会 / 이것은 그가 ~한 기계이다 他独创的机器

독창-적(獨創的) 관몡 独创(的) dúchuàng-(de) ¶~ 사고 独创的思考 / ~인 발명품 独创的发明物

독-채(獨—) 몡 1 独院 dúyuàn 2 单独的房屋 dāndúde fángwū = 독챗집

독챗-집(獨—) 몡 = 독채2

독초(毒草) 몡 1 = 독풀 2 厉害的香烟 lìhaide xiāngyān

독촉(督促) 몡하타 催 cuī; 促使 cuīshǐ ¶아이들에게 방을 치우라고 ～하다 催促孩子收拾房间

독충(毒蟲) 몡 毒虫 dúchóng ¶～에게 물리다 被毒虫咬了

독침(毒針) 몡 1【蟲】毒刺 dúcì 2 毒针 dúzhēn

독침(獨寢) 몡하자 1 独寝 dúqǐn 2 分居 fēnjū

독특(獨特) 몡하형 특 独特 dútè; 特异 tèyì ¶～한 냄새 特异的气味 / 이름이 ～하다 名字独特

독파(讀破) 몡하타 读破 dúpò; 读完 dúwán ¶그는 단숨에 소설책 한 권을 ～했다 他一口气读完了一本小说

독풀(毒一) 몡 毒草 dúcǎo = 독초1

독하다(毒一) 혱 1 有毒气 yǒu dúqì 2 浓烈 nóngliè; 烈 liè; 刺鼻 cìbí ¶코를 찌르는 독한 냄새를 맡다 闻到刺鼻的味道 3 심하다 hěndú ¶그녀가 이렇게 독할 줄 몰랐다 不知道她竟如此狠毒 4 坚强 jiānqiáng ¶다이어트는 정말 마음을 독하게 먹어야 한다 减肥是真的该有坚强的意志

독학(獨學) 몡하타 自学 zìxué; 自修 zìxiū

독해(讀解) 몡하타 读解 dújiě; 读懂 dúdǒng ¶～력 读解能力 / 이 책은 ～하기 어렵다 这本书不容易读懂

독행(獨行) 몡하자 1 独行 dúxíng 2 独立自主 dúlì zìzhǔ; 自立更生 zìlì gēngshēng

독행(篤行) 몡 笃行 dǔxíng

독-화살 몡 毒箭 dújiàn

독후-감(讀後感) 몡 读后感 dúhòugǎn

돈 몡 1 钱 qián; 费用 fèiyòng ¶～을 빌리다 借钱 / ～을 계산하다 计算费用 2 钱财 qiáncái ¶그는 ～이 많은 사람이다 他是有钱财的人

돈-가스 (일ton[豚]kasu) 몡 炸猪肉排 zházhūròupái

돈:-구멍 몡 1 钱眼 qiányǎn 2 钱的来路 qiánde láilù

돈:-냥(一兩) 몡 钱 qián; 一点儿钱 yīdiǎnryán = 돈푼

돈:-놀이 몡하자 高利贷 gāolìdài; 放债 fàngzhài ¶～를 금하다 禁止放债

돈:-놀이-꾼 몡 债主 zhàizhǔ; 放债者 fàngzhàizhě

돈:-다발 몡 票捆 piàokǔn

돈:-더미 몡 钱堆 qiánduī; 大笔款 dàbǐkuǎn ¶～에 올라앉다 赚了大笔款

돈독-하다(敦篤) 혱 笃厚 dǔhòu; 深厚 shēnhòu; 敦厚 dūnhòu ¶우정이 ～ 友谊深厚 **돈독-히** 븟

돈:-맛 몡 (钱的)甜头 tiántóu ¶그는 ～을 알더니 우리를 모른 체 한다 他尝到钱的甜头, 竟然不理我们

돈-방석(一方席) 몡 财富 cáifù ¶돈방석에 앉다 ⑤腰缠万贯

돈:-벌이(一하자) 몡하자 赚钱 zhuànqián; 挣钱 zhēngqián ¶～가 좋지 않다 不好赚钱

돈:-벼락 몡 横财 héngcái; 暴富 bàofù ¶하루아침에 ～을 맞다 一夜暴富

돈:-세탁(一洗濯) 몡하자 洗钱 xǐqián ¶～을 막다 遏制洗钱

돈육(豚肉) 몡 猪肉 zhūròu

돈:-주머니 몡 1 钱包 qiánbāo; 钱袋儿 qiándàir; 腰包 yāobāo 2 弄钱的来路 nòngqiánde láilù; 摇钱树 yáoqiánshù ¶그들 집은 부인이 ～를 쥐고 있다 他们家妻子是摇钱树

돈:-줄 몡 弄钱的门路 nòngqiánde ménlù; 摇钱树 yáoqiánshù; 财路 cáilù ¶～가 끊겼다 财路断了

돈:-지갑(一紙匣) 몡 钱包 qiánbāo; 钱夹子 qiánjiāzi ¶나는 어제 ～을 잃어버렸다 我昨天丢了钱包

돈:-지랄 몡하자 挥霍钱财 huīhuò qiáncái; 挥金如土 huījīnrútǔ ¶해외로 여행가서 ～을 하다 到国外去旅游挥霍钱财

돈:-타령(一타령) 몡하자 唠叨没钱 láodao méiqián; 唠叨费钱 láodao fèiqián ¶그녀는 나만 보면 ～이다 她一看我, 就唠叨没钱

돈:-푼 몡 一点钱 yīdiǎnqián; 钱 qián = 돈냥 ¶～깨나 있는 사람이 더 인색하다 有钱的人更吝啬

돈피(豚皮) 몡 猪皮 zhūpí

돋다 자 1 (日、月) 出 chū; 升 shēng ¶산에 올라 해가 돋는 것을 보다 登山观日出 2 冒 mào; 生 shēng; 长出 zhǎngchū ¶싹이 ～ 生芽 3 显现 xiǎnxiàn; 出出 chūchū; 鼓起 gǔqǐ; 起 qǐ ¶얼굴에 여드름이 ～ 脸上起青春痘 4 动气 dòngqì; 生气 shēngqì ¶누가 그를 생기 돋게 할 수 있을까? 谁可以让他显得生气勃勃呢? 5 (胃口) 开 kāi ¶여름철 입맛을 돋게 하는 요리 夏季开胃菜

돋-보기 몡 1 老花镜 lǎohuājìng; 花镜 huājìng = 노안경 · 돋보기안경 2 放大镜 fàngdàjìng

돋보기-안경(一眼鏡) 몡 = 돋보기1

돋아-나다 자 1 (日、月) 出 chū; 出 chū ¶동쪽에서 해가 ～ 从东边升起太阳 2 生 shēng; 冒 mào; 长出 zhǎngchū ¶풀이 ～ 生草木 3 出현 chūxiàn; 鼓起 gǔqǐ; 起 qǐ ¶피부에 쁘루지가 ～ 皮肤上起痘痘

돋우다 타 1 捻高 niǎngāo ¶등불 심지를 ～ 捻高灯心 2 增强 zēngqiáng

增加 zēngjiā; 燃旺 ránwàng; 鼓舞 gǔwǔ ¶대원들의 사기를 ~ 增强队员的士气 3 培 péi; 提高 tígāo; 踮 diǎn ¶발을 돋우어 사과를 따다 踮起脚跟摘下苹果 4 (胃口) 开 kāi ¶입맛을 ~ 开胃 5 激发 jīfā; 引起 yǐnqǐ ¶흥미를 ~ 激发兴趣

돋을-새김 【美】浮刻 fúkè; 浮雕 fúdiāo; 阳刻 yángkè; 阳文 yángwén = 부조(浮彫)

돋치다 困 1 冒 mào; 长出 zhǎngchū 2 (价) 涨 zhǎng ¶비가 많이 와서 채소 가격이 두 배나 돋쳤다 下了大雨, 蔬菜的价格涨了两倍

돌[1] ⑲ 1 周岁 zhōusuì ¶두 — 两周岁 2 周年 zhōunián ¶해방 열 ~을 기념하다 纪念解放十周年

돌:[2] ⑲ 1 石 shí; 石子 shízǐ; 石头 shítou; 沙子 shāzi ¶~계단 石阶 / 기둥 石柱 / ~길 石路 / ~난간 石栏 / ~다리 石桥 / ~담 石墙 / ~덩이 石块 / ~도끼 石斧 / 밥에 ~이 있다 饭里有沙子 2 石材 shícái 3 棋子儿 qízǐr 4 火石 huǒshí ¶~을 쳐서 불을 붙이다 打火石点火

돌격(突擊) 【軍】困 1 突然袭击 tūrán xíjī 2 【軍】突击 tūjī; 冲锋 chōngfēng; 冲击 chōngjī ¶야간 ~ 夜间突击

돌-고래 ⑲ 【動】海豚 hǎitún

돌기(突起) ⑲ ⑨ 突起 tūqǐ; 突显 tūxiǎn ¶표면에 많은 ~가 생기다 表面上产生很多突起

돌-날 ⑲ 周岁生日 zhōusuì shēngrì

돌-다 [困] 1 转 zhuàn; 转动 zhuàndòng; 旋 xuán ¶차바퀴가 빨리 ~ 车轮转得很快 2 流通 liútōng; 周转 zhōuzhuàn ¶증권 시장에 저액의 자금이 ~ 在股市上巨资流通 3 流行 liúxíng; 流传 liúchuán ¶스캔들이 인터넷상에서 급속도로 돌았다 绯闻网上急速流传了 4 失常 shīcháng ¶정신이 돌아버리다 精神失常 5 闪 shǎn ¶붉은빛이 ~ 闪红色 6 浮现 fúxiàn; 呈现 xiànxiàn ¶웃음기가 ~ 浮现笑意 7 盈眶 yíngkuàng; 充满 chōngmǎn ¶부모님을 보자 눈물이 핑 ~ 一看父母, 就热泪盈眶 8 绕 rào ¶길을 돌아가다 绕路走 2 循环 xúnhuán; 巡回 xúnhuí ¶전국을 돌며 콘서트를 열다 巡回全国举行演唱会

돌-대가리 ⑲ 愚钝 yúdùn; 傻瓜 shǎguā

돌:-**덩어리** ⑲ 石块 shíkuài

돌돌 ⑲ 1 卷 juǎn ¶신문지를 ~ 말다 把报纸卷成一团 2 轱辘轱辘 gūlūgūlū ¶마차가 ~ 거리는 소리가 끊임없이 들려오다 不断传出马车轱辘轱辘的声响

돌-떡 ⑲ 岁饼 suìbǐng

돌라-대다 [他] 凑合 còuhe; 勉强筹措 miǎnqiáng chóucuò ¶자금을 ~ 勉强筹资金 2 掩饰 yǎnshì; 粉饰 fěnshì; 巧辩 qiǎobiàn ¶스캔들을 ~ 巧辩绯闻

돌라-막다 [他] 围住 wéizhù ¶마을 사람들이 도둑을 ~ 村民围住小偷

돌라-매다 [他] 系 jì; 捆绑 kǔnbǎng ¶허리끈을 ~ 系腰带

돌라-싸다 [他] 包 bāo; 围住 wéizhù ¶수건으로 강아지를 ~ 用毛巾包小狗

돌라-쌓다 [他] 围住 wéizhù; 围绕 wéirào; 包围 bāowéi ¶수백 명의 팬들이 그를 ~ 几百名歌迷涌来包围他

돌라-앉다 [自] 围坐 wéizuò ¶온 가족이 돌라앉아서 이야기를 나누다 全家人围坐在一起谈话

돌려-내다 [他] 1 拐骗 guǎipiàn ¶부녀자를 ~ 拐骗妇女 2 甩开 shuǎikāi ¶그는 나를 돌려내고 친구를 만나러 갔다 他甩开去看朋友

돌려-놓다 [他] 1 挪到 nuódào; 转向 zhuǎnxiàng ¶침대를 창문 쪽으로 ~ 把床挪到窗户那边 2 撇 piē; 抛 pāoqì 3 纠正 jiūzhèng; 改变 gǎibiàn ¶운명을 ~ 改变命运

돌려-보내다 [他] 1 还 huán; 归还 guīhuán ¶빌린 자전거를 주인에게 ~ 把借来的自行车还给主人 2 遣返 qiǎnfǎn; 遣送 qiǎnsòng ¶범인을 ~ 遣送犯人

돌려-세우다 [他] 1 转头 zhuǎntóu; 扭转 niǔzhuǎn ¶오른쪽으로 ~ 向右转头 2 转念 zhuǎnniàn ¶마음을 돌려세워 그들을 용서하기로 결정하다 转过念来, 决定原谅他们

돌려-쓰다 [他] 1 借用 jièyòng; 通融 tōngróng ¶임시로 ~ 临时借用 2 挪用 nuóyòng; 挪借 nuójiè; 转用 zhuǎnyòng ¶자금을 ~ 挪用资金

돌려-주다 [他] 1 还 huán; 归 guī; 归还 guīhuán; 送回 sònghuí; 还给 huángěi ¶돈을 ~ 还钱 2 暂借 zànjiè; 通融 tōngróng; 掷还 zhìhuán ¶그는 주인에게 통장을 돌려주었다 他向老板掷还存折 3 让 ràng; 转让 zhuǎnràng; 转支 zhuǎnzhī ¶상표를 ~ 转让商标

돌-리다 [他] 1 转 zhuàn; 转动 zhuàndòng ¶눈동자를 ~ 转动眼球 2 扭转 niǔzhuàn ¶자세를 ~ 扭转姿势 3 分给 fēngěi; 分发 fēnfā ¶문건을 ~ 分发文件 4 拨动 bōdòng ¶스위치를 ~ 拨动开关 5 松 sōng; 缓 huǎn ¶한 숨 돌렸다 松了一口气 6 放 fàng; 开 kāi ¶영화를 ~ 放电影 7 (重视、关心、力量을) 给 gěiyǔ ¶관심을 ~ 给予

关心 8 还 huán; 归还 guīhuán; 还原 huányuán ¶원래 주인에게 ~ 归还原 主 9 拐弯抹角 guǎiwānmòjiǎo ¶돌려 서 말하다 拐弯抹角地说 10 归功 guīgōng ¶모든 공을 국민에게 一切功 功于人民 11 推 tuī; 推后 tuīhòu ¶업 무를 뒤로 ~ 推后工作

돌림 圀 1 轮流 lúnliú ¶~으로 야근 을 하다 轮流加班 2 流行病 liúxíng-bìng

돌림-감기(―感氣) 圀 流行性感冒 liúxíngxìng gǎnmào; 流感 liúgǎn

돌림 노래 〔音〕 轮唱 lúnchàng

돌림-병(―病) 圀 流行病 liúxíngbìng; 传染病 chuánrǎnbìng = 유행병

돌림-자(―字) 圀 排行字 páihángzì; 辈分字 bèifènzì ¶~에 따라 이름을 짓 다 按辈分字起名字

돌:-멩이 圀 小石头 xiǎoshítóu

돌:-무덤 圀〔古〕= 석총

돌발(突發) 圀하자 突然发生 tūrán fā-shēng; 突发 tūfā ¶~ 사건이 발생하 다 发生突发事件

돌-배 圀 山梨 shānlí; 酸梨 suānlí

돌변(突變) 圀하자 突变 tūbiàn; 突然 变化 tūrán biànhuà ¶태도가 ~하다 态度突然变化

돌:-보다 目 照顾 zhàogù; 照料 zhào-liào; 关照 guānzhào; 关心 guānxīn; 照应 zhàoyīng; 照看 zhàokàn ¶아이 를 ~ 照顾孩子

돌:-부리 圀 石头尖 shítoujiān ¶~에 걸려 넘어졌다 绊倒在石头尖上

돌:-부처 圀 1〔佛〕石佛 shífó = 석불 2 不动感情的人 bùdòng gǎnqíng de rén

돌:-산(―山) 圀 石山 shíshān

돌:-솥 圀 石鼎 shídǐng

돌아-가다 目자 1 转 zhuǎn; 转动 zhuǎndòng; 循环 xúnhuán ¶자동차 바 퀴가 계속해서 ~ 车轮不断地转动 2 绕行 ràoxíng; 迂回 yūhuí ¶이쪽으로 차 가 밀리니 돌아가자 这边堵车, 我们 还是绕行吧 3 回 huí; 归 guī; 归还huán; 返回 fǎnhuí ¶이미 늦었으니 그만 돌 아가자 已经晚了, 我们回去吧 4 撇嘴 piězuǐ ¶입이 ~ 撇嘴 5 转来转去 zhuǎnlái zhuǎnqù ¶모두들 바쁘게 돌아 가고 있었다 大家都忙得转来转去 6 分得 fēndé ¶귤이 두 개씩 ~ 分得两 个橘子 7 流转 liúzhuǎn; 流通 liútōng ¶시장의 자금이 순조롭게 ~ 市场上 的资金顺利地流通 8 发晕 fāyūn ¶머 리가 핑핑 ~ 头发晕 9 变成 biàn-chéng; 归 guī; 回归 huíguī ¶어릴 적 시절로 돌아가고 싶다 希望归到小时 候 10 正常运转 zhèngcháng yùn-zhuǎn ¶공장이 다시 정상적으로 ~ 工厂恢复正常运转 11 逝世 shìshì; 去

世 qùshì; 已故 yǐgù ¶어제 할머니가 돌아가셨다 昨天祖母去世了 12 发展 fāzhǎn; 变化 biànhuà ¶일이 돌아가는 전과정을 살펴본 事情发展的全 过程 三目 拐弯 guǎiwān; 转弯 zhuǎn-wān ¶모퉁이로 돌아가면 바로 우리 집이다 一转弯就是我的家

돌아-눕다 자 翻身 fānshēn ¶거북이 는 이렇게 돌아눕는 乌龟是这样翻 身的

돌아-다니다 자目 巡游 xúnyóu; 转来 转去 zhuǎnlái zhuǎnqù; 跑来跑去 pǎo-láipǎoqù; 奔波 bēnbō; 兜圈 dōuquān ¶ 혼자서 전국을 ~ 一个人巡游全国

돌아-다보다 目 回头看 huítóukàn; 回身看 huíshēnkàn; 回顾 huígù ¶나 를 돌아다보며 손을 흔든다 回头看后 转身, 挥手

돌아-들다 자 1 转到 zhuǎndào 2 拐 进去 guǎijìnqù; 绕到 ràodào ¶그는 교 차로에서 오른쪽으로 돌아들었다 他 在十字路口右拐进去

돌아-보다 目 1 回头看 huítóukàn; 转身看 zhuǎnshēnkàn ¶멀어지는 고향 을 ~ 回头看远去的故乡 2 参观 cān-guān; 环视 huánshì; 巡视 xúnshì ¶박 물관을 ~ 参观博物馆 3 回顾 huígù ¶과거를 ~ 回顾过去 4 关照 guān-zhào; 照顾 zhàogù ¶불쌍한 고아들을 ~ 照顾可怜的孤儿们

돌아-서다 자 1 转向 zhuǎnxiàng; 转 身 zhuǎnshēn; 回头过来 huítóuguòlái ¶그는 돌아서서 내 이름을 불렀다 他 转过身来叫我的名字 2 恢复 huīfù; 好转 hǎozhuǎn ¶병세가 이미 많이 돌 아섰다 病势已经好转多了 3 对立 duìlì; 不和 bùhé ¶남남으로 ~ 判若 两人闹起了对立 4 改变 gǎibiàn; 变 为 biànwéi ¶적으로 ~ 变为敌人

돌아-앉다 자 1 转过身来坐 zhuǎn-guòshēnlái zuò 2 背过身去坐 bèiguò-shēnqù zuò ¶돌아앉아 눈물을 흘리다 背过身去坐流眼泪

돌아-오다 자 1 回 huí; 归 guī; 返 fǎn; 回来 huílái; 返回 fǎnhuí ¶집에 ~ 回家 2 绕行 ràoxíng; 迂回 yūhuí ¶이 길은 가다 돌아올 수 밖에 없었다 那边的路不好走, 只好绕 行 3 轮 lún ¶당직 설 차례가 ~ 轮到 值班了 4 恢复 huīfù ¶건강이 ~ 恢 复健康了 5 清醒 qīngxǐng ¶그는 드 디어 정신이 돌아왔다 他终于清醒过 来了

돌연(突然) 閂하영 突然 tūrán; 猛不防 měngbùfáng; 冷不防 lěngbùfáng; 蓦地 mò-dì; 顿然 dùnrán ¶아이가 ~ 울기 시 작하다 孩子突然哭起来

돌연-변이(突然變異) 圀〔生〕突变

tūbiàn

돌연-사(突然死) 〖명〗 〖醫〗 突然死 tūránsǐ; 猝死 cùsǐ

돌:-옷 〖명〗〖植〗 = 돌이끼

돌-**이끼** 〖명〗〖植〗青苔 qīngtái; 薛苔 xiāntái = 돌옷

돌이키다 〖타〗 **1** 转 zhuǎn 〖몸을 ～ 转过身 **2** 回想 huíxiǎng; 回顾 huígù; 回忆 huíyì 〖어린 시절을 돌이켜 생각하다 回想小时候 **3** 恢复 huīfù; 挽回 wǎnhuí; 挽救 wǎnjiù 〖연인의 마음을 ～ 挽回情人的心

돌입(突入) 〖명〗〖하자〗 攻入 gōngrù; 攻进 gōngjìn; 突入 tūrù; 冲进 chōngjìn; 冲入 chōngrù 〖적진에 ～하다 冲入敌营

돌-**잔치** 〖명〗 周岁宴 zhōusuìyàn

돌-**잡이** 〖명〗〖하타〗 **1** 抓周 zhuāzhōu **2** 满周岁的孩子 mǎn zhōusuìde háizi

돌:-**절구** 〖명〗 石臼 shíjiù

돌진(突進) 〖명〗〖하자〗 冲 chōng; 冲进 chōngjìn; 猛冲 měngchōng 〖화물차가 상점으로 ～하다 货车冲进商店

돌출(突出) 〖명〗〖하자〗 **1** 突出 tūchū; 突起 tūqǐ 〖혈관이 ～하다 血管突起 **2** 突然出现 tūrán chūxiàn

돌:-**층계**(-層階) 〖명〗 石阶 shíjiē; 石头阶梯 shítou jiētī; 石级 shíjí

돌파(突破) 〖명〗〖하타〗 冲突 chōngtū; 突破 tūpò; 打破 dǎpò 〖一구 突破关口/세계 기록을 ～하다 打破世界记录

돌:-**팔매** 〖명〗 (扔的) 石头 shítou

돌-**팔매**-**질** 〖명〗〖하자〗 扔石头 rēngshítou

돌-**팔이** 〖명〗 闯荡的人 chuǎngdàngde rén; 闯江湖的人 chuǎngjiānghúde rén; 半瓶醋 bànpíngcù 〖그 의사는 ～다 那个医生是半瓶醋

돌풍(突風) 〖명〗 飚 biāo; 急风 jífēng

돕:-**다** 〖타〗 **1** 帮 bāng; 助 zhù; 帮助 bāngzhù; 帮忙 bāngmáng; 援助 yuánzhù; 接济 jiējì; 协助 xiézhù 〖독거노인을 ～ 接济孤寡老人 **2** 增强 zēngqiáng; 增进 zēngjìn; 促进 cùjìn 〖소화를 ～ 促进消化

돗-**자리** 〖명〗 凉席 liángxí; 席子 xízi; 草席 cǎoxí

동 〖명〗 束 shù; 捆 kǔn 〖땔감을 ～지어 뒤뜰에 두다 把木柴成捆地放在后园

동(同) 〖관〗 同 tóng 〖~년배 同辈/~창회 同学会

동(東) 〖명〗 东 dōng = 동쪽 〖~서 东西

동(棟) 〖의명〗 栋 dòng 〖기숙사 한 ～을 짓다 建一栋宿舍

동가(同價) 〖명〗 同价 tóngjià

동감(同感) 〖명〗〖하자〗 同感 tónggǎn 〖네 의견에 모두 ～이다 对你的意见大家都有同感

동갑(同甲) 〖명〗 **1** 同年 tóngnián; 同庚 tónggēng; 同岁 tóngsuì = 한동갑 〖그녀는 나와 ～이다 她跟我同岁 **2** = 동갑계

동갑-**계**(同甲契) 〖명〗 同庚会 tónggēnghuì; 同龄会 tónglínghuì = 동갑2

동강 〖명〗 截 jié; 头儿 tóur; 段 duàn 〖~ 나다 分为两段

동강-**동강** 〖부〗 一截一截地 yījiéyījiéde 〖양초를 ～ 자르다 把蜡烛一截一截地切断

동거(同居) 〖명〗〖하자〗 **1** 同居 tóngjū 〖~생활 同居生活 **2** 同住 tóngzhù 〖할머니와 ～하다 和祖母同住在一起

동격(同格) 〖명〗 **1** 同等的资格 tóngděngde zīgé **2** 〖语〗 同位 tóngwèi

동-**결**(凍結) 〖명〗〖하자〗 冻结 dòngjié 〖수량을 ～하다 冻结数量

동경(東經) 〖명〗〖地理〗 东经 dōngjīng

동경(憧憬) 〖명〗〖하자〗 憧憬 chōngjǐng 〖~심 憧憬心/미래를 ～하다 憧憬对来

동-**계**(冬季) 〖명〗 = 겨울철 〖~ 스포츠 冬季运动/～ 활동 冬季活动

동계(同系) 〖명〗 同一系统 tóngyī xìtǒng

동고(同苦) 〖명〗 同苦 tóngkǔ

동고-**동락**(同苦同樂) 〖명〗〖하자〗 同甘共苦 tónggāngòngkǔ 〖~한 친구 同甘共苦的朋友

동곳 〖명〗 发簪 fàzān 〖~을 꽂다 插发簪

동-**공**(瞳孔) 〖명〗 = 눈동자 〖~을 크게 뜨다 叫瞳孔开大

동구(東歐) 〖명〗〖地〗 东欧 Dōng'ōu 〖~권 东欧圈

동-**구**(洞口) 〖명〗 **1** 村口 cūnkǒu **2** 山门 shānmén

동-**굴**(洞窟) 〖명〗 洞窟 dòngkū; 洞穴 dòngxué

동권(同權) 〖명〗 同权 tóngquán

동그라미 〖명〗 圆 yuán; 圆圈 yuánquān 〖~를 그리다 画圆圈

동그라-**지다** 〖자〗 **1** 打滚 dǎgǔn 〖고양이가 풀밭에서 동그라지며 놀다 小猫在花园里打滚 **2** 滚倒 gǔndǎo 〖배를 잡고 동그라지도록 웃다 抱着肚子笑得滚倒

동그랗다 〖형〗 圆形 yuánxíng; 圆 yuán 〖동그란 달 圆形的月亮

동그래-**지다** 〖자〗 变圆 biànyuán; 睁大 zhēngdà 〖눈이 ～ 睁大眼睛

동그스름-**하다** 〖형〗 稍圆 shāoyuán; 微圆 wēiyuán 〖얼굴이 ～ 脸稍圆

동글납대대-**하다** 〖형〗 扁圆 biǎnyuán 〖동글납대대한 머리 扁圆的头

동글납작-**하다** 〖형〗 扁圆 biǎnyuán

동글납작한 복부 扁圆形的腹部

동글다 〖형〗 小而圆 xiǎo'éryuán; 圆
yuán ¶동근 얼굴이 더 귀엽다 小而圆
的脸蛋更可爱

동글-동글 〖부·하형〗 圆圆 yuányuán ¶
～한 월병 圆圆的月饼

동급(同級) 〖명〗 同级 tóngjí ¶～생 同级
生 / ～관계 同级关系

동기(同氣) 〖명〗 兄弟姐妹 xiōngdì jiěmèi

동기(同期) 〖명〗 1 同期 tóngqī ¶～활
동 同期活动 2 同年级 tóngniánjí ¶나
와 ～인 학생 跟我同年级的学生 3 =
동기생

동-기(動機) 〖명〗 动机 dòngjī ¶학습～
의 다양화 学习动机的多样化 / ～가
불분명하다 动机不明

동기-간(同氣間) 〖명〗 亲兄弟姐妹之间
qīnxiōngdì jiěmèizhījiān

동기-생(同期生) 〖명〗 = 동기(同期)

동-나다 〖자〗 卖光 màiguāng; 脱销
tuōxiāo ¶십분도 안 되어 전부 ～ 不到
十分钟就全卖光

동남(東南) 〖명〗 东南 dōngnán ¶～쪽
东南方

동남-아시아(東南Asia) 〖명〗【地】东南
亚 Dōngnányà

동남-풍(東南風) 〖명〗 东南风 dōngnán-
fēng = 남동풍

동-내(洞內) 〖명〗 村内 cūnnèi; 街道内
jiēdàonèi

동-냥 〖하자타〗 乞讨 qǐtǎo; 讨饭
tǎofàn ¶거리에 나와 ～하다 上街乞讨
2〖宗〗托钵 tuōbō; 化缘 huàyuán

동-냥-질 〖명하타〗 乞讨 qǐtǎo; 讨饭 tǎo-
fàn

동-네(洞─) 〖명〗 村落 cūnluò; 社区 shè-
qū; 邻里 línlǐ

동년(同年) 〖명〗 1 同年 tóngnián 2 同庚
tónggēng; 同岁 tóngsuì 3 同榜 tóng-
bǎng

동년-배(同年輩) 〖명〗 同辈 tóngbèi

동-녘(東─) 〖명〗 东方 dōngfāng; 东边
dōngbian

동댕이-치다 〖타〗 1 扔 rēng; 扔掉 rēng-
diào; 抛 pāo ¶책가방을 동댕이치고
나가버렸다 把书包抛到一边就出去了
2 放弃 fàngqì; 中断 zhōngduàn; 丢开
不管 diūkāi bùguǎn ¶그는 자기가 해야
할 일을 동댕이치고 출근하지 않았다
他把自己要做的事丢开不管, 没有上
班

동동[1] 〖부〗 咚咚 dōngdōng ¶작은 북이
～ 울리다 小鼓咚咚响

동동[2] 〖부〗(跺脚貌) ¶그는 발을 ～거리며 천막으로 돌아왔
다 他跺脚噔噔地回来帐篷

동동[3] 〖부〗 一飘一飘 yīpiāoyīpiāo; 一浮
一浮 yīfúyīfú ¶낙엽이 물 위를 ～ 떠

가다 落叶在水面上一浮一浮地飘流

동글-거리다 〖타〗 跺脚 duòjiǎo; 跌脚
diējiǎo = 동동대다 ¶발을 ～ 跺脚

동동-걸음 〖명〗 快步 kuàibù; 大步 dàbù

동동-주(─酒) 〖명〗 马格利米酒 mǎgé-
lìmǐjiǔ

동등(同等) 〖명하형〗 1 同等 tóngděng;
平等 píngděng ¶～권 平等权利 / 남녀
가 ～하다 男女平等 2 同级 tóngjí

동-떨어지다 〖형〗 1 远离 yuǎnlí; 有距
离 yǒu jùlí ¶우리 집은 마을과 동떨어
져 있다 我的家与村子有一段距离 2
脱离 tuōlí; 隔绝 géjué ¶외부 세계와
～ 与外界隔绝

동-뜨다 〖형〗 1 超越 chāoyuè; 超出
chāochū; 拉开距离 lākāi jùlí ¶우리 편
의 힘이 상대편보다 훨씬 ～ 我方的力
量大大地超越了对方 2 间隔 jiàngé;
间断 jiànduàn ¶두 시간 동떠서 복용
하다 间隔两个小时服用

동라(銅鑼) 〖명〗【音】铜锣 tóngluó; 锣
luó

동-란(動亂) 〖명〗 动乱 dòngluàn; 动荡
dòngdàng ¶～을 제지하다 抵制动乱

동량(棟梁·棟樑) 〖명〗 1 栋梁 dòng-
liáng; 支柱 zhīzhù ¶좋은 나무로 ～을
삼다 用好的木头做支柱 2 栋梁之才
dòngliángzhīcái; 支柱 zhīzhù ¶국가 경
제의 ～ 产业 国家经济的支柱产业

동-력(動力) 〖명〗 动力 dònglì; 推动力
tuīdònglì; 原动力 yuándònglì ¶～ 장치
动力装置 / 호기심은 발전의 ～이다
好奇心是进步的原动力

동렬(同列) 〖명〗 1 同列 tóngliè; 同一排
tóngyīpái ¶나와 ～에 앉은 사람이 시
험 점수가 같다 跟我坐同一排的人得
到一样的分数 2 同伙 tónghuǒ; 同等
tóngděng

동료(同僚) 〖명〗 同僚 tóngliáo; 同事
tóngshì; 同伴 tóngbàn

동류(同流) 〖명〗 同一流派 tóngyī liúpài

동류(同類) 〖명〗 同类 tónglèi; 同种 tóng-
zhǒng

동-리(洞里) 〖명〗 1 村里 cūnlǐ; 村庄
cūnzhuāng 2 洞和里 dòng hé lǐ

동-맥(動脈) 〖명〗 1【生】动脉 dòngmài
2〈交通〉动脉 dòngmài; 干线 gànxiàn
¶철도는 국민 경제의 ～이다 铁路是
国民经济的动脉

동맹(同盟) 〖명하자〗 同盟 tóngméng; 联
盟 liánméng; 盟 méng ¶～ 기업 同盟
企业 / ～국 同盟国 / ～군 同盟军

동-메달(銅medal) 〖명〗 铜牌 tóngpái;
铜奖牌 tóngjiǎngpái ¶～을 땄다 获得
了铜牌

동:면(冬眠) 〖명하자〗【動】冬眠 dōng-
mián; 蛰伏 zhéfú = 겨울잠 ¶～에 들
어가다 进入蛰伏

동명(同名) 몡 同名 tóngmíng ¶~이인 同名異人 / ~ 소설을 기초로 하다 以同名小说为基础

동:명(洞名) 몡 洞名 dòngmíng; 村名 cūnmíng

동:-명사(動名詞) 몡【語】动名词 dòngmíngcí

동무 몡 1 朋友 péngyou; 同伴 tóngbàn 2 同志 tóngzhì

동문(同門) 몡 同门 tóngmén; 同学 tóngxué; 师兄弟 shīxiōngdì; 同窗 tóngchuāng

동문서답(東問西答) 몡하자 东问西答 dōngwènxīdá; 答非所问 dáfēisuǒwèn

동문-회(同門會) 몡 = 동창회

동:물(動物) 몡【生】动物 dòngwù ¶야생 ~ 野生动物 / 포유~ 哺乳动物 / ~성动物性 / ~원 动物园 / ~학 动物学

동:민(洞民) 몡 洞民 dòngmín; 村民 cūnmín

동반(同伴) 몡하자타 1 同伴 tóngbàn; 陪伴 péibàn; 伴同 bàntóng; 偕同 xiétóng; 随同 suítóng ¶~자 同伴 / 여자친구를 ~하여 모임에 참석하다 同伴女朋友去参加聚会 2 伴随 bànsuí; 带有 dàiyǒu ¶~ 증상 伴随症状 / 모험은 위험을 ~한다 冒险带有危险性

동반(同班) 몡 同班 tóngbān

동방(東方) 몡 1 东方 2 东方 dōngfāng ¶~ 문화 东方文化

동방(洞房) 몡 1 = 침실 2 = 신방 3 = 동방화촉

동:방-화촉(洞房華燭) 洞房花烛夜 dòngfánghuāzhúyè = 동방(洞房)3

동배(同輩) 몡 平辈 píngbèi; 同僚 tóngliáo; 同列 tóngliè

동백(冬栢·冬柏) 몡【植】山茶 shānchá = 동백나무 ¶~기름 山茶油 / ~꽃 买山茶花

동백-나무(冬柏—) 몡【植】= 동백

동:병-상련(同病相憐) 몡하자 同病相怜 tóngbìng xiānglián

동:복(冬服) 몡 冬服 dōngfú; 冬装 dōngzhuāng; 冬衣 dōngyī = 겨울옷·동의(冬衣)

동복(同腹) 몡 = 동배

동봉(同封) 몡하자 附寄 fùjì; 同寄 tóngjì; 加封 jiāfēng ¶편지에 ~하다 附寄票据

동부(東部) 몡 东部 dōngbù

동북(東北) 몡 = 동북쪽

동북-아시아(東北Asia) 몡【地】东北亚 Dōngběiyà

동북-쪽(東北—) 몡 东北方 dōngběifāng; 东北 dōngběi = 동북

동북-풍(東北風) 몡 东北风 dōngběifēng

동분서주(東奔西走) 몡하자 东奔西走

dōngbēnxīzǒu; 奔劳 bēnláo; 奔忙 bēnmáng; 到处奔走 dàochù bēnzǒu = 동서분주 ¶하루 종일 ~하다 整天奔劳

동사(凍死) 몡하자 冻死 dòngsǐ ¶길에서 ~하다 冻死在街上

동:-사(動詞) 몡【語】动词 dòngcí

동:-사무소(洞事務所) 몡 村办公室 cūnbàngōngshì

동산 몡 1 小山 xiǎoshān 2 小花园 xiǎohuāyuán

동상(同上) 몡 同上 tóngshàng

동:상(凍傷) 몡【醫】冻伤 dòngshāng ¶~에 걸리다 得了冻伤

동상(銅像) 몡 铜像 tóngxiàng

동상-이몽(同床異夢) 몡 同床异梦 tóngchuángyìmèng

동색(同色) 몡 1 同色 tóngsè 2 同党 tóngdǎng

동생 몡 1 弟弟 dìdi; 妹妹 mèimei; 弟 dì; 妹 mèi 2 比自己年纪小的人 bǐ zìjǐ niánjìxiǎode rén

동서(同壻) 몡 1 妯娌 zhóulǐ 2 连襟 liánjīn

동서(東西) 몡 东西 dōngxī

동서-고금(東西古今) 몡 东西古今 dōngxīgǔjīn; 古今中外 gǔjīnzhōngwài

동서남북(東西南北) 몡 东西南北 dōngxīnánběi

동서분주(東西奔走) 몡하자 = 동분서주

동서-양(東西洋) 몡 东西方 dōngxīfāng; 东西洋 dōngxīyáng

동석(同席) 몡하자 同席 tóngxí; 同桌 tóngzhuō; 同座 tóngzuò ¶그와 ~하다 和他同席

동:-선(動線) 몡【建】动线 dòngxiàn ¶~이 복잡하다 动线很复杂

동성(同姓) 몡 同姓 tóngxìng; 重姓 chóngxìng ¶~동본 = 동본同籍

동성(同性) 몡 1 相同性质 xiāngtóng xìngzhì 2 同性 tóngxìng ¶~연애 同性恋 / ~ 친구 同性朋友

동성-동명(同姓同名) 몡 同姓同名 tóngxìng tóngxíng = 동성명

동-성명(同姓名) 몡 = 동성동명

동숙(同宿) 몡하자 同宿 tóngsù

동:승(同乘) 몡하자 同乘 tóngchéng; 同坐 tóngzuò; 共乘 gòngchéng ¶모르는 사람과 ~하다 跟陌生人同乘一辆计程车

동:승(童僧) 몡【佛】= 동자승

동시(同時) 몡 同时 tóngshí; 同期 tóngqī ¶~대 녹음 同期录音 / ~대 同时代 / 두 형제가 ~에 대학을 합격하다 两个兄弟同时考上大学

동시-통역(同時通譯) 몡하자 同声翻译 tóngshēng fānyì

동:-식물(動植物) 몡 动植物 dòngzhíwù ¶야생 ~ 野生动植物

동실-동실¹ 〔부〕〔자〕 一浮一浮地 yīfú-yīfúde; 轻飘飘地 qīngpiāopiāode ¶나뭇잎이 ~ 떠내려간다 一片树叶一浮一浮地飘去

동실-동실² 〔부〕〔하형〕 圆圆的 yuányuán-de ¶~한 얼굴 圆圆的脸

동심(同心) 〔명〕〔하자〕 同心 tóngxīn

동:심(動心) 〔명〕〔하자〕 动心 dòngxīn

동:심(童心) 〔명〕 童心 tóngxīn ¶~의 세계 童心的世界

동아(東亞) 〔명〕【地】东亚 Dōngyà

동아리 〔명〕 同党 tóngdǎng; 同派 tóng-pài; 同伙 tónghuǒ; 社团 shètuán ¶~에 가입하다 加入社团

동-아시아(東Asia) 〔명〕【地】东亚 Dōngyà; 东亚细亚 Dōngyàxìyà; 东亚洲 Dōngyàzhōu

동아-줄 〔명〕 粗绳 cūshéng

동안(─間) 〔명〕 期间 qījiān; 时间 shíjiān ¶여름 방학 ~ 暑假期间 / 삼년 ~ 三年时间

동:안(童顔) 〔명〕 童颜 tóngyán; 娃娃脸 wáwaliǎn

동양(東洋) 〔명〕 东方 Dōngfāng; 东洋 Dōngyáng ¶~인 东方人; ~화 东洋画

동업(同業) 〔명〕〔하자〕 1 合伙 héhuǒ; 共同经营 gòngtóng jīngyíng 2 同业 tóng-yè; 同行 tóngháng

동업-자(同業者) 〔명〕 1 同事 tóngshì; 共同经营者 gòngtóng jīngyíngzhě 2 同行 tóngháng; 同道 tóngdào

동여-매다 〔타〕 捆 kǔn; 束 shù; 绑 bǎng; 系 xì; 包扎 bāozā; 绕 rào; 捆绑 kǔnbǎng; 扎 zā ¶손발을 ~ 捆住手脚 / 책을 ~ 把书包扎起来

동:요(動搖) 〔명〕〔하자〕 1 摇摆 yáobǎi; 摇动 yáodòng ¶차체가 좌우로 ~되다 车厢左右摇动 2 动摇 dòngyáo ¶신념의 ~ 信念的动摇 3 动荡 dòngdàng; 动摇 dòngyáo ¶민심이 ~되다 动摇民意

동:요(童謠) 〔명〕 童谣 tóngyáo; 儿歌 érgē ¶~를 부르다 唱童谣

동:원(動員) 〔명〕〔하타〕 动员 dòngyuán; 调动 diàodòng; 动用 dòngyòng; 挖掘 wājué; 调用 diàoyòng ¶온 가족이 물건 옮기는 일에 ~되다 全家人动员搬东西

동위(同位) 〔명〕 1 同位 tóngwèi; 相同位置 xiāngtóng wèizhì 2 同级 tóngjí

동위 원소(同位元素) 【化】同位素 tóng-wèisù; 同位元素 tóngwèi yuánsù = 同位体

동위-체(同位體) 〔명〕【化】= 동위 원소

동-유럽(東Europe) 〔명〕【地】东欧 Dōng'ōu

동음(同音) 〔명〕 同音 tóngyīn ¶~어 同音词 / ~이의어 同音异议词

동의(冬衣) 〔명〕 = 동복(冬服)

동의(同意) 〔명〕〔하자〕 1 同义 tóngyì ¶~문장 同义文章 2 同意 tóngyì; 赞同 zàntóng ¶당신은 이러한 견해에 ~합니까? 你赞同这种看法吗? 3 (对别人的行为) 同意 tóngyì ¶~를 구하다 征求同意 / ~를 얻다 得到同意 4【法】认可 rènkě; 允许 yǔnxǔ

동:의(動議) 〔명〕〔하자〕 动议 dòngyì; 提议 tíyí ¶~가 부결되다 动议被否决 / ~를 제출하다 提出动议

동의-서(同意書) 〔명〕 同意书 tóngyìshū

동의-어(同義語·同意語) 〔명〕【語】同义词 tóngyìcí

동이 〔명〕 罐子 guànzi ¶빈~ 空罐子 / 물~ 水罐子

동이다 〔타〕 捆 kǔn; 束 shù; 绑 bǎng; 缚 fù; 缠 chán; 拴缚 shuānfù; 拴束 shuānshù; 捆扎 kǔnzā ¶손수건으로 머리를 질끈 ~ 用毛帕紧好头发

동인(同人) 〔명〕 1 同人 tóngrén; 同仁 tóngrén 2 同一个人 tóngyīgèrén

동:인(動因) 〔명〕 动因 dòngyīn; 动机 dòngjī ¶폭동의 ~은 무엇입니까? 暴动的起因是什么?

동일(同一) 〔명〕〔하형〕 1 同一 tóngyī; 同样 tóngyàng; 一样 yīyàng; 相同 xiāng-tóng ¶~ 상품 同样商品 / ~한 온도를 유지하다 维持同样的温度 2 一个 yīgè; 同一个 tóngyīgè ¶~ 날짜 同一个日子 / ~ 대상 同一个对象

동일(同日) 〔명〕 1 同日 tóngrì; 同一天 tóngyītiān ¶두 선수가 ~ 출장하다 两个运动员同日出场 2 那天 nàtiān; 那一天 nàyītiān

동일-시(同一視) 〔명〕〔하타〕 等视 děng-shì; 同样看待 tóngyàng kàndài = 동일화 dòngyīhuà ¶~하다 视为~; 等视~ ¶모든 생물을 ~하다 等视一切生物 / 모든 의견을 ~하다 同样看待所有的意见

동일-인(同一人) 〔명〕 同一人 tóngyīrén

동일-화(同一化) 〔명〕〔하타〕 = 동일시

동:자(童子) 〔명〕 = 남자아이

동:자(瞳子) 〔명〕 = 눈동자

동:자-승(童子僧) 〔명〕【佛】童子僧 tóngzǐsēng = 동승(童僧)

동작(動作) 〔명〕〔하자〕 动作 dòngzuò; 举动 jǔdòng; 手脚 shǒujiǎo ¶고난도의 ~을 하다 做出高难度的动作

동:-장군(冬將軍) 〔명〕 严寒 yánhán; 严冬 yándōng

동:적(動的) 〔관형〕 动的 dòngde; 动态的 dòngtàide

동전(銅錢) 〔명〕 1 铜币 tóngbì = 동화(銅貨) 2 硬币 yìngbì; 币 bì ¶~ 한 닢 一枚硬币 / ~ 투입구 投币口 / ~을 넣다

집하다 收藏硬币

동점(同點) 圐 分数相同 fēnshù xiāng-
tóng; 同分 tóngfēn

동정(同情) 圐하자타 1 同情 tóngqíng;
可怜 kělián ¶~심 同情心 / 그를 ~하
다 同情他 2 帮助 bāngzhù ¶~을 구
하다 请求帮助

동:정(動靜) 圐 1 动静 dòngjing ¶이곳
엔 아무런 ~이 없는 것 같다 这里好
像没什么动静 2 动向 dòngxiàng ¶적
의 ~을 감시하다 监视敌人的动向

동:정(童貞) 圐 童贞 tóngzhēn ¶~을
지키다 保持童贞 / ~을 잃다 失去童
贞

동조(同調) 圐하자 1 同调 tóngdiào;
认同 rèntóng; 赞同 zàntóng ¶모두의
~를 얻다 得到大家的认同 2 【物】调
谐 tiáoxié 3 【文】相同韵律 xiāngtóng
yùnlǜ

동조-자(同調者) 圐 同路人 tónglùrén;
支持者 zhīchízhě; 同情者 tóngqíngzhě

동족(同族) 圐 1 同族 tóngzú ¶~의 운
명 同族的命运 / ~상잔 同族残杀
= 동종(同宗)1

동종(同宗) 圐 1 同宗 tóngzōng = 동
족2 2 同宗族 tóngzú; 同一宗派 tóngyī
zōngpài

동종(同種) 圐 同种 tóngzhǒng; 同类
tónglèi ¶~ 업종 同种行业

동지(冬至) 圐 冬至 dōngzhì

동지(同志) 圐 同志 tóngzhì

동지-섣달(冬至一) 圐 十冬腊月 shí-
dōng làyuè

동질(同質) 圐 同质 tóngzhì ¶~성 同
质性 / ~화 同质化

동짓-날(冬至一) 圐 冬至天 dōngzhì-
tiān

동짓-달(冬至一) 圐 冬至月 dōngzhì-
yuè = 冬月 dōngyuè = 십이월2

동-쪽(東一) 圐 东边 dōngbiān(r);
东面(儿) dōngmiàn(r) = 동(東) · 동방
(東方)1

동참(同參) 圐하자 (共同) 参加 cānjiā
¶모두들 이번 활동에 ~해 주시기 바
랍니다 请大家都参加本次活动

동창(同窓) 圐 同学 tóngxué ¶~생 同
学

동창-회(同窓會) 圐 同学会 tóngxué-
huì = 동문회

동창(東窓) 圐 东窗 dōngchuāng

동체(同體) 圐 1 同体 tóngtǐ; 一体 yītǐ
2 同一体 tóngyītǐ

동체(胴體) 圐 1 胴体 dòngtǐ; 躯干
qūgàn 2 机身 jīshēn

동:치미 圐 萝卜泡菜 luóbo pàocài

동침(同寢) 圐하자 同眠 tóngmián; 同
睡 tóngshuì; 同房 tóngfáng

동-태(凍太) 圐 冻明太鱼 dòngmíngtàiyú

동-태(動態) 圐 动态 dòngtài ¶업계의
~를 주시하다 注视业界动态 / 적의
~를 살피다 观察敌人的动态

동-트다(東一) 자 黎明 límíng; 拂晓
fúxiǎo; 天亮 tiānliàng ¶동틀 무렵 天亮
的时候

동:파(凍破) 圐하자 冻裂 dòngliè; 冻
破 dòngpò ¶수도관이 ~되다 水管道
冻裂

동판(銅板) 圐 铜板 tóngbǎn ¶~화 铜
版画

동편(東便) 圐 东 dōng; 东边(儿) dōng-
biān(r)

동포(同胞) 圐 同胞 tóngbāo ¶~ 형제
同胞兄弟 / ~애 同胞之爱

동풍(東風) 圐 东风 dōngfēng 2 = 봄
바람1

동:-하다(動一) 자 1 动 dòng ¶그녀
의 피아노 연주를 듣고 그는 마음이
동했다 听到她演奏的钢琴，他的心就
动了 2 产生 chǎnshēng; 起 qǐ ¶호기
심이 ~ 产生好奇 / 식욕이 ~ 产生食
欲 3 = 도지다1

동학(同學) 圐하자 同学 tóngxué

동해(東海) 圐 【地】东海 Dōnghǎi

동:해(凍害) 圐 冻害 dònghài ¶~를 입
다 遭受冻害

동-해안(東海岸) 圐 东海岸 dōnghǎi-
àn

동행(同行) 圐하자 1 同行 tóngxíng;
陪同 péitóng; 跟随 gēnsuí; 同路 tónglù
¶17세 이하의 부모가 ~해야 한다 17
岁以下要陪同家长 2 同行人 tónglù-
rén; 旅伴 lǚbàn ¶밤이 늦었으니 아무
래도 ~을 찾아 같이 가는 것이 좋겠
다 夜晚了，还是找旅伴一起去比较好

동행-인(同行人) 圐 同路人 tónglùrén;
同伴 tóngbàn = 동행자

동행-자(同行者) 圐 = 동행인

동향(同鄕) 圐 同乡 tóngxiāng ¶해외에
서 ~ 사람을 만났다 在国外认识了一
个同乡人

동향(東向) 圐하자 朝东 cháodōng; 向
东 xiàngdōng

동:향(動向) 圐 动向 dòngxiàng; 动态
dòngtài ¶시장의 ~을 분석하다 分析
市场动向

동호(同好) 圐하자타 1 同好 tónghào
2 = 동호인

동호-인(同好人) 圐 同好 tónghào; 同
好人 tónghàorén = 동호2 · 동호자

동호-자(同好者) 圐 = 동호인

동호-회(同好會) 圐 同好会 tónghào-
huì; 爱好者协会 àihàozhě xiéhuì ¶~
에 가입하다 加入同好会

동화(同化) 圐하자 1 同化 tónghuà ¶
민족 ~ 民族同化 / ~를 막다 阻止同
化 2 【生】= 동화 작용 2 3 【心】同化

tónghuà 4 【語】同化 tónghuà

동‐화(童話) 图 童话 tónghuà ¶그림 ~ 格林童话

동화(銅貨) 图 = 동전1

동화 작용(同化作用) 1 【鑛】同化作用 tónghuà zuòyòng 2 【生】同化作用 tónghuà zuòyòng = 동화(同化)2

돛 图 帆 fān；篷 péng；篷帆 péngfān ¶~을 달다 挂帆

돛단‐배 图 帆船 fānchuán = 돛배‐범선

돛‐대 图 桅 wéi；桅杆 wéigān；船桅 chuánwéi；桅樯 wéiqiáng

돛‐배 图 = 돛단배

돼:지 图 【動】猪 zhū；豚 tún ¶~고기 猪肉 /~비계 猪肉膘 /~우리 猪窝

되 一图 1 升 shēng ¶~로 쌀을 되다 用升量米 2 升 容量单位 yīshēng róngliàng 一图义 图 升 shēng ¶쌀 세 ~ 三升米
되로 주고 말로 받는다 속담 升借斗还

‐되 어미 1 用于谓语词词干之后的连接词尾，表示对立或转折 ¶나는 네 입장은 이해하~ 네 의견에는 동의할 수 없다 我理解你的立场，但是不能赞同你的意见 2 连接词尾之一，表示传达或引用 ¶그녀는 대답하~ "나는 잘못이 없다" 她回答说 '我没有错'

되:게 图 非常 fēicháng；很 hěn；十分 shífēn = 된통 ¶눈이 ~ 크다 眼睛很大

되‐넘기다 图 转卖 zhuǎnmài ¶산 땅을 즉석에서 ~ 当场将买的地转卖出去

되‐뇌다 图 反复说 fǎnfù shuō ¶계속해서 같은 말을 ~ 一直反复说一样的话

되는‐대로 图 1 稀里糊涂 xīlihútú；混乱 hùnluàn；胡乱 húluàn；苟且 gǒuqiě ¶그는 ~ 시험을 봤다 他稀里糊涂地考试出了 2 尽可能 jǐnkěnéng ¶~ 많이 가져와라 尽可能多点拿来吧

되다¹ 1 当 dāng；做 zuò ¶요리사가 ~ 做厨师 2 变为 biànwéi；变成 biànchéng ¶백만장자가 하루아침에 알거지가 ~ 百万富翁一夜变为赤贫 3 到 dào ¶봄이 되었다 到了春天 4 达到 dádào ¶연간 생산액이 20억이 ~ 年产值达到二十亿 5 人品好 rénpǐn hǎo ¶인품이 되지 못한 사람 人品不好的人 6 成 chéng；成为 chéngwéi ¶우수한 학생이 ~ 成为优秀学生

되:다² 图 (用斗、升等) 量 liáng ¶되로 쌀을 ~ 用斗量米

되:다³ 图 1 硬 yìng；糨 jiàng；稠 chóu ¶죽이 너무 ~ 粥煮得太糨 2 紧 jǐn ¶줄로 되게 묶어라 用绳子紧紧地捆吧 3 艰难 jiānnán；吃力 chīlì ¶이런 일은

너무 ~ 这种工作太艰难 4 厉害 lìhài ¶된 꾸중을 듣다 被骂得厉害

‐되다 접미 1 词尾之一，表示被动 ¶사용~ 被使用 / 형성~ 被形成 2 词尾之一，表示形容词 ¶거짓~ 假的 / 참~ 真实

되‐도록 图 尽量 jǐnliàng；尽可能 jǐnkěnéng ¶밤에는 ~ 음식을 먹지 않는다 晚上尽量不吃东西

되‐돌다 图 返回 fǎnhuí；重返 chóngfǎn ¶되돌아 달아나다 返回逃走

되‐돌리다 图 1 '되돌다' 的使动词 反 fǎn；转 zhuǎn ¶몸으로 ~ 转身 3 还回 huánhuí ¶원래 자리에 ~ 还回原处 4 退回 tuìhuí ¶편지를 그에게 되돌려 주다 把信退回给他

되‐돌아가다 图 1 返回 fǎnhuí ¶집에 ~ 返回家 2 重返 chóngfǎn ¶독신으로 ~ 重返单身 3 还回 huánhuí

되‐돌아보다 图他 1 回头看 huítóukàn ¶되돌아보지 마라 不要回头看 2 回顾 huígù ¶당시를 ~ 回顾当时

되‐돌아서다 图 回转 huízhuǎn；转身 zhuǎnshēn；打回头 dǎ huítóu ¶그녀는 차 타기 전에 되돌아서서 나를 바라보았다 她上车前转过身来看我

되‐돌아오다 图 返回 fǎnhuí；折返 zhéfǎn；重返 chóngfǎn ¶조국으로 ~ 返回祖国

되‐묻다 图 1 重问 chóngwèn；再问 zàiwèn ¶한 번 더 ~ 重问一次 2 反问 fǎnwèn ¶그는 뜻밖에도 나에게 되물었다 他居然反问了我

되‐바라지다 图 1 (碟子) 扁平 biǎnpíng ¶되바라진 접시 扁平的碟子 2 自以为是 zìyǐwéishì；骄傲自负 jiāoàozìfù ¶되바라진 아이 骄傲自大的孩子 3 滑头 huátóu ¶그를 아는 많은 사람들은 모두 그가 되바라졌다고 한다 认识他的很多人都说他滑头

되‐받다 图他 1 收回 shōuhuí；要回 yàohuí ¶빌려준 돈을 ~ 要回借款 2 反驳 fǎnbó；反击 fǎnjī；顶撞 dǐngzhuàng ¶학생이 선생님 말씀을 ~ 学生顶撞老师

되받아‐치다 图 反击 fǎnjī；顶撞 dǐngzhuàng；反驳 fǎnbó ¶그의 주장을 곧바로 ~ 直接反驳他的主张

되‐살다 图 1 复活 fùhuó 2 恢复 huīfù；重现 chóngxiàn；记起来 jìqǐlai ¶기억이 ~ 恢复记忆

되‐살리다 图他 '되살다' 的使动词

되‐살아나다 图 1 苏醒 sūxǐng；苏生 sūshēng ¶그는 몇 시간이 흐른 후 마침내 되살아났다 他过了几个小时终于苏生过来了 2 重现 chóngxiàn；复萌 fùméng ¶종교의식이 되살아난 사회 원인 宗教意识复萌的社会原因 3 恢

복 huīfù ¶예전의 기억이 완전히 ～ 完全恢复以前的记忆

되-새기다 国 1 咀嚼 jǔjiáo; 咬嚼 yǎojiáo 2 倒嚼 dǎojiáo; 反刍 fǎnchú ¶소는 하루에 약 6번 내지 8번을 되새긴다 牛一昼夜约反刍6～8次 3 回味 huíwèi; 重新思索 chóngxīn sīsuǒ; 反刍 fǎnchú ¶자신의 행동과 생각을 ～ 反刍着自己的行为, 思想

되-씹다 国 1 重复 chóngfù〈说话〉¶상대방의 말을 ～ 重复说一说对方的话 2 回味 huíwèi; 重新思索 chóngxīn sīsuǒ ¶어린 시절의 추억을 ～ 回味小时候的回忆

되알-지다 혱 1 有劲儿 yǒujìnr; 有力 yǒulì ¶대문을 되알지게 밀어붙이다 有力地推门 2 吃力 chīlì 3 饱满 bǎomǎn

되잖다 혱 不妥当 bùtuǒdàng; 不当 bùdàng ¶되잖은 말 不当的言辞 / 이런 방식은 ～ 这样的方式不妥当

되직-이 图 稍稠 shāochóu ¶죽을 ～ 끓이다 把粥煮得稍稠

되직-하다 혱 稍稠 shāochóu ¶되직한 옥수수 수프 稍稠的玉米浓汤

되-짚다 国 1 再拄 zàizhǔ ¶지팡이를 ～ 再拄拐杖 2 回头 huítóu ¶되짚어보다 回头来看 3 返回 fǎnhuí ¶방금 왔던 길을 되짚어 뛰어내려가다 返回刚才走的路跑下去

되-찾다 国 要回 yàohuí; 收回 shōuhuí; 找回 zhǎohuí; 收复 shōufù ¶잃어버린 지갑을 ～ 找回丢失的钱包

되-팔다 国 转卖 zhuǎnmài ¶기차표를 ～ 转卖火车票

되-풀이 图国 反复 fǎnfù; 重演 chóngyǎn; 重复 chóngfù ¶～해서 설명하다 反复解释

된:-똥 图 硬屎 yìngshǐ; 干屎 gānshǐ

된:-바람 图 1 北风 běifēng 2 大风 dàfēng; 疾风 jífēng 3【地理】强风 qiángfēng; 六级风 liùjífēng

된:-밥 图 硬饭 yìngfàn

된:-서리 图 1 严霜 yánshuāng ¶～를 맞다 遭严霜 2 严重打击 yánzhòng dǎjī

된:-소리 图【语】硬音 yìngyīn = 경음

된:-장(一醬) 图 1 大酱 dàjiàng; 黄酱 huángjiàng ¶～국 大酱汤 / 찌개 煎黄酱 / ～을 담그다 腌大酱 2 酱油渣 jiàngyóuzhā

된:-통 图 = 되게

됨됨-이 图 人品 rénpǐn; 为人 wéirén; 品质 pǐnzhì ¶그는 ～가 아주 좋다 他人品很好

됫-박 图 1 一升容量的瓢 yīshēng róngliàngde piáo 2 升 shēng ¶쌀 한 ～ 一斗米

두: 관 两 liǎng ¶～ 번 两遍 / ～ 달 两个月

두[1](頭) 图 头 tóu; 脑袋 nǎodai

두[2](頭) 의 头 tóu; 匹 pǐ ¶젖소 10 ～ 10头乳牛

두각(頭角) 图 头角 tóujiǎo ¶～을 나타내다 崭露头角

두개-골(頭蓋骨) 图【生】头盖骨 tóugàigǔ = 머리뼈

두견(杜鵑) 图 1【鸟】杜鹃 dùjuān = 두견새 2 ¶진달래

두견-새(杜鵑一) 图【鸟】= 두견1

두견-화(杜鵑花) 图【植】진달래

두고-두고 图 长期多次 chángqí duōcì; 常常 chángchang ¶옛날에 그가 보낸 편지를 ～ 꺼내본다 比起我当初收到的信长期多次看他寄给我的信

두근-거리다 자동 怦怦跳 pēngpēng tiào; 忐忑不安 tǎntèbù ān; 扑通扑通 pūtōngpūtōng 跳; 七上八下 qīshàng bāxià = 두근대다 ¶그 일을 생각하니 가슴이 두근거린다 一想起那件事, 我的心就怦怦跳 두근-두근 图하자 国

두꺼비 图【动】癞蛤蟆 làiháma; 蟾蜍 chánchú

두꺼비-집 图 1【农】铧槽 huácáo 2【电】保险盒 bǎoxiǎnhé

두껍다 혱 1 厚 hòu ¶두꺼운 스웨터 厚的毛衣 2 厚实 hòushi; 多 duō ¶그는 팬층이 ～ 喜欢他的歌迷们多的 3 浓 nóng ¶두꺼운 안개 浓雾

두께 图 厚度 hòudù ¶～를 재다 测量厚度 /～가 다르다 厚度不一样

두뇌(頭腦) 图 1【生】= 뇌 2 头脑 tóunǎo ¶～가 명석하다 头脑聪明 3 聪明的人 cōngmíngde rén

두다 国 1 放 fàng; 置 zhì; 搁 gē; 安放 ānfàng ¶책가방을 침대에 ～ 把书包放在床上 2 雇佣 gùyōng; 雇 gù ¶비서를 ～ 雇佣秘书 / 하인을 ～ 雇佣用人 3 加 jiā; 掺 chān ¶밥에 검은 콩을 ～ 在饭里掺入黑豆 4 絮 xù ¶솜이불에 솜을 ～ 往棉被里絮棉花 5 设 shè; 设立 shèlì; 办 bàn; 创办 chuàngbàn ¶계열사를 ～ 设立分公司 6 有 yǒu ¶그는 두 아이를 두고 있다 他有两个孩子 7 隔 gé ¶며칠 두고 연락하다 隔几天再联络 8 指 zhǐ ¶이건 너희를 두고 하는 말이다 这是指你们说的 9 花费 huāfèi ¶그는 오랜 시간을 두고서야 비로소 그녀를 잊었다 他花费很长时间, 才能忘记她 10 撒下 piēxià ¶그는 아이를 두고 나가서 돌아오지 않는다 他撇下孩子出去不回来 11 下 xià ¶그는 장기 두는 것을 좋아한다 他喜欢下棋

두더지 图【动】鼹鼠 yǎnshǔ; 地爬子 dìpázi

두두룩-하다 〖형〗 鼓起 gǔqǐ; 隆起 lóngqǐ ¶두두룩한 흙더미 隆起的土上

두둑 〖명〗 1 埂 gěng; 田埂 tiángěng; 土埂子 tǔgěngzi 2 垄 lǒng

두둑-이 〖부〗 1 厚实地 hòushide; 厚厚地 hòuhòude ¶옷을 ~ 입다 把衣服厚厚地穿 2 丰富地 fēngfùde; 多一点 duōyìdiǎn ¶용돈을 ~ 주다 丰富地给零用钱 3 鼓起地 gǔqǐde ¶뚜껑이 ~ 부은 듯 튀어나오다 盒子鼓起地隆起似的凸出

두둑-하다 〖형〗 1 很厚 hěn hòu; 厚实 hòushi ¶두둑한 지갑 很厚的钱包 2 充足 chōngzú; 丰富 fēngfù ¶예산이 ~ 预算丰富 3 '두둑하다'의 略词

두둔(斗頓) 〖명〗〖하다〗 袒护 tǎnhù; 偏袒 piāntǎn; 左袒 zuǒtǎn; 包庇 bāobì; 庇护 bìhù ¶죄인을 ~ 包庇罪人

두둥실 漂浮 piāofú; 飘浮 piāofú; 轻飘飘地 qīngpiāopiāode; 翩翩 piānpiān ¶배한 척이 바다 위에 ~ 떠 있다 一只船漂浮在海面上

두드러기 荨麻疹 xúnmázhěn; 风疹块 fēngzhěnkuài; 疹疹 zhěn zhěn; 鬼风疙瘩 guǐfēnggēda ¶~가 나다 起荨麻疹

두드러-지다 〖자〗 1 凸起 tūqǐ; 隆起 lóngqǐ ¶아랫배가 눈에 띄게 ~ 小腹明显隆起 2 显眼 xiǎnyǎn; 突出 tūchū ¶가장 두드러진 위치 最显眼的位置 〖二〗 1 凸出 tūchū ¶눈이 두드러진 얼굴 眼睛凸出的脸 2 突出 tūchū; 显然 xiǎnrán ¶실력이 가장 ~ 实力最突出

두드리다 〖타〗 1 敲 qiāo; 打 dǎ; 捶 chuí; 扣 kòu ¶敲打 qiāodǎ; 拍打 pāidǎ ¶힘껏 등을 ~ 用力拍打背部 2 乱 luàn; 瞎 xiā ¶두드려 패다 乱打

두들기다 〖타〗 敲打 qiāodǎ ¶주먹으로 문을 ~ 用拳头敲打门 2 狠打 hěndǎ; 乱打 luàndǎ ¶나는 모르는 사람에게 두들겨 맞았다 我被陌生人狠打

두런-거리다 〖자〗 嘀嘀咕咕 jījígūgū; 喃喃不休 nánnánbùxiū ¶사람들이 집 앞에서 ~ 人们在门前嘀咕咕 **두런-두런** 〖부하자〗 ¶가족들이 함께 모여서 ~ 이야기하다 家人聚集在一起嘀嘀咕咕地谈话

두렁 〖명〗 田埂 tiángěng; 田塍 tiánchéng ¶~길 田塍路

두레 〖농(農) (農民) 互助组 hùzhùzǔ

두레-박 汲水斗 jíshuǐdǒu; 吊桶 diàotǒng; 笆斗 bādǒu

두려움 〖명〗 害怕 hàipà; 恐惧 kǒngjù; 畏惧 wèijù; 惊惧 jīngjù ¶~을 극복하다 克服害怕

두려워-하다 〖타〗 1 怕 pà; 害怕 hàipà; 惶惑不安 huánghuòbù'ān ¶어둠을 ~ 害怕黑暗 2 敬畏 jìngwèi

대자연을 ~ 敬畏大自然

두렵다 〖형〗 1 怕 pà; 害怕 hàipà; 惊惧 jīngjù; 畏惧 wèijù; 生怕 shēngpà ¶집에 가는 것이 ~ 害怕回家 2 担心 dānxīn ¶그는 엄마가 화낼까 매우 ~ 他很担心妈妈会生气

두루 〖부〗 1 一一地 yīyīde; 全部 quánbù; 四处 sìchù; 大致 dàzhì; 大体上 dàtǐshàng ¶~ 갖추다 全部齐备 2 一般地 yībānde; 广泛地 guǎngfànde ¶~ 사용하다 广泛地使用

두루-두루 〖부〗 1 一一地 yīyīde; 广泛地 guǎngfànde ¶~ 조사하다 广泛地调查 2 随和 suíhede ¶다른 사람들과 ~ 사이좋게 지내다 跟别人随和地相处

두루-마기 〖명〗 (韩国式) 长袍 chángpáo; 罩袍 zhàopáo

두루-마리 〖명〗 卷纸 juǎnzhǐ; 卷儿 juànr ¶~ 화장지 卫生卷纸

두루-뭉수리 〖명〗 1 模棱两可 móléngliǎngkě; 笼统 lǒngtǒng 2 含糊的人 hánhude rén; 窝囊废 wōnangfèi

두루뭉술-하다 〖형〗 1 不方不圆 bùfāngbùyuán ¶이 물건은 ~ 这个东西不方不圆 2 笼统 lǒngtǒng; 模棱两可 móléngliǎngkě; 含含糊糊 hánhanhūhū ¶두루뭉술하게 대답하다 模棱两可地回答

두루미 〖조(鳥)〗 鹤 hè; 丹顶鹤 dāndǐnghè; 仙鹤 xiānhè; 白鹤 báihè = 백학 · 학(鶴)

두르다 〖타〗 1 围 wéi ¶앞치마를 두르고 밥을 하다 围围裙做饭 2 围 wéi; 围上 wéishàng ¶집 둘레에 담을 ~ 家周围墙 3 抱 bào; 搭 dā ¶그녀의 어깨에 팔을 ~ 她的肩膀上搭着手臂 4 抹 mǒ; 涂匀 túyún ¶프라이팬에 기름을 ~ 往煎锅里涂匀油 5 挥舞 huīwǔ ¶붉은 깃발을 휘위 挥舞红旗 6 变通 biàntōng; 借用 jièyòng; 暂借 zànjiè; 挪借 nuójiè ¶자금을 ~ 挪借资金 7 操纵 cāozòng ¶친구를 마음대로 ~ 随心地操纵朋友 8 蒙骗 mēngpiàn ¶군중을 ~ 蒙骗群众 9 绕 rào ¶이쪽은 차가 막히니 ~ 가는 것이 가장 좋다 这边堵车最好绕着走

두르르¹ 〖부〗 嘟噜噜 dūlulu ¶신문이 ~ 말리다 新闻嘟噜噜卷起来

두르르² 〖부〗 轱辘辘 gūlùgūlù ¶공이 ~ 굴러왔다 球轱辘辘滚来了

두름 〖一명〗 二十条 èrshítiáo ¶나는 조기 한 ~을 샀다 我买了二十条黄花鱼 〖二의명〗 (鱼/干菜) 串(儿) chuàn(r) ¶마늘 한 ~ 一串蒜

두릅-나무 〖명〗〖식(植)〗 楤木 sǒngmù

두리번-거리다 〖타〗 环视四周 huánshì sìzhōu; 东张西望 dōngzhāngxīwàng

左顾右盼 zuǒgùyòupàn; 看这看那 kàn-zhèkànnà = 두리번대다 ¶주위를 ~ 东张西望 두리번−두리번 [부][하][타] ¶~거리며 걷다 东张西望地走

두:−말 [명][하][자] **1** 二话 èrhuà ¶~ 多说 duōshuō ¶~ 하고 싶지 않다 我不想多说

두:−말−없다 [형] **1** 没二话 méi'èrhuà ¶확실하게 말해야 나중에 ~ 清楚地说 以后没二话 **2** 不言自明 bùyánzìmíng ¶그가 시험에 통과하는 것은 두말 없는 일이다 他通过考试那是不言自明的事

두:−말없−이 [부] **1** 没二话地 méi'èrhuà-de ¶~ 부모님의 말을 따르다 没二话地听从父母的话 **2** 不言自明的 bùyán-zìmíngde ¶이것은 ~ 그가 쓴 글이다 这是他写的文章, 那是不言自明的

두메 [명] 偏僻的山区 piānpìde shānqū; 穷乡僻壤 qióngxiāngpìràng; 边远山区 biānyuǎn shānqū; 山沟 shāngōu; 深山僻谷 shēnshānpìgǔ = 두메산골

두메−산골(−山) [명] = 두메

두목(頭目) [명] 头目 tóumù; 头儿 tóur; 头子 tóuzi; 头领 tóulǐng; 首领 shǒu-lǐng

두문불출(杜門不出) [명][하][자] 闭门不出 bìménbùchū ¶그는 집에서 몇 달째 ~이다 他在家里已经几个月闭门不出

두발(頭髮) [명] 头发 tóufa = 머리털

두부(豆腐) [명] 豆腐 dòufu ¶연~ 嫩豆腐 / ~ 요리 豆腐料理

두부(頭部) [명] **1** [生] 头部 tóubù **2** 顶部 dǐngbù; 前端 qiánduān

두상(頭相) [명] 头相 tóuxiàng

두서(頭緖) [명] 头绪 tóuxù; 端倪 duān-ní ¶~가 없다 没有头绪

두서너 [관] 两三四个 liǎngsānsìgè ¶사과 ~개 两三四个苹果

두서넛 [수] 两三四(个) liǎngsānsì(gè)

두−세 [관] 二三 èrsān; 两三 liǎngsān ¶~살 二三岁 / ~ 명 两三名

두세−째 [수][관] 第二三(个) dì'èrsān(gè) ¶그의 성적이 전교에서 ~는 간다 他的成绩在全校第二三名

두−셋 [수] 二三 èrsān; 两三 liǎngsān

두−수 [명] **1** 两个方法 liǎnggè fāngfǎ **2** 余地 yúdì ¶상의할 ~가 없다 没有商量的余地

두어 [관] 两个左右 liǎnggèzuǒyòu ¶~달 정도 시간이 필요하다 需要两个左右月

두어−두다 [타] 放任不管 fàngrèn bù-guǎn; 搁在一边 gēzàiyìbiān ¶책은 그냥 두어두고 밖으로 나가라 把书搁在一边出去

두엄 [명] [農] 堆肥 duīféi; 积肥 jīféi

두엇 [수] 两个左右 liǎnggèzuǒyòu ¶너

희들 중 ~만 와서 나를 도와줘라 你们中两个人左右来帮我

두유(豆乳) [명] 豆乳 dòurǔ; 豆奶 dòunǎi

두음(頭音) [명] [語] 头音 tóuyīn; 初声 chūshēng ¶~ 법칙 头音法则

두절(杜絶) [명][하][자] (交通、通讯等)中断 zhōngduàn; 断绝 duànjué ¶연락이 ~되다 联络断绝

두텁다 [형] 厚 hòu; 肥厚 féihòu; 深厚 shēnhòu ¶두터운 우정 深厚的友情 / 혈육의 정이 ~ 亲情深厚

두통(頭痛) [명] 头痛 tóutòng; 头疼 tóuténg ¶~이 심하다 头很痛

두툼−하다 [형] **1** 厚厚的 hòuhòude; 厚墩墩的 hòudūndūnde; 厚实的 hòushide ¶두툼한 책 厚厚的书 / 입술이 ~ 嘴唇是厚厚的 **2** 相当多 xiāngdāng duō ¶월급을 받아 주머니가 ~ 领日薪口袋里有相当多的钱 **두툼−히** [부]

둑 [명] 堤 dī ¶~이 무너지다 溃堤 / 护제 hùdī

둑−길 [명] 堤上的路 dīshàngde lù

둔:−감(鈍感) [명][하][형] 感觉迟钝 gǎnjué chídùn ¶그는 ~한 사람이다 他是个感觉迟钝的人

둔:−갑(遁甲) [명][하][자] **1** 摇身一变 yáo-shēn yíbiàn ¶~하여 멋쟁이가 되다 摇身一变成帅哥 **2** 改换面目 gǎihuàn miànmù

둔:−갑−술(遁甲術) [명] [民] 变身法 biàn-shēnfǎ

둔덕 [명] 丘 qiū; 丘陵 qiūlíng; 岗 gǎng; 坎 kǎn; 小岗 xiǎogǎng; 埂 gěng

둔부(臀部) [명] 臀部 túnbù = 엉덩이

둔:−재(鈍才) [명] 鈍才 dùncái

둔:−중−하다(鈍重) [형] **1** 笨拙 bèn-zhuō; 笨重 bènzhòng ¶둔중한 느낌이 들다 有很笨重的感觉 **2** (声音) 钝重 dùnzhòng; 低沉 dīchén ¶둔중한 소리가 들려오다 传来钝重的声音 **3** 迟钝 chídùn ¶둔중한 걸음걸이 迟钝的脚步 **4** (气氛) 沉闷 chénmèn ¶방 안의 사람들이 모두 둔중하게 앉아있다 房间里的人都沉闷地坐着

둔:−탁−하다(鈍濁) [형] **1** 笨拙 bèn-zhuō; 愚笨 yúběn; 迟钝 chídùn ¶둔탁한 행동 笨拙的行为 / 사람됨이 ~ 为人愚笨 **2** (声音) 钝重 dùnzhòng; 浑厚 húnhòu ¶나무가 바닥에 넘어지는 둔탁한 소리 木材摔在地上的钝重的声音

둔:−하다(鈍−) [형] **1** 笨 bèn; 愚钝 yúdùn ¶그는 머리가 정말 ~ 他头脑真笨 **2** 笨拙 bènzhuō; 笨重 bènzhòng ¶움직임이 ~ 动作笨拙 **3** (感觉) 迟钝 chídùn; (动作) 迟缓 chíhuǎn ¶반응이 ~ 反应迟钝 / 성장 발육이 ~

长发育迟缓 4 粗糙 cūcāo; 粗 cū ¶무겁고 둔해 보이는 그릇 看起来又重又粗的碗 5 钝重 dùnzhòng ¶둔한 흉기로 때리다 用有钝重的凶器打 6 (声音) 低沉 dīchén; 浑厚 húnhòu ¶목소리가 둔한 남자 가수 声音很低沉的男歌手 7 暗暗(的) ànàn(de) ¶둔하게 빛이 나는 기계 暗暗发亮的机器

둔-화(鈍化) 명하자 钝化 dùnhuà; 变钝重 biàndùnzhòng; 变低沉 biàndīchén ¶수출 증가 ~ 현상이 두드러지다 出口增长钝化现象很明显

둘: 준 二 èr; 两 liǎng ¶~이 같이 가다 两个人一起去

둘둘 뷔 1 吐嚕嚕地 tùlūlūde ¶잡지를 ~ 말다 把杂志吐嚕嚕地卷起 2 轆轆 轆轆 gūlūgūlū ¶~ 굴러가는 물레방아 轆轆轆轆滚动的水車

둘러-대다 타 1 通融 tōngróng; 暂借 zànjiè; 拼凑 pīncòu ¶부족한 학비를 ~ 拼凑不足的学费 2 胡乱编造 húluànbiānzào; 胡诌 húzhōu ¶술 취해서 ~ 醉了胡诌

둘러-막다 타 围住 wéizhù; 围起来 wéiqǐlái ¶경기를 준비하려고 운동장을 ~ 为了准备比赛把操场围起来

둘러-말하다 자 拐弯抹角 guǎiwānmòjiǎo ¶둘러말하지 말고 바로 사실을 말해라 不要拐弯抹角, 直接告诉我事实

둘러-매다 타 捆 kǔn; 捆绑 kǔnbǎng ¶땔감을 ~ 捆木柴

둘러-메다 타 背 bèi; 扛 káng ¶책가방을 ~ 背书包

둘러-보다 타 环视 huánshì; 环顾 huángù; 顾盼 gùpàn; 扫 sǎo ¶좌우를 ~ 环顾左右

둘러-서다 자 围绕 wéirào; 围站 wéizhàn ¶둘러서서 공연을 보다 围绕站着看表演

둘러-싸다 타 1 包 bāo ¶외투로 갓난아이를 ~ 用外套把婴儿包起来 2 包围 bāowéi; 簇拥 cùyōng ¶완전히 ~ 全面包围 / 적을 ~ 包围敌人 3 围绕 wéirào ¶이 문제를 둘러싸고 의견이 분분하다 围绕着这一个问题争论分纷

둘러-싸이다 자 被包围 bèibāowéi; 被围绕 bèiwéirào ¶강도가 경찰에게 ~ 强盗被警方包围

둘러-쌓다 타 围筑 wéizhù ¶작은 못을 ~ 围筑小池塘

둘러-쓰다 타 1 = 뒤집어쓰다 1 2 = 뒤집어쓰다 3 3 = 뒤집어쓰다 4

둘러-앉다 자 围坐 wéizuò ¶온가족이 식탁에 ~ 全家人围坐在饭桌子

둘러-업다 타 背 bèi ¶아이를 ~ 背小孩

둘러-엎다 타 1 打翻 dǎfān; 推翻

tuīfān ¶어항을 ~ 打翻鱼缸 2 撒手不干 sāshǒubùgàn ¶그는 일을 둘러엎고 사직을 준비했다 他撒手不干工作准备辞职了

둘러-치다 타 1 用力扔 yònglì rēng; 掷 zhì; 抛 pāo ¶用力打 yònglì dǎ; 凑凑 còu ¶打을 ~ 用力打糕杵 3 围起来 wéiqǐlái ¶주위를 전부 벽돌로 ~ 周围全都用石砖围起来

둘레 명 1 边 biān; 沿 yán; 周围 zhōuwéi; 四周 sìzhōu ¶모자 ~가 투명한 안전모 透明帽沿的安全帽 / 학교 ~에 나무가 많다 学校周围有很多树木 2 周长 zhōuchǎng ¶머리 ~ 头部的周长 / 나무의 ~를 재다 测量树木的周长

둘레-둘레 뷔하자 1 打眼 dǎyǎn; 左顾右盼 zuǒgùyòupàn (环视貌) ¶주위를 ~ 살피다 左顾右盼看周围 2 团团 tuántuán (围坐貌) ¶~ 앉아서 밥을 먹다 团团围坐在一起吃饭

둘-째 수[관] 第二 dì'èr; 第二的 dì'èr de ¶~ 칸 第二间 / 딸 次女

둘¹ 의[명] 1 似…非… sì…fēi… ¶하는 ~ 마는 ~ 似做非做 / 듣는 ~ 마는 ~ 관심이 없다 似听非听, 没有关心 2 在以定语形式出现的引语后复用, 表示说法不一 ¶맞다는 ~ 틀리다는 ~ 의견이 분분하다 有人说对了, 有人说错了, 议论纷纷

둥² 뷔 咚 dōng (鼓声) ¶북이 ~ ~ 울리다 鼓咚咚响

둥그러-지다 자 摔滚 shuāigǔn; 打滚 dǎgǔn ¶계단에서 둥그러졌다 在台阶上摔滚了下来

둥그렇다 형 圆圆 yuányuán; 圆圆的 yuányuán de ¶둥그런 얼굴 圆圆的脸 / 보름달이 ~ 满月圆圆的

둥그레-지다 자 变圆 biànyuán; 圆起来 yuánqǐlái ¶눈이 ~ 眼睛变圆

둥그스름-하다 형 稍圆 shāoyuán; 有点圆 yǒudiǎn yuán; 略圆 lüèyuán ¶얼굴이 ~ 脸有点圆 **둥그스름-히** 뷔

둥글다 형[동] 1 圆 yuán ¶둥글지도 않고 모나지도 않다 不方不圆 2 随和 suíhe ¶그녀는 성격이 ~ 她性格比较随和 / 일하는 솜씨가 점점 둥글어 가다 月牙渐渐变圆

둥글-둥글 뷔하자 圆圆 yuányuán; 圆溜溜 yuánliūliū ¶~한 월병 圆圆的月饼

둥-둥¹ 뷔 咚咚 dōngdōng; 铮铮 zhēngzhēng (敲鼓声) ¶큰 북이 ~ 울리다 大鼓咚咚响

둥-둥² 뷔 漂 piāo; 漂浮 piāofú; 飘浮 piāofú; 飘荡 piāodàng; 悠悠 yōuyōu; 悠悠忽忽 yōuyōuhūhū ¶나뭇잎이 물위에 ~ 뜨다 树叶漂浮于水面

둥실-둥실¹ 뷔 一浮一浮地 yīfúyīfúde

둥실둥실² 〔부〕〔하〕〔형〕 胖 pàng; 圆圆的 yuányuánde ¶어린아이의 ~한 얼굴 小孩的圆圆的脸

-둥이 〔접미〕用于名词后, 表示对具有某种特征的人的爱称或俗称 ¶바람~ 花花公子 / 막내~ 老疙瘩

둥지 〔명〕窝 wō; 巢 cháo; 巢穴 cháoxué ¶~를 틀다 做窝

둥치 〔명〕(大树干的) 底部 dǐbù

둥치다 〔타〕1 捆 kǔn; 捆绑 kǔnbǎng ¶짐을 ~ 捆绑行李 2 除去 chúqù; 剪掉 jiǎndiào ¶나뭇가지를 ~ 剪掉树枝

뒈:지다 〔자〕死掉 sǐdiào ¶그 사기꾼은 결국 뒈졌다 那个骗子终究死掉了

뒤: 〔명〕1 后 hòu; 后面 hòumian; 背面 bèimiàn ¶우리 집 ~에는 산이 있다 我家后面有一座山 2 后 hòu; 以后 yǐhòu; 后来 hòulái; 之后 zhīhòu ¶가격이 내린 ~에 새 차를 사다 降价之后买新车 3 背后 bèihòu; 背地里 bèidìli ¶친구가 ~에서 내 험담을 하다 朋友在背地里说我坏话 4 后事 hòushì ¶~는 걱정마라 不用担心后事 5 后代 hòudài; 后继 hòujì ¶~를 이을 사람이 없다 后继乏人 6 靠山 kàoshān ¶~가 든든하다 靠山很稳 7 结果 jiéguǒ; 后果 hòuguǒ ¶수술 ~가 그다지 좋지 않다 手术结果不太好 8 记仇 jìchóu ¶그는 ~가 있는 사람이라 我를 경계하는 人 9 屎 shǐ; 粪便 fènbiàn; 大便 dàbiàn ¶~가 마렵다 想拉屎 10 屁股 pìgu ¶~를 의자에 붙이고 앉다 屁股坐在椅子上

뒤- 〔접두〕(用于动词前) 1 乱 luàn; 胡乱 húluàn ¶헤드폰 줄이 ~엉키다 耳机线乱缠在一起 2 反向 fǎnxiàng; 翻转 fānzhuǎn ¶위아래가 ~바뀌다 上下翻转

뒤:-꼍 〔명〕后庭 hòutíng; 后院 hòuyuàn

뒤:-꽁무니 〔명〕=꽁무니2

뒤:-끓다 〔자〕1 沸腾 fèiténg ¶뜨거운 피가 ~ 热血沸腾 2 热闹 rènao ¶놀이공원에 많은 인파가 ~ 游乐园里有很多人很热闹

뒤:-끝 〔명〕1 最后 zuìhòu; 末尾 mòwěi ¶학기 ~ 学期末尾 / 방학 ~ 假期末尾 2 之后 zhīhòu ¶눈 온 ~이라 길이 미끄러우니 조심해라 小心下雪之后路很滑 3 记仇 jìchóu ¶~이 없다 不记仇

뒤:-늦다 〔형〕晚 wǎn; 迟 chí ¶뒤늦게 왔다 他迟到了

뒤:-대다 〔타〕支援 zhīyuán; 后援 hòuyuán ¶아버지가 뒤대주어 그는 계속

뒤-덮다 〔타〕1 遮盖 zhēgài; 覆盖 fùgài; 遮住 zhēzhù ¶흰 구름이 하늘을 ~ 白云覆盖天 2 遍布 biànbù; 笼罩 lǒngzhào ¶인파가 광장을 ~ 人潮笼罩

뒤-덮이다 〔자〕'뒤덮다'的被动词 ¶도시가 안개에 ~ 城市被雾气覆盖 / 살기로 ~ 被杀气笼罩

뒤:-돌다 〔자〕转身 zhuǎnshēn ¶뒤돌아 달려가다 转身跑着

뒤:-돌아보다 〔타〕1 回头看 huítóukàn ¶뒤돌아보지 말고 계속 해서 달려라 不要回头看继续往前跑 2 回忆 huíyì; 回顾 huígù; 回首 huíshǒu; 回想 huíxiǎng ¶지나간 세월을 ~ 回首逝去的岁月

뒤:-돌아서다 〔자〕转身 zhuǎnshēn ¶그녀는 뒤돌아서서 손을 흔들었다 她转过身来挥手了

뒤:-따라가다 〔타〕跟去 gēnqù; 跟随 gēnsuí; 尾随 wěisuí ¶예쁜 여자를 ~ 尾随一个漂亮的女子

뒤:-따라오다 〔타〕跟来 gēnlái ¶고양이 한 마리가 계속 ~ 一只猫继续跟来

뒤:-따르다 〔타〕1 继承 jìchéng ¶나는 부모님을 뒤따라 선생님이 되고 싶다 我想继承父母, 当老师 2 跟随 gēnsuí; 伴随 bànsuí; 跟着 gēnzhe ¶새로운 흐름을 ~ 跟随新潮流

뒤:-떨다 〔타〕发抖 fādǒu; 哆嗦 duōsuo ¶강아지가 온 몸을 뒤떨다 小狗浑身哆嗦

뒤:-떨어지다 〔자〕1 落在后面 luòzài hòumian ¶다른 팀과 비교해 우리는 뒤떨어졌다 与其他球队相比我们落在了后面 2 落伍 luòwǔ; 落后 luòhòu ¶노력하지 않으면 곧 뒤떨어진다 不努力就会落伍 3 陈旧 chénjiù ¶시대에 뒤떨어진 교육 방식 陈旧的教学方式

뒤뚝 〔부〕〔하〕〔타〕摇晃 yáohuàng; 摇摆 yáobǎi

뒤뚝-거리다 〔자〕〔타〕摇摇摆摆 yáoyáobǎibǎi; 摇摇晃晃 yáoyáohuànghuàng = 뒤뚝대다 ¶그녀는 뒤뚝거리며 걸어갔다 她摇摇摆摆地走进 **뒤뚝-뒤뚝** 〔부〕〔하〕〔자〕〔타〕

뒤뚱 〔부〕〔하〕〔자〕〔타〕摇摆 yáobǎi; 摇晃 yáohuàng

뒤뚱-거리다 〔자〕〔타〕摇摇晃晃 yáoyáohuànghuàng; 摇摇摆摆 yáoyáobǎibǎi = 뒤뚱대다 ¶오리가 뒤뚱거리며 걷다 鸭子摇摇摆摆地走路 **뒤뚱-뒤뚱** 〔하〕〔자〕〔타〕

뒤:-뜰 〔명〕后院 hòuyuàn

뒤:-바꾸다 〔타〕1 倒换 dàohuàn; 调换 diàohuàn; 颠倒 diāndǎo ¶단어 순서를

~ 颠倒词序

뒤-바뀌다 困 '뒤바꾸다'의 피동사 ¶
고객의 신발이 ~ 顾客的鞋子调换

뒤:-받다 囲 1 反驳 fǎnbó; 顶撞 dǐng-
zhuàng ¶어른에게 ~ 顶撞大人 2 反
驳 fǎnbó ¶그의 잘못된 말을 되받았다
反驳他的错误言论

뒤-범벅 圀 混乱 hùnluàn; 混乱 hùn-
zá; 杂乱无章 záluànwúzhāng; 七颠八
倒 qīdiānbādǎo ¶얼굴은 눈물과 콧물
로 ~이다 混乱满脸眼泪和鼻涕

뒤:-서다 囲 1 跟随 gēnsuí; 伴随 bàn-
suí; 跟着 gēnzhe ¶앞선 사람과 뒤선
사람 모두 지쳤나 前边的人和跟随的
人都累了 2 落后 luòhòu; 落在后面
luòzài hòumiàn ¶경제 방면에서 ~ 在
经济方面落在后面

뒤-섞다 囲 混和 hùnhé; 混淆 hùn-
xiáo; 混杂 hùnzá; 搅 jiǎo; 搅和 jiǎo-
huo ¶약품을 ~ 混杂药品 / 자신의 의
견을 ~ 混杂自己的意见

뒤섞-이다 困 '뒤섞다'의 피동사 ¶각
종 색깔이 한데 뒤섞여있다 各种颜色
混合在一起 / 감정이 ~ 感情混杂

뒤숭숭 旡圀旡 1 心乱 xīnluàn ¶
마음이 ~하다 心乱 2 杂乱无章 zá-
luànwúzhāng; 乱糟糟 luànzāozāo ¶방
이 ~하다 房间乱糟糟

뒤-얽다 囲 绕 rào; 纠缠 jiūchán; 绞
结 jiǎojié ¶밧줄을 도둑의 몸에 ~ 把
绳子绕盗贼的身体

뒤얽-히다 困 '뒤얽다'의 피동사 ¶명
굴이 뒤얽혀 있다 蔓绕在一起 / 몇 가
지 문제가 한데 뒤얽혔다 几个问题
绞结在一起

뒤-엉키다 囲 纠缠 jiūchán; 交织 jiāo-
zhī ¶털실 한 덩어리가 ~ 一团毛线纠
缠 / 사랑과 미움이 ~ 爱恨交织

뒤-엎다 囲 推翻 tuīfān; 颠覆 diānfù ¶
탁자를 ~ 推翻桌子 / 세상에 대한 인
식을 ~ 颠覆对世界的认识

뒤:-잇다 困囲 紧接着 jǐnjiēzhe; 继后
jìhòu; 接续 jiēxù ¶회의가 끝난 후 뒤
이어 포럼에 출석하다 结束会议之后,
紧接着出席论坛

뒤적-거리다 囲 1 乱翻身 luànfān ¶翻找
fānzhǎo ¶서랍을 ~ 乱翻抽屉里 2 翻
来覆去 fānláifùqù ¶부침개를 ~ 翻来
翻去煎饼 ‖ = 뒤적대다 **뒤적-뒤적**
旡圀旡

뒤적-이다 囲 1 乱翻身 luànfān ¶翻找
fānzhǎo ¶책가방을 ~ 翻找书包 2 翻
来覆去 fānláifùqù ¶온몸을 ~ 翻来翻
去全身

뒤:-좇다 囲 跟踪 gēnzōng ¶경찰이
용의자를 ~ 警察跟踪嫌犯

뒤주 圀 柜 guì

뒤죽-박죽 圀旡 混杂 hùnzá; 杂乱无

章 záluànwúzhāng; 乱七八糟 luànqī-
bāzāo ¶방안이 ~이다 房间里乱七八
糟 / 머릿속이 ~이다 脑子里杂乱无章

뒤:-지다¹ 囲 1 掉在后面 diàozài hòu-
miàn; 落在后面 luòzài hòumiàn ¶그는
나보다 뒤져 걸었다 他比我落在后面
走了 2 落后 luòhòu; 技术 ~ 技术
落后 3 迟 chí ¶내 생일은 그보다 3일
뒤진다 我的生日比他迟三天 4 未及
wèijí; 未达 wèidá ¶업적이 기대했던
것에 ~ 业绩未达预期

뒤지다² 囲 1 搜寻 sōuxún; 翻找 fān-
zhǎo ¶책가방을 ~ 翻找书包 2 (书本)
查 chá ¶사전을 ~ 查问典

뒤-집다 囲 1 反 fǎn; 翻 fān; 翻转
fānzhuǎn ¶양말을 뒤집어 신다 袜子穿
反了 2 颠倒 diāndǎo ¶위아래를 ~ 颠
倒上下 / 차례를 ~ 次序颠倒 3 颠覆
diānfù ¶전통을 ~ 颠覆传统 / 세상을
~ 颠覆世界 / 흐름을 ~ 颠覆潮流 4
推翻 tuīfān; 推翻 tuīfān ¶식민주의 통
치를 ~ 推翻植民主义的统治 5 骚乱
sāoluàn ¶그 소식은 온 집안을 뒤집었
다 那个消息骚乱了全家 6 翻眼 fān-
yǎn; 瞪眼 dèngyǎn ¶눈을 뒤집고 말하
다 瞪着眼说

뒤집어-쓰다 囲 1 戴上 dàishàng =
둘러쓰다 ¶모자를 ~ 戴上帽子 2 沾
满 zhānmǎn ¶얼굴에 흙을 뒤집어쓰다
脸上沾满了土 3 蒙上 méngshàng =
둘러쓰다2 ¶이불을 ~ 蒙上棉被 4 受
冤 shòuyuān; 蒙受 méngshòu = 둘러
쓰다3 ¶죄를 뒤집어쓰고 감옥에 들어
가다 受冤入狱

뒤집어-씌우다 囲 1 使戴上 shǐdài-
shàng 2 使沾满 shǐzhānmǎn 3 使蒙上
shǐméngshàng 4 使之蒙受 shǐzhīméng-
shòu; 转嫁 zhuǎnjià ¶책임을 ~ 转嫁
责任

뒤집어-엎다 囲 1 翻 fān; 翻转 fān-
zhuǎn ¶카드를 ~ 翻卡 2 翻倒 fāndào
¶국그릇을 ~ 将汤碗翻倒 3 改变
gǎibiàn; 打乱 dǎluàn ¶계획을 ~ 打乱
计划 4 打倒 dǎdǎo; 推翻 tuīfān ¶사회
주의 정부를 ~ 推翻社会主义政府

뒤집-히다 困 1 被翻转 bèifānzhuàn ¶
화물차가 뒤집혔다 货车被翻转了 2
被翻倒 bèifāndào; 被颠倒 bèidiāndǎo ¶
순서가 임시로 뒤집혔다 顺序临时被
颠倒了 3 被打乱 bèidǎluàn; 被扰乱
bèirǎoluàn; 被轰动 bèihōngdòng ¶납치
사건으로 전국이 뒤집혔다 绑架事件
被轰动了全国 4 被推翻 bèituīfān ¶被
推翻 bèituīfān ¶독재정권이 ~ 独裁政
权被推翻

뒤:-쪽 圀 后边 hòubian; 后面 hòumiàn

뒤:-쫓기다 困 '뒤쫓다'의 피동사 ¶
도둑이 경찰에게 ~ 小偷被警察追赶

뒤:-쫓다 目 追赶 zhuīgǎn ¶적을 ~
追赶敌人

뒤:-차(一車) 图 1 下班车 xiàbānchē
2 后面的车 hòumiànde chē

뒤:-채 图 后房 hòufáng

뒤:-처리(一處理) 图하타 收尾 shōu-
wěi; 善后 shànhòu; 善终 shànzhōng
¶~를 깨끗이 하다 做好善后工作

뒤척-거리다 타 1 翻找 fānzhǎo ¶책
을 ~ 翻找书 2 辗转反侧 zhǎnzhuǎn-
fǎncè ¶뒤척거리며 잠을 이루지 못하
다 辗转反侧难以入眠 ‖ = 뒤척대다

뒤척-뒤척 閉하타

뒤척-이다 타 1 翻找 fānzhǎo 2 辗转
反侧 zhǎnzhuǎnfǎncè ¶뒤척이며 밤새
잠을 자지 못하다 辗转反侧, 彻夜未
眠

뒤쳐-지다 재 反了 fǎnle; 翻转 fān-
zhuǎn ¶뚜껑이 바람에 ~ 盖子被风反
了

뒤:-축 图 1 (鞋、袜의) 后跟 hòugēn
¶구두 ~이 닳았다 皮鞋后跟磨薄了 2
脚后跟 jiǎohòugēn

뒤치다 타 翻转 fānzhuǎn ¶몸을 ~ 翻
转身

뒤:-치다꺼리 图하재 1 照料 zhào-
liào; 照顾 zhàogù; 伺候 cìhou ¶자식
~를 하다 照顾孩子 2 = 뒷수發

뒤:-탈(一頉) 图 后患 hòuhuàn ¶엄하
게 처벌해서 ~이 생기지 않도록 하다
重罚以免后患

뒤:-통수 图 后脑勺子 hòunǎosháozi
= 뒷머리2

뒤-틀다 타 1 扭纽 niǔ; 拧 nǐng; 捻 niǎn
¶엄지손가락을 밖으로 ~ 把大拇指向
外捻 2 妨碍 fáng'ài; 搅扰 jiǎorǎo ¶다
른 사람이 창업하는 것을 뒤틀지 마라
不要妨碍别人创业

뒤틀-리다 재 1 被扭 bèiniǔ; 被捻
bèiniǔ 2 别扭 bièniu; 不痛快 bùtòng-
kuai ¶심사가 ~ 心理挺别扭的

뒤:-편(一便) 图 1 后边 hòubian; 后面
hòumiàn 2 后走的人 hòuzǒude rén; 后
去的便人 hòuqùde biànrén ¶~에 선물
을 보내다 把礼物托给后走的人带去

뒤:-폭(一幅) 图 1 (衣服의) 后幅 hòu-
fú (家具) 后挡板 hòudǎngbǎn 3 (物
品) 后面的宽度 hòumiànde kuāndù

뒤:-풀이(一) 图 (字句의) 注脚 zhù-
jiǎo 2 余兴 yúxìng ¶~에 참가하다 参
加余兴节目

뒤-흔들다 타 1 摇动 yáodòng; 摇晃
yáohuàng ¶바람이 나뭇가지를 ~ 风
摇动着树干 2 轰动 hōngdòng; 震动
zhèndòng; 震撼 zhènhàn ¶업계를 ~
震动业界 3 控制 kòngzhì; 操纵 cāo-
zòng ¶그는 회사를 손 안에 넣고 뒤흔
들었다 他把公司控制了在手中

뒷:-간(一間) 图 厕所 cèsuǒ ¶~에 가
다 上厕所

뒷:-감당(一堪當) 图하타 收尾 shōu-
wěi; 善后 shànhòu; 善终 shànzhōng
¶~하느라 바쁘다 匆忙善后

뒷:-거래(一去來) 图하타 走后门 zǒu
hòumén; 后门交易 hòumén jiāoyì; 黑
市交易 hēishì jiāoyì ¶위조 상품을 ~
하다 黑市交易假冒商品

뒷:-걱정 图하재 后顾之忧 hòugùzhī-
yōu ¶~을 해결하다 解决后顾之忧

뒷:-걸음 图하재 1 退步 tuìbù; 倒走
dàozǒu ¶~으로 걷다 倒走 2 后退
hòutuì; 退缩 tuìsuō ¶자신감을 잃어
모든 일에서 ~ 치다 丧失了自信心,
遇事退缩

뒷:-걸음-질 图하재 1 倒走 dàozǒu;
退步 tuìbù; 后退 hòutuì ¶그는 경찰을
보고는 ~ 쳤다 他看到警察, 就后退
了 2 后退 hòutuì; 退步 tuìbù; 退缩
tuìsuō ¶어떤 어려움 앞에서도 ~하지
않다 面对任何困难都不要后退

뒷:-걸음-치다 재 1 后退 hòutuì; 倒退
dàotuì ¶한 걸음 한 걸음 ~ 一步一步
地往后退 2 落后 luòhòu ¶경제 수준이
갈수록 ~ 越来越落后经济水平

뒷:-경과(一經過) 图 事后的情况 shì-
hòude qíngkuàng; 以后的情况 yǐhòude
qíngkuàng ¶수술 후 ~가 좋다 手术以
后的情况好

뒷:-골목 图 背巷 bèixiàng; 小巷 xiǎo-
xiàng; 小街 xiǎojiē

뒷:-공론(一公論) 图하재 1 马后炮 mǎ-
hòupào; 事后议论 shìhòu yìlùn ¶~하
지 마라 不要做马后炮 2 后言 hòu-
yán; 暗话 ànhuà; 背后议论 bèihòu yì-
lùn ¶이번 인사 이동에 대해 ~이 많
다 关于这次人事调动人们都背后议论

뒷:-구멍 图 1 后面的洞 hòumiànde
dòng 2 走后门 zǒu hòumén ¶~으로
취업하다 走后门就业

뒷:-귀 图 反应能力 fǎnyìng nénglì;
理解力 lǐjiělì ¶~가 밝다 反应能力很
快

뒷:-길 图 1 后街 hòujiē 2 前途 qián-
tú; 前程 qiánchéng; 将来 jiānglái ¶젊
은이의 ~을 생각하다 为年轻人的前
途着想 3 走后门 zǒu hòumén

뒷:-날 图 1 第二天 dì'èrtiān 2 今后
jīnhòu; 以后 yǐhòu; 将来 jiānglái ¶~
다시 연락하겠다 以后再联络

뒷:-다리 图 后腿 hòutuǐ; 后肢 hòuzhī

뒷:-덜미 图 后脖颈 hòubójǐng; 后脖梗
hòubógǐng ¶~를 움켜잡다 捨住后颈

뒷:-돈 图 1 接济的钱 jiējìde qián; 资
本 zīběn; 后盾 hòudùn 2 赌本 dǔběn ¶
~을 대주다 提供赌本 3 秘密提供的
钱 mìmì tígōngde qián

뒷:-동산 뗑 后山 hòushān

뒷:-말 똉[하자] **1** 接着说的话 jiēzhe shuōde huà; 后续的话 hòuxùde huà **2** 后言 hòuyán; 暗话 ànhuà ¶后话 hòupáo; 事后议论 shìhòu yìlùn = 뒷소리1 ¶~을 듣다 听到马后炮

뒷:-맛 뗑 **1** 余味 yúwèi ¶~이 쓰다 余味苦涩 **2** (事情结束后的) 回味 huíwèi ¶~이 오래가다 令人回味很久

뒷:-머리 뗑 **1** 背面 bèimiàn; 后面 hòumiàn; 后头 hòutou; 结尾 jiéwěi ¶이 야기의 ~ 故事的结尾 **2** = 뒤통수 **3** 后脑部的头发 hòunǎobùde tóufa ¶~가 매우 길다 后脑部的头发很长

뒷:-면(─面) 뗑 后面 hòumiàn; 背面 bèimiàn; 反面 fǎnmiàn = 이면1

뒷:-모습 뗑 背影 bèiyǐng; 后影 hòuyǐng

뒷:-모양(─模様) 뗑 **1** 背影 bèiyǐng **2** (事情的) 结果 jiéguǒ ¶일의 ~이 좋지 않다 事情的结果不完美

뒷:-문(─門) 뗑 **1** 后门 hòumén **2** 非法渠道 fēifǎ qúdào; 走后门 zǒu hòumén ¶~으로 취업하다 走后门就业

뒷:-바라지 뗑 支援 zhīyuán; 照料 zhàoliào ¶누나의 ~덕분에 그는 대학에 들어갔다 因姐姐的照料的好, 他能够上了大学

뒷:-바퀴 뗑 后轮 hòulún

뒷:-받침 뗑[하자] 后援 hòuyuán; 后盾 hòudùn; 支援 zhīyuán ¶~해주다 提供支援

뒷:-발 뗑 后腿 hòutuǐ; 后脚 hòujiǎo

뒷:-발-질 뗑[하자] 后蹬 hòudēng; 后踢 hòutī

뒷:-부분(─部分) 뗑 后部 hòubù; 后面 hòumiàn

뒷:-북-치다 자 马后炮 mǎhòupào; 马后屁 mǎhòupì ¶일은 이미 발생했으니 뒷북치지 마라 事情已经发生了, 别马后屁

뒷:-사람 뗑 **1** 后面的人 hòumiànde rén **2** 后代 hòudài ¶~에게 물려주다 传给后代

뒷:-산(─山) 뗑 后山 hòushān

뒷:-소리 뗑[하자] **1** = 뒷말2 **2** 声援 shēngyuán

뒷:-소문(─所聞) 뗑 传闻 chuánwén; 风声 fēngshēng; 事后的议论 shìhòude yìlùn ¶~을 듣다 听到风声

뒷:-수쇄(─收刷) 뗑[하자] 事后收拾 shìhòu shōushi; 善后 shànhòu; 收尾 shōuwěi = 뒤치다꺼리2

뒷:-수습(─收拾) 뗑[하자] 善后 shànhòu; 收尾 shōuwěi; 事后收拾 shìhòu shōushi; 收场 shōuchǎng

뒷:-심 뗑 **1** 后台 hòutái; 后盾 hòudùn ¶~이 든든하다 后台很稳固 **2** 后劲

hòujìn ¶~이 부족하다 后劲不足

뒷:-일 뗑 后事 hòushì; 以后的事 yǐhòude shì ¶~을 부탁한다 拜托以后的事

뒷:-자락 뗑 后下摆 hòuxiàbǎi

뒷:-자리 뗑 (座位) 后排 hòupái ¶~에 앉다 坐在后排

뒷:-장(─張) 뗑 后页 hòuyè ¶~을 보다 看后页

뒷:-전 뗑 **1** 后面 hòumiàn ¶~에 앉아서 보다 坐在后面看 **2** 背后 bèihòu; 背地 bèidì ¶~에서 원망하다 背后埋怨 **3** 末尾 mòwěi; 最后 zuìhòu **4** 船尾 chuánwěi ¶물건을 배 ~에 놓다 把东西放在船尾

뒷:-정리(─整理) 뗑[하자] 善后 shànhòu; 收拾 shōushi ¶일을 다 한 후에는 ~를 잘 해야 한다 做完事以后, 应该收拾好东西

뒷:-조사(─調査) 뗑[하자] 暗查 ànchá; 暗中调查 ànzhōng diàochá ¶대통령 후보의 ~를 하다 暗查总统候选人的情况

뒷:-주머니 뗑 **1** 后兜儿 hòudōur **2** 后备 hòubèi

뒷:-줄 뗑 **1** 后排 hòupái ¶~에 아직 자리가 있다 后排还有座位 **2** 后台 hòutái; 后盾 hòudùn

뒷:-짐 뗑 背手 bèishǒu ¶~을 지다 背手

뒷:-집 뗑 后邻 hòulín

뒹굴다 打滚 dǎgǔn; 滚动 gǔndòng ¶고양이가 뒤뜰에서 ~ 小猫在后园打滚 囗자 **1** 游手好闲 yóushǒuhàoxián ¶그는 일은 안 하고 매일 집에서 뒹군다 他不工作每天在家里游手好闲 **2** 乱扔 luànrēng

듀엣(duet) 뗑 [音] **1** 二重奏 èrchóngzòu **2** 二重唱 èrchóngchàng

드- [접두] 用于形容词前面, 表示'很, 非常, 十分' ¶~높다 很高 / ~넓다 很宽

드나-들다 囗자타 **1** 出入 chūrù; 进进出出 jìnjìnchūchū; 来来往往 láiláiwǎngwǎng ¶그는 자주 술집에 드나든다 他常常出入酒吧 **2** 跑来跑去 pǎoláipǎoqù 囗자 凸凹 tū'āo; 不平 bùpíng; 参差不齐 cēncībùqí; 坑洼不平 kēngwābùpíng ∥ = 나들다

드-넓다 很宽 hěnkuān; 宽广 kuānguǎng ¶드넓은 마음 宽广的心胸 / 드넓은 바다 宽广的海洋

드-높다 很高 hěngāo; 高昂 gāo'áng; 昂扬 ángyáng ¶드높은 하늘 很高的天空

드디어 [부] 终于 zhōngyú ¶~ 그를 만나게 되었다 终于跟他见面了

드라마(drama) 뗑 **1** 〖文〗脚本 jiǎo-

bén; 剧本 jùbén 2 【演】戏剧 xìjù ¶~
연출 戏剧演出 3 戏剧性事件 xìjùxìng
shìjiàn

드라마틱-하다(dramatic—) 圈 戏剧
性的 xìjùxìngde; 印象深刻的 yìnxiàng
shēnkède; 引人注目的 yǐnrénzhùmùde
¶드라마틱한 인생 戏剧性的人生

드라이(dry) 圄하图 **1** 干 gān; 干燥
gānzào **2** = 드라이클리닝

드라이버(driver) 圄 螺丝刀 luósīdāo;
改锥 gǎizhuī = 나사돌리개

드라이브(drive) 圄하图퇴 兜风 dōu-
fēng ¶교외로 ~ 갈래? 你要不要开车
到郊外兜风去?

드라이어(drier) 【機】吹风机 chuī-
fēngjī; 干发器 gānfàqì

드라이-클리닝(dry cleaning) 圄 干
洗 gānxǐ ¶드라이 **2** 이 옷은 반드시
~ 해야 한다 这件衣服要干洗

드러-나다 쟤 **1** 露 lòu; 露出 lùchū; 流
露 liúlù; 裸露出 luǒlùchū; 显出 xiǎn-
chū; 显现 xiǎnxiàn ¶배꼽이 드러나는
상의 露出肚脐的上衣 **2** 暴露 bàolù;
毕露 bìlù; 泄露 xièlù ¶위험이 한번에
~ 风险一下子暴露出来

드러-내다 图 **1** 露出 lùchū; 显露
xiǎnlù ¶이를 드러내고 크게 웃다 露出
牙齿哈哈大笑 **2** 暴露 bàolù; 泄露 xiè-
lù ¶약점을 ~ 泄露弱点

드러-눕다 쟤 **1** 躺 tǎng; 躺身 tǎng-
shēn; 卧倒 wòdǎo ¶그는 침대에 드러
누워서 책을 보고 있다 他在床上躺着
看书 **2** 病倒 bìngdǎo; 卧病 wòbìng ¶
할아버지께서 또 병으로 드러누우셨
다 爷爷又病倒了

드럼(drum) 圄 **1** 【音】洋鼓 yánggǔ **2**
= 드럼통

드럼-통(drum桶) 圄 大油桶 dàyóu-
tǒng; 大铁桶 dàtiětǒng = 드럼

드렁-거리다 쟤톼 **1** 呼噜呼噜 hūlū-
hūlū ¶코를 드렁거리며 자다 睡觉呼噜
呼噜地打鼾 **2** 轰隆隆响 hōnglónglóng
xiǎng ¶문풍지가 ~ 门缝纸袈隆隆响
‖ = 드렁대다 **드렁-드렁** 톼하쟤톼

드레스(dress) 圄 女西装 nǚxīzhuāng;
衣裙 yīqún

드레싱(dressing) 圄 **1** 调味汁 tiáo-
wèizhī ¶~을 만들다 做调味汁 **2** 治疗
伤口 zhìliáo shāngkǒu

드로잉(drawing) 圄 **1** 制图 zhìtú;
绘图 huìtú **2** 【體】诱攻反击 yòugōng-
fǎnjī

드르렁 톼 呼噜呼噜 hūlūhūlū

드르렁-거리다 쟤톼 呼噜呼噜打鼾 hū-
lūhūlū dǎhān = 드르렁대다 ¶그녀도
가끔 코를 드르렁거린다 她也偶尔呼
噜呼噜打鼾 **드르렁-드르렁** 톼하쟤톼

드르르[1] 톼하자 **1** (滚动或转动) 轱辘

轱辘 gūlūgūlū ¶마차가 ~ 앞으로 나아가다
马车轱辘轱辘地向前走去 **2** (抖动) 哗啦
哗啦 huālāhuālā

드르르[2] 톼하图 流利地 liúlìde; 流畅地
liúchàngde; 畅通无阻地 chàngtōngwú-
zǔde ¶긴 시를 ~ 외다 流畅地背诵长
诗

드르륵 톼하자타 **1** 哧溜 chīliū; 嘎吱
一声 gāzhīyīshēng (开门声) ¶문이 ~
열렸다 嘎吱一声门被打开了 **2** 嗒嗒
dādā (枪声)

드르륵-거리다 쟤타 轱辘轱辘 gūlū-
gūlū = 드르륵대다 ¶바퀴가 드르륵거
리며 굴러가다 轮子轱辘轱辘地滚动
드르륵-드르륵 톼하쟤타

드르릉 톼 呼噜呼噜 hūlūhūlū ¶땅바닥
에 누워서 ~ 코를 골다 躺在地上呼噜
呼噜打鼾

드르릉-거리다 쟤타 (打鼾) 呼噜呼噜
噜 hūlūhūlū = 드르릉대다 ¶밤에 잘
때 코를 ~ 晚上睡觉时呼噜呼噜打鼾
드르릉-드르릉 톼하쟤타

드릉-거리다 쟤타 **1** 轰隆隆响 hōng-
lónglóng xiǎng **2** (打鼾) 呼噜呼噜 hūlū-
hūlū ¶그는 코를 드릉거린다 他呼噜呼
噜打鼾着 ‖ = 드릉대다 **드릉-드릉** 톼
하쟤타

드리다[1] 图 **1** 赠 zèng; 献 xiàn; 敬 jìng;
呈送 chéngdì; 奉 fèng; 奉送 fèngsòng;
敬赠 jìngzèng; 敬献 jìngxiàn; 递交
dìjiāo ¶선물을 ~ 奉上礼物 / 赠送品
~ 奉送赠品 **2** 给 gěi; 豫 yù **3** 至 zhì;
呈 chéng; 道 dào; 问 wèn ¶전화로 문
안을 ~ 打电话问安

드리다[2] 图 搓 cuō; 捻 niǎn; 拧 níng
¶밧줄을 ~ 搓绳索 2 结 jié; 系 xì; 扎
zā ¶댕기를 ~ 扎发带

드리우다 쟤타 **1** 垂下 chuíxià; 耷拉
dāla; 垂拉 chuísǒng; 拖 tuō; 垂挂
chuíguà ¶밧줄을 ~ 垂下一根绳子 **2**
教训 jiàoxùn; 垂训 chuíxùn; 训诫 xùn-
jiè ¶성인께서 드리우신 가르침 圣人
的垂训 **3** 传世 chuánshì; 名垂千古
míngchuíqiāngǔ; 名垂青史 míngchuí-
qīngshǐ ¶그는 역사에 이름을 드리울
과학자이다 他是一位名垂青史的科学
家 **4** 笼罩 lǒngzhào ¶달빛이 초원에
~ 月光笼罩着草地

드릴(drill) 圄 **1** 锥子 zhuīzi **2** 钻
zuàn; 钻机 zuànjī; 钻头 zuàntóu **3** 训
练 xùnliàn; 反复练习 fǎnfù liànxí

드문-드문 톼하图 **1** 间或 jiànhuò; 有
时 yǒushí; 断断续续 duànduànxùxù ¶
그는 ~ 나에게 전화를 한다 他或他给
我打电话 **2** 疏疏落落 shūshuluòluò; 零
零星星 línglíngxīngxīng; 稀稀拉拉 xīxī-
lālā ¶~ 관중이 남아있다 有稀稀拉拉
的观众

드물다 📋 1 很少 hěnshǎo；少有 shǎo-yǒu ¶다니는 사람이 ～ 少有人走 2 零星 língxīng；稀疏 xīshū ¶나무가 드물게 심어져 있다 树木植得较稀疏 3 罕 hǎn；罕见 hǎnjiàn；鲜有 xiǎnyǒu；难得 nándé ¶보기 드문 동물 罕见的动物

드-세다 📋 1 有力 yǒulì；坚强 jiān-qiáng；强盛 qiángshèng；倔强 juéjiàng ¶세력이 ～ 势力强盛 2 (宅基地) 风水差 fēngshuǐchà；凶 xiōng ¶이곳은 집터가 ～ 这里宅基地很凶 3 重 zhòng；繁重 fánzhòng ¶드센 육체노동 繁重的体力劳动

득 🔢 1 哧啦 chīlā《划线声》¶성냥을 ～ 긋다 哧啦一声划火柴 2 硬邦邦地 yìngbāngbāngde《冰冻状》3 喀哧 kā-chī《挠声》

득(得) 📋 收益 shōuyì；收获 shōuhuò；收入 shōurù

득남(得男) 📋🔡 得男 dénán；得儿子 déérzi；生男孩 shēngnánhái ¶그들은 지난달에 ～을 했다 他们上个月生了男孩

득녀(得女) 📋🔡 得女 dénǚ；得女儿 dénǚ'ér；生女孩 shēngnǚhái ¶그녀는 지난주에 ～를 했다 她上个星期生了女孩

득달-같다 📋 马上 mǎshàng；立即 lìjí 득달같-이 🔢 ¶～ 달려왔다 马上跑来了

득-득 🔢 1 嚓嚓地 cācāde；哧哧地 chīchīde；哧啦哧啦地 chīlāchīlāde《划线》¶볼펜으로 ～ 줄을 긋다 用钢笔哧哧地划线 2 硬邦邦地 yìngbāng-bāngde《清澈的液体冻结状》¶강물이 ～ 얼어붙다 河水冻结得硬邦邦地 3 喀哧喀哧地 kāchīkāchīde《挠、抓》¶손가락으로 창호지를 ～ 긁다 用手指喀哧喀哧地挠窗户纸

득세(得势) 📋🔡 1 得势 déshì ¶좌파가 ～하다 左派得势 2 局势有利 júshì yǒulì

득시글-거리다 🔡 熙熙攘攘 xīxīrǎng-ráng；成群蠕动 chéngqún rúdòng = 득시글대다 ¶거리에 많은 사람들이 ～ 在街上人群熙熙攘攘的 득시글-득시글 🔢🔡

득실(得失) 📋 1 得失 déshī ¶～을 따지다 计较得失 2 损益 sǔnyì ¶투자・투자 손익과 3 成败 chéngbài 4 优劣 yōu-liè；长处和短处 chángchu hé duǎnchu ¶～을 분석하다 分析优劣

득실-거리다 🔡 = 득실대다 ¶득실거리는 사람들 熙熙攘攘的人流 득실-득실 🔢🔡

득의(得意) 📋🔡 得意 déyì；有志气 yǒu-zhì

득의-만면(得意滿面) 📋🔡 得意洋洋 déyìyángyáng；春风得意 chūnfēng-déyì；洋洋自得 yángyángzìdé；洋洋得意 yángyángdéyì；满面喜色 mǎnmiàn-xǐsè ¶～한 웃음 得意洋洋地笑

득의-양양(得意揚揚) 📋🔡 得意扬扬 déyìyángyáng ¶그녀는 ～하게 걸어왔다 她得意扬扬地走进来

득점(得點) 📋🔡 得分 défēn；得分数 défēnshù ¶총～ 总得分 / 그는 매번 ～에 성공한다 他每次成功得分

득점-판(得點板) 📋🔡 = 스코어보드

득표(得票) 📋🔡 得票 dépiào；得票数 dépiàoshù ¶～율 得票率 / 통계 득표 통계

든든-하다 📋 1 坚实 jiānshí；踏实 tāshí ¶네가 있으니 마음이 ～ 有你我的心理很踏实 2 充足 chōngzú；充分 chōngfēn ¶밖이 추우니 든든하게 입고 나가라 外边很冷，充足地穿点衣服出去吧 / 모두 든든하게 먹었으니 이제 출발해도 되겠다 我们都充足地吃了，现在可以出发了 3 结实 jiēshi；健康 jiànkāng；硬朗 yìnglǎng；硬棒 yìngbàng；壮实 zhuàngshí ¶몸이 아주・身材很壮实 4 牢牢 láoláo；牢固 láogù ¶못을 든든하게 박다 牢牢地钉钉子 든든-히 🔢

든지 🔢 用于末尾非活节的体词干后，表示无条件包括或任选其一 ¶지하철이～ 버스～ 다 좋다 坐地铁坐公车都行

-든지 🔡 用于谓词词干后，表示无条件包括或任选其一 ¶네가 가～ 말～ 상관하지 않겠다 你去不去我都不管 / 그가 오～ 말～ 나와는 상관없다 他来不来跟我没关系

듣기 📋🔡 听 tīng ¶～ 연습 听力练习

듣다¹ 🔡 1 听 tīng；听见 tīngjiàn；闻 wén ¶음악을 ～ 听音乐 / 소식을 들었다 听到了消息 2 挨 āi；受到 shòudào ¶꾸중을 ～ 接受／称赞을 ～ 受到表扬 3 接受 jiēshòu；采纳 cǎinà；听从 tīngcóng ¶그는 선생님 말씀을 잘 듣는다 他很听从老师的话 4 答应 dāying；允许 yǔnxǔ；同意 tóngyì ¶요구를 들어주다 许可要求

듣다² 🔡 1 (药物等) 见效 jiànxiào；生效 shēngxiào；起作用 qǐzuòyòng ¶이 약은 두통에 잘 듣는다 这种药治头痛很见效 2 (机械等) 正常运转 zhèng-cháng yùnzhuǎn ¶마우스가 잘 ～ 鼠标正常运转

듣다³ 🔡 滴 dī；滴落 dīluò；滴下 dīxià ¶빗방울이 듣는 소리를 듣다 听着雨滴声

들¹ 📋 1 平原 píngyuán；平野 píng-

들² 原野 yuányě; 野外 yěwài **2** 田野 tiányě; 田地 tiándì

들² 〔의명〕 等 děng; 等等 děngděng ¶학교, 자동차, 냉장고, 텔레비전 ~은 모두 단어이다 学校、汽车、冰箱、电视等都是词

들³ 区 表示文章的主语是复数 ¶울지 ~ 마라 别哭了 / 벌써 다 ~ 떠났다 已经都走了

들-¹ 〔접투〕 野 yě; 野生 yěshēng ¶~고양이 野猫 / ~개 野狗

들-² 〔접투〕 很 hěn; 极 jí; 猛 měng 《表示强势》¶물이 ~끓다 水猛地沸腾

-들 〔접미〕 们 men ¶우리 ~ 我们 / 학생 ~ 学生们

들-개 野狗 yěgǒu; 野犬 yěquǎn

들-것 명 担架 dānjià ¶아픈 사람을 ~에 태우다 把病人扶上担架

들-고양이 명 〔動〕 野猫 yěmāo; 살쾡이

들고-일어나다 困 奋起 fènqǐ; 行动起来 xíngdòngqǐlái; 奋起斗争 fènqǐ dòuzhēng ¶마을 사람들이 들고일어나 항의하다 村民们奋起抗议

들-국화(─菊花) 명 〔植〕 野菊花 yějúhuā

들-기름 명 荏子油 rěnzǐyóu; 苏子油 sūzǐyóu ¶白苏油 báisūyóu

들-까부르다 困 猛颠 měngdiān; 猛簸 měngbǒ ¶길이 평평하지 않아 차가 ~ 路不平车直颠

들-깨 명 〔植〕 荏 rěn; 苏子 sūzǐ; 白苏 báisū

들-꽃 명 野花 yěhuā; 야생화

들-끓다 困 熙熙攘攘 xīxīrǎngrǎng ¶길이 온통 사람들로 ~ 马路上到处都是熙熙攘攘的人群

들-나물 명 野菜 yěcài

들-녘 명 原野 yuányě; 平原 píngyuán

들다¹ 〔目3〕 **1** 搬进 bānjìn; 住进 zhùjìn; 住 zhù; 定居 dìngjū ¶새집으로 이사 ~ 搬进新房 **2** 入 rù; 进 jìn; 进入 jìnrù ¶사무실에 ~ 进办公室里去 **3** 染上 rǎnshàng; 짙은 파란 물이 ~ 染上深蓝色 **4** 花 huā; 用 yòng; 花费 huāfèi; 需要 xūyào ¶새 차를 사려면 돈이 많이 든다 如果要买新车，需要很多钱 **5** 遇 yù; 逢 féng ¶흉년이 ~ 遇凶年 **6** 中意 zhòngyì; 适意 shìyì; (心) 称 chēng ¶모두들 마음에 들게 잘 했다 大家干得好称心 **7** 患 huàn; (病) 生 shēng ¶그녀는 병이 들어 병원에 입원했다 她生病住院了 **8** (口味) 合 hé ¶김치가 맛이 ~ 泡菜熟得很合口味 **9** 养成 yǎngchéng; 具有 jùyǒu ¶아이가 늦게까지 안 자는 나쁜 버릇이 들었다 孩子养成了到很晚不睡觉的坏习惯 **10** 清醒 qīngxǐng; 懂

得 dǒng ¶그는 마침내 정신이 들었다 他终于清醒过来了 **11** 含有 hányǒu; 包含 bāohán ¶우유에는 많은 영양분이 들어있다 牛奶里含有很多营养成分 **12** 遭偷 zāotōu ¶우리 집은 어젯밤에 도둑이 들었다 我家昨晚遭偷了 **13** 列 liè; 列为 lièwéi; 列入 lièrù ¶탁구가 정식 경기 종목에 ~ 乒乓球列为正式比赛项目 **14** 入 rù; 加入 jiārù ¶동아리에 ~ 加入社团 **15** 陷入 xiànrù; 中 zhòng ¶어려운 처지에 ~ 陷入困境 **16** 存 cún ¶3년짜리 적금 ~ 存三年期零存整取 **17** 到来 dàolái ¶우기가 ~ 到来雨期 **18** 结 jiē; 饱 bǎo; 成熟 chéngshú ¶벼의 알이 꽉 들어 낟알이 아주 많다 稻粒很饱 **19** 产生 chǎnshēng ¶친구들과 정이 ~ 与同学们产生感情 **20** 入睡 rùshuì ¶잠이 ~ 入睡 **21** 侍候 shìhòu; 伺候 cìhòu ¶환자의 시중을 ~ 伺候病人 二〔보동〕表示动作 ¶그녀는 내 말도 듣지 않고 때리려고 든다 她不听我的解释，急着要打

들다² 困 **1** (天) 晴 qíng ¶날이 들면 떠나도록 하자 等到天晴，再走吧 **2** (汗) 止 zhǐ ¶방에 들어왔는데도 땀이 들지 않았다 进屋里来，还是止不住汗

들다³ 困 快 kuài; 锋利 fēnglì; 锐利 ruìlì ¶칼이 아주 잘 든다 刀剑很锋利

들다⁴ 困 **1** 拿 ná; 提 tí; 提起 cāo; 拎 līn ¶책을 ~ 拿书 **2** 抬起 táiqǐ; 举起 jǔqǐ ¶고개를 ~ 抬起头 **3** (例) 举 jǔ; 引用 yǐnyòng ¶적절한 예를 ~ 举适当的例子 **4** 吃 chī; 用餐 yòngcān; 进餐 jìncān ¶천천히 드세요 请慢慢用

들들 분 **1** 哔哔剥剥 bìbìbōbō 《炒豆》¶들깨를 ~ 볶다 哔哔剥剥地炒豆子 **2** 纠缠不休 jiūchánbùxiūde; 三番五次 sānfānwǔcì ¶주위 사람을 ~ 볶는다 纠缠不休地折磨身边的人 **3** 胡乱翻找 húluànfānzhǎo; 东找西翻 dōngzhǎoxīfān ¶서랍을 ~ 뒤지다 把抽屉胡乱翻找

들-뜨다 困 **1** 离核 líhé; 起鼓 qǐgǔ; 鼓包 gǔbāo; 翘起来 qiáoqǐlái ¶바닥이 ~ 地板鼓包 **2** 心浮 xīnfú; 心不在焉 xīnbùzàiyān; 虚飘飘的 xūpiāopiāode; 心神不宁 xīnshénbùníng ¶마음이 ~ 心浮 **3** 浮肿 fúzhǒng ¶어젯밤에 잠을 못 잤더니 아침에 얼굴이 들떴다 昨晚没睡，早上脸浮肿

들락-거리다 困困 进进出出 jìnjìnchūchū = 들락대다 ¶쉴 새 없이 ~ 不停地进进出出

들락-날락 분〔하쟁〕 进进出出地 jìnjìnchūchūde ¶아이들이 계속해서 학교 앞 상점을 ~하다 孩子们一直在学校前面的商店进进出出

들러리 명 **1** 伴郎 bànláng; 伴娘 bànniáng ¶친구 결혼식에서 신랑 ~를 서다 在朋友的结婚典礼上做伴郎 **2** 帮腔 bāngqiāng; 附和 fùhè

들러-붙다 자 **1** 附着 fùzhuó; 粘 zhān ¶못이 자석에 ~ 钉子附着于磁石 **2** 一动不动 yīdòngbùdòng ¶그는 책상에 들러붙어 책만 본다 他一动不动地坐在桌子前只看书 **3** 专心 zhuānxīn; 只顾 zhǐgù ¶그는 소설 쓰는 일에만 들러붙어 있다 她专心写小说 **4** 纠缠 jiūchán; 缠 chán ¶강아지가 하루 종일 ~ 小狗整天缠着我

들려-오다 자 传来 chuánlái ¶노랫소리가 ~ 传来歌声

들려-주다 타 让听 ràngtīng; 给听 gěitīng ¶아이에게 음악을 ~ 给孩子听音乐

들르다 자 顺便 shùnbiàn ¶집에 가는 길에 상점에 들러서 우유를 사다 回家的时候顺便到商店买牛奶

들리다¹ 자 (病魔等) 附身 fùshēn; 缠身 chánshēn ¶감기가 ~ 感冒附身

들리다² 자 耗尽 hàojìn; 用尽 yòngguāng; 短缺 duǎnquē; 断货 duànhuò ¶밑천까지 다 ~ 连本钱都用尽了

들리다³ 자 听到 tīngdào 자 听到女人的尖叫声 타 告诉 gàosu; 让听 ràngtīng ¶이 소식을 얼른 그에게 들려라 把这个消息告诉他吧

들-머리 명 **1** 口 kǒu; 入口 rùkǒu; 头 tóu ¶마을 ~ 村口 **2** 开头 kāitóu; 起点 qǐdiǎn ¶나는 이 책의 ~ 부분을 좋아한다 我很喜欢这本书的开头部分

들먹-거리다 자 **1** 直颠簸 zhídiānbǒ; 直簸动 zhíbǒdòng; 上下直跳动 shàngxià zhítiàodòng ¶지진이 났을 때 가구가 ~ 发生地震时家具都上下直跳动 **2** (心潮) 直激动 zhíjīdòng; 直激荡 zhíjīdàng; 飘飘然 piāopiāorán ¶그의 성의에 감동해 한 순간 마음이 ~ 被他的诚意所感动, 一时直激动 **3** 起伏 qǐfú; 直耸动 zhísǒngdòng ¶이 노래를 들으니 어깨가 절로 직 들먹거린다 听到这首歌肩膀不由得直耸动起来 ‖ = 들먹대다 들먹-들먹 부 자타

들먹-이다 타 **1** 颠簸 diānbǒ; 簸动 bǒdòng; 跳动 tiàodòng ¶길이 평평하지 않아서 차체가 ~ 路不平车身直颠簸 **2** 耸动 sǒngdòng; 起伏 qǐfú ¶어깨를 들먹이며 울다 耸动肩膀地哭 **3** (心情) 激动 jīdòng; 激荡 jīdàng; 飘飘然 piāopiāorán ¶그의 말을 듣고 나는 마음이 들먹여 정신을 집중할 수 없었다 听了他的话我心里激动得无法集中精神了 타 挑剔 tiāoti; 议论 yìlùn ¶나를 들먹이지 마라 不要议论我

들-볶다 타 折磨 zhémó; 折腾 zhē-

teng ¶남편을 ~ 折腾丈夫

들볶-이다 자 被折磨 bèizhémó; 被折腾 bèizhēteng ¶상사에게 ~ 被上司折腾

들:-새 명 野鸟 yěniǎo
들:-소 명 野牛 yěniú
들:-숨 명 吸气 xīqì

들썩 부하자타 **1** 颠簸 diānbǒ; 跳动 tiàodòng ¶차체가 위아래로 ~거리다 车厢上下颠簸 **2** 起伏 qǐfú; 耸动 sǒngdòng ¶그는 영문을 모르겠다는 듯이 깨를 한 번 ~했다 他好像莫名其妙似的, 把肩膀耸动了一下 **3** 激荡 jīdàng; (心情) 激动 jīdòng

들썩-거리다 자타 **1** 直颠簸 zhídiānbǒ; 直跳动 zhítiàodòng ¶지진이 일어나 찻잔이 ~ 发生地震茶杯直跳动 **2** 起伏 qǐfú; 耸动 sǒngdòng ¶어깨를 들썩거리며 춤을 추기 시작한다 耸动着肩膀跳起舞来 **3** 直激荡 zhíjīdàng; (心情) 直激动 zhíjīdòng ¶그 소식을 듣고 나는 마음이 직들썩거렸다 听到那个消息, 我心里直激动 ‖ = 들썩대다 들썩-들썩 부하자타

들썩-이다 자타 **1** 直颠簸 zhídiānbǒ; 直跳动 zhítiàodòng ¶수레를 가서 수레가 ~ 走不平的路车厢直跳动 **2** 起伏 qǐfú; 耸动 sǒngdòng; 激动 jīdòng ¶마을 사람들 모두 어깨를 들썩이며 춤을 추기 시작했다 村民们都耸动着肩膀跳起舞来 **3** 吵吵嚷嚷 chǎochǎorǎngrǎng ¶연예인이 온 것을 보고 팬들은 흥분했다 看到明星来, 歌迷们都吵吵嚷嚷的, 情绪高涨

들쑥-날쑥 부하자 凸凸凹凹地 tūtūāoāode; 参差不齐地 cēncībùqíde ¶= 들쭉날쭉 ¶수준이 ~하다 水平参差不齐地

들-쓰다 타 **1** 蒙上 méngshàng; 盖上 gàishàng ¶방에서 이불을 들쓰고 나오지 않다 在房间里蒙上被子不出来 **2** 戴上 dàishàng ¶시간이 없어서 모자를 들쓰고 나가다 没有时间, 随便戴上帽子出去 **3** 淋上 línshàng; 浇上 jiāoshàng ¶흙탕물을 ~ 淋上一身泥水 **4** 遭受 zāoshòu; 蒙受 méngshòu ¶누명을 ~ 遭受冤枉

들어-가다 자 **1** 进 jìn; 进入 jìnrù; 进去 jìnqù ¶집에 들어가서 나오지 않다 进屋里去, 不出来 **2** 包括 bāokuò; 包含 bāohán; 列入 lièrù ¶숙박비와 학비가 들어가 있다 住宿费和学费包括在内 **3** 入 rù; 加入 jiārù ¶동호회에 ~ 加入同好会 **4** 花费 huāfèi; 投入 tóurù ¶에어컨을 사려면 돈이 들어간다 要买空调要花费 **5** 理解 lǐjiě; 易懂 yìdǒng ¶머리에 들어가기 쉬운 예를 들

어 설명하다 举易懂的例子说明 6 踏
进 tàjìn; 转入 zhuǎnrù ¶새로운 영역
에 ~ 踏进新领域 7 建立 jiànlì; 通
通 tōng ¶아직 전기가 들어오지 않는 시
골 마을 还没通电的乡村 8 凹进去
āojìnqù; 塌陷 tāxiàn ¶눈이 약간 ~ 眼
睛有点凹进去

들어-내다 団 1 拿出来 náchūlái; 搬
出来 bānchūlái ¶짐을 ~ 搬出来行李
2 赶走 gǎnzǒu; 驱逐 qūzhú ¶거지를
들어내라 把乞丐赶走

들어-맞다 団 1 中 zhòng; 正中 zhèng-
zhòng ¶그의 예언이 들어맞았다 他的
预言言中了 2 吻合 wěnhé; 符合 fúhé
¶현실과 꿈이 ~ 现实与梦境吻合

들어-먹다 団 1 耗尽 hàojìn; 挥霍光
huīhuòguāng ¶밑천을 ~ 耗尽本钱 2
占有 zhànyǒu; 侵吞 qīntūn ¶공금을 ~
侵吞公款

들어-박히다 困 1 挤满 jǐmǎn; 塞满
sāimǎn ¶보석이 촘촘이 들어박힌 반
지 钻石塞满的戒指 2 呆 dāi; 蛰居
zhéjū ¶집안에만 ~ 老呆在家里 3 扎
zā; 插进 chājìn; 嵌入 qiànrù ¶가시
가 손바닥 깊숙이 ~ 刺深深地扎在手
掌里

들어-붓다 困団 倾泻 qīngxiè ¶폭우
가 ~ 暴雨倾泻 ━□団 1 暴饮 bàoyǐn ¶
쉬지 않고 맥주를 ~ 不停地暴饮啤酒
2 倒 dào ¶물을 병에 ~ 把水倒进瓶
里

들어-서다 困団 1 走进 zǒujìn ¶강당
에 ~ 走进礼堂里 2 站到 zhàndào; 站
立 zhànlì ¶빌딩들이 빽빽이 ~ 高楼
密密地站立着 3 上前 shàngqián ¶들
어서서 캐묻다 上前盘问 4 接任 jiē-
rèn; 继任 jìrèn ¶새 총리가 들어섰다
接任了新总理 5 踏进 tàjìn; 进入 jìnrù
¶새로운 단계에 ~ 进入新阶段

들어-앉다 困団 1 进去坐 jìnqùzuò; 往
里边坐 wǎnglǐbiānzuò ¶교실에 ~ 进
教室里去坐 2 进驻 jìnzhù; 占据位子
zhànjù wèizi ¶회장으로 들어앉아서 더
이상 경영문제에 간섭하지 않다 以董
事长的身份占据位子不再干涉经营问
题 3 闷 mēn; 呆在家里 dāizàijiālǐ ¶집
에 들어앉아 아이를 기르다 呆在家里
养育孩子 4 坐落 zuòluò ¶우리 학교는
산 아래 들어앉아 있다 我们学校坐落
在山脚下

들어-오다 困 1 进入 jìnrù; 进来 jìn-
lái ¶어서 들어와라! 赶快进来吧! 2 参
加 cānjiā; 加入 jiārù ¶새로 들어온 대
원 新加入的队员 3 上任 shàngrèn; 就
任 jiùrèn ¶새로 들어온 과장 新上任的
科长 4 收入 shōurù ¶매달 100만 위
안씩 ~ 每月收入100万元 5 通 tōng
¶집집마다 전기가 ~ 户户通电

들어-주다 団 答应 dāyìng; 允许 yǔn-
xǔ; 许可 xǔkě; 同意 tóngyì ¶그는 나
부탁을 들어주었다 他答应了我的请求

들어-차다 団 挤满 jǐmǎn; 充满 chōng
mǎn ¶강당 안에 사람들이 꽉 들어찼
다 礼堂里挤满了人

들-엉기다 困 紧贴 jǐntiē ¶그 아이가
나에게 들엉겨 붙다 那个孩子紧贴着
我

들여-가다 団 1 搬进去 bānjìnqù; 拿
进去 nájìnqù ¶짐을 ~ 把行李搬进去
2 买来 mǎilái ¶쌀을 ~ 买来米

들여-놓다 団 1 放进去 fàngjìnqù; 搬
进去 bānjìnqù; 拿进去 nájìnqù ¶집 안
에 화분을 ~ 把花盆放进屋里去 2 步
入 bùrù ¶사회에 발을 ~ 步入社会 3
买回来 mǎihuílái ¶월부로 에어컨을 ~
买回来按月付款的空调

들여다-보다 団 1 张望 zhāngwàng;
窥视 kuīshì; 往里看 wǎnglǐkàn ¶방 안
을 ~ 窥视房间内 2 仔细看 zǐxìkàn;
端详 duānxiang; 凝视 níngshì ¶그의
사진을 ~ 端详他的照片 3 探视 tàn-
shì; 顺便去 shùnbiànqù ¶병원에 가서
환자를 ~ 去医院探视病人

들여다보-이다 団 暴露 bàolù; 显露
xiǎnlù; 袒露 tǎnlù ¶속마음이 ~ 袒露
内心

들여-보내다 団 1 送进 sòngjìn; 输入
shūrù; 送入 sòngrù ¶그를 방안으로 ~
把他送进房间 2 送进 sòngjìn ¶아들을
대학에 ~ 把儿子送进大学

들여앉-히다 団 1 进去坐 jìnqùzuò;
往里边坐 wǎnglǐbiānzuò 2 靠近坐
jìnzuò 3 呆在家里 dāizàijiālǐ ¶아내를
집에 ~ 把妻子呆在家里 4 (纳妾) 入
户 rùhù

들여-오다 団 1 搬进来 bānjìnlái; 拿
进来 nájìnlái ¶밖에 있던 의자를 ~ 把
外面的椅子搬进来 2 买来 mǎilái ¶输
入 shūrù ¶일본에서 자동차를 ~ 从日
本输入汽车

들이- 𝘍 往里 wǎnglǐ; 朝里 cháolǐ
¶문을 ~밀다 ⋅ 向里推 / 서랍을 ~밀다
~밀다 把抽屉往里推

-들이 𝘍 表示容量 ¶한 되 ~ 병
能装一斗的瓶子

들이-다 団 1 让进来 ràngjìnlái; 使进
去 shǐjìnqù ¶손님을 ~ 让客人进来 2
花费 huāfèi; 投入 tóurù ¶큰 돈을 들여
집을 사다 花费了一大笔钱买房子 3
喜欢 xǐhuan; 感兴趣 gǎnxìngqù ¶고기
맛을 ~ 喜欢吃肉 4 让入睡 ràngrùshuì
¶아이를 잠을 ~ 让孩子睡觉 5 染
rǎn ¶머리에 노란 물을 ~ 把头发染成
黄色 6 雇佣 gùyòng ¶새 비서를 ~ 雇
佣新秘书 7 搬进 bānjìn; 拿进 nájìn ¶
화분을 방안으로 ~ 把花盆搬进房间

里 8 使之加人 shǐzhǐjiārù; 吸收 xīshōu ¶그들을 새 회원으로 ~ 把他们吸收为新的会员

들이-닥치다 困 迫近 pòjìn; 逼近 bījìn ¶방과 후 아이들이 ~ 下课后孩子们迫近

들이-대다 囲 1 顶撞 dǐngzhuàng; 强烈反抗 qiángliè fǎnkàng ¶학생이 선생님께 ~ 学生顶撞老师 2 靠近 kàojìn; 紧贴 jǐntiē ¶총부리를 상대에게 ~ 把枪口靠近对方 3 提供 tígōng; 支援 zhīyuán ¶필요한 자본을 ~ 提供需要的资本 4 灌浇 guànjiāo ¶먼 곳에서 물을 ~ 从很远的地方引水灌浇 5 停 tíng; 停靠 tíngkào ¶차를 급히 문 앞에 ~ 把车急停在门口前

들이-마시다 困 1 喝进 hējìn; 吸入 xīrù ¶공기를 ~ 吸入空气 2 猛喝 měnghē ¶술을 ~ 猛喝酒

들이-몰다 囲 1 赶进 gǎnjìn; 往里边赶 wǎnglǐbiāngǎn ¶소를 우리로 ~ 把牛赶进栏里 2 猛赶 měnggǎn ¶시간에 맞추기 위해 차를 시속 120킬로미터로 ~ 为了赶时间, 把车速猛赶到每小时120公里

들이-밀다 囲 1 向里推 xiànglǐtuī ¶방문을 안으로 ~ 把房门向里推 2 乱推 luàntuī; 猛推 měngtuī ¶사람들이 서로 들이밀며 나가다 人们互相乱推着出去 3 深入 shēnrù; 插进 chājìn; 靠近 kàojìn ¶메모를 문틈으로 ~ 把纸条插进门缝里去 4 提供 tígōng; 支援 zhīyuán ¶投入 tóurù ¶부동산에 모든 돈을 들이밀었다 在房地产上投入了所有钱 5 提问 tíwèn

들이-박다 囲 1 钉到里面 dìngdàolǐmiàn 2 深钉 shēndìng ¶쇠못을 안으로 깊이 ~ 把铁钉深钉 3 猛钉 měngdìng; 乱钉 luàndìng

들이-받다 囲 1 顶头 dǐngtóu; (用头)对着撞 duìzhezhuàng ¶두 마리 소가 머리를 서로 ~ 两只牛直顶头 2 乱撞 luànzhuàng; 猛顶 měngdǐng ¶택시가 전봇대를 ~ 出租汽车一头乱撞在电线杆

들이-부수다 囲 1 猛砸 měngzá; 乱摔 luànshuāi; 捣毁 dǎohuǐ ¶주방의 식기를 ~ 猛砸厨房里的餐具

들이-불다 困 1 (风) 吹入 chuīrù; 刮进 guājìn ¶봄바람이 방안으로 ~ 春风吹入屋里 2 (风) 猛吹 měngchuī ¶갑자기 날이 어두워지더니 이어서 바람이 들이불었다 突然天昏地暗, 接着狂风猛吹了

들이-붓다 囲 1 注入 zhùrù; 倒入 dàorù ¶술을 병에 ~ 把酒倒入瓶里 2 猛倒 měngdào; 倾泻 qīngxiè ¶큰 비가 들이붓듯이 쏟아지다 大雨倾泻

들이-쉬다 囲 吸气 xīqì ¶천천히 숨을 ~ 慢慢地吸气

들이-치다¹ 困 (风、雨、雪 等) 向内吹打 xiàngnèichuīdǎ ¶빗방울이 ~ 开门雨点就向内吹打

들이-치다² 困 猛攻进去 měnggōngjìnqù; 猛打进去 měngdǎjìnqù ¶군사를 이끌고 서쪽에서 ~ 率军从西面猛攻进去

들이-켜다 囲 狂饮 kuángyǐn; 暴饮 bàoyǐn ¶단숨에 술 한 잔을 들이켰다 暴饮了一杯酒

들이-퍼붓다 自围 1 (雨、雪 等) 狂下 kuángxià; 倾泻 qīngxiè; 猛下 měngxià ¶大作 dàzuò ¶큰 비가 하늘에서 ~ 大雨从天空倾泻下来 自他围 1 猛倒 měngdào ¶술을 큰 병에 ~ 猛地把酒倒进大瓶里 2 大骂 dàmà ¶욕을 ~ 破口大骂

들-일 图하困 地里的农活儿 dìlǐde nónghuór

들-장미(—薔薇) 图 【植】野蔷薇 yěqiángwēi

들-쥐 图 【动】田鼠 tiánshǔ

들-짐승 图 平原野兽 píngyuán yěshòu

들쭉—날쭉 凰하阌 = 들쑥날쑥

들-창(—窓) 图 (往上拉的) 吊窗 diàochuāng = 들창문

들창-문(—窓門) 图 = 들창

들창-코(—窓—) 图 翘鼻 qiáobí; 朝天鼻 zhāotiānbí; 仰鼻 yǎngbí

들추다 囲 1 揭穿 jiēchuān; 兜底 dōudǐ; 兜翻 dōufān; 挑兜 tiāodōu; 抖搂 dǒulou; 揭露 jiēlù ¶내막을 ~ 揭露内幕 2 翻出 fānchū; 翻找 fānzhǎo ¶가방을 ~ 翻找背包 3 掀起 xiānqǐ ¶이불을 ~ 掀起被子

들추어-내다 囲 1 揭穿 jiēchuān; 揭露 jiēlù; 抖搂 dǒulou ¶상대방의 약점을 ~ 揭露对方的弱点 2 翻找 fānzhǎo

들치다 囲 掀起 xiānqǐ ¶치마를 ~ 掀起裙子

들키다 困围 被觉发 bèijuéfā; 被觉察 bèijuéchá; 被发现 bèifāxiàn; 暴露 bàolù ¶돈을 훔치다가 들켰다 在偷钱时被发现了

들통 图 露底 lòudǐ; 暴露 bàolù ¶비밀이 ~나다 暴露秘密

들-판 图 田野 tiányě; 原野 yuányě; 平原 píngyě; 平原 píngyuán; 野地 yědì

들-풀 图 野草 yěcǎo

듬뿍 凰하阌 满满地 mǎnmànde; 满满当当 mǎnmǎndāngdāng ¶어머니가 밥을 ~ 퍼주셨다 妈妈为我满满地盛了一碗饭 / 술을 ~ 따르다 满满地倒酒

듬뿍—듬뿍 凰하阌 满满地 mǎnmǎnde; 만만당당한 mǎnmǎndāngdāngde ¶쌀밥을 ~ 퍼 주다 满满地盛了一碗米饭

듬성-듬성 〖부〗〖하얗〗 疏疏落落地 shū-shuluòluòde; 稀稀拉拉地 xīxīlāde; 稀疏地 xīshūde ¶정원의 꽃이 ~ 피다 庭园的花稀稀拉拉地开

듬성-하다 〖형〗 疏疏落落 shūshuluòluò; 稀稀拉拉 xīxīlālā; 稀疏 xīshū ¶듬성한 머리털 稀疏的头发 / 듬성한 잡초 稀疏的杂草

듭쑥 〖부〗 热情地 rèqíngde; 紧紧地 jǐnjǐnde ¶~ 어깨를 잡다 热情地抓住肩膀

듬직-하다 〖형〗 稳重 wěnzhòng; 庄重 zhuāngzhòng ¶그 청년은 참 ~ 那个年轻人很稳重

듯 〖의명〗 用于定语形谓词之后, 表示不确切性、模糊性或者近似性 ¶듣는 ~ 안 듣는 ~ 눈을 감고 있다 似听非听地闭着眼睛

듯이 〖의명〗 用于定语形谓词之后, 表示比喻或情态 ¶미친 ~ 춤을 추다 疯了似地跳舞 / 재있는 ~ 큰 소리로 웃기 시작하다 很好笑似的大笑起来

-듯이 〖어미〗 接续形词尾, 表示比喻或情态 ¶게임 하~ 문제를 처리하다 像玩游戏似的处理问题 / 그는 도망치~ 그곳을 떠났다 他就难似地离开了那里 / 하늘이 마치 비가 올~ 어두워지다 天好像要下大雨似的昏暗起来

듯-하다 〖보형〗 好像 hǎoxiàng; 似乎 sìhū ¶그녀는 울고 있는 ~ 她好像在哭 / 다른 방법이 없을 ~ 似乎没有别的方法

등 〖명〗 1 背 bèi; 脊梁 jǐliang; 脊背 jǐbèi; 背部 bèibù 2 靠背 kàobèi; 背部 bèibù ¶칼~ 刀背部 / ~이 있는 의자 有靠背的椅子

등-:(等) 〖명〗 1 等级 děngjí 2 等次 děngcì; 等 děng ¶일~ 第一等

등-:(等)[2] 〖의명〗 等 děng; 等等 děngděng ¶잉어, 참치, 연어 등은 모두 어류이다 鲤、鲔、鲑等鱼类都是鱼类

등-(燈) 〖명〗 灯 dēng ¶~을 켜다 开灯 / ~을 끄다 关灯

등-가(等價) 〖명〗 等价 děngjià; 等值 děngzhí

등-가죽 〖명〗 脊背皮 jǐbèipí = 등피

등-거리 〖명〗 背心 bèixīn; 坎肩 kǎnjiān

등-:거리(等距離) 〖명〗 等距离 děngjùlí

등걸 〖명〗 树桩 shùzhuāng; 树墩 shùdūn

등-:고(等高) 〖명〗 等高 děnggāo ¶~선 等高线

등-골[1] 〖명〗 〖生〗 1 脊椎 jǐzhuī; 脊柱 jǐzhù; 脊梁骨 jǐlianggǔ 2 = 척수

등골(이) 〖곤〗 빠지다 累弯了腰; 劳伤元气

등-골[2] 〖명〗 脊梁沟 jǐlianggōu

등골(이) 서늘하다 〖곤〗 毛骨悚然

등골(이) 오싹하다 〖곤〗 不寒而栗; 出一身冷汗

등교(登校) 〖명〗〖하얗〗 上学 shàngxué ¶그는 매일 걸어서 ~한다 他每天走路去上学

등굣-길(登校—) 〖명〗 上学的路 shàngxuéde lù

등극(登極) 〖명〗〖하얗〗 皇帝登极 huángdì dēngjí; 即位 jíwèi; 登基 dēngjī = 등위·등조 ¶어린 황제가 ~하다 小皇帝登基

등-급(等級) 〖명〗 等级 děngjí; 级别 jíbié; 等次 děngcì ¶~ 시험 等级考试 / ~ 제도 等级制度

등기(登記) 〖명〗〖하얗〗 1 〖法〗 登记 dēngjì; 注册 zhùcè ¶~ 수속 登记手续 2 挂号信 guàhàoxìn ¶~ 우편 挂号信 / ~를 부치다 寄挂号信

등-꽃(藤—) 〖명〗 藤树花 téngshùhuā

등-나무(藤—) 〖명〗 藤树 téngshù

등-널 〖명〗 (椅子) 靠背 kàobèi

등단(登壇) 〖명〗〖하얗〗 1 登上 dēngshàng ¶시인으로 문단에 ~하다 作为诗人登上文坛 2 登台 dēngtái; 上台 shàngtái ¶~하여 공연하다 登台表演 / ~하여 상을 받다 上台领奖

등대(燈臺) 〖명〗 灯塔 dēngtǎ ¶~지기 灯塔守卫 / ~에 불을 붙이다 点燃灯塔

등댓-불(燈臺—) 〖명〗 灯塔光 dēngtǎ guāng

등-덜미 〖명〗 上背 shàngbèi; 后脖根 hòubógēn

등-등(等等) 〖의명〗 等等 děngděng ¶그는 포도, 바나나 = 과일 몇 가지를 샀다 他买了一些水果, 如葡萄、香蕉等

등등-하다(騰騰—) 〖형〗 腾腾 téngténg; 盛气凌人 shèngqìlíngrén; 不可一世 bùkěyīshì ¶노기가 ~ 怒气腾腾

등-딱지 〖명〗 甲壳 jiǎqiào

등락(騰落) 〖명〗〖하얗〗 涨落 zhǎngluò; 起伏 qǐfú ¶주식 시장의 ~을 야기하다 引起股市涨落

등록(登錄) 〖명〗〖하얗〗 1 记录在案 jìlùzài'àn; 载入文件 zàirùwénjiàn 2 〖法〗 登记 dēngjì; 注册 zhùcè ¶주민 ~ 户口登记 / 상표 ~ 商标注册

등록-금(登錄金) 〖명〗 注册费 zhùcèfèi; 学费 xuéfèi ¶제때 ~을 내다 按期交学费

등반(登攀) 〖명〗〖하얗〗 登攀 dēngpān; 攀登 pāndēng ¶~객 攀登者 / 빙산을 ~하다 攀登冰山

등-받이 〖명〗 靠背 kàobèi

등-변(等邊) 〖명〗〖數〗 等边 děngbiān ¶

~ 삼각형 等边三角形

등본(謄本) 명하타 〖法〗 眷本 téngběn; 副本 fùběn; 抄本 chāoběn; 缮本 shàn-běn ¶호적 ~ 户籍眷本

등:분(等分) 명하타 1 等分 děngfēn; 平分 píngfēn; 平均 píngjūn ¶차액 ~ 差额等分 2 等级的区分 děngjíde qūfēn 3 等份 děngfèn ¶네 ~으로 나누다 分成四等份

등-불(燈−) 명 灯火 dēnghuǒ; 灯光 dēngguāng

등:비(等比) 명 〖數〗等比 děngbǐ

등-뼈 명 〖醫〗脊骨 jǐgǔ

등사(謄寫) 명하타 〖印〗油印 yóuyìn = 유인(油印) ¶~기 油印机

등산(登山) 명 登山 dēngshān; 爬山 páshān ¶~객 登山者 / ~로 登山路 / ~모 登山帽 / ~복 登山服 / ~화 登山鞋 / 그들은 매주 일요일마다 ~을 간다 他们每个星期日去登山

등성이 명 1 脊背 jǐbèi; 背梁 jǐliang 2 山脊 shānjǐ

등:속(等速) 명 等速 děngsù; 匀速 yúnsù

등-솔 명 = 등솔기

등-솔기 명 (衣服后背) 中缝 zhōng-féng = 등솔

등:수(等數) 명 等级 děngjí; 级数 jí-shù ¶~를 매기다 规定等级

등:식(等式) 명 〖數〗等式 děngshì

등:신(等神) 명 傻子 shǎzi; 傻瓜 shǎ-guā

등심(−心) 명 里脊肉 lǐjǐròu; 牛脊背肉 niújǐbèiròu = 등심살

등심-살(−心−) 명 = 등심

등쌀 명 干扰 gānrǎo; 纠缠 jiūchán ¶아이들 ~에 쉴 수가 없다 孩子们一个劲儿地纠缠不放, 没法休息

등에 명 〖蟲〗虻 méng; 牛虻 niúméng

등용(登用·登庸) 명하타 〖權〗录用 lùyòng; 任用 rènyòng; 选拔 xuǎnbá; 提拔 tíbá ¶인재를 ~하다 人才晋用

등-용문(登龍門) 명 登龙门 dēnglóng-mén; 腾达 téngdá; 发迹 fājì

등위(登位) 명하자 = 등극

등유(燈油) 명 灯油 dēngyóu

등자(橙子) 명 橙子 chéngzi

등자(鐙子) 명 马镫子 mǎdèngzi; 镫子 dèngzi

등잔(燈盞) 명 灯盏 dēngzhǎn; 油灯 yóudēng; 灯碗儿 dēngwǎnr

등장(登場) 명하자타 1 登场 dēngchǎng; 登台 dēngtái; 上场 shàng-chǎng ¶~할 준비를 하다 准备登台 2 出现 chūxiàn ¶새로운 인물로 정계에 ~하다 新人物出现于政界 3 上市 shàngshì; 问世 wènshì ¶신형 컴

퓨터가 ~했다 新型电脑已经问世

등장-인물(登場人物) 명 1 (舞台上、电影里) 登场人物 dēngchǎng rénwù 2 有关人物 yǒuguān rénwù 3 (作品里描述的) 人物 rénwù

등재(登載) 명하타 1 登载 dēngzǎi; 刊载 kānzǎi; 刊登 kāndēng ¶광고를 ~하다 刊登广告 2 记载 jìzǎi; 记录 jìlù ¶호적에 ~하다 记录于户籍

등정(登頂) 명하타 登顶 dēngdǐng; 登上顶峰 dēngshàng dǐngfēng ¶세계 최고봉 ~에 성공하다 成功登顶世界最高峰

등조(等祚) 명하자 = 등극

등-줄기 명 脊柱 jǐzhù; 背脊 jǐbèiji

등:지(等地) 의명 等地 děngdì ¶이 상품은 유럽과 동남아시아 ~로 수출된다 这产品出口到欧洲、东南亚等地

등-지느러미 명 〖魚〗背鳍 bèiqí

등-지다 一자 1 对立 duìlì; 闹翻 nào-fān; 不和 bùhé ¶그들이 둘이는 옛날에는 좋은 친구였는데 지금은 서로 등을 졌다 他们俩以前是好朋友, 但是现在关系不和 二타 1 背靠 bèikào ¶벽을 등지고 서다 背靠墙站着 2 背向 bèixiàng ¶산을 등지고 강을 바라보는 위치 背向山、南眺河水的地方 3 远离 yuǎnlí 4 离开 líkāi ¶고향을 ~ 离开故乡

등-짐 명 背着的东西 bèizhede dōngxi

등짐-장수 명 行商 xíngshāng; 货郎 huòláng

등-짝 명 背 bèi; 脊背 jǐbèi; 脊梁 jǐ-liang

등-차(等差) 명 1 等级差别 děngjí chābié; 等级差异 děngjí chāyì 2 〖數〗等差 děngchā ¶~ 급수 等差级数 / ~ 수열 等差数列

등-치다 타 撞骗 zhuàngpiàn; 敲诈 qiāozhà ¶약한 자를 ~ 敲诈弱者

등판(登板) 명하자 〖體〗(棒球) 投手上场 tóushǒu shàngchǎng; 登板 dēng-bǎn ¶선발 ~하다 先发登板

등-피(−皮) 명 灯罩 dēngzhào

등피(燈皮) 명 灯罩 dēngzhào

등:한-시(等閒視) 명하타 忽视 hūshì; 忽略 hūlüè; 等闲 děngxián; 等闲视之 děngxiánshìzhī ¶환경 보호를 ~하다 等闲视之环保

등:한-하다(等閒−) 형 忽略 hūlüè; 等闲 děngxián; 忽视 hūshì; 不重视 bùzhòngshì ¶가사에 ~ 忽略家事 **등:한-히** 부 ¶공부를 ~ 해서는 안된다 不能忽略学习

등-허리 명 1 背和腰 bèi hé yāo 2 后腰 hòuyāo

등화(燈火) 명 灯火 dēnghuǒ; 灯光 dēngguāng

−디 접미 1 接续形词尾, 用在重复使

用的同一形容词之间，表示强调 ¶희~흰 손 白白的手 / 붉~ 붉은 입술 红红的嘴唇 **2** 用于谓词词干后的基本阶回忆疑问式终结词尾，表示疑问 ¶온다~? 来不来? / 범인은 누구~? 犯人是谁?

디디다 타 踹 chuài; 踏 tà; 踩 cǎi ¶조국 땅을 ~ 踏上祖国的土地

디딤-돌 명 **1** 磴 dèng; 步石 bùshí ¶~을 놓다 铺设步石 **2** 台阶石 táijiēshí; 台阶 táijiē **3** 阶石 jiēshí; 垫脚石 diànjiǎoshí ¶좌절을 성공의 ~로 삼다 让挫折成为成功的垫脚石

디스켓(diskette) 명 【컴】 软盘 ruǎnpán; 软磁盘 ruǎncípán

디스코(disco) 명 老迪 lǎodí; 迪斯科 dísīkē

디스크(disk) 명 **1** 圆盘 yuánpán **2** 唱片 chàngpiàn **3** 【生】 椎间软骨 zhuījiānruǎngǔ **4** 【醫】 椎间盘 zhuījiānpán ¶~를 치료하다 治疗椎间盘 **5** 【컴】 磁碟盘 cídiépán

디스플레이(display) 명 展示 zhǎnshì; 展览 zhǎnlǎn; 陈列 chénliè

디자이너(designer) 명 (服装) 设计师 shèjìshī

디자인(design) 명하타 **1** 设计 shèjì; 意匠 yìjiàng ¶실내 ~ 室内设计 / 의상 ~ 服装设计 **2** 图样 túyàng; 图案 tú'àn; 花纹 huāwén ¶화폐 ~ 货币图样 / 문신 ~ 纹身图案

디저트(dessert) 명 甜点心 tiándiǎnxin; 甜点 tiándiǎn; 尾食 wěishí

디젤 기관(diesel機關) 【機】 柴油发动机 cháiyóu fādòngjī; 柴油机 cháiyóujī = 디젤엔진

디젤 엔진(diesel engine) 【機】 = 디젤 기관

디지털(digital) 명 【컴】 数码 shùmǎ; 数字 shùzì; 数位 shùwèi ¶~ 카메라 数码相机

딜러(dealer) 명 **1** 商人 shāngrén; 零售商 língshòushāng **2** 零售店 língshòudiàn; 特约经销店 tèyuējīngxiāodiàn **3** (牌戏中的) 发牌者 fāpáizhě

딜레마(dilemma) 명 【論】 **1** 双刀论法 shuāngdāo lùnfǎ; 二难推理 èrnán tuīlǐ **2** 左右为难 zuǒyòuwéinán; 进退两难 jìntuìliǎngnán ¶~에 빠지다 陷入左右为难

따갑다 형 **1** 灼热 zhuórè; 烫 tàng ¶햇볕이 ~ 阳光灼热 **2** 淹 yān; 火辣辣的 huǒlālāde; 针扎似的 zhēnzhāsìde ¶상처가 ~ 伤口火辣辣的 **3** 尖锐 jiānruì; 逼人 bīrén; 严厉 yánlì ¶따가운 시선 严厉的眼神

따:귀 명 脸颊 liǎnjiá; 耳光 ěrguāng ¶그녀는 내 ~를 한 대 때렸다 她打了我一记耳光

따끈-따끈 부하형 暖暖的 nuǎnnuǎnde; 热热的 rèrède; 暖烘烘的 nuǎnhōnghōngde ¶~한 만두 热热的馒头

따끈-하다 형 暖 nuǎn; 热 rè ¶따끈한 차를 한 잔 마시다 喝一杯热茶 **따끈-히** 부

따끔 부하형히부 **1** 针扎似的 zhēnzhāsìde ¶상처가 바늘에 찔린 듯 ~하다 伤口好像针扎似的痛 **2** 狠狠 hěnhěn; 严厉 yánlì ¶~히 질책하다 严厉批评

따끔-거리다 자 **1** 灼热 zhuórè ¶한낮에는 아직 햇살이 따끔거린다 中午太阳还在灼热 **2** 严厉 yánlì ¶따끔거리는 눈총을 받으며 밖으로 나오다 受严厉的眼光而出去 **3** 痛 tòng; 刺痛 cìtòng ¶벌레에 물린 곳이 ~ 虫子咬的部位很痛 ‖ = 따끔대다 **따끔-따끔** 부하자

따-님 명 令爱 lìng'ài

따다 타 **1** 采 cǎi; 摘 zhāi; 摘下 zhāixià ¶사과를 ~ 摘苹果 **2** 破开 pòkāi; 剖开 pōukāi; 割开 gēkāi ¶종기를 ~ 割开脓疮 **3** 启 qǐ; 揭开 jiēkāi ¶생선 통조림을 ~ 启鱼罐头 **4** 选取 xuǎnqǔ; 摘录 zhāilù ¶신문에서 한 단락을 따오다 在新闻摘录一段 **5** 赢 yíng ¶나는 어제 적지 않은 돈을 땄다 我昨天赢了不少钱 **6** 得到 dédào; 获得 huòdé ¶석사 학위를 ~ 获得硕士学位

따-돌리다 타 **1** 撇开 piēkāi; 甩开 shuǎikāi; 排挤 páijǐ; 排斥 páichì ¶학교에서 따돌림을 당하다 在学校遭到排斥 **2** 甩脱 shuǎituō; 支开 zhīkāi ¶미행하는 경찰을 ~ 甩脱跟踪的警察

따돌림 명 看外 kànwài; 掰 bāi ¶그들은 그녀를 ~시키고 있다 他们掰着她

따따따 부 嘀嘀嗒 dīdīdā 《喇叭声》 ¶멀리서 나팔 소리가 ~ 들려오다 从远处传来嘀嘀嗒的喇叭声

따따부따 부하자 说三道四(地) shuōsāndàosì(de); 嘀嘀咕咕(地) dídigūgū(de) ¶다른 사람 일에 ~ 하지 마라 不要对别人的事说三道四

따뜻-이 부 热情地 rèqíngde; 温暖地 wēnnuǎnde ¶그녀는 아이들을 ~ 대한다 她对孩子们很热情地

따뜻-하다 형 **1** 温暖 wēnnuǎn; 暖和 nuǎnhuo ¶집안이 ~ 家里很暖和 **2** 温情 wēnqíng; 热情 rèqíng ¶그는 따뜻한 사람이다 他是个很热情的人

따라 조 用于一部分表示时间的词语后，表示偏巧与往常不同的意思 ¶오늘~ 왜 이렇게 덥지? 今天怎么这么热 / 그날~ 손님이 없었다 那天偏巧没有客人

따라-가다 타 **1** 跟随 gēnsuí; 跟着

gēnzhe ¶대오를 ~ 跟随队伍 **2** 依附 yīfù; 效仿 xiàofǎng; 效法 xiàofǎ; 追随 zhuīsuí ¶시대의 흐름을 ~ 追随时代 潮流 **3** 급히 追赶 zhuīgǎn ¶선진국을 ~ 追赶发达国家

따라-나서다 〔他〕 跟着去 gēnzhequ ¶누구도 따라나서지 않다 谁也不要跟着去

따라-다니다 〔他〕 随从 suícóng; 伴随 bànsuí; 追随 zhuīsuí ¶엄마를 ~ 随从妈妈/그때의 기억이 평생 나를 따라다닌다 那时的记忆平生伴随着我

따라-붙다 〔自他〕 赶上 gǎnshàng; 紧跟 jǐngēn; 追赶 zhuīgǎn ¶아이가 엄마의 뒤를 바짝 ~ 孩子紧跟在妈妈的身后

따라서 〔副〕 因此 yīncǐ; 于是 yúshì; 所以 suǒyǐ ¶이건 네 일이다, ~ 네가 결정해야 한다 这是你的事, 所以应该由你决定

따라-오다 〔他〕 **1** 跟来 gēnlái ¶저를 따라오세요 请跟我来 **2** 效仿 xiàofǎng; 跟着做 gēnzhezuò ¶윗사람이 하면 아랫사람이 ~ 上行下效仿

따라-잡다 〔他〕 赶上 gǎnshàng; 追上 zhuīshàng ¶기차를 따라잡았다 赶上了火车

따라잡-히다 〔自〕 被赶上 bèigǎnshàng; 被追上 bèizhuīshàng ¶뒤에 있던 선수에게 ~ 被后面的选手追上

따라지 〔名〕 **1** 矮个子 ǎigèzi; 侏儒 zhūrú **2** (赌博中的) 一分 yīfēn

따로 〔副〕 **1** 单独 dāndú; 分开 fēnkāi ¶가족과 떨어져 ~ 살다 离开家人单独生活 **2** 另外 lìngwài; 别的 biéde; 不同地 bùtóngde ¶~ 또 다른 방법이 있다 另外还有别的方法

따로-나다 〔自〕 分开 fēnkāi; 分家 fēnjiā ¶그들은 결혼 후 살림을 따로날 생각이다 他们打算结婚以后分家

따로-내다 〔他〕 分开 fēnkāi; 分家 fēnjiā ¶살림을 ~ 分家去过

따로-따로 〔副〕 各自 gèzì; 个个 gègè; 分别 fēnbié; 分开 fēnkāi ¶재료를 ~ 넣다 把材料分别放进去

따르다¹ 〔自他〕 **1** 跟随 gēnsuí; 跟着 gēnzhe; 随 suí ¶그를 따라 안으로 들어갔다 跟着他进里面去了 **2** 爱慕 àimù; 恋慕 liànmù; 敬仰 jìngyǎng; 钦慕 qīnmù; 追随 zhuīsuí; 依附 yīfù ¶그는 그 선생님을 매우 따른다 他很敬仰那位老师 **3** 随着 suízhe; 伴随着 bànsuí ¶발전함에 따라 사람들의 생활 수준이 많이 향상되었다 随着经济的发展, 人民的生活水平大大提高了 **4** 沿着 yánzhe; 顺着 shùnzhe ¶길을 따라 계속해서 앞으로 가다 沿着路继续往前走 **5** 依照 yīzhào ¶법률 규정에 따라 처리하다 依照法律的规定处理 **6** 遵守

zūnshǒu; 遵从 zūncóng; 听从 tīngcóng ¶규범을 ~ 遵守规范 **7** 按照 ànzhào; 根据 gēnjù ¶목적에 따라 방법도 다르다 按照目的, 方法也不一样

따르다² 〔他〕 倒 dǎo; 斟 zhēn ¶술을 ~ 倒酒

따르르¹ 〔副〕하〕 **1** 骨碌碌 gūlūlù ¶공이 산비탈을 굴러 내려갔다 球骨碌碌地滚下了山坡 **2** 丁零零 dīnglínglíng ¶수업종이 울렸다 丁零零上课铃响了

따르르² 〔副〕하〕 流利地 liúlìde; 流畅地 liúchàngde ¶교과서를 ~ 읽어 내려가다 流利地朗读课本

따르릉 〔副〕하〕 丁零零 dīnglínglíng ¶전화벨이 울렸다 丁零零电话铃响了

따름 〔依名〕 只不过 zhǐbùguò ¶그건 그 혼자만의 생각일 ~이다 那只不过是一个人的想法

따-먹다 〔他〕 **1** (果物等) 摘吃 zhāichī ¶배를 ~ 摘吃梨子 **2** (棋类) 吃子 chīzǐ; 提子 tízǐ

따발-총 (一銃) 机关枪 jīguānqiāng

따분-하다 〔形〕 **1** 枯燥无味 kūzàowúwèi; 无聊 wúliáo ¶이 프로그램은 정말 ~ 这个节目真枯燥无味 **2** 为难 wéinán; 难办 nánbàn ¶이런 분위기는 정말 ~ 这种氛围真为难 **3** 凄凉 qīliáng ¶따분한 노년 생활 凄凉的老年生活 ¶~하다

따분-히 〔副〕

따사-롭다 〔形〕 温暖 wēnnuǎn; 暖和 nuǎnhuo; 暖洋洋 nuǎnyángyáng ¶따사로운 햇볕 温暖的阳光 ¶**따사로이**〔副〕

따사-하다 〔形〕 温暖 wēnnuǎn; 暖洋洋 nuǎnyángyáng; 暖和 nuǎnhuo ¶봄 햇살이 매우 ~ 春天的阳光很温暖

따스-하다 〔形〕 温暖 wēnnuǎn; 暖和 nuǎnhuo ¶방안이 매우 ~ 房间里很暖和

따습다 〔形〕 温暖 wēnnuǎn; 暖和 nuǎnhuo ¶이불속이 ~ 被窝温暖的

따오기 〔名〕【鳥】朱鹭 zhūlù

따-오다 〔他〕 选취 xuǎnqǔ; 摘录 zhāilù ¶책에서 한 단락을 ~ 在书上摘录一段

따옴-표 (一標) 〔名〕【語】引用符 yǐnyòngfú = 인용부

따위 〔依名〕 **1** 号子 hàozi ¶저 ~ 인간이 뭘 알겠어 那号子人知道什么 **2** 类 lèi; 之类 zhīlèi ¶사과, 수박 ~의 과일 苹果、西瓜之类的水果

따지다 〔他〕 **1** 算 suàn; 计算 jìsuàn; 计较 jìjiào ¶점수를 ~ 计算分数 **2** 究究 zhuījiū; 追究 zhuījiū; 追查 zhuīchá; 寻查 zhuīxún ¶시비를 ~ 追究是非 **3** 考虑 kǎolù ¶주변 환경을 ~ 考虑周围环境 **4** 追问 zhuīwèn ¶다른 사람의 과거를 ~ 追问人家的过去

딱¹ 男 咔嚓 kāchā; 嘎巴 gābā; 啪 pā ¶나뭇가지가 ~하고 부러졌다 树枝咔嚓折断了

딱² 男 1 毅然 yìrán; 断然 duànrán; 决然 juérán ¶그의 부탁을 ~ 잘라 거절하다 断然拒绝他的请求 2 骤然 zhòurán; 戛然 jiárán ¶약물 복용을 ~ 끊다 骤然停用药物 3 非常 fēicháng; 真 zhēn ¶그와 같은 사람은 ~ 질색이다 真讨厌他那样的人

딱³ 男 1 敞开地 chǎngkāide; 大大地 dàdàde ¶입을 ~ 벌리고 햄버거를 먹다 大大地张嘴吃汉堡 2 正好 zhènghǎo ¶오늘 같은 날씨는 경기를 치르기에~ 좋다 今天这样的天气正好举办比赛 3 端正不动地 duānzhèng-bùdòngde ¶~ 버티고 서서 상대방을 주시하다 端正不动地站着注视着对方 4 紧紧地 jǐnjǐnde ¶입을 ~ 다물다 紧紧地闭嘴 5 紧贴着 jǐntiēzhe ¶아이가 엄마 곁에 ~ 붙어있다 孩子紧贴着妈妈的身旁 6 恰好 qiàhǎo ¶길을 건너다가 친구를 ~ 마주쳤다 恰好在过马路的时候遇见了同学 7 只 zhǐ ¶그는 ~ 한 번 갔다 他只去了一次

딱따구리 男 啄木鸟 zhuómùniǎo

딱딱 男 1 啪啪 pāpā ¶탁자를 ~ 치다 啪啪地拍桌子 2 咔嚓咔嚓 kāchā-kāchā ¶나무젓가락을 ~ 부러뜨리다 咔嚓咔嚓地折断筷子

딱딱-거리다 自 出言不逊 chūyánbù-xùn; 说话生硬 shuōhuàshēngyìng; 声高气粗 shēnggāoqìcū ¶딱딱대다 ¶젊은 사람이 어른에게 ~ 年轻人对长辈出言不逊

딱딱-하다 围 1 坚硬 jiānyìng ¶딱딱한 호두 坚硬的核桃 2 呆板 dāibǎn; 死板 sǐbǎn; 生硬 shēngyìng ¶연기하는 것이 좀 ~ 演有点生硬

딱정-벌레 虫 尘芥虫 chénjièchóng; 日本步行虫 rìběn bùxíngchóng; 甲虫 jiǎchóng

딱지 男 1 痂 jiā; 疮痂 chuāngjiā ¶~가 지다 结痂 2 (面上的) 垢 gòu; 疵点 cīdiǎn 3 蟹壳 xièké; 螺壳 luóké; 甲 jiǎ ¶등~ 背甲 4 表壳 biǎoké

딱지(一纸) 男 1 邮票 yóupiào; 标签 biāoqiān ¶~를 붙이다 贴上标签 2 画片 huàpiàn 《儿童游戏用》 ¶~를 치다 玩画片 3 外号 wàihào ¶살인자라는 ~가 붙었다 有上了杀人犯的外号 4 (交通) 罚款单 fákuǎndān ¶교통경찰이 ~를 떼다 交警开罚款单 5 (公寓) 住房票 zhùfángpiào ¶~를 좋아하는 사람에게 구애했다가 ~를 맞다 向喜欢的人求爱遭到拒绝

딱-총 (一銃) 男 1 爆竹 bàozhú 2 玩具枪 wánjùqiāng

딱-하다 围 1 可怜 kělián ¶돌봐주는 사람이 없어 참 ~ 没有人照顾很可怜 2 为难 wéinán; 尴尬 gāngà; 难堪 nánkān ¶난처한 입장에 처하다 处于尴尬的处境 **딱-히**¹

딱-히² 男 明确地 míngquède; 确切地 quèqiède ¶~ 이유를 설명하기가 어렵 很难明确地说明理由

딴¹ 依定 自己以为 zìjǐyǐwéi; 自己认为 zìjǐrènwéi ¶내 ~에는 이렇게 하는 게 맞는 줄 알았다 我自己以为这样做就对了

딴² 冠 别的 biéde; 另外的 lìngwàide = 다른 ¶~ 이야기 别的故事 / ~ 회사 别的公司

딴딴-하다 围 1 坚硬 jiānyìng ¶딴딴한 벽돌 坚硬的砖头 2 壮实 zhuàngshi ¶팔뚝이 아주 ~ 手臂很壮实 3 结实 jiēshi ¶과실이 딴딴하고 꽉 차있다 果实结实饱满 딴딴-히 男

딴-마음 男 1 别的想法 biéde xiǎngfǎ ¶그는 ~ 없이 열심히 학습하고 있다 他没有别的想法只努力学习 2 异心 yìxīn; 二心 èrxīn ¶아주 오래 전부터 줄곧 ~을 품다 很久以来就一直怀有二心

딴-말 男 无关的话 wúguānde huà; 废话 fèihuà ¶딴소리 ¶이번 일과 관계없는 ~은 하지 마라 别说跟这件事无关的话

딴-사람 男 别的人 biéde rén; 另外的人 lìngwàide rén ¶머리를 자르니 ~ 같다 剪了头发就像换别的人

딴-살림 男 分家 fēnjiā; 分居生活 fēnjū shēnghuó; 另居 lìngjū ¶일 때문에 아빠는 가족들과 ~하다 因工作的关系, 爸爸与家人另居

딴-소리 男 = 딴말

딴-전 男 转移话题 zhuǎnyí huàtí; 答非所问 dáfēisuǒwèn; 完全无关的 wánquán wúguānde = 딴청 ¶묻는 말에 대답하지 않고 ~을 부리다 不回答问题, 说完全无关的话

딴-죽 男 (摔跤) 下绊 xiàbàn ¶~을 걸다 下绊

딴-청 男 = 딴전

딴-판 男 1 不同局势 bùtóng júshì; 不同场面 bùtóng chǎngmiàn ¶~으로 변했다 变了不同局势 2 完全不同 wánquán bùtóng; 截然不同 jiérán bùtóng ¶듣던 바와는 ~이다 与所听的完全不同

딸 男 女儿 nǚ'ér = 여식

딸가닥 副하자타 叮当叮当 dīngdāng-dīngdāng ¶접시끼리 서로 부딪힐 때 ~ 소리가 나다 碟子和碟子碰撞时发

出叮当叮当的声音

딸가닥-거리다 困困 叮当叮当地响 dīngdāngdīngdāngde xiǎng = 딸가닥대다 ¶부엌에서 딸가닥거리는 소리가 나다 从厨房里发出叮叮当当声音

딸가닥-딸가닥 뷔죄困 叮当叮当

딸그락 뷔하죄困 叮当 dīngdāng ¶옆방에서 ~ 소리가 들렸다 从隔壁传来叮当声

딸그락-거리다 困困 叮当叮当地响 dīngdāngdīngdāngde xiǎng = 딸그락대다 ¶설거지를 할 때 그릇과 접시가 부딪쳐 ~ 洗碗的时候, 碗子和碟子碰撞, 叮叮当当地响 **딸그락-딸그락** 뷔

딸그랑 뷔하죄困 铮铮 zhēngzhēng ¶딸당 dīngdāng ¶문을 열면 종이 ~ 울린다 一开门, 就铃儿响叮当

딸그랑-거리다 困困 铮铮响 zhēng-zhēng xiǎng; 叮当响 dīngdāng xiǎng = 딸그랑대다 ¶문 앞에 걸려 있는 종이 ~ 挂在门前的铃儿叮当响 **딸그랑-딸그랑** 뷔하죄困

딸:기 圀【植】 莓 méi; 杨梅 yángméi; 草莓 cǎoméi

딸꾹-질 圀하죄 打嗝儿 dǎgér; 呃逆 ènì; 嗝气 géqì ¶~이 멈추지 않다 打嗝儿不止

딸-내미 圀 女儿 nǚér

딸-년 圀 女儿 nǚér; 小女 xiǎonǚ

딸랑 뷔하죄困 1 当啷啷 dānglānglāng; 丁零零 dīnglínglíng ¶방울이 ~ 거리다 铜铃当啷啷响 2 冒冒失失地 màomaoshīshīde; 毛手毛脚地 máoshǒumáojiǎode

딸랑-거리다 困困 当啷当啷响 dānglāngdāngláng xiǎng ¶작은 방울이 바람에 ~ 小铜铃被风吹得当啷当啷响 2 冒冒失失 màomaoshīshī; 毛手毛脚 máoshǒumáojiǎo ¶그는 늘 딸랑거린다 他总是冒冒失失的 ‖ = 딸랑대다 ¶딸랑-딸랑 뷔하죄困

딸랑-이 圀 摇铃 yáolíng; 花棒 huābàng

딸리다 困 1 附有 fùyǒu; 带有 dàiyǒu ¶그는 주방에 딸린 방을 빌렸다 他租了一个带有厨房的房子 2 属于 shǔyú; 从属 cóngshǔ; 附属 fùshǔ ¶이 초등학교는 사범 대학에 딸려있다 这所小学附属于师范大学

딸-자식(一子息) 圀 小女 xiǎonǚ

땀¹ 圀 1 汗 hàn; 汗水 hànshuǐ ¶~구멍 汗孔 / ~내 汗味 / ~방울 汗珠 / ~샘 汗腺 / ~을 흘리다 流汗 ¶땀水 hànshuǐ《比喻努力、费劲》¶성공은 ~의 결정이다 成功是汗水的结晶

땀² 圀 针脚 zhēnjiǎo = 바늘땀 ¶~이 너무 촘촘하다 针脚太小

땀-띠 圀【醫】 痱子 fèizi; 汗疹 hàn-zhěn; 暑疹 shǔzhěn

땀-투성이 圀 满身大汗 mǎnshēndà-hàn; 汗水淋漓 hànshuǐlínlí; 大汗淋漓 dàhànlínlí ¶온몸이 ~가 되다 满身大汗

땅¹ 圀 1 地 dì; 陆地 lùdì = 육지1 ¶~에 묻다 埋在陆地 2 田地 tiándì; 土地 tǔdì ¶비옥한 ~ 肥沃的土地 3 国土 guótǔ; 领土 lǐngtǔ ¶~을 정복하다 征服领土 4 地皮 dìpí ¶~을 개발하다 开发地皮

땅² 圀하죄 1 当 dāng; 铮 zhēng《金属撞击声》2 当 dāng《枪炮声》¶~하고 총소리가 났다 当的一声枪声子

땅-값 圀 1 地价 dìjià ¶~이 오르다 地价上涨 2 赁地税 lìndìshuì ¶~을 내다 缴贳地税

땅-강아지 圀【蟲】 蝼蛄 lóugū; 拉拉蛄 làlāgǔ

땅거미 圀 薄暮 báomù; 夜幕 yèmù; 黄昏 huánghūn ¶~가 질 무렵 黄昏的时分

땅-굴(一窟) 圀 1 地道 dìdào ¶~에 숨다 躲在地道里 2 地窖 dìjiào = 토굴 ¶~을 파고 고구마를 저장하다 挖地窖储存白薯

땅기다 困 抽着疼 chōuzheténg; 发紧 fājǐn; 紧绷绷的 jǐnbēngbēngde ¶뒷목이 ~ 后颈发紧

땅-꾼 圀 捕蛇者 bǔshézhě

땅-내 圀 泥土味 nítǔwèi; 泥土气息 nítǔqìxī

땅-덩어리 圀 = 땅덩이

땅-덩이 圀 土地 tǔdì; 领土 lǐngtǔ; 地域 dìyù = 땅덩어리

땅딸막-하다 휑 矮胖 ǎipàng; 矮粗 ǎicū; 矮墩墩 ǎidūndūn ¶체격이 땅딸막한 남자 身材矮胖的男人

땅딸-보 圀 矮胖子 ǎipàngzi = 땅딸이

땅딸-이 圀 = 땅딸보

땅땅¹ 뷔 1 夸张声势地 kuāzhāng-shēngshìde; 吹牛 chuīniú ¶그는 능력도 없으면서 큰소리를 ~ 친다 他又没能力却吹牛 2 盛气凌人地 shèngqì-língrénde; 不可一世地 bùkěyīshìde ¶~ 으르다 盛气凌人地说

땅땅² 뷔하죄困 1 哐哐 kuāngkuāng《连续敲击金属时发出的声音》2 当当 dāngdāng《连续的枪炮声》

땅땅-거리다¹ 困困 豪奢地生活 háo-shēde shēnghuó = 땅땅대다 ¶그는 돈을 많이 벌어서 땅땅거리며 산다 他赚了一大笔钱, 豪奢地生活

땅땅-거리다² 困困 1 哐哐地响 kuāng-kuāngde xiǎng 2 当当地响 dāngdāng-de xiǎng

땅-뙈기 〖명〗 小块田地 xiǎokuàitiándì

땅-마지기 〖명〗 小块地 xiǎokuàidì

땅-문서〔─文書〕〖명〗 土地证 tǔdìzhèng; 田单 tiándān

땅-바닥 〖명〗 **1** 地面 dìmiàn = 지면(地面)¶~을 파다 挖地面 **2** 地上 dìshang¶~에 앉다 坐在地上

땅-벌 〖蟲〗 土蜂 tǔfēng

땅-속 〖명〗 地下 dìxià; 地里 dìlǐ ¶~에 묻다 埋在地里 / ~에 옥수수를 심다 地里种着玉米

땅-콩 〖植〗 花生 huāshēng = 낙화생 ¶~기름 花生油 / ~버터 花生白脱

땋:다 〖타〗〔绳子、辫子〕编 biān ¶인형 머리를 ~ 给娃娃编辫子

때¹ 〖명〗 **1** 时间 shíjiān; 时候 shíhou ¶~가 이르다 时间早 / ~가 늦었다 时间晚 **2** 时机 shíjī; 机会 jīhuì ¶가장 좋은 ~이다 最好时机 **3** 顿 dùn ¶한 ~를 굶었다 饿了一顿 **4** 境遇 jìngyù ¶~에 따라 적당히 처리하다 按照境遇适当地处理 **5** 时代 shídài; 年代 niándài; 当时 dāngshí ¶삼국 시대 =三国时代 **3** ¶시절 shíjié; 节期 jiéqī ¶추석 ~ 仲秋节

때² 〖명〗 **1** 污垢 wūgòu ¶~를 없애다 清除污垢 **2** 俗气 súqì ¶~ 묻은 정치인 俗气的政治人 **3** 污名 wūmíng ¶강도의 ~를 벗었다 洗清了强盗的污名 **4** 稚气 zhìqì; 乳臭 rǔxiù ¶아직 ~도 안 벗은 계집애 稚气未消的黄毛丫头

때각-거리다 〖자타〗 咔啦咔啦响 kālā-kālā xiǎng = 때각대다 ¶상자 안의 목판이 ~ 箱子里的木板咔啦咔啦响
때각-때각 〖부자타〗

때구루루 〖부〗 咕噜噜 gūlūlū ¶공이 ~ 앞으로 굴러가다 球咕噜噜地朝前滚去

때굴-때굴 〖부/하자〗 咕噜咕噜 gūlūgūlū ¶큰 복숭아 한 알이 앞으로 ~ 굴러가다 一颗大蜜桃向前咕噜咕噜地滚去

때그락 〖부〗 嘎啦啦 gālālā ¶창이 ~거리다 门窗嘎啦啦响

때그락-거리다 〖자타〗 嘎啦嘎啦响 gālāgālā xiǎng = 때그락대다 ¶상자 안의 다이아몬드가 ~ 箱子里的钻石嘎啦啦响 **때그락-때그락** 〖부/자타〗

-때기 〖접미〗 由于部分名词之后，使该名词变为俗称¶귀~ 耳朵 / 볼~ 脸蛋

때깔 〖명〗 外观 wàiguān; 色泽 sèzé ¶이 원단은 ~이 선명하다 这些布料色泽鲜亮

때꾼-하다 〖형〗 眍 kōu ¶눈이 ~ 眼睛眍下去 **때꾼-히** 〖부〗

때:다 〖타〗 烧火 shāohuǒ ¶땔감으로 불을 ~ 用木柴烧火

때때-로 〖부〗 经常 jīngcháng; 常常 chángcháng; 时常 shícháng ¶그녀는 ~ 나에게 전화를 한다 她经常给我打电话

때때-옷 〖명〗 花衣 huāyī

때려-누이다 〖타〗 **1** 打倒 dǎdǎo = 때려눕히다1 ¶맨손으로 강도를 ~ 空手打倒强盗 **2** 击倒 jīdǎo = 때려눕히다 ¶시합에서 상대 선수를 ~ 比赛中将对手击倒

때려-눕히다 〖타〗 **1** = 때려누이다1 **2** 때려누이다2

때려-잡다 〖타〗 **1** 扑 pū; 攻击捕捉 gōngjī bǔzhuō ¶모기를 ~ 扑蚊子 **2** 打垮 dǎkuǎ ¶적들을 ~ 把敌人打垮

때려-치우다 〖타〗 作罢 zuòbà; 罢休 bàxiū; 辞 cí ¶회사를 때려치우고 다른 일을 찾다 辞职以后找别的工作

때-로 有时候 yǒushíhou ¶~ 그녀가 생각난다 有时候想起她来

때리다 〖타〗 **1** 打 dǎ; 击 jī; 抽打 chōudǎ ¶엄마가 아이를 ~ 妈妈打孩子 **2** 批判 pīpàn; 批评 pīpíng; 抨击 pēngjī ¶뇌물을 받은 정치인을 뉴스에서 강하게 ~ 新闻猛烈抨击贿赂的政治人 **3** 吹打 chuīdǎ ¶빗줄이 창문을 ~ 雨滴吹打窗户 **4** 打动 dǎdòng; 刺激 cìjī ¶그 불행한 소식은 그녀의 마음을 때렸다 那个不幸的消息打动了她的心

때-마침 〖부〗 正好 zhènghǎo; 碰巧 pèngqiǎo ¶~를 만났다 碰巧遇见了他

때-맞추다 〖자〗 及时 jíshí; 及时应时 yìngshí ¶때맞춰 눈이 왔다 及时雪下

때문 〖의명〗 因为 yīnwèi; 由于 yóuyú ¶네가 오지 않았기 ~에 모두들 실망했다 因为你没有来，大家都失望了

때우다 〖타〗 **1** 补 bǔ; 修补 xiūbǔ ¶타이어를 ~ 修补轮胎 **2**〔主食〕充当 chōngdāng; (饥) 充 chōng ¶빵으로 끼니를 ~ 用面包充饥 **3** 避免 bìmiǎn; 抵消 dǐxiāo ¶액을 ~ 抵消灾难 **4** 顶替 dǐngtì

땔:-감 〖명〗 燃料 ránliào = 땔거리

땔:-거리 〖명〗 = 땔감

땔:-나무 〖명〗 木柴 mùchái = 땔감3

땜 〖명하타〗 = 땜질

땜:-납 〖명〗 镴 là; 焊锡 hànxī; 锡镴 xīlà = 납2

땜:-질 〖명하타〗 **1** 修补 xiūbǔ **2** 缝补 féngbǔ **3** 修改 xiūgǎi ¶임시로 ~하다 临时修改 ‖ = 땜

땟-물¹ 〖명〗 脏水 zāngshuǐ; 污水 wūshuǐ

땟-물² 〖명〗 外形 wàixíng; 外貌 wàimào; 外表 wàibiǎo ¶외표 wàibiǎo ¶~가 훤하다 外表好看

땡-감 〖명〗 不熟的柿子 bùshúde shìzi

땡그랑 〖부/하자타〗 丁丁当当 dīngdīngdāngdāng ¶작은 방울이 ~ 소리가 나다 小铃丁丁当当响

땡그랑-거리다 재타 丁当丁当响 dīng-dāngdīngdāng xiǎng; 丁零丁零响 dīnglíngdīnglíng xiǎng = 땡그랑대다 ¶동전이 철통 안에 ~ 硬币在铁箱里丁当丁当响 **땡그랑-땡그랑** 부하자타 ¶작은 방울이 바람에 ~ 올리다 小铃铛被风吹得丁当丁当响

땡땡-이 명 偷懒 tōulǎn ¶~치다 偷懒

땡-볕 명 炎阳 yányáng

땡-잡다 재 走运 zǒuyùn ¶나는 오늘 땡잡았다 我今天走运了

떠-가다 재 飘动 piāodòng; 浮动 fúdòng; 浮游 fúyóu ¶흰 구름이 하늘에 ~ 白云在空中飘动

떠나-가다 재타 1 离开 líkāi; 离去 líqù ¶조국을 ~ 离开祖国 2 震撼 zhènhàn; 吵吵嚷嚷 chǎochǎorǎngrǎng ¶모두들 한데 모여 떠나가게 떠들어대다 大家汇集在一起

떠나다 재타 1 离开 líkāi; 离去 líqù ¶고향을 ~ 离开故乡 2 脱离 tuōlí; 辞职 cízhí ¶회사를 ~ 辞职 3 出世 chūshì ¶세상을 떠났다 去世了 4 消失 xiāoshī ¶그는 이미 내 기억 속에서 떠났다 他已经从我的记忆中消失了 5 出差 chūchāi ¶내일 그는 출장을 떠난다 明天他出差

떠나-보내다 타 送别 sòngbié; 送走 sòngzǒu ¶여동생을 ~ 가려고 공항에 가다 为了送别妹妹, 去机场

떠나-오다 재타 动身来 dòngshēnlái; 离开 líkāi ¶농촌을 떠나오는 농민들이 점점 많아지다 离开农村的农民越来越多

떠-내다 타 1 舀 yǎo; 盛 shèng ¶냄비에서 국한 그릇을 ~ 从锅里舀出一碗汤 (把重木) 起 qǐ 3 剔 tī; 剜 wān ¶뼈를 푹 삶아 고기를 ~ 把骨头煮熟, 剔下肉来

떠-내려가다 재 漂走 piāozǒu; 冲走 chōngzǒu ¶종이배가 물에 ~ 纸船在水上漂走

떠-넘기다 타 转嫁 zhuǎnjià ¶책임을 친구에게 ~ 把责任转嫁朋友

떠-다니다 재 1 飘动 piāodòng; 浮动 fúdòng ¶나뭇잎이 물 위를 ~ 树叶在水面上浮动 2 流浪 liúlàng; 漂泊 piāobó ¶객지를 ~ 漂泊异乡

떠-돌다 재타 1 漂泊 piāobó; 流浪 liúlàng ¶길거리를 ~ 流浪街头 2 传开 chuánkāi; 散播 sànbō; 传播 chuánbō ¶소문이 ~ 消息传开 3 飘动 piāodòng; 浮动 fúdòng ¶하늘에 흰 구름이 ~ 白云在天空飘动 4 浮现 fúxiàn; 露出 lùchū ¶희색이 ~ 露出喜色

떠돌-이 명 游子 yóuzǐ; 流浪汉 liúlànghàn; 江湖人 jiānghúrén

떠:들다¹ 재타 1 吵闹 chǎonào; 喧哗

xuānhuá = 喧吵 xuānchǎo ¶큰 소리로 ~ 大声喧哗 2 吵吵嚷嚷 chǎochǎorǎngrǎng ¶밖에서 시끄럽게 떠들어 잠이 깨다 外面吵吵嚷嚷地把我吵醒 재타 1 传扬 chuányáng; 散播 sànbō; 宣传 xuānchuán; 宣扬 xuānyáng; 声张 shēngzhāng; 声扬 shēngyáng ¶절대 이일을 떠들고 다녀서는 안 된다 千万不要散播这件事 2 议论 yìlùn ¶모두들 그 일에 대해 떠들고 있다 大家都在议论那件事

떠-들다² 掀开 xiānkāi; 撬开 qiàokāi ¶이불을 떠들고 손을 넣어 보다 掀开被子把手伸进去

떠들썩-하다 형 1 吵闹 chǎonào; 喧哗 xuānhuá = 喧吵 xuānchǎo ¶방안에 사람들이 많아서 ~ 房间里有很多人, 很吵闹 2 沸沸扬扬 fèifèiyángyáng; 满城风雨 mǎnchéngfēngyǔ

떠듬-거리다 재타 结结巴巴 jiējiēbā-bā; 断断续续 duànduànxùxù = 떠듬대다 ¶떠듬거리며 글을 읽다 断断续续地朗读文章 **떠듬-떠듬** 부하자타 ¶그는 너무 긴장해서 ~ 말했다 他很紧张, 结结巴巴地说

떠맡-기다 타 使承担 shǐchéngdān; 交给 jiāogěi; 推给 tuīgěi ¶책임을 다른 사람에게 ~ 把责任推给别人

떠-맡다 타 包揽 bāolǎn; 承担 chéngdān; 担负 dānfù ¶여행 경비를 ~ 承担旅行费用

떠-메다 타 1 扛 káng ¶호미 하나를 떼메고 밭으로 가다 扛着一把锄头去田地 2 承担 chéngdān; 担负 dānfù ¶책임을 ~ 承担责任

떠-밀다 타 1 向上推 yònglìtuī ¶산 아래로 ~ 往山下用力推 2 推委 tuīwěi; 推卸 tuīxiè ¶자기의 책임을 남에게 ~ 把自己的责任推卸给别人

떠-받다 타 顶 dǐng; 撞 zhuàng ¶자동차가 자전거를 떠받았다 汽车把自行车撞倒了

떠-받치다 타 支撑 zhīchēng; 顶托 dǐngtuō; 撑拄 chēngzhù ¶기둥으로 지붕을 ~ 用柱子支撑着屋顶

떠-벌리다 타 夸夸其谈 kuākuāqítán; 大谈特谈 dàtántántán ¶자신의 이력을 ~ 夸夸其谈自己的经历

떠-벌이다 타 大造 dàzào; 大摆 dàbǎi ¶결혼 피로연을 크게 ~ 大摆婚庆宴

떠-보다 타 1 称 chēng; 称量 chēngliáng 2 推测 tuīcè 3 摸底 mōdǐ; 试探 shìtàn ¶다른 사람의 생각을 ~ 试探

別人的想法

떠-안다 他 包 bāo; 承担 chéngdān ¶자원해서 책임을 ~ 自愿承担责任

떠-오르다 자 1 飘上来 piāoshànglái; 浮上来 fúshànglái; 升起 shēngqǐ ¶물체가 ~ 物体浮上来 2 想起 xiǎngqǐ; 浮现 fúxiàn ¶그의 모습이 머릿속에~ 脑子里浮现出他的身影 3 浮漾 fúyàng ¶그의 얼굴에 반가운 빛이 ~ 他的脸上浮泛着高兴的表情 4 出现 chūxiàn ¶예술계에 새로운 인물이 떠올랐다 在艺术界出现了新人物

떠올리다 他 1 想起 xiǎngqǐ ¶나는 그를 다시 떠올리지 않기로 했다 我决定不再想起他 2 浮泛 fúfàn ¶미소를 ~ 浮泛着微笑

떡¹ 명 1 糕 gāo ¶~가래 糕条/~국 糕汤/~소 糕馅 2 软心肠 ruǎnxīncháng 3 = 떡밥

떡² 명 1 大大地 dàdàde ¶입을 ~ 벌리다 大大地张着嘴巴 2 正好 zhènghǎo ¶~ 들어맞다 正好扣住 3 端正不动地 duānzhèngbùdòngde ¶~ 버티고 서다 端正不动地站着 4 从容地 cóngróngde; 泰然地 tàiránde ¶~ 의자에 앉아서 텔레비전을 보다 泰然地坐在椅子上看电视 5 恰好 qiàhǎo ¶길을 건너가다 선생님과 ~ 마주쳤다 恰好在马路的时候遇见了老师 6 紧贴着 jǐntiēzhe ¶아이가 아빠 곁에 ~ 붙어있다 孩子紧贴着爸爸的身旁

떡³ 명 啪 pā; 咔嚓 kāchā; 嘎巴 gābā ¶지팡이가 ~ 하고 부러졌다 拐杖咔嚓一声折断了

떡갈-나무 명 [植] 橡树 xiàngshù; 柞树 zuòshù

떡-값 명 1 节日补助金 jiérìbǔzhùjīn; 节日补贴 jiérìbǔtiē 2 中秋礼金 zhòngbiāolǐjīn 3 黑钱 hēiqián; 贿赂 huìlù

떡-고물 명 1 (吃糕时蘸的) 豆面 dòumiàn; 豆蓉 dòuróng 2 饶头 ráotou

떡-떡 부 1 嘎巴嘎巴地 gābāgābāde ¶시냇물이 ~ 얼어붙다 溪水嘎巴嘎巴地冻成冰 2 嘎嗒嘎嗒响 gādāgādā xiǎng ¶날이 너무 추워서 이가 ~ 마주친다 天气太冷, 连牙碰得嘎嗒嘎嗒响 3 粘糊糊地 niánhúhúde ¶엿이 입천장에 ~ 달라붙다 麦芽糖粘糊糊地贴在鄂上

떡-메 명 糕杵 gāochǔ

떡-밥 명 1 (豆面加米糠等做的) 面鱼饵 miànyú'ěr = 떡³ 2 (为做钓饵用的) 饭 fàn

떡-방아 명 糕米碓具 gāomǐduìjù

떡-볶이 명 炒年糕 chǎoniángāo

떡-시루 명 蒸笼 zhēnglóng

떡-잎 명 [植] 子叶 zǐyè

떡-하니 부 从容地 cóngróngde; 泰然

떨거덕 부 하 자 타 丁当 dīngdāng; 哐啷 kuānglāng ¶~ 문을 닫았다 门哐啷一声关上了

떨거덕-거리다 자 타 丁当响 dīngdāng xiǎng; 哐啷哐啷响 kuānglāngkuānglāng xiǎng = 떨거덕대다 ¶바람에 나무 세서 지붕 위가 심하게 ~ 风好大, 屋顶上哐啷哐啷响的厉害 **떨거덕-떨거덕** 부 하 자 타 ¶쇠침대 삐걱거리는 소리 哐啷哐啷响

떨거덩-거리다 자 타 丁当丁当响 dīngdāngdīngdāng xiǎng; 哐啷哐啷响 kuānglāngkuānglāng xiǎng = 떨거덩대다 ¶방울이 바람에 ~ 两个铃铛被风吹得丁当丁当响 **떨거덩-떨거덩** 부 하 자 타

떨걱-거리다 자 타 丁当丁当响 dīngdāng xiǎng; 哐啷哐啷响 kuānglāngkuānglāng xiǎng = 떨걱대다 ¶설거지 할 때, 그릇과 접시가 부딪쳐 ~ 洗碗的时候, 碗碟子碰撞, 哐啷哐啷响 **떨걱-떨걱** 부 하 자 타

떨구다 他 俯 fǔ; 低 dī ¶고개를 떨구고 눈물을 흘리다 低头流眼泪

떨그럭-거리다 자 타 哐当哐当响 kuāngdāngkuāngdāng xiǎng = 떨그럭대다 ¶그릇과 접시가 부딪쳐 ~ 碗子和碟子碰撞, 哐当哐当响 **떨그럭-떨그럭** 부 하 자 타

떨그렁-거리다 자 타 咣啷咣啷响 guānglāngguānglāng xiǎng = 떨그렁대다 ¶술병이 바람에 계속 ~ 酒瓶子被风吹得咣啷咣啷响 **떨그렁-떨그렁** 부 하 자 타

떨:다¹ 자 타 1 抖动 dǒudòng ¶모니터 화면이 ~ 显示器屏幕抖动 2 斤斤计较 jīnjīnjiào ¶그는 돈 쓰는 것에 벌벌 떤다 他 对 花 钱 斤 斤 计 较 3 害怕 hàipà; 恐惧 kǒngjù ¶내가 있으니 떨지 마라 有 我 在, 别 害 怕 4 颤动 chàndòng ¶온몸을 ~ 全身颤动

떨:다² 他 1 抖掉 dǒudiào; 掸掉 dǎndiào ¶탁자 위의 먼지를 ~ 掸掉桌子上面的尘土 2 扣除 kòuchú ¶숙박비를 ~ 扣除住宿费 3 打消 dǎxiāo ¶잡념을 ~ 打消杂念 4 卖光 màiguāng; 全卖掉 quánmàidiào; 包圆儿 bāoyuánr ¶남은 사과를 모두 떨었다 把剩下的苹果都卖光了 5 耍 shuǎ ¶그녀는 아양을 잘 떤다 她很会耍野

떨떠름-하다 형 1 涩涩的 sèsède ¶떨떠름한 감 涩涩的柿子 2 不情愿 bùqíngyuàn ¶그는 떨떠름한 얼굴로 대답했다 他不情愿地回答了 **떨떠름-히** 부

떨리다¹ 자 发抖 fādǒu; 颤抖 chàndǒu ¶날씨가 너무 추워서 온몸이 ~ 天气很冷, 冷得全身都发抖 / 목소리가 ~

声音发抖

떨리다² 재 1 脱落 tuōluò；掉下 diàoxià ¶먼지가 ~ 掉下尘土 2 被除名 bèichúmíng；被开除 bèikāichú ¶조직에서 떨리어 나왔다 被组织开除了

떨어-내다 타 抖掉 dǒudiào；掸掉 dǎndiào ¶커튼의 먼지를 ~ 抖掉窗帘上的灰尘

떨어-뜨리다 타 1 落下 luòxià；坠落 zhuìluò ¶공을 높은 곳에서 ~ 把球从高处落下来 2 掉下 diàoxià；脱落 tuōluò ¶나무를 흔들어 사과를 ~ 摇一摇树把苹果掉下来 3 丢失 diūshī ¶지갑을 ~ 丢失钱包 4 降下 jiàngxià；먼저 브레이크를 밟아 속도를 조금 ~ 先踩刹车，速度降下一些 5 下跌 xiàdiē；跌落 diēluò ¶주식을 ~ 下跌股票 6 磨破 mópò；穿破 chuānpò ¶양말을 떨어뜨렸다 穿破袜子 7 用光 yòngguāng ¶비축용품까지 다 떨어뜨렸다 连蓄备品都用光了 8 落选 luòxuǎn；落榜 luòbǎng ¶그를 대통령 선거에서 ~ 让他在总统选举落选 9 失去 shīqù；摔败 shuāipài ¶선생님의 위신을 ~ 失去老师的威信 10 垂下 chuíxià；低下 dīxià ¶그는 고개를 떨어뜨리고 아무 말도 하지 않았다 他低下头什么都不说了 11 脱离 tuōlí ¶야수를 군중들과 떨어뜨려 놓다 把野兽与群众隔离 12 断绝 duànjué ¶누구도 우리 사이를 떨어뜨릴 수 없다 谁也不能断绝我们之间的关系 13 降低 jiàngdī ¶혈압을 ~ 降低血压 ▷ = 떨어트리다

떨어-트리다 타 = 떨어뜨리다

떨-이 명하타 (廉价包圆儿的) 剩余产品 shèngyú chǎnpǐn

떨-치다¹ 자 远扬 yuǎnyáng；显赫 xiǎnhè；炫耀 xuànyào ¶그는 일찍이 명성을 떨쳤다 他早已大名远扬

떨-치다² 타 1 甩掉 shuǎidiào；甩开 shuǎikāi ¶동생을 떨쳐 버리고 놀러 나가다 甩掉弟弟去玩 2 抛开 pāokāi ¶쓸데없는 생각을 ~ 把胡思乱想抛开

떫:다 형 1 涩 sè ¶떫은 감을 먹다 吃涩柿子 2 不情愿 bùqíngyuàn ¶떫은 표정을 짓다 显露出不情愿的表情

떳떳-하다 형 堂堂正正 tángtángzhèngzhèng；光明正大 guāngmíngzhèngdà；无愧 wúkuì ¶그는 떳떳한 사람이다 他是光明正大的人 ⇒ 떳떳-이 부

떵떵¹ 부 1 夸张声势 kuāzhāngshēngshì ¶그는 돈도 없으면서 큰소리만 친다 他又没有钱却夸张声势地行动 2 盛气凌人 shèngqìlíngrén；不可一世 bùkěyíshì ¶큰 돈을 번 이후 ~ 위세를 떤다 赚了一大笔钱以后，盛气凌人

떵-떵² 부하자타 哐哐 kuāngkuāng ¶철문이 ~ 울리도록 치다 铁门敲得哐哐响

떼¹ 명 帮 bāng；伙 huǒ；群 qún ¶소가 ~를 지어 이동하다 牛成群移动

떼² 명 耍赖 shuǎlài ¶~ 좀 쓰지 마라 不要耍赖

떼³ 명 草皮 cǎopí ¶정원에 ~를 입히다 往庭园地上铺草皮

떼-강도(一强盗) 명 匪帮 fěibāng

떼-거리 명 帮 bāng；伙 huǒ ¶한 ~의 사람들이 사무실에 들어오다 一帮人进办公室来

떼:다¹ 형 1 摘下 zhāixià；撕下 sīxià ¶벽지를 ~ 撕下壁纸 2 扣除 kòuchú；除去 chúqù ¶월급의 5퍼센트를 ~ 扣

(오른쪽 단)

bǎng ¶그는 선거에서 또 떨어졌다 他在选举又落选了 16 陷入 xiànrù；陷落 xiànluò ¶요새가 결국 적군에게 떨어졌다 城堡最后被敌军陷落了 17 下达 xiàdá ¶지명 수배가 ~ 下达命令 18 减少 jiǎnshǎo ¶최근에 손님이 많이 떨어졌다 最近客人减少多了 19 结束 jiéshù；完成 wánchéng ¶일이 모레면 떨어진다 工作后天可以完成 20 符合 fúhé；正好 zhènghǎo ¶우리의 요구와 맞아 ~ 符合我们的要求 21 (气) 断气 duànqì ¶그는 곧 숨이 떨어지려고 한다 他快要断气了 22 距离 jùlí ¶학교는 집에서 멀리 떨어져 있다 学校距离家很远 23 流产 liúchǎn ¶사고로 아이가 ~ 因事故流产 24 整除 zhěngchú ¶10은 2와 5로 나누어 떨어진다 10被2或5整除 25 (信号) 发出 fāchū ¶출발 신호가 ~ 发出出发信号

떨어-지다 자 1 落下 luò；下 xià ¶下降 xiàjiàng ¶2층에서 ~ 从二楼落下来 掉 diào ¶눈물이 떨어졌다 流着眼泪 3 离开 líkāi；分手 fēnshǒu ¶그녀는 가족과 떨어져서 혼자 생활한다 她离开家人单独生活 4 伤 shāng ¶정이 ~ 伤感情 5 丢失 diūshī；丢失 diūshī ¶지갑이 주머니에서 ~ 钱包从口袋里丢下 6 赚下 zhuànxià ¶본전을 제외하고 십만위안이 떨어진다 除去本钱，可以赚下十万元 7 下跌 xiàdiē；跌落 diēluò ¶과일 가격이 ~ 水果价格下跌 8 磨破 mópò；穿破 chuānpò ¶양말이 떨어졌다 穿破了 9 用光 yòngguāng ¶돈이 떨어져 钱用光了 10 差 chà；差劲 chàjìn ¶기술 수준이 ~ 技术水平很差 11 相隔 xiānggé ¶5년 정도 떨어져 있다 相隔五年左右 12 落着 zhuóluò ¶그 일은 그에게 떨어졌다 那件事就着落在他身上了 13 上当 shàngdàng；受骗 shòupiàn ¶그는 친구의 꾐임수에 ~ 他被朋友受骗了 14 痊愈 quányù ¶이제 감기가 많이 떨어졌다 现在感冒痊愈多了 15 考掉 kǎodiào；落选 luòxuǎn；落榜 luò

除月薪的百分之五 **3** 分开 fēnkāi ¶아이를 떼고 집을 나서다 分开孩子出门 **4** 拆开 chāikāi ¶편지 봉투를 ~ 拆开信封 **5** (步) 迈 mài ¶발걸음을 ~ 迈步 **6** 开口 kāikǒu ¶그녀는 마침내 입을 떼었다 她终于开口说话 **7** 拒绝 jùjué ¶친구의 청을 뗄 수가 없었다 不能拒绝朋友的请求 **8** 撒手不管 sāshǒubùguǎn; 洗手不干 xǐshǒubùgàn ¶그는 전에 도둑이었지만, 이제는 손을 뗐다 他以前是小偷，现在洗手不干了 **9** 堕胎 duòtāi ¶수술을 해서 아이를 ~ 做手术堕胎 **10** 结业 jiéyè; 结束 jiéshù ¶일본어를 ~ 结束了日语课程 **11** (票据) 开 kāi ¶백만 원짜리 수표 한 장을 ~ 开一张一百万的支票

떼:다² 囮 不还 bùhuán; 赖帐 làizhàng ¶그는 꾸어온 돈을 떼고 도망갔다 他不还债逃跑了

떼-돈 몡 大笔钱 dàbǐqián ¶그는 주식으로 ~을 벌었다 他炒股票赚了大笔钱

떼:-먹다 囮 '떼어먹다'의 略词

떼-쓰다 囝 耍赖 shuǎlài ¶돈을 당장 내놓으라고 ~ 耍赖马上拿钱

떼어-먹다 囮 **1** 不还 bùhuán; 赖帐 làizhàng ¶그는 돈을 떼어먹고 사라져 버렸다 他不还债消失无踪了 **2** 侵吞 qīntūn; 克扣 kèkòu ¶이익을 ~ 侵吞利益

떼-이다 囮 '떼다²'의 被动词

떼-죽음 몡[하자] 成群死亡 chéngqún sǐwáng ¶물고기가 ~을 당하다 鱼成群死亡

떼:-치다 囮 **1** 甩掉 shuǎidiào; 甩开 shuǎikāi ¶친구의 부탁을 ~ 拒绝朋友的请求 **3** 推开 tuīkāi; 扔下 rēngxià ¶일을 떼쳐 놓고 상관하지 않다 把工作扔下不管

뗏-목 (一木) 몡 木排 mùpái

뗑그렁 囝[하자타] 丁当 dīngdāng ¶고양이 목에 걸린 작은 방울이 걸을 때마다 ~ 소리가 나다 小猫的脖子上挂着的小铃铛走起路来丁当响

뗑그렁-거리다 囝[타] 丁当丁当响 dīngdāngdīngdāng xiǎng = 뗑그렁대다 ¶숟가락이 도시락 안에서 ~ 勺子在饭盒里丁当丁当响 **뗑그렁-뗑그렁**[하자타]

또 囝 **1** 又 yòu; 再 zài ¶내일 ~ 보자 明天再见 **2** 还 hái ¶이것 말고 ~ 몇 가지 자료가 필요하다 除此之外，还需要一些资料 **3** 又 yòu ¶어린애라면 ~ 모르겠다 若是小孩子又当别论

또는 囝 或 huò; 或者 huòzhě; 或是 huòshì = 내지(乃至) 2 ¶내일 ~ 모레 그를 찾아갈 예정이다 打算明天或后天去找他

또-다시 囝 **1** 再次 zàicì ¶~ 묻다 再次问 **2** 又一次 yòuyīcì ¶~ 거짓말을 했다 又一次说了谎

또닥-거리다 囝 嗒嗒响 dādā xiǎng 当当响 dāngdāng xiǎng 各 토닥대다 ¶타자기를 ~ 打字机嗒嗒响 **또닥-또닥** 囝[하다]

또랑-또랑 囝[하다] 明亮 míngliàng; 清亮 qīngliàng ¶~한 목소리 清亮的声音 / 눈빛이 ~하다 眼睛明亮

또래 몡 (年龄或其他方面) 类似的 lèisìde; 相仿的 xiāngfǎngde; 同类的 tónglèide; 同辈 tóngbèi ¶우리는 다 같은 ~이다 我们都年龄相仿的

또렷-이 囝 清楚地 qīngchude; 明显地 míngxiǎnde; 鲜明地 xiānmíngde ¶그의 얼굴을 ~ 보았다 很明显地看到他的脸

또렷-하다 閿 清楚 qīngchu; 明显 míngxiǎn; 鲜明 xiānmíng ¶글자가 ~ 字迹清晰 / ~게 보이다 看字看得很清楚

또르르¹ 囝 刷啦啦 shuālālā; 吐噜噜 tūlūlū ¶신문을 ~ 말다 刷啦啦地卷起新闻

또르르² 囝 咕噜噜 gūlūlū ¶구슬이 ~ 앞으로 굴러가다 珠子咕噜噜向前滚去

또박-또박 囝[하다] **1** 清清楚楚地 qīngqīngchǔchǔde ¶한자를 ~ 잘 쓰다 把汉字写得清清楚楚地 **2** 按期 ànqī; 按时 ànshí ¶날짜에 맞춰 ~ 이자를 잘 내다 按期结利息

또한 囝 **1** 也 yě; 还是 háishi ¶역시1 ¶너 ~ 해야 한다 你也应该做 **2** 还有 háiyǒu; 而且 érqiě

똑¹ 囝[하자] **1** 吧嗒 bādā ¶사과가 하나 ~ 떨어지다 吧嗒一声落下一个苹果 **2** 咔嚓 kāchā ¶나뭇가지가 ~ 부러졌다 树枝咔嚓断了 **3** 嘭 pēng 《敲硬物的声音》 ¶문을 두드리다 ~嘭嘭敲门

똑² 囝 **1** 突然 tūrán ¶전화를 ~ 끊다 突然挂电话 **2** 连连 liánlián ¶배를 ~ 따먹다 连连摘梨子吃 **3** 用光 yòngguāng ¶양식이 ~ 떨어지다 粮食用光了

똑³ 囝 非常 fēicháng; 完全 wánquán ¶그들 부자는 생긴 것이 ~ 닮았다 他们父子长得完全相同

똑-같다 閿 完全相同 wánquán xiāngtóng ¶둘이 똑같은 옷을 입다 两个人穿完全相同的衣服 **똑같-이** 囝

똑딱-거리다 囝[자타] 咚咚响 dōngdōngde xiǎng ¶기와를 똑딱거리며 치다 修瓦咚咚地响 **2** 滴答滴答地响 dīdādīdāde xiǎng ¶시계 소리가 ~ 表声滴答滴答响 ‖ = 똑딱대다 **똑딱-똑딱** 囝[하자타]

똑딱-단추 몡 摁扣 ènkòu = 스냅1

똑딱-배 몡 = 똑딱선

똑딱-선(一船) 몡 机动船 jīdòngchuán
= 똑딱배

똑-떨어지다 困 完全符合 wánquán
fúhé; 完全准确 wánquán zhǔnquè ¶나
도 잘 모르기 때문에 똑떨어지게 설명
할 수 없다 我也不太清楚，所以不能
完全准确地说明

똑-똑 몡 1 嗒嗒 dādā; 吧嗒吧嗒 吧
dābādā ¶빗물이 천장에서 ~ 떨어지
다 雨水从天花板上嗒嗒落下来 2 咔
嚓咔嚓 kāchākāchā ¶젓가락이 ~ 부
러졌다 筷子咔嚓咔嚓断了 3 嘭嘭
pēngpēng ¶누가 한밤중에 문을 ~ 두
드린다 有人深夜嘭嘭敲门

똑똑-하다 톙 1 清楚 qīngchu; 分明
fēnming ¶발음이 똑똑하지 않다 发音
不太清楚 2 聪明 cōngming ¶그녀는
아주 ~ 她很聪明 똑똑-히 閈

똑-바로 閈 1 径直 jìngzhí; 直接 zhí-
jiē ¶수업이 끝난 뒤 ~ 집으로 돌아가
다 下课后径直回家 2 直 zhí; 正
zhèng ¶이 길을 따라 ~ 가면 바로
바로 우체국이다 沿着这条路一直走，
就是邮局 3 照实 zhàoshí; 如实 rúshí
¶사실을 ~ 말하다 照实照实实说

똑-바르다 톙 1 正直的 zhèng; 길
이 아주 ~ 路很直 2 = 올바르다 ¶그
녀는 아주 똑바른 사람이다 她是很正
直的人

똘똘 閈 1 一卷一卷地 yījuǎnyījuǎnde
¶달력을 필름처럼 ~ 말다 把日历卷
成像胶片一样~ 2 咕噜咕噜
地 gūlūgūlūde 《滚动声》¶공이 ~ 굴
러가다 球咕噜咕噜地滚

똘똘-하다 톙 聪明伶俐 cōngmínglíng-
lì ¶그녀는 아주 ~ 她非常聪明伶俐
똘똘-히 閈

똥 몡 1 屎 shǐ; 粪 fèn ¶~을 누다 拉
屎 2 《砚台里的》墨渣 mòzhā

똥-값 몡 廉价 liánjià; 不值钱 bùzhí-
qián ¶~에 팔다 廉价出售

똥-개 몡 杂种狗 zázhǒnggǒu

똥-거름 몡 粪肥 fènféi

똥-구멍 몡 肛门 gāngmén
똥구멍(이) 찢어지다[째지다] 囝 =
가랑이(가) 찢어지다[째지다]

똥그랗다 톙 圆 yuán; 圆圆的 yuán-
yuánde ¶똥그란 달덩이 圆圆的月亮

똥그래-지다 困 变圆 biànyuán ¶깜짝
놀라 눈이 똥그래졌다 吃惊地眼睛变圆了

똥-끝 몡 屎橛子头儿 shǐjuézitóur

똥-독(一毒) 몡 粪毒 fèndú

똥-물 몡 1 粪便水 fènbiànshuǐ 2 《呕
吐的》黄水 huángshuǐ

똥-배 몡 啤酒肚 píjiǔdù

똥-싸개 몡 拉裤子的孩子 lākùzide
háizi

똥-줄 몡 急解的大便 jíjiěde dàbiàn

똥줄(이) 빠지다 囝 1 急忙跑掉 2
费劲; 费力

똥줄(이) 타다 囝 心急; 心焦

똥-집 몡 1 大肠 dàcháng 2 体躯 tǐ-
qū; 体重 tǐzhòng 3 胃 wèi

똥-차(一車) 몡 1 粪车 fènchē 2 破车
pòchē

똥-칠(一柒) 몡하困 1 抹上屎 mǒshàng-
shǐ 2 丢脸 diūliǎn; 丢丑 diūchǒu ¶부
모님 얼굴에 ~을 하다 丢父母的脸

똥-통(一桶) 몡 粪桶 fèntǒng

똥-파리 몡 《虫》粪蝇 fènyíng

똬-리 몡 1 《顶东西时用的》垫圈 diàn-
quān 2 盘的圈 pánde quān

뙈기 몡 1 一块 yīkuài ¶땅 한 ~를
사다 买一块土地 2 一片 yīpiàn; 破片
pòpiàn 3 畦 qí; 畈 fàn ¶밭 한 ~ 一畈

뙤약-볕 몡 烈炎 lièyán; 烈日 lièrì ¶
~ 아래서 밭을 갈다 烈日下耕田

뚜껑 몡 1 盖(儿) gàir; 盖子 gàizi ¶냄
비 ~ 锅盖 2 帽 mào; 笔 ¶펜 ~을 닫다
盖上笔帽 3 帽子 màozi

뚜덕-거리다 囤 吧嗒吧嗒响 bādābā-
dā 과響 ¶구두가 ~ 鞋
子吧嗒吧嗒响 / 타자기를 ~ 打字机吧
嗒吧嗒响 뚜덕-뚜덕 閈하困 ~

뚜두두둑 閈하困 1 唏唏哗啦 xīhuā-
lā ¶밤에 ~ 비가 내린다 夜里哗哗啦
啦地下雨 2 嘎吱嘎吱 gāzhīgāzhī ¶나
뭇가지가 ~ 소리를 내며 땅에 떨어지
다 树枝喀吱喀吱地响地响, 落在地上

뚜드리다 囤 敲打 qiāodǎ; 猛敲 měng-
qiāo ¶창문을 ~ 猛敲窗户

뚜들기다 囤 猛敲打 měngqiāodǎ ¶문
을 마구 ~ 猛敲打着门

뚜렷-이 閈 清楚地 qīngchude; 明显
地 míngxiànde; 鲜明地 xiānmíngde ¶
실망하는 기색이 ~ 보인다 明显地流
露出失望的神色

뚜렷-하다 톙 清楚 qīngchu; 明显 míng-
xiǎn; 鲜明 xiānmíng ¶뚜렷한 태도 明
显的态度 / 강연의 주제가 ~ 演讲的
主题很鲜明

뚜르르¹ 閈 卷 juǎn ¶달력을 ~ 말다
卷起日历

뚜르르² 閈 咕噜噜 gūgūlūlū 《车轮
转动声》¶수레바퀴가 ~ 앞으로 굴러
가다 车轮咕噜噜向前滚去

뚜벅-벅 閈 直高气扬地走 zhí-
gāoqìyángde zǒu; 咯噔咯噔地走 gēdēng-
gēdēngde zǒu = 뚜벅대다 뚜벅-뚜벅
閈하困 ¶~ 발자국 소리가 점점 더 분
명히 들렸다 咯噔咯噔地脚步声越来
越清晰

뚜-쟁이 몡 拉皮条的 lāpítiáode

똑¹ 閈하困 1 吧嗒 bādā ¶호박이 ~
떨어졌다 南瓜吧嗒一声落下了 2

嚓 kāchā ¶연필이 ~ 부러졌다 铅笔咔嚓一声断了 3 嘭 pēng (敲东西的声音) ¶어깨를 ~ 쳤다 嘭嘭拍了一下肩膀

뚝² 〖早〗 1 突然 tūrán ¶웃음소리가 ~ 그치다 笑声突然而止 2 一下子 yīxiàzi ¶등급이 ~ 떨어져다 等级一下子降了下来 3 果断 guǒduàn; 决然 juérán; 断然 duànrán; 全然 quánrán ¶~ 잘라 말하다 果断地说

뚝-딱¹ 嘭嘭 pēngpēng ¶나무 상자의 뚜껑을 ~하고 치다 嘭嘭敲着木箱的盖子

뚝-딱² 〖早〗 利落 lìluo; 很快 hěnkuài ¶일을 ~ 해치웠다 工作很快做完了

뚝딱-거리다 〖자타〗 1 嘭嘭地敲打 pēngpēngde qiāodǎ ¶손바닥으로 탁자를 ~ 用手掌嘭嘭地敲打桌子 2 (心)怦怦地跳 pēngpēngde tiào ¶방금 그 순간을 생각하니 가슴이 뚝딱거린다 回想起刚才的一瞬间, 心怦怦地跳起来 ‖ = 뚝딱대다 **뚝딱-대다** 〖자타〗 = 뚝딱거리다

뚝-뚝¹ 〖早〗 1 吧嗒吧嗒地 bādābādāde ¶눈물을 ~ 흘리다 吧嗒吧嗒地流眼泪 2 咔嚓咔嚓地 kāchākāchāde ¶나뭇가지를 ~ 부러뜨리다 把树枝咔嚓咔嚓地折断 3 嘭嘭 pēngpēng

뚝-뚝² 〖早〗 明显地 míngxiǎnde ¶채소 가격이 ~ 떨어지다 蔬菜的价格明显地下降

뚝뚝-하다 〖혱〗 1 生硬 shēngyìng ¶뚝뚝한 태도 生硬的态度 2 呆板冷漠 dāibǎn lěngmò ¶이 사람은 너무 ~ 这个人很呆板冷漠

뚝배기 〖명〗 沙锅 shāguō

뚝-심 〖명〗 1 耐力 nàilì; 韧劲 rènjìn ¶그는 ~이 있어서 절대 포기하지 않는다 他很有耐力, 决不放弃 2 (不死心而再次) 挣扎 zhēngzhá ¶뭐 하러 ~을 쓰냐 何必勇挣扎

뚫다 〖타〗 1 钻 zuān; 穿 chuān; 挖 wā ¶구멍을 하나 ~ 挖一个洞 2 开凿 kāizáo; 凿通 záotōng; 开通 kāitōng ¶해저 터널을 ~ 凿通海底隧道 3 钻研 zuānyán 4 冲突 chōngtú; 突破 tūpò; 冲出 chōngchū ¶난관을 ~ 突破困境 5 (财路) 打通 dǎtōng ¶판로를 ~ 打通销路 6 穿 chuān; 预断 yùduàn ¶마음을 뚫어보다 看穿心思

뚫-리다 〖자〗 '뚫다'의 被动词 ¶해저 터널이 ~ 海底隧道开通

뚫어-지다 〖자〗 1 穿 chuān; 破 pò ¶신발에 구멍이 뚫어졌다 鞋子穿破了 2 穿通 chuāntōng; 开通 kāitōng ¶해저 터널이 드디어 뚫어졌다 海底隧道终于开通了 3 通达 tōngtá 4 凝视 níngshì; 目不转睛 mùbùzhuǎnjīng ¶눈도 깜박 안 하고 창밖을 뚫어지게 처다보다 目不转睛地凝视着窗外

뚱딴지 〖명〗 愚蠢的人 yúchǔnde rén

뚱딴지-같다 〖혱〗 出乎意料 chūhūyìliào; 不着边际 bùzhuóbiānjì; 毫不相关 háobùxiāngguān ¶뚱딴지같은 생각 出乎意料的想法 / 뚱딴지같은 소리 하지 마라 不要说跟这件事毫不相关的话

뚱땅-거리다 〖자타〗 丁丁冬冬地敲 dīngdīngdōngdōngde qiāo = 뚱땅대다 ¶반을 ~ 丁丁冬冬地敲琴键 **뚱땅-뚱땅** 〖早하자타〗

뚱뚱 〖早하〗 1 胖乎乎的 pànghūhūde ¶그는 아주 ~하다 他胖乎乎的 2 胀鼓鼓的 zhànggǔgǔde

뚱뚱-보 〖명〗 胖子 pàngzi; 大胖子 dàpàngzi = 뚱뚱이

뚱뚱-이 〖명〗 = 뚱뚱보

뚱-보 〖명〗 胖子 pàngzi; 大胖子 dàpàngzi

뚱:-하다 〖혱〗 1 沉默寡言 chénmòguǎyán ¶그는 원래 사람이 뚱해서 사귀기가 힘들다 他本来是沉默寡言的, 所以不好交往 2 板起脸 bǎnzhěliǎn; 快快不乐 yàngyàngbùlè; 怏然不悦 yàngránbùyuè ¶그는 종일 뚱해서 말도 하지 않는다 他整天板着脸不说话

뛰-놀다 〖자〗 1 蹦蹦跳跳地玩 bèngbèngtiàotiàode wán ¶아이들이 운동장에서 ~ 孩子们在操场蹦蹦跳跳地玩 2 (脉搏等) 强烈搏动 qiánglièbódòng

뛰다¹ 〖자〗 1 飞溅 fēijiàn ¶잉크가 뛰어 가방에 묻었다 墨水飞溅到书包上 2 逃跑 táopǎo ¶경찰이 다가오는 것을 보고 도둑은 냅다 뛰었다 看到警察走来, 盗窃就逃跑了 3 跳动 tiàodòng; 跃动 yuèdòng ¶그녀의 얼굴을 보자 가슴이 쿵쾅쿵쾅 뛰었다 一看她的脸, 心怦怦跳动 4 (价格) 突然上涨 túránshàngzhǎng ¶비가 많이 와서 채소 값이 껑충 뛰었다 下了大雨, 蔬菜价格突然上涨 5 腾 téng; 蹦 bèng ¶그 소식을 듣고 모두들 좋아서 펄쩍펄쩍 뛰었다 听到那个消息大家都欢喜动起来

뛰다² 〖자타〗 跑步 pǎobù ¶매일 운동장을 ~ 每天在操场跑步 2 跳 tiào; 越 yuè ¶담을 뛰어 넘어 들어가다 越墙进入 3 跳过 tiàoguò; 越过 yuèguò ¶1페이지에서 10페이지로 ~ 从一页跳过十页 4 活动 huódòng ¶그는 연예계에서 뛸 생각이다 他想在演艺圈儿活动起来

뛰다³ 〖타〗 1 (秋千) 荡 dàng ¶놀이터에서 그네를 ~ 在游乐场荡秋千 2 (跳板) 跳 tiào ¶설날에 널을 ~ 春节的时候, 跳跳板

뛰어-가다 〖자타〗 跑去 pǎoqù ¶운동장을 ~ 跑操场去

뛰어-나가다 〖자타〗 跑出去 pǎochūqù

문 두드리는 소리를 듣고 바로 ~ 听
到敲门声，马上跑出去

뛰어-나다 自 出众 chūzhòng；卓越
zhuóyuè ¶인품이 ~ 人品出众

뛰어-나오다 自他 跑出来 pǎochūlái ¶
시간이 없으니 빨리 뛰어나와라 没有
时间，赶快跑出来吧

뛰어-내리다 自他 跳下来 tiàoxiàlái ¶
이층에서 ~ 从二楼跳下来

뛰어-넘다 他 1 跳 tiào；越 yuè 2 跳
过 tiàoguò；越过 yuèguò 3 超越 chāo-
yuè ¶예상을 뛰어넘는 결과 超越豫测
的结果

뛰어-다니다 自他 跑来跑去 pǎolái-
pǎoqù ¶종일 뛰어다니며 아이를 찾다
整天跑来跑去找孩子

뛰어-들다 他 1 跳进 tiàojìn ¶물속에
뛰어들어 아이를 구하다 跳进河里救
孩子 2 投入 tóurù ¶적진에 ~ 投入敌
营 3 闯入 chuǎngrù ¶오토바이가 느닷
없이 가게 안으로 뛰어들었다 摩托车
竟然闯入了商店里 4 进入 jìnrù；投身
tóushēn ¶정치판에 ~ 投身于政治界

뛰어-오다 自 跑来 pǎolái ¶학교로 ~
跑到学校来

뛰어-오르다 自他 1 跳上去 pǎoshàng-
qù；跳上去 tiàoshàngqù ¶계단을 ~ 跳
上去台阶 2 上涨 shàngzhǎng；上升
shàngshēng ¶과일 가격이 갑자기 ~
水果的价格突然上涨 / 순위가 ~ 顺位
上升

뛰쳐-나가다 自他 跑出去 pǎochūqù ¶
밖으로 ~ 到外边跑出去

뛰쳐-나오다 自他 跑出来 pǎochūlái ¶
답답해서 병실을 ~ 闷得从病房跑出
来

뜀 名 1 双脚跳 shuāngjiǎotiào 2 跳跃
tiàoyuè

뜀박-질 名下自 1 跳远 tiàoyuǎn ¶跳
高 tiàogāo 2 跑 pǎo ¶그는 ~을 잘한
다 他跑得很好

뜀-틀 名 1 跳箱 tiàoxiāng；跳马
tiàomǎ 2 ~ 뜀틀 운동

뜀틀 운동(一運動) 名体 跳箱运动
tiàoxiāng yùndòng ¶~ 뜀틀2

뜨-개 名 编织 biānzhī；针织 zhēn-
zhī 2 手工 编织品 biānzhīpǐn；针织
品 zhēnzhīpǐn

뜨개-질 名下自 编织 biānzhī；针织
zhēnzhī

뜨거워-지다 自 变热 biànrè；热起来
rèqǐlái ¶날씨가 갑자기 뜨거워졌다 天
气突然变热了

뜨겁다 形 热 rè；烫 tàng；热烈 rèliè ¶
물이 아주 ~ 水很烫 / 모두들 그를 뜨
겁게 환영했다 大家都热烈欢迎他

-뜨기 接尾 用于名词后表示对某一部

分人的卑称 ¶시골 ~ 乡巴佬

뜨끈-뜨끈 副下 热乎乎 rèhūhū ¶~
한 쌀밥 热乎乎的米饭

뜨끈-하다 形 热 rè；热乎乎 rèhūhū ¶
뜨끈한 국물 热汤水 뜨끈-히 副

뜨끔 副下 1 刺痛 cìtòng；针扎似地
痛 zhēnzhāsìde tòng ¶손가락에 난 상
처가 ~하다 手指上的伤口针扎似地
痛 2 心中 一揪 yījiū ¶그의 말에 나
는 가슴이 ~했다 他的话，让我心里
一揪

뜨끔-거리다 自 刺痛 cìtòng；针扎似
地痛 zhēnzhāsìde tòng = 뜨끔대다 ¶
상처가 ~ 伤口针扎似地痛起来 뜨끔-
뜨끔 副下

뜨내기 名 1 流浪者 liúlàngzhě；漂泊
者 piāobózhě 2 间或做的事 jiànhuò
zuòde shì

뜨다¹ 自 1 飘 piāo；浮 fú；漂 piāo ¶물
위에 떠 있는 낙엽 漂在水面的落叶 2
飞 fēi；起飞 qǐfēi ¶비행기가 떴다 飞
机起飞了 3 升 shēng ¶해는 동쪽에서
뜬다 太阳从东边升起 4 翘 qiáo ¶천
장의 벽지가 떴다 天花板的壁纸翘起
来了 5 有距离 yǒujùlí；有隔离 yǒujiàn-
gé ¶친구 사이가 ~ 朋友关系有距离
6 被赖账 bèilàizhàng 7 有名 yǒumíng
¶그는 요즘 많이 떴다 那个演员
最近很有名了

뜨다² 自 1 发霉 fāméi ¶창고 안에 있
던 쌀이 떴다 仓库里的大米发霉了 2
发酵 fājiào ¶메주 뜨는 냄새가 정말
고약하다 酱块子发酵的气味真臭 3
浮肿 fúzhǒng ¶잘 못 먹어서 얼굴이
다 떴다 吃得不好，脸都浮肿了

뜨다³ 自 1 离开 líkāi；动身 dòngshēn
¶밤에 몰래 고향을 ~ 夜里偷偷地离
开故乡 2 去世 qùshì ¶그는 이미 세상
을 떴다 他已经去世了

뜨다⁴ 他 1 移 yí；起 qǐ ¶무덤의 뗏장
을 ~ 起坟墓上的草皮 2 捞 lāo ¶국수
를 ~ 捞面条 3 舀 yǎo；盛 shèng ¶국
자로 국을 ~ 用勺子舀汤 4 纸片等
制 zhì ¶전통적인 방식으로 종이를 ~
以传统的方式制纸 5 切 qiè；割 gē ¶
회를 ~ 切生鱼片 6 布 扯 chě ¶옷
을 만들기 위해 옷감을 ~ 为了做衣服
扯布料 7 吃 chī ¶밥을 한 술 ~ 吃一
口饭

뜨다⁵ 他 1 眼 睁 zhēng ¶눈을 부릅
뜨고 창밖을 보다 睁开眼睛看窗外 2
耳朵 能听见 néngtīngjiàn ¶농인이
수술 후에 귀를 ~ 聋人受手术后能听
见了

뜨다⁶ 他 1 编织 biānzhī ¶고기를 잡기
위해 그물을 ~ 为了捕织鱼网 2 缝
féng ¶한 땀 한 땀 떠서 옷을 깁다 缝
了一缝打补丁

뜨다⁷ 配 模仿 mófǎng; 效仿 xiàofǎng; 复制 fùzhì ¶다른 사람의 작품을 본~ 模仿别人的作品

뜨다⁸ 配 灸 jiǔ

뜨다⁹ 配 1 (动作) 缓慢 huǎnmàn ¶그는 동작이 ~ 他行动缓慢 2 (反应) 迟钝 chídùn ¶감각이 뜨고 눈치가 없다 感觉迟钝, 没有眼力见 3 不爱说话 bù'ài shuōhuà ¶이 사람은 원래 말이 ~ 这个人本来不爱说话 4 不锋利 bùfēnglì ¶도끼의 날이 ~ 斧头不锋利 5 (铁器) 抗热 kàngrè 6 (坡度) 缓 huǎn ¶물매가 ~ 坡缓 7 间隔 jiàngé ¶버스의 배차 시간이 뜨고 정말 불편하다 公共汽车行车间隔, 真不方便

뜨뜻미지근-하다 형 1 温和 wēnhuo; 温乎 wēnhū; 温暾 wēntūn ¶국이 ~ 汤温暾 2 温暾 wēntūn ¶뜨뜻미지근한 태도를 비판하다 批评温吞的态度

뜨뜻-하다 형 热乎 rèhū; 暖和 nuǎnhuo ¶방안이 아주 ~ 房间里很暖和

뜨뜻-이 튀

뜨르르¹ 튀하형 1 咕噜噜 gūlūlū ¶큰 공이 ~ 굴러가다 大球咕噜噜地滚去 2 哗啦啦啦 huāhuālālā

뜨르르² 튀하형 哇啦哇啦地 wālāwālā-de ¶긴 글을 ~ 읽어 내려가다 把很长的文章哗哗地朗读

뜨문뜨문 튀하형 1 偶尔 ǒu'ěr; 间或 jiànhuò ¶~ 전화해서 안부를 묻다 偶尔打电话问候 2 稀疏 xīshū ¶머리카락이 ~ 있다 头发稀疏

뜨스-하다 형 温乎 wēnhū ¶뜨스한 이불 温乎的被子

뜨습다 형 温乎 wēnhū; 温和 wēnhuo ¶뜨스운 방 温乎的房间

뜨악-하다 형 1 不情愿 bùqíngyuàn; 不满意 bùmǎnyì ¶뜨악한 표정 不满意地表情 2 不可靠 bùkěkào; 不可信 bùkěxìn ¶뜨악한 사이 不可信赖关系

뜨-이다 재 1 睁眼 zhēngyǎn; 醒 xǐng ¶자다가 울음소리에 눈이 ~ 被哭泣声惊醒 2 豁然 huòrán ¶번쩍 ~ 眼睛豁然一亮 3 映入 yìngrù; 被看见 bèikànjiàn ¶다른 사람 눈에 안 뜨이게 해라 别被人家看见 4 明显 míngxiǎn; 突出 tūchū ¶생활수준이 눈에 뜨이게 향상되었다 生活水平很明显地提高了

뜬-구름 圀 1 浮云 fúyún 2 稍纵即逝 shāozòngjíshì ¶~같은 인생 稍纵即逝的人生

뜬금-없다 형 意外 yìwài; 想不到 xiǎngbùdào ¶뜬금없는 행동 意外的行动 **뜬금없-이** 튀 ¶그는 ~ 나에게 전화를 했다 他意外地给我打电话了

뜬-눈 圀 睁着眼睛 zhēngzhe yǎnjing

뜬-소문(一所聞) 圀 传闻 chuánwén;

风闻 fēngwén ¶그에 관한 ~을 듣다 听到有关他的风闻

뜯-기다 자 1 叮咬 dīngyǎo ¶모기에게 ~ 被蚊子叮咬 2 被抢夺 bèiqiǎngduó; 被勒索 bèilèsuǒ ¶깡패에게 돈을 ~ 被流氓抢夺金钱 3 赌输 dǔshū; 输钱 shūqián ¶도박판에서 많은 돈을 ~ 在赌场输了很多钱 4 啃 kěn ¶소를 풀어 풀을 ~ 放牛啃草

뜯다 配 1 摘下 zhāixià; 撕下 sīxià; 拆下 chāixià ¶편지 봉투를 ~ 拆开信封 2 索要 suǒyào ¶도박판에서 개평을 ~ 在赌场索要 3 得到 dédào; 要到 yàodào ¶빈털터리에게 돈을 ~ 频繁地要到钱 4 弹奏 tánzòu ¶가끔씩 비파를 ~ 偶尔弹奏琵琶 5 啃 kěn; 撕着吃 sīzhechī ¶소 떼가 목장에서 풀을 ~ 牛群在牧场啃草 6 采集 cǎijí; 采摘 cǎizhāi ¶동산에 가서 산나물을 ~ 去山采野菜 7 抢夺 qiǎngduó; 勒索 lèsuǒ ¶고의로 교통사고를 내서 재물을 ~ 故意制造交通事故勒索财物 8 叮咬 dīngyǎo ¶모기가 뜯어 가렵네 被蚊子叮咬很痒痒

뜯어-고치다 配 革新 géxīn; 改革 gǎigé ¶생각을 ~ 改革思想

뜯어-내다 配 1 摘下 zhāixià; 撕下 sīxià; 采下 cǎixià ¶벽의 사진을 ~ 撕下壁上的照片 2 拆开 chāikāi; 拆卸 chāixiè ¶창문을 ~ 把窗户拆卸 3 得到 dédào; 要到 yàodào ¶손을 내밀어 돈을 ~ 伸手要到钱

뜯어-말리다 자 拉架 lājià ¶싸움을 ~ 拉架

뜯어-먹다 配 (巧言或强行) 索要 suǒyào ¶소상인들의 돈을 ~ 索要小商人的钱

뜯어-보다 配 1 拆开看 chāikāikàn ¶자동차를 ~ 拆开看汽车 2 仔细打量 zǐxì dǎliang; 端详 duānxiang ¶그의 얼굴을 자세히 ~ 仔细端详他的脸 3 勉强读懂 miǎnqiǎng dúdǒng ¶한자를 간신히 ~ 勉强读懂汉字

뜰 圀 庭院 tíngyuàn; 院子 yuànzi

뜸¹ 圀 草席子 cǎoxízi; 草帘子 cǎoliánzi

뜸²(韓醫) 圀 灸 jiǔ ¶~을 뜨다 灸穴位

뜸³ 圀 焖 mèn ¶~을 들이다 焖熟

뜸부기 圀 【鸟】董鸡 dǒngjī

뜻 圀 1 志向 zhìxiàng ¶원대한 ~ 远大的志向 2 意志 yìzhì ¶이것이 무슨 ~입니까? 这是什么意思? 3 意义 yìyì ¶오늘은 아주 ~ 깊은 날이다 今天是很有意义的日子

뜻-밖 圀 意外 yìwài = 의외 ¶~의 말을 하다 说意外的话

뜻밖-에 튀 意外地 yìwàide =의외로 ¶문제가 ~ 복잡하다 问题意外地复杂

뜻-하다 □자 1 打算 dǎsuan; (企

qǐtú; 意欲 yìyù ¶뜻하는 바가 있다 有
打算 2 豫想 yùxiǎng; 料到 liàodào ¶
길을 가다가 뜻하지 않게 선생님을 만
나다 豫想不到街上遇见老师 〔三[타] 意
味 yìwèi; 象征 xiàngzhēng ¶다이아몬
드는 영원한 사랑을 뜻한다 钻石象征
着永远的爱情

띠:다 [자] 1 发现 fāxiàn ¶남의 눈에 ~
被人发现 2 使漂浮 shǐpiāofú 3 使发
酵 shǐfājiào 4 隔开 gékāi; 隔离 gélí 5
传 chuán; (信) 寄 jì 6 露出 lùchū; 表
现出 biǎoxiànchū

띄어-쓰기 [명][하][타] [語] 分写 fēnxiě;
分写法 fēnxiěfǎ

띄엄-띄엄 [부] 1 零散 língsǎn; 稀稀落
落 xīxiluòluò ¶관람석에 몇 사람이 ~
앉아있다 看台上稀稀落落坐了几个人
2 慢慢腾腾地 mànmàntēngtēngde; 断
断续续地 duànduànxùxùde ¶~ 편지를
낭독하다 断断续续地朗读信

띄우다 [타] 传 chuán; (信) 寄 jì ¶부모
님께 편지를 ~ 寄信给父母

띠¹ [명] 1 腰带 yāodài ¶~를 매다 系腰
带 2 带子 dàizi ¶머리에 단단히 ~를
두르다 把带子紧紧地缠在头上 3 (被
孩子时用的) 布带 bùdài 4 (纸牌中的)
条牌 tiáopái 5 (书的) 封面附条 fēng-
miàn fùtiáo

띠² [명] [植] 茅草 máocǎo; 白草 báicǎo

띠³ [명] [民] 属相 shǔxiang; 生肖 shēng-
xiào; 属 shǔ ¶그는 닭 ~이다 他属鸡

띠:다 [타] 1 系 jì; 扎 zā ¶가죽 허리띠
를 ~ 系皮革腰带 2 带有 dàiyǒu; 带
着 dàizhe; 具有 jùyǒu ¶사회주의적인
색채를 띠고 있다 带有社会主义的色
彩 3 担负 dānfù; 负有 fùyǒu ¶역사적
인 사명을 ~ 担负历史使命 4 带 dài;
泛 fàn ¶그녀는 얼굴에 홍조를 띠었다
她脸上泛了红 5 挂 guà ¶얼굴에 미소
를 ~ 脸上挂着微笑

띵 [부][하][형] (头痛得) 发晕 fāyūn ¶머리
가 ~ 하다 头痛得发晕

띵띵 [부][하][형] 1 鼓鼓地 gǔgǔde; 胀胀地
zhàngzhàngde ¶얼굴이 ~ 붓다 脸肿
得胀鼓鼓地 2 结实地 jiēshide; 硬实地
yìngshíde ¶귤이 작고 ~하다 橘子小
而结实地 3 紧绷绷地 jīnbēngbēngde ¶
줄을 ~하게 당기다 紧绷绷地拉绳子

ㄹ

라(이)la 逼【音】拉 lā; 啦 lā

라고 逼 '라고'의 약어

라고¹ 逼 用于表示直接引用的助词 ¶ 그녀가 "너 어디 가니?" ~ 물었다 她问, '你去哪儿?'

라고² 逼 特别指出此事物的辅助词 ¶ 어린 아이~ 다 모르나요? 小孩子都不知道吗?

라니냐(에łla Niña) 圀【地理】拉尼娜 lānínà

라도 逼 1 表示强调的辅助词 ¶ 할머니~ 거기에 갔을 것이다 奶奶也会去那又 2 表示用不着区别 ¶ 그~ 할 수 없다 就是他也不能做

-라도 [어미] 即使 jíshǐ; 再 zài ¶ 비가 오더~ 우리는 가야 한다 即便下雨我们也要去

라듐(radium) 圀【化】镭 léi

라드(lard) 圀 拉德 lādé; 猪油 zhūyóu

라든지 逼 表示罗列的辅助词 ¶ 바나나~ 사과~ 없는 것이 없다 香蕉啦, 苹果啦, 应有尽有

라디에이터(radiator) 圀【機】= 방열기

라디오(radio) 圀 1 无线电广播 wúxiàndiàn guǎngbō; 无线电 wúxiàndiàn ¶ ~ 방송 无线电广播 / ~ 프로그램 无线电节目 / ~ 청취자 无线电广播的听众 / ~를 듣다 收听无线电 2【機】收音机 shōuyīnjī; 无线电收音机 wúxiàndiàn shōuyīnjī ¶ 휴대용 ~ 袖珍收音机 / ~를 켜다 开收音机 / ~를 끄다 关收音机

라마¹(lama) 圀【動】美洲驼 měizhōutuó

라마²(lama) 圀【佛】喇嘛 lǎma ¶ ~교 喇嘛教 / ~승 喇嘛僧

라마단(아Ramadān) 圀【宗】(回教的) 斋月 zhāiyuè

라마즈-법(Lamaze法) 圀【醫】拉玛泽呼吸法 Lāmǎzé hūxīfǎ; 拉玛泽无痛分娩法 Lāmǎzé wútòng fēnmiǎnfǎ

라면(←일 râmen) 圀 方便面 fāngbiànmiàn; 方便面条 fāngbiànmiàntiáo; 快速面 kuàisùmiàn; 泡面 pàomiàn; 即食面 jíshímiàn; 快熟面 kuàishúmiàn ¶ ~을 끓이다 煮方便面

라벤더(lavender) 圀【植】薰衣草 xūnyīcǎo; 拉文达 lāwéndá; 欧薄荷 ōubóhé ¶ ~유 薰衣草油 =[라벤더오일]

라벨(label) 圀【經】商标纸标签 shāng-

biāozhǐ biāoqiān; 系挂标牌 xìguàbiāopái; 签条 qiāntiáo; 商标 shāngbiāo

라스트 스퍼트(last spurt) 【體】最后冲刺 zuìhòu chōngcì

라스트 신(last scene) 【演】最后情节 zuìhòu qíngjié ¶ ~을 찍다 拍最后情节

라식(LASIK) 圀【醫】准分子激光手术 zhǔnfēnzǐ jīguāng shǒushù

라야 逼 只 zhǐ; 只有 zhǐyǒu ¶ 변호사 ~ 들어갈 수 있다 只有律师才能进去

라야-만 逼 '라야'의 强调语 ¶ 너~ 이 문제들을 해결할 수 있다 只有你才能解决这些问题

라운드(round) 圀【體】1 (拳击的) 轮 lún; 场 chǎng; 回合 huíhé; 巡 xún; 局 jú 2 (高尔夫球的) 轮 lún

라운지(lounge) 圀 休息室 xiūxishì; 候机室 hòujīshì

라이벌(rival) 圀 对手 duìshǒu; 敌手 díshǒu; 情敌 qíngdí

라이브(live) 圀 实况 shíkuàng; 现场 xiànchǎng ¶ ~ 음악 实况音乐 / ~ 방송 实况广播 / ~ 콘서트 现场演唱会

라이선스(license) 圀 许可 xǔkě; 许可证 xǔkězhèng

라이터(lighter) 圀 打火机 dǎhuǒjī; 自来火 zìláihuǒ; 点烟机 diǎnyānjī ¶ ~를 켜다 开打火机

라이트(light) 圀【演】灯 dēng; 头灯 tóudēng; 大灯 dàdēng; 前照灯 qiánzhàodēng; 照明灯 zhàomíngdēng

라이트-급(light級) 圀【體】轻量级 qīngliàngjí

라이플(rifle) 圀【軍】= 라이플총

라이플-총(rifle銃) 圀【軍】来复枪 láifùqiāng; 步枪 bùqiāng =[라이플]

라인(line) 圀 1 = 선(線)1 2【體】线 xiàn ¶ 파울 ~ 边线 3【經】线 xiàn ¶ 생산 ~ 生产线

라인-업(line-up) 圀【體】1 阵容 zhènróng; 阵形 zhènxíng; 布阵 bùzhèn 2 整队 zhěngduì; 排队 páiháo duì

라일락(lilac) 圀【植】紫丁香 zǐdīngxiāng; 白丁香 báidīngxiāng; 丁香花 dīngxiānghuā; 丁香 dīngxiāng

라임(lime) 圀【植】酸橙 suānchéng

라조기(←중lajiji[辣椒鸡]) 圀 辣椒鸡 làjiāojī

라즈베리(raspberry) 圀【植】悬钩子 xuángōuzi

라켓(racket) 명 【體】 球拍 qiúpāi ¶ 테니스 ~ 网球球拍
라켓-볼(racket ball) 명 【體】 壁球 bìqiú
라텍스(latex) 명 1 【化】 乳胶 rǔjiāo; 胶乳 jiāorǔ; 橡浆 xiàngjiāng 2 【工】 弹性橡胶 tánxìng xiàngjiāo
라틴(Latin) 명 1 【語】 = 라틴 어 2 拉丁 Lādīng ¶ ~ 민족 拉丁民族 / ~ 음악 拉丁音乐 / ~ 리듬 拉丁节奏
라틴 문자(Latin文字) 【語】 = 로마자
라틴 아메리카(Latin America) 【地】 拉丁美洲 Lādīng Měizhōu = 중남미
라틴 어(Latin語) 【語】 拉丁语 Lādīngyǔ = 라틴1
락타아제(lactase) 명 【化】 乳糖酶 rǔtángméi =유당 분해 효소
락토오스(lactose) 명 【化】 = 젖당
란(欄) 명 栏 lán; 栏目 lánmù ¶ 광고~ 广告栏
란제리(←프lingerie) 명 女内衣 nǚnèiyī
람바다(lambada) 명 【藝】 朗巴得 lǎngbādé; 朗巴得舞 lǎngbādéwǔ; 兰巴达 lánbādá ¶ ~를 추다 跳朗巴得舞
람부탄(rambutan) 명 1 【植】 红毛丹树 hóngmáodānshù 2 红毛丹 hóngmáodān; 红毛丹果 hóngmáodānguǒ
랑 조 和 hé; 跟 gēn 《表示列举的辅助词》 ¶ 엄마~ 함께 가다 和妈妈一起走
랑데부(프rendez-vous) 명 1 幽会 yōuhuì; 密会 mìhuì 2 会合 huìhé; 对接 duìjiē ¶ ~ 비행 对接飞行
래글런(raglan) 명 插肩袖 chājiānxiù; 连肩袖 liánjiānxiù ¶ ~ 티셔츠 插肩袖T恤
랜(LAN) 명 【通】 局域网 júyùwǎng
랜턴(lantern) 명 灯笼 dēnglóng; 提灯 tídēng
랠리(rally) 명 【體】 1 (网球、乒乓球等的) 对击 duìjī; 连续对打 liánxù duìdǎ 2 (汽车的) 拉力赛 lālìsài
램(RAM) 명 【컴】 随机存取内存 suíjī cúnqǔ nèicún; 随机存取存储器 suíjī cúnqǔ cúnchǔqì
램프(lamp) 명 1 指示灯 zhǐshìdēng 2 = 남포등 3 油灯 yóudēng
램프(ramp) 명 【交】 = 램프웨이
램프웨이(rampway) 명 【交】 斜路 xiélù; 坡道 pōdào = 램프(ramp)
랩(rap) 명 【音】 = 랩뮤직 ¶ ~ 가수 说唱歌手
랩(wrap) 명 保鲜膜 bǎoxiānmó; 塑料泡膜 sùliào pàomó; 保险纸 bǎoxiǎnzhǐ ¶ ~으로 싸다 用保鲜膜包起来
랩-뮤직(rap music) 명 【音】 饶舌音乐 ráoshé yīnyuè; 说唱音乐 shuōchàng yīnyuè; 说唱 shuōchàng; 说唱乐 shuōchàngyuè = 랩(rap)
랩-스커트(wrap skirt) 명 围裹裙 wéiguǒqún; 卷腰裙 juǎnyāoqún
랭크-되다(rank—) 자 排 pái; 排列 páiliè; 列 liè; 排列顺序 páiliè shùnxù ¶ 한국이 제1위에 ~ 韩国排第一名
랭킹(ranking) 명 排列次序 páiliè cìxù; 名次 míngcì; 等级 děngjí; 顺序 shùnxù; 序列 xùliè; 级别 jíbié
량(輛) 의명 辆 liàng ¶ 객차 세 ~ 车厢三辆
러닝(running) 명 1 【體】 赛跑 sàipǎo; 竞走 jìngzǒu 2 【體】 (滑雪) 滑降 huájiàng 3 = 러닝셔츠
러닝머신(running machine) 명 跑步机 pǎobùjī; 跑步练习器 pǎobù liànxíqì
러닝메이트(running mate) 명 1 【體】 伴跑的马 bànpǎode mǎ 2 【政】 竞选伙伴 jìngxuǎn huǒbàn
러닝-셔츠(running shirt) 명 背心 bèixīn; 运动背心 yùndòng bèixīn = 러닝3
러닝-슈즈(running shoes) 명 跑鞋 pǎoxié
러닝 슛(running shot) 【體】 跑动射门 pǎodòng shèmén
러브-신(love scene) 명 【演】 爱情情景 àiqíng qíngjǐng; 爱情镜头 àiqíng jìngtóu ¶ ~을 찍다 拍爱情镜头
러브-호텔(love hotel) 명 恋爱饭店 liàn'ài fàndiàn
러시-아워(rush hour) 명 尖锋时间 jiānfēng shíjiān; 高峰时间 gāofēng shíjiān; 上下班时间 shàngxiàbān shíjiān
러일 전:쟁(←Russia日戰爭) 【史】 俄日战争 érì zhànzhēng = 노일 전쟁
러키-세븐(lucky seven) 명 幸运的七 xìngyùnde qī
럭비(Rugby) 명 【體】 = 럭비 풋볼 ¶ ~공 橄榄球
럭비 풋볼(Rugby football) 【體】 橄榄球 gǎnlǎnqiú = 럭비·풋볼2
럭스(lux) 의명 【物】 勒克司 lèkèsī; 米烛光 mǐzhúguāng; 勒 lè
런닝 명 '러닝' 的错误
런닝머신 명 '러닝머신' 的错误
럼(rum) 명 = 럼주
럼-주(rum酒) 명 朗姆酒 lǎngmǔjiǔ; 兰姆酒 lánmǔjiǔ; 糖蜜酒 tángmìjiǔ; 糖酒 tángjiǔ = 럼
레(이re) 명 【音】 来 lái
레게(reggae) 명 【音】 雷鬼 léiguǐ
레귤러-커피(regular coffee) 명 普通咖啡 pǔtōng kāfēi
레깅스(leggings) 명 护腿毛线裤 hùtuǐ máoxiànkù; 裤袜 kùwà

레드-카드(red card) 명 【體】红牌 hóngpái

레디-고(ready go) 갑 【演】预备开始 yùbèi kāishǐ

레모네이드(lemonade) 명 柠檬汽水 níngméng qìshuǐ = 레몬수2

레몬(lemon) 명 【植】柠檬 níngméng ¶~주스 柠檬汁 / ~차 柠檬茶

레몬-산(lemon酸) 명 【化】= 시트르산

레몬그라스(lemongrass) 명 【植】柠檬香茅 níngméng xiāngmáo

레몬-수(lemon水) 명 1 柠檬水 níngméngshuǐ 2 = 레모네이드

레미제라블(프Les Misérables) 명 【文】悲惨世界 Bēicǎn shìjiè

레미콘(remicon) 명 【建】1 混凝土搅拌车 hùnníngtǔ jiǎobànchē 2 预拌混凝土 yùbàn hùnníngtǔ

레버(lever) 명 = 지렛대

레벨(level) 명 水平 shuǐpíng; 标准 biāozhǔn

레스토랑(프restaurant) 명 西餐馆 xīcānguǎn; 西餐厅 xīcāntīng

레슨(lesson) 명 辅导 fǔdǎo ¶피아노 ~를 받다 接受钢琴辅导

레슬링(wrestling) 명 【體】摔跤 shuāijiāo; 国际摔跤 guójì shuāijiāo

레이더(radar) 명 【物】雷达 léidá = 전파 탐지기 ¶~ 관제 雷达管制 / ~ 기지 雷达基地 / ~망 雷达网

레이서(racer) 명 车手 chēshǒu; 赛跑者 sàipǎozhě; 比赛者 bǐsàizhě

레이스(lace) 명 花边 huābiān; 蕾丝 lěisī

레이스(race) 명 【體】赛跑 sàipǎo; 竞赛 jìngsài

레이아웃(layout) 명 1 版面设计 bǎnmiàn shèjì; 版面编排 bǎnmiàn biānpái; 版面安配 bǎnmiàn ānpèi 2 设计 shèjì; 布局 bùjú; 陈设 chénshè

레이어드 룩(layered look) 【手工】混穿式 hùnchuānshì

레이업 슛(lay-up+shoot) 【體】带球上篮 dàiqiú shànglán

레이온(rayon) 명 【手工】人造丝 rénzàosī; 人造纤维 rénzào xiānwéi

레이저(laser) 명 【物】激光 jīguāng; 莱塞 láisè; 镭射 léishè; 激光器 jīguāngqì; 莱塞射线 láisèshèxiàn ¶~ 광선 激光 / ~ 무기 激光武器 / ~ 치료 激光治疗 / ~ 프린터 激光打印机

레이저 디스크(laser disk) 명 【物】光碟片 guāngdiépiàn; 光盘 guāngpán

레인(lane) 명 【體】(田径、游泳等的)跑道 pǎodào; 分道 fēndào; 泳道 yǒngdào ¶삼 ~의 선수 第三分道的选手

레인지(range) 명 煤气灶 méiqìzào; 电灶 diànzào

레인코트(raincoat) 명 = 비옷

레일(rail) 명 轨条 guǐtiáo; 轨道 guǐdào; 钢轨 gāngguǐ; 铁轨 tiěguǐ 2 = 철도

레저(leisure) 명 余暇 yúxiá; 闲暇 xiánxiá; 休闲 xiūxián; 业余 yèyú; 余暇娱乐 yúxiá yúlè ¶~ 활동 余暇娱乐活动 / ~ 용품 休闲用品 / ~ 스포츠 休闲运动 / ~ 산업 休闲产业

레즈비언(lesbian) 명 女性同性爱者 nǚxìng tóngxìng'àizhě; 女同性恋者 nǚ tóngxìngliànzhě

레지던트(resident) 명 【醫】住院医生 zhùyuàn yīshēng

레커-차(wrecker車) 명 救险车 jiùxiǎnchē

레코드(record) 명 1 = 음반 2 【컴】记录 jìlù

레코드-판(record板) 명 = 음반

레코딩 명 '리코딩'의 착오

레퀴엠(라requiem) 명 【音】镇魂曲 zhènhúnqǔ; 安魂曲 ānhúnqǔ = 위령곡

레크리에이션(recreation) 명 娱乐活动 yúlè huódòng; 身心调剂 shēnxīn tiáojì; 游戏 yóuxì; 消遣 xiāoqiǎn; 修养 xiūyǎng ¶단체 ~ 团体娱乐活动

레토르트(retort) 명 【化】1 曲颈瓶 qūjǐngzèng 2 = 레토르트로

레토르트-로(retort爐) 명 【化】蒸馏器 zhēngliúqì = 레토르트2

레토르트 식품(retort食品) 【工】软罐头食品 ruǎnguàntóu shípǐn

레퍼토리(repertory) 명 保留剧目 bǎoliú jùmù; 保留节目 bǎoliú jiémù; 节目 jiémù

레포츠(←leisure sports) 명 余暇体育 yúxiá tǐyù; 闲休体育 xiánxiū tǐyù

레포트 명 '리포트'의 착오

렌즈(lens) 명 1 【物】透镜 tòujìng; 镜头 jìngtóu; 透光镜 tòuguāngjìng 2 【醫】= 콘택트렌즈 ¶~를 끼다 戴上隐形眼镜

렌치(wrench) 명 【工】= 스패너

렌터카(rent-a-car) 명 租赁车 zūlìnchē ¶~ 한 대를 빌리다 租一辆租赁车

렌트카 명 '렌터카'의 착오

-력(力) 접미 力 lì; 力量 lìliang ¶단결 ~ 团结力 / 구매~ 购买力 / 경제~ 经济力量

-력(曆) 접미 历 lì ¶태양~ 太阳历 / 로마~ 罗马历

-령(令) 접미 令 lìng ¶체포~ 逮捕令 / 금지~ 禁止令

-령(領) 접미 领土 lǐngtǔ ¶영국 ~ 英国领土

-령(嶺) 〖접미〗 岭 lǐng ¶대관 ~ 大关岭

로 〖조〗 **1** 用 yòng; 拿 ná (表示手段、方法、工具等) ¶코ー 숨을 쉬다 用鼻子呼吸 **2** 用 yòng; 拿 ná (表示材料) ¶나무~ 집을 짓다 用木头盖房子 **3** 因 yīn; 因为 yīnwèi (表示理由、原因) ¶시합이 사고ー 연기되다 比赛因故推迟 **4** 向 xiàng; 去 qù (表示方向、地方等) ¶나는 서울~ 가서 일하려고 한다 我想去首尔工作 **5** 为 wéi (表示资格、对象等) ¶친구의 딸을 며느리~ 삼다 把朋友的女儿娶为儿媳妇 **6** 于 yú (表示时间) ¶회의는 6월 20일~ 결정되었다 会议决定于6月20日 **7** 表示结果 ¶여기는 이미 도시~ 변했다 这里已变成一座城市了 **8** 由 yóu (表示比率、结构等) ¶물은 어떤 원소~ 이루어졌는가? 水是由什么元素组成的?

-로(路) 〖접미〗 路 lù; 道 dào ¶활주ー 飞机路 / 대학~ 大学路

로고(logo) 〖명〗 标志 biāozhì; 标识 biāozhì; 徽标 huībiāo ¶~ 송 标志歌

로그(log) 〖명〗〖數〗 对数 duìshù ¶~ 방정식 对数方程式 / ~ 함수 对数函数

로그아웃(log-out) 〖명〗〖컴〗 退出 tuìchū; 注销 zhùxiāo

로그인(log-in) 〖명〗〖컴〗 登录 dēnglù; 进入 jìnrù; 注册 zhùcè

로데오(rodeo) 〖명〗 牛仔竞技比赛 niúzǎi jìngjì bǐsài

로딩(loading) 〖명〗〖컴〗 装载 zhuāngzǎi; 装填 zhuāngtián

로또(Lotto) 〖명〗 乐透 lètòu; 乐透彩票 lètòu cǎipiào

로마(Roma) 〖명〗〖地〗 罗马 Luómǎ ¶~ 가톨릭교 罗马天主教 / ~교 罗马教 / ~ 숫자 罗马数字 / ~ 신화 罗马神话 / ~인 罗马人 / ~ 제국 罗马帝国

로마-자(Roma字) 〖명〗〖語〗 罗马字母 Luómǎ zìmǔ; 拉丁字母 Lādīng zìmǔ = 라틴 문자 ¶~ 표기법 罗马字母标记法

로망(ㅍroman) 〖명〗〖文〗 韵文小说 yùnwén xiǎoshuō; 传奇小说 chuánqí xiǎoshuō = 로맨스2

로맨스(romance) 〖명〗 **1** 爱情故事 àiqíng gùshi; 罗曼司 luómànsī; 浪漫史 làngmànshǐ **2** 〖文〗 = 로망 **3** 〖音〗 = 연가2

로맨티시스트(romanticist) 〖명〗 浪漫主义者 làngmàn zhǔyìzhě ¶이 시대의 마지막 ~ 在这个年代最后一个浪漫主义者

로맨티시즘(romanticism) 〖명〗〖藝〗 = 낭만주의

로맨틱-하다(romantic—) 〖형〗 浪漫

랑망; 罗曼蒂克 luómàndìkè ¶로맨틱한 이야기 浪漫故事

로미오와 줄리엣(Romeo—Juliet) 〖文〗 罗密欧与茱丽叶 Luómì'ōu yǔ Zhūlìyè

로바다야키(일robadayaki) 〖명〗 炉边烤 lúbiānkǎo

로보트(robot) 〖명〗〖機〗 '로봇'의 错误

로봇(robot) 〖명〗 **1** 〖機〗 机器人 jīqìrén = 인조인간 ¶~ 공학 机器人工学 **2** 〖機〗 自动机 zìdòngjī

-로부터 〖조〗 从 cóng ¶친구~ 책 한 권을 빌렸다 从朋友那儿借了一本书

로비(lobby) 〖하다〗〖명〗 **1** 门廊 ménláng; 门厅 méntīng; 大厅 dàtīng; 前厅 qiántīng **2** 会客室 huìkèshì; 休息室 xiūxishì **3** 幕后活动 mùhòu huódòng; 院外活动 yuànwài huódòng ¶~를 벌이다 进行幕后活动

로비스트(lobbyist) 〖명〗〖政〗 院外活动家 yuànwàihuódòngjiā; 说客 shuōkè

로빈슨 크루소(Robinson Crusoe) 〖文〗 鲁宾逊飘流记 Lǔbīnxùn Piāoliújì = 로빈슨 표류기

로빈슨 표류기(Robinson漂流记) 〖文〗 = 로빈슨 크루소

로빈 후드(Robin Hood) 〖文〗 罗宾汉 Luóbīnhàn

로서 〖조〗 以…的身份 yǐ…de shēnfen (表示资格、地位等) ¶보호자~ 참가하다 以保护人的身份参加

로션(lotion) 〖명〗 护肤液 hùfūyè; 化妆水 huàzhuāngshuǐ ¶~을 바르다 涂护肤液

로스(←—roast) 〖명〗 = 로스트1

로스-구이(←roast—) 〖명〗 烤肉 kǎoròu

로스쿨(low school) 〖명〗 法学院 fǎxuéyuàn

로스 타임(loss time) 〖體〗 损耗时间 sǔnhào shíjiān; 空耗时间 kōngzài shíjiān

로스트(roast) 〖명〗 **1** 烤 kǎo; 烤肉 kǎoròu = 로스 **2** 로스트비프

로스트-비프(roast beef) 〖명〗 烤牛肉 kǎoníuròu = 로스트2

로얄 젤리(royal jelly) 〖農〗 '로열 젤리'의 错误

로열 젤리(royal jelly) 〖農〗 王浆 wángjiāng; 蜂王浆 fēngwángjiāng

로열-층(Royal层) (公寓中) 最佳楼层 zuìjiā lóucéng

로열티(royalty) 〖명〗 特许使用费 tèxǔ shǐyòngfèi; 专利使用费 zhuānlì shǐyòngfèi; 版权使用费 bǎnquán shǐyòngfèi; 版税 bǎnshuì

로열-패밀리(royal family) 〖명〗 **1** 贵族 guìzú; 皇族 huángzú; 贵族阶层 guìzú jiēcéng **2** 贵族集团 guìzú jítuán

로즈마리 몡 '로즈메리'의 잘못

로즈메리(rosemary) 몡 【植】 迷迭香 mídiéxiāng

로커(locker) 몡 衣物柜 yīwùguì; 更衣柜 gēngyīguì; 衣帽柜 yīmàoguì

로케(←location) 몡 【演】 现场拍摄 xiànchǎng pāishè

로케이션(location) 몡 【演】 现场拍摄 xiànchǎng pāishè

로케트(rocket) 몡 '로켓'의 잘못

로켓(rocket) 몡 火箭 huǒjiàn ¶ ~ 발사대 火箭发射台 / ~ 엔진 火箭发动机 / ~ 연료 火箭燃料 / ~ 추진제 火箭推进제 / ~탄 火箭弹 / ~포 火箭炮 / ~을 발사하다 发射火箭

로코코(프rococo) 몡 【藝】 洛可可 luòkěkě ¶ ~ 건축 洛可可建筑 / ~ 미술 洛可可美术 / ~ 음악 洛可可音乐

로큰롤(rock'n'roll) 몡 【音】 摇滚 yáogǔn; 摇滚乐 yáogǔnyuè; 摇摆 yáobǎi; 摇摆乐 yáobǎiyuè = 록·록 앤드 롤 ¶ ~ 가수 摇滚歌手

로프(rope) 몡 绳 shéng; 索子 suǒzi; 绞索 jiǎosuǒ

록(rock) 몡 【音】 = 로큰롤 ¶ ~ 그룹 摇滚乐团 / ~ 비트 摇滚拍子

-록 졉미 录 lù ¶방명~ 芳名录 / 회고~ 回顾录

록 앤드 롤(rock and roll) 【音】 = 로큰롤

-론(論) 졉미 论 lùn ¶작가~ 作家论 / 유물~ 唯物论

롤(roll) 몡 1 卷筒 juǎntǒng 2 【印】 滚筒 gǔntǒng

롤러(roller) 몡 【工】 滚柱 gǔnzhù; 滚筒 gǔntǒng

롤러-스케이트(roller skate) 몡 【體】 旱冰 hànbīng; 旱冰鞋 hànbīngxié; 轮滑 lúnhuá; 轮滑鞋 lúnhuáxié; 四轮滑冰 sìlún huábīng ¶ ~를 타다 滑旱冰

롤러-코스트(roller coaster) 몡 过山车 guòshānchē

롤-빵(roll—) 몡 卷面包 juǎnmiànbāo; 面包卷 miànbāojuǎn

롤-필름(roll film) 몡 胶卷 jiāojuǎn

롬(ROM) 몡 【컴】 只读存储器 zhǐdú cúnchǔqì

롱런(long-run) 몡하3 【演】 长期上演 chángqí shàngyǎn; 长期放映 chángqí

fàngyìng

롱-부츠(long boots) 몡 长筒靴 chángtǒngxuē

롱 숏(long shoot) 【體】 远射门 yuǎnshèmén; 远距离投篮 yuǎnjùlí tóulán

롱-스커트(long skirt) 몡 = 긴치마

롱 패스(long pass) 【體】 长传 chángchuán

뢴트겐(독Röntgen) 몡 【物】 = 엑스선

뢴트겐 사진(독Röntgen寫眞) 【物】 = 엑스선 사진

뢴트겐-선(독Röntgen線) 몡 【物】 = 엑스선

뢴트겐 촬영(독Röntgen撮影) 【醫】 = 엑스선 촬영

-료(料) 졉미 1 费 fèi ¶보험~ 保险费 / 원고~ 稿费 2 料 liào ¶조미~ 调味料

루돌프(Rudolf) 몡 鲁道夫 Lǔdàofū

루머(rumor) 몡 谣言 yáoyán; 谣传 yáochuán

루블(rouble) 의몡 卢布 lúbù

루비(ruby) 몡 【鑛】 红宝石 hóngbǎoshí = 홍옥²

루시퍼(Lucifer) 몡 1 【宗】 路西法 Lùxīfǎ; 撒旦 sādàn 2 【天】 = 금성(金星)

루주(프rouge) 몡 = 립스틱

루트(root) 몡 【數】 根 gēn

루트(route) 몡 途径 tújìng; 渠道 qúdào ¶판매 ~ 销售途径 / ~를 만들다 建立渠道

룰(rule) 몡 规则 guīzé; 规定 guīdìng ¶게임의 ~을 정하다 定下游戏的规则

룰렛(roulette) 몡 1 轮盘赌 lúnpándǔ 2 【手工】 点线机 diǎnxiànjī

룸메이트(roommate) 몡 同屋 tóngwū; 室友 shìyǒu

룸바(에rumba) 몡 【音】 伦巴 lúnbā ¶ ~춤 伦巴舞

룸-살롱(room 프salon) 몡 房间酒巴 fángjiān jiǔbā

룸-서비스(room service) 몡 送餐服务 sòngcān fúwù; 房间服务 fángjiān fúwù

룸펜(독Lumpen) 몡 流氓 liúmáng; 流浪者 liúlàngzhě; 失业者 shīyèzhě

-류(類) 졉미 类 lèi; 之类 zhīlèi ¶금속 ~ 金属类 / 곤충 ~ 虫类

류머티스 몡 【醫】 '류머티즘'의 잘못

류머티즘(rheumatism) 몡 【醫】 风湿症 fēngshīzhèng; 风湿病 fēngshībìng

류머티즘성 관절염(rheumatism性關節炎) 【醫】 风湿性关节炎 fēngshīxìng guānjiéyán

-률(率) 졉미 率 lǜ; 比例 bǐlì ¶실업 ~ 失业率 / 경쟁 ~ 竞争比例 / 출생 ~ 出

생률 / 사고 발생 ~ 事故发生率 / 합격 ~ 及格率

르네상스(프Renaissance) 圐【史】文艺复兴 Wényì fùxīng; 李奈桑斯 Lǐnàisāngsī = 문예 부흥

르포(←프reportage) 圐【言】实地报道 shídì bàodào; 报道 bàodào; 报导 bàodǎo = 르포르타주1

르포르타주(프reportage) 圐 1 【言】= 르포 2 【文】报告文学 bàogào wénxué

리 图 宾格助词 ¶바지~ 사다 买裤子 / 이 책은 너~ 주마 这本书给你

리(里) 의명 里 lǐ ¶10~ 길 十里路

리(理) 의명 会 huì; 可能 kěnéng《表示原因、理由等)¶그가 그런 말을 했을 ~ 없다 他不可能说这样的话

리(鼇·釐) 圐명 厘 lí ¶2할 5푼 3~ 二成五分三厘

-리(裡) 졉미 中 zhōng ¶암암~ 暗中 / 성황~에 끝나다 在盛况中结束

리그(league) 圐【體】1 联盟 liánméng; 竞赛联合会 jìngsài liánhéhuì 2 = 리그전

리그-전(league戰) 圐【體】联赛 liánsài; 循环赛 xúnhuánsài = 리그2·연맹전

리넨(linen) 圐【手工】亚麻布 yàmábù; 亚麻纱 yàmáshā; 亚麻织物 yàmá zhīwù

리더(leader) 圐 领导 lǐngdǎo; 长zhǎng; 队长 duìzhǎng; 领导者 lǐngdǎozhě; 指挥者 zhǐhuīzhě; 领袖 lǐngxiù ¶밴드의 ~ 乐队的队长 / 기업의 ~ 企业的领导者

리더-십(leadership) 圐 领导力 lǐngdǎolì; 指挥力 zhǐhuīlì; 统率力 tǒngshuàilì ¶~이 뛰어난 지도자 领导力卓越的领导

리드(lead) 圐하자타 1 领导 lǐngdǎo; 率领 shuàilǐng; 领先 lǐngxiān; 带头 dàitóu; 指挥 zhǐhuī 2 领先 lǐngxiān ¶우리 팀이 상대 팀을 3대 1로 ~하고 있다 我队以3比1领先对手 3 【體】(在棒球) 离垒 líléi

리드(reed) 圐【音】簧 huáng; 簧片 huángpiàn ¶~ 악기 簧乐器

리드 기타(reed guitar) 【音】主吉他 zhǔjítā; 主奏吉他 zhǔzòu jítā ¶~ㅡ리스트 主奏吉他手

리드미컬-하다(rythmical−) 圐 有韵律的 yǒu yùnlǜde; 有节奏的 yǒu jiézòude ¶리드미컬한 음악 有节奏的音乐

리듬(rhythm) 圐 1 【音】节奏 jiézòu; 韵律 yùnlǜ ¶~ 댄스 节奏舞 / ~ 악기 节奏乐器 2 节律 jiélǜ; 节奏 jiézòu; 律动 lǜdòng ¶생활의 ~ 生活的节奏

리듬-감(rhythm感) 圐 节奏感 jiézòugǎn; 律动感 lǜdònggǎn ¶~이 떨어지다 缺乏节奏感

리듬 앤드 블루스(rhythm and blues) 【音】节奏布鲁斯 jiézòu bùlǔsī; 节奏怨曲 jiézòu yuànqū = 아르 앤드 비

리듬 체조(rhythm體操)【體】艺术体操 yìshù tǐcāo; 韵律体操 yùnlǜ tǐcāo; 韵体操 yùntǐcāo

리메이크(remake) 圐하타 重拍 chóngpāi; 翻唱 fānchàng ¶~ 영화 重拍电影 / ~곡 翻唱歌曲

리모컨(←remote control) 圐 遥控器 yáokòngqì; 遥控开关 yáokòng kāiguān

리모트 컨트롤(remote control)【物】遥控 yáokòng; 远距离操纵 yuǎnjùlí cāozòng = 원격 제어

리무진(프limousine) 圐 1 大轿车 dàjiàochē; 豪华轿车 háohuá jiàochē 2 机场巴士 jīchǎng bāshì

리바운드(rebound) 圐【體】1 (篮球) 篮板球 lánbǎnqiú 2 (排球) 反弹 fǎntán; 弹回 tánhuí 3 (橄榄球) 反弹 fǎntán

리바운드 슛(rebound+shot)【體】补篮 bǔlán

리바이벌(revival) 圐하자타 重新上演 chóngxīn shàngyǎn

리베이트(rebate) 圐【經】售货回扣 shòuhuò huíkòu; 回扣 huíkòu

리벳(rivet) 圐【工】铆钉 mǎodīng

리보 핵산(←ribose核酸)【生】核糖核酸 hétáng hésuān

리본(ribbon) 圐 1 带 dài; 丝带 sīdài; 缎带 duàndài; 发带 fàjié 2 (打字机的) 色带 sèdài 3 【體】丝带 sīdài ¶~ 체조 丝带 操 =[带操]

리볼버(revolver) 圐 1 左轮手枪 zuǒlún shǒuqiāng 2 旋转体 xuánzhuàntǐ

리사이틀(recital) 圐【音】独唱会 dúchànghuì; 独奏会 dúzòuhuì

리셉션(reception) 圐 招待会 zhāodàihuì; 欢迎会 huānyínghuì; 宴会 yànhuì

리셋(reset) 圐【컴】1 重新设定 chóngxīn shèdìng; 重启 chóngqǐ 2 重调 chóngtiáo; 复原 fùyuán

리소토(risotto) 圐 意大利烩饭 yìdàlì huìfàn; 意大利调味饭 yìdàlì tiáowèifàn; 意大利炖饭 yìdàlì dùnfàn

리스(lease) 圐【經】租赁 zūlìn; 租约 zūyuē; 租借 zūjiè ¶~ 산업 租赁产业

리스트(list) 圐 1 名单 míngdān; 名簿 míngbù; 名册 míngcè; 目录 mùlù; 一览表 yīlǎnbiǎo; 表 biǎo ¶입후보자 ~를 공포하다 公布名单 候选人名簿 / ~를 공포하다 公布名单

리시버(receiver) 圐 1 接收机 jiēshōu-

리시브 **jī**; 收报机 shōubàojī; 耳机 ěrjī; 听筒 tīngtǒng **2** 【體】 接球员 jiēqiúyuán; 接手 jiēshǒu

리시브(receive) 圐【하다】【體】 接发球 jiēfāqiú; 接球 jiēqiú

리어-카(rear+car) 两轮拖车 liǎng-lún tuōchē ¶~를 끌다 拉两轮拖车

리얼리즘(realism) 圐 **1** 【藝】 = 사실주의 **2** 实在论 shízàilùn

리얼리티(reality) 圐 现实性 xiànshíxing

리얼-하다(real—) 阄 逼真 bīzhēn; 写实 xiěshí; 现实的 xiànshíde; 实际的 shíjìde ¶묘사가 ~ 描写逼真 / 리얼한 장면 写实的场面 / 아주 리얼하게 연기하다 演得十分逼真

리조트(resort) 圐 度假村 dùjiàcūn; 度假区 dùjiàqū

리코더(recorder) 圐【音】 雷高得 léigāodé; 箫笛 xiāodí

리코딩(recording) 圐 录音 lùyīn

리콜(recall) 圐【經】 = 리콜제1

리콜-제(recall製) 圐 **1** 【經】 召回 zhāohuí = 리콜 **2** 【政】 罢免制 bàmiǎnzhì

리터(liter) 의명 升 shēng; 公升 gōng-shēng ¶20~의 석유 二十公升的石油 / 매일 1~의 물을 마시다 每天喝一升水

리튬(lithium) 圐【化】 锂 lǐ ¶~ 전지 锂电池

리트머스(litmus) 圐【化】 石蕊 shíruǐ

리트머스 시험지(litmus試驗紙) 【化】 石蕊试纸 shíruǐ shìzhǐ; 石蕊纸 shíruǐzhǐ = 리트머스 종이

리트머스 종이(litmus—) 【化】 = 리트머스 시험지

리파아제(독Lipase) 圐【化】 脂酶 zhǐméi; 脂肪酶 zhīfángméi

리포터(reporter) 圐 报道者 bàodàozhě; 通讯员 tōngxùnyuán; 采访记者 cǎifǎng jìzhě

리포트(report) 圐 **1** 报道 bàodào; 通讯 tōngxùn **2** 报告 bàogào ¶~를 작성하다 写报告

리프트(lift) 圐 **1** (滑雪) 缆车 (huáxuě) lǎnchē; 缆索吊椅 lǎnsuǒ diàoyǐ; 上山吊椅 shàngshān diàoyǐ **2** = 승강기 **3** 【鑛】 矿井水泵 kuàngjǐng shuǐbèng

리플레(←reflation) 圐【經】 = 리플레이션

리플레이션(reflation) 圀【經】 通货再膨胀 tōnghuò zàipéngzhàng; 反通货膨胀 fǎntōnghuò péngzhàng; 再膨胀 zàipéngzhàng = 리플레

리필-제품(refill製品) 圐 重装的产品 chóngzhuāngde chǎnpǐn

리허설(rehearsal) 圐 彩排 cǎipái; 排练 páiliàn; 排演 páiyǎn

린스(rinse) 圐 润丝 rùnsī; 护发素 hùfàsù ¶샴푸로 머리를 감고 ~를 바르다 用洗发精洗了头发再抹润丝

린치(lynch) 圐 私刑 sīxíng ¶라이벌에게 ~를 가하다 给对手私刑

릴(reel) 圐圐 **1** 卷轴 juànzhóu **2** 绕线轮 ràoxiànlún; 钓丝螺旋轮 diàosī luóxuánlún ¶~을 달지 않은 낚싯대 不装绕线轮的钓竿 🔲 의명 (电影胶片的) 卷 juǎn

릴레이(relay) 圐【體】 = 릴레이 경기

릴레이 경:기(relay競技) 圐【體】 接力赛 jiēlìsài; 接力赛跑 jiēlì sàipǎo = 릴레이

-림(林) 졉미 林 lín ¶국유~ 国有林 / 보호~ 保护林

림보(limbo) 圐 凌波舞 língbōwǔ; 林波舞 línbōwǔ; 林勃舞 línbówǔ

림프(lymph) 圐【醫】 淋巴 línbā; 淋巴液 línbāyè = 림프액 ¶~관 淋巴管 / ~구 淋巴球

림프-샘(lymph—) 圐【生】 淋巴腺 línbāxiàn; 淋巴结 línbājié

림프-선(lymph腺) 圐【生】 '림프샘'의 旧称

림프-액(lymph液) 圐【生】 = 림프

립글로스(lip-gloss) 圐 唇彩 chúncǎi

립 라이너(lip liner) 唇线笔 chúnxiànbǐ; 口红笔 kǒuhóngbǐ; 唇笔 chúnbǐ

립스틱(lipstick) 圐 口红 kǒuhóng; 唇膏 chúngāo = 루주 ¶~을 바르다 抹口红

립싱크(lip sync) 圐【演】 (配音) 对口型 duìkǒuxíng

링(ring) 圐 **1** 环 huán; 圈 quān; 环形 huánxíng ¶~ 귀고리 环形耳环 **2** 【體】 拳击台 quánjītái ¶~에 오르다 上拳击台 **3** 【體】 (体操) 吊环 diàohuán

링거(Ringer) 圐【醫】 = 링거액

링거-액(Ringer液) 圐【醫】 林格式溶液 língéshì róngyè; 林格式液 língéshì yè; 生理盐水 shēnglǐ yánshuǐ = 링거

링거 주:사(Ringer註射) 圐【醫】 林格式注射 língéshì zhùshè; 生理盐水注射 shēnglǐyánshuǐ zhùshè ¶~를 맞다 打生理盐水注射

링 운:동(ring運動) 【體】 吊环运动 diàohuán yùndòng

링크(link) 圐【컴】 连接 liánjiē; 连线 liánxiàn; 键接 jiànjiē

ㅁ

火山喷发岩浆

마: 圐【植】山药 shānyao; 薯蓣 shǔyù

마(麻) 圐【植】麻 má = 삼

마(魔) 圐 邪 xié ¶~가 끼다 中邪 了 鬼地方 guǐdìfang; 魔地 módì; 魔窟 mógū 3 大关 dàguān ¶~의 10초 벽 을 깨다 突破十秒大关

-마 어미 用于动词词干之后表示约定 ¶지금 바로 가서 도와주~ 我马上就 过去帮你 / 오후에 전화하~ 下午给 你打电话

마가린(margarine) 圐 人造黄油 rénzào huángyóu; 人造奶油 rénzào nǎiyóu

마:각(魔脚) 圐 马脚 mǎjiǎo ¶마각 을 드러내다 ⇨ 露出马脚 ¶마각 을 드러낸 배신자 露出马脚的叛徒 마각이 드러나다 ⇨ 露出马脚

마감 圐하동 终结 zhōngjié; 截止 jiézhǐ; 完结 wánjié; 收尾 shōuwěi; 结尾 jiéwěi; 最后 zuìhòu ¶~ 시간 终结时 间 / 예약이 이미 ~되었다 预约已经 截止 / 7월 말이 등록 ~이다 七月底 截止报名

마개 圐 塞子 sāizi; 栓 shuān; 盖儿 gàir ¶~를 따다 起塞子 / ~를 단단히 막다 使塞子盖得紧紧的

마고자(馬袴子) 圐 马褂(儿) mǎguà(r)

마:-각(馬脚) 圐 马脚 mǎjiǎo

마구 图 1 大 dà; 厉害 lìhai ¶아기가 ~ 울다 婴儿哭得很厉害 / 비가 ~ 퍼붓 다 雨下得很大 2 乱 luàn; 胡 hú; 大肆 dàsì; 随便 suíbiàn ¶여기저기 ~ 뛰어 다니다 到处乱跑 / 쓰레기를 ~ 버리 다 把垃圾随便扔掉

마:-구-간(馬廐間) 圐 马棚 mǎpéng; 马 厩 mǎjiù; 马圈 mǎjuàn; 牲口棚 shēngkoupéng

마구-잡이 图 盲干 mánggàn; 乱来 luànlái; 胡搞 húgǎo; 随便 suíbiàn ¶규 칙을 어기고 ~로 하다 违背法律去盲 干

마:권(馬券) 圐 马票 mǎpiào; 赛马彩券 sàimǎ cǎiquàn

마귀(魔鬼) 圐 魔鬼 móguǐ; 魔 mó; 妖 魔 yāomó; 恶魔 èmó; 鬼怪 guǐguài ¶ ~할멈 魔婆 / ~에 홀리다 着魔

마그네슘(magnesium) 圐【化】镁 měi

마그마(magma) 圐【地理】岩浆 yánjiāng = 암장 ¶화산이 ~를 분출하다

마: 나님 圐 太太 tàitai; 老妇人 lǎofùrén ¶부잣집 ~ 有钱家的阔太太

마냥 图 1 一直 yìzhí; 依然 yīrán ¶~ 그를 그리워하다 依然怀念他 / 그는 문 앞에서 ~ 기다렸다 他在门口一直 等了 2 尽情地 jìnqíngde; 足足地 zúzúde ¶~ 울다 尽情地哭 / 먹다 足 足地吃 3 非常 fēicháng; 十分 shífēn; 很 hěn ¶~ 즐겁다 非常高兴 / 하늘이 ~ 파랗다 天空很蓝

마네킹(mannequin) 圐 (商店里的) 人体模型 réntǐ móxíng; 人体模特儿 réntǐ mótèr

마녀(魔女) 圐 魔女 mónǚ

마:누라 圐 老婆 lǎopo; 妻子 qīzi ¶우 리 ~는 초등학교 선생님이다 我老婆 是小学老师

마는 图 虽然…但(是)… suīrán…dàn(shì)…; 也…但(是)… yě…dàn(shì)… ¶ 사고 싶지만 ~ 돈이 없다 虽然很想买, 但是没有钱

마늘 圐【植】蒜 suàn; 大蒜 dàsuàn ¶ 다진 ~ 蒜泥 / ~을 빻다 捣蒜 / ~을 까다 剥蒜 / ~을 좀 많이 넣어라 多放 点儿大蒜

마늘-종 圐 蒜薹 suàntái; 蒜毫(儿) suànháo(r)

마니아(mania) 圐 狂热者 kuángrèzhě; 迷 mí; 癖好 pǐhào; 狂热 kuángrè ¶축구 ~ 足球狂热者 / 로큰롤 ~ 摇滚乐迷

마:님 圐 太太 tàitai; 夫人 fūren

마다 图 都 dōu; 每 měi; 各 gè ¶나는 날~ 학교에 간다 我每天都去学校 / 사람~ 생각이 다르다 每人都想法不 同 / 지방~ 특산품이 있다 每个地方 都有其特产

마다-하다 国 拒绝 jùjué; 不愿意 bùyuànyi ¶본인이 마다하니 나도 방법이 없다 他本人不愿意, 我也没有办法 / 그녀가 너의 요구를 마다할 리 없다 她肯定不会拒绝你的要求

마담(프madame) 圐 (酒家、茶馆等 的) 老板娘 lǎobǎnniáng; 女老板 nǚlǎobǎn; 女主人 nǚzhǔrén

마담-뚜(프madame—) 圐 媒婆 méipó

마당 一圐 1 院子 yuànzi; 院 yuàn; 庭 园 tíngyuán; 庭院 tíngyuàn ¶아이가 ~에서 놀다 孩子在院子里玩 2 场비

마당놀이

246

chǎngsuǒ ¶놀이 ~ 娱乐场所 三◇義◇
局面 júmiàn; 时候 shíhou; 场合 chǎng-
hé ¶급한 ~에 누가 그런 작은 일을
신경 쓰겠어? 正在忙碌的时候，谁管
那钟小事?

마당-놀이 〔名〕〔民〕 露天娱乐 lùtiān
yúlè

마당-발 〔名〕 **1** 扁平足 biǎnpíngzú; 大
脚板 dàjiǎobǎn **2** 人际关系很广 rénjì
guānxi hěn guǎng ¶그녀는 ~이라 그녀
를 모르는 사람이 없다 她人际关系很
广, 没有人不认识她

마대(麻袋) 〔名〕 麻袋 mádài; 麻包 má-
bāo ¶헌 옷을 ~에 담다 把旧衣服放
在麻袋里

마도로스(←네matroos) 〔名〕 水手 shuǐ-
shǒu; 船员 chuányuán; 海员 hǎiyuán

마-도요 〔名〕〔鳥〕 白腰杓鹬 báiyāo-
biāoyù

마돈나(이Madonna) 〔名〕 马多娜 mǎ-
duōnà; 圣母玛丽亚 shèngmǔ mǎlìyà

마디 〔名〕 **1** (植物의) 节 jié ¶가 진 대
나무 有节的竹子 **2** 关节 guānjié ¶손
가락~가 아주 굵다 手指关节很粗 **3**
〔動〕 节 jié ¶线节的) 疙瘩 gē-
da ¶마음이 급해서 ~가 더 잘 풀리지
않는다 心很急, 更不容易解疙瘩 **5**
(话、歌等) 句 jù; 段 duàn 一 소절3 ¶
한 ~도 하지 않다 一句话都不说 **6**
〔音〕(乐谱中의) 小节 xiǎojié

마디-마디 〔名〕 **1** 每一句 měiyíjù; 句句
jùjù; 每一段 měiyíduàn ¶그가 한 말은
~ 다 맞다 他说的话句句都对 **2** 每节
měijié ¶~가 아프다 每节关节疼痛

마디-지다 〔形〕 有节 yǒujié; 生节 shēng-
jié ¶마디진 대나무 有节的竹子 / 손가
락이 ~ 手指有节

마땅찮다 〔形〕 不恰当 bùqiàdàng; 不妥当
bùtuǒdàng; 不满意 bùmǎnyì; 不顺眼
bùshùnyǎn; 不合意 bùhéyì ¶마땅찮은
결과 不满意的结果

마땅-하다 〔形〕 **1** 合适 héshì; 适合 shì-
hé; 恰当 qiàdàng; 妥当 tuǒdàng ¶마땅
한 상대가 있으면 바로 결혼할 것이다
如果有合适的对象的话就要结婚 / 나
에게 마땅한 옷이 없다 没有适合我的
衣服 **2** 满意 mǎnyì; 合意 héyì; 可以
kěyǐ ¶이번 시합 결과를 마땅하게 여
기다 对这次比赛的结果很满意 **3** 应
该 yīnggāi; 应当 yīngdāng ¶人类의 행위로 지
죄는 처벌받아 ~ 反人类罪行应该受
惩罚 **마땅-히** 〔副〕 ¶그의 이런 행동은
~ 비판받아야 한다 他这样的行动应
该受批评

마라톤(marathon) 〔名〕〔體〕 马拉松
mǎlāsōng; 马拉松长跑 mǎlāsōng cháng-
pǎo = 마라톤 경주¶국제 ~ 대회 国
际马拉松赛 / ~ 선수 马拉松选手

마라톤 경주(marathon競走) 〔體〕 =
마라톤

마력(魔力) 〔名〕 魔力 mólì ¶그는 사람
을 끌어당기는 ~이 있다 他有种吸引
人的魔力

마:력(馬力) ◇量◇ 马力 mǎlì

마련 〔名〕一〔動〕 **1** 准备 zhǔnbèi; 抽出 chōu
chū; 筹备 chóubèi; 筹集 chóují; 张罗
zhāngluo; 安排 ānpái ¶필요한 자금을
~하다 筹备需要的资金 / 생계를 ~하
다 安排生计 **2** 打算 dǎsuan; 会 huì ¶
그가 이미 대답을 했으니 분명 어떤
~이 있을 것이다 他既然答应了就一
定会有打算 三◇義◇ 一定要 yídìngyào;
免不了 miǎnbùliǎo; 要 yào ¶사람은 다
죽게 ~이다 每个人都免不了死

마렵다 〔形〕 (大便이나 小便) 想 xiǎng; 要
yào ¶긴장했더니 소변이 ~ 因为很紧
张, 想小便

마로니에(프marronnier) 〔名〕〔植〕 七
叶树 qīyèshù

마루¹ 〔名〕 **1** 山脊 shānjǐ; 屋脊 wūjǐ ¶해
가 산~에 걸려 있다 太阳挂在山脊
上 **2** (事情의) 关键 guānjiàn; 关头
guāntóu

마루² 〔名〕〔建〕 地板 dìbǎn; 板炕 bǎn-
kàng ¶~에 누워 책을 보다 躺在地板
上看书 / ~를 닦다 擦地板

마루 운동(—運動) 〔體〕 自由体操 zì-
yóu tǐcāo

마룻-바닥 〔名〕 地板 dìbǎn ¶~을 깨끗
하게 닦다 把地板擦干净

마르다¹ 〔自〕 **1** 干 gān ¶옷이 벌써 다 말
랐다 衣服已经干了 **2** 渴 kě ¶한 바퀴
뛰었더니 목이 ~ 跑了一圈, 口很渴
3 瘦 shòu; 干瘦 gānshòu ¶몸이 아주
마른 여자 身体很瘦的女人 **4** 干涸
gānhé; 枯涸 kūhé ¶우물물이 말랐다
井水干涸了 **5** 没钱 méiqián; 用光
yòngguāng; 紧 jǐn ¶주머니가 바싹 ~
手头很紧 / 돈줄이 완전히 ~ 身上没
钱

마르다² 〔他〕 裁剪 cáijiǎn; 剪裁 jiǎncái;
裁 cái ¶옷감을 ~ 裁剪布料

마르모트(프marmotte) 〔名〕〔動〕 =
마멋

마른-걸레 〔名〕 干抹布 gānmābù ¶~로
유리창을 닦다 用干抹布擦玻璃窗

마른-기침 〔名〕 干咳 gānké; 干咳嗽
gānkésou

마른-나무 〔名〕 **1** 干木头 gānmùtou; 干
柴 gānchái **2** 枯树 kūshù
마른나무에 꽃이 피랴 ◇俗語◇ 枯树开
不了花; 枯树焉能开花

마른-반찬 〔名〕 无汤水的菜 wútāng-
shuǐde cài; 干的下饭菜 gānde xiàfàncài

마른-버짐 〔名〕〔韓醫〕 干癣 gānxuǎn;
银屑病 yínxièbìng; 牛皮癣 niúpíxuǎn

마른-번개 명 (无雨) 干打雷 gāndǎléi

마른-안주 명 干下酒菜 gānxiàjiǔcài

마른-침 명 干咽唾液 gānyàn tuòyè
마른침을 삼키다 ⊡ 干咽唾液《形容紧张焦急的样子》

마른-하늘 명 晴天 qíngtiān
마른하늘에 날벼락 숙담 晴天霹雳

마른-행주 명 (擦碗筷用的) 干抹布 gānmābù

마름 명 [植] 菱角 língjiao; 菱实 língshí; 菱 líng

마름-모 명 [数] 菱形 língxíng

마름-질 명하타 剪裁 jiāncái = 재단 (裁断) ¶이 바지는 몸에 잘 맞게 ~되었다 这件裤子剪裁得很合体

마리 의명 头 tóu; 只 zhī; 匹 pǐ ¶소한 ~ 一头牛 / 개 두 ~ 两只狗 / 말세 ~ 三匹马

마리오네트 (프marionette) 명 [演] 牵线木偶 qiānxiàn mù'ǒu

마리화나 (marihuana) 명 大麻烟 dàmáyān; 大麻毒品 dàmá dúpǐn

마:마 (媽媽) 명 1 天花 tiānhuā; 痘疹 dòuzhěn 2 爷 yé; 娘娘 niángniang ¶왕비 ~ 王妃娘娘

마마-보이 (←mama's boy) 명 浑大鲁儿 húndàlǔ'ér 《听妈妈的话的男人》

마:맛-자국 (媽媽一) 명 痘痕 dòuhén; 麻子 mázi ¶그는 얼굴에 ~이 있다 他脸上有痘痕

마멀레이드 (marmalade) 명 橘子酱 júzijiàng

마멋 (marmot) 명 [动] 土拨鼠 tǔbōshǔ; 旱獭 hàntǎ = 마르모트

마모 (磨耗) 명하자 磨损 mósǔn ¶타이어가 ~되다 轮胎磨损 / 치아가 심하게 ~되다 牙齿磨损得很严重

마무르다 타 1 收边 shōubiān; 缝完 féngwán ¶상의를 ~ 缝完上衣 2 结束 jiéshù; 完成 wánchéng; 收尾 shōuwěi ¶내일이면 일을 마무를 수 있다 工作明天可以完成

마무리 명 完成 wánchéng; 结束 jiéshù; 善后 shànhòu; 收尾 shōuwěi ¶공사가 아직 ~되지 않았다 工程还没结束了 / 일이 ~ 단계에 들어가다 工作进入收尾阶段

마법 (魔法) 명 魔法 mófǎ; 妖法 yāofǎ; 妖术 yāoshù ¶~사 魔法师 =[魔术家]

마:부 (馬夫) 명 马夫 mǎfū

마:분-지 (馬糞紙) 명 马粪纸 mǎfènzhǐ ¶~로 학을 접다 用马粪纸折一只鹤

마비 (痲痺・麻痺) 명 麻木 mámù; 麻痹 mábì; 瘫痪 tānhuàn ¶안면신경 ~ 面部神经麻痹 / 시스템 ~ 系统瘫痪 / 사지가 ~되다 四肢麻木 / 대설로 인해 교통이 ~ 상태에 빠지다 因大雪交通陷入瘫痪状态

마사지 (massage) 명하타 1 = 안마 (按摩) ¶발을 ~하다 按摩脚部 2 美容按摩 měiróng ànmó; 面部按摩 ¶크림 ~ 按摩霜 / 피부 ~ 护肤按摩 / 매주 피부 관리실에 가서 ~를 받다 每周到美容院做按摩

마수 (魔手) 명 魔手 móshǒu; 魔掌 mózhǎng; 毒手 dúshǒu; 魔爪 mózhǎo ¶~를 뻗치다 伸出魔手

마수-걸이 명하자타 开张 kāizhāng; 头笔生意 tóubǐ shēngyi ¶벌써 12시가 되었는데 아직 ~도 못했다 已经到了十二点, 还没开张

마:술 (馬術) 명 马术 mǎshù; 骑术 qíshù = 승마술 ¶~ 경기 马术赛

마술 (魔術) 명하자 魔术 móshù; 戏法 (儿) xìfǎ(r) ¶~ 도구 变魔术的道具 / 모자를 이용해 ~을 부리다 用帽子变魔术

마술-사 (魔術師) 명 魔术演员 móshù yǎnyuán; 魔术师 móshùshī; 幻士 huànshì

마스카라 (mascara) 명 染睫毛膏 rǎnjiémáogāo; 染睫毛油 rǎnjiémáoyóu; 睫毛油 jiémáoyóu; 睫毛膏 jiémáogāo ¶~를 칠하다 涂睫毛油 / ~가 뭉치다 睫毛油结块

마스코트 (mascot) 명 吉祥物 jíxiángwù; 福神 fúshén ¶올림픽의 ~ 奥运会的吉祥物

마스크 (mask) 명 1 = 탈1 2 口罩 kǒuzhào ¶방진 ~ 防尘口罩 / 외출할 때는 반드시 ~를 써야 한다 出门的时候一定要戴口罩 3 [體] 护面 hùmiàn; 防护面具 fánghù miànjù 4 外表 wàibiǎo; 外貌 wàimào ¶그 배우는 개성 있는 ~를 가졌다 那个演员的外表很有个性

마스터 (master) 명하타 掌握 zhǎngwò; 精通 jīngtōng; 熟练 shúliàn ¶필요한 기술을 ~하다 掌握需要的技术 / 그녀는 컴퓨터를 ~했다 她对电脑很精通

마시다 타 1 喝 hē; 饮 yǐn ¶음료수를 ~ 喝饮料 / 냉수를 ~ 喝冷水 / 맥주를 ~ 喝啤酒 2 呼吸 hūxī; 吸 xī ¶신선한 공기를 ~ 吸新鲜的空气

마약 (痲藥・麻藥) 명 毒品 dúpǐn; 毒品 ¶~을 복용하다 吸毒 / 신종 ~ 新型毒品 / ~을 만들어 판매하다 制贩毒品

마약 중독 (痲藥中毒) [醫] 毒品中毒 dúpǐn zhòngdú; 染毒成瘾 xīdú chéngyǐn ¶~자 毒品中毒者 =[吸毒成瘾者]

마왕 (魔王) 명 魔王 mówáng

마요네즈 (프mayonnaise) 명 蛋黄酱

dànhuángjiàng

마우스(mouse) 명 【컴】 鼠标 shǔbiāo; 滑鼠 huáshǔ ¶~로 한 번 클릭하다 用鼠标点一下

마우스피스(mouthpiece) 명 1 【體】 (拳击的) 护齿 hùchǐ 2 【音】 (乐器的) 吹口 chuīkǒu

마운드(mound) 명 【運】 (棒球的) 投手土墩 tóushǒu tǔdūn; 土墩 tǔdūn; 投手踏板 tóushǒu tàbǎn ¶~에 서다 站在投手土墩上 / ~에서 내려오다 从投手土墩上下来

마을 명 1 村 cūn; 村庄 cūnzhuāng; 乡村 xiāngcūn; 庄子 zhuāngzi ¶~ 사람 村民 / 우리 ~에는 많은 외국인들이 있다 我们村子里有很多外国人 2 串门(儿) chuànmén(r) ¶그는 매일 이웃집에 ~을 간다 他每天到邻居家去串门儿

마음 명 1 心肠 xīncháng; 心地 xīndì; 心眼儿 xīnyǎnr; 心灵 xīnlíng; 心胸 xīnxiōng ¶~이 넓다 心胸宽广 / 그녀는 ~이 착하다 她心地很善良 / 그녀 따뜻한 사람 热心肠的人 2 心情 xīnqíng; 心绪 xīnxù; 心气 xīnqì ¶지금 나는 ~이 무겁다 现在我心情很沉重 / ~이 아주 편하다 心情很舒服 3 诚意 chéngyì ¶~을 다해 학생을 가르치다 诚心诚意教学生 4 心 xīn; 感情 gǎnqíng ¶그에게 존경하는 ~이 생기다 对他生起尊敬心 5 心意 xīnyì ¶~이 들뜨고 어지럽다 心浮意乱 / 어젯밤 이가 빠지는 꿈을 꾸며 ~이 싱숭생숭했다 昨夜用绵绵, 我心意乱 6 意向 yìxiàng; 心思 xīnsi; 念头 niàntou ¶~이 있는 사람은 신청할 수 있다 有意向的人可报名 / ~을 움직이다 动心思

마음(을) 놓다 日 放心 ¶자유롭게 마음 놓고 길을 다닐 수 있다 可以自由地放心地走路

마음(을) 붙이다 日 安心; 扎根(儿)

마음(을) 사다 日 讨欢心; 得到好感 ¶친구들의 마음을 사기 위해 노력한다 为了讨得同们的欢心而努力

마음(을) 쓰다 日 1 操心; 费心 ¶마음을 쓰게 해 드려 죄송합니다 让您费心了, 我都有点儿不好意思了 2 关心; 关注 ¶마음 써 주셔서 감사합니다 谢谢你们的关心

마음(을) 졸이다 日 提心吊胆; 非常担心 ¶마음을 졸이며 시험 결과를 기다리다 提心吊胆地等待考试的结果

마음(이) 가다 日 勾魂; 倾心 ¶같은 반 친구에게 마음이 가다 倾心于同班同学

마음(이) 내키다 日 甘心; 心甘情愿

마음(이) 들뜨다 日 心神不定; 心浮 ¶마음이 들떠서 수업을 할 수가 없다

心浮, 不能上课

마음(이) 쓰이다 日 费心; 提心; 记挂; 放心不下 ¶그의 일에 줄곧 마음이 쓰인다 他的事儿一直让我放心不下

마음에 걸리다 日 惦念; 牵挂; 放心不下; 牵肠挂肚 ¶나는 그 때의 일이 늘 마음에 걸린다 那天的事儿总是让我放心不下

마음에 두다 日 牢记在心; 放在心上; 记在心里 ¶그가 한 모든 말을 마음에 두지 마라 他所说的一切话, 你不要放在心里

마음에 들다 日 称心; 称意; 中意; 合意 ¶마음에 드는 옷을 한 벌 사다 买一件合意的衣服

마음에 없다 日 没有心思; 不感兴趣 ¶그는 이미 내 마음에 없다 我已经对他不感兴趣了

마음에 있다 日 有心; 感到兴趣

마음에 차다 日 满足; 满意

마음은 굴뚝 같다 日 力不从心; 心有余而力不足

마음이 돌아서다 日 1 想法变了; 改变想法 2 回心转意

마음이 통하다 日 彼此心照; 合得来; 心心相通

마음-가짐 명 内心准备 nèixīn zhǔnbèi; 情绪 qíngxù; 气质 qìzhì; 决心 juéxīn; 心术 xīnshù ¶선수들의 ~이 아주 좋다 选手的情绪很高

마음-고생(—苦生) 명 费心 fèixīn; 操心 cāoxīn; 吃苦 chīkǔ; 辛苦 xīnkǔ; 辛劳 xīnláo; 困苦 kùnkǔ ¶이런 작은 일로 ~하지 마라 不要为这么点小事费心

마음-껏 閉 尽量 jìnliàng; 尽情 jìnqíng; 尽意 jìnyì; 尽兴 jìnxìng; 放量 fàngliàng; 充分 chōngfèn; 尽足 zúgòu ¶모두들 ~ 놀아라 大家尽情地玩吧 / ~ 웃다 尽情欢笑 / 자유 시간을 ~ 누리다 充分享受自由时间

마음-대로 閉 随便 suíbiàn; 随意地 suíyìde; 胡乱 húluàn; 撒手 sāskāi; 随心所欲地 suíxīnsuǒyùde ¶다른 사람 물건을 ~ 쓰지 마라 不要随便用别人的东西 / ~ 정해라 随便决定吧 / ~ 생각하다 胡乱地想

마음-먹다 자타 决心 juéxīn; 立心 lìxīn; 立志 lìzhì; 决计 juéjì ¶나는 이미 미국에 유학가기로 마음먹었다 我已经决心到美国去留学

마음-보 명 心术 xīnshù; 心眼儿 xīnyǎnr ¶그 사람은 ~가 고약하니 그와 상대하지 마라 那个人心眼儿坏, 不要理他

마음-속 명 心里 xīnli; 心中 xīnzhōng; 心底 xīndǐ; 怀 huái; 心怀 xīnhuái ⇒

가슴속 · 심중 · 염두 · 의중 · 회중(懷中)2 ¶ ~에 있는 말 心中的话/그 소식을 들은 후 나는 ~이 편치 않다 听到那个消息以后，我心里不太舒服

마음-씨 몡 心眼儿 xīnyǎnr; 心性 xīnxìng; 心地 xīndì; 心肠 xīncháng; 心田 xīntián; 心意 xīnyì; 心底 xīndǐ ¶~가 고약한 젊은이 心地坏的年轻人/그는 ~가 고운 사람이다 他是个热心肠的人

마음-잡다 쟈 安心 ānxīn ¶지금 그는 마음잡고 공부한다 现在他安心地学习了

마이너스(minus) 몡 1 赤字 chìzì; 不利 bùlì ¶~ 요인 不利的因素/50만원의 ~ 五十万元赤字 2【物】阴极 yīnjí 3【数】= 빼기 ¶10 － 3은 7이다 十减三是七 4【数】= 뺄셈표 5【数】= 음(陰)2 6【醫】负 fù; 阴性 yīnxìng ¶바이러스 테스트에서 ~ 반응이 나오다 对病毒的测试呈阴性反应

마(魔)이동풍(魔耳東風) 몡 耳旁风 ěrpángfēng; 耳边风 ěrbiānfēng

마이신(mycin) 몡【藥】米辛 mǐxīn; 链霉素 liànméisù

마이크(mike) 몡 麦克风 màikèfēng; 话筒 huàtǒng; 扩音器 kuòyīnqì; 传声器 chuánshēngqì; 微音器 wēiyīnqì ¶무선 ~ 无线麦克风/~를 들고 노래 부르다 拿着麦克风唱歌

마이크로-버스(microbus) 몡 小型公共汽车 xiǎoxíng gōnggòng qìchē; 面包车 miànbāochē; 中客车 zhōngkèchē

마이크로-파(micro波) 몡【物】微波 wēibō; 超高频波 chāogāopínbō

마이크로-필름(microfilm) 몡【演】缩微胶卷 suōwēi jiāojuǎn; 缩微胶片 suōwēi jiāopiàn

마일(mile) 의몡 英里 yīnglǐ; 哩 lǐ

마임(mime) 몡【演】= 무언극

마작(麻雀) 몡【體】麻将 májiàng; 麻雀 máquè; 竹林之战 zhúlínzhīzhàn ¶~을 두다 打麻将

마장(馬場) 몡 1 牧马场 mùmǎchǎng 2 = 경마장

마저 일뿐 全部 quánbù; 都 dōu; 完玩 wán ¶그것까지 ~ 다 먹어라 那个也都吃吧/숙제를 ~ 다 하고 나서 나가 놀아라 先把作业都做好，然后再出去玩吧 삼조 连 lián ¶엄마─내 생일을 잊어버리셨다 连妈妈也忘了我的生日

마적(馬賊) 몡 马贼 mǎzéi

마주(馬主) 몡 马主 mǎzhǔ

마주 뿐 相对 xiāngduì; 面对 miànduì; 相 xiāng; 迎面 yíngmiàn; 对面 duìmiàn; 相向 xiāngxiàng ¶그들은 서로 ~ 보고 앉았다 他们相对而坐 / 아이

와 ~ 대하고 이야기를 나누다 和孩子面对面地谈话

마주-치다 쟈 1 遇见 yùjiàn; 碰到 pèngdào ¶나는 오늘 영화관에서 우연히 그와 마주쳤다 我今天在电影院偶然碰到了他 2 相碰 xiāngpèng ¶그와 시선이 ~ 与他的视线相碰 3 遇到 yùdào; 面临 miànlín ¶뜻밖의 일에 ~ 遇到意外的事

마주-하다 타 相对 xiāngduì; 正对 zhèngduì; 面对 miànduì ¶나는 그와 마주하고 싶지 않다 我不想跟他相对/학교 정문은 큰 길을 마주하고 있다 学校大门正对大街

마중 몡 接 jiē; 迎接 yíngjiē ¶내일 친구를 ~하러 공항에 가야 한다 明天要去机场接朋友

마-지기 의몡 1 斗落地 dǒuluòdì 2 一些 yīxiē ¶그는 작은 집은 논 ~ 조금 가진 걸로 먹고 산다 我们家靠着一点田地做为生

마지노-선(Maginot線) 몡【史】麦吉诺线 Màijínuòxiàn; 马基挪线 Mǎjīnuòxiàn; 马吉诺线 Mǎjínuòxiàn

마지막 몡 最后 zuìhòu; 结尾 jiéwěi; 最终 zuìzhōng; 终局 zhōngjú ¶~ 한마디 最后一句话 / ~ 기회 最后的机会 / 그들은 ~에 모두 눈물을 흘렸다 他们最后都流了眼泪

마:지-못하다 不得不 bùdébù; 不得已 bùdéyǐ; 只好 zhǐhǎo ¶마지못해 그의 요구를 들어주다 只好答应他的要求

마지-않다 보통 不已 bùyǐ ¶모두의 도움에 감격해 ~ 大家都帮帮忙，让我感激不已

마직(麻織) 몡【手工】麻织品 mázhīpǐn

마진(margin) 몡【經】1 利润 lìrùn; 赚头 zhuàntou; 差额 chā'é; 买卖差价 mǎimai chājià ¶큰 ~을 남기다 大有赚头 2 押金 yājīn; 保证金 bǎozhèngjīn 3 = 수수료

마차(馬車) 몡 马车 mǎchē ¶~를 몰다 赶马车/~를 타다 乘坐马车

마찬가지 몡 一样 yīyàng; 一般 yībān; 一码事 yīmǎshì; 同样 tóngyàng; 相同 xiāngtóng ¶일을 어떻게 하든 결과는 ~다 无论怎么做结果都相同/네가 가나 내가 가나 ~다 你去我去都一样/여느 때와 ~로 등교를 하다 和平时一般去上学

마찰(摩擦) 몡하쟈 1 摩擦 mócā ¶~계수 摩擦系数/~력 摩擦力 2 冲突 chōngtū; 对立 duìlì; 矛盾 máodùn ¶동료와 일하는 과정에서 ~이 생기다 和同事在工作中发生矛盾

마천-루(摩天樓) 몡 摩天大厦 mótiān dàshà; 摩天大楼 mótiān dàlóu

마취(痲醉) 【하타】 痲醉 mázuì ¶~요 법 痲醉疗法 / 부분 ~ 局部痲醉/전신 ~ 全身痲醉 / ~총 痲醉枪 / ~에서 깨어나다 从痲醉中醒来 / ~를 하다 打痲醉

마취-제(痲醉劑) 【藥】 痲醉剂 mázuìjì; 痲药 máyào

마치 【부】 好像 hǎoxiàng; 像 xiàng; 似乎 sìhū; 恰如 qiàrú; 仿佛 fǎngfú; 好似 hǎosì; 好比 hǎobǐ; 宛如 wǎnrú ¶나는 ~ 꿈을 꾸고 있는 것 같다 我好像做梦一样 / 그들의 이야기는 ~ 한 편의 소설 같다 他们的故事恰如一篇小说 / ~ 소녀 때로 돌아간 것 같다 仿佛回到少女时代

마치다 【자타】 1 结束 jiéshù; 完 wán; 做完 zuòwán; 干完 gànwán; 收工 shōugōng ¶일을 ~ 做完工作 / 방금 빨래를 다 마쳤다 刚刚洗完了衣服 2 去世 qùshì; 逝世 shìshì ¶그는 어제 병원에서 생을 마쳤다 他昨天在医院去世了

마침 【부】 恰好 qiàhǎo; 恰 qià; 恰恰 qiàqià; 正巧 zhèngqiǎo; 刚好 gānghǎo; 正好 zhènghǎo; 恰巧 qiàqiǎo; 刚巧 gāngqiǎo ¶내가 막 그를 부르려던 참에 ~ 그가 왔다 我刚要叫他, 恰好他来了 / 너 ~ 잘 왔다 你来得正好

마침-내 【부】 终于 zhōngyú; 最后 zuìhòu; 到底 dàodǐ; 到了 dàoliǎor ¶그들은 ~ 다시 만났다 他们终于再相见了 / 그는 ~ 자기의 꿈을 이루었다 他最后实现了自己的梦想

마침-표(一標) 【명】 1 【語】 句号 jùhào; 终结符号 zhōngjié fúhào 2 【音】 终止符 zhōngzhǐfú; 休止符 xiūzhǐfú ‖ ~를 종지부

　마침표를 찍다 【구】 终结 = 종지부를 찍다

마카로니(이macaroni) 【명】 通心粉 tōngxīnfěn; 空心面 kōngxīnmiàn; 通心面 tōngxīnmiàn

마케팅(marketing) 【명】 【經】 营销 yíngxiāo; 行销 xíngxiāo; 销售 xiāoshòu; 销卖 xiāomài; 消售 xiāoshòu; 市场交易 shìchǎng jiāoyì

마크(mark) 【명】 1 记号 jìhao; 标记 biāojì; 符号 fúhào 2 【經】 商标 shāngbiāo; 牌 pái; 牌子 páizi 3 徽章 huīzhāng; 纪念章 jìniànzhāng ¶학교 ~가 있는 교복 有学校徽章的制服 ——**하다** 【자타】 【體】 阻挡 zǔdǎng ¶전력을 다해 상대 선수를 ~하다 尽管全力阻挡对手 2 记录 jìlù; 拿到 nádào ¶시합에서 1위를 ~했다 在比赛中, 拿到了冠军

마파-두부(麻婆豆腐) 【명】 麻婆豆腐 mápó dòufu

마-파람 【명】 南风 nánfēng

　마파람에 게 눈 감추듯 【속담】 狼吞虎咽

마:-패(馬牌) 【명】 【史】马牌 mǎpái

마포(麻布) 【명】 = 삼베

마피아(이Mafia) 【명】 黑手党 Hēishǒudǎng

마하(Mach) 【의명】 【物】 马赫 mǎhè; 马赫数 mǎhèshù; 超音速 chāoyīnsù; 超声速 chāoshēngsù; 马氏数 mǎshìshù

마호가니(mahogany) 【명】 【植】 桃花心木 táohuāxīnmù; 红木 hóngmù

마흔 【수관】 四十 sìshí ¶그는 올해 ~이다 他今年四十岁 / 전부 ~ 명이다 一共有四十个人

막(幕) 【명】 1 草棚 cǎopéng; 棚子 péngzi; 窝棚 wōpeng ¶~을 짓다 搭窝棚 2 帐篷 zhàngpeng; 幕布 mùbù 【의명】 【演】幕 mù ¶제2~ 第二幕

　막을 열다[올리다] 【구】 开始; 开幕

　막을[막이] 내리다 【구】 演出结束; 闭幕

　막이 오르다 【구】 开始; 开幕

막(膜) 【명】 膜 mó

막[1] 【부】 1 马上 mǎshàng; 立刻 lìkè; 眼看就 yǎnkànjiù; 将 jiāng; 正 zhèng; 刚 gāng; 刚刚 gānggāng ¶차가 ~ 출발하려고 한다 车马上要出发 / 3일간의 휴가가 ~ 끝났다 三天假期看看过完了 2 刚 gāng; 那时 nàshí ¶~ 문을 나서려는데 비가 오기 시작했다 刚要出门, 下起雨来了

막[2] 【부】 乱 luàn; 胡乱 húluàn; 随便 suíbiàn (〈'마구'的略词〉) ¶그는 갑자기 미친 사람처럼 ~ 달리기 시작했다 他突然开始疯了一样地乱跑

막-[1] 【접두】 1 粗 cū; 低质 dīzhì; 劣质 lièzhì ¶~과자 粗点心 / ~담배를 피우다 抽劣质的烟 2 随便 suíbiàn; 乱 luàn; 杂 zá ¶~일 粗活儿 / ~말 粗话 3 乱 luàn; 随便 suíbiàn; 胡乱 húluàn ¶~살다 随便生活

막-[2] 【접두】 最后 zuìhòu; 末 mò ¶~차 末班车

막-가다 【자】 肆意妄为 sìyìwàngwéi; 撒野 chèyě ¶이렇게 막가서는 안 된다 不可以这样肆意妄为

막간(幕間) 【명】 1 【演】 幕间 mùjiān; 小憩 xiǎoqì; 换幕时 huànmùshí ¶~에 배우가 무대 뒤로 옷을 갈아입으러 换幕时演员跑回后台换衣服 2 (事情的) 间隙 jiànxì ¶~을 이용해 나는 그에게 전화를 했다 趁这间隙, 我打电话给他

막강(莫强) 【하자】 无比强 wúbǐ qiáng; 强大 qiángdà; 无比强大 wúbǐ qiángdà; 莫强 mòqiáng ¶경제력이 ~하다 经济

력량 무비 강대 /~한 군사력을 갖추다 具备强大的军事实力

막-걸리 명 马格利酒 mǎgélìjiǔ; 浊醪 zhuóláo; 稠酒 chóujiǔ; 米酒 mǐjiǔ = 탁주

막-국수 명 荞麦面 qiáomàimiàn

막내 명 最小的 zuìxiǎode; 老小 lǎoxiǎo; 老 lǎo; 么 yāo ¶내 ~ 여동생 我 的 幺妹

막내-딸 명 小女儿 xiǎonǚ'ér; 老姑娘 lǎogūniang; 幺女 yāonǚ; 老闺女 lǎoguīnǚ; 老生女 lǎoshēngnǚ

막내-며느리 명 小儿媳妇 xiǎo'érxífù

막내-아들 명 老儿子 lǎo'érzi; 小儿子 xiǎo'érzi

막내-아우 명 季弟 jìdì = 막냇동생

막냇-동생(一同生) 명 = 막내아우

막-노동(一勞動) 명 = 막일1

막다 동 1 堵 dǔ; 堵塞 dǔsè; 挡 dǎng; 捂 wǔ ¶구멍을 ~ 堵洞 / 손으로 입을 ~ 用手捂住了嘴巴 / 나가는 길을 ~ 挡住了出路 2 围住 wéizhù; 筑 zhù ¶높은 담 으로 마당을 ~ 用高墙围住院子 3 隔 gé; 隔开 gékāi ¶칸을 ~ 隔间 4 阻拦 zǔlán; 阻挡 zǔdǎng; 阻止 zǔzhǐ ¶그들 의 결혼을 ~ 阻拦他们的结婚 5 预防 yùfáng; 提防 tífáng ¶화재를 ~ 预防 火灾 / 홍수를 ~ 预防水灾 6 防止 fángzhǐ; 防 fáng ¶부정 / 부패를 ~ 防贪污 / 防腐败 7 抵抗 dǐkàng; 抵御 dǐyù ¶외국의 침입을 ~ 抵御外国 入侵 / 상대 선수의 공격을 ~ 抵御对 手的攻击

막-다르다 형 不通 bùtōng; 到头 dàotóu; 死路 sǐlù; 绝路 juélù; 穷途末路 qióngtúmòlù

막다른 골목 귀 死胡同; 穷途末路; 走投无路

막-달 명 临月 línyuè

막-담배 명 劣质烟 lièzhìyān; 次烟 cìyān

막대 명 '막대기'의 略词

막대-그래프(—graph) 명 【数】直方 图 zhífāngtú; 柱形图 zhùxíngtú; 直线 图表 zhíxiàn túbiǎo; 直线图解 zhíxiàn tújiě

막대기 명 杆 gān; 杆子 gānzi; 竿 gān; 竿子 gānzi; 棍 gùn; 杖 zhàng

막대-자석(—磁石) 명 条形磁铁 tiáoxíng cítiě; 磁铁棒 cítiěbàng

막대-하다(莫大—) 형 莫大 mòdà; 相 当多 xiāngdāngduō; 巨大 jùdà ¶그는 막대한 재산을 갖고 있다 他拥有一笔 莫大的财产 막대-히

막돼-먹다 형 '막되다'의 鄙称

막-되다 형 粗鲁 cūlǔ; 胡来 húlái; 老

粗 lǎocū; 无礼 wúlǐ ¶막된 사람 粗鲁 的人

막-둥이 명 小儿子 xiǎo'érzi; 小女儿 xiǎonǚ'ér

막론-하다(莫論—) 타 不管 bùguǎn; 不论 bùlùn; 不问 bùwèn ¶이유 여하를 막론하고 우리는 거기에 가야 한다 不 管怎样, 我们得去那里 / 남녀노소를 막론하고 모두들 이 노래를 좋아한다 不管男女老幼, 都喜欢这首歌

막료(幕僚) 명 幕僚 mùliáo = 参谋 cānmóu

막막-하다(寞寞—) 형 1 寂静 jìjìng ¶ 산중의 밤은 아주 ~ 山中的夜晚很寂 静 2 落寞 luòmò; 冷落 lěngluò; 孤独 gūdú; 沉闷 chénmèn; 郁闷 yùmèn; 惆 怅 chóuchàng; 寂寞 jìmò ¶막막한 심 정 孤独的心情 막막-히

막-말 명 粗话 cūhuà; 脏话 zānghuà; 下流话 xiàliúhuà; 乱说 luànshuō; 胡言乱语 húyánluànyǔ; 胡说 húshuō ¶ 다른 사람 일에 대해 막 마라 对 别人的事, 不要乱说 / 아이들에게 ~ 하지 마라 不要对孩子说脏话

막무가내(莫無可奈) 명 형 无可奈何 wúkěnàihé; 无可不得 wúkěbùdé; 根本 不听 gēnběnbùtīng ¶그는 ~로 옷을 벗고는 바닥에 누웠다 他无可奈何地 脱衣服, 躺在地板上

막-바지 명 最后 zuìhòu; 关末 guāntóu; 最后阶段 zuìhòu jiēduàn; 最后环 节 zuìhòu huánjié; 尽头 jìntóu; 到头 (儿) dàotóu(r) ¶회담이 ~에 이르다 谈 判进入最后阶段

막사(幕舍) 명 1 棚子 péngzi; 窝棚 wōpeng ¶그들은 숲 속에 ~를 지었다 他 们在山林里搭起了一个窝棚 2 【军】 营帐 yíngzhàng ¶사병 ~ 士兵营帐

막-살다 재 混日子 hùnrìzi

막상(上) 부 实际(上) shíjì(shang); 真的 zhēnde; 真 zhēn ¶~ 해 보니 생각했 던 것보다 더 어렵다 真干起来比我想 的更难

막상막하(莫上莫下) 명 不相上下 bùxiāngshàngxià; 好坏难分 hǎohuàinánfēn; 难兄难弟 nànxiōngnàndì; 相当 xiāngdāng ¶두 사람의 체력이 ~이다 两个人的体力不相上下 / 실력이 ~이 다 实力难兄难弟

막심(莫甚) 명 형 부 极甚 jíshèn; 极严重 jíyánzhòng; 莫甚 mòshèn; 极 大 jídà; 甚大 shèndà ¶손해가 ~하다 损失极大 / 많은 사람들에게 막심한 피 해를 끼쳤다 极大地损害了很多人

막아-내다 타 挡住 dǎngzhù; 阻止 zǔzhǐ; 防止 fángzhǐ; 打退 dǎtuì; 守住 shǒuzhù ¶적의 습격을 ~ 打退敌人的 袭击

막아-서다 〔他〕 拦住 lánzhù; 拦阻 lánzǔ; 阻挡 zǔdǎng; 挡住 dǎngzhù ¶차 앞으로 가서 몸으로 길을 ~ 冲到车前, 用身体拦住了去路

막역지우(莫逆之友) 〔名〕 莫逆之友 mònìzhīyǒu

막연-하다(漠然一) 〔形〕 **1** 茫然 mángrán; 渺茫 miǎománg ¶앞날이 ~ 前途渺茫 **2** 模糊 móhu; 不清晰 bùqīngxī; 笼统 lǒngtǒng; 不着边际 bùzhuóbiānjì ¶막연한 생각 不着边际的想法 / 그녀는 막연하게 대답했다 她模糊地回答说 **막연-히** 〔早〕

막-일 〔名〕〔하자〕 **1** 零工 línggōng; 苦力 kǔlì ~ 로 생계를 유지하다 打零工维持生活 **2** 粗活儿 cūhuór; 杂活儿 záhuór ¶회사에서 ~을 하다 在公司里干杂活儿 **막일-꾼** 〔名〕 打零工的 dǎlínggōngde; 苦力 kǔlì; 苦工 kǔgōng

막장 〔名〕〔鑛〕 **1** 掌子 zhǎngzi; 掌子面 zhǎngzimiàn **2** = 막장일

막-장(一醬) 〔名〕 粗制黄酱 cūzhì huángjiàng

막-장일 〔名〕〔하자〕〔鑛〕 井下作业 jǐngxià zuòyè; 掌子面作业 zhǎngzimiàn zuòyè = 막장2

막중-하다(莫重一) 〔形〕 极为贵重 jíwéi guìzhòng; 极重大 jízhòngdà; 极为重要 jíwéi zhòngyào ¶막중한 임무 极为重要的任务 / 막중한 책임 极重大的责任 **막중-히** 〔早〕

막-차(一車) 〔名〕 末班车 mòbānchē; 末趟车 mòtàngchē; 末次车 mòcìchē ¶막차 mòchē 를 타다 坐末班车 / 하마터면 ~를 놓칠 뻔했다 差点儿不能赶上末班车

막-판 〔名〕 最后 zuìhòu; 最后时刻 zuìhòu shíkè; 最后一局 zuìhòu yíjú; 最后关头 zuìhòu guāntóu ¶~ 승부 最后胜负 / ~까지 끌고 가다 拖到最后时刻

막후(幕後) 〔名〕 幕后 mùhòu; 台后 táihòu; 背后 bèihòu ¶~교섭 幕后交涉 / ~에서 지시하다 在幕后指示

막-히다 〔自〕 **1** 堵住 dǔzhù; 堵塞 dǔsè; 闭塞 bìsè; 受阻 shòuzǔ; 憋 biē 《'막다1'的被动词》¶이 길은 저녁까지 막힌다 这段路堵塞到晚上 / 혈관이 완전히 ~ 血管完全被堵住 / 가슴이 답답하고 숨이 ~ 胸闷憋气 **2** 哽 gěng; 结舌 jiéshé ¶말문이 ~ 张口结舌 **3** 不顺 bùshùn; 不通 bùtōng ¶혼삿길이 ~ 婚事不顺

만(滿) 〔名〕〔형〕 满 mǎn; 周 zhōu; 整 zhěng ¶~ 스무살 满二十岁 =[二周岁)/ ~ 한 달 整一个月

만(灣) 〔名〕〔地理〕 湾 wān

만:(萬) 〔수관〕 万 wàn; 一万 yíwàn ¶~원 一万元 / ~ 명 十万人
만에 하나 〔早〕 万一

만[1] 〔의명〕 表示时段的终点 ¶그는 일 년 ~에 귀국했다 他一年之后才回国了 / 기차로 다섯 시간 ~에 도착했다 坐了五个小时的火车才到了

만[2] 〔의명〕 **1** 难怪 nánguài; 不怪 bùguài 《表示有妥当的理由》¶그가 화낼 ~도 하다 不怪他生气 / 그녀가 울 ~도 하다 难怪她哭泣 **2** 可 kě; 可以 kěyǐ 《表示有可能》¶그가 그러는 것도 이해할 ~은 하다 他那样做也可以理解 **3** 值得 zhíde ¶태국 요리는 한 번 먹어볼 ~은 하다 泰国菜也可以值得一尝

만[3] 〔조〕 **1** 只 zhǐ; 只有 zhǐyǒu 《表示限制》¶너 ~ 오지 않았나 只有你没有来 / 너에게 ~ 말해 주겠다 我只告诉你 / 그녀는 웃기 ~ 할뿐 아무 말도 하지 않았다 她只笑着没有说什么 **2** 只 zhǐ; 一下 yíxià 《表示局限》¶한 잔 ~ 마시다 一天只喝一杯 / 한 번 ~ 도와주세요 请帮我一下忙 **3** 只要 zhǐyào; 一定 yídìng 《表示强调》¶나는 그를 만나러 가야 ~ 하다 我一定要去看他 / 네가 시험에 통과하기 ~ 면 무엇이든 다 사 주겠다 只要你通过考试, 我就什么都买给你 **4** 如 rú; 比 bǐ 《表示比较》¶그의 능력은 그녀 ~ 못하다 他的能力不如她 / 내 일본어 실력은 그 ~ 못하다 我的日文水平比不上他 **5** ~(就…) yī…(jiù…) ¶그녀는 술 ~ 마시면 운다 她一喝酒就哭 / 그는 나를 보기 ~ 하면 화를 낸다 他一看到我就生气

만[4] 〔조〕 '마는'的略词 ¶비록 나이는 들었다~ 그래도 그녀는 여전히 아름답다 虽然她上了年纪, 但还是很漂亮 / 나도 가고 싶지~ 지금은 바빠서 시간이 없다 我也很想去, 但现在很忙没有时间

만:감(萬感) 〔名〕 百感 bǎigǎn; 万感 wàngǎn; 百端 bǎiduān ¶~이 교차하다 百感交集

만개(滿開) 〔名〕〔하자〕 盛开 shèngkāi; 齐放 qífàng ¶~한 장미 盛开的玫瑰

만:경-창파(萬頃蒼波) 〔名〕 万顷苍波 wànqǐngcāngbō; 万顷碧波 wànqǐngbìbō; 一碧万顷 yībìwànqǐng; 波涛万顷 bōtāowànqǐng

만:고(萬古) 〔名〕 万古 wàngǔ; 万世 wànshì; 千古 qiāngǔ ¶~에 이름을 전하다 万古流芳

만:고불변(萬古不變) 〔名〕〔하자〕 万古不变 wàngǔbùbiàn; 千古不变 qiāngǔbùbiàn ¶~의 사랑 千古不变的爱情

만:국(萬國) 〔名〕 万国 wànguó; 全世界

quánshìjiè = 만방

만:국-기(萬國旗) 图 만국기 wànguóqí ¶～가 펄럭이다 万国旗招展

관:국 박람회(萬國博覽會) 【經】万国博览会 wànguó bólǎnhuì; 国际博览会 guójì bólǎnhuì; 世界博览会 shìjiè bólǎnhuì = 엑스포

관:금(萬金) 图 万金 wànjīn; 万贯 wànguàn; 重金 zhòngjīn; 巨款 jùkuǎn ¶～으로도 살 수 없는 우정 用万金也买不到的友谊

만기(滿期) 图 满期 mǎnqī; 期满 qīmǎn; 到期 dàoqī; 期 qī ¶～ 어음 到期票据 / ～ 제대 期满退伍 / 십 년 ～ 보험 十年期满保险 / ～ 날짜 期满的日期 / 적금이 ～되다 定期存款期满

만기-일(滿期日) 图 期满日期 qīmǎn rìqī; 到期日 dàoqīrì; 截止日 jiézhǐrì ¶～ 계약 → 合同期满日期

만끽(滿喫) 图하타 尽享 jìnxiǎng; 享受 xiǎngshòu ¶자유를 ～하다 享受自由 / 대자연의 아름다움을 ～하다 尽享大自然的美丽

만나다 国타 1 (人과人) 见 jiàn; 见到 jiàndào; 见面 jiànmiàn; 碰见 pèngjiàn; 碰头 pèngtóu; 遇见 yùjiàn; 相遇 xiāngyù; 相逢 xiāngféng; 会见 huìjiàn ¶나는 오늘 선생님을 만나기로 했다 我今天要跟老师见面 / 벌써 오랫동안 그를 만나지 못했다 已经好久没见到他了 2 (有些实事或事物) 遭遇 zāoyù; 接触 jiēchù; 面对 miànduì ¶쓰라린 운명과 ～ 遭遇悲惨的命运 / 다양한 삶을 ～ 面对各种各样的人生 3 适逢 shìféng; 赶上 gǎnshang ¶좋은 시기를 ～ 赶上好时光 4 (雨、雪、风浪等) 上 gǎnshang; 碰上 pèngshang; 遇到 yùdào ¶돌아오는 길에 소나기를 만났다 回来的路上赶上骤雨了 / 배가 바다에서 풍랑을 ～ 船在海上遇到风浪 5 (事故、事情等) 遭 zāo; 碰 pèng; 遭到 zāodào ¶뜻밖의 사고를 ～ 遭到意外的事故 6 得到 dédào ¶좋은 아내를 ～ 得到好妻子 国타 连接 liánjiē; 接 jiē ¶두 강이 만나는 곳 在两条可连接的地方

만남 图 见面 jiànmiàn; 会面 huìmiàn; 交际 jiāojì ¶팬들과의 ～ 与影迷们的会面 / 그와의 ～을 고대하다 期盼着与他见面

만년(晩年) 图 晚年 wǎnnián; 老年 lǎonián; 晚境 wǎnjìng ¶～을 편안하게 보내다 安享晚年

만:년(萬年) 图 万年 wànnián; 老 lǎo ¶～ 과장 老科长

만:년-설(萬年雪) 图 【地理】万年雪 wànniánxuě; 常年雪 chángniánxuě

만:년-필(萬年筆) 图 钢笔 gāngbǐ; 自来水钢笔 zìláishuǐgāngbǐ; 金笔 jīnbǐ

만:능(萬能) 图하图 全才 quáncái; 全能 quánnéng; 万能 wànnéng ¶～선수 全能运动员 / 그는 스포츠의 ～이다 他是体育运动的全才

만:담(漫談) 图하타 相声 xiàngsheng ¶～가 相声艺人 → [相声演员]

만:대(萬代) 图 万代 wàndài; 万世 wànshì ¶이름을 ～에 빛내다 流芳万世 / ～까지 계속 이어지다 一直传到万世

만돌린(mandolin) 【音】曼陀林 màntuólín; 曼多林 màndūolín

만두(饅頭) 图 饺子 jiǎozi; 包子 bāozi; 饺 jiǎo; 包 bāo = 교자 ¶～소 饺子馅 / ～피 饺子皮儿 = [面皮子] / ～를 찌다 蒸包子 / ～를 빚다 包饺子

만둣-국(饅頭一) 图 馄饨 húntun; 带汤水饺 dàitāng shuǐjiǎo; 饺子汤 jiǎozītāng

만들다 国 1 做 zuò; 造 zào; 制造 zhìzào; 制 zhì ¶자동차를 ～ 制造汽车 / 나무로 의자를 ～ 用木头做椅子 / 엄마가 나에게 맛있는 음식을 많이 만들어 주셨다 妈妈给我做了很多好吃的菜 2 制定 zhìdìng; 订 dìng ¶규칙을 ～ 制定规则 3 组织 zǔzhī; 开办 kāibàn ¶동호회를 ～ 组织同会会 / 회사를 ～ 开办公司 4 造成 zàochéng ¶좋은 환경을 ～ 造成一个良好的环境 5 准备 zhǔnbèi; 筹措 chóucuò; 安排 ānpái ¶필요한 자금을 ～ 筹措需要的资金 / 그에게 일거리를 좀 만들어 주다 给他安排点活儿 6 (机会、空) 找 zhǎo; 抽 chōu ¶적당한 기회를 만들어 그와 만나다 找合适的机会跟他见面 7 引起 yǐnqǐ; 惹起 rěqǐ; 惹 rě ¶논쟁을 ～ 引起争论 / 오해를 ～ 引起误解 8 写 xiě; 作 zuò; 编 biān ¶보고서를 ～ 写报告 / 사전을 ～ 编词典 9 占有 zhànyǒu; 据为 jùwéi…yǒu ¶그를 자기 사람으로 ～ 将他据为己有 10 使 shǐ; 叫 jiào; 让 ràng; 令 lìng ¶그들이 정식으로 사과하게 ～ 让他们正式道歉 / 그가 패배를 인정하게 ～ 让他认输

만료(滿了) 图하타 期满 qīmǎn; 满期 mǎnqī; 到期 dàoqī; 届满 jièmǎn; 满期 mǎn qī ¶회사와의 계약이 ～되었다 与公司的合同期满了 / 임기가 이미 ～되다 任期已满

만루(滿壘) 图 【體】(棒球的) 满垒 mǎnlěi ¶～ 홈런 满垒全全打

만류(挽留) 图하타 挽留 wǎnliú; 留住 liúzhù; 慰留 wèiliú; 劝解 quànjiě; 劝阻 quànzǔ; 迫 quànzhǐ ¶그는 우리의 ～에도 불구하고 회의장을 떠났다 他不顾我们的挽留, 离开了会场 / 그는 내가 그곳에 가는 것을 ～했다 他挽留我不要去那里

만:리-장성(萬里長城) 명 《古》 만리 장성 Wànlǐchángchéng; 长城 Cháng-chéng = 완리장성

만:리-타향(萬里他鄕) 명 万里他乡 wànlǐ tāxiāng ¶~에서 아는 사람을 만나다 万里他乡遇故知

만-만세(萬萬歲) 갑 万万岁 wànwàn-suì ¶만세! 만세! ~! 万岁! 万岁! 万万岁!

만만-찮다 형 1 不可小看 bùkě xiǎokàn; 不可轻视 bùkě qīngshì ¶너도 대단하지만 그녀 역시 ~ 你很厉害, 但她也不可轻视 2 不容易 bùróngyì; 费劲儿 fèijìnr ¶집안일 하는 것도 ~ 做家务也不容易 3 不少 bùshǎo; 多 duō ¶그는 어제 돈을 만만찮게 썼다 他昨天花了不少钱

만만-하다 형 好对付 hǎoduìfu; 好惹 hǎorě; 好欺负 hǎoqīfu; 容易 róngyì; 不费劲儿 bùfèijìnr ¶너는 내가 그렇게 만만하니? 你以为我那么好欺负吗? / 개를 기른다는 것은 그렇게 만만한 일이 아니다 养狗不是那么容易的事儿 **만만-히** 부

만면(滿面) 명 满面 mǎnmiàn; 满脸 mǎnliǎn ¶~에 희색이 가득하다 满面喜色

만:무(萬無) 명하형 不会 bùhuì; 决不会 juébùhuì; 不可能 bùkěnéng ¶그가 그런 말을 했을 리가 ~하다 他决不会说那种话

만:물(萬物) 명 万物 wànwù; 一切东西 yīqiè dōngxi ¶우주 ~ 宇宙万物 / 인간은 ~의 척도이다 人是万物的尺度

만:물-박사(萬物博士) 명 万事通 wànshìtōng; 百事通 bǎishìtōng; 知识里手 zhīshílǐshǒu

만:물-상(萬物商) 명 杂货商 záhuòshāng; 杂货店 záhuòdiàn

만:민(萬民) 명 万民 wànmín; 百姓 bǎixìng; 人人 rénrén ¶~은 법 앞에 평등하다 法律之前人人平等

만:반(萬般) 명 万般 wànbān; 一切 yīqiè; 各种 gèzhǒng ¶~의 준비를 다 하다 做完一切准备工作

만발(滿發) 명하형재 盛开 shèngkāi; 齐放 qífàng ¶꽃이 ~하다 樱花盛开

만:방(萬邦) 명 = 만국

만:-백성(萬百姓) 명 所有百姓 suǒyǒu bǎixìng; 全体人民 quántǐ rénmín; 万民 wànmín

만:병(萬病) 명 百病 bǎibìng; 一切疾病 yīqiè jíbìng ¶비만은 ~의 근원이다 肥胖是一切疾病的根源

만:병-통치(萬病通治) 명하자 百病皆治 bǎibìng jiēzhì; 百病有效 bǎibìng yǒuxiào; 通治百病 tōngzhì bǎibìng

만:병통치-약(萬病通治藥) 명 万应良药 wànyìng liángyào; 万应灵丹 wànyìng língdān; 万应灵药 wànyìng língyào; 灵丹妙药 língdān miàoyào

만:-보계(萬步計) 명 = 만보기

만:-보기(萬步機) 명 计步器 jìbùqì; 测步器 cèbùqì = 만보계

만:-부득이(萬不得已) 부하형 万不得已 wànbùdéyǐ; 实不得已 shíbùdéyǐ; 迫不得已 pòbùdéyǐ ¶이런 방법은 ~한 상황에서 쓰는 것이다 这种方法是在迫不得已的情况下才用

만:사(萬事) 명 万事 wànshì; 诸事 zhūshì; 凡事 fánshì; 一切 yīqiè; 什么事都 shénmeshì dōu ¶~가 뜻대로 되지 않다 万事不如意 / 지금은 ~가 다 귀찮다 现在什么事都不想做 / ~를 제쳐두다 不顾一切

만:사-여의(萬事如意) 명하형 万事如意 wànshìrúyì

만:사-태평(萬事太平·萬事泰平) 명하형 1 万事太平 wànshì tàipíng 2 无忧无虑 wúyōuwúlǜ; 满不在乎 mǎnbùzàihu; 不知发愁 bùzhī fāchóu ¶우리는 모두 그를 위해 걱정하는데 정작 본인은 ~이다 我们都为他担心, 他本人却无忧无虑

만:사-형통(萬事亨通) 명하자 万事亨通 wànshì hēngtōng ¶모두들 ~하시길 바랍니다 祝大家万事亨通

만삭(滿朔) 명하자 (怀孕) 足月 zúyuè; 临产 línchǎn; 临盆 línpén = 만월2 ¶~의 임산부 临产的孕妇 / 그의 부인은 ~이 되었다 他的妻子足月了

만:석-꾼(萬石一) 명 大粮户 dàliánghù; 大地主 dàdìzhǔ

만선(滿船) 명 满船 mǎnchuán; 满舱 mǎncāng; 满载 mǎnzài ¶~하여 돌아오는 고깃배 满载归来的渔船

만성(慢性) 명 1 【醫】慢性 mànxìng ¶~ 장염 慢性肠炎 / ~ 간염 慢性肝炎 / ~ 위염 慢性胃炎 / ~ 피로 慢性疲劳 2 痼习 gùxí; 固习 gùxí; 痼癖 gùpǐ ¶이미 ~이 되어 고치기가 쉽지 않다 已经成了痼癖, 不容易改正

만성-병(慢性病) 명 【醫】慢性病 mànxìngbìng ¶~으로 사망하다 因慢性病而死亡

만성-적(慢性的) 관명 慢性(的) mànxìng(de) ¶~인 폐단 慢性的弊端 / ~ 실업 慢性失业

만성 질환(慢性疾患) 【醫】= 만성병

만:세(萬歲) ① 명 万年 wànnián; 千秋万代 qiānqiūwàndài ② 감 万岁 wànsuì ¶대한 독립 ~! 大韩独立万岁! /

~를 부르는 소리가 전국을 뒤흔들다 万岁的呼声震撼全国

만:세불변(萬世不變) 图[하자] 永世不变 yǒngshì bùbiàn; 亘古不变 gèngǔ bùbiàn ¶

만:수(滿水) 图 水满 shuǐmǎn

만:수-무강(萬壽無疆) 图[하자] 万寿无疆 wànshòuwújiāng ¶~을 기원합니다 祝您万寿无疆

만:신-창이(滿身瘡痍) 图 1 遍体鳞伤 biàntǐ línshāng ¶그는 싸우다가 ~가 되었다 他在搏斗中，浑身受伤 浑身受伤 húnshēn shòushāng 2 百孔千疮 bǎikǒng qiānchuāng; 疮痍满目 chuāngyí mǎnmù ¶~가 된 폐허 위에서 기적을 만들어 내다 在疮痍满目的废墟上创造了奇迹

만:약(萬若) 图 = 만일 ¶~ 무슨 일이 생기면 내가 책임지겠다 万一发生什么事的话，我会负责 / ~ 당신이 못 올 것 같으면 먼저 제게 전화를 주세요 如果你不能来，先给我打电话 / 네가 내 동생이라면 좋았을까 假如你是我妹妹，该多好

만연(蔓延·蔓衍) 图[하자] 蔓延 mànyán ¶전염병이 ~하다 传染病蔓延 / 이런 나쁜 풍조가 지금 세계에 ~해 있다 这种不良风气，正在全球蔓延

만:용(蠻勇) 图 蛮勇 mányǒng ¶~을 부리는 사람 蛮勇之人

만:우-절(萬愚節) 图 愚人节 yúrénjié ¶4월 1일은 ~이다 四月一号是愚人节

만원(滿員) 图 满员 mǎnyuán; 满座 mǎnzuò; 座满 zuòmǎn ¶마침 퇴근 시간이라 버스는 이미 ~이었다 刚好是下班时间，公车已经座满了

만:월(滿月) 图 1 = 보름달 2 = 만삭

만:유-인력(萬有引力) 图[物] 万有引力 wànyǒuyǐnlì

만:인(萬人) 图 万人 wànrén; 万众 wànzhòng; 所有人 suǒyǒurén ¶그는 ~의 존경을 받는다 他受到万人尊敬 / ~이 주목하는 스타 万众关注的明星

만:일(萬一) 图 1 万一 wànyī; 如果 rúguǒ; 假如 jiǎrú; 要是 yàoshi ¶~ 그가 동의하지 않으면 어떻게 하지? 万一他不同意，那怎么办? / 내일 비가 오면 시합은 취소된다 如果明天下雨，比赛就取消 2 万一 wànyī; 意外 yìwài ¶~을 위해 보험에 들다 为意外投保 / ~에 대비해 우산을 가져가라 为了以防万一，还是带去雨伞吧 ‖ = 만약

만:장(滿場) 图[하자] 满场 mǎnchǎng; 全场 quánchǎng ¶개막식에서 ~의 박수를 받았다 在开幕式上受到了全场的鼓掌

만:장-일치(滿場一致) 图 全场一致

quánchǎng yīzhì ¶~로 결의안을 통과시켰다 全场一致通过了决议案

만:전(萬全) 图[하형] 万全 wànquán; 万无一失 wànwúyīshī ¶준비에 ~을 기하다 万无一失地准备

만점(滿點) 图 1 满分 mǎnfēn ¶그는 기말고사에서 ~을 받았다 他在期末考试中得到了满分 2 很好 hěnhǎo; 顶好 dǐnghǎo; 完美 wánměi ¶우리 엄마 음식 솜씨는 ~이다 我妈妈做菜的手艺顶好

만족(滿足) 图[하자][히부] 满足 mǎnzú; 满意 mǎnyì; 足够 zúgòu ¶경기 결과에 모두 ~하다 对比赛结果大家都很满足 / 시험 결과에 아주 ~하다 对考试结果感到非常满意

만족-감(滿足感) 图 满足感 mǎnzúgǎn ¶현재 상태에 대한 ~이 비교적 강하다 对现状的满足感比较强

만족-도(滿足度) 图 满足度 mǎnzúdù; 满意度 mǎnyìdù ¶고객 ~를 조사하다 调查客户满意度 / ~가 아주 높다 满足度很高

만족-스럽다(滿足—) 图 满意 mǎnyì; 满足 mǎnzú ¶성능이 ~ 满足스럽지 못하다 对性能不满意 / 만족스러운 표정을 짓다 露出满足的表情 만족스레 图

만주(滿洲) 图[地] 满洲 Mǎnzhōu

만지다 目 1 触 chù; 碰 pèng; 摸 mō; 抚摸 fǔmō; 触摸 chùmō ¶그의 얼굴을 만져 보다 摸一摸他的脸 / 젖은 손으로 스위치를 ~ 用湿手碰开关 2 弄 nòng; 摆弄 bǎinòng; 鼓捣 gǔdao ¶그는 어려서부터 기계 만지는 것을 좋아했다 他从小就喜欢摆弄机器 3 赚钱 zhuànqián; 挣钱 zhèngqián ¶나는 지금까지 그렇게 큰 돈을 만져본 적이 없다 我从来没有赚过那么多钱

만지작-거리다 目 摸来摸去 mōláimōqù; 摆弄 bǎinòng ¶손으로 그의 머리를 ~ 把手放在他的头上摸来摸去 / 문 앞에 서서 옷자락을 만지작거리고 있다 在门口摆弄着衣角 만지작-만지작 图[하자]

만질만질-하다 图(手感) 软绵绵 ruǎnmiánmián; 柔软 róuruǎn ¶만질만질한 옷감 柔软的布料 / 표면이 ~ 表面很柔软

만:찬(晩餐) 图 晚餐 wǎncān; 晚饭 wǎnfàn ¶~을 들다 聚集在一起吃晚餐

만:-천하(滿天下) 图 普天下 pǔtiānxià; 全世界 quánshìjiè; 天下 tiānxià ¶오늘 여기서 ~에 고하다 今天将于这里大白于天下

만:추(晩秋) 图 = 늦가을

만:춘(晩春) 图 = 늦봄

만:취(漫醉·滿醉) 图[하자] 大醉 dàzuì;

烂醉 lànzuì; 酩酊大醉 mǐngdǐngdàzuì
¶~한 친구를 부축해 집으로 돌아가다 扶着酩酊大醉的朋友回到家 / 술을 ~하도록 마시다 喝酒喝得烂醉

만치 의연죄 = 만큼

만큼 一의명 1 表示程度 ¶할 ~ 다 했다 该做的都做了 / 라면은 매일 싫증 날 ~ 먹었다 天天吃泡面，我都吃腻了 2 表示原因，根据 ¶날씨가 더운 ~ 수분 보충에 주의해야 한다 天热，注意补充水分 三죄 一般 yībān; 像 xiàng; 差不多 chàbuduō 《表示程度、限定》¶그는 키가 나~ 크다 他身高和我一般高 / 집을 대궐~ 크게 짓다 房子建得像宫殿那么大 ‖ = 만치

만:평(漫評) 명허타 漫评 mànpíng ¶~을 쓰다 写漫评

만:하다 보형 1 足 zú; 足以 zúyǐ; 可以 kěyǐ; 可 kě; 正是 zhèngshì ¶그녀는 벌써 결혼할 만한 나이가 되었다 她已经到了可以结婚的年龄 2 值得 zhíde; 可 kě ¶믿을 만한 친구 可靠的朋友 / 이 노래는 한번 들어볼 ~ 这首歌可尝试听一下 / 그곳은 가볼 만한 가치가 없다 那里不值得一去

만:학(晩學) 명허자타 晚学 wǎnxué ¶~의 즐거움에 깊이 빠지다 深深陷进晚学的乐趣中

만행(蠻行) 명 野蛮行为 yěmán xíngwéi; 暴行 bàoxíng ¶잔혹한 ~을 저지르다 实施残酷的暴行

만:혼(晩婚) 명허타 晚婚 wǎnhūn ¶그는 마흔에 결혼했으니 ~인 셈이다 他四十岁才结婚，算晚婚

만:화(漫畵) 명 漫画 mànhuà; 卡通 kǎtōng ¶시사 ~ 时事漫画 / ~가 漫画家 / ~책 漫画书 / 인터넷에 ~를 연재하다 在网上连载漫画 / ~를 그리다 画卡通

만:화-경(萬華鏡) 명 万花筒 wànhuātǒng

만:화-방(漫畵房) 명 = 만홧가게

만:화 영화(漫畵映畵) 연 动画片 dònghuàpiàn; 卡通片 kǎtōngpiàn ¶~를 제작하다 制作动画片

만:홧-가게(漫畵一) 명 漫画租书店 mànhuà zūshùdiàn = 만화방

만회(挽回) 명허타 挽回 wǎnhuí; 补偿 bǔhuí; 扳回 bānhuí ¶우리 팀은 2국전에서 1점을 ~했다 我队在第二局扳回了一分 / 손실을 ~하다 补偿损失

많:다 명 多 duō; 丰富 fēngfù; 大 dà ¶경험이 많은 사람 经验丰富的人 / 길에 사람이 ~ 路上行人很多 / 그녀는 나이가 ~ 她年纪很大

많:~이 무 多 duō; 大 dà; 很 hěn ¶오늘 너무 ~ 먹었다 今天吃得太多了 /

약이 ~ 쓰다 药很苦 / ~ 걸었더니 발이 아프다 走了很多路，脚很痛

많:-아지다 자 增加 zēngjiā; 多 duō ¶신청하는 사람이 갈수록 ~ 申请的人越来越多

맏- 접두 1 长 zhǎng; 大 dà ¶~아들 长子 / ~사위 大女婿 2 头 tóu; 新 xīn ¶~물 新下来的

맏-딸 명 大女儿 dànǚ'ér; 长女 zhǎng-nǚ = 장녀·큰딸

맏-며느리 명 长媳 zhǎngxī; 大儿媳妇 dà'érxífu = 큰며느리

맏-사위 명 大女婿 dànǚxu = 큰사위

맏-손녀(一孫女) 명 长孙女 zhǎngsūn-nǚ = 장손녀·큰손녀

맏-손자(一孫子) 명 长孙 zhǎngsūn = 큰손자

맏-아들 명 长子 zhǎngzǐ; 大儿子 dà'érzi = 장남·장자(長子)·큰아들 ¶재산을 ~이 물려받다 财产由长子继承

맏-이 명 1 老大 lǎodà = 첫째 三2 2 年长 niánzhǎng ¶그녀는 나보다 10년 ~이다 她比我年长十岁

맏-형(一兄) 명 长兄 zhǎngxiōng; 大哥 dàgē = 큰형

말:¹ 명 1 语言 yǔyán; 话 huà; 言辞 yáncí ¶~을 못하는 벙어리 不能说话的哑巴 2 说话 shuōhuà; 话 huà = 소리2 ¶그는 ~이 매우 빠르다 他说话很快 3 故事 gùshi; 话 huà ¶하고 싶은 ~이 많다 想说的话很多 / ~을 건네다 搭讪 / 우선 내 ~을 좀 들어 봐라 先听听我的话 4 传闻 chuánwén ¶나는 너에 관한 ~을 들었다 我听到有关你的传闻 5 表示强调或弄清楚 ¶그가 정말 나보고 그런 일을 하라고 했단 ~이야? 他真的让我做那件事吗? 6 表示'正好'的意思 ¶네가 마침 제때에 왔으니 ~이지 안 그랬으면 널 못 봤을 뻔했다 你来的正好，不然就不能看到你 7 表示叹息 ¶몇 번이나 말했는데 ~을 듣지 않다 说了几次，还是不听 8 就是 jiùshì 《强调在前面提到的事实》¶너 그 사람이랑 아는 사이니? 어제 왔었던 그 사람 ~이야 你认识他吗? 就是昨天来的那个人

말이 씨가 된다 속담 话语成真

말 한마디에 천 냥 빚도 갚는다 속담 能言者无难事

말(을) 놓다 구 (说话)不客套

말(을) 돌리다 구 转话题

말(을) 듣다 구 1 听话 ¶이 아이는 정말 말을 안 듣는다 这个孩子真的不听话 2 听闲话; 受责备; 挨批评 ¶큰 실수를 해서 상사로부터 말을 들었다 因为犯了重大的错误，受了上司的责备 3 听使唤; 好用 ¶발이 말을 듣지 않

는다 脚不听使唤

말(도)[말(을)] 마라 甭提了

말(도) 못하다 不能说; 说不出话来 ¶말 못할 비밀 不能说的秘密 / 감동해서 말을 못하다 感动得说不出话来

말(을) 옮기다 传话 ¶함부로 다른 사람 말을 옮기지 마라 不要随便去传别人的话

말(이) 나다 1 提起; 说起 ¶이왕 말이 난 김에 자세히 말하겠다 既然提起那件事, 我就仔细告诉你 2 走漏; 传开了; 传出了 ¶벌써 말이 났다 已经走漏风声了

말(이) 되다 1 言之有理; 像话 ¶시간도 아직 안 되었는데 경기를 시작한다는 게 말이 됩니까? 时间还没到, 比赛就开始, 这像话吗? 2 有约定; 约好 ¶오늘 오후에 만나기로 말이 되어 있다 约好今天下午见面

말(이) 떨어지다 (指示、许可、评价等的话) 说出; 说下来

말(이) 많다 1 多嘴 ¶말이 많은 아주머니 多嘴的阿姨 2 风闻多; 话柄多 ¶그 사람에 관한 말이 많다 有关那个人的风闻很多

말(이)[말(도)] 아니다 1 不像话 ¶그런 말이 아닌 소리는 더 이상 하지 마라 不要再说那种不像话的话 2 不像样子 ¶그곳은 지금 갈수록 말이 아니다 那个地方现在越来越不像样子了

말이 통하다 说话投机

말² 〔의명〕斗 dǒu ¶찹쌀 세 ~ 糯米三斗

말³ 〔명〕〔動〕马 mǎ ¶~을 타다 骑马 / ~ 한 필 一匹马 ◇말 타면 경마 잡히고 싶다 〔속담〕得陇望蜀; 得寸进尺

말⁴ 〔명〕〔民〕棋子(儿) qízǐ(r)

말(末) 〔명〕末 mò ¶학기 ~ 学期末 / 20세기 ~ 二十世纪末

말갛다 〔형〕1 清澈 qīngchè; 明亮 míngliàng ¶강물이 ~ 河水清澈 / 그녀의 말간 눈동자 她那明亮的眼睛 2 淡 dàn; 清淡 qīngdàn ¶말간 국물 清汤 3 (神志) 清醒 qīngxǐng; 清爽 qīngshuǎng ¶한잠 푹 자고 나더니 머리가 아주 ~ 睡了一好觉, 头脑很清醒了

말개지다 〔자〕变清 biànqīng ¶혼탁한 흙탕물이 ~ 混浊的泥水变清了

말-고삐 〔명〕马缰绳 mǎjiāngshéng ¶~를 꽉 잡다 紧紧马缰绳

말괄량이 〔명〕泼妇 pōfù; 野丫头 yěyātou

말-구유 〔명〕马槽 mǎcáo

말-굽 〔명〕马蹄 mǎtí; 蹄 tí ¶~ 소리 马蹄声 / ~자석 蹄形磁铁 / ~을 갈다 换马蹄

말:-귀 〔명〕1 话意 huàyì; 语义 yǔyì ¶~를 알아듣다 听懂话意 2 语言理解力 yǔyán lǐjiělì ¶그는 ~가 어둡다 他语言理解力很差 / ~가 밝은 사람 语言理解力强的人

말기(末期) 〔명〕1 末期 mòqī; 末叶 mòyè; 末年 mònián ¶19세기 ~ 十九世纪末叶 2 晚期 wǎnqī ¶위암 ~ 胃癌晚期

말:-꼬리 〔명〕= 말끝

말꼬리(를) 물고 늘어지다 抓住话柄刨根问底

말꼬리(를) 잡다 抓住别人话中差儿 = 말끝(을) 잡다

말:-꼬투리 〔명〕话柄 huàbǐng; 话把儿 huàbàr ¶아내에게 ~가 잡히다 被妻子抓住话柄

말끔-하다 〔형〕干净 gānjìng; 洁净 jiéjìng; 晴朗 qínglǎng ¶말끔한 거리 干净的街头 / 말끔한 옷차림 干净的穿着 / 방 안이 아주 ~ 房间里很清净 **말끔-히** 〔부〕

말:-끝 〔명〕话尾 huàwěi; 结束语 jiéshùyǔ; 结语 jiéyǔ = 말꼬리 ¶~을 맺기도 전에 가 버렸다 话还没说完, 大家都离开了

말끝(을) 잡다 = 말꼬리(를) 잡다

말끝(을) 흐리다 〔관〕含糊其辞

말년(末年) 〔명〕1 晚年 wǎnnián; 暮年 mùnián ¶고향에서 ~을 행복하게 보내다 在故乡幸福地过晚年 2 末年 mònián

말다¹ 〔타〕卷 juǎn ¶머리를 ~ 卷头发 / 신문지를 ~ 把报纸卷起来

말다² 〔타〕(饭、冷面等) 泡 pào ¶된장국에 밥을 말아 먹다 大酱汤里泡饭吃

말다³ 〔동〕1 没…完 méi…wán; 不完 bùwán; 停 tíng; 中断 zhōngduàn; 停止 tíngzhǐ ¶작업을 하다가 만 作罢 zuòbà ¶먹다 만 사과 没吃完的苹果 / 말을 하다 만 把话说完 / 잠시 일하다 말고 커피를 마시다 暂时停下工作喝咖啡 2 不要 bùyào; 别 bié ¶그런 일은 하지 마라 不要做那种事 / 내 일은 상관 말고 네 갈 길이나 가라 你走你的路, 别管我 3 不…; 不… bù… ¶갈지 말지 아직 결정하지 않았다 去不去, 还没决定 / 지금 그곳의 상황은 보나 마나 뻔하다 现在那里的情况, 看不看很清楚 〔보통〕1 不要 bùyào; 别 bié ¶그런 말은 하지 마라 不要说那种话 / 그를 믿지 마라 不要相信他 2 终于 zhōngyú; 结果 jiéguǒ; 一定要 yídìngyào ¶그는 끝내 죽고 말았다 他终于死了 / 나는 반드시 내 꿈을 이루고야 말겠다 我一定要实现我的梦想

말:-다툼 〔명〕〔하자〕吵架 chǎojià; 吵嘴 chǎozuǐ; 争吵 zhēngchǎo; 舌战 shézhàn; 口舌 kǒushé; 口角 kǒujué; 抬杠

táigàng = 말싸움 · 설전 · 언쟁 · 입씨름2 ¶나는 오늘 친구와 ~를 했다 我今天跟朋友吵架了

말단(末端) **명** 1 末端 mòduān; 末尾 mòwěi; 末梢 mòshāo; 梢头 shāotóu ¶~에 서다 站在末端 / 이름을 ~에 쓰다 把名字写在末端 2 基层 jīcéng; 下级 xiàjí ¶~ 공무원 基层公务员 / ~기구 基层单位 / ~ 부서 下级部门

말-대꾸 **명**하자 回嘴 huízuǐ; 顶撞 dǐngzhuàng; 顶嘴 dǐngzuǐ; 还嘴 huánzuǐ ¶선생님께 ~하면 못쓴다 不许向老师顶嘴

말:-대답(─對答) **명**하자 顶嘴 dǐngzuǐ; 回嘴 huízuǐ; 还嘴 huánzuǐ ¶어른에게 ~나 하고 정말 버릇이 없구나 跟大人顶嘴, 真没礼貌

말:-더듬-이 **명** 结巴 jiēba

말:-동무 **명**하자 说话的伴儿 shuōhuàde bànr; 陪…说话 péi…shuōhuà ¶나는 가끔 할머니의 ~가 되어 할머니를 기쁘게 해 드린다 我偶尔陪奶奶说话, 让她高兴

말-똥 **명** 马粪 mǎfèn

말똥에 굴러도 이승이 좋다 **속담** 好死不如赖活

말똥-구리 **명**〔虫〕= 쇠똥구리

말똥-말똥[1] **명**하타 目不转睛 mùbùzhuǎnjīng; 滴溜溜 dīliūliū ¶그의 얼굴을 ~ 쳐다보다 目不转睛地看着他的脸

말똥-말똥[2] **명**하자 1 (精神) 清醒 qīngxǐng ¶정신이 ~해서 조금도 잘 생각이 없다 头脑很清醒, 一点都不想睡 2 圆睁睁 yuánzhēngzhēng; 滴溜溜 dīliūliū ¶눈을 ~하게 뜨고 계속해서 묻다 眼睛睁得滴溜溜的, 继续问

말뚝 **명** 桩子 zhuāngzi; 木桩 mùzhuāng; 橛子 juézi ¶소가 ~에 매어 있다 牛被拴在桩子上

말뚝(을) 박다 **구** 固定; 固定工作; 扎根

말:-뜻 **명** 语意 yǔyì; 语中之意 yǔzhōngzhīyì; 意思 yìsi ¶모두들 내 ~을 이해하지 못했다 大家没理解我的意思

말라-깽이 **명** 瘦子 shòuzi; 瘦长条子 shòuchángtiáozi; 瘦条子 shòutiáozi ¶그의 여자 친구는 ~다 他的女朋友是个瘦条子

말라리아(malaria) **명**〔医〕疟疾 nüèji = 학질 ¶~를 치료하다 治疗疟疾

말라-붙다 **자** 干涸 gānhé; 枯涸 kūhé ¶가뭄으로 우물물이 말라붙었다 由于天旱井水干涸了

말라-비틀어지다 **자** 1 干瘦 gānshòu; 枯瘦 kūshòu; 瘦骨棱棱 shòugǔléngléng ¶차갑고 말라비틀어진 손 一双冰凉枯

瘦的手 / 나뭇가지처럼 말라비틀어진 환자 枯瘦如柴的病人 2 无赖 wúlài ¶그런 말라비틀어진 소리 하지 마라 不要说那种无赖的话

말라-빠지다 **자** 1 干瘦 gānbié; 枯瘦 kūshòu; 瘦骨棱棱 shòugǔléngléng 2 无赖 wúlài

말랑-거리다 **자** 松软 sōngruǎn; 软软 ruǎnruǎn; 柔软 róuruǎn = 말랑대다 ¶우리 할머니는 말랑거리는 감을 좋아하신다 我奶奶喜欢软软的柿子 **말랑-말랑** **무**하자 ¶~한 빵 松软的面包

말랑-하다 **형** 1 软 ruǎn; 松软 sōngruǎn; 柔软 róuruǎn ¶토마토가 ~ 西红柿很软 2 软弱 ruǎnruò; 温柔 wēnróu; 温顺 wēnshùn ¶말랑한 사람 软弱的人

말려-들다 **자** 1 被卷入 bèijuǎnrù; 被卷进 bèijuǎnjìn; 陷进 xiànjìn ¶손가락이 기계에 장갑이 ~ 被转动的机器卷进手套 2 卷入 juǎnrù; 被拖进 bèituōjìn; 被扯进 bèichějìn ¶성추문에 ~ 卷入性丑闻 / 송사에 ~ 被扯进官司

말로(末路) **명** 1 晚年 wǎnnián; 暮年 mùnián ¶그의 ~는 비참했다 他的晚年生活是很悲惨的 2 末路 mòlù; 下场 xiàchang; 结局 jiéjú ¶배신자의 ~ 背叛者的下场

말-리다[1] **명** 1 (被)卷入 bèijuǎnrù; (被)卷进 bèijuǎnjìn; (被)卷起 (bèi)juǎnqǐ ¶신문이 ~ 报纸卷起来了 2 卷入 juǎnrù; 被拖进 bèituōjìn; 被扯进 bèichějìn ¶정치적 사건에 ~ 被拖进政治性事件

말리다[2] **타** 劝 quàn; 劝说 quànshuō; 劝阻 quànzǔ; 拦阻 zǔlán ¶친구가 옷을 사지 말라고 말렸다 朋友劝我不要买那件衣服 / 그들의 결혼을 ~ 阻拦他们的结婚

말리다[3] **타** 晒 shài; 晾(干) liàng(gān) ¶옷을 ~ 晒衣服 / 베란다에서 이불을 ~ 在阳台晾被子

말:-문(─門) **명** (说话的) 口 kǒu

말문(을) 막다 堵嘴; 不让开口 ¶그는 그 이야기를 꺼내서 내 말문을 막았다 他提起那件事, 不让我开口

말문(을) 열다 开口; 启齿 ¶어렵게 말문을 열었다 好不容易开了口

말문(이) 막히다 **구** 张口结舌; 哑口无言; 有口难言 ¶그의 한 마디에 상대방은 말문이 막혔다 他的一句话, 让对方哑口无言

말미 **명** 假 jià; 休假 xiūjià ¶어렵사리 사흘간의 ~를 얻어서 부모님을 만나러 갔다 好不容易得到三天假期去看父母

말미(末尾) **명** 末尾 mòwěi; 结尾 jiéwěi ¶자기의 느낌을 ~에 기록하다 将自己的感受记录在末尾处 / ~에 배치하다

다 排在末尾

말미암다 困 因 yīn; 由于 yóuyú; 因为 yīnwei ¶한순간의 실수로 말미암은 사고 一不小心引发的事故 / 그 오해로 말미암아 충돌이 생기다 因为他误解引起了冲突

말미잘 图【動】海葵 hǎikuí

말-발 一發 话的作用 huàde zuòyòng; 口气 kǒuqi ¶그 사람은 ~이 세다 那个人的口气真不小

말발(이) 서다 言必行

말-발굽 图 马蹄 mǎtí ¶갑자기 ~ 소리가 들렸다 突然间听到了马蹄声

말-버릇 困좌 口气 kǒuqi; 口头禅 kǒutóuchán ¶그 젊은이는 ~이 고약하다 那个年轻人口气不好 / ~을 고치다 改口头禅

말-벌 图【蟲】马蜂 mǎfēng; 胡蜂 húfēng

말복 末伏 图 末伏 mòfú

말살 抹殺·抹擦 图좌타 抹杀 mǒshā; 扼杀 èshā; 抹掉 mǒdiào ¶민족 문화의 전통과 특색을 ~하다 抹杀民族文化的传统与特色

말석 末席 图 1 末席 mòxí; 末座 mòzuò ¶일부러 그를 ~에 앉히다 故意安排他坐在末席 2 末位 mòwèi; 低职位 dīzhíwèi

말세 末世 图 末世 mòshì; 末日 mòrì; 末代 mòdài

말소 抹消 图좌타 抹掉 mǒdiào; 抹去 mǒqù; 注销 zhùxiāo; 勾账 gōuzhàng; 勾销 gōuxiāo ¶중요한 기록을 ~하다 抹去重要的记录 / 국적을 ~하다 注销国籍

말:-소리 图 1 说话声 shuōhuàshēng; 话音 huàyīn; 嗓音 sǎngyīn ¶~가 너무 크다 说话声太大 2【語】语音 yǔyīn; 音声 yīnshēng

말:-솜씨 图 口才 kǒucái ¶그는 ~가 아주 좋다 他口才很好

말:-수 一數 图 话头 huàtóu; 言语 yányǔ ¶그는 취기가 오를수록 ~가 적어진다 他酒意越来越浓, 话越来越少

말-술 图 1 一斗酒 yīdǒujiǔ 2 海量 hǎiliàng; 大量的酒 dàliàngde jiǔ ¶그는 완전히 ~ 이야 他的酒量简直是海量

말:-실수 一失手 图 走嘴 zǒuzuǐ; 失言 shīyán; 失口 shīkǒu ¶나는 그 앞에서 하마터면 ~할 뻔했다 我在他的面前, 差点说走了嘴

말:-싸움 图좌타 = 말다툼

말:-썽 图 麻烦 máfan; 纠纷 jiūfēn; 口舌 kǒushé; 祸端 huòduān; 是非 shìfēi ¶그는 늘 ~을 일으킨다 他总是惹是生非

말:썽-꾸러기 图 爱惹事的人 àirěshìde rén; 惹事包 rěshìbāo; 惹事鬼 rěshì-guǐ; 捣乱分子 dǎoluàn fènzi = 말썽쟁이

말:-썽-쟁이 图 = 말썽꾸러기

말:쑥-이 图 整齐地 zhěngqíde; 干净利落地 gānjìnglìluode ¶옷을 ~ 차려입고 선보러 가다 干净利落地穿衣服去相亲

말:쑥-하다 图 干净 gānjìng; 整齐 zhěngqí; 利落 lìluo ¶말쑥한 복장 整齐的服装

말:씀 图 1 话 huà (尊敬的表现) ¶아버지의 ~ 父亲的话 / 선생님 ~을 듣다 听老师的话 2 话 huà (谦虚的表现) ¶드릴 ~이 있습니다 我有话跟您说 --하다 图좌 说话 shuōhuà; 说 shuō; 讲 jiǎng; 讲话 jiǎnghuà (『 '말하다 1'的敬语』) ¶다시 한번 ~해 주세요 请你再说一遍

말:-씨 图 1 口气 kǒuqi; 口吻 kǒuwěn ¶부드러운 ~ 温和的口气 2 话音 huàyīn; 口音 kǒuyīn; 腔调 qiāngdiào; 腔 qiāng ¶지방 ~ 地方口音 / 상하이 ~ 上海腔

말:-씨름 图 = 입씨름1

말아-먹다 图 花光 huāguāng; 挥霍 huīhuò ¶도박으로 전 재산을 ~ 因赌博把所有的财产都挥霍掉

말-안장 一鞍裝 图 马鞍 mǎ'ān; 马鞍子 mǎ'ānzi; 鞍子 ānzi

말-없이 图 不言不语地 bùyánbùyǔde; 一声不响地 yìshēngbùxiǎngde; 不声不响地 bùshēngbùxiǎngde; 默默无言地 mòmòwúyánde ¶ ~ 떠나다 一声不响地离开 / 그녀는 ~ 내 얼굴을 바라보았다 她默默无言地看着我的脸

말엽 末葉 图 末叶 mòyè; 末期 mòqī ¶19세기 ~ 十九世纪末期

말일 末日 图 1 最后一天 zuìhòu yītiān; 末日 mòrì ¶이번 달 ~이 그의 생일이다 这个月的最后一天就是他的生日 2 = 그믐날

말:-장난 图좌 玩弄词藻 wánnòng cízǎo; 玩弄文字游戏 wánnòng wénzì yóuxì

말:-재간 一才干 图 = 말재주

말-재주 图 口才 kǒucái; 辩才 biàncái; 口辩 kǒubiàn = 말재간·화술 ¶~가 있는 사람 有口才的人 / 이 사람은 ~가 좋다 这个人很有辩才

말:-조심 一操心 图좌 说话谨慎 shuōhuà jǐnshèn; 慎言 shènyán ¶해야지 말 한 마디 잘못했다가 큰 곤욕을 치를 수 있다 说话要谨慎, 说错一句话, 影响是很大的

말:-주변 图 口才 kǒucái; 辩才 biàncái; 口辩 kǒubiàn ¶그는 ~이 아주 좋다 他口才很好

말:-줄임표 图【語】= 줄임표

말짱 閉 全部 quánbù; 完全 wánquán; 都 dōu ¶모든 게 ~ 헛수고다 一切都是白费工夫而已

말짱-하다 彫 1 好好的 hǎohǎode; 没毛病 méimáobìng ¶이 세탁기는 아직 말짱해서 새 것을 살 필요가 없다 这台洗衣机也还好好的，不用买新的 2 清醒 qīngxǐng ¶나는 술을 조금 마시긴 했지만 정신은 아주 ~ 我虽然喝了一点酒，但头脑很清醒 3 荒诞 huāngdàn; 荒诞无稽 huāngdànwújī ¶누구도 그런 말짱한 거짓말은 믿지 않는다 谁也不相信那么荒诞的谎言 **말짱-히** 閉

말:-참견(一参见) 图하자 插嘴 chāzuǐ; 抢嘴 qiǎngzuǐ; 插话 chāhuà; 插口 chākǒu ¶그녀는 ~하는 것을 좋아한다 她很爱插话

말초(末梢) 图 1 末梢 mòshāo; 末尾 mòwěi ¶~ 신경 末梢神经 2 树梢 shùshāo

말초-적(末梢-) 冠枝节(的) zhījié(de); 无关紧要(的) wúguānjǐnyào(de) ¶이건 다만 ~인 문제일 뿐이다 这只是枝节问题

말-총 图 马尾毛 mǎwěimáo; 马鬃 mǎzōng; 尾 yǐ

말-투(一套) 图 口气 kǒuqì; 语气 yǔqì; 口吻 kǒuwěn ¶어투 ¶화난 ~로 말하다 用生气的语气说

말-하다 자타 1 说 shuō; 说话 shuōhuà; 讲 jiǎng; 讲话 jiǎnghuà ¶큰 소리로 ~ 大声说 ¶그녀가 아름답다고 말한다 大家都说她很漂亮 2 告诉 gàosu; 告知 gàozhī ¶아무도 나에게 그 소식을 말해 주지 않았다 谁也没告诉我那个消息 3 委托 wěituō; 托付 tuōfù; 托 tuō ¶돈과 관련된 일은 남에게 말하기 어렵다 有关钱的事，不好托付给别人 4 劝 quàn; 劝说 quànshuō; 说 shuō ¶모두들 그를 만나지 말라고 말했다 大家都劝说不要见他 5 说明 shuōmíng; 意味着 yìwèizhe; 表明 biǎomíng; 指 zhǐ ¶그의 이런 행동은 무엇을 말하는 것입니까? 他这种行动意味着什么? 6 就是说 jiùshì shuō; 换言之 huànyánzhī ¶말하자면 세상에 공짜는 없다 换言之，世上没有白吃的午餐 7 提起 tíqǐ; 谈起 tánqǐ ¶머리 좋기로 말하면 그를 따를 자가 없다 提起聪明的人，没有比他更聪明的人

말할 것도 없다 冠 不用说; 当然 ¶이번 시합의 우승자는 말할 것도 없이 우리들이다 这次比赛的冠军当然是我们

말할 수 없다 冠 非常; 无比 ¶오늘 너를 만나서 이루 말할 수 없이 기쁘다 今天见到你非常高兴

맑다 彫 1 清 qīng; 清爽 qīngshuǎng;

明净 míngjìng; 明澈 míngchè; 清新 qīngxīn; 清净 qīngjìng; 清朗 qīnglǎng; 新鲜 xīnxiān ¶맑은 눈동자 清朗的眼眸 / 냇물이 아주 ~ 溪水很清 / 맑은 공기를 마시다 呼吸新鲜空气 2 晴 qíng; 晴朗 qínglǎng ¶맑은 하늘 晴朗的天空 / 오늘 날씨가 참 ~ 今天天气好晴朗 3 清澈 qīngchè; 美丽 měilì ¶맑고 투명한 마음 清澈透明的心 4 清脆 qīngcuì; 清朗 qīnglǎng; 清亮 qīngliàng ¶수정처럼 맑은 목소리 像水晶那样清脆的声音 5 清醒 qīngxǐng; 清朗 qīnglǎng ¶아침에 머리가 특히 ~ 早上头脑特别清醒

맘: 图 '마음'의 준말

맘:-고생(一苦生) 图 '마음고생'의 준말 ¶선생님은 늘 학생들 때문에 ~을 하신다 老师总是为学生操心

맘:-껏 图 '마음껏'의 준말 ¶오늘은 내가 사는 것이니 모두들 ~ 먹어라 今天我请客，大家都尽量吃吧

맘:-대로 图 '마음대로'의 준말 ¶이곳의 물건은 ~ 써도 된다 这里的东西都可以随便用

맘마 图 奶 nǎi; 吃的 chīde ¶아가야, ~ 먹자! 孩子，吃奶吧!

맘:-먹다 자타 '마음먹다'의 준말

맘:-보 图 '마음보'의 준말

맘보(에mambo) 图【音】曼博舞 mànbówǔ; 曼博舞曲 mànbówǔqǔ

맘:-속 图 '마음속'의 준말

맘:-씨 图 '마음씨'의 준말

맙:-소사 图 我的天 wǒde tiān; 天啊 tiān'a ¶~, 지갑이 없어졌다 天啊，我的钱包不见了

맛 图 1 味道 wèidao; 滋味 zīwèi; 儿 wèir ¶이 국수는 ~이 아주 좋다 这一碗面条味道很好 / 매운~이 강하다 辣味儿太强 2 趣味 qùwèi; 乐趣 lèqù ¶최근 들어 독신 생활의 ~을 알게 되었다 最近才懂得了单身生活的乐趣 3 风味 fēngwèi; 气息 qìxí; 气氛 qìfēn; 意思 yìsi ¶우리끼리만 가면 무슨 ~이냐? 只有我们几个人去，有什么意思?

맛(을) 들이다 冠 感兴趣 ¶테니스에 ~ 对网球感兴趣了

맛(이) 가다 冠 (精神、性格) 变坏 ¶연달아 며칠 야근을 했더니 그의 얼굴이 맛이 갔다 连续几天加班，他的脸色都变坏了

맛-깔 图 味 wèi; 味道 wèidao

맛깔-스럽다 彫 好吃 hǎochī; 可口 shìkǒu; 可口 kěkǒu ¶맛깔스러운 음식 好吃的菜 / 그녀가 담근 김치는 아주 ~ 她做的泡菜很好吃 **맛깔스레** 閉

맛-나다 彫 可口 kěkǒu; 好吃 hǎochī; 味道好 wèidao hǎo; 津津有味(儿) jīn-

jīn yǒuwèi(r) ¶나는 오늘 맛난 것이 먹고 싶다 我今天想吃好吃的

맛-보다 团 1 尝 cháng；品味 pǐnwèi；品尝 pǐncháng ¶포도주를 ~ 品尝葡萄酒 2 尝 cháng；体验 tǐyàn；体会 tǐhuì ¶행복을 ~ 尝到幸福／고난을 ~ 体会艰辛

맛-소금 몡 加味盐 jiāwèiyán；味精盐 wèijīngyán

맛-술 몡 料酒 liàojiǔ

맛-없다 톙 1 不好吃 bùhǎochī；难吃 nánchī；无味道 wúwèidao ¶그녀가 만든 요리는 정말 ~ 她做的菜真难吃 2 没兴趣 méixìngqù；没意思 méiyìsi ¶나혼자 가면 ~ 只有我一个人去, 真没意思 **맛없-이** 閈

맛-있다 톙 好吃 hǎochī；可口 kěkǒu；味道好 wèidaohǎo；有味道 yǒuwèidao ¶엄마가 해 주신 음식은 모두 ~ 妈妈做的菜都很好吃

망(望) 몡 放哨 fàngshào；守望 shǒuwàng；望风 wàngfēng ¶돌아가며 ~을 보다 轮流放哨

망(網) 몡 网 wǎng ¶닭장 안 양쪽에 ~을 치다 鸡舍内两侧设网

-망(網) 어미 网 wǎng ¶교통~ 交通网／통신~ 通信网

망가-뜨리다 团 弄坏 nònghuài；打坏 dǎhuài；打碎 dǎsuì ¶아이가 컴퓨터를 망가뜨렸다 孩子把电脑弄坏了

망가-지다 团 坏 huài；破 pò；碎 suì；出故障 chū gùzhàng ¶탁자가 망가졌다 桌子坏了／새로 산 휴대폰이 망가졌다 新买的手机坏了

망각(忘却) 몡하타 忘却 wàngquè；忘记 wàngjì ¶자신의 본분을 ~해서는 안 된다 不能忘记自己的本分

망간(독Mangan) 몡【化】锰 měng

망건(網巾) 몡 网巾 wǎngjīn；发巾 fàjīn；巾帻 jīnzé；帻头 qiàotóu

망건 쓰자 파장 속담 磨蹭误事

망고(mango) 몡【植】杧果 mángguǒ；芒果 mángguǒ

망국(亡國) 몡하지 1 亡国 wángguó ¶~민 亡国之民 2 国家沦亡 guójiā lúnwáng

망극-하다(罔極一) 톙 罔极 wǎngjí

망나니 몡 1【史】刽子手 guìzishǒu 2 二流子 èrliúzi；混蛋 húndàn；浑蛋 húndàn

망년-회(忘年會) 몡 辞年会 cínánhuì；岁末宴会 suìmò yànhuì；岁末聚会 suìmò jùhuì；除夕晚会 chúxī wǎnhuì

망-대(望臺) 몡 了望台 liàowàngtái；望楼 wànglóu

망-동(妄动) 몡하지 妄动 wàngdòng；妄举 wàngjǔ ¶섣불리 ~하지 마라 不要轻易妄动

망-둑어 몡【魚】望瞳鱼 wàngtóngyú；

望月童鱼 wàngyuètóngyú；蛇鱼 shéyú ＝ 망둥이

망둥-이 몡【魚】＝ 망둥어

망둥이가 뛰면 꼴뚜기도 뛴다 속담 盲目追随

망라(網羅) 몡하타 网罗 wǎngluó；收罗 shōuluó；包罗 bāoluó；包括 bāokuò；收集 shōují ¶정치계를 ~한 모임 政治界包括在内的集会

망:령(亡靈) 몡 亡魂 wánghún；亡灵 wánglíng ¶제국주의의 ~ 帝国主义的亡灵

망:령(妄靈) 몡 老糊涂 lǎohútu ¶그는 ~이 들었다 他老糊涂了

망:령-되다(妄靈一) 톙【老得】糊涂 hútu；糊里糊涂 húlihútú ¶망:령되-이 閈 ¶~행동하다 糊里糊涂地行动

망:루(望樓) 몡 了望台 liàowàngtái；岗楼 gǎnglóu；楼台 lóutái ¶병사들이 ~에 서 있다 兵士站在岗楼里

망막(網膜) 몡【生】视网膜 shìwǎngmó；网膜 wǎngmó

망망-대해(茫茫大海) 몡 茫茫大海 mángmángdàhǎi ¶~에서 길을 잃어버리다 在茫茫大海上迷失航向／~를 떠다니다 在茫茫大海上飘荡

망망-하다(茫茫一) 톙 1 茫茫 mángmáng ¶망망한 평야 茫茫的平野 2 渺茫 miǎománg ¶망망한 미래 渺茫的未来 **망망-히** 閈

망명(亡命) 몡하지 亡命 wángmìng；流亡 liúwáng；逃亡 táowáng ¶~자 亡命者／~지 流亡地

망:발(妄發) 몡하재 1 言行有失 yánxíngyǒushī ¶어른들 앞에서 ~할까 두렵다 在人前出言, 怕自己言行有失 2 胡说 húshuō；胡说八道 húshuōbādào；胡言乱语 húyánluànyǔ ¶너 지금 무슨 ~을 하는 것이냐? 你在胡说什么?

망-보다(望一) 몡 放哨 fàngshào；望风 wàngfēng ¶다른 사람이 도둑질할 때 밖에서 ~ 别人盗窃时, 为他在外面放哨

망-부석(望夫石) 몡 望夫石 wàngfūshí

망사(網紗) 몡 罗纱 luóshā；丝网 sīwǎng ¶검정 ~ 스타킹 黑色网袜／~ 팬티 丝网内裤

망:상(妄想) 몡하타 1 妄想 wàngxiǎng；妄念 wàngniàn ¶~을 버리다 放弃妄想 2【心】妄想 wàngxiǎng ¶피해~ 被害妄想／~증 妄想症

망설-이다 몡 犹豫 yóuyù；踌躇 chóuchú ¶종일 망설이다가 드디어 그에게 전화하기로 결정했다 犹豫了半天, 终于决定打电话给他

망설임 몡 踌躇 chóuchú；犹豫 yóuyù ¶아무런 ~ 없이 옥상에서 뛰어내리

다 没有丝毫的犹豫，从楼顶跳下来

망신(亡身) 【명】【하자】丢脸 diūliǎn; 丢人 diūrén; 丢丑 diūchǒu; 丢面子 diū miànzi ¶아들 앞에서 ~을 주다 故意让他丢脸 / 그는 아들 앞에서 ~을 당했다 他在儿子面前丢了面子

망신-살(亡身煞) 【명】倒霉 dǎoméi; 倒霉运 dǎoméiyùn

망신살(이) 뻗치다 〖구〗一再丢人现眼; 没脸见人

망신-스럽다(亡身一) 【형】丢人 diūrén; 丢脸 diūliǎn; 丢丑 diūchǒu; 丢面子 diū miànzi ¶대학생이 고등학생에게 맞다니 정말 ~ 大学生被高中生打，真丢脸 **망신스레** 〖부〗

망아지 【명】小马 xiǎomǎ; 马驹子 mǎjūzi

망언(妄言) 【명】【하자】妄言 wàngyán; 胡说 húshuō ¶~을 일삼다 常常满嘴胡说

망연-자실(茫然自失) 【명】【하자】茫然自失 mángránzìshī; 茫然若失 mángránruòshī ¶친구가 갑자기 죽었다는 소식을 듣고 나는 ~할 수밖에 없었다 听到朋友突然死亡的消息，我只是茫然自失

망연-하다(茫然一) 【형】**1** 茫茫 mángmáng ¶길이 ~ 路茫茫 **2** 茫然 mángrán; 惘然 wǎngrán **망연-히** 〖부〗¶문 앞에 ~ 서서 어찌할 바를 모르다 茫然地站在门口，不知所措

망울 【명】**1** 小疙瘩 xiǎogēda ¶~이 지다 结了小疙瘩 **2** = 꽃망울

망: 원-경(望遠鏡) 【명】望远镜 wàngyuǎnjīng ¶~으로 먼 곳을 보다 用望远镜看远方

망: 원 렌즈(望遠lens) 〖演〗望远透镜 wàngyuǎn tòujìng; 长焦镜头 chángjiāo jìngtóu

망자(亡者) 【명】亡者 wángzhě; 死者 sǐzhě ¶~의 영혼 亡者的灵魂

망정(의명) 幸亏 xìngkuī; 幸好 xìnghǎo 《用于 '-니'、'-기에' 之后》¶일찍 출발했기에 ~지 안 그랬으면 늦을 뻔했다 幸好早点出发，要不然就迟到了

망종(亡種) 【명】亡种 wángzhǒng; 杂种 zázhǒng; 坏种 huàizhǒng

망중(忙中) 【명】忙中 mángzhōng; 百忙中 bǎimángzhōng ¶~한 忙中中/~에 잠시 시간을 내어 여행을 가다 百忙之中抽点时间去旅游

망측-하다(罔測一) 【형】怪异 guàiyì; 古怪 gǔguài; 丢人 diūrén; 难堪 nánkān ¶~한 행동 古怪的举动 **망측-히** 〖부〗

망치 【명】铁锤 tiěchuí; 锤子 chuízi ¶~로 벽에 못을 박다 用锤子向墙里钉钉子

망치다 【타】搞糟 gǎozāo; 糟 zāo; 葬送

zàngsòng; 弄坏 nònghuài; 断送 duànsòng; 搞坏 gǎohuài; 破坏 pòhuài; 毁坏 huǐhuài ¶아주 쉬운 일을 완전히 망쳐 버리다 一件十分容易的事办得糟透了 / 앞길을 ~ 断送前程 / 가뭄으로 농작물을 ~ 旱灾毁坏了农作物

망치-질 【명】【자타】抡锤 lūnchuí; 抡铁锤 lūntiěchuí

망태기(網一) 【명】大网兜 dàwǎngdōu

망토(프manteau) 【명】斗篷 dǒupeng; 披肩 pījiān

망-하다(亡一) 【자】**1** 灭亡 mièwáng; 完蛋 wándàn; 倒闭 dǎobì; 破产 pòchǎn; 垮台 kuǎtái ¶집안이 ~ 全家破产 / 나라가 망할 위기에 처하다 国家面临灭亡 / 그 회사는 결국 망했다 那家公司终于倒闭了 **2** 臭 chòu; 该死的 gāisìde; 坏 huài ¶망할 계집 臭丫头 / 망할 자식 该死的家伙

맞- 〖접두〗相 xiāng; 对 duì; 面对面 miànduìmiàn ¶~고소 对诉 / ~담배 面对面抽烟 / ~닿다 相接触

맞-고소(一告訴) 【명】【하자타】〖法〗对诉 duìsù; 反诉 fǎnsù; 互诉 hùsù ¶피고가 ~를 하다 被告提出反诉

맞-교환(一交換) 【명】【하타】互相交换 hùxiāng jiāohuàn; 相互交换 xiānghù jiāohuàn; 互换 hùhuàn; 对换 duìhuàn ¶신랑과 신부가 결혼반지를 ~하다 新郎新娘互相交换结婚戒指

맞다[¹] 【자】**1** 正确 zhèngquè; 对 duì; 准准 zhǔn ¶그의 말이 ~ 他说得对 / 계산이 ~ 计算得对 / 이 시계는 맞지 않는다 这块表不准 **2** 合适 héshì; 适合 shìhé; 相称 xiāngchèn; 合 hé ¶온도가 딱 ~ 温度正合适 / 이 음식은 내 입맛에 딱 맞는다 这道菜正合我的口味 **3** 合 hé; 协调 xiétiáo ¶이 구두는 내 발에 딱 맞는다 这双鞋正合我的脚 **4** 一致 yízhì ¶나는 그와 생각이 ~ 我跟他想法一致 / 앞뒤가 ~ 前后一致 **5** 情投意合 qíngtóuyìhé; 合得来 hédelái ¶우리 둘은 마음이 잘 맞는다 我们俩很合得来

맞다[²] 【타】**1** 迎接 yíngjiē; 接 jiē ¶손님을 ~ 迎接客人 **2** 迎 yíng ¶봄을 ~ 迎来春天 / 황금시대를 ~ 迎来一个黄金时代 **3** 娶 qǔ; 招 zhāo ¶며느리를 ~ 娶儿媳妇 **4** 淋 lín; 着 zháo ¶비를 ~ 淋雨 / 바람을 ~ 着风 / 득을 得 dé ¶만점을 ~ 得满分 / 퇴짜를 遭 zāo ¶뜻밖에 퇴짜를 ~ 居然遭到拒绝

맞다[³] 【타】**1** 挨 ái; 挨打 āidǎ; 被타 bèidǎ ¶따귀를 한 대 맞았다 挨了一个耳光 **2** 打 dǎ ¶아이들은 주사 맞는 것을 무서워한다 小孩很怕打针 **3** 打中 dǎzhòng; 正中 zhèngzhòng ¶그가 쏜

화살이 과녁에 정확히 맞았다 他射的箭正中了靶

맞-닥뜨리다 찌퇴 相遇 xiāngyù; 相碰 xiāngpèng; 遭遇 zāoyù; 碰上 pèngshang ¶길에서 강도와 ~ 路上遭遇强盗 / 어려움에 ~ 碰上困难

맞-담배 몡 面对面抽烟 miànduìmiàn chōuyān ¶친구와 ~를 피다 跟朋友面对面抽烟

맞-닿다 찌 相连 xiānglián; 相接 xiāngjiē ¶바다와 하늘이 맞닿은 곳 海天相接的地方 / 마음과 마음이 ~ 心与心相连

맞-대결(─對決) 몡하찌 相比 xiāngbǐ; 比一比 bǐyībǐ ¶나는 그녀와 누가 더 높이 뛰는지 ~ 을 벌였다 我和她比一比谁跳得高

맞-대다 타 1 相接 xiāngjiē; 相触 xiāngchù; 紧挨着 jǐn'āizhe ¶두 손을 ~ 相触双手 / 무릎을 ~ 膝盖相触 2 面对面 miànduìmiàn ¶얼굴을 맞대고 앉아 밥을 먹다 面对面坐着吃饭 3 (放在一起) 对照 duìzhào; 相比 xiāngbǐ ¶누가 더 큰지 그와 맞대어 보다 谁更高, 和他相比

맞-대면(─對面) 몡하찌타 会见 huìjiàn; 会面 huìmiàn; 面对面 miànduìmiàn ¶피고와 ~하다 与被告会面

맞-대하다(─對─) 타 面对面 miànduìmiàn; 当面 dāngmiàn; 会面 huìmiàn ¶얼굴을 맞대고 이야기하다 当面说话

맞-들다 타 两人抬 liǎngrén tái ¶두 사람이 밥상을 ~ 两人抬饭桌 / 두 사람이 냉장고를 ~ 两人抬冰箱

맞-먹다 찌 相似 xiāngsì; 相近 xiāngjìn; 相当 xiāngdāng; 近似 jìnsì; 差不多 chàbuduō ¶주식으로 내 연봉과 맞먹는 돈을 벌었다 炒股票赚到了相当于我的年薪的钱 / 두 팀의 실력이 서로 맞먹는다 两队实力相近

맞물-리다 찌 (被)衔接 xiánjiē ¶두 톱니바퀴가 서로 ~ 两个齿轮相衔接

맞-바꾸다 타 对换 duìhuàn; 以物换物 yǐwùhuànwù; 拿…换 ná…huàn ¶연필을 볼펜으로 ~ 拿铅笔换钢笔

맞-바람 몡 对面风 duìmiànfēng ¶~이 불어오다 迎面风吹来

맞-받다 타 1 迎着 yíngzhe; 迎面 yíngmiàn ¶바람을 맞받으며 앞으로 가다 迎着风往前走 2 相撞 xiāngzhuàng ¶오토바이와 택시가 정면으로 ~ 摩托车和出租汽车正面相撞 3 对答 duìdá; 对唱 duìchàng ¶여자 친구와 노래를 맞받아 부르다 跟女友对唱 4 顶撞 dǐngzhuàng; 对打 duìdǎ; 迎战 yíngzhàn ¶얻어맞아도 감히 맞받지 못하다 挨打不敢对打

맞받아-치다 타 还手 huánshǒu; 打过去 dǎguòqù ¶그가 왼손을 휘두르려 할 때 얼른 맞받아쳤다 当他准备挥动左手的时候, 赶快打过去

맞-벌이 몡하찌 双职工 shuāngzhígōng; 夫妇都工作 fūfù dōu gōngzuò ¶~ 가정 双职工家庭 / ~와 외벌이 双职工和单职工

맞-부딪치다 찌타 相撞 xiāngzhuàng; 遭遇 zāoyù; 相碰 xiāngpèng ¶두 차가 맞부딪혀 세 명이 다치다 两车相撞三个人受伤

맞-불 몡 1 迎着火区放火 yíngzhe huǒqū fànghuǒ; 对面放火 duìmiàn fànghuǒ ¶불이 계속 확산되는 것을 막기 위해 ~을 놓았다 为了防止火势继续扩散, 在火区对面放了火 2 (抽烟时) 对火 duìhuǒ

맞불(을) 놓다 관 互相开火; 对射

맞-붙다 찌 1 相接 xiāngjiē; 相连 xiānglián; 相邻 jiélín ¶하늘과 땅이 맞붙은 지평선 天与地相接的地平线 2 较量 jiàoliàng; 交手 jiāoshǒu; 扭打 niǔdǎ ¶4강전에서 브라질과 프랑스가 ~ 在四强赛, 巴西和法国交手 3 一起 yìqǐ ¶두 사람은 늘 붙어 다닌다 他们两个人总是在一起

맞붙-이다 타 把…相接 bǎ…xiāngjiē; 把…相连 bǎ…xiānglián ¶색종이 두 장을 ~ 把两张彩纸相接

맞-상대(─相對) 몡하찌타 相对 xiāngduì; 面对 miànduì; 对手 duìshǒu; 作对 zuòduì ¶누가 감히 우리와 ~하겠느냐 谁敢来和我们作对

맞-서다 찌 1 面对面站着 miànduìmiàn zhànzhe ¶나는 서서 그녀의 눈을 바라보다 面对面站着看她的眼睛 2 对立 duìlì; 相对 xiāngduì; 对抗 duìkàng; 对峙 duìzhì ¶나는 그와 맞서고 싶지 않다 我不想和他对立

맞-선 몡 相亲 xiāngqīn; 相看 xiāngkàn ¶이번 주 토요일에 그는 ~을 보러 간다 这个星期六他要去相亲

맞-수(─手) 몡 对手 duìshǒu; 敌手 díshǒu ¶너는 내 ~가 아니다 你不是我的对手

맞아-들이다 타 1 接 jiē; 迎 yíng; 迎接 yíngjiē ¶손님을 집안으로 ~ 把客人接到屋里去 2 娶 qǔ; 招 zhāo ¶친구의 딸을 며느리로 ~ 将朋友的女儿娶为儿媳妇

맞아-떨어지다 타 对上 duìshàng; 吻合 wěnhé; 完全相同 wánquán xiāngtóng; 不差累黍 bùchālěishǔ ¶일의 발전 상황이 예상과 꼭 ~ 事情的发展情况和预想的完全相同

맞은-편(─便) 몡 对儿 duìguòr; 对面 duìmiàn; 对方 duìfāng ¶내 ~에 앉

아 있는 사람이 바로 내 동생이다 坐在我对面的人就是我弟弟 / 나는 학교 바로 ~에 산다 我住在学校正对面

-맞이 〔접미〕迎 yíng; 接 jiē ¶봄~ 대청소 迎春大扫除 / 그는 손님~에 한창 바쁘다 他正着接客

맞이-하다 〔타〕1 迎接 yíngjiē; 迎候 yínghòu; 迎 yíng; 接 jiē ¶손님을 ~ 迎接客人 / 새해를 ~ 迎接新年 2 娶 qǔ; 招 zhāo ¶옆집 아가씨를 며느리로 ~ 将邻居的姑娘娶为儿媳妇

맞-잡다 〔자〕1 拉 lā; 握 wò; 携 xié ¶그 두 사람은 손을 맞잡고 앉아 다정하게 이야기를 나눴다 他俩拉着手坐下来亲密地交谈 2 提携 tíxié; 协力 xiélì; 合作 hézuò; 合力 hélì ¶온 팀원이 손을 맞잡고 강적에 맞서다 全队合力对付强敌

맞-장구 〔명〕迎合 yínghé; 帮腔 bāngqiāng; 附和 fùhè

맞장구-치다 〔자〕随声附和 suíshēng fùhè; 帮腔 bāngqiāng ¶그의 견의에 맞장구치며 찬성하다 对他的建议随声附和表示同意

맞-절 〔명〕〔하자〕对拜 duìbài; 互相行礼 hùxiāng xínglǐ; 相对行礼 xiāngduì xínglǐ

맞추다 〔타〕1 配合 pèihé; 合着 hézhe ¶음악에 맞추어 춤을 추다 合着音乐跳舞 / 박자를 맞추어 노래 부르다 合着节拍唱歌 2 接 jiē; 相接 xiāngjiē ¶길에서 입을 ~ 在街上接吻 3 装配 zhuāngpèi; 安装 ānzhuāng ¶컴퓨터 부품을 ~ 装配电脑的零件 4 调配 tiáopèi; 调 tiáo ¶요리할 때는 간을 맞추는 것이 가장 중요하다 烹饪的时候, 调咸淡最重要 5 投合 tóuhé ¶상사의 비위를 ~ 投合上司的心意 6 对 duì; 配 pèi ¶자기 전에 시계를 ~ 睡觉之前, 对表 7 定做 dìngzuò ¶한복을 ~ 定做韩服 / 생일 케이크를 ~ 定做生日蛋糕 8 校对 jiàoduì ¶정답을 맞추어 보다 校对答案

맞춤 〔명〕〔하타〕1 装配 zhuāngpèi; 安装 ānzhuāng 2 定做 dìngzuò ¶~ 양복 定做的西装 / ~ 구두 定做的皮鞋 / ~ 옷 定做的衣服

맞춤-법〔-法〕〔명〕〔语〕缀字法 zhuìzìfǎ; 正字法 zhèngzìfǎ

맞-히다[1] 〔타〕猜中 cāizhòng; 猜出 cāichū; 打中 dǎzhòng; 说中 shuōzhòng (《맞다[1]'의 사동사》) ¶그는 뜻밖에도 답을 맞혔다 他居然猜出答案了 / 아주 쉽게 수수께끼를 ~ 很容易地猜中谜语

맞-히다[2] 〔타〕1 使⋯淋 shǐ⋯lín; 让⋯淋 ràng⋯lín (《맞다[4]'의 사동사》) ¶일부러 그에게 비를 ~ 故意让他淋着雨

2 让⋯遭 ràng⋯zāo (《맞다[6]'의 사동사》) 3 给⋯打 gěi⋯dǎ (《맞다[3]2'의 사동사》) ¶갓난아이에게 주사를 ~ 给婴儿打针 4 打中 dǎzhòng; 射中 shèzhòng ¶그가 쏜 화살이 과녁을 ~ 他射的箭打中了靶

맡-기다 〔타〕1 委托 wěituō; 托付 tuōfù; 交给 jiāogěi; 托 tuō (《맡다[1]'의 사동사》) ¶아이를 할머니에게 ~ 把孩子委托给奶奶 / 일을 다른 사람에게 ~ 把事托别人 2 存放 cúnfàng; 寄存 jìcún; 存 cún (《맡다[3]'의 사동사》) ¶여행 중에 짐을 ~ 旅行中存放行李 3 任凭 rènpíng ¶오든지 말든지 그의 뜻에 ~ 来还是不来, 任凭他自己

맡다[1] 〔타〕1 担负 dānfù; 担当 dāndāng; 担任 dānrèn; 承担 chéngdān; 负责 fùzé; 接受 jiēshòu; 受托 shòutuō; 负责 ¶중요한 임무를 ~ 担负重要的任务 / 변호사가 사건을 ~ 律师接受案件 2 得到 dédào; 取得 qǔdé ¶부모님의 허락을 ~ 得到父母的许可 3 保存 bǎocún; 保管 bǎoguǎn ¶내가 너 대신 맡아 주마 你的行李我替你保存 4 占 zhàn ¶도서관에 가서 자리를 ~ 去图书馆占位子

맡다[2] 〔타〕1 闻 wén; 嗅 xiù ¶향기를 ~ 闻到香味儿 2 觉察 juéchá ¶그들이 벌써 냄새를 맡은 게 아닐까? 是不是他们已经有所察觉?

매[1] 〔명〕打 dǎ; 鞭 biān; 棍 gùn; 棒 bàng ¶부모님께 ~를 맞다 被父母挨打

매도 먼저 맞는 놈이 낫다 〔속담〕既然要挨打, 晚挨不如早挨好

매 위에 장사 있나 〔속담〕棍杖底下好汉

매[2] 〔명〕〔鸟〕鹰 yīng; 苍鹰 cāngyīng = 송골매

매[3] 〔부〕咩咩 miēmiē (羊叫声)

매(枚) 〔의양〕枚 méi; 张 zhāng ¶편지지 10~ 十张信笺

매:(每) 〔관〕每 měi; 每个 měigè; 每次 měicì ¶~ 경기마다 중계방송을 하다 每次比赛都有转播 / 교실마다 세계지도가 걸려 있다 每个教室里都挂着世界地图

매:(賣) 〔명〕〔하타〕卖掉 màidiào; 出售 chūshòu; 销售 xiāoshòu ¶주식의 ~ 가격 股份的出售价格 / 은행을 ~ 하다 把银行卖掉

매개(媒介) 〔명〕〔하타〕媒介 méijiè; 桥梁 qiáoliáng; 中介 zhōngjiè ¶~ 역할을 하다 发挥媒介作用

매개-물(媒介物) 〔명〕媒介物 méijièwù; 介质 jièzhì; 媒体 méitǐ

매개-체(媒介体) 〔명〕媒介体 méijiètǐ; 媒体 méitǐ

매-관-매직(賣官賣職) 〔명〕〔자〕卖官卖

职 màiguānzhízhí; 卖官鬻爵 màiguān-
yùjué

매:국(賣國) 圆[하자] 卖国 màiguó ¶～
행위 卖国行为 / ～느 卖国贼

매기다 国 定 dìng; 打 dǎ ¶품질에 따
라 가격을 ～ 按质定价 / 선생님이
점수를 ～ 老师打分数

매끄럽다 圈 1 滑 huá; 光滑 guāng-
hua; 平滑 pínghuá ¶바닥이 ～ 地板很
滑 / 이 화장품을 쓰고 난 뒤 피부가
매끄러워졌다 把这个化妆品用后皮肤
很光滑 2 流利 liúlì; 通顺 tōngshùn ¶
그는 글을 매끄럽게 잘 쓴다 他把文章
写得很通顺

매끈-거리다 재 光滑 guānghua; 滑溜
溜 huáliūliū = 매끈대다 ¶매끈거리는
바닥 滑溜溜的地板 / 피부가 ～ 皮肤
很光滑 **매끈-매끈**

매끈-하다 圈 1 光滑 guānghua ¶매
끈한 피부 光滑的皮肤 / 표면이 ～ 表
面光滑 2 干净 gānjìng; 利落 lìluo ¶사
무실을 매끈하게 치우다 把办公室收
拾得很干净 3 清秀 qīngxiù ¶그는 매
끈하게 잘생겼다 他长得很清秀 **매끈-
히** 문

매끌-매끌 문[하] 滑滑 huáhuá; 滑溜
溜 huáliūliū ¶피부를 ～하게 관리하다
护理皮肤, 保持滑滑的

매-끼(每一) 圆 每顿 měidùn; 每餐
měicān; 每顿饭 měidùnfàn ¶그녀는
밥을 반 공기씩 먹는다 她每餐只吃半
碗饭

매너(manner) 圆 1 态度 tàidù; 举止
jǔzhǐ; 样子 yàngzi ¶저 선수는 경기
가 안 좋다 那个球员的竞赛态度不好
2 礼节 lǐjié; 礼貌 lǐmào ¶～가 없는
사람 没礼貌的人

매너리즘(mannerism) 圆 匠气 jiàng-
qì; 风格主义 fēnggé zhǔyì; 墨守成规
mòshǒu chéngguī

매-년(每年) 圆문 = 매해

매뉴얼(manual) 圆 说明书 shuōmíng-
shū; 便览 biànlǎn; 简介 jiǎnjiè; 手册
shǒucè

매니저(manager) 圆 1 经营者 jīng-
yíngzhě; 经理 jīnglǐ; 管理人员 guǎnlǐ
rényuán; 管账的 guǎnzhàngde ¶호텔
～ 饭店的经理 / 식당 ～ 餐厅的经理
2 (演员, 运动员 등人的) 经纪人 jīng-
jìrén ¶그는 유명 연예인의 ～이다 他
是明星的经纪人

매니큐어(manicure) 圆 指甲油 zhǐ-
jiǎyóu ¶빨간색 ～를 바르다 涂红色的
指甲油

매:다¹ 国 1 系 jì ¶신발 끈을 꽉 ～
紧鞋带 / 안전띠를 ～ 系安全带 / 넥타
이를 ～ 系领带 2 拴 shuān ¶소를 기
둥에 ～ 把牛拴在柱子上 3 热衷 rè-

zhōng; 忙于 mángyú ¶영어 공부에 목
을 ～ 热衷于学习英语 4 上浆 shàng-
jiāng ¶날실을 하나하나 따로 ～ 每根
经纱分开上浆 5 묶 jià; 吊 diào; 悬
xuán; 绑 bǎng ¶선반을 ～ 绑架子

매:다² 国 铲除 chǎnchú; 锄 chú ¶호
미를 들고 밭의 김을 ～ 拿锄头锄田
里的草

매-달(每一) 圆圆 每月 měiyuè; 月月
yuèyuè = 매월圆 ¶～ 수입이 이백 만
원이 못 된다 每月的收入不到两百万
元 圆문 = 다달이 ¶그녀는 ～ 오십
만 원씩을 집에 부친다 她每月寄回家
五十万元

매:달다 国 吊 diào; 悬 xuán; 挂 guà;
悬挂 xuánguà; 系 jì ¶풍경을 창문
앞에 ～ 把风铃悬挂在窗前 / 고양이
목에 작은 방울을 ～ 猫脖子上系小
铃

매:달-리다 재 1 吊 diào; 悬 xuán;
打坠 dǎzhuì; 悬挂 xuánguà (《'매달다'
的被动词》) ¶어떤 사람이 밧줄에 매달
려 있다 有人吊在绳索上 2 (抓着别的
事物) 吊 diào ¶철봉에 매달려 흔들흔
들하며 놀다 在单杠上晃来晃去 3 缠
chán; 纠缠 jiūchán ¶나한테 매달리지
마라 不要缠着我 4 依靠 yīkào; 靠
kào ¶온 가족이 그녀에게 매달려 생활
한다 全家人都靠着她过日子 5 埋头
máitou; 热衷 rèzhōng; 忙于 mángyú ¶
연구 개발에 ～ 埋头研发

매:도(罵倒) 圆[하자] 责骂 zémà; 斥骂
chìmà ¶모두들 그를 부패 공무원이라
고 ～했다 大家斥骂他是贪污公务员

매:도(賣渡) 圆[하타] 出售 chūshòu; 出
让 chūràng; 销售 xiāoshòu; 出卖 chū-
mài ¶주택 ～ 가격 房屋销售价格 / 아
파트를 ～하다 出售公寓

매:도-인(賣渡人) 圆 出卖人 chūmài-
rén; 卖方 màifāng

매:도 증서(賣渡證書) 【法】卖契 mài-
qì; 卖据 màijù; 售货单 shòuhuòdān

매독(梅毒) 圆 【医】梅毒 méidú; 淫疮
yínchuāng; 杨梅疮 yángméichuāng

매듭 圈 1 结 jié; 扣儿 kòur; 疙瘩 gē-
da ¶～을 짓다 打结 / ～을 풀지 못하
다 解不开结 2 结束 jiéshù; 终结 zhōng-
jié; 束束 zhuāngshù; 终结 zhōngjié ¶
그 일은 아직 ～이 지어지지 않았다
那件事还没结束了

매듭-짓다 国 1 打结 dǎjié 2 结束
jiéshù; 终结 zhōngjié; 了结 liǎojié ¶경
찰 조사는 이미 매듭지어졌다 警方的
调查工作已己结

매력(魅力) 圆 魅力 mèilì; 吸引力 xī-
yǐnlì ¶～ 있는 얼굴 有魅力的脸 / 치명
적인 ～ 致命的吸引力 / 그녀는 아주
～ 있다 她很有魅力

매력-적(魅力的) 〔관형〕 有魅力 yǒumèilì ¶~인 남자 有魅力的男人 / 그는 눈빛이 ~이다 他的眼神有魅力

매료(魅了) 〔명하타〕 入迷 rùmí; 迷惑 míhuo; 吸引 xīyǐn; 夺人魂魄 duórénhúnpò¶나는 그에게 ~되었다 我对他入了迷

매립(埋立) 〔명하타〕 填 tián; 填平 tiánpíng ¶바다를 ~해 밭을 만들다 填海造田

매립-지(埋立地) 〔명〕 填筑地 tiánzhùdì

매-만지다 〔타〕 **1** 理 lǐ; 整理 zhěnglǐ; 整 zhěng; 修饰 xiūshì ¶머리를 ~ 理一理头发 / 나가기 전에 옷차림을 ~ 出门前整整容貌 **2** 抚摸 fǔmō; 抚摩 fǔmó; 摸弄 mōnòng ¶엄마가 내 머리를 가볍게 매만지며 말씀하셨다 妈妈轻轻地抚摸着我的头说

매매(賣買) 〔명하타〕 买卖 mǎimai; 交易 jiāoyì ¶~ 가격 买卖价 / ~ 계약 买卖合同 / 자동차 ~ 汽车买卖 / ~ 계약서 买卖证书 / 부동산을 ~하다 买卖房地产

매머드(mammoth) 〔명〕 **1** 〔動〕 猛犸 měngmǎ; 猛犸象 měngmǎxiàng **2** 大规模 dàguīmó; 巨物 jùwù

매몰(埋沒) 〔명하타〕 埋 mái; 埋没 máimò ¶~ 사고 埋没事故 / 땅속에 ~되다 被埋在地里

매몰-차다 〔형〕 冷酷 lěngkù; 无情 wúqíng; 冷淡 lěngdàn ¶그녀는 성격이 좀 ~ 她性格比较冷淡 / 매몰차게 거절하다 冷淡地拒绝

매무새 〔명〕 仪表 yíbiǎo; 衣着 yīzhuó; 穿戴 chuāndài = 옷매무새 ¶~가 단정하다 穿戴得整整齐齐

매무시 〔명하타〕 打扮 dǎban; 装束 zhuāngshù ¶다시 ~를 고치다 再改一改装束

매:물(賣物) 〔명〕 待售(的) dàishòu(de); 待售商品 dàishòu shāngpǐn; 出售物 chūshòuwù; 出售品 chūshòupǐn ¶부동산 ~ 待售房地产

매:미 〔蟲〕 蝉 chán; 知了 zhīliǎo ¶~채 捕蝉网

매:번(每番) 〔명〕 每次 měicì; 每回 měihuí; 每一次 měiyīcì ¶~의 기회를 놓쳐 버리다 错过每一次的机会 〔부〕 = 번번이 ¶그는 ~ 늦게 온다 他每次都迟到 / ~ 같은 말을 하다 每回说一样的话

매복(埋伏) 〔명하타〕 埋伏 máifu; 设伏 shèfú ¶~에 걸려들다 中埋伏 / 그는 집 앞에서 ~해 있던 경찰에 체포되었다 他在家门口就被埋伏的警察逮捕了

매부(妹夫) 〔명〕 **1** 姐夫 jiěfu; 姐婿 jiěxù; 姐丈 jiězhàng **2** 妹夫 mèifu; 妹婿 mèixù

매:부리-코 〔명〕 鹰钩鼻子 yīnggōu bízi

매:분(每分) 〔명부〕 每分 měifēn; 每分钟 měifēnzhōng ¶거의 ~ 시계를 보고 있다 几乎每分钟都在看表

매:사(每事) 〔명부〕 每件事 měijiànshì; 每事 měishì; 事事 shìshì ¶그는 ~ 나와 부딪친다 他事事都跟我作对

매상(買上) 〔명〕 (政府) 收购 shōugòu ¶정부가 옥수수를 ~하다 政府收购玉米

매상(賣上) 〔명〕 **1** 征购 zhēnggòu; 销售 xiāoshòu **2** = 판매액 ¶한 달이 일억 원에 달하다 一个月的销售额达一亿元

매-상고(賣上高) 〔명〕 = 판매액

매-상액(賣上額) 〔명〕 = 판매액 ¶하루 ~ 日销售额

매:석(賣惜) 〔명하타〕 〔經〕 居奇 jūqí ¶물건을 ~하다 囤货居奇

매설(埋設) 〔명하타〕 埋设 máishè ¶수도관을 ~하다 埋设水管道

매섭다 〔형〕 **1** 可怕 kěpà; 凶狠 xiōnghěn ¶매서운 눈초리로 나를 보다 以可怕的目光看我 **2** 厉害 lìhai ¶바람이 매섭게 분다 风刮得很厉害 **3** 严厉 yánlì ¶매섭게 범인을 심문하다 很严厉地询问罪犯

매:수(枚數) 〔명〕 张数 zhāngshù; 页数 yèshù ¶원고의 ~를 세다 数一数原稿的张数

매:수(買收) 〔명하타〕 **1** 收买 shōumǎi; 收购 shōugòu ¶~ 가격 收购价格 / 농산물을 ~하다 收购农产品 **2** 收买 shōumǎi; 买通 mǎitōng ¶심판을 돈으로 ~하다 花钱买通裁判

매:수(買受) 〔명하타〕 买进 mǎijìn; 购进 gòujìn; 购买 gòumǎi ¶대량 ~하다 大量买进 / 주식을 ~하다 买进股票

매:수-인(買受人) 〔명〕 买主 mǎizhǔ

매스 게임(mass game) 〔體〕 团体操 tuántǐcāo; 团体舞 tuántǐwǔ

매스껍다 〔형〕 **1** 恶心 ěxin; 作呕 zuò'ǒu ¶요 며칠 자주 속이 ~ 最近几天经常有恶心的感觉 **2** 厌恶 yànwù; 恶心 ěxin ¶그의 거들먹거리는 모습은 정말 ~ 他那得意的样子真令人厌恶

매스 미디어(mass media) 〔言〕 大众媒体 dàzhòng méitǐ

매스-컴(←mass communication) 〔명〕 〔社〕 大众传播 dàzhòng chuánbō; 大众传播媒介 dàzhòng chuánbō méijiè; 大众传媒 dàzhòng chuánméi; 媒体 méitǐ

매슥-거리다 〔자〕 恶心 ěxin; 作呕 zuò'ǒu ¶매일 아침 양치질할 때마다 속이 매슥거린다 每天早上刷牙总感到恶心 매슥-매슥 〔부하자〕

매:시(每時) 〔명부〕 = 매시간

매:-시간(每時間) 명부 每小时 měixiǎoshí; 每个时间 měigè shíjiān = 매시 ¶~마다 자동으로 업데이트되다 每小时自动更新 / ~ 한 번씩 혈압을 측정하다 每个小时测定一次血压

매실(梅實) 명 梅子 méizi; 梅实 méishí ¶~주 梅子酒 / ~차 梅子茶

매실-나무(梅實─) 【植】梅树 méishù; 梅花树 méihuāshù; 梅 méi = 매화2·매화나무

매연(煤煙) 명 1 黑烟 hēiyān; 废气 fèiqì ¶工场에서 배출하는 ~ 工厂排出的黑烟 / ~을 뿜어내는 차량을 단속하다 查处冒黑烟车辆 2 煤炱 méitái; 炱 tái

매우 부 很 hěn; 挺 tǐng; 十分 shífēn; 非常 fēicháng; 大 dà; 颇 pō ¶오늘은 ~ 졸리다 今天觉得很困 / ~ 감동적이다 十分感动 / ~ 즐겁다 十分开心 / 이 아이는 ~ 귀엽다 这个小孩挺可爱

매운-맛 명 1 辣味 làwèi ¶~이 너무 강하다 辣味太浓 / ~을 약간 가미하다 加一点辣味 2 辛苦 xīnkǔ; 苦 kǔ ¶~을 보다 受苦

매운-탕(─湯) 명 辣汤 làtāng; 辣菜 làtāngcài

매워-하다 타 感觉辣 gǎnjué là; 觉得辣 juéde là ¶아이가 고추를 ~ 孩子觉得辣椒很辣

매:-월(每月) 一명 = 매달(1) 二부 = 달달이

매:-음(賣淫) 명하자 卖淫 màiyín = 매춘 ¶~굴 卖淫窟 =[卖淫窝]

매-이다 자 1 被拴 bèishuān 《'매다2'의 被动词》¶말이 기둥에 매여 있다 马被拴在柱子上 2 束缚 shùfù; 隶属 lìshǔ; 依附 yīfù ¶과거에 ~ 束缚在过去 / 집안일에 매여 몸을 뺄 수가 없다 束缚在家务里无法脱身

매:-일(每日) 一명부 每天 měitiān; 每日 měirì; 天天 tiāntiān; 日日 rìrì = 일일(日日) ¶그는 ~ 출근한다 他每天去上班 / 요즘 ~ 이 노래를 듣는다 最近每天听这首歌 / 그녀는 ~ 늦는다 她每天迟到 / 요즘은 ~ 비가 온다 最近每天都下雨 / ~이 즐겁다 天天快乐

매-일반(─一般) 명 同样 tóngyàng; 一样 yíyàng = 매한가지 ¶오늘 가든 내일 가든 결과는 ~이다 今天去还是明天去结果都一样

매:-입(買入) 명하타 买入 mǎirù; 购买 gòumǎi; 收购 shōugòu; 采购 cǎigòu; 买进 màijìn; 购进 gòujìn ¶목재를 ~하다 采购木材 / 대량의 농산품을 ~하다 收购大量的农产品

매:입 원가(買入原價) 【經】买入成本

mǎirù chéngběn; 购进成本 gòujìn chéngběn = 원가2

매장(埋葬) 명하타 1 埋葬 máizàng ¶깊은 땅속에 ~ 埋葬在深溪的地底下 2 埋没 máimò; 排斥 páichì ¶다른 사람의 논문을 베껴서 학계에서 ~되다 由于抄袭别人的论文, 被学界所排斥

매장(埋藏) 명하타 1 埋藏 máicáng ¶보물이 ~되어 있는 곳 埋藏着宝物的地方 2 蕴藏 yùncáng; 储藏 chǔcáng ¶바다에 ~되어 있는 자원 海洋蕴藏的资源

매:-장(賣場) 명 售货处 shòuhuòchù; 出售处 chūshòuchù; 商场 shāngchǎng

매장-량(埋藏量) 명 储藏量 chǔcángliàng; 蕴藏量 yùncángliàng ¶~이 풍부하다 蕴藏量很丰富

매:-점(買占) 명하타 囤积 túnjī ¶식량을 ~하다 囤积粮食

매:-점(賣店) 명 小卖部 xiǎomàibù; 小卖店 xiǎomàidiàn; 小铺 xiǎopù ¶교내 ~ 校内的小卖店

매정-하다 형 冷淡 lěngdàn; 无情 wúqíng; 冷漠 lěngmò; 冷漠无情 lěngmò wúqíng ¶다른 사람들을 매정하게 대하다 冷淡地对待别人 / 그는 매정한 사람이다 他是冷漠无情的人 **매정-히** 부

매제(妹弟) 명 妹夫 mèifu; 妹婿 mèixù

매:-주(每週) 명부 每周 měizhōu; 每(个)星期 měi(gè) xīngqī; 每(个)礼拜 měi(gè) lǐbài ¶우리는 ~ 한 번 내지 두 번 함께 식사를 한다 我们每星期一到两次在一起吃饭 / 그 프로그램은 ~ 토요일 저녁 7시에 방송된다 那个节目每周六晚上七点播出

매직(magic) 명 = 매직펜

매직-펜(magic+pen) 명 万能笔 wànnéngbǐ = 매직

매:-진(賣盡) 명하자 卖光 màiguāng; 卖完 màiwán; 出售一空 chūshòuyīkōng ¶기차표는 이미 거의 다 ~되었다 火车票已经基本卖光

매:-진(邁進) 명하자 迈进 màijìn ¶원대한 목표를 향해 ~하다 向宏伟的目标迈进

매-질 명하타 打 dǎ; 揍 zòu; 抽打 chōudǎ; 鞭打 biāndǎ ¶그는 화가 나서 아이에게 ~을 했다 他很生气打了孩子 / 선생님이 수업 시간에 학생에게 ~을 하다 老师上课抽打学生

매체(媒體) 명 1 媒体 méitǐ ¶대중 ~ 多媒体 / 인터넷 ~를 통해 음악을 듣다 通过网络媒体收听音乐 2 【物】介质 jièzhì; 媒介 méijiè ¶~ 역할을 하다 发挥媒介作用

매:-초(每秒) 명부 每秒 měimiǎo ¶~

열 장씩 연달아 사진을 찍다 每秒十张
连拍照

매:**춘**(賣春) 명하자 = 매음

매:**춘**-**부**(賣春婦) 명 卖淫妇 màiyín-
fù; 娼妇 chāngfù

매:**출**(賣出) 명하타 卖出 màichū; 销
卖 xiāomài; 销售 xiāoshòu ¶~이 계속
증가하다 消费量继续增加

매치(match) 명동 1 竞赛 jìngsài;
比赛 bǐsài; 赛 赛 sài ¶세계 타이틀 ~ 世
界锦标赛 2 相配 xiāngpèi; 相称 xiāng-
chèn ¶붉은 입술과 흰색이 ~되어 더
젊어 보인다 红色口唇与白色相配更
显得年轻

매치 포인트(match point) 【體】决
胜分 juéshèngfēn

매캐-**하다** 형 (연기、 곰팡이) 呛人 qiàng-
rén; 刺鼻 cìbí ¶매캐한 화약 냄새가
나다 闻到刺鼻的火药味

매콤-**하다** 형 稍辣 shāolà; 辣丝丝
làsīsī ¶나는 매콤한 음식을 좋아한
다 她很喜欢辣丝丝的菜

매트(mat) 명 1 = 매트리스 2 【體】
垫子 diànzi; 垫 diàn ¶~ 운동 垫上运
动 3 地席 dìxí; 席子 xízi ¶~를 텐트
안에 깔다 把地席铺在帐篷里面 4 擦
鞋垫 cāxiédiàn ¶문 앞 ~에서 신발을
떨다 在门口擦鞋垫上擦一擦鞋子

매트리스(mattress) 명 床垫 chuáng-
diàn = 매트1

매파(媒婆) 명 媒婆 méipó

매:**판**(買辦) 명 【經】买办 mǎibàn ¶~
자본가 买办资本家 / ~ 행위 买办行
为

매:**표**(賣票) 명하타 卖票 màipiào; 售
票 shòupiào ¶~구 售票口 / ~소 售
票处 / ~원 售票员 / ~ 상황 售票情况 /
~ 시스템 售票系统 / 인터넷 ~ 网上
售票

매-**한가지** 명 = 매일반 ¶나에게 있
어서 두 가지 일 모두 중요하기는 ~
이다 两件事对我都同样重要

매:-**해**(每─) 명 每年 měinián; 年年
niánnián = 매년·연년(年年) ¶~ 한
번씩 열리는 박람회 每年一度的博览
会

매:-**혈**(賣血) 명하자 卖血 màixuè ¶그
는 ~로 먹고 산다 他以卖血为生

매형(妹兄) 명 姐夫 jiěfu; 姐丈 jiězhàng
= 자형(姊兄)

매혹(魅惑) 명하타 迷住 mízhù; 着迷
zháomí; 陶醉 táozuì; 醉心 zuìxīn ¶그
곳의 풍경은 나를 ~시켰다 那里的风
景让我着了迷 / 사람들은 그녀의 아름
다운 노랫소리에 ~되었다 人们被她
的美妙的歌声迷住了

매혹-**적**(魅惑的) 관명 迷人(的) mí-
rén(de); 醉人(的) zuìrén(de); 吸引人

(的) xīyǐnrén(de) ¶~인 눈 一双迷人的
眼睛 / 그녀의 외모는 아주 ~이다 她
的外貌很吸引人

매화(梅花) 명 1 = 매화꽃 2 【植】=
매실나무

매화-**꽃**(梅花─) 명 梅花 méihuā =
매화1

매화-**나무**(梅花─) 명 【植】= 매실
나무

매:-**회**(每回) 명부 每回 měihuí; 每次
měicì; 每届 měijiè ¶그는 마라톤 경기
에 ~ 참가하였다 他每次都参加了马
拉松赛跑

맥(脈) 명 1 劲儿 jìnr; 力气 lìqi ¶~이
없다 没劲儿 / ~을 잃고 드러눕다 没
力气, 躺着 2 = 맥락2 ¶~을 같이하
다 一脉相通 / ~이 끊기다 断了脉络 /
오랜 전통의 ~을 잇다 继承悠久传统
之脉 3 【鑛】= 광맥 4 【生】= 맥박 ¶
~이 고르다 脉搏均匀 / ~이 약하다
脉息微弱 / ~을 짚다 诊脉 5 【生】=
혈맥2 ¶간호사가 ~을 찾아 주사를
놓다 护士找到血管注射

맥(을) **놓다** 귄 放松; 松劲(儿)

맥(을) **못 추다** 귄 使不上劲

맥(을) **보다** 귄 1 诊脉 2 看脸色

맥(이) **빠지다** 귄 泄气; 精疲力竭;
筋疲力尽; 力尽筋疲

맥(이) **풀리다** 귄 放松; 松劲(儿)

맥락(脈絡) 명 1 【生】脉络 màiluò 2
脉络 màiluò; 条理 tiáolǐ; 头绪 tóuxù;
脉 mài = 맥2 ¶일의 ~을 파악하다
摸清事情头绪

맥문-**동**(麥門冬) 명 1 【植】麦冬 mài-
dōng; 麦门冬 màiméndōng 2 【韓醫】
麦 门 冬 màiméndōng; 麦冬 màidōng

맥박(脈搏) 명 【生】脉搏 màibó; 脉息
màixī; 脉 脉 mài = 맥4 ¶~을 재다 测
脉搏 / ~이 뛰다 脉搏跳动 / ~이 약하
다 脉搏微弱 / ~이 고르지 않다 脉搏
不均

맥반-**석**(麥飯石) 명 【鑛】麦饭石 mài-
fànshí

맥시멈(maximum) 명 最大 zuìdà;
最大值 zuìdàzhí; 最高 zuìgāo; 最高限
度 zuìgāoxiàndù

맥아(麥芽) 명 = 엿기름

맥아-**당**(麥芽糖) 명 【化】麦芽糖 mài-
yátáng = 엿당

맥-**없다**(脈─) 형 无精打采 wújīngdǎ-
cǎi; 无力 wúlì; 没劲 méijìn; 瘫软 tān-
ruǎn; 有气无力 yǒuqìwúlì **맥없**-**이** 부
¶~ 앉아 있다 无精打采地坐着 / ~
쓰러지다 瘫软地倒下

맥주(麥酒) 명 啤酒 píjiǔ ¶~를 한 병
마시다 喝一瓶啤酒

맥주-**병**(麥酒瓶) 명 1 啤酒瓶 píjiǔ-
píng 2 旱鸭子 hànyāzi

맥주-잔(麥酒盞) 啤酒杯 píjiǔbēi

맥줏-집(麥酒一) 몡 啤酒馆 píjiǔguǎn; 啤酒店 píjiǔdiàn

맨¹ 閉 都是 dōushì; 净是 jìngshì; 全是 quánshì ¶이 산에는 ~ 소나무뿐이다 这山上全是松树

맨:² 판 最zuì; 第一 dìyì; 首先 shǒuxiān; 头tóu ¶ 처음 头一次 / ~ 앞 最前面 / ~ 뒤 最后面 / ~ 먼저 首先

맨- 젭튀 光 guāng; 赤 chì; 空 kōng ¶ ~다리 光脚 / ~머리 光머리 光头 / ~발 赤脚 / ~손 空手

맨:-날 튀 每天 měitiān; 天天 tiāntiān; 老 lǎo; 老是 lǎoshi; 总 zǒng; 总是 zǒngshì ¶그는 ~ 컴퓨터만 한다 他总是玩电脑

맨-눈 몡 肉眼 ròuyǎn ¶너무 작아서 ~으로는 잘 안 보인다 太小了, 用肉眼看不清楚

맨드라미 몡【植】鸡冠花 jīguānhuā = 계관(鷄冠)2·계관화

맨-땅 몡 1 = 맨땅이 地面 dìmiàn ¶~에 앉다 坐在地面上 2 (没施过肥的) 生荒 shēnghuāng; 生荒地 shēnghuāngdì; 生地 shēngdì ¶우리는 화초를 ~에 심었다 我们把花草种在生荒地上了

맨-몸 몡 1 = 알몸1 2 空身 kōngshēn; 空手 kōngshǒu ¶ ~으로 시집가다 空身嫁过去 / ~으로 사업을 시작하다 空手起家创业 / 그는 ~으로 중국에 갔다 他空身去了中国

맨-몸뚱이 몡 '맨몸'의 鄙称

맨-바닥 몡 地面 dìmiàn; 光地板 guāngdìbǎn ¶차가운 ~에 드러눕다 横躺在冰凉的地面上

맨-발 몡 光脚 guāngjiǎo; 赤脚 chìjiǎo ¶ ~로 모래사장을 걷다 赤着脚在沙滩上走

맨-밥 몡 (没有菜的) 白饭 báifàn ¶ ~을 먹다 吃白饭

맨-살 몡 (裸露的) 皮肤 pífū; 裸露部分 luǒlù bùfen ¶큰 수건으로 ~을 가리다 用大毛巾遮住裸露部分

맨션(mansion) 몡 高级公寓 gāojí gōngyù; 豪华公寓 háohuá gōngyù; 公寓大厦 gōngyù dàshà

맨-손 몡 1 (不戴手套的) 手 shǒu ¶전기가 통하는 물건을 ~으로 만지면 위험하다 直接用手摸导电的东西是很危险的 2 空手 kōngshǒu; 赤手 chìshǒu; 徒手 túshǒu; 白手 báishǒu; 赤手空拳 chìshǒukōngquán ¶ ~ 체조 徒手体操 / ~로 가기가 좀 뭣하다 空手去有点不好意思

맨송-맨송 튀하튀 혱튀 1 毛发 máimáo; 光光的 guāngguāngde ¶머리털이 ~ 다 빠졌다 头发掉得光光的

光秃秃 guāngtūtū ¶ ~ 나무가 없는 황야 光秃秃的没有树木的荒原 3 清醒 qīngxǐng; 无醉意 wúzuìyì ¶많이 마셨는데도 왠지 ~ 하다 酒喝了不少了, 竟然还没醉意 4 乏味 fáwèi; 无聊 wúliáo; 混乱 hùnluàn ¶요즘은 하는 일 없이 ~ 세월만 보내고 있다 最近没事可做, 在混日子

맨-입 몡 1 空口 kōngkǒu; 白嘴儿 báizuǐr; 干吃 gānchī ¶ ~에 술만 마셨더니 속이 쓰리다 空口喝了酒, 胃里不舒服 2 空手 kōngshǒu ¶ ~으로 취직을 부탁하다 空手请求就职

맨-정신(一精神) 몡 精神不迷糊 jīngshén bùmíhu; 脑子清醒 nǎozi qīngxǐng ¶ ~으로 그런 짓을 할 수 있겠니? 脑子清醒的情况下能做出那种事儿吗?

맨-주먹 몡 1 手无寸铁 shǒuwúcùntiě; 空拳 kōngquán ¶ ~으로 맞서 싸우다 手无寸铁地迎面作战 2 赤手空拳 chìshǒukōngquán; 空手 kōngshǒu; 赤手 chìshǒu ¶ ~으로 일어서다 空手起家

맨투맨(man-to-man) 몡【體】人盯人 réndīngrén

맨틀(mantle) 몡【地理】地幔 dìmàn

맨홀(manhole) 몡 窨井 yìnjǐng ¶ ~ 뚜껑 窨井盖

맴:-돌다 잔타 1 打转(儿) dǎzhuàn(r) ¶제자리에서 ~ 在原地打转儿 2 盘旋 pánxuán; 回旋 huíxuán; 旋转 xuánzhuǎn; 徘徊 páihuái; 萦绕 yíngrào; 萦回 yínghuí; 打转(儿) dǎzhuàn(r) ¶솔개가 허공을 ~ 老鹰在空中盘旋 / 걱정이 머릿속을 ~ 脑子里萦绕着许多念头 3 绕着 走 ràozhe zǒu ¶탑 주변을 ~ 绕着石塔走

맴매 몡하다 1 戒尺 jièchǐ; 鞭子 biānzi ¶ ~ 가져오너라 把戒尺拿过来 2 打 dǎ; 鞭打 biāndǎ ¶자꾸 울면 엄마가 ~ 한다! 你再哭的话, 妈妈就打你

맴-맴 튀 知了知了 zhīliǎozhīliǎo《蝉叫声》

맵다 혱 1 辣 là ¶국이 너무 매워서 못 먹겠다 汤太辣, 不能吃 2 毒辣 dúlà; 凶狠 xiōnghěn; 恶劣 èliè ¶어머니는 매운 시집살이를 하셨다 母亲曾经冒奉过凶狠的婆婆 3 酷寒 kùhán; 凛冽 lǐnliè; 严寒 yánhán ¶날씨가 몹시 ~ 天气异常寒冷 4 刺痛 cìtòng; 刺痛 cìbí ¶매운 담배 연기 刺鼻的香烟雾

맵시 몡 美姿 měizī; 俏丽 qiàolì; 风采 fēngcǎi; 风姿 fēngzī; 雅致 yǎzhì = 태(態)1 ¶옷을 ~ 있게 입다 衣着雅致

맷-돌 몡 磨 mò; 石磨 shímó; 磨子 mòzi ¶ ~을 돌리다 推磨

맷돌-질 몡하자 推磨 tuīmò; 使磨 shímò; 拉磨 lāmò

맷-집 몡 禁得住打 jīndezhù dǎ; 抗打 kàngdǎ: 禁打 jīndǎ ¶이 권투 선수는 ~이 정말 좋다 这位拳击运动员真禁得住打

맹- 접두 白 bái; 清 qīng; 淡 dàn(用于有些名词的前面) ¶~물 白水 / ~탕 清汤

맹- 접두 猛 měng; 猛烈 měngliè ¶~공격 猛攻 / ~훈련 猛训练

맹-견(猛犬) 몡 猛犬 měngquǎn ¶~주의 小心猛犬

맹-공(猛攻) 몡하타 = 맹공격

맹-공격(猛攻擊) 몡하타 猛击 měngjī; 猛打 měngdǎ; 猛攻 měnggōng = 맹공 ¶~을 가하다 给以猛击

맹-금(猛禽) 몡 猛禽 měngqín

맹공-맹꽁 뷔하자 呱呱 guāguā(狭口蛙的叫声)

맹-꽁이 몡 1 【動】狭口蛙 xiákǒuwā 2 笨蛋 bèndàn; 傻子 shǎzi; 糊涂虫 hútuchóng

맹꽁이-자물쇠 몡 挂锁 guàsuǒ

맹-독(猛毒) 몡 剧毒 jùdú

맹독-성(猛毒性) 몡 剧毒性 jùdúxìng ¶~ 농약 剧毒性农药 / ~ 물질 剧毒性物质

맹-랑-하다(孟浪一) 형 不简单 bùjiǎndān; 不寻常 bùxúnchàng; 非同小可 fēitóngxiǎokě; 精明 jīngmíng ¶저 꼬마는 아이답지 않게 아주 ~ 那个小孩不像个孩子, 很不寻常 **맹랑-히** 뷔

맹-렬-하다(猛烈一) 형 猛烈 měngliè; 激烈 jīliè; 轰轰烈烈 hōnghonglièliè ¶맹렬한 적의 공격을 막을 수가 없다 抵挡不住敌人的猛烈攻击 **맹-렬-히** 뷔 ¶불길이 ~ 타오르다 火猛烈燃烧起来

맹맹-하다¹ 형 1 淡 dàn; 淡而无味 dàn'érwúwèi ¶국이 ~ 汤太淡 2 乏味 fáwèi; 无聊 wúliáo; 淡而无味 dàn'érwúwèi ¶결혼 생활이 물처럼 ~ 婚姻生活像白水淡而无味得很 **맹맹-히** 뷔

맹맹-하다² 형 (鼻子) 不通气 bùtōngqì ¶코가 맹맹한 것이 감기에 걸린 것 같다 鼻子不通气, 像是感冒了

맹-모삼천지교(孟母三遷之敎) 몡 孟母三迁之教 mèngmǔsānqiānzhījiào

맹-목(盲目) 몡 盲目 mángmù

맹목-적(盲目的) 관몡 盲目(的) mángmù(de) ¶~ 사랑 盲目的爱情 / 그녀는 부모님에게 ~으로 순종한다 她盲目地服从父母

맹-물 몡 1 白水 báishuǐ; 清水 qīngshuǐ ¶~만 마시고 단식하다 只喝点儿清水, 进行断食 2 无聊的人 wúliáode rén; 不精明的人 bùjīngmíngde rén

맹세(盟誓) 몡하자타 发誓 fāshì; 誓言 shìyán; 起誓 qǐshì; 明誓 míngshì; 盟誓 méngshì; 誓 shì ¶~를 저버리다 违背誓言 / 하늘에 ~하다 对天盟誓 / 아내에게 금연을 ~하다 向妻子发誓不再吸烟

맹세-코(盟誓一) 뷔 绝对 juéduì; 发誓 fāshì; 起誓 qǐshì ¶나는 그 물건을 훔치지 않았다 我发誓我没有偷那东西

맹-수(猛獸) 몡 猛兽 měngshòu ¶사나운 ~ 凶猛的猛兽 / ~에게 공격을 당하다 被猛兽攻击

맹신(盲信) 몡하타 盲目相信 mángmù xiāngxìn; 迷信 míxìn ¶남의 말을 ~하다 盲目相信别人的话

맹아(盲啞) 몡 盲哑 mángyǎ ¶~ 교육 盲哑教育 / ~ 학교 盲哑学校

맹아(萌芽) 몡 萌芽 méngyá; 新芽 xīnyá ¶~기 萌芽期/문명의 ~ 文明的萌芽

맹약(盟約) 몡하자타 1 坚誓 jiānshì; 发誓 fāshì; 盟约 méngyuē; 誓约 shìyuē ¶~을 지키다 遵守盟约 2 (盟邦之间的)盟约 méngyuē

맹-연습(猛練習) 몡하자 猛练 měngliàn; 高强度训练 gāoqiángdù xùnliàn

맹-위(猛威) 몡 威风 wēifēng; 威严 wēiyán; 威风 wēifēng ¶무더위가 ~를 떨치다 炎热夏威风

맹인(盲人) 몡 盲人 mángrén; 瞎子 xiāzi

맹인 학교(盲人學校) 【敎】盲人学校 mángrén xuéxiào; 盲校 mángxiào; 盲学校 mángxuéxiào = 맹학교

맹장(盲腸) 몡 【生】盲肠 mángcháng; 阑尾 lánwěi ¶~ 수술 阑尾切除术

맹-장(猛將) 몡 猛将 měngjiàng; 强将 qiángjiàng

맹장-염(盲腸炎) 몡 【醫】阑尾炎 lánwěiyán; 盲肠炎 mángchángyán

맹점(盲點) 몡 1 【生】盲点 mángdiǎn; 盲斑 mángbān 2 漏洞 lòudòng; 空子 kòngzi; 虚点 xūdiǎn; 空白点 kòngbáidiǎn ¶~을 노리다 钻空子 / ~이 드러나다 爆出漏洞

맹종(盲從) 몡하자타 盲从 mángcóng; 盲目服从 mángmù fúcóng ¶상사에게 ~하다 盲目服从上司

맹추 몡 糊涂虫 hútuchóng; 傻瓜 shǎguā; 笨蛋 bèndàn; 蠢猪 chǔnzhū ¶이런 ~ 같은 녀석 봤나 你这个傻瓜

맹-추격(猛追擊) 몡하타 猛烈追击 měngliè zhuījī

맹-타(猛打) 몡하타 猛打 měngdǎ; 猛攻 měnggōng ¶~를 가하다 加以猛攻

맹-탕(一湯) 몡몡 1 清淡的汤 qīngdàndе tāng; 清汤 qīngtāng; 淡汤 dàntāng 2 无能的人 wúnéngde rén; 无聊的人 wúliáode rén; 庸碌之辈 yōnglùzhībèi ¶그 사람은 정말 ~이다 那个

人真无能 [三星] 只是 zhǐshì; 只顾 zhǐgù ¶공부는 하지 않고 ~ 놀기만 한다 不学习, 只顾玩儿

갱:-하다 [형] 傻乎乎 shǎhūhū; 傻头傻脑 shǎtóushǎnǎo ¶맹한 눈 傻乎乎的眼睛 / 그는 행동이 좀 맹해 보인다 他看起来行动有些傻乎乎的

맹-학교(盲學校) [명] [敎] = 맹인 학교

맹-호(猛虎) [명] 猛虎 měnghǔ ¶~와 같은 기세 犹如猛虎之势

맹:-활약(猛活躍) [명][하자] 大力活动 dàlì huódòng; 积极活动 jījí huódòng; 积极表现 jījí biǎoxiàn ¶~을 펼치다 积极开展活动 / 그의 ~에 힘입어 우리 팀이 우승했다 借助他的积极表现, 我们队取得了冠军

맹:-훈련(猛訓練) [명][하자] 猛训练 měngxùnliàn; 强化训练 qiánghuà xùnliàn

맺다 [一자] 挂 guà; 凝 níng; 结 jiē ¶나무에 열매가 ~ 树上结果子 / 이마에 땀방울이 ~ 额头上结着汗珠 [一타] 1 结 jiē ¶이 나무는 열매를 맺을 수 없다 这棵树不能结果子 2 结束 jiéshù; 结尾 jiéwěi; ~하면 일의 끝을 ~ 结束手上的活儿 3 打结 dǎjié; 结 jié ¶바느질을 마치고 실을 ~ 做完针线活儿把线打上结 4 建立 jiànlì; 订立 dìnglì; 订 dìng; 缔结 díjié; 结 jié ¶계약을 ~ 订合同 / 협정을 ~ 订立协定 / 부부의 인연을 ~ 结下夫妻的缘分 / 친분을 ~ 结交情

맺고 끊다 [구] (言行) 一板一眼; 一丝不苟; 一步一个脚印; 有条有理, 无懈可击

맺음-말 [명] = 결론1

맺-히다 [자] 1 凝 níng; 凝结 níngjié; 凝聚 níngjù; 挂 guà (〈'맺다一'의 被动词〉) ¶풀잎에 맺힌 이슬 凝结在草叶上的露珠 / 이마에 땀이 ~ 额头上挂着汗珠 2 结 jiē (〈'맺다一1'的被动词〉) ¶장미에 꽃망울이 ~ 玫瑰结着花骨朵 3 结晶 jiéjīng; 积郁 jīyù ¶가슴에 맺힌 한을 풀다 洗除压在心中的冤屈 4 淤 yū ¶피가 맺히도록 맞다 被打得淤血了

머그-잔(mug盞) [명] 茶缸 chágāng; 茶缸子 chágāngzi

머금다 [타] 1 (在嘴里) 含(着) hán(zhe); 噙(着) qín(zhe) ¶물을 한입 ~ 嘴里含着一口水 2 (在眼中) 含(着) hán(zhe); 噙(着) qín(zhe) ¶눈물을 머금고 떠나며 噙着眼泪离开了 3 带(着) dài(zhe); 含(着) hán(zhe); 挂(着) guà(zhe) ¶얼굴에 웃음을 ~ 脸上带着笑容 = [面带笑容] / 입가에 엷은 미소를 ~ 嘴角挂着浅浅的微笑 4 (水气) 润湿 rùnshī; 滋润 zīrùn ¶봄비를 머금

은 버드나무 春雨润湿的柳树

머:-나-멀다 [형] 遥远 yáoyuǎn; 漫长 màncháng; 很久很久 hěnjiǔ hěnjiǔ ¶머나먼 옛날 很久很久以前 / 머나먼 여정 漫长的旅程

머루 [명] [植] 山葡萄 shānpútáo; 野葡萄 yěpútáo; 紫葛 zǐgé ¶~주 山葡萄酒

머리 [명] 1 头部 tóubù; 脑袋 nǎodai; 头 tóu ¶~가 아프다 头疼头 / ~를 숙여 인사하다 低下头行礼 / ~에 모자를 쓰다 头上戴帽子 2 头脑 tóunǎo; 脑筋 nǎojīn; 脑子 nǎozi; 脑海 nǎohǎi ¶~가 좋다 脑子好 / ~가 나쁘다 脑子笨 3 = 머리털 ¶그녀는 ~가 길다 她头发很长 / ~를 감다 洗头发 / ~를 빗다 梳头 / ~를 길게 기르다 留长头发 / ~를 자르다 剪头发 4 头领 tóulǐng; 头儿 tóur; 头子 tóuzi ¶그는 우리 모임의 ~ 노릇을 하고 있다 他是我们聚会的头儿 5 前头 qiántou; 尖端 jiānduān; 顶 dǐng; 巅 diān; 头部 tóubù ¶장도리의 ~ 부분 榔头的头部

머리가 가볍다 [구] 感到轻松; 精神爽快

머리(가) 굳다 [구] 1 保守; 顽固 2 头脑迟钝; 笨头笨脑

머리가 굵다 [구] = 머리(가) 크다

머리가 무겁다 [구] 脑袋迷糊; 头昏脑胀

머리가 (잘) 돌아가다 [구] 头脑灵活; 反应快

머리(가) 크다 [구] 长大了; 长大成人 = 머리(가) 굵다

머리를 굴리다 [구] 动脑筋

머리(를) 깎다 [구] 1 做和尚 2 坐牢

머리(를) 맞대다 [구] 碰头; 聚头; 聚会

머리(를) 식히다 [구] 冷静下来; 镇静

머리(를) 싸매다 [구] 聚精会神; 专心致志; 全神贯注

머리를 쓰다 [구] 动脑筋

머리를 쥐어짜다 [구] 绞尽脑汁; 费尽心思

머리에 새겨 넣다 [구] 刻在脑子里

머리에 피도 안 마르다 [구] 乳臭未干; 口尚乳臭 ¶羽毛未丰 = 이마에 피도 안 마르다

머리-글자(一字) [명] 1 = 이니셜 2 头字 tóuzì; 头文字 tóuwénzì; 首字 shǒuzì

머리-기사(一記事) [명] 头条新闻 tóutiáo xīnwén; 头条消息 tóutiáo xiāoxi = 톱(top)2

머리-끄댕이 [명] '머리끄덩이'의 잘못

머리-끄덩이 [명] (成缕头发的) 发梢 fàshāo; 辫梢 biànshāo ¶~를 잡고 싸

우다 揪着头发梢打架

머리-끝 〖명〗 头发梢 tóufashāo
¶ 머리끝에서 발끝까지 ⊡ 从头到脚; 全身; 全身上下

머리-띠 〖명〗 头箍 tóugū; 发箍 fàgū; 发带 fàdài ¶~를 두른 여자아이 戴着头箍的女孩

머리-말 〖명〗 序言 xùyán; 前言 qiányán; 导言 dǎoyán; 叙论 xùlùn; 卷头语 juàntóuyǔ; 引语 yǐnyǔ = 서론·서문1·서언

머리-맡 〖명〗 枕头边 zhěntoubiān; 枕边 zhěnbiān ¶책을 ~에 펴 둔 채 잠들었다 枕边翻着书睡着了

머리-빗 〖명〗 = 빗 ¶~으로 머리를 빗다 用梳子梳头

머리-뼈 〖명〗 【生】头骨 tóugǔ; 头盖骨 tóugàigǔ; 脑盖子 nǎogàizi; 头颅 tóulú = 두개골

머리-숱 〖명〗 头发疏密 tóufa shūmì ¶~이 많다 头发很密

머리-싸움 〖명〗 动脑筋的事儿 dòngnǎojīnde shìr; 费脑子的事儿 fèinǎode shìr ¶장사도 결국 ~이다 做生意也是动脑筋的事儿

머리-채 〖명〗 辫子 biànzi ¶~를 감아쥐다 揪辫子

머리-카락 〖명〗 头发 tóufa; 发 fà ¶흰 ~ 白头发 ¶~을 뒤로 쓸어 넘기다 掠一掠头发

머리-칼 〖명〗 '머리카락'의 略词

머리-털 〖명〗 头发 tóufa; 发 fà; 毛发 máofà; 头 tóu = 두발·머리3
¶머리털이 곤두서다 ⊡ 毛骨悚然

머리-통 〖명〗 1 头围 tóuwéi ¶~이 크다 头围大 2 脑瓜儿 nǎoguār; 脑袋瓜儿 nǎodaiguār; 脑瓜子 nǎoguāzi; 脑壳 nǎoké(〈'머리'의 鄙称〉) ¶돌에 맞아~이 깨지다 被石头打破了脑瓜子

머리-핀(—pin) 〖명〗 发夹 fàjiā; 发卡 fàqiǎ

머리-하다 〖자〗 做头发 zuòtóufa; 修整头发 xiūzhěng tóufa ¶미용실에 가서 ~ 去美容院做头发

머릿-결 〖명〗 发质 fàzhì ¶~이 곱다 发质好 ¶~이 거칠다 发质干枯

머릿-골 〖명〗 【生】= 뇌

머릿-니 〖명〗 【虫】头虱 tóushī = 이12

머릿-돌 〖명〗 奠基石 diànjīshí

머릿-속 〖명〗 脑里 nǎoli; 脑子里 nǎozili; 脑海里 nǎohǎili ¶그는 지금 ~이 매우 복잡하다 他现在脑子里很复杂 ¶그의 그 말이 갑자기 ~에 떠올랐다 他的那句话忽然浮现在我脑海里

머릿-수(—數) 〖명〗 1 人数 rénshù ¶~를 세어 보다 数人数 2 钱数 qiánshù ¶돈의 ~가 모자라다 钱数不够

머무르다 〖자〗 1 停 tíng; 留 liú; 住 zhù; 待 dāi; 呆 dāi; 停止 tíngzhǐ; 停留 tíngliú; 逗留 dòuliú ¶호텔에 머물 ~ 在宾馆逗留几天 2 停留 tíngliú ¶현재 수준에 ~ 停留在目前的水平 / 성적이 하위권에 ~ 成绩停留在下层水平

머물다 〖자〗 '머무르다'의 略词 ¶제 곁에 영원히 머물러 주세요 请你永远停留在我的身边

머뭇-거리다 〖자〗 踌躇 chóuchú; 犹豫 yóuyù; 磨蹭 móceng = 머뭇대다 ¶문 앞에서 한참을 ~ 在门口踌躇了半天 / 결단을 못 내리고 ~ 犹豫不决 **머뭇-머뭇** 〖부〗副 ¶~하며 말을 잇지 못하다 犹犹豫豫的, 不敢接话

머스터드(mustard) 〖명〗 芥菜 jiècài; 芥末 jièmo; 芥黄 jièhuáng ¶~소스 芥末酱

머슴 〖명〗 长工 chánggōng; 雇农 gùnóng; 雇工 gùgōng ¶머슴을 살다 ⊡ 当长工; 吃长工; 扛长工

머슴-살이 〖명〗하다 长工生活 chánggōng shēnghuó; 当雇工 dānggùgōng; 扛长工 káng chánggōng ¶남의 ~를 하다 给人家当长工

머쓱-하다 〖형〗 1 憨 hān; 傻 shǎ ¶키만 머쓱하게 큰 사람 憨大个子 2 尴尬 gāngà; 扫兴 sǎoxìng; 没趣 méiqù ¶그는 자신의 마음을 들킨 것이 머쓱해서 웃고 말았다 被人看破了心思, 他有点尴尬地笑了 **머쓱-히** 〖부〗

머위 〖명〗 【植】蜂斗菜 fēngdòucài; 款冬 kuǎndōng

머저리 〖명〗 傻瓜 shǎguā; 蠢货 chǔnhuò; 呆子 dāizi; 二百五 èrbǎiwǔ ¶이 ~ 같은 녀석아! 你这个蠢货!

머지-않다 〖형〗 不久 bùjiǔ; 即将 jíjiāng; 不日 bùrì; 很快 hěnkuài ¶머지않아 소식이 올 것이다 不久就会有消息来

머큐로크롬(mercurochrome) 〖명〗 【藥】汞溴红 gǒngxiùhóng; 红药水 hóngyàoshuǐ; 红汞 hónggǒng; 红汞水 hónggǒngshuǐ

머플러(muffler) 〖명〗 = 목도리

머핀(muffin) 〖명〗 玛芬 mǎfēn; 玛芬蛋糕 mǎfēn dàngāo; 松饼 sōngbǐng; 小松糕 xiǎosōnggāo

먹 〖명〗 1 墨 mò ¶~ 한 정 一块墨 / ~을 갈다 磨墨 2 墨물 ¶~이 옷에 묻다 墨水溅到衣服上了

먹- 〖접두〗 乌 wū; 黑 hēi; 墨 mò ¶~구름 乌云 / ~빛 墨色

먹-거리 〖명〗 吃的 chīde; 食品 shípǐn; 食物 shíwù

먹고-살다 〖자〗 过日子 guòrìzi; 吃饭 chīfàn; 维持生计 wéichí shēngjì; 生活 shēnghuó; 糊口 húkǒu ¶요즘은 먹고살

기가 정말 힘들다 最近日子过得真艰难

먹-구름 图 乌云 wūyún; 黑云 hēiyún ¶하늘에 ~이 잔뜩 끼다 天上布满乌云

먹다¹ 困 聋 lóng; 齉 nàng; 齉鼻儿 wèngbír ¶귀가 ~ 耳聋 / 코 먹은 소리를 내다 说话有点齉鼻儿

먹다² 一타 1 吃 chī; 喝 hē; 服 fú; 食 shí ¶밥을 ~ 吃饭 / 약을 ~ 服药 / 음식을 배불리 ~ 吃饱饭 喝一口酒 / 음식을 배불리 ~ 吃饱饭 2 怀 huái; 怀有 huáiyǒu; 抱 bào; 打 dǎ ¶나쁜 마음을 ~ 打坏主意 / 마음을 굳게 먹고 술을 끊기로 결심했다 抱定决心戒酒 3 (岁数) 上 shàng; 长 zhǎng ¶나이를 ~ 长岁数 4 吃(惊) chī; 害(怕) hài ¶겁을 ~ 害怕 5 挨 ái; 受 shòu; 遭 zāo; 遭受 zāoshòu ¶한바탕 욕을 ~ 挨了一顿骂 6 侵吞 qīntūn; 贪污 tānwū; 受贿 shòu ¶공금을 ~ 侵吞公款 / 뇌물을 ~ 受贿 7 得 dé; 拿 ná ¶남은 이익은 모두 네가 먹어라 剩下的利润你都拿走吧 8 吸 xī; 吃 chī; 吸水 xīshuǐ ¶김이 습기를 먹어 눅눅해졌다 紫菜吸了水气变潮了 / 솜이 물을 먹어 무겁다 棉絮吸了水, 很重 9 取得 qǔdé; 获得 huòdé; 得 dé; 获得 huòdé ¶1등을 ~ 得了第一名 / 우승을 ~ 获得了冠军 10 (球) 输 shū ¶상대편에게 한골을 먹었다 我方先输了一个球 11 中 zhòng; 受 shòu ¶더위를 ~ 中暑 二困 1 (锯、刨子等) 锋利 fēnglì; 快 kuài ¶대패가 잘 먹는다 刨子很快 2 (虫子) 咬 yǎo; 蛀 zhù; 磕 kē ¶벌레 먹은 사과 虫子咬过的苹果 / 옷에 좀이 먹었다 衣服被虫蛀了 3 (油、粉) 上 shàng; 吃 chī ¶화장이 잘 먹지 않는다 脸上皮肤不吃粉 三[보조] 用于动词的后面, 强调前面的行动 (多用于不称心的情况) ¶약속 시간을 잊어 ~ 把约好的时间忘记了 / 야구공으로 유리를 깨 ~ 棒球把玻璃打碎了

먹고 들어가다 困 具备有利条件; 先下一手; 占优势地位; 占先

먹고 떨어지다 困 得了好处就离开

먹먹-하다 图 (震耳) 欲聋 yùlóng; 听不清 tīngbuqīng ¶폭죽 소리에 귀가 ~ 爆竹的声音震耳欲聋 **먹먹-히** 團

먹-물 图 1 墨汁 mòzhī; 墨水 mòshuǐ; 墨水 mò 2 ¶붓에 ~을 찍어 글씨를 쓰다 用毛笔蘸墨汁写字 2 墨水 mòshuǐ (比喻很有学问的人) ¶~ 깨나 먹은 사람 喝了不少墨水的人

먹-보 图 贪嘴 tānzuǐ; 吃货 chīhuò; 馋鬼 chánguǐ; 吃主 chīzhǔ; 大肚子 dàdùzi

먹-빛 图 黑色 hēisè; 墨色 mòsè; 乌黑 wūhēi

먹-색(一色) 图 墨色 mòsè

먹-성(一性) 图 1 胃口 wèikǒu; 食性 shíxìng ¶그는 ~이 좋아서 아무 음식이나 잘 먹는다 他食性好, 吃什么都香 2 饭量 fànliàng ¶~이 크다 饭量大

먹을-거리 图 吃的 chīde; 食品 shípǐn; 食物 shíwù ¶~를 마련하다 准备食物

먹음직-스럽다 图 看着好吃 kànzhe hǎochī; 很香 hěnxiāng; 引人胃口 yǐnrén wèikǒu; 诱人胃口 yòurén wèikǒu; 诱人 yòurén ¶먹음직스럽게 익은 포도 熟得诱人的葡萄 **먹음직스레** 團

먹-이 图 食物 shíwù; 食(儿) shí(r) = 식이 ~ 그물 食物网 [食物链网] / ~ 사슬 食物链 / ~ 통 储食桶 / 피라미드 食物金字塔 / 새가 새끼에게 ~를 물어다 주다 鸟给雏儿喂食 / 늑대가 ~를 찾아 마을까지 내려왔다 狼竟到村里来找食物了

먹-이다 困 1 喂 wèi ¶아이에게 밥을 ~ 喂孩子吃饭 / 아기에게 젖을 ~ 给婴儿喂奶 2 养 yǎng; 喂 wèi; 喂养 wèiyǎng; 饲养 sìyàng ¶소를 먹여 생계를 유지하다 靠喂牛维持生计 3 (贿) 行 xíng ¶판사에게 뇌물을 ~ 向法官行贿 4 使 shǐ …遭 zāo; 让 ~ 受 ràng~shòu; 抹黑 mǒhēi ¶남에게 애를 ~ 让人遭罪 / 부모에게 욕을 ~ 给父母脸上抹黑 / 쉰 tú; 上 shàng; 打 dǎ ¶마룻바닥에 왁스를 ~ 地板上打蜡 / 打 dǎ; 击 jī; 扇 shān ¶주먹을 한 대 ~ 击了一拳

먹여 살리다 困 养活; 扶养

먹잇-감 图 食物 shíwù; 食 shí ¶굶주린 사자가 ~을 구하러 다니다 饥饿的狮子到处寻找食物

먹-자 图 墨尺 mòchǐ; 矩尺 jǔchǐ

먹자-골목 图 美食街 měishíjiē; 小吃街 xiǎochījiē

먹자-판 图 大吃大喝 dàchīdàhē ¶~을 벌이다 大吃大喝一番

먹-줄 图 墨线 mòxiàn; 准绳 zhǔnshéng; 绳墨 shéngmò

먹-지(一纸) 图 复写纸 fùxiězhǐ; 炭纸 tànzhǐ

먹-칠(一漆) 图[하][자타] 1 涂墨 túmò; 抹黑 mǒhēi 2 (名誉、名声等) 辱没 rǔmò; 抹黑 mǒhēi ¶더 이상 부모 얼굴에 ~하지 마라 别再给父母脸上抹黑

먹-통 图 笨蛋 bèndàn; 不灵 bùlíng ¶이 ~아! 你这个笨蛋! / 전화가 ~이다 电话不灵

먹-히다 困 1 被吃掉 bèi chīdiào ¶호랑이에게 ~ 被老虎吃掉了 2 需要 xūyào; 花 huā; 花费 huāfèi; 耗费 hàofèi ¶이 공사에는 100만 원이 먹힌다

이 工程 花費100万韩元 **3** 想喝 xiǎnghē; 想吃 xiǎngchī; 能吃 néngchī ¶밥이 잘 ~ 很能吃饭 **4** 管用 guǎnyòng; 有效 yǒuxiào ¶그에게는 내 말이 잘 먹히지 않는다 我的话对他不管用

먼:-둥 閔 (黎明的) 东方 dōngfāng; 东方天边 dōngfāng tiānbiān; 鱼肚白 yúdùbái ¶~이 트다 东方呈鱼肚白 / ~이 밝아 오다 东方即将破晓

먼:-발치 閔 稍远的地方 shāoyuǎnde dìfang ¶~에서 바라보다 从稍远的地方望着

먼저 閆閈 先 xiān; 首先 shǒuxiān ¶나 ~ 갈게 我先走了 / 도착하면 ~ 전화 부터 해라 到了以后先打电话 〓閔 在先 zàixiān; 上次 shàngcì ¶~의 일은 네가 이해해라 上次的事你就多多谅解吧

먼젓-번(一番) 閔 = 지난번

먼지 閔 灰尘 huīchén; 尘土 chéntǔ ¶~가 쌓이다 积满灰尘

먼지-떨이 閔 掸子 dǎnzi; 拂尘 fúchén

먼지-털이 閔 '먼지떨이'의 잘못

먼지-투성이 閔 满是灰尘 mǎnshì huīchén;满身灰尘 mǎnshēn huīchén ¶방 안이 온통 ~다 房间里满是灰尘

멀거니 閆 呆呆地 dāidāide; 愣愣地 lènglèngde; 茫然地 mángránde ¶그를 ~ 바라보다 呆呆地望着

멀:겋다 閈 **1** 微浑 wēihún ¶개울물이 ~ 溪水微浑 **2** 稀 xī; 稀溜溜 xīliūliū ¶멀겋게 쑨 죽 稀溜溜的粥 **3** (眼睛) 失 神 shīshén; 无神 wúshén; 茫然 mángrán ¶눈을 멀겋게 뜨고 천장만 바라보 다 眼睛无神地望着天花板

멀끔-하다 閈 干净 gānjìng; 清秀 qīngxiù; 白净 báijìng ¶방을 멀끔하게 치우 다 把屋里收拾得干干净净 / 멀끔하게 생긴 젊은이 长相清秀的年轻人 멀끔-히 閆

멀:다¹ 屑 瞎 xiā; 聋 lóng; 失明 shīmíng ¶눈이 ~ 眼이 ~ 因事故眼睛瞎了 / 귀가 멀어서 무슨 말인지 모르겠 다 耳朵聋了, 不知道说了什么 **2** 蒙瞎 méngxiā; 瞎 xiā ¶그는 사랑에 눈이 멀었다 他们被爱情蒙瞎了眼

멀:다² 屑 **1** (距离) 远 yuǎn; 遥远 yáoyuǎn ¶우리 집은 버스 정류장에서 매 우 ~ 我家离公交车站很远 / 공항은 여기서 얼마나 멉니까? 机场离这儿有 多远? **2** (时间) 久 jiǔ; 久远 jiǔyuǎn; 遥远 yáoyuǎn ¶동이 트려면 아직 멀었다 离天亮还远呢 / 먼 옛날 很久以前 **3** (关系) 疏远 shūyuǎn; 生 疏 shēngshū; 生分 shēngfen ¶그가 멀 게 느껴진다 感觉跟他很生疏 **4** 差 yuǎn; 差得远 chàdeyuǎn ¶우리는 성

공하려면 아직 멀었다 我们离成功还 远呢 **5** 远房 yuǎnfáng; 远 yuǎn ¶먼 친척 远亲 **6** (时间) 隔不了 gébùliǎo; 还 不 hǎibúdào ¶그는 사흘이 멀다하 고 병원에 다닌다 隔不了三天, 他就 上医院

먼 사촌보다 가까운 이웃이 낫다
속담 远亲不如近邻

멀뚱-멀뚱 閆閈 **1** 直愣愣 zhílèng-lèng; 呆呆 dāidāi; 愣愣睁睁 lèngzhēng-zhēng ¶그는 그녀를 ~ 바라보고 있다 他直愣愣地望着她 **2** 清汤寡水 qīng-tāng guǎshuǐ

멀뚱-하다 閈 直愣愣 zhílèngléng; 呆 呆 dāidāi ¶그녀는 한동안 멀뚱한 얼굴 으로 그의 얼굴을 쳐다보았다 她表情 呆呆的, 盯了他半天 멀뚱-히 閆

멀:리 閆 远远地 yuǎnyuǎnde; 远 yuǎn; 遥遥 yáoyáo ¶너무 ~ 가지 마라 别走 得太远 / 앞일을 ~ 내다보다 高瞻远 瞩

멀:리-뛰기 閔[體] 跳远 tiàoyuǎn

멀:리-멀:리 閆 远远地 yuǎnyuǎnde ¶노랫소리가 ~ 울려 퍼지다 歌声远远 飘去

멀:리-하다 囤 **1** 避开 bìkāi; 远离 yuǎn-lí; 疏远 shūyuǎn; 敬而远之 jìng'ér-yuǎnzhī ¶동네 사람들은 모두 그를 멀 리했다 邻里人都疏远他 **2** 戒 jiè; 忌 jì; 远离 yuǎnlí ¶색을 ~ 远离女色

멀미 閔閈囤 **1** 晕 yùn ¶~약 抗晕药 =[晕车药] ¶그는 차만 타면 ~를 한 다 他一坐汽车就晕 **2** 厌恶 yànwù ¶이제 그의 잔소리엔 ~가 난다 对他的 唠叨已感到厌恶

멀쑥-하다 閈 **1** 白净 báijìng; 整洁 zhěngjié; 清秀 qīngxiù; 秀气 xiùqi; 干 净 gānjìng ¶옷차림이 ~ 衣着整洁 **2** (个子) 傻高 shǎgāo ¶허우대만 멀쑥한 청년 身材傻高的青年 멀쑥-히 閆

멀쩡-하다 閈 **1** 好端端 hǎoduānduān; 完好 wánhǎo; 完整 wánzhěng; 好好儿 hǎohǎor; 齐全 qíquán ¶멀쩡한 물건을 내버리다 把好端端的东西扔掉了 / 멀 쩡한 사람을 바보 취급하다 把好端端 的人看成傻子 **2** 清醒 qīngxǐng; 头脑 清晰 tóunǎo qīngxī ¶술에 취해 정신을 가누지 못하면서도 정신은 멀쩡하다 고 한다 身子醉得支撑不住, 还说头脑 很清醒 **3** 煞有介事 shàyǒujièshì; 厚颜 hòuyán; 靦颜 tiǎnyán ¶멀쩡하게 거짓 말을 꾸미다 煞有介事地编谎话 멀쩡-히 閆

멀찌감치 閆 稍远地 shāoyuǎnde; 远 地 yuǎnyuǎnde = 멀찍이

멀찍-이 閆 = 멀찌감치

멀찍-하다 閈 稍远 shāoyuǎn; 远一点 yuǎnyìdiǎn ¶멀찍한 곳에서 구경을

다 在稍远的地方观赏

멀티-미디어(multimedia) 图【컴】多媒体 duōméitǐ

멀티비전(multivision) 图 多画面 duōhuàmiàn; 多影像 duōyǐngxiàng

멀티-탭(multi-tap) 图【電】多插头插座 duōchātóu chāzuò; 转接插座 zhuǎnjiē chāzuò

멀티플렉스(multiplex) 图【建】多功能娱乐中心 duōgōngnéng yúlè zhōngxīn

멈추다 困타 停 tíng; 止 zhǐ; 住 zhù; 停止 tíngzhǐ; 停留 tíngliú; 刹住 shāzhù = 멎다 ¶비가 멈춰 한때 비 그쳤다 = [雨住了]/차를 ~ 停车 / 일손을 ~ 停止工作 / 발걸음을 ~ 停止脚步

멈칫 悍하困타 突然停住 tūrán tíngzhù ¶그를 보자 걸음을 ~했다 一见到他就突然停住了脚步

멈칫-거리다 困타 1 反复停住 fǎnfù tíngzhǐ; 老是停下 lǎoshì tíngxià ¶나도 모르게 걸음이 멈칫거렸다 我不知不觉中老是停下脚步 2 踌躇不前 chóuchúbùqián; 犹豫不定 yóuyùbùdìng; 迟疑 chíyí; 蒙眬 méngméng ¶그는 잠시 멈칫거리더니 겨우 입을 열었다 他迟疑片刻, 才开口说话了 ‖ = 멈칫대다 **멈칫-멈칫** 悍하困타

멋 图 1 姿态 zītài; 神采 shéncǎi; 风采 fēngcǎi; 风度 fēngdù; 丰姿 fēngzī ¶~을 부리려고 한겨울에 짧은 치마를 입다 为了显耀丰姿, 大冬天穿短裙子 / ~으로 안경을 쓰다 为了有风度而戴眼镜 2 风韵 fēngyùn; 韵味 yùnwèi; 雅致 yǎzhì; 风雅 fēngyǎ; 风趣 fēngqù ¶이 도자기는 우리 고유의 ~을 지니고 있다 这陶瓷蕴含着我国传统的风韵

멋-대가리 图 '멋'的鄙称

멋-대로 悍 任意 rènyì; 随便 suíbiàn; 随意 suíyì; 随心所欲 suíxīnsuǒyù; 妄自 wàngzì; 胡来 húlái ¶~ 행동하다 任意行动 / 네 ~ 해라 随你的便

멋-모르다 困 不知原委 bùzhī yuánwěi; 不知内情 bùzhī nèiqíng; 不知底细 bùzhī dǐxì; 稀里糊涂 xīlihútú; 盲目 mángmù ¶멋모르고 주식 투자를 했다가 큰 손해를 보았다 盲目地炒股, 结果吃了大亏

멋-스럽다 图 漂亮 piàoliang; 优美 yōuměi ¶멋스럽게 콧수염을 기른 남자 留着漂亮小胡子的男人

멋-없다 图 无聊 wúliáo; 乏味 fáwèi; 没意思 méiyìsi; 不带劲 bùdàijìn; 不好看 bùhǎokàn ¶멋없는 정치 이야기 乏味的政治话题 **멋없이** 悍

멋-있다 图 好看 hǎokàn; 漂亮 piàoliang; 帅 shuài; 酷 kù; 优美 yōuměi ¶멋있게 생기다 长得很帅 / 옷차림이

~ 衣着很漂亮

멋-쟁이 图 爱打扮的(人) àidǎbande (rén); 赶时髦的(人) gǎnshímáode (rén); 有风采的(人) yǒufēngcǎide (rén) ¶~ 아가씨 爱打扮的小姐

멋-지다 图 1 美 měi; 优美 yōuměi; 漂亮 piàoliang; 帅 shuài; 酷 kù ¶풍경 ~ 风景优美 / 옷을 멋지게 차려입다 衣服穿得很漂亮 2 棒 bàng; 漂亮 piàoliang ¶이 아이디어는 정말 ~ 这个主意真棒 / 우리는 오늘 멋지게 싸웠다 今天我们打了一场漂亮仗

멋-쩍다 图 不好意思 bùhǎoyìsi; 尴尬 gāngà; 难为情 nánwéiqíng ¶혼자 가기가 ~ 一个人不好意思去 / 나는 그들을 다시 보기가 멋쩍었다 我不好意思再跟他们见面了

멋:-하다 图 '무엇하다'的略词 ¶앉아 있기가 멋해서 나와 버렸다 坐在那儿有点那个, 所以出来了

멍[1] 图 青肿 qīngzhǒng; 青块 qīngkuài; 青伤 qīngshāng; 淤血 yūxuè ¶넘어져서 다리에 ~이 들었다 摔了一跤, 腿上起了青块

멍[2] 图 = 멍군

멍게 图【動】海鞘 hǎiqiào = 우렁쉥이

멍군 囧하困 (下象棋) 避将 bìjiàng; 逃将 táojiàng; 堵将 dǔjiàng = 멍[2]

멍-들다 (心지) 受伤害 shòu shānghài; 留下创伤 liúxià chuāngshāng ¶멍든 이내 가슴을 누가 알아주랴? 谁能理解我这受过伤害的心?

멍멍 悍 汪汪 wāngwāng (狗叫声)

멍멍-거리다 困 汪汪叫 wāngwāngjiào = 멍멍대다 ¶개가 ~ 狗过汪汪叫

멍멍-이 图 汪汪狗 wāngwānggǒu

멍석 图 席子 xízi; 草席 cǎoxí; 晒席 shàixí ¶~을 깔다 铺席子

멍에 图 1 轭 è ¶소에 ~를 메우다 给牛套上轭 2 枷锁 jiāsuǒ; 羁绊 jībàn ¶~를 벗어던지다 挣脱枷锁

멍에(를) 메다[쓰다] 被套上枷锁

멍울 图 1 (牛奶、糨糊之类中的) 小疙瘩 xiǎogēda ¶풀을 쑤는 데 ~이 져서는 안 된다 熬糨糊, 不能有小疙瘩 2 【醫】结节 jiéjié; 硬块 yìngkuài 3 心里疙瘩 xīnlǐ gēda

멍청-이 图 傻瓜 shǎguā; 呆子 dāizi; 蠢货 chǔnhuò; 笨蛋 bèndàn; 二百五 èrbǎiwǔ = 멍텅구리

멍청-하다 图 1 傻 shǎ; 呆 dāi; 蠢 chǔn; 愚 yú; 笨 bèn; 愚蠢 yúchǔn ¶그 애는 멍청해서 아무리 설명해도 이해하지 못한다 那孩子很笨, 怎么解释也不明白 2 发呆 fādāi; 发愣 fālèng; 木然 mùrán; 愣乎乎 lènghūhū ¶멍청하게 먼 곳을 바라보다 木然地望着远方

청-히 ₊ ¶너는 왜 여기서 ~ 서 있니? 你怎么站在这儿发愣呢?

멍키 스패너(monkey spanner) 【工】活动扳手 huódòng bānshǒu; 万能螺丝钳 wànnéng luósīqián; 活扳手 huóbānshǒu

멍텅구리 뗑 = 멍청이

멍:-하니 ₊ 呆呆地 dāidāide; 发愣地 fālèngde; 木然地 mùránde; 茫然地 mángránde ¶~ 서 있다 呆呆地站着 / ~ 바라보다 呆呆地望着 / 그는 시골에 ~ 앉아 있다 他呆在那儿发愣

멍:-하다 혱 发呆 fādāi; 发愣 fālèng; 愣神儿 lèngshénr ¶그렇게 멍하니 앉아 있지 말고 빨리빨리 움직여라 别那样坐着发呆, 快点儿行动 **멍:-히** ₊

멎다 쟤 = 멈추다 ¶비가 ~ 雨停了 / 기침이 ~ 停止咳嗽 / 총소리가 ~ 枪声停了

메 뗑 锤子 chuízi; 榔头 lángtou ¶~로 떡을 치다 用木槌打糕

메가-바이트(megabyte) 의뗑 【컴】兆字节 zhàozìjié; 百万字节 bǎiwànzìjié

메가-비트(megabit) 의뗑 【컴】兆位 zhàowèi; 百万位 bǎiwànwèi

메가-톤(megaton) 의뗑 【物】兆吨 zhàodūn; 百万吨 bǎiwàndūn

메가폰(megaphone) 뗑 扩音器 kuòyīnqì; 手持扩音器 shǒuchí kuòyīnqì; 喊话器 hǎnhuàqì; 喇叭筒 lǎbātǒng **메가폰을 잡다** 둁 担任导演

메가-헤르츠(megahertz) 의뗑 【物】兆赫 zhàohè; 兆赫兹 zhàohèzī

메:기 뗑 【魚】鲇鱼 niányú; 胡子鱼 húziyú

메기다[1] 뙤 领唱 lǐngchàng; 先唱 xiānchàng

메기다[2] 뙤 (把箭) 上弦 shàngxián; 搭 dā ¶화살을 ~ 搭箭

메꾸다 뙤 (空闲) 消磨 xiāomó

메뉴(menu) 뗑 **1** = 메뉴판 **2** 饭菜 fàncài; 菜 cài; 餐 cān ¶~를 고르다 选菜 / ~를 주문하다 点菜 / 세트 ~ 套餐 / 오늘 저녁 ~는 무엇입니까? 今天晚饭是什么菜? **3** 【컴】选单 xuǎndān

메뉴-판(menu板) 뗑 菜单 càidān; 菜谱 càipǔ = 메뉴1

메:다[1] 쟤 **1** 堵住 dǔzhù; 堵 dǔ; 塞 sāi; 不通 bùtōng ¶하수도가 ~ 下水道堵住 **2** 挤 jǐ; 挤满 jǐmǎn ¶강당이 메어 터지게 사람들이 모이다 礼堂挤满了人 **3** 哽 gěng; 噎 yē; 哽噎 gěngyē; 哽咽 gěngyè ¶감격에 목이 메어 말이 안 나오다 激动得哽噎着说不出话来

메:다[2] 뙤 背 bēi; 抬 tái; 挑 tiāo; 扛 káng ¶가마를 ~ 抬轿 / 어깨에 배낭을

~ 肩上背着背包

메달(medal) 뗑 奖牌 jiǎngpái; 牌 pái; 章 zhāng ¶기념 ~ 纪念章 / ~ 순위 奖牌榜 / ~을 따다 获奖牌 / ~을 목에 걸다 挂上奖牌

메달리스트(medalist) 뗑 【體】奖牌得主 jiǎngpái dézhǔ; 奖牌获得者 jiǎngpái huòdézhě

메두사(Medusa) 뗑 【文】美杜莎 Měidùshā

메들리(medley) 뗑 【音】混成曲 hùnchéngqǔ; 连奏曲 liánzòuqǔ; 混合曲 hùnhéqǔ

메뚜기 뗑 【蟲】蝗虫 huángchóng; 飞蝗 fēihuáng; 蚂蚱 màzha; 蚱蜢 zhàměng

메뚜기도 유월이 한 철이다 속담 **1** 猖厥一时 **2** 花无百日红

메롱 갑 麦哝 màilóng《伸着舌头弄对方时发出的声音》

메리야스(←medias) 뗑 【手工】棉毛布 miánmáobù

메리트(merit) 뗑 【經】使用价值 shǐyòng jiàzhí; 经济效益 jīngjì xiàoyì; 价值 jiàzhí; 效益 xiàoyì ¶~가 높다 经济效益高

메-마르다 혱 **1** 贫瘠 pínjí; 瘠薄 jíbó ¶메마른 논에 물을 대다 给贫瘠的田地灌水 **2** 干瘪 gānbiě; 干涩 gānsè; 粗糙 cūcāo ¶메마른 살결 粗糙的皮肤 **3** 淡薄 dànbó; 刻薄 kèbó; 枯燥 kūzào ¶인정이 ~ 人情淡薄 **4** (嗓音) 干涩 gānsè; 干瘪 gānbiě ¶메마른 음성 干涩的声音

메모(memo) 뗑하뙤 **1** 便条 biàntiáo; 条子 tiáozi; 字条 zìtiáo; 留言 liúyán; 备忘录 bèiwànglù ¶~를 남기다 留个字条 **2** 摘记 zhāijì; 笔记 bǐjì; 记录 jìlù ¶회의 내용을 수첩에 ~하다 把会议内容记在手册上

메모리(memory) 뗑 【컴】**1** = 기억 용량 **2** = 기억 장치

메모-지(memo紙) 뗑 便条 biàntiáo; 纸条 zhǐtiáo ¶~에 전화번호를 적어 두다 在便条上写下电话号码

메모-판(memo板) 뗑 **1** 留言板 liúyánbǎn; 留言牌 liúyánpái **2** 记事板 jìshìbǎn

메밀 뗑 【植】荞麦 qiáomài ¶~가루 荞麦粉 =[荞麦面] / ~국수 荞麦面条 / ~묵 荞麦凉粉

메-벼 뗑 梗稻 jīngdào

메스(네mes) 뗑 【醫】手术刀 shǒushùdāo

메스껍다 혱 恶心 ěxin; 作呕 zuò'ǒu ¶메스꺼운 냄새 令人作呕的气味 / 돈 좀 있다고 거들먹거리는 꼴이 정말 ~ 有几个钱就耀武扬威的, 真让人恶心

메스-실린더(←measuring cylinder) 몡【化】量筒 liángtǒng

메스-플라스크(←measuring flask) 몡【化】量瓶 liángpíng; 容量瓶 róng-liàngpíng

메슥-거리다 자 恶心 ěxin; 作呕 zuò'ǒu = 메슥대다 ¶속이 메슥거려 아무것도 못 먹겠다 胃里直恶心, 什么也吃不下 **메슥-메슥** 부하자

메시아(Messiah) 몡【宗】弥赛亚 Mí-sàiyà; 救世主 jiùshìzhǔ

메시지(message) 몡 1 留言 liúyán; 留话 liúhuà; 口信 kǒuxìn; 短信 duǎn-xìn; 消息 xiāoxi; 音信 yīnxìn ¶그에게 ~를 남기다 给他留个口信 / 그는 핸드폰 ~를 확인했다 他查了一下手机短信 2 (文学艺术作品的) 宗旨 zōng-zhǐ; 主题 zhǔtí; 寓意 yùyì; 要旨 yào-zhǐ ¶이 작품이 주는 ~ 这部作品的主题思想

메아리 몡 回声 huíshēng; 回音 huí-yīn; 回响 huíxiǎng = 산울림2 ¶~가 울리다 回声响起

메아리-치다 자 回响 huíxiǎng; 回荡 huídàng; 反响 fǎnxiǎng; 山鸣 shān-míng = 메아리하다 ¶온 나라에 기쁨의 노랫소리가 ~ 全国上下回荡着愉快的歌声

메어-꽂다 타 越肩摔 yuèjiān shuāi; 扛摔 kángshuāi ¶상대를 마룻바닥에 ~ 把对手猛摔在地板上

메우다¹ 타 1 箍 gū ¶독에 테를 ~ 在缸上箍箍儿 2 蒙 méng ¶북통에 가죽을 ~ 用皮子蒙鼓 3 (轭) 套 tào ¶명에를 ~ 套轭 4 (弓) 搭 dā ¶활에 화살을 ~ 把箭搭在弓弦上

메우다² 타 1 填 tián; 填充 tiánchōng; 填平 tiánpíng; 堵住 dǔzhù ('메다¹'의 사동사) ¶구덩이를 ~ 把坑填平 / 공란을 ~ 填空 2 挤满 jǐmǎn ('메다²'의 사동사) ¶수천 명의 학생들이 광장을 가득 메웠다 广场上挤满了数千名的学生

메이저 리그(Major League) 몡【體】美国职业棒球联赛 Měiguó Zhíyè Bàngqiú Liánsài; 美国职业棒球大联盟 Měiguó Zhíyè Bàngqiú Dàliánméng

메이지 유신(Maiji[明治]維新) 몡【史】明治维新 Míngzhì wéixīn

메이커(maker) 몡 1 制造者 zhìzào-zhě; 制造商 zhìzàoshāng; 制造厂 zhì-zàochǎng ¶유명 ~ 著名制造商 2 名品 jīngpǐn; 名牌货 míngpáihuò; 名牌 míngpái ¶그는 ~ 아닌 옷은 안 입는다 他不穿非名牌衣服, 他不穿

메이크업(makeup) 몡하타 1 彩妆 cǎi-zhuāng; 化妆 huàzhuāng ¶~ 아티스트 彩妆师 2 (演员的) 化装 huàzhuāng

메일(mail) 몡【컴】= 전자 우편 ¶~

을 보내다 发送电子邮件

메조-소프라노(이mezzo-soprano) 몡【音】1 女中音 nǚzhōngyīn 2 女中音歌手 nǚzhōngyīn gēshǒu

메조 포르테(이mezzo forte) 【音】中强 zhōngqiáng

메조 피아노(이mezzo piano) 【音】中弱 zhōngruò

메주 몡 酱引子 jiàngyǐnzi; 豆豉 dòu-chǐ; 豆酱饼 dòujiàngbǐng; 酱楪子 jiàng-qiūzi

메주-콩 몡 (作酱用的) 黄豆 huáng-dòu

메추라기 몡【鳥】鹑 chún; 鹌鹑 ān-chún = 메추리

메추리 몡【鳥】= 메추라기

메카(Mecca) 몡 麦加 màijiā; 中心 zhōngxīn ¶반도체 산업의 ~ 半导体产业的麦加

메커니즘(mechanism) 몡 结构 jié-gòu; 机制 jīzhì ¶소화 과정의 ~ 消化的结构

메케-하다 형 (烟气、霉味儿) 呛人 qiàngrén; 刺鼻 cìbí ¶사무실 안이 매케한 담배 냄새로 가득하다 办公室里弥漫着呛人的烟味儿

메탄(methane) 몡【化】甲烷 jiǎwán; 沼气 zhǎoqì = 메탄가스

메탄-가스(methane gas) 【化】= 메탄

메탄올(methanol) 몡【化】甲醇 jiǎ-chún; 木精 mùjīng; 木醇 mùchún = 메틸알코올

메트로놈(metronome) 몡【音】节拍器 jiépāiqì

메틸(methyl) 몡【化】= 메틸기

메틸-기(methyl基) 몡【化】甲基 jiǎjī = 메틸

메틸-알코올(methyl alcohol) 몡【化】= 메탄올

멘델의 법칙(Mendel—法則) 【生】孟德尔遗传法则 Mèngdé'ěr yíchuán fǎzé; 孟德尔定律 Mèngdé'ěr dìnglǜ

멘스(←menstruation) 몡【生】= 월경(月經)

멘톨(독Menthol) 몡【化】= 박하뇌

멜:-대 몡 扁担 biǎndan ¶~를 메다 挑扁担

멜라닌(melanin) 몡【生】黑色素 hēi-sèsù; 黑素 hēisù; 麦拉宁 màilāníng

멜라민(melamine) 몡【化】三聚氰胺 sānjùqíng'àn; 蜜胺 mì'àn; 蛋白精 dàn-báijīng ¶~ 수지 蜜胺树脂

멜로-드라마(melodrama) 몡【演】情节剧 qíngjiéjù; 爱情剧 àiqíngjù

멜로디(melody) 몡【音】旋律 xuán-lǜ; 曲调 qǔdiào

멜로디언(melodion) 몡【音】口风琴

kǒufēngqín

멜론(melon) 몡 〖植〗 甜瓜 tiánguā；香瓜 xiānguā

멜 : **빵** 몡 背带 bēidài ¶~ 바지 背带裤

멤버(member) 몡 成员 chéngyuán；会员 huìyuán；队员 duìyuán ¶임시 ~ 临时性成员 / ~를 교체하다 换队员

멤버십(membership) 몡 会员资格 huìyuán zīgé；成员身份 chéngyuán shēnfen；成员资格 chéngyuán zīgé ¶~ 카드 会员卡

멥쌀 몡 粳米 jīngmǐ

멧 : **돼지** 몡 〖動〗 野猪 yězhū；山猪 shānzhū = 산돼지

-며 〖어미〗 1 用在开音节的谓词词干或体词的谓词形之后，表示并列 ¶이것은 감이~ 저것은 사과이다 这是柿子，那是苹果 2 = -면서1 ¶음악을 들으~ 공부를 하다 边听音乐边学习

며느리 몡 儿媳妇(儿) érxífu(r)；媳妇 xífù ¶~를 맞다 迎娶儿媳妇
며느리 사랑은 시아버지, 사위 사랑은 장모 속담 公公疼媳妇，岳母疼女婿

며느리 : **발톱** 몡 距 jù

며칠 몡 1 几日 jǐrì；几号 jǐhào ¶오늘이 ~이니? 今天几号？ 2 几天 jǐtiān；有些日子 yǒuxiē rìzi ¶~ 전 几天前 / ~ 동안 못 만났다 好几天没见了

멱[1] 몡 前颈 qiánjǐng；前脖 qiánbó；脖子 bózi ¶~을 따서 닭을 잡다 把鸡脖子割了宰鸡

멱[2] 몡 '미역'의 略词 ¶강에서 ~을 감다 在河里游泳

멱 : **따다** 타 割脖子 gēbózi；宰 zǎi ¶돼지를 ~ 宰猪
멱따는 소리 형 驴叫

멱살 몡 1 前颈 qiánjǐng；前脖 qiánbó；脖子 bózi 2 领口 lǐngkǒu；脖领子 bólǐngzi ¶서로 ~을 잡고 다투다 互相揪着领口打斗

멱살 : **잡이** 몡[하자타] 揪领口 jiūlǐngkǒu

면 : [1] 〈面〉 몡 1 表面 biǎomiàn；面 miàn ¶~이 고르지 않은 平坦不平坦的 땅 2 (立体的) 面 miàn ¶벽 한 ~에 멋있는 그림이 걸려 있다 墙的一面上挂着美丽的图画 3 边 biān；面 miàn ¶우리나라는 삼~이 바다로 둘러싸여 있다 我国三面环海 4 方面 fāngmiàn；一面 yīmiàn ¶경제적인 ~ 经济方面 / 긍정적인 ~ 肯定的一面 5 面子 miànzi；脸面 liǎnmiàn；颜面 yánmiàn ¶~이 깎이다 丢面子 6 (报纸的) 版 bǎn；版面 bǎnmiàn ¶제 일 ~에 실리다 登在第一版

면 : [2] 〈面〉 몡 面 miàn 《行政区划之一》

면(綿) 몡 棉 mián；棉布 miánbù；棉纱 miánshā ¶~내의 棉内衣 / ~바지 棉裤 / ~섬유 棉纤维 / ~양말 棉袜子

~제품 棉织品 / ~티셔츠 棉T恤 / ~으로 만든 옷 用棉布做的衣服

면 : (麵 ·麪) 몡 = 국수 ¶~을 삶다 煮面条

-면 〖어미〗 1 假如 jiǎrú；如果 rúguǒ；要是 yàoshi；…的话 …dehuà 《表示假定条件》 ¶내일 눈이 오~ 스키를 타러 갈 거다 明天下雪的话就去滑雪 / 네가 가~ 난 가지 않겠다 如果你去，我就不去了 2 一…就 yī…jiù；只要 zhǐyào 《表示契机或先决条件》 ¶누구나 부지런히 일하~ 성공한다 不管谁，只要勤恳工作就会成功 / 그녀는 눈만 뜨~ 책을 읽는다 她一睁开眼就看书

면 : **담**(面談) 몡[하타] 面谈 miàntán；会谈 huìtán ¶단독 ~ 单独面谈 / 내일 사장과 ~하기로 되어 있다 明天将与老板进行面谈

면 : **도**(面刀) 몡[하타] 1 刮脸 guāliǎn；刮胡子 guā húzi；剃须 tìxū ¶그는 아침마다 ~한다 他每天早上刮胡子 2 = 면도칼

면 : **도** : **기**(面刀器) 몡 剃脸刀 tìliǎndāo；剃须刀 tìxūdāo；刮胡刀 guāhúdāo；剃刀 tìdāo ¶전기 ~ 电动剃须刀

면 : **도** : **날**(面刀—) 몡 1 剃须刀刃 tìxū dāorèn 2 刮脸刀片 guāliǎn dāopiàn；剃须刀片 tìxū dāopiàn；保险刀片 bǎoxiǎn dāopiàn ¶날카로운 ~ 锋利的刮脸刀片 / ~에 베다 被刮须刀片刮破了

면 : **도** : **칼**(面刀—) 몡 剃须刀 tìxūdāo；剃刀 tìdāo；刮脸刀 guāliǎndāo = 면도1

면 : **류** : **관**(冕旒冠) 몡 〖史〗 冕旒冠 miǎnliúguān

면 : **면**(面面) 몡 1 各个人 gègèrén；每个人 měigèrén 2 各方面 gèfāngmiàn；各个方面 gègè fāngmiàn；多方面 duōfāngmiàn ¶그는 아들의 자랑스러운 ~을 나에게 모두 보여 주려고 애를 썼다 他费劲地给我看他儿子令人骄傲的各个方面

면면 : **하다**(綿綿—) 혱 连绵 liánmián；绵绵 miánmián；绵延 miányán ¶수천 년 면면하게 이어져 내려온 역사와 전통 绵绵数千年的历史和传统 **면면-히** 몜

면 : **모**(面貌) 몡 1 相貌 xiàngmào；面貌 miànmào；面目 miànmù ¶~가 수려하다 面目清秀 2 面貌 miànmào；面目 miànmù ¶~가 일신되다 面目一新

면 : **목**(面目) 몡 1 相貌 xiàngmào；面目 miànmù；面貌 miànmào 2 = 낯2 ¶~이 서다 有脸见人 3 面貌 miànmào；面目 miànmù ¶서울은 세계적인 도시의 ~을 지녔다 首尔具有世界大都市的面貌

면목(이) 없다 丒 没脸；没有脸面

면밀-하다(綿密—) 周密 zhōumì; 细致 xìzhì; 绵密 miánmì; 细心 xìxīn ¶면밀한 계획 周密的计划 **면밀-히** 뷔 ¶~ 관찰하다 细致地观察

면-박(面駁) 명하타 驳面子 bómiànzi; 当面驳斥 dāngmiàn bóchì; 当面斥责 dāngmiàn chìzé ¶그에게 ~을 주다 驳他的面子

면-발(麵—) 명 (一根根的) 面条(儿) miàntiáo(r) ¶~이 굵다 面条很粗 / ~이 쫄깃쫄깃하다 面条很有韧劲

면봉(綿棒) 명 棉花棒 miánhuābàng; 棉签(儿) miánqiān(r)

면사(綿絲) 명 棉丝 miánsī; 棉线 miánxiàn; 棉纱 miánshā

면-사무소(面事務所) 명 面行政事务所 miànxíngzhèng shìwùsuǒ; 面事务所 miànshìwùsuǒ; 面办公处 miànbàngōngchù

면-사-포(面紗布) 명 面纱 miànshā; 头纱 tóushā; 纱盖头 shāgàitóu ¶얼굴에 ~를 쓴 신부 脸蒙面纱的新娘

면-상(面上) 명 脸上 liǎnshang; 脸面 liǎnmiàn ¶상대방의 ~에 주먹을 날리다 往对方的脸上打了一拳

—면서 어미 1 边…边… biān…biān…; 既…又… jì…yòu…; 着 zhe (表示同时进行的动作或并存的事实) = —며2 ¶신문을 보~ 밥을 먹다 边看报纸边吃饭 / 눈물을 흘리~ 헤어지자고 하다 流着眼泪说分手 2 可是 kěshì; 而 ér; 却 què (表示转折) ¶모르~ 아는 척하다 不懂装懂 / 자기는 놀~ 남만 시키다 自己玩, 却支使别人

면-세(免稅) 명하타 免税 miǎnshuì ¶~ 품목 免税清单

면세-점(免稅店) 명 免税店 miǎnshuìdiàn; 免税商店 miǎnshuì shāngdiàn ¶공항 ~ 机场免税店

면세-품(免稅品) 명 免税品 miǎnshuìpǐn; 免税商品 miǎnshuì shāngpǐn

면-수(面數) 명 面数 miànshù; 页数 yèshù = 쪽수 ¶신문의 ~가 늘었다 报纸的页数增加了

면-식(面識) 명 认识 rènshi; 一面之交 yīmiànzhījiāo ¶~이 있다 相认 = [认识] / ~이 없다 脸生 = [面生][不认识]

면식-범(面識犯) 명 [法] 面熟的犯人 miànshúde fànrén

면양(緬羊·綿羊) 명 [動] 绵羊 miányáng = 양(羊)

면-역(免疫) 명하자 1 [醫] 免疫 miǎnyì ¶인체의 ~ 기능 人体的免疫机能 2 免疫力 miǎnyìlì ¶비행기 소음에도 이젠 ~이 생겼다 对飞机噪音也已产生免疫力

면-역-력(免疫力) 명 [生] 免疫力 miǎnyìlì ¶~ 저하 免疫力降下 / ~이

떨어지다 免疫力下降 / ~을 높이다 提高免疫力

면:-역-성(免疫性) 명 免疫性 miǎnyìxìng; 免疫力 miǎnyìlì ¶~이 약해진 노인 免疫力降低的老人

면:-역-체(免疫體) 명 [生] = 항체

면:-장(面長) 명 面长 miànzhǎng

면:-장갑(綿掌匣) 명 棉手套 miánshǒutào = 목장갑

면:-적(面積) 명 [數] 面积 miànjī ¶~이 넓다 面积大 / ~이 좁다 面积小

면:-전(面前) 명 当着面 dāngzhemiàn; 当面 dāngmiàn; 面前 miànqián ¶~에서 욕하다 当面咒骂

면:-접(面接) 명하자 1 = 면접시험 2 会见 huìjiàn; 会面 huìmiàn; 见面 jiànmiàn

면:-접-시험(面接試驗) 명 面试 miànshì; 面考 miànkǎo = 면접1 ¶~을 보다 考面试

면:-제(免除) 명하타 免除 miǎnchú; 免 miǎn ¶세금 ~ 免税 / 병역이 ~ 되다 免服兵役

면:-죄(免罪) 명하타 免罪 miǎnzuì ¶~부 免罪符

면:-지(面紙) 명 [印] 封面衬纸 fēngmiàn chènzhǐ

면:-직(免職) 명 免职 miǎnzhí; 罢官 bàguān; 解职 jiězhí; 解雇 jiěgù ¶실수를 저질러 ~ 당하다 因失误遭到解雇

면직(綿織) 명 [手工] = 면직물

면직-물(綿織物) 명 [手工] 棉织品 miánzhīpǐn; 棉织物 miánzhīwù = 면직(綿織)

면:-책(免責) 명하타 免责 miǎnzé; 免去责任 miǎnqù zérèn; 不受责备 bùshòu zébèi; 避免责备 bìmiǎn zébèi ¶특권 责任豁免权 / ~ 사유 免责理由

면:-치레(面—) 명 装门面 zhuāng ménmiàn; 装饰外表 zhuāngshì wàibiǎo = 체면치레

면:-피(免避) 명하타 避免 bìmiǎn ¶사고를 ~하다 避免事故

면:-하다(免—) 타 1 免 miǎn; 免除 miǎnchú; 摆脱 bǎituō; 脱离 tuōlí; 避免 bìmiǎn ¶책임을 ~ 免除责任 / 화를 ~ 免 miǎn ¶화를 ~ 避免灾祸 / 재앙을 ~ 避免灾难 3 摆脱 bǎituō; 脱离 tuōlí; 免 miǎn ¶낙제를 ~ 免 xìngmiǎn ¶낙제를 ~ 幸免 / 낙방 / 셋방살이 신세를 ~ 摆脱租房的日子

면:-하다(面—) 자타 1 面向 miànxiàng; 靠 kào; 朝 cháo; 临 lín ¶그의 집은 한길에 면해 있어서 몹시 시끄럽다 他家靠着马路, 很吵 2 面临 miànlín ¶위기에 ~ 面临危机

면:-학(勉學) 명하자 努力学习 nǔlì xué-

xī；勤奋学习 qínfèn xuéxí；勤学 qín-
xué ¶～ 分위기 勤奋学习的 氛围

면:허(免许) 图[하타]【法】 **1** 执照 zhí-
zhào；照 zhào **2** 许可 xǔkě；批准 pī-
zhǔn；特许 tèxǔ ¶총기 소지 ～ 持枪
许可 / 수출 ～ 出口许可

면:허-세(免许税) 图【法】特许税 tè-
xǔshuì；专利税 zhuānlìshuì

면:허 정지(免许停止) 【法】吊销 diào-
xiāo；吊扣 diàokòu；停止许可 tíngzhǐ
xǔkě

면:허-증(免许证) 图【法】执照 zhí-
zhào；许可证 xǔkězhèng ¶운전 ～ 驾
驶执照 / ～을 발급하다 发给执照

면:허 취:소(免许取消) 图【法】取消执
照 qǔxiāo zhízhào；取消许可 qǔxiāo
xǔkě；吊销执照 diàoxiāo zhízhào

면화(绵花) 图【植】= 목화

면:회(面会) 图[하타] = 会面 huìmiàn；会
客 huìkè；见面 jiànmiàn；看 kàn ¶～실
会客室 = [会面室] / ～ 시간 会客时
间 / ～사절 谢绝会客 = [谢客]

멸균(灭菌) 图[하타] = 杀菌 ¶～된 우
유 灭菌的牛奶

멸망(灭亡) 图[하타] 灭亡 mièwáng；消
亡 xiāowáng ¶～의 길을 걷다 走上灭
亡的道路 / ～을 초래하다 导致灭亡

멸시(蔑视) 图[하타] 蔑视 mièshì；卑视
bēishì；轻蔑 qīngmiè；鄙视 bǐshì ¶～
의 눈초리 轻蔑的眼光 / 가난 때문에
～를 당하다 因贫穷就得受人鄙视

멸종(灭种) 图[하타] 绝种 juézhǒng；灭
种 mièzhǒng；火绝 mièjué ¶～ 위기에
놓인 동물 濒临灭绝的动物

멸치 图【鱼】鳀鱼 tíyú；海蜒 hǎiyán ¶
～젓 鳀鱼酱 腌鳀鱼

멸-하다(灭—) 图 灭 miè；消灭 xiāo-
miè；抄灭 chāomiè；诛灭 zhūmiè ¶삼
족을 ～ 抄灭三族

명¹(名) 图 名 míng ¶곡～ 曲名 / 작품
～ 作品名

명²(名) 图[의명] = 名 míng；个 gè ¶삼십 ～
의 학생 三十个学生

명¹(命) 图 **1** = 목숨 ¶～이 다하다
寿命终尽 / ～이 길다 寿命长 **2** = 운
명(运命)

명²(命) 图 命令 mìnglìng；命 mìng；
令 lìng ¶～을 내리다 下达命令 / ～을
받들다 奉命

명-(名) 图[접두] 著名 zhùmíng；名 míng
¶～감독 名导演 / ～배우 著名演员

명가(名家) 图 **1** 名家 míngjiā；名门
míngmén；门门大家 míngmén dàjiā **2**
名牌 míngpái；名家 míngjiā；大家 dà-
jiā；名人 míngrén ¶서화의 ～ 书画名
家 / 구두의 ～ 皮鞋名牌

명-가수(名歌手) 图 名歌手 mínggē-
shǒu；歌星 gēxīng；红歌星 hónggē-

xīng；名歌星 mínggēxīng

명검(名剑) 图 名剑 míngjiàn；刀刀
míngdāo

명견(名犬) 图 名犬 míngquǎn

명경-지수(明镜止水) 图 明镜止水
míngjìngzhǐshuǐ

명곡(名曲) 图 名曲 míngqǔ ¶불후의
～ 不朽名曲 / ～을 감상하다 欣赏名
曲

명기(名妓) 图 名妓 míngjì

명기(明记) 图[하타] 明记 míngjì；明确
记载 míngquè jìzài；标明 biāomíng ¶
원작자의 이름을 ～하다 明确记载原
作者的姓名

명단(名单) 图 名单 míngdān ¶합격자
～에 그의 이름이 있다 合格者名单中
有他的名字 / 대표 선수 ～을 발표하
다 公布代表选手名单

명당(明堂) 图 **1** 明堂 míngtáng；正殿
zhèngdiàn **2**【民】风水宝地 fēngshuǐ
bǎodì；吉地 jídì；宝地 bǎodì；风水好
的地方 fēngshuǐ hǎode dìfāng ¶～ 명당
자리 ¶부모님 산소를 ～에 쓰다 把父
母的坟安葬在风水好的地方

명당-자리(明堂—) 图【民】= 명당2

명-대사(名臺词) 图【演】经典台词
jīngdiǎn táicí

명도(明度) 图【美】明度 míngdù ¶～
대비 明度对比 / ～가 높다 明度高 / ～
가 낮다 明度低

명란(明卵) 图 明太鱼子 míngtàiyúzǐ；
明太鱼卵 míngtàiyúluǎn ¶～젓 明太鱼
子酱

명랑(明朗) 图[하타][부] 明朗 míng-
lǎng；爽朗 shuǎnglǎng；开朗 kāilǎng；
欢快 huānkuài ¶아이들의 ～한 웃음소
리 孩子们爽朗的笑声 / 성격이 ～하다
性格开朗

명:령(命令) 图[하타] 命令 mìnglìng；令
lìng ¶공격 ～ 攻击令 / ～을 내리다 下
命令 = [下令] / 당신은 나에게 ～할
권한이 없다 你无权命令我

명:령-문(命令文) 图【语】**1** 命令书
mìnglìngshū **2**【语】祈使句 qíshǐjù；命
令句 mìnglìngjù

명:령-어(命令语) 图【컴】命令语
mìnglìngyǔ

명:령-조(命令调) 图 命令的语调 mìng-
lìngde yǔdiào；命令的口气 mìnglìngde
kǒuqì ¶그는 ～로 말했다 他以命令的
口气说了

명:령-형(命令形) 图【语】祈使形 qí-
shǐxíng；命令式 mìnglìngshì

명료-하다(明瞭—) 图 明了 míngliǎo；
明确 míngquè；明白 míngbai；清楚
qīngchu ¶간단하고 명료한 대답 简单
明了的回答 / 개념이 ～하다 概念明确

명료-히(明瞭—) 부

명마(名馬) 图 名马 míngmǎ

명망(名望) 图 名望 míngwàng; 名声 míngshēng; 声誉 shēngyù ¶~가 有名 望한 사람/~이 높다 名望高

명：**맥**(命脈) 图 命脉 mìngmài; 生存 shēngcún; 生命 shēngmìng ¶사업이 겨우 ~을 유지하고 있다 事业勉强维持生存

명：**명**(命名) 图하타 命名 mìngmíng; 定名 dìngmíng; 起名 qǐmíng ¶해군은 이번에 새로 만든 배의 이름을 '이순신'이라고 ～하였다 海军把这次新造的船起名为'李舜臣'

명명백백－하다(明明白白－) 圈 明明白白 míngmíngbáibái; 清清楚楚 qīngqīngchǔchǔ ¶명명백백한 증거 清清楚楚的证据 **명명백백－히** 囝

명목(名目) 图 名目 míngmù; 名义 míngyì; 名 míng; 招牌 zhāopái ¶각종 ～으로 세금을 거두다 以各种名目抽税

명문(名文) 图 名文 míngwén; 名篇 míngpiān ¶그의 글은 당대의 ～이다 他的文章是当代的名篇

명문(名門) 图 1 名门 míngmén ¶～자제 名门子弟/～ 출신 名门出身 2 名校 míngxiào; 名牌 míngpái ¶야구의 ～ 棒球名校/～ 대학을 나와도 毕业于名牌大学

명문(明文) 图 明文 míngwén; 明条 míngtiáo ¶～ 규정 明文规定

명문－가(名門家) 图 名门 míngmén; 名门望族 míngmén wàngzú

명문－교(名門校) 图 名校 míngxiào; 著名学校 zhùmíng xuéxiào; 名牌学校 míngpái xuéxiào ¶그는 ～ 출신이다 他出身名校

명문－대(名門大) 图 名牌大学 míngpái dàxué; 著名大学 zhùmíng dàxué

명물(名物) 图 1 名产 míngchǎn; 特产 tèchǎn; 珍物 zhēnwù ¶대구의 ～은 사과이다 大邱的特产是苹果 2 名人 míngrén ¶그녀는 우리 사무실의 ～이다 她是我们办公室的名人

명민－하다(明敏－) 圈 明敏 míngmǐn; 聪明机敏 cōngmíng jīmǐn ¶이 아이는 아주 ～ 这孩子真明敏

명반(名盤) 图 名唱片 míngchàngpiàn

명반(明礬) 图【化】= 백반(白礬)

명－배우(名俳優) 图 名演员 míngyǎnyuán; 名伶 mínglíng; 著名演员 zhùmíng yǎnyuán

명백－하다(明白－) 圈 明白 míngbai; 明了 míngliǎo; 清楚 qīngchu; 明显 míngxiǎn; 明晰 míngxī; 确凿 quèzáo ¶명백한 사실 明了的事实/명백한 증거가 드러나다 确凿的证据浮现出来 **명백－히** 囝 ¶진상이 ～ 밝혀지다 真相

被清楚地揭露

명복(冥福) 图 冥福 míngfú ¶삼가 고인의 ～을 빕니다 敬祭故人之冥福

명부(名簿) 图 名簿 míngbù; 名籍 míngjí; 名册 míngcè; 名录 mínglù ¶선거인 ～ 选举人名籍

명분(名分) 图 1 名分 míngfèn; 本分 běnfèn ¶～을 지키다 守本分/～을 중시하다 重视名分 2 由头 yóutou; 口实 kǒushí; 名目 míngmù; 托词 tuōcí; 借口 jièkǒu ¶～ 없는 싸움 没有由头的争吵/～을 찾다 找由头/그럴듯한 ～을 내세우다 搬出个像样儿的名目

명불허전(名不虚传) 图 名不虚传 míng-bùxūchuán

명사(名士) 图 名士 míngshì; 知名人士 zhīmíng rénshì; 名流 míngliú ¶학계의 ～ 学术界的知名人士

명사(名詞) 图【語】名词 míngcí ¶～절 名词节/～형 名词形

명－사수(名射手) 图 名射手 míngshè-shǒu; 神枪手 shénqiāngshǒu ¶백발백중의 ～ 百发百中的神枪手

명산(名山) 图 名山 míngshān ¶중국의 십대 ～ 中国的十大名山

명－산지(名産地) 图 名产地 míngchǎn-dì ¶배의 ～인 나주 梨的名产地罗州

명상(冥想·瞑想) 图하타 冥想 míngxiǎng ¶～곡 冥想曲/～록 冥想录/～에 잠기다 陷入冥想/～에서 깨어나다 从冥想中醒过来

명색(名色) 图 名目 míngmù; 名义 míngyì ¶내가 ～이 사장인데, 그까짓 돈을 떼먹겠어? 我名义上好歹是老板, 难道会赖账吗?

명석－하다(明晳－) 圈 明晰 míngxī; 明 晰 míngxī ¶두뇌가 ～ 头脑明晰/명석한 판단을 내리다 作出明晰

명성(名聲) 图 名声 míngshēng; 名气 míngqi; 声望 shēngwàng; 名名 shēng-míng ¶～을 얻다 有了名声/～이 자자하다 名声大震

명세(明細) 图 细目 xìmù; 明细 míngxì ¶～서 =[清单]/비용 ～ 费用明细/재산 ～ 财产细目

명소(名所) 图 名胜 míngshèng; 景点 jǐngdiǎn ¶관광 ～ 旅游景点

명수(名手) 图 名手 míngshǒu; 能手 néngshǒu; 强手 qiángshǒu; 名人 míngrén ¶바둑의 ～ 围棋名手

명수(名數) 图 人数 rénshù = 인원수 ¶～를 헤아리다 数人数

명승－고적(名勝古跡) 图 名胜古迹 míngshèng gǔjì

명－승부(名勝負) 图 名胜负 míng-shèngfù

명승－지(名勝地) 图 名胜地 míngshèng-dì; 名胜 míngshèng; 胜地 shèngdì

명시(名詩) 圈 名诗 míngshī

명시(明示) 圈하타 明示 míngshì; 标明 biāomíng; 明确指出 míngquè zhǐchū ¶장소와 시간을 ~하다 标明地点和时间

명실-공히(名實共一) 閉 名副其实 míngfúqíshí; 名符其实 míngfúqíshí

명실-상부(名實相符) 圈하형 名实相符 míngshíxiāngfú; 名实相副 míngshíxiāngfù; 名副其实 míngfùqíshí; 名符其实 míngfúqíshí ¶브라질은 ~한 축구 강국이다 巴西是名符其实的足球强国

명심(銘心) 圈하타 牢记 láojì; 铭记 míngxīn; 铭记 míngjì ¶선생님의 말씀을 ~하겠습니다 我会牢记老师的教导

명아주 圈【植】藜 lí; 红心藜 hóngxīnlí

명암(明暗) 圈 1 明暗 míng'àn; 浓淡 nóngdàn ¶이 사진은 ~이 매우 뚜렷하다 这张照片明暗很分明 2 悲喜 bēixǐ; 幸与不幸 xìngyǔbùxìng ¶인생의 ~ 人生的幸与不幸 / ~이 엇갈리다 悲喜交集

명약(名藥) 圈 名药 míngyào

명약관화(明若觀火) 圈하형 洞若观火 dòngruòguānhuǒ; 明若观火 míngruòguānhuǒ ¶~는 사실 明若观火的事实

명언(名言) 圈 名言 míngyán ¶훌륭한 ~ 한 마디를 남기다 留下一句经典名言

명-연기(名演技) 圈 出色的演技 chūsède yǎnjì; 出色的表演 chūsède biǎoyǎn

명예(名譽) 圈 1 名誉 míngyù; 声誉 shēngyù; 荣誉 róngyù; 光荣 guāngróng ¶~욕 名誉欲 / ~퇴직 光荣退休 = [名誉退职] / ~를 회복하다 恢复名誉 / 가문의 ~ 더럽히다 污辱家门名誉 2 名誉 míngyù ¶~교수 名誉教授 / ~박사 名誉博士 / ~시민 名誉市民 / ~직 名誉职 / ~회장 名誉会长

명예-롭다(名譽一) 圈 名誉 guāngróng; 荣誉 róngyù; 光彩 guāngcǎi ¶명예로운 훈장 荣誉勋章 / 명예롭게 퇴진하다 光荣地下台 명예로이 閉 ¶조국을 위하여 ~ 죽다 为祖国光荣牺牲

명예 훼:손(名譽毁損) 【法】损害名誉 shǔnhài míngyù ¶~죄 损害名誉罪

명왕-성(冥王星) 圈【天】冥王星 míngwángxīng

명:운(命運) 圈 = 운명(運命)

명월(明月) 圈 明月 míngyuè

명의(名義) 圈 名义 míngyì; 名下 míngxià ¶~ 변경 名义变更 / 집을 부인 ~로 등기하다 把房子登记在妻子名下 / ~를 바꾸다 换名义 =[过户]

명의(名醫) 圈 名医 míngyī

명의-인(名義人) 圈 1 名义者 míngyìzhě; 名义人 míngyìrén = 명의자 2 【法】名义代表 míngyì dàibiǎo

명의-자(名義者) 圈 = 명의인1

명인(名人) 圈 名家 míngjiā; 名手 míngshǒu; 高手 gāoshǒu ¶바둑의 ~ 围棋名人

명작(名作) 圈 名作 míngzuò; 名著 míngzhù ¶불후의 ~을 남기다 留下不朽的名作

명장(名匠) 圈 名匠 míngjiàng; 名工 mínggōng

명장(名將) 圈 名将 míngjiàng

명-장면(名場面) 圈 名场景 míngchǎngjǐng; 经典场面 jīngdiǎn chǎngmiàn; 著名场面 zhùmíng chǎngmiàn ¶영화의 ~ 电影的经典场面

명절(名節) 圈 节日 jiérì; 节 jié ¶~을 쇠다 过节

명:제(命題) 圈하자 命题 mìngtí

명조(明朝) 圈【印】= 명조체

명조-체(明朝體) 圈【印】明体 míngtǐ = 명조 ¶~ 글자 明体字

명주(明紬) 圈 丝绸 sīchóu; 绵绸 miánchóu

명주(名酒) 圈 名酒 míngjiǔ

명주(銘酒) 圈 特制名酒 tèzhì míngjiǔ

명주-실(明紬) 圈 蚕丝 cánsī; 丝线 sīxiàn

명:-줄(命一) 圈 寿命 shòumìng; 生命 shēngmìng ¶~이 길다 寿命长

명:-중(命中) 圈 命中 mìngzhòng; 打中 dǎzhòng; 射中 shèzhòng; 击中 jīzhòng ¶~률 命中率 / 화살이 과녁에 ~했다 箭射中靶子了

명차(名車) 圈 名车 míngchē; 名牌汽车 míngpái qìchē

명차(名茶) 圈 名茶 míngchá; 著名茶叶 zhùmíng cháyè

명찰(名札) 圈 姓名牌(儿) xìngmíngpái(r); 姓名卡 xìngmíngkǎ; 名签 míngqiān ¶~을 달다 佩戴姓名牌

명창(名唱) 圈 1 名唱 míngchàng; 名人名曲 míngrén míngqǔ 2 名歌手 mínggēshǒu

명철-하다(明哲一) 圈 精辟 jīngpì; 明哲 míngzhé; 明智 míngzhì ¶현상에 대해 명철한 분석을 하다 对现象进行精辟的分析 명철-히 閉

명:치【生】心窝儿 xīnwōr; 心口 xīnkǒu ¶~가 아프다 心口疼

명칭(名稱) 圈 名称 míngchēng; 称谓 chēngwèi; 称呼 chēnghu ¶~을 바꾸다 改换名称

명-콤비(名←combination) 圈 好搭档 hǎodàdàng; 佳伴 jiābàn

명쾌-하다(明快一) 圈 1 (语言、文章

等) 明快 míngkuài; 明白通畅 míngbai tōngchàng ¶명쾌한 설명 明快的解释 **2** 晴朗 qínglǎng; 明朗 mínglǎng; 爽朗 shuǎnglǎng ¶기분이 ~ 心情爽朗 **명쾌-히** 튄

명-탐정(名侦探) 圀 名侦探 míngzhēntàn; 神探 shéntàn

명태(明太) 圀 [魚] 明太鱼 míngtàiyú

명탯-국(明太一) 圀 明太鱼汤 míngtàiyútāng

명패(名牌) 圀 **1** 名牌 míngpái **2** = 이름표 **3** = 문패

명포수(名砲手) 圀 **1** 神炮手 shénpàoshǒu **2** 著名炮手 zhùmíng pàoshǒu

명품(名品) 圀 **1** 名品 míngpǐn ¶~을 전시하다 展览名品 **2** 精品 jīngpǐn ¶~ 가방 精品包 / ~ 매장 精品店

명필(名筆) 圀 **1** 名笔 míngbǐ; 好字 hǎozì ¶정자의 현판에는 천하의 ~이 걸려 있다 亭子圆额上挂着天下名笔 **2** = 명필가 ¶~은 붓을 가리지 않는다 大书法家对毛笔不挑剔

명필-가(名筆家) 圀 著名书法家 zhùmíng shūfǎjiā; 大书法家 dàshūfǎjiā = 명필2

명-하다(名一) 国 命名 mìngmíng; 称呼 chēnghu

명:-하다(命一) 国 **1** 命 mìng; 命令 mìnglìng ¶장군이 병사들에게 돌격을 ~ 将军命令士兵们进行猛攻 **2** 任命 rènmìng ¶대통령이 그를 수석대표로 명했다 总统任命他为首席代表

명함(名銜) 圀 片 míngpiàn; 名帖 míngtiě ¶~을 주고받다 交换名片
명함도 못 들이다 困 望尘莫及; 差一大截
명함을 내밀다 困 抛头露面

명함-판(名銜判) 圀 三寸照片 sāncùn zhàopiàn

명화(名畫) 圀 **1** 名画 mínghuà ¶~를 전시하다 展览名画 **2** 经典影片 jīngdiǎn yǐngpiàn; 经典电影 jīngdiǎn diànyǐng ¶~를 방영하다 放映经典影片

명확-하다(明確一) 圀 明确 míngquè; 正确 zhèngquè; 确切 quèqiè ¶명확한 대답 明确的答复 / 책임이 명확하지 않다 责任不明确 **명확-히** 튄 ¶진상을 ~ 밝히다 确切地揭露真相

몇 국 **1** 几 jǐ; 多少 duōshao; 若干 ruògān; 些 xiē; 好几 hǎojǐ ¶글 ~ 개만 사 오너라 买些橘子回来吧 / 나이가 ~ 살이냐? 几岁了? 国 *2* 几 jǐ; 多少 duōshao ¶아이들 ~이 더 왔다 又来了几个孩子

몇-몇 국 *1* 几个 jǐgè; 某些 mǒuxiē; 一些 yīxiē ¶~ 사람 某些人 / 그 물건은 ~ 시장에서만 구할 수 있다 那东西只能在一些市场上买到 国 *2* 几个

jǐgè; 一些 yīxiē ¶그는 친구 ~과 함께 여행을 다녀왔다 他和几个朋友一起去旅游了

모[1] 国 *1* 稻秧 dàoyāng; 秧 yāng ¶~를 심다 插秧 **2** = 모종
모(를) 찌다 困 起秧

모[2] 국 国 *1* 棱 léng; 角 jiǎo; 棱角 léngjiǎo ¶~가 나 있지 않은 자갈 没有棱角的石头 **2** 角度 jiǎodù; 方面 fāngmiàn ¶어느 ~로 보나 그가 제일 적임자이다 无论从哪方面讲还是他最合适 **3** (性格上의) 棱角 léngjiǎo; 刺 cí ¶~가 없는 사람 没棱角的人 **4** 块(儿) kuài(r) ¶두부 한 ~가 크다 豆腐块很大 国 의 块 kuài ¶두부 한 ~ 一块豆腐

모(某) 국 国 某人 mǒurén; 某 mǒu ¶김 ~ 교수 金某教授 국 판 某 mǒu ¶~ 회사 某公司 / ~ 단체 某团体

-모(帽) 접미 帽 mào ¶등산~ 登山帽 / 운동~ 运动帽

모가지 国 *1* '목'의 鄙称 **2** 解雇 jiěgù; 罢免 bàmiǎn; 免职 miǎnzhí; 炒鱿鱼 chǎo yóuyú; 开除 kāichú; 辞退 cítuì ¶회사에서 ~를 당하다 被公司开除
모가지가 떨어지다 困 **1** 脑袋搬家; 被杀头 **2** 被割脑袋 **2** 下台; 撤职
모가지(가) 잘리다 困 被解雇
모가지를 자르다 困 解雇; 撤职; 炒鱿鱼

모:계(母系) 圀 母系 mǔxì ¶~ 사회 母系社会 / ~ 혈족 母系亲属

모골(毛骨) 圀 毛骨 máogǔ
모골이 송연하다 困 毛骨悚然

모공(毛孔) 圀 毛孔 máokǒng = 털구멍 ¶~을 축소하다 缩小毛孔

모:과(一瓜) 圀 木瓜 mùguā

모:과-나무(一瓜一) 圀 [植] 木瓜树 mùguāshù

모:교(母校) 圀 母校 mǔxiào ¶~를 방문하다 拜访母校

모:국(母國) 圀 祖国 zǔguó; 母国 mǔguó ¶~을 방문하다 访问祖国

모:국-어(母國語) 圀 母语 mǔyǔ; 本国语 běnguóyǔ

모:권(母權) 圀 母权 mǔquán

모근(毛根) 圀 [生] 毛根 máogēn

모금(募金) 圀 募捐 mùjuān; 募款 mùkuǎn ¶~ 운동 募捐活动 / ~함 募捐箱

모금 의 口 kǒu ¶술을 한 ~ 마시다 喝一口酒 / 담배를 한 ~ 빨다 抽一口烟

모:기 圀 [蟲] 蚊子 wénzi; 蚊 wén ¶~약 杀蚊剂 / ~떼 蚊子群 / ~가 물다 蚊子叮人 = [蚊子咬人] / ~한테 물리다 被蚊子叮咬

모:-기업(母企業) 圀 母公司 mǔgōngsī

모:기-장(─帳) 〔명〕 蚊帐 wénzhàng ¶ ～을 치고 자다 挂蚊帐睡觉

모:기-향(─香) 〔명〕 蚊香 wénxiāng; 蚊烟香 wényānxiāng; 杀蚊香 shāwénxiāng ¶ ～을 피우다 点蚊香

모:깃-불 〔명〕 蚊香火 wénxiānghuǒ; 熏蚊烟火 xūnwén yānhuǒ

모:깃-소리 〔명〕 蚊子叫声 wénzi jiàoshēng; 蚊声 wénshēng ¶ 목소리가 ～만 하다 声音像蚊子叫

모-나다 〔형〕 **1** 方 fāng; 有棱角 yǒuléngjiǎo ¶ 모난 돌 方块石头 / 모난 얼굴 方方的脸 **2** (性格·作风) 有棱角 yǒuléngjiǎo; 尖锐 jiānruì; 带刺(儿) dàicì(r) ¶ 모난 성격 带刺的性格 / 모나게 굴다 行为有棱角

모난 돌이 정 맞는다 〔속담〕 **1** 过刚必折 **2** 枪打出头鸟; 出头椽子先烂

모나리자(Mona Lisa) 〔명〕〔美〕蒙娜丽莎 Méngnàlìshā

모낭(毛囊) 〔명〕〔生〕毛囊 máonáng ¶ ～염 毛囊炎

모-내기 〔명하자〕〔農〕插秧 chāyāng = 이앙

모-내다 〔자〕〔農〕插秧 chāyāng; 移苗 yímiáo

모:녀(母女) 〔명〕母女 mǔnǚ

모:년(某年) 〔명〕某年 mǒunián ¶ ～ 모월 모일 某年某月某日

모노-드라마(monodrama) 〔명〕〔演〕单人剧 dānrénjù; 独角戏 dújiǎoxì

모노-레일(monorail) 〔명〕〔交〕单轨铁路 dānguǐ tiělù; 单轨列车 dānguǐ lièchē

모놀로그(monologue) 〔명〕〔演〕= 독백2

모-눈 〔명〕〔數〕方格 fānggé; 方眼 fāngyǎn ¶ ～자 方眼尺

모눈-종이 〔명〕〔數〕方格纸 fānggézhǐ; 方眼纸 fāngyǎnzhǐ; 坐标纸 zuòbiāozhǐ = 방안지

모니터(monitor) 〔명〕 **1** (广播等的) 监听员 jiāntīngyuán **2** (电视等的) 监视器 jiānshìqì; 监视员 jiānshìyuán **3** (商品的) 评价员 píngjiàyuán **4** 〔컴〕显示器 xiǎnshìqì

모니터링(monitering) 〔명하타〕〔言〕评价调查 píngjià diàochá; 监测调查 jiāncè diàochá ¶ 신제품에 대해 ～을 실시하다 对新产品进行评价调查

모닝-커피(morning+coffee) 〔명〕早晨咖啡 zǎochén kāfēi; 晨咖啡 chénkāfēi

모닝-콜(morning call) 〔명〕叫醒服务 jiàoxǐng fúwù; 早起服务 zǎoqǐ fúwù

모닥-불 〔명〕篝火 gōuhuǒ; 营火 yínghuǒ ¶ ～을 피우다 点起篝火 / ～을 쪼이다 烤篝火

모더니즘(modernism) 〔명〕〔藝〕现代

主义 xiàndàizhǔyì

모던 재즈(modern jazz) 〔音〕现代爵士乐 xiàndài juéshìyuè

모델(model) 〔명〕 **1** 模型 móxíng; 型 xíng; 型号 xínghào ¶ 이 차는 우리 회사에서 독자적으로 개발한 ～이다 这款车的模型是我们公司独立开发的 **2** 模范 mófàn; 典型 diǎnxíng ¶ 우리 시는 지방 자치제의 ～이라 할 만하다 我市称得上是地方自治的模范 **3** 模特(儿) mótè(r); 时装模特(儿) shízhuāng mótè(r) = 패션모델 **4** 〔美〕人模 rénmó; 人体模特 réntǐ mótè; 模特(儿) mótè(r) ¶ 누드 ～ 裸体模特

모델 하우스(model house) 〔建〕样品房 yàngpǐnfáng; 样板房 yàngbǎnfáng

모뎀(modem) 〔명〕〔컴〕调制解调器 tiáozhì jiětiáoqì

모:독(冒瀆) 〔명하타〕冒渎 màodú; 亵渎 xièdú ¶ ～ 행위 亵渎行为 / 신을 ～하다 亵渎神灵

모두 〔명〕〔부〕全部 quánbù; 全 quán; 都 dōu; 全都 quándōu; 全体 quántǐ; 大家 dàjiā; 所有 suǒyǒu; 总共 zǒnggòng; 一共 yīgòng ¶ ～에게 설명하다 向大家说明 / 우리 ～의 책임이다 是我们所有人的责任 / ～ 얼마냐? 一共多少钱? / ～ 15명이다 总共有15名

모드(mode) 〔명〕 **1** 款式 kuǎnshì; 款 kuǎn; 形式 xíngshì; 样式 yàngshì ¶ 새로운 ～의 패션 新款时装 **2** (机器等的) 模式 móshì ¶ 절전 ～ 节电模式 / 자동 ～ 自动模式

모:-든 〔관〕 所有的 suǒyǒu(de); 一切 yīqiè; 全 quán; 全部 quánbù ¶ ～ 자료는 여기에 있다 全部资料都在这里 / ～ 사람이 집으로 돌아갔다 所有的人都回家去了

모락-모락 〔부〕袅袅 niǎoniǎo; 缕缕 lǚlǚ ¶ 굴뚝에서 밥 짓는 연기가 ～ 피어오르다 烟囱里炊烟袅袅

모란(←牡丹) 〔명〕〔植〕牡丹 mǔdan

모란-꽃(←牡丹─) 〔명〕牡丹花 mǔdanhuā

모래 〔명〕沙子 shāzi; 沙 shā; 砂 shā ¶ ～땅 沙地 / ～벌판 沙场 / ～시계 沙漏 = 〔沙钟〕 / ～알 沙粒 / ～찜질 沙浴 = 〔沙疗〕

모래-밭 〔명〕 **1** 沙滩 shātān; 沙场 shāchǎng **2** 沙地 shādì; 沙田 shātián; 沙土田 shātǔtián

모래-사장(─沙場) 〔명〕沙滩 shātān; 沙场 shāchǎng = 모래톱 · 사장(沙場)

모래-성(─城) 〔명〕 **1** 沙城 shāchéng ¶ ～을 쌓으며 놀다 筑沙城玩儿 **2** 落空 luòkōng ¶ 그의 꿈은 ～이 되었다 他的梦想落空了

모래-주머니 〔명〕 **1** 沙包 shābāo; 沙袋

샤다이 2 【生】 砂囊 shānáng
모래-톱 몡 = 모래사장
모래-판 몡 1 沙池 shāchí; 沙坑 shākēng 2 摔跤场 shuāijiāochǎng; 摔跤界 shuāijiāojiè
모략(謀略) 몡하타 1 阴谋 yīnmóu; 诡计 guǐjì ¶ ~ 에 빠지다 中敌人的诡计 zhòng dírén de guǐjì 2 谋略 móulüè; 计谋 jìmóu
모:레 몡부 后天 hòutiān = 내일모레1 ¶ ~ 부터 방학이다 从后天起放假
모:로 몡 1 斜(着) xié(zhe) ¶ ~ 를 자르다 斜着切 2 侧(着) cè(zhe); 横(着) héng(zhe) ¶ ~ 누워 자다 侧着睡 / 계가 ~ 기어가다 螃蟹横行

모로 가도 서울만 가면 된다 【속담】 殊途同归; 同归殊途; 骑马也到, 起驴也到

모르다 타 1 不知 bùzhī; 不知道 bùzhīdao; 不懂 bùdǒng; 不明白 bùmíngbai ¶ 이유를 ~ 不知所以然 =[不知所以] / 아무것도 ~ 什么都不知道 / 어떻게 해야 할지 모르겠다 不知该怎么办 2 不会 bùhuì ¶ 그 사람은 운전을 할 줄 모른다 他不会开车 / 그는 술을 마실 줄 모른다 他不会喝酒 3 不认识 bùrènshi ¶ 나는 그 사람을 모른다 我不认识他 4 可能 kěnéng; 未必 wèibì; 说不定 shuōbudìng ¶ 그 사람은 이미 죽었을지도 모른다 那人可能已经死了 / 뼈가 부러지지 않았나 모르겠다 说不定骨折了 5 不得了 bùdeliǎo; 不知所措 bùzhīsuǒcuò ¶ 바라던 대학에 붙어서 얼마나 기쁜지 모른다 考上了梦寐以求的大学, 高兴得不知所措 6 只知道 zhīzhīdao; 只管 zhīguǎn; 只顾 zhīgù《用在'밖에' 后面》¶ 그녀는 자기밖에 모른다 她只管自己 / 그는 일밖에 모르는 사람이다 他是个只顾工作的人 7 不管 bùguǎn; 管不了 guǎnbuliǎo ¶ 네가 가건 말건 나는 모르겠다 你去不去, 我不管了 8 不知觉地 bùzhījuéde; 不觉地 bùjuéde; 无意识地 wúyìshíde ¶ 골인하는 순간 나도 모르게 소리를 질렀다 球破门入网的那一瞬, 我无意识地叫了起来

모르면 약이요 아는 게 병 【속담】 知事少时烦恼少, 识人多处是非多

모르면 몰라도 부 恐怕; 大概

모르는-쇠 몡 一概说不知道 yīgài shuō bùzhīdao; 一问三不知 yīwèn sānbùzhī

모르쇠(를) 잡다[대다] 装不知; 一口咬定不知道; 一问三不知; 假装什么都不知道

모르타르(mortar) 몡 【建】 砂浆 shājiāng; 灰浆 huījiāng

모르핀(morphine) 몡 【藥】 吗啡 mǎfēi ¶ ~ 중독 吗啡中毒

모름지기 부 该 gāi; 须 xū; 应该 yīnggāi; 必须 bìxū ¶ ~ 학생은 공부를 열심히 해야 한다 学生就应该努力学习
모면(謀免) 몡하타 脱 tuō; 逃脱 táotuō; 摆脱 bǎituō; 逃避 táobì; 避免 bìmiǎn ¶ 책임을 ~ 하다 逃避责任 / 위기를 ~ 하다 摆脱危机
모:멸(侮蔑) 몡하타 侮蔑 wǔmiè; 侮辱 wǔrǔ; 轻蔑 qīngmiè; 蔑视 mièshì ¶ ~ 감 侮蔑感 / ~ 을 당하다 受到蔑视
모밀 몡 '메밀'의 错字
모반(謀反) 몡하타 谋反 móufǎn; 造反 zàofǎn; 背叛 bèipàn ¶ ~ 을 꾀하다 策谋造反 / ~ 에 가담하다 参与谋反
모발(毛髮) 몡 1 毛发 máofà 2 头发 tóufa
모방(模倣·摹倣) 몡하타 模仿 mófǎng; 仿效 fǎngxiào; 效仿 xiàofǎng; 效法 xiàofǎ ¶ 남의 작품을 ~ 하다 模仿他人作品 / 아이가 어른의 행동을 ~ 하다 孩子模仿大人的行动
모범(模範) 몡 模范 mófàn; 榜样 bǎngyàng; 典范 diǎnfàn; 师表 shībiǎo; 标准 biāozhǔn ¶ ~ 생 模范生 / ~ 수 模范囚犯 / ~ 택시 模范出租车 / ~ 답안 标准答案 / 타의 ~ 이 되다 为人师表 / 부모는 자식에게 ~ 이 되어야 한다 父母应该为子女作出榜样
모범-적(模範的) 관 模范的 mófàn(de); 典范的 diǎnfàn(de) ¶ ~ 인 행동 模范的行为
모병(募兵) 몡하타 募兵 mùbīng; 招兵 zhāobīng
모빌(mobile) 몡 【美】 活动雕塑 huódòng diāosù; 活动雕刻 huódòng diāokè
모사(模寫) 몡하타 模写 móxiě; 临摹 línmó; 描摹 miáomó; 照抄 zhàochāo
모색(摸索) 몡하타 摸索 mōsuǒ; 寻求 xúnqiú; 寻找 xúnzhǎo; 探索 tànsuǒ; 探寻 tànxún ¶ 解决 방안을 ~ 하다 寻求解决方案 / 살길을 ~ 하다 寻找生路
모서리 몡 1 棱 léng; 角(儿) jiǎo(r); 棱角 léngjiǎo ¶ 책상 ~ 书桌角儿 / 침대 ~ 床棱角 2 【数】 棱 léng
모:성(母性) 몡 母性 mǔxìng ¶ ~ 본능 母性本能
모:성-애(母性愛) 몡 母爱 mǔ'ài; 母性之爱 mǔxìngzhī'ài ¶ 여자의 ~ 를 자극하다 激发女人的母爱
모세-관(毛細管) 몡 1 【生】 = 모세혈관 2 【物】 毛细管 máoxìguǎn
모세 혈관(毛細血管) 【生】 毛细血管 máoxì xuèguǎn; 微细管 wēixìguǎn = 모세관 / 실핏줄
모션(motion) 몡 1 动作 dòngzuò; 举止 jǔzhǐ; 行为 xíngwéi; 活动 huódòng ¶ 슬로 ~ 慢动作 2 姿势 zīshì; 手势 shǒushì; 示意动作 shìyì dòngzuò

모순(矛盾) 圀 矛盾 máodùn ¶사회의 구조적 ~ 社会结构上的矛盾 / ~을 드러내다 暴露矛盾

모순-적(矛盾的) 囝圀 矛盾(的) màodùn(de) ¶과학과 종교의 ~인 관계 科学和宗教的矛盾关系

모스 경도계(Mohs硬度計) 〔鑛〕莫氏硬度计 Mòshì yìngdùjì; 莫氏硬度表 Mòshì yìngdùbiǎo

모스 부호(Morse符號) 〔信〕莫尔斯电码 Mò'ěrsī diànmǎ

모습 圀 **1** (的)长相 zhǎngxiàng; 相貌 xiàngmào; 面貌 miànmào; 容貌 róngmào ¶그에게는 아직도 어릴 때 ~이 조금 남아 있다 他还留有一些时的容貌 **2** 样子 yàngzi; 模样 múyàng; 形象 xíngxiàng; 景象 jǐngxiàng ¶조국의 발전된 ~ 祖国发展的景象 / 아이의 잠든 ~이 무척 귀엽다 孩子熟睡的样子很可爱 **3** 身影 shēnyǐng; 影子 yǐngzi; 痕迹 hénjì; 踪影 zōngyǐng ¶~이 사라지다 消失踪影 / ~을 드러내다 显露痕迹 / ~을 감추다 隐匿踪迹

모시 圀 **1** 苎麻布 zhùmábù; 夏布 xiàbù ¶~ 두필 两匹苎麻布 / ~ 적삼 夏布衫子 **2** 〔植〕= 모시풀

모:시(某時) 圀 某时 mǒushí ¶모일 ~ 某日某时

모:시다 囤 **1** 侍奉 shìfèng; 奉侍 fèngshì; 奉养 fèngyǎng; 伺候 cìhòu; 服侍 fúshì ¶시부모를 모시고 살다 侍奉公婆 / 고객을 정성껏 ~ 热情服侍顾客 **2** 奉陪 fèngpéi; 陪同 péitóng; 陪 péi ¶그는 부모님을 모시고 중국으로 여행을 갔다 他陪同父母去中国旅游了 **3** 引导 yǐndǎo; 引 yǐn; 领 lǐng; 请 qǐng ¶손님을 거실로 ~ 把客人领到客厅 **4** 祭祀 jìsì; 祭 jì ¶할아버지 제사를 ~ 祭奉爷爷 **5** 推举 tuījǔ; 推带 tuīdài; 拥戴 yōngdài ¶김 교수를 고문으로 ~ 拥戴金教授当顾问

모시-조개 圀 〔貝〕青蛤 qīnggé; 蛤蜊 gélí

모시-풀 圀〔植〕苎麻 zhùmá = 모시2

모양(模様) 一圀 **1** 模样 múyàng; 样子 yàngzi ¶갖가지 ~의 물고기들 各种样子的鱼 / 사는 ~이 말이 아니다 日子过得很不像样子 **2** 打扮 dǎbàn; 装扮 zhuāngbàn ¶~을 잔뜩 내고 외출하다 打扮漂亮后出门 **3** 像 xiàng; 好像 hǎoxiàng; 犹如 yóurú; 仿佛 fǎngfú ¶벙어리 ~을 하고 있다 像哑巴一样闭着嘴不开口 **4** 体面 tǐmiàn; 体统 tǐtǒng ¶너 때문에 내 ~이 엉망이다 因为你我大失体面 二圀 看来 kànlái; 看样子 kànyàngzi;

好像 hǎoxiàng; 像 xiàng; 一定 yídìng 《表示推測》¶비가 올 ~이다 像要下雨了 / 그의 어두운 표정을 보니 무슨일이 있었던 ~이다 看他表情暗淡一定有什么事

모양(이) 사납다 囝 样子难看

모양(이) 아니다 囝 不像样子

모양-내다(模様—) 困 打扮 dǎbàn; 装扮 zhuāngbàn ¶그는 아침마다 모양내는 데 시간이 많이 걸린다 他每天早上要花很长时间打扮

모양-새(模様—) 圀 **1** 模样 múyàng; 样子 yàngzi ¶겉으로 드러난 ~만 보고 판단하다 只看外表的样子就作判断 **2** 体面 tǐmiàn; 体统 tǐtǒng ¶~가 말이 아니다 不成体统

모여-들다 困 聚集 jùjí; 聚拢 jùlǒng; 挤拢 jǐlǒng; 围拢 wéilǒng; 云集 yúnjí ¶축하객이 ~ 云集前来道贺的人

모:욕(侮辱) 圀困囤 侮辱 wǔrǔ; 羞辱 xiūrǔ; 辱没 rǔmò; 凌辱 língrǔ; 侮蔑 wǔmiè ¶~죄 侮辱罪 / ~을 주다 羞辱 / 부모님을 ~하다 侮辱父母 / ~을 당하다 受到侮辱

모:욕-감(侮辱感) 圀 羞辱(感) xiūrǔ(gǎn); 侮辱(之感) wǔrǔ(zhīgǎn); 受辱(之感) shòurǔ(zhīgǎn) ¶~을 느끼다 感到受辱

모:욕-적(侮辱的) 囝圀 受辱(的) shòurǔ(de); 侮辱性(的) wǔrǔxìng(de) ¶~인 언사 侮辱性言辞

모:월(某月) 圀 某月 mǒuyuè ¶~ 모일 某月某日

모:유(母乳) 圀 母乳 mǔrǔ; 母奶 mǔnǎi

모으다 囤 **1** 合 hé; 合拢 hélǒng; 并 bìng; 拢 bìnglǒng ¶두 손을 모으고 기도하다 双手合拢祈祷 / 다리를 모으고 다소곳이 앉다 并腿端坐 **2** 收集 shōují; 集 jí; 收藏 shōucáng; 凑集 còují; 搜集 sōují ¶우표를 ~ 收集邮票 =[集邮] / 골동품을 ~ 收集古董 **3** 攒 zǎn; 存 cún; 聚 jù; 聚集 jùjí ¶그는 많은 돈을 모았다 他攒下了不少的钱 **4** 《精神、意见等》集 jí; 集中 jízhōng ¶정신을 ~ 集中精神 **5** 召集 zhàojí; 聚集 jùjí; 集合 jíhé; 聚 jù ¶학생들을 운동장으로 ~ 把学生集合到操场 **6** (把力量) 合 hé ¶힘을 모아 난국을 헤쳐 나가다 合力冲破乱局 **7** (把视线、关心) 聚集 jùjí; 受 shòu ¶사람들의 시선을 ~ 聚集人们的视线

모:음(母音) 圀〔語〕元音 yuányīn; 母音 mǔyīn = 홀소리 ¶~조화 元音调和

모음-곡(—曲) 圀〔語〕组曲 zǔqǔ; 套曲 tàoqǔ

모의(模擬·摸擬) 圀困囤 模拟 mónǐ;

모의(模擬) 명 고사 模擬考试 / ~국회 模拟国会 / ~재판 模拟裁判 / ~작전 模拟作战 / ~훈련 模拟训练

모의(謀議) 명하타 谋划 móuhuà; 策划 cèhuà ¶~에 가담하다 参与谋划 / 사전에 범행을 ~하다 事前策划犯罪计划

모이 명 饲料 sìliào; 食(儿) shí(r) ¶~통 饲料桶 =[饲料槽] / ~를 쪼다 啄食 / 닭에게 ~를 주다 给鸡喂饲料

모이다 자 1 (被)收集 (bèi)shōují; (被)堆积 (bèi)duījī; 聚齐 jùqí ¶재료가 다 모이면 한데 섞어라 材料都聚齐的话拌在一起 2 攒 zǎn ¶돈이 다 모이면 컴퓨터를 살거다 钱攒齐的话就买电脑 3 (被)集中起来 (bèi)jízhōngqǐlái; (被)积聚 (bèi)jījù ¶작은 힘이 모여 큰 힘이 되다 力量积聚在一起, 积小成大 4 聚集 jùjí; 聚合 jùhé; 集聚 jùjù; 汇集 huìjí; 聚 jù ¶우세장에 모인 유권자들 聚集在游乐场上的选民 / 우리는 한 달에 한 번씩 모인다 我们一个月聚一次 5 (被)集中 (bèi)jízhōng ¶사람들의 시선이 새로 출시된 자동차로 모였다 人们把视线集中到刚出世的汽车上

모:일(某日) 명 某日 mǒurì ¶~에 모시 某日某时

모임 명 聚会 jùhuì; 集会 jíhuì; 会 huì ¶오늘 저녁에 ~이 있다 今天晚上有一个聚会

모:자(母子) 명 母子 mǔzǐ ¶~간 母子间 / ~관계 母子关系

모자(帽子) 명 帽子 màozi; 帽 mào ¶~를 쓰다 戴帽子 / ~를 벗다 脱帽子

모:자라다 자 1 不够 bùgòu; 缺少 quēshǎo; 少 shǎo; 不足 bùzú; 缺 quē; 缺乏 quēfá; 差 chà; 亏 kuī; 短 duǎn; 短少 duǎnshǎo ¶잠이 모자라서 늘 피곤하다 睡眠不足, 老感到疲累 / 일손이 ~ 缺少人手 / 백 원이 ~ 缺一百韩元 2 智能低下 zhìnéng dīxià; 十三点 shísāndiǎn; 二百五 èrbǎiwǔ ¶그는 좀 모자라는 사람처럼 보인다 看起来他有点儿二百五

모자이크(mosaic) 명 [美] 马赛克 mǎsàikè; 镶嵌工艺 xiāngqiàn gōngyì; 镶嵌图案 xiāngqiàn tú'àn

모자-챙(帽子一) 명 帽舌 màoshé; 帽檐 màoyán

모:정(母情) 명 母情 mǔqíng

모조(模造) 명하타 仿造 fǎngzào; 仿制 fǎngzhì; 仿真 fǎngzhēn ¶~진주 仿造珍珠 =[人造珍珠] / 남의 그림을 ~하다 仿制别人的画

모조리 부 全 quán; 全部 quánbù; 全

都 quándōu; 一概 yīgài ¶~ 가져가다 全都拿走 / 죄상을 ~ 털어놓다 把罪状全招出来

모조-지(模造纸) 명 模造纸 mózàozhǐ; 道林纸 dàolínzhǐ

모조-품(模造品) 명 仿造品 fǎngzàopǐn; 仿制品 fǎngzhìpǐn; 赝品 yànpǐn; 冒牌货 màopáihuò ¶~을 사다 买仿制品

모종(명하타) 幼苗 yòumiáo; 秧苗 yāngmiáo; 秧儿 yāngr; 苗 miáo = 모¹2 ¶고추 ~ 辣椒秧儿 / 배추 ~ 白菜秧儿

모:종(某种) 명 某种 mǒuzhǒng ¶~의 조치 某种措施

모종-삽(一种一) 명 花铲 huāchǎn; 苗铲 miáochǎn

모-지다 형 1 有角 yǒujiǎo; 成角 chéngjiǎo; 有棱子 yǒuléngzi ¶모진 탁자 有角的桌子 2 (性格) 有棱角 yǒuléngjiǎo; 带刺儿 dàicìr; 刻薄 kèbó ¶그는 모진 사람이라 친구가 거의 없다 他性格有棱角, 几乎没有朋友

모직(毛织) 명 [手工] 毛织 máozhī; 毛料 máoliào ¶~물 毛织物 / ~ 외투 毛织的外套

모:질다 형 1 坚强 jiānqiáng; 坚韧 jiānrèn; 顽强 wánqiáng; 刚强 gāngqiáng ¶모진 목숨 顽强的生命 / 온갖 고생을 모질게 이겨 내다 顽强地战胜一切困难 2 厉害 lìhai; 狠 hěn; 严 yán; 严峻 yánjùn; 严重 yánzhòng; 猛烈 měngliè; 凶猛 xiōngměng ¶모진 파도 凶猛的波涛 / 모진 시련을 겪다 经过严峻考验 3 凶狠 xiōnghěn; 残忍 cánrěn; 残酷 cánkù; 残苛 cánkē; 冷酷 lěngkù ¶성격이 ~ 性格凶狠 / 말을 모질게 하다 话冷酷无情 4 狠 hěn; 凶狠 xiōnghěn; 毒辣 dúlà ¶어머니는 모질게 내 종아리를 때리셨다 妈妈狠狠地抽打了我的小腿肚子

모집(募集) 명하타 招 zhāo; 征 zhēng; 征求 zhēngqiú; 招聘 zhāopìn; 招募 zhāomù; 招收 zhāoshōu; 募集 mùjí; 征集 zhēngjí ¶원고 ~ 征稿 / 학생을 ~하다 招生 / 직원을 ~하다 招聘职员

모쪼록 부 千万 qiānwàn; 务必 wùbì = 아무쪼록 ¶~ 건강하십시오 千万保重身体 / ~ 빨리 돌아오세요 务必快点回来

모창(模唱) 명하자타 模仿唱 mófǎngchàng; 拟唱 nǐchàng ¶그는 인기 가수의 ~을 잘한다 他很善于模仿歌星唱歌

모:처(某处) 명 某处 mǒuchù; 某地 mǒudì ¶모월 모시 ~에서 만나기로 약속하다 约好某月某时某地见面

모-처럼 부 难得 nándé; 好容易 hǎoróngyì; 好不容易 hǎobùróngyì ¶~ 잡은 기회를 놓칠 수 없다 不能错过这难得的机会 / ~ 가족이 외식을 했다 难得一家人出去下馆子了

모:체(母體) 图 1 母体 mǔtǐ ¶태아의 건강은 ~의 건강에 달려 있다 胎儿的健康取决于母体 2 母 mǔ; 总 zǒng; 母体 mǔtǐ ¶의회는 내각의 ~이다 议会是内阁的母体

모충(毛蟲) 图 毛虫 máochóng

모:친(母親) 图 母亲 mǔqīn; 母 mǔ

모:친-상(母親喪) 图 母丧 mǔsāng; 母忧 mǔyōu; 母亲丧事 mǔqīn sāngshì ¶~을 당하다 遭遇母忧

모카-커피(Mocha coffee) 图 摩卡咖啡 mókǎ kāfēi

모:태(母胎) 图 1 娘胎 niángtāi; 母胎 mǔtāi ¶~ 내의 환경 母胎内的环境 2 母胎 mǔtāi; 前身 qiánshēn

모터(motor) 图 1 【機】马达 mǎdá; 摩托 mótuō 2 【電】电动机 diàndòngjī

모터-보트(motorboat) 图 快艇 kuàitǐng; 摩托艇 mótuōtǐng; 汽艇 qìtǐng; 汽船 qìchuán

모터사이클(motorcycle) 图 = 오토바이

모터-쇼(motor show) 图 汽车展 qìchēzhǎn; 车展 chēzhǎn

모텔(motel) 图 汽车旅馆 qìchē lǚguǎn

모토(motto) 图 口号 kǒuhào; 座右铭 zuòyòumíng; 格言 géyán; 箴言 zhēnyán ¶그는 정직을 평생 ~로 삼았다 他把正直作为终生信奉的格言

모퉁이 图 1 边角 biānjiǎo; 角落 jiǎoluò; 一隅 yíyù; 角 jiǎo ¶마당 한 ~에 감나무 한 그루가 자라고 있다 院子的角落里长着一棵柿子树 2 拐角 (儿) guǎijiǎo (r); 拐弯处 guǎiwānchù; 拐角处 guǎijiǎochù ¶~를 돌아 拐弯 / ~에서 차 한 대가 불쑥 튀어나왔다 一辆汽车突然从拐角处闯过出来

모퉁잇-돌 图 1 【建】= 주춧돌 2 【宗】房角石 fángjiǎoshí

모티브(motive) 图 = 모티프

모티프(프motif) 图 1 【藝】中心思想 zhōngxīn sīxiǎng; 主题 zhǔtí; 动机 dòngjī 2 【音】乐旨 yuèzhǐ ‖ = 모티브

모-판(一板) 图 【農】秧田 yāngtián; 苗床 miáochuáng = 묘판2

모포(毛布) 图 毡 zhān; 毯 tǎn; 绒毯 róngtǎn; 毛毯 máotǎn

모피(毛皮) 图 毛皮 máopí; 皮毛 pímáo; 裘皮 qiúpí / 털가죽 ¶~ 코트 毛皮大衣

모함(謀陷) 图하타 陷害 xiànhài; 暗害 ànhài; 谋陷 móuxiàn; 诬陷 wūxiàn ¶~

을 당하다 遭受陷害 / 남을 함부로 ~하지 마라 不要随便诬陷别人

모:험(冒險) 图허자타 冒险 màoxiǎn; 历险 lìxiǎn; 走险 zǒuxiǎn ¶~가 冒险家 / ~기 冒险记 = [历险记] / ~담 冒险故事 = [冒险谈] / ~심 冒险之心 = [冒险心] / 생사를 건 ~ 冒生死之 ~ / 이것은 너무 위험한 ~이다 这是太危险的冒险

모형(模型·模形) 图 1 模子 mózi; 模型 móxíng 2 模型 móxíng; 小样 xiǎoyàng ¶~도 模型图 / ~ 비행기 模型飞机 / 거북선의 ~ 龟船的模型 3 【美】图样 túyàng; 图案帖 tú'àntiě

모호-하다(模糊一) 图 模糊 móhu; 含糊不清 hánhu bùqīng; 模棱两可 móléngliǎngkě ¶모호한 설명 模糊的说明 / 문장으로 모호하여 의미를 알 수 없다 句子含糊不清, 不知道是什么意思

모:-회사(母會社) 图 【經】母公司 mǔgōngsī

목 图 1 脖子 bózi; 脖 bó; 颈项 jǐngxiàng; 颈 jǐng ¶~이 긴 여자 长脖子的女人 / ~을 움츠리다 缩着脖子 / ~을 매다 吊颈 = [上吊] / ~을 빼고 창밖을 내다보다 伸长脖子往窗外看 = 목구멍 ¶~이 아프다 嗓子疼 / ~메다 喉咙哽咽吃 嗓子哽 / ~이 잠기다 嗓子沙哑得厉害 4 鞅 yāng ¶양말 ~ 袜筒 5 要道 yàodào; 关口 guānkǒu; 路口 lùkǒu ¶~을 지키다 守住要道 / ~ 좋은 점포 路口好的店铺

목(을) 놓아서[놓고] 团 放声; 号啕

목(을) 자르다 团 革职; 撤职; 免职; 炒鱿鱼

목(이) 마르게 团 渴望; 盼望; 心焦

목(이) 잘리다 团 被炒鱿鱼; 被解雇

목(이) 타다 团 口干舌燥

목에 거미줄 치다 喉咙结蛛网《比喻经常挨饿》

목에 칼이 들어와도 团 刀子架在脖子上也不

목에 핏대를 세우다 团 脸红脖子粗; 面红耳赤

목에 힘을 주다 团 摆架子

목을 조이다[죄다] 团 扼住喉咙; 扼脖子

목을 축이다 团 润润嗓子; 解解渴; 喝点水

목이 날아가다[달아나다] 团 1 脑袋搬家; 被杀 2 被革职; 被解雇

목이 붙어 있다 团 1 免死; 未死 2 未被解雇

목이 빠지게 기다리다 〖成〗 引领而待；望眼欲穿

목가(牧歌) 〖名〗〖文〗牧歌 mùgē；田园诗 tiányuánshī

목가-적(牧歌的) 〖冠〗牧歌(般的) mùgē(bānde)；田园诗(般的) tiányuánshī(bānde) ¶～ 시풍 田园诗风格 /～인 전원생활 牧歌般的田园生活

목각(木刻) 〖名〗〖하타〗木刻 mùkè ¶～ 상 木刻佛像 /～ 인형 木偶人

목-걸이 〖名〗项链 xiàngliàn；项圈 xiàngquān ¶진주 ～ 珍珠项链 /그는 목에 금 ～를 걸고 있다 他脖子上戴着金项链

목검(木劍) 〖名〗木剑 mùjiàn

목격(目擊) 〖名〗〖하타〗目击 mùjī；见到 jiàndào；亲睹 qīndǔ；亲眼看 qīnyǎn kàn；目睹 mùdǔ ¶～담 目击之谈 /범행 현장을 ～하다 目击犯罪现场

목격-자(目擊者) 〖名〗目击者 mùjīzhě；目睹者 mùdǔzhě；见证人 jiànzhèngrén

목공(木工) 〖名〗1 木工 mùgōng；木工活儿 mùgōnghuór ¶～ 기술 木工技术 /～ 기계 木工机械 2 = 목수 ¶～이 가구를 만들다 木匠做家具

목공-소(木工所) 〖名〗木工场 mùgōngchǎng；木工所 mùgōngsuǒ

목공예(木工藝) 〖名〗〖手工〗木工艺 mùgōngyì

목공-품(木工品) 〖名〗木制品 mùzhìpǐn

목관 악기(木管樂器) 〖音〗木管乐器 mùguǎn yuèqì

목-구멍 〖名〗嗓子 sǎngzi；咽喉 yānhóu；喉咙 hóulóng = 목2 ¶～이 아프다 嗓子痛

목구멍에 풀칠하다 〖俗〗糊口熬日

목구멍의 때(를) 벗기다 〖俗〗饱餐一顿

목구멍이 포도청 〖俗〗肚子是冤家

목기(木器) 〖名〗木器皿 mùqìmǐn

목-덜미 〖名〗脖颈儿 bógěngr；后颈 hòujǐng；脖梗儿 bógěngr；颈窝 jǐngwō = 덜미 ¶～를 쓰다듬다 抚摸脖颈儿

목덜미를 잡히다 〖成〗1 被抓住后颈；被人抓住辫子 2 罪行的物证被拿住了

목-도리 〖名〗围巾 wéijīn；围脖儿 wéibór = 머플러 ¶～를 두르다 围围巾 =[打围巾]

목도리-도마뱀 〖名〗〖動〗澳洲伞蜥 àozhōu sǎnxī；褶伞蜥 zhěsǎnxī

목-도장(木圖章) 〖名〗木印 mùyìn；木制印章 mùzhì yìnzhāng

목-돈 〖名〗大笔款子 dàbǐ kuǎnzi；一大笔钱 yīdàbǐqián；大钱 dàqián；整笔钱 zhěngbǐqián = 뭉칫돈2 ¶～을 벌다 挣一大笔钱 =[挣大钱] /～이 들다 需要一大笔款子

목동(牧童) 〖名〗牧童 mùtóng；牛郎 niúláng；牧工 mùgōng；牧牛童 mùniútóng ¶～이 소를 몰고 오다 牧童把牛赶出来

목-둘레 〖名〗1 脖围 bówéi；脖子周围 bózi zhōuwéi ¶～에 두드러기가 나다 脖子周围起疹子 2 领围 lǐngwéi；领口 lǐngkǒu ¶～가 깊이 파인 옷 领口很低的衣服

목-뒤 〖名〗后颈 hòujǐng；后脖梗儿 hòubógěngr ¶～가 뻣뻣하다 后颈僵硬

목련(木蓮) 〖名〗〖植〗木莲 mùlián；玉兰 yùlán ¶～화 木莲花 =[玉兰花]

목례(目禮) 〖名〗〖하타〗注目礼 zhùmùlǐ；以目致意 yǐmùzhìyì ¶～를 하다 行注目礼 /그는 나에게 가볍게 ～하며 지나갔다 他向我以目致意后便走了过去

목로-주점(木壚酒店) 〖名〗简易小酒铺 jiǎnyì xiǎojiǔpù

목록(目錄) 〖名〗目录 mùlù；清单 qīngdān ¶도서 ～ 图书目录 /재산 ～ 财产清单 /～을 작성하다 制作目录

목마(木馬) 〖名〗木马 mùmǎ ¶트로이의 ～ 特洛伊木马

목-마르다 〖自形〗1 渴 kě；口渴 kǒukě；口干 kǒugān；口干舌燥 kǒugānshézào ¶좀 짜게 먹었더니 ～ 吃咸了点，口干 2 渴望 kěwàng；渴盼 kěpàn；焦切 jiāoqiè ¶오래전에 헤어진 가족을 목마르게 기다리다 焦切地等待离散多年的亲人 〖自〗渴望 kěwàng；盼望 pànwàng；愿望 yuànwàng ¶사랑에 목말라 하다 渴望爱情

목마른 놈이 우물 판다 〖俗〗谁渴谁掘井《谁急谁先干》

목-말 〖名〗骑肩膀 qí jiānbǎng；骑脖子 qí bózi ¶～을 타다 骑肩膀 /아이에게 ～을 태우다 让孩子骑脖子

목-매다 〖自他〗= 목매달다

목-매달다 〖自他〗上吊 shàngdiào；吊死 diàosǐ ¶그는 죄책감을 못 이겨 스스로 목매달아 죽었다 他没能克服负罪感，在一棵树上吊死 2 系上命于 xì shēngmíngyú；在一棵树上吊死 zài yīkē shùshang diàosǐ ¶나는 그녀에게 목매고 싶지 않다 我可不想跟她在一棵树上吊死 ∥ = 목매다

목-메다 〖自〗哽 gěng；哽咽 gěngyè；抽咽 chōuyè；噎住 yēzhù ¶목메어 울다 哽咽地哭 /목메어 말을 잇지 못하다 抽咽着说不下去了

목-발(木一) 〖名〗(腋下拄的)拐 guǎi；拐子 guǎizi；双拐 shuāngguǎi ¶～을 짚다 架拐子

목본(木本) 〖名〗〖植〗= 목본 식물

목본 식물(木本植物) 〖名〗〖植〗木本 mùběn；木本植物 mùběn zhíwù = 목본

목불인견(目不忍見) 圖 목이 不忍睹 mù-bùrěndǔ ¶ ~의 참상 目不忍睹的惨状

목-뼈 圖 【生】颈椎 jǐngzhuī; 颈骨 jǐnggǔ = 경추·경추골

목사(牧師) 圖 【宗】牧师 mùshi

목상(木像) 圖 【美】木雕像 mùdiāoxiàng

목석(木石) 圖 木石 mùshí; 铁石心肠 tiěshí xīncháng

목석-같다(木石—) 圖 木石般 mùshíbān; 木石心肠的 mùshíxīnchángde; 麻木不仁的 mámùbùrénde; 心如铁石 xīnrútiěshí ¶목석같은 사람 木石心肠的人

목선(木船) 圖 = 목조선

목성(木星) 圖 【天】木星 mùxīng; 岁星 suìxīng

목-소리 圖 1 嗓音 sǎngyīn; 嗓子 sǎngzi; 嗓门(儿) sǎngmén(r); 声音 shēngyīn; 话音 huàyīn ¶고운 ~ 优美的嗓音 / 떨리는 ~로 말을 하다 用颤抖的声音说 2 呼声 hūshēng; 意见 yìjiàn ¶비판의 ~가 높다 批判的呼声很高 / 주민들의 ~에 귀를 기울이다 倾听居民们的意见

목수(木手) 圖 木工 mùgōng; 木匠 mùjiang = 목공2

목-숨 圖 生命 shēngmìng; 性命 xìngmìng; 寿命 shòumìng; 命 mìng = 명1 (命)1 ¶ ~을 구하다 救命 / ~이 길다 寿命长 / ~이 다하다 结束生命

목숨(을) 걸다 圄 舍死忘生; 舍生忘死; 拼命; 拼死

목숨(을) 끊다 圄 1 死 2 杀死

목숨(을) 바치다 圄 献出生命; 牺牲

목숨을 거두다 圄 咽气; 死亡; 身死

목숨을 버리다 圄 1 死亡; 丧生 2 冒死; 拼死

목숨을 잃다 圄 丧命; 丧生; 死亡

목숨이 왔다 갔다 하다 圄 危在旦夕; 性命难保

목-쉬다 圖 嘶哑 sīyǎ; 沙哑 shāyǎ; 嗓音嘶哑 sǎngyīn sīyǎ; 嗓子哑 sǎngzi yǎ ¶목쉰 소리 嘶哑的声音

목-요일(木曜日) 圖 星期四 xīngqīsì; 礼拜四 lǐbàisì; 周四 zhōusì

목욕(沐浴) 圖하타 洗澡 xǐzǎo; 沐浴 mùyù; 冲澡 chōngzǎo ¶ ~물 洗澡水 / ~재계 沐浴斋戒 / 공중목욕탕에서 ~하다 在公用澡堂洗澡

목욕-탕(沐浴湯) 圖 浴室 yùshì; 澡堂 zǎotáng; 汤池 tāngchí; 浴池 yùchí = 욕탕 ¶ ~에서 몸을 씻다 在澡堂洗澡

목욕-통(沐浴桶) 圖 澡盆 zǎopén; 浴盆 yùpén; 洗澡桶 xǐzǎotǒng; 浴缸 yùgāng = 욕통

목 운동(—運動) 【體】脖子运动 bózi

yùndòng; 颈部运动 jǐngbù yùndòng

목이(木耳·木枏) 圖 【植】木耳 mù'ěr = 목이버섯

목이-버섯(木耳—) 圖 【植】= 목이

목자(牧者) 圖 1 牧人 mùrén; 牧羊人 mùyángrén 2 【宗】圣职人员 shèngzhírényuán; 牧师 mùshī

목장(牧場) 圖 牧场 mùchǎng; 牧地 mùdì

목-장갑(木掌匣) 圖 棉手套 miánshǒutào = 면장갑

목재(木材) 圖 木材 mùcái; 木头 mùtou; 木料 mùliào; 材木 cáimù ¶ ~상 木材商 =[木販]

목적(目的) 圖하타 目的 mùdì; 目标 mùbiāo; 标的 biāodì ¶ ~의식 目的意识 / ~을 이루다 实现目标 / ~을 달성하다 达成目的 / ~을 향해 나아가다 向着目标前进

목적-격(目的格) 圖 【語】宾格 bīngé; 宾位 bīnwèi ¶ ~ 조사 宾格助词

목적-어(目的語) 圖 【語】宾语 bīnyǔ ¶간접 ~ 间接宾语 / 직접 ~ 直接宾语

목적-지(目的地) 圖 目的地 mùdìdì; 发往地 fāwǎngdì ¶ ~에 도달하다 到达目的地

목전(目前) 圖 = 눈앞 ¶위기가 ~에 닥치다 危机迫在眉睫 / 승리를 ~에 두다 胜利就在眼前

목-젖 圖 【生】小舌 xiǎoshé; 悬雍垂 xuányōngchuí

목제(木製) 圖하타 木 mù; 木制 mùzhì ¶ ~품 木制品 / ~ 그릇 木制皿 / ~ 가구 木制家具

목조(木造) 圖하타 木造 mùzào ¶ ~불상 木造佛像 / ~ 건물 木造建筑 =[木造房屋]

목조-선(木造船) 圖 木船 mùchuán; 木制船 mùzhìchuán; 木舟 mùzhōu = 나무배·목선

목-줄 圖 牵引带 qiānyǐndài; 牵引绳 qiānyǐnshéng

목지(牧地) 圖 牧地 mùdì; 牧场 mùchǎng

목질(木質) 圖 木质 mùzhì

목차(目次) 圖 目次 mùcì; 目录 mùlù ¶책의 ~를 찬찬히 훑어보다 仔细查阅图书目录

목책(木柵) 圖 = 울짱2

목청 圖 1 【生】= 성대 2 嗓音 sǎngyīn; 嗓子 sǎngzi; 嗓门(儿) sǎngmén(r) ¶ ~을 가다듬다 清一清嗓子 / ~을 높여 소리 지르다 扯开嗓子喊

목청(을) 돋우다 圄 提高嗓音; 加大嗓门; 扯开嗓门儿

목청을 뽑다 圄 放声歌唱

목청-껏 圖 放声 fàngshēng; 破声

pòshēng; 引吭 yǐnháng ¶～ 노래하다 引吭高歌 / ～ 소리 지르다 放声大叫

목초(牧草) 閔 = 꼴²

목초-지(牧草地) 閔 草场 cǎochǎng; 放牧地 fàngmùdì ¶～를 조성하다 造草场

목축(牧畜) 閔하재 畜牧 xùmù; 牧畜 mùxù ¶～업 畜牧业 =[牧业]

목침(木枕) 閔 木枕 mùzhěn

목탁(木鐸) 閔[佛] 木鱼 mùyú ¶～ 소리 木鱼声 /～을 두드리다 敲木鱼

목탄(木炭) 閔 木炭 mùtàn; 灰炭 huītàn = 숯 ¶～화 木炭画 =[炭画]

목탑(木塔) 閔[建] 木塔 mùtǎ

목판(木板) 閔 木盘 mùpán; 木托盘 mùtuōpán

목판(木版·木板) 閔[印] 木版 mùbǎn = 판각본 ¶～화 木版画 / ～ 인쇄 木版印刷

목표(目標) 閔하재 目标 mùbiāo; 目的 mùdì; 指标 zhǐbiāo ¶～ 지점 目标地点 / ～를 달성하다 达到目标 / ～를 세우다 树立目标 / 우승을 ～로 하다 冠军作为目标

목표-물(目標物) 閔 目标物 mùbiāowù; 靶子 bǎzi ¶～을 조준하다 对准 目标

목표-치(目標) 閔 目标额 mùbiāo'é; 目标指数 mùbiāo zhǐshù ¶～에 도달하지 못하다 没有完成目标指数

목하(目下) 閔튀 目下 mùxià; 当前 dāngqián; 目前 mùqián; 正在 zhèngzài; 正 zhèng ¶그녀는 ～ 열애 중이다 她正处在热恋之中

목화(木花) 閔[植] 草棉 cǎomián; 棉花 miánhuā; 木棉 mùmián = 면화

목화-솜(木花一) 閔 原棉 yuánmián; 棉花 miánhuā ¶～으로 이불을 만들다 用棉花制作棉被

목화-씨(木花一) 閔 棉子 miánzǐ; 棉籽 miánzǐ

목회(牧會) 閔[宗] 牧会 mùhuì

몫 閔 **1** 份 fèn; 份儿 fènr; 份额 fèn'é ¶～을 나누다 分成小份 / 자기 ～을 챙기다 拿自己的份儿 **2** [數] 商数 shāngshù; 商 shāng ¶6을 3으로 나누면 ～은 2이다 六除以3的话, 商为二

몬순(monsoon) 閔[地理] =계절풍

몬순 기후(monsoon氣候) 閔[地理] =계절풍 기후

몰-개성(沒個性) 閔 没有个性 méiyǒu gèxìng ¶그의 옷차림은 ～적이다 他的穿着没有个性

몰골 閔 样子 yàngzi; 相 xiàng; 面目 miànmù; 模样 múyàng; 嘴脸 zuǐliǎn ¶초라한 ～ 一副寒酸相 / ～이 말이 아니다 不成样子

몰다 目 **1** 驱 qū; 赶 gǎn; 驱赶 qūgǎn;

轰 hōng; 轰赶 hōnggǎn; 带 dài; 陷入 xiànrù ¶가축을 ～ 轰赶牲口 / 소를 축사로 ～ 把牛赶进牛棚 / 궁지로 ～ 使人陷入窘境 / 수비수가 공을 몰고 나아가다 防守队员带球进场 **2** 驾 jià; 驶 shǐ; 开 kāi; 赶 gǎn ¶차를 ～ 开车 =[驾车] / 마차를 ～ 赶马车 =[驾马车] **3** 合 hé; 集中 jízhōng; 合起来 héqǐlái; 集拢 jílǒng; 聚拢 jùlǒng ¶자기 고장 출신 후보에게 표를 몰아 주다 对自己家乡出身的候选人集中投票 **4** 当作 dàngzuò; 当成 dàngchéng; 看成 kànchéng; 定为 dìngwéi; 诬为 wūwéi ¶무고한 사람을 도둑으로 몰지 마라 别把无辜的人看成盗贼

몰두(沒頭) 閔하재 埋头 máitóu; 专心 zhuānxīn; 专神 zhuānshén; 醉心 zuìxīn; 热衷 rèzhōng ¶시험 공부에 ～하다 专心准备考试 =[埋头备考] / ～하다 专心致志地工作 =[埋头干活]

몰딩(moulding) 閔[建] 装饰线条 zhuāngshì xiàntiáo; 线脚 xiànjiǎo; 线条 xiàntiáo

몰:라-보다 目 **1** 认不出 rènbuchū; 看不出来 kànbuchūlái; 没认出 méirènchū ¶친구를 ～ 没认出朋友 ¶아이가 정말 몰라보게 자랐다 孩子们长得简直让人认不出了 **2** 不尊重 bùzūnzhòng; 不尊敬 bùzūnjìng; 没有礼貌 méiyǒu lǐmào; 没大没小的 méidàméixiǎode ¶어른을 몰라보는 못된 녀석 对长辈没礼貌的臭小子 **3** 判断不出 pànduànbùchū; 没判断出 méipànduànchū; 没看出 méikànchū ¶당신 같은 인재를 몰라보다니 怎么没看出像你这样的人材

몰:라-주다 目 不理解 bùlǐjiě; 不体谅 bùtǐliàng ¶어쩌면 그렇게도 남의 속을 몰라줄까 怎么那么不理解别人的心意呢

몰락(沒落) 閔하재 **1** 没落 mòluò; 沦落 lúnluò; 衰落 shuāiluò; 败落 bàiluò; 破落 pòluò ¶～한 귀족 衰落的贵族 / 집안이 ～하다 家道败落 **2** 覆灭 fùmiè; 灭亡 mièwáng ¶独裁 정치의 ～ 独裁政治的覆灭

몰:래 튀 暗中 ànzhōng; 暗地里 àndìli; 偷 tōu; 偷偷(地) tōutōu(de); 悄悄地 qiāoqiāode; 私自 sīzì; 私底下 sīdǐxia; 私下里 sīxiàli ¶～ 엿듣다 偷听 / ～ 도망가다 偷偷逃走 / ～ 감추다 偷偷藏起来 / ～ 훔치다 暗中偷盗

몰려-가다 目 **1** 拥 yōng; 一拥而去 yīyōng'érqù; 蜂拥而去 fēngyǒng'érqù ¶우르르 운동장으로 ～ 呼啦啦到操场 **2** 涌过去 yǒngguòqù ¶먹구름이 산너머로 ～ 一团黑云涌过山去

몰려-나오다 目 蜂拥而出 fēngyǒng'érchū; 蜂拥走出 fēngyǒngzǒuchū ¶시험

이 끝나자 교실 밖으로 수많은 학생들이 우르르 몰려나왔다 考试一结束, 许多学生们呼啦啦地蜂拥走出教室

몰려-다니다 (成群结队地) 来来往往 láiláiwǎngwǎng ¶끼리끼리 ~ 成群结队地来来往往

몰려-들다 邳 1 拥过来 yōngguòlái; 拥上来 yōngshànglái; 聚拢来 jùlǒnglái; 聚拥过来 jùyōngguòlái ¶구경꾼들이 광장으로 ~ 看热闹儿的人向广场聚拥过来 2 拥进 yōngjìn; 蜂拥而来 fēngyōng'érlái; 袭过来 xíguòlái; 侵袭 qīnxí; 涌过来 yǒngguòlái ¶피곤이 갑자기 ~ 疲倦突然侵袭 3 (云、波浪等) 涌过来 yǒngguòlái ¶먹구름이 이쪽으로 몰려드는 것을 보니 비가 올 것 같다 乌云向这边涌过来, 看来要下雨了

몰려-오다 邳 1 涌过来 yōngguòlái; 涌上来 yǒngshànglái; 拥进 yōngjìn; 蜂拥而来 fēngyōng'érlái ¶사람들이 운동장으로 ~ 人们都向操场拥过来了 2 侵袭而来 qīnxí'érlái; 袭过来 xíguòlái ¶잠이 ~ 睡意侵袭而来

몰-리다 邳 1 '몰다'의 피동사 ¶구석으로 ~ 赶到角落里 2 拥到 yōngdào; 聚集 jùjí ¶전시회에 사람들이 ~ 人们聚集到展览会上 3 '몰다4'의 피동사 ¶범인으로 ~ 被当作罪犯 / 生死 람이 도둑으로 ~ 不相干的人被诬为盗贼

몰-매 囤 围打 wéidǎ; 群殴 qún'ōu; 乱棍打 luàngùn tōngdǎ = 뭇매 ¶초주검이 되도록 ~를 맞다 遭到围打, 被打得半死不活

몰살 (沒殺) 囤하태 杀光 shāguāng; 杀尽 shājìn; 歼灭 jiānmiè; 全部消灭 quánbù xiāomiè; 斩尽杀绝 zhǎnjìnshājué ¶일가를 ~하다 把一家人斩尽杀绝

몰상-식 (沒常識) 囤하형 没有常识 méiyǒu chángshí; 毫无常识 háowúchángshí; 不通情理 bùtōng qínglǐ ¶~한 사람 没有常识的人

몰수 (沒收) 囤하태 【法】 没收 mòshōu; 抄没 chāomò; 收回 shōuhuí; 收缴 shōujiǎo; 归公 guīgōng; 抄押 chāoyā; 收缴赃物 shōuguī ¶장물을 ~하다 没收赃物 / 재산이 ~되다 财产被没收

몰수 게임 (沒收game) 【體】 = 몰수경기

몰수 경-기 (沒收競技) 【體】 弃权比赛 qìquán bǐsài = 몰수 게임

몰아-내다 邳 1 驱逐 qūzhú; 驱走 qūzǒu; 赶出去 gǎnchūqù; 轰出去 hōngchūqù; 轰走 hōngzǒu; 逐出 zhúchū ¶침략자를 ~ 驱逐侵略者 2 驱除 qūchú; 驱散 qūsàn ¶머릿속에서 잡념을 ~ 驱除头脑里的杂念

몰아-넣다 태 1 赶进(去) gǎnjìn(qù) ¶돼지를 우리 안에 ~ 把猪赶进圈里 2 逼进 bījìn; 使陷入 shǐ xiànrù ¶적을 궁지에 ~ 把敌人逼进窘境

몰아-붙이다 邳 1 聚拢 jùlǒng; 聚集 jùjí; 堆积 duījī ¶물건을 벽으로 ~ 把东西堆到墙边 2 诬陷 wūxiàn; 诬为 wūwéi; 凭空视为 píngkōng shìwéi ¶죄없는 사람을 범인으로 ~ 把无罪的人诬陷成罪犯

몰아-세우다 태 1 蛮横训斥 mánhèng xùnchì; 横加斥责 héngjiā chìzé ¶아이들을 몰아세울 뿐 따뜻하게 대해준 적이 없다 对孩子总是横加斥责, 从不温言相待 2 驱使 qūshǐ; 驱赶 qūgǎn; 驱赶 qūgǎn ¶목동이 양들을 길옆으로 ~ 牧童把羊群往路边赶 3 诬陷 wūxiàn; 诬为 wūwéi; 凭空捏造 píngkōng niēzào ¶그는 나를 거짓말쟁이로 몰아세웠다 他凭空捏造说我是骗子

몰아-쉬다 呼吸急促 hūxī jícù; 气喘吁吁 qìchuǎnxūxū; 喘息 chuǎnxī ¶숨을 가쁘게 ~ 气喘吁吁

몰아-주다 태 1 一次给齐 yīcì gěiqí; 一次交齐 yīcì jiāoqí; 一次性(付)给 yīcìxìng(fù)gěi ¶밀린 방세를 ~ 一次交齐拖欠的房租 2 集中给 jízhōng gěi; 聚在一起给 jùzài yīqǐ gěi ¶한 사람에게 표를 ~ 把票集中投给一个人

몰아-치다 1 大作 dàzuò; 集中发作 jízhōng fāzuò; 交加 jiāojiā ¶눈보라가 ~ 风雪交加 2 急着干 jízhe gàn; 赶着干 gǎnzhe gàn; 集中突击 jízhōng tūjī ¶한 달 걸릴 일을 몰아쳐서 일주일 만에 끝냈다 把一个月的活儿赶着在一星期内干完了 3 逼迫 bīpò; 追逼 zhuībī; 催逼 cuībī ¶인부들을 ~ 催逼工人们

몰-염치 (沒廉恥) 囤하형 无耻 wúchǐ; 少廉寡耻 shǎoliánguǎchǐ; 没廉耻 méiliánchǐ; 死皮赖脸 sǐpílàiliǎn; 没死赖活 méisǐlàihuó ¶~한 행위 无耻的行为

몰-이해 (沒理解) 囤하형 不理解 bùlǐjiě ¶예술에 대한 ~ 对艺术的不理解

몰-인정 (沒人情) 囤하형 不人道 bùréndào; 无情无义 wúqíng wúyì; 无情无情 juéqíng; 冷酷 lěngkù ¶간절한 부탁을 ~하게 거절하다 无情地拒绝恳切的请求

몰입 (沒入) 囤하자 投入 tóurù; 陷入 xiànrù; 沉浸 chénjìn ¶감정 ~ 感情投入 / 학문 연구에 ~하다 投入到学问研究中

몰-지각 (沒知覺) 囤하형 不懂道理 bùdǒng dàolǐ; 不懂事 bùdǒngshì; 不知趣 bùzhīqù ¶~한 행동 不知趣的行为

몰티즈 (Maltese) 囤 【動】 马尔济斯

몰-표 (一票) 图 集中选票 jízhōng xuǎnpiào ¶후보자의 출생 지역에서 ~ 현상이 나타났다 在候选人的出身地区出现了选票集中的现象

몸 图 **1** 身 shēn; 体 tǐ; 身体 shēntǐ; 身子 shēnzi; 身子骨儿 shēnzigǔr; 躯干 qūgàn; 身架 shēnjià; 块头 kuàir ¶~이 건강하다 身体健康 / ~이 안 좋다 身体不好 / ~에 좋은 약 对身体好的药 / ~이 허락지 않다 身不由主 = [身不由己] **2** 身份 shēnfen; 身 shēn; 体 tǐ ¶여자의 몸 为人女 / 귀하신 ~ 贵体

몸 둘 바를 모르다 反 手足无措; 不知如何是好; 无地自容

몸(을) 바치다 反 **1** 杀身成人; 舍身取义; 献身; 投身 **2** (女子)献贞操

몸(을) 빼다 反 脱身; 抽空

몸(을) 팔다 反 卖身; 卖淫

몸(이) 달다 反 坐立不安; 坐卧不宁; 芒刺在背

몸에 배다[익다] 反 熟练; 成为习惯

몸으로 때우다 反 用身体抵债

몸을 더럽히다 反 (女子)失节; 有辱贞节

몸을 던지다 反 献身; 忘我

몸을 버리다 反 **1** 损害健康 **2** (女子)失身; 失节

몸-가짐 图 举止 jǔzhǐ; 仪态 yítài; 风度 fēngdù; 仪容 yíróng ¶~이 얌전한 여자 举止文静的女子

몸-값 图 赎金 shújīn; 赎价 shújià; 身价 shēnjià ¶유괴범이 일억 원의 ~을 요구해 왔다 拐骗犯索要了一亿韩元的赎金 **2** 身价 shēnjià ¶축구 선수들의 ~이 한창 오르고 있다 足球运动员的身价正在涨

몸-길이 图 【动】身长 shēncháng; 体长 tǐcháng

몸-놀림 图 [하자] 动作 dòngzuò; 行动 xíngdòng ¶가벼운 ~ 轻巧的动作 / ~이 둔하다 行动不灵活

몸-단장 (一丹粧) 图 [하자] = 몸치장

몸-담다 反 供职 gòngzhí; 投身 tóushēn; 从事 cóngshì; 做事 zuòshì ¶30년 동안 세관에 ~ 在海关供职三十年

몸-동작 图 身体动作 shēntǐ dòngzuò; 身手 shēnshǒu ¶~이 우아하다 身体动作优美

몸-뚱이 图 躯干 qūgàn; 身体 shēntǐ; 身躯 shēnqū; 臭皮囊 chòupínáng; 皮囊 pínáng; 块头 kuàitóu; 块儿 kuàir ¶~가 크다 块头大 / ~가 작다 块头小

몸-매 图 身材 shēncái; 身架 shēnjià; 身段 shēnduàn; 体型 tǐxíng; 体态 tǐtài ¶~가 날씬하다 身材苗条 / 그 여자는

~가 좋다 那女子身材好

몸-무게 图 体重 tǐzhòng = 체중 ¶~를 재다 称体重 / ~가 늘다 体重增加 / ~가 줄다 体重减少

몸-보신 (一補身) 图 [하자] = 보신(補身) ¶~하려고 보약을 먹다 为补养身体, 吃滋补药

몸-부림 图 [하자] **1** 挣扎 zhēngzhá; 拼命扭动 pīnmìng niúdòng ¶빠져나오려고 ~을 해 보았으나 소용이 없었다 拼命扭动着想逃出来, 但没有用 **2** 想尽办法 xiǎngjìn bànfǎ; 使尽全身解数 shǐjìn quánshēn jiěshù ¶재기를 위해 ~하다 为了东山再起使尽全身解数 **3** (睡觉时) 翻身 fānshēn; 动弹 dòngtan; 辗转反侧 zhǎnzhuǎnfǎncè ¶우리 아들 녀석은 잘 때 ~을 심하게 친다 我儿子睡觉时动弹个不停

몸부림-치다 反 **1** 挣扎 zhēngzhá; 拼命扭动 pīnmìng niúdòng ¶손에 묶인 끈을 풀려고 ~ 为了摆脱捆在手上的绳, 拼命扭动 **2** 想办法 xiǎngbànfǎ 와 현실 사이에서 ~ 在理想和现实之间挣扎 **2** 受煎熬 shòu jiān'áo; 想尽办法 xiǎngjìn bànfǎ; 使出全身解数 shǐchū quánshēn jiěshù ¶외로움에 ~ 受孤独的煎熬

몸-뻬 (←一monpe) 图 宽松裤 kuānsōngkù ¶~ 차림으로 일하다 穿着宽松裤干活

몸-살 图 (过劳引起的四肢酸痛、恶寒的) 病痛 bìngtòng; 四肢酸痛 sìzhī suāntòng; 浑身酸痛 húnshēn suāntòng ¶~이 나서 결석하다 他因浑身酸痛而缺席

몸살(이) 나다 反 急不可待; 按捺不住

몸살-감기 (一感氣) 图 (过劳引起的) 感冒 gǎnmào ¶~로 결근하다 因过劳感冒而缺勤

몸살-기 (一氣) 图 病痛 bìngtòng; 四肢酸痛 sìzhī suāntòng 《过劳引起的四肢酸疼、恶寒的症状》 ¶~가 있다 四肢酸痛, 像是要感冒了

몸-서리 图 冷战 lěngzhan; 冷颤 lěngzhan; 战栗 zhànlì; 颤栗 zhànlì; 寒噤 hánjìn; 心惊肉跳 xīnjīngròutiào

몸서리-나다 反 = 몸서리치다

몸서리-치다 反 打寒噤 dǎ hánjìn; 起鸡皮疙瘩 qǐ jīpígēda; 战栗 zhànlì; 打哆嗦 dǎ duōsuo = 몸서리나다 ¶그는 전쟁이라면 몸서리를 친다 一提到战争, 他就浑身战栗

몸-성히 劚 健全地 jiànquánde; 无恙 wúyàng; 好好地 hǎohǎode; 舒服 shūfu; 舒坦 shūtǎn ¶~ 지내다 生活得很舒服 / ~ 지내라 你要好好地过日子

몸-소 劚 亲自 qīnzì; 亲身 qīnshēn; 躬身 gōngshēn; 躬亲 gōngqīn; 切身

qièshēn = 친히 ¶~ 실천하다 亲自
实践

몸-속 圐 体内 tǐnèi ¶~의 병균 体内
的病菌

몸-수색(—搜索) 圐퇴瓼 搜身 sōu-
shēn; 抄身 chāoshēn ¶경찰이 용의자
를 ~하다 警察对嫌疑犯搜身

몸-싸움 圐 肉搏战 ròubózhàn ¶
~을 벌이다 展开肉搏战

몸져-눕다 圐 病倒 bìngdǎo; 病卧 bìng-
wò; 卧病 wòbìng ¶과로로 ~ 因过于
劳累而病倒了

몸-조리(—调理) 圐퇴瓼 调养身体 tiáo-
yǎng shēntǐ; 调养 tiáoyǎng; 休养 xiū-
yǎng ¶~하다 调养身体

몸-조심(—操心) 圐퇴瓼 **1** 保重 bǎo-
zhòng; 注意健康 zhùyì jiànkāng ¶여행
중에 ~하십시오 旅途中请多多保重 **2**
谨言慎行 jǐnyán shènxíng

몸-종 圐 丫鬟 yāhuan; 婢女 bìnǚ; 侍
女 shìnǚ

몸-집 圐 身材 shēncái; 身量(儿) shēn-
liang(r); 身条儿 shēntiáor; 身躯 shēn-
qū; 个头儿 gètóur; 块头 kuàitóu; 块儿
kuàir = 덩치·체구 ¶~이 크다 身材
高大 /~이 좋다 身材好

몸-짓 圐퇴瓼 身体动作 shēntǐ dòng-
zuò; 动作 dòngzuò ¶~으로 의사를 표
현하다 用身体动作表达意思

몸-체(—體) 圐 身躯 shēn; 身体 shēntǐ;
机身 jīshēn ¶비행기의 ~ 飞机机身

몸-치장(—治桩) 圐퇴瓼 装扮 zhuāng-
bàn; 打扮 dǎbàn; 衣着打扮 yīzhuó dǎ-
bàn; 装束 zhuāngshù; 穿戴 chuāndài;
妆扮 zhuāngbàn; 梳妆打扮 shūzhuāng
dǎbàn ¶단단장 ¶요란한 ~을 한
여자 装扮得让人眼花缭乱的女子

몸-통 圐 身躯 shēnqū; 躯干 qūgàn

몹:시 틘 很 hěn; 太 tài; 极 jí; 甚 shèn;
非常 fēicháng; 十分 shífēn; 极了 jíle;
透了 tòule ¶~ 춥다 冷极了 /~ 힘든
일 非常累的活儿 /기분이 ~ 상하다
心情糟糕透了

몹:쓸 瑄 坏(的) huài(de); 恶毒(的) èdú-
(de); 狠毒(的) hěndú(de); 歹毒(的)
dǎidú(de) ¶~놈 可恶的家伙 /~ 짓
恶毒行为 /~ 장난 恶作剧

못[1] 圐 钉 dīng; 钉子 dīngzi ¶벽에
~을 박다 在墙上钉钉子 /~을 빼다 拔
钉子
　　못(을) 박다 团 **1** 伤人心; 造成心灵
创伤 **2** 一口咬定; 斩钉截铁
　　못(이) 박히다 团 **1** 刻骨 **2** 站住不
动; 牢牢站立

못[2] 圐 趼子 jiǎnzi; 茧子 jiǎnzi; 趼 jiǎn;
老趼 lǎojiǎn; 老茧 lǎojiǎn; 胼胝 pián-
zhī; 趼胝 piánzhī ¶손바닥에 ~이 박
이다 手掌上生趼子 /그 말은 귀에 ~

못[3] 圐 塘 táng; 池塘 chítáng; 水池
shuǐchí; 池子 chízi = 연못2 ¶~에서
물고기가 논다 鱼儿在池塘里嬉戏

못:[4] 틘 不 bù; 没 méi; …不了 …bu-
liǎo; …不着 …buzháo; 不能 bùnéng ¶
오늘은 ~ 간다 今天去不了 /너무 시
끄러워 잠을 ~ 자겠다 太吵了，睡不
着
　　못 먹는 감 찔러나 본다 쏙뮦 螺蛳肚
里，心肠歪
　　못 오를 나무는 쳐다보지도 마라
쏙뮦 上不去的树别往上看（用以劝人
要量力而行，不要好高务远）
　　못 말리다 团 无可奈何; 救不了; 没
办法
　　못 먹어도 고 团 一意孤行; 强制进行
　　못 이기는 척[체] 团 假装无殷无奈地

못:-나다 瑄 **1** 丑 chǒu; 难看 nánkàn
¶얼굴이 ~ 长得丑 **2** 没出息 méichū-
xi; 不争气 bùzhēngqì; 愚蠢 yúchǔn ¶
못난 소리 하지 마라 你别说那些不争
气的话

못:-난이 圐 不争气的 bùzhēngqìde;
没出息的 méichūxìde; 蠢货 chǔnhuò

못:-내 틘 **1** 说不出来的 shuōbuchūláí-
de; 非常 fēicháng; 实在 shízài ¶合格
소식에 ~ 기뻐하다 得知合格的消息，
心里有说不出来的高兴 **2** 依依 yīyī;
始终 shǐzhōng ¶~ 그리워하다 思念
依依 /~ 이별을 아쉬워하다 依依惜
别

못:-다 틘 没能… méinéng…; 没完…
méiwán; 没…完 méi…wán; 不完 …
bùwán ¶~ 이룬 꿈 没能实现的梦想 /
~ 읽은 책 没读完的书 /~ 한 말 没
说完的话

못-대가리 圐 钉帽 dīngmào; 钉子帽
dīngzitóu

못:-되다 瑄 **1** 恶劣 èliè; 可恶 kěwù;
坏 huài ¶못된 녀석 坏蛋 =[坏家伙]
/못된 심보 坏心眼 /못된 짓만 골라 하
다 净干坏事 **2** 搞糟 gǎozāo; 搞坏 gǎo-
huài ¶그 일이 못된 게 남의 탓이겠어
那件事情搞糟了，难道是别人的错
　　못되면 조상 탓(잘되면 제 탓) 쏙뮦
好事便归我介大姐，坏事总是毛ㄧ头; 好
往身上揽, 坏向门下推 = 잘되면 제
탓[복] 못되면 조상[남] 탓
　　못된 송아지 엉덩이에 뿔이 난다
쏙뮦 歪种牛犊屁股上长角（比喻越是
不成器的人越爱惹是生非）

못:-마땅-하다 瑄 不满意 bùmǎnyì; 不
称心 bùchènxīn; 不如意 bùrúyì ¶못마
땅하게 여기다 觉得不满意 /그는 내
말이 못마땅한 듯이 이맛살을 찌푸렸
다 对我的话，他似乎不太满意，皱了

찌푸린 눈 **못**:마땅-히 團

몽고
몽골

못-뽑이 圈 拔钉器 bádīngqì; 拔钉钳子 bádīngqiánzi

몽달-귀신(一鬼神) 圈 童子鬼 tóngzǐguǐ

못:-살다 困 穷 qióng; 贫困 pínkùn; 贫穷 pínqióng; 受穷 shòuqióng; 过穷日子过 qióngrìzi ¶못사는 집 穷人家 / 못사는 형편에 외식이라니? 家里穷, 还说要下馆子? 2 折磨 zhémó; 欺负 qīfu; 整 zhěng; 刁难 diāonàn ¶남을 못살게 굴다 折磨别人 / 왜 강아지를 못살게 구니? 为什么欺负小狗?

몽당-연필(一鉛筆) 圈 铅笔头儿 qiānbǐtóur

몽둥이 圈 棍子 gùnzi; 棒子 bàngzi; 棰 chuí; 棒槌 bàngchui

못:-생기다 圈 难看 nánkàn; 丑 chǒu ¶못생긴 여자 丑女人 / 못생긴 얼굴 难看的脸

몽둥이-맛 圈 挨棍子 ái gùnzi; 挨打 áidǎ ¶~을 봐야 정신을 차리겠다 挨了一顿棍子才能清醒过来吗?

못:-쓰다 困 1 不行 bùxíng; 不对 bùduì; 不好 bùhǎo; 不妥 bùtuǒ ¶거짓말하면 못써 说谎不可好 / 그는 너무 게을러서 못쓰겠다 他太懒了, 不行 2 (身体) 不健康 bùjiànkāng; (气色) 不好 bùhǎo ¶며칠 앓더니 얼굴이 못쓰게 되었다 病了几天, 气色很不好

몽둥이-세례(一洗禮) 圈 棒打 bàngdǎ ¶~를 받다 挨棒打 =[吃棍子]

몽둥이-찜질 圈하타 打乱棍 dǎ luàngùn

못-자리 圈[農] 秧田 yāngtián; 苗床 miáochuáng = 묘판

몽땅 團 1 全 quán; 都 dōu; 全部 quánbù; 全都 quándōu ¶돈을 ~ 잃다 钱全丢了 / 재산을 ~ 날리다 财产全飞了 2 一下子 yīxiàzi; 一股脑儿 yīgǔnǎor; 一锅端 yīguōduān ¶긴 머리를 ~ 자르다 一下子把长发剪掉了

못:-지않다 圈 不亚于 bùyàyú; 不下于 bùxiàyú; 不次于 bùcìyú ¶전문가가 못지않은 솜씨 不亚于专家的手艺 / 그는 화가 못지않게 그림을 잘 그린다 他画得很好, 不次于画家

몽땅-하다 圈 秃短 tūduǎn; 短短 duǎnduǎn ¶몽땅한 연필 秃短的铅笔 / 치마가 ~ 裙子很短

못-질 圈하자 1 钉钉子 dìng dīngzi ¶벽에 ~하다 在墙上钉钉子 2 (往心里) 钉钉子 dìng dīngzi; (使心里) 刺痛 cìtòng ¶부모의 가슴에 ~하다 往父母的心里钉钉子

몽롱-하다(朦朧一) 圈 1 朦胧 ménglóng ¶달빛이 ~ 月色朦胧 2 发花 fāhuā; 模糊 móhu ¶눈앞이 ~해서 볼 수 없다 眼睛发花, 看不清楚 3 恍惚 huǎnghu; 迷糊 míhu; 朦胧 ménglóng; 蒙胧 ménglóng; 模糊 móhu ¶정신이 ~ 精神恍惚

못:-하다¹ 一타 不会 bùhuì; 不能 bùnéng; 不好 bùhǎo ¶술을 ~ 不会喝酒 / 대답을 제대로 ~ 回答得不怎么好 二 圈 1 不如 bùrú; 差 chà ¶음식 맛이 예전보다 ~ 饭菜味道不如以前 / 이 옷만은 저 옷만 ~ 这件衣服不如那件衣服好 2 起码 qǐmǎ; 至少 zhìshǎo ¶못해도 한 달은 걸릴 것이다 起码也得一个月的时间 三(보통) 不 bù; 不能 bùnéng; …不了 …buliǎo ¶배가 아파 밥을 먹지 ~ 肚子疼, 吃不了饭

몽매(蒙昧) 圈하圈 蒙昧 méngmèi; 愚昧 yúmèi ¶~한 사람들을 깨우쳐 주다 唤醒愚昧的人们

몽:-매(夢寐) 圈 梦寐 mèngmèi; 睡梦 shuìmèng ¶~에도 그리던 조국 梦寐向往的祖国

몽:-상(夢想) 圈하타 梦想 mèngxiǎng; 痴梦 chīmèng; 妄想 wàngxiǎng ¶~가 梦想家 / ~에 잠기다 沉浸在妄想中

몽실-몽실 圈 胖乎乎 pànghūhū; 胖墩墩 pàngdūndūn; 肥嫩 féinèn ¶아이가 ~ 살이 졌다 孩子胖乎乎的

못:-하다² (보행) 1 不 bù; 不太 bùtài (表示程度不够) ¶편안하지 ~ 不太舒服 / 음식 맛이 좋지 ~ 饭菜不太可口 / 그런 태도는 옳지 ~ 那种态度不对 2 表示行为或程度到达极限 ¶참다 못해 울다 忍不住哭了 / 기다리다 못하여 돌아갔다 没法再等了, 回去了 / 배가 고프다 못해 아프다 肚子饿得都疼了

몽우리 圈 = 꽃망울

몽:-유병(夢遊病) 圈[醫] 梦游症 mèngyóuzhèng; 梦行症 mèngxíngzhèng; 夜游症 yèyóuzhèng; 睡游病 shuìyóubìng ¶~ 환자 梦游症患者

몽:-정(夢精) 圈하자 梦遗 mèngyí

몽:-환-곡(夢幻曲) 圈[音] = 녹턴

몽타주(프montage) 圈[演] 1 蒙太奇 méngtàiqí; 剪辑 jiǎnjí 2 = 몽타주 사진

몽타주 사진(프montage寫眞) [演] 组接照片 zǔjiē zhàopiàn = 몽타주2 ¶범인의 ~이 거리에 나붙다 街上贴出了罪犯的组接照片

몽고(蒙古) 圈[地] = 몽골

몽고-반점(蒙古斑點) 圈[生] 蒙古斑 Měnggǔbān; 胎斑 tāibān

몽골(Mongol) 圈[地] 1 蒙古 Měnggǔ 2 蒙古国 Měnggǔguó; 蒙古 Měnggǔ =

몽:-환(夢幻) 圈 梦幻 mènghuàn; 幻境 huànjìng ¶~에 빠지다 醉在梦幻中

몽:-환-적(夢幻的)〔관〕〔형〕梦幻般的 mèng-huànbānde; 非现实的 fēixiànshíde; 幻想的 huànxiǎngde ¶~인 분위기 梦幻般的氛围

묏:-자리 〔명〕墓地 mùdì; 坟地 féndì = 묫자리 ¶~를 잡다 选墓地

묘:(墓) 〔명〕墓 mù; 坟 fén; 坟墓 fénmù; 冢 zhǒng; 墓茔 mùyíng; 坟茔 fényíng

묘:기(妙技) 〔명〕妙技 miàojì; 绝技 juéjì ¶공중 ~ 空中绝技 / ~를 부리다 耍绝技 / 고난도의 ~를 선보이다 表演高难度的绝技

묘:령(妙齡) 〔명〕妙龄 miàolíng; 妙年 miàonián ¶~의 여인 妙龄女子

묘:목(苗木) 〔명〕苗木 miáomù; 树秧(儿) shùyāng(r); 树苗 shùmiáo; 幼树 yòushù ¶~ 한 그루를 심다 种植一株树苗

묘:미(妙味) 〔명〕妙趣 miàoqù; 妙味 miàowèi; 乐趣 lèqù ¶인생의 ~를 느끼다 感受人生的乐趣

묘:비(墓碑) 〔명〕墓碑 mùbēi = 비(碑)2 ¶~명 墓碑铭 / ~를 세우다 立墓碑

묘:사(描寫) 〔명〕〔하타〕描写 miáoxiě; 描述 miáoshù; 描绘 miáohuì; 写照 xiězhào; 刻画 kèhuà ¶심리 ~ 心理描写 / 군대 생활을 생생하게 ~하다 生动形象地描述兵营生活

묘:소(墓所) 〔명〕= 산소(山所)

묘:수(妙手) 〔명〕**1** 妙招 miàozhāo; 妙着 miàozhāo; 妙诀 miàojué; 巧计 qiǎojì ¶~를 쓰다 用妙招 / 묘수가 떠오르지 않다 想不出妙招 **2** (象棋和围棋的) 妙招 miàozhāo; 妙着 miàozhāo ¶~를 놓다 巧下妙着

묘:안(妙案) 〔명〕妙案 miào'àn; 妙法 miàofǎ; 妙计 miàojì; 好方案 hǎofāng'àn; 好办法 hǎobànfǎ; 好主意 hǎozhǔyi ¶~을 생각해 내다 想出好办法 / ~이 떠오르다 想出个妙计

묘:약(妙藥) 〔명〕妙药 miàoyào; 灵丹妙药 língdān miàoyào ¶사랑의 ~ 爱情的灵丹妙药

묘:역(墓域) 〔명〕墓区 mùqū; 陵园 língyuán ¶선왕의 ~ 先帝陵园

묘:연-하다(杳然—) 〔형〕杳然 yǎorán; 杳渺 yǎomiǎo; 模糊 móhu; 杳无 yǎowú ¶소식이 ~ 杳无音信 / 행방이 ~ 行踪杳然 / 종적이 ~ 踪迹杳然 **묘:연-히** 〔부〕

묘:지(墓地) 〔명〕**1** = 무덤 ¶~를 이장하다 **2** 坟地 féndì ¶~에 매장하다 埋葬在坟地里

묘:-지기(墓—) 〔명〕坟丁 féndīng; 看坟的 kānfénde; 守冢 shǒuzhǒng; 守墓人 shǒumùrén

묘:책(妙策) 〔명〕妙策 miàocè; 妙诀

miàojué; 妙计 miàojì; 妙算 miàosuàn 巧计 qiǎojì ¶~이 떠오르다 想出了妙计

묘:-판(苗板) 〔명〕〔農〕**1** = 못자리 **2** = 모판

묘:-하다(妙—) 〔형〕**1** 妙 miào; 奇妙 qímiào; 美妙 měimiào; 巧妙 qiǎomiào 巧 qiǎo ¶묘한 이를 쓰다 施巧计 **2** 微妙 wēimiào ¶묘한 광경 微妙的景象 / 묘한 말을 하다 说话微妙 / 기분이 ~ 心情很微妙 **3** 碰巧 pèngqiǎo; 凑巧 còuqiǎo; 巧 qiǎo ¶오늘 묘하게 그를 만났다 今天很巧, 碰见他了

묘:혈(墓穴) 〔명〕墓穴 mùxué; 坟坑 fénkēng

못:-자리(墓—) 〔명〕= 묏자리

무: 〔명〕〔植〕萝卜 luóbo; 白萝卜 báiluóbo

무-(無) 〔접두〕无 wú ¶~계획 无计划 / ~가치 无价值

무-가당(無加糖) 〔명〕无糖 wútáng; 不加糖 bùjiātáng ¶~ 오렌지 주스 无糖橙子汁

무가-지(無價紙) 〔명〕免费报纸 miǎnfèi bàozhǐ

무-가치(無價値) 〔명〕〔형〕无价值 wújiàzhí; 毫无价值 háowújiàzhí; 没有价值 méiyǒu jiàzhí ¶한 일 毫无价值的事 / ~하게 여기다 认为没有价值

무간-지옥(無間地獄) 〔명〕〔佛〕无间地狱 wújiàn dìyù; 阿鼻地狱 ābí dìyù

무-감각(無感覺) 〔명〕〔하형〕**1** 麻木不仁 mámùbùrén; 麻木 mámù; 毫无感觉 háowúgǎnjué; 没感觉 méigǎnjué; 钝木 dùnmù ¶동상으로 발가락이 ~해졌다 脚趾因为冻疮都没感觉了 **2** 漠不关心 mòbùguānxīn; 麻木 mámù; 麻木 mámù ¶그는 이제 그런 일에는 ~하게 되었다 现在他对这种事已木了

무겁다 〔형〕**1** 重 zhòng; 沉 chén; 沉重 chénzhòng ¶무거운 돌 沉重的石头 / 체중이 ~ 体重很重 / 가방이 무거워서 들 수가 없다 包很重, 拿不动 **2** 重大 zhòngdà; 重要 zhòngyào ¶맡은 책임이 매우 ~ 担负的责任非常重大 / 무거운 사명을 지니다 肩负重要使命 **3** (病或罪) 重 zhòng; 严重 yánzhòng ¶죄가 ~ 罪行很严重 / 병이 ~ 病很重 **4** 严 yán; 严紧 yánjǐn; 紧 jǐn ¶입이 ~ 嘴严 = [口head] 工 严 沉重 chénzhòng; 不舒服 bùshūfu; 发沉 fāchén ¶무거운 발걸음 沉重的脚步 / 몸이 ~ 身体不舒服 / 머리가 좀 ~ 脑袋有点发沉 **6** 缓慢 huǎnmàn; 迟缓 chídùn; 缓缓 huǎnhuǎn ¶기차 바퀴가 무겁게 움직이기 시작했다 火车的车轮开始缓缓启动 **7** (气氛) 低沉 dīchén; 沉闷 chénmèn; 阴郁

yīnyù ¶분위기가 너무 ~ 气氛太沉闷

8 (心情) 沉重 chénzhòng; 沉闷 chénmèn; 沉 chén; 发沉 fāchén; 不舒服 bùshūfu ¶마음이 ~ 心情很沉重 **9** (因怀孕, 身体) 笨重 bènzhòng; 重 zhòng ¶만삭이라 몸이 ~ 快临盆了, 身体很笨重

무게 명 **1** 重量 zhòngliàng; 轻重 qīngzhòng; 分量 fènliang; 重 zhòng = 중량 ¶~를 달다 称分量 / ~를 줄이다 减轻重量 / ~를 이기지 못하다 撑不住重量 / ~가 많이 나가다 分量重 **2** 分量 fènliang; 斤两 jīnliǎng ¶~ 있는 작품 有分量的作品 **3** 有威信 yǒuwēixìn; 稳重 wěnzhòng; 分量 fènliang; 斤两 jīnliǎng ¶~ 있게 행동하다 举止稳重 / 그의 말에는 ~가 있다 他话说得很有分量 **4** 程度 chéngdù; 重 zhòng ¶슬픔의 ~ 伤心的程度 / 세월의 ~ 岁月之重

무게(를) 잡다 쿤 装稳重

무게 중심(一中心) 【物】重心 zhòng-xīn

무결-하다(無缺) 형 无缺 wúquē; 无瑕 wúxiá

무-계획(無計劃) 명하형 无计划 wújìhuà ¶~적으로 세월을 보내다 无计划地过日子

무고(無故) 명하형부 **1** 无故 wúgù ¶~ 결근 无故缺勤 **2** 安好 ānhǎo; 平安无事 píng'ān wúshì; 平安无恙 píng'ān wúyàng; 安然无恙 ānrán wúyàng ¶그동안 댁내 두루 ~하셨습니까? 近来府内可安好?

무-고(誣告) 명하타 【法】诬告 wūgào; 诬控 wūkòng; 诬诉 wūsù ¶~죄 诬告罪 / ~ 혐의로 구속되다 以涉嫌诬告陷害罪被拘留

무고-하다(無辜一) 형 无辜 wúgū ¶무고한 백성 无辜的百姓 **무고-히** 부 많은 사람이 ~ 죽임을 당하였다 许多人无辜地遭到杀害

무-곡(舞曲) 명 【音】= 춤곡

무-공(武功) 명 武功 wǔgōng; 军功 jūngōng ¶~ 훈장 武功勋章 / ~을 세우다 立武功

무-공해(無公害) 명 无公害 wúgōnghài ¶~ 농산물 无公害农产品 / ~ 채소 无公害蔬菜 / ~ 재배 无公害栽培

무-과(武科) 명 【史】武举 wǔjǔ; 武科 wǔkē

무-관(武官) 명 武官 wǔguān

무관(無冠) 명하형 无冕 wúmiǎn; 没有职位 méiyǒu zhíwèi

무관의 제왕 쿤 无冕之王 《舆论界人士》

무-관심(無關心) 명하형 不关心 bùguānxīn; 漠不关心 mòbùguānxīn; 毫不

关心 háobùguānxīn; 不在乎 bùzàihu ¶남편은 가정에 전혀 ~하다 丈夫对家庭毫不关心 / 정치에 ~한 사람 对政治不关心的人

무관-하다(無關一) 형 无关 wúguān; 无干 wúgān ¶나와는 무관한 일 跟我无关的事 **무관-히** 부

무광(無光) 명하형 无光 wúguāng ¶~ 코팅 无光涂层

무교(無教) 명 不信宗教 bùxìnzōngjiào; 不信教 bùxìnjiào

무궁(無窮) 명하형 无穷 wúqióng; 无限 wúxiàn; 无尽 wújìn; 无量 wúliàng ¶귀사의 ~한 발전을 기원합니다 祝愿贵公司前途无量

무궁-무진(無窮無盡) 명하형 히부 无穷无尽 wúqióngwújìn; 取之不尽 qǔzhībùjìn ¶~한 자원 取之不尽用之不竭的资源

무궁-화(無窮花) 명 **1** 【植】木槿 mùjīn; 木槿树 mùjǐnshù = 무궁화나무 **2** 木槿花 mùjǐnhuā

무궁화-나무(無窮花一) 명 【植】= 무궁화1

무-궤도(無軌道) 명하형 **1** 无轨 wúguǐ ¶~ 전차 无轨电车 / 열차 无轨列车 **2** 无规矩 wúguīju; 无规律 wúguīlǜ ¶~한 생활 无规律的生活

무균(無菌) 명 无菌 wújūn ¶~ 처리 无菌处理 / ~ 병실 无菌病房

무급(無給) 명 无薪 wúxīn; 无报酬 wúbàochou; 无偿 wúcháng ¶~ 휴가 无薪休假

무:-기(武器) 명 武器 wǔqì; 兵器 bīngqì ¶불법으로 ~를 소지하다 非法携持武器 / 새로운 ~를 개발하다 开发新式武器

무기(無期) 명 无期 wúqī; 无限期 wúxiànqī; 无期限 wúqīxiàn = 무기한 ¶~수 无期犯 / ~정학 无期停学 / ~ 징역 无期徒刑 / ~ 연기하다 无期限延期

무기(無機) 명 无机 wújī ¶~물 无机物 / ~ 비료 无机肥料 / ~ 염류 无机盐 / ~질 无机质 / ~ 화학 无机化学 / ~ 화합물 无机化合物

무:기-고(武器庫) 명 【軍】武库 wǔkù; 武器库 wǔqìkù; 军械库 jūnxièkù; 军火库 jūnhuǒkù; 兵器库 bīngqìkù = 병기고

무-기력(無氣力) 명하형 没力气 méilìqì; 不争气 bùzhēngqì; 没有活力 méiyǒu huólì; 呆板 dāibǎn; 无力 wúlì ¶~감 无力感 ¶~한 상태에 빠지다 陷入无力状态 / 그 사람은 정말 ~하다 他这个人真不争气

무-기명(無記名) 명 无记名 wújìmíng; 不记名 bùjìmíng; 匿名 nìmíng ¶~으

로 투서하다 匿名投信

무기명 투표(無記名投票) 【政】无记名投票 wújìmíng tóupiào; 不记名投票 bùjìmíng tóupiào; 匿名投票 nìmíng tóupiào

무-기한(無期限) 명 无期限 wúqī; 无限期 wúxiànqī; 无期限 wúqíxiàn = 무기(無期) ¶ ~ 농성 无限期静坐示威

무기-형(無期刑) 명 【法】无期刑 wúqīxíng; 无期徒刑 wúqī túxíng

무난-하다(無難一) 형 1 不难 bùnán; 容易 róngyì; 顺利 shùnlì ¶무난하게 목표를 달성하다 顺利达成目的 2 说得过去 shuōdeguòqù; 过得去 guòdequ; 没大问题 méidàwèntí ¶무난한 글 没大问题的文章 / 차림새가 ~ 穿戴还说得过去 3 (性格) 厚道 hòudào; 仁厚 rénhòu; 圆满 yuánmǎn; 宽厚 kuānhòu; 不错 bùcuò ¶그는 성격이 무난해서 친구가 많다 他性格仁厚, 所以朋友很多

무난-히 부 ¶ ~ 합격하다 顺利合格

무남-독녀(無男獨女) 명 独生女 dúshēngnǚ ¶ ~로 귀염을 받다 作为独生女倍受疼爱

무너-뜨리다 타 1 推倒 tuīdǎo; 毁坏 huǐhuài; 破坏 pòhuài ¶담을 ~ 把墙推倒 2 (制度, 秩序等) 破坏 pòhuài ¶공공질서를 ~ 破坏公共秩序 3 推翻 tuīfān; 打垮 dǎkuǎ ¶独裁 政权을 ~ 推翻独裁政权 4 (计划, 构想, 想法等) 摧垮 cuīkuǎ; 破坏 pòhuài; 推翻 tuīfān; 辜负 gūfù ¶신념을 ~ 破坏信念 / 부모의 기대를 ~ 辜负父母的期望 5 (运动比赛中) 打赢 dǎyíng; 打败 dǎbài; 取胜 qǔshèng ¶그는 지난 대회의 우승자를 무너뜨리고 결승에 진출했다 他打败了上届冠军, 进入决赛

무너-지다 자 1 倒下来 dǎoxiàlái; 坍塌 tāntā; 倒塌 dǎotā; 崩塌 bēngtā; 溃灭 kuìmiè; 垮 kuǎ ¶다리가 ~ 桥坍塌了 / 홍수로 제방이 ~ 堤防被洪水冲垮了 2 (秩序, 体系等) 被破坏 bèipòhuài ¶질서가 ~ 秩序被破坏 3 (权力或国家) 垮台 kuǎtái; 瓦解 wǎjiě ¶소련이 무너지자 많은 독립 국가가 생겨났다 苏联一垮台, 出现了许多独立国家 4 (计划, 构想等) 落空 luòkōng; 垮台 kuǎtái; 崩溃 bēngkuì ¶희망이 ~ 希望落空 5 (精神) 瘫倒 tāndǎo; 崩溃 bēngkuì; 垮 kuǎ ¶그녀는 헤어지자는 말에 가슴이 무너졌다 她一听到要分手的话, 精神一下子垮了 6 (运动比赛中) 输 shū; 被打败 bèi dǎbài; 败下阵来 bàixiàzhènlái ¶선발 투수가 힘없이 ~ 选拔投手无力地败下阵来

무:녀(巫女) 명 【民】 = 무당

무념-무상(無念無想) 명 【佛】无念无想 wúniàn wúxiǎng

무논 명 【農】水田 shuǐtián

무능(無能) 명 하형 无能 wúnéng; 没本事 méiběnshì ¶~한 지도자 无能的领导

무-능력(無能力) 명 하형 没本事 méiběnshì; 无能 wúnéng ¶남편은 돈 버는데 ~하다 丈夫没本事赚钱

무늬 명 1 纹 wén; 纹路 wénlù ¶나무의 ~ 树的纹路 =[树纹] 2 花纹 huāwén; 花样 huāyàng ¶~를 놓다 绣花纹 / ~를 새기다 雕花纹 ‖ = 문양

무늬-목(一木) 명 1 木片 mùpiàn 2 印花板 yìnhuābǎn ¶~으로 마루바닥을 깔다 用印花板铺地板

무:(武斷) 명 하형 하타 动力实行 yòng wǔlì shíxíng; 强制实行 qiángzhì shíxíng; 强行 qiángxíng ¶총장실을 ~으로 점거하다 强行占据校长室

무단(無斷) 명 하형 부 擅自 shànzì; 乱 luàn; 无故 wúgù; 未经允许 wèijīng yǔnxǔ ¶~가출 无故离家出走 / ~출입 擅自出入 / 횡단 赵车马路 / 외출 擅自外出 / 복제 未经允许复制

무단-결근(無斷缺勤) 명 하자타 擅自缺勤 shànzì quēqín; 旷工 kuànggōng; 旷职 kuàngzhí

무단-결석(無斷缺席) 명 하자타 逃课 táokè; 逃学 táoxué; 旷课 kuàngkè

무단-이탈(無斷離脫) 명 하자 无故离队 wúgù líduì; 擅离职守 shànlí zhíshòu

무-담보(無擔保) 명 하자 无担保 wúdānbǎo; 不提供担保 bùtígōng dānbǎo ¶~ 대출 无担保贷款

무:당 명 【民】巫婆 wūpó; 女巫 nǚwū = 무녀

무:당-벌레 명 【虫】瓢虫 piáochóng

무:대(舞臺) 명 1 【演】舞台 wǔtái ¶~ 감독 舞台监督 / 미술 舞台美术 =[舞台美] / 의상 舞台服装 =[戏衣] / 효과 舞台效果 / 예술 舞台艺术 / 조명 舞台照明 / 배우가 ~에 오르다 演员登上舞台 2 舞台 wǔtái; 场地 chǎngdì ¶정치 ~ 政治舞台 / 활동 ~ 活动场地 / 세계 ~에 진출하다 向世界舞台迈进

무:대 연-습(舞臺練習) 【演】排练 páiliàn; 排戏 páixì

무:대 장치(舞臺裝置) 【演】舞台设施 wǔtái shèshī; 布景 bùjǐng; 内景 nèijǐng

무더기 명 堆 duī; 垛 duò; 簇 cù ¶장작 ~ 柴火堆 / 풀 ~ 草堆 / 한 ~에 천 원 一千韩元一堆

무-더위 명 炎热 yánrè; 酷热 kùrè; 暑热 kùshǔ; 闷热 mēnrè; 暑气 shǔqì ¶~가 기승을 부리다 炎热逞威 / ~가 한풀 꺾이다 暑气大减 / 본격적인 ~가 시작되다 开始真正的酷热

무던-하다 〔형〕 **1** 尚可 shàngkě；还行 háixíng；还可以 háikěyǐ；还好 háihǎo；差强人意 chāqiángrényì；够 gòu；很 hěn；颇为 pōwéi；相当 xiāngdàng ¶그만하면 ~ 那样的话还行／음식 솜씨가 ~ 做菜手艺还可以 **2** 厚道 hòudào；宽厚 kuānhòu ¶성품이 ~ 性情宽厚 **무던-히** 〔부〕¶~하고 고생하다 够辛苦的

무덤 〔명〕坟 fén；墓 mù；坟墓 fénmù；坟地 féndì；土冢 tǔzhǒng = 묘지1·분묘 ¶~가 墓地边／~에 묻히다 埋在坟墓里／~을 파다 掘墓／~을 옮기다 迁移坟墓

무덤덤-하다 〔형〕满不在乎 mǎnbùzàihu；平淡 píngdàn；不动声色 búdòngshēngsè ¶무덤덤한 표정 满不在乎的表情／무덤덤한 어조로 말하다 平淡地说

무-덥다 〔형〕闷热 mēnrè；炎热 yánrè；酷热 kùrè；暑热 shǔrè ¶무더운 여름 酷热的夏季

무:(武道) 〔명〕**1** 武道 wǔdào **2** 武艺 wǔyì；武术 wǔshù ¶~에 능하다 懂武术

무:-도(舞蹈) 〔명〕〔하자〕**1** 跳舞 tiàowǔ **2** 舞蹈 = 무용(舞踊)

무:-도-곡(舞蹈曲) 〔명〕【音】= 춤곡

무:-도-장(武道場) 〔명〕比武场 bǐwǔchǎng；练武场 liànwǔchǎng

무:-도-장(舞蹈場) 〔명〕舞厅 wǔtīng；舞场 wǔchǎng

무도-하다(無道─) 〔형〕无道 wǔdào；胡来 húlái；无礼 wúlǐ ¶천하의 무도한 놈 天下第一无礼的家伙

무:-도-회(舞蹈會) 〔명〕舞会 wǔhuì ¶~에 초대 받다 受到参加舞会的邀请

무:-동(舞童) 〔명〕【民】舞童 wǔtóng 　**무동**(을) 서다 〔구〕骑在别人的肩上；骑肩 = 무동(을) 타다 　**무동**(을) 타다 〔구〕= 무동(을) 서다

무:-두-질 〔명〕〔하타〕鞣皮 róupí；鞣制 róuzhì；制革 zhìgé；熟皮 shúpí ¶쇠가죽을 ~하여 북을 만들다 把牛皮鞣制后做成皮鼓

무드(mood) 〔명〕气氛 qìfēn；情调 qíngdiào；情趣 qíngqù；营造气氛 ¶~에 젖다 沉浸在气氛中／~ 있는 음악을 듣다 听有情调的音乐

무-득점(無得点) 〔명〕没有得分 méiyǒu défēn；无得分 wúdéfēn ¶경기가 ~로 끝나다 比赛以双方皆无得分而结束／~으로 비기다 没有得分打了平局

무디다 〔형〕**1** 不快 búkuài；不锋利 bùfēnglì ¶무딘 면도날 钝钝的剃须刀片／칼이 너무 무디어 도무지 썰어지지 않는다 刀太钝了，根本切不动 **2** 迟钝 chídùn；鲁钝 lǔdùn；木僵僵

mùjiāngjiāng ¶감각이 ~ 感觉迟钝／반응이 ~ 反应迟钝

무뚝뚝-이 〔부〕生硬 shēngyìng；冷淡 lěngdàn；冷冰冰 lěngbīngbīng ¶~ 바라보다 只是冷冰冰地瞧着

무뚝뚝-하다 〔형〕生硬 shēngyìng；冷淡 lěngdàn；冷冰冰 lěngbīngbīng ¶말투가 ~ 语气生硬／그는 누구에게나 ~ 他对谁都很冷淡

무량(無量) 〔명〕〔하〕无量 wúliàng；无限 wúxiàn ¶감개가 ~하다 感慨无限／전도가 ~하다 前途无量

무럭-무럭 〔부〕**1** 茁壮地 zhuózhuàngde；茂盛地 màoshèngde；茁然 zhuórán ¶아이들이 ~ 자라다 孩子们茁壮地成长 **2**（烟、气）股股地 gǔgǔde；一团团地 yītuántuánde；呼呼地 hūhūde；腾腾 téngténg ¶안개가 ~ 피어오르다 雾气腾腾升起

무려(無慮) 〔부〕竟 jìng；足有 zúyǒu；足足 zúzú ¶물가가 한 달 새에 ~ 세 배나 올랐다 物价一个月内竟上涨了三倍／~ 세 시간이나 기다렸다 足足等了三个小时

무:력(武力) 〔명〕武力 wǔlì；武 wǔ；武装 wǔzhuāng ¶~을 행사하다 行使武力

무력(無力) 〔명〕〔하〕无力 wúlì；乏力 fálì；没劲儿 méijìnr；软弱无力 ruǎnruò wúlì；无能为力 wúnéngwéilì；无能 wúnéng ¶적의 공격에 ~하다 对敌人的攻击无力抵抗

무력-감(無力感) 〔명〕无力感 wúlìgǎn；乏力感 fálìgǎn；虚脱感 xūtuōgǎn ¶~에 빠지다 陷入一种无力感中

무력-화(無力化) 〔명〕〔하자〕无力化 wúlìhuà；失去优势 shīqùyōushì；占不了上风 zhànbùliǎo shàngfēng ¶선제공격으로 적을 ~시키다 采取先发制人，使敌人占不了上风

무렵 〔의명〕时分 shífēn；之际 zhījì；时候 shíhou ¶동생이 해질 ~에 돌아왔다 弟弟傍晚时分回来了

무례(無禮) 〔명〕〔하자〕〔하〕无礼 wúlǐ；不礼貌 bùlǐmào；没礼貌 méilǐmào；不逊 bùxùn ¶~한 언행 无礼的言行／~하게 굴다 举止不逊

무뢰-한(無賴漢) 〔명〕无赖汉 wúlàihàn；无赖之徒 wúlàizhītú；无赖子 wúlàizi；赖子 làizi；恶棍 ègùn

무료(無料) 〔명〕**1** 免费 miǎnfèi；无偿 wúcháng ¶~ 관람 免费参观／~ 강습 免费授课／~ 서비스 无偿服务＝[免费服务]／~ 입장 免费入场＝[入场券免费入场券]／~로 제공하다 免费提供＝[无偿提供] **2** 义务 yìwù《不受报酬的》¶~ 상담원 义务咨询员／~ 봉사 义务劳动

무료(無聊) 〖명〗〖하형〗〖허부〗 无聊 wúliáo ¶텔레비전을 보며 ~함을 달래다 看电视打发无聊 / ~하게 시간을 보내다 无聊地打发时间 / 그는 종일 ~한 집에 있었다 他整日无聊地整在家里

무르다¹ 〖자〗 熟 shú; 熟透 shútòu; 烂熟 lànshú ¶감이 너무 물러 맛이 변했다 柿子熟过头, 变味了

무르다² 〖타〗 1 退 tuì; 退货 tuìhuò; 退还 tuìhuán ¶이 옷이 품이 좀 큰데 무를 수 있습니까? 这件衣服有点儿肥, 能不能退货? 2 (围棋、象棋) 悔 huǐ; 反悔 fǎnhuǐ ¶한 수만 물러 다오 只让你将一着 / 한번 둔 수는 무를 수 없다 棋走了就不能悔 3 后退 hòutuì; 退移 tuìyí; 退 tuì ¶뒤로 물러 벽 쪽으로 앉아라 退到墙边坐吧

무르다³ 〖형〗 1 软 ruǎn; 稀烂 xīlàn; 稀 xī; 烂 làn ¶무른 음식 软饭软菜 / 반죽이 약간 ~ 面和得有点稀 2 (意志、力量等) 软 ruǎn; 软弱 ruǎnruò ¶성질이 ~ 性情软弱 / 마음이 그렇게 물러서야 어떻게 이 험한 세상을 살겠느냐? 心那么软, 怎么在这凶险的世上生活?

무르-익다 〖자〗 1 熟 shú; 熟透 shútòu; 烂熟 lànshú; 成熟 chéngshú ¶오곡백과가 무르익는 계절 百果成熟的季节 2 成熟 chéngshú; 正是时候 zhèngshì shíhou ¶때가 ~ 时机成熟 / 사랑이 ~ 爱情成熟 / 분위기가 ~ 气氛成熟

무르팍 〖명〗 '무릎'의 속칭 ¶넘어져 ~이 깨지다 摔得膝盖破了

무릅-쓰다 〖타〗 冒着 màozhe; 顶着 dǐngzhe; 不顾 bùgù; 不避 bùbì ¶그들은 주위의 반대를 무릅쓰고 결혼식을 올렸다 他们不顾周围人的反对, 举行了婚礼

무릇 〖부〗 凡 fán; 凡是 fánshì; 大凡 dàfán; 大抵 dàdǐ; 一般说来 yìbān shuōlái ¶ 필요는 발명의 어머니이다 大凡说需要乃发明之母

무-릉-도원(武陵桃源) 〖명〗 世外桃源 shìwài táoyuán; 桃花源 táohuāyuán; 桃源 táoyuán

무릎 〖명〗〖生〗 膝 xī; 膝盖 xīgài ¶~ 반사 膝跳反射 / ~베개 枕膝盖 / ~을 꿇고 잔다 跪下膝盖 / 아이가 엄마의 ~을 베고 잔다 孩子枕着妈妈的膝盖睡觉

무릎(을) 꿇다 〖구〗 屈膝 qūxī; 屈服 qūfú; 降服 xiángfú

무릎(을) 치다 〖구〗 拍膝盖 pāi xīgài

무릎-뼈 〖명〗〖生〗 膝盖骨 xīgàigǔ; 髌骨 bìngǔ = 슬개골

무리¹ 〖명〗 群 qún; 帮 bāng; 伙 huǒ; 队 duì ¶교복을 입은 학생들의 ~ 一群穿着校服的学生 / 말들이 ~를 지어 달리다 骏马成群地奔跑

무리² 〖명〗〖天〗 晕 yùn

무리(無理) 〖명〗〖하형〗〖자형〗 1 无理 wúlǐ; 没道理 méidàoli; 过分 guòfèn ¶~한 요구 无理的要求 / 화를 내는 것도 ~는 아니다 生气发火也不能说没道理 2 硬撑 yìngchēng; 勉强 miǎnqiǎng; 过劳 guòláo ¶이 일은 여자가 하기는 ~ 这活女的干有点勉强 / ~해서 할 필요는 없다 没必要硬撑 3 〖數〗 无理 wúlǐ ¶~ 방정식 无理方程式

무리-수(無理手) 〖명〗险招 xiǎnzhāo; 奇招 qízhāo ¶~를 두다 下险招

무리-수(無理數) 〖명〗〖數〗 无理数 wúlǐshù

무리-식(無理式) 〖명〗〖數〗 无理式 wúlǐshì; 根式 gēnshì

무-림(武林) 〖명〗 武林 wǔlín ¶~의 고수 武林高手

무-마(撫摩) 〖명〗〖타〗 1 抚摩 fǔmó 2 安抚 ānfǔ; 安慰 ānwèi ¶愤怒的群众 ¶~하다 安抚激动的群众 3 平息 píngxī; 缓靖 suíjìng ¶뇌물을 주고 사건을 ~하려 하다 送贿想平息事件

무-말랭이 〖명〗 萝卜干(儿) luóbogān(r)

무-면허(無免許) 〖명〗 无照 wúzhào; 无牌 wúpái; 无证 wúzhèng; 没有执照 méiyǒu zhízhào ¶~ 영업 无照营业 / ~로 운전하다 无照驾驶

무명 〖명〗 棉布 miánbù

무명(無名) 〖명〗〖하형〗 无名 wúmíng; 不知名 bùzhīmíng ¶~ 가수 无名歌手 / ~ 작가 无名作家

무명-실 〖명〗 棉纱 miánshā; 棉线 miánxiàn

무명-지(無名指) 〖명〗 = 약손가락

무-모(無謀) 〖명〗〖하형〗〖허부〗 无谋 wúmóu; 盲目 mángmù; 贸然 màorán; 轻率 qīngshuài; 欠考虑 qiàn kǎolǜ; 莽撞 mǎngzhuàng; 冒险 màoxiǎn ¶~한 행동 冒险行为 / ~한 짓 하지 마라 不要贸然行动 / 강물에 ~하게 뛰어들다 莽撞地跳进河水里

무모-증(無毛症) 〖명〗〖醫〗 无毛症 wúmáozhèng

무미-건조(無味乾燥) 〖명〗〖하형〗 无味无味 wúwèi; 乏味 fáwèi; 索然无味 suǒrán wúwèi; 干燥无味 gānzào wúwèi; 枯燥无味 kūzào wúwèi; 干巴巴 gānbābā ¶~한 생활 枯燥无味的生活

무-반주(無伴奏) 〖명〗 无伴奏 wúbànzòu

무-방비(無防備) 〖명〗〖하형〗 不设防 bùshèfáng; 无防备 wúfángbèi; 没有防备 méiyǒu fángbèi ¶적의 공격에 ~한 상태에 놓이다 对敌人的攻击处于无防备状态

무방-하다(無妨–) 〖형〗 无妨 wúfáng; 不妨 bùfáng; 无碍 wúài; 没关系 méiguānxi ¶남이 들어도 무방한 이야기 别人听见也无妨的事情 **무방-히** 〖부〗

무-배당(無配當) 〖명〗〖經〗 不分红 bù–

fēnhóng; 无息 wúxī ¶～ 보험
保险

무법(無法) 명하형 1 无法制 wúfǎzhì; 没有法制 méiyǒu fǎzhì ¶～ 지대 没有法制的地区 2 无法无天 wúfǎ wútiān; 不懂事 bùdǒngshì; 没礼数 méilǐshù

무법-자(無法者) 명 歹徒 dǎitú

무법-천지(無法天地) 명 无法无天的世界 wúfǎwútiānde shìjiè; 混乱的天地 hùnluànde tiāndì ¶밤이 되면 그곳은 강패가 설치는 ～가 된다 一到晚上, 那个地方就成了流氓无赖们无法无天的世界

무병(無病) 명하형 无病 wúbìng; 无疾 wújí ¶가족들의 ～을 기원하다 祝愿家人无病健康

무병-장수(無病長壽) 명하자 无病长寿 wúbìng chángshòu; 健康长寿 jiànkāng chángshòu; 延年益寿 yánnián yìshòu ¶～를 빌다 祝健康长寿

무-보수(無報酬) 명 无报酬 wúbàochou; 无偿 wúcháng ¶～로 일하다 无偿劳动 / 야학에서 ～로 가르치다 在夜校无报酬地授课

무-분별(無分別) 명하형 不顾前后 bùgùqiánhòu; 不分皂白 bùfēnzàobái; 不予辨别 bùyǔ biànbié; 盲目 mángmù; 莽撞 mǎngzhuàng; 轻率 qīngshuài; 鲁莽 lǔmǎng; 冒失 màoshi ¶무分别한 도시개발 盲目的城市开发 / 외래문화를 ～하게 수용하다 对外来文化不予辨别, 全盘吸收

무-사(武士) 명 武士 wǔshì ¶～도 武士道

무사(無死) 명 [體] (棒球中的) 未出局 wèichūjú; 无死 wúsǐ ¶～ 만루 未出局满垒 = 노 아웃

무사(無事) 명하형 히튀 平安 píng'ān; 平安无事 píng'ān wúshì; 太平无事 tàipíng wúshì; 无灾无咎 wúzāi wújiù; 无恙 wúyàng; 安然 ānrán; 无事故 wúshìgù ¶～ 귀환 平安归来 / 전쟁터에서 ～히 돌아오다 从战争中平安回来 / ～히 임무를 마치다 平安完成任务

무-사고(無事故) 명 无事故 wúshìgù; 安全 ānquán ¶10년 ～ 운전사 十年无事故的驾驶员

무-사마귀 명 [生] 猴子 hóuzi; 疣 yóu

무사-안일(無事安逸) 명하형 息事宁人 xīshìníngrén; 多一事不如少一事 duōyīshì bùrú shǎoyīshì ¶～한 태도 息事宁人的态度

무사-태평(無事太平) 명하형 1 平安无事 píng'ān wúshì; 太平无事 tàipíng wúshì; 平平稳稳 píngpíngwěnwěn; 安闲 ānxián; 安泰 āntài ¶～을 빌다 祝愿平安无事 2 处之泰然 chǔzhītàirán; 泰然处之 tàiránchǔzhī; 没事似的 méi-

shìsìde; 不搁事 bùgēshì ¶그는 모든 일에 ～이다 他什么事儿都泰然处之

무사-통과(無事通過) 명하자타 顺利通过 shùnlì tōngguò; 无事通过 wúshì tōngguò ¶검문소를 ～하다 顺利通过盘查站

무산(無産) 명 无产 wúchǎn ¶～ 노동자 无产劳动者 / ～계급 无产阶级

무-산(霧散) 명하자 烟消云散 yānxiāo yúnsàn; 告吹 gàochuī; 落空 luòkōng; 泡汤 pàotāng ¶외자 유치 계획이 ～되다 招引外资的计划泡汤了

무상(無常) 명하형 1 变化无常 biànhuàwúcháng; 不固定 bùgùdìng; 不定 bùdìng ¶워낙 출입이 ～한 사람이라 그를 만나란 쉽지 않다 他出入的时间不固定, 很难碰到他 2 无常 wúcháng; 虚无 xūwú; 虚妄 xūwàng ¶인생이 ～하게 느껴지다 感到人生虚无无常

무상(無償) 명 无偿 wúcháng; 免费 miǎnfèi ¶～ 분배 无偿分配 / 증자 无偿增资 / ～ 점검 서비스 免费检查服务 / ～ 원조를 받다 接受无偿援助 / 밀가루를 ～으로 배급하다 免费提供面粉

무상 교-육(無償敎育) [敎] 无偿教育 wúcháng jiàoyù; 免费教育 miǎnfèi jiàoyù; 义务教育 yìwù jiàoyù

무상-주(無償株) [經] 无偿股份 wúcháng gǔfèn; 红利股 hónglìgǔ; 红股 hónggǔ

무색-투명(無色透明) 명하형 无色透明 wúsè tòumíng ¶～한 액체 无色透明的液体

무색-하다(無色一) 형 1 难为情 nánwéiqíng; 不好意思 bùhǎoyìsi; 尴尬 gāngà; 窘 jiǒng ¶무색한 웃음을 짓다 不好意思地笑 2 羞愧 xiūkuì; 无颜 wúyán; 没脸 méiliǎn ¶그녀가 어찌나 고운지 천궁의 선녀들도 무색하게 될 지경이었다 她非常美丽, 美得连天上的仙女也感到无颜

무생-물(無生物) 명 [生] 非生物 fēishēngwù ¶～체 非生物体

무-생채(一生菜) 명 凉拌萝卜丝 liángbàn luóbosī

무서움 명 恐惧感 kǒngjùgǎn; 害怕 hàipà ¶～을 타다 害怕 / ～에 떨다 害怕得发抖

무서워-하다 타 怕 pà; 害怕 hàipà; 恐惧 kǒngjù; 畏怯 wèiqiè; 忌怕 jìpà; 畏惧 wèijù ¶죽음을 ～ 怕死 / 호랑이를 ～ 怕老虎 / ～ 怕走夜路

무선(無線) 명 1 无线 wúxiàn; 无线电 wúxiàndiàn ¶～ 마이크 无线麦克风 / ～ 방송 无线电广播 / ～ 송신기 无线电发报 / ～ 호출기 无线传呼机 / ～ 전

보 无线电报 2【信】= 무선 전신 3
【信】= 무선 전화

무선 수:신기(無線受信機)【信】无线
电受信机 wúxiàndiàn shòuxìnjī; 无线
电收报机 wúxiàndiàn shōubàojī; 报话机
bàohuàjī

무선 전:신(無線電信)【信】无线电 wú-
xiàndiàn; 无线电信 wúxiàn diànxìn ―
무선2 ¶~국 无线电台

무선 전:화(無線電話)【信】无线电话
wúxiàn diànhuà; 无绳电话 wúshéng
diànhuà ― 무선3 ¶~기 无线电话机

무선 조종(無線操縱)【物】无线电操
纵 wúxiàndiàn cāozòng

무선 통신(無線通信)【信】无线通信
wúxiàn tōngxìn; 无线电通迅 wúxiàn-
diàn tōngxùn

무선-파(無線波)〖명〗【物】无线电波 wú-
xiàn diànbō

무섭다〖형〗**1** 怕 pà; 可怕 kěpà; 害怕
hàipà ¶나는 뱀이 ~ 我怕蛇 / 그는 아
버지 때하기가 ~ 他害怕面对父亲 **2**
怕 pà; 担心 dānxīn; 唯恐 wéikǒng ¶지
각할까 무서워 새벽같이 길을 떠났다
怕迟到, 一大早就上路了 / 선생님에게
혼날까 버 ~ 怕挨老师骂 **3** 惊人
jīngrén; 骇人 hàirén; 厉害 lìhai; 凌厉
línglì; 猛烈 měngliè ¶차가 무서운 속
도로 달리다 车以惊人的速度奔驰 / 비
가 무섭게 내리다 雨下得很厉害 **4** 就
马上 jiù mǎshàng ¶아이는 돈이 생기
기가 무섭게 매점으로 달려갔다 孩子
有了钱就马上向小卖部跑去了

무성(無性)〖명〗无性 wúxìng ¶~ 생식
无性生殖

무성(無聲)〖명〗无声 wúshēng; 没有声
音 méiyǒu shēngyīn

무성 영화(無聲映畫)【演】默片 mò-
piàn; 无声片 wúshēngpiàn; 无声电影
wúshēng diànyǐng

무성-음(無聲音)【語】清音 qīng-
yīn; 不带音 bùdàiyīn ― 청음2

무-성의(無誠意)〖명〗〖하형〗无诚意 wú-
chéngyì; 不诚恳 bùchéngkěn; 敷衍
fūyǎn ¶~한 태도 无诚意的态度 / ~하
게 대답하다 回答得很不诚恳

무:성-하다(茂盛―)〖형〗**1** 茂盛 mào-
shèng; 茂密 màomì; 浓密 nóngmì; 蔚
然 wěirán ¶무덤에 잡초가 ~ 坟地上
杂草茂盛 / 몸에 털이 ~ 身上体毛浓
密 **2** (消息、传闻等) 沸沸扬扬 fèifèi-
yángyáng ¶소문이 온 동네에 ~ 传闻
在整个村里闹得沸沸扬扬 **무:성-히**〖부〗
¶초목이 ~ 자라다 草木长得很茂盛

무소〖명〗【動】= 코뿔소

무-소득(無所得)〖명〗〖하형〗无所得 wú-
suǒdé; 无收获 wúshōuhuò; 无收益 wú-
shōuyì; 无收入 wúshōurù

무-소속(無所屬)〖명〗无党派 wúdǎng-
pài; 无所属 wúsuǒshǔ ― 출마자 无
党派竞选者 / ~ 국회의원 无党派国会
议员

무-소식(無消息)〖명〗〖하형〗无消息 wú-
xiāoxi; 没有消息 méiyǒu xiāoxi; 没有
音信 méiyǒu yīnxìn ¶집을 나간 지 한
달 가까이 되는데 아직도 ~ 이 离
家出走快一个月了, 至今没有消息

무소식이 희소식〖속담〗无消息即好消
息

무-소유(無所有)〖명〗一无所有 yīwú-
suǒyǒu

무:속(巫俗)〖명〗巫俗 wūsú ¶~ 신앙
巫俗信仰

무쇠〖명〗**1**【工】铸铁 zhùtiě **2** 铁 tiě;
钢铁般的 gāngtiěbānde; 铁一样的 tiěyī-
yàngde ¶~ 다리 铁腿 / ~ 주먹 铁拳

무수리【史】(宫中的) 丫鬟 yāhuan;
女仆 nǚpú

무수-하다(無數―)〖형〗无数 wúshù;
许多 xǔduō; 不计其数 bùjìqíshù; 数不
清的 shùbùqīngde; 数不胜数 shùbù-
shèngshù; 不胜枚举 bùshèngméijǔ ¶밤
하늘에 별이 ~ 夜晚的星空上星星不
计其数 **무수-히**〖부〗¶나는 죽을 고
비를 ~ 넘겼다 我经历了无数的生死关头

무:-순(―筍)〖명〗萝卜芽 luóboyá

무:술(巫術)〖명〗巫术 wūshù

무:술(武術)〖명〗武术 wǔshù; 拳术 quán-
shù; 武功 wǔgōng; 武打 wǔdǎ ¶~ 영
화 武打片 / ~을 연마하다 练习武术
=[武术] / ~이 뛰어나다 武功高强 /
~ 시범 武术表演 =[武术示范]

무스(프mousse)〖명〗**1** 摩丝 mósī ¶머
리에 ~를 바르다 往头上抹摩丝 **2** 慕
斯 mùsī ¶~ 케이크 慕斯蛋糕

무슨〖관〗**1** 什么 shénme; 何 hé; 啥
shá《表示疑问对象》¶~ 일 있니? 有
什么事吗? / 이게 무슨 냄새지? 这是
什么气味? **2** 什么 shénme; 啥 shá
《表示不满时的强调》¶지금 ~ 말씀을
하고 계시는 겁니까? 您现在说什么话
呀? **3** 什么 shénme《表示反对时的强
调》¶대낮에 술은 ~ 술이야? 大白天
的, 还喝什么酒啊? **4** 什么 shénme;
任何 rènhé《表示不确定的任指》¶그
는 ~ 일이든 척척 해낸다 不管什么
事, 他都干得很出色

무슨 바람이 불어서 刮了什么风
¶오늘 무슨 바람이 불어 여기까지 왔
니? 今天什么风把你刮到这儿来啦?

무슨 뾰족한 수 있나 有什么法子
呢

무-승부(無勝負)〖명〗平局 píngjú; 和局
héjú; 战平 zhànpíng; 不分胜负 bùfēn-
shèngfù ¶경기가 ~로 끝나다 比赛以
平局结束

ㅁ시(無視) 명[하타] **1** 无视 wúshì; 不理 bùlǐ; 置之不理 zhìzhībùlǐ; 漠视 mòshì ¶남의 의견을 ~하다 对别人的意见置之不理 / 신호등을 ~하고 길을 건너다 无视红绿灯过马路 **2** 轻视 qīngshì; 小看 xiǎokàn; 瞧不起 qiáobuqǐ ¶동료에게 ~당하다 遭到同事的轻视 / 사람 ~하는 거냐? 你这是在小看人吗?

무시-로(無時一) 틴 时常 shícháng; 不时地 bùshídе; 随时 suíshí; 无时无刻 wúshí wúkè ¶~ 왕래하다 随时往来

무시무시-하다 혱 可怕 kěpà; 恐怖 kǒngbù; 阴森森 yīnsēnsēn ¶무시무시한 이야기 恐怖故事 / 얼굴이 무시무시하게 생겼다 脸长得很可怕

무—시험(無試驗) 명[敎] 免考 miǎnkǎo; 免试 miǎnshì; 不考试 bùkǎoshì ¶~ 선발 免考选拔 / ~으로 입학하다 免试入学

무식(無識) 명[하타] 无知 wúzhī; 无知识 wúzhīshì; 一字不识 yīzìbùshí; 没文化 méiwénhuà ¶~한 사람 没文化的人 / ~을 드러내다 显示出没文化 / ~하게 먹다 吃得很没文化

무식-쟁이(無識一) 명 无知的人 wúzhīde rén; 愚昧的人 yúmèide rén; 文盲 wénmáng; 老粗 lǎocū; 没文化的人 méiwénhuàde rén

무-신(武臣) 명 武臣 wǔchén

무신경-하다(無神經一) 혱 **1** 迟钝 chídùn; 不敏感 bùmǐngǎn ¶그는 보통 무신경한 사람이 아니다 他这人不是一般的迟钝 **2** 无反应 wúfǎnyìng; 不在意 bùzàiyì ¶그는 사소한 일에는 무신경한 편이다 他对细小琐碎的事不太在意

무신-론(無神論) 명[哲] 无神论 wúshénlùn ¶~자 无神论者

무-실점(無失點) 명 无丢分 wúdiūfēn; 无失分 wúshīfēn ¶~으로 방어하다 防守不丢分

무심(無心) 명[하타] **1** 无心 wúxīn; 无意 wúyì; 不思不想 bùsībùxiǎng ¶그는 ~한 표정으로 창밖만 바라보고 있다 他用一副不思不想的表情直直地望着窗外 **2** 不关心 bùguānxīn; 漠不关心 mòbùguānxīn; 无情 wúqíng; 无情无义 wúqíngwúyì ¶형제끼리 어떻게 그렇게 ~할 수 있니? 兄弟间怎么能这么无情呢? **무심-히** 틴

무심-결(無心一) 명 无意中 wúyìzhōng; 无心之中 wúxīnzhīzhōng; 不经意地 bùjīngyìde ¶~에 해 버렸다 不经意地说出了不该说的话

무심-코(無心一) 틴 无心地 wúxīnde;

无意中 wúyìzhōng; 有意无意地 yǒuyìwúyìde ¶~ 한 말이 큰 파문을 몰고 왔다 无意中说的话引发了喧然大波

무아(無我) 명 忘我 wàngwǒ; 无我 wúwǒ

무아지경(無我之境) 명 忘我之境 wàngwǒzhījìng; 无我之境 wúwǒzhījìng ¶~에 빠지다 陷入忘我境界

무안(無顏) 명[하타][히부] 无颜 wúyán; 羞愧 xiūkuì; 惭愧 cánkuì; 没脸面 liǎn; 为情 nánwéiqíng; 不好意思 bùhǎoyìsi ¶~을 느끼다 感到惭愧 / 그는 ~할 정도로 나를 빤히 쳐다보았다 他直直地盯着我看, 看得我都难为情

무안(을) 주다 图 使人丢脸; 使得难为情

무-안타(無安打) 명[體] 无安打 wú āndǎ

무언(無言) 명[하타] 无言 wúyán; 无声 wúshēng; 沉默 chénmò ¶~의 저항 无声的抵抗 / ~의 압력 无言的压力

무언-극(無言劇) 명[演] 哑剧 yǎjù; 默剧 mòjù = 마임

무엄-하다(無嚴一) 혱 没大没小 méixiǎo; 没礼数 méilǐshù; 放肆 fàngsì ¶어른에게 무엄하게 굴다 在长辈面前没大没小的 **무엄-히** 틴

무엇 때 **1** 什么 shénme; 何 hé; 啥 shá ¶그것은 ~이냐? 那是什么? / 그는 ~을 하는 사람이냐? 他是干什么的? **2** 什么 shénme 《表示泛指或不用说明的事物》¶~이라 말할 수 없는 감동을 받았다 感动得不知说什么好 / 배가 고프니 ~이라도 좀 먹어야겠다 肚子饿, 该吃点什么了

무엇-하다 혱 难为情 nánwéiqíng; 不好意思 bùhǎoyìsi; 为难 wéinán; 有点(儿)那个 yǒudiǎn(r) nàge ¶말하기가 무엇해서 그만두었다 说出来有点不好意思就没说了

무-역(貿易) 명[하타] 贸易 màoyì ¶~ 수지 贸易收支 / ~업 贸易业 / ~형 贸易不均衡 / ~ 마찰 贸易摩擦 / ~ 백서 贸易白皮书 / 대외 ~ 对外贸易 / ~ 회사 贸易公司 / 외국과 ~하다 和外国进行贸易

무-역-풍(貿易風) 명[地] 贸易风 màoyìfēng; 信风 xìnfēng

무-역-항(貿易港) 명 贸易港 màoyìgǎng; 商港 shānggǎng; 通商口岸 tōngshāng kǒuàn; 通商港 tōngshānggǎng ¶국제 ~ 国际商港

무연-탄(無煙炭) 명[鑛] 无烟煤 wúyānméi; 白煤 báiméi; 硬煤 yìngméi

무연 휘발유(無鉛揮發油) 명[化] 无铅汽油 wúqiān qìyóu

무염(無鹽) 명 无盐 wúyán; 不加盐 bùjiāyán ¶~식 无盐饮食

무ː예(武藝) 閔 武艺 wǔyì; 武技 wǔjì; 武术 wǔshù ¶~를 닦다 磨练武艺 =[练武] / ~를 겨루다 较量武艺 =[比武] / ~가 뛰어나다 武艺高强

무ː용(武勇) 閔 勇武 yǒngwǔ; 英勇 yīngyǒng ¶~을 떨치다 显耀勇武

무ː용(舞踊) 閔 跳舞 tiàowǔ; 舞蹈 wǔdǎo = 무도(舞蹈)2 ¶~가 舞蹈家 / ~단 舞蹈团 / ~수 舞蹈演员 / 민속 ~ 民俗舞蹈 / 현대 ~의 대가 现代舞蹈的大师

무ː용-극(舞踊劇) 閔【演】舞蹈剧 wǔdǎojù; 舞剧 wǔjù

무ː용-담(武勇談) 閔 战斗英雄故事 zhàndòu yīngxióng gùshi

무용지물(無用之物) 閔 无用之物 wúyòngzhīwù; 废物 fèiwù; 渣滓 zhāzǐ

무ː원칙(無原則) 閔하閔 无原则 wúyuánzé ¶~한 인사 문제에 불만을 품다 对无原则的人事调动心怀不满

무위(無爲) 閔 无所谓 wúsuǒwèizuòwéi; 无为 wúwéi ¶~하게 세월을 보내다 无所作为, 虚度光阴

무위-도식(無爲徒食) 閔하짜 不劳而食 bùláo'érshí; 吃干饭 chīgānfàn; 饱食终日无所用心 bǎoshí zhōngrì wúsuǒ yòngxīn

무ː-의미(無意味) 閔하閔 1 没什么意思 méishénme yìsi ¶~한 말을 지껄이다 说了一通没什么意思的话 2 没意义 méiyìyì; 无意义 wúyìyì; 没价值 méijiàzhí ¶건강을 잃는다면 성공도 ~하다 如果失去健康, 成功也是无意义的

무ː-의식(無意識) 閔 1 无意识 wúyìshí ¶~한 상태 无意识状态 / ~ 세계 无意识世界 2 [心] 潜意识 qiányìshí; 下意识 xiàyìshí

무의식-적(無意識的) 관閔 无意识的 wúyìshide; 无意识的 wúyìshide; 无心的 wúxīnde ¶~인 행동 无意识的行为 / ~으로 말이 튀어나오다 话无意中冒出来

무의식-중(無意識中) 閔 无意中 wúyìzhōng; 无心中 wúxīnzhōng ¶~에 저지른 행동 无意中犯的错误行为 / ~에 한 말 无意中说出的话

무ː-의탁(無依託) 閔 无依无靠 wúyīwúkào; 孤苦伶仃 gūkǔlíngdīng ¶~노인을 부양하다 赡养无依无靠的老人

무ː-이자(無利子) 閔 无息 wúxī; 无利息 wúlìxī ¶~로 돈을 빌려 주다 无息放款

무익-하다(無益—) 閔 无益 wúyì; 无好处 wúhǎochu; 无利 wúlì ¶무익한 논쟁 无益的争辩

무ː-인(武人) 閔 武人 wǔrén; 武夫 wǔfū

무ː-인(拇印) 閔 指章(指事) ¶서명을 하고 다시 ~을 찍었다 签了名, 还

무ː인(無人) 閔 无人 wúrén; 没人 méirén ¶~비행기 无人飞机 / ~ 우주 无人宇宙飞船 / ~ 감시 카메라 无人监控摄像头 / ~ 단속 카메라 无人监控摄像头 / ~ 판매대 无人售货台

무인-도(無人島) 閔 荒岛 huāngdǎo 无人岛 wúréndǎo ¶아무도 살지 않는 ~ 没人居住的无人岛

무ː-일푼(無——) 閔하閔 毫无分文 háowúfēnwén; 身无分文 shēnwúfēnwén; 没有一分钱 méiyǒu yìfēnqián; 一文不名 yìwén bùmíng ¶수중에 ~이라 당장 집에 갈 차비도 없다 手里毫无分文, 连回家的车费也没有

무임(無賃) 閔 1 没有工钱 méiyǒu gōngqián 不付钱 bùfùqián; 逃票 táopiào / ~ 승객을 적발하다 揭发逃票的乘客

무임-승차(無賃乘車) 閔하짜閔 无票乘车 wúpiào chéngchē; 逃票乘车 táopiào chéngchē; 逃票 táopiào

무ː-자격(無資格) 閔하閔 无资格 wúzīgé; 无照 wúzhào ¶~ 의사를 구속하다 拘捕无照行医的医生

무자비-하다(無慈悲—) 閔 冷酷无情 lěngkù wúqíng; 冷酷 lěngkù; 无情 wúqíng; 毫不留情 háobùliúqíng; 狠毒 hěndú; 狠毒 hěndú; 狠心 hěnxīn; 残酷 cánkù; 残忍 cánrěn ¶무자비한 고문 残酷的拷问 / 민중을 무자비하게 탄압하다 残酷地镇压民众

무ː-자식(無子息) 閔 无子女 wúzǐnǚ; 无儿女 wú'érnǚ; 没儿没女 méi'ér méinǚ

무자식 상팔자 속담 无子无忧; 无子女为好八字

무ː-자위 閔 水车 shuǐchē = 수차2

무ː-작위(無作爲) 閔 随意 suíyì; 随机 suíjī; 任意 rènyì ¶~로 표본을 추출하다 随意抽出标本 / ~로 다섯 명을 선정하다 任意选出五名

무-작정(無酌定) 閔하閔 1 无计划 wújìhuà; 无打算 wúdǎsuan; 盲目 mángmù; 无目的 wúmùdì ¶~상경하다 ~上京 2 不分好坏 bùfēn hǎohuài; 不分青红皂白 bùfēn qīnghóng zàobái; 不管三七二十一 bùguǎn sānqī'èrshíyī ¶~ 화를 내다 不分青红皂白地发火 / ~ 때리다 不管三七二十一地打

무ː-장(武將) 閔 武将 wǔjiàng ¶지략이 뛰어난 ~ 智略出众的武将

무ː-장(武裝) 閔하짜閔 武装 wǔzhuāng ¶~간첩 武装间谍 / ~봉기 武装起义 / ~해제 解除武装 / ~ 경찰 武装警察 / 정신 ~ 精神武装 / 군인 武装军人 / ~ 병력 武装兵力 / 정신력으로 ~하다 用意志武装起来

무ː-저항(無抵抗) 閔하짜 不抵抗 bùdǐ-

kàng; 无抵抗 wúdǐkàng ¶~주의 불저
항主义 / ~운동 不抵抗运动

무적(無敵) 명형 无敌 wúdí; 不可战
胜 bùkězhànshèng; 无敌手 wúdíshǒu ¶
~함대 无敌舰队 / ~의 용사들 不可
战胜的勇士们

무적(無籍) 명 无籍 wújí; 没人籍
méirùjí ¶~선수 没入籍的运动员

무전(無電) 명信 1 '무선 전신'의 略
词 ¶~을 치다 打无线电 2 '무선 전
화'의 略词

무전-기(無電機) 명 无线电发射机 wú-
xiàndiàn fāshèjī; 无线电收发报机 wú-
xiàndiàn shōufābàojī; 无线电 wúxiàndiàn
¶~ 주파수를 맞추다 调整无线电频
率 / ~에 대고 말을 하다 对着无线电
讲话

무전-여행(無錢旅行) 명 无钱旅行
wúqián lǚxíng; 不带钱旅行 bùdàiqián
lǚxíng; 穷逛 qióngguàng ¶그는 배낭
하나 달랑 메고 ~을 떠났다 他只背了
个背包去无钱旅行

무전-취식(無錢取食) 명형자 骗饭吃
piànfànchī; 吃饭不给钱 chīfàn bùgěi-
qián ¶~을 일삼다 专门骗饭吃

무-절제(無節制) 명형 无节制 wú-
jiézhì; 没有节制 méiyǒu jiézhì; 无度
wúdù ¶~한 생활을 하다 生活没有节
制

무정-란(無精卵) 명生 无精卵 wú-
jīngluǎn; 寡蛋 guǎdàn

무정부-주의(無政府主義) 명社 无
政府主义 wúzhèngfǔ zhǔyì; 安那其主
义 ānnàqí zhǔyì ¶~자 无政府主义者

무정자-증(無精子症) 명醫 无精子
症 wújīngzǐzhèng

무정-하다(無情一) 형 无情 wúqíng;
冷酷 lěngkù; 不讲人情 bùjiǎng rén-
qíng; 没有情义 méiyǒu qíngyì; 不近人
情 bùjìn rénqíng ¶무정한 세월 无情
岁月 / 무정하게도 일언지하에 청을 거
절했다 无情地一口拒绝了请求 무정-
히 튀

무제(無題) 명 无题 wútí

무-제한(無制限) 명형 无限制 wú-
xiànzhì ¶~ 공급 无限制供给

무제한-급(無制限級) 명體 无限制
级 wúxiànzhìjí ¶레슬링 ~ 无限制级摔
跤

무-조건(無條件) 一명형 无条件 wú-
tiáojiàn; 无保留 wúbǎoliú; 非条件 fēi-
tiáojiàn ¶~ 반사 非条件反射 =[无条
件反射] / ~ 항복 无条件投降 / 부모사
아이를 ~으로 사랑하다 父母无条件
地爱孩子 二부 一味地 yīwèide; 总是
zǒngshì ¶그의 의견을 ~ 받아들이다
一味地接受他的见解

무조건-적(無條件的) 관명 无条件的

wútiáojiàn(de) ¶~인 사랑 无条件的爱

무좀(醫) 명 脚癣 jiǎoxuǎn; 脚气 jiǎo-
qì; 香港脚 xiānggǎngjiǎo ¶~에 걸리
다 患脚癣

무죄(無罪) 명형 1 无过错 wúguòcuò;
无辜 wúgū; 清白 qīngbái ¶~한 사람
을 도둑으로 몰다 把清白无辜的人当
成窃贼 2法 无罪 wúzuì ¶~ 판결
判决无罪 / ~로 석방되다 无罪释放
=[无罪开释] / ~를 증명하다 证明无
罪

무-중력(無重力) 명物 无重力 wú-
zhònglì; 失重 shīzhòng ¶~ 상태 无重
力状态 =[失重状态]

무지(無地) 명 单色 dānsè; 单色物 dān-
sèwù ¶~의 천 单色布

무지(無知) 명형 1 无知 wúzhī ¶법
에 ~한 농민 对法律无知的农民 2 愚
鲁 yúlǔ; 愚昧 yúmèi

무지(無智) 부형 很 hěn; 非常 fēi-
cháng ¶돈을 ~ 벌다 挣很多钱 / 날씨
가 ~ 춥다 天气非常冷

무지개 명 彩虹 cǎihóng; 虹 hóng; 虹
霓 hóngní ¶하늘에 ~가 나타났다 天
上出现了一道彩虹

무지갯-빛 명 虹彩 hóngcǎi; 虹色
hóngsè ¶~ 청춘 虹色青春

무지막지-하다(無知莫知一) 형 粗暴
cūbào; 泼辣 pōlà; 蛮横 mánhèng; 蛮
横无理 mánhèngwúlǐ; 蛮不讲理 mán-
bùjiǎnglǐ ¶하는 짓이 ~ 做事蛮横无理

무지-몽매(無知蒙昧) 명형 愚昧无
知 yúmèi wúzhī; 蒙昧无知 méngmèi
wúzhī ¶~한 사람을 깨우치다 唤醒愚
昧无知的人

무지-무지(無知無知) 부형 惊人 jīng-
rén; 很 hěn; 极 jí; 非常 fēicháng; 厉
害 lìhai ¶~ 아프다 疼得很厉害 / ~
답다 非常热 / 나는 그를 ~하게 좋아
한다 我非常非常喜欢他

무직(無職) 명형 无职 wúzhí; 无职
业 wúzhíyè; 无业 wúyè ¶~자 无职业
者 =[无业者]

무진(無盡) 명형부 1 无穷 wú-
qióng; 无尽 wújìn 2 非常 fēicháng; 很
hěn ¶~ 고생을 하다 受很多苦 / ~ 애
를 먹다 费很大的劲儿

무진-장(無盡藏) 명형 无尽 wújìn;
用之不竭 yòngzhībùjié; 取之不尽 qǔ-
zhībùjìn ¶~한 지하자원 无穷无尽的
地下资源 / 광석이 ~ 묻혀 있다 埋藏着
取之不尽的矿石

무-질서(無秩序) 명형 无秩序 wú-
zhìxù; 无规律 wúguīlǜ; 杂乱 záluàn;
混乱 hùnluàn; 凌乱无章 língluànwú-
zhāng; 杂乱无章 záluànwúzhāng ¶~
한 생활 无规律的生活 / ~하게 나불

은 거리의 간판 街头杂乱无章的广告 招牌

무찌르다 囲 1 消灭 xiāomiè; 歼灭 jiānmiè; 打垮 dǎkuǎ; 击败 jībài; 击毁 jīhuǐ ¶적을 ~ 歼灭敌人 2 猛攻 měnggōng; 猛烈打击 měngliè dǎjī

무-차별(無差別) 園副 不加区别 bùjiā qūbié; 乱 luàn; 滥 làn; 不分青红皂白 bùfēn qīnghóng zàobái; 一律 yīlǜ; 一概 yīgài ¶~ 공격 乱攻击 / ~ 폭격 狂轰滥炸

무참-하다(無慘—) 園 惨不忍睹 cǎnbùrěndǔ; 惨无人道 cǎnwúréndào; 残酷 cánkù; 残忍 cánrěn; 残暴 cánbào 무참-히 里 ¶무고한 백성을 ~ 학살하다 惨无人道地屠杀无辜百姓

무-채 萝卜丝 luóbosī

무채-색(無彩色) 園〖美〗无彩色 wúcǎisè

무-책임(無責任) 園副 1 无责任 wúzérèn; 没有责任 méiyǒu zérèn ¶그는 그 일에는 ~하다 他在那件事上没有责任 2 不负责任 bùfù zérèn; 无责任感 wúzérèngǎn ¶그런 ~한 대답이 어디 있나? 哪有这么不负责任的回答?

무척 里 相当 xiāngdāng; 特别 tèbié; 出奇 chūqí; 极为 jíwéi; 很 hěn; 非常 fēicháng ¶~ 기뻐하다 非常高兴 / ~ 가난하다 特别穷

무척추-동물(無脊椎動物) 園〖動〗无脊椎动物 wújǐzhuī dòngwù

무-청 萝卜缨 luóboyīng; 萝卜茎 luóbo yèjīng

무취(無臭) 園副 无味 wúwèi; 无臭 wúxiù ¶공기는 ~의 기체이다 空气是无臭的气体

무치다 囲 凉拌 liángbàn; 拌 bàn ¶시 금치를 무쳐 먹다 把菠菜凉拌吃

무침 凉拌菜 liángbàncài; 凉拌 liángbàn ¶골뱅이 ~ 凉拌田螺 / 콩나물 ~ 凉拌豆芽

무탈-하다(無—) 園 1 无恙 wúyàng; 健康 jiànkāng; 平安 píng'ān ¶아이가 무탈하게 잘 자라다 孩子健康地成长 2 亲密无间 qīnmì wújiàn; 没有隔阂 méiyǒu géhé; 和洽 héqià; 融洽 róngqià

무턱-대고 里 胡乱 húluàn; 瞎 xiā; 胡 hú; 盲目地 mángmùde; 不加考虑地 bùjiākǎolǜde; 不管三七二十一地 bùguǎn sānqī'èrshíyīde ¶야단치다 胡 乱批评 / 동생은 무슨 일만 생기면 ~ 그에게 달려갔다 弟弟一有什么事就不 加考虑地跑去找他

무-테(無—) 无框 wúkuàng; 没边 méibiān ¶~안경 无框眼镜

무통 분만(無痛分娩) 〖醫〗无痛分娩 wútòng fēnmiǎn

무패(無敗) 園 无败 wúbài; 常胜不败 chángshèngbùbài; 全胜无败 quánshèngwúbài; 无败绩 wúbàijì ¶3승 ~로 결승 전에 나가다 以三胜无败的成绩进入 决赛

무-표정(無表情) 園副 毫无表情 háowúbiǎoqíng; 呆板 dāibǎn; 没有表情 méiyǒu biǎoqíng ¶~한 얼굴 没有表情 的脸

무풍(無風) 園 1 无风 wúfēng 2 平安无事 píng'ān wúshì

무풍-지대(無風地帶) 園 无风地带 wúfēng dìdài; 平安地带 píng'ān dìdài

무한(無限) 園副 无限 wúxiàn; 无量 wúliàng; 无穷 wúqióng; 无穷 wúyóng; 无垠 wúyín ¶~한 영광 无限的荣耀 / ~한 잠재력 无限的潜在力

무한-궤도(無限軌道) 園〖建〗履带 lǚdài; 链轨 liànguǐ

무한-대(無限大) 園副 1 无限广阔 wúxiàn guǎngkuò; 宽大无穷 kuāndà wúqióng; 无限 wúxiàn ¶그의 창의력은 거의 ~에 가깝다 他的创意能力趋于 无限 2 〖數〗无穷大 wúqióngdà; 无限大 wúxiàndà

무-한정(無限定) 園副 无限 wúxiàn; 无限制 wúxiànzhì; 没完没了 méiwánméiliǎo ¶그는 ~ 기다릴 수 없어서 집으로 돌아왔다 他不能无限制地等下去, 就回家来了

무해(無害) 園副 无害 wúhài ¶인체에 ~하다 对人体无害

무-허가(無許可) 園副 无许可 wúxǔkě; 无照 wúzhào; 无执照 wúzhízhào ¶~ 영업 无照营业 / ~ 건물 无许可建筑 物

무혈(無血) 園 无血 wúxuè; 不流血 bùliúxuè; 未流血 wèiliúxuè ¶~ 혁명 不流血革命

무-혐의(無嫌疑) 園副 无嫌疑 wúxiányí ¶~로 풀려나다 无嫌疑地释放

무-협(武俠) 園 武侠 wúxiá ¶~지 武侠书 / ~ 소설 武侠小说 / ~ 영화 武侠电影=[工夫片]

무형(無形) 園 无形 wúxíng ¶~ 문화재 无形文化财富=[精神文化财产] / ~ 자본 无形资本 / ~의 재산 无形财产

무화-과(無花果) 園 1 无花果 wúhuāguǒ 2〖植〗= 무화과나무

무화과-나무(無花果—) 園〖植〗无花果树 wúhuāguǒshù = 무화과2

무효(無效) 園副 无效 wúxiào; 作废 zuòfèi; 失效 shīxiào ¶~표 无效票 / 백약이 ~다 百药无效 / 당선을 ~로 하다 当选作废

무효-화(無效化) 園副자타 无效化 wúxiàohuà; 使失效 shǐ shīxiào; 使无效 shǐ wúxiào; 作废 zuòfèi; 注销 zhùxiāo;

撤销 chèxiāo ¶계약을 ~하다 撤销合同

구휴(無休) 圏[하]혐 不休息 bùxiūxi; 不休假 bùxiūjiǎ

구‧희(舞姬) 圏 舞女 wǔnǚ; 舞姬 wǔjī

국 圏 凉粉 liángfěn ¶도토리 ~ 橡子凉粉 xiàngzi liángfěn ¶~을 쑤다 熬制凉粉

국계(默契) 圏[하][자] 默契 mòqì; 不谋而合 bùmóu'érhé; 私下约定 sīxià yuēdìng ¶그들 사이에는 ~가 있었다 他们之间有一个默契

국과(默過) 圏[하][타] 视而不见 shì'érbùjiàn; 默认 mòrèn; 睁一(只)眼闭一(只)眼 zhēng yī(zhī)yǎn bì yī(zhī)yǎn; 熟视无睹 shúshìwúdǔ; 不闻不问 bùwénbùwèn ¶이번 일은 도저히 ~할 수 없다 这次的事决不能睁一眼闭一眼了

국념(默念) 圏 沉思 chénsī; 默想 mòxiǎng 2 默哀 mò'āi; 默祷 mòdǎo ¶순국열사에 대한 ~을 올리다 向殉国烈士们默哀

국도(默禱) 圏[하][자] 默祷 mòdǎo; 默哀 mò'āi ¶머리를 숙이고 ~하다 低头默哀

국독(默讀) 圏[하][타] 默读 mòdú; 默诵 mòsòng; 默念 mòniàn ¶책을 ~하다 默读书

국례(默禮) 圏[하][자] 默礼 mòlǐ ¶선생님께 ~하다 向老师行默礼

국묵부답(默默不答) 圏[하] 默默不答 mòmòbùdá; 一贯沉默 ¶~으로 일관하다 总是默默不答

국묵‧하다(默默─) 혐 默默 mòmò; 默无言 mòmò wúyán; 不声不响 bùshēngbùxiǎng ¶묵묵하게 일을 하다 默默地工作 국묵‧히 甲 ¶~ 걷다 不声不响地走

국비‧권(默秘權) 圏 [法] 缄默权 jiānmòquán; 沉默权 chénmòquán; 拒绝回答权 jùjué huídáquán ¶~을 행사하다 行使缄默权

국‧사발(─沙鉢) 圏 1 盛凉粉的碗 chéngliángfěnde wǎn 2 鼻青脸肿 bíqīngliǎnzhǒng; 烂和酱 lànxiàjiàng; 稀巴烂 xībàlàn ¶打破脸 dǎpòliǎn ¶~이 되도록 얻어터지다 被打得鼻青脸肿的 3 惨败 cǎnbài; 稀巴烂 xībàlàn; 烂虾酱 lànxiājiàng; 落花流水 luòhuāliúshuǐ ¶적 으로 만들다 把敌人打成烂虾酱

이번 경기에서 우리 팀은 ~이 되었다 这次比赛中我队被打得稀巴烂

국살(默殺) 圏[하]혐 不理睬 bùlǐcǎi; 置之不顾 zhìzhībùgù; 置之不理 zhìzhībùlǐ; 听而不闻 tīng'érbùwén ¶사장은 나의 의견을 ~했다 老板对我的意见听而不闻

국상(默想) 圏[하][자][타] 1 沉思 chénsī; 默想 mòxiǎng; 冥想 míngxiǎng ¶~에 잠기다 陷入沉思 / 조용히 않아 ~하다 静坐默想 2 [宗] 默祷 mòdǎo; 默默祈祷 mòmòqídǎo ¶~ 기도 默默祈祷

국시(默示) 圏[하][타] 1 暗示 ànshì; 默示 mòshì ¶~적 동의 暗示同意 2 [宗] 启示 qǐshì; 默示 mòshì

국시‧록(默示錄) 圏 [宗] = 요한 계시록

국은‧쌀 圏 陈米 chénmǐ; 老米 lǎomǐ

국인(默認) 圏[하][타] 默认 mòrèn; 默允 mòyǔn; 默许 mòxǔ ¶실수를 ~하다 对失误默认 / 불법 영업을 ~하다 默许非法经营

국주(默珠) 圏 [宗] 默珠 mòzhū; 圣珠 shèngzhū

국직‧하다 혐 1 沉甸甸 chéndiàndiàn; 沉沉 chénchén; 沉重 chénzhòng; 较重 jiàozhòng ¶묵직한 가방 沉甸甸的包 2 稳重 wěnzhòng; 稳健 wěnjiàn ¶묵직한 성격 稳重的性格 / 사람이 ~ 为人很稳重 国직‧이 甲

국찌빠 圏 '가위바위보'的俗称

국-히다 圏 1 放 fàng; 放置 fàngzhì; 积压 jīyā; 压 yā ¶감은 좀 묵혔다 먹어야 달다 柿子要放一段时间再吃才甜 2 荒 huāng; 荒废 huāngfèi; 休闲 xiūxián ¶그 아까운 솜씨를 그냥 묵혀 두면 되나 这么好的手艺能能废

국다 国 1 捆 kǔn; 扎 zā; 捆绑 kǔnbǎng; 绑 bǎng; 缚 fù; 系 jì; 拴 shuān ¶끈으로 짐을 ~ 用绳子捆行李 / 손발을 ~ 绑住手脚 / 신발 끈을 ~ 系鞋带 2 汇编 huìbiān; 汇集 huìjí; 总括 zǒngkuò; 编 biān ¶그는 그동안 썼던 단편소설을 책으로 묶었다 他把那段时间写的短篇小说汇集成书 3 法令禁止 fǎlìng jìnzhǐ; 限制 xiànzhì ¶공원 용지로 묶어 개발을 제한하다 法令禁止开发公园用地

국-음 圏 束 shù; 捆 kǔn; 把儿 bǎr ¶신문지 한 ~ 一捆报纸 / 땔나무 한 ~ 一捆柴火 / ~ 단위로 판매하다 一捆一捆地卖

국-이다 匜 1 被捆 bèikǔn; 被绑 bèibǎng; 被缚 bèifù ¶손발이 ~ 手脚被捆 2 被总括 bèi zǒngkuò; 被汇集 bèi huìjí ¶지금까지 발표된 논문들이 한 권의 책으로 묶여

서 出版되었다 将已发表的论文汇总
编成书出版了 **3** 被禁止 bèi jìnzhǐ; 受
限制 shòu xiànzhì ¶规制에 묶여 사업
이 중단되다 事业受规定限制被中
断了

문¹(門) 圀 **1** 门 mén; 户 hù; 门户
ménhù; 出入口 chūrùkǒu ¶～을 두드
리다 敲门 / ～을 잠그다 锁门 / ～을
닫다 闭门 **2** 难关 nánguān; 窄门 zhǎi-
mén ¶就业的窄～ 을 뚫다 突破就
业的窄门

문(을) 닫다 旬 **1** 关门 **2** 倒闭; 歇业

문(을) 열다 旬 **1** 开门 **2** 开业 **3** 门
户开放

문²(門) 의명 门 mén ¶대포 다섯 ～
五门大炮

-문(文) 젭미 文 wén; 信 xìn; 记 jì ¶
引用～ 引用文 / 기행～ 游记

문-가(門—) 圀 门口 ménkǒu; 门旁
ménpáng; 门边 ménbiān ¶～에 기대어
서서 그를 기다리다 靠在门边等着他

문갑(文匣) 圀 文件柜 wénjiànguì; 文
件箱 wénjiànxiāng; 文具盒 wénjùhé ¶
～ 서랍에 넣어 두다 放在文件柜的抽
屉里

문건(文件) 圀 文件 wénjiàn ¶기밀 ～
机密文件

문고(文庫) 圀 **1** 书箱 shūxiāng; 书柜
shūguì **2** = 서고 **3** 文库 wénkù; 小丛
书 xiǎocóngshū ¶～판 文库版

문-고리(門—) 圀 门环 ménhuán; 门门
扣儿 ménkòur; 门钩 méngōu; 门钩环
méngōuhuán ¶～를 벗기다 把门环拉
开

문과(文科) 圀 文科 wénkē ¶～ 대학
文科大学 / 그는 ～ 출신이다 他是文
科毕业的

문관(文官) 圀 【史】文官 wénguān

문구(文句) 圀 文句 wénjù; 句子 jùzi;
字样 zìyàng ¶门에는 '关系자 외 출입
금지'란 ～가 적혀 있다 门上写着'闲
人免进'的字样

문구(文具) 圀 = 문방구1

문-구멍(門—) 圀 门孔 ménkǒng; 门
缝 ménféng; 门洞 méndòng ¶～으로
바람이 들어온다 风从门缝里吹进来

문구-점(文具店) 圀 = 문방구2

문단(文段) 圀 段落 duànluò ¶글을 몇
개의 ～으로 나누다 把文章分成几个
段落

문단(文壇) 圀 文坛 wéntán; 文苑 wén-
yuàn ¶～ = 文学界 ¶～에 진출하다 登
上文坛

문-단속(門團束) 圀하자 锁好门 suǒ-
hǎo mén; 守卫门户 shǒuwèi ménhù ¶
외출할 때는 ～을 철저히 해라 出门时
千万要把门锁好

문:답(問答) 圀하자 问答 wèndá ¶～

법 问答法 / ～식 问答式 / ～형 问答
题 / ～이 오고 가다 一问一答 =
[你问我答]

문대다 㕮 擦 cā; 蹭 cèng ¶기름을 묻은
손을 아무 데나 ～ 沾了油的手到处乱
擦

문둥-병(—病) 圀 【医】'나병'의 鄙称

문드러-지다 젠 **1** 朽掉 xiǔdiào; 烂掉
làndiào; 腐烂掉 fǔlàndiào ¶썩어 ～ 腐
烂掉了 **2** (悲痛得心都) 裂 liè ¶오장육
부가 문드러지는 듯하다 悲痛得五脏
六腑俱裂

문득 児 猛然 měngrán; 顿时 dùnshí;
忽然 hūrán; 突然 tūrán; 恍然 huǎng-
rán; 不由得 bùyóude ¶～ 떠오르다 忽
然想起来 / ～ 깨닫다 恍然大悟 / ～ 고
개를 들어 하늘을 올려다보았다 忽然
抬起头看了看天空

문득-문득 児 不时地 bùshíde; 时常
不由地 shícháng bùyóude ¶지금도 그
때의 일이 ～ 머릿속에 떠오른다 那时
的事情现在还不时地浮现在我的脑海

문뜩 児 猛然 měngrán; 顿时 dùnshí;
忽然 hūrán; 突然 tūrán

문뜩-문뜩 児 不时地 bùshíde; 时常
不由地 shícháng bùyóude

문:란(紊亂) 圀하자혀早 紊乱 wěn-
luàn; 混乱 hùnluàn; 乱 luàn; 涣散 huàn-
sàn ¶질서가 ～하다 秩序紊乱 / 군기
가 ～하다 军纪涣散 / 사생활이 ～하
다 私生活很乱

문맥(文脈) 圀 【语】文脉 wénmài; 文
理 wénlǐ; 上下文 shàngxiàwén ¶～을
파악하다 把握文脉 / 이 구절은 ～이
잘 맞지 않는다 这个句子不太合乎文
理

문맹(文盲) 圀 文盲 wénmáng ¶～률
文盲率 / ～을 퇴치하다 扫除文盲 =
[扫盲] / ～에서 벗어나다 脱离文盲

문명(文明) 圀 文明 wénmíng ¶～국 文
明国家 / ～사회 文明社会 / ～인 文明
人 / 현대 ～ 现代文明 / ～ 생활 文明
生活 / ～의 이기 文明的利器

문무(文武) 圀 文武 wénwǔ ¶～를 겸
비하다 文武兼备 =[文武双全]

문물(文物) 圀 文化 wénhuà; 文物
wénwù ¶～제도 文化制度 / 외국 ～을
들여오다 引进外国文化

문-밖(門—) 圀 门外 ménwài ¶～에서
인기척이 났다 门外发出了动静

문밖-출입(門—出入) 圀 出门 chū-
mén; 外出 wàichū ¶그는 ～을 잘 하지
않는다 他不大出门

문방-구(文房具) 圀 **1** 文具 wénjù =
문구(文具) **2** 文具店 wénjùdiàn =문
구점 ¶퇴근길에 ～에 들러 연필 한 자
루를 샀다 下班路上顺便去文具店买
了一支铅笔

른방-사우(文房四友) 〖명〗文房四宝 wénfángsìbǎo

른벌(門閥) 〖명〗门阀 ménfá; 门第 méndì ¶~ 정치 门阀政治 / ~이 높다 门第高

른법(文法) 〖명〗〖語〗文法 wénfǎ; 语法 yǔfǎ ¶~적으로 잘못된 문장 语法错误的句子

른:병(問病) 〖명〗〖하타〗探病 tànbìng; 探望 tànwàng ¶~객 探病人 =[探病者] / 환자를 ~하다 探望病人 / ~을 가다 去探病

른-빗장 〖명〗门闩 ménshuān; 门栓 ménshuān; 门插关儿 ménchāguānr; 门插销 ménchāxiāo ¶~을 걸다 插上门闩 / ~을 열다 拉开门闩

른-살(門-) 〖명〗门窗棂 ménchuānglíng; 门窗格子 ménchuāng gézi; 棂格 ménlíng; 棂 líng; 门格 méngé ¶격자무늬 ~ 格纹棂 / ~을 맞추다 安装窗棂

른:상(問喪) 〖명〗〖하타〗= 조문(弔問) ¶초상집에 ~을 가다 去奔丧吊丧

른:상-객(問喪客) 〖명〗= 조문객

른서(文書) 〖명〗1 文件 wénjiàn; 档案 dàng'àn; 公文 gōngwén; 公文 gōngwén ¶~를 위조하다 伪造文书 / ~를 작성하다 写文件 2 文契 wénqì ¶토지 ~ 土地文契

른서-화(文書化) 〖명〗〖하타〗写成文件 xiěchéng wénjiàn; 文书化 wénshūhuà ¶합의 사항을 ~해 두다 把协定的事项写成文件

른-설주(門-柱) 〖명〗〖建〗门柱 ménzhù

른-소리(門-) 〖명〗门声 ménshēng ¶~가 나지 않도록 조심해라 小心, 别发出门声

른-손잡이(門-) 〖명〗门把 ménbǎ; 门钮 ménniǔ

른신(文臣) 〖명〗文臣 wénchén

른신(文身) 〖명〗〖하자타〗文身 wénshēn; 纹身 wénshēn; 刺青 cìqīng ¶몸에 ~을 새기다 身上刺文身

른안(文案) 〖명〗文案 wén'àn ¶광고 ~ 广告文案 / ~을 작성하다 编写文案

른:안(問安) 〖명〗〖하자〗问安 wèn'ān; 问候 wènhòu; 请安 qǐng'ān; 问好 wènhǎo ¶~ 편지 问候信 / 할아버지께 ~ 인사를 드리다 向老爷爷请安 / 시부모님께 ~드리다 给公公婆婆请安

른양(文樣) 〖명〗= 무늬 ¶다양한 ~의 도자기 花纹多种多样的瓷器

른어(文魚) 〖명〗〖魚〗章鱼 zhāngyú; 八爪鱼 bāzhǎoyú

른어(文語) 〖명〗〖語〗书面语 shūmiànyǔ; 文言 wényán ¶~문 文言文 / ~체 书面语体

른예(文藝) 〖명〗〖文〗文艺 wényì ~

작품 文艺作品 / ~ 잡지 文艺杂志 / ~란 文艺栏 / ~ 사조 文艺思潮

른예 부:흥(文藝復興) 〖史〗르네상스

른외-한(門外漢) 〖명〗门外汉 ménwàihàn; 外行 wàiháng ¶나는 그 방면에는 완전 ~이라 对于那个方면, 我是个不折不扣的门外汉

른:의(問議) 〖명〗〖하타〗查询 cháxún; 询问 xúnwèn; 咨询 zīxún; 打听 dǎting ¶~ 사항 查询事项 / 전화 ~ 사절 谢绝电话咨询 / 담당자에게 ~하다 向经办人查询

른인(文人) 〖명〗文人 wénrén ¶당대 최고의 ~ 当代最红的文人

른자(文字) 〖명〗文言文 wényánwén; 成语 chéngyǔ ¶~를 섞어 말하다 夹着文言文说话

른자(를) 쓰다 〖구〗用文言; 用成语

른자(文字) 〖명〗1 〖語〗文字 wénzì ¶언어와 ~ 语言与文字 2 学识 xuéshí; 学问 xuéwèn ¶~ 깨나 배웠다는 놈 学了不少学问的家伙 3 〖컴〗字符 zìfú

른자 그대로 〖구〗顾名思义; 名副其实

른장(文章) 〖명〗1 =문필가 ¶~으로 이름이 나다 作为当代文笔大家, 他扬名于世 2 〖語〗句子 jùzi; 文句 wénjù; 文 wén ¶~ 성분 句子成分 / ~ 구조 句子结构 / ~이 간결하다 文句简短 3 文章 wénzhāng ¶~력 文章表现力

른장-가(文章家) 〖명〗大手笔 dàshǒubǐ; 文笔大家 wénbǐ dàjiā = 문장1

른장 부호(文章符號) 〖語〗标点符号 biāodiǎn fúhào

른재(文才) 〖명〗文才 wéncái; 笔底下 bǐdǐxià; 写作才能 xiězuò cáinéng ¶~가 있다 有文才 / ~가 뛰어나다 文才过人 / ~를 발휘하다 发挥写作才能

른전(門前) 〖명〗门前 ménqián ¶~에서 쫓겨나다 在门前被赶出来

른전-성:시(門前成市) 〖명〗门庭若市 méntíngruòshì ¶복날 삼계탕집은 ~를 이룬다 大伏天里参鸡汤店门庭若市

른:제(問題) 〖명〗1 题目 tímù; 题 tí; 问题 wèntí ¶시험 ~ 考试题目 =[考题][试题] / ~은행 题库 / 수학 ~ 数学题 / ~를 내다 出题 / ~가 어렵다 题很难 2 问题 wèntí ¶~의식 问题意识 / ~가 생기다 出问题 / ~를 해결하다 解决问题 / ~에 부딪히다 遇到问题 3 事 shì; 事端 shìduān; 事故 shìgù ¶그는 ~를 일으키는 학생이다 他是一个老爱惹事的学生

른:제-시(問題視) 〖명〗〖하타〗视为问题 shìwéi wèntí; 当作问题 dāngzuò wèntí; 成问题 chéng wèntí ¶사람들이 그의 과거를 ~한다 人们把他的过去视为

문제
문ː제-아(問題兒) 圀 【心】 문제 儿童 wèntí értóng; 문제 少年 wèntí shàonián

문ː제-없다(問題—) 圀 没问题 méi wèntí; 不成问题 bùchéng wèntí; 毫无疑问 háowúyíwèn ¶이제 직장을 잡았으니 먹고사는 것은 ~ 如今找到了工作, 生活就不成问题了 문ː제없-이 囝 ¶ 내일은 ~ 우리가 이긴다 毫无疑问, 我们明天会赢

문ː제-작(問題作) 圀 热门作品 rèmén zuòpǐn ¶화단의 ~ 画坛的热门作品

문ː제-점(問題點) 圀 문제 wèntí ¶~을 지적하다 指出问题所在 / 많은 ~을 드러내다 抖出一连串问题

문ː제-집(問題集) 圀 习题集 xítíjí

문ː젯-거리(問題—) 圀 1 事端 shìduān ¶~를 만들다 制造事端 2 问题 wèntí; 难题 nántí ¶쓰레기 처리는 ~다 处理垃圾是个难题

문중(門中) 圀 家门 jiāmén; 本家 běnjiā ¶~ 회의 本家会议 / 김씨 ~ 金家家门

문-지기(門—) 圀 门卫 ménwèi; 门丁 méndīng; 看门的(人) kānménde(rén); 把门的(人) bǎménde(rén); 守门的(人) shǒuménde(rén)

문지르다 囤 抹 mǒ; 擦 cā; 搓 cuō ¶수건으로 등을 ~ 用毛巾擦背

문-지방(門地枋) 圀 【建】 门槛(儿) ménkǎn(r); 门坎(儿) ménkǎn(r) ¶~을 넘다 跨过门槛儿 / ~에 걸터앉다 骑坐在门槛上

문진(文鎭) 圀 文镇 wénzhèn ¶종이를 ~으로 누르고 글씨를 쓰다 用文镇压着纸写字

문ː진(問診) 圀困 【醫】 问诊 wènzhěn ¶~만으로는 정확한 병명을 알기 어렵다 只通过问诊确认病情, 这并不容易

문집(文集) 圀 文集 wénjí; 集子 jízi ¶개인 ~ 个人文集 / 세 사람의 글을 모아 한 권의 ~으로 간행하다 把三人的文章合编成一本文集发表刊行

문-짝(門—) 圀 门扇 ménshàn; 门板 ménbǎn; 门扉 ménfēi ¶~을 두드리다 扣门扇 / ~을 부수다 把门板砸碎

문ː책(問責) 圀困 责问 zéwèn; 追究责任 zhuījiū zérèn ¶~을 당하다 受到责问 / 책임자를 ~하다 向负责人追究责任

문체(文體) 圀 【文】 1 (作品的) 风格 fēnggé; 文风 wénfēng; 文采 wéncǎi ¶간결한 ~ 简洁的文风 / ~가 화려하다 文采华丽 2 文体 wéntǐ

문ː초(問招) 圀困 审问 shěnwèn; 审讯 shěnxùn ¶~를 당하다 遭到审问 / 주동자를 ~하다 审问领头人

문-턱(門—) 圀 1 门槛(儿) ménkǎn(r) 门坎(儿) ménkǎn(r) ¶~을 넘다 跨过坎儿 2 眼前 yǎnqián; 临近 línjìn ¶가을이 ~에 와 있다 秋天就在眼前 ¶문턱이 높다 囝 门槛高(比喻不容易进去, 或不好相处)

문턱이 닳도록 드나들다 囝 踏破门槛(比喻经常出入)

문-틀(門—) 圀 【建】 门框 ménkuàng

문-틈(門—) 圀 门缝 ménfèng ¶~으로 찬 바람이 들어오다 冷风从门缝里吹进来

문패(門牌) 圀 门牌 ménpái = 명패② ¶~를 달다 挂门牌

문-풍지(門風紙) 圀 糊门风纸 húmén fēngzhǐ

문필(文筆) 圀 写作 xiězuò ¶~ 활동 写作活动 / ~로 이름을 날리다 以写作出名

문필-가(文筆家) 圀 作家 zuòjiā; 写作家 xiězuòjiā

문하(門下) 圀 1 门下 ménxià 2 = 문하생

문하-생(門下生) 圀 门徒 méntú; 弟子 dìzǐ; 门生 ménshēng; (人) ménrén = 문하② ¶~를 두다 培养门徒

문학(文學) 圀 文学 wénxué ¶~가 文学家 / ~ 개론 文学概论 / ~ 박사 文学博士 / ~사 文学史 / ~소녀 文学少女 / ~ 작품 文学作品 / 사실주의 ~ 写实主义文学 / ~적인 표현 文学性的描述 / ~에 뜻을 두다 立志于文学

문학-계(文學界) 圀 1 文学领域 wénxué língyù 2 = 문단(文壇) ¶~의 거장 文坛巨匠

문학-상(文學賞) 圀 文学奖 wénxué jiǎng ¶노벨 ~ 诺贝尔文学奖

문ː-항(問項) 圀 问项 wènxiàng; 问题 wèntí; 题 tí ¶이번 중간고사에 수학이 몇 ~이나 나왔습니까? 这次期中考试数学出了几个问项?

문헌(文獻) 圀 文献 wénxiàn ¶~ 자료 文献资料 / ~ 관계 ~을 참고하다 参考有关文献

문형(文型) 圀 【語】 句型 jùxíng ¶기본 ~ 基本句型

문호(文豪) 圀 文豪 wénháo ¶러시아의 ~ 톨스토이 俄罗斯大文豪托尔斯泰

문호(門戶) 圀 门 mén; 门户 ménhù ¶~를 개방하다 开放门户

문화(文化) 圀 文化 wénhuà ¶~계 文化界 / ~교류 文化交流 / ~권 文化圈 / ~생활 文化生活 / ~ 센터 文化中心 = [文化站] / ~ 시설 文化设施 / ~ 유산 文化遗产 / 새로운 ~를 접하다 接触新文化 / 찬란한 ~의 꽃을 피우다 开出灿烂的文化之花

문화-인(文化人) 图 1 文化人 wénhuàrén; 知识分子 zhīshi fènzǐ 2 文化工作者 wénhuà gōngzuòzhě

문화-재(文化財) 图 文化财产 wénhuà cáichǎn; 文化财富 wénhuà cáifù; 文化遗产 wénhuà yíchǎn ¶~를 보호하다 保护文化财产

문화-적(文化的) 图冠 文化 wénhuà ¶~ 충격 文化冲击 / ~ 차이 文化差别

묻다[1] 困 1 沾 zhān; 附着 fùzhuó ¶손에 기름이 ~ 手上沾了油 / 옷에 홁이 ~ 衣服上沾着泥巴 2 跟着 gēnzhe; 一起 yìqǐ ¶가는 김에 나도 좀 묻어 타자 我也顺便跟着一起坐车吧

묻다[2] 囤 1 埋 mái; 埋葬 máizàng; 埋没 máimò; 掩埋 yǎnmái ¶시신을 땅에 ~ 把尸体埋在地里 2 藏 cáng; 掩盖 yǎngài; 遮盖 zhēgài; 隐瞒 yǐnmán; 埋藏 máicáng; 隐瞒 yǐnmán; 隐藏 yǐncáng ¶가슴속에 비밀을 묻어 두다 心中藏着秘密 3 埋 mái ¶베개에 얼굴을 ~ 脸埋在枕头里

묻다[3] 囤 1 问 wèn; 询问 xúnwèn; 打听 dǎting ¶안부를 ~ 问安 / 지나가는 사람에게 길을 ~ 向过路人问路 2 追究 zhuījiū ¶관계자에게 책임을 ~ 向有关人士追究责任

묻어-가다 困 跟着去 gēnzhe qù; 一起走 yìqǐ zǒu ¶가는 김에 나도 묻어가자 我也顺便跟着一起走吧

묻어-나다 困 沾 zhān; 沾上 zhānshang; 沾染 zhānrǎn ¶신문지의 잉크가 손에 ~ 报纸上的印墨沾在手上

묻-히다[1] 困 沾 zhān; 沾上 zhānshang; 沾染 zhānrǎn; 蹭 cèng; 蘸 zhàn(《묻다[1]'의 사동사》) ¶독을 묻힌 화살 涂了毒的箭头 / 콩고물을 묻힌 떡 沾着豆沙的米糕 / 손에 물을 ~ 手上沾水

묻-히다[2] 困 1 '묻다[2]'의 피동사 ¶땅속에 묻히다 被埋在地里 2 묻다[2]'의 피동사 ¶역사 속으로 묻힌 진실 被埋藏在历史中的真相 / 가슴속에 묻힌 비밀 藏在心里的秘密 3 '묻다[3]'의 피동사 ¶의자에 깊숙이 묻힌 채 움직이지 않는 身体埋在椅子里一动不动 4 淹没 yānmò ¶어둠에 ~ 淹没在黑暗中 / 인파에 ~ 淹没在人海中 5 隐没 yǐnmò; 躲藏 duǒcáng ¶초야에 묻혀 지내다 隐没在草野之中

물[1] 图 1 水 shuǐ ¶~ 한 모금 一口水 / ~를 긷다 打水 / ~를 마시다 喝水 / ~를 뿌리다 洒水 / ~이 끓다 水开了 / ~이 맑다 水很清 2 河 hé; 河流 héliú; 江水 jiāngshuǐ ¶산 넘고 ~ 건너 越山过河 / ~에 빠지다 掉进河里 3 熏染 xūnrǎn; 熏陶 xūntáo; 受影响 shòu yǐngxiǎng; 沾染 zhānrǎn ¶외국~을 먹다 受外国环境的影响

물과 불 困 水火不相容

물 끓듯 하다 困 人声鼎沸

물로 보다 困 不看在眼里; 瞧不起

물 만난[얻은] 고기 困 如鱼得水

물 뿌린 듯이 困 鸦雀无声; 万籁俱寂 = 물을 끼얹은 듯

물 쓰듯 困 用钱如用水; 挥金如土

물에 빠진 생쥐 困 落水的老鼠; 落汤鸡

물을 끼얹은 듯 困 = 물 뿌린 듯이

물 찬 제비 困 轻盈点水的燕子《比喻身材苗条, 动作轻快》

물 퍼붓듯 困 1 倾盆大雨 2 口若悬河; 滔滔不绝

물에 물 탄 듯 술에 술 탄 듯 俗담 墙头草《比喻没有主见或态度行动不明确》

물에 빠지면 지푸라기라도 잡는다[지푸라기를 움켜쥔다] 俗담 落水者捞稻草; 捞稻草也要把它掉包

물에 빠진 놈 건져 놓으니까 내 봇짐 내라 한다 俗담 以怨报德; 恩将仇报

물이 너무 맑으면 고기가 아니 모인다 [산다] 俗담 水至清则无鱼, 人至察则无友; 水至清则无鱼; 水清无鱼

물인지 불인지 모르다 困 不知天高地厚

물[2] 图 颜色 yánsè; 色 shǎi; 色 sè ¶~을 들이다 染色 / ~이 바래다 褪色 / ~이 빠지다 掉色

물[3] 图 新鲜 xīnxiān《指新鲜程度》¶~이 좋은 생선 新鲜的鱼

-물(物) 접미 物 wù ¶분실~ 遗失物 / 첨가~ 添加物

물-가 图 水边 shuǐbiān; 岸边 ànbiān ¶배가 ~에 닿다 船靠在岸边

물가(物價) 图 物价 wùjià; 行市 hángshì ¶~ 동향 物价动向 / ~ 정책 物价政策 / ~ 지수 物价指数 / ~ 상승률 物价上涨率 / ~가 비싸다 物价高 / ~가 오르다 物价上涨 / ~가 내리다 / 物价下跌 / ~가 안정되다 物价稳定

물-갈이 图하 1 换水 huànshuǐ ¶금붕어를 잘 기르려면 무엇보다도 ~에 신경을 써야 한다 要想养好金鱼, 最需注意的是换水 2 交替 jiāotì; 变动 biàndòng ¶이번 인사이동 때 대폭적인 ~가 예상된다 这次人事调动估计会有大的变动

물-갈퀴 图 1 【动】蹼 pǔ; 蹼趾 pǔzhǐ ¶오리는 ~로 헤엄치다 鸭子用蹼游水 2 脚蹼 jiǎopǔ = 오리발[1] ¶~를 신다 穿上脚蹼

물-감 图 1 染料 rǎnliào; 颜料 yánliào ¶~으로 그림을 그리다 用颜料画画 2 【美】= 그림물감

물-개 图 【动】海狗 hǎigǒu; 腽肭兽 wànàshòu = 해구

물-거품 图 1 水泡 shuǐpào; 泡沫 pàomò = 포말 ¶~이 일다 泛起泡沫 2

落空 luòkōng; 泡影 pàoyǐng ¶계획이 ~으로 돌아가다 计划化为泡影 ‖ = 수포(水泡)

물건(物件) 圆 1 东西 dōngxi; 物品 wùpǐn; 物件 wùjiàn ¶남의 ~을 훔치다 偷别人的东西 / ~을 아무 데나 놓다 乱放东西 2 商品 shāngpǐn; 货物 huòwù; 货 huò; 货色 huòsè; 东西 dōngxi ¶~ 값을 깎다 砍货价 / ~을 구입하다 购买商品 3 人物 rénwù ¶저 녀석은 정말 ~이다 那个家伙真是个人物

물−걸레 圆 湿抹布 shīmābù ¶~로 바닥을 닦다 用湿抹布擦地板

물걸레−질 圆(하다) 用湿抹布 yòng shīmābù cā ¶방바닥을 ~하다 用湿抹布擦地板

물−결 圆 1 水波 shuǐbō; 波浪 bōlàng; 波涛 bōtāo ¶~이 일렁이다 水波荡漾 / ~이 잔잔하다 波涛平静 / ~이 일다 起波浪 2 潮 cháo; 潮流 cháoliú ¶시대의 ~ 时代的潮流

물결−치다 困 起波浪 qǐlàng; 荡漾 dàngyàng; 起伏 qǐfú; 翻滚 fāngǔn ¶황금벼가 물결치는 들판 金色稻浪起伏的田野 / 가슴속에서 신선한 감동이 ~ 心中荡漾着鲜活的感动

물결−표(−標) 圆(語) 代字号 dàizìhào; 波浪号 bōlànghào

물고(物故) 圆(하)(자) 1 (名人) 逝世 shìshì 2 (罪人) 死去 sǐqù; 处决 chǔjué

물고(가) 나다 굔死去; 死
물고(를) 내다 굔死去; 杀死

물−고기 圆 鱼 yú = 고기¹2 ¶~ 두 마리 两条鱼 / ~ 떼 鱼群 / ~를 잡다 捕鱼 = [捞鱼][打鱼]

물고기(의) 밥이 되다 (똔) 淹死
물고기는 물을 떠나 살 수 없다 (속당) 鱼离不开水

물고기−자리 圆(天) 双鱼座 shuāngyúzuò

물−고문(−拷問) 圆 水刑讯 shuǐxíngxùn

물구나무−서기 圆(體) 倒立 dàolì; 拿大顶 nádàdǐng; 拿顶 nádǐng

물구나무−서다 困(體) 倒立 dàolì; 拿大顶 nádàdǐng; 拿顶 nádǐng ¶물구나무서서 팔로 걷다 倒立着用手走路

물−굽이 圆 水湾 shuǐwān; 河湾 héwān; 海湾 hǎiwān

물권(物權) 圆(法) 物权 wùquán

물−귀신(−鬼神) 圆(民) 水鬼 shuǐguǐ; 水怪 shuǐguài; 落水鬼 luòshuǐguǐ

물귀신(이) 되다 굔 落水而死; 成落水鬼

물−그릇 圆 水碗 shuǐwǎn

물−기(−氣) 圆 水分 shuǐfèn; 水气 shuǐqì = 수분(水分) ¶~가 마르다 水分干了 / ~를 닦다 擦去水气

물−기둥 圆 水柱 shuǐzhù ¶~이 하늘 높이 솟아오르다 水柱冲天而起

물−길 圆 1 水路 shuǐlù; 水程 shuǐchéng; 水道 shuǐdào ¶~을 내다 开水道 2 水渠 shuǐqú; 引水道 yǐnshuǐdào = 수로1 ¶~를 내다 开水渠

물−김치 圆 水泡菜 shuǐpàocài

물−꼬 圆 1 (水田里的) 水口 shuǐkǒu; 水门 shuǐmén ¶~를 막다 堵住水口 / ~를 트다 打通水口 2 门 mén; 通口 tōngkǒu ¶남북 교류의 ~를 트다 打开南北交流之门

물끄러미 图 呆呆地 dāidāide; 怔怔地 zhèngzhèngde ¶~ 먼 산을 바라보다 呆呆地望着远山

물−난리(−亂離) 圆 1 水灾 shuǐzāi; 水患 shuǐhuàn ¶갑작스런 집중 호우로 ~가 나다 突如其来的集中暴雨引起了水灾 2 水荒 shuǐhuāng ¶~가 나다 闹水荒 / 가뭄으로 ~가 극심하다 因干旱加剧水荒

물−냉면(−冷麵) 圆 水冷面 shuǐlěngmiàn

물−놀이 圆(하)자 1 涟漪 liányī ¶~가 일다 起涟漪 2 水上游戏 shuǐshàng yóuxì; 玩水 wánshuǐ ¶~를 가다 去玩水

물다¹ 围 1 缴 jiǎo; 交 jiāo; 付 fù; 还 huán; 偿还 chánghuán; 缴纳 jiǎonà ¶외상값을 ~ 还欠账 / 이자를 ~ 偿还利息 / 벌금을 ~ 交罚款 赔偿 péicháng; 赔 péi ¶피해자에게 치료비를 ~ 赔偿受害者医疗费

물다² 围 1 叼 diāo; 衔 xián ¶담배를 입에 ~ 嘴里衔着烟 / 족제비가 병아리를 물어 갔다 黄鼠狼叼走了小鸡 2 含 hán ¶사탕을 입에 ~ 嘴里含着糖块儿 / 물을 한 모금 입에 ~ 含着一口水 (用牙齿) 咬 yǎo ¶개가 사람을 ~ 狗咬人 4 (虫子) 叮 dīng; 蛰 zhé ¶모기가 문 자리가 가렵다 蚊子叮的地方发痒 5 占便宜 zhàn piányì; 吃豆腐 chī dòufu ¶돈 많은 과부를 ~ 占了一个有钱寡妇的便宜

물고 늘어지다 굔 1 紧持到底 2 咬字眼儿
물고 뜯다 굔 1 狗咬狗; 相互搏斗 2 恶口伤人; 钩心斗角

물−독 圆 水缸 shuǐgāng ¶~에 물을 붓다 往水缸里倒水

물−동이 圆 水罐 shuǐguàn ¶~를 이다 头顶水罐

물−들다 困 1 染 rǎn; 染色 rǎnsè ¶하늘이 저녁노을로 붉게 ~ 天空被晚霞染红 2 沾染 zhānrǎn; 熏染 xūnrǎn

자본주의 사상에 ~ 沾染资本主义思想

물들-이다 타 1 染 zǎn; 渍染 zìrǎn ¶머리를 검게 ~ 把头发染黑 / 저녁노을이 온 마을을 붉게 물들였다 晚霞把整个村子映染得通红 2 沾染 zhānrǎn; 把…染成 bǎ…rǎnchéng ¶그들은 공산주의 혁명을 일으켜 나라 전체를 붉게 물들였다 他们掀起共产主义革命, 把整个国家念染成红色

물-나다¹ 潮涨潮落时 cháozhǎng cháoluòshí ¶~에 맞추어 개펄로 조개잡이 나가다 算准潮涨潮落的时间, 去沙滩采贝壳

물-때² 명 水垢 shuǐgòu; 水碱 shuǐjiǎn; 水锈 shuǐxiù ¶~가 끼다 积了水垢 / ~를 벗기다 清除水锈

물-떼새 鸟 䳭 héng

물-똥 명 马粪蛋儿

물량(物量) 명 物量 wùliàng; 产品数量 chǎnpǐn shùliàng; 量 liàng ¶~ 공세를 펴다 采取物量攻势 / 수출 ~이 늘다 出口量增加了

물러-가다 자 1 退出 tuìchū ¶방에서 ~ 从房间里退出去 2 告退 gàotuì ¶저는 이만 물러가겠습니다 我先告退了 3 退职 tuìzhí; 辞退 cítuì; 撤退 chètuì ¶적군이 ~ 敌军撤退 4 消退 xiāotuì; 退去 tuìqù; 消失 xiāoshī; 过去 guòqù; 消退 xiāotuì ¶더위가 ~ 暑气已经退去 / 장마가 ~ 梅雨期过去了

물러-나다 자 1 退 tuì; 退下 tuìxià ¶어전에서 ~ 从御前退下 2 退职 tuìzhí; 退下 tuìxià; 辞退 cítuì; 引退 yǐntuì ¶사장 자리에서 ~ 辞退总经理职务 让出 ràngchū; 躲开 duǒkāi; 闪开 shǎnkāi ¶길옆으로 좀 물러나세요 往路边让开一下 3 散架 sǎnjià; 松散 sōngsǎn ¶사지의 뼈마디가 물러난 듯한 느낌을 받다 感觉四肢关节好像散了架一样

물러-서다 자 1 退 tuì; 后退 hòutuì; 退后 tuìhòu; 躲开 duǒkāi; 让开 ràngkāi; 让 ràng ¶한 발자국만 뒤로 물러서 주십시오 请往后退一步 2 辞职 cízhí; 辞退 cítuì; 辞去 cíqù; 引退 yǐntuì; 退职 tuìzhí ¶관직에서 ~ 辞去官职 3 退让 tuìràng; 罢休 bàxiū ¶물러서지 않고 끝까지 버티다 坚持到底, 决不罢休

물러-앉다 자 1 往后坐 wǎnghòuzuò; 往后挪 wǎnghòunuó ¶조금 뒤로 ~ 稍往后坐 2 辞职 cízhí; 退 tuì; 辞退 tuìtuì; 退职 tuìzhí ¶공직에서 물러앉아 고향에서 조용히 여생을 보냈다 退下公职回乡安度晚年 3 倒塌 dǎotā; 坍塌 tāntā; 沉陷 chénxiàn; 沉降 chénjiàng

물러-지다 자 1 熟透 shútòu; 烂熟 lànshú; 变软 biànruǎn ¶너무 오래 데쳐서 시금치가 물러졌다 菠菜焯得时间太长, 熟透了 2 (心情) 软下来 ruǎnxiàlái; 松懈 sōngxiè ¶마음이 물러지면 사고가 나기 쉽다 松懈的话容易出事故

물렁-거리다 자 发软 fāruǎn; 软软 ruǎnruǎn; 软乎乎 ruǎnhūhū = 물렁대다 ¶배가 너무 익어 물렁거린다 梨熟透了, 软乎乎的 **물렁-물렁** 부〈형〉 ~한 찰떡 软软的糯米糕

물렁-뼈 〈生〉 = 연골

물렁-살 명 软软的肌肉 ruǎnruǎn de jīròu

물렁-하다 형 1 软 ruǎn; 软软 ruǎnruǎn; 稀软 xīruǎn ¶물렁한 감 软软的柿子 2 软 ruǎn; 软弱 ruǎnruò; 软骨头 ruǎngǔtóu ¶그는 사람이 물렁해서 남에게 싫은 소리를 못한다 他性格软, 不敢对别人说个不字

물레 〈手工〉 纺车 fǎngchē ¶~로 실을 뽑다 用纺车抽线

물레-방아 명 水碓 suǐduì; 水车 shuǐchē = 수차1

물레-질 명〈하자〉 纺线 fǎngxiàn

물려-받다 타 继承 jìchéng; 承继 chéngjì; 承袭 chéngxí ¶재산을 ~ 继承财产 / 물려받은 유산 继承的遗产

물려-주다 타 传给 chuángěi; 传授 chuánshòu; 遗留 yíliú ¶자식에게 재산을 ~ 把财产传给子女

물력(物力) 명 物力 wùlì

물론(勿論) 명〈부〉 当然 dāngrán; 那还用说 nàháiyòngshuō ¶두말 할 것 없이 자불론 zìbùlùnshuō; 固然 gùrán; 诚然 chéngrán; 别说 biéshuō ¶~ 가고말고 当然去 / 이 문제는 초등학생은 ~이고 중학생도 모른다 这个问题别说是小学生, 就是中学生也不知道 **---하다** 无论 wúlùn; 不论 bùlùn; 不分 bùfēn ¶남녀노소를 ~하고 만세를 불렀다 不论男女老少, 都齐呼万岁

물류(物流) 명 物流 wùliú; 货流 huòliú ¶~ 센터 物流中心

물리(物理) 명 1 物理 wùlǐ 2 〈物〉 = 물리학

물리다¹ 腻 nì; 厌 yàn; 厌烦 yànfán ¶세 끼 꼬박 국수를 먹어서 이젠 국수에 물렸다 连着吃了三顿面条, 现在吃腻了

물-리다² 자〈타〉 1 被…咬 bèi…yǎo ¶독사에 ~ 被毒蛇咬 2 被…叮 bèi…dīng ¶어젯밤 모기에게 코를 물렸다 昨晚鼻子被蚊子叮了一下

물리다³ 타 1 (把货) 退 tuì; 退还 tuìhuán ¶새로 산 구두가 잘 맞지 않아 도로 물렸다 新买的皮鞋不合脚, 就把

退了 2 ¶棋 tuìqí; 退 tuì ¶바둑 한 수를 ~ 围棋退了一步 3 推后 tuīhòu; 推迟 tuīchí; 推延 tuīyán ¶약속 날짜를 하루 뒤로 ~ 把约定的日子往后推迟一天 4 撤 chè; 挪开 nuókāi; 搬开 bānkāi ¶그는 식사를 마치자 곧 밥상을 물렸다 他一吃完饭就把饭桌撤了 5 传给 chuángěi; 遗留 yíliú; 让给 rànggěi ¶재산을 자식에게 ~ 把财产传给子女

물리다⁴ 타 让…咬 ràng…yǎo; 含 ràng…hán; 让…衔 ràng…xián ¶어머니가 아이에게 젖을 ~ 母亲让孩子衔着奶头

물리다⁵ 타 索要 suǒyào; 索赔 suǒpéi; 使之赔偿 shǐzhī péicháng; 罚 fá ¶국민에게 세금을 ~ 向国民索要税金 / 가해자에게 치료비를 ~ 向肇事者索赔医疗费 / 벌금을 ~ 罚款

물리 요법(物理療法) 【醫】物理疗法 wùlǐ liáofǎ; 物理治疗 wùlǐ zhìliáo = 물리 치료

물리-적(物理的) 관圖 1 物理的 wùlǐ(de) ¶~ 현상 物理现象 / 변화 物理变化 2 武力的 wǔlì(de) ¶~이 방법으로 범인의 입을 열게 하다 用武力让罪犯开口

물리-치다 타 1 拒绝 jùjué; 回绝 huíjué; 退却 tuìquè ¶뇌물을 ~ 拒绝贿赂 / 유혹을 ~ 拒绝诱惑 2 击退 jītuì; 打退 dǎtuì; 战胜 zhànshèng ¶결승전에서 상대팀을 ~ 在决赛中战胜了对方队 3 克服 kèfú ¶난관을 ~ 克服困难

물리 치료(物理治療) 【醫】= 물리 요법

물리-학(物理學) 【物】物理学 wùlǐxué = 물리2·이학3 ¶~자 物理学家

물-막이 명하자 防洪 fánghóng; 防潮 fángcháo; 防渗 fángjìn ¶~ 공사 防潮堤工程

물-만두 명 水饺 shuǐjiǎo

물망(物望) 명 物望 wùwàng; 声望 shēngwàng; 名望 míngwàng; 盛名 shèngmíng ¶~이 높은 어른 享有盛名的长辈

물망-초(勿忘草) 명【植】勿忘草 wùwàngcǎo; 勿忘我 wùwàngwǒ

물-먹다 자 1 吸水 xīshuǐ ¶물먹은 토란대가 토실토실하다 吸了水的芋头茎圆实圆实的 2 蘸水 zhànshuǐ; 湿水 shīshuǐ ¶물먹은 솜처럼 몸이 무겁다 身体像湿水的棉花一样沉重无力 3 失败 shībài; 考不上 kǎobushàng; 没考上 méikǎoshàng; 考不中 kǎobuzhòng ¶

금까지 운전면허 시험에서 세 번 물먹었다 到现在驾照考了三次, 都没考上

물물 교환(物物交換) 【經】物物交换 wùwù jiāohuàn; 以物易物 yǐwùyìwù; 以物换物 yǐwùhuànwù; 以货易货 yǐhuòyìhuò; 以货换货 yǐhuòhuànhuò; 易货 yìhuò = 바터 ¶~을 하다 进行物物交换

물-밀다 자 1 涨潮 zhǎngcháo 2 潮水般涌来 cháoshuǐbān yǒnglái ¶물밀듯이 밀려오는 외래 문물 潮水般涌来的外来文化

물-밑 명 1 【建】水底 shuǐdǐ 2 秘密 mìmì; 隐秘 yǐnmì ¶~ 접촉 秘密接触 / ~ 작업에 들어가다 进入秘密作业

물-바가지 명 水瓢 shuǐpiáo; 水舀子 shuǐyǎozi ¶~로 물을 뜨다 用水瓢舀水

물-바다 명 (洪水造成的)一片汪洋 yīpiàn wāngyáng ¶온 마을이 ~가 되었다 整个村子成了一片汪洋

물-받이 명 房檐水槽 fángyán shuǐcáo; 檐沟 yángōu

물-발 명 水势 shuǐshì ¶~이 세다 水势很猛

물-방개 명【蟲】龙虱 lóngshī; 水龟子 shuǐguīzi

물-방아 명 水碓 shuǐduì

물방앗-간 명 水碓房 shuǐduìfáng; 水碾房 shuǐniǎnfáng

물-방울 명 水珠 shuǐzhū; 水滴 shuǐdī ¶~이 맺히다 挂着水珠 / ~이 튀다 水珠飞溅

물-배 명 喝水 hēshuǐ 《指饮饱水的肚子》¶~를 채우다 喝水填肚子

물-뱀 명【動】水蛇 shuǐshé = 바다뱀

물-벼락 명 突然浇水 tūrán jiāoshuǐ; 突然泼水 tūrán pōshuǐ = 물세례1 ¶~을 당하다 突然挨水浇 / ~을 안기다 突然给人泼了水

물-벼룩 명【蟲】水蚤 shuǐzǎo; 鱼虫 yúchóng; 隆线蚤 lóngxiànzǎo

물-병 명 水瓶 shuǐpíng ¶~에 물을 담다 水瓶里装水

물병-자리 명【天】宝瓶座 bǎopíngzuò

물-보라 명 (飞溅的)浪花 lànghuā; 水花 shuǐhuā ¶~가 일다 溅起浪花 / ~가 치다 浪花飞溅

물-볼기 명【史】水杖刑 shuǐzhàngxíng; 水笞刑 shuǐchīxíng ¶~를 때리다 施水杖刑 / ~를 맞다 受水笞刑

물-불 명 水火 shuǐhuǒ ¶물불을 가리지 않다 赴汤蹈火

물-비누 명 液体肥皂 yètǐ féizào; 水肥皂 shuǐféizào

물-비린내 명 水腥味儿 shuǐxīngwèir ¶~가 나다 有水腥味儿

물-빨래 명[하타] 水洗 shuǐxǐ = 물세탁 ¶면바지를 ~하다 棉裤子用水洗

물-뿌리개 명 喷壶 pēnhú; 喷桶 pēntǒng ¶~로 꽃에 물을 주다 用小喷壶给花浇水

물산(物産) 명 物产 wùchǎn ¶~이 풍부하다 物产丰富

물-살 명 水流 shuǐliú; 水势 shuǐshì; 流势 liúshì ¶~을 가르다 拨开水流 / ~이 세다 水势很大 / ~에 휩쓸리다 卷入水流 / ~이 매우 세다 水流湍急

물상(物象) 명 1 物态 wùtài 2 物象 wùxiàng 3 物象学 wùxiàngxué

물-새 명[鳥] 水鸟 shuǐniǎo; 水禽 shuǐqín 2 = 물총새

물색(物色) 명[하타] 1 (物品的) 颜色 yánsè ¶~이 좋은 옷감을 고르다 挑选颜色好的衣料 2 物色 wùsè; 寻找 xúnzhǎo ¶마땅한 일자리를 ~하다 寻找合适的工作 3 来由 láiyóu; 缘由 yuányóu; 内情 nèiqíng ¶~도 모르고 좋아하다 没来由地喜欢

물색-없다 형 (讲话、举止) 不讲理 bùjiǎnglǐ; 不得体 bùdétǐ; 欠妥 qiàntuǒ

물설음ↂ다 형 = 설치다 ¶큰코다치다 做事蛮不讲理, 难免遭殃

물샐틈-없다 형 水泄不通 shuǐxièbùtōng; 点水不漏 diǎnshuǐbùlòu; 滴水不漏 dīshuǐbùlòu; 没有漏洞 méiyǒu lòudòng; 没有空子可钻 méiyǒu kòngzi kězuān ¶물샐틈없는 준비 准备得滴水不漏 / 물샐틈없는 경비망을 치다 布下水泄不通的警戒网 ▶물샐틈없이 부

물-세(一税) 명 水费 shuǐfèi; 用水费 yòngshuǐfèi ¶~를 내다 交水费

물-세례(一洗禮) 명[宗] 水洗礼 shuǐxǐlǐ

물-세탁(一洗濯) 명[하타] = 물빨래

물-소 명[動] 水牛 shuǐniú

물-소리 명 水声 shuǐshēng; 流水声 liúshuǐshēng ¶~가 나다 有流水声

물-속 명 水中 shuǐzhōng; 水里 shuǐlǐ = 수중(水中)

물-수건 명 1 湿手巾 shīshǒujīn; 湿毛巾 shīmáojīn ¶이마에 ~을 얹다 额头上放湿毛巾 / ~으로 손을 닦다 用湿手巾擦手 2 湿餐巾 shīcānjīn

물수제비-뜨다 자 打水漂儿 dǎshuǐpiāor ¶강가에서 물수제비뜨며 놀다 在河边打水漂儿玩

물-시계(一時計) 명 漏壶 lòuhú; 水漏 shuǐlòu; 漏刻 lòukè

물심-양면(物心兩面) 명 物质和精神上 ¶ wùzhì hé jīngshénshang; 从各方面 cónggèfāngmiàn; 物心两面 wùxīn liǎngmiàn ¶우리를 ~으로 돕다 给予我们物质精神上的帮助

물-씬 부 1 (气味) 浓烈 nóngliè; 浓

nóng; 扑鼻 pūbí ¶술 냄새가 ~ 풍겨오다 酒味儿扑鼻而来 / 젖비린내가 ~ 나다 奶腥味儿很浓 2 (烟、气等) 呼呼地 hūhūde; 蒸腾 zhēngténg ¶연기가 ~ 피어오르다 呼呼地冒烟

물씬-물씬 부 1 (气味) 浓烈 nóngliè; 阵阵扑鼻 zhènzhèn pūbí ¶생선 비린내가 ~ 난다 散发着阵阵扑鼻的鱼腥味儿 2 (烟、气等) 呼呼地 hūhūde; 蒸腾 zhēngténg ¶검은 연기가 ~ 피어오르다 呼呼地冒着黑烟

물아(物我) 명[哲] 物我 wùwǒ ¶~일체 物我一体

물-안개 명 水雾 shuǐwù; 雨雾 yǔwù ¶강 수면에 ~가 피어오르다 江面上升腾起雨雾

물-안경(一眼鏡) 명 泳镜 yǒngjìng; 潜水镜 qiánshuǐjìng = 수경(水鏡) ¶~을 쓰다 戴上潜水镜

물-약(一藥) 명[藥] 水剂 shuǐjì; 药水 yàoshuǐ ¶~을 마시다 喝药水

물어-내다 타 赔 péi; 赔钱 péiqián; 赔偿 péicháng ¶깬 유리창 값을 ~ 赔打碎的窗玻璃钱

물어-뜯다 타 啃 kěn; 咬 yǎo; 啄 zhuó; 叮 dīng ¶개가 신발을 ~ 狗啃鞋 2 诽谤 fěibàng; 诋毁 dǐhuǐ

물어-물어 부 到处问 dàochù wèn; 问了又问 wènle yòu wèn; 一路走一路问 yīlù zǒu yīlù wèn ¶우리는 ~ 겨우 그의 집을 찾았다 一路走一路问, 我们才找到了他家

물어-보다 자타 问 wèn; 询问 xúnwèn; 打听 dǎtīng ¶행인에게 길을 ~ 向过路人问路 / 이름을 ~ 询问名字

물-엿 명 糖稀 tángxī; 饴糖 yítáng

물-오르다 자 1 返青 fǎnqīng; 复苏 fùsū ¶물오른 나뭇가지 返青的树枝 2 成熟 chéngshú; 肥美 féiměi ¶물오른 나이 成熟的年龄 / 물오른 싱싱한 생선이 시장에 나왔다 新鲜肥美的鱼上市了

물-오리 명[鳥] = 청둥오리

물-오징어 명 鲜乌贼鱼 xiānwūzéiyú

물-옥잠(一玉簪) 명[植] 雨久花 yǔjiǔhuā

물-웅덩이 명 水坑 shuǐkēng ¶~에 빠지다 陷进水坑

물음 명 问 wèn; 问题 wèntí; 询问 xúnwèn ¶다음 ~에 답하시오 请回答下一个问题

물음-표(一標) 명[語] 问号 wènhào; 疑问号 yíwènhào = 의문부 · 의문 부호

물의(物議) 명 物议 wùyì; 议论 yìlùn ¶~를 빚다 招惹物议 / ~를 일으키다 引起议论

물-이끼 명[植] 水苔 shuǐtái; 泥炭藓

nítànxiàn

물자(物資) 〔명〕物资 wùzī ¶~가 풍부하다 物资丰富

물-자동차(－自動車) 〔명〕**1** 洒水车 sǎshuǐchē = 살수차 **2** = 급수차

물-장구 〔명〕(游泳时) 用脚击水 yòngjiǎo jīshuǐ; 用脚打水 yòngjiǎo dǎshuǐ ¶아이들이 물가에서 ~를 치며 논다 孩子们在河里用脚打水玩

물장구-질 〔명〕〔하자〕(游泳时) 用脚击水 yòngjiǎo jīshuǐ; 用脚打水 yòngjiǎo dǎshuǐ

물장구-치다 〔자〕(游泳时) 用脚击水 yòngjiǎo jīshuǐ; 用脚打水 yòngjiǎo dǎshuǐ ¶여름만 되면 샛강에서 물장구치며 놀았다 一到夏天, 我就到小河里用脚打水玩儿

물-장난 〔명〕玩水 wánshuǐ; 戏水 xìshuǐ ¶아이들이 ~을 하고 있다 孩子们在玩水

물-장사 〔명〕〔자〕**1** 卖水 màishuǐ; 有偿供水 yǒucháng gòngshuǐ **2** 卖酒水 mài jiǔshuǐ ¶~로 돈을 벌다 卖酒水赚钱

물-장수 〔명〕卖水的 màishuǐde

물-적(物的) 〔명〕〔哲〕物质(的) wùzhì(de) ¶~ 손실이 막심하다 物质损失惨重

물적 증거(物的證據) 〔法〕物证 wùzhèng ¶~를 제시하다 拿出物证

물정(物情) 〔명〕人情世故 rénqíng shìgù; 世事 shìshì; 世情 shìqíng ¶세상~에 어둡다 不谙世情 / ~을 모르다 不懂人情世故

물주(物主) 〔명〕**1** 业主 yèzhǔ; 东家 dōngjiā; 投资者 tóuzīzhě **2** (赌博的)庄家 zhuāngjia

물-줄기 〔명〕**1** 水流 shuǐliú ¶~를 따라 내려가다 顺着水流而下 **2** 水柱 shuǐzhù ¶세찬 ~의 水柱 强劲的水柱

물증(物證) 〔명〕〔法〕'물적 증거'의 略词 ¶~을 잡다 获取物证

물-지게 〔명〕水桶背架 shuǐtǒng bèijià; 背水架 bēishuǐjià ¶~를 지다 背着背水架

물질(物質) 〔명〕物质 wùzhì ¶~문명 物质文明 / ~ 만능의 시대 物质至上的时代

물질-적(物質的) 〔관〕〔명〕物质(的) wùzhì(de) ¶~ 보상 物质补偿 / ~으로 도움을 주다 给予物质上的帮助

물질-주의(物質主義) 〔명〕〔哲〕拜物主义 bàiwù zhǔyì **2** = 유물론

물-짐승 〔명〕水中兽类 shuǐzhōng shòulèi; 水栖动物 shuǐqī dòngwù; 水生动物 shuǐshēng dòngwù

물-집 〔명〕水疱 shuǐpào ¶손에 ~이 잡혔다 手上起了水疱 / ~을 터뜨리다 挑水疱

물찌-똥 〔명〕**1** 稀屎 xīshǐ; 水泻 shuǐxiè **2** (溅起的)水珠 shuǐzhū = 물똥

물-차(－車) 〔명〕= 급수차

물-청소(－淸掃) 〔명〕〔하자〕洒扫 sǎsǎo ¶정원을 ~하다 洒扫庭院

물체(物體) 〔명〕**1** 物体 wùtǐ ¶무거운 ~ 沉重的物体 **2** 形体 xíngtǐ

물-총(－銃) 〔명〕水枪 shuǐqiāng

물총-새(－銃－) 〔명〕〔鳥〕翠鸟 cuìniǎo; 翡翠 fěicuì; 鱼狗 yúgǒu = 물새 2

물-침대(－寢臺) 〔명〕水床 shuǐchuáng

물컹-거리다 〔자〕软 ruǎn; 烂 làn; 烂乎乎 lànhūhū; 稀软 xīruǎn; 烂熟 lànshú = 물컹대다 ¶아스팔트가 물컹거릴 정도로 햇빛이 뜨겁다 阳光毒辣, 晒得柏油路快要软了 **물컹-물컹** 〔부〕〔하형〕¶시금치가 너무 삶아져서 ~하다 菠菜煮过了头, 烂熟烂熟的

물컹-하다 〔형〕烂糊 lànhu; 烂乎乎 lànhūhū; 软乎乎 ruǎnhūhū

물-켜다 〔자〕大量喝水 dàliàng hēshuǐ; 暴饮 bàoyǐn; 牛饮 niúyǐn ¶벌컥벌컥 물켜는 소리 咕嘟咕嘟暴饮的声音

물-탱크(－tank) 〔명〕水箱 shuǐxiāng; 水槽 shuǐcáo ¶~에 물을 가득 채우다 往水箱里灌满水

물-통(－桶) 〔명〕**1** 水桶 shuǐtǒng ¶~에 물을 가득 받아 두다 水桶里装满了水 **2** 提桶 títǒng ¶~으로 물을 긷다 用提桶打水 **3** 水瓶 shuǐpíng; 水壶 shuǐhú ¶~을 메고 소풍을 가다 背着水壶去郊游

물-파스(-←독Pasta) 〔명〕摩擦露 mócàlù

물표(物標) 〔명〕〔植〕存放证 cúnfàngzhèng; 存物牌 cúnwùpái = 체크2

물-풀 〔명〕〔植〕水草 shuǐcǎo; 水藻 shuǐzǎo = 수초

물품(物品) 〔명〕物品 wùpǐn; 货品 huòpǐn

묽다 〔형〕**1** 淡 dàn; 稀 xī ¶죽이 ~ 粥很稀 / 팥죽을 묽게 끓이다 红豆粥熬得很稀 / 질감을 묽게 타다 把颜料调稀 **2** 软弱 ruǎnruò; 脆弱 cuìruò ¶사람이 ~ 为人软弱

뭇 〔관〕群 qún; 众 zhòng; 许多 xǔduō; 众多 zhòngduō ¶~ 백성 许多百姓 / ~ 사건 众多事件

뭇-국 〔명〕萝卜汤 luóbotāng

뭇-매 〔명〕= 몰매

뭇-별 〔명〕繁星 fánxīng; 众星 zhòngxīng

뭇-사람 〔명〕众人 zhòngrén ¶~의 입에 오르내리다 引来众人议论

뭉개다 〔타자〕**1** 压碾 yāniǎn; 压碎 yāsuì; 涂掉 túdiào; 踩碎 cǎisuì ¶담배꽁초를 발로 밟아 ~ 用脚踩碎烟头 / 글자를 ~ 把字涂掉 **2** 挪动 nuódòng -

엉덩이를 뭉개며 옮겨 앉다 屁股往前挪动 〔〕자〕 磨蹭 móceng ¶그는 일할 때 조금 뭉개는 편이다 他做事有点儿磨蹭

뭉게-구름 〔명〕 积云 jīyún; 云团 yúntuán = 적운

뭉게-뭉게 〔부〕 (云、烟) 一团一团地 yītuányītuánde ¶뭉게구름이 ~ 피어오르다 云团一团一团地升腾

뭉그러-뜨리다 〔타〕 推倒 tuīdǎo; 弄坍 nòngtān; 弄坏 nònghuài = 뭉그러트리다 ¶돌탑을 ~ 把石塔推倒

뭉그러-지다 〔자〕 倒塌 dǎotā; 坍塌 tāntā; 倒下来 dǎoxiàlái; 塌下来 tāxiàlái ¶흙담이 ~ 土墙塌了下来

뭉그적-거리다 〔자동〕 1 磨蹭 móceng; 磨磨蹭蹭 mómocèngcèng; 慢腾腾 mànténgténg; 慢慢腾腾 mànmanténgténg ¶뭉그적거리지 말고 빨리 따라와라 别磨蹭了, 快跟我来吧 2 转来转去 zhuǎnláizhuǎnqù; 扭来扭去 niǔláiniǔqù ¶엉덩이를 뭉그적거릴 뿐 일어나려하지 않다 只是屁股扭来扭去, 不肯站起来 ‖ = 뭉그적대다 **뭉그적-뭉그적** 〔부〕〔자타〕

뭉근-하다 〔형〕 文火 wénhuǒ; 微火 wēihuǒ ¶뭉근한 불로 약을 달이다 用文火熬药 **뭉근-히** 〔부〕

뭉떵 〔부〕 大块(地) dàkuài(de) ¶천을 ~ 끊다 扯了一大块布

뭉떵-뭉떵 〔부〕 大块大块地 dàkuàidàkuàide ¶나무들이 ~ 잘려 나가다 树木被大块大块地砍了下来

뭉뚝 〔부〕〔형〕 钝秃 dùntū; 短粗 duǎncū; 又短又粗 yòu duǎn yòu cū ¶~한 몽둥이 又短又粗的棍子 / 연필 끝이 ~해지다 笔尖秃秃了

뭉뚝-뭉뚝 〔부〕〔형〕 (个个都) 钝秃 dùntū; 短粗 duǎncū; 一段一段 yīduànyīduàn ¶빗자루가 ~해서 바닥이 잘 쓸리지 않는다 扫帚都钝秃了, 扫不了地板了

뭉뚱-그리다 〔타〕 1 (随便) 包起(来) bāoqǐ(lái); 团起(来) tuánqǐ(lái); 卷起(来) juǎnqǐ(lái) ¶짐을 뭉뚱그리고는 서둘러 귀가하다 卷起行李赶紧回家 2 总括 zǒngkuò; 包罗 bāoluó; 囊括 nángkuò ¶회의에서 나온 의견을 뭉뚱그려 말하자면 작업 환경을 개선하자는 것이다 把会议中提出来的意见总括成一句就是希望改善工作环境

뭉실-뭉실 〔부〕〔형〕 1 丰满(地) fēngmǎn(de); 胖乎乎(地) pànghūhū(de); 圆胖(地) yuánpàng(de); 肥嘟嘟(地) féidūdū(de) ¶~살진 돼지 肥嘟嘟的猪 2 一朵朵 yīduǒduǒ; 一团团 yītuántuán ¶하늘에 솜구름이 ~ 떠다닌다 天空上飘着一朵朵云团

뭉치 〔명〕 捆 kǔn; 沓 dá; 团 tuán; 束 shù ¶신문 ~ 一捆报纸 / 지폐 한 ~ 一沓钞票

뭉치-다 〔자타〕 1 凝结 níngjié; 凝聚 níngjù; 团 tuán; 成团 chéngtuán ¶눈을 뭉쳐 눈사람을 만들다 把雪滚成团堆雪人 2 국민이 한마음으로 ~ 全国人民团结一心 / 뭉치면 살고 흩어지면 죽는다 团结就生存, 分散就死亡

뭉칫-돈 〔명〕 1 一大笔钱 yīdàbǐ qián 2 = 목돈

뭉크러-뜨리다 〔타〕 弄烂 nònglàn; 弄坍 nòngtān; 弄倒 nòngdǎo = 뭉크러트리다

뭉크러-지다 〔자〕 烂熟 lànshú; 软塌塌 ruǎntātā; 腐烂变形 fǔlàn biànxíng

뭉클 〔부〕〔형〕 1 发胀 fāzhàng ¶~속이하여 음식을 먹고 싶은 생각이 없다 肚子发胀, 不想吃东西 2 (心头) 一热 yīrè; 激动 jīdòng; 热乎乎 rèhūhū ¶가슴이 ~하다 心里热乎乎的

뭉텅 〔부〕 大块(地) dàkuài(de)

뭉텅-뭉텅 〔부〕 大块大块地 dàkuàidàkuàide

뭉툭 〔부〕〔형〕 秃 tū; 钝秃 dùntū; 短粗 duǎncū ¶끝이 ~한 연필 笔头秃秃的铅笔

뭉툭-뭉툭 〔부〕〔형〕 (个个都) 钝秃 dùntū; 短粗 duǎncū; 一段一段 yīduànyīduàn ¶떡을 ~ 썰다 把米糕切成一段一段的

뭍 〔명〕 陆 lù; 陆地 lùdì; 大陆 dàlù ¶~에 오르다 登陆 / ~으로 시집가다 嫁到陆地去

뭍-짐승 〔명〕 陆地禽兽 lùdì qínshòu

뭐 〔대〕 什么 shénme ¶그게 ~냐? 那是什么? / ~, 서울에 간다고? 什么, 去首尔? 〔감〕 嘿 bei ¶이러면 됐네 ~ 这就行了呗

뭐니 뭐니 해도 〔관〕 说一千道一万

뭐:-하다 〔형〕 '무엇하다'의 略词 ¶빈손으로 가기가 좀 ~ 空手去总有点儿不好意思

뭘 〔대〕 什么 shénme ¶너 지금 ~ 먹느냐? 你在吃什么? / 그는 ~ 하는 사람이냐? 他是干什么的? 〔감〕 哪里 nǎli ¶"이렇게 와 줘서 고마워." "~, 당연히 와야지." "真谢谢你来了" "哪里哪里, 应该来的"

뭣 〔대〕 '무엇'의 略词 ¶그것은 대체 ~에 쓰는 물건이냐? 那个东西到底作什么用的?

뭣:-하다 〔형〕 '무엇하다'의 略词 ¶모르는 사람만 있는 곳에서 기다리기 뭣해서 밖에 있었다 等人全是陌生人的地方有点儿不好意思, 所以呆在外面了

뮤지컬(musical) 〔명〕〔音〕 歌舞剧 gēwǔjù; 음악극 yīnyuèjù; 음악片 yīnyuè-piàn

뮤직 드라마(music drama) 【演】 = 악극2

뮤직-비디오(music video) 图 【演】 音乐录影 yīnyuè lùyǐng

-므로 어미 表示原因、根据的连接词尾 ¶그는 부지런하~ 성공할 것이다 他很勤勉，会成功的 / 나는 비가 오~ 외출하지 않았다 下雨了，所以我没出去

미(美) 图 **1** 美 měi; 美丽 měilì ¶자연의 ~를 추구하다 追求自然美 **2** 【教】美 měi (评分之一) ¶미술에서 ~를 받았다 美术得了美

미(이)mi 图 【音】咪 mī

미:-(未) 접두 未 wèi; 没有 méiyǒu ¶~성년 未成年 / ~개척 未开垦 / ~해결 未解决

미각(味覺) 图 【生】味觉 wèijué ¶~신경 味觉神经 / ~이 발달한 사람 味觉灵敏的人 / ~을 자극하다 刺激味觉

미간(眉間) 图 眉间 méijiān; 眉心 méi-xīn; 眉头 méitóu = 양미간 ¶~을 찌푸리다 皱着眉头

미:개(未開) 图[하형] **1** 野蛮 yěmán; 未开化 wèikāihuà ¶~ 민족 未开化的民族 **2** 미개 = 미개간 ¶~ 田 未开垦

미:-개발(未開發) 图[하타] 未开发 wèi-kāifā ¶~ 지역 未开发地区

미:-개인(未開人) 图 野蛮人 yěmán-rén; 野人 yěrén; 原始人 yuánshǐrén

미:-개척(未開拓) 图 未开垦 wèikāi-kěn; 未开拓 wèikāituò ¶생물학의 ~ 분야 生物学尚未开拓的领域

미:개척-지(未開拓地) 图 **1** 未开垦地 wèikāikěndì; 未开拓地 wèikāituòdì; 处女地 chǔnǚdì **2** 空白点 kòngbáidiǎn ¶의학领域의 空白点

미:결(未決) 图[하타] **1** 未决 wèijué; 未决定 wèijuédìng; 未解决 wèijiějué; 有待解决 yǒudàijiějué ¶~로 남은 문제 有待解决的问题 / 그 안건은 아직 ~된 상태이다 那件议案尚处于未决状态 **2** 【法】未裁决 wèicáijué; 未判决 wèipànjué ¶판결은 아직 ~이다 还没有判决

미:결-수(未決囚) 图 【法】未决犯 wèijuéfàn

미곡(米穀) 图 **1** 米谷 mǐgǔ; 谷物 gǔwù ¶~상 米谷商 **2** 大米 dàmǐ

미골(尾骨) 图 【生】 = 꼬리뼈

미:관(美觀) 图 美观 měiguān ¶美景 měijǐng ¶도시의 ~을 해치다 破坏城市的美观

미관(微官) 图대 微官 wēiguān; 小官 xiǎoguān ¶~말직 微官末职 =[芝麻官]

미:관-상(美觀上) 图 美观上 měiguān-shang ¶가로수는 여름에 그늘을 줄 아니라 ~으로도 좋다 街道树不仅在夏天带来绿荫，而且给人予美观的享受

미국(美國) 图 【地】 美国 Měiguó ¶~인 美国人

미군(美軍) 图 美军 měijūn ¶~ 기지 美军基地

미:궁(迷宮) 图 迷宫 mígōng ¶살인 사건 수사가 ~에 빠지다 杀人案件的搜查陷入了迷宫

미그 전:투기(MIG戰鬪機) 【軍】 米格战斗机 Mǐgé zhàndòujī

미꾸라지 图 **1** 【魚】泥鳅 níqiu; 鳅鱼 qiūyú = 추어 **2** 油头滑脑 yóutóu huá-nǎo; 滑头 huátóu ¶저 ~ 같은 놈 때문에 헛고생했다 因为那个油头滑脑的家伙，白辛苦了一趟

미꾸라지 용 됐다 속담 鱼变成龙 一步登天

미꾸라지 한 마리가 온 웅덩이를 흐려놓는다 속담 一条鱼弄得满锅腥; 一条臭鱼腥了一锅汤; 一泡鸡屎坏一缸酱; 一块臭肉，弄坏一锅汤; 一颗耗子屎，带坏一锅粥

미끄러-뜨리다 타 (使人)滑倒 huádǎo = 미끄러트리다

미끄러-지다 자 **1** 滑倒 huádǎo; 打滑 dǎhuá; 溜 liū; 滑 huá ¶빙판에서 ~ 在冰上滑倒 **2** 滑出 huáchū; 滑动 huádòng ¶차는 천천히 터미널을 미끄러져 나갔다 车缓缓地滑出车站 **3** 落榜 luòbǎng; 落选 luòxuǎn; 没考上 méi-kǎoshang ¶대학 입시에서 미끄러졌다 没考上大学

미끄럼 图 滑 huá; 溜 liū ¶미끄럼틀에서 ~을 타다 滑滑梯

미끄럼-틀 图 滑梯 huátī; 滑板 huábǎn

미끄럽다 형 滑 huá; 溜 liū ¶바닥이 ~ 地面很滑 / 이게 때문에 바위는 ~ 石头上长着青苔，很滑

미끈-거리다 자 溜滑 liūhuá; 滑腻 huánì; 滑不溜手 huábuliūshǒu; 滑不溜溜 huábuliūliū = 미끈대다 ¶기름 묻은 손이 자꾸 미끈거린다 手上沾了油，滑不唧溜的 미끈-미끈 부[하형]

미끈-하다 형 **1** 光滑 guānghuá; 滑溜 huáliū ¶같이 미끈한 감자알 外皮光滑的土豆 **2** 修长 xiūcháng; 流畅 liúchàng; 清秀 qīngxiù; 漂亮 piàoliang ¶몸매가 ~ 身材修长 / 미끈하게 생긴 청년 长相清秀的青年 **3** 利落 lìluò; 整齐 zhěngqí; 有条理 yǒutiáolǐ ¶미끈하게 꾸며 놓은 찻집 装饰得整洁利落的茶屋 미끈-히 부

미끌-미끌 부[하형] 滑不唧溜 huábujíliū; 滑溜溜 huáliūliū ¶비 온 뒤라 길이 ~하여 걷기가 어렵다 刚下过雨, 地上滑不唧溜的不好走

미끼 图 1 鱼饵 yú'ěr; 食饵 shí'ěr; 钓饵 diào'ěr; 鱼食 yúshí = 낚싯밥 2 诱饵 yòu'ěr ¶돈을 ~로 사람을 유혹하다 以金钱为诱饵诱惑人

미나리 图 【植】 水芹 shuǐqín; 芹菜 qíncài ¶~꽝 水芹田

미:남(美男) 图 美男子 měinánzǐ; 美男 měinán

미:납(未納) 图【하자】 未纳 wèinà; 未交 wèijiāo; 没交 méijiāo ¶~금 没交的钱 / ~자 未交款者 / 등록금을 ~하다 未交学费 / 전기 요금이 ~되어 전기 공급이 끊겼다 没交电费, 所以被断电了

미네랄(mineral) 图【生】矿物营养素 kuàngwù yíngyǎngsù; 矿物质 kuàngwùzhì = 광물질2

미네랄-워터(mineral water) 图 矿泉水 kuàngquánshuǐ

미:녀(美女) 图 美女 měinǚ; 美人 měirén

미뉴에트(minuet) 图【音】米奴哀舞曲 mǐnú'āiwǔqǔ; 小步舞曲 xiǎobùwǔqǔ

미늘 图 1 (鱼钩)倒刺 dàocì; 倒钩 dàogōu 2 铠甲叶片 kǎijiǎ yèpiàn

미니(mini) 图 迷你 mínǐ; 小型 xiǎoxíng; 微型 wēixíng

미니멈(minimum) 图 最小量 zuìxiǎoliàng; 最低限度 zuìdī xiàndù; 极小值 jíxiǎozhí

미니버스(minibus) 图 小公共汽车 xiǎogōnggòngqìchē; 小公车 xiǎogōngchē; 迷你巴士 mínǐbāshì; 迷你巴 mínǐbā

미니스커트(miniskirt) 图 迷你裙 mínǐqún; 超短裙 chāoduǎnqún

미니어처(miniature) 图 缩小模型 suōxiǎo móxíng = 소품3

미니카(minicar) 图 微型车 wēixíngchē

미:-닫이 图 推拉门 tuīlāmén; 横推门 héngtuīmén ¶~문 推拉门

미:달(未達) 图【하자】未达到 wèidádào; 不够 bùgòu; 未满 wèimǎn ¶함량 ~ 含量不够 / 신입생 모집 정원 ~ 招生名额未满

미:담(美談) 图 美谈 měitán; 佳话 jiāhuà

미:대(美大) 图【教】 美院 měiyuàn ¶~생 美院生

미더덕 图【動】 柄海鞘 bǐnghǎiqiào

미:-덕 图 美德 měidé ¶겸손의 ~ 谦虚的美德

미덥다 图 可信 kěxìn; 可靠 kěkào; 靠得住 kàodézhù ¶미더운 사람 可靠的人 / 저 사람은 미덥지 못하다 那个人

不可靠

미동(微動) 图【하자】微动 wēidòng; 稍动 shāodòng; 一动 yīdòng ¶~도 하지 않고 있다 一动不动 ¶한동안 꼼짝 않고 ~도 하지 않고 앉아 있다 一动也不动地坐着, 像一幅画似的

미드필더(midfielder) 图【體】中场队员 zhōngchǎng duìyuán; 中场 zhōngchǎng

미드필드(midfield) 图【體】中场 zhōngchǎng ¶~를 장악하다 控制中场

미등(尾燈) 图 尾灯 wěidēng; 后灯 hòudēng

미:-등기(未登記) 图【하자】未登记 wèidēngjì; 未注册 wèizhùcè ¶~ 건물 未注册的楼房

미디어(media) 图 媒体 méitǐ

미라(포mirra) 图 木乃伊 mùnǎiyī; 干尸 gānshī

미란다 원칙(Miranda原则)【法】米兰达法则 Mǐlándá fǎzé

미:래(未來) 图 未来 wèilái; 将来 jiānglái ¶~ 완료 未来完成时态 / 지향성 未来指向性 / ~ 진행 未来进行时态 / ~의 세계 未来的世界 / ~에 대한 희망 对未来的希望 / ~를 설계하다 设计将来

미:래-상(未來像) 图 蓝图 lántú; 展望 zhǎnwàng ¶통일 한국의 ~을 그리다 描绘统一韩国的蓝图

미량(微量) 图 微量 wēiliàng ¶사체의 위에서 ~의 독극물이 검출되었다 尸体的胃里检出了微量的剧毒物品

미:려-하다(美麗—) 图 美丽 měilì; 秀丽 xiùlì; 秀美 xiùměi ¶경관이 ~ 风景美丽 / 미려한 용모 秀丽容貌 **미:려-히** 图

미력(微力) 图【하명】微薄之力 wēibózhīlì; 绵薄之力 miánbózhīlì ¶~하나마 노력해 보겠습니다 自己力量虽微薄, 但一定会尽力的

미련 图【하형】愚笨 yúbèn; 愚蠢 yúchǔn; 笨 bèn; 蠢 chǔn; 傻 shǎ ¶~한 생각 愚蠢的想法 / ~을 떨다 干蠢事 / 그런 말을 하다니 너도 참 ~하다 竟然说那种话, 你也太愚蠢了

미:련(未練) 图 留恋 liúliàn; 迷恋 míliàn; 眷恋 juànliàn; 舍不得 shěbude; 恋恋不舍 liànliànbùshě ¶아무런 ~ 없이 사직서를 던지고 회사를 떠나다 毫不留恋地扔下辞职书, 离开公司 / 나는 그에게 아직도 ~이 있다 我对他还心存迷恋

미련-스럽다 图 愚笨 yúbèn; 愚蠢 yúchǔn; 笨 bèn; 傻 shǎ; 糊涂 hútu **미련스레** 图

미련-퉁이 閶 蠢家伙 chǔnjiāhuo

미:로(迷路) 閶 迷宫 mígōng ¶~와 같은 골목길 像迷宫一样的小巷

미루-나무 閶【植】美州黑杨 wěizhōu-hēiyáng = 포플러

미루다 冟 **1** 推迟 tuīchí; 推延 tuīyán; 推 tuī ¶오늘 일을 내일로 미루지 마라 今天的事不要推到明天 **2** 推委 tuīwěi; 推卸 tuīxiè; 推 tuī ¶자기 할 일을 남에게 ~ 把自己份内的事推给别人做 **3** 类推 lèituī; 推知 tuīzhī; 推导 tuīdǎo; 推测 tuīcè ¶여러 정황으로 미루어 무슨 일이 벌어지고 있는 게 분명하다 从各种情况可以推测到某件事准在发生

미:륵(彌勒) 閶【佛】= 미륵보살

미륵-보살(彌勒菩薩) 閶【佛】弥勒佛 mílèfó; 弥勒菩萨 mílè púsa = 미륵·미륵불

미륵-불(彌勒佛) 閶【佛】= 미륵보살

미리 閔 预先 yùxiān; 事前 shìqián; 事先 shìxiān ¶~ 준비하다 预先准备 / ~ 연락하다 事先联系 / 비행기표를 ~ 예약하다 预订订购机票

미리-미리 閔 预先 yùxiān; 事先 shìxiān; 在先 zàixiān ¶~ 준비를 갖추다 事先做好准备

미립(微粒) 閶 微粒 wēilì ¶~자 微粒子

미:만(未滿) 閶閽 未满 wèimǎn; 不满 bùmǎn ¶오 세 ~ 어린이는 무료 입장이다 未满五岁的小孩子免费入场

미:망-인(未亡人) 閶 未亡人 wèiwáng-rén; 寡妇 guǎfu; 遗孀 yíshuāng

미:명(未明) 閶閽 黎明 límíng; 拂晓 fúxiǎo ¶내일 새벽 ~에 출발한다 明天拂晓出发

미:명(美名) 閶 美名 měimíng; 名目 míngmù ¶개발이라는 ~ 아래 독재 정치를 펴다 开发的名目下实行独裁政治

미:모(美貌) 閶 美貌 měimào ¶~의 젊은 여인 美貌的年轻女人 / 그녀는 ~가 빼어나다 她长得十分美貌

미목(眉目) 閶 眉目 méimù ¶~이 수려하다 眉目清秀

미:몽(迷夢) 閶 迷梦 mímèng; 梦幻 mènghuàn ¶~에서 깨어나다 从迷梦之中清醒过来

미묘-하다(微妙─) 閽 微妙 wēimiào ¶미묘한 변화 微妙的变化 / 미묘한 의견 차이 微妙的意见差异 **미묘-히** 閔

미물(微物) 閶 **1** 微物 wēiwù **2** 动物 dòngwù; 畜生 chùsheng ¶개는 말 못하는 ~이지만 주인에게 충직하다 狗虽是不能说话的动物，但对主人忠心耿耿

미미-하다(微微─) 閽 微小 wēixiǎo;

微不足道 wēibùzúdào; 微乎其微 wēihūqíwéi ¶미미한 존재 微不足道的存在 **미미-히** 閔

미:-발표(未發表) 閶閽 未发表 wèifābiǎo ¶~의 논문 未发表的论文

미:백(美白) 閶閽 美白 měibái ¶~ 화장품 美白化妆品 / ~ 효과 美白效果非常显著

미봉(彌縫) 閶閽 弥缝 míféng; 补救 bǔjiù ¶과실을 ~하다 弥缝过失

미봉-책(彌縫策) 閶 权宜之策 quányízhīcè; 权宜之计 quányízhījì

미분(微分) 閶閽【數】微分 wēifēn

미:-분양(未分讓) 閶 未售出 wèishòuchū ¶~ 아파트 未售出公寓

미:불(未拂) 閶閽 未支付 wèizhīfù ¶~ 임금 未支付的工资

미:비(未備) 閶閽 未具备 wèijùbèi; 不完备 bùwánbèi; 不齐全 bùqíquán ¶안전시설의 ~로 대형 사고가 발생하였다 因为安全设施不完备，发生了大车故

미사(라Missa) 閶 **1**【宗】弥撒 mísa ¶~를 드리다 做弥撒 mísa **2**【音】= 미사곡

미사-곡(라Missa曲) 閶【音】弥撒曲 mísaqǔ = 미사2

미사일(missile) 閶【軍】导弹 dǎodàn; 飞弹 fēidàn = 유도탄 ¶적기를 향해 ~을 쏘다 向敌机发射飞弹

미:상(未詳) 閶閽 未详 wèixiáng; 不详 bùxiáng ¶작자 ~의 작품 作者未详的作品

미색(米色) 閶 米色 mǐsè; 米黄色 mǐhuángsè

미:색(美色) 閶 美色 měisè; 美女 měinǚ; 美貌 měimào ¶~에 출중하다 美貌出众 / ~에 빠지다 迷恋美色

미:-생물(微生物) 閶【生】微生物 wēishēngwù

미:성(美聲) 閶 美声 měishēng ¶~의 가수 美声歌手

미:-성년(未成年) 閶【法】未成年 wèichéngnián

미:-성년-자(未成年者) 閶【法】未成年者 wèichéngniánzhě ¶~ 관람 불가 未成年者不可观赏

미:-성숙(未成熟) 閶閽 未成熟 wèichéngshú; 不成熟 bùchéngshú

미세(微細) 閶閽 微细 wēixì; 细微 xìwēi; 微弱 wēiruò ¶~한 입자 微粒子 / ~한 차이 细微的差别

미선 스쿨(mission school)【教】**1** 教会学校 jiàohuì xuéxiào **2** 神学院 shénxuéyuàn

미소(微笑) 閶閽 微笑 wēixiào ¶회심

의 ～ 会心的微笑／얼굴에 ～를 띠다
面带微笑

미소(微小) 톙혱혱 微小 wēixiǎo; 细小 xìxiǎo ¶～と 작은 차이 微小的差异

미소(微少) 혱혱 微少 wēishǎo; 细微 xiwēi ¶～ 분량 微少分量

미:-소녀(美少女) 톙 美少女 měishàonǚ

미:-소년(美少年) 톙 美少年 měishàonián

미송(美松) 톙【植】北美红松 běiměisōng

미:수(未收) 톙혱횀 1 未收取 wèishōuqǔ; 没收回 méishōuhuí ¶아직 대금을 ～하여 자금이 부족하다 钱款还没收回, 所以资金不足 2【經】= 미수금

미:수(未遂) 톙혱횀 【法】未遂 wèisuì ¶～범 未遂犯 /～죄 未遂罪 / 살인 ～ 杀人未遂

미:수-금(未收金) 톙 未收的钱 wèishōude qián; 待收的款 dàishōude kuǎn = 미수(未收)²

미:-숙-아(未熟兒) 톙【醫】未成熟儿 wèichéngshú'ér; 未熟儿 wèishú'ér; 早产儿 zǎochǎn'ér ¶～를 낳다 生了早产儿

미:-숙-하다(未熟一) 혱 1 未熟 wèishú; 不成熟 bùchéngshú ¶미숙한 열매 未熟的果实 2 不熟练 bùshúliàn; 不老练 bùlǎoliàn ¶미숙한 솜씨 不熟练的手艺 / 일 처리가 ～ 办事不老练

미:-술(美術) 톙 美术 měishù ¶～가 美术家 /～계 美术坛 / =[美术坛] / 관 美术馆 / ～ 대학 美术学院 / ～품 美术品 / ～ 전람회 美术展览会 / ～ 교육 美术教育

미숫-가루 톙 炒米粉 chǎomǐfěn

미스(miss) 톙 错误 cuòwù; 失误 shīwù; 失策 shīcè ¶서브 ～ 发球失误 / 패스 ～ 传球失误 /～를 범하다 犯错误

미스(Miss) 톙 1 密斯 mìsī; 小姐 xiǎojiě ¶～ 리, 나 점심 먹고 올게 李小姐, 我去吃午饭 2 姑娘 gūniang ¶"결혼하셨습니까?" "아니오, 아직 ～예요." "结婚了吗?" "没有, 还是个姑娘" 3 小姐 xiǎojiě; 皇后 huánghòu ¶～ 코리아 韩国小姐

미스터(Mister·Mr.) 톙 先生 xiānsheng; 君 jūn; 氏 shì ¶～ 김 金 先生

미스터리(mystery) 톙 神秘 shénmì; 不可思议 bùkěsīyì; 神秘之迷 bùjiězhīmí ¶～로 남다 成为不解之迷 / =가 풀리다 神秘被揭开了

미시(微視) 톙 微观 wēiguān ¶～ 경제학 微观经济学 / ～ 경제 정책 微观经济政策

미시-적(微視的) 혱톙 =微观(的) wēiguān(de) ¶～ 세계 微观世界 / ～인 관

점에서 인간의 이성을 분석하다 微观的角度

미시-족(missy族) 톙 新潮时尚女士 xīnchǎo shíshàng nǚshì; 少妇族 shàofùzú

미시즈(Mrs.) 톙 夫人 fūrén; 女士 nǚshì

미:식(美食) 톙혱횀 美食 měishí; 美餐 měicān; 美味佳肴 měiwèi jiāyáo

미:-가(美食家) 톙 美食家 měishíjiā

미:식-축구(美式蹴球) 톙【體】美式足球 měishì zúqiú

미:신(迷信) 톙혱횀 迷信 míxìn ¶～을 타파하다 破除迷信

미:심-스럽다(未審一) 혱 不放心 bùfàngxīn; 怀疑 huáiyí; 不清楚 bùqīngchu ¶미심스러우면 직접 확인해 보세요 不放心的话究竟已可查吧

미:심-쩍다(未審一) 혱 疑惑 yíhuò; 不放心 bùfàngxīn; 怀疑 huáiyí; 可疑 kěyí ¶그의 행동에는 미심쩍은 데가 있다 他的行动有可疑之处 **미:심쩍이** 뮌

미싱(일mishin) 톙 = 재봉틀

미아(迷兒) 톙 迷路儿童 mílù értóng; 迷童 mítóng; 走失的儿童 zǒushīde értóng ¶～ 보호소 迷路儿童保护所

미안(未安) 톙혱횀혱뮌 对不起 duìbuqǐ; 抱歉 bàoqiàn; 不好意思 bùhǎoyìsi; 过意不去 guòyìbùqù ¶나는 아내에게 무척 ～하다 我很对不起妻子 / 오랫동안 기다리게 해서 ～합니다 很抱歉让究久等

미안-스럽다(未安一) 혱 对不起 duìbuqǐ; 抱歉 bàoqiàn; 不好意思 bùhǎoyisi; 过意不去 guòyìbùqù ¶거짓말을 한 것이 아내에게 좀 ～ 说了谎话, 对妻子有点过意不去

미약-하다(微弱一) 혱 微弱 wēiruò; 微小 wēixiǎo; 薄弱 bóruò ¶미약한 호흡 소리 微弱的气息声 / 세력이 ～ 势力微弱

미어-지다 좌 1 挤破 jǐpò; 撕裂 sīliè ¶어깻죽지의 살이 미어져서 피가 흘러나왔다 肩膀上的肉撕裂了, 血流了出来 2 挤满 jǐmǎn; 挤破 jǐpò; 涨破 zhàngpò; 塞满 sāimǎn ¶영화관이 관객으로 미어졌다 电影院里挤满了观众 / 자루가 미어지도록 쌀을 넣다 袋子里塞满了米 3 心痛 xīntòng; 心酸 xīnsuān; 心痛欲裂 xīntòngyùliè; 心碎 xīnsuì ¶가슴이 미어지는 듯한 슬픔을 느끼다 悲痛得心都碎了

미어-터지다 좌 挤满 jǐmǎn; 挤破 jǐpò ¶해마다 여름철이면 피서지는 사람들로 미어터진다 每年夏季避暑地挤满了人

미역¹ 톙 (在海、河、湖里) 洗澡 xǐzǎo; 游泳 yóuyǒng ¶강에서 ～을 감다

洗河水澡

미역² 圀〔植〕 裙带菜 qúndàicài

미역-국 圀 裙带菜汤 qúndàicàitāng

미역국을 먹다 ⑦ **1** 不及格; 落榜 **2** 被拒绝; 被退回

미:연(未然) 圀 预先 yùxiān; 事先 shìxiān; 事先 wèirán 灾害를 ~에 방지하다 事先防备灾害

미열(微熱) 圀 微热 wēirè; 低烧 dīshāo ¶~이 나다 发低烧

미온(微溫) 圀他 微温 wēiwēn; 略温 lüèwēn ¶~수 微温的水

미온-적(微溫的) 圀 消极(的) xiāojí(de); 不冷不热 bùlěngbùrè ¶~인 태도 消极的态度 / 반응이 ~이다 反应不冷不热

미:완(未完) 圀 = 미완성 ¶~의 원고 未完成的稿子

미:-완성(未完成) 圀他 未完 wèiwán; 未完成 wèiwánchéng; 未竟 wèijìng ¶~의 作品 未完成的作品 / ~ 교향곡 未完成交响曲

미:용(美容) 圀他 美容 měiróng ¶햇볕에 장시간 노출되는 것은 ~에 해롭다 在日光下曝晒对美容不利

미:용-사(美容師) 圀 美容师 měiróngshī

미:용-술(美容術) 圀 美容术 měiróngshù; 美容技术 měiróng jìshù ¶~이 뛰어나다 美容术高超 / ~을 배우다 学习美容技术

미:용-실(美容室) 圀 美容室 měiróngshì; 美容院 měiróngyuàn; 美发店 měifàdiàn; 美容厅 měifàtīng = 미장원

미:용 체조(美容體操) 〔體〕 健美操 jiànměicāo

미운-털 圀 令人生厌的 lìngrénshēngyànde ¶그는 선배에게 ~이 박혔다 他在学长的眼里成了一个令人生厌的

미움 圀 憎恶 zēngwù; 嫌恶 xiánwù; 厌恶 yànwù; 讨厌 tǎoyàn; 厌 yàn; 嫌 xián ¶~을 받다 讨人嫌 =[讨人嫌] / ~이 커지다 愈加憎恶 / ~을 받을 짓을 하다 做了令人厌恶的事

미워-하다 他 憎恨 zēnghèn; 厌恶 yànwù; 讨厌 tǎoyàn; 憎恶 zēngwù; 恨 hèn ¶원수를 ~ 憎恨仇人 / 죄를 ~ 憎恨罪恶 / 사람들은 모두 그를 미워한다 人们都厌恶他

미음(米飮) 圀 米汤 mǐtāng; 稀粥 xīzhōu ¶~을 끓이다 熬米汤

미이라 圀 '미라'의 잘못

미:인(美人) 圀 美人 měirén; 美女 měinǚ = 가인1 ¶~계 美人计 / ~ 대회 选美女比赛 =[选美大会] / 절세의 ~ 绝世美人

미:인-박명(美人薄命) 圀 佳人薄命 jiārén bómìng; 美人薄命 měirén bó-

mìng; 红颜薄命 hóngyán bómìng

미:장 圀他 抹墙 mǒqiáng; 泥水活儿 níshuǐhuór

미:장-원(美粧院) 圀 = 미용실

미:장-이 圀 泥瓦匠 níwǎjiàng; 泥水匠 níshuǐjiàng

미:-적(美的) 圀 美 měi; 美的 měide; 审美 shěnměi ¶~ 기준 审美标准 / ~ 감각이 뛰어나다 对美的感觉很灵敏

미적-거리다 目 **1** 一点一点推 yīdiǎn yīdiǎn tuī; 一点一点挪动 yīdiǎn yīdiǎn nuódòng ¶아이는 끙끙대며 커다란 가방을 미적거리고 있다 孩子哼哧哼哧地把大包一点一点往前挪动着 **2** 拖拉 tuōlā ¶일을 미적거리다 보니 어느새 마감일이 다가왔다 干活儿拖拖拉拉的, 不知不觉到截止日期了 **3** 踌躇 chóuchú; 犹豫 yóuyù ¶미적거리며 눈치만 살피다 犹犹豫豫的, 直看脸色 ‖ = 미적대다 **미적-미적** 圀 몡

미:-적분(微積分) 圀〔數〕 微积分 wēijīfēn

미적지근-하다 圀 **1** 略温 lüèwēn; 不冷不热 bùlěngbùrè; 温吞 wēntūn; 温吞吞 wēntūntūn; 温乎乎 wēnhūhū ¶물이 ~ 水温吞吞的 **2** 不疼不痒 bùténgbùyǎng; 不冷不热 bùlěngbùrè; 消极 xiāojí; 暧昧 àimèi; 模棱两可 móléngliǎngkě ¶반응이 ~ 反应不冷不热 **미적지근-히** 몡

미:정(未定) 圀他 未定 wèidìng; 待定 dàidìng ¶행선지는 아직 ~이다 目的地还未定

미:-제(未濟) 圀 未了 wèiliǎo; 未完 wèiwán ¶~ 사건 未了案件

미제(美製) 圀 美产 měichǎn; 美制 měizhì; 美国产 měiguóchǎn; 美国制造 měiguó zhìzào ¶~ 자동차 美国产的汽车

미주(美洲) 圀 美洲 měizhōu

미주알-고주알 몡 刨根(儿)问底(儿) páogēn(r)wèndǐ(r); 追根究底 zhuīgēnjiūdǐ ¶~ 캐묻지 마라 别刨根问底了

미즈(Ms.) 圀 女士 nǚshì

미:-증유(未曾有) 圀他 未曾有 wèicéngyǒu; 空前 kōngqián; 前所未有 qiánsuǒwèiyǒu ¶~의 사건 前所未有的事件

미:지(未知) 圀他 未知 wèizhī ¶~의 세계 未知的世界

미지근-하다 圀 **1** 略温 lüèwēn; 不冷不热 bùlěngbùrè; 温吞 wēntūn; 温吞吞 wēntūntūn; 温乎乎 wēnhūhū ¶국이 식어 ~ 汤凉了, 温吞吞的 **2** 不疼不痒 bùténgbùyǎng; 不冷不热 bùlěngbùrè; 消极 xiāojí; 暧昧 àimèi; 模棱两可 móléngliǎngkě ¶그렇게 미지근하게 굴지 않

말고 분명히 대답을 해라 不要模棱两可的, 回答清楚些 **미지근-히** 🄫

미:-지급(未支給) 🄜🄗🄻 未支给 wèizhīfù; 未支付 wèizhīfù ¶~ 임금 未支给的工资

미:-지수(未知數) 🄜【數】未知数 wèizhīshù ¶성공 여부는 아직 ~다 成功与否还是未知数

미:-진-하다(未盡一) 🄞 未尽 wèijìn; 未完 wèiwán; 不足 bùzú; 不充分 bùchōngfēn ¶미진한 부분은 추후에 보완한다 不足的部分事后补full

미처 🄬 未及 wèijí; 还没 háiméi; 没来得及 méiláidéjí; 来不及 láibují ¶나는 바빠서 ~ 그 일을 끝내지 못했다 我忙得没来得及 做完那项工作 / ~ 피하지 못하고 차에 치였다 来不及躲开, 被车撞上了

미천-하다(微賤一) 🄞 卑贱 bēijiàn; 微贱 wēijiàn; 低贱 dījiàn ¶미천한 가문 低贱的家门 / 출신이 ~ 出身微贱

미:-취학(未就學) 🄜🄗🄳 未就学 wèijiùxué; 未上学 wèishàngxué ¶~ 아동 未就学儿童

미치광이 🄜 疯子 fēngzi; 疯人 fēngrén; 狂人 kuángrén ¶전쟁 ~ 战争狂人

미치다¹ 🄥 **1** 疯 fēng; 发疯 fāfēng; 疯狂 fēngkuáng; 发狂 fākuáng ¶심리적 충격으로 ~ 因心里受到打击而发疯了 **2** 迷 mí; 入迷 rùmí; 着迷 zháomí; 迷住 mízhù; 着魔 zháomó ¶축구에 ~ 被足球迷住 / 도박에 ~ 被魔于赌博 **3** 要命 yàomìng; 死了 sǐle; 疯了 fēngle ¶그땐 정말 화가 나서 미칠 지경이었다 那时候我简直要气疯了 / 나는 그녀가 미치도록 보고 싶다 我想她想得要命 **4** 发神经 fā shénjīng; 神经病 shénjīngbìng; 疯 fēng ¶그런 일을 하다니, 너 미쳤니? 你竟然做出那种事, 你疯了吗?

미쳐 날뛰다 🠒 疯狂; 猖狂; 疯狂肆虐

미치다² 🄐🄥 **1** 及 jí; 到 dào; 够 gòu; 达 dá; 达到 dádào ¶힘이 미치지 못하다 力所不及 / 그 수준에는 미치지 못한다 还不到那个水平 **2** 涉及 shèjí; 波及 bōjí; 牵连到 qiānliándào; 及 jí ¶화가 가족에게 ~ 祸及家人 🄐🄴 招来 zhāolái; 带来 dàilái; 招到 zhāozhì ¶큰 영향을 ~ 带来很大影响

미친-개 🄜 疯狗 fēnggǒu; 狂犬 kuángquǎn = 광견(狂犬) ¶~에 물렸다 被疯狗咬了

미친-년 🄜 疯婆子 fēngpózi; 疯女人 fēngnǚrén; 疯妇 fēngfù

미친-놈 🄜 疯子 fēngzi; 疯人 fēngrén; 神经病 shénjīngbìng

미키 마우스(Mickey Mouse) 【演】米老鼠 Mǐlǎoshǔ; 米奇老鼠 Mǐqí lǎoshǔ

미터(meter) 🄟🄜 米 mǐ; 公尺 gōngchǐ ¶삼 ~ 높이에서 뛰어내리다 从三米高的地方跳下

미터-기(meter器) 🄜 **1** 计量器 jìliàngqì **2** 计程器 jìchéngqì; 计程表 jìchéngbiǎo ¶~에 따라 요금을 받다 按计程表收费

미터-법(meter法) 🄜 【物】公尺制 gōngchǐzhì; 米制 mǐzhì

미팅(meeting) 🄜 **1** (男女之间的) 见面会 jiànmiànhuì ¶나는 대학 첫 ~에서 그녀를 만났다 我在大学第一次的见面会上遇到了她 **2** 会议 huìyì; 集会 jíhuì; 聚会 jùhuì; 会 huì ¶팬 ~ 歌迷会

미:-풍(美風) 🄜 美风 měifēng; 美好风尚 měihǎo fēngshàng; 好风气 hǎofēngqì; 好作风 hǎozuòfēng ¶~양속 美风良俗

미풍(微風) 🄜 微风 wēifēng; 细风 xìfēng ¶한 줄기 ~ 一缕微风 / ~이 불어오다 微风吹来

미:-필(未畢) 🄜 未完 wèiwán; 未服役 wèifúyì; 未结束 wèijiéshù ¶~자 未服役者 / 병역을 ~하다 未服兵役

미:-학(美學) 🄜 【哲】美学 měixué; 审美学 shěnměixué = 심미학

미:-해결(未解決) 🄜🄗🄴 未解决 wèijiějué; 待解决 dàijiějué; 悬而未决 xuán'érwèijué ¶~의 문제 待解决的问题

미행(尾行) 🄜🄗🄴 跟踪 gēnzōng; 钉梢 dīngshāo; 盯梢 dīngshāo ¶경찰이 용의자를 ~하다 警察跟踪嫌疑犯 / 남에게 ~ 당하고 있음을 눈치채다 发现自己被人跟踪

미혹(迷惑) 🄜🄗🄥 迷惑 míhuò; 蛊惑 gǔhuò ¶아름다운 여인에게 ~되다 被美女迷惑 / 민심을 ~하다 蛊惑民心

미:-혼(未婚) 🄜 未婚 wèihūn; 不结婚 bùjiéhūn; 没结婚 méijiéhūn ¶~ 남녀 未婚男女 / ~으로 평생을 살다 不结婚过一辈子

미:-혼-모(未婚母) 🄜 未婚母亲 wèihūn mǔqīn; 未婚妈妈 wèihūn māma

미:-혼-자(未婚者) 🄜 未婚者 wèihūnzhě; 未婚人 wèihūnrén

미:-화(美化) 🄜🄗🄴 美化 měihuà; 粉饰 fěnshì ¶환경 ~ 美化环境 / 그에 관한 이야기는 지나치게 ~되어 있다 有关他的事被过分美化了

미:-화(美貨) 🄜 【經】美元 měiyuán; 美金 měijīn ¶~를 불법으로 반출하다 非法带出美元

미:-화-원(美化員) 🄜 清洁工 qīngjiégōng; 清洁工人 qīngjié gōngrén

미:-확인(未確認) 图[하타] 未确认 wèiquèrèn; 不确定 bùquèdìng ¶~ 보도 不确定的报道

미:-확인 비행 물체(未確認飛行物體) 【物】不明飞行物 bùmíng fēixíngwù; 飞碟 fēidié = 유에프오

미:-흡(未洽) 图[하타] 不足 bùzú; 不够 bùgòu; 不满意 bùmǎnyì; 不满足 bùmǎnzú ¶설명이 ~하다 说明不足 / 조치가 ~하다 措施不够

믹서(mixer) 图 **1** 果汁机 guǒzhījī; 搅拌机 jiǎobànjī ¶딸기를 ~로 갈아 주스를 만들다 用果汁机把草莓搅成果汁 **2** 【建】(混凝土) 搅拌机 jiǎobànjī

민- 〔접두〕**1** 纯 chún; 素 sù; 单色 dānsè ¶~얼굴 素面 / ~저고리 单色袄 **2** 光 guāng; 秃 tū; 无 wú ¶~무늬 无花纹 / ~소매 无袖衣 / ~머리 光头

-민(民) 〔접미〕民 mín; 百姓 bǎixìng; 人 rén ¶실향~ 离乡百姓 / 유목~ 游牧民 / 이재~ 灾民

민가(民家) 图 老百姓家 lǎobǎixìngjiā; 民家 mínjiā; 民户 mínhù

민간(民間) 图 **1** 民间 mínjiān; 野 yě ¶~신앙 民间信仰 / ~요법 民间疗法 / ~문화 民间文化 / ~에 전승되다 传承于民间 **2** 私人 sīrén; 民营 mínyíng; 民间 mínjiān ¶~기업 民营企业 / 단체 民间团体 / ~외교 民间外交 / 자본 民间资本

민간 설화(民間說話) 【文】= 민담

민간-인(民間人) 图 老百姓 lǎobǎixìng; 普通百姓 pǔtōng bǎixìng ¶영내에 ~ 출입을 통제하다 军营内禁止普通百姓出入

민간 :-공(民間航空) 【航】民用航空 mínyòng hángkōng; 民航 mínháng

민-감-하다(敏感一) 图 敏感 mǐngǎn ¶민감성 피부 敏感性皮肤 / 유행에 ~ 对流行很敏感 **민감-히** 图

민-낯 图 (没化妆的) 素面 sùmiàn

민단(民團) 图【法】= 거류민단

민담(民譚) 图 民间故事 mínjiān gùshi; 民间传说 mínjiān chuánshuō = 민간 설화

민둥-민둥 图[하타][히우] (山) 光秃秃(的) guāngtūtū(de) ¶산에 나무가 너무 없어 ~하다 山上树非常少, 光秃秃的

민둥-산(一山) 图 秃山 tūshān; 童山 tóngshān = 벌거숭이산

민둥-하다 图 **1** 难为情 nánwéiqíng; 不自在 bùzìzai; 尴尬 gāngà **2** (山) 光秃秃(的) guāngtūtū(de) ¶민둥한 야산 光秃秃的小山岗

민들레 图【植】蒲公英 púgōngyīng

민란(民亂) 图 民变 mínbiàn; 民众暴动 mínzhòng bàodòng ¶~이 일어나다 激起民变

민망-하다(憫惘一) 图 心里难受 xīnli nánshòu; 难为情 nánwéiqíng; 不好意思 bùhǎoyìsi; 过意不去 guòyìbùqù; 不过意 bùguòyì ¶부탁을 하기가 민망해서 도저히 말을 꺼내지 못하겠다 我作那样的请求感到难为情, 实在开不了口 **민망-히** 图

민-머리 图 秃头 tūtóu; 光头 guāngtóu

민-며느리 图 童养媳 tóngyǎngxí; 等郎媳 děnglángxí

민무늬 토기(一土器) 无纹陶器 wúwén táoqì

민-물 图 淡水 dànshuǐ = 단물1·담수 ¶~낚시 淡水垂钓 =[淡水钓鱼]

민물-고기 图 淡水鱼 dànshuǐyú = 담수어

민박(民泊) 图[하자] 民宿 mínsù; 寄宿民家 tóusù mínjiā ¶바닷가 근처에서 ~하다 投宿在海边的民家

민-방공(民防空) 图 民间防空 mínjiān fángkōng

민-방위(民防衛) 图 民防 mínfáng; 民间防卫 mínjiān fángwèi ¶~대 民间防卫队 =[民防队]

민법(民法) 图【法】民法 mínfǎ

민병(民兵) 图【軍】民兵 mínbīng ¶~대 民兵队 / ~을 조직하다 组织民兵

민본-주의(民本主義) 图【政】民本主义 mínběn zhǔyì

민사(民事) 图【法】民事 mínshì ¶~법 民事法 / ~사건 民事案件 =[民事案] / ~소송 民事诉讼 / ~재판 民事裁判 / ~책임 民事责任

민생(民生) 图 民生 mínshēng; 人生计 rénmín shēngjì ¶~치안 民生治安 / ~이 피폐해지다 民生凋敝 / ~이 도탄에 빠지다 民生涂炭

민생-고(民生苦) 图 民生苦 mínshēngkǔ; 民生苦难 mínshēng kǔnàn; 民隐 mínyǐn ¶~를 해결하다 解救民生苦

민선(民選) 图[하타]【政】民选 mínxuǎn ¶~시장 民选市长

민-소매 图 无袖 wúxiù; 无袖衣 wúxiùyī ¶~원피스 无袖连衣裙

민속(民俗) 图 民俗 mínsú; 民风 mínfēng ¶~극 民俗剧 / ~놀이 民俗游戏 =[民间游戏] / ~무용 民俗舞蹈 =[民间舞蹈] / ~음악 民俗音乐 =[民乐] / ~촌 民俗村 / ~학 民俗学

민심(民心) 图 民心 mínxīn; 民意 mínyì ¶~이 동요하다 民心动摇 / ~을 수습하다 稳定民心

민심은 천심 俗담 民心是天心

민어(民魚) 图【魚】鮸鱼 miǎnyú

민영(民營) 图 民营 mínyíng; 民办 mínbàn; 私营 sīyíng ¶~방송 民办广播 / ~철도 民营铁路 / ~주택 民营住宅

민영-화(民營化) 團閼旭 民营化 mín-yínghuà; 民办化 mínbànhuà; 私营化 sīyínghuà ¶공기업을 ~하다 把公营企业民营化

민요(民謠) 團 〖音〗民谣 mínyáo; 民歌 míngē ¶~곡 民谣曲

민원(民願) 團 信访 xìnfǎng ¶~서류 信访文件 / ~실 信访室 =[信访处] / ~인 信访人 / ~업무 信访业务 / ~을 해결하다 解决信访问题

민의(民意) 團 民意 mínyì ¶~를 수렴하다 搜集民意 / ~를 대변하다 代言民意 / ~를 반영하다 反映民意

민자(民資) 團 民间投资 mínjiān tóuzī; 民资 mínzī ¶~ 고속도로 民间投资高速公路 / ~를 유치하다 引进民间投资

민정(民情) 團 民情 mínqíng ¶~을 살피다 视察民情 / ~에 어둡다 不谙民情

민족(民族) 團 民族 mínzú ¶단일-민족 单一民族 / ~문화 民族文化 / ~사 民族史 / ~ 국가 民族国家 / ~상장 民族相成 / ~성 民族特点 / ~의상 民族服装 / ~의식 民族意识 / ~ 자본 民族资本 / ~정신 民族精神 / ~주의 民族主义 / ~혼 民族魂

민주(民主) 團 民主 mínzhǔ ¶~ 공화국 民主共和国 / ~ 국가 民主国家 / ~ 정치 民主政治 / ~ 제도 民主制度 / ~주의 民主主义

민주-적(民主的) 冠團 民主(的) mínzhǔ(de) ¶이번 선거는 ~ 절차에 의해 치러졌다 这次选举是依照民主的程序进行的

민주-화(民主化) 團閼旭 民主化 mínzhǔhuà ¶~ 과정 民主化过程 / ~ 운동 民主化运动

민중(民衆) 團 〖政〗民众 mínzhòng; 群众 qúnzhòng ¶~가요 民众歌谣 / ~ 운동 群众运动 / ~의 힘 群众的力量

민첩-하다(敏捷-) 圈 敏捷 mǐnjié ¶움직임이 ~ 动作敏捷 **민첩-히** 鼻

민첩-성(敏捷性) 團 敏捷性 mǐnjiéxìng

민초(民草) 團 民草 míncǎo

민트(mint) 團 〖植〗薄荷

민폐(民弊) 團 民瘼 mínmò; 麻烦 máfan ¶남에게 ~를 끼치다 给别人添麻烦

민항(民航) 團 〖航〗'민간 항공'의 略词

민화(民話) 團 民间故事 mínjiān gùshì; 民间传说 mínjiān chuánshuō

민화(民畫) 團 〖美〗民画

민활-하다(敏活-) 圈 灵活 línghuó; 敏捷 mǐnjié ¶민활한 두뇌 灵活的头脑 / 민활하게 움직이다 行动敏捷 **민활-히** 鼻

믿-기다 困 (让人)信 xìn; 相信 xiāng-xìn ¶그 소식은 도무지 믿기지 않는다 那消息怎么也无法让人相信

믿다 困 1 信 xìn; 相信 xiāngxìn; 置信 zhìxìn ¶나는 이 말을 믿지 않는다 这话我不信 / 믿기 어렵다 难以置信 / 나는 그의 말을 철석같이 믿었다 我对他的话深信不疑了 2 信任 xìnrèn; 信赖 xìnlài; 靠 kào; 依靠 yīkào; 指望 zhǐwàng; 指靠 zhǐkào; 仗 zhàng; 凭仗 píngzhàng; 仗恃 zhàngshì ¶우리 팀은 너만 믿는다 我们队就靠你啦 / 머리만 믿고 공부를 안 하다 仗着自己的聪明不好好学习 3 信仰 xìnyǎng; 信奉 xìnfèng; 信 xìn; 迷信 míxìn ¶불교를 ~ 信奉佛教 / 우리 어머니는 미신을 너무 믿으신다 我妈妈很迷信 ‖믿는 도끼에 발등 찍힌다 圈固 所信之人反露其丑

믿음 團 1 信 xìn; 信任 xìnrèn; 信赖 xìnlài ¶사람들의 ~을 저버리다 辜负了人们的信任 2 〖宗〗信仰 xìnyǎng = 신앙 2 ¶~을 가지다 有信仰 / ~이 깊다 信仰笃实

믿음직-스럽다 圈 可靠 kěkào; 可信 kěxìn; 靠得住 kàodezhù; 信得过 xìndeguò ¶일처리가 ~ 办事很可靠 **믿음직스레** 鼻

믿음직-하다 圈 可靠 kěkào; 可信 kěxìn; 靠得住 kàodezhù; 信得过 xìnděguò ¶사람이 믿음직해 보인다 人看上去很可靠 / 그의 단호한 태도가 ~ 他坚决的态度让人觉得靠得住

밀 團 〖植〗小麦 xiǎomài; 麦子 màizi; 麦 mài = 소맥

밀-가루 團 面 miàn; 面粉 miànfěn; 小麦粉 xiǎomàifěn; 白面 báimiàn ¶~를 반죽하다 和面 / ~ 한 포대를 사다 买一袋面粉

밀감(蜜柑) 團 〖植〗蜜柑 mìgān; 橘子 júzi

밀-거래(密去來) 團閼旭 非法买卖 fēifǎ mǎimai; 秘密买卖 mìmì mǎimai ¶마약을 ~하다 非法买卖毒品

밀고(密告) 團閼旭 密告 mìgào; 告密 gàomì; 密报 mìbào ¶~자 告密者 / ~장 告密状 〖隐帖〗/ 파업 모의를 ~하다 密告罢工筹谋

밀-기울 團 麦糠 màikāng; 麦麸子 màifūzi

밀다 困 1 推 tuī ¶문을 ~ 推门 / 수레를 ~ 推车 2 刨 bào; 刮 guā; 推 tuī; 搓 cuō ¶머리를 ~ 推头 / 수염을 ~ 刮胡子 / 대패를 ~ 搓澡 / 대패로 판자를 ~ 用刨子刨木板 / 내 등 좀 밀어 줘 帮我搓背 3 推平 tuīpíng; 铲平 chǎnpíng ¶불도저로 ~ 用铲土机推平 4 擀 gǎn; 熨 yùn; 烫 tàng; 压 yā; 轧 yà ¶밀가루 반죽을 ~ 擀面 / 만두피를 ~

擀饺子皮 / 다리미로 구김살을 ~ 用
熨斗把皱折烫 **5** 推荐 tuījiàn; 推举
tuījǔ; 推载 tuīdài ¶그를 반장으로 ~
推举他当班长 **6** 支持 zhīchí; 鼓励
gǔlì; 帮助 bāngzhù ¶자신을 밀어준 사
람들에게 고마움을 표하다 向支持自
己的人们表示感谢 **7** 推进 tuījìn; 坚持
jiānchí ¶계획대로 밀고 나가다 按计划
推进下去

밀담(密談) 图団자 密谈 mìtán ¶두 사
람은 한동안 ~을 나누었다 两个人密
谈了一阵

밀도(密度) 图 密度 mìdù ¶인구 ~ 人
口密度 / ~가 높다 密度高

밀-도살(密屠殺) 图団자 私宰 sīzǎi

밀랍(蜜蠟) 图 蜜蜡 mìlà; 蜂蜡 fēnglà;
黄蜡 huánglà; 蜡 là ¶~ 인형 蜡像 /
~ 인형 전시관 蜡像馆

밀려-나다 困 **1** 被挤 bèijǐ; 被挤出去
bèijǐchūqù; 被挤走 bèijǐzǒu ¶길옆으로
~ 被挤到路边 **2** 被赶出去 bèigǎn-
chūqù; 被挤下台 bèigǎnxiàtái; 被撤去
bèichèqù ¶밀려나 한직으로 ~ 被排挤
到闲职 / 공직에서 ~ 被撤去公职

밀려-들다 困 拥来 yōnglái; 拥进 yōng-
jìn; 侵袭 qīnxí; 袭用而来 xíyōng'érlái
¶군중이 광장으로 밀려들었다 群众拥
进广场来了 / 외로움이 온몸에 밀려들
었다 孤独感袭来了全身

밀려-오다 困 **1** 推来 tuīlái; 涌进来
yōngjìnlái; 涌过来 yōngguòlái ¶파도가
항구에 ~ 浪涛涌进港口来 **2** 拥进来
yōngguòlái; 拥上来 yōngshànglái; 纷拥
而来 fēnyōng'érlái; 袭来 xílái ¶소녀 팬
들이 공연장으로 ~ 少女歌迷们向演
出场纷拥而来

밀렵(密獵) 图団자 偷猎 tōuliè; 私猎 sī-
liè ¶~꾼 偷猎者 / ~이 성행하다 偷猎
十分猖獗

밀리(←millimeter) 의명 = 밀리미터

밀리그램(milligram) 의명 毫克 háokè

밀리다[1] 困 **1** 堆积 duījī; 积压 jīyā; 被
拖 bèituō ¶방세가 ~ 房租被拖下来 /
일이 산더미같이 ~ 工作很多堆积如
山 / 그녀는 일주일 동안 밀린 빨래를
한꺼번에 해치웠다 她把堆积了一星期
的衣物一下子洗掉了 **2** 堵车 dǔchē;
拥挤 yōngjǐ ¶출퇴근 시간에 이 도로
는 늘 차가 밀린다 上下班时这条路老
是堵车

밀-리다[2] 困 被推 bèituī《'밀다1'의 被
动词》¶파도에 밀려 여기까지 왔다 被
浪涛推到这里来的 / 인파에 밀려 넘어
지다 被人群推倒了

밀리리터(milliliter) 의명 毫升 háo-
shēng

밀리미터(millimeter) 의명 毫米 háo-

mǐ = 밀리

밀림(密林) 图 密林 mìlín = 정글 ¶~
시대 密林地带

밀매(密賣) 图団타 私卖 sīmài; 私售
sīshòu; 秘密出售 mìmì chūshòu ¶마약
을 ~하다 私售毒品

밀-무역(密貿易) 图団타 走私 zǒusī
¶그들은 주로 보석류를 ~한다 他们主
要走私珠宝类物品

밀-물 图 〖地理〗涨潮 zhǎngcháo; 来
潮 láicháo ¶~과 썰물 涨潮和落潮

밀-반입(密搬入) 图団타 偷运(进来)
tōuyùn(jìnlái); 私运(进来) sīyùn(jìnlái);
走私 zǒusī ¶국내에 ~된 총기류 走私
到国内的武器

밀-반출(密搬出) 图団타 偷运(出去)
tōuyùn(chūqù); 私运(出去) sīyùn(chū-
qù); 走私 zǒusī ¶외화 ~ 偷运出外
币

밀-:방망이 图 擀面杖 gǎnmiànzhàng

밀봉(密封) 图団타 密封 mìfēng; 封闭
fēngbì ¶~한 기밀 서류 密封的机密文
件 / 봉랍으로 병 주둥이를 ~하다 用
火漆封闭瓶口

밀사(密使) 图 密使 mìshǐ ¶~를 파견
하다 派遣密使

밀서(密書) 图 密信 mìxìn; 密件 mì-
jiàn; 密函 mìhán

밀선(密船) 图 非法船只 fēifǎ chuánzhǐ
¶~을 타고 밀입국하다 搭乘非法船只
偷渡入境

밀수(密輸) 图団타 走私 zǒusī ¶~선
私船 / ~품 走私品 / 마약을 ~하다
走私毒品 / 보석을 국내로 ~해 들여
오다 把珠宝走私到国内

밀수업-자(密輸業者) 图 走私者 zǒusī-
zhě; 走私贩 zǒusīfàn; 走私的 zǒusīde

밀-수입(密輸入) 图団타 走私进口 zǒu-
sī jìnkǒu ¶외국에서 보석을 ~하다 从
国外走私进口珠宝

밀-수출(密輸出) 图団타 走私出口 zǒu-
sī chūkǒu ¶금괴를 ~하다 走私出口
金块

밀실(密室) 图 密室 mìshì ¶~ 정치 密
室政治 / ~에 감금하다 囚禁密室

밀알 图 麦粒 màilì

밀약(密約) 图団타 密约 mìyuē ¶~을
맺다 签订密约

밀어(蜜語) 图 蜜语 mìyǔ; 甜言蜜语
tiányán mìyǔ; 情话 qínghuà ¶사랑의
~ 爱情密语 / ~를 속삭이다 情话
绵绵

밀어-내다 타 **1** 挤出 jǐchū; 推出 tuī-
chū ¶문밖으로 ~ 推出门外 **2** 赶出
gǎnchū; 赶下台 gǎnxiàtái; 排挤 páijǐ;
撤去 chèqù ¶부패한 공무원을 공직에
서 ~ 将腐败的公务员撤去公职

밀어-붙이다 타 **1** 推到一角 tuīdào

밀어붙이다 타 1 推到一边 tuīdào yībiān; 用力推 yònglì tuī ¶그녀를 거칠게 한쪽으로 밀어붙였다 把她粗暴地推到一边 2 紧逼 jǐnbī; 推行 tuīxíng ¶우리 팀은 상대 팀을 계속 밀어붙였다 我们队一直紧逼着对方 / 자기의 계획을 ~ 推行自己的计划

밀어-젖히다 타 1 推开 tuīkāi ¶문을 ~ 把门推开 2 拨开 bōkāi ¶사람들을 밀어젖히고 앞으로 나아가다 拨开人群向前进

밀어-주다 타 1 (积极地) 支持 zhīchí 2 推荐 tuījiàn; 推举 tuījǔ; 推 tuī ¶그를 회장으로 ~ 推他为会长

밀월(蜜月) 명 蜜月 mìyuè = 허니문1

밀월-여행(蜜月旅行) 명 = 신혼여행 ¶~을 떠나다 去蜜月旅行

밀입-국(—入國) 명하자 偷渡 tōudù; 偷渡入境 tōudù rùjìng ¶~자 偷渡者 =[偷渡者] / 우리나라에 ~하다 偷渡我国

밀-전병(—煎餅) 명 白面煎饼 báimiàn jiānbing

밀접(密接) 명하형 부 密切 mìqiè; 紧密 jǐnmì; 紧连 jǐnlián ¶양국 간의 관계가 ~하다 两国关系很密切 / 이 일은 그 일과 ~한 관련이 있다 这件事和那件事有密切关系

밀정(密偵) 명하자 1 密探 mìtàn ¶~을 잠입시키다 派密探潜入 2 秘密侦察 mìmì zhēnchá; 秘密侦探 mìmì zhēntàn

밀주(密酒) 명하자 1 私酿酒 sīniàng jiǔ; 私酿 sījǔ ¶~를 빚다 酿私酒 2 私自酿酒 sīzì niàngjiǔ

밀집(密集) 명하자 密集 mìjí; 稠密 chóumì; 茂密 màomì ¶인구 ~ 지역 人口密集的地区 / 인가가 ~해 있다 住户密集

밀-짚 명 麦秸 màijiē; 麦秆(儿) màigǎn(r)

밀짚-모자 명 草帽 cǎomào; 草编帽 cǎobiānmào

밀:-차(—車) 명 手推车 shǒutuīchē; 手车 shǒuchē ¶책을 ~에 싣다 把书装在手推车上

밀착(密着) 명하자 1 贴紧 tiējǐn; 紧贴 tiētiē; 贴身 tiēshēn; 近距离 jìnjùlí ¶~ 취재 近距离采访 / ~ 수비 贴身防守 / 껌이 바닥에 ~하여 떨어지지 않는다 口香糖紧贴在地上，弄不下来 2 (关系) 紧密 jǐnmì; 密切 mìqiè ¶중세의 예술은 종교와 ~되어 있었다 中世纪的艺术是与宗教紧贴相关的

밀:-치다 명 猛推 měngtuī; 推搡 tuīsǎng; 用力推 yònglì tuī ¶문을 ~ 用力推门

밀:치락-달치락 부하자 推推搡搡地

tuītuīsǎngsǎngde; 推来推去 tuīláituīqù; 推推拉拉 tuītuīlālā ¶사람들이 서로 먼저 타려고 ~하다 人们推推搡搡地争着上车

밀크-셰이크(milk shake) 명 奶昔 nǎixī; 泡沫牛奶 pàomò niúnǎi; 泡沫奶 pàomònǎi

밀크-캐러멜(milk+caramel) 명 牛奶糖 niúnǎitáng

밀통(密通) 명하자 私通 sītōng; 通奸 tōngjiān ¶적과 ~하다 私通敌寇 / 유부녀와 ~하다 与有夫之妇私通

밀파(密派) 명하타 暗中派遣 ànzhōng pàiqiǎn; 秘密派遣 mìmì pàiqiǎn ¶간첩을 ~하다 秘密派遣间谍

밀폐(密閉) 명하타 密封 mìfēng; 密闭 mìbì ¶~된 공간 密封空间 / 용기 密闭容器

밀항(密航) 명하자 秘密航行 mìmì hángxíng; 偷渡 tōudù ¶~선 偷渡船 / ~자 偷渡者 =[偷渡客]

밀회(密會) 명하자 密会 mìhuì; 幽会 yōuhuì; 秘密聚会 mìmì jùhuì ¶한밤중의 ~ 半夜幽会 / 연인들이 ~를 즐기다 恋人们钟情于幽会

밉다 형 1 难看 nánkàn; 丑 chǒu; 丑陋 chǒulòu ¶밉지도 곱지도 않은 얼굴 不丑也不好看的脸 2 讨厌 tǎoyàn; 可恶 kěwù; 可恨 kěhèn; 厌恶 yànwù ¶나는 정말 그가 ~ 我真的很讨厌他

미운 아이[놈] 떡 하나 더 준다 속담 可恶的人, 多给他一个馒头

미운 일곱 살 속담 七岁讨人嫌

미운 정 고운 정 속담 又爱又恨; 欢喜冤家

밉-보다 타 看着讨厌 kànzhe tǎoyàn; 视为讨厌鬼 shìwéi tǎoyànguǐ ¶그녀가 나를 너무 밉보기만 해서 정말 고민이다 她看着我就讨厌, 让我很烦恼

밉-보이다 자 讨人嫌 tǎorénxián; 被视为眼中钉 bèishìwéi yǎnzhōngdīng; 讨厌 tǎoyàn ¶그에게 밉보여서 좋은 건 없다 讨他厌, 没有好处

밉살-스럽다 형 讨厌 tǎoyàn; 可恶 kěwù; 厌恶 yànwù ¶밉살스러운 녀석 讨厌鬼 / 하는 짓이 정말 ~ 行为真可恶 밉살스레 부

밉-상(—相) 명 丑相 chǒuxiàng; 丑脸 chǒuliǎn; 令人讨厌 lìngrén tǎoyàn; 难看 nánkàn ¶얼굴이 그렇게 ~은 아니다 脸没那么难看

밋밋-하다 형 1 平缓 pínghuǎn; 平平 píngpíng; 缓缓 huǎnhuǎn ¶하늘과 맞닿은 밋밋한 능선 与天交际的平缓的山棱 2 平凡 píngfán; 平淡 píngdàn; 平平 píngpíng ¶그 배우는 연기가 너무 ~ 那个演员演技太平平

밍밍-하다 형 1 (味道) 淡 dàn ¶국이

너무 ~ 汤太淡了 **2** 不浓 bùnóng; 淡而无味 dàn'érwúwèi ¶밍밍한 술 淡而无味的酒

밍크(mink) 〖명〗〖動〗水貂 shuǐdiāo; 貂 diāo ¶~코트 水貂大衣 =[水貂皮大衣]

및 〖부〗及 jí; 以及 yǐjí; 与 yǔ; 和 hé ¶입사 원서 교부 ~ 접수 入社申请书的发给与接收

밑 〖명〗**1** 下 xià; 下边 xiàbian; 下面 xiàmian; 底下 dǐxià ¶처마 ~ 屋檐下/책상 ~ 书桌底下 **2** (程度·地位) 低 dī; (年纪) 小 xiǎo ¶동생은 나보다 두 살 ~이 작다 弟弟比我小两岁 **3** 膝下 xīxià; 手下 shǒuxià ¶나는 어려서부터 할머니 ~에서 자랐다 我自小在奶奶膝下长大 **4** 基础 jīchǔ ¶~이 튼튼해야 한다 基础应该扎实 **5** 屁股 pìgu; 肛门 gāngmén = 밑구멍2 ¶똥을 누고 ~을 닦다 大便后擦屁股 **6** = 밑바닥1 ¶~ 빠진 독 没底儿的缸

밑도 끝도 없다 〖구〗没头没脑; 头绪不清

밑 빠진 가마[독·항아리]에 물 붓기 〖속담〗挑雪填井; 竹篮打水一场空

밑(이) 구리다 〖구〗作贼心虚; 做贼人心惊, 偷食人嘴腥; 做贼心惊, 吃鱼嘴腥 = 뒤(가) 구리다

밑-거름 〖명〗〖農〗底肥 dǐféi; 基肥 jīféi ¶~을 주다 施底肥 **2** 基础 jīchǔ; 底子 dǐzi ¶국가 발전의 ~ 国家发展的基础

밑-구멍 〖명〗**1** 底洞 dǐdòng; 底眼 dǐyǎn **2** = 밑5

밑구멍으로 호박씨 깐다 〖속담〗表面文雅, 背里行为丑恶

밑-그림 〖명〗**1** 草图 cǎotú **2** (绣花的) 底样 dǐyàng ¶~대로 수를 놓다 照底样绣花 **3** 〖美〗图稿 túgǎo; 画稿 huàgǎo

밑-넓이 〖명〗〖數〗底面积 dǐmiànjī

밑-돌다 〖동타〗达不到 dábúdào; 低于 dīyú; 下滑 xiàhuá ¶상품 가격이 생산비를 ~ 产品价格低于成本

밑-동 〖명〗**1** (长物体的) 底部 dǐbù; 底端 dǐduān ¶나무 ~을 자르다 锯掉树的底部 **2** (蔬菜的) 根部 gēnbù

밑-면(-面) 〖명〗底 dǐ; 底面 dǐmiàn

밑-바닥 〖명〗**1** 底(儿) dǐ(r); 底面 dǐmiàn; 底子 dǐzi = 밑6 ¶구두가 오래되어 ~에 구멍이 뚫렸다 皮鞋太旧了, 鞋底磨了个洞 **2** 最底层 zuìdǐcéng; 最下层 zuìxiàcéng ¶~ 생활을 면치 못하다 逃脱不了最底层生活 **3** 根本 gēnběn; 基础 jīchǔ; 底子 dǐzi ¶~이 드러나다 见底

밑-바탕 〖명〗底子 dǐzi; 根基 gēnjī; 基础 jīchǔ ¶가정의 화목은 성공의 ~이다 家庭和睦是成功的基础

밑-반찬(-飯饌) 〖명〗小菜 xiǎocài; 酱菜 jiàngcài; 咸菜 xiáncài

밑-받침 〖명〗**1** 垫子 diànzi; 垫板 diànbǎn; 花盆垫子 **2** 基础 jīchǔ; 底子 dǐzi; 根本 gēnběn ¶저축은 경제 성장의 ~이 된다 储蓄是经济发展的基础

밑-밥 〖명〗食饵 shí'ěr; 诱饵 yòu'ěr

밑-변(-邊) 〖명〗〖數〗底边 dǐbiān

밑-불 〖명〗底火 dǐhuǒ ¶~이 시원치 않다 底火不够烈

밑-실 〖명〗(缝纫机的) 底线 dǐxiàn

밑-줄 〖명〗字下线 zìxiàxiàn; 底线 dǐxiàn; 着重线 zhuózhòngxiàn; 重点线 zhòngdiǎnxiàn ¶~을 치다 划着重线

밑-지다 〖동〗赔本 péiběn; 吃亏 chīkuī; 亏本 kuīběn; 蚀本 shíběn; 折本 shéběn ¶밑지고 팔다 亏本卖/이 가격에 팔면 밑진다 这个价钱卖的话就赔本了

밑져야 본전 〖속담〗办不成也赔不了

밑지는 장사 赔本生意; 亏本买卖

밑-창(-窓) 〖명〗**1** 鞋底 xiédǐ ¶~이 다 닳은 구두 鞋底都磨破了的皮鞋/~을 갈다 换鞋底 **2** 最底层 zuìdǐcéng; 最底儿 ¶화살선 ~ 船舶的最底层

밑-천 〖명〗老本 lǎoběn; 资本 zīběn; 资金 zījīn; 血本 xuèběn; 本钱 běnqián; 本金 běnjīn ¶~을 대 주다 提供资金/~을 뽑다 抽出老本/~을 날리다 把老本都亏光了

밑천도 못 찾다[건지다] 〖구〗连本钱都没捞着; 偷鸡不成蚀把米; 偷鸡不着蚀把米

밑천이 드러나다 〖구〗露了馅儿了 把老本亏完; 赔光本钱

밑-판(-板) 〖명〗底 dǐ; 底板 dǐbǎn

ㅂ

바¹(bar) 명 1 酒吧 jiǔbā 2 【體】横杆 hénggān 3 【音】竖线 shùxiàn; 小节线 xiǎojiéxiàn

바²(bar) 의명 【物】巴 bā

바가지 명 1 瓢(儿) piáo(r); 水瓢 shuǐpiáo ¶~로 물을 푸다 用水瓢舀水 2 瓢 piáo ¶물 한 ~를 뜨다 舀一瓢水

바가지(를) 긁다 구 唠叨

바가지(를) 쓰다 구 1 受上当; 挨宰; 花冤; 枉钱; 上当受骗 2 受怨枉; 背黑锅

바가지-요금(一料金) 명 宰人的高价 zǎiréde gāojià; 漫天要价 màntiān yàojià

바게트(프baguette) 명 法式长棍面包 fǎshì chánggùn miànbāo

바겐세일(bargain-sale) 명 大减价 dàjiǎnjià; 廉价销售 liánjià xiāoshòu; 廉价出售 liánjià chūshòu; 大甩卖 dàshuǎimài

바구니 명 1 篮子 lánzi; 筐子 kuāngzi ¶~를 끼고 시장에 가다 带着篮子去市场 2 篮 lán ¶과일을 한 ~ 사다 买一篮水果

바:-구미 【蟲】米象 mǐxiàng

바글-거리다 자 1 咕嘟咕嘟地开 gūdūgūdūde kāi 2 蠕动 rúdòng; 咕容 gūróng; 挤满 jǐmǎn; 熙熙攘攘 xīxīrǎngrǎng; 挤挤挨挨 jǐjǐ'āi'āi ¶차 안이 학생들로 ~ 车内挤满了学生 ‖ = 바글대다 바글-바글 부하자

바깥 명 1 外边(儿) wàibian(r); 外面 wàimiàn ¶~는 비가 오고 있다 外边的天气 / ~에는 비가 오고 있다 外面在下雨 / ~공기가 매우 차다 外边儿的空气很冷 2 ⇒ 한데²

바깥-귀 명 【生】外耳 wài'ěr = 외이

바깥-나들이 명하자 = 나들이

바깥-문(一門) 명 1 外大门 wàidàmén 2 外扇门 wàishànmén

바깥-바람 명 外风 wàifēng ¶창문을 열고 신선한 ~을 들이마시다 开了窗户呼吸从外面吹来的新鲜外风

바깥-사돈(一査頓) 명 亲家公 qìngjiāgōng; 亲家老爹 qìngjiālǎodiē; 亲家老儿 qìngjiālǎor; 亲翁 qìngwēng

바깥-세상(一世上) 명 1 外界 wàijiè 2 国外 guówài

바깥-양반(一兩班) 명 1 男主人 nán zhǔrén; 男人 nánren; 老爷们儿 lǎoyémenr; 当家的 dāngjiāde 2 老公 lǎo-

gōng; 丈夫 zhàngfu

바깥-어른 명 '바깥양반'의 敬词

바깥-일 명 1 在外干的活儿 zàiwài gàndе huór 2 外面的事儿 wàimiànde shìr; 外边的事情 wàibiānde shìqing ¶~에는 관심이 없다 对外边的事情没有感兴趣 3 室外劳动 shìwài láodòng ¶추운 겨울날 ~을 하다 在寒冷的冬天搞室外劳动

바깥-지름 명 【数】外径 wàijìng = 외경(外徑)

바깥-쪽 명 外边(儿) wàibian(r); 外面 wàimiàn ¶~을 내다보다 看望外边儿

바깥-채 명 外房 wàifáng

바깥-출입(一出入) 명하자 外出 wàichū; 出门走动 chūmén zǒudòng; 出去 chūqù ¶최근에는 병이 많이 좋아져서 가끔 ~도 할 수 있다 最近病好了，有时间也可以出去了

바께쓰(일byaketsu) 명 洋铁桶 yáng-tiětǒng; 水桶 shuǐtǒng

바꾸다 타 1 换 huàn; 交换 jiāohuàn; 替换 tìhuàn ¶자리를 ~ 替换座位 / 옷을 바꾸어 입다 换上衣服 2 掉换 diào-huàn; 兑换 duìhuàn ¶달러를 중국 돈으로 ~ 用美金兑换人民币 / 수표를 현금으로 ~ 把支票兑换现款 3 改变 gǎibiàn; 变更 biàngēng; 变换 biàn-huàn; 改换 gǎihuàn; 转 zhuǎn ¶말투를 ~ 改变口气 / 머리 모양을 ~ 变换发型 / 방향을 ~ 转方向

바꿔 말하면 구 换句话说

바뀌다 자 变 biàn; 改变 gǎibiàn; 换huàn; 变化 biànhuà; 更换 gēnghuàn ¶풍향이 ~ 改变风向 / 그의 전화번호가 바뀌었다 他的电话号码变了

바나나(banana) 명 【植】香蕉 xiāngjiāo; 甘蕉 gānjiāo

바나나 킥(banana+kick) 명 【體】香蕉球 xiāngjiāoqiú

바느-질 명하자 针线活(儿) zhēnxiàn-huó(r); 针线 zhēnxian ¶~을 하다 做针线 / ~을 배우다 学针线

바늘 명 1 (缝衣用的) 针 zhēn ¶~에 실을 꿰다 穿针 / 옷을 ~로 꿰매다 用针缝出衣服 2 (刻度盘上的) 针 zhēn; 指针 zhǐzhēn ¶시계 ~ 表(针) 3 织针 zhī-zhēn 4 (注射用的) 针 zhēn

바늘 가는 데 실 간다 속담 影形不离; 针穿鼻子眼穿线; 针不离线; 线不离针; 线穿针来线连线 = 실 가는 데

바늘도 간다

바늘 도둑이 소도둑 된다 속담 做贼只为偷针起; 小时偷菖蒲, 大了偷牵牛; 小时偷针, 大时偷金; 小时偷油, 大时偷牛

바늘로 찔러도 피 한 방울 안 난다 속담 三锤子扎不出一滴血来

바늘-구멍 图 1 针眼 zhēnyǎn; 针孔 zhēnkǒng 2 = 바늘귀

바늘-귀 图 针鼻儿 zhēnbír; 针眼 zhēnyǎn = 바늘구멍

바늘-꽂이 图 插针垫 chāzhēndiàn

바늘-땀 图 = 땀²

바늘-방석(一方席) 图 针毡 zhēnzhān = 가시방석 ¶~에 앉은 것 같다 如坐针毡=[坐立不安]

바니시(varnish) 图 清漆 qīngqī; 凡立水 fánlìshuǐ; 亮光漆 liàngguāngqī = 니스

바닐라(vanilla) 图 【植】香草 xiāngcǎo; 香子兰 xiāngzǐlán; 华尼拉 huánílā ¶~ 아이스크림 香草冰淇淋

바다 图 【地理】海 hǎi; 大海 dàhǎi; 海洋 hǎiyáng

　　바다(와) 같다 冠 像大海一样; 像海大

바다-거북 图 【動】海龟 hǎiguī

바다-낚시 图 海上钓鱼 hǎishàng diàoyú; 钓海鱼 diàohǎiyú

바다-뱀 图 【魚】海蛇 hǎishé = 물뱀·바닷장어

바다-사자 图 【動】北海狮 běihǎishī; 海狮 hǎishī

바다-표범 图 【動】海豹 hǎibào

바닥 图 1 地 dì; 地面 dìmiàn; 底面 dǐmiàn ¶모래 ~ 沙地 ¶~이 고르지 않다 底面不平 / 짐을 ~에 놓아라 把行李放在地上 2 底(儿) dǐ(r); 底子 dǐzi ¶구두 ~ 皮革底 / 강~ 河底 3 一带 yīdài ¶서울 ~ 首尔一带 / 어려서부터 시장 ~에서 자란 사람 从小在市场一带长大的人 4 光 guāng; 尽 jìn 5 面 miàn; 布面 bùmiàn ¶~이 고운 천 布面很细的布

바닥-나다 阅 1 穿破露底 chuānpò lùdǐ 2 (钱或东西) 用光 yòngguāng; 吃光 chīguāng; 花光 huāguāng ¶~ 쌀마저 ~ 连大米也吃光了

바닥-내다 阅 (钱或东西) 用光 yòngguāng; 吃光 chīguāng; 花光 huāguāng

바닷-가 图 海边 hǎibiān; 海滨 hǎibīn; 海岸 hǎiàn = 해변 ¶~로 바람을 쐬러 가다 到海边吹风去

바닷-물 图 海水 hǎishuǐ = 해수

바닷-바람 图 海风 hǎifēng = 해풍

바닷-새 图 【鳥】海鸟 hǎiniǎo

바닷-장어 图 【動】= 바다뱀

바대 图 衬布 chènbù; 贴边 tiēbiān ¶

~를 대다 垫衬布

바동-거리다 国他 手脚乱动 shǒujiǎo luàndòng ¶아기가 바동거리면서 운다 小孩儿手脚乱动着哭 国자 挣扎 zhēngzhá ‖ = 바동대다 **바동-바동** 匐圉자

바둑 图 【體】1 棋 qí; 围棋 wéiqí ¶~기사 棋手 ¶~를 두면서 시간을 보내다 下着围棋打发时间 2 = 바둑돌

바둑-강아지 图 小花狗 xiǎohuāgǒu

바둑-돌 图 围棋子 wéiqízǐ = 바둑알2·바둑알

바둑-알 图 = 바둑돌

바둑-이 图 花狗 huāgǒu

바둑-판(一板) 图 围棋盘 wéiqípán; 棋盘 qípán

바둑판-같다 圉 如棋盘般 rú qípánbān

바둑판-무늬(一板一) 图 方格 fānggé; 格子纹 gézǐwén

바둥-거리다 国他 手脚乱动 shǒujiǎo luàndòng 国자 挣扎 zhēngzhá ‖ = 바둥대다 **바둥-바둥** 匐圉자

바드득 匐圉자 咯吱吱 gēzhīzhī ¶이를 ~ 갈다 咯吱吱地咬呀

바드득-거리다 圉자 咯吱吱地响 gēzhīzhīde xiǎng = 바드득대다 **바드득-바드득** 匐圉자

바득-바득 匐 一个劲儿 yīgejìnr; 固执地 gùzhíde; 硬 yìng

바들-거리다 자 发抖 fādǒu = 바들대다 바들-바들 匐圉자

바라다 国他 希望 xīwàng; 盼望 pànwàng ¶당신이 대학에 합격하길 바랍니다 我希望你考上大学 / 이 일은 우리가 몇 년 동안 바라던 일입니다 这件事我们盼望了好几年了

바라다-보다 国他 望 wàng; 看 kàn; 眺望 tiàowàng ¶창밖을 물끄러미 ~ 面无表情地望着窗外的情景

바라-보다 国他 望 wàng; 看 kàn; 眺望 tiàowàng; 展望 zhǎnwàng ¶먼 곳을 ~ 眺望远处的地方 2 寄托 jìtuō; 盼望 pànwàng ¶너의 성공을 ~ 盼望你马到成功 3 观望 guānwàng 4 快要 kuàiyào ¶곧 80세를 바라본다 快要80岁了

바라보-이다 자 '바라보다1'의 被动词

바라지 图他 料 liào; 照应 zhàoying; 照管 zhàoguǎn; 照顾 zhàogù; 照料 ¶아이를 ~ 하다 照应孩子

바:라-지다 国他 1 宽 kuān ¶그의 어깨는 딱 바라졌다 他的肩膀很宽 2 裂缝 lièféng; 裂开 lièkāi 3 伸展 shēnzhǎn; 蔓延 mànyán ¶1 浅 qiǎn ¶바라진 접시 浅的盘子 2 油滑 yóuhuá ¶그는 아주 바라졌다 他很油滑

바락 匐 突然 tūrán; 勃然 bórán ¶소리를 지르다 突然大叫

바락-바락 📖 (叫或用死劲) 连续发怒 liánxù fānù

바람¹[吹风] 📖 **1** 风 fēng ¶~이 불다 刮风 =[吹风] / ~이 세다 风很大 / ~이 일다 起风 / 낙엽이 ~에 날려 가다 落叶被风吹走 **2** 气 qì ¶공에 ~을 넣다 给球打气 / 바퀴에서 ~이 샜다 车轮漏了气 **3** 热 rè; 风 fēng; 风潮 fēngcháo; 风势 fēngshì ¶최근 한국은 한국어 ~이 불고 있다 最近韩国兴起了汉语热 **4** 飞快 fēikuài; 很快 hěnkuài ¶그는 ~같이 사라졌다 他很快地消失了
바람(을) 넣다 📖 煽动
바람(을) 등지다 📖 背风
바람(을) 쐬다 📖 吹风; 受风; 兜风
바람(을) 잡다 📖 煽动
바람(이) 들다 📖 **1** 糠 **2** 心浮

바람² 📖 期望 qīwàng; 愿望 yuànwàng ¶그의 ~이 마침내 실현되었다 他的愿望终于实现了

바람³ 📖 于 yú; 由于 yóuyú; 因为 yīnwéi ¶너무 급하게 먹는 ~에 체했다 由于吃得太快, 伤食了 / 그가 갑자기 뛰어 들어오는 ~에 깜짝 놀랐다 因为他突然跑进来, 所以我吓了一大跳 **2** 穿着 chuānzhe ¶그는 잠옷 ~으로 나갔다 他穿着睡衣出去了

바람-개비 📖 팔랑개비

바람-결 📖 **1** 风 fēng; 风吹 fēngchuī ¶그윽한 꽃향기가 ~에 실려온다 浓浓的花香被风飘过来 **2** 风闻 fēngwén; 风传 fēngchuán ¶그가 결혼한다는 말을 ~에 들었다 风闻他要结婚

바람-기(一氣) 📖 **1** 风 fēng; 风势 fēngshì ¶~ 하나 없는 날씨 没有风的天气 **2** 爱情不专一 àiqíng bùzhuānyī ¶~ 있는 남편 有爱情不专一的丈夫

바람-나다 📖 **1** 爱情不专一 àiqíng bùzhuānyī; 心不定 xīnbudìng ¶바람난 처녀 心不定的姑娘 **2** 带劲 dàijìn

바람-둥이 📖 花花公子 huāhuāgōngzǐ; 爱情不专一的人 àiqíng bùzhuānyī de rén

바람-막이 📖[하] 📖 防风 fángfēng; 挡风 dǎngfēng = 방풍

바람-맞다 📖 **1** 受骗 shòupiàn ¶여자 친구한테 바람맞았다 被女朋友受骗了 **2** 中风 zhòngfēng

바람-맞히다 📖 '바람맞다1'的使动词

바람직-하다 📖 可望 kěwàng; 有指望 yǒuzhǐwàng ¶유명인으로서 바람직한 행동이 아니다 做为名人不是可望的行为

바람-피우다 📖 找第三者 zhǎo dìsānzhě; 风流 fēngliú ¶바람피우는 남편

风流的丈夫

바:랑 📖 【佛】钵囊 bōnáng

바:래다¹ 📖[타] **1** 褪色 tuìshǎi; 掉色 diàoshǎi; 捎色 shàoshǎi; 变色 biànsè ¶빛바랜 옷 退色的衣服 / 이 옷감은 바래지 않는다 这种料子不掉色 / 커튼이 이미 바랬다 窗帘已经变色了 📖[타] 漂白 piǎobái; 脱色 tuōsè

바:래다² 📖 送 sòng ¶제가 공항까지 바래다 드릴게요 我送你去机场

바래다-주다 📖 送 sòng ¶그를 큰길까지 바래다주어라 把他送到马路去吧

바램 📖 '바람²'的错误

바로 📖 📖 **1** 直 zhí; 端 duān; 端正 duānzhèng; 端直 duānzhí; 正经 zhèngjing ¶옷을 ~ 입어라 把衣服穿端正一些 **2** 照实 zhàoshí ¶바른대로 照实 说吧 **3** 准确 zhǔnquè; 正确 zhèngquè ¶학생들이 모두 ~ 맞추다 学生都回答正确 **4** 就 jiù; 当下 dāngxià; 马上 mǎshàng; 立刻 lìkè; 当时 dàngshí; 直接 zhíjiē ¶그는 보자마자 ~ 알았다 他一看就知道了 / ~ 역으로 갑니까? 直接到车站去吗? **5** 正 zhèng; 就 jiù ¶~ 맞은편 正对面 **6** 就是 jiùshì; 正是 zhèngshì ¶이것이 ~ 제 책입니다 这就是我的书 / 그가 ~ 중국 사람입니다 他就是中国人 📖[의명] 这儿 zhèr; 这里 zhèlǐ

바로-바로 📖 就 jiù; 及时 jíshí

바로-잡다 📖 **1** 弄正 nòngzhèng ¶자세를 ~ 把姿势弄正 **2** 矫正 jiǎozhèng; 纠正 jiūzhèng ¶틀린 글자를 ~ 矫正错字 / 발음을 ~ 纠正发音

바로잡-히다 📖 '바로잡다'的被动词

바로크(프baroque) 📖 【藝】巴洛克 bāluòkè; 巴罗克 bāluókè ¶~ 건축 巴洛克建筑 / ~ 양식 巴洛克风格 / ~ 미술 巴洛克美术 / ~ 음악 巴洛克音乐

바르다¹ 📖 **1** 涂 tú; 涂抹 túmǒ; 擦 cā ¶그에게 약을 발라 줘라 给他擦药吧 **2** 糊 hú ¶창문 틈에 종이를 ~ 用纸糊窗缝

바르다² 📖 **1** 剥 bō; 剥开 bōkāi ¶오렌지 껍질을 ~ 把橙子皮剥开 **2** 剔 tī; 挑 tiāo ¶생선의 가시를 ~ 剔鱼刺

바르다³ 📖 **1** 直 zhí; 端 duān; 整齐 zhěngqí; 正 zhèng; 挺直 tǐngzhí ¶바르게 앉아야 한다 要挺直坐 **2** 公道 gōngdào; 直理 zhílǐ; 端正 duānzhèng; 正当 zhèngdàng; 方正 fāngzhèng ¶바른 태도 端正态度 / 예의가 ~ 礼貌讲直理 **3** 简直 jiǎnzhí; 正直 zhèngzhí; 率真 shuàizhēn; 据实 jùshí ¶바르게 보고하다 据实报告 **4** 向阳 xiàngyáng ¶양지바른 곳 向阳地

바르르 閉하자 1 兹兹 zīzī 2 冲冲 chōngchōng; 瑟瑟缩缩 sèsesuōsuō ¶~성을 내다 怒气冲冲 3 哆哆嗦嗦 duōduosuōsuō ¶손을 ~ 떤다 手哆哆嗦嗦 直发抖 4 噼哩叭啦 pīlibālā ¶마른 나뭇잎이 타기 시작하더니 ~하는 소리를 냈다 干的树叶烧起来噼哩叭啦地响

바른-길 閉 1 直路 zhílù 2 正道 zhèngdào ¶~을 걷다 走正道

바른-대로 閉 照实 zhàoshí; 明说 míngshuō; 说实话 shuō shíhuà ¶~ 말하다 照实说

바른-말 閉 正经话 zhèngjīnghuà

바리-때 閉【佛】钵盂 bōyú

바리-바리 閉 好几驮 hǎojǐduò ¶신부가 혼수를 ~ 싣고 가다 新娘满载着好几驮结婚物品而行

바리캉(㐀bariquant) 閉 推子 tuīzi; 推剪 tuījiǎn; 理发机 lǐfàjī

바리케이드(barricade) 閉 街垒 jiēlěi; 路障 lùzhàng; 防塞 fángzhài ¶~를 치다 设置路障 / ~를 물고 들어가다 闯过街垒而进去

바리톤(baritone) 閉【音】1 男中音 nánzhōngyīn 2 男中音歌手 nánzhōngyīn gēshǒu 3 萨克斯号 sàkèsīhào

바림 閉【美】(颜色的) 浓淡层次 nóngdàn céngcì = 그러데이션

바바리(←Burberry) 閉 = 바바리코트

바바리-코트(←Burberry coat) 閉 巴宝莉大衣 Bābǎolì dàyī = 바바리

바베큐 閉 '바비큐'의 잘못

바벨(barbell) 閉【體】杠铃 gànglíng = 역기(力器)

바벨-탑(Babel塔) 閉 1【宗】巴别塔 bābiétǎ; 通天塔 tōngtiāntǎ 2 空想计划 kōngxiǎng jìhuá; 架空计划 jiàkōng jìhuá

바:보 閉 1 傻子 shǎzi; 白痴 báichī 2 傻瓜 shǎguā; 笨蛋 bèndàn; 蠢人 chǔnrén; 呆子 dāizi; 愚人 yúrén ¶이렇게 간단한 문제도 못 풀다니, 그는 정말 ~다 这么简单的问题都不能解决, 他真是个笨蛋

바:보-스럽다 閉 愚笨 yúbèn; 愚痴 yúshǎ; 傻 shǎ; 傻乎乎 shǎhūhū; 傻呵呵 shǎhēhē; 傻不愣登 shǎbùlèngdēng ¶그는 자신이 한 바보스러운 행동을 후회했다 他后悔自己做愚笨的行为 / 바보스럽게 웃기만 하다 傻呼呼地直笑

바:보-짓 閉 糊涂事 hútushì; 傻事 shǎshì

바비큐(barbecue) 閉 烤全猪 kǎoquánzhū; 烤全牛 kǎoquánniú; 烤肉 kǎoròu

바쁘다 閉 1 忙 máng; 忙碌 mánglù; 繁忙 fánmáng ¶나는 지금 매우 ~ 我

现在很忙 2 急 jí; 急促 jícù ¶너는 왜 이렇게 바쁘게 걷니? 你怎么走得这样急促? 3 ······就······ yī······jiù······

바삐 閉 忙着 mángzhe; 匆促 cōngcù; 急忙 jímáng ¶~ 걸어가다 走得匆促

바삭 閉하자타 沙沙 shāshā; 窣磕 sūkē; 簌簌 sùsù; 簌地 sùde; 窸窣窣 xīxīsùsù; 窣窣 xīsū ¶~하는 소리 沙沙的响声

바삭-거리다 자타 沙沙地响 shāshādexiǎng; 沙沙作响 shāshā zuòxiǎng = 바삭대다 ¶바람이 부니 나뭇잎이 바삭거리는 소리를 낸다 风吹树叶沙沙作响 **바삭-바삭** 閉하자타

바삭바삭-하다 閉 脆 cuì; 脆生 cuìshēng; 松脆 sōngcuì; 焦脆 jiāocuì; 酥脆 sūcuì ¶바삭바삭한 과자 松脆的饼干

바삭-하다 閉 脆 cuì; 脆生 cuìshēng; 松脆 sōngcuì; 焦脆 jiāocuì; 酥脆 sūcuì

바셀린(Vaseline) 閉【化】凡士林 fánshìlín; 矿脂 kuàngzhī; 石油冻 shíyóudòng

바수다 타 捣碎 dǎosuì; 打碎 dǎsuì; 粉碎 fěnsuì; 破碎 pòsuì ¶돌덩이를 ~ 把石头块儿捣碎

바순(bassoon) 閉【音】巴松 bāsōng; 大管 dàguǎn; 巴松管 bāsōngguǎn; 低音巴松管 dīyīnbāsōngguǎn

바스락 閉하자타 窣磕 sūkē; 窸窸窣窣 xīxīsùsù; 沙沙 shāshā; 噗噜 pūlū ¶방 안에서 ~ 소리가 나는 것을 들었다 听到屋中窸窣窣地响

바스락-거리다 자타 窸窸窣窣地响 xīxīsùsùde xiǎng = 바스락대다 ¶가을이 되니 가랑잎이 바스락거린다 到了秋天, 干叶子窸窸窣窣地响 **바스락-바스락** 閉하자타

바스러-뜨리다 타 粉碎 fěnsuì; 弄碎 nòngsuì; 冲碎 chōngsuì; 打碎 dǎsuì ¶레이저로 돌을 ~ 通过激光把石头打碎

바스러-지다 자 碎 suì; 破碎 pòsuì; 碎裂 suìliè ¶큰 바위가 바스러져 작은 돌멩이가 되다 大石头碎裂成小石子

바스스 閉하자 1 悄悄地 qiāoqiāode; 轻轻地 qīngqīngde ¶~ 일어나다 悄悄地站起来 2 (头发, 毛等) 蓬松 péngsōng; 乱蓬蓬 luànpéngpéng ¶~한 머리카락 蓬蓬松松的头发

바스켓(basket) 閉【體】(篮球场的) 篮 lán

바싹 閉 1 干巴 gānbā; 干巴巴 gānbābā ¶몇 달 동안 비가 내리지 않아 농작물들이 ~ 말랐다 几个月没下雨, 农稼都干巴了 2 紧紧 jǐnjǐn; 紧靠 jǐnkào; 靠近 kàojìn ¶~ 다가앉다 紧紧靠

坐 3 使劲(儿) shǐjìn(r); 用力 yònglì; 硬 yìng; 勒紧 lēijǐn ¶목을 ~ 움츠리다 使劲缩脖子 / ~ 정신을 차리다 用力定了定神 4 猛然 měngrán; 骤然 zhòurán ¶수치가 ~ 줄어들다 数据猛然下降 5 干瘦 gānshòu; 瘦巴巴 shòubābā ¶~ 마른 여자 瘦巴巴的女人 **바싹-바싹**

바야흐로 图 正 zhèng; 正在 zhèngzài ¶~ 꽃들이 만개하는 봄이 되었다 正进入了鲜花盛开的春天

바운드(bound) 图[하자][體] (球) 弹跳 tántiào; 跳 tiào

바위 图 1 岩 yán; 岩石 yánshí 2 石头 shítou; 拳头 quántou ¶나는 ~를 내고 그는 가위를 냈다 我出石头他出剪刀

바위-산(一山) 图 石山 shíshān

바위-섬 图 岩礁 yándǎo

바위-틈 图 岩缝 yánfèng ¶~에서 자란 풀 从岩缝里长出来的小草

바이러스(virus) 图 1【生】病毒 bìngdú ¶~성 간염 病毒性肝炎 2【컴】计算机病毒 jìsuànjī bìngdú; 病毒 bìngdú; 毒 dú

바이브레이션(vibration) 图【音】비브라토

바이블(bible) 图 经典 jīngdiǎn

바이어(buyer) 图【經】买主 mǎizhǔ; 客户 kèhù; 买方 mǎifāng ¶외국 ~ 外国买主

바이어스(bias) 图 1 斜线 xiéxiàn; 斜痕 xiéhén; 斜裁 xiécái 2【手工】= 바이어스 테이프

바이어스 테이프(bias tape) 【手工】斜布条 xiébùtiáo; 斜裁布料 xiécái bùliào = 바이어스 2

바이오리듬(biorhythm) 图【生】1 生命节律 shēngmìng jiélǜ; 生态节律 shēngtài jiélǜ; 生物节奏 shēngwù jiézòu 2 人体节律 réntǐ jiélǜ ‖ = 생체리듬

바이올리니스트(biolinist) 图【音】小提琴手 xiǎotíqínshǒu; 小提琴家 xiǎotíqínjiā

바이올린(biolin) 图【音】小提琴 xiǎotíqín ¶~을 켜다 拉小提琴

바이킹(Viking) 图 北欧海盗 Běi Ōu hǎidào

바이트(bite) 图【工】切削刀 qiēxiāodāo; 车刀 chēdāo

바이트(byte) 图[의명][컴] 字节 zìjié

바인더(binder) 图 1 纸夹 zhǐjiā; 夹子 jiāzi 2【農】割捆机 gēkǔnjī

바자 图 集市 jíshì ¶수숫대로 ~를 엮다 用高粱秆儿编篱笆

바자(bazaar) 图 义卖 yìmài; 义卖会 yìmàihuì = 바자회 ¶부상병 돕기 ~를 열다 为伤兵而举办义卖

바자-회(bazaar會) 图 = 바자(ba-

zaar)

바주카-포(bazooka砲) 图【軍】火箭筒 huǒjiàntǒng; 火箭炮 huǒjiànpào

바지(barge) 图 驳船 bóchuán = 바지선

바지(barge) 图 裤子 kùzi ¶~를 입다 穿裤子 / ~ 한 벌을 사다 买一条裤子

바지락 图[貝] 花蛤 huāgé; 文蛤 wéngé = 바지락조개·참조개

바지락-조개 图[貝] = 바지락

바지랑-대 图 竿子 gānzi = 장대2

바지런 图[하자][형] 勤快 qínkuài; 勤勉 qínmiǎn ¶~을 떨다 勤快做事

바지-선(barge船) 图 = 바지(barge)

바지-저고리 图 1 裤子和袄 kùzi hé ǎo; 裤褂 kùguà 2 脓包 nóngbāo; 草包 cǎobāo

바지직 图[하자] 1 嘶喇 zīlā 2 嚓嚓 cācā

바지직-거리다 图 嘶喇地响 zīlāde xiǎng = 바지직대다 ¶기름이 솥에서 ~ 油在锅里嘶啦地响 **바지직-바지직** [부][하자]

바지-춤 图 裤腰 kùyāo ¶~을 여미다 把裤腰扎好

바지-통 图 裤管 kùguǎn; 裤脚管 kùjiǎoguǎn; 裤筒 kùtǒng ¶~이 넓다 裤管阔 / ~이 좁다 裤管窄

바지-가랑이 图 裤腿 kùtuǐ; 裤裆 kùdāng

바짓-단 图 裤边 kùbiān ¶~을 뜯다 把裤边拆开

바짝 图 1 干巴 gānbā; 干巴巴 gānbābā ¶빨래가 ~ 말랐다 洗的衣服都晒干巴了 2 紧紧 jǐnjǐn; 紧靠 jǐnkào; 靠近 kàojìn ¶그를 ~ 따라 걷다 紧紧挨着他走 3 干 gān ¶우물물이 ~ 줄어들었다 井水干涸了 / 몸이 ~ 말랐다 身体干瘦了 4 抖 dǒu; 振作 zhènzuò ¶정신을 ~ 차리고 해보자 抖起精神赶快吧

바치다¹ 图 1 缴纳 jiǎonà; 缴付 jiǎofù; 交给 jiāogěi; 献 xiàn ¶상감께 햇곡식을 ~ 向祖先缴纳新谷 2 献 xiàn; 献出 xiànchū; 献给 xiàngěi ¶조국에 목숨을 ~ 把生命献给祖国 3 纳 nà; 交 jiāo ¶세금을 ~ 纳税

바치다² 图 爱吃 àichī; 贪 tān; 沉湎 chénmiǎn; 沉溺 chénnì ¶술을 ~ 沉溺于酒

바캉스(프vacance) 图 假期 jiàqī; 休假 xiūjià

바-코드(bar code) 图 条码 tiáomǎ; 条形码 tiáoxíngmǎ

바퀴¹ 图[의명] 轮 lún; 车轮 chēlún; 轮子 lúnzi ¶자동차 ~ 车轮 图[의명] 圈 quān; 匝 zā ¶운동장을 한 ~ 돌다 绕着运动场转一圈

바퀴² 〔명〕【蟲】蟑螂 zhāngláng; 蜚蠊 fēilián ¶ = 바퀴벌레

바퀴-벌레 〔명〕【蟲】 = 바퀴²

바퀴-살 〔명〕 轮辐 lúnfú; 轮条 lúntiáo

바큇-자국 〔명〕 辙迹 zhéjì

바탕¹ 〔명〕 1 成分 chéngfèn; 出身 chūshēn; 本质 běnzhì ¶그는 ~이 선량한 사람이다 他是个本质善良的人 2 (事物的) 材料 cáiliào ¶~의 결이 성기다 材料的纹理稀疏 3 底子 dǐzi; 根底 gēndǐ; 地儿 dìr ¶흰 ~에 검은 무늬의 하의 白底子黑花的裤子 4 根据 gēnjù ¶그의 이론은 과학적이 ~이 되었다 他的理论有科学的根据

바탕² 〔의명〕 一阵 yízhèn; 一场 yìcháng; 一顿 yídùn ¶비가 한 ~ 내렸다 下了一阵雨 / 욕을 한 ~ 했다 骂了一顿

바탕-색 〔명〕 1 原色 yuánsè 2 【美】底色 dǐsè

바터(barter) 〔명〕【經】 = 물물 교환

바텐더(bartender) 〔명〕 (酒吧的) 调酒师 tiáojiǔshī; 调酒员 tiáojiǔyuán

바통(프baton) 〔명〕【體】 = 배턴

바투 〔부〕 1 靠近 kàojìn ¶~ 앉아라 坐得靠近点儿 近 duǎn; 紧 jǐn ¶고삐를 더욱 ~ 잡아라 把缰绳握得更短吧 / 결혼 날짜를 너무 ~ 잡았다 把婚期定得太紧

바특-하다 〔형〕 1 近 jìn; 接近 jiējìn; 相近 xiāngjìn 2 短 duǎn; 短暂 duǎnzàn; 短浅 duǎnqiǎn ¶시간이 너무 ~ 时间太短暂 3 汤少 tāngshǎo ¶국을 바특하게 끓이다 汤烧得少

박 〔명〕【植】 匏瓜 páoguā; 葫芦 húlu; 瓠子 hùzi

박(泊) 〔의명〕 夜 yè; 宿 xiǔ ¶1~2일 两天一夜 / 여관에서 1~을 하다 在旅馆住一宿

박격-포(迫擊砲) 〔명〕【軍】 迫击炮 pǎijīpào

박다 〔타〕 1 钉 dīng; 打 dǎ; 砸 zá; 捶 chuí ¶못 하나를 벽에 박아 넣다 一根기둥을 钉进一堵墙 2 嵌 qiàn ¶자개를 박은 장롱 嵌了贝壳的衣柜 3 加 jiā ¶송편에 콩소를 ~ 把黄豆加在蒸糕 4 印 yìn; 印刷 yìnshuā ¶명함을 ~ 印名片 5 照 zhào ¶사진을 ~ 照片 6 缝 jī; 扎 zhá ¶재봉틀로 바지단을 ~ 用缝纫机缝裤脚 7 制成 zhìchéng ¶박 아낸 다시 덩어리가 모두 균일하게 制成的印糕均匀 8 植根 zhígēn; 扎根 zhāgēn; 根植 gēnzhí 9 写得清楚 xiě-de qīngchu ¶남기는 말을 박아 두 留言得很清楚 10 盯 dīng; 盯视 dīngshì ¶그의 두 눈은 모니터 화면에 박혀 있다 他的两只眼睛都盯住了显示器 11 撞 zhuàng; 冲撞 chōngzhuàng;

撞击 zhuàngjī; 碰 pèng; 碰上 pèngshang ¶퍽 소리를 내며 내 이마를 벽에 박았다 砰的一声, 我的额头碰上墙壁

박달-나무 〔명〕【植】檀木 tánmù

박대(薄待) 〔명하타〕 1 푸대접 ¶손님을 ~하다 薄待客人 2 苛待 kēdài

박동(搏動) 〔명하자〕 搏动 bódòng; 跳动 tiàodòng ¶심장이 ~하다 心脏搏动

박두(迫頭) 〔명하자〕 (时间上) 迫近 pòjìn; 邻近 línjìn; 邻近 línjìn; 在即 zàijí ¶개봉 ~ 开映在即 / 새해가 ~하다 春节临近

박람(博覽) 〔명하타〕 博览 bólǎn; 广泛阅览 guǎngfàn yuèlǎn ¶여러 서적을 ~하다 博览群书

박람-회(博覽會) 〔명〕 博览会 bólǎnhuì

박력(迫力) 〔명〕 魄力 pòlì; 力 lì; 力量 lìliang ¶일처리가 대단하다 ~ 있 办事很有魄力

박력-분(薄力粉) 〔명〕 薄力粉 báolìfěn

박리(剝離) 〔명하자〕 剥离 bōlí

박리(薄利) 〔명〕 薄利 bólì ¶~ 판매 薄利出售

박리-다매(薄利多賣) 〔명하타〕 薄利多销 bólì duōxiāo

박멸(撲滅) 〔명하타〕 扑灭 pūmiè; 消灭 xiāomiè ¶쥐를 ~하다 扑灭老鼠

박명(薄命) 〔명〕 1 薄命 bómìng 2 短命 duǎnmìng

박물(博物) 〔명〕 博物 bówù

박물-관(博物館) 〔명〕 博物馆 bówùguǎn; 博物院 bówùyuàn

박박[부] 1 喀哧喀哧 kāchīkāchī; 嚓嚓 chāchā ¶~ 쉬지 않고 몸을 한번 문질렀다 一遍喀哧喀哧地不停地把身子搓了个遍 2 刺啦刺啦 cīlācīlā; 咔嚓咔嚓 kāchākāchā; 哧哧 chīchī ¶종이 한 무더기를 ~ 찢어 땅바닥에 던졌다 刺啦刺啦地撕撕一堆纸, 扔到地上 3 搔抓 sāozhuā; 刮 guā ¶~ 긁거나 뜨거운 물로 머리를 감아서도, 비누를 사용해서도 안됐나 切忌搔抓, 热水洗发和用肥皂 4 剃光 tìguāng ¶머리를 ~ 깎다 头剃得光光的 5 固执地 gùzhíde; 执意地 zhíyìde; 坚意地 jiānyìde; 抬杠地 táigàngde ¶그가 나를 해쳤다고 ~ 우겼다 固执地硬说是他害死了我

박박² 〔부〕 脸麻的样子

박복(薄福) 〔명하형〕 没福气 méi fúqì; 薄福 bófú; 薄命 bómíng

박봉(薄俸) 〔명〕 薄薪 bóxīn; 低薪 dīxīn; 低工资 dīgōngzī ¶~에 시달리다 被低工资所困扰

박빙(薄氷) 〔명〕 1 = 살얼음 2 如临薄冰 rúlínbóbīng

박사(博士) 〔명〕 1 博士 bóshì ¶~ 학위

를 따다 取得博士学位 **2** 博学之士 bóxuézhīshì; 专家 zhuānjiā; 通 tōng ¶그 아이는 공룡 ~이다 那个孩子是恐龙的专家
박사(薄紗) 명 薄纱 báoshā
박살 명 破碎 pòsuì; 粉碎 fěnsuì; 毁灭 huǐmiè; 摧毁 cuīhuǐ; 砸碎 zásuì; 击破 jīpò; 打破 dǎpò ¶꽃병을 ~ 내다 粉碎花瓶 / 계란이 모두 ~ 났다 鸡蛋都破碎了
박색(薄色) 명 丑脸 chǒuliǎn ¶차마 눈뜨고 못 볼 ~이다 惨不忍睹的丑脸
박수 명 『民』 巫师 wūshī; 男巫 nánwū = 박수무당
박수(拍手) 명하자 鼓掌 gǔzhǎng; 拍手 pāishǒu; 拍掌 pāizhǎng; 拍巴掌 pāibāzhǎng ¶관중들이 ~를 치며 환호하다 观众鼓掌欢呼
박수-갈채(拍手喝采) 명하자 拍手喝采 pāishǒu hècǎi; 拍手叫好 pāishǒu jiàohǎo ¶~를 보내다 拍手喝采
박수-무당 명 『民』 = 박수
박스(box) 명 **1** = 상자1 ¶라면 두 ~ 两箱方便面 **2** = 칸2
박식(博識) 명하형 博识 bóshí; 博学 bóxué; 渊博 yuānbó; 博学多闻 bóxuéduōwén; 多闻博识 duōwénbóshí ¶~한 학자 博识的学者
박애(博愛) 명하타 博爱 bó'ài; 泛爱 fàn'ài
박애-주의(博愛主義) 명 『哲』 博爱主义 bó'ài zhǔyì ¶~자 博爱主义者
박약(薄弱) 명하형 **1** 薄弱 bóruò; 单薄 dānbó; 虚弱 xūruò ¶의지가 ~하다 意志薄弱 **2** 不足 bùzú; 缺乏 quēfá ¶근거가 ~하다 缺乏根据
박음-질 명하타 缉 qī
박이다 자 **1** 习惯 xíguàn; 上瘾 shàngyǐn ¶일찍 일어나는 것이 몸에 ~ 习惯早起 / 커피를 마시는 데 인이 ~ 喝咖啡喝上了瘾 **2** (茧) 生 shēng; 长出 zhǎngchū ¶손바닥에 못이 ~ 手掌上生茧
박자 명 『音』 拍子 pāizi; 拍 pāi ¶~를 맞추다 打拍子 / ~가 맞지 않다 不合拍子
박작-거리다 자 拥挤 yōngjǐ; 喧闹 xuānnào = 박작대다 ¶넓은 공원에 사람들로 ~ 大公园里聚了很多人非常拥挤 **박작-박작** 부하자
박장(拍掌) 명하자 拍手 pāishǒu; 鼓掌 gǔzhǎng; 拍掌 pāizhǎng; 拊掌 fǔzhǎng
박장-대소(拍掌大笑) 명하자 拊掌大笑 fǔzhǎng dàxiào; 鼓掌大笑 gǔzhǎng dàxiào
박절-하다(迫切—) 형 **1** 冷淡 lěngdàn; 无情 wúqíng ¶박절하게 거절하다 冷淡地拒绝 **2** = 다급하다 **박절-히** 부
박정-하다 형 薄情 bóqíng; 冷淡 lěngdàn; 无情 wúqíng; 冷漠 lěngmò ¶넌 어쩜 그리도 박정하니? 你怎么这么薄情? **박정-히** 부
박제(剝製) 명하타 剥制 bāozhì; 动物标本 dòngwù biāoběn
박제-품(剝製品) 명 剥制标本 bāozhì biāoběn
박:쥐 명 『動』 蝙蝠 biānfú
박지(薄紙) 명 薄纸 báozhǐ; 薄页纸 báoyèzhǐ ¶~로 포장한 과자 用薄纸包装的饼干
박진(迫眞) 명하형 逼真 bīzhēn; 迫真 pòzhēn ¶연기가 매우 ~하다 演得十分逼真
박진-감(迫眞感) 명 迫真感 pòzhēngǎn ¶~ 넘치는 연기 迫真感很强的演技
박차(拍車) 명 **1** 马刺 mǎcì **2** 加紧 jiājǐn; 快马加鞭 kuàimǎjiābiān ¶신약 개발에 ~를 가하다 加紧开发新药
박-차다 타 **1** 猛踢 měngtī; 猛踹 měngchuài ¶그는 대문을 박차고 나가 버렸다 他猛踢出门去了 **2** 克服 kèfú; 冲破 chōngpò; 排除 páichú; 闯过 chuǎngguò ¶역경을 박차고 앞으로 나아가다 克服困难前进
박-치기 명하자타 (以头) 顶 dǐng; 撞 zhuàng ¶범인은 경찰의 머리에 ~를 했다 犯人以头撞警察之头部
박탈(剝脫) 명하자타 剥脱 bōtuō
박탈(剝奪) 명하타 剥夺 bōduó ¶자유를 ~하다 剥夺自由 / 권리를 ~하다 剥夺权利
박탈-감(剝奪感) 명 剥夺感 bōduógǎn ¶상대적 ~ 相对剥夺感
박테리아(bacteria) 명 『生』 = 세균
박토(薄土) 명 薄土 báotǔ
박편(薄片) 명 薄片 báopiàn ¶~으로 쪼개다 切成薄片
박피(剝皮) 명하타 剥皮 bāopí; 去皮 qùpí
박피(薄皮) 명 薄皮 báopí
박하(薄荷) 명 『植』 薄荷 bòhe = 민트
박하-뇌(薄荷腦) 명 『化』 薄荷脑 bòhenǎo; 薄荷醇 bòhechún = 멘톨
박-하다(薄—) 형 **1** 不厚道 bùhòudào; 不厚 bùhòu; 薄情 bóqíng; 刻薄 kèbó; 薄 báo ¶그가 이렇게 박할 줄 누가 알았을까? 谁知他这样刻薄? **2** (利益、所得等) 少 shǎo; 微薄 wēibó ¶이윤이 ~ 利润少 **3** (厚度) 薄 báo ¶얼음이 ~ 冰很薄
박하-사탕(薄荷沙糖) 명 薄荷糖 bòhetáng
박학(博學) 명하형 博学 bóxué ¶~한 사람 博学之士

박학-다식(博學多識) 圐헐혷 博学多识 bóxué duōshí

박해(迫害) 圐헐타 迫害 pòhài ¶종교적인 ~ 宗教迫害 / 갖은 ~를 받다 备受迫害

박-히다 '박다'의 피동사

밖 圐 1 外 wài; 外面 wàimian; 外边 wàibian ¶문~ 门外 / ~에 나가서 놀다 去外面玩 2 表面 biǎomiàn ¶그는 ~으로 보기에는 착한 것 같다 他表面上看起来很善良 他表面上看起来很善良 3 除了… chúle…; 除… chú…; 以外 yǐwài; 之外 zhīwài; 外 wài ¶그 ~의 문제 其外的问题 / ~에는 아무도 모른다 除了我，没有人知道 4 = 한데2

밖에 盉 只 zhǐ; 只有 zhǐyǒu; 唯有 wéiyǒu; 惟有 wéiyǒu; 只好 zhǐhǎo; 只能 zhǐnéng ¶이 임무를 완성할 수 있는 사람은 너~ 없다 能完成这个任务的人只有你

반(半) 圐 1 半 bàn; 一半 yíbàn ¶한 달 ~ 一个半月 / 한 시간 ~ 一个半小时 / 재산의 ~ 财产的一半 / 시작이 ~이다 好的开始是成功的一半

반(班) 圐 1 班 bān 2 音乐会 音乐班 2 圓[軍] 班 bān 3 班级 bānjí ¶1학년은 10개~으로 되어 있다 一年级由十个班级组成

반-(反) 젭투 反 fǎn; 反对 fǎnduì ¶~비례 反比例 / ~작용 反作用 / ~독재 反独裁

반:-가(半價) 圐 = 반값

반가움 圐 喜悦 xǐyuè; 高兴 gāoxìng ¶~을 표현하다 表现高兴

반가워-하다 타 高兴地迎接 gāoxìngde yíngjiē ¶만약 그가 너를 만난다면 무척 반가워할 것이다 要是他见到你，肯定会很高兴的

반가이 圓 高兴地 gāoxìngde; 欣喜地 xīnxǐde; 欣然地 xīnránde ¶그들은 우리를 ~ 맞아 주었다 他们高兴地迎接了我们

반:(反感) 圐 反感 fǎngǎn ¶~을 사다 引起反感 / ~이 생기다 产生反感

반:-감(反減) 圐헐자타 减半 jiǎnbàn ¶흥미가 ~되다 兴趣减半 / 세금 징수를 ~하다 课税减半 / 생산량이 ~되다 生产量减半

반갑다 혷 高兴 gāoxìng; 喜悦 xǐyuè; 喜欢 xǐhuan; 喜 xǐ ¶반가운 소식 令人高兴的消息 / 만나서 반갑습니다 见到你很高兴 / 반가운 마음으로 맞이하다 怀着喜悦的心情迎接

반:-값(半-) 圐 半价 bànjià ¶~철 지난 옷을 ~에 사다 过季节的衣服花半价买

반:-걸음(半-) 圐 半步 bànbù ¶~보 ¶~ 물러서다 往后退半步

반:-격(反擊) 圐헐자타 反击 fǎnjī; 回

击 huíjī; 还击 huánjī; 反攻 fǎngōng; 反扑 fǎnpū ¶적에게 ~을 가하다 对敌人给以反击

반:-격-전(反擊戰) 圐 反击战 fǎnjīzhàn ¶~을 펼치다 打一场反击战

반경(半徑) 圐 【数】半径 bànjīng 《 '반지름'의 旧称》 ¶~ 30km 이내 三十公里半径内

반:-고체(半固體) 圐 半固体 bàngùtǐ

반:-고형-식(半固形食) 圐 = 연식(軟食)

반:-골(反骨·叛骨) 圐 反骨 fǎngǔ ¶~정신 反骨精神 / ~ 성향 反骨倾向

반:-공(反共) 圐 反共 fǎngòng ¶~교육 反共教育 / ~의식 反共意识 / ~교육 反对共产主义 fǎnduì gòngchǎnzhǔyì

반:-공(反攻) 圐헐타 反攻 fǎngōng; 反击 fǎnjī ¶적을 ~하다 反攻敌人

반:-공일(半空日) 圐 半休日 bànxiūrì

반:-구(半句) 圐 半句 bànjù

반:-구(半球) 圐 半球 bànqiú

반군(叛軍) 圐 = 반란군 ¶~을 소탕하다 扫荡反军

반:-기(反旗) 圐 1 反旗 fǎnqí; 叛旗 pànqí 2 表示反对 biǎoshì fǎnduì ¶그의 이론에 ~를 들다 对他的理论表示反对

반:-기(半旗) 圐 = 조기(弔旗)

반기다 타 高兴地迎接 gāoxìngde yíngjiē; 欢迎 huānyíng ¶그들은 나의 방문을 반기지 않는다 他们不欢迎我访问他们的家

반:-나절(半-) 圐 半天 bàntiān; 半日 bànrì; 半晌 bànshǎng ¶~이나 기다렸다 等了半天

반:-나체(半裸體) 圐 半裸 bànluǒ; 半裸体 bànluǒtǐ = 반라 ¶~로 침대에 눕다 半裸躺在床上

반:-납(返納) 圐헐타 还 huán; 交还 jiāohuán ¶책을 ~하다 还书

반:-년(半年) 圐 半年 bànnián

반:-달¹(半-) 圐 1 半月 bànyuè; 弦月 xuányuè = 반월 ¶밤하늘에 ~이 걸려 있다 半月挂在夜空 2 (指甲의) 健康圈 jiànkāngquān

반:-달²(半-) 圐 半个月 bàngè yuè; 半月 bànyuè

반:-달가슴-곰(半-) 圐 【動】黑熊 hēixióng; 狗熊 gǒuxióng = 반달곰

반:-달-곰(半-) 圐 【動】= 반달가슴곰

반:-당(反黨) 圐헐자 反党 fǎndǎng; 叛党 pàndǎng

반:-대(反對) 圐헐자타 1 (样子、方向 등) 相反 xiāngfǎn; 倒 dào; 反 fǎn ¶~방향 相反方向 / ~로 돌다 反转 2 反对 fǎnduì; 相反 xiāngfǎn ¶나의 견해와 ~되다 与我的想法是相反的

반:대-대(反對一) 명【語】= 반의어
반:대-자(反對者) 명 반대자 fǎnduìzhě
반:대-쪽(反對一) 명 对面 duìmiàn
반:대-파(反對派) 명 反对派 fǎnduìpài
반:대-편(反對便) 명 1 对面 duìmiàn 2 对方 duìfāng
반:대-표(反對票) 명 反对表 fǎnduìpiào
반-덤핑(反dumping) 명【經】反倾销 fǎnqīngxiāo
반-덤핑 관세(反dumping關稅) 명【經】反倾销关税 fǎnqīngxiāo guānshuì
반-도(半島) 명【地理】半岛 bàndǎo
반:도(叛徒) 명 叛徒 pàntú ¶~를 타도하다 打倒叛徒
반:-도체(半導體) 명【物】半导体 bàndǎotǐ ¶~ 공업 半导体工业 / ~ 공학 半导体工学
반:-동(反動) 명하자 1 反作用 fǎnzuòyòng; 反冲 fǎnchōng; 后坐 hòuzuò; 反冲力 fǎnchōnglì; 后坐力 hòuzuòlì ¶그 총은 ~이 너무 크다 那支枪后坐力太大 2 反动 fǎndòng ¶~사상 反动思想 / ~세력 反动势力 / 억압에 대한 ~ 对压迫反动
반:-동-력(反動力) 명【物】= 반작용력
반:동-적(反動的) 명 反动(的) fǎndòng(de) ¶~ 경향 反动的倾向
반드럽다 형 1 光滑 guānghuá; 平滑 pínghuá ¶반드러운 대리석 바닥 光滑的大理石地面 2 (人) 圆滑 yuánhuá; 油滑 yóuhuá; 世故 shìgù ¶그는 무척 ~ 这个人很圆滑
반드르르 부하형 光滑 guānghuá; 油光 yóuguāng; 油光光 yóuguāngguāng; 光溜溜 guāngliūliū; 油亮 yóuliàng ¶그의 머리는 늘 ~하다 他的头发总是油光光的
반드시 부 一定 yídìng; 必 bì; 务必 wùbì; 必须 bìxū; 必定 bìdìng = 기필코 ¶나는 그가 ~ 성공하리라 믿는다 我相信他一定会成功
반들-거리다[1] 자 1 光滑 guānghuá; 油亮 yóuliàng; 平滑 pínghuá; 油光 yóuguāng ¶책상을 반들거리도록 닦다 书桌擦得光滑 2 圆滑 yuánhuá; 滑头 huátóu; 油滑 yóuhuá ‖ = 반들대다[1]
반들-거리다[2] 자 游手好闲 yóushǒuhàoxián; 游荡 yóudàng; 浪当 làngdāng; 浪荡 làngdàng = 반들대다[2] ¶반들거리지만 말고 마음을 좀 바로 잡아라 不要老那么游手好闲, 要定下心 반들-반들[2] 부하자
반듯-반듯 부하형 平平正正 píngpíng-

zhèngzhèng; 端端正正 duānduānzhèngzhèng ¶~하게 개다 叠得平平正正
반듯-이 부 平平地 píngpíngde; 正正地 zhèngzhèngde; 整齐 zhěngqí ¶~ 놓여진 책 摆放整齐的图书
반듯-하다 형 1 整齐 zhěngqí; 直 zhí; 规正 guīzhèng; 规整 guīzhěng; 端正 duānzhèng; 笔直 bǐzhí; 端然 duānrán; 正当 zhèngdāng; 方正 fāngzhèng ¶반듯한 사각형 规整的方形 / 글자를 반듯하게 쓰다 字写得端端正正 / 품행이 ~ 品行端正 2 帅 shuài; 端正 duānzhèng; 潇洒 xiāosǎ; 漂亮 piàoliang ¶반듯하게 생기다 五官端正
반:-등(反騰) 명하자【經】反弹 fǎntán; 反涨 fǎnzhǎng; 回升 huíshēng; 回涨 huízhǎng ¶국제 유가가 계속 ~하다 国际油价不断反涨 / 주가가 ~하다 股价反弹
반디 명【蟲】= 반딧불이
반딧-불 명【蟲】萤火 yínghuǒ; 萤光 yíngguāng = 인화(燐火)2·형광12【蟲】= 반딧불이
반딧-불이 명【蟲】萤火虫 yínghuǒchóng = 개똥벌레·반디·반딧불이
반:-라(半裸) 명 = 반나체 ¶~의 여인 半裸女人
반:란(叛亂·反亂) 명하자 叛乱 pànluàn; 反乱 fǎnluàn; 造反 zàofǎn ¶~을 일으키다 发动叛乱 / ~을 진압하다 镇压叛乱
반:란-군(叛亂軍) 명 叛军 pànjūn = 반군 ¶~을 진압하다 镇压叛军
반:란-죄(叛亂罪) 명【法】叛乱罪 pànluànzuì
반:려(伴侶) 명 伴侣 bànlǚ
반:-려(返戾) 명하타 = 반환1 ¶사표가 ~되다 辞呈被退回
반:려-자(伴侶者) 명 伴侣 bànlǚ; 伴侣者 bànlǚzhě; 伴(儿) bàn(r) ¶인생의 ~ 人生的伴侣
반론(反論) 명하자타 反论 fǎnlùn = ~을 제기하다 提出反论
반:-만년(半萬年) 명 半万年 bànwànnián; 五千年 wǔqiānnián ¶~의 역사 半万年历史
반:-말(半一) 명【語】非敬语 fēijìngyǔ; 半语 bànyǔ ¶처음 만난 사람에게 ~을 하다 对初次见面的人使用非敬语
반:말-지거리(半一) 명하자 用非敬语说话 yòng fēijìngyǔ shuōhuà; 说话不礼貌 shuōhuà bùlǐmào; 说话没大没小 shuōhuà méidàméixiǎo
반:-면(反面) 명 反之 fǎnzhī; 另一方面 lìngyīfāngmiàn; 相反 xiāngfǎn ¶많은 장점이 있는 ~에 단점도 있다 有很多优点, 但另一方面也有缺点

반면(盤面) 圓 1 盘面 pánmiàn 2 形势 xíngshì; 局势 júshì ¶바둑을 둘 때는 ~을 잘 파악해야 한다 下棋要把握准 局势

반:-모음(半母音) 圓【語】半元音 bànyuányīn

반:-목(反目) 圓하자 反目 fǎnmù; 不和 bùhé ¶부부가 ~하다 夫妻反目

반:-문(反問) 圓하자 反问 fǎnwèn; 反 诘 fǎnjié ¶그에게 질문의 뜻을 ~하여 反问他问题的意思

반:-미(反美) 圓 反美 fǎnměi ¶~ 감정 反美情绪 / ~ 집회 反美集会

반:-미치광이(半─) 圓 半疯子 bànfēngzi; 半疯儿 bànfēngr

반:-민족(反民族) 圓 反民族 fǎnmínzú; 背叛民族 bèipàn mínzú

반:-민주(反民主) 圓 反民主 fǎnmínzhǔ; 反对民主主义 fǎnduì mínzhǔzhǔyì

반:-바지(半─) 圓 短裤 duǎnkù

반:-박(反駁) 圓하자 反驳 fǎnbó; 驳斥 bóchì; 驳 bó ¶다른 사람의 주장을 ~ 하다 反驳别人的主张 / ~ 성명을 발 표하다 发表反驳声明

반:-박(半─) 圓 半拍子 bànpāizi

반:-박-문(反駁文) 圓 反驳文 fǎnbówén

반:-반(半半) 圓 1 一半 yībàn ¶~씩 나누다 各分一半 2 = 반의반

반반-하다 혱 1 平 píng; 平坦 píngtǎn; 平平 píngpíng ¶길을 반반하게 닦 다 路修得很平坦 2 长得好看 zhǎngde hǎokàn; 秀丽 xiùlì; 漂亮 piàoliang ¶얼 굴이 ~ 脸长得好看 3 (东西) 好好; 不错 bùcuò; 像样 xiàngyàng ¶반반한 물건 좋은 东西 4 (出身·地位) 高 gāo

반반-히 튀

반발(反撥) 圓하자 1 反弹 fǎntán; 弹 回 tánhuí 2 逆反 nìfǎn; 反抗 fǎnkàng; 抗拒 kàngjù ¶더 큰 ~을 낳다 引起更大的反抗

반:-발-력(勃發力) 圓 弹力 tánlì; 反 弹力 fǎntánlì

반:-발-심(反撥心) 圓 逆反心 nìfǎnxīn; 逆反心理 nìfǎn xīnlǐ ¶~을 가지 다 具有逆反心理

반:-백(半白·頒白) 圓 = 반백(斑白) ¶ ~의 머리 头发斑白

반백(斑白) 圓 斑白 bānbái; 斑发 bānfà; 半白 bànbái; 花白 huābái = 반백 (半白) ¶~의 노인 头发斑白的老人

반:-백(半百) 圓 半百 bànbǎi

반:-벙어리(半─) 圓 半哑巴 bànyǎba

반:-병신(半病身) 圓 半残废 bàncánfèi

반:-보(半步) 圓 = 반걸음

반:-복(反復) 圓하자 反复 fǎnfù; 重复 chóngfù; 重做 chóngzuò ¶그는 했던 말을 다시 ~했다 他把说过的话又重复 了一遍

반:-분(半分) 圓하자 分一半 fēnyíbàn; 对半 duìbàn ¶그는 이익을 ~하여 가 져갔다 他把利润分一半拿过去

반:-비례(反比例) 圓하자【數】反比 例 fǎnbǐlì

반:-사(反射) 圓하자타【物·生】反射 fǎnshè; 反照 fǎnzhào ¶빛의 ~ 光的 反射

반:-사-각(反射角) 圓【物】反射角 fǎnshèjiǎo

반:-사 거울(反射─) 圓 반사경

반:-사-경(反射鏡) 圓【物】反射镜 fǎnshèjìng = 반사 거울

반:-사-광(反射光) 圓【物】= 반사 광 선

반:-사 광선(反射光線) 圓【物】反射光线 fǎnshè guāngxiàn; 反射光 fǎnshèguāng = 반사광

반:-사-면(反射面) 圓 反射面 fǎnshèmiàn

반:-사-열(反射熱) 圓【物】反射热 fǎnshèrè

반:-사 운-동(反射運動) 【生】反射运动 fǎnshè yùndòng

반:-사-율(反射率) 圓【物】反射率 fǎnshèlǜ; 反射比 fǎnshèbǐ

반:-사 작용(反射作用) 【物·心】反射作用 fǎnshè zuòyòng ¶감정적인 ~ 情感的反射作用

반:-사-적(反射的) 판웹 反射(地) fǎnshè(de) ¶우리도 ~으로 눈을 깜박일 수 있다 我们也会反射地眨眼

반:-사-체(反射體) 圓【物】反射体 fǎnshètǐ

반:-사회적(反社會的) 판웹 反社会 (的) fǎnshèhuì(de) ¶~ 행위 反社会的 行为

반:상-기(飯床器) 圓 成套餐具 chéngtào cānjù

반:상-회(班常會) 圓 居民会 jūmínhuì

반색 圓하자 高兴 gāoxìng; 欣喜 xīnxǐ; 喜欢 xǐhuan ¶손님을 ~하며 맞다 很高兴地迎接一位客人

반:-생(半生) 圓 半生 bànshēng; 半辈子 bànbèizi

반:석(盤石·磐石) 圓 磐石 pánshí ¶~ 같이 굳은 신념 坚如磐石的信念

반:-성(反省) 圓하타 反省 fǎnxǐng; 反 思 fǎnsī; 检查 jiǎnchá; 检讨 jiǎntǎo; 悔过 huǐguò ¶자신의 행동을 ~하다 反省自己的行动

반:-성-문(反省文) 圓 检查 jiǎnchá; 检 讨书 jiǎntǎoshū; 悔过书 huǐguòshū

반:-세(半世) 圓 半生 bànshēng; 半辈

子 bànbèizi

반:-세기(半世紀) 뎽 半世紀 bànshìjì

반:-소(反訴) 뎽 【法】反诉 fǎnsù = 맞고소·맞소송

반:-소(半燒) 뎽형자태 半烧 bànshāo; 半焦 bànjiāo; 烧了一半 shāole yībàn

반:-소경(半一) 뎽 1 = 애꾸눈 2 半瞎子 bànxiāzi 3 半文盲 bànwénmáng

반:-소매(半一) 뎽 短袖 duǎnxiù = 반팔

반:-송(返送) 뎽형태 送还 sònghuán; 送回 sònghuí; 寄回 jìhuí; 退回 tuìhuí; 回运 huíyùn; 返送 fǎnsòng = 환송(還送)

반송(搬送) 뎽형태 搬送 bānsòng; 运送 yùnsòng; 输运 shūyùn

반:-송장(半一) 뎽 活尸 huóshī; 半死人 bànsǐrén

반:-수(半数) 뎽 半数 bànshù ¶~ 이상의 학생이 동의하다 半数以上的学生同意

반:-숙(半熟) 뎽형자태 半熟 bànshú ¶ 계란 ~ 半熟鸡蛋

반:-승낙(半承諾) 뎽형태 半答应 bàndāying; 半许可 bànxǔkě; 半允许 bànyǔnxǔ

반:-식민지(半植民地) 뎽 半殖民地 bànzhímíndì

반:-신(半身) 뎽 半身 bànshēn

반:-신(返信) 뎽 回信 huíxìn; 回电 huídiàn; 回条 huítiáo; 回单 huídān

반:-신-반:-의(半信半疑) 뎽형태 半信半疑 bànxìnbànyí

반:-신불수(半身不隨) 뎽 半身不遂 bànshēn bùsuí; 偏瘫 piāntān; 瘫痪 tānhuàn

반:-신-상(半身像) 뎽 半身像 bànshēnxiàng

반:-신-욕(半身浴) 뎽 【醫】半身浴 bànshēnyù ¶~ 을 하다 泡半身浴

반:-실(半失) 뎽형자태 失掉一半 shīdiào yībàn; 损失一半 sǔnshī yībàn

반:-액(半額) 뎽 1 半额 bàn'é ¶~ 장학금 半额奖学金 2 半价 bànjià ¶~ 판매 半价销售

반:-야(半夜) 뎽 = 한밤중

반야(般若) 뎽 【佛】般若 bōrě

반야-심경(般若心經) 뎽 【佛】般若心经 bōrěxīnjīng

반:-양장(半洋裝) 뎽 半洋装 bànyángzhuāng

반:-어(反語) 뎽 反语 fǎnyǔ = 아이러니1

반:-어-법(反語法) 뎽 【論·語】反语法 fǎnyǔfǎ

반:-역(反逆·叛逆) 뎽형자태 叛逆 pànnì; 背叛 bèipàn; 反叛 fǎnpàn ¶~ 行为 叛逆行为 / ~자 叛逆者 / ~죄 叛逆罪

반:-열(班列) 뎽 班列 bānliè; 阶级 jiējí

반:-영(反映) 뎽형자태 反映 fǎnyìng

반:-영(反影) 뎽 倒影 dàoyǐng

반:-영구(半永久) 뎽 半永久 bànyǒngjiǔ

반:-영구-적(半永久的) 관뎽 半永久(的) bànyǒngjiǔ(de)

반:-올림(半一) 뎽형태 【數】四舍五入 sìshěwǔrù

반:-원(半圓) 뎽 【數】半圆 bànyuán ¶~ 을 그리다 划半圆

반원(班員) 뎽 班员 bānyuán

반:-원-형(半圓形) 뎽 【數】半圆形 bànyuánxíng

반:-월(半月) 뎽 1 = 반달'1 2 半个月 bàngè yuè

반:-음(半音) 뎽 【音】半音 bànyīn = 반음정

반:-음계(半音階) 뎽 【音】半音阶 bànyīnjiē

반:-음정(半音程) 뎽 【音】= 반음

반:-응(反應) 뎽형자태 1 反应 fǎnyìng ¶~ 이 없다 没有反应 / ~을 일으키다 起反应 2 【化】反应 fǎnyìng

반:-응-식(反應式) 뎽 【化】反应式 fǎnyìngshì

반:-의(叛意) 뎽 叛意 pànyì; 异心 yìxīn ¶그는 ~를 품고 있다 他怀有叛意

반:-의-반:(半一半一) 뎽 一半的一半 yībànde yībàn = 반반2

반:-의-어(反義語·反意語) 뎽 【語】反义词 fǎnyìcí = 대말

반:-일(反日) 뎽형자태 反日 fǎnrì ¶~ 감정 反日情绪 / ~ 투쟁 反日斗争

반:-일(半日) 뎽 = 한나절 ¶~ 근무 半天工作

반입(搬入) 뎽형태 搬进 bānjìn; 搬入 bānrù; 运进 yùnjìn; 带 dài ¶음식물 ~ 금지 禁止自带食物 / 중국산 물품이 많이 ~되고 있다 多运进中国货品来

반입-량(搬入量) 뎽 运进量 yùnjìnliàng

반입-품(搬入品) 뎽 运进的物品 yùnjìnde wùpǐn

반:-자동(半自動) 뎽 半自动 bànzìdòng ¶~ 세탁기 半自动洗衣机

반자동-화(半自動化) 뎽 半自动化 bànzìdònghuà ¶~ 설비 半自动化设备

반:-작용(反作用) 뎽형자 1 反作用 fǎnzuòyòng ¶~이 생기다 起反作用 2 【物】反作用 fǎnzuòyòng

반:-작용 힘(反作用一) 【物】反作用力 fǎnzuòyònglì = 반동력

반장(班長) 뎽 1 (組織的) 班长 bānzhǎng ¶작업반 ~ 作业班班长 2 【教】班长 bānzhǎng ¶3학년 1반 ~ 三年级一班班长 / ~ 선거 班长竞选

반:-전(反戰) 뎽형자태 反战 fǎnzhàn; 反

반:전(反轉) **[명][자]** 1 反转 fǎnzhuǎn
¶톱니바퀴가 ~하다 齿轮反转 2 扭转 niǔzhuǎn; 反转 fǎnzhuǎn; 逆转 nìzhuǎn; 转 zhuàn ¶상황이 ~되다 情况逆转

반:절(切切·半截) **[명][하타]** 1 切半 qiēbàn; 半截 bànjié; 一半 yíbàn ¶사과를 ~하다 切半个苹果 2 对开 duìkāi ¶~ 신문지 对开报纸

반:절(半折) **[명][하타]** = 절반

반:점¹(半點) **[명]** 1 半个点 bàn ge diǎn 2 半个小时 bàngè xiǎoshí 3 半点 bàndiǎn; 一点 yìdiǎn ¶~의 구름도 없다 一点云彩也没有

반:점²(半點) **[명]** 【語】逗号 dòuhào; 逗点 dòudiǎn = 콤마 ¶~을 찍다 打个逗号

반점(斑點) **[명]** 斑点 bāndiǎn

반:정립(反定立) **[명]** 【哲】反命题 fǎnmìngtí

반:정부(反政府) **[명]** 反政府 fǎnzhèngfǔ ¶~ 인사 反政府人士 / ~ 시위 反政府示威

반:제(半製) **[명]** = 반제품

반:제-품(半製品) **[명]** 半成品 bànchéngpǐn; 半制品 bànzhìpǐn = 반제

반:조(返照) **[명][하자타]** 返照 fǎnzhào; 反照 fǎnzhào

반:주(伴走) **[명][하자]** 陪跑 péipǎo

반:주(伴奏) **[명][하자]** 【音】伴奏 bànzòu ¶피아노 ~에 맞추어 노래를 부르다 随钢琴伴奏唱歌

반주(飯酒) **[명]** (吃饭时配的)酒 jiǔ ¶그는 식사를 할 때 항상 ~를 한다 他吃饭的时候,一定喝酒

반:주-자(伴奏者) **[명]** 伴奏者 bànzòuzhě

반죽 **[명][하타]** 1 和 huò; 揉 róu ¶밀가루 ~하다 和面 2 (和好的) 面 miàn; 面团儿 miàntuánr ¶~이 무르다 面和得太软

반:-죽음(半一) **[명][하자]** 半死 bànsǐ; 半死不活 bànsǐbùhuó; 濒死 bīnsǐ = 빈사 ¶~이 되도록 때리다 打得半死不活

반:증(反證) **[명][하타]** 反证 fǎnzhèng

반지(半指·斑指) **[명]** 戒指 jièzhi ¶커플 ~ 情侣戒指 / 다이아몬드 ~ 钻石戒指 / ~를 끼다 戴戒指

반지랍다 **[형]** 油光 yóuguāng; 光滑 guānghuá; 光润 guāngrùn

반지레 **[부][형]** 油亮 yóuliàng; 光滑 guānghua

반지르르 **[부][하형]** 1 油光水滑 yóuguāngshuǐhuá ¶얼굴에 기름기가

~ 돌다 脸上油光光的 / 머리에 ~ 윤이 돌다 头发油光地好光亮 2 阔气 kuòqi; 漂亮 piàoliang ¶말은 ~하게 잘한다 说得很漂亮

반:-지름(半一) **[명]** 【數】半径 bànjìng

반:-지하(半地下) **[명]** 半地下 bàndìxià ¶~ 방 半地下房子

반짇-고리 **[명]** 针线盒 zhēnxiànhé; 针线包 zhēnxiànbāo; 针线笸箩 zhēnxiàn pǒluo

반질-거리다 **[자]** 1 光滑 guānghuá; 油亮 yóuliàng 2 滑头 huátóu; 滑头滑脑 huátóuhuánǎo; 偷懒 tōulǎn ‖ = 반질대다 ‖ **[자동]**

반짝¹ **[부]** 1 一仰 yīyǎng; 一抬 yìtái 2 猛 měng; 一下 yíxià ¶~ 들어 올리다 猛地举起来 / 갑자기 ~ 눈을 뜨다 突然猛地争开眼睛

반짝² **[부][하자타]** 闪 shǎn; 闪耀 shǎnyào

반짝³ **[부]** 突然 tūrán ¶정신이 ~ 들다 突然来精神

반짝-거리다 **[자타]** 闪闪 shǎnshǎn; 闪耀 shǎnyào; 光闪闪 guāngshǎnshǎn; 烁烁 shuòshuò; 灿灿 càncàn; 晶晶 jīngjīng; 亮晶晶 liàngjīngjīng; 亮闪闪 liàngshǎnshǎn = 반짝대다 ¶별빛이 ~ 星光在闪耀着 = 반짝-반짝 **[부][하자타]**

반짝-이다 **[자타]** 闪闪 shǎnshǎn; 闪耀 shǎnyào; 光闪闪 guāngshǎnshǎn; 烁烁 shuòshuò; 灿灿 càncàn; 晶晶 jīngliàng; 亮晶晶 liàngjīngjīng; 亮闪闪 liàngshǎnshǎn ¶내 말을 듣고 그녀의 눈이 반짝였다 听我的话, 她的眼睛闪耀着

반:-쪽(半一) **[명]** 一半 yíbàn; 半拉 bànlā; 半截 bànjié ¶나에게 사과 ~만 주세요 给我半拉苹果 2 消瘦 xiāoshòu; 瘦了一半 shòule yíbàn ¶병치레를 하고 나더니 얼굴이 ~이 되었다 病后瘦了一半

반찬(飯饌) **[명]** 下饭菜 xiàfàncài; 家常菜 jiāchángcài; 菜肴 càiyáo; 菜 cài = 밥반찬 · 찬

반찬-거리(飯饌一) **[명]** 做菜的材料 zuòcàide cáiliào; 菜 cài = 찬거리

반창-고(絆創膏) **[명]** 创可贴 chuàngkětiē; 创口贴 chuàngkǒutiē; 橡皮膏 xiàngpígāo

반:-체제(反體制) **[명]** 反体制 fǎntǐzhì ¶~ 운동 反体制运动

반:추(反芻) **[명][하자타]** 1 【動】反刍 fǎnchú; 倒嚼 dǎojiào; 倒嚼 dǎojiào ¶소가 ~하고 있다 牛在反刍 2 反刍 fǎnchú; 回想 huíxiǎng ¶지난 세월을 ~하다 反刍过去的岁月

반:출(搬出) **[명][하타]** 运出 yùnchū; 搬出 bānchū; 搬运 bānyùn ¶문화재를 몰래 해외로 ~하다 偷偷地将文化财产搬

出国外

반·출-량(搬出量) 명 搬出量 bānchū-liàng

반·취(半醉) 명하자 半醉 bànzuì; 微醉 wēizuì

반·측(反側) 명하자 **1** 反侧 fǎncè; 辗转反侧 zhǎnzhuǎnfǎncè **2** 背叛 bèipàn; 背信 bèixìn

반·칙(反則) 명하자 犯规 fànguī ¶공격자 ~ 进攻犯规 / ~하여 퇴장당하다 犯规罚下场

반·칙-패(反則敗) 명[體] 犯规败 fànguībài

반·코트(半coat) 명 短大衣 duǎndàyī; 短风衣 duǎnfēngyī; 半大衣 bàndàyī

반·-타작(半打作) 명하타 【農】 收成减一半 shōuchéng jiǎn yībàn

반·-투명(半透明) 명하형 半透明 bàntòumíng ¶~ 유리 半透明玻璃

반-파(半破) 명 半破 bànpò ¶선박이 ~되다 舰船半破

반·-팔(半-) 명 = 반소매 ¶~ 셔츠 半袖衬衫

반·-평생(半平生) 명 半生 bànshēng; 半辈子 bànbèizi ¶그는 ~ 새만 연구하였다 他半生只研究鸟类

반포(反哺) 명하자 反哺 fǎnbǔ

반포(頒布) 명하자 颁布 bānbù; 公布 gōngbù; 发表 fābiǎo ¶훈민정음은 1446년에 ~되었다 训民正音于1446年颁布了

반·-품(半-) 명 半个工 bàngègōng ¶~을 들여서 책상을 하나 만들었다 花半个工做了一张桌子

반·품(返品) 명하타 退货 tuìhuò; 退回 tuìhuí; 退还 tuìhuán ¶불량품을 ~하다 退回次品

반·-하다[자] 入迷 rùmí; 迷住 mízhù; 看迷 kànmí; 看上 kànshang; 看中 kànzhòng; 钟情 zhōngqíng ¶첫눈에 ~ 一见钟情 / 나는 그녀에게 반했다 我被她迷住了

반·-하다² 형 **1** 照亮 zhàoliàng; 晴 qíng; 明朗 mínglǎng ¶하늘이 반했다 天晴了 **2** 清楚 qīngchu; 明了 míngliǎo; 明显 míngxiǎn; 明白 míngbái; 若观火 míngruòguānhuǒ ¶그는 실패할 것이 ~ 他的失败是明若观火的 **3** 闲闲 xiánxián; 空闲 kòngxián **4** (病势) 有所好转 yǒusuǒhǎozhuǎn; 有起色 yǒuqǐsè ¶병세가 잠시 반하더니 다시 악화되었다 病势暂时有所好转,而又恶化了 **→반·히** 튀

반·-하다(反一) 자 相反 xiāngfǎn; 反之 fǎnzhī ¶결과가 우리의 바람과 ~ 结果跟我们愿望相反 / 반한 방향으로 달려가다 向相反的方向驶去

반합(飯盒) 명 (军用) 饭盒 fànhé

반·항(反抗) 명하자 反抗 fǎnkàng; 逆反 nìfǎn; 叛逆 pànnì; 顶 dǐng; 顶撞 dǐngzhuàng ¶~ 심리 逆反心理

반·항-기(反抗期) 명 【心】 反抗期 fǎnkàngqī; 叛逆期 pànnìqī; 逆反期 nìfǎnqī

반·항-심(反抗心) 명 反抗心 fǎnkàngxīn; 逆反心 nìfǎnxīn; 叛逆心 pànnìxīn ¶~을 불러일으키다 引起反抗心

반·항-아(反抗兒) 명 反抗者 fǎnkàngzhě

반·항-적(反抗的) 관명 反抗的 fǎnkàngde ¶~인 태도 反抗的态度

반·핵(反核) 명 反核 fǎnhé ¶~ 시위 反核示威

반·향(反響) 명 **1** 反响 fǎnxiǎng; 反应 fǎnyìng ¶그의 보고서는 큰 ~을 불러일으켰다 他的报告引起了很大的反应 **2** 【物】 回声 huíshēng

반·허락(半許諾) 명하타 半许可 bànxǔkě; 半允许 bànyǔnxǔ; 半答应 bàndāyìng ¶~을 받다 得到半允许

반·환(返還) 명하자타 **1** 返还 fǎnhuán; 归还 guīhuán; 退还 tuìhuán; 退回 tuìhuí = 返还(返回) ¶입장료를 관객들에게 ~하다 把门票退回给观众 **2** 返回 fǎnhuí; 还回 huánhuí

반·환-점(返還點) 명[體] 返回点 fǎnhuídiǎn; 返还点 fǎnhuándiǎn

반·휴(半休) 명 半休 bànxiū

반·-휴일(半休日) 명 半休日 bànxiūrì

반흔(瘢痕) 명 瘢痕 bānhén

받다 타동 **1** 领 lǐng; 接 jiē; 受 shòu; 收 shōu; 吸收 xīshōu; 接收 jiēshōu; 接受 jiēshòu ¶편지를 ~ 收信 / 공을 ~ 接球 **2** 得 dé; 赢得 yíngdé; 博得 bódé; 博取 bóqǔ; 接受 jiēshòu; 受 shòu ¶그의 공연은 관중들의 박수 갈채를 받았다 他的表演赢得了观众的喝彩 / 绝对的爱心和信赖 ~ 接受绝对的信赖和信任 **3** (钱或文件) 接 jiē; 接受 jiēshòu; 吸收 xīshōu; 接待 jiēdài; 接到 jiēdào ¶신청서를 ~ 接受申请书 **4** (分数或学位) 拿 ná; 得 dé ¶10점을 ~ 得十分 **5** (光·热气·风) 受 shòu; 晒 shài ¶햇볕을 ~ 晒太阳 **6** 买 mǎi ¶물건을 받아다가 판다 买东西来而卖 **7** (装进器物里) 接 jiē; 装进 zhuāngjìn ¶수돗물을 ~ 接自来水 **8** (把从上倒下的) 支撑 zhīchēng; 接着 jiēzhe ¶내가 아래로 던질 테니 너는 아래에서 받아라 我往下扔,你在下面接着 **9** 扛 káng; 撑 chēng; 举 jǔ ¶우산을 받고 가다 打着雨伞走 **10** 顶撞 dǐngzhuàng ¶소가 뿔로 사람을 ~ 牛用角顶人 **11** 接着 jiēzhe; 接上 jiēshang; 跟着 gēnzhe; 继而 jì'ér ¶네가 이 책을 다 보면, 내가 받아서 보고

싫다 你看完了那本书, 我要接着看 12 容许 róngxǔ; 容忍 róngrěn; 容纳 róngnà; 纵容 zòngróng; 允许 yǔnxǔ; 承认 chéngrèn; 批准 pīzhǔn; 许可 xǔkě; 准许 zhǔnxǔ; 准予 zhǔnyǔ; 证实 zhèngshí ¶나는 결코 그의 사과를 받지 않겠다 我决不容许他的歉意 13 接待 jiēdài ¶손님을 ~ 接待客人 14 分娩 fēnmiǎn; 接生 jiē shēng ¶아이를 ~ 接生孩子 15 决定 juédìng; 择 zé ¶날을 잘못 ~ 没有选择到好日子 / 결혼 날짜를 ~ 决定结婚日子 三자 1 胃口好 wèikǒuhǎo; 能喝 nénghē ¶요사이 음식이 잘 받는다 最近胃口好 / 오늘은 술이 잘 받는다 今天真能喝酒 2 谐调 xiétiáo; 相称 xiāngchèn; 和谐 héxié; 适合 shìhé; 配合 pèihé ¶이 색은 너에게 잘 받는다 这种颜色对你很配合

-받다 [接尾] 被 bèi; 受 shòu; 挨 ái

받-들다 [他] 1 拥戴 yōngdài; 爱戴 àidài; 侍奉 shìfèng ¶늙은 부모님을 ~ 拥戴老父母 2 遵照 zūnzhào; 遵遵 zūncóng ¶명령을 ~ 遵命 / 국민의 뜻을 ~ 遵从人民的意见 3 捧 pěng; 端 duān; 捧托 pěngtuō ¶술 잔을 받들고 들어왔다 他端着酒杯走进来

받들어-총 [감][명][하자] [軍] 举枪 jǔqiāng

받아-넘기다 [他] 1 对答 duìdá; 顶倒 dǐngdǎo; 顶嘴 dǐngzuǐ ¶받아넘기지 못했다 对答不上来 2 传给 chuángěi

받아-들이다 [他] 1 接受 jiēshòu; 收下 shōuxià; 招收 zhāoshōu; 吸收 xīshōu; 采用 cǎiyòng; 推广 tuīguǎng; 容纳 róngnà; 接纳 jiēnà ¶대륙 문화를 받아들이지 않는다 不接受大陆文化 / 이 대강당은 1000여 명을 받아들일 수 있다 这个大礼堂可容纳一千多人 2 承诺 chéngnuò; 答应 dāying; 采纳 cǎinà; 听从 tīngcóng; 搁下 gēxià ¶그의 충고를 ~ 听从他的忠告 / 학생들의 의견을 ~ 采纳学生的意见

받아-먹다 [他] 1 接来吃 jiēláichī; 接住吃 jiēzhùchī ¶새가 모이를 ~ 鸟把食儿接住吃 2 接受 jiēshòu; 接收 jiēshōu; 收下 shōuxià ¶뇌물을 ~ 收下贿赂

받아-쓰기 [명][하타] 听写 tīngxiě ¶~ 시험 听写考试

받아-쓰다 [他] 听写 tīngxiě; 笔记 bǐjì ¶학생들이 선생님의 설명을 ~ 学生们笔记老师的解释

받자 [명][속된] 迁就 qiānjiù; 宽容 kuānróng; 宽大为怀 kuāndàwéihuái; 宽忍 kuānrěn ¶할머니가 아이를 ~하니까 너무 버릇이 없다 奶奶宽容小孩子, 他太没有礼貌

받치다 三[他] 1 举 jǔ; 打 dǎ; 撑 chēng

¶우산을 ~ 撑打伞 2 托 tuō; 捧 pěng; 衬 chèn; 支 zhī; 撑 chēng; 垫 diàn; 支撑 zhīchēng ¶차 그릇을 받쳐들고 托着茶具 三[자] 1 硌 gè ¶의자에 앉을 때 방석을 깔면 엉덩이가 그다지 받치지 않는다 坐在椅子上, 垫上个坐垫就不太硌屁股 2 冒 mào; 上 shàng; 涌上 yǒngshàng; 上来 shànglái ¶분이~ 气儿涌上来 / 설움이 받쳐서 목놓아 울다 心里头涌上悲哀, 放声大哭 3 (吃的食物) 往上翻 wǎngshàng fān; 反胃 fǎnwèi; 翻胃 fǎnwèi ¶먹은 것이 자꾸 ~ 吃的东西老往上翻

받침 [명] 1 托子 tuōzi; 托(儿) tuō(r); 垫(儿) diàn(r); 托台 tuōtái ¶화분 ~ 花盆托子 2 [語] 终声 zhōngshēng

받침-대 [명] 支架 zhījià; 托架 tuōjià; 支托 zhītuō; 支子 zhīzi; 托座 tuōzuò; 台 tái; 座 zuò

받침-돌 [명] 垫石 diànshí

받-히다 '받다'의 被动词 三[타] 批发店供给物品

발¹ [명] 1 (人, 动物的) 脚 jiǎo; 足 zú; 爪 zhǎo; 爪儿 zhuǎr; 爪子 zhuǎzi ¶손과 ~ 手和脚 / 맨~ 赤脚 ¶발이 내~에 꼭 맞다 这双皮鞋对我脚挺合适 2 (器物的) 脚 jiǎo; 足 zú; 腿 tuǐ; 爪儿 zhuǎr ¶장롱의 ~ 柜脚 / 솥의 ~ 鼎足 3 脚步 jiǎobù; 走 zǒu ¶이 아이는 ~이 무척 빠르다 这孩子脚步很快 4 步 bù ¶한 ~ 뒤로 물러서다 往后退一步

발² [명] 帘子 liánzi; 帘(儿) lián(r); 门帘 ménlián

발³ [의명] 粗细 cūxì

발 [의명] 发 fā ¶총을 한 ~ 쏘다 打了一发子弹

-발 [接尾] 1 表示产生的力量 ¶빗~ 雨脚 / 끗~ 最后的神气 2 增加功效 gōngxiào; 效应 xiàoyìng ¶화장~ 化妆效果

-발(發) [接尾] 发 fā; 开航 kāiháng; 起飞 qǐfēi ¶서울~ 비행기 从首尔发的飞机

발-가락 [명] 脚指 jiǎozhǐ; 脚指头 jiǎozhítou; 趾 zhǐ; 脚趾 jiǎozhǐ

발가-벗기다 [자] '발가벗다'의 사동词

발가-벗다 [자] 1 脱光 tuōguāng; 裸露 luǒlù; 赤身 chìshēn ¶발가벗은 몸 赤身裸体 2 光秃秃 guāngtūtū

발가-숭이 [명] 1 裸体 luǒtǐ; 赤身 chìshēn; 裸身 luǒshēn; 赤身裸体 chìshēnluòtǐ; 赤身光身 chìshēnguāngshēn; 赤条条 chìtiáotiáo 2 秃山 tūshān

발각(發覺) [명][하타] 察觉 chájué; 发觉 fājué

발간(發刊) [명][하타] 发刊 fākān; 刊行 kānxíng; 创刊 chuàngkān; 创办 chuàngbàn; 发行 fāxíng; 刊出 kānchū yìnxíng ¶~이 금지된 책 禁止刊行的书 / 잡지를 ~하다 发行杂志

발:**갈다** 혱 鲜红 xiānhóng; 嫩红 nènhóng ¶발갛게 된 얼굴 嫩红的脸 발간 거짓말 귀 = 새빨간 거짓말

발:개-지다 잰 发红 fāhóng; 变红 biànhóng ¶얼굴이 ~ 脸变红

발-걸음 멍 步兵 bùbīng; 脚步 jiǎobù; 步伐 bùfá ¶~을 멈추다 停住脚步 / ~을 빨리하다 加快脚步

발-걸이 멍 1 (桌子, 椅子的) 脚蹬(子) jiǎodēng(zi) 2 踏板 tàbǎn; 脚蹬(子) jiǎodēng(zi)

발견(發見) 멍하타 发现 fāxiàn ¶새로운 항로의 ~ 新航线的发现 / 신석기 시대의 유적이 ~되다 新石器时代的遗迹被发现

발광(發光) 멍하자 发光 fāguāng ¶~물질 发光物质

발광(發狂) 멍하자 1 发狂 fākuáng; 疯狂 fēngkuáng; 发疯 fāfēng 2 猖獗 chāngjué; 猖狂 chāngkuáng; 猖狂 chāngwàng

발군(拔群) 멍하형 拔群 báqún; 超群 chāoqún; 出众 chūzhòng; 超伦 chāojué; 出色 chūsè; 超群出众 chāoqún chūzhòng ¶~의 성적을 거두다 取得出众的成绩

발굴(發掘) 멍하타 发掘 fājué; 挖掘 wājué ¶고분을 ~하다 发掘古墓 / 인재를 ~하다 发掘人才

발-굽 멍 蹄 tí; 蹄子 tízi ¶말~ 马蹄

발권(發券) 멍 发行 fāxíng; 发行证券 fāxíng zhèngquàn

발그레 뛰하형 淡红 dànhóng; 浅红 qiǎnhóng; 微红 wēihóng ¶~한 얼굴 淡红的脸色

발-그림자 멍 足迹 zújì; 人影 rényǐng

발그스레-하다 형 = 발그스름하다

발그스름-하다 형 淡红 dànhóng; 浅红 qiǎnhóng; 微红 wēihóng; 红喷喷(的) hóngpēnpēn(de); 红扑扑(的) hóngpūpū(de) = 발그스레하다 **발그스름-히** 뛰

발급(發給) 멍하타 发 fā; 发给 fāgěi; 发出 fāchū = 발부 ¶여권을 ~하다 发护照 / 신분증을 ~하다 发身分证

발기(勃起) 멍하자 【醫】勃起 bóqí ¶~ 부전 勃起不坚

발기(發起) 멍하타 发起 fāqǐ; 倡议 chàngyì; 倡导 chàngdǎo; 提议 tíyì ¶이번 회의는 그가 ~한 것이다 这次会议是由他发起的

발:기다 탄 剥开 bāokāi; 打开 dǎkāi; 张开 zhāngkāi; 撕碎 sīsuì; 剖开 bāikāi ¶밤송이를 ~ 把毛栗子剥开 / 서류를 발겨서 버리다 把文件撕碎而丢掉

발기-발기 뛰 碎碎的 suìsuìde

발기-인(發起人) 멍 发起人 fāqǐrén; 创办人 chuàngbànrén

발-길 멍 1 脚步 jiǎobù; 脚, 脚步 jiǎo, bù ¶~을 옮기다 挪动脚步 2 往来 wǎnglái ¶~이 끊기다 断绝往来 / ~이 뜸하다 往来少 3 脚力 jiǎolì; 脚, 脚步 jiǎo, bù ¶~로 차다 用脚踢

발길-질 멍하자타 踢 tī ¶~을 한차례 하다 踢一脚

발-꿈치 멍 = 발뒤꿈치

발끈 뛰하형 勃然 bórán; 猛然 měngrán; 突然 tūrán; 一下子 yíxiàzi ¶~ 화를 내며 돌아서다 勃然发怒而转身

발-끝 멍 脚尖 jiǎojiān; 脚尖(儿) jiǎojiān(r)

발-놀림 멍 脚头 jiǎotóu ¶~이 아주 빠르다 脚头很快

발단(發端) 멍하자 发端 fāduān; 开端 kāiduān; 肇端 zhàoduān; 起头 qǐtóu; 起始 qǐshǐ; 起首 qǐshǒu ¶사건의 ~ 事件的发端

발달(發達) 멍하자 1 (身体等) 发达 fādá ¶운동 신경이 ~한 사람 运动神经发达的人 / 두뇌가 ~하다 头脑发达 2 (技术等) 发达 fādá; 发展 fāzhǎn ¶과학 기술의 ~ 科学技术的发展 / 의학이 ~한 国家 医学发达的国家

발-돋움 멍하자 1 踮 diǎn; 跷脚 qiāojiǎo ¶~을 해서 보다 踮着脚望了一阵 2 企踵 qǐzhǒng; 企望 qǐwàng; 跂望 qìwàng

발동(發動) 멍하자타 1 (欲望或想法等) 发生 fāshēng; 起 qǐ; 发挥 fāhuī ¶호기심이 ~하다 起好奇心 2 发动 fādòng; 启动 qǐdòng ¶~이 잘 안 걸리는 차 不好发动的车 3 行使 xíngshǐ; 启动 qǐdòng ¶공권력 ~ 公权力启动

발동-기(發動機) 멍 发动机 fādòngjī; 动力机 dònglìjī

발-뒤꿈치 멍 脚后跟 jiǎohòugēn; 脚跟 jiǎogēn; 踵 zhǒng = 발꿈치

발-등 멍 脚背 jiǎobèi

발등에 불(이) 떨어지다 귀 火烧眉毛
발등의 불을 끄다 귀 火烧眉毛, 先顾眼前; 先解决当务之急

발딱 뛰 猛然 měngrán; 突然 tūrán; 一下子 yíxiàzi ¶~ 일어나다 猛然站起来

발딱-거리다 잰타 1 跳动 tiàodòng ¶맥이 ~ 脉搏跳动 2 挣扎 zhēngzhá; 挣揣 zhēngchuài; 扎挣 zházhèng ‖ = 발딱대다 **발딱-발딱** 뛰잰타

발라-내다 탄 剔 tī; 剥 bāo; 剔出 tīchū; 剥出 bāochū ¶가시를 ~ 剔出鱼刺

발라당 멍하자 忽地 hūde; 忽然 hūrán; 一下子 yíxiàzi ¶그는 빙판길에 ~ 넘어졌다 他忽地摔倒在冰地上

발라드(프ballade) 멍 【音】抒情歌曲 shūqíng gēqǔ

발랄하다

344

발랄-하다(潑剌一) 圈 活泼 huópo; 蓬勃 péngbó; 勃勃 bóbó; 有生气 yǒu shēngqì

발랑 囝 '발라당'의 略词

발레(ㅍballet) 圐【藝】芭蕾舞 bālěiwǔ; 芭蕾 bālěi ¶~를 추다 跳芭蕾舞

발레리나(이ballerina) 圐 芭蕾舞女演员 bālěiwǔ nǚyǎnyuán; 芭蕾舞女 bālěiwǔnǚ

발레리노(이ballerino) 圐 芭蕾舞男演员 bālěiwǔ nányǎnyuán

발렌타인-데이 圐 '밸런타인데이'의 착오

발령(發令) 圐[하자타] 1 任命 rènmìng; 调令 diàolìng; 下令 xiàlìng; 任免 rènmiǎn 2 发布 fābù ¶재해 경보를 ~하다 发灾害警报

발리다¹ 丞 바르다¹의 被动词

발리다² 丞 바르다²의 被动词

발매(發賣) 圐[하타] 发售 fāshòu; 发客 fākè; 出售 chūshòu; 售出 shòuchū; 发行 fāxíng ¶그의 새 앨범은 오늘 ~된다 他的新专辑今天发行

발명(發明) 圐[하타] 发明 fāmíng; 创造 chuàngzào ¶~가 发明家 / ~왕 发明王 / ~품 发明品 / 전화기를 ~하다 发明电话

발모(發毛) 圐[하자] 生发 shēngfà ¶~제 生发水 [生发剂]

발-목 圐 脚腕子 jiǎowànzi; 脚腕儿 jiǎowànr; 脚脖子 jiǎobózi; 腿腕子 tuǐwànzi ¶~이 삐다 脚腕子扭伤了

발-밑 圐 1 = 발바닥 2 脚下 jiǎoxià; 脚底下 jiǎodǐxià

발-바닥 圐 脚掌 jiǎozhǎng; 脚板 jiǎobǎn; 脚底 jiǎodǐ; 脚底板 jiǎodǐbǎn = 발밑1

발바리 圐【動】哈巴狗(儿) hǎbagōu(r); 狮子狗 shīzigǒu; 巴儿狗 bārgǒu

발발(勃發) 圐[하자] 勃发 bófā; 爆发 bàofā ¶전쟁이 ~하다 战争爆发了

발발 囝 1 哆哆嗦嗦 duōduōsuōsuō; 颤抖 chàndǒu; 颤巍巍 chànwēiwēi; 颤危 chànwēi ¶찬바람에 ~ 떨다 在寒风中颤抖 2 (뭣없가 것을) 舍不得 shěbude; 战战兢兢 zhànzhànjīngjīng 3 徇 匐 púfú; 爬行 páxíng; 轻巧地 qīngqiǎode

발-버둥 圐 1 乱蹬脚 luàndēngjiǎo 2 挣扎 zhēngzhá; 挣命 zhēngmìng; 扎挣 zházhēng; 垂死挣扎 chuísǐzhēngzhá ¶파산을 면하려고 ~ 치다 挣扎企图摆脱倒闭

발-병(一病) 圐 脚病 jiǎobìng ¶~이 나다 生脚病

발병(發病) 圐[하자] 发病 fābìng; 生病 shēngbìng; 受病 shòubìng ¶~률 发病率

발본-색원(拔本塞源) 圐[하타] 拔本塞源 báběnsèyuán; 铲除 chǎnchú

발부(發付) 圐[하타] = 발급 ¶구속 영장을 ~하다 发出逮捕证

발-부리 圐 脚尖 jiǎojiān ¶돌에 ~가 걸려 넘어졌다 脚尖被石头绊倒了

발분(發憤・發奮) 圐[하자] = 분발(奮發)

발-붙이다 丞 1 插脚 chājiǎo; 插足 chāzú ¶버스가 너무 붐벼서 거의 발붙일 틈도 없다 公共汽车太拥挤, 几乎没有插足的地方 2 立足 lìzú ¶이곳은 우리가 발붙일 곳이 없다 这里没有我们立足的地方

발-뺌 圐[하자] 抵赖 dǐlài; 赖账 làizhàng; 推卸 tuīxiè; 逃避 táobì

발사(發射) 圐[하타] 发射 fāshè; 发射 shè ¶~기 发射机 / ~대 发射台 / ~장 发射场 / 미사일을 ~하다 发射导弹 / 총을 ~하다 发枪

발산(發散) 圐[하자타] 1 发散 fāsàn; 放出 fàngchū; 散发 sànfā ¶빛을 ~하다 放出光来 / 향기를 ~하다 散发芳香 2 发挥 fāhuī; 表现 biǎoxiàn; 发出 fāchū ¶매력을 ~하다 发挥魅力

발상(發祥) 圐[하자] 发祥 fāxiáng ¶~지 发祥地

발상(發喪) 圐[하자] 发丧 fāsāng; 举哀 jǔāi

발상(發想) 圐[하타] 想起 xiǎngqǐ; 发想 fāxiǎng; 想法 xiǎngfǎ; 构想 gòuxiǎng ¶시대착오적인 ~ 时代错误的想法 / ~을 전환하다 改变想法

발생(發生) 圐[하자타] 发生 fāshēng; 产生 chǎnshēng ¶~률 发生率 / ~지 发生地 / 사건이 ~하다 事件发生 / 사고가 ~하다 事故发生 / 소음이 ~하다 噪音产生

발설(發說) 圐[하자타] 泄漏 xièlòu; 泄露 xièlù; 说出 shuōchū; 透露 tòulù ¶극비 사항을 ~하다 泄漏绝密事项

발성(發聲) 圐[하자] 发声 fāshēng; 发音 fāyīn ¶~법 发声法 / ~연습 发声练习

발성 기관(發聲器官) 【語】= 발음 기관

발-소리 圐 脚步声 jiǎobùshēng ¶~가 들리다 听到脚步声 / ~를 죽이다 压低脚步声

발송(發送) 圐[하타] 发送 fāsòng; 发出 fāchū; 送出 sòngchū; 发运 fāyùn; 发货 fāhuò ¶공문을 ~하다 发送公函 / 화물을 ~하다 发送货物

발송-인(發送人) 圐 发货人 fāhuòrén; 发送人 fāsòngrén; 寄送人 jìsòngrén; 送货人 sònghuòrén

발신(發信) 圐[하타] 发信 fāxìn; 发报 fābào; 寄信 jìxìn; 发送 fāsòng

~국 发信局 / ~기 发报机 / ~음 发信音 / ~인 发信人 / ~지 发信地 / ~정지 서비스 停止发信服务 / 전파를 ~하다 发出电波

칼-싸개 图 包脚布 bāojiǎobù; 裹脚布 guǒjiǎobù

발아(發芽) 图하자 【植】发芽 fāyá; 萌芽 méngyá; 出芽 chūyá ¶~기 发芽期 / 심은 꽃이 막 ~했다 种的花刚发芽

발-아래 图 脚下 jiǎoxià; 脚底下 jiǎodǐxià ¶~ 엎드리다 趴在脚底下

발악(發惡) 图하자 挣扎 zhēngzhá; 扎挣 zhāzhēng; 挣撞 zhèngchuài; 发狂 fākuáng ¶최후의 ~ 最后的挣扎

발암(發癌) 图하자 致癌 zhì'ái ¶~성분 致癌成分 / ~물질 致癌物质 / ~을 억제하다 抑制致癌

발양(發揚) 图하자 发扬 fāyáng ¶애국심을 ~하다 发扬爱国心

발언(發言) 图하자 发言 fāyán ¶~권 发言权 / 무책임한 ~ 不负责任的发言 / ~할 기회를 얻다 得到发言机会

발연(發煙) 图하자 冒烟 màoyān; 发烟 fāyān

발열(發熱) 图하자 1 发热 fārè ¶~체 发热体 2 【醫】发烧 fāshāo

발염(拔染) 图하타 【手工】拔染 bárán ¶~제 拔染剂

발원(發源) 图하자 1 (河流) 发源 fāyuán; 水源 shuǐyuán 2 = 발원지

발원(發願) 图하타 发愿 fāyuàn; 愿望 yuànwàng; 宿愿 sùyuàn

발원-지(發源地) 图 发源地 fāyuándì = 발원(發源)2

발육(發育) 图하자 发育 fāyù ¶~이 왕성하다 发育旺盛 / ~ 상태가 양호하다 发育情况良好

발육-기(發育期) 图 = 성장기

발음(發音) 图하타 【語】发音 fāyīn ¶~이 정확하다 发音正确 / ~을 교정하다 纠正发音

발음 기관(發音器官) 【語】发音器官 fāyīn qìguān = 발성 기관

발음 기호(發音記號) 【語】音标 yīnbiāo; 发音符号 fāyīn fúhào = 발음 부호

발음 부호(發音符號) 【語】= 발음 기호

발의(發議) 图하타 (会议上) 提出议案 tíchū yì'àn; 提议 tíyì

발인(發靷) 图하자 发引 fāyǐn; 出殡 chūbìn; 出丧 chūsāng; 执绋 zhífú ¶~제 发引祭

발-자국 图 1 脚印(儿) jiǎoyìn(r); 足迹 zújì; 脚迹 jiǎojì ¶동물의 ~ 动物的脚印 2 步 bù; 脚 jiǎo ¶몇 ~ 뒤로 물러서다 往后退几步

발-자취 图 足迹 zújì; 脚印(儿) jiǎoyìn(r) = 족적 ¶역사의 ~ 历史的足迹 / ~를 남기다 留下足迹

발작(發作) 图하자 发作 fāzuò ¶~을 일으키다 引起发作

발-장구 图 1 用脚打水 yòngjiǎo dǎshuǐ 2 (婴儿) 要爬动脚 yàopá dòngjiǎo

발-장단 图 用脚打拍子 yòngjiǎo dǎpāizi

발-재간(一才幹) 图 脚艺 jiǎoyì

발전(發展) 图하자 发展 fāzhǎn; 进步 jìnbù ¶경제가 ~하다 经济发展 / 산업을 ~시키다 发展产业 2 (事情、状态等) 发展 fāzhǎn; 开展 kāizhǎn ¶더 깊은 관계로 ~하다 发展到更深的关系

발전(發電) 图하자 发电 fādiàn ¶~기 发电机 / ~소 发电厂 / ~ 장치 发电装置

발전-성(發展性) 图 发展前途 fāzhǎn qiántú; 发展性 fāzhǎnxìng

발전-적(發展的) 冠 发展(的) fāzhǎn(de) ¶~인 전통 계승 发展的传统继承

발정(發情) 图하자 【動】发情 fāqíng ¶~기 发情期 / ~이 나다 发情

발-족(發足) 图하자타 成立 chénglì; 诞生 dànshēng; 创立 chuànglì ¶협회가 ~되다 协会成立了 / 위원회를 ~하다 创立委员会

발주(發註) 图하타 订购 dìnggòu; 订货 dìnghuò; 定货 dìnghuò ¶기계를 ~하다 订购机器

발진(發振) 图하타 【物】振荡 zhèndàng ¶~기 振荡器

발진(發疹) 图하자 【醫】发疹 fāzhěn; 斑疹 bānzhěn; 出疹子 chūzhěnzi

발-짓 图하자 动脚 dòngjiǎo

발-짝 의명 步 bù; 脚步 jiǎobù ¶한 ~한 ~ 앞으로 걸어가다 一步一步地往前走

발찌 图 脚镯 jiǎozhuó ¶전자 ~ 电子脚镯 / ~를 차다 戴脚镯

발차(發車) 图하자 发车 fāchē; 开车 kāichē ¶~ 시간 发车时间

발-차기 图 【體】踢脚 tījiǎo

발췌(拔萃) 图하타 摘录 zhāilù; 摘记 zhāijì; 摘抄 zhāichāo; 选录 xuǎnlù; 节录 jiélù ¶책에서 몇 구절을 ~하다 在书中摘录了几段

발치 图 1 脚底下 jiǎodǐxià; 脚下 jiǎoxià 2 下部 xiàbù; 尾部 wěibù

발치(拔齒) 图하자 拔牙 báyá

발칙-하다 冒 不礼貌 bùlǐmào; 没礼貌 méilǐmào; 可恶 kěwù

발칵 图 1 勃然 bórán; 猛然 měngrán; 突然 tūrán ¶화를 ~ 내다 勃然大怒 2 全部 quánbù; 一片 yīpiàn ¶현장을 ~ 뒤집어 놓다 把现场弄得一片混乱

발코니(balcony) 명 【建】晒台 shài-
tái; 阳台 yángtái; 露台 lùtái; 平台
píngtái; 凉台 liángtái = 노대1

발탁(拔擢) 명하타 提拔 tíbá; 提升 tí-
shēng ¶간부로 ~되다 提升为干部/
그를 부사장으로 ~하다 提升他当副
经理

발-톱 명 脚指甲 jiǎozhǐjia; 趾甲 zhǐ-
jiǎ; 脚趾甲 jiǎozhǐjiǎ ¶~을 깎다 剪脚
趾甲

발파(發破) 명하타 爆破 bàopò ~ 장
치 爆破装置

발-판(一板) 명 1 (车、船等的)跳板
tiàobǎn; 踏板 tàbǎn 2 踏脚板 tàjiǎo-
bǎn; 踏脚凳 tàjiǎodèng 3 立脚点 lìjiǎo-
diǎn; 桥头堡 qiáotóubǎo; 垫脚石 diàn-
jiǎoshí; 立足点 lìzúdiǎn ¶그때의 노력
이 그가 성공하는 ~이 되었다 那时的
努力成了他成功的桥头堡 4 (缝纫机
等的)踏板 tàbǎn 5 【體】跳板 tiàobǎn;
踏板 tàbǎn

발포(發泡) 명하타 发泡 fāpào; 冒泡
màopào ¶~제 发泡剂

발포(發砲) 명하자 开炮 kāipào ¶~
명령 开炮命令

발표(發表) 명하타 发表 fābiǎo; 揭晓
jiēxiǎo; 公布 gōngbù; 发布 fābù ¶~회
发表会/합격자 ~ 合格者公布/투표
~되다 投票结果揭晓

발-품 명 脚劲儿 jiǎojìnr ¶~을 팔다 费
脚劲儿

발-하다(發一) 명하타 发 fā; 发出 fāchū;
起 qǐ; 散发 sànfā ¶빛을 ~ 发光/향
기를 ~ 散发着香

발한(發汗) 명하자 【韓醫】发汗 fāhàn
¶~제 发汗剂

발행(發行) 명하타 发行 fāxíng ¶~인
发行人/~처 发行处/잡지를 ~하다
发行杂志/기념 우표를 ~하다 发行
纪念邮票

발현(發現·發顯) 명하자타 表现 biǎo-
xiàn; 显现 xiǎnxiàn; 体现 tǐxiàn ¶애국
심을 ~하다 表现爱国主义精神

발화(發火) 명하자 着火 zháohuǒ; 起
火 qǐhuǒ; 发火 fāhuǒ; 走火 zǒuhuǒ ¶
자연 ~ 自然发火/~ 온도 着火温度

발화-점(發火點) 명 【化】燃点 rán-
diǎn; 着火点 zháohuǒdiǎn; 发火点 fā-
huǒdiǎn

발효(發效) 명하자 生效 shēngxiào ¶새
조약이 정식 ~되다 新条约正式生效

발효(醱酵) 명하자 【化】发酵 fājiào ¶
반죽을 ~시키다 使面团发酵

발휘(發揮) 명하타 发挥 fāhuī; 显示
xiǎnshì ¶능력을 ~하다 发挥能力/음
식 솜씨를 ~하다 显示做菜的手艺

밝-기 명 亮度 liàngdù; 明度 míngdù;
光度 guāngdù

밝다 ㉠자 破晓 pòxiǎo; 亮 liàng ¶날이
밝았다 天亮了 ㉡형 1 明亮 míngliàng;
光亮 guāngliàng; 亮 liàng; 明朗 míng-
lǎng ¶등불이 ~ 灯火明亮 2 (色彩)
鲜艳 xiānyàn; 鲜明 xiānmíng ¶색이 ~
颜色鲜艳 3 (视力、听力)好 hǎo; 灵
líng ¶귀가 ~ 耳朵好 4 (想法、态度
等)明晰 míngxī; 晓 xiǎo; 明达 míng-
dá; 有 yǒu ¶사리가 ~ 明达事理/예의가 ~ 有礼貌 5 (气氛、表情
等)明朗 míngláng; 开朗 kāilǎng; 轻快
qīngkuài ¶표정이 ~ 表情开朗 6 (未
来)光明 guāngmíng 7 懂得 dǒngde;
通晓 tōngxiǎo; 了解 liǎojiě ¶정치 상황
에 ~ 了解政治的情况

밝-히다 타 1 '밝다㉠1'的使动词
拨亮 bōliàng; 点 diǎn; 开 kāi ¶등을 ~
开灯/촛불을 ~ 点腊 3 特别喜欢
tèbié xǐhuan; 敏感 mǐngǎn ¶그는 돈을
밝힌다 他特别喜欢钱 4 查明 chá-
míng; 判明 pànmíng ¶사고의 원인을
~ 查明事故的原因 5 表明 biǎomíng;
阐明 chǎnmíng; 搞清楚 gǎoqīngchu ¶
입장을 ~ 阐明立场/신분을 ~ 表明
身份

밟:다 타 1 踩 cǎi; 踏 tà ¶네가 내 발
을 밟았다 你踩我的脚了/브레이크
를 ~ 踩刹车 2 欺负 qīfu; 压伏 yāfú;
压迫 yāpò 3 办 bàn; 办理 bànlǐ ¶수속
을 ~ 办手续 4 追踪 zhuīzōng; 跟踪
gēnzōng ¶용의자의 뒤를 ~ 跟踪疑犯
5 到 dào; 到达 dàodá; 踏上 tàshàng
¶조국 땅을 ~ 踏上祖国的土地 6 到
dào ¶고국 땅을 다시 ~ 回到故国

밟-히다 자타 '밟다'的被动词

밤1 명 夜 yè; 夜晚 yèwǎn; 晚上 wǎn-
shang; 夜间 yèjiān; 晚 wǎn; 宵 xiāo ¶
~거리 夜街/~경치 夜景/~공기 夜
间的空气/~교대 夜班/~길 夜路/
~낚시 夜钓鱼/~바람 夜风/~배
船/~비 夜雨/~안개 夜雾/~이슬
夜露/~하늘 夜空

밤2 명 栗子 lìzi; 栗 lì ¶군~ 炒栗
子/~을 까다 剥栗子

밤-나무 명 【植】栗树 lìshù; 栗 lì

밤-낮 ㉠명 昼夜 zhòuyè; 日夜 rìyè;
日日夜夜 rìrìyèyè = 일야·주야1
㉡뿐 老是 lǎoshi; 经常 jīngcháng; 净
jìng; 总是 zǒngshì; 老 lǎo

밤낮-없이 뿐 老是 lǎoshi; 经常 jīng-
cháng; 净 jìng; 总是 zǒngshì; 老 lǎo

밤-눈 명 夜间视力 yèjiān shìlì; 夜眼
(儿) yèyǎn(r) ¶~이 어둡다 夜间视力
差

밤-늦다 형 夜深 yèshēn; 夜阑 yèlán;
半夜 bànyè; 三更半夜 sāngēng bànyè
¶밤늦은 시간 夜深的时候/매일 밤늦
게까지 일하다 每天工作到半夜

밤-사이 똉 夜间 yèjiān; 通宵 tōngxiāo; 一夜之间 yīyèzhījiān; 整夜 zhěngyè

밤-새 똉 '밤사이'의 略词

밤-껏 똉 通宵 tōngxiāo; 彻夜 chèxiāo; 通宵 tōngxiāo; 彻宵 chèxiāo

밤-새다 困 通宵 tōngxiāo; 彻夜 chèxiāo

밤-새우다 困 熬夜 áoyè; 开夜车 kāi yèchē; 打通宵 dǎ tōngxiāo

밤-색(一色) 똉 栗色 lìsè

밤-샘 똉 通宵 tōngxiāo; 彻夜 chèyè; 熬夜 áoyè; 开夜车 kāi yèchē = 철야

밤-송이 똉 毛栗子 máolìzi; 栗苞 lìbāo; 栗蓬 lìpéng

밤-일 똉[하자] 1 夜工 yègōng; 夜活(儿) yèhuó(r); 夜作 yèzuò; 夜间工作 yèjiān gōngzuò; 夜班 yèbān = 야간작업 2 성적 性交 xìngjiāo; 做爱 zuò'ài

밤-잠 똉 夜里睡 yèlǐshuì; 夜眠 yèmián ¶~이 부족하다 夜眠不足

밤-중(一中) 똉 深夜 shēnyè; 半夜 bànyè; 夜半 yèbàn; 夜里 yèlǐ; 子夜 zǐyè = 야반

밤-차(一車) 똉 夜班车 yèbānchē; 夜车 yèchē

밤-참 똉 夜餐 yècān; 夜宵(儿) yèxiāo(r); 夜消(儿) yèxiāo(r) = 야식·야참

밤-톨 똉 栗子 lìzi

밥 똉 1 饭 fàn; 米饭 mǐfàn ¶~을 하다 做饭 /~을 푸다 盛饭 2 饭 fàn; 餐 cān; 膳食 shànshí ¶~을 차리다 开饭 3 饲料 sìliào; 吃食 chīshí; 食(儿) shí(r) ¶물고기에게 ~을 주다 给鱼吃食 4 那一分 nàyīfēn ¶제 ~도 못 찾아 먹다 连自己那一分也吃不到 5 牺牲者 xīshēngzhě; 牺牲品 xīshēngpǐn ¶그는 내 ~이다 他是我的牺牲者

밥-값 똉 饭钱 fànqián; 伙食费 huǒshífèi; 主食费 zhǔshífèi; 膳费 shànfèi ¶~을 내다 交饭钱

밥-그릇 똉 1 饭碗 fànwǎn; 食器 shíqì; 碗碟 wǎndié 2 职业 zhíyè; 工作 gōngzuò; 饭碗 fànwǎn; 利益 lìyì ¶~을 잃다 丢饭碗 /그는 자기 ~ 챙기기에 바쁘다 他忙着争取自己的利益

밥맛-없다 휑 讨厌 tǎoyàn; 不顺眼 bùshùnyǎn; 不愿面对 bùyuàn miànduì ¶밥맛없는 자식 让人讨厌的家伙 **밥맛-없이** 图

밥-물 똉 1 泡饭的水 pàofànde shuǐ ¶~을 보다 看泡饭的水 2 (煮饭时取出来的) 米汤 mǐtāng; 饭水 fànshuǐ

밥-반찬(一飯饌) 똉 = 반찬

밥-벌레 똉 饭桶 fàntǒng; 饭囊 fànnáng; 酒囊饭袋 jiǔnángfàndài

밥-벌이 똉[하자] 1 挣饭吃 zhèngfànchī ¶~도 안되는 일 连挣饭吃也不够的工作 2 饭碗 fànwǎn ¶~를 찾다 找饭碗

밥-상(一牀) 똉 饭桌 fànzhuō ¶~머리 饭桌旁儿 /~을 차리다 摆饭桌 /~을 치우다 收拾饭桌

밥-솥 똉 饭锅 fànguō

밥-숟가락 똉 饭勺(儿) fànsháo(r); 调羹 tiáogēng; 匙子 chízi = 밥술

밥-술 똉 = 밥숟가락

밥-알 똉 饭粒 fànlì = 밥풀2

밥-장사 똉[하자] 卖饭 màifàn

밥-장수 똉 卖饭的 màifànde

밥-주걱 똉 饭勺子 fànsháozi = 주걱

밥-줄 똉 1 饭碗 fànwǎn 2 【生】= 식도

밥줄이 끊어지다[떨어지다] ⫸ 失掉饭碗

밥-집 똉 饭铺 fànpù; 锅伙儿 guōhuor

밥-통(一桶) 똉 1 饭桶 fàntǒng 2 胃 wèi; 肚子 dùzi; 肚儿 dùr 3 酒囊饭袋 jiǔnángfàndài

밥-투정 똉[하자] 挑嘴 tiāozuǐ; 挑食 tiāoshí ¶그는 식성이 까다로워 늘 ~을 한다 他胃口很复杂, 总是挑嘴

밥-풀 똉 1 (替浆糊使用的) 饭粒 fànlì 2 = 밥알

밥-하다 困 做饭 zuòfàn

밧데리(일patteri) 똉 '배터리'의 错误

밧-줄 똉 粗缆 cūlǎn; 绳 shéng; 绳子 shéngzi; 绳索 shéngsuǒ

방(房) 똉 房间 fángjiān; 屋子 wūzi; 房 fáng ¶~이 좁다 房间很窄 /~을 구하다 寻找房子

방:(榜) 똉 = 방문(榜文) ¶~이 나붙다 贴出榜来了

방:(放) 의똉 1 发 fā ¶총을 한 ~ 쏘다 打一发子弹 2 拳 quán; 个 gè; 次 cì ¶주먹을 한 ~ 먹였다 打了一拳 /두 ~의 흘린운도 있다 击出两个本垒打 3 张 zhāng ¶우리 함께 사진 한 ~ 찍자 我们一起照一张相吧

방갈로(bungalow) 똉 1 (屋前有平台的) 平房 píngfáng; 小屋 xiǎowū 2 海边小屋 hǎibiān xiǎowū; 沙滩屋 shātānwū; 别墅 biéshù; 休闲小屋 xiūxián xiǎowū; 度假小屋 dùjià xiǎowū

방계(傍系) 똉 旁系 pángxì ¶~ 혈족 旁系血族

방-고래(房一) 똉 炕道 kàngdào

방공(防空) 똉[하자] 防空 fángkōng ¶~호 防空洞 /~ 훈련 防空训练 /~ 시설 防空设施

방:과(放課) 똉[하자] 下课 xiàkè; 放学

방학 fàngxué; 下学 xiàxué ¶~ 시간 下课 时间 / 우리 ~ 후에 영화 보러 가자! 我们下课以后, 去看电影吧!

방관(傍观) 图[하타] 旁观 pángguān; 袖手旁观 xiùshǒupángguān ¶~자 旁观 者

방관-적(傍观的) 逛 旁观(的) pángguān(de) ¶~인 태도를 취하다 采取旁观 的态度

방광(膀胱) 图【生】膀胱 pángguāng ¶~결석 膀胱结石 / ~암 膀胱癌 / ~염 膀胱炎

방-구들(房一) 图 = 온돌1

방-구석(房一) 图 1 屋角落 wūjiǎoluò; 房间角落 fángjiān jiǎoluò ¶~을 살피다 观察屋角落 2 屋子 wūzi; 屋 wū; 房间 fángjiān ¶~에만 처박혀 있다 只闷在 屋里

방-귀 图 屁 pì ¶~를 뀌다 放屁 / ~ 냄새 屁味儿 / ~ 소리 放屁声

방귀 뀐 놈이 성낸다 [속담] 贼喊捉贼

방글-거리다 图 嫣然微笑 yānrán wēixiào; 笑盈盈 xiàoyíngyíng; 笑吟吟 xiàoyínyín; 笑容可掬 xiàoróngkějū = 방글대다 **방글-방글** 图[하자]

방금(方今) 图[튀] 刚才 gāngcái; 刚 gāng; 刚刚 gānggāng; 将才 jiāngcái; 方才 fāngcái; 适才 shìcái ¶나는 그 소식을 ~에야 들었다 我刚才听到那 消息

방긋 图[하자] 微笑 wēixiào; 嫣然一笑 yānrán yīxiào ¶~이 웃다 嫣然一笑

방긋-거리다 图 嫣然微笑 yānrán wēixiào; 笑盈盈 xiàoyíngyíng; 笑吟吟 xiàoyínyín = 방긋대다 **방긋-방긋** 图[하자]

방긋-이 图 = 방긋

방긋 图[하자] 微笑 wēixiào; 嫣然 yānrán ¶~이 웃다 嫣然一笑

방긋-거리다 图 嫣然微笑 yānrán wēixiào; 笑吟吟 xiàoyínyín = 방긋대다 **방긋-방긋** 图[하자]

방긋-이 图 = 방긋

방년(芳年) 图 芳龄 fānglíng; 芳年 fāngniàn ¶~ 십팔 세 芳龄十八

방-뇨(放尿) 图[하자] 小便 xiǎobiàn; 撒尿 sāniào; 小解 xiǎojiě ¶노상 ~ 路边小便

방-대-하다(厖大一·尨大一) 逛 庞大 pángdà ¶방대한 자료 庞大的资料

방도(方道·方途) 图 途径 tújìng; 方法 fāngfǎ; 办法 bànfǎ ¶해결 ~를 찾다 寻找解决途径

방독(防毒) 图[하자] 防毒 fángdú ¶~면 防毒面具 = [防毒面罩]

방-랑(放浪) 图[하자타] 漂泊 piāobó; 漂流 piāoliú; 漂游 piāoyóu; 流浪 liúlàng;

漫游 mànyóu ¶~객 漂泊客 / ~벽 漫游癖 / ~자 漂泊者 / ~ 생활 漂泊生活

방-류(放流) 图[하타] 放流 fàngliú ¶폐수를 ~하다 放流废水 / 치어를 ~하다 放流鱼苗

방-만-하다(放漫一) 逛 松弛 sōngchí; 懈弛 xièchí; 懈怠 xièdài; 稀松 xīsōng ¶방만한 경영으로 회사가 도산했다 松弛的经营, 使公司倒闭了 **방-만-하** 图

방망이 图 棒子 bàngzi; 棒 bàng; 棍子 gùnzi; 棍 gùn

방망이-질 图[하자타] 1 捣 dǎo; 捶 chuí; 锤 chuí; 槌 chuí 2 心跳 xīntiào

방면(方面) 图 1 方向 fāngxiàng ¶인천 ~으로 가는 지하철 开往仁川方向的 地铁 2 面 fāngmiàn; 分野 fēnyě; 领域 lǐngyù; 部门 bùmén ¶나는 경제 ~ 에는 문외한이다 我对经济方面完全 外行

방-면(放免) 图[하타] 放免 fàngmiǎn; 释放 shìfàng ¶무죄 ~ 无罪放免

방명(芳名) 图 芳名 fāngmíng

방명-록(芳名錄) 图 来客留言簿 láikè liúyánbù; 留言簿 liúyánbù

방-목(放牧) 图[하타]【農】放牧 fàngmù; 牧放 mùfàng; 牧 mù ¶~장 放牧 场 / ~지 牧区 / 소와 양을 ~하다 放 牧牛羊

방문(方文) 图【藥】= 약방문

방문(房門) 图 房门 fángmén; 房间门 fángjiānmén ¶~을 닫다 把房门关上 / ~을 두드리다 敲房门

방문(訪問) 图[하타] 访问 fǎngwèn; 来 访 láifǎng; 访 fǎng ¶~객 访客 / ~단 访问团 / ~자 访问者 = [来访者] / 대 통령이 미국을 ~하다 总统访问美国

방-문(榜文) 图 榜 bǎng; 大字报 dàzìbào = 방(榜)

방물 图 妇女日用品 fùnǚ rìyòngpǐn; 女货 nǚhuò

방물-장수 图 货郎 huòláng

방-바닥(房一) 图 房间地面 fángjiān dìmiàn; 地板 dìbǎn ¶~을 닦다 擦地 板

방방곡곡(坊坊曲曲) 图 各个角落 gège jiǎoluò; 各处 gèchù; 到处 dàochù; 处处 chùchù; 各地 gèdì ¶~에 알려지 다 到处皆知

방백(傍白) 图【演】旁白 pángbái

방범(防犯) 图[하자] 1 防犯 fángfàn; 防 备犯罪 fángbèi fànzuì 2 = 방범대원

방범-대(防犯隊) 图 巡逻队 xúnluóduì; 巡察队 xúnchá duì

방범대-원(防犯隊員) 图 巡察员 xúnchá yuán; 巡逻人员 xúnluó rényuán = 방범2

방법(方法) 图 方法 fāngfǎ; 办法 bàn-

법:**불-하다**(彷彿一·髣髴一) 혭 1 相似 xiāngsì; 相类 xiānglèi 2 仿佛 fǎngfú

법벽(防壁) 몡 防壁 fángbì

법부(防腐) 몡타 防腐 fángfǔ ¶~제 防腐剂

법비(防備) 몡타 防备 fángbèi; 防范 fángfàn; 提防 dīfang ¶~책 防备措施 / ~를 강화하다 加强防备

법사(房事) 몡하자 房事 fángshì; 性交 xìngjiāo

법:**사**(放射) 몡타 1 放射 fàngshè 2 【物】= 복사(輻射)

법:**사-기**(放射器) 몡 放射器 fàngshèqì

법:**사-능**(放射能) 몡 【物】放射能 fàngshènéng; 放射性 fàngshèxìng

법사-능-진(放射能塵) 몡 = 낙진

법사-림(防沙林) 몡 防沙林 fángshālín

법:**사-상**(放射狀) 몡 辐射状 fúshèzhuàng; 放射形 fàngshèxíng = 방사형 ¶~도로 辐射状公路

법:**사-선**(放射線) 몡 【物】放射线 fàngshèxiàn; 射线 shèxiàn ¶~과 放射线科 / ~ 사진 射线照相

법:**사-성**(放射性) 몡 【物】放射性 fàngshèxìng ¶~ 물질 放射性物质 / ~ 오염 放射性污染 / ~ 폐기물 放射性废物

법:**사-열**(放射熱) 몡 【物】= 복사열

법:**사-형**(放射形) 몡 = 방사상

법:**생**(放生) 몡타 【佛】放生 fàngshēng ¶물고기를 ~하다 把鱼放生

법석(方席) 몡 坐垫(儿) zuòdiàn(r); 坐垫子 zuòdiànzi; 座垫(儿) zuòdiàn(r); 座垫子 zuòdiànzi; 垫子 diànzi

법설(防雪) 몡하자 防雪 fángxuě ¶~림 防雪林

법:**성**(放聲) 몡하자 放声 fàngshēng

법:**성-대곡**(放聲大哭) 몡하자 = 대성통곡

법:**세**(房貰) 몡 房租 fángzū; 房钱 fángqián ¶~를 내다 交房钱

법:**송**(放送) 몡타 广播 guǎngbō; 播送 bōsòng; 播音 bōyīn; 放送 fàngsòng ¶~국 广播台 / 안내 广播通知 / ~ 실황 播音室 = [播音室] / ~ 위성 广播卫星 / ~인 广播人 / 주파수 广播频率 / 경기 실황을 ~하다 播放比赛实况

법수(防水) 몡 防水 fángshuǐ ¶~복 防水服 / ~지 防水纸 / ~ 시계 防水表 / ~포 防水布

법:**수**(放水) 몡하타 放水 fàngshuǐ ¶~ 시설 放水设施

법습(防濕) 몡하자 防潮 fángcháo

법습-제(防濕劑) 몡 【化】= 건조제1

법식(方式) 몡 方式 fāngshì; 方法 fāngfǎ; 形式 xíngshì ¶생활 ~ 生活方식 / 표현 ~ 表达方式 / 자기 ~을 고집하다 坚持自己的方式

법실-거리다 자 笑盈盈 xiàoyíngyíng; 笑吟吟 xiàoyínyín = 방실대다 **방실-방실** 튀

법:**심**(放心) 몡하자 大意 dàyi; 失神 shīshén; 不注意 bùzhùyì ¶잠깐 ~한 사이에 그가 도망갔다 一时大意, 他跑了

법아(一) 몡 碾子 niǎnzi; 碾 niǎn; 碓 duì

법아-깨비 몡 【蟲】尖头蚱蜢 jiāntóuzhàměng

법아-쇠 몡 板机 bǎnjī; 枪机 qiāngjī ¶~를 당기다 扣动板机

법안(方案) 몡 方案 fāng'àn ¶해결 ~을 제시하다 提出解决方案

법안-지(方眼紙) 몡 【數】= 모눈종이

법앗-간(一間) 몡 碾坊 niǎnfáng; 碾房 niǎnfáng

법어(防禦) 몡타 防御 fángyù; 防守 fángshǒu ¶~력 防御力 / ~망 防御网 / ~선 防御线=[防线] / ~율 防御率 / ~전 防御战 / 진지 防御阵地 / ~ 태세를 갖추다 转入防御态势

법어(魴魚) 몡 【魚】鰤鱼 shīyú

법어-진(防禦陣) 몡 【軍】= 수비진

법언(方言) 몡 1 【語】(社会的) 方言 fāngyán 2 【語】= 사투리 3 【宗】方言 fāngyán

법:**언**(放言) 몡하타 肆口 sìkǒu; 肆口妄言 sìkǒuwàngyán; 放诞 fàngdàn

법역(防疫) 몡타 防疫 fángyì ¶~차 防疫车 / ~ 사업 防疫事业 / ~ 조치 防疫措施

법:**열**(放熱) 몡하자 放热 fàngrè; 散热 sànrè

법:**열-기**(放熱器) 몡 【機】1 暖气片 nuǎnqìpiàn; 暖气设备 nuǎnqì shèbèi 2 散热器 sànrèqì; 冷却器 lěngquèqì ‖ = 라디에이터

법:**영**(放映) 몡하타 播放 bōfàng; 播映 bōyìng; 放映 fàngyìng ¶영화를 ~하다 播映电影

법울¹ 몡 1 点 diǎn; 滴 dī; 珠 zhū; 珠子 zhūzi; 星(儿) xīng(r); 泡(儿) pào(r) ¶이슬~ 露珠 / 침~ 唾沫星儿 2 滴 dī ¶땀 한 ~ 一滴汗 / 기름 두 ~ 两滴油

법울² 몡 铃铛 língdang; 铃 líng ¶~소리 铃铛声

법울-방울 몡 一滴滴 yīdīdī; 滴滴 dīdī; 淋淋 línlín ¶빗물이 ~ 떨어지다 雨水淋淋

법울-뱀 몡 【動】响尾蛇 xiǎngwěishé

방울-새 〔명〕【鳥】金翅雀 jīnchìquè

방울-지다 〔자〕 滴答 dīdá；圆滚滚 yuán-gǔngǔn ¶눈물이 방울져 떨어지다 眼珠圆滚滚地流下来

방위(方位) 〔명〕 方位 fāngwèi；定位 dìng-wèi ¶~각 方位角

방위(防圍) 〔명〕하타〕 防卫 fángwèi；防御 fángyù ¶~력 防卫力量 / ~비 防卫费

방위 산:업(防衛産業)【軍】国防工业 guófáng gōngyè；军事工业 jūnshì gōng-yè；军工 jūngōng = 군수 산업

방음(防音) 〔명〕하타〕 隔音 géyīn ¶~ 시설 隔音设备 / ~벽 隔音墙 / ~유리 隔音玻璃 / ~장치 隔音装置 / ~재 隔音材料

방:임(放任) 〔명〕하타〕 放任 fàngrèn；放任自流 fàngrènzìliú ¶~주의 放任主义 / 자녀를 ~하다 放任子女

방:자-하다(放恣一) 〔형〕 放肆 fàngsì；放纵 fàngzòng；放姿 fàngzī ¶어른 앞에서 방자하게 굴면 안된다 不能在长辈面前放肆 **방자-히** 〔부〕

방재(防災) 〔명〕하타〕 防灾 fángzāi ¶~설비 防灾设备

방적(紡績) 〔명〕하타〕 纺纱 fǎngshā；纺线 fǎngxiàn ¶~기 纺纱机器

방:전(放電) 〔명〕하자〕【物】放电 fàng-diàn ¶~관 放电管 / ~등 放电灯

방점(傍點) 〔명〕 着重号 zhuózhònghào；标点符号 biāodiǎn fúhào ¶~을 찍다 打着重号

방정 〔명〕 轻浮 qīngfú；轻佻 qīngtiāo；轻脱 qīngtuō；轻薄 qīngbó ¶~을 떨다 举止轻佻

방정-맞다 〔형〕 **1** 轻浮 qīngfú；轻佻 qīngtiāo；轻脱 qīngtuō；轻薄 qīngbó ¶행동이 ~ 举动轻浮 **2** 晦气 huìqì；倒霉 dǎoméi

방정-식(方程式) 〔명〕【數】方程 fāng-chéng；方程式 fāngchéngshì

방정-하다(方正一) 〔형〕 端正 duān-zhèng；规矩 guīju；正经 zhèngjing ¶품행이 ~ 品行端正 **방정-히** 〔부〕

방제(防除) 〔명〕하타〕 防除 fángchú ¶병충해를 ~하다 防病虫害

방조(防潮) 〔명〕하자〕 放潮 fàngcháo ¶~제 放潮堤

방조(幫助) 〔명〕하타〕【法】帮助 bāng-zhù；帮凶 bāngxiōng ¶살인 · 혐의 帮助杀人嫌疑 / ~ 행위 帮助行为 / ~죄 帮助罪

방조-범(幫助犯) 〔명〕【法】从犯 cóng-fàn

방:종(放縱) 〔명〕하형〕 放纵 fàngzòng；放肆 fàngsì；放恣 fàngzī ¶~한 생활 放纵生活 / 행동이 ~하다 行为放纵

방주(方舟) 〔명〕 方舟 fāngzhōu ¶노아의 ~ 诺亚方舟

방지(防止) 〔명〕하타〕 防止 fángzhǐ；防 fáng ¶~책 防止对策 / 노화를 ~하다 防止老化

방직(紡織) 〔명〕하타〕 纺织 fǎngzhī ¶~공 纺织工人 / ~ 공업 纺织工业 / ~공장 纺织厂 / ~기계 纺织机 = [纺纱机器]

방진(防塵) 〔명〕 防尘 fángchén ¶~마스크 防尘口罩

방책(方策) 〔명〕 计策 jìcè；策略 cèlüè

방책(防柵) 〔명〕【軍】防栅 fángzhà

방첩(防諜) 〔명〕하자〕【軍】防特 fángtè

방청(傍聽) 〔명〕하타〕 旁听 pángtīng ¶~객 旁听者 / ~권 旁听券 / ~석 旁听席 / 재판을 ~하다 旁听审判

방초(芳草) 〔명〕 香草 xiāngcǎo；芳草 fāngcǎo

방추(紡錘) 〔명〕 **1** 纺锤 fǎngchuí ¶~형 纺锤形 **2**【手工】= 북²1

방축(防縮) 〔명〕하타〕 防缩 fángsuō ¶~가공 防缩处理

방:출(放出) 〔명〕하타〕 **1** 发放 fāfàng；放出 fàngchū ¶자금을 ~하다 发放资金 **2**【物】释放 shìfàng；放出 fàngchū ¶에너지를 ~하다 释放能量

방충(防蟲) 〔명〕하자〕 防虫 fángchóng ¶~망 防虫网

방:치(放置) 〔명〕하타〕 放置 fàngzhì；搁置 gēzhì；弃置 qìzhì ¶쓰레기를 길가에 ~하다 把垃圾放置在路边

방침(方針) 〔명〕 方针 fāngzhēn ¶교육 ~ 教育方针 / ~을 정하다 制定方针

방탄(防彈) 〔명〕 防弹 fángdàn；避弹 bìdàn ¶~벽 防弹墙 / ~복 防弹衣 = [避弹衣] / ~유리 防弹玻璃 / ~조끼 防弹背心 = [避弹背心] / ~차 防弹车

방:탕(放蕩) 〔명〕하타〕부〕 放荡 fàng-dàng；狂荡 kuángdàng；浪荡 làngdàng ¶~아 浪荡公子 = [浪子] / 생활이 ~하다 生活放荡

방파-제(防波堤)【建】防波堤 fáng-bōdī

방패(防牌 · 旁牌) 〔명〕 盾 dùn；盾牌 dùn-pái；挡箭牌 dǎngjiànpái ¶~연 盾形风筝 / 나를 ~로 삼지 마라 不要拿我当盾牌

방패-막이(防牌一) 〔명〕하타〕 挡箭牌 dǎngjiànpái

방편(方便) 〔명〕 手段 shǒuduàn；方法 fāngfǎ；办法 bànfǎ；权宜之计 quán-yízhījì

방풍(防風) 〔명〕하자〕 防风 fángfēng = 바람막이 / ~림 防风林

방학(放學) 〔명〕하타〕【敎】放假 fàngjià；假 jià；假期 jiàqī ¶여름 ~ 暑假 / 겨울 ~ 寒假 / ~ 숙제 假期作业

방한(防寒) 〔명〕하자〕 防寒 fánghán；御寒 yùhán；挡寒 dǎnghán ¶~용품

寒用品 /～모 防寒帽/～복 防寒服 /
～화 防寒鞋

방한(訪韓) 〖명〗〖자〗访韩 fǎnghán ¶～
일정 访韩日程

방해(妨害) 〖명〗〖자타〗妨碍 fáng'ài; 妨害
fánghài; 打搅 dǎjiǎo; 打扰 dǎrǎo; 干扰
gānrǎo; 扰乱 rǎoluàn ¶公务 집행을 ～
하다 妨碍执行公务 / 수면을 ～하다
扰乱睡眠

방해-물(妨害物) 〖명〗妨碍物 fáng'àiwù;
绊脚石 bànjiǎoshí; 挡头 dǎngtou

방향(方向) 〖명〗方向 fāngxiàng; 向 xiàng
¶～을 잃다 迷失方向

방향(芳香) 〖명〗芳香 fāngxiāng ¶～제
芳香剂

방향-키(方向一) 〖명〗〖航〗= 방향타

방향-타(方向舵) 〖명〗〖航〗方向舵 fāng-
xiàngduò = 방향키

방형(方形) 〖명〗方形 fāngxíng

방호(防護) 〖명〗〖타〗防护 fánghù ¶～벽
防护墙/～ 진지를 구축하다 构筑防
护阵地

방화(防火) 〖명〗〖자〗防火 fánghuǒ ¶～
시설 防火设施/～문 防火门

방화(邦貨) 〖명〗国币 guóbì

방-화(放火) 〖명〗〖자〗放火 fànghuǒ; 纵火
zònghuǒ ¶～ 사건 放火案件/～범 放
火犯/산에 ～하다 放火烧山

방화-벽(防火壁) 〖명〗1 防火墙 fáng-
huǒqiáng 2 〖컴〗防火墙 fánghuǒqiáng

방황(彷徨) 〖명〗〖자〗彷徨 pánghuáng ¶
거리에서 ～하다 彷徨在街头

밭 〖명〗1 旱田 hàntián; 旱地 hàndì; 田
tián; 田地 tiándì; 地 dì ¶～을 갈다 翻
耕田地 2 (植物茂盛的) 地 dì; 田 tián
¶인삼～ 人参田/감자～ 土豆田 3 平
地 píngdì; 场 chǎng; 地 dì ¶모래～
沙场

밭-고랑 〖명〗垄沟 lǒnggōu

밭다[1] 〖타〗滤 lù; 漉 lù; 过滤 guòlù ¶한
약을 망사 천으로 한 번 ～ 把中药用
纱布过滤一下

밭다[2] 〖형〗1 (时间或空间) 近 jìn; 接近
jiējìn; 将近 jiāngjìn; 紧迫 jǐnpò; 急迫
jípò ¶약속 날짜가 너무 ～ 约定的日
子很紧迫 2 (长度) 短 duǎn; 狭 xiá; 矮
ǎi; 浅薄 qiǎnbó ¶밭은 키 很矮的个子
3 挑嘴 tiāozuǐ; 挑食 tiāoshí ¶입이 밭
으면 건강에 좋지 않다 挑食对健康
不利

밭-뙈기 〖명〗小块地 xiǎokuàidì ¶그는
～나 있다고 잘난 체 한다 他有小块
地, 自以为了不起

밭-매기 〖명〗〖자〗〖農〗除草 chúcǎo; 锄
草 chúcǎo

밭-일 〖명〗〖자〗旱田农活儿 hàntián nóng-
huór

밭-작물(一作物) 〖명〗旱田作物 hàntián

발장-다리 〖명〗八字脚 bāzìjiǎo

배[1] 〔Ⅰ〗〖명〗1 〖生〗肚(儿) dù(r); 肚子
dùzi; 腹 fù; 腹部 fùbù ¶～가 나오다
腹部突出/～가 부르다 肚子饱/～가
아프다 肚子疼/～가 고프다 肚子饿
2 (物体的) 肚子 dùzi 〔Ⅱ〗〖의존〗窝 wō;
胎 tāi ¶이 고양이는 한 ～에 다섯 마
리를 낳았다 这只猫一胎下了五只小
猫

배[2] 〖명〗船 chuán; 舟 zhōu; 船舶 chuán-
bó; 船只 chuánzhī; 船艘 chuánsōu =
선박

배[3] 〖명〗梨 lí; 梨子 lízi

배-(倍) 〖명〗1 加倍 jiābèi; 倍加 bèijiā
= 갑절·곱절1 ¶～로 힘들다 倍加艰
难 2 倍 bèi ¶속도를 세 ～로 올리다
把速度提高三倍

배-가(倍加) 〖명〗〖자타〗加倍 jiābèi; 倍
加 bèijiā ¶노력을 ～하다 加倍努力

배갈(중baigar[白干儿]) 〖명〗= 고량주

배격(排擊) 〖명〗〖타〗排斥 páichì; 抨击
pēngjī; 反对 fǎnduì ¶의견이 다른 사
람을 ～하다 排斥意见不同的人

배-경(背景) 〖명〗1 背景 bèijǐng; 后景
hòujǐng ¶꽃밭을 ～으로 사진을 찍다
以花圃为背景拍照 2 (事件、情况等
的) 背景 bèijǐng ¶역사적인 ～ 历史上
的背景 / 사회적 ～ 社会背景 3 后盾
hòudùn; 靠山 kàoshān; 背景 bèijǐng ¶
～이 든든하다 背景很硬 4 〖文〗背景
bèijǐng ¶작품의 ～ 作品背景 5 〖演〗
布景 bùjǐng ¶음악 布景音乐

배-고프다 〖형〗1 饿 è ¶점심을 걸렀더
니 ～ 没吃过午饭, 很饿 2 穷乏 qióng-
fá; 贫困 pínkùn; 穷困 qióngkùn ¶배
고팠던 날을 회상하다 回想穷乏的日子

배-고픔 〖명〗饥 jī; 饥饿 jǐ'è

배-곯다 〖자〗挨饿 áiè

배-관(配管) 〖명〗〖자〗铺管 pūguǎn; 配
管 pèiguǎn ¶～공 配管工/～도 配管
图 / ～ 공사 配管工程

배구(排球) 〖명〗〖體〗排球 páiqiú ¶～공
排球 / ～ 선수 排球运动员 / ～ 시합
排球比赛 / ～를 하다 打排球

배-금(拜金) 〖명〗〖자〗拜金 bàijīn ¶～주
의 拜金主义

배-급(配給) 〖명〗〖타〗配给 pèijǐ; 配售
pèishòu ¶～량 配给量/～소 配给站/
～제 配给制/～표 配给证/～품 配给
品/음식을 ～하다 配给食物

배기(排氣) 〖명〗〖자〗排气 páiqì ¶～
乏汽 fáqì; 废气 fèiqì ¶～관 排气管/
～구 排气口/～량 排气量/～통 排气
筒

배기-가스(排氣gas) 〖명〗废气 fèiqì ¶

자동차 ~ 汽车排气

배기다¹ 困 络 gè ¶엉덩이가 ~ 络屁
股 / 등이 배겨 불편하다 络背硌得难
受

배기다² 困태 经得住 jīngdezhù; 经得
起 jīngdeqǐ; 禁得起 jīndeqǐ; 禁得住
jīndezhù; 顶得住 dǐngdezhù; 忍耐
rěnnài; 忍住 rěnzhù ¶아파서 배길 수
가 없다 酸痛得忍耐不住 / 나는 그의
등쌀에 배겨 낼 수가 없다 我被他的折
磨禁不住

배-꼽 명 1 〖生〗肚脐(儿) dùqí(r); 肚
脐眼儿 dùqíyǎnr 2 〖植〗蒂 dì; 蒂把儿
dìbǎr

배-나무 명 〖植〗梨树 líshù

배ː낭(背囊) 명 背包 bèibāo; 背囊
bèináng ¶등산 ~ 登山背包 / ~여행
背包旅行 / ~여행객 背包客 / ~을 메
다 背背囊

배낭(胚囊) 명 〖植〗胚囊 pēináng

배-내-똥 명 胎便 tāibiàn

배ː내-옷 명 = 배냇저고리

배ː냇-니 명 = 젖니

배ː냇-머리 명 胎发 tāifà; 胎毛 tāi-
máo

배ː냇-저고리 명 婴儿和尚服 yīng'ér
héshangfú; 和尚服 héshangfú = 배내
옷

배ː냇-짓 명困 婆婆娇 pópojiāo ¶~
을 하다 睡婆婆娇

배뇨(排尿) 명困困 排尿 páiniào ¶~
기능 장애 排尿功能障碍

배ː다¹ 困 1 渗透; 透 tòu; 渍 zì;
浸透 jìntòu; 湿透 shītòu; 透入 tòurù ¶
담배 냄새가 이미 옷에 뱄다 烟味已经
湿透了衣服 2 习惯 xíguàn; 习以为常
xíyǐwéicháng; 成为习惯 chéngwéixí-
guàn; 习惯成自然 xíguànchéngzìrán;
熟练 shúliàn ¶일찍 일어나는 것이 몸
에 ~ 习惯早起 / 욕이 입에 ~ 习惯说
骂人话

배ː다² 타 1 怀孕 huáiyùn; 怀有; 怀
胎 huáitāi; 怀娠 huáishēn; 妊娠 rèn-
shēn; 身孕 shēnyùn; 有孕 yǒuyùn ¶우
리 집 개가 새끼를 뱄다 我家狗怀孕了
2 孕穗 yùnsuì; 秀穗(儿) xiùsuì(r)

배-다르다 困 同父异母 tóngfùyìmǔ ¶
배다른 형제 同父异母的兄弟

배-다리 명 1 浮桥 fúqiáo = 선교(船
橋) 2 木板桥 mùbǎnqiáo; 浮栈桥 fú-
zhànqiáo

배ː달(配達) 명困困 送 sòng; 送递 sòng-
dì; 投递 tóudì; 送达 sòngdá; 送到
sòngdào; 送货 sònghuò ¶신문을 ~하
다 送报

배ː달-부(配達夫) 명 = 배달원

배ː달-원(配達員) 명 送货员 sònghuò-
yuán; 投递员 tóudìyuán = 배달부

배ː당(配當) 명困태 1 分配 fēnpèi; 分
fēn; 调度 diàodù ¶일을 ~하다 分配工
作 / 능력에 따라 ~하다 按力量分配
2 〖經〗分 fēn; 分红 fēnhóng ¶이윤을
주주들에게 ~하다 把利润分给股东

배ː당-금(配當金) 명 红利 hónglì; 红
hóng; 股息 gǔxī; 股利 gǔlì

배드민턴(badminton) 명 〖體〗羽毛
球 yǔmáoqiú ¶~ 채 羽毛球拍 / ~를
치다 打羽毛球

배드민턴-공(badminton—) 명 〖體〗
= 셔틀콕

배란(排卵) 명困困 〖生〗排卵 páiluǎn
¶~기 排卵期

배럴(barrel) 의명 桶 tǒng ¶석유 1~
一桶石油

배ː려(配慮) 명困태 照顾 zhàogù; 关
照 guānzhào; 关怀 guānhuái; 关心
guānxīn; 关切 guānqiè; 关注 guānzhù
¶노인을 ~하다 关注老年人

배미 명 1 水田地块 shuǐtián dìkuài 2
丘 qiū ¶논 한 ~ 一丘水田

배-밀이 명困困타 (婴儿) 匍匐 púfú;
葡匐前进 púfú qiánjìn; 匍匐爬行 púfú
páxíng ¶아기가 ~를 할 수 있다 宝宝
会匍匐爬行了

배ː반(背反 · 背叛) 명困태 背叛 bèi-
pàn; 叛变 pànbiàn; 叛离 pànlí; 反叛
fǎnpàn; 叛 pàn ¶~자 背叛者 / 조국을
~한 매국노 反叛祖国的卖国贼 / 친구
에게 ~ 당하다 被朋友背叛

배변(排便) 명困困 排便 páibiàn; 拉屎
lāshǐ

배ː부(配付) 명困태 发 fā; 分发 fēnfā;
发给 fāgěi; 分给 fēngěi ¶입학 원서를
~하다 分发入学报名表

배-부르다 困 1 饱 bǎo; 肚子饱 dùzi
bǎo; 吃饱 chībǎo ¶배부르면 그만 먹
어라 吃饱了, 就不要再吃了 2 (孕妇)
肚子大 dùzidà 3 饱暖 bǎonuǎn; 丰裕
fēngyù

배ː분(配分) 명困태 分配 fēnpèi; 分
fēn; 发发 fāfā; 摊 tān ¶이익을 ~하
다 分配利润

배-불뚝이 명 鼓肚的 gǔdùde; 大肚子
dàdùzi

배불리 부 饱饱地 bǎobǎode; 饱 bǎo ¶
~ 먹다 吃饱

배ː상(賠償) 명困태 〖法〗赔 péi; 赔偿
péicháng; 抵偿 dǐcháng; 赔款 péi-
kuǎn; 退赔 tuìpéi ¶~금 赔款 =[赔偿
金] / ~액 赔款额 / ~을 요구하다 要
求赔偿 / 손실을 ~하다 抵偿损失

배ː색(拜上) 명 拜上 bàishàng

배ː색(配色) 명困困타 配色 pèisè ¶이
옷은 ~이 좋다 这件衣服配色配得很
好

배ː서(背書) 명困困 1 背面签字 bèimiàn qiānzì 2 〖法〗背书 bèishū = 이 서 ▮수표를 사용하려면 반드시 ~해 야 한다 用支票必须背书

배·석(陪席) 〖명〗〖하자〗 陪席 péixí; 陪坐 péizuò

배·선(配線) 〖명〗〖하타〗〖電〗 1 配线 pèixiàn; 架线 jiàxiàn; 配电线 pèidiànxiàn ▮~공 配线工 /~도 配线图 2 = 배전선

배설(排泄) 〖명〗〖하타〗 1 排泄 páixiè; 排除 páichú; 排出 páichū ▮오수를 강으로 ~하다 把污水排泄到河里 2 〖生〗 排泄 páixiè ▮~ 기관 排泄器官 /~물 排泄物 /~ 작용 排泄作用 /체내의 노폐물을 ~하다 排泄体内的废物

배·속(配屬) 〖명〗〖하타〗 1 布置 bùzhì; 布局 bùjú; 安排 ānpái 2 (人员的) 分配 fēnpèi; 从属 cóngshǔ; 配备 pèibèi ▮규모에 따라 인력을 ~하다 按规模分配人力

배·송(配送) 〖명〗〖하타〗 配送 pèisòng; 送 sòng; 送货 sònghuò ▮무료 ~ 免费送货 /~ 시간 送货时间 /~비 配送费

배·수(背水) 〖명〗 背水 bèishuǐ ▮~의 진 背水阵

배·수(配水) 〖명〗〖하자〗 1 供水 gōngshuǐ; 配水 pèishuǐ ▮~관 配水管 /~지 配水池 2 灌 guàn; 灌溉 guàngài; 灌田 guàntián

배·수(倍數) 〖명〗〖數〗 倍数 bèishù

배수(排水) 〖명〗〖하타〗 排水 páishuǐ ▮~관 排水管 /~구 排水口 /~량 排水量 /~로 排水沟 /~장 排水场 /~장치 排水装置 /~펌프 排水泵 /~시설 排水设施

배·수-진(背水陣) 〖명〗 1〖軍〗 背水阵 bèishuǐzhèn 2 背水阵 bèishuǐzhèn; 背城借一 bèichéngjièyī; 背水一战 bèishuǐyīzhàn

배·식(配食) 〖명〗〖하타〗 分配食物 fēnpèi shíwù; 开饭 kāifàn ▮~ 시간 开饭时间

배·식(陪食) 〖명〗〖하자타〗 陪餐 péicān

배·식-구(配食口) 〖명〗 售饭窗口 shòufànchuāngkǒu

배·신(背信) 〖명〗〖하자타〗 背信 bèixìn; 背信弃义 bèixìnqìyì; 背叛 bèipàn; 背弃 bèiqì; 出卖 chūmài ▮~감 背信感 /~자 背信者 /~ 행위 背信行为 /친구를 ~하다 背弃朋友 /여자 친구에게 ~을 당하다 被女友背叛

배·심(陪審) 〖명〗〖하자〗〖法〗 陪审 péishěn ▮~원 陪审员 /~ 재판 陪审审判 /~제도 陪审审判

배아(胚芽) 〖명〗〖植〗 胚芽 pēiyá ▮~미 胚芽米

배·알(拜謁) 〖명〗〖하타〗 拜谒 bàiyè; 拜见 bàijiàn

배알 〖명〗 1 肠子 chángzi; 肠 cháng 2 心 xīn; 心肠 xīncháng; 心底 xīndǐ; 心情 xīnqíng 3 气 qì; 脾气 píqi

배-앓이 〖명〗 腹痛 fùtòng; 闹肚子 nào dùzi

배:양(培養) 〖명〗〖하타〗 1 (把植物) 培育 péiyù; 培植 péizhí ▮우량 품종을 ~하다 培育优良品种 2 (人才等) 培训 péixùn; 培养 péiyǎng; 培育 péiyù; 培植 péizhí ▮인재를 ~하다 培训人才 /국력을 ~하다 培养国力 /학습 능력을 ~하다 培养学习能力 3〖生〗 培养 péiyǎng ▮세균을 ~하다 培养细菌

배:양-기(培養器) 〖명〗〖生〗 培养箱 péiyǎngxiāng; 培养器 péiyǎngqì

배:양-액(培養液) 〖명〗〖生〗 培养基 yǎngjī; 培养液 péiyǎngyè

배:양-토(培養土) 〖명〗〖植〗 培养土 péiyǎngtǔ

배어-나다 〖자〗 1 渗 shèn; 渗出 shènchū; 渍 zì; 渍出 zìchū 2 (感觉或想法) 露 lòu ▮그의 입가에 미소가 ~ 他的嘴角露了微笑

배어-들다 〖자〗 渗 shèn; 渗进 shènjìn; 渗入 shènrù; 浸透 jìntòu; 浸染 ▮옷에 땀이 ~ 汗水浸透了衣服

배:역(配役) 〖명〗〖하타〗 角色 juésè; 扮演 bànyǎn ▮ ~을 정하다 分配角色

배:열(配列·排列) 〖명〗〖하타〗 排列 páiliè; 陈列 chénliè; 陈设 chénshè ▮~ 순서 排列顺序 /상품을 ~하다 陈列产品

배엽(胚葉) 〖명〗〖生〗 胚叶 pēiyè; 胚层 pēicéng

배:영(背泳) 〖명〗〖體〗 仰泳 yǎngyǒng

배외(排外) 〖명〗〖하타〗 排外 páiwài ▮~사상 排外思想 /~주의 排外主义

배우(俳優) 〖명〗〖演〗 演员 yǎnyuán ▮영화~ 电影演员 /연기파 ~ 演技派演员

배우다 〖타〗 1 学 xué; 学习 xuéxí ▮영어를 ~ 学英语 /수영을 ~ 学习游泳 2 体味 tǐwèi ▮자유의 소중함을 ~ 体味自由的珍贵

배:우-자(配偶者) 〖명〗 配偶 pèi'ǒu

배움-터 〖명〗 学习园地 xuéxí yuándì; 校园 xiàoyuán; 学园 xuéyuán

배웅 〖명〗〖하타〗 送 sòng; 送行 sòngxíng; 送别 sòngbié ▮나는 그녀를 공항까지 ~했다 我把她送到机场

배유(胚乳) 〖명〗〖植〗 = 배젖

배:율(倍率) 〖명〗〖物〗 倍率 bèilǜ; 放大率 fàngdàlǜ

배:은-망덕(背恩忘德) 〖명〗〖하형〗 忘恩负义 wàng'ēnfùyì; 忘恩背义 wàng'ēnbèiyì; 背恩忘义 bèi'ēnwàngyì; 恩将仇报 ēnjiāngchóubào

배:임(背任) 圐|하자| 瀆職 dúzhí ¶~죄
瀆職罪 / ~ 행위 瀆職行为

배:자(褙子) 图 坎肩 kǎnjiān; 背心 bèi-
xīn

배:전(倍前) 图 倍加 bèijiā ¶~의 노력
을 기울이다 倍加努力

배:전(配電) 圐|하자| 【電】配电 pèidiàn;
分电 fēndiàn ¶~기 分电器 / ~반 分
电盘

배:전-선(配電線) 图【電】配电线 pèi-
diànxiàn = 배선2

배:점(配點) 图 打分数 dǎfēnshù;
分配分数 fēnpèi fēnshù

배:정(配定) 圐|하타| 按排 ānpái; 按排:
分配 fēnpèi ¶좌석을 ~하다 按排座位

배-젖(胚─) 图【植】胚乳 pēirǔ = 배
유

배제(排除) 圐|하타| 排除 páichú; 消除
xiāochú; 回避 huíbì ¶실패할 가능성을
~할 수 없다 不能回避失败的可能性

배:증(倍增) 圐|하자| 倍增 bèizēng ¶
인원을 ~되다 人数倍增

배지(badge) 图 徽章 huīzhāng; 证章
zhèngzhāng; 像章 xiàngzhāng

배-지느러미 图【魚】腹鳍 fùqí; 臀鳍
túnqí

배:집다 자타| 挤 jǐ; 扒拉 bālā ¶배집
고 들어가다 挤进去

배-짱 图 1 想法 xiǎngfǎ; 心眼儿 xīn-
yǎnr; 居心 jūxīn; 用心 yòngxīn 2 胆
量 dǎnliàng; 担子 dānzi; 骨气 gǔqì; 骨力
gǔlì; 志气 zhìqì ¶~이 없다 没有胆
量 / ~이 좋다 胆子大

배:차(配車) 圐|하자타| 调车 diàochē;
车辆调度 chēliàng diàodù; 配车 pèichē
¶~ 시간 调车时间 / ~원 调车员 / ~
간격 车辆调度间隔

배척(排斥) 圐|하타| 排斥 páichì; 排挤
páijǐ; 抵制 dǐzhì ¶외세를 ~하다 排斥
外势

배:추 图【植】白菜 báicài; 大白菜
dàbáicài ¶~김치 白菜泡菜

배:추-벌레 图【蟲】青虫 qīngchóng

배:추-흰나비 图【蟲】菜粉蝶 càifěn-
dié; 菜青虫 càiqīngchóng

배출(排出) 圐|하타| 排出 páichū; 排泄
páixiè; 排放 páifàng ¶~구 排出口 / 폐
수를 ~하다 排出废水 / 체내의 독소
를 ~하다 排出体内毒素

배:출(輩出) 圐|하자| 辈出 bèichū; 涌现
yǒngxiàn ¶유능한 인재를 ~하다 辈出
能干的人才

배:춧-국 图 白菜汤 báicàitāng

배:치(配置) 圐|하타| 配置 pèizhì; 布置
bùzhì; 安排 ānpái; 配备 pèibèi; 分配
fēnpèi; 调配 diàopèi; 布局 bùjú ¶~도
布置图 / 전시품을 ~하다 布置展品 /
병력을 ~하다 布置兵力 / 인원을 ~하

다 配置人员

배:치(背馳) 圐|하자| 相反 xiāngfǎn; 背
离 bèilí; 背道而驰 bèidào'érchí ¶평소
의 주장과 ~되는 행위 跟平时常说的
主张相反的行为

배타(排他) 圐|하자| 排他 páitā ¶~성
排他性 / ~심 排他心 / ~주의 排他主
义

배타-적(排他的) 괜|图 排他(的) páitā-
(de); 有排他性(的) yǒupáitāxìng(de) ¶
~ 경제 수역 排他性经济水域

배-탈(腹─) 图 腹痛 fùtòng; 腹泻 fùxiè; 肚
子痛 dùzitòng

배터리(battery) 图 1 【電】电池 diàn-
chí ¶휴대폰 ~ 手机电池 / ~를 충전
하다 充电电池 2 【體】投接手组 tóu-
jiēshǒuzǔ

배턴(baton) 图【體】接力棒 jiēlìbàng;
接棒 jiēbàng = 바통

배트(bat) 图【體】球棒 qiúbàng; 球棍
qiúgùn

배팅(batting) 图【體】= 타격3 ¶~
오더 打击顺序

배-편(─便) 图 趁有船之便 chènyǒu-
chuánzhībiàn; 用船 yòngchuán = 선편

배:포(配布) 图 散发 sànfà; 分发
fēnfā; 发给 fāgěi ¶인쇄물을 ~하다 散
发印刷品

배포(排布·排鋪) 圐|하타| 想法 xiǎng-
fǎ; 用意 yòngyì; 心计 xīnjì; 度量 dù-
liàng; 主意 zhǔyì ¶~가 좋다 用意良
善 / ~가 크다 度量大

배:-표(─票) 图 船票 chuánpiào

배:-필(配匹) 图 配偶 pèi'ǒu; 伴侣 bàn-
lǚ

배:합(配合) 圐|하타| 配 pèi; 配合 pèi-
hé; 调配 tiáopèi; 配搭 pèidā; 搭配
dāpèi ¶~률 配合率 / ~ 사료 配合饲
料 / 원료를 ~하다 配搭原料

배회(排徊) 圐|하자타| 徘徊 páihuái ¶거
리를 홀로 ~하다 在街头独自徘徊

배:-후(背後) 图 1 背后 bèihòu; 后边
hòubian; 后面 hòumiàn ¶~ 공격 背后
攻击 / 물건을 ~에 숨기다 把东西藏
在背后 2 背地里 bèidìli; 背后 bèihòu;
后台 hòutái; 幕后 mùhòu; 背地 bèidì
¶~ 세력 背后的势力 / 그의 ~가 누
구냐? 他的幕后是谁?

백(bag) 图 手提包 shǒutíbāo; 提包
tíbāo

백(百) 쥐|관| 一百 yībǎi; 百 bǎi = 일
백 ¶~ 미터 一百米 / ~ 살 一百岁 /
장미 ~ 송이 一百朵玫瑰 / ~ 명이 넘
는 사람들 一百多个人

백─(白) 젭튀 白 bái ¶~포도주 白葡
萄酒 / ~장미 白玫瑰 / ~구두 白皮
鞋

백가(百家) 图 百家 bǎijiā ¶~쟁명 百

家争鸣

백골(白骨) 图 白骨 báigǔ

백-곰(白一) 图 白熊 báixióng; 北极熊 běijíxióng

백과(百果) 图 百果 bǎiguǒ

백과(百科) 图 百科 bǎikē ¶~사전 百科辞典 =[百科全书]

백관(百官) 图 百官 bǎiguān ¶문무~ 文武百官

백구(白狗) 图 白狗 báigǒu; 白犬 báiquǎn

백군(白軍) 图 白队 báiduì; 白军 báijūn

백금(白金) 图 【化】白金 báijīn; 铂 bó

백기(白旗) 图 【旗】白旗 báiqí ¶~를 달다 打白旗 / ~를 들다 奉起白旗

백-김치(白一) 图 白泡菜 báipàocài

백-날(百一) 图 白一 图 图 1 백일 1 再久 zàijiǔ; 再 zài; 许久 xǔjiǔ ¶~ 해봐야 성공할 수 없다 再努力也不能成功 2 老 lǎo; 总 zǒng; 老是 lǎoshì; 总是 zǒngshì ¶이 사람은 ~ 이 모양이다 这人老是这样

백-내장(白內障) 图 【醫】白内障 báinèizhàng

백년-가약(百年佳約) 图 百年之约 bǎiniánzhīyuè; 佳约 jiāyuē

백년-대계(百年大計) 图 百计大计 bǎiniándàjì

백년지계(百年之計) 图 百年之计 bǎiniánzhījì

백년-해로(百年偕老) 图 函 白头偕老 báitóuxiélǎo

백도(白桃) 图 【植】白桃 báitáo

백두-산(白頭山) 图 【地】白头山 Báitóushān; 长白山 Chángbáishān

백-등유(白燈油) 图 白灯油 báidēngyóu

백랍(白蠟) 图 【藥】白蜡 báilà

백로(白露) 图 白露 báilù 《(二十四节气之一)》

백로(白鷺) 图 【鳥】白鹭 báilù; 鹭鸶 lùsī

백마(白馬) 图 白马 báimǎ = 흰말

백만(百萬) 函 一百万 yìbǎiwàn; 百万 bǎiwàn ¶~ 원 一百万韩元/관객이 ~이 넘었다 观众超过一百万

백만-장자(百萬長者) 图 百万富翁 bǎiwàn fùwēng

백모(伯母) 图 = 큰어머니

백-목련(白木蓮) 图 【植】玉兰 yùlán; 望春花 wàngchūnhuā; 木兰花 mùlánhuā

백묘(白描) 图 【美】1 白描 báimiáo 2 = 백묘화

백묘-화(白描畵) 图 【美】白描画 báimiáohuà = 백묘2

백묵(白墨) 图 = 분필

백미(白米) 图 = 흰쌀

백미(白眉) 图 白眉 báiméi; 优秀作 yōuxiùzuò; 佼佼者 jiǎojiǎozhě ¶고전 문학의 ~ 古典文学的佼佼者

백-미러(back+mirror) 图 后视镜 hòushìjìng

백반(白斑) 图 1 白斑 báibān 2 【醫】= 백반증 3 【天】光斑 guāngbān

백반(白飯) 图 1 = 흰밥 2 米饭套餐 mǐfàn tàocān

백반(白礬) 图 【化】白矾 báifán; 明矾 míngfán = 명반(明礬)

백반-증(白斑症) 图 【醫】白斑病 báibānbìng; 白癜病 báidiànbìng = 백반(白斑)2

백발(白髮) 图 白发 báifà; 白头发 báitóufa; 白头 báitóu; 白首 báishǒu ¶~ 노인 白发老人

백발-백중(百發百中) 图 函 百发百中 bǎifābǎizhòng; 百步穿杨 bǎibùchuānyáng ¶~의 사수 百发百中的射手

백방(百方) 图 百方 bǎifāng; 千方百计 qiānfāngbǎijì; 百般 bǎibān; 到处 dàochù; 四处 sìchù ¶~으로 수소문하다 到处打听 / ~으로 그들을 돕다 千方百计帮助他们

백배(百拜) 图 函 百拜 bǎibài ¶~사례 百拜致谢 / ~사죄 百拜谢罪

백배(百倍) 副 图 百倍 bǎibèi; 一倍 yībài ¶~ 노력하다 一倍努力 / 그녀가 너보다 ~ 예쁘다 她比你漂亮一倍

백번(百番) 副 1 一百次 yībǎicì; 好多次 hǎoduōcì ¶~ 죽어 마땅하다 死一百次也应该的 2 完全 wánquán ¶~ 옳은 말씀입니다 你说得完全对

백병(白兵) 图 白刃 báirèn ¶~전 白刃战

백부(伯父) 图 = 큰아버지

백분(白粉) 图 1 白面儿 báimiànr 2 = 분(粉)1 ¶그녀는 얼굴에 ~을 발랐다 她脸上涂白粉

백분-비(百分比) 图 = 백분율

백분-율(百分率) 图 百分比 bǎifēnbǐ; 百分率 bǎifēnlǜ = 백분비 · 퍼센티지

백분-표(百分標) 图 百分号 báifēnhào; 百分符 bǎifēnfú

백사(白沙 · 白砂) 图 白沙 báishā

백사(白蛇) 图 【動】白蛇 báishé

백-사장(白沙場) 图 白沙滩 báishātān; 沙滩 shātān ¶끝없이 넓은 ~ 无边无际的沙滩

백색(白色) 图 白色 báisè; 白颜色 báiyánsè; 白 bái ¶~ 가루 白色粉末 / ~소음 白噪音 / ~ 시멘트 白水泥 / ~ 테러 白色恐怖

백색 인종(白色人種) 白色人种 báisè rénzhǒng; 白种 báizhǒng = 백인종 ·

유럽 인종

백서(白書) 뎽 【政】白皮书 báipíshū ¶ 경제 ～ 经济白皮书 / 교육 ～ 教育白皮书

백선(白癬) 뎽 【醫】白癣 báixuǎn; 发癣 fàxuǎn

백선(白選) 뎽 百选 bǎixuǎn ¶명시 ～ 名诗百选

백설(白雪) 뎽 白雪 báixuě ¶～이 온 땅을 뒤덮고 있다 白雪覆盖着满地

백-설기(白─) 뎽 米粉蒸糕 mǐfěn zhēnggāo = 설기

백-설탕(白雪糖) 뎽 白糖 báitáng; 白沙糖 báishātáng

백성(百姓) 뎽 百姓 bǎixìng; 老百姓 lǎobǎixìng; 人民 rénmín; 黎民 límín

백세(百歲) 뎽 百年 bǎinián; 万年 wànnián

백-소주(白燒酒) 뎽 白烧酒 báishāojiǔ

백송(白松) 뎽 【植】白松 báisōng; 白皮松 báipísōng

백수(白手) 뎽 = 백수건달

백수(百獸) 뎽 百兽 bǎishòu ¶사자는 ～의 왕이다 狮子是百兽之王

백수-건달(白手乾達) 뎽 二流子 èrliúzi; 二混子 èrhùnzi; 二赖子 èrlàizi = 백수(白手)

백숙(白熟) 뎽하터 清炖 qīngdùn; 白煮 báizhǔ ¶영계 ～ 清炖小鸡 / 오리 ～ 清炖鸭汤

백신(vaccine) 뎽 1 【醫】疫苗 yìmiáo; 菌苗 jūnmiáo ¶～ 주사 疫苗针 /～을 주사하다 注射疫苗 /～을 접종하다 接种疫苗 2 【컴】防毒软件 fángdú ruǎnjiàn; 杀毒软件 shādú ruǎnjiàn

백악(白堊) 뎽 【地理】白垩 bái'è; 白土子 báitǔzi ¶～계 白垩系 /～기 白垩纪

백악-관(白堊館) 뎽 【政】白宫 Báigōng

백안-시(白眼視) 뎽하터 白眼看 báiyǎnkàn; 轻视 qīngshì; 轻看 qīngkàn; 蔑视 mièshì; 冷眼 lěngyǎn ¶그들을 ～하다 白眼看他们

백야(白夜) 뎽 【地理】白夜 báiyè

백양(白羊) 뎽 白羊 báiyáng

백양(白楊) 뎽 【植】白杨树 báiyángshù

백양-나무(白楊─) 뎽 【植】白杨树 báiyángshù

백업(back-up) 뎽하터 1 【體】后援 hòuyuán ¶～ 투수 后援投手 2 【컴】备份 bèifèn; 后备 hòubèi ¶～ 시스템 后备系统 / ～ 파일 备份文件

백-여우(白─) 뎽 1 白狐 báihú; 北极狐 běijíhú 2 狐狸精 húlíjīng

백열(白熱) 뎽 【物】白热 báirè; 白炽 báichì ¶～등 白炽灯 /～전구 白炽

泡 /～전등 白炽电灯

백옥(白玉) 뎽 白玉 báiyù ¶피부가 ～같이 희다 皮肤像白玉一样白

백운(白雲) 뎽 白云 báiyún

백-운모(白雲母) 뎽 【鑛】白云母 báiyúnmǔ; 银云母 yínyúnmǔ

백의(白衣) 뎽 1 = 흰옷 ¶～민족 白衣民族 2 = 베옷

백의-종군(白衣從軍) 뎽하자 白衣从军 báiyī cóngjūn

백인(白人) 뎽 白种人 báizhǒngrén; 白人 báirén

백-인종(白人種) 뎽 = 백색 인종

백일(百日) 뎽 1 (嬰儿的)百日 bǎirì; 百晬 bǎizuì; 百岁 bǎisuì = 백날⊖ ¶～기도 百日祈祷 /～떡 百日糕 /～사진 百日照 /～잔치 百日宴

백일-몽(白日夢) 뎽 白日梦 báirìmèng

백일-장(白日場) 뎽 作文比赛 zuòwén bǐsài

백일-하(白日下) 뎽 光天化日之下 guāngtiānhuàrìzhīxià; 完全 wánquán; 清楚 qīngchu; 明露(儿) mínglù(r)

백일-해(百日咳) 뎽 【醫】百日咳 bǎirìké

백일-홍(百日紅) 뎽 【植】百日草 bǎirìcǎo; 百日菊 bǎirìjú

백자(白瓷·白磁) 뎽 【手工】白瓷 báicí; 白磁 báicí

백작(伯爵) 뎽 伯爵 bójué ¶～ 부인 伯爵夫人

백전(百戰) 뎽 百战 bǎizhàn ¶～노장 百战的老将 /～의 용사 百战的壮士

백전-백승(百戰百勝) 뎽하자 百战百胜 bǎizhànbǎishèng; 战无不胜 zhànwúbùshèng; 百战不殆 bǎizhànbùdài ¶적을 알고 나를 알면 ～이다 知己知彼, 百战不殆

백정(白丁) 뎽 屠户 túhù; 屠夫 túfū

백조(白鳥) 뎽 【鳥】= 고니 ¶～자리 天鹅座

백주(白晝) 뎽 = 대낮 ¶도둑이 ～에 대로를 활보하다 白天盗贼在街上大踏步走岁

백주(白酒) 뎽 1 白色的酒 báisède jiǔ 2 = 고량주

백중(伯仲) 뎽하형 伯仲 bózhòng; 不分上下 bùfēnshàngxià; 伯仲之间 bózhòngzhījiān ¶～지세 伯仲之势 / 실력이 ～하다 实力相仿

백지(白紙) 뎽 1 白纸 báizhǐ 2 空白纸 kōngbáizhǐ; 空纸 kōngzhǐ; 白纸 báizhǐ 3 外行 wàiháng; 外教 wàijiào; 一无所知 yīwúsuǒzhī 4 白卷(儿) báijuàn(r) ¶～ 답안을 내다 交白卷儿 5 空白 kōngbái ¶～ 수표 空白支票 / 어음 空白票据

백지-장(白紙張) 뎽 1 白纸 báizhǐ; 白

纸张 báizhǐzhāng **2** 白色脸 báisèliǎn ¶ 백지장도 맞들면 낫다 〖俗담〗众擎易举; 人多力量大

백지-화(白紙化) 〖명〗〖하타〗 白纸化 báizhǐhuà; 化为乌有 huàwéiwūyǒu ¶ 그는 갑자기 계약을 ~했다 他突然将合同白纸化了

백 척-간두(百尺竿頭) 〖명〗 百尺竿头 bǎichǐgāntóu

백출(百出) 〖명〗〖하자〗 百出 bǎichū

백치(白痴·白癡) 〖명〗 白痴 báichī ¶ ~미 白痴美

백태(白苔) 〖명〗〖韓醫〗 白苔 báitái

백태(百態) 〖명〗 百态 bǎitài; 百样 bǎiyàng

백토(白土) 〖명〗 **1** 白土 báitǔ **2** 〖鑛〗 = 고령토

백-포도주(白葡萄酒) 〖명〗 白葡萄酒 báipútaojiǔ

백학(白鶴) 〖명〗〖鳥〗 = 두루미

백합(白蛤) 〖명〗〖貝〗 蛤蜊 géli; 文蛤 wéngé = 대합

백합(百合) 〖명〗〖植〗 百合 bǎihé = 나리[1]

백합-꽃(百合─) 〖명〗 百合花 bǎihéhuā ¶ 白百合花

백-혈구(白血球) 〖명〗〖醫〗 白细胞 báixìbāo; 白血球 báixuèqiú

백혈-병(白血病) 〖명〗〖醫〗 白血病 báixuèbìng; 白血症 báixuèzhèng; 血癌 xuè'ái

백호(白虎) 〖명〗〖民〗 白毛虎 báimáohǔ; 白虎 báihǔ

백호(白狐) 〖명〗〖動〗 北极狐 běijíhú; 白狐 báihú

백화(白話) 〖명〗 白话 báihuà ¶ ~문 白话文 / ~ 소설 白话小说

백화(百花) 〖명〗 百花 bǎihuā ¶ 바야흐로 ~가 만발하는 봄이다 正是百花盛开的春天

백화-점(百貨店) 〖명〗 百货大楼 bǎihuò dàlóu; 百货商店 bǎihuò shāngdiàn; 百货公司 bǎihuò gōngsī; 百货店 bǎihuòdiàn

밴드[1](band) 〖명〗 乐队 yuèduì ¶ 5인조 ~ 五人乐队

밴드[2](band) 〖명〗 带(儿) dài(r); 圈(儿) quān(r) ¶ 고무 ~ 橡皮圈

밸: '배알'의 略词

밸런타인-데이(Valentine Day) 〖명〗 情人节 qíngrénjié; 圣华伦泰节 shènghuálúntàijié

밸브(valve) 〖명〗〖工〗 阀 fá; 阀门 fámén; 活门 huómén

뱀 〖명〗〖動〗 蛇 shé; 长虫 chángchóng ¶ ~술 蛇酒 / ~독 蛇毒 / ~에게 물리다 被蛇咬

뱀:-장어(─長魚) 〖명〗〖魚〗 鳗鲡 mán-

lí; 白鳝 báishàn; 鳗 mán = 장어

뱀:-새 〖명〗〖鳥〗 棕头鸦雀 zōngtóuyā-què ¶ 뱀새가 황새를 따라가면 다리가 찢어진다 〖俗담〗 东施效颦

뱀:-새-눈 〖명〗 三角小眼 sānjiǎoxiǎoyǎn ¶ ~을 깜박거리다 眨巴着三角小眼

뱃-가죽 〖명〗 肚子皮 dùzipí; 腹肌 fùjī; 肚皮 dùpí

뱃가죽이 등에 붙다 〖구〗 肚皮贴着脊梁骨

뱃-고동 〖명〗 (船上的) 汽笛 qìdí; 船叫声 chuánjiàoshēng

뱃-길 〖명〗 船路 chuánlù; 水路 shuǐlù ¶ ~이 열리다 开辟船路 / ~이 끊겼다 水路断了

뱃-노래 〖명〗〖音〗 船歌 chuángē; 船夫曲 chuánfūqū

뱃-놀이 〖명〗〖하자〗 划船 huáchuán; 乘船游玩 chéngchuán yóuwán

뱃-머리 〖명〗 艏 shǒu; 船首 chuánshǒu; 船头 chuántóu ¶ ~를 돌리다 调转船首

뱃-멀미 〖명〗〖하자〗 晕船 yùnchuán

뱃-사공(─沙工) 〖명〗 艄公 shāogōng = 사공

뱃-사람 〖명〗 船夫 chuánfū; 船员 chuányuán; 船工 chuángōng; 船户 chuánhù; 水手 chuánshǒu

뱃-삯 〖명〗 船钱 chuánqián; 船费 chuánfèi = 선임(船賃)

뱃-살 〖명〗 肚皮 dùpí; 腹肌 fùjī

뱃-속 〖명〗 心里 xīnli; 心中 xīnzhōng; 心 xīn ¶ ~을 알 수 없다 心不可测

뱃-심 〖명〗 担子 dānzi; 骨气 gǔqì; 骨力 gǔlì; 志气 zhìqì ¶ ~ 있게 말하다 很有志气地说

뱃-일 〖명〗〖하자〗 船上工作 chuánshang gōngzuò

뱃-전 〖명〗 船舷 chuánxián; 船边 chuánbiān; 舷 xián; 船帮 chuánbāng ¶ 파도가 ~을 두드리다 波浪拍打着船帮

뱃-짐 〖명〗 船货 chuánhuò; 船上货物 chuánshàng huòwù = 선화

뱅 〖부〗 **1** 滴溜溜 dīliūliū **2** 昏眩 hūnxuàn; 眩晕 xuànyūn; 晕眩 yūnxuàn **3** 围绕 wéirào

뱅그르르 〖부〗〖하자〗 滴溜溜 dīliūliū ¶ ~ 돌다 滴溜溜地转

뱅글-뱅글 〖부〗 骨溜溜 gūliūliū; 滴溜溜 dīliūliū ¶ 팽이가 ~ 돌다 陀螺滴溜溜地转

뱅-뱅 〖부〗 **1** 骨溜溜 gūliūliū ¶ 눈동자를 ~ 돌리다 眼睛骨溜溜转 **2** 昏眩 hūnxuàn; 眩晕 xuànyūn; 晕眩 yūnxuàn **3** 滴溜溜 dīliūliū

뱅:어 〖명〗〖魚〗 银鱼 yínyú ¶ ~포 银鱼脯

뱉·다 〔他〕 **1** 吐 tǔ; 唾 cuì ¶침을 ~ 吐
唾沫 **2** 吐 tǔ ¶뇌물로 받은 돈을 뱉
어 내다 吐出賍款 **3** (話) 哼 cuì; 吐
tǔ ¶욕설을 마구 ~ 乱骂脏话

버겁다 〔形〕 吃力 chīlì; 费劲(儿) fèi-
jìn(r); 劳累 láolèi; 困难 kùnnan ¶짐이
너무 무거워 들기에 매우 ~ 行李太
重, 拿起来很吃力

버그(bug) 〔컴〕 缺陷 quēxiàn; 毛
病 máobìng; 错误 cuòwù

버금 第二名 dì'èrmíng; 第二 dì'èr;
其次 qícì; 次 cì

버금-가다 〔自〕 仅次于 jǐncìyú ¶中国
의 조선업은 한국에 버금간다 中国造
船业仅次于韩国

버너(burner) 〔化〕 煤气炉 méiqì-
lú; 燃烧器 ránshāoqì

버둥-거리다 〔自他〕 **1** 乱蹬脚 luàndèng-
jiǎo; 手脚乱动 shǒujiǎoluàndòng **2** 挣
扎 zhēngzhá; 竭尽全力 jiéjìnquánlì ¶
버둥거리며 살아가다 挣扎着过日子
∥ = 버둥대다 **버둥-버둥** 〔自하자타〕

버드-나무 〔植〕 柳树 liǔshù; 柳;
杨柳 yángliǔ = 버들

버들 〔名〕 〔植〕 = 버드나무

버들-가지 〔名〕 柳枝 liǔzhī; 柳条(儿)
liǔtiáo(r); 柳拐子 liǔguǎizi; 柳丝 liǔsī

버들-강아지 〔植〕 = 버들개지

버들-개지 〔名〕 〔植〕 柳絮 liǔxù = 버
들강아지

버들-고리 〔名〕 柳条箱 liǔtiáoxiāng

버들-잎 〔名〕 柳叶(儿) liǔyè(r)

버들-피리 〔名〕 柳哨(r) liǔshào(r)

버디(birdie) 〔名〕 〔體〕 (高尔夫球의)
小飞球 xiǎofēiqiú; 博蒂 bódì

버라이어티 쇼(variety show) 〔演〕 综
艺节目 zōngyì jiémù; 杂要表演 záshuǎ
biǎoyǎn

버러지 〔名〕 = 벌레

버럭 〔副〕 猛然 měngrán; 勃然 bórán ¶
~ 성을 내다 勃然大怒

버려-두다 〔他〕 **1** 抛舍 pāoshè; 抛弃
pāoqì; 抛荒 pāohuāng; 放置 fàngzhì;
弃置 qìzhì ¶그가 길에 버려둔 차량을
발견했다 找到了他在街上抛舍的汽车
2 抛 pāo; 撇下 piěxià ¶그는 가족들
을 버려두고 혼자 외국으로 갔다 他撇
下家人, 一个人跑到国外

버르장-머리 〔名〕 礼貌 lǐmào; 教养
jiàoyǎng; 规矩 guīju ¶~가 없다 没有礼
貌规矩

버릇 〔名〕 **1** 习惯 xíguàn; 习气 xíqì; 习
性 xíxìng ¶~을 들이다 培养习惯 ¶~
을 고치다 修改习惯 **2** 规矩 guīju; 礼仪
lǐyí; 礼节 lǐjié ¶그
에게 ~을 좀 가르쳐라 教他学点规矩

버릇-되다 〔自〕 习惯 xíguàn; 习以为常
xíyǐwéicháng

버릇-없다 〔形〕 没(有)礼貌 méi(yǒu)
lǐmào; 不礼貌 bùlǐmào; 没教养 méi-
jiàoyǎng; 不懂规矩 bùdǒng guīju ¶버릇
없는 행동 没有礼貌的行动 **버릇없-이**
〔副〕

버리다 〔自他〕 **1** (把东西) 扔 rēng; 扔
掉 rēngdiào; 丢 diū; 抛弃 pāoqì ¶쓰
레기를 버리다 扔垃圾 **2** 纠正 jiūzhèng; 改掉
gǎidiào ¶나쁜 버릇을 ~ 纠正坏习惯
3 抛 pāo; 离弃 líqì; 抛弃 pāoqì; 遗
弃 yíqì; 抛离 pāolí ¶고향을 ~ 抛离
家乡/가정을 ~ 抛弃家庭 **4** 弄坏
nònghuài; 损坏 sǔnhuài; 破坏 pòhuài;
毁坏 huǐhuài ¶밤을 새서 몸을 버렸다
熬夜弄坏了身体 **5** 放弃 fàngqì; 断念
duànniàn; 死心 sǐxīn ¶아무리 힘들어
도 희망을 완전히 버리지 마라 再苦也不要放
弃希望 〔補助〕 掉 diào; 光 guāng; 完
wán ¶나는 그녀를 차 버렸다 我把她
甩掉了/그가 냉장고 안에 있던 것을
다 먹어 버렸다 他把冰箱里的东西都
吃光了

버림-받다 〔自〕 被遗弃 bèiyíqì; 被抛弃
bèipāoqì ¶그 아이는 부모에게 버림받
았다 那孩子被父母抛弃了

버무리다 〔他〕 拌 bàn; 拌和 bànhuó; 混
合 hùnhé; 搀杂 chānzá; 搀合 chān-
huo ¶고추장으로 오이를 ~ 用辣酱拌
黄瓜

버선 〔名〕 布袜 bùwà ¶~목 布袜筒 /
코 布袜尖儿

버선-발 〔名〕 只穿着布袜子 zhǐ chuān-
zhe bùwàzi ¶너무 반가워서 ~로 달려
나오다 高兴得只穿着布袜子跑出来

버섯 〔名〕 〔植〕 蘑菇 mógu; 菇 gū; 蕈
xùn

버스(bus) 〔名〕 公共汽车 gōnggòng qì-
chē; 巴士 bāshì; 公交车 gōngjiāochē;
公车 gōngchē ¶~표 公共汽车票 /
정류장 公车站 ~ 노선 公共汽车路
线/~ 터미널 公共汽车总站/~를 갈
아타다 换公共汽车

버스럭 〔副한动자타〕 沙沙 shāshā; 窸窣
sūkē; 簌簌 sùsù; 簌地 sùde; 窸窣
xīsū ¶갈대가 ~ 소리를 내다 芦苇簌
簌地响

버스럭-거리다 〔自他〕 沙沙作响 shā-
shā zuòxiǎng = 버스럭대다 **버스럭-버
스럭** 〔副한자타〕

버저(buzzer) 〔名〕 〔物〕 蜂鸣器 fēng-
míngqì; 蜂音器 fēngyīnqì ¶~가 울리
다 响蜂鸣器 /~를 누르다 按蜂鸣器

버전(version) 〔名〕 〔컴〕 版本 bǎnběn

버젓-하다 〔形〕 **1** 堂堂 tángtáng; 堂堂
正正 tángtángzhèngzhèng; 理直气壮
lǐzhíqìzhuàng; 光明正大 guāngmíng-
zhèngdà ¶버젓하게 말하다 光明正大

地说 2 像样(儿) xiàngyàng(r) ¶버젓한 졸업장은 없지만 일은 잘한다 没有像样的文凭但工作还行 **버젓-이** 閆

버집 閇 【韓醫】癬 xuǎn

버찌 閇 櫻桃 yīngtáo = 체리

버클(buckle) 閇 皮带扣 pídàikòu; 带扣 dàikòu

버터(butter) 閇 黄油 huángyóu

버튼(button) 閇 钮 niǔ; 电钮 diànniǔ; 按钮 ànniǔ ¶~을 누르세요 按一下按钮吧

버티다 재타 1 坚持 jiānchí; 挺住 tǐngzhù; 挺 tǐng; 承受 chéngshòu; 撑持 chēngchí; 支持 zhīchí; 支撑 zhīcheng; 禁得住 jīndezhù; 吃得消 chīdexiāo; 经得起 jīngdeqǐ; 经得住 jīngdezhù ¶조금만 더 버티면 이길 수 있어 再坚持一下就能胜利 / 그는 얼마나 버티지 못할 것인가 他能坚持多久了 2 挺立 tǐnglì; 站着不动 zhànzhe bùdòng 3 支护 zhīhù; 支架 zhījià; 支 zhī; 支撑 zhīcheng; 撑 chēng ¶기둥으로 담을 ~ 用柱子支撑着墙 4 固执 gùzhí; 硬顶 yìngdǐng; 对抗 duìkàng; 反抗 fǎnkàng

버팀-목(一木) 閇 支撑棍 zhīchēnggùn; 支棍 zhīgùn

벅차다 閎 1 吃力 chīlì; 费劲 fèijìn; 困难 kùnnan; …不起 …bùqǐ ¶나에게 이 일이 무척 ~ 这件事对我来说很吃力 2 沸腾 fèiténg; 沸扬 fèiyáng; 充满 chōngmǎn; 洋溢 yángyì ¶벅찬 기쁨으로 담을 ~ 感到沸扬的喜悦

번(番) 冝 一回 轮班 lúnbān; 值班 zhíbān ¶~을 서다 值班 冝 얜즹 1 次 cì; 回 huí ¶나는 중국에 두 ~ 가 봤다 我去过两次中国 / 밤에 여러 ~ 깼다 半夜醒来好几次 2 号 hào; 路 lù ¶5~ 선수 5号选手 / 4~ 타자 四号击球手 / 301~ 버스 301路公交车

번-갈다(番-) 재 轮换 lúnhuàn; 轮番 lúnfān; 轮流 lúnliú; 轮拨儿 lúnbōr ¶번갈아 가며 쉬다 轮流休息

번개 閇 1 闪电 shǎndiàn ¶~가 치다 打闪 2 飞快 fēikuài

번갯-불 閇 闪电 shǎndiàn; 电光 diànguāng

번거-롭다 閎 1 麻烦 máfan; 繁杂 fánzá; 杂乱 fánzá; 费事 fèishì ¶절차가 너무 ~ 程序太麻烦 2 烦 fán; 烦人 fánrén; 烦躁 máfan; 烦乱 fánluàn ¶매일 빨래하는 일은 정말 ~ 天天洗衣服真烦人 **번거로이** 閆

번뇌(煩惱) 閇하자 1 烦恼 fánnǎo; 烦乱 fánluàn; 烦闷苦恼 fánmēnkǔnǎo 2 【佛】烦恼 fánnǎo; 妄念 wàngniàn

번데기 閇 1 【蟲】蛹 yǒng 2 【農】蚕蛹 cányǒng

번드레-하다 閎 华而不实 huá'érbùshí; 铺张 pūzhāng; 摆空架子 bǎi kōngjiàzi; 漂亮 piàoliang ¶겉만 ~ 只外面漂亮

번드르르 閆하 光滑 guānghuá; 光润 guāngrùn; 光亮 guāngliàng

번득 閆하자타 一闪 yīshǎn; 一晃 yīhuǎng; 闪闪 shǎnshǎn; 晃晃 huǎnghuǎng

번득-거리다 재타 闪耀 shǎnyào; 闪光 shǎnguāng; 发光 fāguāng; 闪烁 shǎnshuò; = 번득대다 ¶어두움 속에서 맹수의 두 눈이 번득거리고 있다 黑暗里猛兽的两只眼睛闪耀着 **번득-번득** 閆하자타

번득-이다 재타 闪烁 shǎnshuò; 一闪一闪 yīshǎnyīshǎn; 晃 huǎng; 发光 fāguāng; 闪光 shǎnguāng ¶두 눈이 ~ 两眼闪闪发光

번들-거리다 재 1 光滑 guānghuá; 滑 huá; 圆滑 yuánhuá ¶맘이 얼굴 곡선을 따라 번들거리는 턱으로 흘러내렸다 汗水顺着脸部的曲线滑到光滑的下巴 2 偷懒 tōulǎn; 游手好闲 yóushǒuhàoxián; 吊儿郎当 diào'érlángdāng ¶번들거리지 말고 일을 좀 도와라 别吊儿郎当的, 来干点活儿 ‖ = 번들대다 **번들-번들** 閆하

번듯-하다 閎 1 平正 píngzhèng 2 端正 duānzhèng; 端端 duānduān; 端然 duānrán ¶이목구비가 ~ 五官端正 3 像样(儿) xiàngyàng(r) ¶번듯한 일자리를 찾다 找个像样的工作

번뜩 閆하자타 1 闪 shǎn; 闪耀 shǎnyào; 一闪 yīshǎn; 一晃 yīhuǎng 2 忽然 hūrán; 猛然 měngrán ¶갑자기 좋은 생각이 ~ 머리에 떠올랐다 脑海里忽然产生了好想法

번뜩-이다 재타 1 闪 shǎn; 闪耀 shǎnyào 2 忽然想起 hūrán xiǎngqǐ; 猛然想起 měngrán xiǎngqǐ

번민(煩悶) 閇하자 烦闷 fánmèn; 烦恼 fánnǎo ¶~에 싸이다 陷入烦闷中

번번-이(番番-) 閆 每次 měicì; 每回 měihuí; 屡次 lǚcì; 屡屡 lǚlǚ; 累次 lěicì = 매번 ¶~ 좋은 기회를 놓치다 屡次失掉好机会

번복(飜覆 · 翻覆) 閇하자타 翻 fān; 推翻 tuīfān; 推倒 tuīdǎo ¶진술을 ~하다 翻供 / 판정을 ~하다 推翻判定

번성(蕃盛 · 繁盛) 閇하자 繁盛 fánshèng; 兴隆 xīnglóng; 兴盛 xīngshèng; 兴旺 xīngwàng ¶집안이 ~하다 全家兴旺 / 사업이 ~하다 事业兴盛

번식(繁殖 · 蕃殖 · 蕃息) 閇하자 繁殖 fánzhí; 蕃殖 fánzhí; 蕃息 fánxī ¶~기 繁殖期 / ~ 기관 繁殖器官 / ~ 능력

繁殖能力 / ~력 繁殖力 / ~률 繁殖率 / 세균의 ~을 억제하다 遏止细菌的繁殖

번안(翻案) 〖명하타〗 改写 gǎixiě; 改编 gǎibiān; 改作 gǎizuò ¶ ~ 소설 改编小说

번역(飜譯·翻譯) 〖명하타〗 翻译 fānyì; 译u 번~가 翻译家 / ~기 翻译器 / ~문 译文 / ~판 翻译版 / 이 소설을 한국어로 ~하다 把这本小说翻译成韩文

번영(繁榮) 〖명하자동〗 繁荣 fánróng; 兴盛 xīngshèng; 昌盛 chāngshèng; 兴旺 xīngwàng; 茂盛 màoshèng; 兴荣 xīngróng; 兴隆 xīnglóng ¶날로 ~하는 국가 日趋兴盛的国家

번잡(煩雜) 〖명하형〗 杂乱 záluàn; 繁杂 fánzá; 乱哄哄 luànhōnghōng; 乱 luàn; 烦 fán

번잡-스럽다(煩雜—) 〖형〗 杂乱 záluàn; 乱哄哄 luànhōnghōng; 繁杂 fánzá; 乱 luàn; 烦 fán ¶번잡스러운 일 繁杂的工作 **번잡스레** 〖부〗

번지(番地) 〖명〗 编号 biānhào; 号 hào

번-지다 〖자〗 1 洇 yīn; 浸 jìn; 渗 shèn ¶잉크가 종이에 ~ 墨水洇纸 2 扩散 kuòsàn; 扩展 kuòzhǎn; 蔓延 mànyán; 传 chuán; 传开 chuánkāi ¶전염병이 온 마을에 ~ 疫病传遍全村

번지르르-하다 〖부형동〗 1 光滑 guānghuá; 油光光 yóuguāngguāng; 油光亮 yóuguāngliàng; 油光水滑 yóuguāngshuǐhuá ¶기름이 ~한 얼굴 油光光的脸 2 摆漂 bǎikuò; 漂亮 piàoliang ¶말은 ~하게 한다 话说得很漂亮

번지-수(番地數) 〖명〗 地址 dìzhǐ

번지 점프(bungee jump) 〖體〗蹦极 bèngjí; 蹦极跳 bèngjítiào

번질-거리다 〖자〗 1 油光光 yóuguāngguāng; 油亮 yóuliàng ¶입술이 ~ 嘴唇油光光的 2 偷懒 tōulǎn; 游手好闲 yóushǒuhàoxián; 吊儿郎当 diào'érlángdāng ‖ = 번질대다 번질거리다 〖부형동〗

번-째(番—) 〖의명〗 次 cì; 第…次 dì…cì ¶첫 ~ 第一次 / 몇 ~ 第几次

번쩍[1] 〖부명자〗 1 闪 shǎn; 一闪 yīshǎn; 闪耀 shǎnyào; 번갯불이 ~ 비치다 电光一闪 2 (精神) 陡地 dǒudì; 陡然 dǒurán ¶정신이 ~ 들다 精神陡然振作

번쩍[2] 〖부〗 1 轻轻地 qīngde; 轻盈地 qīngyíngde; 轻松地 qīngsōngde ¶물통을 ~ 들다 很轻松地拿水桶 2 高高地 gāogāode ¶손을 ~ 들다 高高地举手 3 猛然 měngrán; 猛地 měngde; 一下子 yīxiàzi; 倏地 shūdì; 蓦地 mòdì ¶눈을 ~ 뜨다 倏地睁开眼睛

번쩍-거리다 〖자타〗 闪 shǎn; 闪烁 shǎn-

shuò; 闪耀 shǎnyào ¶번쩍거리는 금목걸이 闪耀的金项链 **번쩍-번쩍**[1] 〖부하자타〗

번쩍-번쩍[2] 〖부〗 1 轻轻地 qīngde; 轻盈地 qīngyíngde; 轻松地 qīngsōngde 2 高高地 gāogāode 3 猛然 měngrán; 猛地 měngde; 一下子 yīxiàzi; 倏地 shūdì; 蓦地 mòdì

번쩍-이다 〖자타〗 闪 shǎn; 闪烁 shǎnshuò; 闪耀 shǎnyào

번창(繁昌) 〖명하자동〗 兴旺 xīngwàng; 兴盛 xīngshèng; 兴隆 xīnglóng; 繁盛 fánshèng; 昌盛 chāngshèng; 繁荣 fánróng; 茂盛 màoshèng; 旺盛 wàngshèng ¶수출 산업이 ~하다 出口产业繁盛

번트(bunt) 〖명하타〗〖體〗 触击 chùjī; 触击球 chùjīqiú

번호(番號) 〖명〗 号码 hàomǎ; 号(儿) hào(r); 号头 hàotóu; 号数 hàoshù ¶좌석 ~ 座位号码 / 차량 ~ 车牌号码 / 수험 ~ 准考证号 / ~표 号码条 / ~를 매기다 打号

번호-판(番號版) 〖명〗 1 车牌 chēpái 2 拨号盘 bōhàopán

번화-가(繁華街) 〖명〗 闹市 nàoshì; 华街 fánhuájiē; 大街 dàjiē

번화-하다(繁華—) 〖형〗 繁华 fánhuá; 热闹 rènao; 闹热 nàorè ¶번화한 밤거리 繁华的夜街

벋-나가다 〖자〗 1 (向外) 突出 tūchū; 伸展 shēnzhǎn ¶가지가 밖으로 벋나간 나무 树枝向外伸展的树木 2 走错路 zǒu cuòlù; 走邪路 zǒu xiélù

벌[1] 〖명〗 平原 píngyuán; 原野 yuányě

벌[2] 〖의명〗 套 tào; 件 jiàn ¶양복 한 ~ 一套西服 / 스웨터 두 ~ 两件毛衣

벌[3] 〖명〗〖蟲〗 蜂 fēng ¶~ 떼 蜂群 / ~에 쏘이다 被蜂蜇到

벌(罰) 〖명〗 罚 fá; 惩 chéng; 处罚 chǔfá; 惩办 chéngbàn ¶~을 세우다 罚站 / ~을 받다 受罚

벌거벗기-다 〖타〗 '벌거벗다'의 사동词

벌거-벗다 〖자〗 1 脱光 tuōguāng; 赤身 chìshēn; 脱得精光 tuōde jīngguāng ¶벌거벗은 알몸 赤身裸体 2 光秃秃 guāngtūtū ¶벌거벗은 산 光秃秃的山

벌거-숭이 〖명〗 1 裸体 luǒtǐ; 赤身赤shēn; 光着身子 guāngzheshēnzi 2 光秃秃(的) guāngtūtū(de) 3 赤贫 chìpín; 穷光蛋 qióngguāngdàn; 一贫如洗 yīpínrúxǐ ¶화재로 하루아침에 ~가 되었다 因火灾一旦变成穷光蛋

벌거숭이-산(—山) 〖명〗 = 민둥산

벌-겋다 〖형〗 红 hóng; 微红 wēihóng; 淡红 dànhóng ¶술을 마시자 얼굴이 벌겋게 되었다 吃酒就脸微红了

벌-게지다 〖자〗 变红 biànhóng ¶부끄

벌금(罰金) 뎽 **1** 罚款 fákuǎn; 罚钱 fáqián ¶지각을 하면 ~을 내야 한다 迟到要交罚款 **2** 【法】 罚金 fájīn; 罚款 fákuǎn ¶~형 罚金刑 / ~을 물다 交罚金

벌:꿀 뎽 = 벌꿀

벌:다 卧 **1** 赚 zhuàn; 挣 zhēng; 赚取 zhuànqǔ ¶돈을 많이 ~ 赚很多钱 / 스스로 학비를 ~ 自己挣学费 **2** 节约 jiéyuē; 节省 jiéshěng; 省 shěng ¶시간을 ~ 节省时间 **3** 自找 zìzhǎo; 自讨 zìtǎo ¶매를 ~ 自讨挨打

벌떡 톙 猛地 měngde; 霍地 huòdì; 猛然 měngrán; 突然 tūrán; 一骨碌 yīgūlù ¶침대에서 ~ 일어나다 霍地从床上弹了起来

벌떡-거리다 쟈탸 **1** 猛跳 měngtiào **2** 咕嘟咕嘟 gūdūgūdū ¶물을 벌떡거리며 마시다 咕嘟咕嘟喝水 **3** 挣扎 zhēngzhá **벌떡-벌떡** 톙쟈탸

벌러덩 톙 一下子 yīxiàzi ¶땅바닥에 ~ 드러눕다 一下子躺在地上

벌렁 톙 '벌러덩'의 略词

벌렁-거리다 톙 呼扇 hūshàn; 一动一动 yīdòngyīdòng; 耸动 sǒngdòng; 蹦蹦跳 bèngbèngtiào = 벌렁대다 ¶심장이 ~ 心蹦蹦跳 **벌렁-벌렁** 톙혀쟈탸

벌레 뎽 虫子 chóngzi; 虫 chóng; 昆虫 kūnchóng = 버러지 ¶~ 한 마리 一只虫子

벌레잡이 식물(一植物) 【植】食虫植物 shíchóng zhíwù

벌:리다[탸 **1** 张 zhāng; 张开 zhāngkāi; 裂开 lièkāi; 叉开 chǎkāi; 叉 chǎ; 拉开 lākāi ¶입을 크게 ~ 张大口 / 두 다리를 ~ 叉开两腿 / 간격을 ~ 拉开距离 **2** 撑开 chēngkāi; 打开 dǎkāi ¶자루를 ~ 撑开袋子

벌:리다² 탸 '벌다1'의 被动词

벌목(伐木) 뎽혀탸 伐木 fámù; 砍伐 kǎnfá; 砍树 kǎnshù ¶~장 伐木场

벌벌 톙 **1** 哆哆嗦嗦 duōduōsuōsuō; 慢慢地 mànmànde; 瑟瑟 sèsè ¶추워서 ~ 떨다 冷得哆哆嗦嗦 **2** 舍不得 shěbude

벌:-새 뎽 【鸟】蜂鸟 fēngniǎo

벌-서다(罰一) 쟈 罚站 fázhàn ¶두 손을 들고 ~ 举起两手罚站

벌-세우다(罰一) 탸 '벌서다'의 사동사 ¶선생님이 학생을 ~ 老师让学生罚站

벌써 톙 **1** 已经 yǐjīng; 就 jiù; 这么早 zhème zǎo ¶너 어떻게 ~ 왔니? 你怎么来得这么早? **2** 早就 zǎojiù; 早经 zǎojīng; 早已 zǎoyǐ ¶그는 ~부터 그 일을 알고 있었다 他早就知道那件事了

벌:-어들이다 탸 赚进 zhuànjìn; 赚取 zhuànqǔ; 抓弄 zhuānòng ¶외화를 ~ 赚进外币

벌:-어먹다 쟈 维持生活 wéichí shēnghuó ¶막일로 근근이 벌어먹고 있다 打劳工勉强维持生活

벌:-어지다¹ 쟈 **1** 裂 liè; 裂开 lièkāi ¶틈이(나) 绽开 zhànkāi ¶틈이 ~ 裂缝儿 **2** 宽 kuān; 宽宽 kuānkuān; 宽绰 kuānchuò ¶딱 벌어진 어깨 宽宽的肩膀 **3** 绽放 zhànfàng ¶꽃봉오리가 ~ 花蕾绽放 **4** 疏远 shūyuǎn; 不和 bùhé; 别扭 bièniu ¶그녀와 사이가 점점 ~ 跟她的关系渐渐疏远 **5** (差异、差别) 大 dà ¶빈부 격차가 점점 더 벌어졌다 贫富差别越来越大了 **6** 开 kāi; 召开 zhàokāi; 召集 zhàojí ¶잔치가 ~ 开宴会 / 토론회가 ~ 召开讨论会

벌:-어지다² 쟈 展开 zhǎnkāi; 发生 fāshēng; 爆发 bàofā; 起来 qǐlái ¶전투가 ~ 战斗展开了 / 살인 사건이 ~ 发生杀人案

벌:-이 뎽쟈 挣 zhèng; 赚 zhuàn; 挣钱 zhèngqián ¶~가 짭짤하다 钱挣得很好

벌:-이다 탸 **1** 开 kāi; 设 shè; 摆 bǎi; 搞 gǎo; 弄 nòng; 干 gàn; 办 bàn; 展开 zhǎnkāi ¶잔치를 ~ 设宴 / 사업을 ~ 搞企业 办企业 **2** 摆 bǎi; 摆开 bǎikāi; 摊开 tānkāi; 摆放 bǎifàng; 铺开 pūkāi; 罗列 luóliè ¶상품을 벌여 놓다 铺开货品 / 좌판에 ~ 摆摊子 展开 zhǎnkāi **3** 展开 zhǎnkāi ¶결투를 ~ 展开决斗 / 싸움을 ~ 打架起来

벌점(罰點) 뎽 罚分 fáfēn

벌주(罰酒) 뎽 罚酒 fájiǔ; 罚爵 fájué ¶~를 마시다 喝罚酒

벌-주다(罰一) 탸 罚罚 fá fá

벌:-집 뎽 【虫】蜂窝 fēngwō; 蜂巢 fēngcháo

벌채(伐採) 뎽혀탸 采伐 cǎifá; 砍伐 kǎnfá ¶~ 작업 砍伐工作

벌초(伐草) 뎽혀쟈탸 (到墓) 割草 gēcǎo ¶산소에 가서 ~를 하다 到坟地去割草

벌충 뎽혀탸 补充 bǔchōng; 弥补 míbǔ

벌:-침(一針) 뎽 蜂针 fēngzhēn

벌칙(罰則) 뎽 罚则 fázé

벌컥 톙 突然 tūrán; 猛然 měngrán; 勃然 bórán; 一下子 yīxiàzi; 蓦地 mòdì; 霍地 huòdì; 猛地 měngdì; 陡然 dǒurán ¶문을 ~ 열다 猛地打开门 / ~ 화를 내다 勃然大怒

벌:-통(一筒) 뎽 蜂箱 fēngxiāng

벌-판(一) 뎽 原野 yuányě; 田野 tiányě ¶드넓은 ~ 一片阔的原野

범: 뎽 【动】= 호랑이 ¶~띠 属老虎

범:(犯) 의뎽 犯 fàn ¶전과 3~ 前科 3

범-
犯

범: -(汎) 접두 凡 fán; 全 quán ¶~여
성 운동 凡妇女运动 / ~국민적 全国
民的

-범(犯) 접미 犯 fàn ¶정치~ 政治犯

범: 람(汎濫·氾濫) 명하자 1 (水) 泛
滥 fànlàn ¶강물이 ~하다 河水泛滥 2
充斥 chōngchì; 泛滥 fànlàn ¶외래어가
~하다 充斥外来语

범: 례(凡例) 명 = 일러두기

범: 례(範例) 명 范例 fànlì

범벅 명 1 糊糊 húhu ¶메밀 ~ 荞糊
糊 2 杂乱 záluàn; 混杂 hùnzá; 乱七八
糟 luànqībāzāo; 一团乱造 yītuánzào 3 满
满; 全 quán; 浑 hún ¶온몸이 진흙
~이다 浑身粘满泥土

범: 법(犯法) 명하자 犯法 fànfǎ; 违法
wéifǎ ¶~자 犯法者 / ~ 행위 犯法行
为

범: 사(凡事) 명 凡事 fánshì ¶~에 감
사하다 凡事感恩

범: 상-하다(凡常一) 형 寻常 xúncháng;
平常 píngcháng; 平凡 píngfán ¶그는
범상한 사람이 아닌 것 같다 我觉得他
不是平凡的人 범: 상-히 부

범: 선(帆船) 명 = 돛단배

범: 속(凡俗) 명하자 凡俗 fánsú; 庸俗
yōngsú ¶그는 매우 ~한 사람이다 他
是一个很俗的人

범: 어(梵語) 명 [語] 梵语 fànyǔ; 梵文
fànwén

범: 용(凡庸) 명 凡庸 fányōng

범: 위(範圍) 명 范围 fànwéi ¶활동~
活动范围 / 출제 ~ 出题范围 / ~가 넓
다 范围很广 / ~를 좁히다 缩小范围 /
일정한 ~를 넘어서다 超出一定范围

범: 인(凡人) 명 凡人 fánrén; 凡夫 fán-
fū; 庸人 yōngrén

범: 인(犯人) 명 [法] 犯人 fànrén; 罪
犯 zuìfàn ¶~을 체포하다 逮捕犯人 /
~을 은닉하다 窝藏罪犯

범: 접(犯接) 명하자 接近 jiējìn; 触犯
chùfàn; 触动 chùdòng ¶함부로 ~을
못하다 不敢乱接近

범: 죄(犯罪) 명하자 犯罪 fànzuì; 案 àn ¶
~형 犯罪型 / ~ 단체 犯罪团体 / ~
심리학 犯罪心理学 / ~ 행위 犯罪行
为 / ~를 저지르다 作案 / ~를 단속하
다 控制犯罪

범: 죄-인(犯罪人) 명 [法] 犯罪者 fàn-
zuìzhě; 罪犯 zuìfàn = 범죄자

범: 죄-자(犯罪者) 명 [法] = 범죄인

범: 주(範疇) 명 范畴 fànchóu ¶같은
~에 속하다 属于一个范畴

범: 칙(犯則) 명하자 犯规 fànguī; 违规
wéiguī

범: 칙-금(犯則金) 명 [法] 罚款 fà-
kuǎn

범퍼(bumper) 명 [機] 保险杠 bǎo-
xiǎngàng

범퍼-카(bumper car) 명 碰碰车
pèngpèngchē

범: -하다 타 1 违 wéi; 违犯 wéifàn;
违背 wéibèi; 违逆 wéinì ¶계율을 ~
违犯戒律 2 犯 fàn; 出 chū ¶잘못을
~ 犯错误 3 蹂躏 róulìn; 糟蹋 zāotà;
践踏 jiàntà ¶여자를 ~ 践踏妇女

범: 행(犯行) 명하자 作案 zuò'àn; 犯罪
fànzuì; 罪行 zuìxíng ¶~ 동기 作案动
机 / ~ 수법 作案手法 / ~ 도구 作案
工具 / ~ 현장 作案现场 / ~을 저지르
다 犯下罪行

법(法) ㊀명 法 fǎ; 法律 fǎlǜ = 법률 ¶
~을 지키다 守法 / ~을 어기다 违法
㊁의명 1 法(儿) fǎ(r); 法子 fǎzi; 方法
fāngfǎ; 办法 bànfǎ ¶계산하는 ~ 计算
方法 2 道理 dàolǐ; 情理 qínglǐ; 事理
shìlǐ ¶너 혼자 먹다니, 그런 ~이 어
디 있니? 你一个人吃, 哪儿有这样的
道理? 3 时候 shíhou; 从来 cónglái ¶
그는 어떤 사람의 부탁도 거절하는 ~
이 없다 他从来不拒绝任何人的请求
4 必 bì; 必然 bìrán ¶사람이 늙으면
멍청해지는 ~이다 人老必糊涂 5 可
能 kěnéng; 大概 dàgài; 会 huì ¶이미
내 말을 이해했을 ~도 하다 大概已经
听懂我的话

-법(法) 접미 法 fǎ; 方法 fāngfǎ ¶사
용~ 使用方法 / 연주~ 演奏法

법과 대: 학(法科大學) 명 [敎] 法学院 fǎ-
xuéyuàn

법관(法官) 명 [法] 法官 fǎguān

법권(法權) 명 [法] 法权 fǎquán ¶치
외 ~ 治外法权

법규(法規) 명 [法] 法规 fǎguī ¶~를
제정하다 制定法规

법당(法堂) 명 [佛] 佛堂 fótáng; 佛殿
fódiàn

법대(法大) 명 [敎] '법과 대학'의 略词

법도(法度) 명 法度 fǎdù ¶~에 맞지
않다 不合法度 / ~를 따르다 遵守法
度

법랑(琺瑯) 명 [手工] 珐琅 fàláng; 搪
瓷 tángcí; 洋瓷 yángcí = 에나멜2 ¶
~ 냄비 珐琅锅

법령(法令) 명 [法] 法令 fǎlìng ¶~집
法令汇编

법률(法律) 명 [法] = 법㊀ ¶~가 法
律家 / ~ 고문 法律顾问 / ~관계 法律
关系 / ~ 사무소 法律事务所 / ~ 용어
法律用语 / ~혼 法律婚

법률-안(法律案) 명 [法] 1 法律案
fǎlǜ'àn 2 = 법안

법률-학(法律學) 명 [法] = 법학

법리(法理) 명 [法] 法理 fǎlǐ ¶~학 法
理学

법망(法網) 圀 法网 fǎwǎng ¶~에 걸리다 落入法网 / ~을 빠져나가다 逃出法网

법명(法名) 圀 【佛】法名 fǎmíng

법무(法務) 圀 法务 fǎwù ¶~부 法务部 / ~사 法务师

법문(法門) 圀 【佛】法门 fǎmén; 佛门 fómén ¶~에 귀의하다 归依于法门

법복(法服) 圀 1 法官袍 fǎguānpáo 2 【佛】= 법의

법사(法師) 圀 【佛】法师 fǎshī

법서(法書) 圀 法律书籍 fǎlǜ shūjí; 法书 fǎshū

법석 圀[하다] 吵闹 chǎonào; 喧闹 xuānnào; 喧嚣 xuānxiāo; 喧嚷 xuānrǎng ¶작은 일로 ~을 떨다 为小事吵闹

법안(法案) 圀 【法】法案 fǎ'àn = 법률안2 ¶~을 제출하다 提出法案

법원(法院) 圀 【法】法院 fǎyuàn = 재판소2 ¶대~ 最高法院 / ~장 法院院长

법의(法衣) 圀 【佛】法衣 fǎyī; 法服 fǎfú = 법복2

법-의학(法醫學) 圀 【醫】法医学 fǎyīxué ¶~자 法医学者

법인(法人) 圀 【法】法人 fǎrén ¶~소득 法人所得 / ~세 法人税 / ~화 法人化

법-적(法的) 관형 法律(的) fǎlǜ(de); 法律上(的) fǎlǜshang(de) ¶~의 의무 法律上的义务 / ~ 조치 法律措施 / ~ 효력 法律效力 / ~으로 보장되어 있다 法律上有保障

법전(法典) 圀 【法】法典 fǎdiǎn

법정(法廷·法庭) 圀 【法】法庭 fǎtíng; 庭院 tíngyuàn; 公堂 gōngtáng = 재판정 ¶~에 나가 증언하다 到庭供证 / ~에 출두하다 出庭

법정(法定) 圀[하다] 法定 fǎdìng ¶~가격 法定价格 / ~공휴일 法定节假日 / ~금리 法定利息 / ~대리인 法定代理人 / ~통화 法定货币

법제(法制) 圀 【法】法制 fǎzhì ¶~화 法制化

법조-계(法曹界) 圀 法律界 fǎlǜjiè

법조-인(法曹人) 圀 法律工作者 fǎlǜ gōngzuòzhě

법-질서(法秩序) 圀 【法】法律秩序 fǎlǜ zhìxù; 法秩序 fǎzhìxù ¶~를 확립하다 确立法律秩序

법치(法治) 圀[하다] 法治 fǎzhì ¶~국가 法治国家 / ~주의 法治主义

법칙(法則) 圀 1 法则 fǎzé 2 【哲】定律 dìnglǜ; 法则 fǎzé; 规律 guīlǜ ¶관성의 ~ 惯性定律 / 만유인력의 ~ 万有引力定律 / 멘델의 ~ 孟德尔定律

법통(法統) 圀 法统 fǎtǒng

법-하다(法一) 보형 可能 kěnéng; 大

概 dàgài; 会 huì; 像是 xiàngshì ¶눈이 올 법한 날씨 会下雪的天气

법학(法學) 圀 法学 fǎxué; 法律学 fǎlǜxué = 법률학 ¶~개론 法学概论 / ~도 法律学徒 / ~자 法学家

법호(法號) 圀 【佛】法号 fǎhào

법회(法會) 圀 【佛】法会 fǎhuì

벗 圀 朋友 péngyou; 友人 yǒurén

벗겨-지다 困 1 (被)揭开 (bèi)jiēkāi; (被)掉(bèi)diào; (被)脱 (bèi)tuō ¶껍질이 벗겨진 자라 被揭开了壳的甲鱼 2 洗雪 xǐxuě; 洗 xǐ ¶누명이 ~ 洗雪冤屈

벗-기다 困 1 '벗다1'의 사동사 ¶그는 나의 옷을 벗겼다 他脱掉了我的衣服 / 가면을 ~ 扯掉假面具 / 아이의 책가방을 ~ 把孩子的书包取下来 2 剥 bāo; 刮 guā ¶바나나 껍질을 ~ 剥香蕉 / 가죽을 ~ 剥皮 3 搓 cuō ¶때를 ~ 搓污垢 4 拉开 lākāi ¶문고리를 ~ 把门扣拉开 5 揭开 jiēkāi; 掀开 xiānkāi ¶비밀을 ~ 揭开秘密 6 摆脱 bǎituō ¶자신의 혐의를 ~ 摆脱自己的嫌疑

벗다 困 1 脱 tuō; 摘 zhāi; 取 qǔ; 拉 lā ¶옷을 ~ 脱衣服 / 모자를 ~ 脱帽子 / 신발을 ~ 脱鞋 / 卸下 xièxià; 放下 fàngxià ¶가방을 ~ 卸下书包 / 짐을 벗으니 매우 가뿐하다 卸下担子很轻松 3 推卸 tuīxiè; 推脱 tuītuō ¶사회적 책임을 벗을 수 없다 社会责任不容推卸 4 洗雪 xǐxuě; 解脱 jiětuō; 洗 xǐ ¶누명을 ~ 洗雪坏名声 5 摆脱 bǎituō ¶혐의를 ~ 摆脱嫌疑 6 丢掉 diūdiào; 抛弃 pāoqì ¶구습을 ~ 丢掉旧习

벗어-나다 困困 1 脱离 tuōlí; 离开 líkāi; 摆脱 bǎituō; 解脱 jiětuō; 解放 jiěfàng ¶나쁜 습관에서 ~ 摆脱坏习惯 2 卸掉 xièdiào ¶책임에서 ~ 卸掉责任 3 受不도 shòubudào 4 不合乎 bùhéhū; 不合 bùhé; 不符值 bùfúzhí; 违背 wéibèi; 偏离 piānlí; 越 yuè ¶인공위성이 궤도에서 ~ 人造卫星偏离了运行轨道 5 脱离 tuōlí; 辜负 gūfù; 违背 wéibèi ¶기대에 ~ 辜负企望 / 현실을 ~ 脱离现实

벗어-지다 困 1 脱 tuō; 掉 diào; 掉落 diàoluò; 开 kāi ¶구두가 ~ 皮鞋掉落 2 秃 tū; 变秃 biàntū; 光秃秃 guāngtūtū ¶머리가 ~ 头秃了 3 剐破 guǎpò; 蹭掉 cèngdiào; 剥离 bōlí; 剥落 bōluò; 磕破 kēpò ¶껍질이 벗어진 나무 一棵剥落皮的树

벗:-하다 困 打交道 dǎjiāodao; 交朋友 jiāopéngyou

벙꼿 困[하다] 张 zhāng; 开 kāi; 发 fā ¶입도 ~하지 않다 一言不发

벙꼿-거리다 困 一合一开 yīhéyīkāi; 一张一合 yīzhāngyīhé = 벙꼿대다 ¶그는 입만 벙꼿거리고 있다 他只在嘴

巴一张一张一合 **벙끗-벙끗** 뒤|하|타|

벙벙-하다¹ 뒤 目瞪口呆 mùdèngkǒu-
dāi; 发愣 fālèng; 发怔 fāzhèng; 发呆
fādāi; 木然 mùrán; 呆呆 dāidāi **벙벙-
히** 뒤 ¶~ 앉아 있다 呆呆地坐着

벙벙-하다² 뒤 (水) 满满 mǎnmǎn; 汪
汪 wāngwāng **벙벙-히**² 뒤

벙어리 몡 哑巴 yǎba; 哑子 yǎzi
벙어리 냉가슴 앓듯 숙담 吃哑巴亏;
哑巴吃黄连

벙어리-장갑(一掌匣) 몡 连指手套
liánzhǐ shǒutào; 二指手套 èrzhǐ shǒutào

벙어리-저금통(一貯金筒) 몡 扑满 pū-
mǎn; 阿葫芦罐儿 mènhúluguàn

벙커(bunker) 몡 1 燃料库 ránliàokù;
煤仓 méicāng 2 (高尔夫球的) 沙坑
shākēng ¶공을 ~에 빠뜨렸다 把球击
入了沙坑 3 [軍] = 엄폐호

벚-꽃 몡 樱花 yīnghuā

벚-나무 몡 [植] 樱花树 yīnghuāshù;
樱花 yīnghuā

베 몡 麻布 mábù

베개 몡 枕头 zhěntou; 枕 zhěn ¶~를
베다 枕枕头

베갯-머리 몡 枕边 zhěnbiān; 枕头边
zhěntoubiān

베갯 머리-송사(一訟事) 몡 枕头风
zhěntoufēng; 枕边风 zhěnbiānfēng; 枕
头状 zhěntouzhuàng

베갯-속 몡 枕芯 zhěnxīn; 枕头芯儿
zhěntouxīnr

베갯-잇 몡 枕头套 zhěntoutào; 枕套
zhěntào

베고니아(begonia) 몡 [植] 秋海棠
qiūhǎitáng

베끼다 타 抄 chāo; 抄写 chāoxiě; 抄
录 chāolù ¶다른 사람의 숙제를 베끼
지 마세요 不要抄别人的作业

베니어(veneer) 몡 1 薄板 báobǎn;
薄木板 báomùbǎn = 베니어판1 2 =
베니어합판

베니어-판(veneer板) 몡 1 = 베니어
1 2 = 베니어합판

베니어-합판(veneer合板) 몡 胶合板
jiāohébǎn; 三合板 sānhébǎn = 베니
어2·베니어판2·합판

베:-다¹ 타 枕 zhěn ¶베개를 ~ 枕枕
头 / 그의 다리를 베고 자다 枕着他的
腿睡

베:-다² 타 1 割 gē; 切 qiē; 裁 cái; 刎
wěn; 抹 mǒ; 砍伐 kǎnfá ¶풀을 ~ 割
草 / 나무를 ~ 砍伐树木 / 목을 ~ 抹
脖子 2 拉 lá; 拉破 lápò ¶손을 ~ 拉
破手

베드 신(bed scene) [演] 床戏 chuáng-
xì; 床上戏 chuángshàngxì ¶~을 찍다
拍床戏

베란다(veranda) 몡 阳台 yángtái; 晒

台 shàitái; 露台 lùtái; 凉台 liángtái

베레-모(ㅍbéret帽) 몡 贝雷帽 bèi-
léimào

베스트-셀러(best seller) 몡 畅销书
chàngxiāoshū; 畅销货 chàngxiāohuò;
畅销品 chàngxiāopǐn

베어링(bearing) 몡 [機] 轴承 zhóu-
chéng

베-옷 몡 麻布衣 mábùyī = 백의2

베-이다 자 '베다²'의 피동사 ¶나는
종이에 손을 베었다 我被纸割破手了

베이스(base) 몡 [體] 垒 lěi = 누(壘)
¶~를 밟다 踩垒

베이스(bass) 몡 [音] 1 男低音 nán-
dīyīn 2 最低音调 zuìdīyīn

베이스-캠프(base camp) 몡 [體] 大本
营地 yíngdì

베이지(beige) 몡 米色 mǐsè; 米黄色
mǐhuángsè; 淡棕色 dànzōngsè; 骆驼
色 luòtuosè

베이컨(bacon) 몡 咸猪肉 xiánzhūròu;
熏猪肉 xūnzhūròu; 腊肉 làròu

베이킹-파우더(baking powder) 몡
焙粉 bèifěn; 发粉 fāfěn; 发酵粉 fājiào-
fěn; 起子 qǐzi

베일(veil) 몡 面纱 miànshā ¶신비의
~을 벗기다 揭去神秘的面纱

베짱이 몡 [蟲] 梭鸡 suōjī; 似织螽 sì-
zhīzhōng; 斑螽娘 bānzhòngniáng; 蚱蜢
zhàměng

베타(ㄱbeta) 몡 [語] 贝塔 bèitǎ

베테랑(ㅍvétéran) 몡 老手(儿) lǎo-
shǒu(r); 老资格 lǎozígé

베-틀 몡 织布机 zhībùjī

베풀다 타 1 摆 bǎi; 设 shè; 开 kāi;
摆设 bǎishè ¶연회를 ~ 设宴 2 施
shī; 施与 shīyǔ; 给与 jǐyǔ ¶恩惠를 ~
施恩 / 호의를 ~ 施好心

벤젠(benzene) 몡 [化] 苯 běn = 벤
졸

벤졸(benzol) 몡 [化] = 벤젠

벤처 기업(venture企業) [經] 风险企
业 fēngxiǎn qǐyè

벤치(bench) 몡 长凳 chángdèng; 长
椅子 chángyǐzi

벨(bell) 몡 钟 zhōng; 铃 líng; 响铃
xiǎnglíng; 门铃 ménlíng ¶~을 누르다
按门铃

벨벳(velvet) 몡 天鹅绒 tiān'éróng; 丝
绒 sīróng; 羽毛绒 yǔmáoróng; 羽缎
yǔduàn = 비로도·우단

벨트(belt) 몡 1 腰带 yāodài 2 输送带
shūsòngdài; 皮带 pídài ¶~ 컨베이어
皮带输送机

벼 몡 [植] 稻 dào; 稻子 dàozi ¶~
농사 稻作 / ~ 이삭 稻穗 / ~를 수확
하다 收割稻子 2 稻谷 dàogǔ; 稻米
dàomǐ

벼락 圓 1 落雷 luòléi; 霹雳 pīlì; 霹雷 pīléi = 벽력 ¶맑은 하늘에 ~이 치다 晴天打霹雳 2 痛骂 tòngmà; 大发雷霆 dàfā léitíng; 呵斥 hēchì 3 猛击 měngjī 4 闪电似的 shǎndiànshìde

벼락-같다 圓 1 (动作) 快如闪电 kuàirúshǎndiàn 2 (声音) 雷动 léidòng; 犹如霹雳 yóurúpīlì; 雷鸣般的 léimíngbānde 벼락같이

벼락-공부(一工夫) 圓하자 突击学习 tūjī xuéxí ¶시험 전에 ~를 하다 考前突击学习

벼락-부자(一富者) 圓 暴发户 bàofāhù = 졸부

벼락-치기 圓 临阵磨枪 línzhèn móqiāng

벼랑 圓 悬崖 xuányá; 削壁 xuēbì; 峭壁 qiàobì; 山崖 shānyá; 悬崖峭壁 xuányáqiàobì

벼루 圓 砚 yàn; 砚台 yàntái; 砚池 yànchí

벼룩 圓【虫】跳蚤 tiàozao; 虼蚤 gèzao

벼르다 囝 打算 dǎsuan; 准备 zhǔnbèi; 一心想 yìxīnxiǎng; 盼 pàn ¶나는 그를 혼내려고 벼르고 있다 我准备骂他

벼슬 圓하자 官 guān; 官职 guānzhí; 乌纱帽 wūshāmào ¶~을 지내다 当官

벼슬-길 圓 仕途 shìtú; 仕路 shìlù; 官场 guānchǎng; 仕进之路 shìjìnzhīlù; 官路 guānlù ¶~에 오르다 走仕途

벼슬-아치 圓 官吏 guānlì; 官僚 chénliáo; 官宦 guānhuàn; 官僚 guānliáo = 관원

벼슬-자리 圓 官职 guānzhí; 官位 guānwèi ¶~에서 물러나다 退官职

벽(壁) 圓 1 墙 qiáng; 墙壁 qiángbì; 壁 bì; 墙壁 qiángbì ¶~에 기대고 서다 靠着墙站 ¶~에 못을 박다 在墙上钉钉子 2 障碍 zhàng'ài; 障碍物 zhàng'àiwù 3 障碍 bìzhàng ¶우리들 사이의 ~을 없애다 扫除我们之间的壁障

벽-걸이(壁一) 圓 壁挂 bìguà; 壁饰 bìshì; 壁 bì; 挂墙式 guàqiángshì ¶~ 선풍기 壁扇 / ~ 전화기 挂墙式电话机

벽-난로(壁煖爐) 圓 壁炉 bìlú

벽-돌(甓一) 圓【建】砖 zhuān; 砖头 zhuāntou; 砖块 zhuānkuài ¶~ 백 장 一百块砖 / ~을 쌓다 垒砖 / ~집 砖房

벽두(劈頭) 圓 开始 kāishǐ; 起头 qǐtóu ¶신년 ~ 新年开头

벽력(霹靂) 圓 = 벼락

벽보(壁報) 圓 壁报 bìbào; 墙报 qiángbào

벽-시계(壁時計) 圓 挂钟 guàzhōng; 壁钟 bìzhōng

벽안(碧眼) 圓 碧眼 bìyǎn

벽자(僻字) 圓 僻字 pìzì

벽-장(壁欌) 圓【建】壁橱 bìchú; 壁柜 bìguì ¶~문 壁橱门

벽지(僻地) 圓 僻地 pìdì; 僻壤 pìrǎng ¶시골 ~ 穷乡僻壤

벽지(壁紙) 圓 壁纸 bìzhǐ; 墙纸 qiángzhǐ ¶~를 바르다 贴壁纸

벽-창호(壁昌一) 圓 老顽固 lǎowángù; 死顽固 sǐwángù

벽촌(僻村) 圓 偏僻的村庄 piānpìde cūnzhuāng; 僻壤 pìrǎng

벽해(碧海) 圓 碧海 bìhǎi

벽화(壁畫) 圓 壁画 bìhuà

변(便) 圓 大小便 dàxiǎobiàn; 大便 dàbiàn; 粪 fèn; 屎 shǐ ¶~을 보다 拉屎

변[1](邊) 圓 (汉字的) 偏旁儿 piānpángr

변[2](邊) 圓 1 边 (儿) biān(r); 沿儿 yánr; 边沿儿 biānyánr ¶한강~ 汉江边 2 [数] 边 biān

변(變) 圓 事变 shìbiàn; 事故 shìgù; 灾殃 zāiyāng; 灾难 zāinàn ¶~이 생기다 发生事故 / ~을 당하다 遭遇灾难

변경(邊境) 圓 边境 biānjìng; 边疆 biānjiāng; 边域 biānyù; 边界 biānjiè = 변방

변:**경**(變更) 圓하타 变更 biàngēng; 改变 gǎibiàn; 更改 gēnggǎi; 变动 biàndòng; 更换 gēnghuàn; 变换 biànhuàn ¶계획을 ~하다 改变计划 / 비밀번호를 ~하다 更改密码

변:**고**(變故) 圓 变故 biàngù; 长短 chángduǎn; 三长两短 sānchángliǎngduǎn ¶집안에 ~가 있다 家里有个三长两短的

변기(便器) 圓 马桶 mǎtǒng; 便器 biànqì; 便桶 biàntǒng; 便盆 biànpén; 马子 mǎzi

변:**덕**(變德) 圓 变心 biànxīn; 变卦 biànguà; 好变 hàobiàn; 多变 duōbiàn; 情绪反复无常 fǎnfùwúcháng

변:**덕-꾸러기**(變德一) 圓 变化无常的人 biànhuà wúchángde rén

변:**덕-스럽다**(變德一) 圓 变化无常 biànhuàwúcháng; 翻云覆雨 fānyúnfùyǔ; 善变 shànbiàn; 好变 hàobiàn; 多变 duōbiàn; 见异思迁 jiànyìsīqiān; 情绪反复无常 qíngxù fǎnfùwúcháng ¶날씨가 점점 더 변덕스럽게 변한다 天气变得越来越变化无常 **변**:**덕스레** 图

변:**덕-쟁이**(變德一) 圓 好变的人 hàobiande rén; 好变卦的人 hàobiànguàde rén

변:**동**(變動) 圓하자 变动 biàndòng; 变化 biànhuà; 改变 gǎibiàn; 改动 gǎidòng; 更改 gēnggǎi ¶~성 变动性 / 물가 ~이 심하다 物价变动很厉害 / 상황이 이미 ~되었다 情况已经发生变化

변-두리(邊—) 图 郊外 jiāowài; 周围 zhōuwéi; 边缘 biānyuán; 外围 wàiwéi ¶서울 ~ 首尔郊外 /~ 마을 边缘村庄 /공장 ~ 工厂周围

변:란(變亂) 图 变乱 biànluàn ¶~이 일어나다 发生变乱

변:론(辯論) 图 히타 【法】辩论 biànlùn; 论辩 lùnbiàn ¶최후~을 하다 展开最后辩论

변리(邊利) 图 利息 lìxī

변:리(辨理) 图 히타 辨理 biànlǐ ¶~사 辨理士

변:명(辨明) 图 히타 辩白 biànbái; 辨白 biànbái; 分辩 fēnbiàn; 解释 jiěshì; 申辩 shēnbiàn; 遁辞 dùncí; 支吾 zhīwu; 搪塞 tángsè; 分说 fēnshuō ¶~을 용납되지 않다 不容分辩

변:모(變貌) 图 히자 变样(儿) biànyàng(r); 改观 gǎiguān; 改变 gǎibiàn; 变化 biànhuà ¶오늘날 모습이 크게 ~하였다 如今面貌大有改观

변:발(辮髮·編髮) 图 辫发 biànfà; 发辫 fàbiàn

변방(邊方) 图 = 변경(邊境)

변변-찮다 图 不像样 bùxiàngyàng; 不太好 bùtàihǎo; 不大好 bùdàhǎo ¶변변찮은 음식 不太好的饭菜

변변-하다 图 1 (脸) 好看 hǎokàn 2 好 hǎo; 像样 xiàngyàng; 够好 gòuhǎo ¶변변한 옷 하나 없다 没有一个像样的衣服 3 门户高 ménhùgāo **변변-히** 튀

변:별(辨別) 图 히타 辨别 biànbié; 分别 fēnbié; 区别 qūbié; 分辨 fēnbiàn ¶~력 辨别力

변비(便秘) 图 【醫】便秘 biànmì; 便闭 biànbì; 便秘症 biànmìzhèng ¶~약 便秘药

변:사(辯士) 图 1 辩士 biànshì 2 = 연사 (电影) 解说员 jiěshuōyuán

변:사(變死) 图 히자 横死 hèngsǐ; 死于非命 sǐyúfēimìng ¶~자 横死者 /~체 横死尸体

변:상(辨償) 图 히타 1 还债 huánzhài; 赔还 péihuán; 清偿 qīngcháng; 清理 qīnglǐ = 변제 2 赔偿 péi; 赔偿 péicháng; 赔补 péibǔ; 赔款 péikuǎn; 赔账 péizhàng

변:색(變色) 图 히자타 变色 biànsè; 改色 gǎisè ¶이 그림은 이미 ~되었다 这张画已经变色了

변:성(變性) 图 히자 【生】变性 biànxìng

변:성(變聲) 图 히자 变声 biànshēng ¶~기 变声期

변소(便所) 图 厕所 cèsuǒ; 茅房 máofáng; 便所 biànsuǒ; 卫生间 wèishēngjiān 【공중】 公共厕所 =【公厕】/수세식 ~ 水冲式厕所 /~에 가다 上厕所

변:속(變速) 图 히자타 变速 biànsù ¶~ 기어 变速齿轮

변:속-기(變速機) 图 【機】变速器 biànsùqì; 变速装置 biànsù zhuāngzhì = 변속 장치

변:속 장치(變速裝置) 【機】= 변속기

변:수(變數) 图 1 变数 biànshù ¶새로운 ~가 나타나다 出现新变数 2 【數】变数 biànshù

변:신(變身) 图 히자 变身 biànshēn; 化形 huàxíng; 变 biàn; 变成 biànchéng ¶대 ~ 大变身 /~술 变身术 /추녀가 미녀로 ~하다 丑女变成美女

변:심(變心) 图 히자 变心 biànxīn ¶한 남자 친구 变了心的男朋友

변:압(變壓) 图 히자 变压 biànyā ¶~기 变压器

변:온 동·물(變溫動物) 【動】变温动物 biànwēn dòngwù; 冷血动物 lěngxuè dòngwù = 냉혈 동물

변:이(變異) 图 히자 1 = 이변 2 【生】变异 biànyì ¶돌연~ 突然变异

변:이(變移) 图 히자 = 변천

변:장(變裝) 图 히자 化装 huàzhuāng; 变装 biànzhuāng; 装扮 zhuāngbàn; 伪装 wěizhuāng ¶~술 伪装术 /~에 능하다 善于伪装 /여자가 남자로 ~하다 女的装扮为男的

변:전(變電) 图 【電】变电 biàndiàn ¶~소 变电站

변:절(變節) 图 히자 变节 biànjié; 叛变 pànbiàn ¶~한 여인 变节的女人 /~ 행위 变节行为 /~자 变节者

변:제(辨濟) 图 히타 = 변상1 ¶채무를 ~하다 清理债务

변:조(變造) 图 히타 【法】伪造 wěizào; 变造 biànzào; 假冒 jiǎmào; 假造 jiǎzào ¶신분증을 ~하다 伪造身份证

변:조(變調) 图 히타 1 变样 biànyàng 2 【物】调制 tiáozhì; 调频 tiáopín 3 【音】转调 zhuǎndiào; 移调 yídiào; 变调 biàndiào

변:종(變種) 图 【生】变种 biànzhǒng 2 变种 biànzhǒng ¶애국주의의 ~ 爱国主义的变种

변:주(變奏) 图 【音】变奏 biànzòu ¶~곡 变奏曲

변죽(邊—) 图 边(儿) biān(r); 边角 biānjiǎo

변죽(을) 울리다 旮 旁敲侧击

변:증(辨證) 图 히타 辩证 biànzhèng; 辨证 biànzhèng ¶~법 辩证法 /~법적 유물론 辩证唯物主义

변:질(變質) 图 히자 变质 biànzhì; 发

坏 fāhuài ¶우유가 ~되다 牛奶变质了

변-천(變遷) 图[하자] 变迁 biànqiān；演变 yǎnbiàn；转移 zhuǎnyí；推移 tuīyí = 변이(變移) ¶모든 것은 끊임없이 ~하고 있다 万事万物都在不断演变

변-칙(變則) 图 不规则 bùguīzé；不正常 bùzhèngcháng；不规范 bùguīfàn

변-태(變態) 图[하타] 1 (状态) 异常 yìcháng；不正常 bùzhèngcháng；变态 biàntài / ~ 성욕 变态性欲 / ~ 심리 变态心理 / ~ 행위 变态行为 2 [动] 变态 biàntài 3 [植] 变态 biàntài 4 [心] 变态 biàntài ¶그는 정말 ~ 다 他真是个变态

변-태-적(變態的) 웹 变态(的) biàntài(de)；异常(的) yìcháng(de)；不正常(的) bùzhèngcháng(de)；变态性 biàntàixìng ¶~인 심리 变态性心理

변-통(變通) 图[하타] 1 变通 biàntōng；通融 tōngróng；回旋 huíxuán；凑合 còuhé ¶임시 ~ 暂时通融 / ~하여 처리하다 变通处理 2 通融 tōngróng；张罗 zhāngluó；筹集 chóují；挪用 nuóyòng；筹款 chóukuǎn ¶자금을 ~하다 通融资金

변-하다(變一) 재 变 biàn；变化 biànhuà；改变 gǎibiàn；改 gǎi；转变 zhuǎnbiàn ¶마음이 ~ 心情改变了

변-함-없다(變一) 웹 不变 bùbiàn；如常 rúcháng；一成不变 yīchéngbùbiàn；依然如故 yīránrúgù；没有变化 méiyǒubiànhuà；一贯 yīguàn ¶변함없는 우정 不变的友情 **변함없이-閅**

변-혁(變革) 图[하자타] 变革 biàngé；改革 gǎigé ¶사회 ~ 社会变革

변-형(變形) 图[하자타] 走形 zǒuxíng；变形 biànxíng；变相 biànxiàng；变样 biànyàng ¶가구가 물을 먹어 ~되었다 家具受潮走形了

변-호(辯護) 图[하타] 1 辩护 biànhù ¶자신을 ~하다 为自己辩护 2 [法] 辩护 biànhù ¶~권 辩护权 / ~인 辩护人

변-호-사(辯護士) 图 [法] 律师 lǜshī

변-화(變化) 图[하자] 变化 biànhuà；改变 gǎibiàn；变 biàn ¶~가 생기다 发生变化 / ~가 많다 变化很多 / ~에 적응하다 适应变化

변-화-구(變化球) 图 [體] 变化球 biànhuàqiú

변-환(變換) 图[하자타] 变换 biànhuàn；改变 gǎibiàn；转换 zhuǎnhuàn；改换 gǎihuàn ¶~기 变换器 / 생산 시스템을 ~하다 转换生产机制

별- 图 [天] 星星 xīngxing；星 xīng；星辰 xīngchén；星斗 xīngdǒu ¶~나라 星星世界 / ~무늬 星纹 / ~들이 반짝이다 繁星闪耀

별(別) 图 另外 lìngwài；特别 tèbié；别

致 biézhì ¶우리는 ~ 사이가 아니다 我们不是特别的关系

-별(別) 젭미 按… àn…；以…为 yǐ…wéi ¶학교~ 按学校 / 성적~ 按成绩

별개(別個) 图 另外 lìngwài；别的 biéde；两回事 liǎnghuíshì；两码事 liǎngmǎshì ¶연애와 결혼은 ~이다 恋爱和结婚是两码事

별-거(別一) 图 1 特别的 tèbiéde；新鲜的 xīnxiānde；异乎寻常的 yìhūxúnchángde 2 各种各样的 gèzhǒnggèyàngde；各式各样的 gèshìgèyàngde

별거(別居) 图[하자] 分居 fēnjū；另过 lìngguò；另居 lìngjū ¶그 부부는 지금 ~ 중이다 他们两口子现在分居

별-것(別一) 图 1 特别的 tèbiéde；新鲜的 xīnxiānde；异乎寻常的 yìhūxúnchángde ¶~ 아니네 不是特别的 2 各种各样的 gèzhǒnggèyàngde；各式各样的 gèshìgèyàngde

별고(別故) 图 特别的事故 tèbiéde shìgù；恙 yàng ¶댁에는 ~ 없으신지요? 你家都无恙吗?

별관(別館) 图 分馆 fēnguǎn；别馆 biéguǎn

별-꼴(別一) 图 怪样子 guàiyàngzi；怪怪 guàiguài；讨厌 tǎoyàn；烦人 fánrén；可笑 kěxiào ¶참 ~이네 真讨厌

별-나다(別一) 웹 奇怪 qíguài；古怪 gǔguài；怪异 guàiyì；稀奇 xīqí；离奇 líqí ¶그는 정말 별난 사람이다 他是真古怪的人 / 별난 일이 생겼다 发生一个奇怪的事情

별-놈(別一) 图 1 怪家伙 guàijiāhuo；别种 biézhǒng 2 奇怪 qíguài；异常 yìcháng

별-다르다(別一) 웹 特别 tèbié；特殊 tèshū；有区别 yǒuqūbié；不一样 bùyīyàng；诡 guǐ ¶별다른 방법이 없다 没有特别的方法

별-달리(別一) 閅 特别(地) tèbié(de) ¶이제는 ~ 할 말이 없다 现在没有什么特别要说的话

별당(別堂) 图 厢房 xiāngfáng；耳房 ěrfáng

별도(別途) 图 另 lìng；另外 lìngwài；别的 biéde；另行 lìngxíng；额外 éwài；项外 xiàngwài ¶~의 수입 另外的收入

별-도리(別道理) 图 另外妙计 lìngwài miàojì；别的办法 biéde bànfǎ ¶지금은 ~가 없다 现在没有别的办法

별동-대(別動隊) 图 [軍] 别动队 biédòngduì

별-똥-별 图 流星 liúxīng

별-로(別一) 閅 不太 bùtài；不怎么 bùzěnme；不怎么样 bùzěnmeyàng；差 chà；不特别 bùtèbié；不是什么 bùshì shénme；没有什么 méiyǒu shénme ¶

기분이 ~ 안 좋다 心情不太好 / 살 만한 물건이 ~ 없다 没有什么可买的东西

별-말(別一) 图 **1** 别的话 biéde huà; 特别的话 tèbiéde huà; 可说的 kěshuōde ¶안부 이외에는 ~이 없다 除了问好以外, 没有别的话 **2** 意外的话 yìwàide huà; 奇怪的话 qíguàide huà; 废话 fèihuà; 哪里的话 nǎlide huà ¶다 하는군 这你说到哪里去了 ‖ = 별소리

별-말씀(別一) 图 '별말'의 敬词

별명(別名) 图 外号 wàihào; 绰号 chuòhào; 浑名 hùnmíng; 别名 biémíng; 诨号 hùnhào ¶그의 ~은 뚱보이다 他的外号叫胖子 / ~을 붙이다 给人起外号

별-문제(別問題) 图 **1** 两回事 liǎnghuíshì; 两码事 liǎngmǎshì; 别的问题 biéde wèntí ¶듣는 것과 보는 것은 ~이다 听和看是两回事 **2** 特别的问题 tèbiéde wèntí ¶먹고사는 데는 ~가 없다 生活上没有特别的问题

별미(別味) 图 特别风味 tèbié fēngwèi; 别有风味 biéyǒufēngwèi ¶이 집의 불고기는 ~이다 这家的烤肉有特别风味

별반(別般) 一图 特别的 tèbiéde; 特殊的 tèshūde ¶~ 대책 特别的措施 二厘 不太 bùtài; 不特别 bùtèbié; 不怎么 bùzěnme ¶~ 좋지 않다 不怎么好

별별(別別) 厦 = 별의별 ¶헌책방에 가보니 ~ 책이 다 있다 我到旧书店去一下, 那里有各种各样的书

별:-빛 图 星光 xīngguāng = 성광 ¶반짝이는 ~ 闪耀的星光

별세(別世) 图하자 去世 qùshì; 过世 guòshì; 故去 gùqù; 谢世 xièshì; 辞世 císhì; 归天 guītiān; 逝世 shìshì ¶그의 할머니는 어젯밤에 ~하였다 他的祖母昨晚去世了

별-세계(別世界) 图 **1** 另一个世界 lìngyígè shìjiè **2** 别有天地 biéyǒutiāndì = 별천지 ¶바다 밑 세계는 정말 ~이다 海底世界简直是别有天地

별-소리(別一) 图하타 별말

별-수(別一) 图 **1** 别的方法 biéde bàngfǎ; 妙计 miàojì; 妙招 miàozhāo ¶이젠 ~ 없게 되었다 现在已经没有别的方法了 **2** 各式各样的方法 gèshìgèyàngde fāngfǎ ¶일체 방법 yìqiè fāngfǎ ¶살을 빼기 위해 ~를 다 썼다 要减肥, 用尽了各式各样的方法

별-스럽다(別一) 图 特别 tèbié; 特殊 tèshū; 反常 fǎncháng; 出奇 chūqí ¶올겨울은 별스럽게 춥다 今年冬天冷得出奇 **별스레** 厘

별식(別食) 图 特别餐 tèbiécān

별실(別室) 图 别室 biéshì

별안-간(瞥眼間) 图 转眼间 zhuǎnyǎnjiān; 眨眼间 zhǎyǎnjiān; 突然(间) tūrán(jiān); 忽然 hūrán; 倏地 shūdì; 忽地 hūdì; 霍地 huòdì; 陡然 dǒurán; 骤然 zhòurán; 蓦地 mòdì ¶~에 벌어진 일이라 손쓸 겨를이 없었다 因是转眼发生的事情, 没有空儿动手

별의-별(別一別) 图 各式各样 gèshìgè-yàng; 各色各样 gèsègèyàng; 各色各样 gèsè; 各种各样 gèzhǒnggèyàng = 별별 ¶~ 소문이 다 떠돌다 各式各样的谣言漫天飞舞

별-일(別一) 图 **1** 奇怪的事 qíguàide shì; 怪事 guàishì; 奇事 qíshì ¶~을 다 보겠다 真是个怪事 **2** 特别的事 tèbiéde shì; 什么 shénme ¶~ 아니니 걱정 마세요 别担心, 这也算什么

별-자리 【天】图 星座 xīngzuò; 星宿 xīngxiù = 성좌

별장(別莊) 图 别墅 biéshù

별종(別種) 图 **1** 特种 tèzhǒng **2** 怪人 guàirén

별지(別紙) 图 另纸 lìngzhǐ; 另张 lìng-zhāng

별-채(別一) 图 另外一幢 lìngwài yī-zhuàng; 另外一栋房子 lìngwài yīdòng fángzi; 别馆 biéguǎn ¶그는 ~에서 공부한다 他在另外一栋房子里学习

별책(別冊) 图 别卷 biéjuàn; 另册 lìng-cè

별-천지(別天地) 图 = 별세계2

별첨(別添) 图하자 另付 lìngfù; 附加 fùjiā; 附有 fùyǒu ¶~ 서류 附加文件

별칭(別稱) 图 别称 biéchēng; 代称 dàichēng ¶삼다도는 제주도의 ~이다 三多岛是济州道的别称

별:-표(別一標) 图 星号 xīnghào ¶~를 달다 标着星号

별표(別表) 图 另表 lìngbiǎo ¶~를 참조하다 参看另表

별항(別項) 图 另一项目 lìngyī xiàngmù; 另项 lìngxiàng ¶~을 참고하시오 请参考别项

별행(別行) 图 另外一行 lìngwài yī-háng; 另一行 lìngyīháng

볍씨 图【農】稻种 dàozhǒng

볏 图 冠子 guānzi; 肉冠 ròuguān; 冠 guān ¶닭의 ~ 鸡冠子

볏-가리 图 稻垛 dàoduò; 稻草捆 dào-cǎokún ¶~ 稻草堆 堆稻草

볏-단 图 稻捆儿 dàokǔnr; 稻束 dào-shù

볏-짚 图 稻草 dàocǎo = 짚2

병:(病) 图 **1** 病 bìng; 疾病 jíbìng ¶~이 나다 生病 / ~을 고치다 治病 **2** 故障 gùzhàng; 毛病 máobìng **3** 缺点 quēdiǎn; 短处 duǎnchù; 毛病 máobìng

병(甁) 圆 **1** 瓶(儿) píng(r); 瓶子 píng-zi ¶~이 깨지다 瓶子碎了 **2** 瓶 píng ¶나는 맥주 세 ~를 마셨다 我喝了三瓶啤酒

병(兵) 圆【軍】兵 bīng; 士兵 shìbīng ¶탈영 → 逃兵

병가(兵家) 圆 兵家 bīngjiā; 权家 quánjiā ¶~상사 兵家常事

병:-가(病暇) 圆 病假 bìngjià ¶~를 내다 请病假

병:-간호(病看護) 圆하타 看护 kānhù; 护理 hùlǐ ¶어머니의 ~를 하다 护理母亲

병과(兵科) 圆【軍】兵种 bīngzhǒng

병:-구완 圆하타 护理 hùlǐ; 看护 kānhù; 侍候 shìhòu; 服侍 fúshì

병권(兵權) 圆 兵权 bīngquán; 兵柄 bīngbǐng ¶~을 장악하다 掌握兵权

병:-균(病菌) 圆【醫】= 병원균 ¶~에 감염되다 被病菌感染

병기(兵器) 圆 兵器 bīngqì; 火器 huǒqì; 武器 wǔqì; 军火 jūnhuǒ

병:-기(倂記·並記) 圆하타 并记 bìngjì ¶한자와 한글을 ~하다 并记汉字与韩文

병기-고(兵器庫) 圆【軍】= 무기고

병:-나다(病一) 困 生病 shēngbìng; 受病 shòubìng; 患病 huànbìng; 得病 débìng; 闹病 nàobìng; 害病 hàibìng ¶병나지 않도록 조심하다 注意身体, 以免生病

병:-나발(甁一) 圆 对着瓶嘴儿喝 duì-zhe píngzuǐr hē ¶병나발(을) 불다 圐 对着瓶嘴儿喝

병:-독(病毒) 圆【醫】病毒 bìngdú ¶~을 제거하다 除掉病毒

병:-동(病棟) 圆 病房 bìngfáng ¶내과 ~ 内科病房 / 격리 ~ 隔离病房

병:-들다(病一) 困 **1** 生病 shēngbìng; 受病 shòubìng; 患病 huànbìng; 得病 débìng; 闹病 nàobìng ¶나이 먹어 병들어 고생하다 有了年纪, 生病受苦 **2** 不正常 bùzhèngcháng ¶마음이 ~ 心情不正常

병:-따개(甁一) 圆 起子 qǐzi; 开瓶器 kāipíngqì

병:-뚜껑(甁一) 圆 瓶盖 pínggài

병란(兵亂) 圆 兵乱 bīngluàn; 兵变 bīngbiàn

병력(兵力) 圆【軍】兵力 bīnglì; 军力 jūnlì

병:-력(病歷) 圆 病史 bìngshǐ; 病历 bìnglì ¶~서 病历 / 환자의 ~을 조사하다 查看病人的病史

병:-렬(並列) 圆하자타 **1** 并列 bìngliè; 并行 bìngxíng ¶~ 구조 并列结构 / ~문 并列句 **2**【電】并联 bìnglián ¶~회로 并联电路

병:-리(病理) 圆 病理 bìnglǐ ¶~ 생리학 病理生理学 / ~학 病理学 / ~ 해부 病理解剖 / ~ 해부학 病理解剖学

병:-립(並立) 圆하자 并立 bìnglì

병마(兵馬) 圆 兵马 bīngmǎ; 人马 rénmǎ

병:-마(病魔) 圆 病魔 bìngmó; 病邪 bìngxié ¶~를 물리치다 打退病魔 / ~에 시달리다 受到病邪的折磨

병:-마개(甁一) 圆 瓶盖子 pínggàizi; 瓶塞子 píngsāizi ¶~를 따다 打开瓶盖子 / ~를 비틀어 열다 拧开瓶盖子

병:-맥주(瓶麥酒) 圆 瓶装啤酒 píng-zhuāng píjiǔ; 瓶啤 píngpí

병:-명(病名) 圆 病名 bìngmíng

병:-목(瓶一) 圆 瓶颈 píngjǐng ¶가는 ~ 细细的瓶颈 / ~ 현상 瓶颈效应

병무(兵務) 圆 兵务 bīngwù ¶~청 兵务厅

병:-문안(問安) 圆 探病 tànbìng; 探视病人 tànshì bìngrén ¶~을 가다 探视病人去

병법(兵法) 圆 兵法 bīngfǎ; 兵策 bīngcè

병법-서(兵法書) 圆 兵书 bīngshū

병사(兵士) 圆【軍】兵士 bīngshì; 士兵 shìbīng ¶해군 ~ 海军士兵

병사(兵舍) 圆 营房 yíngfáng; 兵营 bīngyíng = 병영 ¶~를 짓다 盖兵营

병:-사(病死) 圆하자 病故 bìnggù; 病死 bìngsǐ ¶~자 病故者 / 감옥에서 ~하다 在监狱病死

병:-상(病床) 圆 病床 bìngchuáng; 病榻 bìngtà ¶~에 눕다 卧在病床上 / 혼자서 ~을 지키다 一个人独守病床

병:-색(病色) 圆 病容 bìngróng ¶~이 돌다 脸带病容 / 얼굴에 병색이 완연하다 脸上病容明显

병서(兵書) 圆 兵书 bīngshū; 兵符 bīngfú

병:-석(病席) 圆 病床 bìngchuáng; 病榻 bìngtà ¶~에 누워 계신 할아버지 躺在病榻上的爷爷

병:-설(設設·倂設) 圆하타 并设 bìng-shè ¶~ 학교 并设学校

병:-세(病勢) 圆 病势 bìngshì; 病情 bìngqíng; 病况 bìngkuàng ¶~가 악화되다 病情恶化 / ~가 호전되다 病势好转

병:-술(甁一) 圆 瓶装酒 píngzhuāngjiǔ

병:-시중(病一) 圆하타 = 간병 ¶환자의 ~을 들다 侍候病人

병:-신(病身) 圆 **1** 残废 cánfèi; 残疾 cánjí **2** 白痴 báichī; 傻瓜 shǎguā; 笨蛋 bèndàn; 糊涂虫 hútúchóng ¶이 ~아! 你这个笨蛋! **3** 废物 fèiwù; 残货 cánhuò; 残品 cánpǐn

병:-실(病室) 圆 病房 bìngfáng; 病室

bìngshì

병아리 圀 小鸡 xiǎojī; 鸡雏 jīchú; 子鸡 zǐjī; 小雏 xiǎochú

병ː약-자(病弱者) 圀 病弱者 bìngruòzhě

병ː약-하다(病弱) 혱 病弱 bìngruò ¶몸이 ～ 身体病弱

병어 圄 銀鯧 yínchāng; 鯧鱼 chāngyú; 平鱼 píngyú

병역(兵役) 圀 【法】 兵役 bīngyì ¶～기피 回避兵役 / ～법 兵役法 / ～제도 兵役制度 / ～의 의무를 이행하다 履行兵役义务

병ː영(兵營) 圀 = 병사(兵舍) ¶～ 생활 军营生活

병ː용(並用·併用) 圀혱타 并用 bìngyòng ¶양약과 한약을 ～하다 将西药和韩药并用

병ː원(病院) 圀 医院 yīyuàn; 病院 bìngyuàn ¶～장 医院院长 / ～에 일주일간 입원하다 在医院住院一个星期

병ː원-균(病原菌) 圀 【医】 病原菌 bìngyuánjūn; 病原菌 bìngyuánjūn = 병균

병ː원-비(病院費) 圀 医疗费 yīliáofèi ¶～을 지불하다 付医疗费

병ː원-체(病原體) 圀 【医】 病原体 bìngyuántǐ

병ː인(病因) 圀 病因 bìngyīn; 病因 bìngyīn ¶～을 밝히다 查明病因

병ː자(病者) 圀 病人 bìngrén; 患者 huànzhě; 病号 bìnghào ¶～를 치료하다 治疗病人

병장(兵長) 圀 【軍】 军长 bīngzhǎng

병ː적(病的) 관圀 病态(的) bìngtài(de) ¶～으로 집착하다 执着到病态

병정(兵丁) 圀 兵丁 bīngdīng; 士兵 shìbīng; 兵士 bīngshì ¶장난감 ～ 玩具士兵

병정-개미(兵丁—) 圀 【蟲】 兵蚁 bīngyǐ

병-조림(瓶—) 圀혱타 瓶装 píngzhuāng; 瓶装罐头 píngzhuāng guàntou; 坛装 tánzhuāng ¶과일 ～ 瓶装水果

병ː존(並存) 圀혱자 并存 bìngcún; 两立 liǎnglì ¶보수와 진보가 ～하다 保守与进步是并存的

병졸(兵卒) 圀 = 군사(軍士)1

병ː중(病中) 圀 病中 bìngzhōng; 卧病中 wòbìngzhōng; 带病 dàibìng ¶～에 계신 아버지 卧病中的父亲

병참(兵站) 圀 【軍】 兵站 bīngzhàn ¶～ 기지 兵站基地

병ː창(竝唱) 圀혱타 【音】 弹唱 tánchàng ¶가야금 ～ 伽倻琴弹唱

병ː충-해(病蟲害) 圀 病虫害 bìngchónghài ¶～를 방지하다 防止病虫害

병ː-치레(病—) 圀혱자 生病 shēng-

---

bìng; 得病 débìng; 患病 huànbìng ¶～가 잦은 아이 动不动就生病的孩子

병ː폐(病弊) 圀 弊病 bìbìng; 弊端 bìduān; 弊害 bìhài ¶사회의 ～를 극복하다 克服社会的弊端

병풍(屏風) 圀 屏风 píngfēng; 屏风 píngfēng ¶～을 두르다 围屏风

병ː합(倂合) 圀 = 합병(合併)

병ː해(病害) 圀 病害 bìnghài

병ː행(竝行) 圀혱자타 1 并进 bìngjìn 2 并行 bìngxíng; 并举 bìngjǔ; 同时进行 tóngshí jìnxíng ¶일과 공부를 ～하다 工作学习同时进行

병ː환(病患) 圀 ＝ '병(病)'의 敬词

볕 圀 ＝ 햇볕 bìlì ¶들다 阳光照进来 / ～을 쬐다 晒太阳

보(步) 의圀 步 bù ¶다섯 ～ 전진 前进五步

보(洑) 圀 1 水塘 shuǐtáng; 水池 shuǐchí; 蓄水池 xùshuǐchí 2 = 봇물

보(褓) 圀 1 包袱 bāofu; 包袱皮儿 bāofupír; 包 bāo ¶～를 풀다 打开包袱 / 布 bù ¶나는 ～를 내고 그는 가위를 냈다 我出布, 他出剪刀

-보 젭미 子 zi; 鬼 guǐ; 包 bāo; 大王 dàwáng ¶뚱보 ～ 胖子 / 울 ～ 爱哭鬼 / 떡 ～ 年糕大王

보ː감(寶鑑) 圀 宝鉴 bǎojiàn

보ː강(補强) 圀혱타 增强 zēngqiáng; 加强 jiāqiáng; 增进 zēngjìn; 扩充 kuòchōng; 加固 jiāgù ¶체력 ～에 힘쓰다 用力增加体力

보ː강(補講) 圀혱타 补课 bǔkè; 补讲 bǔjiǎng

보ː건(保健) 圀 保健 bǎojiàn; 卫生保健 wèishēng bǎojiàn ¶～ 시설 保健设施 / ～소 保健所 / ～체조 保健操

보ː결(補缺) 圀혱타 补缺 bǔquē; 补缺 bǔ ¶～ 보궐 ¶～ 시험 补缺考试

보ː결 선ː거(補缺選擧) 【政】 = 보궐선거

보고 图 让 ràng; 对 duì; 向 xiàng ¶나～ 이걸 먹으라고? 你让我吃这个?

보ː고(報告) 圀혱자타 1 报告 bàogào; 报导 bàobào; 汇报 huìbào ¶상황 ～ 情况报告 / 경과를 ～하다 报告经过 2 = 보고서 ¶～를 올리다 打报告

보ː고(寶庫) 圀 1 保管库 bǎoguǎnkù 2 宝库 bǎokù ¶지식의 ～ 知识宝库

보ː고-서(報告書) 圀 报告书 bàogàoshū; 报告 bàogào; 报告单 bàogàodān; 报表 bàobiǎo ＝ 보고(報告)2

보ː관(保管) 圀혱타 保管 bǎoguǎn; 存存 cún; 存放 cúnfàng; 寄存 jìcún ¶～료 保管费 / ～소 存存处 / 화물을 창고에 ～하다 把货物存在仓库里 / 물품 ～ 주의하다 注意保管物品

보궐(補闕) 〔명〕〔하타〕 = 보결

보궐 선:거(補闕選擧) 【政】补选 bǔxuǎn = 보결 선거

보:균(保菌) 〔명〕〔하타〕 带菌 dàijūn ¶ ~자 带菌者

보글-거리다 〔자〕 咕嘟咕嘟 gūdūgūdū = 보글대다 ¶물이 ~ 끓고 있다 水咕嘟咕嘟地开着 보글-보글 〔부〕〔자〕

보금-자리 〔명〕 **1** 巢 cháo; 巢穴 cháoxué; 巢窟 cháokū; 窝巢 wōcháo; 窝 wō **2** 乐园 lèyuán ¶사랑의 ~ 爱情乐园

보:급(普及) 〔명〕〔하자타〕 普及 pǔjí; 推广 tuīguǎng ¶~률 普及率/이 사전은 이미 전국에 ~되었다 这本词典已普及全国/신기술을 ~하다 推广新技术

보:급(補給) 〔명〕〔하타〕 补给 bǔjǐ; 供应 gōngyìng; 供给 gōngjǐ ¶~기지 补给基地 / ~소 供应站 / ~품 补给品 / ~선 补给线 / 물자를 ~하다 补给物资

보내다 〔타〕 **1** 送 sòng; 寄 jì; 递 dì; 供 gōng ¶그들에게 선물을 ~ 给他们寄礼物 **2** 派 pài; 派遣 pàiqiǎn; 打发 dǎfa; 差 chāi ¶대표단을 ~ 派代表团 **3** 娶 qǔ; 嫁 jià ¶娶을 ~ 서울로 시집을 ~ 把女儿嫁到首尔去 **4** 送 sòng ¶아이를 대학에 ~ 送孩子上大学 **5** 报 bào; 给 gěi; 看 kàn; 传递 chuándì ¶사랑의 눈길을 ~ 传递爱的眼神 **6** 度 dù; 过 guò; 度过 dùguò; 花费 huāfèi ¶그와 함께 여름 휴가를 ~ 跟他一起度暑假

보너스(bonus) 〔명〕 红利 hónglì; 奖金 jiǎngjīn; 奖 jiǎng; 津贴 jīntiē; 红包 hóngbāo ¶연말 ~ 年终奖金

보다¹ 〔타〕 **1** 看 kàn; 观 guān; 视 shì; 瞧 qiáo ¶눈을 크게 뜨고 ~ 张大眼睛看 /시계를 ~ 看表 /거울을 ~ 看镜子 **2** 观看 guānkàn; 观赏 guānshǎng; 赏玩 shǎngwán; 欣赏 xīnshǎng; 参观 cānguān ¶공연을 ~ 观看演出 **3** 读 dú; 看 kàn ¶신문을 ~ 看报 /책을 ~ 看书 **4** 见 jiàn; 见面 jiànmiàn; 相看 xiāngkàn ¶나는 그를 보러 서울에 갔다 我为见他一面跑到首尔/ 다음에 봅시다! 下次见! **5** 照顾 zhàogù; 关照 guānzhào; 照应 zhàoying; 看管 kànguǎn; 看 kàn; 照 zhào ¶아이들을 잘 ~ 好好关照孩子们 **6** (情况)看 kàn; 瞧 qiáo ¶상황을 보고 결정을 看情况决定/두고 ~ 走着瞧 **7** 相面 xiàngmiàn; 算命 suànmìng; 看 kàn ¶관상을 ~ 相面 /점을 ~ 算命/궁합을 ~ 看合婚 **8** 考试 kǎoshì ¶시험을 ~ 考试考得怎么样? **9** 分 bàn; 做 zuò; 担当 dāndāng; 担任 dànrèn ¶사무를 ~ 办公 **10** 达成 dáchéng; 算 suàn ¶합의를 ~ 达成协议 /끝장을 ~ 算算账 **11** 解手 jiěshǒu; 解

보디빌더

jiě; 拉 lā; 撒 sā ¶소변을 ~ 解小手 = [解小便] / 대변을 ~ 解大手 = [解大便] **12** 得 dé; 娶 qǔ ¶며느리를 ~ 娶媳妇 **13** 得 dé; 占 zhān; 受 shòu; 获 huò ¶이익을 ~ 得利/그의 덕을 ~ 占他的便宜 / 손해를 ~ 受损失 **14** 尝 cháng ¶맛을 ~ 尝味道 **15** 看 kàn; 看来 kànlái; 看样子 kàn yàngzi; 看做 kànzuò ¶나는 이 일이 별로 가능하지 않다고 본다 我看这件事不太可能

보다² 〔부〕 更 gèng; 更加 gèngjiā; 加倍 jiābèi ¶~ 큰 성과 更大的成就

보다³ 〔조〕 比 bǐ ¶그~ 키가 크다 比他个子高 / 그녀~ 훨씬 예쁘다 比她更漂亮 / 작년~ 춥다 比去年冷

보:답(報答) 〔명〕〔하자타〕 报答 bàodá; 酬报 chóubào; 报 bào; 答报 dábào; 回报 huíbào; 还报 huánbào ¶부모님의 길러주신 은혜를 ~하다 报答父母的养育之恩

보:도(步道) 〔명〕 步道 bùdào; 人行道 rénxíngdào; 便道 biàndào = 인도(人道) ¶~블록 人行道地砖

보:도(報道) 〔명〕〔하자타〕 报道 bàodào; 报导 bàodǎo ¶~진 报道阵 /각 신문이 모두 이 소식을 ~했다 各报都报道了这一消息

보드득 〔부〕 嘎吱嘎吱 gāzhīgāzhī; 嘎嘣 gābēng嘎嘣 gābēng; 吱吱 zhīzhī; 咯吱 kǎzhī; 扑哧 pūchī ¶얼음을 ~ 깨물다 嘎嘣嘎嘣地嚼冰块

보드득-거리다 〔자〕 吱吱响 zhīzhī xiǎng; 嘎吱嘎吱响 gāzhīgāzhī xiǎng = 보드득대다 보드득-보드득 〔부〕〔하자타〕 ¶이를 ~ 갈다 嘎吱嘎吱地咬着牙

보드랍다 〔형〕 细软 xìnruǎn; 细腻 xìnì; 松软 sōngruǎn ¶보드라운 피부 细嫩的皮肤 **2** (粉末等)细xì; 细腻 xìnì ¶비누 거품이 정말 ~ 肥皂泡沫实很细腻

보드-지(board紙) 〔명〕 纸板 zhǐbǎn

보드카(러vodka) 〔명〕 伏特加(酒) fútèjiā(jiǔ)

보들-보들 〔부〕〔형〕 细嫩 xìnèn; 细软 xìruǎn; 软乎乎 ruǎnhūhū; 软绵绵 ruǎnmiánmián ¶~한 양털 양탄자 软乎乎的羊毛地毯

보듬다 〔타〕 紧抱 jǐnbào; 紧拥 jǐnyōng ¶아이를 ~ 紧抱孩子

보디가드(bodyguard) 〔명〕 保镖 bǎobiāo; 紧身保镖 jǐnshēn bǎobiāo; 贴身保镖 tiēshēn bǎobiāo

보디-랭귀지(body language) 〔명〕 肢体语言 zhītǐ yǔyán; 身体语言 shēntǐ yǔyán

보디-로션(body lotion) 〔명〕 润肤乳 rùnfūrǔ

보디빌더(body-builder) 〔명〕【體】健

美运动员 jiànměi yùndòngyuán

보디빌딩(body-building) 图【體】健美 jiànměi; 健美运动 jiànměi yùndòng

보-따리(褓─) 图 **1** 包(儿) bāo(r); 包袱 bāofu; 包裹 bāoguǒ ¶~를 싸다 打包裹 2 包 bāo ¶헌 옷 한 ~ 一包旧衣

보따리-장수(褓─) 图 单帮 dānbāng; 货郎 huòláng

보라 图 紫 zǐ; 紫色 zǐsè ¶~색 紫色

보라-매 图【鳥】猎鹰 lièyīng

보람 图 意义 yìyì; 价值 jiàzhí; 成效 chéngxiào; 熬头儿 áotóur; 成果 chéngguǒ; 有效 yǒuxiào; 效果 xiàoguǒ; 自豪 zìháo ¶삶의 ~을 느끼다 感受到生活的意义

보람-되다 图 有意义 yǒu yìyì; 有价值 yǒu jiàzhí

보람-차다 图 有意义 yǒu yìyì; 有成就感 yǒu chéngjiùgǎn; 有价值 yǒu jiàzhí

보랏-빛 图 紫色 zǐsè

보로통-하다 图 **1** 肿 zhǒng; 肿못 zhǒngbó; 肿胀 zhǒngzhàng **2** 撅嘴 juēzuǐ; 不悦 bùyuè; 不满 bùmǎn; 生气 shēngqì ¶아이가 보로통해 어머니를 바라보고 있다 孩子嘴不满地看着妈妈 보로통-히 图

보:료 图 皮褥子 pírùzi; 褥垫儿 rùdiànr; 褥垫 rùdiàn

보:루(堡壘) 图【軍】堡垒 bǎolěi; 碉堡 diāobǎo; 营垒 yínglěi; 垒壁 lěibì ¶이 구조물을 최후의 ~로 삼다 把这个建筑物当作最后的堡垒

보루(일boru) 의图 条(儿) tiáo(r) ¶담배 한 ~ 一条儿烟

보:류(保留) 图하자 保留 bǎoliú; 留着 liúzhe = 유보 ¶집행을 ~하다 保留执行

보름 图 **1** 十五天 shíwǔtiān; 半个月 bàngèyuè **2** = 보름날

보름-날 图 十五日 shíwǔrì; 望日 wàngrì; 月望 yuèwàng = 보름2

보름-달 图 满月 mǎnyuè; 圆月 yuányuè; 望月 wàngyuè = 만월1

보리 图【植】大麦 dàmài; 麦 mài = 대맥 ¶~떡 麦饼 / ~밥 大麦饭 / ~밭 大麦地 / ~쌀 大麦米 / ~차 大麦茶 / ~를 심다 种大麦

보리-수 图【佛·植】菩提树 pútíshù

보릿-고개 图 春荒 chūnhuāng; 麦口期 màikǒuqī; 青黄不接 qīnghuángbùjiē; 麦岭 màilǐng

보링(boring) 图【鑛】= 시추

보:모(保姆) 图 保育员 bǎoyùyuán

보:물(寶物) 图 **1** 宝 bǎo; 宝物 bǎowù; 宝贝 bǎobèi; 财宝 cáibǎo; 珍宝 zhēnbǎo = 보화 ¶~섬 宝岛 / ~ 상자 宝物箱 / 文化财产 wénhuàcáichǎn; 文物 wénwù ¶~ 1호로 지정되다 指定为

文物第1号

보:배 图 宝贝 bǎobèi; 宝 bǎo; 珍宝 zhēnbǎo ¶모든 아이들은 ~이다 每个孩子都是宝贝

보:배-롭다 图 宝贵 bǎoguì; 贵重 guìzhòng; 珍贵 zhēnguì 보:배로이 图

보:법(步法) 图 步法 bùfǎ; 步伐 bùfá

보:병(步兵) 图【軍】步兵 bùbīng ¶~ 대 步兵队

보:복(報復) 图하자 = 앙갚음 ¶~ 공격 报复性攻击 / ~ 조치 报复措施 / ~ 관세 报复关税 / ~을 당하다 遭受报复

보살(菩薩) 图【佛】**1** 菩萨 púsà **2** 菩萨僧 púsàsēng

보-살피다 图 **1** 照顾 zhàogù; 照料 zhàoliào; 照应 zhàoying; 关照 guānzhào; 关怀 guānhuái; 侍候 shìhòu; 扶持 fúchí; 看顾 kàngù ¶환자를 ~ 看顾病人 **2** 张罗 zhāngluo; 周旋 zhōuxuán; 打理 dǎlǐ; 操持 cāochí ¶살림을 ~ 操持家务

보:상(報償) 图하자 **1** 偿还 chánghuán **2** 报酬 bàochóu; 报施 bàoshī; 报偿 bàocháng ¶~금 报偿金

보:상(補償) 图하자 补偿 bǔcháng; 赔偿 péicháng; 弥补 míbǔ ¶~금 补偿金 / 손실을 ~하다 补偿损失

보:색(補色) 图【美】互补色 hùbǔsè; 补色 bǔsè; 余色 yúsè ¶~ 대비 互色对比

보:석(保釋) 图하자【法】保释 bǎoshì ¶~금 保释金 / ~으로 감옥에서 풀려나다 保释出狱

보:석(寶石) 图 宝石 bǎoshí; 珠宝 zhūbǎo ¶~상 珠宝商 / ~ 가게 珠宝店 / ~함 珠宝盒 / 반지에 ~을 박다 把宝石镶在戒指上

보:선(補選) 图하타【政】'보궐 선거'의 略词

보:세(保稅) 图【法】保税 bǎoshuì ¶~ 공장 保税工厂 / ~ 구역 保税区 / ~ 창고 保税库 =[保税仓库] / ~품 保税品

보송-보송 图하图 **1** 干松 gānsōng **2** 细嫩 xìnèn; 细皮 xìpí; 细腻 xìnì; 软勒咕唧 ruǎnlègūjī; 软几几 ruǎnjǐjī; 软乎乎 ruǎnhūhū; 软糊糊 ruǎnhūhū

보:수(保守) 图하타 保守 bǎoshǒu; 守旧 shǒujiù ¶~세력 保守势力 / ~당 保守党 / ~성 保守性 / ~주의 保守主义 / ~파 保守派

보:수(報酬) 图하타 **1** 酬报 chóubào; 报酬 bàochou; 酬答 chóudá **2** 工资 gōngzī; 薪水 xīnshuǐ; 薪金 xīnjīn; 酬金 chóujīn; 酬劳 chóuláo ¶~를 지급하다 发给工资

보:수(補修) 图하타 修 xiū; 修补 xiū-

보; 整修 zhěngxiū; 维修 wéixiū; 修缮 xiūshàn; 保养 bǎoyǎng; 养护 yǎnghù; 修理 xiūlǐ ¶도로를 ~하다 保养公路 / 주택을 ~하다 修房子

보**ː수-적**(保守的) 관형 保守 bǎoshǒu ¶~인 태도 保守态度 / 그는 너무 ~이다 他太保守了

보스(boss) 명 首领 shǒulǐng; 领袖 lǐngxiù; 头子 tóuzi; 头儿 tóur; 头目 tóumù

보슬-거리다 자 蒙蒙 méngméng; 濛濛 méngméng; 淅沥 xīlì = 보슬대다

보슬-보슬 부자 ¶봄비가 ~ 내리다 春雨蒙蒙地下

보슬-비 명 毛毛雨 máomáoyǔ; 毛毛细雨 máomáoxìyǔ ¶~가 내리다 下毛毛雨

보습 명 【农】犁 lí; 犁铧 líhuá; 犁头 lítóu

보**ː습**(补习) 명하타 补习 bǔxí ¶~ 학원 补习班

보**ː습**(补湿) 명하타 保湿 bǎoshī ¶~제 保湿露 / ~ 크림 保湿霜 / ~ 효과 保湿效果 / 피부 ~ 皮肤保湿

보ː시(布施) 명하타 【佛】布施 bùshī; 施斋 shīzhāi

보**ː신**(保身) 명자타 保身 bǎoshēn; 明哲保身 míngzhébǎoshēn

보ː신(补身) 명하타 补养身体 bǔyǎng shēntǐ; 补身 bǔshēn = 몸보신 ¶~용 영양제 补身用营养剂

보ː신-탕(补身汤) 명 香肉汤 xiāngròutāng; 狗肉汤 gǒuròutāng

보-쌈¹(褓—) 명 菜包白切肉 càibāo báiqiēròu

보-쌈²(褓—) 명 【民】抢婚 qiǎnghūn; 抢亲 qiǎngqīn

보쌈-김치(褓—) 명 包泡菜 bāopàocài

보아-주다 명하타 饶饶 ráoráo; 原谅 yuánliàng; 宽恕 kuānshù; 饶恕 ráoshù; 容情 róngqíng; 留情 liúqíng; 容忍 róngrěn ¶이번 한 번만 보아주십시오 请饶了这一次吧

보아-하니 부 看样子 kànyàngzi; 看来 kànlái; 看起来 kànqǐlái; 据我看 jùwǒkàn ¶~ 내가 틀린 것 같다 看来我错了

보ː-안(保安) 명하타 保安 bǎo'ān; 公安 gōng'ān ¶~ 요원 保安员 / ~을 유지하다 维持保安

보ː-안(保眼) 명하자 护眼 hùyǎn ¶~경 护目镜

보ː-안-관(保安官) 명 郡治安官 jùnzhì'ānguān

보ː-약(补药) 명 补药 bǔyào; 补剂 bǔjì ¶~을 먹다 吃补药

보ː-양(保养) 명 保养 bǎoyǎng ¶몸을 ~하는 방법 保养身体的方法

보ː-어(補語) 명 【语】补语 bǔyǔ

보ː-온(保温) 명하타 保温 bǎowēn; 保暖 bǎonuǎn ¶~컵 保温杯 / 도시락 保温饭盒 / ~력 保温力 / ~밥통 保温锅 / ~성 保温性 / ~재 保温材料 / 날씨가 추워졌으니 ~에 주의해야 한다 天冷了, 要注意保暖

보ː온-병(保温瓶) 명 暖水瓶 nuǎnshuǐpíng; 保温瓶 bǎowēnpíng; 暖壶 nuǎnhú; 热水瓶 rèshuǐpíng

보ː-완(补完) 명하타 弥补 míbǔ; 补救 bǔjiù; 补充 bǔchōng ¶~책 补充策 / 결함을 ~하다 弥补缺陷

보ː-우(保佑) 명하타 保佑 bǎoyòu ¶하느님이 우리를 ~하시다 老天保佑我们

보ː-위(保卫) 명하타 保卫 bǎowèi; 捍卫 hànwèi; 守卫 shǒuwèi ¶국가를 ~하다 保卫国家

보ː-위(寶位) 명 = 왕위

보ː-유(保有) 명하타 保有 bǎoyǒu; 保持 bǎochí; 持有 chíyǒu; 拥有 yōngyǒu ¶~자 保持者 / ~량 保有量 / 핵무기를 ~하다 持有核武器 / 세계 기록을 ~하다 保持世界纪录

보ː-육(保育) 명하타 保育 bǎoyù ¶~교사 保育教师 / ~시설 保育设施 / ~원 保育院

보ː-육-기(保育器) 명 【医】保育器 bǎoyùqì = 인큐베이터

보ː-은(报恩) 명하자 报恩 bào'ēn; 报德 bàodé ¶부모님께 ~하다 向父母报恩

보-이다¹ 자 1 看到 kàndào; 看得见 kàndejiàn; 在望 zàiwàng 《'보다¹'의 被动词》 ¶대문이 ~ 看得见大门 2 看上去 kànshàngqù; 看起来 kànqǐlái; 看得 kànde ¶안색이 좋아 보인다 脸色看起来很好

보-이다² 타 给人看 gěirénkàn; 让看 ràngkàn ¶남에게 허점을 ~ 给人看缺点

보이 스카우트(Boy Scouts) 【社】童子军 tóngzǐjūn; 少年团 shàoniántuán

보일러(boiler) 명 【机】锅炉 guōlú; 汽锅 qìguō; 蒸汽锅炉 zhēngqì guōlú ¶~실 锅炉房 / ~를 설치하다 安装锅炉

보자기(褓—) 명 包袱 bāofu; 包袱皮儿 bāofupír ¶~를 풀다 打开包袱

보잘것-없다 형 渺小 miǎoxiǎo; 低微 dīwēi; 微不足道 wēibùzúdào; 没什么可看 méishénme kěkàn; 不值一提 bùzhíyìtí; 微乎其微 wēihūqíwēi; 不足挂齿 bùzúguàchǐ ¶보잘것없는 수입 低微的工资 / 출신이 ~ 出身低微 보잘것없-이 부

보ː-장(保障) 명하타 保障 bǎozhàng; 保证 bǎozhèng ¶안전을 ~하다 保障

安全

보:-전(保全) 명[하]타 保全 bǎoquán; 保
持 bǎochí ¶환경을 ~하다 保持环境 /
목숨을 ~하다 保全生命

보:-정(補正) 명[하]타 补正 bǔzhèng; 调
整 tiáozhěng ¶카메라의 자동 ~ 기능
相机的自动补正功能 / ~ 속옷 调整型
内衣

보:조(步调) 명 步调 bùdiào; 步伐 bùfá;
步子 bùzi ¶~를 맞추다 整齐步调

보:조(補助) 명[하]타 1 补助 bǔzhù; 补
充 bǔchōng; 贴补 tiēbu ¶国家에서 ~
를 받다 接受国家贴补 / 学비로 ~하
다 辅助学费 2 辅助 fǔzhù; 助理 zhù-
lǐ; 帮手 bāngshou ¶요리사 ~ 厨师帮
手 / ~ 기억 장치 辅助存储器 / ~ 날
개 辅助翼 / ~ 동사 辅助动词 / ~ 수
단 辅助手段 / ~ 장치 辅助装置

보조개 명 酒窝(儿) jiǔwō(r); 笑窝(儿)
xiàowō(r); 酒涡 jiǔwō; 笑涡 xiàowō

보:조-금(補助金) 명 补助金 bǔ-
zhùjīn; 补贴费 bǔtiēfèi; 补贴 bǔtiē; 津
贴 jīntiē ¶~을 타다 领补助金

보:존(保存) 명[하]타 保存 bǎocún; 保
藏 bǎocáng; 保留 bǎoliú; 保全 bǎo-
quán ¶범행 현장을 ~하다 保存犯罪
现场 / 문화재를 ~ 하다 保存文物

보:좌(補佐·輔佐) 명[하]타 辅佐 fǔzuǒ;
助理 zhùlǐ ¶신임 사장을 ~하다 辅佐
新任总经理

보:좌(寶座) 명 1 = 옥좌 2 【宗】宝
座 bǎozuò

보:좌-관(補佐官) 명 助理 zhùlǐ ¶국회의원 ~ 国会议员助
手 zhùshǒu ¶국회의원 ~ 国会议员助
手

보증(保證) 명[하]타 1 保 bǎo; 担保 dān-
bǎo; 保证 bǎozhèng; 保险 bǎoxiǎn ¶
品质을 ~하다 保质 / 그가 좋은 사람
이라는 것은 내가 ~ 我保证他是
个好人 2 【法】保证 bǎozhèng; 担保
dānbǎo; 保 bǎo ¶~ 보험 保证保险

보증-금(保證金) 명【法】押金 yājīn;
押款 yākuǎn; 担保款 dānbǎokuǎn; 保
证金 bǎozhèngjīn ¶~을 내다 出押金

보증-서(保證書) 명 保证书 bǎozhèng-
shū; 保修卡 bǎoxiūkǎ

보증-인(保證人) 명【法】保人 bǎoren;
保证人 bǎozhèngrén; 保 bǎo = 증인3

보:지 명 屄 bī

보:직(補職) 명[하]타 任职 rènzhí; 职务
zhíwù ¶~에서 해임되다 解除职务 /
~이 변경되다 变更任职

보채다 자 1 哭闹 kūnào ¶아기가 밤
마다 보챈다 宝宝每天晚上哭闹 2 磨
烦 mòfan; 缠磨 chánmó; 磨 mó; 磨人
mórén; 纠缠 jiūchán ¶요구를 들어주지
않으면, 그는 끝없이 보챈다 不答应要
求, 他就没完没了地纠缠

보:철(補綴) 명[하]타 1 补缀 bǔzhuì ;
【醫】镶牙 xiāngyá; 补牙 bǔyá

보:청-기(補聽器) 명【醫】助听器 zhù-
tīngqì

보:초(步哨) 명【軍】步哨 bùshào; 哨
兵 shàobīng; 哨 shào; 岗 gǎng; 岗哨
gǎngshào = 보초병 ¶~를 서다 放哨
=[站岗]

보:초-병(步哨兵) 명【軍】= 보초

보:충(補充) 명[하]타 补充 bǔchōng; 补
bǔ; 填补 tiánbǔ = 설명 补充说明 /
인원 ~ 人员补充 / ~ 수업 补课 / 영
양을 ~하다 补充营养

보태다 타 1 补 bǔ; 补充 bǔchōng; 搭
补 dābǔ; 填补 tiánbǔ; 补贴 bǔtiē ¶자
금을 ~ 填补资金 / 살림에 ~ 搭补家
用 / 힘을 ~ 补充力量 2 添 tiān; 添加
tiānjiā; 加 jiā; 加上 jiāshang ¶쓸데없
는 말을 ~ 添加一段废话

보탬 명 添补 tiānbǔ; 帮助 bāngzhù;
小补 xiǎobǔ; 裨益 bìyì

보:통(普通) 일명 普通 pǔtōng; 一般
yìbān; 平常 píngcháng ¶그는 ~ 사람
이 아니다 他不是一般人 일부 通常
tōngcháng; 一般 yìbān ¶그는 ~ 7시
에 기상한다 他通常是七点起床

보:통 명사(普通名辭) 【語】= 일반
명사

보:통 은행(普通銀行) 【經】= 일반
은행

보트(boat) 명 船 chuán; 小艇 xiǎo-
tǐng; 小船 xiǎochuán

보:편(普遍) 명 普遍 pǔbiàn; 一般 yī-
bān; 共同 gòngtóng ¶~성 普遍性 / ~
화 普遍化 / ~타당하다 普遍妥当

보:편-적(普遍的) 명 普遍(的) pǔ-
biàn(de); 普遍性 pǔbiànxìng ¶~인 가
치 普遍价值 / ~으로 적용하다 普遍
适用

보:폭(步幅) 명 步幅 bùfú; 脚步 jiǎobù
= 컴퍼스2 ¶~이 넓다 脚步大

보푸라기 명 起毛 qǐmáo; 起毛头 qǐ-
máotóu

보풀 명 起毛 qǐmáo; 起毛球 qǐmáoqiú
¶스웨터에 ~이 일면 어떻게 하나요?
毛衣起毛球怎么办?

보:필(輔弼) 명[하]타 辅弼 fǔbì; 辅佐
fǔzuǒ

보:-하다(補—) 타 补 bǔ ¶몸을 보하
는 약 补养体的药品

보:행(步行) 명[하]자 步行 bùxíng; 行
走 xíngzǒu ¶~자 步行者

보:행-기(步行器) 명 学步车 xuébù-
chē; 学步器 xuébùqì

보:험(保險) 명【經】保险 bǎoxiǎn; 保
bǎo ¶~ 계약 保险合同 / ~금 保险金
额 / ~ 기간 保期 / ~료 保险费 / ~
약관 保险条款 / ~ 증권 保险单

회사 保险公司 / 생명~ 人寿保险 / ~에 들다 投保

보:호(保護) 图⑤ 保护 bǎohù; 维护 wéihù; 护 hù ¶环경~ 环境保护 = [环保] / ~관세 保护关税 / ~막 保护膜 / ~ 무역 保护贸易 / ~색 保护色 / ~자 保护人 / 시력을 ~하다 保护视力 / ~를 받다 受到保护 / 동물을 ~하다 保护动物

보:화(寶貨) 图 = 보물1

복 图【魚】'복어'의 略语

복(伏) 图【民】= 복날

복(福) 图 福气 fúqi; 福 fú; 福分 fúfen; 幸运 xìngyùn ¶~을 누리다 享福 / ~을 받다 有福气

-복(服) 접미 服 fú; 衣服 yīfu; 装装 zhuāng ¶学생~ 学生服 / 작업~ 工作服

복강(腹腔) 图【醫】腹腔 fùqiāng ¶~경 腹腔镜

복개(覆蓋) 图⑤【建】覆盖 fùgài; 掩盖 yǎngài ¶하천 ~ 공사 覆盖河川的工程

복고(復古) 图⑤⑦ 复古 fùgǔ; 反古 fǎngǔ ¶~주의 复古主义 / ~풍 复古风

복구(復舊) 图⑤⑦ 修复 xiūfù; 恢复 huīfù; 重建 chóngjiàn ¶~공사 修复工程

복권(福券) 图 彩票 cǎipiào; 彩券 cǎiquàn; 奖券 jiǎngquàn; 白鸽票 báigēpiào; 彩 cǎi ¶~에 당첨되다 中彩

복귀(復歸) 图⑤⑦ 恢复 huīfù; 重返 chóngfǎn; 复归 fùguī; 回 huí; 归 guī ¶원상 ~ 恢复原状 / 부대로 ~하다 归队 / 무대에 ~하다 重返舞台

복근(腹筋) 图 腹肌 fùjī

복-날(伏一) 图【民】伏天 fútiān; 伏日 fúrì; 伏 fú = 복(伏)

복닥-거리다 困 拥挤 yōngjǐ; 喧闹 xuānnào; 闹哄哄 nàohōnghōng = 복닥대다 **복닥-복닥** 뷔⑤⑦

복당(復党) 图⑤⑦ 恢复党籍 huīfù dǎngjí

복대(腹帶) 图 腹带 fùdài ¶~를 두르다 带腹带

복-더위(伏一) 图 = 삼복더위

복덕-방(福德房) 图 房地产交易所 fángdìchǎn jiāoyìsuǒ

복도(複道) 图 1 游廊 yóuláng 2 走廊 zǒuláng; 廊子 lángzi; 回廊 huíláng; 甬道 yǒngdào; 过道(儿) guòdào(r)

복-되다(福一) 혭 有福气 yǒufúqi

복리(福利) 图 福利 fúlì ¶직원들의 ~에 힘쓰다 为职工谋福利

복리(複利) 图【經】复利 fùlì

복막(腹膜) 图【生】腹膜 fùmó ¶~염 腹膜炎

복면(覆面) 图⑤⑦ 蒙面 méngmiàn; 面

罩 miànzhào ¶~강도 蒙面强盗

복무(服務) 图⑤⑦ 服 fú; 服务 fúwù; 服勤 fúqín; 当 dāng ¶~규정 服务规则 / ~연한 服务年限 / 병역에 ~하다 服役

복문(複文) 图【語】复句 fùjù; 复合句 fùhéjù

복-받치다 困 涌 yǒng; 涌出 yǒngchū; 涌上 yǒngshàng; 冒出 màochū ¶가슴에서 슬픔이 복받쳐 오르다 心里的悲哀涌上来

복병(伏兵) 图⑤⑦【軍】伏兵 fúbīng; 伏甲 fújiǎ ¶~을 배치하다 埋下伏兵 / ~을 만나다 遇到伏兵

복부(腹部) 图【醫】腹部 fùbù; 肚子 dùzi ¶~ 비만 腹部肥胖 / ~에 통증을 느끼다 腹部感到疼痛

복분-자(覆盆子) 图【植】覆盆子 fùpénzi ¶~술 覆盆子酒

복사(複寫) 图 1 复写 fùxiě 2 复印 fùyìn = 카피1 ¶~기 复印机 / 이 서류를 3부~해 주세요 请把这份文件复印三份 3 【컴】拷贝 kǎobèi ¶불법 ~한 프로그램 非法拷贝的软件

복사(輻射) 图⑤⑦【物】辐射 fúshè = 방사(放射)2 ¶~에너지 辐射能

복사-꽃 图 = 복숭아꽃

복사-뼈 图 踝 huái; 踝子骨 huáizigǔ; 踝骨 huáigǔ = 복숭아뼈

복사-열(輻射熱) 图【物】辐射热 fúshèrè; 放射热 fàngshèrè = 방사열

복사-지(複寫紙) 图 1 复写纸 fùxiězhǐ 2 复印纸 fùyìnzhǐ

복사-판(複寫版) 图 1 复印板 fùyìnbǎn 2 翻版 fānbǎn

복상(服喪) 图⑤⑦ 服丧 fúsāng; 戴孝 dàixiào

복상-사(腹上死) 图⑤⑦ 腹上死 fùshàngsǐ; 马上疯 mǎshàngfēng

복선(伏線) 图【文】伏线 fúxiàn; 伏笔 fúbǐ; 暗线 ànxiàn

복선(複線) 图 1 双线 shuāngxiàn = 겹줄 2 【交】复线 fùxiàn = 복선(複線)2 ¶~을 놓다 铺设复线

복선 궤:도(複線軌道) 【交】双轨 shuāngguǐ; 复线 fùxiàn = 복선(複線)2 ¶~를 놓다 铺设复线

복성(複姓) 图 复姓 fùxìng; 双姓 shuāngxìng

복속(服屬) 图⑤⑦ 服属 fúshǔ

복수(復讐) 图⑤⑦ 报仇 bàochóu; 复仇 fùchóu; 报复 bàofù ¶~심 报仇之心 / ~전 复仇之战 / 그에게 ~하다 向他报仇

복수(腹水) 图【醫】腹水 fùshuǐ

복수(複數) 图 1 【數】复数 fùshù 2 【語】复数 fùshù 3 多次 duōcì ¶~비자 多次往返签证 / ~ 여권 多次有效护照

복수-전(復讐戰) 图 복수전 fùchóu-zhàn; 雪恥战 xuěchǐzhàn = 설욕전

복숭아 图 桃(儿) táo(r); 桃子 táozi

복숭아-꽃 图 桃花 táohuā = 복사꽃

복숭아-나무 图 【植】桃树 táoshù; 桃 táo

복숭아-뼈 图 = 복사뼈

복-스럽다(福一) 혭 有福相 yǒufúxiàng; 有福气 yǒufúqì ¶복스럽게 생기다 长 得有福相 복스레 嘪

복슬-복슬 嘪혭 毛茸茸 máoróng-róng ¶털이 ~한 강아지 毛茸茸的小狗

복습(復習) 图하타 复习 fùxí; 温习 wēn-xí ¶오늘 배운 내용을 반드시 다시 한 번 ~해라 一定把今天学过的内容再温习一遍吧

복식(服飾) 图 服饰 fúshì; 穿戴 chuān-dài; 服装 fúzhuāng; 束束 zhuāngshù

복식(複式) 图 1 复式 fùshì; 双式 shuāngshì 2 【體】= 복식 경기 ¶남녀 ~ 混合双打

복식 경:기(複式競技) 【體】双打 shuāngdǎ = 복식(複式)2

복식 호:흡(腹式呼吸) 【醫】腹式呼吸 fùshì hūxī; 腹部呼吸 fùbù hūxī

복싱(boxing) 图【體】= 권투

복안(腹案) 图 腹案 fù'àn ¶~을 다 세웠다 打好腹案

복약(服藥) 图하타 = 복용 ¶~ 지도 服用指导

복어(一魚) 图 【魚】河豚 hétún

복역(服役) 图하자 1 服兵役 fúbīngyì; 服役 fúyì 2 服刑 fúxíng ¶~ 기간 服刑期间 / 3년간 ~하다 服刑了三年

복용(服用) 图하타 服用 fúyòng; 服药 fúyào; 吃 chī; 服 fú; 内服 nèifú ¶복약 ¶매일 같은 시간에 한 알씩 ~하다 每天都在同一时间服用一顆

복원(復元·復原) 图하타 复原 fùyuán; 复元 fùyuán; 重建 chóngjiàn ¶~ 공사 重建工程 / 훼손된 문화재를 ~하다 复原残缺不全的文物

복위(復位) 图하자 复位 fùwèi

복음(福音) 图 1 喜讯 xǐxùn; 喜报 xǐbào; 好消息 hǎoxiāoxi 2 【宗】福音 fúyīn ¶~ 성가 福音歌曲 3 【宗】= 복음서

복음(複音) 图 【語】复音 fùyīn

복음-서(福音書) 图 【宗】福音书 fúyīnshū = 복음(福音)

복잡다단-하다(複雜多端一) 혭 错综复杂 cuòzōng fùzá; 复杂多端 fùzá duō-duān ¶복잡다단한 상황 错综复杂的情况

복잡-하다(複雜一) 혭 1 复杂 fùzá; 繁复 fánfù; 纷乱 fēnluàn; 纷杂 fēnzá; 纷繁 fēnfán ¶복잡한 인간관계 复杂的

人际关系 / 마음이 ~ 心绪纷乱 2 乱 luàn; 混乱 hùnluàn; 挤 jǐ; 拥挤 yōngjǐ 熙熙攘攘 xīxīrǎngrǎng ¶복잡한 대도시 熙熙攘攘的大城市

복장(腹臟) 图 胸膛 xiōngtáng; 心怀 xīnhuái; 胸 xiōng

복장(服裝) 图 = 옷차림

복제(複制) 图하타 复制 fùzhì; 盗版 dàobǎn; 翻印 fānyìn; 翻版 fānbǎn; 翻录 fānlù; 翻拍 fānpāi ¶불법 ~ 非法复制 / ~ 시디 盗版光盘 / ~ 품 复制品 =[盗版] / 자동차 열쇠를 ~하다 复制汽车钥匙

복-조리(福笊籬) 图【民】福笊籬 fúzhàolí

복종(服從) 图하자 服从 fúcóng; 服气 fúqì ¶~심 服从心 / 명령에 ~하다 服从命令

복중(腹中) 图 腹中 fùzhōng ¶~ 태아 腹中胎儿

복지(福祉) 图 福利 fúlì ¶~ 국가 福利国家 / 사업 福利事业 / ~ 사회 福利社会 / 시설 福利设施 / ~를 증진하다 增进福利

복직(復職) 图하자 复职 fùzhí; 复岗 fùgǎng ¶~ 신청서를 제출하다 提交复职申请 / 일부 퇴직한 직공들은 이미 ~했다 部分下岗职工已经复岗了

복창(復唱) 图하타 复诵 fùsòng; 重说 chóngshuō; 复诵 fùsòng ¶명령을 ~하다 复诵命令

복채(卜債) 图 算命费 suànmìngfèi; 占卜费 zhānbǔfèi; 算命酬金 suànmìng chóujīn

복통(腹痛) 图하타 1 腹痛 fùtòng; 肚痛 dùtòng; 肚子痛 dùzitòng; 肚子疼 dùziténg ¶~ 설사 腹痛腹泻 / ~이 심하다 肚子疼得厉害 2 可恨 kěhèn; 可气 kěqì; 冤枉 yuānwang ¶정말 ~할 노릇이다 真是冤枉

복판 图 正中 zhèngzhōng; 当中 dāngzhōng; 正当中 zhèngdāngzhōng; 中zhōng; 心 xīn; 当间儿 dāngjiānr; 中心 zhōngxīn ¶길 ~ 大街当中 / 마당 ~ 院子当间儿

복학(復學) 图하자 复学 fùxué ¶~생 复学生

복합(複合) 图하자타 复合 fùhé; 合成 héchéng; 混合 hùnhé ¶~ 영양제 复合营养剂 / ~ 명사 复合名词 / ~어 复合词 / 이것은 몇 가지 약재가 ~된 보약이다 这是几种药材复合的补药

복합-적(複合的) 쾜 复合(的) fùhé(de); 复合性 fùhéxìng; 多种 duōzhǒng ¶~ 문제 复合性问题 / ~인 원인 多种原因

복화-술(腹話術) 图 腹语术 fùyǔshù

볶다 타 1 炒 chǎo; 炮 bāo ¶커피를 ~ 炒咖啡 / 감자채를 ~ 炒土豆丝 2

折磨 zhémó; 折腾 zhēteng; 磨人 mórén; 磨 mó; 缠人 chánrén ¶날마다 식구들을 볶아 대다 天天折腾家人 **3** 烫 tàng ¶머리를 ~ 烫头发

볶아–치다 阻 紧催 jǐncuī; 磨人 mórén; 催逼 cuībī; 催促 cuīcù ¶그가 빚을 갚으라고 나를 볶아친다 他催逼我还债

볶–음 阅 炒 chǎo; 炒菜 chǎocài ¶~밥 炒饭 / 소고기 ~ 炒牛肉

볶–이다 困 **1** '볶다1'의 被动词 ¶가지가 덜 볶았다 茄子没有炒熟 **2** '볶다2'의 被动词 ¶아이에게 ~ 被孩子折腾

본¹(本) 阅 **1** = 본보기1 ¶아이에게 좋은 ~을 보이다 给孩子做一个好榜样 **2** 型 xíng; 样(儿) yàng(r); 纸样 zhǐyàng; 样板 yàngbǎn; 样本 yàngběn ¶바지의 ~을 뜨다 画裤子纸样 **3** 籍贯 jíguàn; 原籍 yuánjí ¶~이 다르다 籍贯不同

본²(本) 冠 本 běn; 这 zhè ¶~ 회의에서 在这会议 / ~ 사건 本事件

본–(本–) 接头 本 běn; 原 yuán ¶~뜻 原义 / ~고장 本地 / ~마음 本心

본가(本家) 阅 **1** 老家 lǎojiā **2** 娘家 niángjiā

본거–지(本據地) 阅 根据地 gēnjùdì = 근거지

본격(本格) 阅 正式 zhèngshì; 真正 zhēnzhèng; 正规 zhèngguī

본격–적(本格的) 冠 正式(的) zhèngshì(de); 真正(的) zhēnzhèng(de); 正规(的) zhèngguī(de) ¶~으로 더워지기 시작했다 真正热起来了 / ~으로 영어 공부를 시작하다 正式开始学习英语

본격–화(本格化) 阅 正规化 zhèngguīhuà; 正式化 zhèngshìhuà

본–고장(本–) 阅 本地 běndì; 本产地 běnchǎndì; 故乡 gùxiāng = 제고장 ¶영국은 축구의 ~이다 英国是足球的故乡

본과(本科) 阅【教】本科 běnkē ¶~생 本科生

본관(本貫) 阅 籍贯 jíguàn; 本籍 běnjí; 原籍 yuánjí

본관(本館) 阅 本馆 běnguǎn; 主楼 zhǔlóu ¶~ 3층 主楼三楼

본교(本校) 阅 **1** 总校 zhǔxiào; 总校 zǒngxiào ¶~와 분교 主校和分校 **2** 本校 běnxiào

본국(本國) 阅 本国 běnguó ¶그는 ~으로 돌아갔다 他回本国去了 **2** 宗主国 zōngzhǔguó **3** 此国 cǐguó

본–궤도(本軌道) 阅 **1** 主轨 zhǔguǐ **2** 正常轨道 zhèngcháng guǐdào; 正轨 zhèngguī ¶사업이 ~에 들어서다 生意进入正常轨道

본–남편(本男便) 阅 原夫 yuánfū; 前夫 qiánfū

본능(本能) 阅【生·心】本能 běnnéng ¶성적 ~ 性本能 / 动物의 ~ 动物本能 / ~을 억제하다 控制本能

본능–적(本能的) 冠 本能(的) běnnéng(de) ¶~인 욕구 本能欲求 / ~으로 느끼다 本能地感觉到

본당(本堂) 阅【宗】本堂 běntáng; 主教堂 zhǔjiàotáng

본데–없다 阅 没有见识 méiyǒu jiànshi; 没有礼貌 méiyǒu lǐmào ¶이것은 매우 본데없는 행동이다 这是一种很没有礼貌的行为 **본데없–이** 阅

본드(bond) 阅 黏着剂 niánzhuójì; 黏合剂 niánhéjì

본디(本–) 阅阅 原来 yuánlái; 本来 běnlái; 原本 yuánběn = 원래 ¶그는 ~ 착한 사람이다 他本来是个好人

본때(本–) 阅 榜样 bǎngyàng; 典范 diǎnfàn; 本领 běnlǐng; 本事 běnshì; 厉害 lìhai; 风度 fēngdù

본때(를) 보이다 阻 给人看看厉害

본–뜨다(本–) 阻 **1** 效仿 xiàofǎng; 仿照 fǎngzhào; 模仿 mófǎng; 仿效 fǎngxiào; 学习 xuéxí ¶형을 본떠 형이 하던 같은 일을 하다 弟弟效仿哥哥也做同样的事 **2** 仿 fǎng; 模仿 mófǎng; 仿造 fǎngzào; 摹 mó ¶남의 그림을 ~ 模仿别人的画

본래(本來) 阅阅 原来 yuánlái; 原本 yuánběn; 本来 běnlái ¶~의 모습 本来的样子 / ~는 말이 없는 사람이다 他本来就是不爱说话的人

본론(本論) 阅 本论 běnlùn; 正题 zhèngtí

본류(本流) 阅 **1**（河川的）干流 gānliú; 主流 zhǔliú **2** 主流 zhǔliú ¶문학의 ~ 文学的主流

본–마누라(本–) 阅 大老婆 dàlǎopo; 正房 zhèngfáng; 正室 zhèngshì; 元配 yuánpèi; 原配 yuánpèi

본–마음(本–) 阅 = 본심

본말(本末) 阅 本末 běnmò; 始末 shǐmò; 始终 shǐzhōng; 主次 zhǔcì

본말이 전도(顚倒)되다 阻 本末倒置

본명(本名) 阅 本名 běnmíng; 原名 yuánmíng; 真名 zhēnmíng

본–모습(本–) 阅 本来面目 běnlái miànmù; 原貌 yuánmào; 真相 zhēnxiàng; 原形 yuánxíng

본–무대(本舞臺) 阅 **1** 本舞台 běnwǔtái; 原舞台 yuánwǔtái **2** 主舞台 zhǔwǔtái

본문(本文) 阅 **1** 正文 zhèngwén ¶~내용 正文内容 **2** 原文 yuánwén; 本文 běnwén ¶주역의 ~과 해석 周易原文及解释

본-바탕(本一) 圐 底子 dǐzi; 本性 běnxìng; 本质 běnzhì

본-받다(本一) 囮 效法 xiàofǎ; 仿效 fǎngxiào; 师法 shīfǎ ¶모두가 본받을 만한 언행 值得大家效法的言行 / 이런 행위는 본받지 마라 这种行为别仿效

본-보기(本一) 圐 1 榜样 bǎngyàng; 模范 mófàn; 典范 diǎnfàn; 轨范 guǐfàn = 본(本)¹1 ¶나는 선생님을 내 삶의 ~로 삼으려 한다 我要把老师当作我人生的榜样 2 示范 shìfàn; 范例 fànlì; 典型 diǎnxíng ¶선진국의 하나의 ~ 发达国家的一个典型 3 样品 yàngpǐn; 样本 yàngběn; 样(儿) yàng(r); 样子 yàngzi

본봉(本俸) 圐 = 기본급

본부(本部) 圐 本部 běnbù; 本营 běnyíng; 总部 zǒngbù

본부-석(本部席) 圐 贵宾席 guìbīnxí

본-부인(本夫人) 圐 1 前妻 qiánqī; 原妻 yuánqī 2 大老婆 dàlǎopo; 正房 zhèngfáng; 正室 zhèngshì; 元配 yuánpèi; 原配 yuánpèi

본분(本分) 圐 本分 běnfèn ¶학생의 ~을 지키다 守学生的本分

본사(本社) 圐 1 总公司 zǒnggōngsī; 总店 zǒngdiàn 2 本公司 běngōngsī

본새(本一) 圐 1 长相 zhǎngxiàng 2 样子 yàngzi; 样(儿) yàng(r) = 式子 shìzi; 态度 tàidu; 作法 zuòfǎ

본색(本色) 圐 1 本色(儿) běnshǎi(r); 原色 yuánsè 2 本色 běnsè; 原形 yuánxíng; 本面目 běnmiànmù ¶~을 드러내다 露出本色

본선(本選) 圐 本选 běnxuǎn; 正式选拔 zhèngshì xuǎnbá ¶~에 진출하다 进入本选

본성(本性) 圐 本性 běnxìng; 禀性 bǐngxìng ¶그는 ~은 착하다 他本性善良

본심(本心) 圐 本心 běnxīn; 本意 běnyì; 意 yì; 真心 zhēnxīn; 真情 zhēnqíng = 본마음 · 본의 ¶~에서 우러나다 出于本心 / 그의 ~을 알아차리다 看出他的本心 /자신의 ~을 숨기다 隐藏自己的本意

본안(本案) 圐 1 主要事项 zhǔyào shìxiàng; 主项 zhǔxiàng 2 【法】 本案 běn'àn

본업(本業) 圐 本职 běnzhí; 本业 běnyè; 正业 zhèngyè

본연(本然) 圐하뒬헤부 本来 běnlái; 天然 tiānrán; 本然 běnrán; 自然 zìrán ¶~의 모습 本来面目

본원(本院) 圐 1 总院 zǒngyuàn ¶~과 분원 总院和分院 2 本院 běnyuàn

본위(本位) 圐 本位 běnwèi; 中心

zhōngxīn; 为主 wéizhǔ ¶고객 ~의 서비스 以顾客为主的服务 / ~ 제도 本位制 / ~ 화폐 本位货币 =[本币]

본의(本意) 圐 本心 ~ 아니게 폐를 끼쳤습니다 我无意中添了麻烦

본인(本人) 曰圐 本人 běnrén; 当事者 dāngshìzhě; 当事人 dāngshìrén; 正身 zhèngshēn ¶~의 의사를 존중하시 尊重本人的意见 曰때 本人 běnrén; 我自己 wǒ zìjǐ

본적(本籍) 圐 【法】 = 본적지

본적-지(本籍地) 圐 【法】 籍贯 jíguàn; 原籍 yuánjí = 본적

본전(本錢) 圐 本钱 běnqián; 本金 běnjīn; 本(儿) běn(r); 母金 mǔjīn ¶~도 못 건지다 连本钱都收不回来 / ~을 뽑다 收回本钱 / ~을 되찾다 得回本钱

본점(本店) 圐 1 总店 zǒngdiàn; 总行 zǒngháng 2 本店 běndiàn; 本行 běnháng

본제(本題) 圐 1 本题 běntí; 主题 zhǔtí 2 原题 yuántí

본지(本旨) 圐 1 主旨 zhǔzhǐ 2 本旨 běnzhǐ; 本趣 běnqù; 原旨 yuánzhǐ

본지(本誌) 圐 本报 běnbào; 本杂志 běnzázhì

본질(本質) 圐 本质 běnzhì; 实质 shízhì ¶~ 문제의 ~ 问题的本质

본질-적(本質的) 관圐 本质(的) běnzhì(de); 本质上 běnzhìshang ¶너의 생각과 나의 생각은 ~으로 다르다 你的想法跟我的想法本质上不同

본-채(本一) 圐 正房 zhèngfáng; 主楼 zhǔlóu; 正殿 zhèngdiàn

본처(本妻) 圐 大老婆 dàlǎopo; 正房 zhèngfáng; 正室 zhèngshì; 元配 yuánpèi; 原配 yuánpèi

본체(本体) 圐 1 (物体的) 本体 běntǐ; 主机 zhǔjī ¶컴퓨터의 ~ 电脑主机 / 내연 기관의 ~ 内燃机的本体 2 原貌 yuánmào; 真相 zhēnxiàng 3 【哲】 实体 shítǐ; 本体 běntǐ; 本质 běnzhì ¶우주의 ~ 宇宙的本质

본토(本土) 圐 1 本土 běntǔ 2 本地 běndì ¶미국 ~ 발음 美国本地口音

본토-박이(本土一) 圐 土著 tǔzhù; 本地人 běndìrén; 土生土长的 tǔshēngtǔzhǎngde = 토박이

본향(本鄕) 圐 本土 běntǔ; 本乡 běnxiāng; 故乡 gùxiāng; 乡土 xiāngtǔ

본회(本會) 圐 1 本会 běnhuì 2 = 본회의

본-회의(本會議) 圐 正式会议 zhèngshì huìyì; 全体会议 quántǐ huìyì = 본회2

볼¹ 圐 脸蛋(儿) liǎndàn(r); 脸蛋子 liǎndànzi; 面颊 miànjiá; 脸颊 liǎnjiá; 腮

뺨 sāi; 腮颊 sāijiá; 腮帮子 sāibāngzi ¶~
을 붉히며 수줍어하다 羞得脸颊通红

볼² 圀 (脚、鞋、袜等的) 肥瘦(儿) féi-
shòu(r); 宽 kuān ¶발의 ~이 넓다 脚面
肥

볼(ball) 图【體】(棒球的) 坏球 huàiqiú

볼-거리¹ 图 可看的 kěkànde; 可看的
东西 kěkànde dōngxi; 看头儿 kàntour;
热闹(儿) rènao(r) ¶이곳에는 ~가 아
주 많다 这里有很多可看的东西

볼-거리² [韓醫] 痄腮 zhàsai

볼그레-하다 圈 淡红 dànhóng; 浅红
qiǎnhóng; 稍红 shāohóng

볼그스름-하다 圈 = 볼그레하다

볼그스름-하다 圈 淡红 dànhóng; 浅
红 qiǎnhóng; 稍红 shāohóng = 볼그
스레하다 ¶볼그스름한 뺨 浅红的面颊

볼:기 图 臀部 túnbù; 屁股 pìgu; 屁股
蛋儿 pigudànr; 屁股蛋子 pìgudànzi ¶
~를 치다 打屁股

볼:기-짝 图 '볼기'의 鄙称

볼-따구니 图 '볼'의 鄙称 = 볼때기

볼-때기 图 = 볼따구니

볼록 [부하자타] 鼓鼓囊囊 gǔgunāng-
nāng; 鼓鼓 gǔgǔ; 凸 tū; 凸出 tūchū;
一鼓 yīgǔ ¶그의 주머니가 ~하다 他
的衣袋鼓鼓的

볼록-거리다 [자타] 鼓鼓 gǔgǔ; 鼓鼓囊
囊 gǔgunāngnāng = 볼록대다 볼록-볼
록 [부하자타]

볼록 거울 [物] 凸镜 tūjìng; 凸面镜
tūmiànjìng

볼록 렌즈(—lens) 【物】凸透镜 tū-
tòujìng; 放大镜 fàngdàjìng

볼륨(volume) 图 1 体积 tǐjī; 体积感
tǐjīgǎn ¶머리에 ~을 주다 让头发有体
积 2 音量 yīnliàng; 响度 xiǎngdù ¶~
을 줄이다 降低音量 / ~을 높이다 提
高音量 3 声量 shēngliàng = 성량 4
[美] 量感 liànggǎn

볼링(bowling) 图【體】保龄球 bǎo-
língqiú ¶~공 保龄球 / ~장 保龄球场
=[保龄球馆]

볼만-하다 圈 值得一看 zhíde yīkàn;
可观 kěguān; 可看 kěkàn ¶볼만한 영
화 值得一看的电影

볼-메다 圈 赌气 dǔqì; 气呼呼 qìhū-
hū; 气鼓鼓 qìgǔgǔ; 气哼哼 qìhēng-
hēng

볼멘-소리 图 赌气的话 dǔqìde huà;
生气的口气 shēngqìde kǒuqì

볼모 图 1 低押品 dīyāpǐn 2 人质 rén-
zhì ¶~를 잡다 扣留人质 = 인질

볼썽 图 外貌 wàimào; 外表 wàibiǎo;
样子 yàngzi

볼썽-사납다 圈 (外表) 难看 nánkàn;
不体面 bùtǐmiàn

볼-일 图 1 事(儿) shì(r); 要做的事
yàozuòde shì; 要办的事 yàobànde shì
= 용건 · 용무 ¶~을 처리하다 办好
要办的事 / ~이 있어서 잠깐 나갔다
오겠습니다 我有事要出去一下 2 解手
jiěshǒu; 上一号 shàngyīhào

볼트(bolt) 图【工】螺栓 luóshuān =
수나사

볼트(volt) 의량【物】伏特 fútè; 伏打
fúdǎ; 伏 fú

볼-펜(ball pen) 图 圆珠笔 yuánzhū-
bǐ; 原子笔 yuánzǐbǐ

볼-품 图 外观 wàiguān; 外貌 wài-
mào; 样子 yàngzi; 外表 wàibiǎo; 看头
儿 kàntour

볼품-없다 圈 粗陋 cūlòu; 没样子
méiyàngzi; 其貌不扬 qímàobùyáng; 不
成样子 bùchéngyàngzi; 没有什么看头
儿 méiyǒu shénme kàntour ¶이 구두는
정말 ~ 这双鞋实在没有什么看头儿
볼품없-이 튀

봄 图 春天 chūntiān; 春 chūn; 春季
chūnjì ¶~갈이 春耕 / ~기운 春色 / ~
나들이 春游 / ~날 春天 / ~볕 春光 /
~방학 春假 / ~비 春雨 / ~옷 春装 /
~철 春天

봄-눈 图 春雪 chūnxuě = 춘설

봄-맞이 图[하자] 迎春 yíngchūn ¶~
대청소 迎春大扫除

봄-바람 图 春风 chūnfēng = 춘풍 ¶
~이 솔솔 불다 春风习习

봇-물(洑—) 图 水池里的水 shuǐchílǐ-
de shuǐ; 蓄水池的水 xùshuǐchíde shuǐ
= 보(洑)2

봇-짐(褓—) 图 包袱 bāofu; 包裹 bāo-
goǒ; 小行李 xiǎoxínglǐ

봉(棒) 图 1 棍 gùn; 棍子 gùnzi; 棒子
bàngzi; 棒 bàng 2 【體】棍棒 gùnbàng;
杆(儿) gān(r); 杆子 gānzi

봉(封) 图 1 纸包 zhǐbāo 2 袋(儿) dài-
(r); 包 bāo; 封 fēng ¶가루약 세 ~ 三
袋面儿药

봉-(鳳) 图 1 = 봉황 2 凤 fèng 3 冤
大头 yuāndàtou; 大头 dàtou ¶~으로
삼다 拿大头

봉건(封建) 图【史】封建 fēngjiàn ¶~
국가 封建国家 / ~사상 封建思想 /
~사회 封建社会 / ~시대 封建时代 /
~제도 封建制度 / ~주의 封建主义

봉건-적(封建的) 괸튐 有封建性(的) yǒufēng-
jiànxìng(de); 封建(的) fēngjiàn(de) ¶~
통치 사상 封建的统治思想

봉급(俸給) 图 工资 gōngzī; 薪水 xīn-
shuǐ; 薪金 xīnjīn; 工薪 gōngxīn; 工钱
gōngqián; 薪资 xīnzī; 薪棒 xīnfèng;
薪 xīn ¶~날 发薪日 / ~을 주다 发薪
水 / ~을 받다 受工资

봉:급생활-자(俸給生活者) 图 工薪族

gōngxīnzú; 工薪阶层 gōngxīn jiēcéng = 샐러리맨

봉급-쟁이(俸給—) 圀 '봉급생활자'의 卑称

봉긋 튀형 冒尖(儿) màojiān(r); 满满(的) mǎnmǎn(de); 鼓鼓(的) gǔgǔ(de) ¶밥을 공기에 ~하게 담았다 碗里的饭盛得冒尖儿了

봉기(蜂起) 圀하재 蜂起 fēngqǐ; 起义 qǐyì; 暴动 bàodòng; 群起 qúnqǐ ¶농민 ~가 발생하다 农民起义发生

봉-독(奉讀) 圀하태 奉读 fèngdú; 拜读 bàidú; 敬读 jìngdú ¶성경을 ~하다 奉读圣经

봉변(逢變) 圀하재 骚扰 sāorǎo; 遭殃 zāoyang ¶지하철에서 ~을 당하다 在地铁上遭骚扰

봉분(封墳) 圀하태 坟堆 fénduī; 坟包 fénbāo; 坟丘 fénqiū

봉:사 圀 盲人 mángrén

봉:사(奉仕) 圀하재 服务 fúwù; 效力 xiàolì; 贡献 gòngxiàn; 奉献 fèngxiàn ¶~ 정신 奉献精神 / ~료 服务费 / 자원 ~ 义务服务 / ~자 服务人员 / 사회 ~ 활동 社会公益活动 / 국민을 위해 ~하다 为国民服务

봉:선-화(鳳仙花) 圀 植 凤仙花 fèngxiānhuā; 指甲花 zhǐjiǎhuā; 小桃红 xiǎotáohóng = 봉숭아

봉송(奉送) 圀하태 奉送 fèngsòng; 运送 yùnsòng; 拖运 tuōyùn; 传递 chuándì ¶성화를 ~하다 传递圣火

봉쇄(封鎖) 圀하태 封锁 fēngsuǒ; 围堵 wéidǔ; 封闭 fēngbì ¶모든 출입구를 ~하다 封闭所有出入口

봉:숭아 圀 植 = 봉선화

봉:안(奉安) 圀하태 安置 ānzhì; 供奉 gòngfèng ¶위패를 ~하다 供奉牌位

봉:양(奉養) 圀하태 奉养 fèngyǎng; 侍养 shìyǎng; 供养 gòngyǎng ¶시부모님을 ~하다 侍奉公婆

봉오리 圀 植 = 꽃봉오리

봉우리 圀 = 산봉우리

봉인(封印) 圀하재 封印 fēngyìn ¶~한 편지 봉투 封印的信笺

봉제(縫製) 圀하태 缝制 féngzhì; 缝纫 féngrèn ¶~ 인형 缝纫娃娃 / 완구 ~ 缝制玩具 / ~ 공장 缝纫厂 / ~품 缝制品

봉지(封紙) 圀 1 袋子 dàizi; 袋(儿) dài(r) ¶비닐 ~ 塑料袋 / 쓰레기 ~ 垃圾袋 / 사과를 ~에 담다 把苹果装到袋子里 2 包(儿) bāo(r); 封 fēng; 袋(儿) dài(r) ¶라면 한 ~ 一包方便面 / 사탕 두 ~ 两包糖果

~하다 遭遇关难 / 위기에 ~하다 遭遇危机 / 돌발적인 사건에 ~하다 碰上突发事件

봉창(封窗) 圀 封窗户 fēngchuānghù 2 建 小纸窗 xiǎozhǐchuāng

봉:축(奉祝) 圀하태 庆祝 qìngzhù; 庆贺 qìnghè ¶부처님 오신 날 ~ 행사 佛诞节庆祝大会

봉투(封套) 圀 封套 fēngtào; 信封 xìnfēng; 袋 dài ¶서류 ~ 文件袋 / 편지 ~ 信封 / 월급 ~ 工资袋 / 종이 ~ 纸袋

봉-하다[1](封—) 圀 1 (把物体) 封 fēng; 封闭 fēngbì; 密封 mìfēng; 封口 fēngkǒu ¶병 아가리를 ~ 封瓶口 嘴 bìzuǐ; 闭口 bìkǒu; 封口 fēngkǒu 2 입을 봉하고 아무 것도 말하지 않다 封口什么都不说 3 史 分封 fēnfēng; 封爵 fēngjué; 册封 cèfēng; 封拜 fēngbài

봉-하다[2] 태 (帝王) 加封 jiāfēng; 封 fēng ¶그를 세자로 ~ 封他为太子

봉함(封緘) 圀하태 封缄 fēngjiān ¶~ 엽서 封缄信片

봉합(封合) 圀하태 封合 fēnghé

봉합(縫合) 圀하태 醫 缝合 fénghé ¶상처를 ~하다 缝合伤口

봉:헌(奉獻) 圀하태 奉献 fèngxiàn ¶~ 기도 奉献祈祷

봉화(烽火) 圀 史 烽火 fēnghuǒ; 烽烟 fēngyān ¶~대 烽火台

봉:황(鳳凰) 圀 凤凰 fènghuáng; 凤 fèng = 봉(鳳)·봉황새

봉:황-새(鳳凰—) 圀 = 봉황

봐:-주다 태 '보아주다'의 略词

뵈:다 태 看望 kànwàng; 拜见 bàijiàn; 见到 jiàndào; 拜访 bàifǎng; 谒见 yèjiàn ¶여러분을 뵈니 아주 기쁩니다 看望大家, 我很高兴 / 선생님을 뵈러 오다 赶来拜见老师

뵙:다 태 看望 kànwàng; 拜见 bàijiàn; 见到 jiàndào; 拜访 bàifǎng; 谒见 yèjiàn ¶장인어른을 ~ 拜见岳父大人 / 뵙게 되어 영광입니다 很高兴见到你

부(部) [1]圀 部 bù ¶각 ~의 장관들 各部部长 [2]의 1 幕 mù ¶콘서트 제1 ~가 곧 끝나다 演唱会第一幕即将结束 2 份 fèn; 册 cè; 部 bù; 本 běn ¶소설 십여 ~ 十多部小说

부:(富) 圀 财富 cáifù ¶~를 축적하다 积累财富

부-(不) 젭투 不 bù ¶~도덕 不道德 / ~자유 不自由 / ~적절 不妥当

부-(副) 젭투 副 fù ¶~사장 副经理 / ~교수 副教授 / ~회장 副董事长 / ~반장 副班长 / ~국장 副局长 / ~시장 副市长

-부(附) 젭미 1 起 qǐ; 从…起 cóng…

기 ¶나는 오늘~로 정식 당원이 되었다 从今天起我是一名党员 **2** 有 yǒu ¶조건~ 有条件的 / 시한~ 有时间限制的

부:가(附加) 图하타 附加 fùjiā; 增加 zēngjiā; 增 zēng ¶~세 附加税 / 기능 附加功能 가치 附加功能

부각 图 油炸海带 yóuzhá hǎidài

부각(浮刻) 图하자타 **1** 刻画 kèhuà; 凸现 tūxiàn ¶이미지를 ~하다 形象刻画 **2** 出现 chūxiàn; 露出 lòuchū; 显出 xiǎnchū; 抬头 táitóu; 成为 chéngwéi ¶그의 정치상의 업적과 재능이 비로소 ~되다 才显出他的政绩和才能 **3** [美] 浮雕 fúdiāo

부:강(富强) 图하图 富强 fùqiáng ¶~한 나라가 되다 成为富强的国家

부:검(剖檢) 图하타 剖检 pōujiǎn; 检尸 jiǎnshī; 验尸 yànshī ¶시체를 ~하다 剖检尸体

부:결(否決) 图하타 否决 fǒujué ¶이번 방안은 ~되었다 这次方案被否决了

부계(父系) 图 父系 fùxì; 父辈 fùbèi ¶~ 사회 父系社会 / ~ 가족 父系家族

부:고(訃告) 图하타 讣告 fùgào; 讣闻 fùwén; 丧 sāng ¶~를 내다 发丧 / ~를 받다 接到讣告

부:과(賦課) 图하타 **1** 赋 fù; 课 kè ¶수입품에 세금을 ~하다 对进口品课税 **2** 委 wěi; 交给 jiāogěi ¶그에게 중임을 ~하다 委他重任

부:관(副官) 图[軍] 副官 fùguān

부교(浮橋) 图 浮桥 fúqiáo

부:국(富國) 图하图 富国 fùguó ¶~강병 富国强兵

부군(夫君) 图 夫君 fūjūn

부군(府君) 图 府君 fǔjūn

부권(父權) 图 父权 fùquán

부:귀(富貴) 图하图 富贵 fùguì ¶~공명 富贵功名 / ~영화 富贵荣华 =[荣华富贵]

부:근(附近) 图하타图 附近 fùjìn; 近前 jìnqián; 近旁 jìnpáng; 近处 jìnchù ¶우리집 ~ 我家附近 / 공항 ~의 마을 机场附近的村庄

부글-거리다 因 **1** (液体) 咕嘟咕嘟地沸腾 gūdūdūde fèiténg; 滚沸 gǔnfèi **2** (心里) 忐忑不安 tǎntèbù'ān; 沸扬 fèiyáng ¶속이 ~ 心情沸扬 ¶= 부글대다 부글-부글 부

부:금(賦金) 图 分期付款 fēnqī fùkuǎn ¶보험 ~ 保险分期付款

부기(浮氣) 图[韓醫] 浮肿 fúzhǒng; 肿胀 zhǒngzhàng ¶얼굴에 ~가 있다 脸上浮肿 / ~를 빼다 消除浮肿

부:기(簿記) 图[經] 簿记 bùjì

부끄러움 图 羞耻 xiūchǐ; 害羞 hàixiū;

害臊 hàisào; 惭愧 cánkuì ¶~을 모르다 不知害羞 / ~을 느끼다 感到羞耻 / 그녀는 ~을 잘 탄다 她好害羞

부끄러워-하다 日困 害羞 hàixiū; 害臊 hàisào; 怕臊 pàsào; 怕臊 pàxiū; 羞怯 xiūqiè; 羞臊 xiūsào ¶이 아이는 낯선 사람을 보면 부끄러워한다 这孩子一见生人就害羞 二타 (为某事) 感到羞耻 gǎndào xiūchǐ; 害羞 hàixiū; 惭愧 cánkuì; 羞惭 xiūcán ¶가난을 ~ 为贫穷感到羞耻

부끄럽다 图 **1** 惭愧 cánkuì; 羞耻 xiūchǐ; 丢脸 diūliǎn; 寒碜 hánchen; 羞愧 xiūkuì; 不好意思 bùhǎoyìsi; 愧心 kuìxīn ¶나를 부끄럽게 만들지 마라 不要给我丢脸 **2** 害羞 hàixiū; 害臊 hàisào; 怕臊 pàsào; 羞羞 xiū xiū ¶그녀는 부끄러워서 얼굴이 새빨개졌다 她羞得满脸通红

부녀(父女) 图 父女 fùnǚ

부녀(婦女) 图 = 부녀자 ¶~회 妇女会

부녀-자(婦女子) 图 妇女 fùnǚ; 女性 nǚxìng ¶= 부녀(婦女)

부:농(富農) 图 富农 fùnóng

부닥-치다 因 **1** 撞 zhuàng; 碰 pèng; 撞击 zhuàngjī; 冲击 chōngjī; 冲撞 chōngzhuàng; 撞上 zhuàngshàng; 碰上 pèngshàng ¶배가 빙산에 ~ 轮船撞上冰山 **2** 面临 miànlín; 遇到 yùdào; 碰到 pèngdào; 遭遇 zāoyù ¶난관에 ~ 面临难关

부단-하다(不斷) 图 不断 bùduàn; 不懈 bùxiè; 不歇 bùxiē ¶부단한 노력 不懈的努力 **부단-히** 图 ~ 노력하다 不懈地努力

부:담(負擔) 图하타 负担 fùdān; 担负 dānfù; 拖累 tuōlěi ¶~감 负担感 / ~금 负担款 / ~이 없다 没负担 ¶~을 덜다 减轻负担 / 심리적인 ~이 매우 크다 心理负担很大 / 비용은 ~ 하다 负担费用

부:담-스럽다(負擔—) 图 感到负担 gǎndào fùdān; 为难 wéinán; 有负担 yǒufùdān; 不舒服 bùshūfu; 有压力 yǒuyālì; 不轻松 bùqīngsōng ¶부담스러운 아주 ~ 这个任务很不轻松 / 부담스러워 하지 마라! 你不要有负担! **부:담스레** 图

부당(不當) 图하图하图 不当 bùdāng; 不妥 bùtuǒ; 不正当 bùzhèngdāng; 不妥当 bùtuǒdàng; 不合理 bùhélǐ ¶~한 판결 不当的判决 / ~ 행위 不当行为 / ~ 해고 不正当解雇 / ~한 이익을 꾀하다 谋取不正当利益

부:대(附帶) 图하타 附带 fùdài; 附加 fùjiā ¶~조건 附带条件 / ~ 비용 附带费用 / ~ 시설 附带设施

부:대(負袋) 명 袋子 dàizi; 包 bāo; 袋 dài = 포(包)·포대(包袋) ¶밀가루 ~ 面粉袋

부대(部隊) 명 1 【軍】部队 bùduì ¶포병 ~ 炮兵部队 2 队 duì; 团 tuán; 队伍 duiwu ¶응원 ~ 拉拉队

부대끼다 짜 1 被折磨 bèizhémo; 被折腾 bèizhēteng; 受苦 shòukǔ ¶아이들에게 ~ 被孩子折腾 2 消化不良 xiāohuà bùliáng; 不舒服 bùshūfu

부대-장(部隊長) 명 【軍】部队长 bùduìzhǎng; 部队首长 bùduì shǒuzhǎng

부대-찌개(部隊一) 명 部队汤 bùduì tāng; 火腿汤 huǒtuǐtāng

부덕(不德) 명 无德 wúdé; 无修养 wúxiūyǎng ¶~의 소치 无德所致

부도(不渡) 명 【經】拒绝兑付 jùjué duìfù; 拒付 jùfù ¶~ 수표 拒付银票

부:도(附圖) 명 附图 fùtú; 附表 fùbiǎo ¶지리 ~ 地理附图

부도-나다(不渡一) 짜 拒付 jùfù; 倒闭 dǎobì; 破产 pòchǎn ¶부도난 회사 倒闭的企业

부도-내다(不渡一) 타 拒付 jùfù; 倒闭 dǎobì; 破产 pòchǎn

부동(不動) 명하자 1 不动 bùdòng; 固定 gùdìng; 静止 jìngzhǐ ¶~자세 固定姿势 2 不动摇 bùdòngyáo; 坚定 jiāndìng; 坚持 jiānchí ¶~의 신념 坚定的信念

부동(浮動) 명하자 1 浮动 fúdòng; 浮游 fúyóu 2 流动 liúdòng; 浮动 fúdòng ¶~ 인구 流动人口 / ~ 자금 浮动资金

부동-산(不動産) 명 【法】不动产 bùdòngchǎn; 房地产 fángdìchǎn; 恒产 héngchǎn; 房产 fángchǎn ¶~ 투자 不动产投资 / ~ 투기 房地产投机 / ~업 房地产业 / ~ 소득 房地产收入

부동-액(不凍液) 명 【化】防冻液 fángdòngyè

부동-표(浮動票) 명 浮动选票 fúdòng xuǎnpiào; 不定选票 bùdìng xuǎnpiào; 浮动票 fúdòngpiào

부동-항(不凍港) 명 不冻港 bùdònggǎng

부두(埠頭) 명 码头 mǎtou; 埠头 bùtóu; 船埠 chuánbù

부둣-가(埠頭一) 명 码头边 mǎtoubiān; 码头附近 mǎtou fùjìn

부둥켜-안다 타 (紧紧地) 抱住 bàozhù; 拥抱 yōngbào; 紧抱 jǐnbào; 搂住 lǒuzhù; 搂抱 lǒubào ¶서로 부둥켜안고 입을 맞추다 相互搂抱亲吻

부드럽다 형 1 (表面) 柔软 róuruǎn; 柔和 róuhé; 柔嫩 róunèn; 柔腻 róunì; 柔润 róurùn; 柔滑 róuhuá; 细嫩 xìnèn; 细腻 xìnì; 软乎乎 ruǎnhūhū ¶부드러운 옷감 柔软的布料 2 (性格·态度·声音) 温柔 wēnróu; 柔顺 róushùn; 温厚 wēnhòu; 文静 wénjìng; 温暖 wēnnuǎn; 委婉 wěiwǎn; 和蔼 hé'ǎi; 柔和 róuhé ¶부드러운 마음씨 温厚的心底 / 말씨가 ~ 话语温柔

부득-부득 부 执拗 zhíniù; 执着 zhízhuó; 固执 gùzhí; 执意 zhíyì; 坚持 jiānyì ¶~ 우기다 执意坚持

부득불(不得不) 부 不得不 bùdébù; 只好 zhǐhǎo; 只得 zhǐdé; 无奈 wúnài 无可奈何 wúkěnàihé; 无奈何 wúnàihé ¶~ 사직하게 되었다 不得不辞职了

부득이(不得已) 부 不得已 bùdéyǐ; 无可奈何 wúkěnàihé; 无奈 wúnài 迫不得已 pòbùdéyǐ ¶~한 상황 不得已的情况

부들 명 【植】香蒲 xiāngpú

부들-거리다 짜 哆嗦 duōsuo; 战抖 zhàndǒu; 颤抖 chàndǒu; 战栗 zhànlì = 부들대다 ¶부들-부들 부하자타

부등-식(不等式) 명 【數】不等式 bù děngshì

부등-호(不等號) 명 【數】不等号 bù děnghào

부:디 부 千万 qiānwàn; 务必 wùbì; 一定 yīdìng; 切切 qièqiè; 但愿 dànyuàn; 切 qiè ¶~ 몸조심하세요 请务必注意身体 / ~ 빨리 돌아오시기 바랍니다 但愿你能早日回来

부딪다 짜타 碰 pèng; 冲击 chōngjī; 碰撞 pèngzhuàng; 冲撞 chōngzhuàng; 碰到 pèngdào; 撞 zhuàng; 撞击 zhuàngjī; 触动 chùdòng

부딪-치다 짜타 1 '부딪다'의 강조어 2 (和别人) 碰撞 pèng; 碰见 pèngjiàn; 遇见 zhuàngjiàn 3 顶撞 dǐngzhuàng; 抵触 dǐchù ¶부모와 ~ 和父母顶撞 4 见 jiàn; 见面 jiànmiàn; 对面 duìmiàn

부딪-히다 짜 1 '부딪다'의 피동어 2 面临 miànlín; 遇到 yùdào; 碰到 pèngdào; 遭遇 zāoyù ¶냉혹한 현실에 ~ 面临冷酷的现实

부뚜막 명 锅台 guōtái; 灶头 zàotou; 炉台 lútái

부라리다 타 瞪 dèng; 睁大 zhēngdà ¶눈을 부라리며 대들다 瞪着眼睛顶嘴

부락(部落) 명 村落 cūnluò; 部落 bùluò; 聚落 jùluò; 村子 cūnzi; 村庄 cūnzhuāng

부랑(浮浪) 명하자 浮浪 fúlàng; 流浪 liúlàng; 浪荡 làngdàng; 流荡 liúdàng; 漂游 piāoyóu; 漂流 piāoliú ¶~자 流浪者

부랴-부랴 부 急忙 jímáng; 急急忙忙 jíjímángmáng; 匆忙 cōngmáng; 匆匆忙忙 cōngcōngmángmáng; 紧急 jǐnjí ¶~ 병원으로 가다 急急忙忙赶到医院 / 회

의가 끝나자마자 그는 ~ 떠났다 会议
一结束, 他匆匆忙忙就走

부러-뜨리다 [타] 打断 dǎduàn; 折断
折断 zhéduàn; 撅断 juēduàn; 弄断
nòngduàn; 攀折 pānzhé; 摧折 cuīzhé ¶
누가 내 연필을 부러뜨렸느냐? 谁弄
断了我的铅笔?

부러워-하다 [타] 羨慕 xiànmù ¶사람
들이 부러워하는 직업 令人羨慕的职
业

부러-지다 [자] **1** 断 duàn; 折 zhé; 折
断 zhéduàn ¶나뭇가지가 강풍에 부러
졌다 树枝被大风折断了 **2** 断然 duàn-
rán; 坚决 jiānjué; 清楚 qīngchu; 明显
míngxiǎn ¶우물거리지 말고 뚜 부러지
게 말해라 你不要吞吞吐吐, 就说得清
楚吧

부럽다 [형] 羨慕 xiànmù ¶나는 그가 정
말 ~ 我真羨慕他

부레 [명] **1** 〔动〕鳔 biào; 鱼鳔 yúbiào;
鱼白 yúbái **2** = 부레풀

부레-풀 [명] 鱼胶 yújiāo; 鳔胶 biàojiāo
= 부레2·어교

부력(浮力) [명] 〔物〕浮力 fúlì

부:-록(附録) [명] **1** 附录 fùlù; 附页 fù-
yè **2** 〔刊物的〕附录 fùlù ¶附录 fùlù **2**〔刊物的〕附录 fùlù
附册 fùcè; 附刊 fùkān ¶별책 ~ 附册
分册

부루퉁-하다 [형] 气呼呼 qìhūhū; 气鼓
鼓 qìgǔgǔ; 闹性子 nàoxìngzi **부루퉁-
히** [부]

부류(部類) [명] 部类 bùlèi; 种类 zhǒng-
lèi; 类 lèi; 类型 lèixíng; 种 zhǒng ¶같
은 ~에 속하다 属于同类 / 나는 이런
~의 남자를 제일 싫어한다 我最讨厌
这种人

부르다¹ [타] **1** 叫 jiào; 呼 hū; 唤 huàn;
喊 hǎn; 呼叫 hūjiào; 招呼 zhāohu; 呼
喊 hūhǎn; 呼唤 hūhuàn ¶그를 큰 소리
로 ~ 大声叫他 **2** 点 diǎn; 叫 jiào 喜
석을 ~ 点名 **3** 唱 chàng ¶노래를 ~
唱歌 **4**〔价格〕要 yào; 开 kāi; 讨 tǎo;
喊 hǎn; 叫 jiào ¶값을 너무 높게 ~
讨价太高 叫唤 jiàohuan; 喊 hǎn 叫
唤 hūhuàn ¶만세를 ~ 喊万岁 **6** 召唤
zhàohuàn; 呼唤 hūhuàn ¶조국이 우리
를 부르고 있다 祖国在呼唤我们 **7**〔情
况〕招 zhāo; 招来 zhāolái ¶화를 ~ 招
祸 **8** 请 qǐng; 邀请 yāoqǐng; 聘请 pìn-
qǐng; 约 yuē ¶손님을 ~ 请客 **9** 称为 chēngwéi; 叫做
jiàozuò; 称 chēng; 称做 chēngzuò; 谓
wèi; 叫 jiào ¶나는 그를 삼촌이라고 부
른다 我叫他叔叔

부르다² [형] **1** 饱 bǎo ¶배가 심하게 ~
肚子饱得不得了 **2** 鼓 gǔ; 胀 zhàng

부르르 [부][하] **1** 哆嗦哆嗦 duōduosuō-
suō; 哆嗦嗦 duōsuōsuō ¶온몸이 ~ 떨

리다 全身哆哆嗦嗦地发抖 **2** 〔火〕呼呼
hūhū **3** 咕嘟咕嘟 gūdūgūdū; 咕噜咕噜
gūlūgūlū; 噗噜噜 pūlūlū; 啵啵 bōbō **4**
〔气〕冲冲 chōngchōng

부르릉 [부] 隆隆 lónglóng; 轰隆 hōng-
lóng; 咚咚 dōngdōng; 咕隆 gūlóng ¶차
가 ~ 시동을 걸다 车子隆隆发动

부르릉-거리다 [자] 隆隆响 lónglóng
xiǎng; 咚咚响 dōngdōng xiǎng = 부르
릉대다 **부르릉-부르릉** [부][하][자]

부르주아(프bourgeois) [명] 〔社〕资产
阶级分子 zīchǎn jiējí fènzǐ; 资本家 zī-
běnjiā; 有产者 yǒuchǎnzhě; 布尔乔亚
bù'ěrqiáoyà

부르-짖다 [자] **1** 大声大叫 dàshēngdà-
jiào; 大声疾呼 dàshēngjíhū; 呼叫 hū-
jiào; 喊叫 hǎnjiào; 叫喊 jiàohǎn; 高呼
gāohū; 呼吁 hūyù; 叫喊 hǎn; 嚷
rǎng ¶구호를 ~ 呼喊口号 **2** 诉说 sù-
shuō; 呼号 hūhào; 主张 zhǔzhāng; 宣
扬 xuānyáng; 述说 shùshuō ¶애국심을
~ 宣扬爱国精神

부르트다 [자] 起泡 qǐpào; 打泡 dǎpào
¶입이 부르트도록 말하다 说得嘴角起
泡

부름 [명] 召唤 zhàohuàn; 传唤 chuánhuàn; 召
唤 zhàohuàn; 号召 hàozhào; 应召
yìngzhào

부릅뜨다 [타] 瞪 dèng; 圆睁 yuánzhēng
¶눈을 부릅뜨고 보지 마라 你甭瞪我
瞪眼睛

부리 [명] **1**〔鸟兽的〕嘴 zuǐ; 喙 huì; 鸟
嘴 niǎozuǐ ¶새가 ~로 사람을 쪼다 鸟
用嘴啄人 **2**〔物体的〕头(儿) tóu(r); 尖
(儿) jiān(r); 尖端 jiānduān **3**〔器物的〕
口(儿) kǒu(r); 嘴(儿) zuǐ(r) ¶주전자
~ 水壶嘴

부리나케 [부] 急急忙忙 jíjímángmáng;
急忙 jímáng; 火速 huǒsù; 快速 kuài-
sù; 急速 jísù ¶숙제를 마치자 ~ 달려
갔다 做完作业急忙跑去

부리다¹ [타] **1** 使 shǐ; 使役 shǐyì; 驱使
qūshǐ; 劳役 láoyì; 使唤 shǐhuàn; 役
使 yìshǐ; 驱遣 qūqiǎn; 役 yì ¶하인을
~ 使唤下人 / 종처럼 그를 부려 먹다
像奴仆般地驱使他 **2** 驾御 jiàyù; 操
纵 cāozòng; 驾驶 jiàshǐ ¶기계를 ~ 操
纵机器 **3** 卸 xiè; 卸下 xièxia ¶짐을 ~
卸货

부리다² [타] **1** 玩 wán; 玩弄 wánnòng;
耍弄 shuǎnòng; 施展 shīzhǎn; 显 xiǎn;
表现 biǎoxiàn; 要耍 shuǎ ¶수작을 ~ 玩
手段 **2** 闹 nào; 弄 nòng; 撒 sā; 惹起
rěqǐ ¶성질을 ~ 闹脾气 / 애교를 ~
撒娇

부리-부리 [명][하] 又大又圆 yòudà-
yòuyuán; 炯炯有神 jiǒngjiǒng yǒushén ¶
그는 눈이 ~하다 他的眼睛又大又圆

부:마(駙馬) 명 【史】 駙馬 fùmǎ; 국빈
guóxù

부메랑(boomerang) 명 飞镖 fēibiāo
¶~ 효과 飞镖效能

부모(父母) 명 父母 fùmǔ; 爹妈 diēmā;
爹娘 diēniáng; 二老 èrlǎo ¶양가 ~ 两
家父母 / ~를 공경하다 恭敬父母

부모-님(父母~) 명 '부모'의 敬词

부:목(副木) 명 【醫】夹板 jiābǎn ¶~
을 대다 上夹板

부문(部門) 명 部门 bùmén; 方面 fāng-
miàn; 部分 bùfen; 门 mén

부:본(副本) 명 副本 fùběn

부부(夫婦) 명 夫妻 fūqī; 夫妇 fūfù;
两口子 liǎngkǒuzi; 一对儿 yīduìr; 鸾
凤 luánfèng = 내외² ¶~ 관계 夫妻关
系 / ~ 싸움 夫妻吵架 / 맞벌이 ~ 双
职工夫妇 / ~애 夫妻之爱

부부-간(夫婦間) 명 = 내외간

부분(部分) 명 部分 bùfen; 局部 júbù;
环节 huánjié; 地方 dìfang; 片段 piàn-
duàn; 份 fèn ¶~ 조명 局部照明 / 이
말에는 틀린 ~이 있다 这话有不对的
地方

부분 월식(部分月蝕) 【天】月偏食 yuè-
piānshí

부분 일식(部分日蝕) 【天】日偏食 rì-
piānshí

부분-적(部分的) 관형 局部(的) júbù-
(de); 部分(的) bùfen(de); 片 piàn ¶~
인 현상 部分现象 / ~으로 실행하다
部分实行

부:사(副詞) 명 【語】副词 fùcí

부:사-어(副詞語) 명 【語】状语
zhuàngyǔ

부산(하다) (한다) (히부) 乱 luàn; 忙乱 máng-
luàn; 手忙脚乱 shǒumángjiǎoluàn; 吵
闹 chǎonào; 闹哄哄 nàohōnghōng; 乱
哄哄 luànhōnghōng; 慌慌 huāngmáng
¶모두들 ~을 떨며 불을 껐다 大家手
忙脚乱地救火了

부:-산물(副産物) 명 副产物 fùchǎn-
pǐn; 副产物 fùchǎnwù

부-삽 명 火铲 huǒchǎn = 화삽

부:상(負傷) 명(하)자 伤 shāng; 负伤 fù-
shāng; 受伤 shòushāng; 挂彩 guàcǎi ¶
~병 伤兵 / ~자 受伤者 / ~을 당해
피를 흘리다 负伤流血

부상(浮上) 명(하)자 1 浮上 fúshàng; 上
浮 shàngfú; 浮起来 fúqǐlái ¶잠수함이
~하다 潜水艇上浮 2 飞跃 fēiyuè; 跃
升 yuèshēng; 升高 shēnggāo ¶8위에
서 2위로 ~하다 由第8名跃升到第2
位

부:상(副賞) 명 附加奖品 fùjiājiǎngpǐn;
附加奖 fùjiājiǎng; 附奖 fùjiǎng

부서(部署) 명 单位 dānwèi; 部门 bù-
mén; 科室 kēshì; 岗位 gǎngwèi; 机构

jīgòu ¶담당 ~ 责任单位

부서-지다 자 1 破 pò; 碎 suì; 破碎
pòsuì; 粉碎 fěnsuì; 破裂 pòliè; 破坏 bèipòhuài;
拆 chāi ¶의자가 부서졌다 椅子破坏了
2 破灭 pòmiè ¶희망이 ~ 希望破灭

부:설(敷設) 명(하타) 敷设 fūshè; 铺设
pūshè; 架 jià; 修建 xiūjiàn ¶철도를 ~
하다 铺设铁路

부:설(附設) 명(하타) 附设 fùshè; 附属
fùshǔ; 配套 pèitào ¶학교에 기숙사를
~하다 学校里附设宿舍

부성(父性) 명 父性 fùxìng

부성-애(父性愛) 명 父爱 fùài

부:속(附屬) 명 1 附属 fùshǔ; 挂
靠 guàkào; 卫星 wèixīng ¶~물 附属
物 / ~ 병원 附属医院 / ~ 건물 附属
建筑物 / ~ 중학교 附属中学 / ~ 초등
학교 附属小学 2 = 부속품 ¶자동차
~ 汽车附件

부:속-품(附屬品) 명 附件 fùjiàn; 零
件 língjiàn; 配件 pèijiàn = 부속2

부:수(附隨) 명(하)자 附随 fùsuí; 伴随
bànsuí; 附带 fùdài ¶~하여 발생하는
부작용 伴随发生的副作用

부수(部首) 명 部首 bùshǒu

부수(部數) 명 部数 bùshù; 份数 fèn-
shù; 册数 cèshù ¶발행 ~ 发行份数

부수다 타 打破 dǎpò; 毁 huǐ; 毁坏
huǐhuài; 砸碎 zásuì; 砸 zá; 拆一破
碎 pòsuì; 打碎 dǎsuì; 粉碎 fěnsuì; 破
pò; 损毁 sǔnhuǐ ¶흙덩이를 잘게 ~
把土块细细打碎 / 집을 ~ 拆房子

부:-수입(副收入) 명 1 副收入 fùshōu-
rù; 附加收入 fùjiā shōurù; 额外收入
éwài shōurù 2 外快 wàikuài; 外水 wài-
shuǐ; 外财 wàicái; 活钱(儿) huóqián(r)

부:-수-적(附隨的) 관형 附随(的) fù-
suí(de); 伴随(的) bànsuí(de); 附带
(的) fùdài(de); 附加(的) fùjiā(de) ¶~
서류 附随的文件 / ~ 조건 附随条件

부스러기 명 渣(儿) zhā(r); 碎屑 suì-
xiè; 碎渣 suìzhā; 渣滓 zhāzi; 渣子
zhāzi; 屑 xiè ¶빵~ 面包渣儿

부스러-뜨리다 타 碎 suì; 打碎 dǎ-
suì; 粉碎 fěnsuì; 弄碎 nòngsuì; 砸碎
zásuì ¶흙덩이를 ~ 打碎土块

부스러-지다 자 碎 suì; 被破碎 bèi-
pòsuì; 被打碎 bèidǎsuì

부스럭 (부)(하)(자타) 沙沙 shāshā; 嘎嘎
gāgā; 沙拉 shālā

부스럭-거리다 자(부) 沙沙作响 shā-
shā zuòxiǎng; 沙沙地响 shāshāde xiǎng
= 부스럭대다 ¶나뭇잎이 ~ 树叶沙
沙地响 **부스럭-부스럭** (부)(하)(자타)

부스럼 명 疮 chuāng; 疖子 jiēzi; 疔疮
dīngchuāng; 疙瘩 gēda ¶얼굴에 ~ 이
나다 脸上长疮

부스스 (부)(하)(형) 1 慢慢地 mànmànde;

轻轻地 qīngqīngde; 悄悄地 qiāoqiāo-de; 懒洋洋 lǎnyángyáng; 慢腾腾 màn-téngténg ¶잠자리에서 ~ 일어나다 悄悄地起了床 **2** 乱蓬蓬 luànpéngpéng; 散乱 sànluàn; 蓬乱 péngluàn ¶~한 머리털 乱蓬蓬的头发 ‖ = 푸시시1

부슬-부슬¹ 〔부사자〕 浙浙 xīlì; 浙浙 沥沥 xīlìlìlì; 稀稀落落 xīxīluòluò; 纷纷地 fēnfēnde ¶봄비가 ─ 내리다 春雨浙浙

부슬-부슬² 〔부형〕 酥酥地 sūsūde; 酥软地 sūruǎnde; 松散地 sōngsǎnde; 酥松 sūsōng; 簌簌地 sùsùde ¶옥토가 ─해지다 沃土变得酥松

부슬-비 〔명〕 细雨 xìyǔ; 小雨 xiǎoyǔ; 毛毛雨 máomáoyǔ; 蒙松雨 méngsōng-yǔ ¶~가 내리다 下细雨

부시 〔명〕 火镰 huǒlián; 燧 suì; 火刀 huǒdāo

부시다¹ 〔타〕 洗 xǐ; 涮 shuàn ¶밥그릇을 ~ 洗饭碗

부시다² 〔타〕 晃 huǎng; 耀 yào; 闪 shǎn; 眩目 xuànmù; 刺 cì; 照 zhào; 炫 xuàn ¶햇빛에 눈이 ~ 阳光耀眼

부시다³ 〔자〕 '부수다'의 错误

부시럭 '부스럭'의 错误

부:-식(副食) 〔명〕 = 부식물

부:-식(腐植) 〔명하타〕〔农〕腐殖 fǔzhí ¶~토 腐殖土

부:-식(腐蚀) 〔명하자타〕〔化〕腐蚀 fǔ-shí; 销蚀 xiāoshí; 锈蚀 xiùshí ¶하수도관이 ~되어 물이 샌다 下水道管道腐蚀漏水了

부:-식물(副食物) 〔명〕 副食 fùshí; 副食品 fùshípǐn; 副食物 fùshíwù; 菜 cài = 부식(副食)

부:-식-비(副食費) 〔명〕 副食费 fùshífèi; 菜金 càijīn

부:-신(副腎) 〔명〕〔生〕肾上腺 shèn-shàngxuàn; 副肾 fùshèn ¶~ 피질 肾上腺皮质

부:-신경(副神經) 〔명〕〔生〕副神经 fù-shénjīng ¶~ 마비 副神经麻痹

부실(不實) 〔명형〕 **1** 不结实 bùjiēshí; 不健壮 bùjiànzhuàng; 不健全 bùjiàn-quán; 单薄 dānbó ¶몸이 ~하다 身子不结实 **2** 不充实 bùchōngshí; 不踏实 bùtàshi; 劣质 lièzhì; 亏损 kuīsǔn; 不善 bùshàn; 不良 bùliáng ¶~ 공사 劣质工程 / ~기업 亏损企业 / 일처리가 ~하다 办事不踏实

부:-심(副審) 〔명〕〔體〕副裁判 fùcáipàn

부:-심(腐心) 〔명하자〕 焦心 jiāoxīn; 费心 fèixīn; 费尽心思 fèijìnxīnsī; 煞费苦心 shàfèikǔxīn

부싯-돌 〔명〕 燧石 suìshí; 火石 huǒshí; 打火石 dǎhuǒshí = 화석(火石)

부아 〔명〕 肝火 gānhuǒ; 火头 huǒtóu; 气愤 qìfèn; 恼怒 nǎonù; 怒气 nùqì; 怒

火 nùhuǒ; 气 qì; 火 huǒ ¶~가 끓다 怒火燃烧 / ~를 돋우다 惹人生气

부양(扶養) 〔명하타〕 扶养 fúyǎng; 赡养 shànyǎng; 养活 yǎnghuó; 抚养 fǔyǎng; 养 yǎng ¶노모를 ~하다 赡养老母

부양(浮揚) 〔명하자타〕 **1** 悬浮 xuánfú; 上浮 shàngfú ¶공중 ~ 空中悬浮 **2** 刺激 cìjī; 重振 chóngzhèn; 振兴 zhèn-xīng; 复兴 fùxīng; 恢复 huīfù ¶~ 책复兴策

부어-오르다 〔자〕 发肿 fāzhǒng; 肿起来 zhǒngqǐlái; 肿胀 zhǒngzhàng; 肿大 zhǒngdà ¶눈이 ~ 眼睛肿起来

부:-업(副業) 〔명〕 副业 fùyè ¶농가 ~ 农家副业 / ~을 하다 搞副业

부엉-새 〔명〕〔鸟〕= 부엉이

부엉-이 〔명〕〔鸟〕鸱鸮 chīxiāo; 猫头鹰 māotóuyīng; 夜猫子 yèmāozi; 鸱鸺 chīxiū = 부엉새

부엌 〔명〕 厨房 chúfáng; 伙房 huǒfáng ¶~문 厨房门 / ~살림 厨房用具 / ~일 厨房劳动 / ~에서 요리를 하다 在厨房炒菜

부엌-데기 〔명〕 厨娘 chúniáng; 厨房丫头 chúfáng yātou; 做饭丫头 zuòfàn yātou

부엌-칼 〔명〕 = 식칼

부:-여(附與) 〔명하타〕 赋与 fùyǔ; 赋予 fùyǔ; 交给 jiāogěi; 给予 gěiyǔ ¶권리를 ~하다 赋予权利

부여-잡다 〔타〕 抓住 zhuāzhù; 揪住 jiūzhù ¶그의 팔을 ~ 抓住他的胳膊

부:-역(賦役) 〔명〕 徭役 yáoyì; 劳役 láoyì; 差役 chāiyì; 公益劳动 gōngyì-láodòng ¶~을 하다 服劳役

부:-연(敷衍·敷演) 〔명하타〕 敷衍 fūyǎn; 敷演 fūyǎn; 敷陈 fūchén

부:-옇다 〔형〕 灰蒙蒙 huīméngméng; 灰白 huībái; 灰暗 huī'àn; 乳白 rǔbái ¶부옇게 보이다 看上去灰蒙蒙的 / 하늘이 ~ 天空灰蒙蒙的

부:-예-지다 〔자〕 变灰白 biànhuībái; 变得灰蒙蒙的 biàndé huīméngméngde ¶색이 ~ 颜色变灰白

부왕(父王) 〔명〕 父王 fùwáng

부용(芙蓉) 〔명〕 **1**〔植〕= 연꽃 **2 2** 芙蓉 fúróng; 芙蓉花 fúrónghuā

부원(部員) 〔명〕 部员 bùyuán; 成员 chéngyuán; 队员 duìyuán ¶신입 ~ 新来的队员

부:-위(部位) 〔명〕 部位 bùwèi; 部分 bù-fen; 地方 dìfang ¶다친 ~ 受伤部位

부유(浮遊·浮游) 〔명하자〕 浮游 fúyóu; 飘浮 piāofú; 漂浮 piāofú; 悬浮 xuánfú ¶~물 浮游物 / ~ 식물 浮游植物

부:-유(富裕) 〔명하형〕 富裕 fùyù; 富有 fùyǒu; 富足 fùzú; 富饶 fùráo; 富实 fùshí; 富 fù; 丰裕 fēngyù; 殷实 yīnshí;

부:실(富實) 有钱 yǒuqián; 优裕 yōuyù; 厚厚 hòuhòu; 宽松 kuānsōng; 宽宽 ¶ ~한 가정 富裕之家 / ~한 사람 有钱的人 / ~층 富裕阶层

부:고(訃告) 讣闻 fùwén; 讣告 fùgào

부:응(副應) 顺应 shùnyìng; 不负 bùfù; 不辜负 bùgūfù ¶国民의 기대에 ~하다 顺应国民期待

부:의(賻儀) 赙仪 fùyí; 奠仪 diànyí ¶~금 赙仪金 / ~를 보내다 送赙仪

부:익부(富益富) 富者愈富 fùzhěyùfù; 富者越富 fùzhěyuèfù ¶~ 빈익빈 富者愈富, 贫者愈贫

부인(夫人) 夫人 fūrén; 太太 tàitai

부:인(否認) 否认 fǒurèn; 否定 fǒudìng ¶범행 사실을 ~하다 否认犯罪事实

부인(婦人) 妇人 fùrén; 妇女 fùnǔ; 妇女 ¶중년 ~ 中年妇人 / ~과 妇科 / ~병 妇女病 / ~복 妇女装

부:임(赴任) 赴任 fùrèn; 上任 shàngrèn; 到任 dàorèn; 到职 dàozhí ¶새로 ~한 관리 新到任的官吏

부:임-지(赴任地) = 임지

부자(父子) 父子 fùzǐ ¶~ 관계 父子关系 / ~간 父子之间

부:자(富者) 有钱人 yǒuqiánrén; 富人 fùrén; 财主 cáizhǔ; 阔佬 kuòlǎo; 阔老 kuòlǎo; 富翁 fùwēng; 财东 cáidōng

부자연-스럽다(不自然─) 不自然 bùzìrán; 尴尬 gāngà; 造做 zàozuò; 做作 zuòzuo; 别扭 bièniu; 生硬 shēngyìng; 怯场 qièchǎng ¶부자연스러운 태도 不自然的态度 **부자연스레** 男

부자유-스럽다(不自由─) 不自由 bùzìyóu; 不方便 bùfāngbiàn **부자유스레** 男

부자-유친(父子有親) 父子有亲 fùzǐyǒuqīn

부:-자재(副資材) 副资材 fùzīcái

부:-작용(副作用) 副作用 fùzuòyòng; 反效果 fǎnxiàoguǒ

부:잣-집(富者─) 富家 fùjiā; 富户 fùhù; 有钱人家 yǒuqiánrénjiā

부장(部長) 部长 bùzhǎng

부재(不在) 不在 bùzài; 没有 méiyǒu

부재-자(不在者) 不在者 bùzàizhě; 不在场者 bùzàichǎngzhě

부재-중(不在中) 不在 bùzài; 不在时 bùzàishí; 不在期间 bùzàiqījiān

부:적(符籍) 护身符 hùshēnfú; 符 fú; 符箓 fúlù

부-적격(不適格) 不合格 bùhégé ¶~자 不合格者

부적당-하다(不適當─) 不适当 bùshìdàng; 不合适 bùhéshì; 不适合

不适合 bùshìhé; 不恰当 bùqiàdàng; 不适于 bùshìyú; 失宜 shīyí ¶이런 방법은 ~ 这种做法是不妥的

부-적응(不適應) 不适应 bùshìyìng

부적절-하다(不適切─) 不妥当 bùtuǒdàng; 不适合 bùshìhé; 不恰当 bùqiàdàng ¶이 요구는 매우 ~ 这个要求很不恰当

부-적합(不適合) 不合适 bùhéshì; 不适合 bùshìhé; 不恰当 bùqiàdàng; 不适宜 bùshìyí

부전(不全) 不全 bùquán; 不完全 bùwánquán; 不齐 bùqí ¶발육 ~ 发育不全

부전-승(不戰勝) 不战而胜 bùzhàn'érshèng; 轮空 lúnkōng ¶~으로 결승에 오르다 不战而胜进入决赛

부전-자전(父傳子傳) 代代相传 dàidàixiāngchuán; 父传子承 fùchuánzǐchéng; 世代相传 shìdàixiāngchuán; 一辈传一辈 yìbèichuányíbèi

부-젓가락 火筷子 huǒkuàizi; 火箸 huǒzhù

부정(不正) 弊 bì; 不正当 bùzhèngdàng; 违法 wéifǎ; 非法 fēifǎ; 不正 bùzhèng ¶~ 선거 不正当选举 / ~표 不正当投票 / ~ 수단 不正当手段 / ~을 저지르다 作弊

부정(不定) 不定 bùdìng; 不固定 bùgùdìng ¶~ 관사 不定冠词

부정(不貞) 不贞 bùzhēn; 不贞洁 bùzhēnjié; 破体 pòtǐ; 不守贞洁 bùshǒu zhēnjié ¶~한 여자 不贞洁的女子

부정(父情) 父情 fùqíng

부정(不淨) 不净 bùjìng 1 不净 bùjìng; 不洁 bùjié; 污秽 wūhuì 2 不吉利 bùjílì; 犯忌讳 fànjìhuì

부:정(否定) 否 fǒu; 否定 fǒudìng; 否认 fǒurèn ¶~문 否定句 / ~형 否定式 / ~할 수 없는 사실 无法否定的事实

부-정기(不定期) 不定期 bùdìngqī ¶~ 간행물 不定期刊物

부정-맥(不整脈) 促脉 cùmài; 不整脉 bùzhěngmài

부정-부패(不淨腐敗) 贪污腐败 tānwū fǔbài

부:-정-적(否定的) 否定 fǒudìng; 消极 xiāojí; 反面 fǎnmiàn ¶~ 태도 否定态度

부정-행위(不正行爲) 作弊 zuòbì; 舞弊 wǔbì

부-정확(不正確) 不正确 bùzhèngquè; 不准确 bùzhǔnquè ¶내 기억은 ~하다 我的记忆不准确

부:제(副題) 副题 fùtí; 副标题 fùbiāotí; 小标题 xiǎobiāotí ¶~를 달다

加上副标题

부조(扶助) 阅하타 1 (送)份子(sòng)-fènzi; (送)份子钱 (sòng)fènziqián; 赙赠 fùzèng ¶결혼식 ~ 婚礼份子钱 2 扶助 fúzhù; 贴补 tiēbǔ; 帮助 bāngzhù; 接济 jiējì ¶난민을 ~ 하다 接济难民

부조(浮彫) 阅[美] = 돋을새김

부조-금(扶助金) 阅[美] 慰仪金 wèiyíjīn; 赙钱 fùqián; 赙金 fùjīn; 奠仪 diànyí; 奠金 diànjīn; 份子 fènzi; 份子钱 fènziqián = 부좃돈 ¶~를 보내다 送份子钱

부-조리(不條理) 阅하阅 不合理 bùhélǐ; 荒谬 huāngmiù; 非条理 fēitiáolǐ; 无条理 wútiáolǐ; 背理 bèilǐ; 悖理 bèilǐ ¶사회의 ~ 社会的不合理 /~한 현실 不合理的现实

부-조화(不調和) 阅하阅 不调和 bùtiáohé; 不和谐 bùhéxié; 不协调 bùxiétiáo; 脱节 tuōjié

부족(不足) 阅하阅 不足 bùzú; 不够 bùgòu; 缺 quē; 缺少 quēshǎo; 缺乏 quēfá; 乏 fá; 亏 kuī; 亏欠 kuīqiàn; 短 kuīduǎn; 差 chà; 打不住 dǎbuzhù; 短 duǎn; 短少 duǎnshǎo; 短缺 duǎnquē; 欠少 qiànshǎo; 少 shǎo; 欠 qiàn; 欠缺 qiànquē; 浅 qiǎn; 紧张 jǐnzhāng; 紧缺 jǐnquē; 单弱 dānbó; 经험이 ~하다 缺乏经验 / 아직 한 사람이 ~하다 还差一个人 / 용기가 ~하다 勇气不够

부족(部族) 阅 部族 bùzú; 部落 bùluò ¶~ 국가 部族国家 / ~ 사회 部族社会

부족-분(不足分) 阅 不足部分 bùzú bùfen; 短缺部分 duǎnquē bùfen ¶~을 채우다 补充不足部分

부좃-돈(扶助—) 阅 = 부조금

부종(浮腫) 阅[韓医] 浮肿 fúzhǒng; 水肿 shuǐzhǒng

부-주의(不注意) 阅하阅 不注意 bùzhùyì; 不小心 bùxiǎoxīn; 疏忽 shūhū; 粗心 cūxīn; 大意 dàyì; 粗心大意 cūxīndàyì; 不慎 bùshèn; 失神 shīshén ¶~로 생긴 사고 因不小心而造成的事故

부지(扶支 · 扶持) 阅하타 维持 wéichí; 硬撑 yìngchēng; 苦苦坚持 kǔkǔ jiānchí; 支撑 zhīchēng ¶목숨을 ~하다 维持生命

부지(敷地) 阅 地基 dìjī; 占地 zhàndì; 园地 yuándì; 用地 yòngdì; 宅基 zháijī; 地皮 dìpí ¶공장 ~ 工厂占地 / 건설 ~ 建筑用地

부지기수(不知其數) 阅 不计其数 bùjìqíshù; 不胜枚举 bùshèngméijǔ; 不可胜数 bùkěshèngshù; 数不胜数 shùbùshèngshǔ; 不知凡几 bùzhīfánjǐ; 不

胜计 bùkěshèngjì

부지깽이 阅 烧火棍 shāohuǒgùn; 拨火棍 bōhuǒgùn

부지런 阅하阅 勤 qín; 勤奋 qínfèn; 勤勉 qínmiǎn; 勤快 qínkuài; 孜孜 zīzī; 勤谨 qínjǐn; 腿勤 tuǐqín; 勤劳 qínláo ¶~한 사람 勤快的人 / ~히 일하다 勤奋工作

부지불식-간(不知不識間) 阅 不知不觉 bùzhībùjué; 无意之中 wúyìzhīzhōng; 不由自主 bùyóuzìzhǔ ¶많은 일들이 ~에 일어났다 很多事在不知不觉中发生了

부직-포(不織布) 阅[手工] 无纺织布 wúfǎngzhībù; 不织布 bùzhībù

부진(不振) 阅하阅 不振 bùzhèn; 不兴旺 bùxīngwàng; 不良 bùliáng; 不佳 bùjiā; 冷淡 lěngdàn; 不景气 bùjǐngqì; 减色 jiǎnsè; 萎缩 wěisuō ¶발육 ~ 发育不良 / 성적 ~ 成绩不佳 / 식욕 ~ 食欲不振 / 사업이 ~하다 事业不景气 / 판매가 ~하다 销售冷淡

부질-없다 阅 徒劳 túláo; 徒劳无益 túláowúyì; 毫无意义 háowúyìyì; 无益 wúyì; 无用 wúyòng; 多余 duōyú; 虚无缥缈 xūwúpiāomiǎo; 不足道 bùzúdào ¶부질없는 걱정 毫无意义的担心 **부질없-이** 閂

부-집게 阅 火钳 huǒqián; 火剪 huǒjiǎn

부쩍 閂 猛地 měngdì; 猛然 měngrán; 一下子 yīxiàzi; 剧 jù; 锐 ruì; 骤然 zhòurán; 不少 bùshǎo; 陡然 dǒurán ¶쌀값이 ~ 올랐다 米价猛地涨上去了 / 강물이 ~ 늘어났다 江水涨了不少 / 실력이 ~ 늘다 实力剧增

부-차(副次) 阅 = 이차1

부-차-적(副次的) 阅 次要的 cìyào(de) ¶~인 문제 次要的问题

부-착(附着 · 付着) 阅하타타 粘贴 zhāntiē; 贴 tiē; 附着 fùzhuó; 黏着 niánzhuó; 粘 zhān ¶포스터를 ~하다 粘贴海报 / 스티커를 냉장고에 ~하다 把贴纸贴在冰箱上

부창-부수(夫唱婦随) 阅하자 夫唱妇随 fūchàngfùsuí

부채 阅 扇 shàn; 扇子 shànzi

부-채(負債) 阅하자 负债 fùzhài; 欠债 qiànzhài; 债务 zhàiwù; 债 zhài; 账 zhàng ¶~를 갚다 还债 / ~을 상환하다 偿还债务

부채-꼴 阅[数] 扇形 shànxíng

부채-질 阅하자 1 扇 shān; 扇扇子 shānshànzi; 扇风 shānfēng; 摇扇 yáoshàn; 打扇 dǎshàn ¶그에게 ~을 해주다 给他打扇 2 煽动 shāndòng; 扇动 shāndòng; 推波助澜 tuībōzhùlán

반미 감정을 ~하다 煽动反美情绪

부챗-살 圓 扇骨(儿) shànɡǔ(r); 扇骨子 shànɡǔzi

부처(部處) 圓【佛】1 佛陀 fótuó; 佛 fó; 佛爷 fóye; 老佛爷 lǎofóye; 佛祖 fózǔ; 释迦牟尼 shìjiāmóuní 2 = 불상 ¶~에 절하다 拜佛像

부처(部處) 圓 部处 bùchù; 部处机关 bùchù jīɡuān

부처-님 圓 '부처'의 敬称

부처님 오신 날 = 석가 탄신일

부-촌(富村) 圓 富村 fùcūn; 富裕村 fùyùcūn; 富裕村庄 fùyù cūnzhuānɡ

부-추 圓【植】韭菜 jiǔcài ¶~전 韭菜煎饼 / ~김치 韭菜泡菜

부-추기다 他 唆使 suōshǐ; 煽动 shāndònɡ; 挑唆 tiǎosuō; 调唆 tiáosuō; 扇动 shāndònɡ; 撺掇 cuānduo; 鼓煽 ɡǔshān; 挑拨 tiǎobō; 调弄 tiáonònɡ; 调拨 tiáobō; 捅咕 tǒnɡɡu ¶싸움을 걸도록 그를 ~ 挑唆人打架 / 물가 상승을 ~ 煽动物价上涨

부-축 圓動 扶 fú; 扶持 fúchí; 搀扶 chānfú ¶노인을 ~하고 길을 건너다 扶着老人过马路

부츠(boots) 圓 靴子 xuēzi; 长靴 chánɡxuē; 长筒靴 chánɡtǒnɡxuē; 皮靴 píxuē

부치다¹ 自 不及 bùjí; 不足 bùzú; 吃力 chīlì; 力不从心 lìbùcónɡxīn; 不起 bùqǐ ¶아마도 정말 늙었나 보다, 힘이 부친다 也许真的有些老了, 力不从心

부치다² 他 1 寄 jì; 邮 yóu ¶편지를 ~ 寄信 / 돈을 ~ 寄钱 / 짐을 ~ 寄行李 2 交 jiāo; 提交 tíjiāo; 交付 jiāofù ¶표결에 ~ 提交表决 / 회의에 ~ 提交会议 / 인쇄에 ~ 交付印刷 3 处置 chùzhì; 决定 juédìnɡ ¶불문에 ~ 决定不追究

부치다³ 他 耕种 ɡēnɡzhònɡ; 耕作 ɡēnɡzuò

부치다⁴ 他 煎 jiān; 烙 lào; 摊 tān ¶두부를 ~ 煎豆腐 / 부침개를 ~ 煎煎饼

부치다⁵ 他 扇 shān ¶부채를 ~ 扇扇子

부친(父親) 圓 父亲 fùqīn; 父 fù; 老爷子 lǎoyézi ¶~상 父丧

부침(浮沈) 圓動 1 浮沉 fúchén; 沉浮 chénfú; 浮没 fúmò 2 兴衰 xīnɡshuāi; 荣辱 rónɡrǔ ¶~이 많은 인생 兴衰的人生

부침-개 圓 煎饼 jiānbinɡ; 煎糕 jiānɡāo; 烙饼 làobǐnɡ ¶~를 부치다 煎煎饼

부케(ㅍbouquet) 圓 花束 huāshù; 婚礼花束 hūnlǐ huāshù; 新娘花束 xīnniánɡ huāshù

부-탁(付託) 圓動 拜托 bàituō; 托付 tuōfù; 托人 tuōrén; 付托 fùtuō; 委托

wěituō; 请求 qǐnɡqiú; 请托 qǐnɡtuō; 嘱 zhǔ; 嘱托 zhǔtuō; 托 tuō; 寄托 jìtuō; 请 qǐnɡ; 求 qiú ¶그녀에게 ~을 거절하려다 拒绝她的请求 / 그에게 취직을 ~하다 委托他找工作 / 잘 좀 ~드리겠습니다 拜托您了

부탄(butane) 圓【化】丁烷 dīnɡwán ¶~가스 丁烷气

부터 区 从 cónɡ; 起 qǐ; 打 dǎ; 自 zì; 自从 zìcónɡ; 先 xiān; 由 yóu; 打从 dǎcónɡ; 打自 dǎzì ¶처음~ 끝까지 自始至终 / 오늘~ 从今天起 / 너~ 들어가라 你先进去吧

부:-통령(副統領) 圓【法】副总统 fùzǒnɡtǒnɡ

부팅(booting) 圓【컴】启动 qǐdònɡ

부:패(腐敗) 圓動자 腐败 fǔbài; 腐烂 fǔlàn; 腐朽 fǔxiǔ; 朽烂 xiǔlàn; 腐化 fǔhuà ¶~된 음식 腐烂的食物 / ~한 정치가 腐败的政治家 / 돼지고기가 이미 ~되었다 猪肉已腐败了

부평-초(浮萍草) 圓【植】= 개구리밥

부:표(否票) 圓 否决票 fǒujuépiào; 反对票 fǎnduìpiào ¶~를 던지다 投反对票

부표(浮標) 圓 浮标 fúbiāo; 浮筒 fútǒnɡ

부풀다 自 1 肿 zhǒnɡ; 胀 zhànɡ; 肿胀 zhǒnɡzhànɡ; 发胀 fāzhànɡ; 发肿 fāzhǒnɡ ¶손이 ~ 手肿了 / 배가 조금 부풀어 올랐다 肚子有点儿发胀了 2 (希望、期待等) 充塞 chōnɡsè; 洋溢 yánɡyì; 充满 chōnɡmǎn; 充盈 chōnɡyínɡ; 充溢 chōnɡyì; 澎湃 pénɡpài ¶희망에 부푼 가슴 充满希望的心 3 发泡 fāpào; 膨胀 pénɡzhànɡ ¶빵 반죽이 부풀었다 面包好好地发泡

부풀리다 他 1 '부풀다'의 被动词 2 夸大 kuādà; 夸张 kuāzhānɡ; 浮夸 fúkuā ¶사실을 ~ 夸张事实

부품(部品) 圓 部件 bùjiàn; 附件 fùjiàn

부피 圓【數】体积 tǐjī = 체적 ¶~를 줄이다 缩小体积

부-하(負荷) 圓動자【物】负荷 fùhè; 负载 fùzài

부하(部下) 圓 部下 bùxià; 手下 shǒuxià; 属下 shǔxià; 底下人 dǐxiàrén; 跑腿子 pǎotuǐzi = 수하2 ¶~ 직원 手下职员 / ~들을 거느리다 带领部下

부:-하다(富一) 形動 1 富 fù; 富足 fùzú; 富裕 fùyù 2 胖 pànɡ; 肥胖 féipànɡ ¶몸이 ~ 身体肥胖

부:-합(符合) 圓動자 符合 fúhé; 契合 qìhé; 吻合 wěnhé; 切合 qièhé; 符 fú; 合 hé; 应 yìnɡ ¶사실에 ~하다 符合事实

부:-항(附缸) 圓 1 拔罐子 bá ɡuànzi ¶~을 뜨다 拔罐子 2 = 부항단지

부:항-단지(附缸―) 몡 火罐(儿) huǒguàn(r); 罐子 guànzi = 부항2

부:호(符號) 몡 符号 fúhào; 记号 jìhào; 号码 dàimǎ; 代码 dàimǎ; 信号 dàihào ¶문장∼ 标点符号 / 전신∼ 电码

부:호(富豪) 몡 富豪 fùháo; 富翁 fùwēng; 阔佬 kuòlǎo

부화(孵化) 몡하자타 孵化 fūhuà; 孵卵 fūluǎn; 孵育 fūyù; 孵 fū; 抱 bào; 卵蛋 luǎndàn ¶인공∼ 人工孵化 / 기孵化器 = [孵卵器] / ∼장 孵化场 / 갓∼된 병아리 刚孵化的小鸡

부:활(復活) 몡하자 1 复活 fùhuó; 复生 fùshēng ¶예수의 ∼ 耶稣的复活 2 恢复 huīfù; 复辟 fùbì; 重振 chóngzhèn; 复活 fùhuó ¶군국주의가 ∼하다 军国主义复活

부:활-절(復活節) 몡 【宗】复活节 fùhuójié

부황(浮黃) 몡 皮肤发黄 pífū fāhuáng

부:흥(復興) 몡하자 复兴 fùxīng; 复复 xīngfù ¶∼회 复兴会 / 나라를 ∼시키다 复兴国家 / 영화 산업이 ∼하다 电影产业复兴

북[1] 몡 培土 péitǔ

북[2] 몡 【手工】 1 梭 suō; 梭子 suōzi = 방추2 2 (缝纫机的) 梭心 suōxīn; 梭 suō ¶∼집 梭眼

북[3] 몡 【音】鼓 gǔ ¶∼소리 鼓声 / 춤 鼓舞 / ∼을 치다 敲鼓 = [打鼓]

북(北) 몡 北 běi

북극(北極) 몡 【地理】北极 běijí ¶∼권 北极圈 / ∼대 北极带 / ∼성 北极星 / ∼ 지방 北极地区 / ∼ 탐험 北极探险 / ∼해 北极海

북극-곰(北極―) 몡 【動】北极熊 běijíxióng; 白熊 báixióng = 흰곰

북-녘(北―) 몡 北 běi; 北方 běifāng

북단(北端) 몡 北端 běiduān ¶서울∼에 위치하다 位于首尔北端

북대서양 조약 기구(北大西洋條約機構) 몡 【政】北大西洋公约组织 Běidàxīyáng gōngyuē zǔzhī = 나토

북-돋다 타 '북돋우다'의 略词

북-돋우다 타 鼓励 gǔlì; 鼓起 gǔqǐ; 激发 jīfā; 激励 jīlì; 激奋 jīfèn; 激扬 jīyáng ¶사기를 ∼ 激励士气

북동(北東) 몡 = 북동쪽 ¶∼풍 东北风

북동-쪽(北東―) 몡 东北 dōngběi; 东北边 dōngběibiān = 북동

북두-칠성(北斗七星) 몡 【天】北斗七星 běidǒuqīxīng; 北斗星 běidǒuxīng

북미(北美) 몡 【地】北美 Běiměi

북-반구(北半球) 몡 【地理】北半球 běibànqiú

북-받치다 자 涌 yǒng; 涌上 yǒngshàng; 涌出 yǒngchū; 冒出 màochū ¶북받쳐 오르는 울분 涌上心头的郁愤 / 슬픔이 ∼ 悲伤涌起来

북방(北方) 몡 1 = 북쪽 2 北方 běifāng; 北边 běibiān; 北部 běibù; 朔方 shuòfāng ¶∼ 민족 北方民族

북벌(北伐) 몡 北伐 běifá ¶∼ 정책 北伐政策 / ∼ 전쟁 北伐战争

북부(北部) 몡 北部 běibù; 北方 běifāng ¶∼ 지방 北部地区

북상(北上) 몡 北上 běishàng ¶태풍이 ∼하다 台风北上 2 = 북진

북새 몡 闹哄 nàohōng; 喧闹 xuānnào; 吵嚷 chǎorāng

북새-통 몡 闹哄哄 nàohōnghōng; 乱哄哄 luànhōnghōng; 吵闹 chǎonào

북서(北西) 몡 = 북서쪽 ¶∼풍 西北风

북서-쪽(北西―) 몡 西北 xīběi; 西北边 xībéibiān = 북서

북-아메리카(北America) 몡 【地】美洲 Běiměizhōu; 北美 Běiměi

북-아프리카(北Africa) 몡 【地】北非 Běifēi

북어(北魚) 몡 干明太鱼 gānmíngtàiyú; 明太鱼干 míngtàiyúgān = 건명태

북엇-국(北魚―) 몡 明太鱼汤 míngtàiyútāng

북위(北緯) 몡 【地理】北纬 běiwěi ¶∼선 北纬线

북-유럽(北Europe) 몡 【地】北欧 Běiōu

북적-거리다 자 人声鼎沸 rénshēng dǐngfèi; 闹嚷嚷 nàorāngrāng; 闹盈盈 nàoyíngyíng; 熙攘 xīrǎng; 熙熙攘攘 xīxīrǎngrǎng; 喧哗 xuānhuá = 북적대다 북적-북적 부하자

북진(北進) 몡하자 北进 běijìn = 북상 2

북-쪽(北―) 몡 北 běi; 北方 běifāng; 北边 běibiān; 北面 běimiàn = 북방1 · 북쪽

북-채 몡 鼓槌(儿) gǔchuí(r)

북측(北側) 몡 = 북쪽

북풍(北風) 몡 北风 běifēng; 朔风 shuòfēng; 寒风 hánfēng

북한(北韓) 몡 北朝鲜 Běicháoxiǎn; 北韩 Běihán = 이북2 ¶∼ 동포 北韩同胞 / ∼ 주민 北韩居民

북향(北向) 몡 向北 xiàngběi; 朝北 cháoběi ¶그녀의 방은 ∼이다 她的房间向北

북-회귀선(北回歸線) 몡 【地理】北回归线 běihuíguīxiàn

분 의명 位 wèi ¶손님 한 ∼ 一位客人 / 어느 ∼이 단장이십니까? 团长是哪一位啊?

분(分) 의미 1 分 fēn; 分钟 fēnzhōng 《时间 单위》 ¶12시 20~ 十二点二十分钟 2 【数】 (角度的) 分 fēn 3 【地理】 分 fēn

분(扮) 명하자 = 분장

분(粉) 명 1 白粉 báifēn = 백분2 ¶~을 바르다 抹白粉 2 가루

분:(憤·忿) 명 怒恨 nùhèn; 愤怒 fènnù; 气愤 qìfèn; 火气 huǒqì ¶~을 삭이다 消除愤怒 / ~을 참다 控制愤怒

-분(分) 접미 1 份 fèn ¶4~의 1 四分之一 2 份(儿) fèn(r); 客 kè ¶2인~의 식사 两份儿菜

분가(分家) 명하자 分家 fēnjiā; 分爨 fēncuàn; 异爨 yìcuàn ¶~하여 독립하다 分家单过

분간(分拣) 명하타 辨 biàn; 辨认 biànrèn; 认 rèn; 分 fēn; 看出来 kànchūlái; 区分 qūfēn; 分辨 fēnbiàn; 辨别 biànbié; 识别 shíbié ¶옳고 그름을 ~하지 못 하다 不能分辨是非 / 진위를 ~하다 识别真伪

분:개(憤慨·憤愾) 명하자타 愤慨 fènkǎi; 气愤 qìfèn; 动怒 dòngnù; 动愤 dòngfèn ¶나는 이 일에 매우 ~했다 对这件事情我很愤慨 / 그의 어머니는 그의 행동에 ~했다 他母亲为他这举动很气愤

분계(分界) 명 分界 fēnjiè ¶~선 分界线

분골-쇄신(粉骨碎身) 명하자타 粉骨碎身 fēngǔsuìshēn; 粉身碎骨 fēnshēnsuìgǔ = 분신쇄골

분과(分科) 명하타 分科 fēnkē; 小组 xiǎozǔ

분관(分館) 명 分馆 fēnguǎn

분광(分光) 명하자 【物】 分光 fēnguāng ¶~계 分光计 / ~ 사진 分光照片

분교(分校) 명 【教】 分校 fēnxiào ¶~생 分校生

분규(紛糾) 명 纠纷 jiūfēn; 争端 zhēngduān; 纠纷 fēnjiū ¶~가 일어나다 发生纠纷 / ~를 해결하다 解决纠纷

분기(分期) 명 季度 jìdù ¶~별로 이자를 계산하다 按季度计算利息

분:기(奮起) 명하자 奋起 fènqǐ

분기-점(分岐点) 명 岔口 chàkǒu; 岔 chà

분-꽃(粉-) 명 【植】 紫茉莉 zǐmòlì; 草茉莉 cǎomòlì; 胭脂花 yānzhīhuā

분납(分納) 명하타 分期交纳 fēnqī jiāonà; 分期付款 fēnqī fùkuǎn; 分期缴纳 fēnqī jiǎonà

분:노(憤怒) 명하자 愤怒 fènnù; 气愤 qìfèn; 怒火 nùhuǒ; 愤慨 fènkǎi; 气愤 qìfèn; 怒火 nùhuǒ ¶참을 수 없는 ~ 压不住的愤怒 / ~의 화신 愤怒化神 / ~가 폭발하다 愤怒爆发 / ~가 치밀다 愤怒涌上心头

분뇨(糞尿) 명 粪便 fènbiàn; 粪尿 fènniào; 粪 fèn ¶~ 처리 시설 粪尿处理设施 / ~차 粪车

분단(分段) 명하타 分段 fēnduàn

분단(分團) 명하타 1 分团 fēntuán 2 【教】 分团 fēntuán

분단(分斷) 명하타 分裂 fēnliè; 断绝 duànjué; 割断 gēduàn; 分割 fēngē ¶남북 ~ 南北分裂 / 국가 分裂国

분담(分擔) 명하타 分担 fēndān; 分摊 fēntān; 摊 tān ¶금 分摊金 / 비용을 ~하다 分摊费用 / 업무를 ~하다 分担工作 / 집안일을 ~하다 分担家务

분대(分隊) 명하타 【军】 班 bān; 分队 fēnduì ¶~장 分队长 / ~원 分队队员

분란(紛亂) 명하타 纷乱 fēnluàn; 纷扰 fēnrǎo; 矛盾 máodùn ¶~을 일으키다 引起纷乱

분:량(分量) 명 分量 fènliang; 量 liàng ¶~을 줄이다 减少分量 / ~이 적지 않다 分量不少

분류(分流) 명하자 分流 fēnliú ¶큰 강에서 ~된 강 大河流出的支流

분류(分類) 명하타 分类 fēnlèi; 分 fēn ¶용도에 따라 ~하다 按用途分类

분리(分離) 명하자타 分离 fēnlí; 分别 fēnbié; 脱离 tuōlí; 隔开 gékāi; 分开 fēnkāi ¶~기 分离器 / ~불안 分离焦虑 / ~수거 分离回收 / 쓰레기를 ~하다 分离垃圾

분립(分立) 명하자 分立 fēnlì ¶삼권 ~ 三权分立

분만(分娩) 명하타 = 해산(解産) ¶~대기실 待产室 / ~실 产房 / ~ 과정 产程 / ~대 产床

분말(粉末) 명 = 가루

분명-하다(分明-) 형 1 (样子或声音) 清楚 qīngchu; 清晰 qīngxī; 鲜明 xiānmíng ¶발음이 ~ 发音很清楚 2 分明 fēnmíng; 明确 míngquè; 明显 míngxiǎn; 明白 míngbai; 显然 xiǎnrán; 明确 míngquè; 肯定 kěndìng ¶분명한 사실 明白的事实 / 한계가 ~ 界限分明 분명-히 부 ¶그는 ~ 너를 싫어할 것이다 他肯定不会喜欢你

분모(分母) 명 【数】 分母 fēnmǔ

분묘(墳墓) 명 = 무덤

분:무-기(噴霧器) 명 喷雾器 pēnwùqì; 喷枪瓶 pēnqiāngpíng; 喷雾器 pēnwùqì; 喷雾机 pēnwùjī; 喷枪 pēnqiāng; 雾化器 wùhuàqì ¶~

분반(分班) 명하타 分班 fēnbān

시험 分班考试

붕:발(奮發) **명하자** 奋发 fènfā; 奋起 fènqǐ; 振作 zhènzuò; 发奋 fāfèn; 振奋 zhènfèn ¶ ~ 발분하다 奋发 ~ 하여 다시 시작하다 振作起来, 重新开始

분방(奔放) **명하형** 奔放 bēnfàng ¶ ~ 한 성격 奔放的性格

분배(分配) **명하타** 分配 fēnpèi; 分给 fēngěi; 分 fēn; 配 pèi ¶ 재산을 ~ 하다 分配财产

분별(分別) **명하타** 1 分辨 fēnbiàn; 分别 fēnbié; 辨别 biànbié; 分 fēn; 辨 biàn ¶ 시비를 ~ 하다 辨别是非 / 그는 발소리로 누군가 ~ 할 수 있다 他可以凭脚步声辨别出是哪一个人 2 心数 xīnshù; 轻重 qīngzhòng; 深浅 shēnqiǎn; 分寸 fēncun ¶ 그 사람은 말하는 데 ~이 없다 那个人说话不知轻重

분별-력(分別力) **명** 分辨力 fēnbiànlì

분별-없다(分別一) **형** 没分寸 méifēncun; 不知趣 bùzhīqù; 不知深浅 bùzhī- shēnqiǎn; 莽撞 mǎngzhuàng; 没有分别 méiyǒufēnbié; 混乱 hùn luàn; 狂妄 kuángwàng; 不识相 bùshíxiàng **분별없-이 (무)**

분:부(分付·吩咐) **명하타** 吩咐 fēnfu; 分付 fēnfu; 嘱咐 zhǔfu ¶ ~ 대로 처리 하겠습니다 遵您的吩咐办 / ~대로 거행하다 照所吩咐的去做

분분-하다(紛紛一) **형** 纷纷 fēnfēn; 纷纭 fēnyún; 纷杂 fēnzá; 混乱 hùnluàn ¶ 의견이~ 意见纷纷 **분분-히 (무)**

분비(分泌) **명하타** **생** 分泌 fēnmì ¶ ~ 물 分泌物 / ~ 샘 分泌腺 / ~ 액 / 호르몬을 ~ 하다 分泌激素 / ~를 촉진하다 促进分泌

분사(分詞) **명** **어** 分词 fēncí ¶ 과거 ~ 过去分词

분:사(噴射) **명하타** 喷射 pēnshè; 喷放 pēnfàng ¶ ~ 기 喷射器 / 액체를 ~ 하다 喷射液体

분산(分散) **명하자타** 分散 fēnsàn; 疏散 shūsàn; 散 sàn; 散开 sànkāi ¶ ~ 투자 分散投资 / 주의력을 ~ 分散注意力 / 병력을 ~ 하다 分散兵力

분서(焚書) **명** 焚书 fénshū

분석(分析) **명하타** 分析 fēnxī ¶ 자료 ~ 资料分析 / 심리 ~ 心理分析 / ~력 分析力 / ~표 分析表 / 성분을 ~ 分析成分

분소(分所) **명** 分部 fēnbù ¶ ~ 근무 在分部上班

분쇄(粉碎) **명하타** 1 粉碎 fěnsuì; 破碎 pòsuì ¶ ~ 기 粉碎机 / 광석을 ~ 하다 粉碎矿石 2 功破 gōngpò; 粉碎 fěnsuì ¶ 적의 음모를 ~ 하다 粉碎敌人阴谋

분:수¹(分數) **명** 1 分寸 fēncun; 深浅 shēnqiǎn; 本分 běnfèn; 分 fēn ¶ ~를

모르다 不知分寸 2 程度 chéngdù; 分寸 fēncun ¶ 농담도 ~가 있어야지! 开玩笑也要有分寸哦!

분수²(分數) **명** **수** 分数 fēnshù ¶ ~식 分数式

분:수(噴水) **명** 【喷水】喷水 pēnshuǐ; 喷泉 pēnquán ¶ ~대 喷水池

분수-령(分水嶺) **명** 【地理】分水岭 fēnshuǐlǐng; 分水线 fēnshuǐxiàn 2 分水岭 fēnshuǐlǐng

분수-식(分數式) **명** 【数】分式 fēnshì

분식(粉食) **명하자** 面食 miànshí ¶ ~ 집 面食店

분식(粉飾) **명하타** 粉饰 fěnshì

분신(分身) **명하타** 1 【佛】分身 fēn- shēn; 化身 huàshēn 2 分身 fēnshēn; 一部分 yíbùfēn

분신(焚身) **명하자** 焚身 fénshēn; 烧身 shāoshēn ¶ ~ 자살 自焚

분신-쇄골(焚身碎骨) **명하자** = 粉骨碎身

분실(紛失) **명하타** 丢失 diūshī; 遗失 yíshī; 失 shī; 失落 shīluò ¶ ~물 失物 / ~ 신고 报失 / 신분증을 ~ 하다 丢失身份证 / 여권을 ~ 하다 丢失护照

분야(分野) **명** 分野 fēnyě; 领域 lǐngyù; 方面 fāngmiàn; 部门 bùmén ¶ 전공 ~ 专业领域 / 새 ~를 개척하다 开拓新领域

분양(分讓) **명하타** 分开出让 fēnkāi chū- ràng; 出让 chūràng; 楼盘预售 lóupán yùshòu ¶ ~가 楼盘预售价 / 아파트를 ~ 하다 出让公寓

분업(分業) **명하타** 分工 fēngōng; 分业 fēnyè ¶ ~화 分工化

분열(分裂) **명하자** 1 分裂 fēnliè ¶ 사회가 ~ 하다 社会分裂 2 【生】分裂 fēnliè ¶ ~세포 ~ 细胞分裂

분원(分院) **명** 分院 fēnyuàn

분위기(雰圍氣) **명** 1 气氛 qìfēn; 空气 kōngqì; 氛围 fēnwéi ¶ 어색한 ~ 尴尬的气氛 / ~가 좀 이상하다 气氛有点怪 / 공포 ~ 를 조성하다 制造恐怖气氛 2 情调 qíngdiào ¶ 이국적인 ~ 异国情调 / ~ 있는 음악 有情调的音乐 3 风气 fēngqì ¶ 사회적 ~ 社会风气

분유(粉乳) **명** 奶粉 nǎifěn

분자¹(分子) **명** 1 【化】分子 fēnzǐ ¶ ~ 구조 分子结构 / ~량 分子量 / ~식 分子式 2 分子 fēnzǐ ¶ 반동 ~ 反动分子 / 극우 ~ 极右分子

분자²(分子) **명** 【数】分子 fēnzǐ

분장(扮裝) **명하자** 【演】扮 bàn; 饰 shì; 装 zhuāng; 化装 huàzhuāng; 装扮 zhuāngbàn = 분(扮) ¶ ~사 化装师 / ~실 化装室 / ~을 지우다 卸装 / 그는 거지로 ~을 했다 他化装成乞丐

분재(盆栽) **명하타** 盆栽 pénzāi; 盆景

(儿) pénjǐng(r)

분쟁(纷争) 명하자 纷争 fēnzhēng; 纠纷 jiūfēn; 争议 zhēngyì; 纠葛 jiūgé ¶국제 ~ 国际纷争/영토 ~ 领土纷争/~을 해결하다 排解纠纷

분점(分店) 명 分店 fēndiàn; 分行 fēnháng; 分号 fēnhào ¶~을 개설하다 设置分店

분주-하다(奔走—) 형 奔忙 bēnmáng; 忙碌 mánglù; 匆忙 cōngmáng; 紧忙 jǐnmáng ¶사방을 분주하게 뛰어다니다 四处奔忙/그녀는 항상 ~ 她总是很忙碌 **분주-히** 부

분지(盆地) 명【地理】盆地 péndì

분진(粉尘) 명 = 티끌2

분첩(粉贴) 명 粉扑儿 fěnpūr

분-출(喷出) 명하자타 喷 pēn; 喷出 pēnchū; 喷涌 pēnyǒng ¶~구 喷出口/석유가 ~하다 喷出石油/화염을 ~하다 喷出火焰

분칠(粉漆) 명하자타 1 涂粉 túfěn 2 化妆 huàzhuāng

분침(分針) 명 分针 fēnzhēn

분칭(分秤) 명 药秤 yàochèng = 약저울

분-통(愤痛) 명하형 愤恨 fènhèn; 痛恨 tònghèn; 气愤 qìfèn; 气 qì ¶~이 터지다 痛恨不已

분-투(奋斗) 명하자 奋斗 fèndòu; 奋战 fènzhàn

분파(分派) 명하자 分派 fēnpài; 派别 pàibié; 派系 pàixì; 宗派 zōngpài; 分支 fēnzhī; 支派 zhīpài = 지류2

분-패(愤败) 명하자 惜败 xībài; 愤败 fènbài

분포(分布) 명하타 分布 fēnbù ¶~도 分布图/~율 分布率/인구 ~ 人口分布

분-풀이(愤—) 명하자 撒气 sāqì; 解气 jiěqì; 泄愤 xièfèn; 憋气 biēqì; 发恨 fāhèn ¶사진을 찢어도 ~가 되지 않는다 我撕了照片还不解气

분필(粉笔) 명 粉笔 fěnbǐ = 백묵 ¶~통 粉笔盒

분-하다(愤·忿—) 형 1 冤 yuān; 冤枉 yuānwang; 窝囊 wōnang; 窝火 wōhuǒ; 可气 kěqì; 气恼 qìnǎo; 憋气 biēqì; 发恨 fāhèn 2 可惜 kěxī; 惋惜 wǎnxī; 遗憾 yíhàn **분-히** 부

분할(分割) 명하자타 割 gē; 分割 fēngē; 分开 fēnkāi; 划分 huàfēn; 瓜分 guāfēn; 分期 fēnqī ¶~ 상환 分期偿还/영토를 ~하다 分割领土/재산을 ~하다 分割财产

분해(分解) 명하자타 1 分解 fēnjiě; 拆开 chāikāi; 拆 chāi; 拆解 chāijiě; 卸 xiè; 卸开 xièkāi; 拆卸 chāixiè; 解体 jiětǐ ¶공중~ 空中解体/시계를 ~하

다 拆表/废弃 车辆을 ~하다 拆卸废旧车辆 2【化】分解 fēnjiě

분향(焚香) 명하자 焚香 fénxiāng; 烧香 shāoxiāng; 上香 shàngxiāng ¶불전에 ~하다 佛前焚香

분:-홍(粉红) 명 粉红 fěnhóng ¶~색 粉红色/~ 치마 粉红裙

분화(分化) 명하자타 分化 fēnhuà ¶사회 계층의 ~ 社会阶层的分化

분:-화(喷火) 명하자【地理】喷发 pēnfā / 화산이 ~하다 火山喷发

분:-화-구(喷火口) 명【地理】火山口 huǒshānkǒu

붇:다 자 1 涨 zhàng; 发胀 fāzhàng ¶불은 국수를 먹다 吃发胀了的面条/콩이 매우 크게 불었다 黄豆涨得很大 2 增长 zēngzhǎng; 增加 zēngjiā; 涨 zhǎng ¶재산이 ~ 财产增加/체중이 불었다 体重增加了/강물이 많이 불었다 河水涨得很多

불 명 1 火 huǒ ¶~을 붙이다 点火/~을 끄다 灭火/~이 활활 타다 火烧得很旺/~을 피우다 烧火 2 火灾 huǒzāi; 火 huǒ ¶~이 나다 起火 3 灯 dēng; 灯火 dēnghuǒ ¶~을 켜다 开灯/~을 끄다 关灯/~이 약간 어둡다 灯光稍微暗淡

불(弗) 의명 = 달러(dollar)

불-(불) 접투 红 hóng ¶~개미 红蚂蚁/~여우 红狐狸

불-(不) 접투 不 bù ¶~가능 不可能/~공정 不公正/~투명 不透明

불가(不可) 명하형 不可 bùkě; 不可以 bùkěyǐ; 禁止 jìnzhǐ; 谢绝 xièjué; 不许 bùxǔ ¶미성년자 관람 ~ 未成年者禁止观看

불가(佛家) 명【佛】佛家 fójiā; 佛门 fómén; 释家 shìjiā; 释门 shìmén = 불문(佛门)

불가-결(不可缺) 명하형 不可缺少 bùkěquēshǎo; 不可缺 bùkěquē; 必不可少 bìbùkěshǎo ¶~한 조건 不可缺少的条件

불가-능(不可能) 명하형 不可能 bùkěnéng ¶~한 일 不可能的事/우리에게 ~은 없다 对我们来说, 没有什么不

불가-분(不可分) 명하형 不可分 bùkěfēn; 不能分 bùnéngfēn; 分不开 fēnbukāi ¶~의 관계 不可分的关系

불가사리 명【动】海星 hǎixīng; 海盘车 hǎipánchē

불가사의(不可思议) 명하형 不可思议 bùkěsīyì; 奇迹 qíjì ¶세계 7대 ~ 世界七大奇迹/~한 사건이 발생하다 发生不可思议的事件

불-가침(不可侵) 명 不可侵犯 bùkěqīnfàn ¶신성 ~ 神圣不可侵犯/~ 불

약 互不侵犯条约

불가피-하다(不可避—) 〔형〕 不可避免 bùkěbìmiǎn; 无法避免 wúfǎbìmiǎn; 难免 nánmiǎn; 免不了 miǎnbuliǎo; 在所难免 zàisuǒnánmiǎn; 在所不免 zàisuǒbùmiǎn ¶경쟁이 ~ 难免竞争 / 실수는 ~ 错误在所不免

불가항-력(不可抗力) 〔명〕 不可抗力 bùkěkànglì; 不可阻挡 bùkězǔdǎng; 不可抗拒 bùkěkàngjù ¶~의 자연재해 不可抗力的自然灾害

불가항력-적(不可抗力的) 〔관〕 不可抗力(的) bùkěkànglì (de); 不可阻挡(的) bùkězǔdǎng(de) ¶~인 사고 不可抗力事故

불-간섭(不干涉) 〔명·하자타〕 不干涉 bùgānshè; 不干预 bùgānyù ¶내정 ~ 不干涉内政 / 상호 ~ 互不干涉

불감(不感) 〔명·하타〕 没感觉 méigǎnjué; 感觉不到 gǎnjuébùdào; 麻木 mámù

불감-증(不感症) 〔명〕 1 〔醫〕 性冷淡 xìnglěngdàn; 冷情症 lěngqíngzhèng; 性交无快感 xìngjiāowúkuàigǎn; 性感缺失症 xìnggǎn quēshīzhèng 2 麻木症 mámùzhèng ¶안全 ~ 安全麻木症

불-같다 〔형〕 1 火暴 huǒbào; 火爆 huǒzào; 暴躁 bàozào ¶성미가 ~ 脾气火暴 2 炽烈 chìliè; 炽盛 chìshèng ¶불같이 炽烈的斗志 불같이-E

불-개미 〔蟲〕 红蚂蚁 hóngmǎyǐ; 法老蚁 fǎlǎoyǐ; 红蚁 hóngyǐ

불거-지다 〔자〕 1 暴 bào; 暴露 bàolù; 鼓起 gǔqǐ; 突出 tūchū ¶힘줄이 불거진 손 青筋暴突的手 2 暴露 bàolù; 冒出 màochū; 突现 tūxiàn; 突发 tūfā ¶은 문제들이 불거져 나오다 暴露出不少问题

불건전-하다(不健全—) 〔형〕 不健全 bùjiànquán; 不健康 bùjiànkāng; 不良 bùliáng ¶내용이 ~ 内容不健康

불결(不潔) 〔명·하형·부〕 不洁 bùjié; 不净身 bùjìngshēn; 肮脏 āngzāng; 脏乱 zāngluàn; 脏污秽 wūhuì; 醒醒 wòchuò ¶~한 손을 내밀다 伸出脏脏的手 / 환경이 ~하다 环境脏乱

불경(不敬) 〔명·하형·부〕 不敬 bùjìng; 不恭 bùgōng; 不恭敬 bùgōngjìng ¶~한 행동 不敬行为 / ~죄 不敬罪

불경(佛經) 〔명〕 〔佛〕 佛经 fójīng; 释典 shìdiǎn; 佛经 jīng (經)3

불-경기(不景氣) 〔명〕 〔經〕 不景气 bùjǐngqì; 萧条 xiāotiáo = 不황 ¶영화 산업이 내내 ~이다 电影业一直不景气

불경-스럽다(不敬—) 〔형〕 不敬 bùjìng; 不恭 bùgōng; 不恭敬 bùgōngjìng 불경스레-부

불-고기 〔명〕 烤肉 kǎoròu

불-곰 〔명〕 〔動〕 棕熊 zōngxióng

불공(佛供) 〔명·하자〕 〔佛〕 供佛 gòngfó

불공대천(不共戴天) 〔명·하자〕 不共戴天 bùgòngdàitiān

불공-드리다(佛供—) 〔자〕 供佛 gòngfó

불-공정(不公正) 〔명·하형〕 不公正 bùgōngzhèng; 不公道 bùgōngdào ¶~ 거래 不公正交易

불-공평(不公平) 〔명·하형〕 不公平 bùgōngpíng; 不平 bùpíng; 不公道 bùgōngdào ¶~한 대우 不公平的待遇

불공-하다(不恭—) 〔형〕 不恭 bùgōng; 不敬 bùjìng; 不礼貌 bùlǐmào

불과(不過) 〔부·하형〕 不过 bùguò; 只不过 zhǐbùguò; 只 zhǐ; 不到 bùdào ¶사용한지 ~ 1시간 만에 고장났다 用了不到一个小时就坏了 / 추측에 ~하다 不过是个猜测 / 그녀는 올해 ~ 열 여섯이다 她今年不过16岁

불교(佛教) 〔명〕 〔佛〕 佛教 fójiào; 释教 shìjiào ¶~계 佛教界 / ~도 佛教徒 / ~문화 佛教文化 / ~ 미술 佛教美术

불구(不具) 〔명〕 残废 cánfèi; 残疾 cánjí ¶그는 왼쪽 다리가 ~이다 他左脚残废

불-구경 〔명·하자〕 观火 guānhuǒ; 看火灾 kànhuǒzāi

불-구덩이 〔명〕 火坑 huǒkēng ¶~에 빠지다 掉进火坑

불-구속(不拘束) 〔명·하타〕 〔法〕 不拘留 bùjūliú ¶~ 기소 不拘留起诉

불구-자(不具者) 〔명〕 残疾人 cánjírén; 残废人 cánfèirén; 残废 cánfèi

불구-하다(不拘—) 〔자〕 尽管 jìnguǎn; 不顾 bùgù ¶그럼에도 불구하고 그는 여전히 단념하지 않았다 尽管如此, 他还是不死心

불굴(不屈) 〔명·하형〕 不屈 bùqū; 不挠 bùnáo ¶~의 정신 不屈的精神

불-규칙(不規則) 〔명·하형〕 不规则 bùguīzé; 不规律 bùguīlǜ; 无规律 wúguīlǜ ¶~ 동사 不规则动词 / 수면 시간이 ~하다 睡眠时间不规律

불-균등(不均等) 〔명·하형〕 不均等 bùjūnděng; 不均匀 bùjūnyún ¶기회가 ~하다 机会不均等

불-균형(不均衡) 〔명·하형〕 不平衡 bùpínghéng; 不均衡 bùjūnhéng ¶문화 발전의 ~ 文化发展的不均衡

불그스레-하다 〔형〕 = 불그스름하다

불그스름-하다 〔형〕 淡红 dànhóng; 浅红 qiǎnhóng; 微红 wēihóng = 불그레하다 · 불긋하다 **불그스름-히** 〔부〕

불그죽죽-하다 〔형〕 红不溜秋 hóngbuliūqiū; 红不棱登 hóngbulēngdēng 불그죽죽-히 〔부〕

불긋-불긋 〔부·하형〕 一块红一块地 yīkuàihóng yīkuàihóngde; 斑红 bānhóng

불긋-하다 〔형〕 = 불그스름하다

불-기(一氣) 圏 = 불기운

불-기둥 圏 火柱 huǒzhù ¶~이 솟다 火柱冲天

불기소(不起訴) 圏【法】不起诉 bùqǐsù; 免诉 miǎnsù

불-기운 圏 火势 huǒshì; 火候 huǒhou = 불기·화(火)1·화기(火氣)1 ¶~이 매우 세다 火势非常紧急

불-길 圏 1 火焰 huǒyàn; 火苗 huǒmiáo; 火势 huǒshì; 炎焰 yányàn ¶~이 치솟다 火苗上窜 ¶~을 잡다 控制火焰 2 烈火 lièhuǒ ¶혁명의 ~ 革命的烈火 / 증오의 ~ 憎恨的烈火

불길-하다(不吉一) 闍 不祥 bùxiáng; 不吉利 bùjílì; 不吉 bùjí; 凶 xiōng ¶불길한 징조 不祥之兆 / 그런 불길한 말 하지 마! 别说这种不吉利的话!

불-꽃 圏 1 火焰 huǒyàn; 火苗 huǒmiáo; 烟火 yānhuǒ; 焰火 yànhuǒ; 火头 huǒtóu; 焰 yàn ¶~이 일다 燃起火焰 2 火花 huǒhuā; 火星(儿) huǒxīng(r) ¶전깃줄에서 ~이 튀다 电线进出火星

불꽃-놀이 圏 放烟火 fàngyānhuǒ

불끈 圉勮자뮈 1 一下子 yīxiàzi; 忽地 hūdì ¶아침 해가 바다 위로 ~솟아오르다 早晨的太阳忽地冒出海面 2 紧紧 jǐnjǐn; 握紧 wòjǐn; 暴出 bàochū ¶주먹을 ~ 쥐다 紧握拳头 3 突然 tūrán; 猛然 měngrán

불-나다 圏 起火 qǐhuǒ; 着火 zháohuǒ; 失火 shīhuǒ

불-나방 圏【虫】灯蛾 dēng'é; 飞蛾 fēi'é; 扑灯蛾 pūdēng'é

불능(不能) 圏勮 不能 bùnéng; 无法 wúfǎ; 难以 nányǐ ¶회복 ~ 无法恢复 / 재기 ~ 不能东山再起

불:다 㵑국 1 刮 guā; 吹 chuī; 吹动 chuīdòng ¶바람이 ~ 刮风 = [吹风] / 태풍이 ~ 刮台风 2 流行 lièxíng 㵑국 1 哈 hā; 吹 chuī ¶입김을 호 ~ 哈了一口气 2 (乐器) 吹 chuī ¶피리를 ~ 吹笛 / 나팔을 ~ 吹喇叭 / 호루라기를 ~ 吹哨(儿) / 휘파람을 ~ 吹口哨儿 3 供出 gòngchū; 说出 chūchū; 揭露 jiēlù ¶공범의 이름을 ~ 供出共犯名字 / 사실대로 불어라 你要如实说出

불당(佛堂) 圏【佛】佛堂 fótáng; 佛殿 fódiàn

불-덩어리 圏 火炭 huǒtàn; 火团 huǒtuán; 火球 huǒqiú = 불덩이

불-덩이 圏 = 불덩어리

불도저(bulldozer) 圏 推土机 tuītǔjī

불-똥 圏 1 灯花(儿) dēnghuā(r); 蜡花(儿) làhuā(r) 2 火星(儿) huǒxīng(r); 火花 huǒhuā ¶~이 튀다 火星迸发

불량(不良) 圏勮 1 (品行) 不良 bùliáng; 不端 bùduān ¶~ 소년 不良少

年 / 품행이 ~하다 品行不良 2 (成绩) 不佳 bùjiā ¶성적 ~ 成绩不佳 3 (质量、状态) 不良 bùliáng; 不佳 bùjiā; 劣质 lièzhì; 欠佳 qiànjiā; 残次 cáncì ¶~ 식품 劣质食品 / 품질 ~ 品质欠佳

불량-기(不良氣) 圏 流气 liúqì; 流氓习气 liúmáng xíqì

불량-배(不良輩) 圏 不良之辈 bùliángzhībèi; 流氓团伙 liúmáng tuánhuǒ; 流氓 liúmáng; 流氓团伙 liúmángtuán

불량-스럽다(不良一) 闍 不良 bùliáng; 流气 liúqì; 不正派 bùzhèngpài 불량스레 圉

불량-품(不良品) 圏 劣质品 lièzhìpǐn; 次品 cìpǐn; 次货 cìhuò; 剔庄货 tīzhuānghuò

불러-내다 㵑 叫出来 jiàochūlái; 唤出来 huànchūlái ¶친구를 ~ 把朋友叫出来

불러-들이다 㵑 1 叫进来 jiàojìnlái; 叫进去 jiàojìnqù; 唤进来 huànjìnlái; 让进来 ràngjìnlái; 叫进 jiàojìn 2 传唤 chuánhuàn

불러-오다 㵑 1 叫来 jiàolái; 请来 qǐnglái ¶의사를 ~ 请来大夫 / 택시를 ~ 叫来出租车 2 引来 yǐnlái; 招来 zhāolái ¶재난을 ~ 招来灾难

불러-일으키다 㵑 唤起 huànqǐ; 唤醒 huànxǐng; 逗动 dòudòng; 激起 jīqǐ; 挑动 tiǎodòng; 勾 gōu; 招引 zhāoyǐn; 勾动 gōudòng; 动 dòng ¶그의 호기심을 ~ 逗动他的好奇心 / 엄마에 대한 그리움을 ~ 勾起对妈妈的怀念

불로 소:득(不勞所得) 圏【經】非劳动收入 fēiláodòng shōurù; 非劳动所得 fēiláodòng suǒdé; 不劳而获 bùláo'érhuò; 现成饭 xiànchéngfàn ¶~세 非劳动所得税

불로장생(不老長生) 圏勮 长生不老 chángshēngbùlǎo ¶~약 长生不老药

불로-초(不老草) 圏【植】长生不老之草 chángshēngbùlǎozhīcǎo; 长生不老草 chángshēngbùlǎocǎo

불룩 圉勮자뮈 鼓 gǔ; 鼓鼓 gǔgǔ; 鼓鼓囊囊 gǔgūnāngnāng; 鼓绷绷 gǔbēngbēng; 鼓凸 gǔtū ¶그의 주머니가 ~하다 他的口袋鼓鼓的

불룩-거리다 㵑 鼓起 gǔqǐ; 凸起 tūqǐ; 鼓鼓囊囊 gǔgūnāngnāng; 一鼓一鼓 yīgǔyīgǔ = 불룩대다 불룩-불룩 圉勮자뮈

불륜(不倫) 圏勮 不合人伦 bùhé rénlún; 外遇 wàiyù; 不正当 bùzhèngdàng ¶~ 관계 不合人伦的行伪 / ~을 저지르다 做外遇

불리(不利) 圏勮 不利 bùlì ¶~한 조건 不利条件 / 나에게 좀 ~하다 对我有些不利

불리다[1] 被叫 bèijiào; 被唤 bèihuàn; 号称 hàochēng; 称为 chēngwéi 《'부르다'의 被动词》

불-리다[2] [타] '불다[1]'의 被动词

불리다[3] [타] '부르다[2]'의 사동사

불리다[4] [타] 1 泡 pào; 发 fā; 涨 zhǎng 《'붇다'의 사동사》 2 使增多 shǐzēngduō; 使增长 shǐzēngzhǎng; 使增殖 shǐzēngzhí 《'붇다[2]'의 사동사》

불리-우다 [자] '불리다[1]'의 잘못

불만(不滿) 不满 bùmǎn; 不满意 yìjìàn; 不满意 bùmǎnyì = 불만족 ¶~을 품다 心怀不满 / 너 나한테 ~ 있니? 你对我有意见吗? / ~을 털어놓다 发泄不满

불만-스럽다(不滿一) [형] 不满意 bùmǎnyì; 有意见 yǒuyìjiàn; 不满 bùmǎn = 불만족스럽다 **불만스레** [부]

불-만족(不滿足) [명] = 불만

불만족-스럽다(不滿足一) [형] = 불만족스럽다 **불만족스레** [부]

불매(不買) 拒购 jùgòu; 抵制 dǐzhì ¶~ 운동 联合抵制

불면(不眠) [명] [자] 失眠 shīmián; 睡不着 shuìbùzháo ¶~증 失眠症

불멸(不滅) [명] [하형] 不灭 bùmiè; 不朽 bùxiǔ; 永世不灭 yǒngshìbùmiè ¶~의 업적 永世不灭的业绩

불명(不明) [명] [하형] 不详 bùxiáng; 不明 bùmíng; 不清楚 bùqīngchu ¶주소·지址不详 / 원인 ~ 原因不详 / 수취인 ~ 收件人不详

불-명예(不名譽) [명] [하형] 不名誉 bùmíngyù; 不光荣 bùguāngróng; 不光彩 bùguāngcǎi

불명예-스럽다(不名譽一) [형] 不名誉 bùmíngyù; 不光荣 bùguāngróng; 不光彩 bùguāngcǎi **불명예스레** [부]

불모(不毛) [명] 不毛 bùmáo ¶~의 땅 不毛之地 / ~지 不毛之地

불문(不問) 1 不问 bùwèn; 不追究 bùzhuījiù ¶과거 ~ 不问过去 2 不分 bùfēn; 不论 bùlùn; 无论 wúlùn; 不问 bùwèn ¶남녀노소를 ~하고 不论男女老少 / 장소를 ~하고 소리를 질러대다 不分场合乱叫

불문(佛文) [명] 法文 Fǎwén ¶~과 法文系

불문(佛門) [명] [佛] = 불가(佛家) ¶~에 귀의하다 归依佛门

불문-법(不文法) [명] [法] 不成文法 bùchéngwénfǎ = 불문율

불문-율(不文律) [명] [法] = 불문법

불미-스럽다(不美一) [형] 不光彩 bùpiàox: 丑恶 chǒu'è; 丑 chǒu; 卑鄙 bēibǐ; 肮脏 āngzāng; 龌龊 wòchuò **불미스레** [부]

불미-하다(不美一) [형] 不漂亮 bùpiào-

ling; 丑恶 chǒu'è; 丑 chǒu; 卑鄙 bēibǐ; 肮脏 āngzāng; 龌龊 wòchuò ¶불미한 스캔들 卑鄙的丑闻

불-바다 [명] 火海 huǒhǎi

불발(不發) [명] [하형] 1 不爆炸 bùbàozhà; 瞎火 xiāhuǒ; 臭火 chòuhuǒ; 哑火 yǎhuǒ; 瞎 yǎ; 瞎火 chòu 火 ¶총을 한 방 쏘았는데 ~이었다 打了一枪, 瞎火了 2 不动身 bùdòngshēn; 不出发 bùchūfā; 未发结束 wèifājiéshù

불발-탄(不發彈) [명] 瞎火 xiāhuǒ; 臭子儿 chòuzǐr; 臭子弹 chòuzǐdàn; 臭炮弹 chòupàodàn; 哑炮 yǎpào; 瞎炮 xiāpào

불법(不法) [명] [하형] 非法 fēifǎ; 不法 bùfǎ ¶~ 복제 非法复制 / ~ 시위 非法示威 / ~ 감금 非法监禁 / ~ 체류 不法滞留 = [不法逗留] / ~ 행위 非法行为

불법(佛法) [명] 1 [宗] 佛教 fójiào 2 [佛] 佛法 fófǎ; 大宝 dàbǎo; 法道 fǎdào; 禅法 chánfǎ

불법-적(不法的) [관] [명] 非法(的) fēifǎ(de); 不法(的) bùfǎ(de) ¶~인 방법 非法的办法

불-벼락 [명] 严厉斥责 yánlì chìzé; 痛骂 tòngmà

불변(不變) [명] [하형] 不变 bùbiàn ¶~의 법칙 不变法则 / ~성 不变性

불-별 [명] 烈日 lièrì; 炎阳 yányáng ¶뜨거운 ~ 아래에서 在炎炎的烈日下

불별-더위 [명] 酷暑 kùshǔ; 酷热 kùrè; 炎暑 yánshǔ

불복(不服) [명] [하형] 不服 bùfú; 不服从 bùfúcóng; 不服气(儿) bùfúqì(r) ¶명령에 ~하다 不服从命令 / 판정에 ~하다 不服裁判

불분명-하다(不分明一) [형] 不清楚 bùqīngchu; 不明 bùmíng; 不明确 bùmíngquè; 不分明 bùfēnmíng; 没准儿 méizhǔnr ¶기억이 ~ 记忆不清楚 / 사인이 ~ 死因不明

불-붙다 [자] 1 着火 zháohuǒ; 起火 qǐhuǒ; 失火 shīhuǒ 2 激烈 jīliè; 热烈 rèliè ¶논쟁이 다시 ~ 又热烈争论起来

불-붙이다 [타] 1 点火 diǎnhuǒ; 点燃 diǎnrán 《'불붙다[1]'의 사동사》 2 '불붙다[2]'의 사동사

불-빛 [명] 1 火光 huǒguāng 2 灯光 dēngguāng; 灯亮儿 dēngliàngr; 光 guāng; 亮 liàng ¶창문으로 ~이 새다 从窗户透出灯光来 / ~이 어둡다 灯光昏暗

불사(不辭) [명] [하타] 不辞 bùcí; 不推辞 bùtuīcí; 不惜 bùxī ¶일전을 ~하다 不辞一战

불-사르다 [타] 1 烧毁 shāohuǐ; 烧掉

shāodiào; 銷毁 xiāohuǐ ¶옛 편지를 ~
燒掉以前的信 / 廢品들을 전부 불살라
버리다 把廢品全部燒掉 **2** 清除 qīng-
chú; 丢掉 diūdiào; 消除 xiāochú ‖ =
사르다

불사-신(不死身) 몡 **1** 不死之身 bùsǐ-
zhīshēn; 銅頭鐵臂 tóngtóutiěbì; 铁人
tiěrén; 铁汉子 tiěhànzi

불사-조(不死鳥) 몡 **1** 铁人 tiěrén; 铁
汉子 tiěhànzi **2** 〖文〗不死鳥 bùsǐniǎo;
长生鳥 chángshēngniǎo

불상(佛像) 몡 〖佛〗佛像 fóxiàng = 부
처2

불상-사(不祥事) 몡 不祥事 bùxiáng-
shì; 凶事 xiōngshì; 逆事 nìshì ¶~가
생기다 发生凶事

불-성실성(不誠實) 몡/혱 不诚实 bù-
chéngshí; 不老实 bùlǎoshi ¶~한 태도
不诚实的态度

불-세출(不世出) 몡/혱 不世出 bù-
shìchū; 稀世 xīshì; 罕見 hǎnjiàn ¶~
의 영웅 不世出的英雄

불소(弗素) 몡 〖化〗氟 fú; 氟素 fúsù ¶
~ 함유 치약 含氟牙膏

불손(不遜) 몡/혱 不逊 bùxùn;
不谦逊 bùqiānxùn; 放肆 fàngsì ¶~한
언행 放肆言行 ¶오만하고 ~하다 傲
慢不逊

불수(不隨) 몡 不遂 bùsuì ¶반신~ 半
身不遂

불순(不純) 몡/혱/부 不纯 bùchún;
不纯洁 bùchúnjié; 不良 bùliáng ¶~물
不纯物质 / 분자 不良分子 / 동기가
~하다 动机不纯 / 사상이 ~하다 思
想不纯

불순(不順) 몡/혱/부 **1** 不温顺 bù-
wēnshùn; 不和顺 bùhéshùn; 不恭敬
bùgōngjìng ¶~한 태도 不温顺的态度
2 不调 bùtiáo; 不顺 bùshùn; 不顺利
bùshùnlì ¶월경 ~ 月经不调

불시(不時) 몡 不时 bùshí; 不测 bùcè;
突然 tūrán ¶~의 습격 突然袭击

불시-착(不時着) 몡 〖航〗불
시 착륙 ¶비행기가 ~하다 飞机迫降

불시 착륙(不時着陸) 〖航〗迫降 pò-
jiàng = 불시착

불식(拂拭) 몡/혱타 清除 qīngchú; 消除
xiāochú; 打消 dǎxiāo ¶선입견을 ~하
다 清除成见 / 오해를 ~하다 消除误
会

불신(不信) 몡/혱타 不信 bùxìn; 不相
信 bùxiāngxìn; 不信任 bùxìnrèn ¶~자
不信者 / 상대방을 ~하다 不信任对
方 / 오해와 ~이 생기다 产生误解和
不信任

불-신임(不信任) 몡/혱타 不信任 bù-
xìnrèn ¶~ 투표 不信任投票 /~안 不
信任案

불심(佛心) 몡 〖佛〗佛心 fóxīn; 圣心
shèngxīn

불심 검:문(不審檢問) 〖法〗盘查 pán-
chá ¶길에서 ~을 당하다 在路上遭盘
查

불쌍-하다 혱 可怜 kělián; 可悯 kě-
mǐn; 令人怜悯 lìngrénliánmǐn; 可怜見
(儿) kěliánjiàn(r) ¶불쌍한 고아들 可怜
的孤儿们 / 그는 참 ~하다 他真可怜 **불쌍-
히** 부

불-쏘시개 몡 火媒(儿) huǒméi(r); 火
媒 huǒméi; 引火柴 yǐnhuǒchái; 火捻
(儿) huǒniǎn(r) = 쏘시개

불쑥 혱/하타 突然 tūrán; 忽然 hū-
rán; 冷不防(地) lěngbùfáng(de); 突出
tūchū; 突地 tūdì ¶손을 ~ 내밀다 冷
不防地伸出手来 / 그의 집에 청년 몇
명이 ~ 왔다 他家突然来了几个青年
人

불-씨 몡 **1** 火种 huǒzhǒng; 底火 dǐ-
huǒ ¶~를 잘 간수하다 看好火种 /~
가 꺼졌다 火种灭了 **2** 导火线 dǎo-
huǒxiàn; 火种 huǒzhǒng ¶혁명의 ~
革命的火种 / 충돌의 ~ 冲突的导火线

불안(不安) 몡/혱 不安 bù'ān; 不宁
bùníng; 揪心 jiūxīn; 紧张 jǐn-
zhāng ¶~한 기색 不安的容色 / 社会
~ 社会不安 / 마음이 ~하다 心里不
安 /~한 마음을 가라앉히다 让不安
的心情平静下来

불안-감(不安感) 몡 不安之感 bù'ān-
zhīgǎn; 担忧 dānyōu; 不安 bù'ān

불-안정(不安定) 몡/혱타 不安定 bù'ān-
dìng; 不安整 bù'ānwěn; 不稳定 bùwěn-
dìng; 不稳 bùwěn; 多变 duōbiàn ¶그
의 정서가 ~하다 他情绪不稳定 / 생
활이 매우 ~하다 生活很不安定

불-알 몡 睾丸 gāowán

불야-성(不夜城) 몡 不夜城 bùyèchéng
¶~을 이룬 거리 成为不夜城的街道

불어(佛語) 몡 〖語〗法语 fǎyǔ

불어-나다 困 **1** 增加 zēngjiā; 增长
zēngzhǎng; 增多 zēngduō; 上涨 shàng-
zhǎng; 涨 zhǎng ¶강물이 ~ 江水上
涨 / 인구가 급속히 ~ 人口迅速增多
2 膨大 péngdà; 发胖 fāpàng ¶몸이 많
이 ~ 身体发胖很多

불어-넣다 타 灌输 guànshū; 鼓吹
gǔchuī ¶학생들에게 지식을 ~ 向学生
灌输知识

불어-오다 困 吹来 chuīlái; 刮来 guā-
lái ¶시원한 바람이 불어왔다 凉风吹
来了

불-여우 몡 **1** 〖動〗红狐 hónghú; 赤
狐 chìhú; 火狐 huǒhú **2** 狐狸精 húli-
jīng

불연(不燃) 몡 不燃 bùrán ¶~성 不燃
性

불-연속(不連續) 圏 不连续 bùliánxù; 间断 jiànduàn ¶~면 不连续面 / ~성 不连续性

불온(不穩) 圏하圏 不安分 bù'ānfèn; 危险 wēixiǎn; 不纯 bùchún ¶~ 사상 危险思想

불-완전(不完全) 圏하圏 不完全 bùwánquán; 不完备 bùwánbèi; 不完美 bùwánměi; 残 cán; 残缺 cánquē ¶~한 계획 不完全计划 / ~ 동사 不完全动词 / ~ 변태 不完全变态 / ~ 연소 不完全燃烧 / ~ 타동사 不完全及物动词

불요불굴(不撓不屈) 圏하圏 不屈不挠 bùqūbùnáo ¶~의 정신 不屈不挠的精神

불우(不遇) 圏하圏 **1** 怀才不遇 huáicáibùyù; 不幸 bùxìng; 遭遇不佳 zāoyùbùjiā; 遭遇不幸 zāoyùbùxìng ¶일생을 ~하게 살다 一生怀才不遇 **2** 凄 苦 qīkǔ; 困难 kùnnan ¶~ 이웃 困难邻居 / 가정 환경 ~하다 家庭环境困难

불운(不運) 圏하圏 **1** 不走运 bùzǒuyùn; 倒霉 dǎoméi; 不幸 bùxìng; 背运 bèiyùn; 背字儿 bèizìr; 苦命 kǔmìng; 黑运 hēiyùn ¶~의 연속 连续走背运

불원(不遠) 圏하圏 **1** 不远 bùyuǎn; 不久 bùjiǔ; 即将 jíjiāng; 行将 xíngjiāng

불원-간(不遠間) 圏 不久 bùjiǔ; 即将 jíjiāng; 行将 xíngjiāng ¶~ 완성될 것이다 不久就要完成

불원-천리(不遠千里) 圏하圏자 不远千里 bùyuǎnqiānlǐ; 千里迢迢 qiānlǐtiáotiáo

불응(不應) 圏하圏자타 不应从 bùyìngcóng; 不答应 bùdāyìng; 拒绝接受 jùjué jiēshòu; 不接受 bùjiēshòu ¶검문에 ~하다 拒绝接受盘查 / 조사에 ~하다 拒绝调查

불의(不意) 圏하圏 不料 bùliào; 不意 bùyì; 不虞 bùyú; 意外 yìwài; 出其不意 chūqíbùyì; 意料之外 yìliàozhīwài ¶~의 사고 意外事故

불의(不義) 圏하圏 不义 bùyì; 非正义 fēizhèngyì; 不道德 bùdàodé

불-이익(不利益) 圏하圏 吃亏 chīkuī; 无利 wúlì; 没益 méiyì; 没有好处 méiyǒuhǎochù; 不利益 bùlìyì

불-이행(不履行) 圏하圏타 不履行 bùlǚxíng ¶계약 ~ 不履行合同

불-일치(不一致) 圏하圏 不一致 bùyīzhì; 不一 bùyī; 分歧 fēnqí ¶언행 ~ 言行不一 / 두 사람의 관점이 ~하다 两人的观点不一致

불임(不妊) 圏 【醫】 不孕 bùyùn;

不育 bùyù; 不孕不育 bùyùnbùyù; 绝育 juéyù ¶여성 ~ 女性不孕 / 수술 绝育手术 / ~ 치료 不孕不育治疗 / ~ 증 不孕症

불입(拂入) 圏하圏타 纳入 nàrù; 交付 jiāofù; 交纳 jiāonà; 缴纳 jiǎonà; 缴付 jiǎofù; 缴 jiǎo ¶방세를 ~하다 缴付房费

불입-금(拂入金) 圏 = 납부금

불입-액(拂入額) 圏 = 납부액

불자(佛子) 圏 **1** 佛陀弟子 fótuó dìzǐ **2** 菩萨 púsà **3** 佛教徒 fójiàotú

불-자동차(―自動車) 圏 = 소방차

불-장난(―) 圏하圏자 **1** 玩火 wánhuǒ; 弄火 nònghuǒ; 耍火 shuǎhuǒ ¶아이들의 ~ 小孩们的玩火游戏 / ~은 위험하다 玩火是危险的 **2** 玩火 wánhuǒ; 冒险 màoxiǎn **3** (男女间的) 胡搞 húgǎo

불-조심(―操心) 圏 小心火灾 xiǎoxīn huǒzāi; 小心失火 xiǎoxīn shīhuǒ; 小心火烛 xiǎoxīn huǒzhú ¶자나 깨나 ~ 时时刻刻小心火烛

불찰(不察) 圏 疏失 shūshī; 疏忽 shūhū; 过失 guòshī; 过错 guòcuò; 错误 cuòwù; 过误 guòwù ¶이것은 저의 ~입니다 这是我的过错

불참(不參) 圏하圏자 不参加 bùcānjiā; 不出席 bùchūxí; 不到场 bùdàocháng ¶~을 선언하다 宣布不参加 / 회의에 ~하다 不参加会议

불철-주야(不撤晝夜) 圏하圏자 夜以继日 yèyǐjìrì; 日以继夜 rìyǐjìyè; 不分昼夜 bùfēnzhòuyè; 不舍昼夜 bùshèzhòuyè; 昼夜不停 zhòuyèbùtíng ¶~로 일하다 不分昼夜地工作

불청-객(不請客) 圏 不速之客 bùsùzhīkè

불초(不肖) 一圏 不肖 bùxiào 二回 = 불초자

불초-자(不肖子) 回 不肖之子 bùxiàozhīzǐ; 不肖子 bùxiàozǐ = 불초一

불-출마(不出馬) 圏하圏자 不出马 bùchūmǎ; 不竞选 bùjìngxuǎn

불충(不忠) 圏하圏자 不忠 bùzhōng ¶임금께 ~하다 对君主不忠

불-충분(不充分) 圏하圏 不充分 bùchōngfèn; 不够充分 bùgòu chōngfèn; 欠充分 qiànchōngfèn ¶논거가 ~하다 论据不充分

불치(不治) 圏하圏 不治 bùzhì; 治不好 zhìbùhǎo

불치-병(不治病) 圏 不治之症 bùzhìzhīzhèng; 不治之病 bùzhìzhībìng; 绝症 juézhèng ¶~에 걸리다 得了一个不治之病 / ~을 앓다 患上绝症

불-친절(不親切) 圏 不热情 bùrèqíng; 冷落 lěngluò; 冷冰冰 lěngbīngbīng; 不亲切 bùqīnqiè ¶~한 목소리 冷冰冰的

声音 / 손님에게 ~하다 对顾客不热情

불침-번(不寢番) 圏 夜班 yèbān

불쾌-감(不快感) 圏 不快感 bùkuàigǎn; 不快 bùkuài ¶~을 주다 令人不快

불쾌-지수(不快指數) 圏 人体舒适度指数 réntǐ shūshìdù zhǐshù; 温湿指数 wēnshī zhǐshù

불쾌-하다(不快—) 劻 1 不快 bùkuài; 不愉快 bùyúkuài; 不高兴 bùgāoxìng; 不平 bùpíng ¶불쾌한 일 不愉快的事 / 그는 늘 나를 불쾌하게 한다 他总是让我不高兴 2 (身体) 不爽 bùshuǎng; 不舒服 bùshūfu; 不得劲儿 bùdéjìnr 불쾌-히 劻

불-타다 1 困 燃烧 ránshāo; 焚 fén; 着火 zháohuǒ; 起火 qǐhuǒ 2 火热 huǒrè; 炽烈 chìliè; 炽盛 chìshèng; 激昂 jīáng ¶불타는 애국심 激昂的爱国热情 / 불타는 청춘 火热的青春

불태우다 囲 燃烧 ránshāo; 烧 shāo; 焚 fén《'불타다1'의 使动词》¶편지를 ~ 燃烧书信

불통(不通) 圏困자타 不通 bùtōng; 堵塞 dǔsè; 闭塞 bìsè ¶소식이 ~이다 消息不通 / 전화가 ~되다 电话不通

불-투명(不透明) 圏劻 1 (物体) 不透明 bùtòumíng ¶~ 액체 不透明液体 / ~색 不透明色 / ~체 不透明体 / ~ 유리 不透明的玻璃 2 (态度, 情况) 不透明 bùtòumíng; 不明 bùmíng; 吃不准儿 chībuzhǔnr; 不明确 bùmíngquè; 不明朗 bùmíngláng ¶태도가 ~하다 态度不明 / 참가 여부가 아직 ~하다 能否参加尚不明确

불-특정(不特定) 圏 不特定 bùtèdìng; 不确定 bùquèdìng; 非特定 fēitèdìng ¶~ 다수 不特定多数

불-티 圏 星火 xīnghuǒ; 火星(儿) huǒxīng(r)

불티-나다 困 畅销 chàngxiāo; 旺销 wàngxiāo; 飞快 fēikuài ¶불티나게 팔려 나가다 飞快地卖出

불-판 圏 火格子 huǒgézi; 炉排 lúpái; 炉算子 lúbìzi

불패(不敗) 圏 不败 bùbài; 战无不胜 zhànwúbùshèng; 不可战胜 bùkězhànshèng ¶~의 신화 不败神话

불편(不便) 圏劻 1 不便 bùbiàn; 不便利 bùbiànlì; 不方便 bùfāngbiàn ¶교통이 ~하다 交通不便 / 휴대가 ~하다 携带不便 2 不适 bùshì; 不舒服 bùshūfu; 不方便 bùfāngbiàn; 不得劲儿 bùdéjìnr ¶걷기가 ~하다 走路不方便 / 심기가 ~하다 心情不舒服 / 요 며칠 나는 온몸이 ~하다 这几天我浑身不得劲儿

불편부당(不偏不黨) 圏劻 不偏不党

bùpiānbùdǎng; 不偏不倚 bùpiānbùyǐ

불평(不平) 圏劻타 不平 bùpíng; 牢骚 láosāo; 怨言 yuànyán; 埋怨 mányuàn; 甩闲话 shuǎixiánhuà ¶그는 한참 동안 ~을 늘어놓았다 他牢骚了半天 / 누구에게 ~하는 거야? 你这是对谁甩闲话呢?

불-평등(不平等) 圏劻 不平等 bùpíngděng ¶~ 조약 不平等条约

불평-불만(不平不滿) 圏 不平不满 bùpíngbùmǎn; 牢骚 láosāo; 埋怨 mányuàn

불-포화(不飽和) 圏劻자 【化】不饱和 bùbǎohé ¶~ 지방산 不饱和脂肪酸 / ~ 화합물 不饱和化合物

불-필요(不必要) 圏劻 不必要 bùbìyào; 没必要 méibìyào; 不需要 bùxūyào ¶~한 물건 不需要的东西 / ~한 절차 不需要的程序 / ~한 낭비를 줄이다 减少不必要的浪费

불한-당(不汗黨) 圏 1 匪帮 fěibāng; 匪徒 fěitú = 화적 2 流氓团伙 liúmáng tuánhuǒ; 歹徒 dǎitú

불-합격(不合格) 圏困자 1 (在考试) 不及格 bùjígé; 没考中 méikǎozhòng; 考不上 kǎobushàng ¶~자 不及格者 / 자격증 시험에 ~하다 资格考试不及格 2 不合格 bùhégé ¶~품 不合格品 / 신체검사에서 ~하다 体检不合格

불-합리(不合理) 圏劻 不合理 bùhélǐ; 悖谬 bèimiù ¶~한 제도 不合理制度 / ~한 요구 不合理的要求 / ~성 不合理性

불행(不幸) 圏劻悹 不幸 bùxìng; 倒霉 dǎoméi ¶~을 당하다 遭遇不幸 / 그는 ~히도 병으로 요절했다 他不幸患病早逝

불허(不許) 圏困타 不许 bùxǔ; 不准 bùzhǔn; 不容 bùróng; 不可 bùkě; 无可 wúkě ¶사용을 ~하다 不准使用 / 예측을 ~하다 不可预测 / 타의 추종을 ~하다 无可匹敌

불현-듯 悹 = 불현듯이

불현-듯이 悹 忽然 hūrán; 突然 tūrán; 突地 tūdì; 突然间 tūránjiān; 骤然间 zhòurán jiān; 猛然 měngrán; 翻然 fānrán = 불현듯 ¶~ 집에 가고 싶은 생각이 들다 忽然想回家

불협화-음(不協和音) 圏 1【音】不协和音 bùxiéhéyīn; 不谐和音 bùxiéhéyīn 2 冲突 chōngtū; 矛盾 máodùn; 不和 bùhé ¶친구와 ~이 생기다 与朋友发生意见冲突

불-호령(一號令) 圏困자 呵斥 hēchì; 呵叱 hēchì; 大声呵叱 dàshēng hēchì; 痛骂 tòngmà ¶아버지의 ~이 떨어지다 爸爸大声呵叱

불혹(不惑) 명 不惑 bùhuò ¶~의 나이 不惑之年

불화(不和) 명 하자 不和 bùhé; 不睦 bùmù; 不和睦 bùhémù; 不相容 bùxiāngróng; 失和 shīhé ¶가정 ~을 일으키다 引起家庭不和睦

불확실(不確實) 명 하자 不确实 bùquèshí; 没准 méizhǔn; 不确切 bùquèqiè ¶~한 뉴스 不确实的新闻

불황(不況) 명 【經】 = 불경기 ¶경제 ~ 经济萧条

불효(不孝) 명 하자동 不孝 bùxiào; 不孝敬 bùxiàojìng; 忤逆 wǔnì ¶~막심하다 极为不孝 / 아들이 부모에게 ~하다 儿子不孝父母

불효-자(不孝子) 명 不孝子 bùxiàozǐ; 不孝之子 bùxiàozhīzǐ; 逆子 nìzǐ; 忤逆儿 wǔnì'ér = 불효자식

불효-자식(不孝子息) 명 = 불효자

불후(不朽) 명 하자 不朽 bùxiǔ ¶~의 명작 不朽的名作

붉다 형 红 hóng; 红色 hóngsè; 赤红 chìhóng; 丹 dān; 赤 chì ¶붉은 꽃송이 红色花朵 / 붉은 색 红色 / 입술이 매우 ~ 嘴唇很红

붉어-지다 자 红 hóngle; 变红 biànhóng ¶얼굴이 한순간에 붉어졌다 脸一下子变红了

붉으락-푸르락 부형자 青一红一阵 qīngyīhóngyīzhèn; 一清一红 yīqīngyīhóng; 青一阵紫一阵 qīngyīzhènzǐyīzhèn; 急赤白脸 jíchìbáiliǎn ¶값을 ~하며 값을 흥정하다 急赤白脸地讨价还价

붉은-빛 명 红色 hóngsè; 赤色 chìsè

붉은-팥 명 赤豆 chìdòu; 红小豆 hóngxiǎodòu; 赤小豆 chìxiǎodòu; 小豆 xiǎodòu

붉-히다 타 红 hóng ¶얼굴을 ~ 红着脸

붐(boom) 타 潮 cháo; 热 rè; 热潮 rècháo; 风气 fēngqì ¶건축 ~ 建筑潮 / 베이비 ~ 婴儿潮 / ~을 일으키다 掀起热潮

붐비다 형 拥挤 yōngjǐ; 挤 jǐ; 挨挤 āijǐ ¶시장이 매우 ~ 市场内很拥挤 / 버스 안이 ~ 车内很挤 / 토요일에는 거리가 많이 붐빈다 星期六街道非常拥挤

붓 명 毛笔 máobǐ; 笔 bǐ ¶~ 한 자루 一枝毛笔 / ~걸이 笔架 / ~글씨 毛笔字 / ~대 笔杆子 = [笔杆儿] / ~두껍 笔帽

붓-꽃 명 【植】 鸢尾 yuānwěi; 鸢尾花 yuānwěihuā

붓-끝 명 笔端 bǐduān; 笔头儿 bǐtóur; 笔尖(儿) bǐjiān(r); 笔锋 bǐfēng ¶~이 날카롭다 笔锋锐利

붓:다¹ 자 1 肿 zhǒng; 发肿 fāzhǒng ¶

울어서 눈이 ~ 哭肿了眼 / 발등이 모기에 물려서 부었다 脚背被蚊子咬肿了 2 生气 shēngqì; 撅嘴 juēzuǐ ¶왜 그렇게 잔뜩 부어 있니? 为什么生那么大的气啊?

붓:다² 타 1 倒 dǎo; 倾倒 qīngdǎo; 浇注 jiāozhù; 浇 jiāo; 注 zhù; 灌注 guànzhù; 斟 zhēn; 沃 wò; 浇灌 jiāoguàn ¶독에 물을 ~ 往缸里倒水 2 交 jiāo; 交付 jiāofù; 存入 cúnrù ¶매달 곗돈을 ~ 每月交帮会金

붕 부 1 噗 pū; 嗡 wēng; 呜 wū 2 呼地 hūde 3 蹦 bèng

붕괴(崩壊) 명 하자 崩溃 bēngkuì; 崩塌 bēngtā; 倒塌 dǎotā; 崩 bēng; 崩坏 bēnghuài; 崩毁 bēnghuǐ; 垮 kuǎ; 垮塌 kuǎtā; 塌 tā ¶~ 사고 垮塌事故 / 주식 시장이 ~되기 시작하다 股市开始崩溃 / 집이 ~되려고 하다 房屋就要塌了

붕대(繃帯) 명 绷带 bēngdài ¶~를 감다 缠绷带 / ~를 풀다 解开绷带

붕산(硼酸) 명 【化】 硼酸 péngsuān

붕소(硼素) 명 【化】 硼 péng

붕:어 명 【魚】 鲫鱼 jìyú; 鲫 jì

붕:어-빵 명 鲫鱼点心 jìyú diǎnxīn

붙다 자 1 贴 tiē; 粘 zhān ¶지도가 벽에 붙어 있다 地图在墙上贴着 2 及格 jígé; 考上 kǎoshàng; 考中 kǎozhòng ¶시험에 ~ 考试及格 / 그녀는 베이징대학교에 붙었다 她考上了北大 3 (火) 着 zháo ¶집에 불이 붙었다 房屋着火了 4 附带 fùdài; 附设 fùshè; 带 dài; 附属 fùshǔ ¶침대차가 붙어 있는 열차 带卧铺车厢的列车 5 附加 fùjiā ¶조건이 ~ 附加条件 6 따르다 ¶집에 붙어 있다 在家里呆着 7 靠 kào; 靠拢 kàolǒng; 贴 tiē ¶몸에 딱 붙는 옷 贴身衣服 / 나한테 너무 가깝게 붙지 마라 不要靠我太近 8 依附 yīfù; 依靠 yīkào; 投靠 tóukào; 寄生 jìshēng ¶매형한테 붙어서 살다 依靠姐夫过日子 9 提高 tígāo; 增加 zēngjiā ¶중국어 실력이 붙었다 汉语水平提高了 10 生 shēng; 长 zhǎng; 加 jiā ¶살이 ~ 长肉 / 이자가 ~ 生利息 11 性交 xìngjiāo; 交配 jiāopèi; 交媾 jiāogòu

붙-들다 타 1 抓住 zhuāzhù; 攥住 zuànzhù; 拣住 jiūzhù ¶손목을 ~ 抓住手腕 / 범인을 ~ 提住 zhuāzhù ¶도둑을 ~ 抓住小偷 9 留住 liúzhù; 挽留 wǎnliú ¶가겠다는 사람을 ~ 一个劲儿地挽留要走的人

붙들-리다 타동 被抓住 bèizhuāzhù; 被抓住 bèijiūzhù ('붙들다'의 피동사) ¶그녀에게 팔을 ~ 胳膊被她抓住 타동 자 1 被捉住 bèizhuāzhù; 被逮住 bèidàizhù; 被抓住 bèizhuāzhù ¶경찰에

被警察逮住 2 被留住 bèiliúzhù; 被挽留 bèiwǎnliú ¶그에게 붙들려서 하루 더 묵었다 被他留住多呆了一天

붙-박다 타 固定 gùdìng

붙-박이 명 固定 gùdìng; 不动 bùdòng; 一动不动 yīdòngbùdòng; 固定式 gùdìngshì ¶~장 固定式衣柜 / ~ 家具 固定式家具 / 그는 거기에서 붙박아 있다 他坐在那儿一动不动

붙어-살다 자 1 寄居 jìjū; 寄食 jìshí; 寄人篱下 jìrénlíxià ¶아들을 데리고 친정집에 ~ 带儿子寄居在娘家 2 不出门 bùchūmén ¶그는 공부하느라 바빠서 집에서 붙어산다 他学习忙碌，不出门 3 寄生 jìshēng ¶이런 기생충은 동물의 몸에 붙어산다 这种寄生虫寄生在动物体内

붙-이다 타 1 贴 tiē; 粘 zhān; 粘贴 zhāntiē; 张贴 zhāngtiē; 糊 hú ¶우표를 ~ 粘邮票 / 포스터를 벽에 ~ 把海报粘贴在墙上 2 引 yǐn ¶담배불을 ~ 点火 3 加 jiā; 交付 jiāofù; 附加 fùjiā ¶조건을 ~ 附加条件 4 靠 kào; 靠着 kàozhe ¶책상을 ~ 把书桌靠起来 / 벽에 붙어 앉으시오 您靠着墙坐 5 使결合 shǐjiéhé; 撮合 cuōhé ¶두 남녀를 붙여 주다 撮合一对男女 6 使交配 shǐjiāopèi; 使交尾 shǐjiāowěi 7 派 pài; 配给 pèigěi; 配备 pèibèi 8 促成 cùchéng; 唆使 suōshǐ ¶흥정을 ~ 促成生意 / 싸움을 ~ 唆使打架 9 养成 yǎngchéng; 产生 chǎnshēng; 引起 yǐnqǐ; 培养 péiyǎng ¶취미를 ~ 产生兴趣 10 起 qǐ; 命 mìng ¶미영이라고 이름을 ~ 起名叫美英 11 打 dǎ ¶따귀를 한 대 ~ 打一耳光 12 搭话 dāhuà; 攀谈 pāntán; 攀话 pānhuà ¶말을 ~ 搭话

붙임-성(一性) 명 人缘(儿) rényuán(r); 随和 suíhe; 打交道 dǎjiāodao ¶~이 있다 有人缘 / 그는 ~이 좋다 他好打交道

붙임-표(一標) 명 【語】连接号 liánjiēhào; 连字号 liánzìhào = 하이픈

붙-잡다 타 1 抓 zhuā; 扒 bā; 扯住 chězhù; 抓住 zhuāzhù; 攥住 zuànzhù; 握住 wòzhù; 拿住 názhù; 揪住 jiū ¶소매를 ~ 抓住袖子 / 그의 어깨를 ~ 抓住他的肩膀 2 逮住 dǎizhù; 捉住 zhuōzhù; 逮捕 dàibǔ; 抓住 zhuāzhù; 捕捉 bǔzhuō; 逮 dǎi; 扭 niǔ; 拿 ná; 捉拿 zhuōná ¶현장에서 범인을 ~ 当场捉住罪犯 3 挽留 wǎnliú; 留住 liúzhù 4 找到 zhǎodào 5 抓住 zhuāzhù

붙잡-히다 자 1 被抓住 bèizhuāzhù 被揪住 bèijiūzhù 2 被捉住 bèizhuōzhù; 被逮住 bèidǎizhù; 被抓住 bèizhuāzhù; 被捕 bèibǔ ¶도둑질하다가 붙잡혔다

正偷东西时被逮住了 3 被挽留 bèiwǎnliú

뷔페(프buffet) 명 自助餐 zìzhùcān; 冷餐 lěngcān; 冷餐会 lěngcānhuì; 冷餐区 lěngcānqū; 自助餐厅 zìzhùcāntīng

브라보(이bravo) 감 好 hǎo; 好哇 hǎo'a; 太棒了 tàibàngle; 好极了 hǎojíle

브라우저(browser) 명 【컴】浏览器 liúlǎnqì; 浏览程序 liúlǎn chéngxù

브라운-관(Braun管) 명 1 【物】显像管 xiǎnxiàngguǎn 2 电视 diànshì

브래지어(brassiere) 명 胸罩 xiōngzhào; 乳罩 rǔzhào; 奶罩 nǎizhào; 胸文胸 xiōng wénxiōng

브랜드(brand) 명 品牌 pǐnpái; 牌子 páizi; 商标 shāngbiāo; 牌名 páimíng; 货牌 huòpái ¶유명 ~ 有名品牌 / ~ 이미지 商标印象

브랜디(brandy) 명 白兰地 báilándì; 勃兰地 bólándì

브러시(brush) 명 = 솔

브레이크(brake) 명 1 【機】制动器 zhìdòngqì; 制动装置 zhìdòng zhuāngzhì; 刹车 shāchē; 车闸 chēzhá; 闸 zhá = 제동기 ¶~를 걸다 刹车 / ~가 말을 안 듣다 刹车不灵 2 阻碍 zǔ'ài; 阻止 zǔzhǐ; 制止 zhìzhǐ ¶기념 행사에 ~를 걸다 阻止纪念活动

브로치(brooch) 명 (装饰用) 胸针 xiōngzhēn; 领针 lǐngzhēn; 饰针 shìzhēn; 别针 biézhēn

브로커(broker) 명 【經】1 经纪人 jīngjìrén; 经纪 jīngjì 2 中人 zhōngrén; 中间人 zhōngjiānrén; 掮客 qiánkè ¶증권 ~ 伪造护照掮客

브로콜리(broccoli) 명 【植】花椰菜 huāyēcài; 花菜 huācài

브론즈(bronze) 명 青铜 qīngtóng; 青铜制品 qīngtóng zhìpǐn

브리핑(briefing) 명하타 简要报告 jiǎnyào bàogào; 简报 jiǎnbào

브이시아르(VCR) 명 = 비디오카세트리코더

브이티아르(VTR) 명 = 비디오테이프리코더

블라우스(blouse) 명 女衬衫 nǚchènshān; 女罩衫 nǚzhàoshān

블라인드(blind) 명 百叶窗帘 bǎiyèchuānglián

블랙-리스트(blacklist) 명 黑名单 hēimíngdān ¶~에 오르다 上黑名单

블랙-박스(black box) 명 1 黑匣子 hēixiázi 2 黑箱 hēixiāng

블랙-커피(black coffee) 명 黑咖啡 hēikāfēi; 清咖啡 qīngkāfēi

블랙-홀(black hole) 명 【天】黑洞

hēidòng

블로킹(blocking) 명【體】1 (篮球) 阻挡犯规 zǔdǎng fànguī 2 (排球) 拦网 lánwǎng; 封网 fēngwǎng

블록(block) 명 1 积木 jīmù ¶~을 쌓다 堆积木 2 区段 qūduàn; 街区 jiēqū 3【建】料料 kuàiliào; 砌块 qìkuài 4【컴】数据块 shùjùkuài; 信息组 xìnxī zǔ; 程序块 chéngxùkuài

블루스(blues) 명【音】1 布鲁斯 bù lǔsī; 布鲁斯舞曲 bùlǔsī wǔqǔ; 慢四拍 曲 mànsì wǔqǔ 2 布鲁斯舞 bùlǔsīwǔ; 慢四步 mànsìbù

블루-칩(blue chips) 명【經】蓝筹股 lánchóugǔ; 热门证券 rèmén zhèngquàn

블루-칼라(blue-collar) 명 蓝领 lán lǐng; 蓝领工人 lánlǐng gōngrén

비¹(比) 명 雨 yǔ ¶~가 내리다 下雨 / ~가 그치다 雨停了 / ~를 피하다 避雨 / ~에 젖다 被雨淋湿 / ~를 맞다 淋雨

비²(比) 명 扫帚 sàozhou; 笤帚 tiáozhou; 扫把 sàobǎ ¶~를 들고 땅을 쓸다 拿扫帚扫地

비:(比) 명【数】比 bǐ; 比例 bǐlì

비(妃) 명【史】妃子 fēizi; 王妃 wáng fēi

비(碑) 명 1 碑 bēi ¶~를 하나 세우다 立了一块碑 2 = 묘비

비-(非) 접두 非 fēi ¶~공식 非公式 / ~무장 非武装 / ~과학적 非科学的

-비(費) 접미 费 fèi ¶숙박~ 住宿费 / 교통~ 交通费 / 생활~ 生活费

비:-강(鼻腔) 명【生】鼻腔 bíqiāng; 鼻窦 bídòu

비:-겁-하다(卑怯—) 형 卑怯 bēiqiè; 卑鄙怯懦 bēibǐ qiènuò; 卑鄙 bēibǐ; 怯胆 qièdǎn ¶비겁한 행동 卑怯行为

비-견(比肩) 명하자 比肩 bǐjiān; 相比 xiāngbǐ; 媲 pì; 比得上 bǐdeshàng; 赶得上 gǎndeshàng; 跟得上 gēndeshàng ¶그와 ~할 만한 사람은 아무도 없다 没有谁能与他比肩

비-결(秘訣) 명 秘诀 mìjué; 窍门 qiào mén; 诀窍 juéqiào; 门路 ménlù; 门道 méndao ¶성공의 ~ 成功的秘诀

비계¹ 명 肥肉 féirou ¶ = 비곗살

비계²【建】명 脚手架 jiǎoshǒujià

비곗-덩어리 명 1 肥肉块 féirōukuài 2 大胖子 dàpàngzi

비곗-살 명 = 비계¹

비-고(備考) 명 备考 bèikǎo; 备注 bèi zhù ¶~란 备注栏

비-공개(非公開) 명형자 非公开 fēi gōngkāi; 不公开 bùgōngkāi ¶~ 회의 非公开会议 / ~ 정보 非公开信息

비-공식(非公式) 명 非正式 fēizhèng shì ¶~ 방문 非正式访问 / ~ 통계 非正式统计

비:-과세(非課税) 명형자 非应税 fēi yìngshuì; 免税 miǎnshuì; 非税收 fēi shuìshōu ¶~소득 非应税收入 / ~ 저축 免税储蓄

비:-관(悲觀) 명하자 悲观 bēiguān; 厌世 yànshì ¶~론 悲观论 / ~主义 悲观主义 / ~세상을 ~하여 투신 자살하다 悲观厌世跳楼自杀

비:-관-적(悲觀的) 관형 悲观(的) bēi guān(de) ¶~인 태도 悲观态度 / 나는 이 일에 대해 매우 ~이다 我对这件事很悲观

비:-교(比較) 명하자 比较 bǐjiào; 相比 xiāngbǐ; 相较 xiāngjiào; 比 bǐ; 较 jiào ¶~급 比较级 / ~대상 比较对象 / ~법 比较法 / ~분석 比较分析 / ~표 比较表 / 크기를 ~하다 比较大小

비:-교-적(比較的) 부 比较 bǐjiào; 较 jiào; 还 hái; 较为 jiàowéi; 相对 xiāng duì; 较比 jiàobǐ ¶이곳의 기후는 ~ 습하다 这里的气候比较潮湿 / ~이 가격은 ~ 싼 편이다 这个价格算是比较低了

비:-구-니(比丘尼) 명【佛】比丘尼 bǐ qiūní; 尼姑 nígū; 尼僧 nísēng

비:-굴(卑屈) 명형하자 卑躬屈膝 bēi gōngqūxī; 卑鄙 bēibǐ; 卑屈 bēiqū ¶~한 태도 卑鄙态度

비:-극(悲劇) 명 1【演】悲剧 bēijù 2 悲剧 bēijù ¶역사적 ~ 历史的悲剧 / ~이 일어나다 发生悲剧

비:-극-적(悲劇的) 관형 悲剧性的 bēi jùxìng(de); 悲剧(的) bēijù(de) ¶~인 운명 悲剧命运

비:-근-하다(卑近—) 형 浅显 qiǎn xiǎn; 卑近 bēijìn; 浅近 qiǎnjìn ¶비근한 예 浅显的例子

비:-금속(非金屬) 명 非金属 fēijīnshǔ ¶~ 원소 非金属元素 / ~ 광물 非金属矿物 / ~성 非金属性

비기다¹ 打成平局 dǎchéng píngjú; 不分胜负 bùfēn shèngfù; 拉平 lāpíng; 打平手 dǎpíngshǒu; 和 hé ¶우리 팀과 5대 5로 ~ 与中国队打成5比5平局

비기다² 동 1 比 bǐ; 比较 bǐjiào 2 比拟 bǐnǐ; 比喻 bǐyù; 比作 bǐzuò

비껴-가다 자타 掠过 lüèguo; 擦过 cāguo

비:-꼬다 타 1 拧 níng; 扭 niǔ; 捻 niǎn ¶그는 짚을 비꼬아 새끼를 한 가닥을 만들었다 他把稻草拧成了一股绳 2 扭 niǔ ¶몸을 ~ 扭身子 3 挖苦 wākǔ; 讥讽 jīfěng; 讥嘲 jīcháo; 讥刺 jīcì; 俏皮 qiàopí; 说风凉话 shuōfēngliánghuà ¶= 꼬다³ ¶비꼬는 말투 讥讽的口吻 / 너 지금 나 비꼬는 거지? 你这是在挖苦我吧?

비:-꼬이다 자 1 '비꼬다¹'의 被动词 2 '비꼬다²'의 被动词 3 乖戾 guāilì;

別扭 bièniu; 歪 wāi; 拗 niù; 乖僻 guāi-pì ¶비꼬인 성격 拗性格 **4** 不順利 bùshùnlì; 不順当 bùshùndang

비끼다 困 **1** 斜照 xiézhào; 側映 cèyìng; 映照 yìngzhào; 照射 zhàoshè; 斜映 xiéyìng ¶아침 햇살이 물에 ~ 루 晨的太阳斜照水上 **2** 閃現 shǎnxiàn; 透露 tòulù

비:난(非難) 图 한타 非難 fēinàn; 責難 zénàn; 指責 zhǐzé; 说话 shuōhuà; 讲话 jiǎnghuà ¶~을 받다 受到指责 / 할 수 없다 无可非难

비너스(Venus) 图 **1** 〖文〗 維納斯 Wéinàsī **2** 〖天〗 = 金星

비녀 图 簪子 zānzi; 簪 zān ¶~를 꽂다 插簪子

비:논리적(非論理的) 图图 不合逻辑(的) bùhéluójí(de); 非逻辑(的) fēiluójí(de) ¶~인 사고방식 非逻辑的思维方式 / ~인 글 非逻辑的文章

비:뇨기(泌尿器) 图 泌尿器 mìniàoqì; 泌尿系统 mìniào xìtǒng

비:뇨기-과(泌尿科) 图 〖醫〗 泌尿科 mìniàokē

비누 图 肥皂 féizào; 胰子 yízi; 皂 zào

비눗-갑(一匣) 图 肥皂盒 féizàohé

비눗-기 图 肥皂成分 féizào chéngfèn; 肥皂沫儿 féizàomòr

비눗-물 图 肥皂水 féizàoshuǐ

비눗-방울 图 肥皂泡 féizàopào ¶~을 불다 吹肥皂泡

비늘 图 鱗 lín; 鱼鳞 yúlín ¶~을 벗기다 刮鱼鳞

비:능률-적(非能率的) 图图 低效率(的) dīxiàolǜ(de); 效率低(的) xiàolǜdī(de); 没有效率的 méiyǒu xiàolǜ(de); 非效率性(的) fēixiàolǜxìng(de) ¶~ 작업 방식 低效率工作方式 / 사실상 이런 방식이 가장 ~이다 事实上这种方式是最没有效率的

비닐(vinyl) 图 〖化〗 塑料 sùliào; 乙烯基 yǐxījī; 塑料薄膜 sùliào bómó ¶~봉지 塑料袋 / ~우산 塑料雨伞 / ~장갑 塑料手套 / ~ 장판 塑料地板 / ~하우스 塑料大棚 = [塑料拱棚] / ~로 싸다 用塑料薄膜包起来

비:다 困 **1** 空 kōng; 空荡荡 kōngdàngdàng; 空洞洞 kōngdòngdòng; 空闲 kōngxián ¶빈 그릇 空碗 / 빈 의자 空椅子 / 텅 빈 사무실 空荡荡的办公室 **2** (手、身体) 空 kōng; 赤 chì; 空带 méidài ¶빈 몸으로 오다 没带东西过来 **3** 空 kōng; 空余 kōngyú ¶시간이 비면 다시 오세요 有空再来 **4** (头脑) 空空 kōngkōng; 笨 bèn ¶골이 ~ 脑袋空空 **5** 空洞 kōngdòng; 空虚 kōngxū ¶마음이 텅 ~ 心里空虚 **6** 缺 quē; 差 chà ¶100위안이 빈다 缺一百元 **7** 缺

缺 kòngquē; 空 kōng ¶과장 자리가 ~ 科长的位置空着

비단(非但) 图 非但 fēidàn; 不但 bùdàn; 不仅 bùjǐn; 不仅仅 bùjǐnjǐn ¶이것은 ~ 나 혼자만의 문제가 아니다 这不仅仅是我一个人的问题

비:단(緋緞) 图 绸子 chóuzi; 绸缎 chóuduàn; 绸 chóu; 缎 duàn; 锦 jǐn; 缎子 duànzi; 锦缎 jǐnduàn ¶~옷 丝绸衣服 / ~신 丝绸鞋

비:단-결(緋緞一) 图 绸缎纹理 chóuduàn wénlǐ; 丝绸组织 sīchóu zǔzhī ¶(像)绸子似的 (xiàng)chóuzi shìde; (像)绸子般的 (xiàng)chóuzi bānde 皮肤 pífū ¶~이다 皮肤像绸子般的细腻

비:단-길(緋緞一) 图 〖史〗 丝绸之路 sīchóuzhīlù = 실크 로드

비:대(肥大) 图图 **1** 肥大 féidà; 肥厚 féihòu; 臃肿 yōngzhǒng ¶편도선 ~ 扁桃腺肥大 / ~증 肥大症 / 몸이 ~하다 身体肥大 **2** 庞大 pángdà; 臃肿 yōngzhǒng ¶~한 조직 臃肿的组织

비:도덕적(非道德的) 图图 不道德(的) bùdàodé(de); 缺德(的) quēdé(de); 违背人伦 wéibèirénlún ¶~인 처사 办缺德事

비둘기 图 〖鳥〗 鸽子 gēzi; 鸽 gē

비:듬 图 头皮屑 tóupíxiè; 头屑 tóuxiè; 头皮 tóupí ¶~약 去头屑剂 / ~이 생기다 长头皮屑

비:등(沸騰) 图하자 沸騰 fèiténg ¶여론이 ~하다 舆论沸腾

비:등-비등(比等比等) 男하형 相似 xiāngsì; 差不多 chàbuduō; 相当 xiāngdāng; 颇颇 xiéháng

비:등-하다(比等一) 图 相仿 xiāngfǎng; 相似 xiāngsì; 相近 xiāngjìn; 差不多 chàbuduō; 相当 xiāngdāng; 颇颇 xiéháng ¶그들은 실력이 ~ 他们实力差不多

비디오(video) 图 **1** 录像 lùxiàng; 录影 lùyǐng ¶~를 보다 看录像 **2** = 비디오테이프 **3** = 비디오카세트-리코더

비디오-카메라(video camera) 图 电视摄影机 diànshì shèyǐngjī; 摄像机 shèxiàngjī

비디오카세트-리코더(video casstte recorder) 图 盒式磁带录像机 héshì cídài lùxiàngjī; 录像机 lùxiàngjī = 브이사라더

비디오-테이프(video tape) 图 录像带 lùxiàngdài; 盒式磁带 héshì cídài; 录像磁带 lùxiàng cídài; 影带 yǐngdài = 비디오2

비디오테이프-리코더(video tape recorder) 图 磁带录像机 cídài lùxiàngjī; 录像机 lùxiàngjī = 비디오3·브이티아르

비딱-하다 톙 1 歪 wāi; 斜 xié; 歪斜 wāixié ¶모자를 비딱하게 쓰다 歪戴着帽子 / 벽에 시계가 비딱하게 걸렸다 墙上的钟挂斜了 2 乖僻 guāipì; 别扭 bièniu ¶그는 성격이 비딱한 사람이다 他是一个性格乖僻的人

비뚜로 뿐 1 歪斜 wāixié; 歪斜 wāizhe; 斜着 xiézhe ¶너희들은 ～ 줄을 섰다 你们歪歪地排队了 2 心路不正 xīnlù bùzhèng

비뚤-거리다 쟈 1 直歪斜 zhíwāixié; 歪歪斜斜 wāiwàixiéxié 2 直打弯 zhídǎwān; 直弯曲 zhíwānqū ‖ = 비뚤대다 비뚤-비뚤 뿐하톙쟈타

비뚤다 톙 歪 wāi; 斜 xié; 歪斜 wāixié; 歪扭 wāiniǔ ¶코가 약간 ～ 鼻子有点儿歪了

비뚤어-지다 쟈 1 歪 wāi; 斜 xié; 斜 wāixié ¶줄이 ～ 线斜了 / 입이 ～ 嘴巴歪了 2 不正 bùzhèng; 乖僻 guāipì; 别扭 bièniu; 走弯路 zǒuwānlù ¶마음이 ～ 心术不正 / 그녀는 성격이 아주 비뚤어졌다 她的脾气真别扭

비-련(悲戀) 몡 悲恋 bēiliàn; 爱情悲剧 àiqíng bēijù

비-례(比例) 몡하쟈 比例 bǐlì ¶～ 대표 比例代表 / ～ 대표제 比例代表制 / ～ 상수 比例系数 / ～식 比例式

비로드(←포veludo) 몡 = 벨벳

비로소 뿐 才 cái; 终于 zhōngyú; 始shǐ; 方 fāng; 方才 fāngcái ¶나는 이제야 ～ 그의 마음을 이해했다 我现在才能理解他的心情

비록 뿐 虽然 suīrán; 虽 suī; 虽说 suīshuō; 尽管 jǐnguǎn ¶나는 ～ 가난하지만 네 도움을 받을 수는 없다 虽然我很穷, 但是我不会接受你的帮助

비롯-되다 쟈 出于 chūyú; 起始 qǐshǐ; 始于 shǐyú; 源于 yuányú; 起于 qǐyú ¶모든 문제가 오해에서 비롯된 것이다 一切问题都是出于误解的

비롯-하다 쟈타 1 出于 chūyú; 始于 shǐyú; 源于 yuányú; 起于 qǐyú ¶이것은 그의 역사적 사명감에서 비롯한 것이다 这是出于他的历史使命感 2 为 主 wéizhǔ; 以及 yǐjí; 为首 wéishǒu ¶할머니를 비롯하여 온 가족이 모이다 以奶奶为首的全家聚在一起

비-료(肥料) 몡 肥料 féiliào; 肥 féi ¶식물 肥料植物 / 작물 肥料作物 / ～를 뿌리다 施肥

비룡(飛龍) 몡 飞龙 fēilóng

비루(農) 톙 (牲畜身上生的) 癞癣 làixuǎn ¶~먹다 牛癞癣

비:루-하다(鄙陋—) 톙 鄙陋 bǐlòu; 浅薄 bǐbó; 低俗 dīsú; 庸劣 yōngliè; 卑鄙 bēibǐ; 可鄙 kěbǐ; 俗陋 súlòu

비름 몡(植) 苋菜 xiàncài; 苋 xiàn ¶

~나물 凉拌苋菜

비-리(非理) 몡 不正之风 bùzhèngzhīfēng; 不法行为 bùfǎ xíngwéi; 丑行 chǒuxíng; 违背情理 wéibèi qínglǐ; 非理 fēilǐ ¶社会的 ～를 파헤치다 挖解社会不正之风

비리다 톙 腥 xīng; 腥臭 xīngchòu; 腥气 xīngqì; 腥臊 xīngsāo ¶생선 구이가 좀 ～ 烤鱼有点腥

비리-비리 뿐하 瘦弱 shòuruò; 虚弱 xūruò

비린-내 몡 腥味儿 xīngwèir; 腥气 xīngqì ¶～가 코를 찌르다 腥气刺鼻 / ～를 없애다 去腥味儿

비릿-하다 톙 腥 xīng; 腥臊 xīngsāo; 腥气 xīngqì; 腥臭 xīngchòu; 发腥 fāxīng

비:만(肥滿) 몡하 肥胖 féipàng ¶～아 肥胖儿 / ～ 아동 肥胖儿童 / ～증 肥胖症 / ～형 肥胖型 / 아동 ～ 儿童肥胖 / ～을 치료하다 治疗肥胖

비말(飛沫) 몡 飞沫 fēimò; 水沫 shuǐmò

비:망(備忘) 몡 备忘 bèiwàng ¶～록 备忘录

비:매-품(非賣品) 몡 非卖品 fēimàipǐn; 非销售品 fēixiāoshòupǐn

비:명(非命) 몡 非命 fēimìng ¶～에 가다 死于非命

비:명(悲鳴) 몡 悲鸣 bēimíng; 惨叫 cǎnjiào; 叫苦 jiàokǔ; 惊呼 jīnghū; 尖叫 jiānjiào ¶끊임없이 ～을 지르다 惨叫不迭 / ～ 소리가 들리다 听到惨叫声

비명(碑銘) 몡 碑铭 bēimíng; 碑文 bēiwén; 碑记 bēijì

비:명-횡사(非命橫死) 몡하쟈 死于非命 sǐyú fēimìng

비:몽사몽(非夢似夢) 몡 似梦非梦 sìmèngfēimèng; 似睡非睡 sìshuìfēishuì

비:몽사몽-간(非夢似夢間) 몡 似梦非梦(地) sìmèngfēimèng(de); 似睡非睡(地) sìshuìfēishuì(de)

비:-무장(非武裝) 몡 非武装 fēiwǔzhuāng; 非军事 fēijūnshì

비:무장 지대(非武裝地帶)(軍) 非武装地带 fēiwǔzhuāng dìdài; 非军事区 fēijūnshìqū; 非武装区 fēiwǔzhuāngqū

비문(碑文) 몡 碑文 bēiwén; 碑铭 bēimíng; 碑记 bēijì

비:-민주적(非民主的) 관몡 非民主 fēimínzhǔ ¶～ 제도 非民主制度

비:밀(秘密) 몡하쟈뿐 1 秘密 mìmì; 隐密 yǐnmì; 秘密 mìmì ¶～ 결사 秘密结社 / ～경찰 秘密警察 / ～문서 秘密文件 / ～을 지키다 保守秘密 / ～을 밝히다 揭开秘密 / ～을 누설하다 泄露秘密 / ～을 폭로하다 揭露秘密 / ～이 탄로나다 秘密被揭露 2 奥秘

비밀리

비:**밀**｜우주의 ～ 宇宙的奥秘

비:**밀-리**(秘密裏) 图 不公开 bùgōng-kāi; 暗地里 àndìli; 暗中 ànzhōng; 秘密地 mìmide; 隐密地 yīnmìde ¶에 시장 조사를 하다 暗中进行市场调查 / ～에 그의 소식을 알아보다 暗地里打听他的消息

비:**밀-스럽다**(秘密—) 图 隐密 yīn-mì; 秘密 mìmì ¶비밀스러운 내막 隐秘的内幕 **비밀스레** 图

비-**바람** 图 = 풍우 ¶～이 몰아치다 风雨交加

비:**방**(秘方) 图 1 诀窍 juéqiào; 秘诀 mìjué = 비법 2【韓醫】秘方 mìfāng

비방(誹謗) 图图 诽谤 fěibàng; 毁谤 huǐbàng; 诋毁 dǐhuǐ ¶～을 당하다 遭受诽谤 / 동료를 ～하다 诽谤同事

비버(beaver) 图【動】河狸 hélí; 海狸 hǎilí

비:**번**(非番) 图 不值班 bùzhíbān ¶오늘은 ～이다 今天不值班

비:**범-하다**(非凡—) 图 非凡 fēifán; 不凡 bùfán ¶비범한 인물 非凡人物 / 실력이 ～ 实力不凡 **비:범-히** 图

비:**법**(秘法) 图 = 비방(秘方)1 ¶～을 전수하다 传授诀窍

비보(飛報) 图图 飞报 fēibào; 快报 kuàibào; 急告 jígào

비:**보**(悲報) 图 恶耗 èhào; 凶信 xiōng-xìn; 凶耗 xiōnghào

비:**분**(悲憤) 图图 悲愤 bēifèn ¶마음 속의 ～을 토로하다 抒发心中的悲愤

비:**분-강개**(悲憤慷慨) 图图 愤慨 fènkǎi; 悲憤慷慨 bēifènkāngkǎi

비브라토(이vibrato) 图【音】颤音 chànyīn; 颤抖效果 zhàndǒu xiàoguǒ = 바이브레이션

비비(狒狒) 图【動】= 개코원숭이

비비다 国 1 搓 cuō; 揉 róu; 蹭 cèng; 擦 cā; 磨 mó; 搓揉 cuōróu ¶손을 ～ 搓手 / 눈을 비비지 마라 不要揉眼睛 2 拌 bàn; 搅拌 jiǎobàn ¶국수를 ～ 拌面条 3 扭 niǔ; 拧 níng; 捻 niǎn ¶송곳을 ～ 捻锥子

비빔 图 拌 bàn; 凉拌 liángbàn ¶～국수 拌冷面 / ～냉면 拌冷面 / ～밥 拌饭

비:**상**(非常) 图图图 1 紧急 jǐnjí; 非常 fēicháng; 紧急状态 jǐnjí zhuàngtài ¶～경보 紧急警报 / ～대책 紧急措施 / ～사태 紧急事态 / ～소집 紧急召集 / ～수단 非常手段 / ～시기 非常时期 / ～착륙 紧急着陆 / ～을 해제하다 解除紧急状态 2 异乎寻常 yìhūxún-cháng; 特殊 tèshū; 非常 fēicháng ¶～한 관심 异乎寻常的关心 3 不一般 bùyìbān; 不凡 bùfán; 非凡 fēifán; 不平凡 bùpíngfán; 了不得 liǎobude ¶能力이 ～하다 能力非凡

비:**상**(砒霜) 图【藥】砒霜 pīshuāng 信石 xìnshí; 白砒 báipī; 红砒 hóngpī; 红矾 hóngfán

비상(飛翔) 图图图 飞翔 fēixiáng ¶하늘로 ～하는 독수리 在天飞翔的秃鹫

비:**상-구**(非常口) 图 太平门 tàipíng-mén; 安全门 ānquánmén

비:**상-금**(非常金) 图 私房钱 sīfang-qián; 压兜儿 yādōur; 压兜儿钱 yā-dōuqián

비:**상-등**(非常燈) 图 应急灯 yìngjí-dēng

비:**상-벨**(非常bell) 图 紧急铃 jǐnjílíng; 应急铃 yìngjílíng ¶～을 누르다 按紧急铃 / ～을 설치하다 安装应急铃

비:**상-시**(非常時) 图 非常时期 fēi-cháng shíqí; 紧急时刻 jǐnjí shíkè

비:**상-식량**(非常食糧) 图 应急食物 yìngjí shíwù; 备用食物 bèiyòng shíwù

비:**상-용**(非常用) 图 应急 yìngjí; 备用 bèiyòng ¶～ 약품 备用药品 / ～ 열쇠 备用钥匙

비:**서**(秘書) 图 秘书 mìshū ¶～관 秘书官 / 여～ 女秘书 / ～실 秘书室

비석(碑石) 图 碑石 bēishí; 碑 bēi; 碑 shíbēi

비:**소**(砒素) 图【化】砷 shēn; 砒 pī

비:**속**(卑俗) 图图 卑俗 bēisú; 庸俗 yōngsú; 鄙俗 bǐsú; 低俗 dīsú; 下流 xiàliú; 俗 sú; 粗俗 cūsú ¶～한 문화 庸俗文化 / ～한 사람 卑俗之人

비:**속-어**(卑俗語) 图 = 속어1

비:**수**(匕首) 图 匕首 bǐshǒu ¶날카로운 ～ 锋利的匕首

비:**수-기**(非需期) 图【經】淡季 dànjì ¶～여행 ～에 접어들다 进入旅游淡季

비스듬-하다 图 歪 wāi; 斜 xié; 坡 pō; 歪斜 wāixié; 倾斜 qīngxié 비스듬-히 图 ¶침대에 ～ 눕다 斜躺到床上

비스킷(biscuit) 图 饼干 bǐnggān

비슷-비슷-하다 图 相似 xiāngsì; 近似 jìnsì; 类似 lèisì; 相似 xiāngfǎng; 差不多 chàbuduō; 相类 xiānglèi; 大同小异 dàtóngxiǎoyì; 半斤八两 bànjīnbāliǎng ¶비슷비슷한 물건 相似的东西 / 두 사람은 생김새가 ～ 两个人长相近似

비슷-하다 图 相似 xiāngsì; 近似 jìn-sì; 像 xiàng; 相仿 xiāngfǎng; 类似 lèisì; 差不多 chàbuduō; 仿佛 fǎngfú; 类同 lèitóng; 相近 xiāngjìn ¶디자인이 비슷한 원피스 款式差不多的连衣裙 / 두 기계의 기능은 매우 ～ 两台机器的功能十分相似

비슷한-말 图【語】= 유의어

비시(BC)[Before Christ] 图 = 기원전

비실-거리다 国 踉踉跄跄 liàngliangqiàngqiàng; 跌跌撞撞 diēdiezhuàng-zhuàng; 摇摇晃晃 yáoyáohuànghuàng; 蹒跚 pánshān; 病病歪歪 bìngbìngwāi ¶비실거리며 걸어가다 蹒跚地行走

비싸다 〖형〗 **1** (가격) 贵 guì; 高 gāo; 昂贵 ángguì; 高价 gāojià ¶값이 ~ 钱贵 qián guì / 이 옷은 너무 ~ 这件衣服太贵了 **2** 架子大 jiàzidà; 傲慢 àomàn; 自豪 zìháo; 拿架子 nájiàzi; 卖关子 màiguānzi

비아냥-거리다 〖자타〗 讥讽 jīfěng; 讽刺 fěngcì; 挖苦 wāku; 说风凉话 shuō-fēngliánghuà; 嘲讽 cháofěng; 嘲笑 cháoxiào = 비아냥대다

비-애(悲哀) 〖명〗 悲哀 bēiāi; 伤感 shānggǎn ¶인생의 ~ 人生的悲哀 / ~에 잠기다 沉浸在悲哀之中

비약(飛躍) 〖명자타〗 **1** 飞跃 fēiyuè; 腾飞 téngfēi ¶경제의 ~ 经济的飞跃 **2** 飞跃 fēiyuè ¶논리의 ~ 逻辑的飞跃

비약-적(飛躍的) 〖관명〗 飞跃的 fēi-yuè(de); 腾飞的 téngfēi(de) ¶~으로 발전하다 飞跃发展

비-양심적(非良心的) 〖관명〗 不讲良心的 bùjiǎngliángxīn(de); 没良心的 méiliángxīn(de); 非良心 fēiliángxīn ¶~인 일 没良心的事

비엔날레(이biennale) 〖명〗 【美】双年展 shuāngniánzhǎn

비-열(比熱) 〖명〗 【物】比热 bǐrè

비-열-하다(卑劣-‧鄙劣-) 〖형〗 卑劣 bēiliè; 卑鄙 bēibǐ; 低劣 dīliè; 可鄙 kěbǐ; 下流 xiàliú; 猥劣 wěiliè; 猥陋 wěilòu ¶이 비열한 자식! 你这个卑鄙的家伙! / 행동이 ~ 行为卑劣

비-염(鼻炎) 〖명〗 【醫】鼻炎 bíyán ¶만성 ~ 慢性鼻炎

비-옥(肥沃) 〖명형〗 肥沃 féiwò; 肥饶 féiráo; 肥腴 féiyú; 肥 féi; 沃 wò; 腴 yú ¶~한 토지 肥沃的土地

비올라(이viola) 〖명〗 【音】维尔拉 wéiěr-lā; 中提琴 zhōngtíqín

비-옷(雨衣) 〖명〗 雨衣 yǔyī = 레인코트‧우의(雨衣) ¶~을 입다 穿雨衣

비-용(費用) 〖명〗 费用 fèiyòng; 费 fèi; 开支 kāizhī ¶이삿~ 搬家费用 / ~을 마련하다 筹措费用 / 수술 ~을 부담하다 负担手术费用

비-우다 〖타〗 **1** (把事物或空间) 空 kòng; 腾 téng; 空出 kòngchū; 腾出 téngchū; 空着 kòngzhe ¶병을 ~ 把瓶子空出来 / 방을 ~ 腾出房间 **2** (把时间) 空 kòng; 腾 téng; 腾空 téngkòng; 腾出 téngchū ¶시간을 비워 놓고 그를 기다리다 空出时间等他

비-운(悲運) 〖명〗 悲惨命运 bēicǎn mìng-yùn; 悲运 bēiyùn; 苦命 kǔmìng ¶~의

왕비 悲惨命运的王妃

비-웃다 〖타〗 讥笑 jīxiào; 嘲笑 cháo-xiào; 耻笑 chǐxiào; 冷笑 lěngxiào; 讥诮 jīqiào; 讥讽 jīfěng ¶그의 무지를 ~ 嘲笑他的无知 / 절대로 남을 비웃지 마라 千万不要讥笑别人

비-웃음 〖명〗 讥笑 jīxiào; 嘲笑 cháo-xiào; 耻笑 chǐxiào; 冷笑 lěngxiào; 讥讽 jīfěng = 嘲笑(嘲弄) ¶남의 ~을 사다 令人耻笑 / ~을 당하다 遭受嘲笑

비-위(脾胃) 〖명〗 **1** 口味 kǒuwèi; 胃口 wèikǒu; 脾胃 píwèi; 脾味 píwèi ¶~에 안 맞다 不合口味 **2** 脾气 píqí; 耐性 nàixìng; 心意 xīnyì ¶胃口 wèikǒu; 脾胃 píwèi ¶~좋은 사람 脾气好的人 / 이런 일은 ~에 맞지 않다 这样的事, 不合脾胃

비-위생적(非衛生的) 〖관명〗 不卫生 bùwèishēng(de) ¶~인 환경 卫生环境 / 이 식당은 너무 ~이다 这家饭馆太不卫生了

비-유(比喩) 〖명자타〗 比喻 bǐyù; 比 bǐ; 譬喻 pìyù; 比方 bǐfang; 打比 dǎbǐ ¶~법 比喻法 / ~를 들다 打比方

비-율(比率) 〖명〗 【數】比值 bǐzhí; 比率 bǐlǜ; 比例 bǐlì; 率 lǜ ¶~이 높다 比率高 / ~이 낮다 比率低 / 1대 2의 ~로 배합하다 按1比2的比例调和

비-음(鼻音) 〖명〗 鼻音 bíyīn = 콧소리

비-인간-적(非人間的) 〖관명〗 非人的 fēirén(de) ¶~인 대우를 받다 遭遇非人待遇

비-인도적(非人道的) 〖관명〗 非人道的 fēiréndào(de); 不人道的 bùréndào(de) ¶~ 행위 不人道的行为

비-일비-재(非一非再) 〖명하타〗 不是一次两次 bùshì yīcì liǎngcì; 不仅一次两次 bùjǐn yīliǎngcì; 不是一两次 bùshì yī-liǎngcì; 一而再再而三 yī'érzài zài'érsān ¶이런 일은 ~하게 일어난다 这样的事情不是一两次发生了

비자(visa) 〖명〗 【法】签证 qiānzhèng = 사증 ¶입국 ~ 入境签证 / ~를 신청하다 申请签证 / ~를 발급받다 获得签证

비-자금(秘資金) 〖명〗 【經】秘密资金 mìmì zījīn

비-장(秘藏) 〖명하타〗 秘藏 mìcáng; 隐藏 yǐncáng ¶~의 무기 隐藏武器 / ~의 솜씨 隐藏的手艺

비장(脾臟) 〖명〗 【生】脾脏 pízàng

비-장-하다(悲壮-) 〖형〗 悲壮 bēi-zhuàng; 壮烈 zhuàngliè ¶비장한 결심 悲壮的决心 = 비:장-히(壮)

비-적(匪賊) 〖명〗 盗匪 dàofěi; 匪徒 fěi-tú; 土匪 tǔfěi; 匪盗 fěidào ¶~을 소탕하다 清剿土匪

비전(vision) 〖명〗 希望 xīwàng; 前途 qiántú; 蓝图 lántú; 出息 chūxi ¶인재가

없는 기업은 ~이 없다 没有人才的企业是没有前途的

비ː정(非情) 圈 无情 wúqíng; 无人情 wúrénqíng; 绝情 juéqíng; 薄情 bóqíng ¶~한 사람 绝情的人

비ː-정규(非正規) 圈 非正规 fēizhèngguī ¶~군 非正规军

비ː-정규직(非正規職) 非正规就业 fēizhèngguī jiùyè ¶~ 근로자 非正规就业业人员

비ː-정상(非正常) 圈 不正常 bùzhèngcháng; 反常 fǎncháng; 失常 shīcháng; 异常 yìcháng

비ː-정상적(非正常的) 圈圈 不正常(的) bùzhèngcháng(de); 反常 fǎncháng; 失常 shīcháng; 异常 yìcháng ¶지능 발달이 ~이다 智能发达是不正常的

비ː-좁다 圈 狭窄 xiázhǎi; 窄 zhǎi; 窄小 zhǎixiǎo ¶비좁은 골목길 狭窄的胡同 / 비좁은 방 窄小的房间

비ː-준(批准) 圈晒 【法】批准 pīzhǔn ¶국회 ~ 国会批准 / ~을 거부하다 拒绝批准

비ː-중(比重) 圈 1 【物】比重 bǐzhòng ¶~계 比重计 2 比重 bǐzhòng; 比例 bǐlì ¶~이 높다 比重高 / ~이 낮다 比重低 / 교통비가 전체 생활비에서 차지하는 ~은 매우 크다 交通费在总生活费所占的比重很大

비즈니스(business) 圈 生意 shēngyi; 交易 jiāoyì; 商务 shāngwù; 业务 yèwù; 工作 gōngzuò; 营业 yíngyè; 商业 shāngyè; 实业 shíyè ¶~호텔 商务酒店

비즈니스맨(businessman) 圈 实业家 shíyèjiā; 商业家 shāngyèjiā

비지 豆腐渣 dòufuzhā; 豆渣 dòuzhā ¶~찌개 豆渣汤

비지-땀 大汗 dàhàn ¶~을 흘리다 流大汗

비지-떡 圈 1 豆渣饼 dòuzhābǐng 粗货 cūhuò; 劣货 lièhuò

비ː-질 圈晒邪 扫 sǎo; 扫地 sǎodì ¶마당을 ~하다 扫院子

비집다 囲 1 开个缝 kāigefèng ¶문을 비집어 열다 开个门缝 2 挤 jǐ; 拨开 bōkāi ¶필사적으로 지하철 안으로 비집고 들어가다 拼命挤进地铁车厢 3 睁大 zhēngdà; 瞪大 dèngdà ¶눈을 비집고 보아도 찾을 수 없다 睁大了眼也找不到

비ː쩍 圄 瘦瘦的 shòushòude; 瘦巴巴的 shòubābā(de); 瘦精精(的) shòujīngjīng(de); 瘦呱呱的 shòuguāguā(de) ¶몸이 ~ 마르다 身体瘦精精的

비ː참(悲惨) 圈圈 晒晒 悲惨 bēicǎn;

惨 cǎn; 凄惨 qīcǎn ¶~한 모습 悲惨的样子 / ~한 생활 悲惨的生活 / ~한 광경 悲惨的情景

비ː-책(秘策) 圈 秘策 mìcè; 秘计 mìjì 秘密策划 mìmì cèhuà ¶~을 짜내다 拟秘密策划

비ː-천하다(卑賤—) 圈 卑贱 bēijiàn; 低贱 dījiàn; 卑微 bēiwēi; 低卑 dībēi; 轻贱 qīngjiàn ¶비천한 직업 卑贱的职业 / 신분이 ~ 身分低贱 / 출신이 ~ 出身卑贱

비ː-철 금속(非鐵金屬) 【工】非铁金属 fēitiě jīnshǔ

비추다 囲 1 照 zhào; 照射 zhàoshè; 映 yìng; 映照 yìngzhào; 光照 guāngzhào; 照耀 zhàoyào ¶달빛이 대지를 ~ 月光照耀大地 / 손전등으로 입안을 ~ 用手电往嘴里照 2 照 zhào ¶거울에 몸을 ~ 用镜子照身体 3 比较 bǐzhào; 对照 duìzhào; 比较 bǐjiào

비추-이다 邪 '비추다·2'의 被动词

비ː-축(備蓄) 圈晒 储备 chǔbèi; 储存 chǔcún; 储积 chǔjī; 贮存 zhùcún; 贮备 zhùbèi ¶~식량을 ~하다 储备粮食 / 힘을 ~해 두다 把力量储存起来

비ː-취(翡翠) 【鑛】= 비취옥 bǐcuìyù ¶~색 翠绿

비ː취-옥(翡翠玉) 圈 【鑛】翡翠 fěicuì; 翠 cuì = 비취

비ː-치(備置) 圈晒邪 设置 shèzhì; 配备 pèibèi; 备办 bèibàn; 置办 zhìbàn; 准备 zhǔnbèi; 备 bèi ¶기숙사 내에 운동 기구를 ~하다 宿舍内配备运动器材

비치다 一邪 1 照 zhào; 投射 tóushè; 照到 zhàoshè ¶달빛이 창문으로 비치들어오다 1 月光从窗照进来 2 映 yìng; 投映 tóuyìng; 照出 zhàochū; 映出 yìngchū ¶그의 그림자가 호수면에 ~ 他的身影投映在湖面上 3 透出 tòuchū; 露出 lùchū ¶셔츠가 너무 얇아서 속옷이 ~ 衬衫太薄露出内衣 4 露出 lùchū; 披露 pīlù; 显露 xiǎnlù ¶얼굴에 불안한 하는 기색이 ~ 脸上显露出不安的神色 5 露面 lòumiàn; 照面 zhàomiànr ¶얼굴만 잠깐 비치고 돌아갔다 露了一面就回去了 7 暗示 ànshì; 示意 shìyì; 流露 liúlù; 透话 tòuhuà; 吹风(儿) chuīfēng(r) ¶결혼 생각을 ~ 暗示结婚想法

비ː-칭(卑稱) 圈 【語】鄙称 bǐchēng

비커(beaker) 圈 【化】烧杯 shāobēi

비ː-켜-나다 邪囲 躲开 duǒkāi; 避开 bìkāi; 闪开 shǎnkāi; 闪避 shǎnbì ¶让开 ràngkāi; 闪 shǎn; 让 ràng ¶한쪽으로 ~ 闪在一边 / 재빨리 비켜났다 赶紧躲闪

비ː-켜-서다 邪 躲开 duǒkāi; 避开 bìkāi; 闪开 shǎnkāi; 闪避 shǎnbì ¶让开

ràngkāi; 闪 shǎn; 让 ràng

비키니(bikini) 图 比基尼 bǐjīní; 三点式泳装 sāndiǎnshì yǒngzhuāng

비:-키다 目 자 让 ràng; 躲 duǒ; 躲开 duǒkāi; 避开 bìkāi; 闪开 shǎnkāi; 让开 ràngkāi; 闪避 shǎnbì; 躲避 duǒbì ¶ 한 곁으로 ~ 躲到一边 目타 移开 yíkāi; 挪开 nuókāi

비타민(vitamin) 图 【化】 维生素 wéishēngsù; 维他命 wéitāmìng ¶ ~제 维生素制剂 / ~ 결핍증 维生素缺乏症

비:-탄(悲歎·悲嘆) 图하타 悲叹 bēitàn; 哀叹 āitàn

비탈 图 坡(儿) pō(r); 倾斜 qīngxié; 斜坡 xiépō; 山坡 shānpō; 陡坡 dǒupō ¶ ~이 심하다 倾斜得很厉害 / ~을 오르다 爬上陡坡

비탈-길 图 坡道 pōdào; 坡路 pōlù; 斜坡路 xiépōlù

비탈-지다 혱 倾斜 qīngxié; 倾侧 qīngcè; 倾 qīng

비:-통(悲痛) 图하혱히투 悲痛 bēitòng; 伤心 shāngxīn; 沉痛 chéntòng; 惨痛 cǎntòng; 哀痛 āitòng ¶ 한 표정 悲痛的表情 / ~에 빠지다 沉在悲痛中

비트(beat) 图 【音】拍子 pāizi; 节拍 jiépāi; 节奏 jiézòu

비트(bit) 의명 【컴】位 wèi; 比特 bǐtè

비틀 뷔하타 跟跄 liàngqiàng; 踉跄 liàngqiàng; 蹒跚 pánshān; 打晃儿 dǎhuǎngr; 东倒西歪 dōngdǎoxīwāi; 歪歪倒倒 wāiwāidǎodǎo

비틀-거리다 타 跟跄 liàngqiàng; 蹒跚 pánshān; 打晃儿 dǎhuǎngr; 踉跄 liàngqiàng; 东倒西歪 dōngdǎoxīwāi = 비틀대다 ¶술을 다 마신 남자가 비틀거리며 입구 쪽으로 걸어가다 喝完酒的男人起身踉踉趄趄往门口走 비틀-비틀 뷔하타

비:-틀다 타 扭 niǔ; 拧 níng ¶수도꼭지를 비틀어 열다 拧开水龙头 / 손목을 ~ 拧住手腕子

비:-틀-리다 자 '비틀다'의 被动词

비:-틀어-지다 자 1 扭曲 niǔqū; 歪了 wāile; 斜了 xiéle 2 告吹 gàochuī; 吹 chuī; 黄了 huángle; 出岔子 chūchàzi; 出岔儿 chūchàr

비파(琵琶) 图 【音】 琵琶 pípa ¶ ~를 타다 弹琵琶

비:-판(批判) 图하타 批判 pīpàn; 批评 pīpíng ¶ ~ 정신 批判精神 / 신랄한 ~ 辛辣的批判 / ~을 받아들이다 接受批评 / 사회를 ~하다 批判社会

비:-판-적(批判的) 관명 批判的 pīpàn(de); 批评(的) pīpíng(de) ¶ ~인 태도 批判的态度

비:-평(批評) 图하타 批评 pīpíng; 评论 pínglùn ¶그의 작품을 ~하다 评论他

的作品

비:-평-가(批評家) 图 评论家 pínglùnjiā

비:-포장도로(非鋪裝道路) 图 土路 tǔlù; 非柏油路 fēibǎiyóulù

비:-폭력주의(非暴力主義) 图 【政】 非暴力主义 fēibàolì zhǔyì

비:-품(備品) 图 备品 bèipǐn; 备用品 bèiyòngpǐn; 常备品 chángbèipǐn

비프-스테이크(beef-steak) 图 牛排 niúpái = 스테이크2

비:-하(卑下) 图하타 **1** 自卑 zìbēi **2** 贬低 biǎndī; 贬损 biǎnsǔn; 贬抑 biǎnyì ¶흑인을 ~하다 贬低黑人

비:-하다(比-) 目 比 bǐ; 较 jiào; 相比 xiāngbǐ; 比较 bǐjiào; 比拟 bǐnǐ ¶이 곳은 다른 식당에 비하면 가격이 싼 편이다 这里和其他饭馆比起来，价格还算便宜

비:-합리적(非合理的) 관명 不合理(的) bùhélǐ(de); 非合理(的) fēihélǐ(de) ¶ ~인 요구 不合理要求

비:-합법적(非合法的) 관명 不合法(的) bùhéfǎ(de); 非合法(的) fēihéfǎ(de) ¶ ~인 활동 非合法活动

비:-핵무장 지대(非核武裝地帶) 【政】 无核武器区 wúhéwǔqìqū; 无核区 wúhéqū = 비핵 지대

비:-핵 지대(非核地帶) 【政】 = 비핵무장 지대

비:-행(非行) 图 错误行为 cuòwù xíngwéi; 不轨行为 bùguǐ xíngwéi; 恶行 èxíng; 失足 shīzú; 胡作非为 húzuò fēiwéi ¶ ~ 청소년 失足青少年 / ~ 소년 失足少年

비행(飛行) 图하자타 飞行 fēixíng; 飞飞 fēifēi ¶우주 ~ 航天飞行 / 야간 ~ 夜间飞行 / 저공 ~ 低空飞行 / 고도 飞行高度 / ~ 시간 飞行时间 / 시험 ~ 试飞

비행-기(飛行機) 图 飞机 fēijī

비행 기지(飛行基地) 【軍】 飞行基地 fēixíng jīdì; 航空基地 hángkōng jīdì = 항공 기지

비행-사(飛行士) 图 飞行员 fēixíngyuán; 飞机驾驶员 fēijī jiàshǐyuán

비행-선(飛行船) 图 飞艇 fēitǐng; 飞船 fēichuán

비행-장(飛行場) 图 飞机场 fēijīchǎng; 机场 jīchǎng; 飞行场 fēixíngchǎng

비행-접시(飛行一) 图 飞碟 fēidié

비행-정(飛行艇) 图 【航】 水上飞机 shuǐshàng fēijī

비:-현실적(非現實的) 관명 非现实(的) fēixiànshí(de); 不现实(的) bùxiànshí(de) ¶네 생각은 너무 ~이야 你的想法太不现实了

비:-호(庇護) 图하타 庇护 bìhù; 包庇

bāobì; 祖护 tǎnhù; 回护 huíhù; 护庇 hùbì; 庇佑 bìyòu ¶악인을 ~하다 包庇恶人

비호(飛虎) 몡 飞虎 fēihǔ; 猛虎 měnghǔ

비호-같다(飛虎—) 혱 飞虎般的 fēihǔbānde; 猛虎般的 měnghǔbānde **비호같-이** 튀

비화(飛火) 몡하자 波及 bōjí; 导致 dǎozhì ¶사건은 의외의 방향으로 ~했다 事件波及意外的方向

비:화(秘話) 몡 秘闻 mìwén; 秘话 mìhuà ¶정계 ~ 政界秘闻

비:-회원(非會員) 몡 非会员 fēihuìyuán; 非成员 fēichéngyuán

비:효율-적(非效率的) 관몡 无效率(的) fěixiàolù(de); 低效 dīxiào

빈객(賓客) 몡 宾客 bīnkè; 重客 zhòngkè; 贵客 guìkè

빈곤(貧困) 몡하형 몡튀 1 贫困 pínkùn; 贫乏 pínfá; 贫穷 pínqióng; 贫寒 pínhán ¶~감 贫困感 / 농촌의 ~ 가정 农村的贫困家庭 / 생활이 ~하다 生活贫困 2 缺乏 quēfá; 贫乏 pínfá ¶상상력의 ~ 想像力贫乏

빈농(貧農) 몡 贫农 pínnóng

빈뇨-증(頻尿症) 몡 [醫] 尿频 niàopín; 尿频症 niàopínzhèng

빈대 몡 [蟲] 臭虫 chòuchóng; 壁虱 bìshī

빈대-떡 몡 绿豆煎饼 lùdòu jiānbing = 녹두전

빈도(頻度) 몡 频度 píndù; 频率 pínlù; 频次 píncì = 빈도수 ¶사용 ~ 使用频度 / ~가 높다 频率高

빈도-수(頻度數) 몡 = 빈도

빈둥-거리다 자 游荡 yóudàng; 游手好闲 yóushǒuhàoxián; 打闲(儿) dǎxián(r); 偷懒 tōulǎn; 吊儿郎当 diào'erlángdāng = 빈둥대다 ¶그녀는 항상 빈둥거리며 논다 她总是偷懒 / 하루종일 ~ 整天游游荡荡 **빈둥-빈둥** 튀자튀

빈:-말 몡 空话 kōnghuà; 空炮 kōngpào; 空谈 kōngtán

빈모(鬢毛) 몡 = 살쩍 ¶~가 희끗한 귓가의 髪苍苍

빈민(貧民) 몡 贫民 pínmín; 穷民 qióngmín; 细民 xìmín ¶~굴 贫民窟 / ~촌 贫民村 / ~층 贫民层

빈민-가(貧民街) 몡 贫民街 pínmínjiē; 贫民区 pínmínqū = 슬럼가

빈발(頻發) 몡하자 频发 pínfā; 频繁发生 pínfán fāshēng; 一再发生 yízài fāshēng; 频仍 pínréng; 频频发生 pínpín fāshēng ¶지진이 ~하다 地震频发

빈:-방(—房) 몡 空房间 kōngfángjiān; 闲房 xiánfáng; 空屋 kōngwū

빈번-하다(頻繁— · 頻煩—) 혱 频繁

pínfán; 勤密 qínmì; 频频 pínpín ¶왕래가 ~ 来往频繁 / 고장이 ~ 故障频繁 **빈번-히** 튀 ¶화재가 ~ 발생하다 火灾频频发生

빈부(貧富) 몡 贫富 pínfù; 穷富 qióngfù ¶~귀천 贫富贵贱 / ~ 격차가 매우 심하다 贫富差距很悬殊

빈사(瀕死) 몡 濒死 bīnsǐ; 临死 línsǐ; 临终 línzhōng = 반죽음 ¶~ 상태 濒死状态

빈소(殯所) 몡 灵堂 língtáng ¶~를 차리다 设灵堂 / ~를 지키다 守灵堂

빈:-속 몡 空腹 kōngfù; 空肚子 kōngdùzi; 空心 kōngxīn

빈:-손 몡 1 空手 kōngshǒu; 徒手 túshǒu; 素手 sùshǒu ¶그는 할 수 없이 ~으로 돌아왔다 他只好空手而归 2 赤手空拳 chìshǒukōngquán ‖ = 공수(空手)

빈약(貧弱) 몡하형 1 贫弱 pínruò 2 贫乏 pínfá; 薄弱 bóruò; 微弱 wēiruò ¶~한 지식 贫乏的知识 / ~한 자본 薄弱的资本 / 내용이 ~하다 内容贫乏

빈익빈(貧益貧) 몡하자 穷者愈穷 qióngzhěyùqióng; 穷者越穷 qióngzhěyuèqióng ¶부익부 ~ 富者愈富穷者愈穷

빈:-자리 몡 1 空位子 kōngwèizi; 空座位 kōngzuòwèi ¶저기 ~에 앉으시면 되나요? 我可以坐到那边的空位子上吗? 2 缺员 kòngquē; 空职位 kōngzhíwèi; 空位 kōngwèi; 空额 kòng'é ‖ = 공석(空席)

빈정-거리다 자타 挖苦 wāku; 嘲讽 cháofěng; 讥刺 jīcì; 讥笑 jīxiào = 빈정대다 ¶빈정거리며 말하다 嘲讽地说 **빈정-빈정** 튀자타

빈:-주먹 몡 赤手 chìshǒu; 空手 kōngshǒu; 徒手 túshǒu; 白手 báishǒu; 赤手空拳 chìshǒukōngquán; 手无村铁 shǒuwúcūntiě

빈:-집 몡 空房 kōngfáng; 闲房 xiánfáng; 空屋 kōngwū; 空房子 kōngfángzi

빈촌(貧村) 몡 贫村 píncūn; 穷村 qióngcūn; 穷乡 qióngxiāng

빈축(嚬蹙 · 顰蹙) 몡하자 颦蹙 píncù; 皱眉 zhòuméi; 讨嫌 tǎoxián; 厌恶 yànwù ¶~을 사다 让人皱眉 / ~을 받다 受人讨人嫌

빈:-칸 몡 空格 kōnggé; 空(儿) kòng(r); 空白 kòngbái

빈:-터 몡 = 공터

빈:-털터리 몡 穷光蛋 qióngguāngdàn

빈:-틈 몡 1 (空间上的) 空隙 kōngxì; 漏缝 lòufèng; 空子 kòngzi; 漏洞 lòudòng; 空缺 kòngquē; 缝隙 fèngxì ¶~을 막다 堵住漏缝 2 漏洞 lòudòng; 缺口 quēkǒu; 漏子 lòuzi; 空子 kòngzi ¶그의 말에는 ~이 있다 他说的话有些

漏洞

빈-틈없다 혱 1 严 yán; 紧 jǐn; 严密 yánmì 2 一丝不苟 yīsībùgǒu; 周到 zhōudào; 万无一失 wànwúyīshī; 周全 zhōuquán; 严密 yánmì; 周密 zhōumì; 严 yán; 严谨 yánjǐn; 紧凑 jǐncòu ¶빈틈없는 사람 一丝不苟的人 **빈**:틈없-이 튀

빈-티(貧―) 몡 穷相 qióngxiàng; 贫相 pínxiàng

빈혈(貧血) 몡〔醫〕贫血 pínxuè ¶~증 贫血症

빌:다 囘 1 讨 tǎo; 要 yào; 乞 qǐ; 乞讨 qǐtǎo ¶밥을 빌려 다니다 四处讨饭 2 祈祷 qídǎo; 祈求 qíqiú; 祝愿 zhùyuàn; 祝祷 zhùdǎo; 祷告 dǎogào ¶너의 성공을 빈다 祝你成功 3 乞求 qǐqiú; 乞求 qǐqiú ¶다른 사람에게 ~ 向别人乞求

빌딩(building) 몡 高楼 gāolóu; 大厦 dàshà; 楼房 lóufáng; 大楼 dàlóu

빌라(villa) 몡 1 别墅 biéshù 2 楼房 lóufáng

빌리다 囘 1 借 jiè; 出租 chūzū ¶다른 사람에게서 돈을 ~ 向别人借钱 / 불을 ~ 借火 2 借助 jièzhù; 借 jiè ¶친구의 손을 ~ 借助朋友之手 3 借用 jièyòng; 借 jiè; 用 yòng; 借以 jièyǐ ¶저는 이 기회를 빌려 우선 여러분에게 감사하는 바입니다 我还是想借这个机会, 先要感谢你们 / 그의 말을 빌려 말하자면 用他的话来说

빌미 몡 病因 bìngyīn; 祸根 huògēn; 祸因 huòyīn; 借口 jièkǒu; 起因 qǐyīn

빌:-붙다 자 奉承 fèngcheng; 投靠 tóukào; 恭维 gōngwei; 阿谀 ēyú; 谄媚 chǎnmèi; 逢迎 féngyíng; 讨好 tǎohǎo; 巴结 bājie ¶굶어죽어도 그에게 빌붙을 순 없다 饿死, 我不能去巴结他

빌어-먹다 囘 讨吃 tǎochī; 乞讨 qǐtǎo; 乞食 qǐshí; 讨饭 tǎofàn; 要饭 yàofàn ¶빌어먹으며 살다 靠讨饭过活

빌어-먹을 캄 该死的 gāisǐde; 倒霉的 dǎoméide; 他妈的 tāmāde ¶~ 놈의 자식! 你这个该死的东西!

빗 몡 梳子 shūzi = 머리빗 ¶~으로 머리를 빗다 用梳子梳头

빗- 젭뒤 斜 xié; 歪 wāi; 偏 piān ¶~나가다 方向偏斜

빗-각(―角) 몡〔數〕斜角 xiéjiǎo

빗-금 몡 斜线 xiéxiàn; 偏线 piānxiàn

빗-기다 囘 (给别人) 梳 shū; 梳头 shūtóu ¶딸의 머리를 빗겨 주다 给女儿梳头

빗~ 몡 雨路 yǔlù; 雨天 yǔtiān ¶~ 운전 雨天开车

빗-나가다 자튀 1 错 cuò; 出乎 chūhū; 不对 bùduì; 不中 bùzhòng; 差 chà ¶오늘의 예측은 완전히 빗나갔다 今

天预测得完全错了 2 不正 bùzhèng; 错 cuò; 邪 xié ¶생각이 빗나간 사람 思想不正的人 □자뒤 歪 wāi; 斜 xié; 偏 piān; 偏离 piānlí ¶총알이 빗나갔다 子弹打歪了

빗다 囘 梳 shū; 拢 lǒng ¶양손으로 머리를 ~ 用两只手梳头发

빗-대다 囘 影射 yǐngshè; 暗射 ànshè; 隐射 yǐnshè; 拐弯抹角 guǎiwānmòjiǎo; 婉转地说 wǎnzhuǎndeshuō; 寓 yù; 绕弯儿 ràowānr; 绕弯子 ràowānzi ¶알아차리도록 빗대어 말하다 婉转地说以便理会

빗-맞다 자 1 打偏 dǎpiān; 打歪 dǎwāi; 没打中 méidǎzhòng ¶화살 한 발이 ~ 一支箭没打中 2 错 cuò; 出乎 chūhū; 不对 bùduì; 不中 bùzhòng; 差 chà

빗-면(―面) 몡〔數〕斜面 xiémiàn

빗-물 몡 雨水 yǔshuǐ = 우수(雨水)1 ¶~이 방 안까지 스며들다 雨水渗到房间里

빗-발 몡 雨脚 yǔjiǎo ¶~이 굵어지다 雨脚变大

빗발-치다 자 1 如雨 rúyǔ; 雨点般地(的) yǔdiǎnbānde ¶총알이 빗발치듯 떨어지다 子弹如雨点般倾泻 2 接二连三 jiē'èrliánsān; 急如星火 jírúxīnghuǒ ¶빗발치는 독촉 전화 急如星火的督促电话

빗-방울 몡 雨滴 yǔdī; 雨点(儿) yǔdiǎn(r); 雨珠(儿) yǔzhū(r) ¶굵은 ~이 떨어졌다 掉大雨点儿了

빗-살 몡 梳齿 shūchǐ = 살³ ¶이 촘촘한 梳齿很密

빗-소리 몡 雨声 yǔshēng; 下雨声 xiàyǔshēng

빗-속 몡 雨中 yǔzhōng; 雨里 yǔli ¶~를 거닐다 在雨中漫步

빗-자루 몡 1 扫帚把 sàozhǒubà; 扫把柄 sàobǎbǐng 2 = 비² ¶~로 바닥을 쓸다 用扫帚扫地

빗장 몡 门闩 ménshuān; 闩 shuān ¶대문빗장 大门빗장 ¶~을 지르다 插上大门栓

빗장-뼈 몡〔醫〕锁骨 suǒgǔ; 锁子骨 suǒzigǔ = 쇄골

빗-줄기 몡 雨柱 yǔzhù; 雨脚 yǔjiǎo; 雨丝 yǔsī ¶~가 굵어지다 雨脚变大 ¶一阵骤雨 yīzhèn zhòuyǔ

빗-질 몡 梳头 shūtóu; 梳理 shūlǐ; 梳头 shūtóu; 拢 lǒng; 拢发 lǒngfà ¶머리카락이 너무 짧아서 ~할 수가 없다 头发太短, 梳不上去

빙 몡 1 兜圈地 dōuquānde; 旋转 xuánzhuǎn; 一圈 yīquān ¶운동장에 가서 한 바퀴 ~ 돌다 去操场转一圈 2 围着 wéizhe; 绕着 ràozhe; 圆圆地 yuányuánde; 圆圈地 yuánquānde ¶~ 둘러앉다 围着坐成一圈 3

滴溜 dīliū; 滴溜溜 dīliūliū《打转或绕圈》¶눈물이 ~ 돈다 泪水在眼里滴溜溜打转

빙고(bingo) 宾戈 bīngē; 宾戈游戏 bīngē yóuxì

빙과(氷菓) 冰果 bīngguǒ; 冰糕 bīnggāo; 雪糕 xuěgāo = 얼음과자

빙그레 莞尔 wǎn'ěr; 微微 wēiwēi; 笑眯眯 xiàomīmī; 喜滋滋 xǐzīzī ¶~ 웃다 莞尔一笑

빙그르르 滴溜溜 dīliūliū; 滴溜儿 dīliūr

빙글-빙글 滴溜溜 dīliūliū; 滴溜儿 dīliūr ¶쟁반이 그의 손가락 위에서 ~ 돌았다 盘子在他手指上滴溜溜的转动

빙긋 微微 wēiwēi; 吟吟 yínyín; 微微一笑 wēiwēiyīxiào; 莞尔 wǎnxiào = 빙긋 ¶혼자서 ~ 웃다 自己微微笑了一下

빙긋-이 = 빙긋

빙벽(氷壁) 冰壁 bīngbì ¶~을 타다 爬上冰壁

빙-빙 团团 tuántuán; 滴溜滴溜地 dīliūdīliūde; 一圈一圈地 yīquānyīquānde; 盘 pán; 兜圈子 dōuquānzi; 旋转 xuánzhuǎn; 旋轮 xuánlún; 盘旋 pánxuán; 围绕 wéirào ¶헬리콥터가 하늘에서 ~ 돌고 있다 直升机在天空盘旋

빙산(氷山) 冰山 bīngshān ¶빙산의 일각(一角) 冰山一角

빙상 경:기(氷上競技) 冰上 bīngshàng

빙상 경:기(氷上競技) 【體】冰上运动 bīngshàng yùndòng; 冰上项目 bīngshàng xiàngmù

빙상 경:기장(氷上競技場) 【體】滑冰场 huábīngchǎng; 溜冰场 liūbīngchǎng = 아이스 링크

빙설(氷雪) 冰雪 bīngxuě

빙수(氷水) 1 冰水 bīngshuǐ 2 冰刨冰 bàobīng ¶과일 ~ 水果刨冰 / 팥~ 红豆刨冰 / ~기 刨冰机

빙어 【魚】公鱼 gōngyú; 胡瓜鱼 húguāyú

빙자(憑藉) 借口 jièkǒu; 以…为由 yǐ…wéiyóu; 假托 jiǎtuō ¶혼인 ~ 간음죄 借口婚姻好淫罪 / 병을 ~하여 출근하지 않다 借口生病, 没有去上班1

빙점(氷點) 【物】冰点 bīngdiǎn = 어는점1

빙-초산(氷醋酸) 【化】冰乙酸 bīngyǐsuān; 冰醋酸 bīngcùsuān

빙판(氷板) 【物】(路上的) 一层冰 yīcéngbīng; 冰上冻结面 bīngmiàn ¶~에 자빠지다 在冰上滑倒

빙하(氷河) 【地理】冰川 bīngchuān; 冰河 bīnghé ¶~기 冰河期 = [冰期] / ~ 시대 冰河时代 = [冰河时代]

빚 债 zhài; 债务 zhàiwù; 账 zhàng; 欠债 qiànzhài; 负债 fùzhài; 亏空 kuīkong; 债款 zhàikuǎn ¶~을 지다 欠债 = [欠账] / ~을 갚다 还债 / ~을 내다 借债 / ~을 청산하다 还清债款

빚-내다 借债 jièzhài; 借钱 jièqián ¶치료를 위해 8천여 위안을 ~ 为治病借债8000多元

빚다 1 (用泥土等) 塑 sù; 揉 róu; 捏 niē ¶진흙 인형을 ~ 捏泥人儿 / 석고상을 ~ 塑石膏像 2 包 bāo; 捏 niē; 做 zuò ¶만두를 ~ 包饺子 3 酿造 niàngzào; 酿 niàng ¶술을 ~ 酿酒 4 造成 zàochéng; 导致 dǎozhì; 招致 zhāozhì; 酿成 niàngchéng; 招惹 zhāorě ¶물의를 ~ 招惹物议 / 계획 차질을 ~ 导致计划搁浅

빚-더미 债台 zhàitái ¶~에 올라앉다 债台高筑

빚-쟁이 债主 zhàizhǔ; 放债人 fàngzhàirén; 债权人 zhàiquánrén; 讨债鬼 tǎozhàiguǐ; 财主 zhàizhǔ

빚-지다 欠债 qiànzhài; 负债 fùzhài; 欠 qiàn; 欠账 qiànzhàng; 该账 gāizhàng; 该欠 gāiqiàn ¶그에게 빚진 돈은 이미 다 갚았다 欠他的钱已经偿清了

빛 1 光 guāng; 光线 guāngxiàn; 光芒 guāngmáng; 光 liàng; 光亮 guāngliàng = 광(光)1 ¶밝은 ~ 明亮的光线 / 한 줄기 ~이 새어 나오다 一道光射出来 2 颜色 yánsè; 色 sè; 色彩 ~이 바래다 掉色 3 脸色 liǎnsè; 气色 qìsè; 神色 shénsè ¶얼굴~이 백지장 같다 脸色像白纸

빛-깔 色 sè; 颜色 yánsè; 色彩 sècǎi = 색깔1·색채1

빛-나다 1 发光 fāguāng; 发亮 fāliàng; 辉映 huīyìng; 放光 fàngguāng; 闪光 shǎnguāng; 闪烁 shǎnshuò ¶별들이 반짝반짝 ~ 群星闪闪发光 2 辉煌 huīhuáng; 灿烂 cànlàn; 光荣 guāngróng ¶빛나는 성공 辉煌的成功

빛내다 1 使发光 shǐfāguāng 2 增光 zēngguāng; 争光 zhēngguāng; 添彩 tiāncǎi ¶조국을 ~ 为祖国增光

빛-바래다 退色 tuìshǎi; 掉色 diàoshǎi ¶빛바랜 추억 退色的回忆

빠드득 咯咯 gēgē; 格格 gēgē; 咯吱 gēzhī ¶~ 이를 갈다 咬牙咯咯响

빠드득-거리다 咯咯响 gēgēxiǎng; 格格响 gēgēxiǎng **빠드득-빠드득** 咯咯 gēgē

빠득-빠득 一个劲儿 yīgejìnr; 固执地 gùzhíde; 硬 yìng

빠듯-하다 紧 jǐn; 紧梆梆 jǐnbāngbāng; 紧巴巴 jǐnbābā; 紧缺 jǐnquē;

张 jǐnzhāng ¶일정이 매우 빠듯하게 짜여졌다 日程安排得很紧 / 자금이 ~ 资金紧缺 / 시험 준비에 시간이 ~ 备考的时间很紧张

빠:-뜨리다〔──뜨려〕 [他] **1** 把…掉进 bǎ…diào jìn; 把…沉入 bǎ…chénrù; 使…掉进 shǐ…diàojìn ¶하모니카를 강에 빠뜨렸다 口琴掉进河里了 **2** 把…陷入 bǎ…xiànrù; 使…陷入 shǐ…xiànrù; 把…落入 bǎ…luòrù ¶그를 곤경에 ~ 把他陷入困境 **3** 漏掉 lòudiào; 遗漏 yílòu; 丢失 diūshī; 掉 diào; 脱 tuō ¶명단에서 ~ 从名单中漏掉 / 내용을 좀 빠뜨렸다 遗漏了一点儿内容 **4** 落 là; 丢失 diūshī; 掉 diào ¶지갑을 ~ 丢了钱包

빠르다〔──〕 [形] **1** 快 kuài; 迅速 xùnsù; 迅速 xùn; 速 sù; 急 jí ¶속도가 ~ 速度很快 / 발이 ~ 走路走得很快 / 그는 두뇌 회전이 ~ 他脑子快 / 성장이 매우 빠르다 成长很快 **2** 早 zǎo ¶기뻐하기에는 너무 ~ 高兴太早 **3** (时间或顺序)早 zǎo ¶그는 나보다 졸업이 일 년 ~ 他比我早一年毕业 / 이 시계는 1분~ 这只表走快一分钟

빠른-우편 〔──〕 [邮电] [信] 快信 kuàixìn; 快递邮件 kuàidì yóujiàn; 快递信件 kuàidì xìnjiàn

빠삭-하다 [形] 了如指掌 liǎorúzhǐzhǎng; 精通 jīngtōng; 精于 jīngyú ¶그는 컴퓨터에 ~ 他精通电脑 **빠삭-히** [副]

빠이빠이〔←bye-bye〕 [名] 拜拜 bàibài; ~하다

빠:-져나가다 [自他] 摆脱 bǎituō; 逃脱 táotuō; 溜走 liūzǒu

빠:-져나오다 [自他] 脱出来 tuōchūlái; 溜出来 liūchūlái; 逃出来 táochūlái

빠:-지다[1] [自] **1** 淹 yān; 陷没 xiànmò; 吞没 tūnmò; 掉进 diàojìn; 抛进 pāojìn ¶호출기와 손휴대폰이 물에 빠졌다 BP机、手套都掉进水里 **2** 沉迷 chénmí; 陷进 xiànjìn; 落入 luòrù; 堕入 duòrù; 迷 mí; 浸沉 jìnchén; 沦沦 lún; 耽溺 dānnì; 上 shàng; 陷入 xiànrù; 耽 dān; 堕于 duòyú; 陷于 xiànyú ¶주색에 ~ 陷于酒色 / 그는 술에 빠졌다 他沉迷于喝酒 / 환락에 ~ 浸沉在欢乐之中 **3** 堕入 duòrù; 陷入 xiànrù; 落入 luòrù; 堕于 duòyú; 陷于 xiànyú ¶함정에 ~ 堕入陷阱 / 곤경에 ~ 陷入困境 **4** 崩 bēng; 脱 tuō; 脱落 tuōluò; 脱下 tuōjié; 掰 bāi ¶이가 빠졌다 崩了牙了 / 머리카락이 빠지다 头发脱落了 **5** 掉 diào; 脱 tuō; 落 là; 漏 lòu; 脱落 tuōluò ¶여기에 한 글자가 빠졌다 这里落了一个字 **6** 泄 xiè; 排 pái; 漏 lòu ¶물이 잘 ~ 水排得很畅 **7** 松劲 sōngjìn; 没劲 méijìn **8** 掉 diào; 瘦掉 shòudiào; 瘦

shòu; 瘦削 shòuxuē ¶살이 5킬로그램 빠지다 瘦瘦5多公斤 **9** 掉 diào; 下去 xiàqù; 退 tuì; 跑(气) pǎoqì ¶김 빠진 맥주 跑了气的啤酒 / 세탁 후 물에 줄어들지도 않고 색이 빠지지도 않는다 洗涤后不缩水、不掉色 **10** 退出 tuìchū; 脱身 tuōshēn; 不参加 bùcānjiā; 出组 chūzǔ ¶그는 시합에 빠졌다 他不参加比赛 **11** 差 chà; 次于 cìyú; 不如 bùrú; 逊色 xùnsè; 亚于 yàyú ¶이 차는 저렴하지만 성능이 떨어지지 않는다 这种车尽管便宜，但性能毫不逊色 **12** 上当 shàngdàng; 上钩 shànggōu; 上圈套 shàngquāntào; 中计 zhòngjì

빠:-지다[2] [보형] 以 "~다(어/여) 빠지다" 的形式，表示程度很深 ¶썩어 ~ 烂掉了 / 낡아 ~ 异常陈旧

빠:-짐없다 [形] 无遗漏 wúyílòu; 无例外 wúlìwài; 俱全 jùquán; 不漏 bùlòu; 都 dōu; 齐 qí; 齐全 qíquán; 有一得一 yǒuyīdéyī **빠:짐없-이** [副] ¶선생님이 하신 말씀을 한 자도 ~ 그에게 읽어 주었다 把老师的话一字不漏地念给他听

빠빠 [副] **1** 吧嗒吧嗒 bādābādā; 光溜溜 guāngliūliū; 叭哒 bādā ¶~ 담배를 피우다 叭哒地抽烟 **2** 嘎吱嘎吱地 gāzhī-gāzhīde ¶~ 이를 갈다 嘎吱嘎吱地咬牙 **3** 嚓嚓 cācā **4** (头发) 短发 duǎnfà; 光 guāng ¶~ 깎은 머리 剃光的头 / 머리를 ~ 깎았다 头剃得短短的 **5** 煞费 shàfèi; 吧嗒 bādā ¶~ 애를 쓰다 吧嗒苦心

빠빠-하다 [形] **1** 干 gān; 干巴 gānbā; 干巴疵咧 gānbācīliě; 稠 chóu ¶김치찌개가 너무 ~ 泡菜汤炖得太干了 / 밥이 죽이 ~ 红豆粥很稠 **2** 紧 jǐn; 勒 lēi; 涩 sè; 死 sǐ; 不灵活 bùlínghuó; 发涩 fāsè ¶신발끈이 너무 ~ 鞋带太紧 **3** 만만흥 츤 등 mǎnmǎndēngdēng; 죽 jù; 紧张 jǐnzhāng ¶일정이 ~ 日程太紧 / 이번 학기 수업은 ~ 这个学期的课很紧 **4** 옷性 sīxìng; 呆板 dāibǎn; 生硬 shēngyìng ¶그는 마음이 빠빠하지 않다 他心眼儿不死性 **5** 紧 jǐn; 紧梆梆 jǐnbāngbāng; 紧紧巴巴 jǐnjǐnbābā

빠지르르 [副][하영] **1** 油光闪亮 yóuguāngshǎnshǎn; 油光锃亮 yóuguāngzèngliàng **2** 冠冕堂皇 guānmiǎntánghuáng; 徒有其表 túyǒuqíbiǎo

빠질-거리다 [自] 油光闪亮 yóuguāngshǎnshǎn; 油光锃亮 yóuguāngzèngliàng; 闪闪发光 shǎnshǎnfā; 油光光 yóuguāngguāng; 油滑 yóuhuá; 滑头 huátóu; 狡猾 jiǎohuá; 光滑 guānghuá ‖ = 빠질대다 **빠질-빠질** [副][하영]

빠:-하다 [形] 明显 míngxiǎn; 显然 xiǎnrán; 显而易见 xiǎn'éryìjiàn; 明摆着

míngbǎizhe; 明明白白 míngmingbáibái; 不言而喻 bùyán'éryù; 铁板钉钉 tiěbǎndìngdīng; 板上钉钉 bǎnshàngdìngdīng; 清清楚楚 qīngqingchǔchǔ ¶거짓말임이 ~ 显然是谎话 / 이유가 ~ 理由是显而易见的 **빨:히** 튄

빨간-색 명 红色 hóngsè; 红颜色 hóngyánsè; 赤色 chìsè

빨강 명 1 红 hóng; 红色 hóngsè; 红颜色 hóngyánsè; 赤色 chìsè 2 〖美〗红 hóng

빨:갛다 형 红 hóng; 绯红 fēihóng; 通红 tōnghóng; 深红 shēnhóng; 深红色 shēnhóngsè ¶빨간 사과 深红色苹果 / 빨간 립스틱 口红 kǒuhóng

빨:개-지다 자 红 hóng; 变红 biànhóng; 发红 fāhóng ¶그의 얼굴이 빨개졌다 他的脸都发红了

빨갱이 명 赤色分子 chìsè fènzǐ

빨다¹ 탄 吮 shǔn; 嘬 suō; 吸 xī; 抽 chōu; 吮吸 shǔnxī; 嘬 zā; 嘬 zuō ¶젖을 ~ 吮乳 / 손가락을 ~ 嘬手指 2 榨取 zhàqǔ ¶고혈을 ~ 榨取膏血

빨다² 탄 洗 xǐ; 洗涤 xǐdí ¶옷을 ~ 洗衣服 / 속옷을 ~ 洗内衣

빨-대 명 吸管 xīguǎn; 麦管 màiguǎn ¶~를 꽂다 插吸管 / ~로 주스를 마시다 用吸管喝果汁

빨래 명 1 洗衣服 xǐyīfú; 洗衣 xǐyī = 세탁 2 ~ 빨랫감 ¶~집게 洗衣夹 / ~터 洗衣处

빨래-판(-板) 명 搓板(儿) cuōbǎn(r); 洗衣板(儿) xǐyībǎn(r)

빨랫-감 명 要洗的衣物 yàoxǐde yīwù = 빨래2 · 세탁물

빨랫-돌 명 搓衣石 cuōyīshí; 捣衣石 dǎoyīshí

빨랫-방망이 명 捣衣棒槌 dǎoyī bàngchui; 洗衣棒 xǐyībàng; 棒槌 bàngchui

빨랫-비누 명 洗衣皂 xǐyīzào = 세탁비누

빨랫-줄 명 挂衣绳 guàyīshéng; 晾衣绳 liàngyīshéng; 晒衣绳 shàiyīshéng

빨리 튄하탄 快 kuài; 迅速 xùnsù; 赶快 gǎnkuài; 加快 jiākuài; 早早儿 zǎozǎor; 及早 jízǎo ¶~ 걷다 走得很快 / 걸음을 ~ 하다 加快步子 / ~ 결정해라 你要赶快决定

빨-리다¹ 回타 '빨다' 의 被动词 回자 被吸引 bèixīyǐn

빨-리다² 타 '빨다' 의 被动词

빨-리다³ 타 '빨다1' 의 使动词

빨리-빨리 튄 快快(地) kuàikuài(de) ¶~ 해라 快做

빨빨 튄 匆匆 cōngcōng

빨빨-거리다 자 东游西逛 dōngyóuxīguàng; 吊儿郎当地 diào'érlángdāngde; 到处乱窜 dàochùluàncuàn; 东奔西跑

---

dōngbēnxīpǎo; 东奔西走 dōngbēnxīzǒu = 빨빨대다 ¶온종일 ~ 整天东奔西跑(跑)

빨아-내다 타 拔 bá; 吸出 xīchū; 抽出 chōuchū ¶입으로 뱀독을 ~ 用嘴吸出蛇毒

빨아-들이다 타 1 吸进 xījìn; 吸入 xīrù; 吸引 xīyǐn; 吸取 xīqǔ; 吸收 xīshōu; 吮吸 shǔnxī ¶해면이 물을 ~ 海绵吸水 / 신선한 공기를 ~ 吸入新鲜空气 2 吸引 xīyǐn ¶독자들을 ~ 吸引读者

빨아-먹다 타 榨取 zhàqǔ; 剥削 bōxuē ¶백성의 재물을 ~ 榨取百姓钱财

빨판 명 〖动〗吸盘 xīpán

빨판-상어 명 〖鱼〗鮣 yìn; 吸盘鱼 xīpányú

빳빳-이 튄 僵 jiāng; 僵棒 jiāngbang; 硬朗地 yìngyàngde; 僵直地 jiāngzhíde; 直挺地 zhítǐngde; 直僵僵 zhíjiāngjiāng; 直挺挺 zhítǐngtǐng ¶고개를 ~ 세우다 硬硬地抬着脖子 / ~ 누운 채 움직이지 않다 直僵僵地躺着不动

빳빳-하다 형 1 僵 jiāng; 硬 yìng; 僵直 jiāngzhí; 挺 tǐng; 硬撅撅 yìngjuējuē; 僵硬 jiāngyìng ¶빳빳한 새 지폐 挺挺的新钞票 / 풀을 먹여 빳빳한 옷 浆硬的衬衫 2 生硬 shēngyìng ¶태도가 ~ 态度生硬

빵¹ 명 面包 miànbāo ¶~가루 面包糠 / ~집 面包店 / ~ 한 조각 一片面包 / ~을 굽다 烤面包

빵² 명 砰 pēng; 嘣 dū; 呜 wū ¶공을 ~ 찼다 砰地踢了球 / ~ 하는 총소리를 들었다 听见了砰的一声枪响

빵빵 튄하자타 砰砰 pēngpēng; 嘭嘭 dūdū; 呜呜 wūwū ¶문밖의 차가 ~ 소리를 내다 门外汽车嘟嘟响

빵빵-거리다 자타 砰砰响 pēngpēngxiǎng; 嘟嘟响 dūdūdūxiǎng = 빵빵대다

빵-점(-點) 명 零蛋 língdàn; 零分 língfēn; 鸭蛋 yādàn ¶~을 맞다 得零分

빻:다 타 捣 dǎo; 磨 mó; 碾 niǎn; 舂 chōng; 推 tuī ¶고추를 ~ 舂辣椒

빼곡 튄하형 빼곡히 密密麻麻 mìmimámá; 满满当当 mǎnmandāngdāng; 密匝匝 mìzāzā

빼:-기 명하탄 〖数〗减 jiǎn; 减法 jiǎnfǎ = 마이너스 ¶7 ~ 3은 4이다 七减三是四

빼:-내다 타 1 拔 báqǔ; 拔除 báchú; 拔出 báchū; 抽出 chōuchū; 逐出 zhúchū ¶가시를 ~ 拔出刺 2 弄到手 nòngdàoshǒu ¶비밀 서류를 ~ 把秘密文件弄到手 3 挖出 wāchū; 骗取 piànqǔ; 拐骗 guǎi; 挖 wā; 抽调 chōudiào ¶기술자를 ~ 挖出技术人员 4 解救 jiějiù; 放出 fàngchū; 解 jiě; 营救 yíngjiù ¶감옥에서 ~ 从监狱解救

빼:다¹ 〔타〕 1 抽出 chōuchū; 拔 bá; 起 qǐ; 拔 chè; 挑 tiǎo; 卸 xiè ¶이를 ~ 拔牙/칼이 시는 ~ 拔刺/주머니에서 손을 ~ 从 兜里抽手 2 扣 kòu; 减 jiǎn; 扣除 kòuchú; 扣减 kòujiǎn; 删除 shānchú; 剐 páo; 刨除 páochú; 扣除 kòuchú; 删掉 shāndiào; 去掉 qùdiào ¶불필요한 부분을 ~ 除掉不必要的部分 / 월급에서 ~ 从工资中扣除 3 取 qǔ; 取出 qǔchū; 取回 qǔhuí; 要回 yàohuí ¶그는 돈을 빼러 은행에 갔다 他去银行取钱 4 泄 xiè; 漏 lòu; 放 fàng ¶타이어의 바람을 ~ 放出轮胎的空气 5 弄掉 nòngdiào; 起 qǐ; 洗掉 xǐdiào ¶때를 ~ 把污垢弄掉 6 放松 fàngsōng; 松懈 sōngxiè; 使出 shǐchū; 耗力 hàolì ¶몸의 힘을 ~ 放松身体 7 引 yǐn; 放开 fàngkāi; 拉长 lācháng; 拖长 tuōcháng; 伸长 shēncháng; 拔 bá ¶목청을 길게 빼며 부르다 拉长声喊 8 减 jiǎn; 减去 jiǎnqù; 除去 chúqù ¶살을 ~ 减肥 9 活脱儿 huótuōr

빼:다² 〔타〕 1 讲究穿戴 jiǎngjiu chuāndài; 打扮得漂亮 dǎbànde piàoliang 2 作态 zuòtài; 故作 gùzuò; 假装 jiǎzhuāng; 做作 zuòzuò ¶얌전을 ~ 假装斯文

빼:다³ 〔자〕 1 往后缩 wǎnghòu suō; 缩手缩脚 suōshǒusuōjiǎo 2 = 내빼다

빼:-닮다 〔타〕 活脱儿 huótuōr ¶저 아이 좀 봐, 엄마를 쏙 빼닮았네 你看这孩子, 活脱儿就是他妈妈

빼:-돌리다 〔타〕 抽逃 chōutáo; 挖走 wāzǒu; 骗取 piànqǔ; 拐 guǎi ¶유능한 사원을 ~ 把能干的职员挖走 / 자금을 ~ 抽逃资金 / 보험금을 ~ 骗取保险金

빼:-먹다 〔타〕 1 (字句) 漏掉 lòudiào ¶한 글자를 ~ 漏掉一个字 2 旷 kuàng; 逃 táo ¶수업을 ~ 逃课

빼빼 〔一〕〔부〕〔하タ〕 瘪瘪地 biěbiěde; 瘦瘦地 shòushòude ¶빼빼 마르다 干瘦 gānshòu 〔二〕〔명〕 瘦子 shòuzi; 瘦猴 shòuhóu

빼앗-기다 〔타〕 1 被抢 bèiqiǎng; 被夺 bèiduó; 夺去 duóqù; 被捞 bèilāo 2 被剥夺 bèibōduó; 被夺取 bèiduóqǔ 3 被勾引 bèigōuyǐn

빼:-앗다 〔타〕 1 抢 qiǎng; 夺 duó; 占 zhān; 抢劫 qiǎngjié; 抢掠 qiǎnglüè; 夺掉 duódiào; 抢夺 qiǎngduó; 攫 jué ¶돈을 ~ 抢钱 / 영토를 ~ 抢夺领土 / 남의 물건을 ~ 抢夺他人的东西 2 (把别人的事、座位、时间等) 夺取 duóqǔ; 剥夺 bōduó; 夺掉 duódiào ¶다른 사람의 자유를 마음대로 ~ 随意地夺取别人的自由 3 (把心情或想法) 抓

住 zhuāzhù; 笼络 lǒngluò ¶남자의 마음을 ~ 抓住男人的心 4 蹂躏 róulìn; 糟践 zāojiàn; 糟踏 zāotà ¶여자의 정조를 ~ 蹂躏女人的贞洁

빼어-나다 〔형〕 高明 gāomíng; 高出 gāochū; 俊俏 jùnqiào; 杰出 jiéchū; 出众 chūzhòng; 超群 chāoqún; 突出 tūchū; 特出 tèchū; 优秀 yōuxiù; 超拔 chāobá ¶그녀는 용모가 ~ 她容貌俊俏/솜씨가 ~ 手段高明

빼:-입다 〔타〕 穿得笔挺 chuānde bǐtǐng

빽빽-이 〔부〕 密密麻麻(地) mìmimámá(de); 满满当当(地) mǎnmandāngdāng(de); 挤挤挨挨 jǐjǐāiāi ¶사람들이 무대 아래에 ~ 서 있다 人们挤挤挨挨地站在舞台下

빽빽-하다 〔형〕 密丛丛 mìcóngcóng; 密密麻麻 mìmimámá; 满满当当 mǎnmandāngdāng; 挤挤挨挨 jǐjǐāiāi; 密密层层 mìmìcéngcéng; 密密麻麻 mìmimámá; 密匝匝 mìzāzā; 丛密 cóngmì

뺀질-거리다 〔자〕 油滑 yóuhuá; 游手好闲 yóushǒuhàoxián; 滑头滑脑 huátóuhuánǎo = 뺀질대다 ▷ 뺀질-뺀질 〔부〕〔하タ〕

뺄:-셈 〔명〕【數】减法 jiǎnfǎ

뺄:-셈-표 (一標) 〔명〕【數】减号 jiǎnhào = 마이너스4

뺏:-기다 〔타〕 '빼앗기다'의 略词

뺏:-다 〔타〕 '빼앗다'의 略词

뺑뺑-이 〔부〕 滴溜溜 dīliūliū; 滴溜儿 dīliūr

뺑뺑-이 〔명〕 转盘 zhuǎnpán; 转盘游戏 zhuǎnpán yóuxì

뺑소니 〔명〕 溜走 liūzǒu; 溜 liū; 溜走 liūzǒu; 滑脚 huájiǎo; 逃脱 táotuō; 逃跑 táopǎo; 跑掉 pǎodiào; 逃逸 táoyì ¶~ 사고 肇事逃逸案件 / 차 肇事逃逸事故 辆

뺑소니-치다 〔자〕 溜走 liūzǒu; 溜 liū; 溜走 liūzǒu; 滑脚 huájiǎo; 逃脱 táotuō; 逃跑 táopǎo; 跑掉 pǎodiào; 逃逸 táoyì ¶그는 몰래 뺑소니쳤다 他私下地溜走了

뺨 〔명〕 1 面颊 miànjiá; 脸颊 liǎnjiá; 腮帮子 sāibāngzi; 嘴巴 zuǐba; 脸蛋(儿) liǎndàn(r); 腮 sāi; 颊 jiá; 耳光 ěrguāng; 耳刮子 ěrguāzi ¶~이 사과처럼 빨갛다 脸蛋儿红得像苹果 / 눈물이 ~을 타고 아래로 흐르다 眼泪顺着腮帮子往下流 2 宽度 kuāndù

뺨-따귀 〔명〕 '뺨'의 鄙称

뺨-치다 〔자타〕 超过 chāoguò; 不亚于 bùyàyú; 胜似 shèngsì; 胜过 shèngguò; 不次于 bùcìyú ¶전문가 뺨치는 솜씨 不亚于专家的手艺

뼈근-하다 〔형〕 1 酸软 suānruǎn; 不舒服 bùshūfu; 酸痛 suāntòng; 酸懒 suānlǎn ¶어깨가 ~ 肩膀酸软/허리가 ~ 腰部酸痛 2 澎湃 péngpài; 涨满 zhǎngmǎn; 충만 chōngmǎn ¶가슴이 뻐근하고 만감이 교차하다 心潮澎湃, 百感交集 bǎigǎn jiāojí

뻐기다 困 拿架子 nájiàzi; 摆架子 bǎijiàzi; 弄弄 màinong; 骄傲 jiāo'ào; 傲慢 àomàn; 趾高气扬 zhǐgāoqìyáng

뻐꾸기 困[鳥] 大杜鹃 dàdùjuān; 杜鹃 dùjuān; 布谷 bùgǔ; 布谷鸟 bùgǔniǎo = 뻐꾹새

뻐꾹 困 咕咕 gūgū; 咕咕 gūgū

뻐꾹-새 困[鳥] = 뻐꾸기

뻐꾸기-시계(一時計) 困 布谷鸟钟 bùgǔniǎozhōng

뻐끔 名[裂] 裂开 lièkāi; 裂痕累累 lièhén léiléi ¶갑자기 큰 틈이 ~ 생기다 突然裂开好大的一条裂缝

뻐끔2 困[他] 1 吧嗒 bādā; 叭嗒 bādā 2 一张一张 yīzhāngyīzhāng; 翕动地 xīdòngde

뻐끔-거리다 困 1 吧嗒 bādā ¶담배를 ~ 吧嗒着抽烟 2 (嘴) 一张一张 yīzhāngyīzhāng ¶물고기가 입을 쉬지 않고 ~ 鱼嘴在不停地一张一合 ‖ = 뻐끔대다 뻐끔~뻐끔1 困[他]

뻐끔-뻐끔1 困[他] 2 处处裂开 chùchù lièkāi; 裂痕累累 lièhén léiléi

뻐드러-지다 困 伸出 shēnchū; 伸展 shēnzhǎn; 支 zhī; 翘起 qiáoqǐ ¶앞니가 ~ 门牙翘起

뻐드렁-니 名 龅牙 bāoyá

빡빡-하다 冠 1 干干巴巴 gāngānbābā; 干硬 gānsè; 硬 yìng ¶밀가루 반죽이 조금 ~ 面和得有点硬 / 눈이 ~ 眼睛干涩 2 紧 jǐn; 勒 lēi; 涩 sè ¶바퀴가 약간 ~ 轮子有点紧 3 生硬 shēngyìng ¶呆板 dāibǎn 빡빡-이 困

뻑적지근-하다 冠 酸痛 suāntòng; 酸软 suānruǎn; 不舒服 bùshūfu; 酸懒 suānlǎn 뻑적지근-히 困

뻔뻔-스럽다 冠 厚脸皮 hòuliǎnpí; 厚颜无耻 hòuyánwúchǐ; 没皮没脸 méipí-méiliǎn; 不要脸 bùyàoliǎn; 脸厚 liǎnhòu; 靦觍 tiǎntiǎn; 好意思 hǎoyìsi; 赖皮 làipí ¶너 정말 ~ 你真不要脸 / 난 너만큼 그렇게 뻔뻔스럽지는 않다 我没你那么厚脸皮 뻔뻔스레 困

뻔뻔-하다 冠 厚脸皮 hòuliǎnpí; 厚颜无耻 hòuyánwúchǐ; 没皮没脸 méipí-méiliǎn; 不要脸 bùyàoliǎn; 脸厚 liǎnhòu; 靦觍 tiǎntiǎn; 好意思 hǎoyìsi; 赖皮 làipí 뻔뻔-히 困

뻔지르르 困[他] 1 油光闪亮 yóuguāng-shǎnliàng; 油光锃亮 yóuguāngzèngliàng; 油光光 yóuguāngguāng; 亮闪闪 liàngshǎnshǎn; 油润 yóurùn; 发滑 fāhuá; 油光水滑 yóuguāngshuǐhuá 2 华而不实 huá'érbùshí; 倒挺像样 dàotǐngxiàngyàng; 滑舌 huáshé; 光趟 guāng-

tang

뻔질-나다 困 频繁 pínfán; 接连不断 jiēliánbùduàn; 三天两头 sāntiānliǎngtóu ¶뻔질나게 외출하다 接连不断地出门

뻔-하다1 [보형] 差点儿 chàdiǎn; 险些 xiǎnxiē ¶기절할 ~ 险些昏倒

뻔-하다2 冠 明显 míngxiǎn; 显然 xiǎnrán; 显而易见 xiǎn'éryìjiàn; 明明白白 míngmíngbáibái; 不言而喻 bùyán'éryù; 明摆着 míngbǎizhe; 铁板钉钉 tiěbǎndīngdīng; 板上钉钉 bǎnshàngdīngdīng; 清清楚楚 qīngqingchǔchǔ ¶어차피 우리가 이길 것은 ~ 不管如何, 我们显然赢定了 / 이 일도 뻔해 此事也就铁板钉钉 뻔-히 困

뻗다 困[자) 1 伸展 shēnzhǎn; 延伸 yánshēn; 蔓延 mànyán; 扩展 kuòzhǎn; 扎煞 zhāshà; 爬 pá ¶그는 몸을 일으켜 두 팔을 뻗었다 他起身伸展了一下双臂 2 伸直 shēnzhí; 伸出 shēnchū; 张弓 zhāng ¶구원의 손길을 ~ 伸出救援之手 3 翘犟子 qiáobiànzi; 蹬退 dēngtuì; 死了 sǐle; 伸腿 shēntuǐ

뻗-치다 困[他] 1 伸展 shēnzhǎn; 蔓延 mànyán; 伸展 shēnyán; 扩展 kuòzhǎn 2 伸直 shēnzhí; 伸出 shēnchū; 伸开 shēnkāi ¶마수를 ~ 伸出魔掌

-뻘 [접미] 辈 bèi; 辈分 bèifen; 行辈 hángbèi ¶아저씨 ~ 叔辈

뻘-겋다 冠 通红 tōnghóng; 大红 dàhóng; 深红 shēnhóng ¶얼굴이 얼어서 ~ 脸冻得通红

뻘-게지다 困 变红 biànhóng; 红起来 hóngqǐlái; 红 hóng; 发红 fāhóng ¶얼굴이 ~ 脸红起来了

뻘뻘 困 哗哗 huāhuā; 汗淋淋 hànlínlín; 涔涔 céncén; 汗涟涟 hànliánlián; 淋漓 línlí ¶땀을 ~ 흘리다 大汗淋漓

뻣뻣-이 困 1 硬梆梆地 yìngbāngbāngde; 僵硬地 jiāngyìngde; 硬硬地 yìngyìngde; 僵直地 jiāngzhíde; 直挺挺 zhítǐngtǐng 2 生硬 shēngyìngde

뻣뻣-하다 冠 1 硬 yìng; 硬梆梆 yìngbāngbāng; 僵硬 jiāngyìng; 直 zhí; 僵 jiāng; 僵直 jiāngzhí; 挺 tǐng; 硬梆 yìngbāng; 挺 tǐng; 死挺挺 sǐtǐngtǐng ¶뻣뻣한 종이 硬纸 / 사지가 ~ 四肢僵硬 / 몸이 ~ 身体僵硬 2 生硬 shēngyìng ¶말투가 ~ 语气很生硬

뻥1 名 吹牛 chuīniú; 大话 dàhuà; 假话 jiǎhuà; 谎话 huǎnghuà ¶그는 늘 ~만 친다 他老是吹牛皮

뻥2 困 乒 pīng; 嘣 bēng; 砰地 pēngdì

뻥긋 困[他] (嘴或门) 微开 wēikāi; 一开 yīkāi; 发 fā; 开 kāi ¶입도 ~하지 않다 一声不发

뻥-까다 困 撒谎 sāhuǎng; 说谎话

shuōhuǎnghuà; 说假话 shuōjiǎhuà

뻥뻥 튀 1 砰砰 pēngpēng; 乒乒 pīng-ping; 嘣嘣 bēngbēng 2 胡吹 húchuī; 夸海口 kuāhǎikǒu

뻥-치다 재 吹牛 chuīniú; 说大话 shuōdàhuà; 夸张 kuāzhāng ¶그는 뻥치는 사람을 가장 싫어한다 他最腻烦说大话的人

뻥-튀기 명하 1 爆米花 bàomǐhuā 2 吹大气 chuīdàqì

뼈 명 1 【生】骨 gǔ; 骨头 gǔtou; 骸骨 hái ¶~가 부러졌다 弄断了骨头 2 骨架 gǔjià; 主干 zhǔgàn; 核心 héxīn 3 本意 běnyì; 真意 zhēnyì; 意味 yìwèi; 深意 shēnyì; 刺儿 cìr ¶말속에 ~가 있다 话中有深意 4 骨气 gǔqì ¶~가 없는 사람 没有骨气的人

뼈에 사무치다 팬 刻骨; 切骨

뼈-다귀 명 骨头 gǔtou; 骨头棒子 gǔtoubàngzi

뼈-대 명 1 【生】骨骼 gǔgé; 骨格 gǔgé; 骨架 gǔjià ¶~가 굵다 骨骼粗 2 框架 kuàngjià; 骨架 gǔjià; 主干 zhǔgān; 核心 héxīn; 架子 jiàzi ¶문장의 ~ 文章的框架 3 骨子 gǔzi; 架子 jiàzi; 架体 jiàtǐ ¶집의 ~ 房架子

뼈-마디 명 【生】= 관절 ¶~가 쑤시다 关节酸痛

뼈-아프다 형 彻骨 chègǔ; 痛切 tòng-qiè; 切肤 qièfū; 深切 shēnqiè; 切骨 qiègǔ; 严酷 yánkù; 痛苦 tòngkǔ; 悔恨 huǐhèn = 뼈저리다 ¶뼈아픈 현실 严酷的现实 / 뼈아프게 반성하다 痛切反省

뼈-저리다 재 = 뼈아프다 ¶뼈저리게 뉘우치다 痛切地悔过

뼘 一명 拃 zhǎ 二의명 拃 zhǎ ¶한 ~의 길이 一拃长

뼛-가루 명 骨粉 gǔfěn

뼛-골(一骨) 명 【生】= 골수

뼛-속 명 【生】= 골수 ¶~까지 스며들다 渗透到骨子里

뽀드득 명하자튀 1 吱嘎 zhīgā; 扑腾 pūténg; 嘎巴 gābā; 嘎吱 gāzhī 2 咯咯吱吱 gēzhīgēzhī 《踏雪声》

뽀드득-거리다 재 吱嘎吱嘎 zhīgāzhīgā 2 咯咯吱吱 gēzhīgēzhī = 뽀드득대다 **뽀드득-뽀드득** 부하자튀

뽀뽀 명하자 亲 qīn; 亲嘴 qīnzuǐ; 亲吻 qīnwěn; 接吻 jiēwěn ¶아기의 볼에 ~하다 亲吻宝宝的脸蛋

뽀송-뽀송 부하형 1 干松 gānsōng = 뽀얗다 형 1 灰蒙蒙 huīméngméng; 灰白 huībái; 混浊 hùnzhuó; 霾晦 mái-huì; 空濛 kōngméng ¶뽀얀 하늘 灰蒙蒙的天空 2 白净 báijìng; 乳白 rǔbái ¶뽀얀 피부 乳白的皮肤

뽀:얘-지다 재 1 变得灰白 biànde huī-bái; 变得灰蒙蒙 biànde huīméngméng 2 变化白 biànhuàbái; 变乳白 biànrǔbái

뽐-내다 재 炫耀 xuànyào; 卖弄 màinong; 自吹 zìchuī; 神气 shénqi; 炫弄 xuànnòng; 摆架子 bǎijiàzi; 扬威 yángwēi; 逞威风 chěngwēifēng; 自夸 zìkuā ¶기교를 ~ 卖弄技巧

뽑다 타 1 拔 bá; 薅 hāo; 起 qǐ; 镊 niè; 抽 chōu; 退 tuì; 引 yǐn ¶잡초를 ~ 拔除杂草 / 털을 ~ 镊毛 2 伸 shēn; 拉 lā; 抻 chēn ¶목을 길게 뽑고 바라보다 伸长脖子张望 3 选 xuǎn; 选拔 xuǎnbá; 挑选 tiāoxuǎn; 拔擢 bázhuó; 简拔 jiǎnbá; 采拔 cǎibá ¶우수 선수를 ~ 选拔优秀选手 4 收回 shōuhuí; 捞回 lāohuí ¶밑천을 ~ 捞回老本 / 본전을 뽑았다 收回了本钱 5 抽出 chōuchū; 放 fàng ¶피를 ~ 抽血 6 根绝 gēnjué; 全(儿) quán(r) 7 招收 zhāoshōu ¶임시직을 ~ 招收临时工 8 取出 qǔchū

뽑아-내다 타 1 拔出 bōchū; 薅 hāo; 起 qǐ; 镊 niè ¶손가락의 가시를 ~ 拔出手指上的刺 2 抽 chōu; 提取 tíqǔ; 挑选出来 tiāoxuǎnchūlái; 挑选出来 tiāoxuǎnchūlái ¶영화 속의 고전적인 대화를 ~ 把影片中经典的对白抽取出来 3 抽出 chōuchū ¶복강 속에서 복수를 ~ 从腹腔中抽出腹水 4 收回 shōu-huí; 捞回 lāohuí ¶일 년 내에 투자금 모두를 ~ 一年内收回全部投资资金 5 得到 dédào; 获得 huòdé ¶경기에서 좋은 점수를 ~ 在比赛得到好成绩

뽑-히다 재 1 被拔出 bèibáchū ¶못에 ~ 钉子被拔出来 2 被选 bèixuǎn; 中选 zhòngxuǎn; 入选 rùxuǎn ¶반장으로 ~ 被选为班长

뽕[1] 명 【植】= 뽕잎 2 = 뽕나무 ¶뽕도 따고 임도 보고[본당] 속담 一举两得; 两全其美 = 임도 보고 뽕도 딴다

뽕[2] 튀 嘣 bēng 《放屁声》

뽕-나무 명 【植】桑树 sāngshù; 桑 sāng = 뽕[2]

뽕-밭 명 桑田 sāngtián = 산전(桑田)

뽕-뽕 부하자타 1 (放屁) 嘣嘣 bēng-bēng 2 嘀嘀 dīdī; 鸣鸣 míngmíng; 嘟嘟 dūdū

뽕-잎 명 【植】桑叶 sāngyè = 뽕[1]1

뽀로통-하다 형 气呼呼 qìhūhū; 气哼哼 qìhēnghēng; 气鼓鼓 qìgǔgǔ; 气囊囊 qìnángnáng

勒咕唧 ruǎnlègūjī; 软几儿 ruǎnjīr; 软乎乎 ruǎnhūhū; 软糊糊 ruǎnhūhū

뽀얗다 형 灰蒙蒙 huīméngméng;

뽀루지 图 小疖子 xiǎojiēzi; 小疙瘩 xiǎogēda; 粉刺 fěncì; 痤疮 cuócuāng

뽀족 區하图 1 尖 jiān; 尖利 jiānlì; 尖锐 jiānruì ¶~한 턱 尖下巴 / ~구두 尖利皮鞋 2 好 hǎo; 妙 miào ¶별 ~한 수가 없다 没什么好办法

뽀족-뽀족 區하图 尖尖 jiānjiān ¶~나온 보리 이삭 尖尖的大麦穗 / ~한 탑 꼭대기 尖尖的塔顶

뿌듯-하다 图 充实 chōngshí; 满意 mǎnyì; 满足 mǎnzú ¶마음이 ~ 心里很满足

뿌리 图 1 [植] 根(儿) gēn(r); 根子 gēnzi 2 根源 gēnyuán; 根本 gēnběn; 根子 gēnzi ¶민족의 ~를 찾다 寻找民族的根源

뿌리(가) 깊다 匄 根深蒂固; 由来已久

뿌리(를) 뽑다 匄 根除; 根绝

뿌리-내리다 邸 着根 zháogēn; 扎根 zhāgēn ¶60년대 초 그들은 이곳에 뿌리내렸다 60年代初, 他们就在这里扎根了

뿌리다 一邸阻 散落 sǎnluò; 落下 luòxià; 下 xià; 涌 shào ¶때마로 가랑비가 ~ 不时落下毛毛细雨 二阻 1 撒 sā; 散布 sànbù; 浇 jiāo; 泼 pō; 洒 sǎ ¶씨를 ~ 撒种 / 바닥에 물을 ~ 在地上洒着水 2 乱花钱 luànhuāqián ¶술집에서 돈을 ~ 在酒吧乱花钱 3 (眼泪) 流 liú; 挥 huī; 洒 sǎ; 弹泪 tánlèi ¶눈물을 뿌리며 떠나다 流泪离开 4 声张 shēngzhāng; 外扬 wàiyáng; 造谣 zàoyáo; 张扬 zhāngyáng; 散布 sànbù ¶루머를 뿌리는 행위 散布传闻的行为

뿌리-박다 邸 扎根 zhāgēn; 根植 gēnzhí; 生根 shēnggēn

뿌리-채소 图 [植] 根菜 gēncài = 근채

뿌리-치다 阻 1 拂 fú; 甩 shuǎi; 推开 tuīkāi; 拨开 bōkāi; 摔 shuāi; 甩开 shuǎikāi; 甩掉 shuǎidiào; 挣脱 zhēngtuō ¶그의 손을 ~ 甩开他的手 2 回绝 huíjué; 拒绝 jùjué ¶유혹을 ~ 拒绝诱惑 3 甩掉 shuǎidiào ¶경쟁자를 ~ 甩掉竞争者

뿌-옇다 图 灰白 huībái; 霉晦 méihuì; 灰蒙蒙 huīméngméng; 雾蒙蒙 wùméngméng ¶하늘이 뿌연 걸 보니 비가 올 것 같다 天灰蒙蒙的, 好像要下雨

뿌-예-지다 邸 变灰白 biànhuībái; 变得灰蒙蒙 biànde huīméngméng; 模糊 móhú ¶갑자기 눈이 뿌예졌다 一瞬间, 眼睛模糊了

뿌지직 區하图 1 咕唧 gūjī; 扑腾 pūténg 《拉尿声》2 吱啦 zhīlā 《淬火声》

뿐¹ 依图 只 zhǐ; 只是 zhǐshì; 不过 búguò; 就是 jiùshì; 罢了 bàle; 而已 éryǐ ¶나는 마땅히 해야 할 일을 했을 ~이다 我只做了我应做的事罢了

뿐² 依图 只有 zhǐyǒu; 只 zhǐ; 就 jiù ¶~이다 只有两个 / 이것~이냐? 就这些吗?

뿔 图 [動] 角 jiǎo; 犄角 jījiao ¶~이 돋다 长角

뿔-나다 邸 生气 shēngqì; 恼火 nǎohuǒ; 冒火 màohuǒ; 恼怒 nǎonù; 发脾气 fāpíqi

뿔뿔-이 图 纷纷 fēnfēn; 四散 sìsàn; 七零八落 qīlíngbāluò; 五零四散 wǔlíngsìsàn; 零散 língsan ¶가족이 ~ 흩어졌다 全家五零四散 / 모두 ~ 도망갔다 全部四散逃跑了

뿔-테 图 粗框 cūkuàng ¶~ 안경 粗框眼镜

뿜-다 阻 喷 pēn; 吐 tǔ; 排放 páifàng; 冒 mào; 发出 fāchū ¶연기를 뿜는 굴뚝 冒烟的烟囱 / 불을 ~ 喷火

뿜어-내다 阻 喷出 pēnchū; 喷放 pēnfàng; 排放 páifàng; 冒 mào; 散发 sànfā ¶연기를 ~ 喷放烟气

뻥 图 嘣 bēng

뻥-뻥 區하图阻 1 嘣嘣 bēngbēng 2 嘀嘀 dīdī; 嘟嘟 dūdū; 鸣鸣 míngmíng

삐걱 區하邸阻 嘎吱 gāzhī; 叽叽嘎嘎 jījigāgā; 咯吱 gēzhī

삐걱-거리다 邸阻 嘎吱响 gāzhīxiǎng; 叽叽嘎嘎响 jījigāgāxiǎng; 咯吱响 gēzhīxiǎng = 삐걱대다 ¶이 의자는 늘상 삐걱거린다 这把椅子老叽叽嘎嘎响 삐걱-삐걱 區하邸阻

삐끗 區하邸阻 1 晃荡 huàngdang; 松弛 sōngchí 2 扭 niǔ ¶허리를 ~하다 扭腰了

삐:다 邸阻 扭 niǔ; 扭伤 niǔshāng; 蹩 bié ¶목을 삐었다 扭伤了脖子

삐딱-이 图 歪斜(地) wāixié(de); 歪(着) wāi(zhe) ¶모자를 ~ 쓰다 歪戴着帽子

삐딱-하다 图 歪 wāi; 斜 xié; 偏 piān

삐뚜로 图 歪着 wāizhe; 斜着 xiézhe; 偏着 piānzhe

삐뚤-거리다 邸阻 1 直歪斜 zhíwāixié; 歪歪斜斜 wāiwāixiéxié 2 直弯弯 zhídāwān; 直弯曲 zhíwānqū ‖ = 삐뚤대다 삐뚤-삐뚤 區하图邸阻

삐뚤다 图 歪 wāi; 斜 xié; 歪斜 wāixié; 歪扭 wāiniǔ

삐뚤-빼뚤 區하图邸阻 歪歪斜斜(地) wāiwāixiéxié(de); 歪歪扭扭(地) wāiwāiniūniǔ(de) ¶공책에 ~ 글씨를 쓰다 在本子上歪歪斜斜地写字

삐뚤어-지다 邸 1 歪斜 wāixié; 倾斜 qīngxié ¶삐뚤어진 치아 歪斜的牙齿 2 心路不正 xīnlùbùzhèng 3 闹别扭

bièniu

삐라(←일bira) 圏 '전단(傳單)'의 착오

삐악 閉 唧唧 jījī; 唧唧喳喳 jījizhāzhā

삐악-거리다 困 唧唧地叫 jījīde jiào = 삐악대다 ¶병아리가 ∼ 小鸡唧唧地叫 jījīde jiào 閉하자

삐죽¹ 閉하형 尖锐 jiānruì; 尖利 jiānlì; 锐利 ruìlì; 锋利 fēnglì

삐죽² 閉하형 1 一撇 yīpiě; 一撇 yījuē 2 露一下 lòuyīxià; 一露 yīlòu

삐죽-거리다 固 撅嘴 juēzuǐ; 撇嘴 piězuǐ = 삐죽대다 ¶삐죽-삐죽 閉하타

삐쩍 閉 瘦瘦的 shòushòude; 瘦巴巴(的) shòubābā(de); 瘦精精(的) shòujīngjīng(de); 瘦呱呱(的) shòuguāguā(de); 消瘦 xiāoshòu

삐쭉¹ 閉하형 尖锐 jiānruì; 尖利 jiānlì; 锐利 ruìlì; 锋利 fēnglì

삐쭉 閉하타 1 一撇 yīpiě; 一撇 yījuē

2 露一下 lòuyīxià; 一露 yīlòu ¶얼굴을 ∼ 내밀고 갔다 露一下脸就走了

삐쭉-거리다 固 撅嘴 juēzuǐ; 撇嘴 piězuǐ ¶삐쭉거리지 마 别 撅嘴了 삐쭉-삐쭉¹ 閉하타

삐쭉-삐쭉² 閉하형 都尖尖的 dōujiān-jiānde

삐:치다¹ 困 闹性子 nào xìngzi; 闹别 扭 nào bièniu ¶그는 조그마한 일에도 잘 삐친다 他连一点小事都闹性子

삐:치다² 固 写一撇 xiě yīpiě

뼁 閉 1 团团 tuántuán ¶그를 ∼ 에워 싸다 将他团团围住 2 滴溜溜 dīliūliū ¶ 왼쪽 발을 축으로 ∼ 동그랗게 돌다 以左脚为轴, 滴溜溜转了个圆圈 3 晕 晕忽忽 yūnhūhū; 晕头转向 yūntóu-zhuǎnxiàng; 眩晕 xuànyùn; 昏昏沉沉 hūnhūnchénchén

삑 閉 嘀 dī; 哇 wā

사:(四) 〔수量〕 四 sì ¶∼ 년 四年 /∼ 킬로그램 四公斤 /∼ 일 四天

사:(死) 〔名〕 = 죽음 ¶생과 ∼의 갈림 길 生与死的十字路口

사(私) 〔名〕 私 sī ¶공과 ∼ 公和私

사(詞) 〔名〕〔文〕词 cí

-사(士) 〔접미〕师 shī; 员 yuán 《取得专门资格的人》¶변호 ∼ 律师 / 회계 ∼ 会计师 / 운전 ∼ 驾驶员

-사(史) 〔접미〕史 shǐ ¶문학 ∼ 文学史 / 음악 ∼ 音乐史 / 서양 ∼ 西洋史

-사(事) 〔접미〕事 shì ¶인간 ∼ 人事 / 세상 ∼ 世事

-사(社) 〔접미〕社 shè ¶신문 ∼ 报社 / 출판 ∼ 出版社

-사(師) 〔접미〕师 shī; 员 yuán 《对某种事熟练的人》¶요리 ∼ 厨师 / 이발 ∼ 理发师

-사(辭) 〔접미〕词 cí ¶감탄 ∼ 叹词 / 형용 ∼ 形容词

-사(辭) 〔접미〕词 cí; 辞 cí; 文 wén ¶개회 ∼ 开幕词 / 환영 ∼ 欢迎辞

사각 〔부〕1 嘎吱 gāzhī 《吃水果或点心时的声音》2 沙拉 shālā; 刷拉 shuālā 《摩擦时的声音》

사:각(四角) 〔名〕1 四个角 sìgèjiǎo 2 四角 sìjiǎo; 方 fāng ¶∼ 탁자 方桌 / 팬티 四角内裤 3 〔數〕= 사각형 ¶∼ 뿔 四棱锥

사:각(死角) 〔名〕死角 sǐjiǎo

사각-거리다 〔자타〕1 嘎吱嘎吱 gāzhī-gāzhī ¶입에 넣고 사각거리며 씹다 放进嘴里，嘎吱嘎吱地嚼 2 沙拉沙拉 shālāshālā; 刷拉刷拉 shuālāshuālā ‖ = 사각대다 **사각-사각** 〔부해자타〕

사:각-기둥(四角一) 〔名〕〔數〕四棱柱 sìléngzhù

사:각-지대(死角地帶) 〔名〕死角 sǐjiǎo; 死角地带 sǐjiǎo dìdài ¶범죄 단속의 ∼ 控制犯罪的死角地带

사:각-형(四角形) 〔名〕〔數〕四角形 sìjiǎoxíng = 네모2·사각(四角)3·사변형 ¶∼으로 자르다 切成四角形

사감(舍監) 〔名〕舍监 shèjiān ¶기숙사의 ∼이 되다 做宿舍的舍监

사:-거리(四一) 〔名〕= 네거리 ¶∼의 주유소 十字路口的加油站

사-거리(射距離) 〔名〕〔軍〕= 사정거리

사:건(事件) 〔名〕1 事件 shìjiàn; 事 shì; 案件 ànjiàn ¶역사적인 ∼ 历史事件 /

형사 ∼ 刑事案件 2 〔法〕诉讼案 sùsòng'àn

사격(射擊) 〔名〕〔하타〕射 shè; 射击 shèjī ¶실탄 ∼ 实弹射击 / 경기 射击比赛 / ∼ 훈련을 하다 进行射击训练

사격-술(射擊術) 〔名〕射击术 shèjīshù; 枪法 qiāngfǎ ¶∼이 뛰어난 사람 枪法非常准确的人

사격-장(射擊場) 〔名〕射击场 shèjīchǎng; 射击场地 shèjī chǎngdì; 打靶场 dǎbǎchǎng ¶실내 ∼ 室内射击场

사견(私見) 〔名〕私见 sījiàn ¶∼을 배제하다 排除私见

사:경(死境) 〔名〕死亡线 sǐwángxiàn; 绝境 juéjìng ¶∼을 헤매다 挣扎在死亡线上

사:계(四季) 〔名〕= 사철

사:-계절(四季節) 〔名〕= 사철 ¶∼이 뚜렷하다 四季分明

사:고(事故) 〔名〕1 事故 shìgù; 失事 shīshì; 意外 yìwài ¶∼사 意外死亡 / ∼율 事故发生率 / 비행기 ∼ 飞机失事 / ∼가 발생하다 发生事故 2 事端 shìduān; 岔子 chàzi; 问题 wèntí ¶∼를 치다 滋生事端

사고(思考) 〔名〕〔하타〕1 思考 sīkǎo ¶∼ 능력 思考能力 / ∼의 영역을 넓히다 扩大思考的范围 2 〔哲〕思维 sīwéi

사고-력(思考力) 〔名〕思考力 sīkǎolì; 思考能力 sīkǎo nénglì ¶논리적인 ∼을 기르다 培养逻辑的思考力

사:고-무친(四顧無親) 〔名〕〔하양〕四顾无亲 sìgùwúqīn; 举目无亲 jǔmùwúqīn

사:고-뭉치(事故一) 〔名〕惹祸精 rěhuòjīng

사고-방식(思考方式) 〔名〕思考方法 sīkǎo fāngfǎ ¶그는 ∼이 고루하다 他思考方法顽固守旧

사고-팔다 〔타〕买卖 mǎimai ¶온갖 물건을 ∼ 买卖各种东西

사:-골(四骨) 〔名〕牛足 niúzú; 牛脚骨 niújiǎogǔ ¶∼을 고다 炖牛足

사공(沙工·砂工) 〔名〕= 뱃사공 ¶사공이 많으면 배가 산으로 간다[올라간다] 〔속담〕艄夫多，船上山; 艄夫多, 撑翻船; 船工多了, 打烂船

사과(沙果·砂果) 〔名〕苹果 píngguǒ ¶∼주 苹果酒 /∼즙 苹果汁 /∼잼 苹果酱

사:과(謝過) 〔名〕〔하자타〕道歉 dàoqiàn; 认错 rèncuò; 赔罪 péizuì; 赔不是 péi-

bùshì; 谢罪 xièzuì; 歉意 qiànyì ¶~문
谢罪书 / 네가 그녀에게 ~해야 한다
你应该向她道歉

사과-나무(沙果─) 圀 【植】 苹果树
píngguǒshù

사:관(士官) 圀 【軍】 军官 jūnguān ¶
~생도 军官生徒 / ~학교 军官学校 /
~후보생 候补军官

사:관(史官) 圀 【史】 史官 shǐguān

사:관(史觀) 圀 = 역사관 ¶식민 ~
殖民史观

사교(社交) 圀하자 社交 shèjiāo; 交际
jiāojì; 应酬 yìngchou ¶~계 社交界 /
~성 社交性 / ~장 社交场 / ~춤 交际
舞 [交谊舞] / ~활동 社交活动 / 그는 ~에 능하다 他
善于社交

사-교육(私教育) 圀 【教】 私人教育
sīrén jiàoyù; 个人教育 gèrén jiàoyù ¶~
비 私人教育费

사교-적(社交的) 관圀 会交际 huì jiāo-
jì; 善于交际的 shànyú jiāojì; 友好 yǒu-
hǎo; 社交性的 shèjiāoxìngde; 应酬性
的 yìngchouxìngde ¶그는 매우 ~이다
他很会交际

사:구(死球) 圀 【體】 【棒球】死球 sǐqiú
= 데드 볼

사구(沙丘・砂丘) 圀 【地理】沙丘 shā-
qiū

사:-군자(四君子) 圀 【美】四君子 sì-
jūnzǐ

사귀다 자타 交 jiāo; 交际 jiāojì; 来往
láiwǎng; 往来 wǎnglái; 交往 jiāowǎng;
结交 jiéjiāo; 结识 jiéshí; 交接 jiāojiē ¶
새 친구를 ~ 交新的朋友 / 우리는 사
귄지 벌써 4년이 되었다 我们交往已经
四年了

사그라-뜨리다 타 消除 xiāochú; 打
消 dǎxiāo = 사그라트리다 ¶분노를
~ 打消愤怒

사그라-지다 자 消除 xiāochú; 灭
miè; 打消 dǎxiāo; 烧灭 shāomiè ¶울분
이 ~ 郁愤消除 / 불길이 사그라졌다
火焰灭了

사극(史劇) 圀 【演】 = 역사극

사근사근-하다 휑 温和 wēnhé; 和气
héqì; 和蔼 hé'ǎi; 柔顺 róushùn ¶그는
손님에게 매우 ~ 他对顾客很和气 **사
근사근-히** 튀

사글-세(─貰) 圀 1 = 월세 2 = 월
세방

사글셋-방(─貰房) 圀 = 월세방 ¶~
에서 살다 住在月租的房间

사금(沙金・砂金) 圀 【鑛】沙金 shājīn
¶~광 沙金矿 / ~석 沙金石 / ~을 캐
다 淘沙金

사:기(士氣) 圀 士气 shìqì ¶~충천 士
气冲天 / ~를 북돋다 鼓舞士气 / ~가

높다 士气高昂

사기(沙器・砂器) 圀 = 사기그릇

사기(詐欺) 圀하타 骗 piàn; 欺诈 qī-
zhà; 诈骗 zhàpiàn; 欺骗 qīpiàn; 蒙
骗 mēngpiàn ¶~죄 诈骗罪 / ~횡령 骗取 /
그들은 ~를 당했다 他们被骗了 / ~
행각을 벌이다 进行欺骗行为

사기-그릇(沙器─) 圀 瓷器 cíqì =
사기(沙器)・자기(瓷器)

사기-꾼(詐欺─) 圀 骗子 piànzi ¶~
의 거짓말을 믿다 相信骗子的谎言

사-기업(私企業) 圀 【經】个人企业
gèrén qǐyè; 私营企业 sīyíng qǐyè

사나이 圀 男子 nánzǐ; 汉子 hànzi; 男
子汉 nánzǐhàn; 小伙子 xiǎohuǒzi ¶그
는 진정한 ~다 他是个真正的汉子

사-나흘 圀 三四天 sānsìtiān = 삼사
일

사:납다 휑 1 (성격) 凶 xiōng; 凶暴
xiōngbào; 凶恶 xiōng'è; 凶猛 xiōng-
měng; 粗暴 cūbào ¶성질이 ~ 性子粗
暴 / 사나운 적 凶恶的敌人 2 (상태)
恶 è; 恶劣 èliè ¶최근 들어 날씨가 매
우 ~ 近来天气十分恶劣 3 (某种事
情) 不好 bùhǎo ¶오
늘은 일진이 ~ 今天日子不好

사내 圀 1 '사나이'의 略词 2 男子
nánzǐ; 男人 nánrén

사내(社內) 圀 公司内 gōngsīnèi; 同事
之间 tóngshìzhījiān ¶~ 연애 同事之
间谈恋爱 / ~ 결혼 同事之间结婚

사내-대장부(─大丈夫) 圀 男子汉
nánzǐhàn; 大丈夫 dàzhàngfu; 男子汉
大丈夫 nánzǐhàn dàzhàngfu ¶이것은
~끼리의 약속이다 这是男子汉之间的
诺言

사내-아이 圀 男孩子 nánháizi; 男孩
(儿) nánhái(r)

사내-자식(─子息) 圀 1 '사내1'의 俗
称 2 '아들'의 俗称

사냥 圀하타 1 打猎 dǎliè; 狩猎 shòu-
liè = 수렵 ¶산에서 ~하다 在山里打
猎 2 (动物) 狩猎 shòuliè ¶~ 본능 狩
猎本能

사냥-감 圀 猎物 lièwù

사냥-개 圀 猎狗 liègǒu; 猎犬 lièquǎn

사냥-꾼 圀 猎人 lièrén; 猎手 lièshǒu;
打猎的 dǎliède

사냥-철 圀 狩猎期 shòulièqī = 수렵
기

사냥-총 圀 猎枪 lièqiāng = 엽총

사냥-터 圀 猎场 lièchǎng

사념(邪念) 圀 邪念 xiéniàn ¶~이 생
기다 起邪念 / ~을 쫓다 排除邪念

사다 타 1 买 mǎi; 购买 gòumǎi ¶물건
을 ~ 买东西 / 컴퓨터를 한 대 ~ 购
买一台电脑 2 雇 gù ¶짐꾼을 ~ 雇脚
夫 3 自找 zìzhǎo; 自讨 zìtǎo ¶고생을

사서 하다 自讨苦吃 4 讨 tǎo; 惹 rě ¶친구의 환심을 ～ 讨朋友的欢心 / 의심을 ～ 惹人怀恨 5 受 shòu; 得 dé ¶아버지의 노여움을 ～ 得罪父亲 6 赞赏 zànshǎng; 评价 píngjià; 认定 rèndìng ¶선생님이 나의 재주를 높이 사셨다 老师赞赏我的才华

사서 고생(을) 하다 ☞ 自讨苦吃

사-다리 图 梯子 tīzi = 사닥다리 ¶～를 오르다 上梯子 =[爬梯子]

사다리-꼴 图 梯形 tīxíng

사다리-차 图 云梯车 yúntīchē

사닥-다리 图 = 사다리

사:단(事端) 图 '사달'의 错误

사단(社團) 图 【法】社团 shètuán ¶법인 社团法人

사단(師團) 图 【军】师 shī ¶～장 师长

사달 图 事故 shìgù; 事端 shìduān; 岔子 chàizi ¶이 나다 出岔子

사담(私談) 图하자 私自会谈 sīzì huìtán ¶회의 중에는 삼가해 주십시오 开会时, 不要私自会谈

사당(祠堂) 图 祠堂 cítáng

사대(師大) 图【教】'사범 대학'의 略词

사:-대부(士大夫) 图【史】士大夫 shìdàfū

사:대-주의(事大主義) 图 事大主义 shìdàzhǔyì

사:도(使徒) 图 1 【宗】使徒 shítú ¶～신경 使徒信经 / ～행전 使徒行传 2 使者 shǐzhě 평화의 ～ 和平的使者

사돈(査頓) 图 亲家 qìngjia ¶～을 맺다 成结亲家

사돈의 팔촌 ☞ 八竿子打不着的远亲

사돈-댁(査頓宅) 图 1 亲家府 qìngjiafǔ 2 = 안사돈

사:-동사(使動詞) 图【語】使动词 shǐdòngcí = 사역 동사

사-들이다 타 买进 mǎijìn; 买入 mǎirù; 购进 gòujìn; 收买 shōumǎi ¶옷을 ～ 收买衣服

사:또(←使道) 图【史】使道 shǐdào

사라지다 胏 1 消 xiāo; 消失 xiāoshī; 消逝 xiāoshì; 消去 xiāoqù; 消灭 xiāomiè ¶불빛이 점점 사라진다 灯光渐渐消了 / 아픔이 ～ 疼痛消失 2 死 sǐ ¶형장의 이슬로 ～ 像草露一样地死在绞刑架上

사:람 图 人 rén; 人类 rénlèi ¶～은 만물의 영장이다 人是万物之灵 / ～마다 人人不同 / ～을 찾는 광고 寻人启事

사람은 죽으면 이름을 남기고 범은 죽으면 가죽을 남긴다 속담 人死留名, 虎死留皮; 雁过留声, 人过留名

사람 같지 않다 ☞ 狗彘不如; 猪狗

不如; 非人的; 不像个人 = 인간 같지 않다

사람 살려 ☞ 救命; 救命啊

사람(을) 잡다 ☞ 1 杀人 坑人; 害人 2 害人

사람(이) 좋다 ☞ 为人好

사:람-됨 图 为人 wéirén; 人品 rénpǐn; 品性 pǐnxìng ¶～이 정직하다 为人正直

사랑 图하타 1 (对异性的) 爱 ài; 情 qíng; 爱情 àiqíng; 爱恋 àiliàn ¶싸움 爱情纠纷 / 그녀에 대한 ～ 对她的爱 / ～을 고백하다 表白爱情 / ～을 속삭이다 谈情说爱 / ～이 싹트다 产生爱情 2 (对异性以外的) 爱 ài; 热爱 rè'ài ¶어머니의 ～ 母亲的爱 / 조국을 ～하다 热爱祖国 3 爱好 àihào; 爱惜 àixī; 爱护 àihù ¶자연을 ～하다 爱护自然 / 음악을 ～하다 爱好音乐

사랑(舍廊) 图 厢房 xiāngfáng ¶에 묵다 住在厢房

사랑-니 图 【生】智齿 zhìchǐ; 智牙 zhìyá; 尽根牙 jìngényá

사랑-방(舍廊房) 图 厢房 xiāngfáng

사랑-스럽 혱 可爱 kě'ài ¶이 아이는 정말 ～ 这孩子真可爱 사랑스레 뎬

사랑-채(舍廊一) 图 厢房 xiāngfáng

사:레 图 呛 qiāng

사:레-들다 胏 = 사레들리다

사:레-들리다 胏 呛 qiāng = 사레들다 ¶물을 너무 급히 마시다가 사레들렸다 水喝得太急, 呛了出来

사려(思慮) 图하타 思虑 sīlǜ; 考虑 kǎolǜ; 思索 sīsuǒ ¶～ 깊지 못한 행위 欠慎重思虑的行为

사:력(死力) 图 死力 sǐlì; 拼命 pīnmìng ¶그는 한 번 일을 하면 ～을 다해서 한다 他一干起活来就拼命

사령(司令) 图하타 【军】司令 sīlìng ¶～관 司令官 / ～부 司令府 / ～탑 司令塔

사:령(使令) 图하자 使令 shǐlìng

사:례(事例) 图 事例 shìlì ¶구체적인 ～를 들어 설명하다 举个具体的事例说明

사:례(謝禮) 图하자타 谢谢 xièxie; 谢礼 xièlǐ; 酬谢 chóuxiè; 报酬 bàochou; 道谢 dàoxiè ¶그에게 ～로 만 원을 보냈다 谢了他一万块钱

사례-금(謝禮金) 图 礼金 lǐjīn; 酬金 chóujīn

사로-잡다 타 1 活捉 huózhuō; 生擒 shēngqín; 生俘 shēngfú ¶적군을 ～ 活捉敌军 2 迷惑 míhuò; 迷人 mírén; 抓住 zhuāzhù; 吸引住 xīyǐnzhù ¶그의 연기가 관중을 사로잡았다 他的表演抓住了观众

사로잡-히다 胏 1 被俘 bèifú; 被活捉

bēihuózhuō; 被擒 bèiqín(《'사로잡다1'
의 被动词》)¶적에게 ～ 敌人活捉 **2**
被吸引住 bèixīyǐnzhù; 被抓住 bèizhuā-
zhù; 沉醉 chénjìn(《'사로잡다2'의 被
动词》)¶심한 공포에는 ～ 被强烈的恐怖
吸引住 / 승리의 기쁨에는 ～ 沉浸在胜
利的欢乐中

사:료(思料) 圐히타 思量 sīliang; 考虑
到 kǎolǜdào ¶내일 행사에 많은 사람
들이 참여할 것으로 ～된다 考虑到明
天的活动有很多人参与

사:료(史料) 圐 史料 shǐliào ¶～를 수
집하다 收集史料

사:료(飼料) 圐 饲料 sìliào; 喂料 wèi-
liào ¶～ 작물 饲料作物 /～를 먹이다
喂饲料

사:륜(四輪) 圐 **1** 四轮 sìlún ¶～구동
四轮驱动 **2**【佛】四轮 sìlún

사르다 타 = 불사르다 ¶불필요한 서
류를 ～ 焚毁无用的文件

사르르 图 **1** 漫漫地 mànmànde; 自然
地 zìránde ¶눈이 ～ 녹았다 雪漫漫地
化了 **2** 静静地 jìngjìngde; 渐渐地 jiàn-
jiànde ¶～ 잠이 들다 静静地入睡了 /
노여움이 ～ 풀리다 怒气渐渐地消散
了 **3** 轻轻地 qīngqīngde; 轻巧地 qīng-
qiǎode ¶배가 수면을 ～ 미끄러져 갔
다 船轻巧地划过水面

사리 口圐(面条、绳、线等的)把儿
bǎr ¶국수 一 面条把儿 □의圐 把 bǎ
¶국수 두 ～ 两把面条

사리(私利) 圐 私利 sīlì ¶～사욕 私利
私欲 /～를 도모하다 谋取私利

사:리(事理) 圐 道理 dàolǐ; 事理 shìlǐ;
理 lǐ ¶～가 밝다 懂道理 /～에 맞다
有道理

사리(奢利・奢利) 圐【佛】舍利 shèlì;
舍利子 shèlìzi

사리다 타 **1** 盘 pán; 盘曲 pánqū; 绕
ráo ¶새끼를 ～ 把绳子盘起来 / 국수
를 ～ 绕面 **2** (把身子) 盘 pán; 蜷曲
quánqū ¶뱀이 빠르게 몸을 ～ 蛇迅速
蜷曲身子 **3** 顾前顾后 gùqiángùhòu; 吝
惜 lìnxí ¶그는 여태껏 몸을 사린 적이
없다 他从来不吝惜自己的身体 **4** (把
尾巴) 夹 jiā ¶개가 꼬리를 ～ 狗夹着
尾巴 **5** 砸弯 záwān ¶못 끝을 ～ 把钉
尖砸弯

사립 圐 = 사립문

사립(私立) 圐 私立 sīlì; 私设 sīshè ¶
～ 대학 私立大学

사립-문(一門) 圐 柴门 cháimén; 柴扉
cháifēi = 사립

사립 학교(私立學校) 【教】私立学校
sīlì xuéxiào = 사학(私學)

사:마귀[1] 圐【蟲】螳螂 tángláng; 天马
tiānmǎ

사:마귀[2] 圐【生】疣 yóu; 疣子 yóuzi

猴子 hóuzi; 肉赘 ròuzhuì; 赘疣 zhuì-
yóu ¶～가 났다 长了疣子

사막(沙漠・砂漠) 圐【地理】沙漠
shāmò ¶～화 沙漠化 /～ 기후 沙漠气
候 /～ 지대 沙漠地带

사:망(死亡) 圐히자 死 sǐ; 死亡 sǐ-
wáng; 故 gù; 去世 qùshì; 逝去 shìqù
¶～률 死亡率 /～자 死亡者者 / 신고
死亡申报 / 진단서 死亡诊断书 / 그
는 병으로 병원에서 ～했다 他病死在
医院里

사:면(四面) 圐 四面 sìmiàn; 四方 sì-
fāng ¶～에서 적의 공격을 받다 四面
受敌

사:면(赦免) 圐히타【法】赦免 shèmiǎn; 赦
免 shèmiǎn ¶특별 ～ 特赦 / 정치범을
～하다 赦免政治犯

사면(斜面) 圐 斜面 xiémiàn

사:면-체(四面體) 圐【數】四面体 sì-
miàntǐ

사:면-초가(四面楚歌) 圐 四面楚歌
sìmiànchǔgē ¶～에 빠지다 陷于四面
楚歌之中

사:명(使命) 圐 使命 shǐmìng; 任务 rèn-
wù ¶～감 使命感 / 중요한 ～을 가지
고 중국을 방문하다 带着重要的使命
访问中国

사모(思慕) 圐히타 **1** 思慕 sīmù; 爱慕
àimù; 怀念 huáiniàn ¶그녀에 대한 ～
의 마음 对她的爱慕之情 **2** 敬仰 jìng-
yǎng; 仰慕 yǎngmù; 敬慕 jìngmù ¶나
는 늘 이 노학자 분을 ～해 왔다 我一
向敬仰这位老学者

사모(師母) 圐 师母 shīmǔ

사모-님(師母一) 圐 **1** '사모(師母)'의
敬词 **2** 夫人 fūren; 太太 tàitai; 女士
nǚshì

사:무(事務) 圐 事务 shìwù; 办公 bàn-
gōng; 办事 bànshì; 工作 gōngzuò ¶～
관 事务官 /～국 办事处 / 기기 办公
设备 / 자동화 办公自动化 /～를 보
다 办公

사무라이(일samurai[侍]) 圐【史】日
本武士 Rìběn wǔshì

사:무-소(事務所) 圐 办事处 bànshì-
chù; 办公处 bàngōngchù; 办公所 bàn-
gōngsuǒ

사:무-실(事務室) 圐 办公室 bàn-
gōngshì; 写字间 xiězìjiān ¶유학생 ～
留学生办公室

사:무-적(事務的) 管 **1** 事务的 shì-
wùde **2** 事务性(的) shìwùxìng(de); 业
务性(的) yèwùxìng(de) ¶그는 나에게
너무 ～이다 他对我太事务性的

사:무-직(事務職) 圐 白领工人 bái-
lǐng gōngrén; 坐办公室 zuò bàngōngshì

사:무-총장(事務總長) 圐 秘书长 mì-
shūzhǎng

사무치다 困 痛切 tòngqiè; 彻骨 chègǔ; 入骨 rùgǔ; 刻骨 kègǔ ¶원한이 뼈에 ~ 恨之入骨

사-문서(私文書) 圀【法】私人档案 sīrén dàng'àn; 私人文件 sīrén wénjiàn

사:물(事物) 圀 事物 shìwù

사:물-놀이(四物一) 圀【音】四物游戏 sìwù yóuxì

사물-함(私物函) 圀 私物柜 sīwùguì; 衣物柜 yīwùguì ¶~을 정리하다 收拾私物柜

사뭇 囝 **1** 一直 yīzhí; 始终 shǐzhōng ¶이번 주말은 ~ 바빴다 这个周末一直很忙 **2** 完全 wánquán; 极为 jíwéi; 迥然 jiǒngrán ¶예상하던 것과는 다르다 与料到的迥然不同 **3** 非常 fēicháng ¶~ 놀라다 非常惊讶

사:-박자(四拍子) 圀【音】四拍子 sìpāizi

사발(沙鉢) 圀 碗 wǎn ¶냉면 한 ~ 一碗冷面 / ~에 밥을 푸다 在碗盛饭

사:방(四方) 圀 **1** 四方 sìfāng; 四处 sìchù; 四周 sìzhōu; 到处 dàochù; 各处 gèchù ¶~을 다 뒤지다 四处寻找 / ~을 둘러보다 环顾四周

사:방-팔방(四方八方) 圀 四面八方 sìmiànbāfāng; 到处 dàochù; 各地 gèdì; 各处 gèchù; 处处 chùchù ¶적군이 ~에서 쏟아져 나오다 敌军从四面八方涌出来

사:범(事犯) 圀【法】犯罪 fànzuì; 犯罪行为 fànzuì xíngwéi; 犯法行为 fànfǎ xíngwéi ¶경제 ~ 经济犯罪

사범(師範) 圀 **1** 师范 shīfàn; 榜样 bǎngyàng; 师表 shībiǎo **2** 教练 jiàoliàn ¶태권도 ~ 跆拳道教练

사범 대학(師範大學) 【教】师范大学 shīfàn dàxué

사법(司法) 圀【法】司法 sīfǎ ¶~권 司法权/~부 司法府/ 경찰官 司法警察/ 기관 司法机关/ 시험 司法考试 =[司试]/ 연수생 司法进修生

사:변(四邊) 圀 **1** 四边 sìbiān; 四周 sìzhōu; 四面 sìmiàn **2**【数】四边 sìbiān

사:변(事變) 圀 **1** 事变 shìbiàn; 变革 biàngé **2** 变故 biàngù; 灾难 zāinàn

사:변-형(四邊形) 圀【数】= 사각형

사:별(死別) 圀 하재 死别 sǐbié ¶그녀는 남편과 ~했다 她和丈夫死别

사병(士兵) 圀【軍】士兵 shìbīng

사병(私兵) 圀 私兵 sībīng; 私人士兵 sīrén shìbīng

사보(社報) 圀 公司志 gōngsīzhì

사복(私服) 圀 便衣 biànyī; 便服 biànfú ¶~ 경찰 便衣警察/ ~으로 갈아입고 퇴근하다 换上便服下班

사복(私腹) 圀 私囊 sīnáng ¶지위를 이용해 ~을 채우다 利用自己的地位中饱私囊

사본(寫本) 圀 하타 抄本 chāoběn; 写本 xiěběn; 副本 fùběn ¶주민 등록증 ~ 身份证副本

사부(師父) 圀 师父 shīfu

사-부인(查夫人) 圀 亲家母 qìngjiāmǔ

사:-분(四分) 圀 하타 四分 sìfēn ¶~쉼표 四分休止符/~오열 四分五裂/ ~음표 四分音符/ ~의 삼을 차지하다 占四分之三

사:-분기(四分期) 圀 季度 jìdù

사분의이 박자(四分一二拍子)【音】四分之二拍 sìfēnzhī'èrpāi

사분의삼 박자(四分一三拍子)【音】四分之三拍 sìfēnzhīsānpāi

사분의사 박자(四分一四拍子)【音】四分之四拍 sìfēnzhīsìpāi

사비(私費) 圀 自费 zìfèi ¶~로 유학 가다 自费留学

사뿐 囝 하형 轻快 qīngkuài; 轻盈 qīngyíng; 盈盈 yíngyíng; 轻柔 qīngróu

사뿐-사뿐 囝 하자형 轻快 qīngkuài; 盈盈 yíngyíng; 轻移 qīngyí ¶~ 걷다 轻快地走

사사(師事) 圀 하타 拜师 bàishī; 拜老师 bàilǎoshī ¶유명한 화가에게 ~하여 그림을 배우다 向有名的画家拜师学画儿

사:사(賜死) 圀 하자타 赐死 cìsǐ ¶황제가 크게 노하여 왕비를 ~하다 皇帝大怒之下将王妃赐死

사:사건건(事事件件) 圀 事事 shìshì; 件件事情 jiànjiàn shìqing; 每件事 měijiànshì ¶~ 따지다 事事计较/~ 간섭하다 事事干涉

사사-롭다(私一) 혭 私 sī; 私下 sīxià; 私人的 sīrénde; 个人的 gèrénde ¶사사로운 이야기 私话 **사사로이** 囝 ¶~ 만나서 下见面

사:-사분기(四四分期) 圀 第四季度 dìsì jìdù; 四季度 sìjìdù

사산(死産) 圀【醫】死产 sǐchǎn; 아死产儿/ 아기를 ~하다 死产婴儿

사살(射殺) 圀 하타 射杀 shèshā; 击毙 jībì ¶범인이 경찰에게 ~되다 犯人被警察射杀

사:-상(史上) 圀 = 역사상 ¶~ 최대의 규모 历史上最大的规模

사:상(死傷) 圀 하자 伤亡 shāngwáng; 死伤 sǐshāng ¶천여 명이 ~했다 伤亡了一千余人

사:상(思想) 圀 思想 sīxiǎng ¶~가 思想家/ ~ 체계 思想体系/철학 ~ 哲学思想

사상-누각(砂上樓閣) 圀 空中楼阁 kōngzhōng lóugé; 沙上楼阁 shāshàng lóugé; 海市蜃楼 hǎishì shènlóu

사:상-자(死傷者) 몡 死伤者 sǐshāngzhě; 伤亡者 shāngwángzhě; 死伤 sǐshāng ¶교통사고로 다섯 명의 ～가 생겼다 车祸造成五人死伤

사:색(死色) 몡 发青 fāqīng; 死像 sǐxiàng; 面如土色 miànrútǔsè ¶얼굴이 ～이 되다 脸色发青

사색(思索) 몡하타 思索 sīsuǒ; 寻思 xúnsī; 思虑 sīlù ¶～에 잠기다 沉浸在思索中

사:생(寫生) 몡하타 写生 xiěshēng ¶～화 写生画 / 대회 写生大赛 / 산수를 ～하다 写生山水

사:-생-결단(死生決斷) 몡하자 不顾死活 bùgùsǐhuó; 决一死战 juéyìsǐzhàn ¶～으로 덤비다 不顾死活地挑战

사생-아(私生兒) 몡 私生子 sīshēngzǐ; 私孩子 sīháizi ¶～로 태어나다 生为私生子

사-생활(私生活) 몡 私生活 sīshēnghuó; 个人生活 gèrén shēnghuó ¶～이 문란하다 私生活不严肃 / ～이 침해당하다 私生活受侵犯 / ～을 간섭하다 干涉私生活

사서(司書) 몡 司书 sīshū

사서(辭書) 몡 = 사전(辭典)

사서-함(私書函) 몡 【信】 私人信箱 sīrén xìnxiāng; 信箱 xìnxiāng; 邮政信箱 yóuzhèng xìnxiāng = 우편 사서함

사석(私席) 몡 私下 sīxià; 私下里 sīxiàli; 非正式的场合 fēizhèngshìde chǎnghé; 非公开的场合 fēigōngkāide chǎnghé ¶그와 나는 ～에서는 흉허물을 잊고 지낸다 他和我在非正式场合相处得亲密无间

사:선(死線) 몡 生死关头 shēngsǐ guāntóu ¶～을 넘다 闯过生死关头

사선(射線) 몡 1 射程线 shèchéngxiàn; 弹道 dàndào 2 【軍】 射击座子线 shèjī zuòzixiàn

사선(斜線) 몡 斜线 xiéxiàn; 偏线 piānxiàn ¶～을 긋다 画斜线

사설(私設) 몡하타 私办 sībàn; 私营 sīyíng; 私人 sīrén ¶～탐정 私人探侦 / ～ 도서관 私人图书馆

사설(社說) 몡 社论 shèlùn; 社评 shèpíng

사설(辭說) 몡하자 啰唆话 luōsuohuà; 唠叨话 láodaohuà ¶～이 너무 길다 罗唆话太多

사소-하다(些少-) 휑 细微 xiwēi; 些小 xiēxiǎo; 细小 xìxiǎo; 区区 qūqū ¶사소한 문제 细小问题 / 사소한 변화 细微的变化 / 사소한 일로 다투다 为区区小事吵架 사소-히 男

사:수(死守) 몡하타 死守 sǐshǒu; 坚守 jiānshǒu; 困守 kùnshǒu ¶진지를 ～하다 坚守阵地

사수(射手) 몡 射手 shèshǒu; 枪手 qiāngshǒu

사:순(四旬) 몡 四旬 sìxún; 四十岁 sìshísuì ¶～절 四旬节

사슬 몡 1 = 쇠사슬 ¶개를 ～로 묶어 두다 用铁链锁住狗 2 【化】 链 liàn

사슴 몡 【動】 鹿 lù ¶～뿔 鹿角

사시(司試) 몡 【法】 '사법 시험'的略词

사:시(四時) 몡 = 사철

사시(斜視) 몡 【醫】 斜视 xiéshì; 斜眼 xiéyǎn

사시-나무 몡 【植】 白杨 báiyáng 사시나무 떨듯 쥰 抖如毛白杨

사:시-사:철(四時四一) 몡 四季 sìjì; 一年四季 yīnián sìjì ¶～ 꽃이 피다 四季开花

사:신(使臣) 몡 使臣 shǐchén ¶～을 보내다 派使臣 / 외국의 ～을 맞이하다 迎接外国使臣

사:실(史實) 몡 历史事实 lìshǐ shìshí ¶～에 바탕을 둔 사극 基础于历史事实的历史片

사:실(事實) 一몡 事实 shìshí; 实 shí; 实际 shíjì ¶～혼 事实婚 / ～대로 말하다 说实情 ¶～은 모두 ～이 아니다 他说的都是没有事实 二男 = 사실상 ㊀이 일은 ～ 처리하기 어렵다 这件事情确实难办

사:실-무근(事實無根) 몡하형 无事实根据 wúshíshí gēnjù ¶～의 소문 无事实根据的风闻

사:실-상(事實上) ㊀몡 ～의 승인 事实上的承认 二男 实际上 shíjìshang; 事实上 shìshíshang; 确实 quèshí; 的确 díquè; 其实 qíshí; 实在 shízài ¶～ 그렇지 않다 事实不是那样

사:실-적(寫實的) 관몡 真实(的) zhēnshí(de); 逼真的 bīzhēn(de) ¶그 그림은 매우 ～으로 그려졌다 这幅画画得十分逼真

사:실-주의(寫實主義) 몡 【藝】 写实主义 xiěshí zhǔyì = 리얼리즘1

사심(私心) 몡 私心 sīxīn; 私念 sīniàn ¶～이 없다 不存私心 / ～을 버리다 消除私念

사:십(四十) 준몡 四十 sìshí ¶～ 일 四十天 / ～ 미터 四十米 / ～ 킬로그램 四十公斤

사악(邪惡) 몡하형 邪恶 xié'è ¶～한 속셈 邪恶的用心 / ～한 인간 邪恶的人

사:안(事案) 몡 案件 ànjiàn; 事情 shìqing ¶～이 시급하다 = 紧急事情

사암(沙巖・砂巖) 몡 【地理】 砂岩 shāyán

사:-약(賜藥) 몡하자 【史】 赐药 cìyào ¶

~을 받다 接赐药

사양(斜陽) 멤 1 = 석양 2 衰落 shuāi-luò; 没落 mòluò; 衰退 shuāituì; 夕阳 xīyáng

사양(辭讓) 멤하타 客气 kèqì; 客套 kè-tào; 谦让 qiānràng; 礼让 lǐràng; 推让 tuīràng; 辞让 círàng ¶~하지 마시고 많이 드세요 别客气, 多吃点吧

사양-길(斜陽一) 멤 没落道路 mòluò dàolù ¶~로 향해 가다 走向没落道路

사양 산:업(斜陽産業) 〔經〕 夕阳产业 xīyáng chǎnyè; 衰退工业 shuāituì gōng-yè; 衰退工业 shuāituì gōngyè; 衰落产业 shuāiluò chǎnyè

사:업(事業) 멤하자 生意 shēngyi; 买卖 mǎimai; 工作 gōngzuò; 企业 qǐyè; 事业 shìyè ¶~주 企业主/교육 ~ 教育事业 / ~을 일으키다 创办企业

사:업-가(事業家) 멤 实业家 shíyèjiā; 企业家 qǐyèjiā; 事业家 shìyèjiā

사:업-자(事業者) 멤 营业人 yíngyè-rén; 营业者 yíngyèzhě ¶~ 등록 营业登记 =[工商登记]

사:역(使役) 멤하타 役使 yìshǐ; 驱使 qūshǐ ¶~에 차출되다 被差出役使

사:역 동:사(使役動詞) 〔語〕 = 사동

사:연(事緣) 멤 事由 shìyóu; 情由 qíng-yóu; 经过 jīngguò; 原委 yuánwěi; 理由 lǐyóu ¶~을 묻지 않다 不问情由 / ~을 충분히 알다 深知原委

사연(辭緣·詞緣) 멤 (书信等的) 内容 nèiróng ¶편지의 ~을 읽다 读信的内容

사열(査閱) 멤하타 〔軍〕 检阅 jiǎnyuè ¶~대 检阅台 / ~식 检阅仪式 / 부대를 ~하다 检阅部队

사:오-일(四五日) 멤 四五天 sìwǔtiān

사옥(社屋) 멤 公司大楼 gōngsī dàlóu; 公司房屋 gōngsī fángwū

사욕(私慾) 멤 私欲 sīyù ¶~을 채우다 满足私欲

사:용(使用) 멤하타 1 使用 shǐyòng; 用 yòng ¶~량 使用量 / ~법 用法 / 금지 禁止使用 / ~을 제한하다 限制使用 / 볼펜을 ~하여 글자를 쓰다 使用圆珠笔写字 / 마음대로 ~하다 尽量使用 2 雇用 gùyòng; 雇 gù; 佣 yōng

사:용-료(使用料) 멤 使用费 shǐyòng-fèi; 用费 yòngfèi; 租金 zūjīn

사:용-자(使用者) 멤 1 使用者 shǐ-yòngzhě; 用户 yònghù ¶전화 ~ 电话用户 2 〔法〕雇主 gùzhǔ

사우나(sauna) 멤 桑拿浴 sāngnáyù; 桑那浴 sāngnàyù; 三温暖 sānwēnnuǎn ¶~실 桑拿浴房

사운드 카드(sound card) 〔컴〕声卡 shēngkǎ; 声音卡 shēngyīnkǎ; 音效卡 yīnxiàokǎ

사운드 트랙(sound track) 〔演〕声带 shēngdài ¶오리지널 ~ 原声带

사원(寺院) 멤 1 寺院 sìyuàn ¶고대 ~ 古代寺院 2 = 절¹

사원(社員) 멤 职员 zhíyuán; 工作人员 gōngzuò rényuán

사:월(四月) 멤 四月 sìyuè

사위 멤 女婿 nǚxù; 子婿 zǐxù; 姑爷 gūye ¶~를 삼다 招女婿

사위는 백년 손이라 속담 女婿是娇客

사위도 반자식(이라) 속담 女婿为半子; 一个姑爷半个儿; 女婿半边子

사위 사랑(은) 장모 속담 岳母疼女婿

사윗-감 멤 未来女婿 wèilái nǚxu; 将来女婿 jiānglái nǚxu

사유(私有) 멤 私有 sīyǒu ¶~ 재산 私有财产 / ~지 私有地

사:유(事由) 멤 事由 shìyóu; 情由 qíng-yóu; 原因 yuányīn; 理由 lǐyóu; 缘由 yuányóu = 연고(緣故)1·연유(緣由) ¶~를 묻다 问事由 / ~를 밝히다 弄清缘由

사유(思惟) 멤하타 思维 sīwéi; 思惟 sī-wéi

사유-물(私有物) 멤 私有物 sīyǒuwù; 私人物品 sīrén wùpǐn; 私物 sīwù

사육(飼育) 멤하타 饲养 sìyàng; 饲养 sìyǎng; 畜养 xùyǎng; 喂养 wèiyǎng ¶돼지를 ~하다 饲养猪 / 토끼를 ~하다 饲养兔子

사:육-제(謝肉祭) 멤 〔宗〕谢肉祭 xièròujì

사은(謝恩) 멤하자 谢恩 xiè'ēn; 酬宾 chóubīn ¶고객 ~ 行会 酬宾活动

사:은-품(謝恩品) 멤 免费赠品 miǎn-fèi zèngpǐn; 赠品 zèngpǐn ¶물건을 사면 ~을 준다 购物送赠品

사은-회(師恩會) 멤 谢师会 xièshīhuì; 谢师宴 xièshīyàn

사:의(謝意) 멤 1 谢意 xièyì ¶깊은 ~를 표하다 深表谢意 2 歉意 qiànyì

사의(辭意) 멤 辞职心意 cízhízhīyì ¶~를 밝히다 表明辞职之意

사이 멤 1 (空间上的) 间 jiān; 之间 zhījiān; 中间 zhōngjiān ¶광화문과 동대문 ~에는 몇 정거장이 있습니까? 光化门和东大门之间有几站? 2 (时间上的) 间 jiān; 之间 zhījiān ¶불과 삼 년 ~에 생산고가 2배 늘었다 仅仅三年间, 产量就增加了两倍 3 闲空 xiánkòng; 闲暇 xiánxiá ¶그는 편지 쓸 ~조차도 없다 他连写信的闲空也没有 4 关系 guānxì; 间 jiān; 之间 zhī-jiān; 当中 dāngzhōng ¶부부 ~ 夫妻之间 / 서로 사랑하는 ~ 相爱的关系

사이다(cider) 圓 汽水(儿) qìshuǐ(r)

사이드 미러(side mirror) 【交】侧镜 cèjìng

사이렌(siren) 圓 警笛 jǐngdí; 警报声 jǐngbàoshēng; 报警器 bàojǐngqì ¶~를 울리다 鸣放警笛

사이버 공간(cyber空間) 【컴】虚拟世界 xūnǐ shìjiè; 虚拟电子社区 xūnǐ diànzǐ shèqū

사이보그(cyborg) 圓 电子人 diànzǐrén; 半机械人 bànjīxièrén

사·이비(似而非) 圓[하다] 似是而非 sìshì'érfēi; 假 jiǎ; 冒牌 màopái ¶~ 종교 似是而非的宗教

사이-사이 圓 间 jiān; 之间 zhījiān; 中间 zhōngjiān; 当中 dāngzhōng ¶사람들ㅇ ~에 많은 학생들이 있다 人群中间有不少学生

사이-좋다 圓 友好 yǒuhǎo; 融洽 róngqià; 友善 yǒushàn ¶두 사람은 매우 사이좋게 지냈다 两人相处得很友善

사이즈(size) 圓 大小 dàxiǎo; 尺寸 chǐcun; 尺码 chǐmǎ; 号 hào; 型号 xínghào ¶~가 꼭 맞다 大小正合适 / ~를 재다 量尺寸

사이코드라마(psychodrama) 圓[心] 心理剧 xīnlǐjù

사이클(cycle) 圓 1 自行车 zìxíngchē ¶~ 경기 自行车比赛 2 【物】周 zhōu; 周期 zhōuqī; 循环 xúnhuán

사이트(site) 圓 网站 wǎngzhàn

사·인(死因) 圓 死因 sǐyīn ¶~을 밝히다 查明死因

사인(sign) 圓[하자] 1 签名 qiānmíng; 签字 qiānzì; 署名 shǔmíng; 签署 qiānshǔ ¶서류에 ~하다 在文件上签字 / 스타의 ~ 明星签名 2 暗号(儿) ànhào(r); 信号 xìnhào ¶코치로부터 도루 ~이 나왔다 由教练发出了偷垒的暗号

사인(sine) 圓[数] 正弦 zhèngxián

사인-펜(sign+pen) 圓 签字笔 qiānzìbǐ

사임(辭任) 圓[하다] 辞职 cízhí; 退职 tuìzhí ¶병으로 ~하다 因病辞职

사·자(死者) 圓 死人 sǐrén

사·자(使者) 圓 使者 shǐzhě ¶~를 보내다 派遣使者

사자(獅子) 圓[動] 狮子 shīzi

사자-후(獅子吼) 圓[佛] 狮子吼 shīzihǒu

사·장(死藏) 圓[하다] 积压 jīyā; 搁置 gēzhì ¶~는 기재들이 창고에~되어 있다 很多器材积压在仓库里

사장(沙場·砂場) 圓 = 모래사장

사장(社長) 圓 总经理 zǒngjīnglǐ; 经理 jīnglǐ; 老板 lǎobǎn ¶우리 회사 ~ 我

们公司的老板 / ~에 취임하다 就任总经理

사재(私財) 圓 个人财产 gèrén cáichǎn; 私产 sīchǎn; 私有财产 sīyǒu cáichǎn ¶~를 털어 학교를 세우다 用私有财产建立学校

사재-기(私財─) 圓[하다] 囤积 túnjī; 抢购 qiǎnggòu ¶양식을 ~하다 囤积粮食

사저(私邸) 圓 私邸 sīdǐ; 私人住宅 sīrén zhùzhái

사─적(史的) 冠圓 = 역사적

사·적(史跡·史蹟) 圓 史迹 shǐjì ¶~지 史迹地

사─적(私的) 冠圓 私(的) sī(de); 私人(的) sīrén(de); 私用(的) sīyòng(de) ¶~인 전화 私人电话 / ~인 감정 私人感情

사·적(事跡·事迹) 圓 事迹 shìjì

사·전(事典) 圓 事典 shìdiǎn ¶중국 역사 대~ 中国历史大事典

사·전(事前) 圓 事前 shìqián; 事先 shìxiān ¶~에 알리다 事前通知 / 우리는 ~에 이미 알고 있었다 我们事先已知道了

사전(辭典) 圓 词典 cídiǎn; 辞典 cídiǎn = 사서(辭書) ¶영어 ~ 英语词典 / 포켓 ~ 袖珍词典 / ~을 편찬하다 编纂词典 / ~을 찾다 查词典

사·절(使節) 圓[法] 使节 shǐjié; 使者 shǐzhě ¶~단 使团 / 외교~ 外交使节 / 각국의 ~ 各国使节

사·절(謝絶) 圓[하다] 谢绝 xièjué; 辞谢 cíxiè; 推辞 tuīcí; 谢 xiè ¶외상 ~ 谢绝赊账 / 면회를 ~하다 谢绝会客

사·절-지(四折紙) 圓 四开纸 sìkāizhǐ

사정(司正) 圓[하다] 审查 shěnchá

사·정(私情) 圓 私情 sīqíng; 私人情感 sīrén qínggǎn; 情面 qíngmiàn ¶~에 이끌리지 않다 不徇私情

사·정(事情) 圓[하자] 1 情况 qíngkuàng; 状况 zhuàngkuàng; 情形 qíngxíng; 事情 shìqing ¶집안 ~ 家里的情况 2 恳求 kěnqiú; 求情 qíngqiú ¶네가 가서 그에게 ~해 봐라 你去向他求求情吧

사정(射程) 圓[軍] 射程 shèchéng

사정(射精) 圓[하자][生] 射精 shèjīng

사정-거리(射程距離) 圓[軍] 射程 shèchéng = 사거리(射距離)·사정(射程) ¶~에서 100미터 벗어나다 射程超过100米

사·정-사정(事情事情) 圓[하자] 恳求 kěnqiú; 恳请 kěnqǐng; 哀求 āiqiú ¶그가 눈물을 머금고 ~했지만, 그녀는 마음을 돌리지 않았다 他含泪哀求, 她也不回心转意

사·정-없다(事情─) 圓 不讲情面 bùjiǎng qíngmiàn; 不留情 bùliúqíng; 无情

wúqíng ¶적에게 사정없는 공격을 가하다 对敌人进行无情的打击 **사:정없−이** 唱 ¶~ 비판하다 不留情地批判

사제(司祭) 명 【宗】 祭司 jìsī; 神甫 shénfu

사제(私製) 명[하타] 私制 sīzhì

사제(師弟) 명 弟弟 shìdì; 师生 shīshēng ¶~지간 师生关系

사조(思潮) 명 思潮 sīcháo 【문학~ 文学思潮 / 새로운 ~ 新思潮

사조(詞藻·辭藻) 명 【文】 词藻 cízǎo

사:족(四足) 명 **1** 四只脚 sìzhījiǎo **2** '사지(四肢)'의 俗称

사족(을) 못 쓰다 迷得骨软筋酥; 神魂颠倒

사족(蛇足) 명 = 화사첨족

사:죄(謝罪) 명[하자타] 谢罪 xièzuì; 道歉 dàoqiàn; 赔礼 péilǐ ¶당신에게 깊이 ~드리니 용서해 주시기 바랍니다 我要深深地向你谢罪, 希望得到宽恕

사:주(四柱) 명 【民】 **1** 八字 bāzì; 生辰八字 shēngchénbāzì ¶~를 보다 看生辰八字 好 / ~를 보다 看生辰八字 **2** = 사주단자

사주(社主) 명 公司老板 gōngsī lǎobǎn

사:주(使嗾) 명[하타] 唆使 suōshǐ; 指使 zhǐshǐ; 教唆 jiàosuō; 唆使 suōshǐ ¶사람을 ~하여 문제를 일으키다 唆使人闹事 / 누군가의 ~를 받다 受人指使

사주(沙洲·砂洲) 명 【地理】 沙洲 shāzhōu

사:주−단자(四柱單子) 명 【民】 八字帖儿 bāzìtiěr = 사주(四柱)2

사:주−팔자(四柱八字) 명 【民】 **1** 生辰八字 shēngchénbāzì **2** 命 mìng; 运 mìngyùn

사:중−주(四重奏) 명 【音】 四重奏 sìchóngzòu

사:중−창(四重唱) 명 【音】 四重唱 sìchóngchàng

사증(査證) 명 【法】 签证 qiānzhèng = 비자·입국 사증

사:지(四肢) 명 四肢 sìzhī; 肢体 zhītǐ ¶~를 쭉 펴다 伸开四肢 / ~가 멀쩡하다 四肢齐全

사:지(死地) 명 死地 sǐdì ¶~로 몰아넣다 置于死地

사직(社稷) 명 社稷 shèjì

사직(辭職) 명[하자타] 辞职 cízhí; 退职 tuìzhí ¶~서 辞职书 = [辞呈] / 책임을 지고 ~하다 引咎辞职 / 병으로 ~하다 因病退职

사진(寫眞) 명 照片 zhàopiàn; 相片 xiàngpiàn; 相 xiàng; 照 zhào ¶~관 照相馆 / ~ 기자 摄影记者 / ~작가 摄影家 / 컬러 ~ 彩色照片 / ~을 현상하다 洗照片 / ~을 찍다 照相 = [拍照] / 이

~을 확대해 주세요 把这张照片给我放大一下

사진−기(寫眞機) 명 【演】 照相机 zhàoxiàngjī; 相机 xiàngjī = 카메라1

사진−사(寫眞師) 명 摄影师 shèyīngshī; 照相师 zhàoxiàngshī

사진−첩(寫眞帖) 명 影集 yǐngjí; 相册 xiàngcè; 照相簿 zhàoxiàngbù = 앨범2

사:−차원(四次元) 명 【數】 四维 sìwéi; 四度 sìdù

사:차원 공간(四次元空間) 【物】 = 시공간

사:차원 세:계(四次元世界) 【物】 = 시공간

사찰(寺刹) 명 = 절1

사찰(査察) 명[하타] 监察 jiānchá ¶핵 ~ 核监察 / ~위원회 监察委员会

사창(私娼) 명 私娼 sīchāng; 暗娼 ànchāng ¶~가 私娼街

사채(私債) 명 私债 sīzhài ¶~ 시장 私债市场 / ~를 쓰다 借私债

사채(社債) 명 【法】 公司债 gōngsīzhài; 公司债券 gōngsī zhàiquàn ¶~를 발행하다 发行公司债

사:−철(四−) 명 四季 sìjì = 사계·사계절·사시(四時) ¶~의 변화 四季变化 / ~ 꽃이 피다 四季开花

사:체(死體) 명 尸体 shītǐ; 尸身 shīshēn; 尸首 shīshǒu ¶~ 부검 尸体剖检 / ~를 유기하다 遗弃尸体 / 길에서 강아지 ~ 한 구를 발견하다 在马路上看到一只小狗的尸体

사:촌(四寸) 명 表 biǎo; 堂 táng; 亲亲 biǎoqīn; 堂亲 tángqīn ¶~ 누나 表姐 / ~ 동생 弟弟 表弟

사촌이 땅을 사면 배가 아프다 속담 自己不喝酒, 嫉妒人脸红

사춘−기(思春期) 명 青春期 qīngchūnqī ¶~ 청소년 青春青少年

사출(射出) 명 射出 shèchū ¶~ 성형 射出成形

사취(詐取) 명[하타] 诈取 zhàqǔ; 诈骗 zhàpiàn; 讹诈 ézhà; 骗取 piànqǔ ¶남의 재물을 ~하다 诈骗别人的钱财

사치(奢侈) 명[하자형] 奢侈 shēchǐ; 奢华 shēhuá; 阔绰 kuòchuò; 侈靡 chǐmí; 排场 páichang ¶~품 奢侈品 / ~가 심하다 过度奢侈

사치−스럽다(奢侈−) 명 奢侈 shēchǐ; 奢华 shēhuá; 阔绰 kuòchuò; 侈靡 chǐmí; 排场 páichang ¶사치스러운 생활 奢侈的生活 **사치스레** 唱

사:칙(四則) 명 【數】 四则 sìzé ¶~ 연산 四则运算

사칙(社則) 명 公司规则 gōngsī guīzé

사칭(詐稱) 명[하자타] 冒充 màochōng; 假冒 jiǎmào; 假托 jiǎtuō ¶유명 상품을 ~하다 冒充名优产品 / 전문가를 ~

다 假冒专家

사카린(saccharin) 명 【化】糖精 tángjīng

사타구니 명 胯 kuà; 胯股 kuàgǔ; 大腿叉 dàtuǐchā (《'샅1'의 卑称》)

사탄(Satan) 명 【宗】撒旦 sādàn

사탑(斜塔) 명 斜塔 xiétǎ ¶피사의 ~ 比萨斜塔

사탕(沙糖·砂糖) 명 1 糖 táng; 糖果 tángguǒ ¶~ 한 알 一颗糖果 2 = 설탕

사탕-무(沙糖─) 명 【植】甜菜 tiáncài

사탕-발림(沙糖─) 명하자 甜言蜜语 tiányánmìyǔ; 花言巧语 huāyánqiǎoyǔ ¶그의 ~에 현혹되지 마라 不要被他的甜言蜜语所迷惑

사탕-수수(沙糖─) 명 【植】甘蔗 gānzhè

사태(沙汰·砂汰) 명 1 山崩 shānbēng; 雪崩 xuěbēng 2 大批 dàpī

사:태(事態) 명 事态 shìtài; 情势 qíngshì; 局面 júmiàn ¶만일의 ~ 万一的事态 /~를 수습하다 扭转局面 /~를 관망하다 观望事态 /~가 갈수록 심각해지다 事态日趋严重

사택(舍宅) 명 公司住宅 gōngsī zhùzhái

사토(沙土·砂土) 명 【地理】沙土 shātǔ

사통(私通) 명하자타 1 私通 sītōng ¶관부와 ~하다 私通官府 2 通奸 tōngjiān; 私通 sītōng ¶옆집 남자와 ~하다 和隔壁的男人通奸

사:통-팔달(四通八達) 명하자 四通八达 sìtōngbādá ¶~의 도시 四通八达的城市

사퇴(辭退) 명하자타 1 辞 cí; 辞退 cítuì ¶의원직을 ~하다 辞退议员职 2 辞谢 cíxiè; 谢绝 xièjué; 推辞 tuīcí ¶고문을 맡아 달라는 권고를 ~하다 辞谢担任顾问的劝告

사:투(死鬪) 명하자 死战 sǐzhàn; 拼死拼活 pīnsǐpīnhuó; 拼命战斗 pīnmìng zhàndòu

사:투리 명 【語】方言 fāngyán; 土语 tǔyǔ ¶방언(方言)2 ¶전라도 ~ 全罗道方言

사파리(safari) 명 狩猎旅游 shòuliè lǚyóu; 狩猎游 shòulièyóu

사파이어(sapphire) 명 【鑛】蓝宝石 lánbǎoshí; 蓝水晶 lánshuǐjīng; 青玉 qīngyù

사:팔-눈 명 斜视 xiéshì; 斜眼 xiéyǎn

사:팔-뜨기 명 斜眼(儿) xiéyǎn(r)

사:포(沙布·砂布) 명 砂纸 shāzhǐ ¶~로 윤을 내다 用砂纸磨光

사표(辭表) 명 辞呈 cíchéng; 辞职书 cízhíshū ¶~를 내다 提出辞呈 /~를

수리하다 接受辞呈

사:필귀정(事必歸正) 명하자 事必归正 shìbìguīzhèng

사:-하다(赦─) 타 赦 shè ¶죄를 ~ 赦罪

사:학(史學) 명 = 역사학 ¶~자 历史学家

사학(私學) 명 【教】= 사립 학교 ¶명문 ~ 名门私立学校

사:항(事項) 명 事项 shìxiàng ¶주의 ~ 注意事项 /관련 ~ 有关事项

사행(射倖) 명하자 射幸 shèxìng; 侥幸 jiǎoxìng ¶~ 행위 射幸行为

사:행-시(四行詩) 명 【文】四行诗 sìhángshī

사행-심(射倖心) 명 侥幸心理 jiǎoxìng xīnlǐ ¶~을 조장하다 鼓动侥幸心理

사:향(麝香) 명 【韓醫】麝香 shèxiāng

사:향-고양이(麝香─) 명 【動】麝香猫 shèxiāngmāo

사:향-노루(麝香─) 명 【動】麝 shè; 香獐子 xiāngzhāngzi

사:형(死刑) 명하타 【法】死刑 sǐxíng; 决 jué ¶~을 집행하다 执行死刑

사형(師兄) 명 师兄 shīxiōng

사:형 선고(死刑宣告) 명 【法】宣布死刑 xuānbù sǐxíng; 判处死刑 pànchù sǐxíng

사:형-수(死刑囚) 명 【法】死囚 sǐqiú

사:형-장(死刑場) 명 【法】刑场 xíngchǎng = 형장

사:-화산(死火山) 명 【地理】死火山 sǐhuǒshān

사:환(使喚) 명 差役 chāiyì

사:활(死活) 명 生死 shēngsǐ; 死活 sǐhuó ¶~이 걸린 문제 生死的问题

사회(司會) 명하자 1 主持 zhǔchí ¶오늘 모임은 내가 ~를 본다 今天的会我来主持 2 = 사회자

사회(社會) 명 社会 shèhuì ¶상류 ~ 上流社会 / 자본주의 ~ 资本主义社会 /~ 문제 社会问题 /~ 교육 社会教育 /~ 복지 社会福利 /~ 면 社会版 /~봉사 社会服务 /~사업 社会福利工作 /~생활 社会生活 /~주의 社会主义 /~화 社会化 /~ 현상 社会现象 /~ 일 社会化 /~ 현상 社会现象

사회-부(社會部) 명 (报纸) 社会部 shèhuìbù ¶~ 기자 社会部记者

사회-상(社會相) 명 社会面貌 shèhuì miànmào ¶당시의 ~을 반영하다 反映当时的社会面貌

사회-성(社會性) 명 【心】社会性 shèhuìxìng ¶~이 부족하다 社会性不足

사회-악(社會惡) 명 社会丑恶现象 shèhuì chǒu'è xiànxiàng ¶~을 없애다 消灭社会丑恶现象

사회-인(社會人) 명 社会人 shèhuìrén; 公民 gōngmín

사회-자(司會者) 圏 司仪 sīyí; 主持人 zhǔchírén = 사회(司會) ❷ ¶~가 폐막식이 시작됨을 선포하다 主持人宣布闭幕式开始

사회-적(社會的) 冠圏 社会(的) shèhuì(de) ¶~ 존재 社会存在 / 지위 社会地位 / 인간의 ~ 动물이다 人是社会动物

사:후(死後) 圏 死后 sǐhòu ¶~ 세계 死后世界 / 경직 死后僵硬

사후 약방문[청심환] 俗談 死后送药房, 时间已晚; 雨后拿伞, 贼去送门; 马后炮

사:후(事後) 圏 事后 shìhòu ¶~ 처리 事后处理 / ~에 일의 진상을 알다 事后才知道真相

사훈(社訓) 圏 社训 shèxùn ¶정직을 ~으로 삼다 以正直为社训

사흘 圏 三天 sāntiān ¶연속해서 ~ 동안 폭우가 내리다 连续三天下暴雨

사흘이 멀다 하고 〔?〕 三天两头

삭감(削減) 圏하타 削减 xuējiǎn; 扣除 kòuchú; 裁减 cáijiǎn ¶임금을 ~하다 削减工资 / 예산을 ~하다 扣除预算

삭다 困 1 糟 zāo; 烂 làn ¶이 끈은 삭아서 사용할 수 없다 这根绳子糟了, 不能用了 2 醉 xiè ¶죽이 삭았다 粥醉了 3 熟 shú; 酿熟 niàng; 发酵 fājiào ¶김치가 삭았다 泡菜熟了 / 곡주가 삭았다 米酒酿好了 4 消化 xiāohuà ¶음식물이 위에서 ~ 食品在胃里消化 5 消소 xiāo ¶분노가 삭았다 消气了

삭독 閉 嚓 chā ¶머리카락이 ~ 잘리다 头发剪得嚓嚓响

삭독-거리다 困 直嚓 zhíchā; 嚓嚓 chāchā 困하타 삭독-삭독 閉하타 ¶칼로 ~ 채를 썰다 拿着刀嚓嚓地切成了丝

삭막-하다(索莫一·索寞一·索漠一) 圂 1 凄凉 qīliáng; 荒凉 huāngliáng ¶태풍이 섬을 덮친 후 섬은 더욱 삭막하게 변했다 台风袭击小岛以后, 小岛变得更加凄凉了 2 渺茫 miǎománg; 模糊 móhu ¶삭막한 기억 模糊的记忆

삭발(削髮) 圏하타타 剃光 tìguāng; 剃光头 tì guāngtóu; 削发 xuēfà ¶그는 여름에 종종 ~하다 夏天他常常把头剃光

삭-삭 閉 1 咔嚓 kāchā 《割声》 ¶가위로 천을 ~ 오리다 拿起剪刀咔嚓咔嚓地剪布 2 唰唰 shuāshuā ¶마당을 ~ 쓸다 唰唰地扫院子 3 全部 quánbù ¶남은 밥을 ~ 긁어 먹다 把剩饭全部吃掉

삭신 圏 浑身肌肉骨头 húnshēn jīròu gǔtou; 浑身 húnshēn; 全身 quánshēn ¶~이 쑤시다 浑身肌肉骨头酸痛

삭-이다 타 1 消化 xiāohuà ¶그는 위장이 좋지 않아 이런 음식을 삭이지

못한다 他肠胃不好, 消化不了这样的食物 2 捺 nà; 消 xiāo; 压制 yāzhì ¶화를 삭이며 세월을 보내다 捺气过日子 / 담배를 피며 분을 ~ 抽烟消愤怒的心情 3 化 huà ¶가래를 ~ 化痰

삭제(削除) 圏하타 1 删除 shānchú; 删掉 shāndiào; 删节 shānjié; 删去 shānqù; 抹掉 mǒdiào ¶불필요한 글자를 ~하다 删除多余的字句 2 〔컴〕 删除 shānchú

삭탈-관직(削奪官職) 圏하타 〔史〕 削籍 xuējí; 削职 xuēzhí

삭풍(朔風) 圏 朔风 shuòfēng; 北风 běifēng

삭-히다 타 熟 shú; 酿熟 niàngshú ¶새우젓을 ~ 酿熟虾酱

삯 圏 工钱 gōngqián; 工资 gōngzī ¶~으로 쌀을 받다 领以米代工钱 2 费 fèi; 使用费 shǐyòngfèi ¶찻 ~ 车费

삯-바느질 圏하자 缝穷 féngqióng

삯-일 圏하자 零工 línggōng; 短工 duǎngōng ¶~을 하다 打零工

산(山) 圏 山 shān ¶~굴 山洞 / 굽이 山弯 / 드높은 ~ 高高的山 / 에 오르다 爬山 / ~ 하나를 넘다 翻过一座山

산 넘어 산이다 俗談 = 갈수록 태산(이라)

산에 가야 범을 잡지 俗談 不入虎穴, 焉得虎子

산 설고 물 설다 〔?〕 人地生疏; 人生面不熟

산(酸) 圏 〔化〕 酸 suān

-산(産) 置미 产 chǎn ¶중국~ 中国产

산간(山間) 圏 山间 shānjiān; 山里 shānli; 山 shān ¶~ 마을 山间小村 / ~ 지대 山区

산간-벽지(山間僻地) 圏 穷山沟 qióngshāngōu; 偏僻山区 piānpì shānqū; 偏僻山沟 piānpì shāngōu; 山旮旯儿 shāngālár

산-개(散開) 圏하자타 散开 sànkāi ¶~ 대형 散开队形 / 먹구름이 천천히 ~하다 乌云漫漫散开

산:고(産苦) 圏 分娩的痛苦 fēnmiǎnde tòngkǔ ¶~를 겪다 经受分娩的痛苦

산-골(山一) 圏 1 (偏僻的) 山中 shānzhōng; 山里 shānli; 山间 shānjiān ¶~마을 山间小村 / ~ 처녀 山里姑娘 2 = 산골짜기

산-골짜기(山一) 圏 山谷 shāngǔ; 山沟 shāngōu; 山窝 shānwō = 산골 2 ¶깊은 ~ 深邃的山谷

산:-기(産氣) 圏 产兆 chǎnzhào ¶아직 ~가 없다 还没有产兆

산-기슭(山一) 圏 山脚 shānjiǎo; 山麓 shānlù; 山根(儿) shāngēn(r) = 산록

~ 아래에 작은 마을이 있다 山脚下有一个小村庄

산-길(山—) 명 山路 shānlù; 山径 shānjìng

산-꼭대기(山—) 명 顶峰 dǐngfēng; 山顶 shāndǐng; 山巅 shāndiān; 山头 shāntóu = 산머리

산-나물(山—) 명 山菜 shāncài; 野菜 yěcài = 산채(山菜) ¶~ 비빔밥 山菜拌饭 / ~을 캐다 挖山菜

산-달(産—) 명 分娩月 fēnmiǎnyuè

산-더미(山—) 명 堆积如山 duījīrúshān; 山积 shānjī ¶해야 할 일이 ~처럼 많다 要做的事堆积如山

산도(産道) 명 【生】产道 chǎndào

산도(酸度) 명 【化】= 산성도

산-동네(山洞—) 명 = 달동네

산-돼지(山—) 명 【動】= 멧돼지

산들 뮈 (风吹) 飒飒 sàsà; 飒然 sàrán; 微微 wēiwēi; 轻轻 qīngqīng

산들-거리다 자 (风) 飒飒 sàsà; 飒然 sàrán; 微微 wēiwēi 微微吹着 wēiwēi chuī; 轻轻地吹 qīngqīngde chuī = 산들대다 ¶가을바람이 ~ 秋风飒飒 **산들-산들** 뮈 [하자]

산들-바람 명 1 轻风 qīngfēng; 微风 wēifēng; 软风 ruǎnfēng ¶~이 얼굴을 스치다 微风拂面 2 【地理】微风 wēifēng

산-등성이(山—) 명 山脊 shānjǐ; 山梁 shānliáng

산-딸기(山—) 명 1 【植】= 산딸기나무 2 山莓 shānméi; 树莓 shùméi; 牛迭肚 niúdiédù

산딸기-나무(山—) 명 【植】山莓树 shānméishù; 山莓 shānméi = 산딸기

산뜻-하다 명 1 鲜艳 xiānyàn; 鲜明 xiānmíng; 鲜亮 xiānliang ¶그는 늘 산뜻한 옷을 입고 있다 他总是穿着鲜艳的服装 2 清爽 qīngshuǎng; 清新 qīngxīn; 凉快 liángkuai; 凉爽 liángshuǎng ¶비 온 후에는 공기가 ~ 雨后空气清爽 **산뜻-이** 뮈

산:란(産卵) 명 [하자] 产卵 chǎnluǎn ¶~관 产卵管 / ~기 产卵期 / 연어는 ~을 위하여 바다에서 강으로 거슬러 올라간다 鲑鱼为产卵从海洋逆江而上

산:란-하다(散亂—) 명 1 乱 luàn; 散乱 sànluàn; 乱七八糟 luànqībāzāo ¶방이 너무 ~ 屋里太乱了 2 不宁 bùníng; 乱 luàn; 乱糟糟 luànzāozāo; 乱纷纷 luànfēnfēn ¶정신이 ~ 精神不宁 / 마음이 ~ 心情乱糟糟的 **산:란-히** 뮈

산록(山麓) 명 = 산기슭

산림(山林) 명 山林 shānlín ¶~녹화 山林绿化 / ~ 보호 保护山林 / ~ 개발 山林开发 / ~ 자원 山林资源

산림-욕(山林浴) 명 = 삼림욕

산-마루(山—) 명 山脊 shānjǐ; 山梁 shānliáng

산-만하다(散漫—) 명 散漫 sǎnmàn; 松散 sōngsǎn; 涣散 huànsàn; 零乱 língluàn ¶문장이 ~ 文章写得散漫 / 그는 주의가 ~ 他注意力松散 / 정신이 ~ 精神涣散

산맥(山脈) 명 【地理】山脉 shānmài

산-머리(山—) 명 = 산꼭대기

산-모(産母) 명 产妇 chǎnfù = 산부 ¶~를 돌보다 照顾产妇

산-모퉁이(山—) 명 山角 shānjiǎo; 山弯 shānwān ¶~를 돌면 마을이 보인다 拐过山角就能看得见村落

산-목숨 명 活人 huórén

산-문(散文) 명 【文】散文 sǎnwén ¶~시 散文诗 / ~체 散文体

산-물(産物) 명 1 产品 chǎnpǐn; 物产 wùchǎn ¶사과는 바로 우리 마을의 대표적인 ~이다 苹果就是我们乡村的代表产品 2 产物 chǎnwù ¶시대의 ~ 时代的产物

산-바람(山—) 명 【地理】山风 shānfēng

산:발(散發) 명 [하자] 零星 língxīng; 偶尔发生 ǒu'ěr fāshēng; 无规律 wúguīlù

산:발(散髮) 명 [하자] 披发 pīfà; 披头散发 pītóusànfà; 披散 pīsan ¶~한 노인 披头散发的老人

산:발-적(散發的) 관 명 零星(的) língxīng(de); 偶尔发生(的) ǒu'ěr fāshēng(de); 无规律(的) wúguīlù(de) ¶~인 총성 零星的枪声

산:법(算法) 명 【數】算法 suànfǎ = 계산법 · 산수(算數)2 · 셈법

산:보(散步) 명 [하자] 散步 sànbù ¶식사 후에 ~하는 것은 건강에 좋다 饭后散步, 有益健康

산-봉우리(山—) 명 山峰 shānfēng; 顶峰 dǐngfēng; 峰 fēng = 봉우리 ¶~에 오르다 登上顶峰

산부(産婦) 명 = 산모

산:-부인과(産婦人科) 명 【醫】妇产科 fùchǎnkē; 产科 chǎnkē ¶~ 병원 产科医院

산-불(山—) 명 山火 shānhuǒ ¶~이 났다 发生了山火 / 조심 小心山火

산-비둘기(山—) 명 【鳥】山斑鸠 shānbānjiū

산-비탈(山—) 명 山坡 shānpō ¶이 ~가 파르다 山坡很陡

산사(山寺) 명 山寺 shānsì ¶조용한 ~ 宁静的山寺

산-사람(山—) 명 山民 shānmín

산-사태(山沙汰) 명 【地理】山崩 shānbēng ¶~로 길이 막히다 因山崩而路被堵上

산:-이(散散─) 〔부〕 粉碎 fěnsuì; 破碎 pòsuì; 纷纷 fēnfēn ¶~부서지다 打得粉碎 / ~흩어지다 纷纷散去

산:-산-조각(散散─) 〔명〕 粉碎 fěnsuì; 破碎 pòsuì; 支离破碎 zhīlípòsuì; 稀烂 xīlàn; 破片 pòpiàn ¶그릇이 ~나다 碗摔得粉碎 / 유리컵이 ~으로 부서지다 玻璃杯砸得稀烂

산삼(山蔘) 〔명〕 〔植〕 山参 shānshēn ¶~을 캐다 挖山参

산-새(山─) 〔명〕 山鸟 shānniǎo

산성(山城) 〔명〕 山城 shānchéng ¶~을 쌓다 修建山城

산성(酸性) 〔명〕 〔化〕 酸性 suānxìng ¶~반응 酸性反应 / ~비료 酸性肥料 / ~을 띠다 带酸性

산성-도(酸性度) 〔명〕 〔化〕 酸度 suāndù = 산도(酸度)

산성-비(酸性─) 〔명〕 〔地理〕 酸雨 suānyǔ

산성-화(酸性化) 〔명〕〔하자타〕 酸性化 suānxìnghuà; 酸化 suānhuà ¶토지의 ~되다 土地酸性化

산세(山勢) 〔명〕 山势 shānshì ¶~가 험하다 山势险峻

산소(山所) 〔명〕 坟 fén; 墓 mù; 坟墓 fénmù = 묘소 ¶~에 가다 上坟墓 / ~를 찾다 扫墓

산소(酸素) 〔명〕 〔化〕 氧 yǎng; 氧气 yǎngqì ¶~마스크 氧气面罩 = [氧气罩儿] / ~용접 氧炔焊接 = [气焊] / ~통 氧气瓶 / 방 안의 ~가 부족하다 房间内氧气缺乏

산소 호흡기(酸素呼吸器) 〔醫〕 = 인공호흡기

산-속(山─) 〔명〕 山中 shānzhōng; 山里 shānlǐ = 산중 ¶~에서 길을 잃다 在山中迷路

산:-송장 行尸走肉 xíngshīzǒuròu; 棺材瓤子 guāncai rángzi

산수(山水) 〔명〕 **1** 山水 shānshuǐ; 风景 fēngjǐng ¶~가 수려하다 山水秀丽 **2** 山水 shānshuǐ ¶~로 논에 물을 대다 用山水浇灌农田 **3** 〔美〕 = 산수화

산-수(算數) 〔명〕 〔數〕 **1** 算术 suànshù; 算学 suànxué **2** = 산법

산-수유(山茱萸) 〔명〕 〔韓醫〕 山茱萸 shānzhūyú

산수유-나무(山茱萸─) 〔명〕 〔植〕 山茱萸 shānzhūyú

산수-화(山水畫) 〔美〕 山水画 shānshuǐhuà; 山水 shānshuǐ = 산수(山水)3

산-술(算術) 〔명〕 〔數〕 算术 suànshù ¶~평균 算术平均

산:술-적(算術的) 〔관형〕 算术(的) suànshù(de)

산:-식(算式) 〔명〕 〔數〕 = 식(式)㈒3

산:-신(山神) 〔명〕 〔民〕 = 산신령 ¶~제 山神祭

산-신령(山神靈) 〔명〕 〔民〕 山神 shānshén; 山君 shānjūn = 산신

산:-실(産室) 〔명〕 **1** 产房 chǎnfáng **2** 发源地 fāyuándì; 发祥地 fāxiángdì ¶혁명의 ~革命的发源地

산:-아(産兒) 〔명〕 **1** 分娩 fēnmiǎn; 生育 shēngyù **2** 产儿 chǎn'ér

산:-아 제:한(産兒制限) 〔社〕 计划生育 jìhuà shēngyù; 节制生育 jiézhì shēngyù; 节育 jiéyù

산악(山岳·山嶽) 〔명〕 山岳 shānyuè; 山 shān ¶~인 登山运动员 / ~자전거 山地车 / ~회 登山小组 / ~지대 山岳地带 / ~기후 山岳气候

산야(山野) 〔명〕 山野 shānyě ¶조국의 ~祖国的山野

산양(山羊) 〔명〕 〔動〕 **1** = 염소 ¶~유 山羊乳 **2** 羚羊 língyáng

산:-업(産業) 〔명〕 〔經〕 产业 chǎnyè; 工业 gōngyè ¶~계 产业界 / ~디자인 工业设计 / ~폐기물 工业废物 / ~공해 产业公害 / ~도시 工业城市 / 문화 ~文化产业 / 정보 ~信息产业 / 자동차 ~汽车工业

산:-업 도로(産業道路) 〔交〕 货运路 huòyùnlù; 货运公路 huòyùn gōnglù

산:-업 박람회(産業博覽會) 〔經〕 工业交易会 gōngyè jiāoyìhuì; 产业博览会 chǎnyè bólǎnhuì

산:-업 스파이(産業spy) 〔經〕 商业间谍 shāngyè jiàndié; 工业间谍 gōngyè jiàndié; 技术间谍 jìshù jiàndié

산:-업 재해(産業災害) 〔社〕 职业灾害 zhíyè zāihài; 产业灾害 chǎnyè zāihài; 工伤 gōngshāng

산:-업-체(産業體) 〔명〕 企业组织 qǐyè zǔzhī

산:-업 혁명(産業革命) 〔史〕 产业革命 chǎnyè gémìng; 工业革命 gōngyè gémìng

산:-업-화(産業化) 〔명〕〔하자타〕 产业化 chǎnyèhuà; 工业化 gōngyèhuà ¶~를 추진하다 推进产业化

산:-욕(産褥) 〔명〕 **1** 产褥 chǎnrù **2** 〔醫〕 = 산욕기

산:-욕-기(産褥期) 〔명〕 〔醫〕 产褥期 chǎnrùqī = 산욕2

산:-욕-열(産褥熱) 〔명〕 〔醫〕 产褥热 chǎnrùrè; 产褥感染 chǎnrù gǎnrǎn; 月子病 yuèzibìng

산-울림 〔명〕 **1** 山响 shānxiǎng **2** = 메아리

산:-유(産油) 〔명〕 石油生产 shíyóu shēngchǎn; 产油 chǎnyóu ¶~국 产油国

산-자락(山─) 〔명〕 山脚 shānjiǎo

산장(山莊) 〔명〕 山庄 shānzhuāng ¶해가

져서 ~에 묵다 落太阳住山庄

上-재(產災) 명 [壯] '산업 재해'의 略词 ¶~ 보험 产业灾害补偿保险

上-재(散在) 명하자 散在 sànzài; 分散 fēnsàn ¶~하여 거주하는 소수 민족 散居的少数民族

산적(山賊) 명 山贼 shānzéi; 山匪 shānfěi ¶최근 ~ 출몰이 빈번하다 最近山贼出没频繁

산적(山積) 명하자통 山积 shānjī; 成堆 chéngduī; 堆积如山 duījīrúshān ¶~한 문제들 堆积如山的难题 / 쓰레기가 ~해 있다 垃圾成堆

산-적(散炙) 명 烤肉串 kǎoròuchuàn

산-전(產前) 명 产前 chǎnqián ¶~ 휴가 产前假期

산전-수전(山戰水戰) 尝尽世味 jìnchángshìwèi; 曾经沧桑 céngjīngcāngsāng; 饱经风霜 bǎojīngfēngshuāng

산-정(算定) 명하자 估定 gūdìng ¶판매 가격을 ~하다 估定销售价格

산-제(散劑) 명 = 가루약

산-조(散調) 명 [音] 散调 sǎndiào ¶대금 ~ 大笒散调

산-줄기(山一) 명 山峦 shānluán

산중(山中) 명 = 산속 ¶~호걸 山中豪杰 / ~ 생활 山中生活

산-증인(一證人) 명 活证人 huózhèngrén

산지(山地) 명 山地 shāndì ¶~를 개간하다 开垦山地

산-지(產地) 명 产地 chǎndì; 出产地 chūchǎndì ¶그곳은 유명한 바나나 ~이다 那儿是有名的香蕉出产地

산-지기(山一) 명 守山人 shǒushānrén

산-지식(一知識) 명 活的知识 huóde zhīshí; 活知识 huózhīshí

산-짐승(山一) 명 野兽 yěshòu ¶~의 울부짖음 野兽的嚎叫

산채(山菜) 명 = 산나물

산채(山寨·山砦) 명 1 山寨 shānzhài 2 贼寨 zéizhài

산-책(散策) 명하자통 散步 sànbù; 溜达 liūda; 遛弯儿 liùwānr = 산보 ¶~ 길 散步路 / 식사 후에 친구와 함께 거리를 ~하다 饭后跟朋友一块儿到街上遛达

산천(山川) 명 山川 shānchuān; 山河 shānhé = 산하(山河) ¶조국의 ~ 祖国的山河 / ~이 아름답다 山川秀丽

산초(山椒) 명 花椒 huājiāo

산초-나무(山椒一) 명 [植] 花椒 huājiāo

산촌(山村) 명 山村 shāncūn; 山乡 shānxiāng; 山庄 shānzhuāng ¶~에 살다 住在山村

산-출(產出) 명하자통 出产 chūchǎn; 生产 shēngchǎn ¶쌀을 ~하다 出产大

산-출(算出) 명하자통 算出 suànchū; 计算 jìsuàn ¶~가 计算价格 / 원가를 ~하다 算出成本

산타(←Santa Claus) 명 = 산타클로스

산타클로스(Santa Claus) 명 圣诞老人 shèngdàn lǎorén = 산타

산-탄(霰彈) 명 [軍] 榴霰弹 liúsǎndàn; 子母弹 zǐmǔdàn; 君子弹 jūnzǐdàn

산-토끼(山一) 명 [動] 野兔 yětù

산-통(疝痛) 명 [醫] = 진통(陣痛)1

산-통(算筒) 명 签筒 qiāntǒng; 卦筒 guàtǒng

산통(을) 깨다 린 功亏一篑

산통이 깨지다 린 事情受阻

산-파(產婆) 명 收生婆 shōushēngpó; 接生婆 jiēshēngpó; 助产士 zhùchǎnshì

산하(山河) 명 = 산천 ¶고국의 ~ 故国山河

산-하(傘下) 명 所属 suǒshǔ; 领导下 lǐngdǎoxià; 手下 shǒuxià; 管辖下 guǎnxiáxià ¶~의 각 기관 所属各机构

산해진미(山海珍味) 명 山珍海味 shānzhēnhǎiwèi; 山珍海错 shānzhēnhǎicuò ¶~를 맛보다 品尝山珍海味

산행(山行) 명하자통 山行 shānxíng; 爬山 páshān ¶그는 매일 ~을 간다 他每天去爬山

산-허리(山一) 명 山腰 shānyāo; 半山腰 bànshānyāo; 山腹 shānfù ¶~에 동굴이 하나 있다 山腰上有一个山洞

산호(珊瑚) 명 [動] 珊瑚 shānhú ¶~섬 珊瑚岛 / ~초 珊瑚礁

산-화(散火·散華) 명하자 牺牲 xīshēng ¶조국을 위해 장렬히 ~하다 为祖国而壮烈牺牲

산화(酸化) 명하자통 [化] 氧化 yǎnghuà ¶~물 氧化物 / ~제 氧化剂 / ~칼슘 氧化钙 / ~마그네슘 氧化镁 / ~알루미늄 氧化铝 / ~질소 氧化氮 / ~ 작용 氧化作用 / 밀봉된 용기에 두면 ~되지 않는다 放在密封的容器中就氧化不了

산-회(散會) 명하자통 散会 sànhuì ¶~를 선포하다 宣布散会

산-후(產後) 명 产后 chǎnhòu ¶~ 조리 产后护理 / ~ 출혈 产后出血 / ~의 붓기 产后浮肿

산후-풍(產後風) 명 产后风 chǎnhòufēng; 月子病 yuèzǐbìng

살¹ 명 1 (人或动物的) 肉 ròu; 肥 féi; 肌肉 jīròu ¶~을 빼다 减肥 2 (蛤蚌等的) 肉 ròu ¶조갯~ 蛤蚌肉 3 (果实的) 肉 ròu 4 皮肤 pífū ¶이 아이 하얗다 皮肤很白 / ~이 탔다 皮肤晒黑了

살² 명 1 (扇、伞、风筝等的) 骨子

gǔzi; 格子 gézi ¶우산 - 伞骨子 / 창-
窗格子 2 (太阳、水等的) 阳光 yáng-
guāng; 水势 shuǐshì 3 = 빛살 4 =
화살

살³ 〖의명〗岁 suì ¶서른 ~ 三十岁 / 너
몇 ~이니? 你几岁?

살갑다 〖형〗1 宽广 kuānguǎng 2 温和
wēnhé; 和气 héqi ¶살갑게 대하다 待
人温和 / 선생님은 우리에게 아주 살
가우시다 老师对我们很和气

살-갗 〖명〗皮肤 pífū; 肉皮儿 ròupír ¶
~이 거칠어지다 皮肤变粗糙 / ~이 아
주 부드럽다 皮肤很嫩

살-결 〖명〗肌理 jīlǐ; 皮肤纹 pífūwén ¶
그 고운 피부 肌理细腻的皮肤

살구 〖명〗杏(儿) xìng(r); 杏子 xìngzi ¶
~꽃 杏花

살구-나무 〖명〗〖植〗杏 xìng; 杏树 xìng-
shù

살균(殺菌) 〖명·하다〗杀菌 shājūn; 灭菌
mièjūn ¶ ~ 력 杀菌力 =[灭菌
力] / ~제 杀菌剂 / ~ 작용 灭菌作
用 / ~ 효과 灭菌效果

살그머니 〖부〗悄悄(地) qiāoqiāo(de);
轻轻(地) qīngqīng(de); 不声不响(地)
bùshēngbùxiǎng(de) ¶그는 ~ 자리로
돌아왔다 他悄悄地回到座位上 / 문을
~ 닫다 把门轻轻地关上

살금-살금 〖부〗悄悄(地) qiāoqiāo(de);
轻轻(地) qīngqīng(de) ¶ ~ 다가가다
悄悄靠近

살기(殺氣) 〖명〗杀气 shāqì ¶ ~충천 杀
气冲天 / ~등등하다 杀气腾腾 / 두 눈
에 ~가 가득하다 两眼含满杀气

살-길 〖명〗活路 huólù; 生路 shēnglù;
生机 shēngjī ¶ ~을 찾다 找一条生路

살-날 〖명〗1 活的日子 huóde rìzi ¶ ~
이 아직 많다 活的日子还很多 2 富日
子 fùrìzi ¶앞으로는 ~이 올 것이다
一天肯定到来富日子

살:다 〖자타〗1 活 huó; 生存 shēngcún
¶그는 아직 죽지 않고 살아 있다 他还
活着, 没有死 2 生活 shēnghuó; 过
guò ¶나는 부모님과 함께 살고 있다
我和父母生活在一起 / 그들은 평온하
게 살고 있다 他们过着平静的日子
3 住 zhù; 居住 jūzhù ¶당신은 어
디에서 살고 있습니까? 你住在哪儿? /
그녀는 6층에 산다 她住在六楼 4 活
生 huóshēngshēng; 活灵灵 huólíng-
líng; 活 huó ¶산 교훈을 남기다 留下
一个活生生的教训 5 存在 cúnzài; 活
huó ¶그는 영원히 내 가슴속에 살아
있다 他永远活在我的心中 6 不熄
bùxī; 燃 rán ¶불씨가 살아 있다 火种
不熄 〖타〗1 当 dāng; 做 zuò ¶머슴
을 ~ 当长工 2 服刑 fúxíng ¶그는 감
옥에서 3년을 살았다 他在监狱里服刑

三年了 3 经营 jīngyíng ¶행복한 삶을
~ 经营幸福人生

산 (사람) 입에 거미줄 치랴 〖속담〗活
人嘴里不能长青草; 天无绝人之路, 必有
一份粮; 天上没有掉落龙, 地上没有饿
煞虫

살뜰-하다 〖형〗1 勤俭 qínjiǎn; 俭省
jiǎnshěng ¶살뜰하게 살림을 꾸리다 俭
俭持家 2 细心 xìxīn; 精心 jīngxīn ¶다
친 사람을 살뜰하게 보살피다 细心地
抚伤员 **살뜰-히** 〖부〗

살랑 〖부〗(风) 轻轻地 qīngqīngde ¶봄
바람이 ~ 불어오다 春风轻轻地吹来

살랑-거리다 〖자타〗1 (风) 轻轻(地吹)
qīngqīng(de chuī); 习习 xíxí ¶산들바
람에 나뭇잎이 살랑거리며 움직인다
秋风轻轻地吹动着树叶 2 轻轻地摇动
qīngqīngde yáodòng ¶꼬리를 ~ 살랑살랑
地摇动尾巴 ‖ = 살랑대다 **살랑-살랑**
〖부·하·자·타〗

살롱(프salon) 〖명〗1 客厅 kètīng; 谈话
室 tánhuàshì; 会客室 huìkèshì 2 沙龙
shālóng ¶문예 ~ 文艺沙龙 3 酒吧
jiǔbā; 美发室 měifàshì; 茶馆 cháguǎn

살-리다 〖타〗1 救出 jiùchū; 救命 jiù-
mìng; 救活 jiùhuó; 救济 jiùjì; 饶
命 ráomìng; 活命 huómìng; 救活 jiù-
huó; 活 huó ¶사람 살려! 救命啊! / 제
발 목숨만 살려 주세요 求你饶了我的
命吧! / 나 혼자의 월급으로는 집안 식
구들을 먹여 살릴 수 없다 我一个人的
工资养活不了家人 2 发挥 fāhuī ¶자
신의 능력을 ~ 发挥自己的能力 3 运
用 yùnyòng ¶경험을 ~ 运用经验 4
振兴 zhènxīng ¶경제를 ~ 振兴经济
5 吸收 xīshōu; 采取 cǎiqǔ ¶실패의 교훈
을 ~ 吸收失败的教训 6 保持 bǎochí
¶좋은 습관을 살려 나가다 把好的习
惯保持下去 7 复燃 fùrán ¶불을 ~ 使
火复燃

살림 〖명·하·자〗1 过日子 guòrìzi; 过活
guòhuó; 家务 jiāwù; 生活 shēnghuó ¶
~을 매우 잘 하다 挺会过日子 / 엄마
는 일을 하지 않고 집에서 ~을 하신다
妈妈不工作, 在家里做家务 2 家道
jiādào; 生活 shēnghuó; 家境 jiājìng ¶
~이 넉넉하다 家道富足 / ~이 궁하
다 生活很穷 3 家什 jiāshí; 家具 jiāju ¶
~을 장만하다 置办家什

살림-꾼 〖명〗1 管家的 guǎnjiāde; 当家
的 dāngjiāde 2 好管家 hǎoguǎnjiā; 好
当家 hǎodāngjiā

살림-살이 〖명·하·자〗1 生活 shēnghuó;
生计 shēngjì; 过日子 guòrìzi; 经济生
活 jīngjì shēnghuó ¶~이 어렵지 않고
不错 2 家什 jiāshí; 生活用品 shēng-
huó yòngpǐn ¶~가 상당히 늘었다 家
什增加了不少

살림-집 〖명〗住房 zhùfáng; 住宅 zhùzhái

살:-맛 〔명〕 活头(儿) huótou(r) ¶네가 내 곁에 없는데 내가 무슨 ～이 나겠느냐? 你不在我身边，我还有什么活头?

살며시 〔부〕 轻轻(地) qīngqīng(de); 悄悄(地) qiāoqiāo(de) / 눈을 ～ 감다 轻轻地闭上双眼 / 그는 ～ 내 손을 잡았다 他悄悄地握住了我的手

살모넬라-균(salmonella菌) 〔명〕 【生】 沙门氏菌 shāménshìjūn

살모-사(殺母蛇) 〔명〕 【動】 = 살무사

살무사 〔명〕 【動】 蝮蛇 fùshé = 독사(毒蛇)2 · 살모사

살벌(殺伐) 〔명·하형〕 充满杀机 chōngmǎn shājī; 杀气腾腾 shāqìténgténg ¶ ～한 분위기 杀气腾腾的气氛

살살[1] 〔부〕 1 轻轻(地) qīngqīng(de); 悄悄(地) qiāoqiāo(de); 徐徐(地) xúxú(de); 微微(地) wēiwēi(de); 习习 xíxí; 눈치를 ～ 보다 悄悄地看眼色 / 봄바람이 ～ 불어오다 春风习习吹来 / 糖在嘴里微微地化了 2 巧妙地 qiǎomiào(de) / 아이를 ～ 달래다 巧妙地哄孩子 3 渐渐 jiànjiàn ¶아랫목이 ～ 따뜻해지다 炕头渐渐热起来

살살[2] 〔부〕 隐隐 yǐnyǐn; 丝丝拉拉 sīsīlālā ¶배가 ～ 아프다 腹部隐隐作痛

살살-거리다 〔자〕 拍马屁 pāi mǎpì; 谄媚 chǎnmèi = 살살대다

살상(殺傷) 〔명·하타〕 杀伤 shāshāng; 伤亡 shāngwáng ¶～ 무기 杀伤武器 / ～력 杀伤力 / 많은 사람을 ～하다 杀伤很多人

살-색(－色) 〔명〕 肤色 fūsè; 肉色 ròusè ¶～이 검다 肤色很黑

살생(殺生) 〔명·하자〕 杀生 shāshēng; 伤生 shāngshēng; 伤命 shāngmìng ¶～부 杀生簿 / ～유택 杀生有择 / ～을 금하다 禁止杀生

살수(撒水) 〔명〕 洒水 sǎshuǐ

살수-기(撒水器) 〔명〕 洒水器 sǎshuǐqì = 스프링클러

살수-차(撒水車) 〔명〕 洒水车 sǎshuǐchē = 물자동차1

살신성인(殺身成仁) 〔명·하자〕 杀身成仁 shāshēnchéngrén

살아-가다 〔자보〕 过活 guòhuó; 活下去 huóxiàqù; 度日 dùrì; 过日子 guòrìzi; 谋生 móushēng; 吃饭 chīfàn; 生活 shēnghuó ¶꾼 돈으로 하루하루 ～ 天天靠借钱过日子 / 너를 잃고 어떻게 살아갈 수 있겠니? 失去了你, 我怎能活下去呢?

살아-나다 〔자〕 1 活过来 huóguòláib; 复活 fùhuó; 复生 fùshēng; 复苏 fùsū; 苏生 sūshēng; 获救 huòjiù; 救活 jiùhuó;

返青 fǎnqīng ¶죽었다고 여겨졌던 사람이 다시 살아났다 以为死了的人又活过来了 2 燃起 ránqǐ ¶불꽃이 다시 살아났다 火苗又燃起来了 3 想起 xiǎngqǐ; 记起 jìqǐ ¶그 사진들을 보고 있자니, 과거의 기억이 살아났다 看着那些照片, 就想起了过去的回忆

살아-남다 〔자〕 活下来 huóxiàlái; 生存 shēngcún ¶전란 중에 그 한 사람만 살아남았다 战乱中只有他一个人活下来 / 치열한 생존 경쟁에서 ～ 在激烈的生存竞争中活下来

살아-생전(－生前) 〔명·부〕 生前 shēngqián; 生平 shēngpíng; 活着时 huózheshí ¶이것은 그가 ～에 자주 하던 말이다 这是他生前经常说的话

살아-오다 〔자타〕 1 活下去 huóxiàqù ¶평생 정직하게 살아왔다 一生正直地活下去 2 活着回来 huózhehuílái ¶전쟁터에서 구사일생으로 ～ 从战场一生九死地活着回来 3 生活下去 shēnghuóxiàqù

살-얼음 〔명〕 薄冰 báobīng = 박빙[1] ¶～이 얼었다 结薄冰子

살얼음을 밟다 〔구〕 如履薄冰; 提心吊胆; 忐忑不安; 七上八下

살얼음-판 〔명〕 薄冰 báobīng ¶～을 건너가다 在薄冰上走过去

살육(殺戮) 〔명·하타〕 杀戮 shālù; 屠戮 túlù; 屠杀 túshā ¶수많은 부녀자들이 처참하게 ～ 당하다 许多妇女惨遭杀戮

살의(殺意) 〔명〕 杀机 shājī ¶～를 품다 怀有杀机 / 얼굴에 ～가 가득하다 满脸杀机

살인(殺人) 〔명·하자〕 杀人 shārén ¶～죄 杀人罪 / ～강도 杀人强盗 / ～나다 发生杀人案 / ～미수 杀人未遂 / ～을 일삼다 专干杀人 / 대낮에 ～ 사건이 발생했다 白天发生了杀人案

살인-마(殺人魔) 〔명〕 杀人鬼 shārénguǐ; 杀人魔王 shārén mówáng; 刽子手 guìzishǒu ¶희대의 ～ 稀代的杀人鬼

살인-범(殺人犯) 〔명〕 【法】 杀人犯 shārénfàn; 杀人凶手 shārén xiōngshǒu = 살해범

살인-자(殺人者) 〔명〕 凶手 xiōngshǒu; 杀人犯 shārénfàn

살인-적(殺人的) 〔관·명〕 残酷的 cánkùde; 凶狠的 xiōnglángde ¶～인 더위 残酷的暑热

살-점(－點) 〔명〕 肉片 ròupiàn; 肉块 ròukuài

살-지다 〔형〕 1 肥 féi; 胖 pàng; 肥胖 féipàng ¶살진 돼지 肥猪 2 肥 féi; 肥沃 féiwò ¶이 땅은 매우 살졌다 这块地很肥

살-집 閔 胖瘦 pàngshòu《(肉的程度)》¶～이 적당하다 胖瘦适宜

살짝 閈 1 稍稍(地) shāoshāo(de); 轻轻(地) qīngqīng(de); 悄悄(地) qiāoqiāo(de); 微微(地) wēiwēi(de) ¶～ 다치다 轻轻地受伤了 / 그는 나를 향하여 ～ 웃었다 他朝我微微一笑 2 偷偷(地) tōutōu(de); 暗中 ànzhōng ¶～ 한 입 먹고 내려놓았다 偷偷地吃了一口 而放下了

살쩍 閔 鬓 bìn; 鬓发 bìnfà = 빈모 · 귀밑털 ¶양쪽 ～이 희끗희끗하다 两鬓苍苍

살-찌다 困 胖 pàng; 发胖 fāpàng; 肥肪 féi; 肥胖 féipàng; 长膘 zhǎngbiāo ¶그는 작년부터 살찌기 시작했다 他从去年起就发胖了 / 이 말은 요즘 살쩠다 这头马近来长膘了

살-찌우다 囯 养肥 yǎngféi; 喂肥 wèiféi; 育肥 yùféi ¶돼지를 살찌워서 팔아버리다 把猪养肥后卖掉

살충(殺蟲) 閔하困 杀虫 shāchóng ¶～제 杀虫剂 / ～ 作用 杀虫作用 / ～ 효과 杀虫效果

살-코기 閔 瘦肉 shòuròu

살-쾡이 閔 【動】 豹猫 bàomāo; 山猫 shānmāo; 狸猫 límāo; 狸子 lízi = 들고양이 · 삵

살:판-나다 囯 1 好运 hǎoyùn; 红运 hóngyùn; 鸿运 hóngyùn ¶크게 ～ 大走红运 2 扬眉吐气 yángméitùqì; 直起腰 zhíqǐyāo

살펴-보다 囯 观察 guānchá; 观看 guānkàn; 察看 chákàn; 观望 guānwàng ¶주위 환경을 ～ 观察周围环境

살포(撒布) 閔하困 散 sàn; 撒 sǎ; 喷撒 pēnsǎ; 喷洒 pēnsǎ; 散发 sànfā ¶비료를 ～하다 撒肥 / 농약을 ～하다 喷洒农药 / 전단을 ～하다 散发传单

살포시 閈 轻轻地 qīngqīngde; 安静地 ānjìngde ¶아기가 어머니에게 ～ 안겨 있다 孩子给母亲安静地抱着

살-풀이(煞—) 閔하困 【民】 祛煞跳神 qūshàtiàoshén

살-풍경(殺風景) 閔하困 1 杀风景 shāfēngjǐng; 煞风景 shāfēngjǐng 2 冷漠 lěngmò; 凄凉 qīliáng

살피다 囯 看 kàn; 察看 chákàn; 观察 guānchá; 观看 guānkàn; 探望 tànwàng; 伺 sì ¶남의 안색을 ～ 看人脸色 / 현장을 ～ 察看现场 / 동정을 ～ 探望动静

살해(殺害) 閔하困 杀 shā; 杀害 shāhài; 杀死 shāsǐ ¶그는 술집에서 ～되었다 他在酒吧里被杀了 / 그를 ～한 범인은 이미 잡혔다 杀害他的罪犯已被抓住了

살해-범(殺害犯) 閔 【法】 = 살인범

삵 閔 【動】 = 살쾡이

삶: 閔 1 生存 shēngcún; 生活 shēnghuó; 生 shēng; 活 huó; 日子 rìzi = 생(生)1 ¶～이 힘에 겨다 日子不好过 / ～의 지혜 生活的智慧 2 生命 shēngmìng; 生 shēng ¶～의 진정한 가치 生命的真正价值 / ～과 죽음의 가로 生死的歧路

삶:다 囯 1 煮 zhǔ; 烹 pēng; 炖 dùn; 熬 áo ¶빨래를 ～ 煮衣服 / 계란을 ～ 煮鸡蛋 / 고기를 ～ 炖肉 2 买通 mǎitōng; 买关节 mǎiguānjié

삼 閔 【植】 麻 má; 大麻 dàmá = 마(麻)

삼(三) 준괸 三 sān ¶～ 년 三年 / ～개월 三个月 / ～ 학년 三年级 / ～ 미 三米

삼(蔘) 閔 【植】 1 参 shēn ¶～을 캐다 挖参 / ～을 심다 种参 2 = 인삼

삼가 閈 谨 jǐn; 敬 jìng ¶～ 사의를 표하다 谨表谢忱

삼가다 囯 1 谨 jǐn; 谨慎 jǐnshèn; 慎重 shènzhòng; 小心 xiǎoxīn ¶언행을 ～ 谨言慎行 / 말을 ～ 说话谨慎 2 节制 jiézhì ¶담배와 술을 ～ 节制烟酒

삼가-하다 囯 '삼가다'의 잘못된 표현

삼각(三角) 閔 1 三角 sānjiǎo ¶～근 三角肌 / ～기둥 三角柱 / ～뿔 三角锥 / ～자 三角尺 / ～주 三角洲 / ～함수 三角函数 / ～팬티 三角内裤 2 【數】 = 삼각형

삼각-관계(三角關係) 閔 1 三角恋爱 sānjiǎo liàn'ài; 三角恋 sānjiǎoliàn ¶～에 빠지다 陷入三角恋 2 三角关系 sānjiǎo guānxi

삼각-대(三角臺) 閔 三脚架 sānjiǎojià

삼각-형(三角形) 閔 【數】 三角形 sānjiǎoxíng; 三边形 sānbiānxíng = 삼각 2 · 세모2 · 세모꼴2

삼강(三綱) 閔 三纲 sāngāng ¶～오륜 三纲五伦

삼-거리(三—) 閔 丁字街 dīngzìjiē; 三岔路口 sānchàlùkǒu; 三岔路 sānchàlù

삼겹-살(三—) 閔 五花肉 wǔhuāròu ¶～을 굽다 烤五花肉

삼계-탕(蔘鷄湯) 閔 参鸡汤 shēnjītāng

삼고-초려(三顧草廬) 閔 三顾茅庐 sāngùmáolú

삼관-왕(三冠王) 閔 三连冠 sānliánguān ¶수영에서 ～을 차지하다 游泳夺得三连冠

삼국(三國) 閔 【史】 三国 sānguó ¶～시대 三国时代 / ～사기 三国史记 / ～유사 三国遗事 / ～지 三国志

삼권(三權) 閔 【法】 三权 sānquán ¶～분립 三权分立

삼극(三極) 閔 【物】 三极 sānjí

삼-끈 閔 麻绳 máshéng; 麻索 másuǒ

삼-나무 똉【植】杉 shān; 杉木 shān-mù = 삼목

삼남(三男) 똉 1 第三子 dìsān érzi; 三儿 sān'ér 2 三儿 sān'ér; 三男 sān-nán ¶~이너 三男二女

삼녀(三女) 똉 1 第三女儿 dìsān nǚ'ér; 三女 sānnǚ 2 三女 sānnǚ ¶일녀 ~ 一女三女

삼년-상(三年喪) 똉 三年居丧 sānnián jūsāng; 居丧三年 jūsāng sānnián

삼:다¹ 동 1 收 shōu; 招 zhāo; 娶 qǔ ¶제자로 ~ 收徒弟 / 사위로 ~ 招女婿 / 며느리로 ~ 娶媳妇儿 2 当 dàng; 当作 dàngzuò; 看做 kànzuò; 作为 zuò-wéi ¶책을 베개 삼아 자다 用书当枕头睡觉 / 아버지를 자신의 본보기로 ~ 把爸爸作为自己的榜样

삼:다² 동 1 编 biān; 打 dǎ ¶짚신을 ~ 编草鞋 2 绩 jì ¶삼을 ~ 绩麻

삼-단 麻捆 mákǔn
  삼단 같은 머리 ⓕ 头发如麻捆

삼단 논법(三段論法)【論】三段论法 sānduàn lùnfǎ; 三段论 sānduànlùn = 三段论式 sānduàn lùnshì

삼단-뛰기(三段一) 똉【體】三级跳远 sānjí tiàoyuǎn

삼대(三代) 똉 三代 sāndài; 三世 sān-shì ¶~가 한집에서 살다 三世同堂

삼대-독자(三代獨子) 三代独子 sāndài dúzǐ; 三世单传 sānshì dān-chuán

삼-등분(三等分) 똉하타 三等分 sān-děngfēn ¶재산을 ~하다 将财产三等分

삼라-만상(森羅萬象) 똉 森罗万象 sēnluówànxiàng

삼루(三壘) 똉【體】(棒球的) 三垒 sānlěi ¶~수 三垒手 / ~타 三垒打 = [三垒安打]

삼류(三流) 똉 三类 sānlèi; 三流 sān-liú; 下等 xiàděng; 下乘 xiàchéng ¶~극장 三类电影院 / 그의 소설은 ~ 소설이다 他写的是小说中的下乘之作

삼륜(三輪) 똉 1 三轮 sānlún ¶~차 三轮车 2【佛】三轮 sānlún

삼림(森林) 똉 森林 sēnlín ¶~ 자원 森林资源 / ~ 보호 森林保护 / ~ 지대 森林地带

삼림-욕(森林浴) 똉하자 森林浴 sēn-línyù; 空气淋浴 kōngqì línyù = 삼림욕

삼매(三昧) 똉【佛】三昧 sānmèi; 三昧境 sānmèijìng = 삼매경

삼매-경(三昧境) 똉【佛】= 삼매 ¶독서에 ~에 빠지다 陷入读书三昧境

삼면(三面) 똉 三面 sānmiàn; 三个方面 sāngè fāngmiàn ¶~이 바다로 둘러싸이다 三面环海

삼모-작(三毛作) 똉【農】三熟 sān-shú ¶일 년 ~ 一年三熟

삼목(杉木) 똉【植】= 삼나무

삼민-주의(三民主義) 똉 三民主义 sānmín zhǔyì

삼바(samba) 똉【音】桑巴 sāngbā; 桑巴舞 sāngbāwǔ

삼-박자(三拍子) 똉 1【音】三拍子 sānpāizi 2 三拍子 sānpāizi ¶~를 완전히 갖추다 完备三拍子

삼발-이(三一) 똉 1 三脚火支子 sān-jiǎo huǒzhīzi; 三脚火架儿 sānjiǎo huǒ-jiàr 2 三脚架 sānjiǎojià

삼베 똉 麻 má; 麻布 mábù = 마포 ¶~옷 麻衣

삼복(三伏) 똉 三伏 sānfú

삼복-더위(三伏一) 똉 伏暑 fúshǔ; 伏热 fúrè = 복더위

삼-부자(三父子) 똉 三父子 sānfùzǐ

삼사(三四) 쉬관 三四 sānsì ¶~ 년 三四年 / ~ 일 三四天

삼사-분기(三四分期) 똉 第三季度 dìsān jìdù ¶~ 순 이윤 第三季度净利润

삼사-월(三四月) 똉 三四月 sānsìyuè

삼사-일(三四日) 똉 = 사나흘

삼삼오오(三三五五) 똉 三三五五 sān-sānwǔwǔ; 三五成群 sānwǔchéngqún; 三一 sānsānyīhuǒ ¶~함께 모여 술을 마시다 三三五五聚在一起喝酒

삼삼-하다¹ 형 历历 lìlì ¶눈에 ~ 历历在目 삼삼-히¹ 뵘

삼삼-하다² 형 1 淡 dàn ¶대구탕 맛이 좀 ~ 大火鱼汤稍淡一点 2 有吸引力 yǒuxīyǐnlì; 像样 xiàngyàng ¶삼삼하게 생긴 얼굴 有吸引力的脸 삼삼-히² 뵘

삼-세번(三一番) 똉 整整三次 zhěng-zhěng sāncì; 整整三回 zhěngzhěng sānhuí《不折不扣的三次》

삼-세판(三一) 똉 整整三回 zhěng-zhěng sānhuí ¶~으로 결판내다 整整三回定胜负

삼수(三修) 똉하자 三修 sānxiū ¶~해서 대학에 들어가다 三修考上大学

삼신(三神) 똉【民】(送子的) 三神 sānshén ¶~할머니 三神奶奶

삼십(三十) 쉬관 三十 sānshí ¶~ 명 三十个人 / ~ 년 三十年 / ~ 센티미터 三十厘米

삼십육-계(三十六計) 똉 三十六计 sānshíliùjì; 三十六策 sānshíliùcè; 三十六着 sānshíliùzhāo

삼십육계 줄행랑이 제일[으뜸] 속담 三十六策, 走为上计; 三十六计, 走为上计; 三十六策, 走为上策

삼십육계(를) 놓다[부르다] ⓕ 逃之夭夭; 三十六策, 走为上计

삼엄-하다(森嚴一) 휑 森嚴 sēnyán ¶분위기가 ~ 气氛森严 / 이 일대의 경비는 아주 ~ 这一带的戒备很森严 삼엄히 閉

삼엽-충(三葉蟲) 몡【動】三叶虫 sānyèchóng

삼우-제(三虞祭) 몡 三虞祭 sānyújì

삼-원색(三原色) 몡【美】三原色 sānyuánsè

삼월(三月) 몡 三月 sānyuè ¶~ 중순 三月中旬

삼위(三位) 몡【宗】三位 sānwèi〈圣父、圣子、圣灵〉¶~일체 三位一体

삼인-조(三人組) 몡 三人组 sānrénzǔ; 三人一组 sānrén yīzǔ ¶~ 강도를 만나다 遭遇强盗三人组

삼인-칭(三人稱) 몡【語】第三人称 dìsānrénchēng ¶~ 소설 第三人称小说 / ~ 시점 第三人称视角

삼일-장(三日葬) 몡 三日葬礼 sānrì zànglǐ ¶~을 지내다 举行三日葬礼

삼일-천하(三日天下) 몡【史】三日天下 sānrì tiānxià ¶ 五日京兆 wǔrì jīngzhào

삼자(三者) 몡 1 = 제삼자 ¶가 개입해서는 안 된다 第三者不能介入 三者 sānzhě; 三方 sānfāng ¶~대면 三者对质 / ~ 범퇴 三者凡退 / ~가 협의하다 三方进行协商

삼장(三藏) 몡【佛】三藏 sānzàng 2 = 삼장 법사1

삼장 법사(三藏法師) 1【佛】三藏法师 sānzàng fǎshī = 삼장2 2【人】三藏法师 sānzàng fǎshī〈指玄奘〉

삼재(三災) 몡【佛】三灾 sānzāi ¶~년 三灾年

삼족(三族) 몡 三族 sānzú ¶~을 멸하는 형벌 诛三族的刑罚

삼중(三重) 몡 三重 sānchóng ¶~ 충돌 三重冲突

삼중-고(三重苦) 몡 三重痛苦 sānchóng tòngkǔ ¶~에 시달리다 被三重痛苦折磨

삼중-주(三重奏) 몡【音】三重奏 sānchóngzòu

삼중-창(三重唱) 몡【音】三重唱 sānchóngchàng

삼지-창(三枝槍) 몡 1 三齿枪 sānchǐqiāng 2 叉子 chāzi

삼진(三振) 몡【體】三振 sānzhèn ¶~ 아웃 三振出局

삼차(三次) 몡【數】三次 sāncì ¶~ 곡선 三次曲线 / ~ 방정식 三次方程式

삼차 산:업(三次産業) 몡【經】第三产业 dìsān chǎnyè; 三产 sānchǎn

삼-차원(三次元) 몡 三维 sānwéi; 三度 sāndù; 三次元 sāncìyuán; 立体的 lìtǐde ¶~ 공간 三维空间 / ~ 세계 三维世界

삼창(三唱) 몡【하타】三呼 sānhū ¶만세 ~ 三呼万岁

삼척-동자(三尺童子) 몡 三尺童子 sānchǐ tóngzǐ; 三尺童蒙 sānchǐ tóngméng ¶~도 다 안다 连三尺童子都知道

삼천-갑자(三千甲子) 몡 三千甲子 sānqiān jiǎzǐ

삼천갑자 동방삭 궈 三千甲子东方朔〈指长寿的人〉

삼천-리(三千里) 몡 三千里 sānqiānlǐ ¶~강산 三千里江山 / ~ 금수강산 三千里锦绣江山

삼촌(三寸) 몡 叔父 shūfù; 叔叔 shūshu

삼치 몡【魚】鲅鱼 bàyú; 蓝点鲅 lándiànbà ¶~구이 烤鲅鱼

삼키다 타 1 咽 yàn; 吞 tūn; 吞咽 tūnyàn; 咽下 yànxià ¶침을 ~ 咽下唾沫 / 음식물을 ~ 咽食物 / 약을 한 입에 삼켰다 一口把药吞了下去 2 侵吞 qīntūn; 私吞 sītūn; 贪污 tānwū; 吞没 tūnmò; 吞 tūn ¶공금을 ~ 侵吞公款 3 忍住 rěnzhù; 咽 yàn ¶눈물을 ~ 忍住泪水 / 하고 싶은 말을 ~ 把要说的话咽回去

삼태기 몡 簸箕 bǒji; 畚 běn

삼투(渗透) 몡【物】渗透 shèntòu ¶~압 渗透压 / ~ 작용 渗透作用

삼파-전(三巴戰) 몡 三方交手 sānfāng jiāoshǒu

삼판-양승(三一兩勝) 몡【하타】三战两胜 sānzhàn liǎngshèng; 三局两胜 sānjú liǎngshèng

삼팔-선(三八線) 몡【地理】三十八度线 sānshíbādùxiàn; 三八线 sānbāxiàn

삼한 사:온(三寒四温) 몡【地理】三寒四温 sānhán sìwēn

삽 몡 铲 chǎn; 锹 xiān; 锹 qiāo; 铁铲 tiěchǎn; 铲子 chǎnzi

삽살-개 몡 狮子狗 shīzigǒu; 哈巴狗 bālbagǒu; 巴儿狗 bārgǒu

삽시-간(揷時間) 몡 霎时 shàshí; 霎时间 shàshíjiān; 一瞬间 yīshùnjiān ¶~에 광풍이 몰아치고 천둥이 쳤다 霎时, 狂风骤起, 雷声大作

삽입(揷入) 몡【하타】插入 chārù; 塞 sāi; 塞进 sāijìn ¶~한 후에 비틀어 열다 插入后扭开 / 설명서에 한 구절을 ~ 했다 说明书里插入一段话

삽입-곡(揷入曲) 몡【音】= 에피소드 3 ¶드라마 ~ 电视剧插曲

삽-질(揷一) 몡 铲土 chǎntǔ; 铲土 chǎntǔ ¶내가 ~을 할 테니 너는 꽃을 심어라 我铲土, 你种花吧

삽화(揷畵) 몡【印】插图 chātú; 插画 chāhuà ¶~가 插图家 / 이 책에는 이

십 장의 ~가 있다 이 책에는 이십여 폭의
삽도

삿-갓 명 1 斗笠 dǒulì; 草笠 cǎolì ‖
~구름 斗笠云 ‖ ~을 쓰다 戴斗笠
2 [植] 蕈菌 xùnjūn

삿-대 명 '상앗대'의 略词 ‖ 뱃사공이
~로 배를 젓다 船工用篙撑船

삿-대-질 명하자 1 撑篙 chēnggāo;
撑船 chēngchuán 2 指画 zhǐhuà; 指着
zhēzhe; 指手画脚 zhǐshǒuhuàjiǎo ‖ 그
는 말을 하기만 하면 사람들에게 ~한
다 他一说话就对群众指手画脚的

상:(上) 명 1 上 shàng; 上等 shàng-
děng; 上品 shàngpǐn ‖ 品质이 ~이다
2 (物体의) 上 shang ‖ 道로 ~에서 교
통사고가 발생하다 在道路上发生交通
事故

상(床) 명 饭桌 fànzhuō; 餐桌 cān-
zhuō; 桌子 zhuōzi; 桌 zhuō ‖ ~을 차
리다 摆菜 / ~을 치우다 收拾饭桌 2
桌子用 ‖ 한 ~의 음식 一桌菜

상(相) 명 相 xiāng; 长相 zhǎngxiàng ‖
가련한 ~ 一副可怜相

상(喪) 명 丧 sāng; 居丧 jūsāng ‖ ~을
치르다 治丧

상(像) 명 1 (雕刻등의) 像 xiàng ‖ 성
모~ 圣母之像 2 像 xiàng (指榜样) ‖
교사~ 教师像 3 [物] 像 xiàng

상(賞) 명 奖 jiǎng; 奖赏 jiǎngshǎng ‖ 일등~
一等奖 / 노벨~ 诺贝尔奖 / ~을 받다
得奖 / ~을 수여하다 授奖 / ~을 주다
发奖

-상(一上) 접미 上 shang ‖ 사실~ 事
实上 / 인터넷~ 网上

-상(一狀) 접미 状 zhuàng ‖ 포도~
葡萄状 / 나선~ 螺线状

-상(一商) 접미 商 shāng ‖ 무기~ 军
火商 / 잡화~ 杂货商

상가(商家) 명 商店 shāngdiàn; 商家
shāngjiā

상가(商街) 명 商街 shāngjiē; 商业街
shāngyèjiē; 商店区 shāngdiànqū ‖ 지하
~ 地下商街

상가(喪家) 명 丧家 sāngjiā = 상갓집

상각(償却) 명하자 1 抵偿 dǐcháng 2
[經] = 감가상각

상:감(上監) 명 皇帝 huángdì; 国王
guówáng

상감(象嵌) 명하자 [手工] 镶嵌 xiāng-
qiàn ‖ ~ 청자 镶嵌青瓷

상감-마마(上監媽媽) 명 '상감(上
監)'의 敬称

상갓-집(喪家一) 명 = 상가(喪家)

상-거래(商去來) 명 [經] 商务 shāng-
wù; 商业往来 shāngyè wǎnglái

상견-례(相見禮) 명 相见礼 xiāngjiànlǐ
‖ 신랑 신부의 ~ 新郎新娘的相见
礼

상:경(上京) 명하자 上京 shàngjīng;
进京 jìnjīng ‖ ~하여 과거를 보다 上
京应举

상:고(上古) 명 [史] 上古 shànggǔ ‖
~ 시대 上古时代

상고(上告) 명하자 [法] 上诉 shàng-
sù; 上告 shànggào ‖ ~을 上诉审

상고(商高) 명 [教] '상업 고등학교'
의 略词

상고-머리 명 平头 píngtóu ‖ ~로 깎
다 推平头

상:공(上空) 명 上空 shàngkōng; 天空
tiānkōng ‖ 여객기가 수백 미터 ~을 날
고 있다 客机在几百米的上空飞行

상공(商工) 명 = 상공업 ‖ ~ 회의소
工商联合会

상-공업(商工業) 명 工商业 gōng-
shāngyè; 工商 gōngshāng = 상공(商
工)

상:관(上官) 명 上司 shàngsī; 上官
shàngguān ‖ ~에 顶头上司 / ~에게
대들다 顶撞上司

상관(相關) 명하자타 1 相关 xiāng-
guān; 关系 guānxi ‖ ~성 相关性 ‖ ~
~관계 相关关系 / 이것이
너와 무슨 ~이 있느냐? 这与你有什
么关系? 2 管 guǎn; 干预 gānyù; 干与
gānyù ‖ 이것은 네 일이 아니니 ~하지 마라
没你的事, 你别管

상관-없다(相關一) 혱 1 不相干 bù-
xiānggān; 无关 wúguān; 没有关系
méiyǒu guānxi ‖ 이 일은 너와 전혀 ~
这件事跟你毫不相干 2 没关系 méi-
guānxi; 不要紧 bùyàojǐn; 无所谓 wú-
suǒwèi ‖ 그가 ~ 他不
喜欢我也没关系 **상관없-이** 부

상궁(尚宮) 명 [史] 尚宫 shànggōng

상:권(上卷) 명 上卷 shàngjuǎn; 上册
shàngcè

상권(商圈) 명 [經] 商圈 shāngquān;
商业圈 shāngyèquān ‖ 새로운 ~이 형
성되다 形成新的商圈

상권(商權) 명 [法] 商权 shāngquán ‖
~을 장악하다 掌握商权

상궤(常軌) 명 常轨 chángguǐ ‖ ~를
벗어나다 越出常轨

상규(常規) 명 常规 chángguī

상극(相剋) 명하자 相克 xiāngkè; 不相
容 bùxiāngróng ‖ 그 두 사람은 서로 ~
이다 那两个人相互相克 / 물과 불은
서로 ~이다 水火互不相容

상금(賞金) 명 奖金 jiǎngjīn ‖ ~을 타
다 领到奖金 / 오만 원의 ~을 받다
获得五万元的奖金

상:급(上級) 명 上级 shàngjí ‖ ~ 기
관 上级机关 / ~ 법원 上级法院 / ~자
上级者 / ~의 명령을 받다 接到上级
命令

상:급-반(上級班) 圓 **1** 高年班 gāoniánbān **2** 高级班 gāojíbān

상:급-생(上級生) 圓 高年级 gāoniánshēng; 高年级同学 gāoniánjí tóngxué

상:기(上氣) 圓하 红 hóng; 涨红 zhànghóng; 脸红 liǎnhóng ¶붉게~된 얼굴 通通红了的脸

상:기(上記) 圓하자 上面记载 shàngmian jìzǎi; 上述 shàngshù ¶~한 내용 上面记载的内容

상기(詳記) 圓하타 详注 xiángzhù

상:기(想起) 圓하타 想起 xiǎngqǐ; 回忆 huíyì ¶그와의 옛일을 ~하다 回忆跟他的旧事

상:납(上納) 圓하타 上缴 shàngjiǎo; 缴 jiǎo; 缴纳 jiǎonà ¶~금 上缴金 / 윗사람에게 금품을 ~하다 把钱物缴给上级领导

상냥-하다 圈 和蔼 hé'ǎi; 和气 héqi; 温柔 wēnróu; 温和 wēnhé; 好声好气 hǎoshēnghǎoqì ¶그는 고객에게 매우 ~ 他对顾客很和气 **상냥-히** 囝

상:념(想念) 圓 浮想 fúxiǎng ¶~에 잠기다 陷入浮想

상-놈(常—) 圓 **1** 贱民 jiànmín **2** 混蛋 hùndàn; 坏蛋 huàidàn

상-다리(床—) 圓 桌腿 zhuōtuǐ ¶상다리가 부러지다[휘어지다] 즉담 食前方丈

상:단(上段) 圓 上段 shàngduàn; 上层 shàngcéng

상:단(上端) 圓 上端 shàngduān

상:달(上達) 圓하타 禀告 bǐnggào; 禀报 bǐngbào ¶즉시 조정에 ~하다 立即向朝廷禀报

상담(相談) 圓하타 咨询 zīxún; 商谈 shāngtán; 洽商 qiàshāng ¶심리 ~ 心理咨询 / 건강 ~ 健康咨询 / 인생 ~ 人生咨询

상담-소(相談所) 圓 咨询处 zīxúnchù; 咨询中心 zīxún zhōngxīn ¶법률 ~ 法律咨询处

상담-원(相談員) 圓 咨询员 zīxúnyuán = 카운슬러 ¶서비스 센터의 ~ 服务中心的咨询员

상당(相當) 圓 相当 xiāngdāng ¶5만 위안 ~의 상품 相当于五万元的商品

상당-수(相當數) 圓 相当数 xiāngdāngshù ¶~의 학생들이 담배를 피운 적이 있다고 한다 听说相当数的学生抽过烟

상당-액(相當額) 圓 相当额 xiāngdāng'é ¶~을 투자하다 投资相当额

상당-하다(相當—) 圈 **1** 相当 xiāngdāng; 相应 xiāngyìng ¶그의 문화 수준은 초등학교 2학년에 상당한다 他的文化程度相当于小学二年级 **2** 相当 xiāngdāng; 颇 pō 《程度高》¶상당한

성과를 얻다 取得相当的成就 / 그들의 수입은 ~ 他们的收入相当多 **상당-히** 囝 ¶우리는 이번 결과에 ~ 만족한다 我们对这次结果颇为满意

상대(相對) 圓하자타 **1** 对 duì; 对待 duìdài; 对象 duìxiàng; 对付 duìfu; 处理 chǔlǐ; 管理 dāli ¶결혼 ~ 结婚对象 / ~하기 어려운 손님 很难对付的客人 / 그런 사람은 ~하지 마라 那种人就别处理 **2** 对手 duìshǒu; 敌手 díshǒu; 较量 jiàoliàng; 较劲(儿) jiàojìn(r) ¶나의 ~가 안 된다 他不是我的对手 / 아주 강한 ~를 만나다 遇到很强的对手 **3** 相对 xiāngduì ¶~ 개념 相对概念 **4** 【哲】相对 xiāngduì

상대-방(相對方) 圓 对方 duìfāng = 상대편 ¶~의 의견을 묻다 征求对方的意见

상대-성(相對性) 圓 【哲】相对性 xiāngduìxìng ¶~ 원리 相对性原理 / ~ 이론 相对论

상대-역(相對役) 圓 配角 pèijué

상대-적(相對的) 관圓 相对(的) xiāngduì(de) ¶~인 가치 相对的价值

상대-편(相對便) 圓 = 상대방 ¶~의 의견을 존중하다 尊重对方的意见

상도(常道) 圓 常道 chángdào; 常轨 chángguǐ; 常理 chánglǐ ¶~를 벗어나다 越出常轨

상도(商道) 圓 = 상도덕

상-도덕(商道德) 圓 商业道德 shāngyè dàodé; 商德 shāngdé = 상도(商道) ¶~을 지키다 遵守商业道德

상:-동(上同) 圓 同上 tóngshàng

상:-등(上等) 圓 上等 shàngděng; 上色 shàngsè; 高级 gāojí; 高档 gāodàng; 上料 shàngliào ¶~석 上等座位

상:-등-병(上等兵) 圓 【军】上等兵 shàngděngbīng = 상병

상:-등-품(上等品) 圓 上等品 shàngděngpǐn; 上品 shàngpǐn ¶~货 上等货 shàngděnghuò

상등-하다(相等—) 圈 相等 xiāngděng ¶기회가 ~ 机会相等

상례(常例) 圓 常例 chánglì = 항례(恒例)

상례(常禮) 圓 常礼 chánglǐ

상례(喪禮) 圓 丧礼 sānglǐ

상록(常綠) 圓 常绿 chánglǜ ¶~수 常绿树 =常青树 / ~ 관목 常绿灌木 / ~ 교목 常绿乔木

상:-류(上流) 圓 **1** 上游 shàngyóu; 上流 shàngliú ¶한강의 ~ 汉江的上游 / ~의 물은 매우 맑다 上流的水非常清 **2** 上层 shàngcéng; 上流 shàngliú ¶~층 上层阶级 / ~ 계급 上流阶级 / ~ 사회 上流社会 =[上流社会]

상:륙(上陸) 图[자] 登陆 dēnglù; 上岸 shàng'àn ¶~ 작전 登陆作战 / 태풍이 ~하다 台风登陆

상-말(常-) 图 下流话 xiàliúhuà; 粗话 cūhuà = 속어2

상모(象毛) 图 [民] 象毛 xiàngmáo 《跳农乐舞时戴的帽子》

상무(常務) 图 **1** 常务 chángwù **2**[經] = 상무위원 **3** = 상무이사

상무(商務) 图 商务 shāngwù

상무-위원(常務委員) 图 常务委员 chángwù wěiyuán = 상무(常務)2

상무-이사(常務理事) 图[經] 常务理事 chángwù lǐshì = 상무(常務)3

상:박(上膊) 图[生] = 위팔 ¶~근 上臂肌

상반(相反) 图[자] 相反 xiāngfǎn ¶그 두 사람의 의견은 완전히 ~된다 他们俩的意见完全相反

상:-반기(上半期) 图 上半期 shàngbànqī ¶내년 ~ 明年上半期

상:-반신(上半身) 图 上身 shàngshēn; 上半身 shàngbànshēn; 上体 shàngtǐ ¶~이 비에 젖었다 上半身被雨打湿了

상벌(賞罰) 图[자] 奖惩 jiǎngchéng; 赏罚 shǎngfá ¶~ 규정 奖惩规定 / ~이 엄격하고 분명하다 赏罚严明

상법(商法) 图 **1** 经商之道 jīngshāngzhīdào **2**[法] 商法 shāngfǎ

상:-병(上兵) 图[軍] = 상등병

상-보(床褓) 图 桌布 zhuōbù; 台布 táibù; 饭桌布 fànzhuōbù ¶~를 덮다 盖桌布

상복(喪服) 图 丧服 sāngfú; 孝衣 xiàoyī; 孝服 xiàofú; 素服 sùfú

상봉(相逢) 图[자] 相逢 xiāngféng; 相遇 xiāngyù; 重逢 chóngféng ¶부자가 ~하다 父子相逢

상:-부(上部) 图 **1** 上部 shàngbù; 上面 shàngmian ¶~ 构造 上面结构 **2** 上级 shàngjí; 上层 shàngcéng ¶~의 지시 上层指示

상부-상조(相扶相助) 图[자] 相辅相成 xiāngfǔxiàngchéng; 互相帮助 hùxiāng bāngzhù

상비(常備) 图[타] 常备 chángbèi ¶~군 常备军 / ~약 常备药 / 집 안에 해열제를 ~해 두다 在家里常备退烧药

상:사(上士) 图[軍] 上士 shàngshì

상:사(上司) 图 **1** 上级 shàngjí; 上级 shàngjí **2** 上司 shàngsī ¶직장 ~ 单位上司

상사(商社) 图 商社 shāngshè; 公司 gōngsī ¶무역 ~ 贸易公司

상사(常事) 图 常事 chángshì = 예사

상사(喪事) 图 丧事 sāngshì; 白事 báishì ¶집안에 ~가 나다 家里有丧事

상사-병(相思病) 图 相思病 xiāngsī-

bìng ¶~을 앓다 患相思病

상상(想像) 图[타] 想象 xiǎngxiàng; 想像 xiǎngxiàng; 设想 shèxiǎng; 意想 yìxiǎng; 空想 kōngxiǎng ¶~을 초월하다 超乎想象 / 10년 후의 네 모습이 어떨지 ~해 봐라 想象一下十年后的你会是什么样子

상:상-력(想像力) 图 想象力 xiǎngxiànglì; 想像力 xiǎngxiànglì ¶~을 발휘하다 发挥想象力 / ~을 가지고 있다 具有丰富的想象力

상:상 임:신(想像姙娠) [醫] 假孕 jiǎyùn; 想象妊娠 xiǎngxiàng rènshēn

상:서(上書) 图[자] 上书 shàngshū; 致函 zhìhán

상서-롭다(祥瑞-) 图 吉祥 jíxiáng; 祥瑞 xiángruì; 吉利 jílì ¶상서로운 숫자 吉祥数 / 상서로운 징조 吉利的兆头 祥瑞로이 图

상:석(上席) 图 = 윗자리 ¶~에 앉다 在上席坐

상선(商船) 图 商船 shāngchuán; 商轮 shānglún ¶~ 회사 商船公司

상설(常設) 图[타] 常设 chángshè ¶~ 기구 常设机构 / ~ 할인 매장 常设折扣商店

상세-하다(詳細-) 图 详细 xiángxì; 详 xiáng; 详尽 xiángjìn; 周详 zhōuxiáng ¶조사가 비교적 ~ 调查比较详细 상세-히 图 ¶상황을 매우 ~ 기록하다 把情况记得很详细

상:소(上疏) 图[자] 史 上疏 shàngshū; 奏疏 zòushū; 奏章 zòuzhāng

상:소(上訴) 图[자] [法] 上诉 shàngsù ¶~심 上诉审 / 상급 법원에 ~하다 向上级法院提起上诉

상:소-문(上疏文) 图 史 上疏 shàngshū; 奏疏 zòushū; 奏章 zòuzhāng

상속(相續) 图[타] [法] 继承 jìchéng; 承继 chéngjì; 承受 chéngshòu ¶~권 继承权 / ~법 继承法 / ~세 继承税 / ~ 재산 继承财产 / 부친의 유산을 ~받다 承受父亲遗产

상속-인(相續人) 图 [法] 继承人 jìchéngrén; 继嗣 jìsì; 继承者 jìchéngzhě = 상속자

상속-자(相續者) 图 [法] = 상속인

상쇄(相殺) 图[타] 抵消 dǐxiāo; 相抵 xiāngdǐ; 两抵 liǎngdǐ; 对消 duìxiāo

상:수(上水) 图 **1** 上水 shàngshuǐ; 自来水 zìláishuǐ **2** = 상수도

상수(常數) 图 **1**[物] 常数 chángshù **2**[數] 常数 chángshù

상:수-도(上水道) 图 上水道 shàngshuǐdào; 自来水 zìláishuǐ = 상수(上水)2 · 수도(水道)1 ¶~관 自来水管

상:수리 图 橡实 xiàngshí; 橡子 xiàngzǐ; 栎实 lìshí; 柞实 zuòshí

상:수리-나무 圏 【植】橡树 xiàngshù；栎树 lìshù；柞树 zuòshù = 참나무

상:순(上旬) 圀 上旬 shàngxún ¶ 3월 ～ 三月上旬

상:술(上述) 圀하타 上述 shàngshù ¶～한 内容 上述内容 / ～한 바와 같다 正如上述

상술(商術) 圀 商略 shānglüè；商道 shāngdào ¶～에 능하다 善于商略

상술(詳述) 圀하타 详述 xiángshù ¶사건의 경위를 ～하다 详述案件的原委

상-스럽다(常—) 圏 下流 xiàliú；卑贱 bēijiàn；卑下 bēixià；下贱 xiàjiàn；低劣 dīliè ¶상스러운 농담을 하다 开下流的玩笑 / 언행이 ～ 言行低劣 **상스레** 图

상습(常習) 圀 惯常 guàncháng；痼习 gùxí；固习 gùxí；惯 guàn ¶～범 惯犯 / ～ 절도범 惯窃 = [惯偷] / ～ 도박 惯赌

상습-적(常習的) 판圀 惯习的 guànxíde；惯用的 guànyòngde；痼习的 gùxíde ¶～인 수법 惯用的手法

상:승(上昇 · 上升) 圀하자 上升 shàngshēng；上扬 shàngyáng；升 shēng；扬升 yángshēng；腾 téng；涨 zhǎng；提高 tígāo ¶～폭 涨幅 / ～ 기류 上升气流 / 온도가 ～하다 温度上升 / 물가가 ～하다 物价上涨

상승(相乘) 圀하타 1 【数】相乘 xiāngchéng 2 相乘 xiāngchéng ¶～ 작용 相乘作用 / ～효과 相乘效果

상승(常勝) 圀하자 常胜 chángshèng **상승 가도를 달리다** 图 一帆风顺

상:승-세(上昇勢) 圀 升势 shēngshì；上升势 shàngshēngshì ¶～가 지속되다 升势持续 / ～가 꺾이다 升势被挫

상시(常時) 圀图 1 常时 chángshí；正常 zhèngcháng = 항시日 ¶～ 운행 正常运行 2 = 평상시

상식(常識) 圀 常识 chángshí ¶법률 ～ 法律常识 / ～이 있다 具有常识 / ～이 풍부하다 常识丰富 / ～이 부족하다 缺乏常识

상식-적(常識的) 판圀 常识的 chángshíde；常识性 chángshíxìng

상실(喪失) 圀하타 丧失 sàngshī；失去 shīqù；失掉 shīdiào；丧 sàng；失 shī ¶이성을 ～하다 丧失理性 / 자격을 ～하다 失去资格 / 기억을 ～하다 失去记忆

상실-감(喪失感) 圀 丧失感 sàngshī-gǎn；失落感 shīluògǎn

상심(傷心) 圀하자타 伤心 shāngxīn；伤神 shāngshén；难过 nánguò；难受 nánshòu ¶너무 ～하지 마라 你不要太伤心了 / 그녀는 ～하여 울었다 她伤心地哭了

상아(象牙) 圀 象牙 xiàngyá ¶～질 象

牙质 / ～塔 象牙之塔 =[象牙塔] / ～ 조각 象牙雕刻

상아-색(象牙色) 圀 米色 mǐsè；米黄 mǐhuáng；乳白色 rǔbáisè；象牙色 xiàngyásè = 아이보리1

상:악(上顎) 圀 【生】= 위턱

상:악-골(上顎骨) 圀 【生】= 위턱뼈

상앗-대 圀 篙 gāo；篙头 gāotou

상어 圀 【魚】鲨鱼 shāyú；沙鱼 shāyú 鲛 jiāo

상업(商業) 圀하자 商业 shāngyè；商 shāng ¶～성 商业性 / ～화 商业化 / ～ 지역 商业区 / ～ 활동 商业活动 / ～ 미술 商业美术 / ～ 방송 商业广播 / ～ 은행 商业银行 / ～에 종사하다 从事商业工作 / ～이 발전하다 商业发达

상업 고등학교(商業高等學校) 圀教 商业高中学校 shāngyè gāozhōng xuéxiào

상업-적(商業的) 판圀 商业(的) shāngyè(de)；商业性 shāngyèxìng；商业上(的) shāngyèshang(de) ¶～인 성공을 거두다 取得商业上的成功

상여(喪輿) 圀 丧舆 sāngyú；丧车 sāngchē ¶～를 메다 抬丧舆

상여(賞與) 圀하타 1 奖 jiǎng；奖赏 jiǎngshǎng；奖金 jiǎngjīn 2 红包 hóngbāo；红利 hónglì

상여-금(賞與金) 圀 红利 hónglì；奖金 jiǎngjīn；赏金 shǎngjīn；红包 hóngbāo

상여-꾼(喪輿—) 圀 杠夫 gàngfū

상:연(上演) 圀하타 演出 yǎnchū；演岀 yǎn；上演 shàngyǎn；表演 biǎoyǎn；公演 gōngyǎn ¶이 연극은 단 두 차례 ～했다 这台戏剧只演出了两场

상:영(上映) 圀하타 上映 shàngyìng；放映 fàngyìng ¶이 영화는 여기에서 꽤 여러 차례 ～했다 这部电影我们这儿放映好多遍了

상:오(上午) 圀 上午 shàngwǔ；前半天 qiánbàntiān；上半天 shàngbàntiān

상온(常溫) 圀 1 恒温 héngwēn = 항온 2 常温 chángwēn ¶～에서 보관하다 在常温下保管

상:완(上腕) 圀 【生】= 위팔

상용(常用) 圀하타 常用 chángyòng ¶～어 常用语 / ～한자 常用汉字 / ～자 常用字 / 영어를 ～하다 常用英语

상:원(上院) 圀政 上议院 shàngyìyuàn = 상의원 ¶～ 의원 上议院议员

상:위(上位) 圀 上位 shàngwèi；上游 shàngyóu；前 qián ¶～ 개념 上位概念 / 여성 ～ 시대 女性上位的时代 / ～ 3등이 준결승에 진출한다 前三名进入半决赛

상:위-권(上位圈) 圀 上位圈 shàngwèiquān; 上位 shàngwèi; 上游 shàng-yóu ¶~에 들다 属于上位圈

상:응(相應) 몡몡ᄌᆞ 相应 xiāngyìng; 相称 xiāngchèn; 相配 xiāngpèi ¶규율을 위반한 학생에게 이미 ~하는 처벌을 내렸다 对违反纪律的学生已作了相应的处罚

상:의(上衣) 몡 = 윗옷 ¶~ 주머니 上衣口袋 / 흰색 ~ 白色上衣

상:의(相議·商議) 몡하타 商量 shāng-liang; 商议 shāngyì; 商讨 shāngtǎo; 合计 héjì ¶오랫동안~했지만 좋은 방법을 찾지 못했다 商量了半天也没出一个办法来

상:의원(上議院) 몡【政】= 상원

상이(傷痍) 몡 伤残 shāngcán; 负伤 fùshāng; 受伤 shòushāng ¶~군인 残疾军人 =[残废军人] / ~용사 伤残勇士

상이-하다(相異一) 혱 相异 xiāngyì; 不同 bùtóng; 两样 liǎngyàng; 分歧 fēnqí ¶목적은 같아도 방법은 ~ 目的一样, 方法不同

상인(商人) 몡 商人 shāngrén; 商贾 shānggǔ; 贾人 gǔrén; 商贩 shāngfàn; 行商 xíngshāng; 买卖人 mǎimàirén

상임(常任) 몡하타 常任 chángrèn ¶~이사 常任理事 / ~위원 常任委员 / 위원회 常任委员会 / ~이사국 常任理事国

상자(箱子) 몡 **1** 箱子 xiāngzi; 箱 xiāng; 箱匣 xiāngxiá = 박스1 ¶과일 ~ 水果箱 / ~을 열다 开箱子 / 사과를 ~에 담다 把苹果装在箱子里 **2** 箱 xiāng ¶라면 두 ~ 两箱方便面

상잔(相殘) 몡하타 互相残杀 hùxiāng cánshā ¶동족~의 비극 同族互相残杀的悲剧

상:장(上場) 몡하타【經】上市 shàng-shì; 挂牌 guàpái ¶~주 上市股票 / ~증권 上市证券 / ~회사 挂牌公司 / 주식이 ~되다 股票上市

상장(賞狀) 몡 奖状 jiǎngzhuàng ¶~을 주다 发奖状 / ~을 받다 得到奖状

상:전(上典) 몡 主子 zhǔzi ¶~을 모시다 侍奉主子

상전(桑田) 몡 桑田 sāngtián = 뽕밭

상전-벽해(桑田碧海) 몡 沧海桑田 cānghǎisāngtián; 沧桑 cāngsāng; 桑田碧海 sāngtiánbìhǎi

상점(商店) 몡 商店 shāngdiàn; 店铺 diànpù; 铺户 pùhù; 商场 shāngchǎng ¶~ 간판 商店字号 / 국영 ~ 国营商场

상접(相接) 몡 相接 xiāngjiē ¶피골이 ~하다 皮骨相接

상:정(上程) 몡하타 提报 tíbào; 提交 tíjiāo ¶국회에 ~하다 提报到国会上

상조(相助) 몡하타 互助 hùzhù; 相扶 xiāngfú ¶~하고 협동하다 互助合同

상존(常存) 몡하타 常在 chángzài ¶도로에는 교통사고의 위험이 ~한다 马路上常在交通事故的危险

상종(相從) 몡 交往 jiāowǎng; 往来 wǎnglái; 接触 jiēchù; 打交道 dǎ jiāodao; 交际 jiāojì ¶그런 소인배와는 절대로 ~하지 마라 千万不要跟那种小人交往

상:-종가(上終價) 몡【經】(在股市的) 上限价 shàngxiànjià

상주(常住) 몡하타 常住 chángzhù ¶~인구 常住人口 / 우리나라에 ~ 하고 있는 외국인 常住我国的外国人

상주(常駐) 몡하타 常驻 chángzhù ¶군대가 ~하다 军队常驻

상주(喪主) 몡 丧主 sāngzhǔ

상중(喪中) 몡 服丧中 fúsāngzhōng; 居丧中 jūsāngzhōng

상:중하(上中下) 몡 上中下 shàng-zhōngxià ¶~로 나누다 分为上中下

상징(象徵) 몡하타 象征 xiàngzhēng; 标志 biāozhì; 标识 biāoshí ¶~성 象征性 / 비둘기는 평화의 ~이다 鸽子是和平的象征 / 이 조각상은 민주주의를 ~하고 있다 这座雕像象征着民主主义

상징-적(象徵的) 괜몡 象征性(的) xiàngzhēngxìng(de) ¶~ 표현 象征性表现

상-차림(床一) 몡 摆饭 bǎifàn

상:-책(上策) 몡 上策 shàngcè; 上计 shàngjì; 上着 shàngzhāo ¶피곤할 때는 일찍 자는 것이 ~이다 劳累时, 早睡为上策

상:처(喪妻) 몡하타 丧妻 sàngqī; 断弦 duànxián ¶~의 고통은 참기 어렵다 难忍丧妻之痛 / 그는 ~한 후에 다시 장가가지 않았다 他丧妻后不再娶

상처(傷處) 몡 伤口 shāngkǒu; 伤处 shāngchù; 伤 shāng; 创伤 chuāng-shāng ¶~을 입다 受伤 / ~가 곪다 伤口化脓 / ~가 아물다 伤口愈合 / ~가 악화되다 伤口恶化 / ~ 자국 伤痕 = [伤疤]

상:체(上體) 몡 上身 shàngshēn; 上体 shàngtǐ ¶~ 운동 上身运动 / ~를 굽히다 弯曲上体

상추【植】莴苣 wōjù; 生菜 shēngcài ¶~쌈 生菜叶包饭

상:충(相衝) 몡 相冲 xiāngchōng; 互相冲突 hùxiāng chōngtū ¶의견이 ~하다 意见相冲

상:층(上層) 몡 **1** = 위층 **2** 上层 shàngcéng; 上流 shàngliú ¶~ 계급 上层阶级

상:쾌-하다(爽快一) 혱 爽快 shuǎngkuai; 舒畅 shūchàng; 畅快 chàngkuài; 痛快 tòngkuai ¶목욕을 하니 몸이 아주 ~ / 洗了个澡，身上爽快多了 상: 쾌-히 閉

상큼-하다 飅 **1** 爽口 shuǎngkǒu ¶상큼한 맛 爽口的味道 / 오이는 무쳐 먹으면 아주 ~ 黄瓜拌着吃很爽口 **2** 凉快 liángkuai; 凉爽 liángshuǎng

상태(狀態) 名 状态 zhuàngtài; 状况 zhuàngkuàng; 情况 qíngkuàng ¶정신 ~ 精神状态 / 고제 ~ 固体状态 / 건강 ~가 좋지 않다 健康状况不佳

상통(相通) 名하자 相通 xiāngtōng; 互通 hùtōng ¶예술은 모두 서로 ~한다 艺术都是相通的

상투 名 髻 jì; 发髻 fàjì ¶~를 틀다 挽髻
상투 위에 올라앉다 속담 爬到人家的头上

상투(常套) 名 惯用 guànyòng; 老一套 lǎoyītào; 落套 luòtào; 老套 lǎotào; 老套子 lǎotàozi

상투-어(常套語) 名 套话 tàohuà; 套语 tàoyǔ; 套句 tàojù

상투-적(常套的) 冠名 惯用(的) guànyòng(de); 老一套(的) lǎoyītào(de); 落套 luòtào 的 lǎotào(de); 老套子(的) lǎotàozi(de) ¶~인 수법 惯用的伎俩

상-판(相一) 名 = 상판대기

상-판대기(相一) 名 嘴脸 zuǐliǎn; 嘴巴架子 zuǐbājiàzi = 상판 ¶모두 와서 그의 ~를 좀 봐라 大家来看看他的嘴脸

상:-팔자(上八字) 名 好福气 hǎofúqi; 命相好 mìngxiànghǎo; 好命 hǎomìng ¶무자식이 ~다 没有子孙，就是好福气

상패(賞牌) 名 奖牌 jiǎngpái ¶~를 수여하다 授予奖牌

상:편(上篇) 名 上篇 shàngpiān; 上册 shàngcè; 上卷 shàngjuàn

상표(商標) 名 【經】商标 shāngbiāo; 牌子; 牌子 páizi; 品牌 pǐnpái; 牌号 páihào ¶등록 ~ 注册商标 / 유명 ~ 名牌 / 이 만년필은 무슨 ~입니까? 这支钢笔是什么牌子的?

상:-품(上品) 名 上品 shàngpǐn; 上等品 shàngděngpǐn; 头等货 tóuděnghuò

상품(賞品) 名 奖品 jiǎngpǐn ¶~을 타다 获得奖品 / ~을 주다 发给奖品

상품(商品) 名 商品 shāngpǐn; 货物 huòwù; 货 huò; 货色 huòsè ¶~명 商品名 / ~성 商品性 / ~화 商品化 / 거래 ~ 交易商品 / 質이 좋은 ~ 优质货 / ~을 판매하다 出售商品

상품-권(商品券) 名 【經】礼品券 lǐpǐnquàn; 购物券 gòuwùquàn

상:-피(上皮) 名 【生】上皮 shàngpí ¶

~ 세포 上皮细胞

상:-하(上下) 名하자 **1** (空间上的) 上下 shàngxià ¶그는 나를 ~로 한번 훑어보았다 他把我上下打量了一番 = 위아래**2** ¶~의 의견이 일치하다 上下的意见一致 **3** (书籍的) 上下 shàngxià ¶이 책은 ~로 나뉘어 있다 这本书分为上下

상-하다(傷一) 口자 **1** (东西) 坏 huài; 破 pò; 碎 suì **2** (食物) 坏 huài; 腐烂 fǔlàn ¶상한 과일은 팔 수 없다 坏的水果不能卖 / 음식물은 냉장고에 넣지 않으면 금방 상한다 食物不放进冰箱很快就腐烂了 **3** 伤 shāng; 伤害 shānghài; 瘦 shòu ¶술을 너무 많이 마시면 몸이 상할 수 있다 吃酒太多会伤身体 口자他 (心情) 伤 shāng; 伤害 shānghài ¶마음이 ~ 伤心 / 감정이 ~ 伤感情

상:-하수도(上下水道) 名 上下水道 shàngxiàshuǐ ¶~ 시설 上下水设施

상:-한(上限) 名 上限 shàngxiàn ¶~ 가격 上限价 / ~선 上限线 / 액수의 ~ 数额上限

상해(傷害) 名하자 【法】伤害 shānghài; 损伤 sǔnshāng ¶~죄 伤害罪 / 보험 伤害保险 / ~ 치사 伤害致死 / ~를 입다 受伤害 / ~를 가하다 施伤害

상:(上行) 名 上去 shàngqù; 上行 shàngxíng ¶~선 上行线 / ~ 열차 上行列车

상:-행위(商行爲) 名 【法】商行为 shāngxíngwéi; 经商 jīngshāng; 商业行为 shāngyè xíngwéi ¶불공정한 ~를 규제하다 限制不公正的商行为

상:-향(上向) 名하자 向上 xiàngshàng; 往上 wǎngshàng ¶유가의 ~ 조정 油价的向上调整

상:-현(上弦) 名 【天】上弦 shàngxián ¶~달 上弦月

상형(象形) 名 【語】 **1** 象形 xiàngxíng 《汉字六书之一》 **2** = 象形文字

상형 문자(象形文字) 名 【語】象形文字 xiàngxíng wénzì = 상형2

상호(相互) 名閉 相互 xiānghù; 互相 hùxiāng ¶~ 관계 相互关系 / ~ 간 相互之间 =[互相之间] / ~ 작용 相互作用 / ~ 이해 相互理解 / ~ 존중하다 互相尊重

상호(商號) 名 【法】商号 shānghào; 牌号 páihào ¶~ 등록 商号注册 / ~를 변경하다 变更商号

상호 신:용 금고(相互信用金庫) 【經】相互信用合作社 xiānghù xìnyòng hézuòshè; 信用社 xìnyòngshè = 신용금고

상환(償還) 名하자 偿还 chánghuán; 偿付 chángfù; 抵还 dǐhuán ¶~ 기한

偿还期限 / 전액 ~ 如数偿还 / 채무를 ~하다 偿还债务
상황(狀況) 명 情况 qíngkuàng; 状况 zhuàngkuàng; 情形 qíngxíng; 处境 chǔjìng; 局面 júmiàn; 情状 qíngzhuàng ¶~실 状况室 / 그곳의 ~은 매우 복잡하다 那里的情况很复杂 / ~이 심상치 않다 情况不对劲儿 / 돌발적인 ~이 발생하다 突然出现情况
상황(桑黃) 명 『植』 桑黄 sānghuáng; 胡孙眼 húsūnyǎn = 상황버섯
상황-버섯(桑黃—) 명 『植』 = 상황(桑黃)
상:회(上廻) 명하타 超出 chāochū; 超过 chāoguò ¶목표치를 ~하다 超过目标值
상회(商會) 명 商行 shānghéng
상흔(傷痕) 명 伤痕 shānghén; 伤疤 shāngbā ¶전쟁의 ~ 战争伤痕 / ~이 남다 留下伤痕
샅 명 1 胯 kuà; 胯股 kuàgǔ 2 夹缝 jiāfèng 3 『生』 腹股沟 fùgǔgōu; 鼠蹊 shǔxī
샅-바 명 『體』 腿绳 tuǐshéng ¶~를 매다 结腿绳 / ~를 잡다 抓腿绳
샅샅-이 부 彻底 chèdǐ; 到处 dàochù; 完全 wánquán; 全部 quánbù; 一一 yī-yī ¶~ 뒤지다 到处翻找 / 이 일은 반드시 ~ 조사해야 한다 这件事一定要彻底调查
새[1] 명 '사이' 的略词 ¶쉴 ~가 없다 没有空休息
새[2] 명 『鳥』 鸟 niǎo; 鸟儿 niǎor ¶~똥 鸟粪 / ~소리 鸟声 / ~ 둥지 鸟巢儿 / ~가 날다 鸟飞 / ~가 울다 鸟儿啼叫
새 발의 피 속담 鸟足之血
새 관 新 xīn; 生 shēng ¶~ 옷 新衣服 / ~ 단어 生词 / ~ 학기 新学期
새:-가슴 명 1 鸡胸 jīxiōng 2 胆小 dǎnxiǎo; 胆子小 dǎnzi xiǎo; 胆小鬼 dǎnxiǎoguǐ
새-것 명 新 xīn; 新的 xīnde ¶이것은 한 번도 입지 않은 ~이다 这是一次也没穿过的新的 / 이 신발은 아직 ~이니 버리지 마라 这双鞋还很新的, 别扔了呀
새겨-듣다 타 1 好好地听 hǎohǎode tīng; 注意听 zhùyì tīng ¶선생님 말씀을 잘 ~ 好好地听老师的话 2 认真听 rènzhēn tīng; 细听 xìtīng ¶그는 아버지의 말씀을 늘 잘 새겨듣는다 他总是认真地听父亲的话
새:-그물 명 捕鸟网 bǔniǎowǎng
새근-거리다 자타 1 喘息 chuǎnxī; 气喘 qìchuǎn; 喘吁吁 chuǎnxūxū ¶새근거리며 달려가다 跑得喘息 2 安静地呼吸 ānjìngde hūxī ¶아이가 새근거리며 잠을 자다 孩子安静地呼吸着睡觉 ‖ = 새근대다 **새근-새근** 부
새기다 타 1 刻 kè; 雕刻 diāokè; 镂 lòu; 镂刻 lòukè; 刻印 kèyìn ¶도장을 ~ 刻图章 / 이 비석에는 비문이 새겨져 있다 这块石碑刻着碑文 2 铭记 míngjì; 牢记 láojì; 铭刻 míngkè; 镂 lòu; 镂刻 lòukè ¶평생 마음에 ~ 终身铭记在心
새-까맣다 형 1 乌黑 wūhēi; 漆黑 qīhēi; 黑糊糊 hēihūhū; 黑漆漆 hēiqīqī ¶새까만 머리 乌黑的头发 / 하늘이 ~ 天空黑漆漆 2 渺茫 miǎománg ¶앞길이 ~ 前途非常渺茫 3 全然 quánrán ¶내가 그에게 말한 것을 그는 새까맣게 잊고 있다 我跟他说的话, 他竟全然忘记了
새까매-지다 자 变黑 biànhēi; 黑 hēi ¶피부가 타서 새까매졌다 皮肤晒黑了
새끼[1] 명 草绳 cǎoshéng; 绳子 shéngzi ¶~를 꼬다 搓草绳
새끼[2] 명 1 崽(儿) zǎi(r); 崽子 zǎizi; 苗 miáo; 羔 gāo ¶돼지 ~ 猪崽 / 암돼지가 막 ~ 한 배를 낳았다 老母猪刚下了一窝崽儿 2 孩子 háizi; 孩儿 háir ¶자기 ~가 예쁘지 않다고 말하는 사람은 없다 没有人说自己的孩子不可爱 3 东西 dōngxi; 蛋 dàn; 羔子 gāozi 《骂人的话》 ¶나쁜 ~ 坏蛋
새끼-발가락 명 小趾 xiǎozhǐ; 小脚指头 xiǎojiǎozhǐtou
새끼-발톱 명 小脚指甲 xiǎojiǎozhǐjia
새끼-손가락 명 小指 xiǎozhǐ; 小拇指 xiǎomuzhǐ ¶~을 걸고 약속하다 挎小指约定了
새끼-손톱 명 小指甲 xiǎozhǐjia
새-내기 명 新生 xīnshēng
새다[1] 자 1 漏 lòu; 泄 xiè; 跑 pǎo ¶지붕이 망가져서 비만 오면 샌다 房顶坏了, 一下雨就漏了 / 자전거 타이어의 바람이 샜다 自行车胎跑气了 2 漏 lòu; 泄露 xièlù; 泄漏 xièlòu ¶비밀이 ~ 泄露秘密 3 溜 liū ¶아직 수업이 끝나지 않았는데 그가 샜다 还没下课他就溜了
새:다[2] 자 亮 liàng ¶곧 날이 샐 것이다 快天亮了
새다[3] 자 '새우다' 的错误
새-대가리 명 鸟头 niǎotóu 《比喻愚钝的人》
새-댁(—宅) 명 '새색시' 的敬词
새-되다 형 (声音) 尖 jiān
새-로 부 1 新 xīn ¶텔레비전 한 대를 ~ 샀다 新买了一台电视台 / 선생님 한 분이 ~ 오셨다 新来了一位老师 2 重新 chóngxīn ¶~ 시작하다 重新开始
새록-새록 부 1 层出不穷 céngchūbùqióng; 一个接一个 yīge jiē yīge ¶~ 새로운 상황이 생기다 新情况层出不穷

새롭다

2 鲜明地 xiānmíngde ¶지난날이 ~ 눈앞에 떠올랐다 过去的事情鲜明地浮现在眼前

새-롭다 倒 **1** 新 xīn ¶새로운 소식 新的消息 / 새로운 기술 新技术 **2** 新鲜 xīnxiān; 新颖 xīnyǐng; 崭新 zhǎnxīn ¶주제가 ~ 主题新颖 / 모든 것이 다 새롭게 보이다 一切都显得崭新 **3** 切要 qièyào ¶한 푼도 정말 ~ 一分钱也实在切要

새벽 图 凌晨 língchén; 黎明 límíng; 清晨 qīngchén; 晓 xiǎo; 拂晓 fúxiǎo ¶~닭 晓鸡 / ~종 拂晓钟 / 나는 매일 ~ 다섯 시에 일어난다 每天我凌晨5点起床

새벽-같이 倒 一早 yīzǎo ¶그들은 ~ 일어나서 산에 갔다 他们一早起来上山去了

새벽-길 图 晓行 xiǎoxíng; 晓路 xiǎolù

새벽-녘 图 拂晓 fúxiǎo; 黎明 límíng; 晓天 xiǎotiān ¶~에 갑자기 총소리가 났다 拂晓时分, 突然响起了枪声

새-봄 图 新春 xīnchūn = 신춘

새-빨갛다 倒 鲜红 xiānhóng; 通红 tōnghóng; 绯红 fēihóng; 血红 xuèhóng; 红彤彤 hóngtóngtóng; 红艳艳 hóngyànyàn ¶새빨갛게 칠하다 抹得鲜红 / 그녀는 방금 울어서 눈이 ~ 她刚哭过, 眼睛通红的
새빨간 거짓말 弥天大谎 = 발간 거짓말

새빨개-지다 困 变红 biànhóng ¶부끄러워서 얼굴이 ~ 羞得脸通红

새-사람 图 **1** 新人 xīnrén《新来的人》**2** 新人 xīnrén《改过自新的人》¶~이 되다 重新做人 / 잘못을 뉘우치고 ~이 되다 改过做新人

새-살 图 新肉 xīnròu = 생살1 ¶~이 돋아나다 长出新肉了

새삼 倒 重新 chóngxīn ¶나와 함께 공부하던 동창이 ~ 그립다 我重新想念和我一起学习的同学

새삼-스럽다 倒 **1** 犹新 yóuxīn ¶기억이 ~ 记忆犹新 **2** 格外 géwài; 特意 tèyì; 特意 tèbié ¶그는 그녀에게 새삼스럽게 꽃을 선물했다 他特意给她送去鲜花 **새삼스레** 倒

새-색시 图《刚结婚的》新娘 xīnniáng; 新妇 xīnfù; 新人 xīnrén = 각시2·색시1 ¶갓 결혼한 ~ 刚结婚的新娘

새-순《一笋》图 新芽 xīnyá ¶~이 나다 长出新芽

새시(sash) 图 窗框 chuāngkuàng; 窗架 chuāngjià; 框格 kuànggé ¶알루미늄 ~ 铝制窗框

새-신랑《一新郎》图《刚结婚的》新郎 xīnláng

새-싹 图 幼芽 yòuyá; 新芽 xīnyá; 萌

芽 méngyá ¶나라의 ~ 国家的新芽 / ~이 돋아나다 幼芽长出

새-아기 图 新媳妇 xīnxífu

새-알 图 **1** 鸟蛋 niǎodàn **2** 麻雀蛋 máquèdàn

새앙-쥐 图〔動〕‘생쥐’의 错误

새-어머니 图 继母 jìmǔ; 后母 hòumǔ

새-언니 图 嫂子 sǎozi

새-엄마 图 继母 jìmǔ; 后母 hòumǔ

새옹지마《塞翁之马》图 塞翁失马 sàiwēngshīmǎ ¶인간 만사는 ~이다 人间万事就是塞翁失马

새우 图〔動〕虾 xiā ¶~ 살 虾仁 = 〔虾米〕/ 말린 ~ 虾干

새우다 囲 熬夜 áoyè; 通宵 tōngxiāo; 开夜车 kāiyèchē; 守夜 shǒuyè ¶환자를 돌보느라 하룻밤을 새웠다 照看病人熬了一夜 / 밤을 새우며 새해를 맞다 通宵守岁

새우-잠 图 蜷睡 quánshuì ¶그는 습관적으로 ~을 잔다 他习惯蜷着睡

새우-젓 图 虾酱 xiājiàng; 虾露 xiālù; 卤虾 lǔxiā ¶~을 담그다 做虾酱

새-잎 图 新叶 xīnyè; 嫩叶 nènyè ¶~이 돋아나다 长出新叶

새-장《一欌》图 鸟笼 niǎolóng; 樊笼 fánlóng ¶~에 갇힌 새 关在鸟笼里的鸟儿

새-장가 图《男人的》再婚 zàihūn; 再娶 zàiqǔ

새-집[1] 图 新居 xīnjū; 新屋 xīnwū; 新房 xīnfáng ¶얼마 안 있으면 그는 ~으로 이사간다 不久他将搬到新居

새-집[2] 图 鸟巢 niǎocháo; 鸟窝 niǎowō

새-참 图 打尖 dǎjiān ¶오후 3시에 ~을 먹다 下午三点打午尖

새-총《一銃》图 鸟枪 niǎoqiāng ¶~을 가지고 새를 잡다 拿鸟枪捉鸟儿

새-치 图 少白发 shàobáifà ¶그는 아직 서른 살도 되지 않았지만 ~가 적지 않다 他不到三十岁, 不过少白发不少

새-치기 图 插队 chāduì; 加塞儿 jiāsāir ¶순서대로 줄을 선 것이니 ~하지 마세요 排好了队, 别加塞儿

새침-하다 圏 装蒜 zhuāngsuàn; 正经 zhèngjing ¶새침한 표정을 짓다 露出装蒜的表情 〔二〕困 不高兴 bùgāoxìng; 不乐意 bùlèyì

새-카맣다 圏 漆黑 qīhēi; 乌黑 wūhēi; 黝黑 yǒuhēi; 黑漆漆 hēiqīqī ¶머리카락이 ~ 头发乌黑 / 눈썹을 새카맣게 그리다 眉毛画得黑漆漆的

새카매-지다 困 变黑 biànhēi; 黑 hēi; 漆黑 qīhēi ¶하늘이 갑자기 ~ 天空突然变得一片漆黑

새콤달콤-하다 圏 酸甜 suāntián; 酸甘 suāngān ¶새콤달콤한 사탕 酸甜的

糖球

새콤-새콤 뷔하링 酸酸 suānsuān

새콤-하다 혱 酸 suān; 酸酸的 suānsuān; 酸溜溜 suānliūliū ¶새콤한 레몬 주스 酸酸的柠檬汁

새:-털 몡 羽毛 yǔmáo ¶~처럼 많은 날 像羽毛一样很多天

새:-털-구름 몡 [地理] = 권운

새-파랗다 혱 **1** 蔚蓝 wèilán; 湛蓝 zhànlán; 湛蓝 zhànlán; 蓝湛湛 lánzhànzhàn ¶새파란 하늘 蔚蓝的天空 / 새파란 호수 湛蓝的湖水 **2** 发青 fāqīng; 铁青 tiěqīng ¶낯빛이 ~ 面色发青 **3** 年轻 niánqīng; 活生生的 huóshēngshēngde ¶새파란 학교 후배 nă赅 年轻的師 妹 **4** 铁青 tiěqīng ¶새파란 칼날 铁青 的刀刃

새파래-지다 몡 变青 biànqīng; 变蓝 biànlán; 发青 fāqīng ¶얼굴이 갑자기 ~ 脸突然发青

새-하얗다 혱 雪白 xuěbái; 洁白 jiébái; 皓皓 hào; 乳白 rǔbái; 煞白 shàbái; 白皑皑 bái'ái'ái ¶새하얀 식탁보 洁白 的桌布 / 치아가 ~ 牙齿洁白 / 피부가 ~ 皮肤雪白

새하얘-지다 몡 变白 biànbái; 变得雪 白 biànde xuěbái

새-해 몡 新年 xīnnián = 신년 ¶~ 복 많이 받으세요 新年快乐 / ~를 맞 이하다 迎新年

색(色) 몡 **1** 色 sè; 颜色 yánsè; 色彩 sècǎi; 颜 yán ¶~이 바래다 走色 = 退色 / ~이 산뜻하다 色彩鲜艳 / ~ 이 너무 진하다 颜色太深了 **2** 色 sè; 女色 nǚsè; 色情 sèqíng ¶~을 밝히다 好色 / ~에 빠지다 沉湎于女色

색(sack) 몡 背包 bèibāo; 包 bāo; 囊 náng ¶어깨에 ~을 메다 肩上挎着包

색감(色感) 몡 色感 sègǎn; 色觉 sèjué

색계(色界) 몡 [佛] 色界 sèjiè

색골(色骨) 몡 好色家 hàosèjiā; 探花 的 tànhuāde

색광(色狂) 몡 色狼 sèláng; 色鬼 sèguǐ; 色情狂 sèqíngkuáng = 색마

색깔(色一) 몡 **1** 颜色 yánsè; 色 sè = 빛깔 ¶이 옷은 ~이 아주 예쁘다 这件 衣服的颜色好看 **2** 色彩 sècǎi ¶ 정치적인 ~ 政治色彩 / 종교적인 ~ 宗教色彩

색-다르다(色一) 혱 新奇 xīnqí; 别致 biézhì; 异样 yìyàng; 别most 别样 biéyàng; 与众 不同 yǔzhòngbùtóng; 独到 dúdào ¶색 다른 모습 异样的景象 / 색다른 견해 独到的见解 / 모양이 ~ 花样别致 / 이 건물은 상당히 색다르게 설계되어 있다 这幢大楼设计得十分新奇

색도(色度) 몡 [物] 色度 sèdù ¶~계 色度计

색동(色一) 몡 彩缎 cǎiduàn; 七色彩 缎 qīsè cǎiduàn ¶~저고리 彩缎上衣

색마(色魔) 몡 = 색광

색맹(色盲) 몡 [醫] 色盲 sèmáng

색상(色相) 몡 **1** [美] 色相 sèxiàng; 色彩 sècǎi; 颜色 yánsè; 色调 sèdiào ¶ 선명한 ~ 鲜艳的色彩 / ~이 산뜻하 다 色调淡雅 **2** [佛] 色相 sèxiàng

색색(色色) 몡 **1** 各种颜色 gèzhǒng yánsè ¶~의 색종이 各种颜色的彩纸 **2** 各种各样 gèzhǒnggèyàng; 各式各样 gèshìgèyàng ¶~의 시계 各种各样的 钟表

색색-이(色色一) 뷔 各种颜色 gèzhǒng yánsè ¶~ 물들이다 染了各种 颜色

색소(色素) 몡 色素 sèsù ¶인공 ~ 人 工色素 / ~ 세포 色素细胞 / ~ 침착 色素沉着 / ~ 결핍증 色素缺乏症

색소폰(saxophone) 몡 [音] 萨克管 sàkèguǎn; 萨克斯管 sàkèsīguǎn

색:시 몡 **1** = 새색시 **2** 姑娘 gūniang; 小姐儿 xiǎoniūr; 小姐 xiǎojie **3** 女服务 员 nǚfúwùyuán; 女招待 nǚzhāodài

색소(色素) 몡 色素 sèsù ¶인공 ~ 人

색안경(色眼鏡) 몡 有色眼镜 yǒusè yǎnjìng

색안경(을) 쓰다 귄 戴有色眼镜

색안경을 쓰고 보다 귄 戴有色眼镜 看人; 以成见待人

색약(色弱) 몡 [醫] 色弱 sèruò

색-연필(色鉛筆) 몡 彩色铅笔 cǎisè qiānbǐ; 五色铅笔 wǔsè qiānbǐ ¶~로 글자를 쓰다 用彩色铅笔写字

색욕(色慾) 몡 肉欲 ròuyù; 性欲 xìngyù

색-유리(色琉璃) 몡 色玻璃 sèbōli; 彩 色玻璃 cǎisè bōli

색인(索引) 몡 索引 suǒyǐn; 引得 yǐndé = 찾아보기 ¶인명 ~ 人名索引

색정(色情) 몡 色情 sèqíng; 情 qíng; 春 chūn; 黄色 huángsè ¶~ 문학 黄色 文学

색조(色調) 몡 **1** [美] 色调 sèdiào ¶차 가운 ~ 寒色调 **2** = 색차2

색-종이(色一) 몡 彩纸 cǎizhǐ; 色纸 sèzhǐ; 彩色纸 cǎisèzhǐ = 색지 ¶~를 접다 把彩纸折起来

색즉시공(色卽是空) 몡 [佛] 色卽是 空 sèjíshìkōng

색지(色紙) 몡 = 색종이

색채(色彩) 몡 **1** = 빛깔 ¶~감 色彩 感 / 화려한 ~ 缤纷的色彩 **2** 色彩 sècǎi = 색조2 ¶민족 ~ 民族色彩 / 종교적 ~ 宗教色彩

색출(索出) 몡하타 搜查 sōuchá; 查出 cháchū; 找出 zhǎochū ¶범인을 ~하다 查出罪犯

색칠(色漆) 몡하자타 上色 shàngsè; 上

漆 shàngqī; 涂色 túsè; 涂染 túrǎn; 着色 zhuósè; 上颜色 shàngyánsè ¶그림에 ~하다 在画儿上涂染颜色

색한(色汉) 몡 **1** 好色之徒 hàosèzhītú; 好色汉 hàosèhàn = 호색한 **2** 流氓 liúmáng

샌:-님 몡 书呆子 shūdāizi; 迂夫子 yūfūzi

샌드백(sandbag) 몡 【體】沙袋 shādài

샌드위치(sandwich) 몡 三明治 sānmíngzhì; 夹面包 jiāmiànbāo ¶~맨 三明治人

샌들(sandal) 몡 凉鞋 liángxié

샐러드(salad) 몡 色拉 sèlā; 沙拉 shālā; 沙拉子 shālāzi ¶야채 ~ 蔬菜色拉 / 과일 ~ 水果色拉

샐러리-맨(←salaried man) 몡 上班族 shàngbānzú; 工资生活者 gōngzī shēnghuózhě = 봉급생활자

샘:¹ 몡【허타】忌妒 jìdu; 嫉妒 jídù; 妒忌 dùjì; 醋意 cùyì; 醋劲儿 cùjìnr ¶~을 내다 吃醋 / 그녀는 ~이 많다 她的醋劲儿不少

샘:² 몡 **1** 泉 quán **2** = 샘터

샘:-나다 재 起忌妒心 qǐ jìduxīn; 妒忌 dùjì

샘:-내다 재타 忌妒 jìdu; 吃醋 chīcù; 嫉妒 jídù; 妒忌 dùjì

샘:-물 몡 泉水 quánshuǐ; 泉 quán ¶~을 긷다 打泉水 / ~을 마시다 喝泉水

샘:-솟다 재 涌出 yǒngchū; 涌上来 yǒngshànglái; 涌现 yǒngxiàn ¶용기가 ~ 勇气涌上来

샘:-터 몡 泉水边 quánshuǐbiān = 샘²2

샘플(sample) 몡 样品 yàngpǐn; 样本 yàngběn; 货样 huòyàng; 标本 biāoběn ¶화장품 ~ 化妆品样品 / 계약서 ~ 合同样本 / ~을 채취하다 采集标本

샘플링(sampling) 몡 【數】取样 qǔyàng; 抽样 chōuyàng; 采样 cǎiyàng = 표본추출

샛:-강(一江) 몡 岔流 chàliú; 汊流 chàliú

샛:-길 몡 间道 jiàndào; 岔路 chàlù; 小路 xiǎolù ¶~로 가다 走岔路

샛:-노랗다 휑 深黄 shēnhuáng; 黄澄澄 huángdēngdēng ¶샛노란 개나리 黄澄澄的迎春花

샛노래-지다 재 变黄 biànhuáng

샛:-별 몡 **1** 金星 jīnxīng; 启明星 qǐmíngxīng; 晨星 chénxīng ¶~ 같은 두 눈 星星般的双眼 **2** 新星 xīnxīng ¶테니스계의 ~ 网球新星

생(生) 몡 **1** = 쌀1 ¶~과 사 生与死 **2**【佛】生 shēng

생-(生) 젭튀 **1** 不熟 bùshú; 生 shēng

¶~쌀 生米 / ~감자 生土豆 **2** 未干 wèigān; 生 shēng ¶~나무 木干的木头 **3** (未经加工的) 生 shēng ¶~철 生铁 **4** 勉强 miǎnqiǎng; 无理 wúlǐ; 突来 lái; 硬 yìng ¶~고집 硬脾子 **5** 活 huó ¶~지옥 活地狱 **6** 白 bái; 生 shēng ¶~고생 白劳 / ~이별 生别

-생¹(生) 젭미 **1** 生于 shēngyú; 生… shēngrén ¶그는 1982년~이다 他是1982年生人 **2** 生 shēng ¶6년~ 인상 육 년생人参

-생²(生) 젭미 生 shēng; 学生 xuésheng ¶신입~ 新生 / 실습~ 实习生

생가(生家) 몡 出生的家 chūshēngdjiā

생-가죽(生一) 몡 生皮 shēngpí = 가죽·생피

생각(허타) 몡 **1** (动脑劲的) 想法 xiǎngfǎ; 念头 niàntou; 心思 xīnsi; 打算 dǎsuan ¶나는 그의 ~에 동의한다 我同意他的想法 / 그녀의 ~을 나는 진작에 꿰뚫어 보았다 她的心思早就猜透了 **2** 回忆 huíyì; 回想 huíxiǎng ¶어린 시절에 대한 ~ 对童年生活的回忆 **3** 念头 niàntou; 心思 xīnsi ¶~하고 싶은 게 갈수록 강해졌다 想家的念头来越强烈 **4** 考虑 kǎolǜ; 照顾 zhàogù ¶다수의 이익을 ~하다 考虑多数人的利益 **5** 思维 sīwéi; 思索 sīsuǒ; 思量 sīliáng; 思想 sīxiǎng ¶그의 ~은 진보적이다 他的思想很进步 **6** 认为 rènwéi; 以为 yǐwéi ¶나는 훌륭하다고 ~한다 我认为他不错 **7** 想 xiǎng; 思 sī ¶방법을 ~하다 想办法 / 다시 잘 ~해 보아라 你再好好儿想一想 **8** 想念 xiǎngniàn; 怀念 huáiniàn; 思念 xiǎngniàn; 思念 sīniàn ¶어머니는 밤낮 아들을 ~하고 있다 母亲日夜怀念着儿子 / 고향의 가족들을 ~하다 思念家乡的亲人 **9** 想象 xiǎngxiàng; 估计 gūjì; 意料 yìliào; 料到 liàodào; 推测 tuīcè ¶나는 네가 오늘 올 것이라고 ~한다 我料到你今天会来 / 나는 그가 이 일을 능히 감당할 수 있다고 ~한다 我想他可以胜任这个工作 **10** 想起 xiǎng; 记得 jìde ¶몇 해 전의 일이어서 생각이 잘 나지 않는다 很多年以前的事了, 都记不得了

생각-나다 재 **1** 想出(来) xiǎngchū(lái); 想起(来) xiǎngqǐ(lái) ¶그녀의 이름이 생각나지 않는다 想不起她的名字 **2** 记得 jìde ¶그는 십 년 전의 일이 아직도 생각난다 十年前的事他还记得

생-감자(生一) 몡 生土豆 shēngtǔdòu = 날감자

생강(生薑) 몡 【植】生姜 shēngjiāng; 姜 jiāng ¶~즙 姜汁 / ~차 生姜茶

생겨-나다 재 产生 chǎnshēng; 发生

발생 fāshēng; 出现 chūxiàn ¶하늘에서 먹구름이 생겨났다 天空里出现了乌云

생경-하다(生硬一) 혱 生硬 shēngyìng ¶이 문장은 비교적 ~ 这篇文章写得比较生硬

생계(生計) 똉 生计 shēngjì; 生活 shēnghuó; 生 shēng ¶~비 生活费 /~를 도모하다 谋生 =[谋生计] /온 가족의 ~를 위하여 밤낮 바쁘게 보내다 为全家的生活日夜奔忙

생계-비(生計費) 똉 【經】生活费 shēnghuóféi = 생활비

생-고기(生一) 똉 生肉 shēngròu = 날고기

생-고무(生一) 똉 生胶 shēngjiāo

생-고생(生苦生) 똉혱짜 白吃苦头 báichī kǔtóu; 白受罪 báishòuzuì; 白劳 báiláo

생-고집(生固執) 똉 (撒赖的) 固执 gùzhí; 强词夺理 qiǎngcíduólǐ; 硬脖子 yìngbózi ¶너는 왜 이렇게 ~을 부리니? 你怎么这么强词夺理呢?

생-과부(生寡婦) 똉 活寡 huóguǎ; 孀妇 shuāngfù

생-과일(生一) 똉 鲜果 xiānguǒ ¶~주스 鲜果汁

생-과자(生菓子) 똉 软饼干 ruǎnbǐnggān

생-굴(生一) 똉 生牡蛎 shēngmǔlì

생글-거리다 짜 笑吟吟 xiàoyínyín; 笑盈盈 xiàoyíngyíng; 笑眯眯 xiàomīmī; 微笑 wēixiào = 생글대다 **생글-생글** 뷔혱짜

생긋 뷔혱짜 笑吟吟 xiàoyínyín; 笑盈盈 xiàoyíngyíng; 笑眯眯 xiàomīmī; 微笑 wēixiào

생긋-거리다 짜 笑吟吟 xiàoyínyín; 笑盈盈 xiàoyíngyíng; 笑眯眯 xiàomīmī; 微笑 wēixiào = 생긋대다 **생긋-생긋** 뷔혱짜

생긋-이 뷔 笑吟吟 xiàoyínyín; 笑盈盈 xiàoyíngyíng; 笑眯眯 xiàomīmī; 微笑 wēixiào

생기(生氣) 똉 生气 shēngqì; 生机 shēngjī; 活力 huólì; 朝气 zhāoqì ¶봄바람이 불자 대지는 ~가 충만했다 春风吹过, 大地上充满了生机 /~가 넘치다 富有朝气

생기다 짜 1 生 shēng; 产生 chǎnshēng; 起 qǐ; 长 zhǎng; 有 yǒu; 出现 chūxiàn ¶녹이 ~ 生锈 / 종기가 ~ 起疙 / 아이가 ~ 有了孩子 / 병이 생겼다 有病了 / 이것은 최근에 생긴 기구이다 这是最近设立的机构 2 (事情) 发生 fāshēng; 起 qǐ; 出 chū; 产生 chǎnshēng; 有 yǒu ¶결함이 ~ 出毛病 / 오해가 ~ 产生误解 / 형세에 변화가 생겼다 形势有了变化 3 有 yǒu; 进 jìn;

人手 rùshǒu; 到手 dàoshǒu ¶돈이 ~ 有了钱 / 남자 친구가 ~ 有男朋友了 / 생각지도 않은 거금이 생겼다 进了一笔意外的巨款 4 长 zhǎng ¶예쁘게 ~ 长得很漂亮 三[보형] 要 yào ¶당장 굶어 죽게 ~ 快要饿死了

생기발랄-하다(生氣潑剌一) 혱 生气勃勃 shēngqìbóbó; 朝气蓬勃 zhāoqìpéngbó; 生机勃勃 shēngjībóbó ¶생기발랄한 대학생 生气勃勃的大学生

생김-새 똉 相貌 xiàngmào; 长相 zhǎngxiàng; 容貌 róngmào; 模样 múyàng; 样子 yàngzi ¶~가 평범하다 相貌平平常常 /~가 특이하다 长相奇特

생-김치(生一) 똉 生泡菜

생-나무(生一) 똉 1 活树 huóshù 2 未干的木头 wèigānde mùtou

생-난리(生亂離) 똉 乱子 luànzi; 闹嚷嚷 nàorāngrāng ¶가 나다 惹起乱子 / ~를 일으키다 闹乱子

생년(生年) 똉 出生年 chūshēngnián

생년월일(生年月日) 똉 出生年月日 chūshēngniányuèrì ¶~을 기재하다 记上出生年月日

생-니(生一) 똉 好牙齿 hǎoyáchǐ; 好牙 hǎoyá ¶~를 뽑아 버리다 拔掉好牙

생도(生徒) 똉 【敎】生徒 shēngtú ¶육군 사관 학교 ~ 陆军军官学校生徒

생-돈(生一) 똉 冤枉钱 yuānwangqián; 冤钱 yuānqián ¶~을 쓰다 花冤钱

생동(生動) 똉혱짜혱 生动 shēngdòng; 活泼 huópō; 活生生 huóshēngshēng; 传神 chuánshén; 有声有色 yǒushēngyǒusè; 栩栩如生 xǔxǔrúshēng; 有血有肉 yǒuxuèyǒuròu; 活灵活现 huólínghuóxiàn ¶~감 生动感 / 이 소설은 인물을 매우 ~적으로 묘사했다 这篇小说人物写得非常生动

생-같다(生一) 혱 (身体) 强壮 qiángzhuàng; 健壮 jiànzhuàng ¶생때같은 아들을 잃다 丧失强壮的儿子

생-때(生一) 똉 赖 lài; 擊劲(儿) jiàngjìn(r); 无理 wúlǐ ¶~를 쓰다 撒赖

생뚱-맞다(生一) 혱 风马牛不相及 fēngmǎniúbùxiāngjí; 毫不相干 háobùxiānggān ¶생뚱맞은 말을 하다 讲毫不相干的话

생략(省略) 똉혱혱 省略 shěnglüè; 略 lüè; 省 shěng; 减去 jiǎnqù ¶인사말을 ~하다 省略客套话 / 이 글자는 ~할 수 없다 这个字不能省

생략-표(省略標) 똉 【語】= 줄임표

생로병사(生老病死) 똉 【佛】生老病死 shēnglǎobìngsǐ

생률(生栗) 똉 1 = 날밤² 2 (剥皮的) 生栗子 shēnglìzi

생리(生理) 똉 1 生理 shēnglǐ ¶~ 작용 生理作用 /~ 활동 生理活动 2 生

活方式 shēnghuó fāngshì **3**【生】= 생리적 **4**【生】= 월경 ¶~ 불순 月经不调

생리-대(生理帶) 명 卫生带 wèishēngdài; 卫生巾 wèishēngjīn; 月经带 yuèjīngdài; 月经布 yuèjīngbù = 월경대 ¶~를 차다 戴卫生带

생리-식염수(生理食鹽水) 명【藥】生理盐水 shēnglǐ yánshuǐ; 生理盐水 shēnglǐ yánshuǐ = 식염수2

생리-일(生理日) 명 = 月经日 yuèjīngrì; 月经期 yuèjīngqī; 例假 lìjià

생리-적(生理的) 관형 生理(的) shēnglǐ(de) ¶~ 현상 生理现象 / ~ 특징 生理特点

생리-통(生理痛) 명【醫】月经痛 yuèjīngtòng; 痛经 tòngjīng; 经痛 jīngtòng = 월경통 ¶~이 심하다 月经痛很厉害

생리-학(生理學) 명【生】生理学 shēnglǐxué = 생리3

생리 휴가(生理休暇)【社】例假 lìjià; 经期休假 jīngqī xiūjià

생-매장(生埋葬) 명하타 **1** 活埋 huómái ¶~을 당하다 遭活埋 **2** (在社会) 活埋 huómái ¶사회에서 ~을 당하다 社会里遭活埋

생-맥주(生麥酒) 명 生啤酒 shēngpíjiǔ; 鲜啤酒 xiānpíjiǔ; 扎啤 zhāpí ¶~를 마시다 喝生啤酒

생면부지(生面不知) 명 素不相识 sùbùxiāngshí; 面生 miànshēng ¶그는 ~의 사람이다 他是素不相识的人

생명(生命) 명 **1** (生物的) 生命 shēngmìng; 生 shēng; 命 mìng; 活命 huómìng; 性命 xìngmìng; 活力 huólì ¶~력 生命力 / ~ 공학 生命工学 / ~의 은인 活命之恩 / ~을 바치다 献出生命 / ~의 위협을 느끼다 感到生命受威胁 / ~이 위태롭다 生命垂危 **2**【比】生命 shēngmìng ¶정치적 ~ 政治生命 **3** 命根 mìnggēn; 命根子 mìnggēnzi ¶아버지는 딸을 ~처럼 여겼다 爸爸把女儿看作命根子

생명 보:험(生命保險)【經】人寿保险 rénshòu bǎoxiǎn; 生命保险 shēngmìng bǎoxiǎn

생명-선(生命線) 명 **1** 生命线 shēngmìngxiàn ¶안전벨트는 승객의 ~이다 安全带是乘客的生命线 **2**【民】(手相的) 生命线 shēngmìngxiàn ¶~이 길다 生命线很长

생명-체(生命體) 명 生命体 shēngmìngtǐ ¶화성에는 ~가 없다 火星里没有生命体

생모(生母) 명 = 친어머니 ¶~를 찾다 寻找生母

생목(生一) 명 酸水 suānshuǐ ¶~이 오르다 冒酸水

생-목숨(生一) 명 **1** 命 mìng; 生命 shēngmìng; 性命 xìngmìng ¶~을 끊다 断生命 **2**(无辜人的) 生命 shēngmìng ¶~을 앗아가다 夺去生命

생물(生物) 명 **1** 生物 shēngwù = 생물체 ¶해양 ~ 海洋生物 / ~의 진화 生物的进化 **2** = 생물학 ¶~ 선생님 生物学老师

생물 공학(生物工學)【生】生物工程 shēngwù gōngchéng; 生物工艺学 shēngwù gōngyìxué = 생체 공학

생물-체(生物體) 명 **1** = 생물1 **2** 生物体 shēngwùtǐ

생물-학(生物學) 명【生】生物学 shēngwùxué = 생물2 ¶~자 生物学家 / ~적 나이 生物学年龄

생-미역(生一) 명 (未干的) 裙带菜 qúndàicài

생-밤(生一) 명 = 날밤²

생방(生放) 명하자타【言】= 생방송

생-방송(生放送) 명【言】直播 zhíbō; 现场直播 xiànchǎng zhíbō = 생방 ¶축구 시합을 ~으로 중계하다 直播足球比赛

생병(生病) 명 **1** 累病 lèibìng ¶어제 너무 과로를 해서 결국 ~이 났다 昨天太过劳, 终于累病了 **2** 装病 ¶그는 학교에 가기 싫어 ~을 앓는다 不想去学校, 他装病

생부(生父) 명 = 친아버지

생사(生死) 명 生死 shēngsǐ; 死活 sǐhuó; 存亡 cúnwáng ¶~고락 生死苦乐 / ~존망 生死存亡 / ~를 같이하다 生死与共 / ~의 기로에 서다 面临生死关头 / ~를 모르다 不知死活

생사(生絲) 명 生丝 shēngsī

생-사람(生一) 명 **1** 无辜的人 wúgūde rén; 好人 hǎorén ¶~에게 누명을 씌우다 把原盆子扣在无辜的人身上 **2** 无关的人 wúguānde rén ¶이 일은 그와 상관없으니 ~ 끌어들이지 마라 这件事跟他毫无相关, 不要牵扯无关的人 **3** 强壮的人 qiángzhuàngde rén ¶멀쩡하던 ~이 갑자기 교통사고로 죽었다 强壮的人突然被撞车事故死了

생사람(을) 잡다 굳 诬陷好人; 冤枉无辜

생산(生産) 명하타 **1**【經】生产 shēngchǎn; 出产 chūchǎn; 产 chǎn ¶~가 生产价格 = [生产价] / ~력 生产力 / ~비 生产费用 / ~자 生产者 / 공정 生产工序 / ~과정 生产过程 / ~관리 生产管理 / ~능력 生产能力 / 기술 生产技术 / 계획 生产计划 **2** 生育 shēngyù; 生产 shēngchǎn; 生 shēng ¶왕비가 건강한 왕자를 ~했다 王后生产了健康的王子

생산-고(生産高) 명【經】**1** = 생산액
2 = 생산량

생산-량(生産量) 명【經】产量 chǎn-
liàng; 生产量 shēngchǎnliàng = 생산
고2 ¶~이 감소하다 产量减少 / ~을
높이다 提高产量

생산-성(生産性) 명【經】生产性
shēngchǎnxìng; 生产率 shēngchǎnlǜ;
生产效率 shēngchǎn xiàolǜ

생산-액(生産額) 명【經】产值 chǎn-
zhí; 产额 chǎn'é = 생산고1

생산-적(生産的) 관명 生产(的) shēng-
chǎn(de); 生产性 shēngchǎnxìng ¶~
인 지출 生产性支出 / ~ 사고 有生产
的思考

생산-지(生産地) 명 产地 chǎndì; 产
区 chǎnqū ¶커피의 주요 ~ 咖啡的主
要产地

생-살(生一) 명 **1** = 새살 **2** 肉 ròu ¶
~을 찌개 撕破肉

생살(生殺) 명하타 生杀 shēngshā ¶~
여탈 生杀与夺

생색(生色) 명 有面子 yǒumiànzi; 露脸
lòuliǎn; 生色 shēngsè; 体面 tǐmiàn; 增
光 zēngguāng

생색-나다 자 有面子 yǒu miànzi; 增
光 zēngguāng

생색-내다 타 卖人情 mài rénqíng; 争
面子 zhēng miànzi; 争面子 zhēngliàn

생생-하다(生生一) 형 **1** 活生生 huó-
shēngshēng; 鲜灵 xiānlíng; 活灵活现
huólíng huóxiàn; 犹新 yóuxīn ¶생생한
기억 鲜灵的记忆 / 생생한 증언 活生
生的证言 / 기억이 ~ 记忆犹新 **2** 鲜
活 xiānhuó; 新鲜 xīnxiān ¶생생한 새
우 鲜活的虾 **생생-히** 부 ¶사람들의
생활을 아주 ~ 묘사하다 人们的生活
描写得非常活灵活现

생선(生鮮) 명 鱼 yú; 鲜鱼 xiānyú ¶~
장수 鱼贩 / ~ 가게 鱼店 / ~ 비린내
鲜鱼的腥味 / ~ 두 마리를 사다 买两
条鱼

생선-회(生鮮膾) 명 生鱼片 shēngyúpiàn

생성(生成) 명하자타 生成 shēngchéng;
形成 xíngchéng; 产生 chǎnshēng ¶比
의 ~ 雨的生成 / 우주의 ~ 过程 宇宙
形成过程

생소-하다(生疏一) 형 **1** 陌生 mò-
shēng; 生疏 shēngshū; 生涩 shēngsè; 面生
miànshēng; 眼生 yǎnshēng ¶이 이름은
아주 ~ 这个名字生疏极了 **2** 不熟练
bùshúliàn; 生疏 shēngshū ¶오랫동안 일을 하지 않았더니 업무가
많이 ~ 好久不工作, 业务生疏了许多

생수(生水) 명 生水 shēngshuǐ; 矿泉水
kuàngquánshuǐ ¶~를 사서 마시다 买
矿泉水喝

생시(生時) 명 **1** 生时 shēngshí **2** 醒着
xíngzhe ¶꿈이냐 ~ 냐? 是在做梦, 还
是醒着? **3** 生前 shēngqián ¶그의 ~의
모습 他生前的样子

생식(生食) 명하타 生食 shēngshí; 生
吃 shēngchī ¶그는 ~한지 오래지 않
아 건강을 되찾았다 他生食不久, 恢
复了健康

생식(生殖) 명하타【生】生殖 shēng-
zhí; 生育 shēngyù ¶~ 기능 生殖机
能 / 불능 生育不能

생식-기(生殖器) 명【生】= 생식 기
관

생식 기관(生殖器官)【生】生殖器
shēngzhíqì; 生殖器官 shēngzhí qìguān
= 생식기

생신(生辰) 명 寿辰 shòuchén; 寿诞
shòudàn; 大庆 dàqìng ¶아버지의 ~
父亲的寿辰

생-쌀(生一) 명 生米 shēngmǐ

생애(生涯) 명 生涯 shēngyá; 一生 yī-
shēng; 平生 píngshēng; 生平 shēng-
píng; 一辈子 yíbèizi ¶예술가의 ~ 艺
术家的生涯

생약(生藥) 명【藥】生药 shēngyào

생업(生業) 명 生业 shēngyè; 职业
zhíyè; 生涯 shēngyá ¶~에 종사하다
从事生业

생-우유(生牛乳) 명 生牛奶 shēngniú-
nǎi; 鲜牛奶 xiānniúnǎi

생원(生員) 명【史】生员 shēngyuán

생육(生育) 명하자타 生长 shēngzhǎng;
生育 shēngyù

생-으로(生一) 부 **1** 生 shēng ¶오이
는 ~ 먹을 수 있다 黄瓜是可以生吃
的 **2** 硬 yìng; 生 shēng ¶할 수 없는
일을 ~ 하지 마라 不能做的事不要硬
作 ‖ = 날로2)

생-이별(生離別) 명하자타 (不得不)
离别 líbié; 生别 shēngbié; 生离 shēng-
lí

생일(生日) 명 生日 shēngrì; 生辰
shēngchén ¶~ 선물 生日礼物 / ~ 케
이크 生日蛋糕 / ~ 파티 生日派对 / ~
축하 카드 生日卡片 =[生日卡] / ~
을 맞다 过生日 / ~ 축하합니다 祝你
生日快乐

생일-날(生日一) 명 生日 shēngrì; 生
辰 shēngchén

생일-상(生日床) 명 生日桌 shēng-
rizhuō ¶~을 차리다 摆生日桌

생일-잔치(生日一) 명하자 生日宴会
shēngrì yànhuì; 寿宴 shòuyàn

생장(生長) 명 生长 shēngzhǎng ¶~
점 生长点 / ~ 과정 生长过程

생전(生前) 명 生前 shēngqián; 有生
yǒushēng; 平生 píngshēng ¶나는 ~
처음 비행기를 타 본다 我有生以来第

일차 좌상 드 飞机

생존(生存) 圆하자 生存 shēngcún; 生
生 shēng; 存 cún; 活 huó; 生活 shēnghuó
¶~권 生存权/ 경쟁 生存竞争/공
기와 물이 없으면 인류는 ~할 수 없
다 没有空气和水, 人类就无法生存

생존-자(生存者) 圆 幸存者 xìngcún-
zhě ¶사고 ~ 事故幸存者/10명의 ~
를 구해 내다 救出十名幸存者

생:-쥐 圆 【動】小家鼠 xiǎojiāoshǔ;
小鼠 xiǎoshǔ; 瞒鼠 xīshǔ

생-지옥(生地獄) 圆 活地狱 huódìyù;
人间地狱 rénjiān dìyù

생채(生菜) 圆 生拌 shēngbàn; 生拌菜
shēngbàncài ¶오이~ 生拌黄瓜/무~
生拌萝卜

생-채기 圆 伤痕 shānghén; 伤疤
shāngbā ¶이마에 할퀸으 ~가 나다 额
头上有抓破的伤痕

생체(生體) 圆 活体 huótǐ ¶~ 해부 活
体解剖/~ 실험 活体实验/~ 검사
活体组织检查=[活检]/~ 반응 活体
反应

생체 공학(生體工學) 【生】= 생물 공
학

생체 리듬(生體rhythm) 【醫】= 바
이오리듬

생-콩(生-) 圆 = 날콩

생-크림(生cream) 圆 鲜奶油 xiānnǎi-
yóu ¶~ 케이크 鲜奶油蛋糕

생태(生太) 圆 鲜明太鱼 xiānmíngtàiyú

생태(生態) 圆 生态 shēngtài ¶~계 生
态系统/~ 변화 生态变化/~ 기후
生态气候

생-트집(生-) 圆하자 茬儿 chár; 碴儿
chár; 缝 fèng; 疵 cī ¶그는 결핏하면
사람들에게 ~을 잡는다 他动不动找
人家的茬儿

생판(生-) 圆 1 完全 wánquán; 根本
gēnběn; 全然 quánrán ¶~ 모르는 사
람 根本不认识的人 2 无理로 wúlǐde ¶
~ 떼를 쓰다 无理地抵赖

생포(生捕) 圆하자 生捉 huózhuō; 活
拿 huóná; 生俘 shēngfú; 生擒 shēng-
qín ¶적군의 대장을 ~하다 生擒敌军
大将

생피(生皮) 圆 = 생가죽

생필-품(生必品) 圆 = 생활필수품 ¶
~이 부족하다 短少生活必需品/~
가격이 안정되다 生活必需品价格平
稳

생화(生花) 圆 鲜花 xiānhuā ¶~ 한 다
발 一束鲜花/~ 한 송이 一支鲜花

생-화학(生化學) 圆 【化】生物化学
shēngwù huàxué ¶~ 검사 生物化学
检验

생환(生還) 圆하자 生还 shēnghuán ¶
포로가 무사히 ~되다 俘虏安全生还

생활(生活) 圆하자 1 生活 shēnghuó;
过日子 guò rìzi ¶~권 生活圈=[生活
区]/~력 生活能力/~ 수준 生活水
平/~ 양식 生活模式/ 하수 生活
污水/~화 生活化=[日常化]/~ 방
식 生活方式/~ 공간 生活场地/~
쓰레기 生活垃圾/행복한 ~ 幸福的
生活/~을 개선하다 改善生活/나는
부모님과 함께 ~한다 我和父母生活
在一起 2 生计 shēngjì; 生活 shēng-
huó ¶빈곤한 ~ 贫困的生活/~이 넉
넉하다 生活优裕 3 (组织内的) 生活
shēnghuó ¶교원 ~ 教师生活/단체
~ 团体生活 4 活动 huódòng ¶취미
~ 娱乐活动

생활-고(生活苦) 圆 生活困难 shēng-
huó kùnnán; 生活关 shēnghuóguān; 饥
荒 jīhuāng ¶~를 잘 견뎌 내다 过好
生活关

생활 기록부(生活記錄簿) 【教】学籍
簿 xuéjíbù = 학적부

생활-비(生活費) 圆 【經】= 생계비 ¶
그는 한 달 ~로 겨우 150위안을 쓴다
他一个月生活费只花150元

생활-상(生活相) 圆 生活面貌 shēng-
huó miànmào; 生活情况 shēnghuó qíng-
kuàng; 生活状态 shēnghuó zhuàngtài

생활-필수품(生活必需品) 圆 生活必
需品 shēnghuó bìxūpǐn; 日用品 rìyòng-
pǐn; 日常必需品 rìcháng bìxūpǐn = 生
必品

생후(生後) 圆 生后 shēnghòu; 出生以
来 chūshēngyǐlái; 出生 chūshēng; 有生
以来 yǒushēngyǐlái ¶~ 오 개월 된 영
아 出生五个月的婴儿

샤머니즘(shamanism) 圆 【宗】萨满
教 sàmǎnjiào

샤워(shower) 圆하자 淋浴 línyù; 洗
淋浴 xǐlínyù; 洗澡 xǐzǎo; 冲凉 chōng-
liáng; 冲身 chōngshēn ¶그는 지금 ~
중이다 他在洗澡/찬물로 ~하다 拿
冷水冲个凉

샤워-기(shower器) 圆 淋浴器 línyù-
qì; 莲蓬头 liánpengtóu

샤워-실(shower室) 圆 淋浴室 línyù-
shì

샤워-장(shower場) 圆 淋浴房 línyù-
fáng; 淋浴室 línyùshì; 洗澡间 xǐzǎo-
jiān

샤프[1](sharp) 圆 = 샤프펜슬

샤프[2](sharp) 圆 【音】= 올림표

샤프-펜슬(sharp+pencil) 圆 自动铅
笔 zìdòng qiānbǐ; 活动铅笔 huódòng
qiānbǐ = 샤프[1] ¶~심 自动铅笔芯 =
[活动铅笔芯]

샴-쌍둥이(Siam雙—) 圆 联体双胎
liántǐ shuāngtāi; 联体双胞胎 liántǐ
shuāngbāotāi

샴페인(champagne) 명 香槟酒 xiāngbīnjiǔ; 香槟 xiāngbīn ¶~을 터뜨리다 开一瓶香槟酒

샴푸(shampoo) 명[하타] 1 洗发 xǐfà: 洗头 xǐtóu ¶~ 후에 수건으로 머리를 말리다 洗发之后用毛巾擦干头发 2 洗发水 xǐfàshuǐ; 洗发露 xǐfàlù; 洗发剂 xǐfàjì; 洗发液 xǐfàyè; 洗发精 xǐfàjīng; 香波 xiāngbō

샹들리에(프chandelier) 명 吊灯 diàodēng; 枝形吊灯 zhīxíng diàodēng; 枝形烛台 zhīxíngzhútái; 装饰灯 zhuāngshìdēng

샹송(프chanson) 명【音】香颂 xiāngsòng; 法国香颂 Fǎguó xiāngsòng

서(西) 명 = 서쪽

서(序) 명 1【文】= 서문 2 2 = 서론

서:(署) 명 官署 guānshǔ

서가(書架) 명 书架 shūjià; 书架子 shūjiàzi ¶~에 책이 가득 쌓였다 书架上堆满了书

서간(書簡·書東) 명 = 편지

서간-문(書簡文) 명【文】= 서한문

서간-체(書簡體) 명【文】书信体 shūxìntǐ; 书信文体 shūxìn wéntǐ; 书信体裁 shūxìn tícái

서:거(逝去) 명[하자] 逝世 shìshì; 去世 qùshì; 过世 guòshì ¶지도자의 ~ 领袖的逝世

서고(書庫) 명 书库 shūkù; 书仓 shūcāng = 문고(文庫) 2 ¶도서관의 ~ 图书馆的书库

서:곡(書曲) 명【音】序曲 xùqǔ; 前奏曲 qiánzòuqǔ

서:광(曙光) 명 曙光 shǔguāng ¶~이 비치다 曙光照 / 어둠이 지나간 후에 暗过后见曙光

서구(西歐) 명 1 西洋 xīyáng 2【地】西欧 Xī Ōu

서구-화(西歐化) 명[하자타] 西洋化 xīyánghuà; 欧化 ōuhuà; 洋化 yánghuà; 西化 xīhuà ¶그들의 생활 방식은 완전히 ~되었다 他们的生活方式完全西洋化了

서글서글-하다 형 爽快 shuǎngkuai; 爽朗 shuǎnglǎng; 灼灼 zhuózhuó ¶그녀는 성격이 아주 ~ 她的性格非常爽朗

서글프다 형 1 凄凉 qīliáng; 悲伤 bēishāng; 凄然 qīrán; 哀伤 āishāng; 黯然 ànrán ¶서글픈 모습 凄凉的景象 / 너무 서글퍼하지 마라 不要过于悲伤 2 遗憾 yíhàn ¶일이 이렇게 되어서, 정말 ~ 事情弄成这个样子, 我们感到很遗憾

서글픔 명 凄凉 qīliáng; 悲伤 bēishāng; 凄然 qīrán; 哀伤 āishāng; 黯然 ànrán ¶누가 내 마음속의 ~을 알

까? 谁知我心中的悲伤?

서글피 부 凄凉地 qīliángde; 悲伤地 bēishāngde; 难过地 nánguòde ¶~ 울다 悲伤地哭

서기(西紀) 명 = 기원후

서기(書記) 명 (会议、审判等的) 书记 shūjì; 记录 jìlù ¶그녀는 법원에서 ~일을 담당하고 있다 她在法院担任书记员工作

서까래 명【建】椽木 chuánmù; 椽子 chuánzi; 椽条 chuántiáo; 房椽子 fángchuánzi

서남-쪽(西南一) 명 西南 xīnán; 西南方 xīnánfāng

서남-풍(西南風) 명 西南风 xīnánfēng = 남서풍

서낭 명【民】1 城隍 chénghuáng 2 = 서낭신

서낭-당(一堂) 명【民】城隍庙 chénghuángmiào

서낭-신(一神) 명【民】城隍 chénghuáng; 城隍神 chénghuángshén; 城隍老爷 chénghuáng lǎoye = 서낭2

서-너 관 三四 sānsì ¶~ 명 三四个人 / ~ 개 三四个 / ~ 번 三四次

서넛 수 【교실】에 학생~이 서 있다 教室里站着三四个学生

서늘-하다 형 1 凉 liáng; 凉快 liángkuai; 风凉 fēngliáng; 寒 hán; 寒凉 hánliáng; 凉丝丝 liángsīsī ¶가을이 되자 날씨가 바로 서늘해졌다 秋天一到, 天气就变得凉快一些了 2 寒 hán; 凉 liáng ¶그의 말은 정말 가슴을 서늘하게 한다 他说的话真让人心寒 서늘-히 부

서다 자재 1 (用脚) 立 lì; 站 zhàn ¶너는 왜 아직 거기에 서 있니? 你怎么还立在那儿? / 똑바로 서라 身体站直 2 (物体) 立 lì; 竖立 shùlì; 竖 shù ¶입구에 전봇대 하나가 서 있다 门口竖立着一根电线杆子 3 停 tíng; 停止 tíngzhǐ ¶손목시계가 섰다 手表停了 / 차가 갑자기 대로 중앙에 섰다 车突然停在马路中央 4 耸 sǒng; 竖 shù ¶토끼의 기다란 두 귀가 갑자기 쫑긋 서기 시작했다 小兔子的一对长耳朵突然耸起来了 / 무서워서 머리카락이 쭈뼛쭈뼛 섰다 害怕得头发都竖起来了 5 锋利 fēnglì; 锐利 ruìlì ¶날이 선 강철 칼 锋利的钢刀 6 布 bù; 出 chū ¶눈에 핏발이 가득 섰다 眼睛里布满了血丝 / 비온 뒤에 무지개가 ~ 雨后出虹 7 逢 féng ¶우리 마을은 5일 걸러 장이 선다 我们村是每隔五天逢集 8 怀孕 huáiyùn; 有 yǒu; 有喜 yǒuxǐ ¶그녀에게 아이가 선 것 같다 她大概是有了喜 9 (国家、机构等) 成立 chénglì; 建立 jiànlì ¶임시 정부가 선지 이미 5년

이 되었다 临时政府已经成立五年了 **10** (规律, 秩序等) 有 yǒu ¶질서가 ~ 有秩序 / 조리가 ~ 有条理 **11** (面子、体面、威信等) 有 yǒu ¶위신이 ~ 有威信 / 면목이 ~ 有面子 **12** (计划、方针、决心等) 订 dìng; 有 yǒu; 下定 xiàdìng; 拟定 nǐdìng; 制定 zhìdìng ¶결심이 ~ 有了决心 / 계획이 ~ 拟定计划 **13** 带 dài; 站 zhàn; 处 chǔ; 上 shàng ¶그가 선두에 ~ 他率头 / 피해자의 입장에 ~ 站在受害者的立场 / 중요한 기로에 ~ 处在一个重要的十字路口 □표 **1** 作 zuò; 站 zhàn; 打 dǎ ¶중매를 ~ 作媒 / 보증을 ~ 作保 / 들러리를 ~ 作女候相 / 보초를 ~ 站岗 **2** 排 pái ¶줄을 ~ 排队 ¶받을 받다 受到 shòudào ¶벌을 ~ 受到处罚

서당(書堂) 图 = 글방 ¶~ 훈장을 私塾老师 / ~에서 공부하다 读私塾
서당 개 삼 년에 풍월(을) 한다[읊는다] 俗语 狗住书院三年也会吟风弄月; 跟着瓦匠睡三天, 不会盖房也会搬砖

서:두(序頭) 图 **1** (说话或文章的) 开头 kāitóu; 开端 kāiduān ¶이야기의 ~ 故事的开端 / 를 떼다 提起开头 **2** 开头 kāitóu ¶모든 일은 ~가 어렵다 万事开头难

서두르다 国 赶忙 gǎnmáng; 赶紧 gǎnjǐn; 抢做 qiǎngzuò; 急着 jízhe; 忙着 mángzhe; 赶 gǎn; 赶快 gǎnkuài; 急 jí; 急忙 jímáng ¶책가방을 메고 서둘러 학교에 갔다 背上书包赶忙上学去了 / 시간이 아직 많이 남았으니 서두르지 마라 时间还有很多, 不要急

서둘다 国国 '서두르다'의 略记形

서랍 图 抽屉 chōuti ¶~장 抽屉柜子 / ~을 열다 拉开抽屉

서:러움 图 = 설음

서:럽다 国 伤心 shāngxīn; 委屈 wěiqū; 悲惨 bēicǎn; 悲伤 bēishāng ¶너무 서러워하지 마라 别太伤心了

서:럽다 国 伤心 shāngxīn; 悲伤 bēishāng; 委屈 wěiqū ¶마음이 아주 ~ 心理觉得很悲伤 / 아이들이 서럽게 우고 있다 孩子们哭得伤心地哭着

서력(西曆) 图 **1** 公元 gōngyuán; 西元 xīyuán; 西历 xīlì **2** = 기원후

서로 图国 互相 hùxiāng; 相互 xiānghù; 相对 xiāng; 交互 jiāohù; 互相 ¶相; 相与 xiāngyǔ; 双方 shuāngfāng ¶~ 사랑하다 相爱 /~ 돕다 互相帮助 / 이 일의 책임은 ~에게 있다 这件事的责任在双方

서로-서로 图国 '서로'의 强调语 ¶~ 양보하다 互相让步

서:론(序論・緒論) 图 序论 xùlùn;

言 xùyán; 导言 dǎoyán; 绪论 xùlùn; 引言 yǐnyán; 叙言 xùyán; 前言 qiányán = 서(序)**2**・머리말

서류(書類) 图 文件 wénjiàn; 文卷 wénjuàn; 文书 wénshū; 档 dàng; 档案 dàngàn; 件 jiàn ¶~ 봉투 文件袋 / 위조 伪造文件 / 중요한 ~ 重要文件 / ~를 찾다 查档

서류-철(書類綴) 图 文件簿 wénjiànbù; 档案册 dàngàncè; 文件夹子 wénjiàn jiāzi; 夹子 jiāzi = 파일 ¶~을 뒤적이다 查一查档案册

서류-함(書類函) 图 文件箱 wénjiànxiāng; 档案箱 dàngànxiāng; 文件盒 wénjiànhé ¶서류를 ~에 넣다 把文件存入档案箱

서른 数冠 三十 sānshí ¶~ 개 三十个 / ~ 명 三十个人 /~ 살 三十岁

서리[地理] 霜 shuāng ¶어젯밤에 한바탕 ~가 내렸다 昨天夜里下了一场霜
서리(를) 맞다 団 受到打击; 遭殃

서:리(署理) 图国 署理 shǔlǐ ¶국무총리 ~ 署理国务院总理

서리다[재] **1** (雾、烟等) 弥漫 mímàn; 充满 chōngmǎn ¶유리창에 김이 가득 ~ 玻璃窗上蒸汽弥漫 **2** 含 hán; 带 dài; 含蕴 hányùn ¶그의 말에는 불만의 기색이 서려 있다 他的话里含有不满情绪 **3** 萦绕 yíngrào; 深怀 shēnhuái; 怀 huái ¶마음에 한이 ~ 怀恨在心 **4** (香味儿) 散发 sànfā ¶향기가 서려 있는 생화 散发着鲜花的鲜花

서리다 国 缠绕 chánrào; 盘绕 pánrào; 盘 pán; 蟠 pán; 蜷曲 quánqū ¶나무에 뱀 한 마리가 서리고 있다 树上盘着一条蛇

서릿-발 图 霜 shuāng; 霜花 shuānghuā ¶나뭇가지에 ~이 앉다 树枝上凝着霜

서:막(序幕) 图 **1**[演] 序幕 xùmù **2** 序幕 xùmù; 先声 xiānshēng ¶이것은 사건의 ~에 불과하다 这只不过揭开了事件的序幕

서머-스쿨(summer school) 图[教] 暑假学校 shǔjià xuéxiào; 暑期补习班 shǔqī bǔxíbān

서머 타임(summer time) [社] 夏时制 xiàshízhì; 日光节约时制 rìguāng jiéyuēshízhì; 夏令时间 xiàlìng shíjiān ¶~을 실시하다 实行夏时制

서먹서먹-하다 国 生疏 shēngshū; 疏远 shūyuǎn; 不自然 bùzìrán ¶그들은 여러 이유로 서로서먹하게 되었다 他们由于很多原因彼此生疏了

서먹-하다 国 生疏 shēngshū; 疏远 shūyuǎn; 不自然 bùzìrán ¶우리 사이가 약간 서먹해진 것 같다 我们之间似

平有些疏远了

서면(書面) 몡 书面 shūmiàn ¶～ 보고 书面报告 / ～ 자료 书面材料 / 의견을 ～으로 제출하다 提出书面意见

서명(書名) 몡 书名 shūmíng ＝ 책名

서:명(署名) 몡하짜 签名 qiānmíng; 签字 qiānzi; 署名 shǔmíng; 签署 qiānshǔ ¶～ 운동 签名运动 / 수표에는 반드시 본인의 ～이 있어야 한다 支票上必须有本人签字

서명 날인(署名捺印) 【法】 签名盖章 qiānmíng gàizhāng; 签名盖印 qiānmíng gàiyìn; 签字盖章 qiānzì gàizhāng

서:무(庶務) 몡 庶务 shùwù; 庶事 shùshì; 事务 shìwù; 总务 zǒngwù ¶～실 庶务室 ＝[总务室] / ～에 바빠다 忙于庶务

서:문(序文) 몡 1 ＝ 머리말 2【文】序 xù ＝ 서(序)1

서:민(庶民) 몡 庶民 shùmín; 平民 píngmín; 百姓 bǎixìng; 老百姓 lǎobǎixìng ¶～층 庶民阶层

서:민-적(庶民的) 관몡 平民(的) píngmín(de)

서방(西方) 몡 1 ＝ 서쪽 2 西部 xībù 3 西方 xīfāng ¶～ 국가 西方国家 / ～ 문명 西方文明

서방(書房) 몡 1 丈夫 zhàngfu; 老公 lǎogōng; 先生 xiānsheng ¶우리 ～ 我的老公 2 老 lǎo ¶김 ～ 老金 / 이 ～ 老李

서방-님(書房一) 몡 1 '남편'의 敬称 2 小叔 xiǎoshū; 叔叔 shūshu 《对结了婚的丈夫的弟弟的称呼》

서방-질(書房一) 몡하짜 养野汉 yǎngyěhàn; 卖大炕 màidàkàng

서버¹(server) 몡【體】发球员 fāqiúyuán; 发球方 fāqiúfāng

서버²(server) 몡【컴】服务器 fúwùqì

서법(書法) 몡 写法 xiěfǎ; 笔法 bǐfǎ

서부(西部) 몡 西部 xībù ¶～ 영화 西部片 ＝[牛仔片]

서북-쪽(西北一) 몡 西北 xīběi; 西北方 xīběifāng

서브(serve) 몡하짜【體】发球 fāqiú; 开球 kāiqiú ＝ 서비스3 ¶～권 发球权 / ～ 득점하다 发球直接得分

서비스(service) 몡하짜 1 服务 fúwù; 帮助 bāngzhù; 招待 zhāodài; 接待 jiēdài ¶～ 업 服务行业 / ～ 산업 服务产业 / ～ 센터 服务站 ＝[服务中心] / ～ 태도 服务态度 / ～가 좋은 백화점 热情招待客人的百货商店 2 덤참 ⟨几⟩ dātou(r); 搭头 ¶이 비껬살은 ～이다 这块肥肉是搭头 3 ＝ 서브

서빙(serving) 몡 端盘子 duānpánzi; 端菜 duāncài

서:사(敍事) 몡 叙事 xùshì; 记叙 jìxù

¶～시 叙事诗

서산(西山) 몡 西山 xīshān ¶해가 ～으로 넘어가다 太阳落下西山

서:서-히(徐徐一) 몡 徐 xú; 徐徐 xú-xú; 徐缓地 xúhuǎnde; 慢慢地 màn-mànde; 缓慢地 huǎnmànde; 迟慢地 chímànde ¶장막이 ～ 내려가다 帷幕徐徐落下 / 열차가 ～ 역으로 들어갔다 列车缓慢地进站了

서성-거리다 짜타 走来走去 zǒuláizǒu-qù; 踱来踱去 duóláiduóqù; 来回转去 zhuǎnláizhuǎnqù; 徘徊 páihuái; 盘旋 pánxuán; 踯躅 zhízhú ＝ 서성대다 ¶그는 길에서 초조하게 서성거리고 있다 他焦燥地在路上徘徊着 **서성-서성** 뷔하짜타

서:수(序數) 몡【數】序数 xùshù

서:-수사(序數詞) 몡【語】序数词 xù-shùcí

서:술(敍述) 몡하타 叙述 xùshù ¶그 일을 상세하게 ～하다 把那件事详细叙述

서:술-문(敍述文) 몡【語】＝ 평서문

서:술-어(敍述語) 몡【語】谓语 wèiyǔ; 述语 shùyǔ ＝ 술어2

서:술-형(敍述形) 몡【語】＝ 평서형

서슬 몡 1 刃 rèn; 锋 fēng ¶～이 시퍼런 칼 锋刃汹汹的刀 2 气势 qìshì; 杀气 shāqì; 锐气 ruìqì

서슬(이) 퍼렇다[푸르다] 귄 ＝ 서슬이 시퍼렇다

서슬이 시퍼렇다 귄 气势汹汹; 锋芒逼人; 杀气腾腾 ＝ 서슬(이) 퍼렇다[푸르다]

서슴-없다 몡 毫不犹豫 háobù yóuyù; 毫不迟疑 háobù chíyí; 毫不踌躇 háobù chóuchú **서슴없-이** 뷔 ¶그는 ～ 물에 뛰어들어 아이를 구해냈다 他毫不犹豫跳进水里, 把孩子救了上来

서:시(序詩) 몡【文】序诗 xùshī ＝ 프롤로그1

서식(書式) 몡 格式 géshì; 表格 biǎogé; 程式 chéngshì ¶편지 ～ 书信的格式 / 공문 ～ 公文程式

서:식(棲息) 몡하짜 栖息 qīxī ¶～지 栖息地 / 밀림 속에는 각종 새들이 ～하고 있다 密林中栖息着各种鸟类

서신(書信) 몡 ＝ 편지 ¶그들은 늘 ～ 왕래를 한다 他们常有书信往来

서:약(誓約) 몡하짜 誓约 shìyuē ¶～서 誓约书 / ～을 지키다 遵守誓约

서양(西洋) 몡 西洋 xīyáng; 西方 xīfāng; 西 xī; 洋 yáng ¶～사 西洋史 / ～ 무용 西方舞 / ～ 미술 西方美术 / ～ 음악 西方音乐 ＝[西乐] / ～ 음식 西餐

서양-식(西洋式) 몡 西洋方式 xīyáng fāngshì; 西式 xīshì ＝ 양식(洋式) ¶～요

의 집에 있는 가구는 모두 ~이다 他
家的家具全是西式的

서양-인(西洋人) 圆 西洋人 xīyáng-
rén; 西方人 xīfāngrén; 洋人 yángrén
= 양인(洋人)

서양-화(西洋化) 圆[하자타] 西方化 xī-
fānghuà; 西化 xīhuà

서양-화(西洋畵) 圆[美] 西洋画 xī-
yánghuà; 西画 xīhuà ¶~가 西洋画家

서-언(序言・緖言) 圆 = 머리말

서역(西域) 圆[史] 西域 xīyù

서-열(序列) 圆 序 xù; 序列 xùliè; 次
序 cìxù; 位次 wèicì; 位列 wèiliè ¶~을
따지지 않다 不计位次

서예(書藝) 圆 书法 shūfǎ ¶~가 书法
家 / ~를 배우다 学习书法

서운-하다 圐 舍不得 shěbude; 可惜
kěxī; 遗憾 yíhàn ¶이번 기회를 놓친
것이 서운하지 않니? 错过了这次机
会, 你不觉得可惜吗? **서운-히** 團

서울 圆 1 [地] 首尔 Shǒu'ěr ¶~특별
시 首尔特别市 2 首都 shǒudū; 国都
guódū; 都城 dūchéng; 京都 jīngdū; 京
城 jīngchéng ¶중국의 ~은 베이징이
다 中国的首都是北京

서울 (가서) 김서방 찾는다[찾기]
속담 到首尔找姓金的; 茫无涯岸

서원(書院) 圆[史] 书院 shūyuàn

서:-원(誓願) 圆 1 誓愿 shìyuàn 2
[宗] 发誓 fāshì

서유-기(西遊記) 圆[文] 西游记 Xī-
yóujì

서:-자(庶子) 圆 庶子 shùzǐ; 孽子 niè-
zǐ ¶~로 태어난 홍길동 庶子所生的
洪吉童

서:-장(署長) 圆 署长 shǔzhǎng ¶경찰
~ 警察署长

서재(書齋) 圆 书斋 shūzhāi; 书房 shū-
fáng; 书屋 shūwū ¶아버지의 ~ 父亲
的书斋

서적(書籍) 圆 = 책(册)1 ¶중고 ~ 二
手书籍

서:-전(緖戰) 圆 初战 chūzhàn; 序战 xù-
zhàn; 绪战 xùzhàn

서점(書店) 圆 书店 shūdiàn; 书局 shū-
jú; 书铺 shūpù ¶아동 ~ 儿童书店; 书
书店 / ~에서 책을 사다 在书店买书

서:-정(抒情・敍情) 圆 抒情 shūqíng ¶
~시 抒情诗

서:-정-적(抒情的・敍情的) 圐 抒情
(的) shūqíng(de) ¶곡조가 아주 ~이다
曲调满抒情的

서-쪽(西一) 圆 西 xī; 西边 xībian; 西
面 xīmiàn; 西方 xīfāng = 서(西)・서
방(西方)1 ¶태양은 동쪽에서 나와 ~
으로 진다 太阳从东边升上来, 从西边
落下去

서쪽에서 해가 뜨다 舌 太阳从西边

出来

서찰(書札) 圆 = 편지

서책(書册) 圆 = 책(册)1

서첩(書帖) 圆 字帖 zìtiē

서체(書體) 圆 字体 zìtǐ = 글씨체・
필체 ¶~가 독특하다 字体独特

서치라이트(search-light) 圆 = 탐
조등

서캐 圆 虮卵 shīluǎn; 虮子 jīzi

서커스(circus) 圆 杂技 zájì; 马戏
mǎxì; 杂技表演 zájì biǎoyǎn ¶~단 杂
技团 =[马戏团]

서클(circle) 圆 伙伴 huǒbàn; 小组
xiǎozǔ ¶독서 ~ 读书小组 / 폭력 ~
暴力小组

서:투르다 圐 1 不熟练 bùshúliàn; 生
生 shēng; 手生 shǒushēng; 生疏 shēng-
shū ¶업무가 ~ 业务不熟练 2 草率
cǎoshuài

서투른 무당이 장구만 나무란다 속담
拉不出屎嫌坑臭; 不会拉屎怪马桶;
不会撑船怪河弯

서:-툴다 圐 '서투르다'의 略词 ¶서툰
솜씨 不熟练的手艺

서편(西便) 圆 西边 xībian ¶달이 ~에
서 떠오르다 月亮从西边出来

서평(書評) 圆 书评 shūpíng ¶~을 쓰
다 写书评

서풍(西風) 圆 西风 xīfēng

서핑(surfing) 圆 = 파도타기 ¶~ 보
드 冲浪板

서한(書翰) 圆 = 편지

서한-문(書翰文) 圆[文] 书信体文章
shūxìntǐ wénzhāng = 서간문

서해(西海) 圆 西海 xīhǎi ¶~안 西海
岸

서:-행(徐行) 圆[하자] 徐行 xúxíng; 慢
行 mànxíng; 缓行 huǎnxíng ¶~ 운전
하다 开得徐行

서향(西向) 圆[하자] 朝西 cháoxī; 向西
xiàngxī ¶창문이 ~이다 窗户朝西

서화(書畵) 圆 书画 shūhuà ¶~가 书
画家 / ~전 书画展览

석(石) 의명 = 섬□

석(席) 관 三 sān ¶~ 자 三尺 / ~ 장 三
张 / ~ 달 三个月

석(席) 의명 个 gè ¶오백 ~의 자리가
가득 차다 五百个座位座无虚席

-석(席) 접미 席 xí ¶귀빈~ 贵宾席 /
연회~ 宴会席

석가(釋迦) 圆[佛] = 석가모니

석가-모니(釋迦牟尼) 圆[佛] 释迦
shìjiā; 释迦牟尼 shìjiāmóuní; 释 shì
= 석가

석가-탄:신일(釋迦誕辰日) 佛诞节 fó-
dànjié = 부처님 오신 날

석가-탑(釋迦塔) 圆[佛] 释迦塔 shì-
jiātǎ

석간(夕刊) 명 = 석간신문

석간-신문(夕刊新聞) 명 晚报 wǎnbào = 석간 · 석간지

석간-지(夕刊紙) 명 = 석간신문

석고(石膏) 명 【鑛】石膏 shígāo ; 깁스 ¶~ 보드 石膏板

석고-대죄(席藁待罪) 명 【史】负荆请罪 fùjīng qīngzuì

석고 붕대(石膏繃帶) 【醫】石膏绷带 shígāo bēngdài = 깁스2 · 깁스붕대

석고-상(石膏像) 명 【美】1 石膏雕塑 shígāo diāosù = 석고 조각 2 石膏像 shígāoxiàng

석고 조각(石膏彫刻) 【美】= 석고상1

석공(石工) 명 石工 shígōng ; 石匠 shí-jiang

석-굴(石─) 명 【貝】石牡蛎 shímǔlì

석굴(石窟) 명 岩洞 yándòng ; 石窟 shíkū

석궁(石弓) 명 石弓 shígōng

석권(席卷 · 席捲) 명하타 席卷 xíjuǎn ¶세계 시장을 ~ 하다 席卷世界市场

석기(石器) 명 石器 shíqì ¶~ 시대 石器时代

석류(石榴) 명 1 【植】石榴树 shíliúshù ; 石榴 shíliú = 석류나무 ¶~ 꽃 石榴花 2 石榴 shíliú ¶~를 먹다 吃石榴

석류-나무(石榴─) 명 【植】石榴树 shíliúshù ; 石榴 shíliú = 석류1

석면(石綿) 명 【鑛】石绵 shímián

석방(釋放) 명하타 【法】释放 shìfàng ¶체포된 학생의 ~을 요구하다 要求把被捕的学生释放出来

석별(惜別) 명 惜别 xībié ¶~의 정 惜别之情

석불(石佛) 명 【佛】石佛 shífó

석사(碩士) 명 【教】硕士 shuòshì ¶~ 학위 硕士学位 / ~ 논문 硕士论文

석: -삼년(─三年) 명 数年 shùnián ; 多年 duōnián

석상(石像) 명 石像 shíxiàng ¶~을 세우다 立石像

석상(席上) 명 席上 xíshàng ; 上 shàng ¶연회 ~ 酒席上 / 회의 ~ 会上

석-쇠 명 烤架儿 kǎojiàr ; 铁支子 tiě-zhīzi ; 炙子 zhìzi

석순(石筍) 명 【鑛】石笋 shísǔn

석양(夕陽) 명 1 夕阳 xīyáng ; 落日 luòrì ; 残阳 cányáng ; 斜阳 xiéyáng = 사양(斜陽)1 ¶~이 하늘을 붉게 물들였다 夕阳映红了天空 / 서쪽 산으로 ~이 지다 西山落日 2 傍晚 bàngwǎn ; 夕 xī ; 薄暮 bómù ; 夕景 xījīng

석양-녘(夕陽─) 명 傍晚 bàngwǎn ; 夕 xī ; 薄暮 bómù ¶아침에 떠나 ~에 도착하다 朝发夕至

석양-빛(夕陽─) 명 夕照 xīzhào ; 夕辉 xīhuī

석연-하다(釋然─) 형 释然 shìrán ¶석연치 않은 것이 없다 没有什么无法释然 석연-히 부

석영(石英) 명 【鑛】石英 shíyīng = 차돌 ¶~암 石英岩

석유(石油) 명 【鑛】石油 shíyóu ; 煤油 méiyóu ¶~ 난로 石油炉 = [煤油炉] / ~ 가스 石油气 / ~ 매장량 石油储量 / ~ 화학 石油化学 / 지하에 풍부한 ~가 매장되어 있다 地下埋着丰富的石油

석이(石耳 · 石栮) 명 【植】石耳 shí'ěr = 석이버섯

석이-버섯(石耳─) 명 【植】= 석이

석재(石材) 명 石料 shíliào ; 石材 shícái

석조(石造) 명 石造 shízào ¶~ 건물 石造建筑

석좌 교:수(碩座敎授) 【敎】客座教授 kèzuò jiàoshòu

석차(席次) 명 1 席次 xícì ; 座次 zuò-cì ; 位次 wèicì ¶~를 정하다 安排好席次 2 名次 míngcì ; 位次 wèicì ¶그는 ~가 늘 전체 학년의 상위권에 있다 他名次一直在全年级前几名

석총(石塚) 명 【古】石墓 shímù = 돌무덤

석탄(石炭) 명 【鑛】石炭 shítàn ; 煤 méi = 탄(炭)1 ¶~ 가스 煤气 / ~을 때다 烧煤 / ~을 채굴하다 采煤 / ~ 덩어리 煤核儿

석탄-광(石炭鑛) 명 【鑛】煤矿 méi-kuàng = 탄광

석탄-층(石炭層) 명 【鑛】煤层 méi-céng

석탑(石塔) 명 石塔 shítǎ

석판(石板) 명 石板 shíbǎn ¶~에 글씨를 쓰다 在石板上写字

석패(惜敗) 명하타 输得可惜 shūde kě-xī

석학(碩學) 명 硕学 shuòxué

석화(石花) 명 【貝】= 굴

석회(石灰) 명 【化】石灰 shíhuī ¶~동 石灰洞 / ~분 石灰粉 / ~ 비료 石灰肥 / ~암 石灰岩 / ~질 石灰质 ; ~층 石灰层 2 = 수산화칼슘

섞다 타 混 hùn ; 掺 chān ; 混合 hùnhé ; 搀和 chānhuo ; 搀杂 chānzá ; 糅合 róu-hé ; 糅杂 róuzá ; 杂糅 zárou ; 搅 jiǎo ; 搅拌 jiǎobàn ; 搅和 jiǎohuo ¶이 두 종류의 약은 섞어서 먹으면 안 된다 这两种药不能混着吃 / 우유에 설탕 한 숟갈을 넣고 섞으세요 牛奶里放一勺糖, 搅一下 / 달걀 노른자와 흰자를 골고루 ~ 把蛋黄和蛋清搅拌均匀

섞-이다 자 ‘섞다’의 피동어 ¶쌀 속에 돌이 섞여 있다 米里搀和着沙子 / 표준말에 사투리가 섞여 있다 普通话

里搀杂着方言

선: 阴 相看 xiāngkàn; 相亲 xiāngqīn ¶ 그녀는 ~을 보러 갔다 她相看去了

선(先) 阴하잠 (赌博时) 庄 zhuāng; 庄家 zhuāngjia ¶돌아가며 ~을 잡다 轮流坐庄

선(善) 阴하형 善 shàn; 善良 shàn-liáng ¶~을 쌓다 积善 / 그녀는 ~한 마음을 가지고 있다 她有一颗善良的心 / ~과 악 善和恶

선(線) 阴 1 线 xiàn = 라인1 ¶~을 긋다 划线 / 이 ~은 비뚤게 그려졌다 这条线画得不直 2 (用金属制成的) 线 xiàn ¶이 ~은 너무 짧아서 콘센트에 닿지 않는다 这根电线太短了, 够不着插座 3 (路线) 线 xiàn; 线路 xiànlù ¶이번 기차는 ~을 따라 있는 역에서 모두 멈춘다 这趟火车在沿线各站都停 4 (边缘界线的) 线 xiàn; 界线 jiè-xiàn ¶해안선 海岸线 / 경계 ~ 界线 5 (比喻所接近的) 线 xiàn; 界线 jièxiàn ¶그 두 사람의 관계는 이미 일반적인 친구의 ~을 넘었다 他俩的关系已超越了一般朋友的界线 6 数 线 xiàn = 점과 ~ 点和线 ¶이 그림의 ~은 매우 부드럽고 아름답다 这幅画的线条非常柔和优美

–선(船) 阴미 船 chuán ¶여객~ 客船 / 수송~ 轮船

선각(先覺) 阴하잠 1 先觉 xiānjué; 先知 xiānzhī 2 = 선각자

선각-자(先覺者) 阴 先觉(者) xiānjué-(zhě); 先知(者) xiānzhī(zhě); 先驱(者) xiānqū(zhě) = 선각2

선거(船渠) 阴建 船坞 chuánwù; 船渠 chuánqú

선:거(選擧) 阴하잠 1 选举 xuǎnjǔ; 选举 xuǎn ¶~일 选举日 / ~ 제도 选举制度 / 보통 ~ 普选 / ~에서 패한 후보자 选举中败北的候选人 2 政 选举 xuǎnjǔ ¶대통령 ~ 总统选举 / ~ 공약 选举诺言 / ~ 관리 위원회 选举管理委员会

선:거-구(選擧區) 阴法 选区 xuǎn-qū

선:거-권(選擧權) 阴法 选举权 xuǎnjǔquán ¶~를 행사하다 行使选举权

선:거-법(選擧法) 阴法 选举法 xuǎnjǔfǎ ¶~을 위반하다 违犯选举法

선:거-인(選擧人) 阴法 选民 xuǎnmín; 选举人 xuǎnjǔrén = 유권자 ¶~단 选民团 / ~ 명부 选举人的名簿

선견(先見) 阴하잠 预见 yùjiàn; 先见 xiānjiàn

선견지명(先見之明) 阴 先见之明 xiānjiànzhīmíng

선결(先決) 阴하잠 先决 xiānjué ¶~

조건 先决条件 / ~ 문제 先决问题

선경(仙境) 阴 仙境 xiānjìng; 仙乡 xiān-xiāng; 仙界 xiānjiè

선고(宣告) 阴하잠 1 宣告 xuāngào; 宣布 xuānbù ¶파산을 ~하다 宣告破产 2 法 宣判 xuānpàn ¶판사가 피고에게 무죄를 ~하다 审判长宣判被告无罪

선:-곡(選曲) 阴하잠 点歌 diǎngē ¶그가 ~한 이 노래를 사람들은 모두 좋아한다 他点的这支歌儿大家都喜欢

선공(先攻) 阴하잠 体 先攻 xiāngōng

선공-후사(先公後私) 阴 先公后私 xiāngōnghòusī

선교(宣敎) 阴하잠 宗 传教 chuán-jiào ¶~ 활동 传教活动

선교(船橋) 阴 = 배다리1

선교-사(宣敎師) 阴 宗 传教士 chuán-jiàoshì; 教士 jiàoshì; 宣教师 xuānjiào-shī

선구(先驅) 阴 = 선구자

선구-자(先驅者) 阴 先驱 xiānqū; 驱者 xiānqūzhě; 先觉 xiānjué; 先知 xiānzhī = 선구자

선글라스(sunglass) 阴 太阳镜 tài-yángjìng; 黑镜 hēijìng ¶~를 끼다 戴太阳镜

선금(先金) 阴 定金 dìngjīn; 定钱 dìng-qián ¶먼저 ~을 내다 先交定金

선:남-선:녀(善男善女) 阴 善男善女 shànnán shànnǚ

선납(先納) 阴하잠 预缴 yùjiǎo; 预交 yùjiāo ¶세액을 ~하다 预缴税款

선녀(仙女) 阴 仙女 xiānnǚ; 女仙人 nǚxiānrén ¶그녀는 ~처럼 아름답다 她漂亮得像仙女

선대(先代) 阴 前代 qiándài; 先世 xiān-shì; 祖先 zǔxiān ¶~가 물려준 토지 先世传给的土地

선도(先導) 阴하잠 先导 xiāndǎo; 前导 qiándǎo ¶대장이 앞에서 ~하자, 전대원이 바짝 뒤를 따랐다 队长在前面先导, 全队紧紧跟着

선:도(善導) 阴하잠 善导 shàndǎo ¶청소년을 ~하다

선도(鮮度) 阴 新鲜程度 xīnxiān chéng-dù ¶~가 높은 생선 新鲜程度很高的鱼

선도-자(先導者) 阴 先导 xiāndǎo; 先导者 xiāndǎozhě; 前导人 qiándǎorén

선도-적(先導的) 阴 先导的 xiān-dǎo(de); 前导(的) qiándǎo(de) ¶지도자는 ~인 역할을 해야 한다 领导应该起先导作用

선동(煽動) 阴하잠 煽动 shāndòng; 扇动 shāndòng; 煽惑 shānhuò; 鼓动 gǔdòng; 挑动 tiǎodòng ¶배후에서 ~하다 在背后煽动 / 학생을 ~하여 수업

을 거부하다 鼓动学生罢课

선두(先頭) 图 先头 xiāntóu; 前头 qiántóu ¶~ 부대 先头部队 / 지도자가 ~에 서다 领导者站在前头

선뜻 图 痛快地 tòngkuaide; 爽快地 shuǎngkuaide; 干脆地 gāncuìde; 直率地 zhíshuàide ¶그는 우리의 요구에 ~ 승낙했다 他痛快地答应了我们的要求 / 그녀는 ~ 돈을 되돌려 주었다가 她干脆地把钱送了回去

선:량(善良) 图হ图 善良 shànliáng; 和善 héshàn ¶본성이 ~하다 本性善良

선례(先例) 图 先例 xiānlì; 前例 qiánlì; 成例 chénglì ¶~를 인용하다 援引成例

선로(線路) 图 1 [交] 轨道 guǐdào = 궤도2 ¶지하철 ~ 地铁轨道 2 [交] 线路 xiànlù 3 [電] 线路 xiànlù ¶전화 ~ 电话线路

선:린(善隣) 图 善邻 shànlín; 睦邻 mùlín ¶~ 우호 善邻友好 / 외교 睦邻外交 / 정책 睦邻政策

선:망(羨望) 图হ图 羡慕 xiànmù ¶~의 대상 羡慕的对方 / ~의 눈으로 그를 바라보다 用羡慕的眼光看着他

선:-머슴 图 愣小子 lèngxiǎozi; 愣头青 lèngtóuqīng; 冒失鬼 màoshīguǐ

선명(鮮明) 图হ图吗图 鲜明 xiānmíng; 鲜亮 xiānliàng; 清楚 qīngchu; 明显 míngxiǎn; 明确 míngquè; 明白 míngbai ¶색이 ~하다 颜色鲜明 / ~한 대비 鲜明的对比

선:-무당 图 二把刀巫婆 èrbǎdāo wūpó; 蹩脚巫婆 biéjiǎo wūpó

선무당이 사람 잡는다 俗말 蹩脚巫婆杀死人

선물(先物) 图 [經] 期货 qīhuò; 长贷 chánghuò; 远期 yuǎnqī ¶~ 거래 期货交易

선:물(膳物) 图হ자타图 礼物 lǐwù; 礼 lǐ; 仪 yí; 礼品 lǐpǐn; 赠品 zèngpǐn ¶감사의 ~ 谢仪 / 생일 ~ 生日礼物 / ~를 받다 收到礼物

선미(船尾) 图 船尾 chuánwěi; 船艄 chuánshāo

선박(船舶) 图 船只 chuánbó; 船只 chuánzhī = 배² ¶이십여 척의 ~ 二十多艘船只

선반 图 搁板 gēbǎn ¶~을 달다 搭搁板

선반(旋盤) 图 [工] 车床 chēchuáng; 旋床 xuánchuáng ¶~공 车床工 / ~을 돌리다 开动车床

선발(先發) 图হ图 1 先遣 xiānqiǎn; 先动身 xiāndòngshēn ¶~대 先遣队 / ~ 인원을 파견하다 派出先遣人员 2 [體] (棒球) 先上场 xiānshàngchǎng;

第一 dìyī ¶~ 투수 第一投手

선:발(選拔) 图하타 选 xuǎn; 选拔 xuǎnbá; 挑选 tiāoxuǎn; 甄别 zhēnbá ¶경기 选拔赛 / 미인 ~ 대회 选美大赛 / 인재를 ~하다 选拔人才

선:방(善防) 图하타 好防 hǎofáng〈善于防守〉¶골키퍼가 ~해서 간신히 비겼다 由于守门员好防好不容易打了平手了

선배(先輩) 图 1 先辈 xiānbèi; 前辈 qiánbèi ¶학계의 ~ 学界先辈 2 学长 xuézhǎng; 师兄 shīxiōng; 师姐 shījiě ¶대학 ~ 大学学长

선:별(選別) 图하타 选 xuǎn; 挑 tiāo; 拣 jiǎn; 挑选 tiāoxuǎn; 拣选 jiǎnxuǎn; 挑拣 tiāojiǎn ¶~ 작업 挑选工作 / 상한 과일을 ~해 내다 把坏了的水果挑拣出来

선:-보다 타 相 xiāng; 相亲 xiāngqīn; 相看 xiāngkàn ¶며느릿감을 ~ 相儿媳妇儿 / 그는 봄에 한 번 선봤다 他春天相了一次亲

선:-보이다 타 1 让相看 ràng xiāngkàn; 让相亲 ràng xiāngqīn ¶아들을 ~ 让相看儿子 2 展出 zhǎnchū; 展示 zhǎnshì ¶신형 자동차를 ~ 展示新型汽车

선봉(先鋒) 图 1 先锋 xiānfēng; 先锋军 xiānfēngjūn; 先锋队 xiānfēngduì = 선봉군 2 先锋 xiānfēng; 前锋 qiánfēng ¶~대 先锋队 / ~장 先锋大将 / 그들이 전면에서 ~을 맡다 他们在前面打先锋

선봉-군(先鋒軍) 图 = 선봉1

선불(先拂) 图하타 预付 yùfù; 预支 yùzhī; 先付 xiānfù ¶~ 카드 预付卡 / 예약금을 ~하다 预付定金

선비 图 1 儒生 rúshēng; 书生 shūshēng 2 白面书生 báimiàn shūshēng

선사(先史) 图 史前 shǐqián; 史前 xiānshǐ ¶~ 시대 史前时代

선:사(膳賜) 图하타 赠送 zèngsòng; 赠 zèng; 送 sòng; 馈赠 kuìzèng; 馈 kuì ¶책을 ~하다 赠书

선산(先山) 图 祖坟 zǔfén; 先茔 xiānyíng ¶~에 가서 성묘하다 去祖坟地扫墓

선상(船上) 图 1 船上 chuánshang ¶~에서 노래하다 在船上唱歌 2 船上 chuánshang〈在乘船〉¶~ 생활 삼 년째이다 船上生活了三年多

선상(線上) 图 线上 xiànshang ¶기아 ~ 饥饿线上

선생(先生) 图 1 老师 lǎoshī; 教师 jiàoshī ¶수학 ~ 数学老师 2 先生 xiānsheng ¶김 ~ 金先生 / 의사 ~ 大夫先生 3 师傅 shīfu ¶장기는 김씨가 ~이다 对象棋来说, 金氏是师傅

선생-님(先生一) 똅 '선생'의 경어 ¶과학 ~ 科学老师 / 장 ~, 질문을 하나 여쭙고자 합니다 张先生, 向您请教一个问题

선서(宣誓) 똅하자타 宣誓 xuānshì; 发誓 fāshì ¶손을 들고 ~하다 举手宣誓 / 제가 말하는 것이 모두 진실임을 ~합니다 我宣誓我所说的一切都是真的

선서-문(宣誓文) 똅 誓词 shìcí ¶~을 낭독하다 朗读誓词

선선-하다 톙 1 凉 liáng; 凉快 liángkuai; 凉爽 liángshuǎng; 凉丝丝 liángsīsī ¶비가 온 후에 날씨가 많이 선선해졌다 下了雨后天气凉快多了 2 痛快 tòngkuai **선선-히** 뤼 그는 자리를 할머니에게 ~ 양보했다 他痛快地把座儿让给了老太太

선수(先手) 똅 1 先动手 xiāndòngshǒu; 先下手 xiānxiàshǒu ¶~를 빼앗기다 被人先下手 2 〔體〕先手 xiānshǒu; 先着 xiānzháo **선수(를) 쓰다** 亇 先动手; 先下手 **선수(를) 치다** 亇 = 선수(를) 쓰다

선수(選手) 똅 1 选手 xuǎnshǒu; 运动员 yùndòngyuán ¶~단 选手团 / ~촌 选手村 / 야구 ~ 棒球运动员 / 프로 ~ 职业运动员 / 10번 ~ 十号选手 2 能手 néngshǒu; 好手 hǎoshǒu ¶다림질에 ~가 되었다 烫衣服成为能手

선수-권(選手權) 똅 〔體〕冠军 guānjūn; 锦标 jǐnbiāo; 选手权 xuǎnshǒuquán = 타이틀2 ¶~ 보유자 冠军保持者 / ~ 대회 锦标赛 =[冠军赛]

선수-금(先受金) 똅 〔經〕预收金 yùshōujīn

선술-집 똅 小酒店 xiǎojiǔdiàn ¶퇴근 길에 ~에서 술 한 잔 했다 下班时在小酒店喝了一杯酒

선실(船室) 똅 客舱 kècāng; 船舱 chuáncāng; 船房 chuánfáng

선:심(善心) 똅 善心 shànxīn **선심(을) 쓰다** 亇 发善心

선심(線審) 똅 〔體〕边裁 biāncái; 边线裁判员 biānxiàn cáipànyuán

선:악(善惡) 똅 善恶 shàn'è ¶~을 가리다 分别善恶

선:악-과(善惡果) 똅 〔宗〕禁果 jìnguǒ; 善恶果 shàn'èguǒ ¶~나무 禁果树

선약(先約) 똅하자타 预定 yùdìng; 约定 yuēdìng ¶~이 있어서 먼저 실례하겠습니다 有预定我失配了

선양(宣揚) 똅하자타 宣扬 xuānyáng ¶국위를 ~하다 宣扬国威

선양(禪讓) 똅하자타 = 양위

선언(宣言) 똅하자타 1 宣布 xuānbù; 声明 shēngmíng ¶위원장은 대회 시

작됐음을 ~했다 主席宣布大会开始 2 宣言 xuānyán ¶독립 ~ 独立宣言 3 告诉 gàosu; 宣布 xuānbù ¶그에게 절교를 ~하다 向他宣布绝交

선언-문(宣言文) 똅 宣言 xuānyán ¶~을 발표하다 发表宣言

선언-서(宣言書) 똅 宣言书 xuānyánshū; 宣言 xuānyán ¶독립~ 独立宣言书

선열(先烈) 똅 先烈 xiānliè ¶~의 유지를 계승하다 继承先烈的遗志

선왕(先王) 똅 先王 xiānwáng

선:용(善用) 똅하타 善用 shànyòng ¶여가를 ~하다 善用余暇

선원(船員) 똅 船员 chuányuán; 海员 hǎiyuán ¶~실 船员室

선위(禪位) 똅하자 = 양위

선율(旋律) 똅 = 가락2 ¶경쾌한 ~ 轻快的旋律

선:의(善意) 똅 善意 shànyì; 好意 hǎoyì ¶~의 충고 善意的忠告 / 이렇게 하는 것은 ~에서 나온 것이다 这么做是出于好意

선-이자(先利子) 똅 〔經〕先利息 xiānlìxī ¶~를 떼다 扣先利息

선인(仙人) 똅 1 = 신선 2 道士 dàoshì

선인(先人) 똅 1 = 선친 2 前人 qiánrén

선인-장(仙人掌) 똅 〔植〕仙人掌 xiānrénzhǎng

선임(先任) 똅하타 1 前任 qiánrèn ¶~대통령 前任总统 2 = 선임자

선임(船賃) 똅 = 뱃삯

선:임(選任) 똅하타 选任 xuǎnrèn ¶이사 회장을 ~한다 董事由会长选任

선임-자(先任者) 똅 前任 qiánrèn = 선임(先任)2 ¶그의 ~는 내 남자 친구이다 他的前任是我的男朋友

선임 하사(先任下士) 〔軍〕= 선임 하사관

선임 하사관(先任下士官) 〔軍〕先任下士官 xiānrèn xiàshìguān = 선임 하사

선-입견(先入見) 똅 = 선입관 ¶나는 그에 대해 ~이 없다 我对他没有成见

선-입관(先入觀) 똅 成见 chéngjiàn; 偏见 piānjiàn = 선입견 ¶~을 갖고 사람을 대하다 以成见待人

선:-잠 똅 浅睡 qiǎnshuì ¶~ 자다 睡得浅

선장(船長) 똅 船长 chuánzhǎng

선적(船積) 똅하타 装船 zhuāngchuán; 装载 zhuāngzǎi; 装货 zhuānghuò ¶~서류 装船单 / ~항 装货港 / 화물을 ~하다 装载货物

선전(宣傳) 똅하타 宣传 xuānchuán ¶신제품을 ~하다 宣传新产品 / ~물

선전용물품 / ~용 선전용

선: 전(善戰) 명하타 善戰 shànzhàn ¶
용맹하게 ~하다 勇猛善戰

선전 포: 고(宣戰布告) 명[政] 宣戰 xuān-
zhàn; 宣布開戰 xuānbù kāizhàn; 發布
宣戰 fābù xuānzhàn

선점(先占) 명하타 先占 xiānzhàn ¶그
지역의 시장을 ~하다 先占那地方的
市場

선: 정(善政) 명하자 善政 shànzhèng ¶
~을 베풀다 施行善政

선: 정(選定) 명하타 選定 xuǎndìng ¶
제목을 ~하다 選定題目 / 代表를 ~
하다 選定代表

선정-적(煽情的) 관명 調情性 tiáo-
qíngxìng; 色情的 sèqíngde; 黃色的
huángsède; 煽情的 shānqíngde ¶~인
장면 調情性鏡頭

선제-공격(先制攻擊) 명하타 先發制
人 xiānfāzhìrén

선조(先祖) 명 祖先 zǔxiān; 先祖 xiānzǔ

선주(船主) 명 船主 chuánzhǔ; 船東
chuándōng

선지 명 牛血 niúxuè

선지(先知) 명하타 1 先知 xiānzhī 2
先覺 xiānjué 3 [宗] = 선지자

선지-자(先知者) 명【宗】先知 xiānzhī
= 선지(先知)3

선진(先進) 명 先進 xiānjìn ¶~ 技術
先進技術 / ~ 企業 先進企業 / ~化
先進化 / ~ 社會 先進社會 / 經營이 ~적
이다 經營先進 / 世界 ~ 隊列에 들어
서다 進入世界先進行列

선진-국(先進國) 명 發達國家 fādá
guójiā; 先進國家 xiānjìn guójiā

선: 집(選集) 명 選集 xuǎnjí

선짓-국 명 牛血湯 niúxuètāng

선착(先着) 명하자타 先到 xiāndào

선착-순(先着順) 명 先來後到 xiānlái
hòudào ¶~으로 서십시오 請按先來後到
到排隊

선착-장(船着場) 명 渡口 dùkǒu; 渡
頭 dùtóu

선창(先唱) 명하타 領唱 lǐngchàng; 帶
頭唱 dàitóuchàng ¶그가 한 소절 ~하
자 모두들 따라 부르기 시작했다 他先
帶頭唱一句, 大家都跟着唱起來

선창(船倉) 명 船艙 chuáncāng; 貨艙
huòcāng

선창(船窓) 명 船窗 chuánchuāng

선: 처(善處) 명하타 善處 shànchù ¶~
를 바랍니다 希望善處

선천(先天) 명 先天 xiāntiān

선천-성(先天性) 명하타 先天性 xiāntiān-
xìng ¶~ 심장병 先天性心臟病 /
질환 先天性疾病 / ~ 기형 先天性畸
形

선천-적(先天的) 관명 先天(的) xiān-

天(的) shēngláii; 生來 shēngláii; 天生 tiānshēng;
生就 shēngjiù; 天賦的 tiānfùde ¶~으
로 머리가 좋다 生來就聰明

선체(船體) 명 船體 chuántǐ; 船身
chuánshēn ¶~를 引揚하다 起吊船體

선: 출(選出) 명하타 選 xuǎn; 選出
xuǎnchū; 選擧 xuǎnjǔ; 選拔 xuǎnbá
대표를 ~하다 選出代表 / 國會 議員
은 國民이 ~한다 國會議員是由人民
選的

선취(先取) 명하타 先取 xiānqǔ; 先得
xiāndé ¶~點 先取得分 / ~ 득점하다
先取得分

선친(先親) 명 先考 xiānkǎo; 先父 xiān-
fù = 선인(先人)1

선: 택(選擇) 명하타 選擇 xuǎnzé; 選
xuǎn; 挑 tiāo; 擇 zé; 挑選 tiāoxuǎn;
抉擇 juézé ¶~과목 選修課 / ~권 選
擇權 / ~의 여지가 없다 沒有選擇的
餘地

선탠(suntan) 명 (皮膚) 晒黑 shàihēi
~오일 晒黑油

선편(船便) 명 = 배편 ¶~으로 가다
坐船去 / ~에 짐을 부치다 用船郵貨

선포(宣布) 명하타 宣布 xuānbù; 宣告
xuāngào; 發布 fābù; 公布 gōngbù ¶戒
嚴令을 ~하다 宣布戒嚴令

선풍(旋風) 명 1 [地理] = 회오리바
람 2 旋風 xuánfēng; 風潮 fēngcháo ¶
畵壇에 일대 ~을 일으키다 在畵壇上
卷起了一陣大旋風

선풍-기(扇風機) 명 [機] 電扇 diàn-
shàn; 電風扇 diànfēngshàn

선풍-적(旋風的) 관명 旋風(的) xuán-
fēng(de) ¶~인 人氣를 끌다 引起旋風
的歡迎

선: -하다 형 歷歷 lìlì; 淸楚 qīngchu;
分明 fēnmíng; 鮮明 xiānmíng ¶눈앞에
~ 歷歷在目 **선: -히** 부

선화 증권(船荷證券) 명 [經] = 선화 증
券

선행(先行) 명하자타 1 先行 xiānxíng
《走在前面》¶~ 部隊 先行部隊 2 先
行 xiānxíng; 先決 xiānjué 《預先進行》
¶~하여 준비하다 先行籌備

선: 행(善行) 명 善行 shànxíng ¶~을
베풀다 善行善事

선-헤엄 명 踩水 cǎishuǐ; 立泳 lìyǒng
= 입영(立泳)

선혈(鮮血) 명 鮮血 xiānxuè ¶~이 낭
자하다 鮮血淋漓

선형(線形) 명 線形 xiànxíng ¶~동물
線形動物

선: 호(選好) 명하타 偏愛 piān'ài; 喜歡
xǐhuan; 喜愛 xǐ'ài ¶남아 ~ 思想 偏愛
男孩兒的思想 / 韓國人은 南向집을 ~
한다 韓國人喜歡朝南的房子

선: 호-도(選好度) 명 好感度 hǎogǎndù ¶ ~가 높다 好感度很高

선-홍색(鮮紅色) 圏 鲜红 xiānhóng ¶
~ 입술 鲜红的嘴唇

선화(船貨) 圏 = 뱃짐

선화 증권(船貨證券) 【經】 轮船货单
lúnchuán huòdān; 提货单 tíhuòdān; 提
单 tídān = 선하 증권

선회(旋回) 圏하자 **1** 盘旋 pánxuán;
回旋 huíxuán; 旋转 xuánzhuàn ¶비행
기가 공중에서 ~하다 飞机在空中盘
旋 **2** 扭转 niǔzhuǎn ¶강경 노선으로
~되다 扭转强硬路线

선후(先後) 圏하타 先后 xiānhòu ¶~
를 분명히 구분하다 分清先后 / ~ 순
서 先后次序

선-후배(先後輩) 圏 先后辈 xiānhòu-
bèi; 前后辈 qiánhòubèi ¶대학 ~ 사이
大学先后关系

섣:달 圏 腊月 làyuè; 十二月 shí'èr-
yuè; 季月 jìyuè = 십이월2

섣:달-그믐 圏 除夕 chúxī; 除日 chú-
rì; 大年三十(儿) dànián sānshí(r); 岁
除 suìchú

섣:-부르다 圏 轻率 qīngshuài; 冒失
màoshī ¶너의 결론은 너무 ~ 你的结
论太轻率

섣:불리 圏 轻率地 qīngshuàide; 冒失
地 màoshīde ¶너는 ~ 그를 책망해서
는 안 된다 你不该轻率地责备他

설(설) 圏 **1** 元旦 Yuándàn; 正旦 zhēng-
dàn; 春节 Chūnjié **2** 岁首 suìshǒu; 开
岁 kāisuì

설(說) 圏하타 **1** 说法 shuōfǎ; 学说 xué-
shuō; 见解 jiànjiě ¶이 일에 대해서는
사람마다 ~이 다르다 关于这件事,
各人说法不同 / 새로운 ~을 제기하다
提出新的见解 **2** 传闻 chuánwén; 谣言
yáoyán; 风声 fēngshēng ¶사회에는 현
재 많은 ~들이 떠돌고 있다 社会上现
在流传着许多谣言

설거지 圏하타자타 洗碗 xǐwǎn; 刷碗
shuāwǎn ¶~를 끝내고 연속극을 보다
洗完碗以后, 看连续剧

설거지-물 圏 = 개숫물

설거지-통(一桶) 圏 = 개숫통

설경(雪景) 圏 雪景 xuějǐng ¶산 위의
~은 매우 아름답다 山上的雪景很美

설계(設計) 圏하타 **1** 计划 jìhuà ¶인
생을 ~하다 制定人生计划 **2** 设计
shèjì; 打图 dǎtú ¶~사 设计师 / ~자
设计者 / 건축 ~ 建筑设计 / 건물을 ~
하다 设计建筑物 **3** = 설계도1

설계-도(設計圖) 圏 **1** 设计图 shèjìtú;
图纸 túzhǐ; 蓝图 lántú = 설계3 **2** ¶~를
그리다 画设计图 ▷ 蓝图 lántú ¶인생
의 ~를 그리다 描绘人生的蓝图

설교(說教) 圏하자타 **1** (向宗教信徒) 说
教 shuōjiào ¶목사의 ~ 牧师的说教 **2**

说教 shuōjiào; 教海 jiàohuì ¶그런
~ 이젠 지겹다 那样的说教已经听烦
了

설기 圏 = 백설기

설:-날 圏 元旦 Yuándàn; 正旦 zhēng-
dàn; 春节 Chūnjié

설:다¹ 圏 **1** 半生不熟 bànshēng bù-
shú; 夹生 jiāshēng ¶선 밥 夹生饭 **2**
不熟 bùshú ¶잠이 ~ 睡得不熟

설:다² 圏 生 shēng; 不熟 bùshú; 生
疏 shēngshū ¶사람도 설고 땅도 ~ 人
生地不熟

설득(說得) 圏하타 说服 shuōfú; 劝
劝 quàn; 劝说 quànshuō ¶~력 说服力 /
끈질기게 ~하다 耐心劝说 / 나는 그
를 ~할 수 없다 我说服不了他

설렁-탕(一湯) 圏 清炖牛骨肉汤 qīng-
dùnniúgǔròutāng; 雪浓汤 xuěnóngtāng

설레다 圏 激动 jīdòng; 激荡 jīdàng;
澎湃 péngpài ¶그녀의 뒷모습은 그의
마음을 설레게 하였다 她的背影激荡
着他的心 / 마음이 ~ 心潮澎湃

설레-발 圏 乱闹 luànnào; 乱动 luàn-
dòng

설레발-치다 圏 手忙脚乱 shǒumáng
jiǎoluàn

설레-설레 圏타 (头) 摇摇 yáoyáo;
摇摇摆摆 yáoyáobǎibǎi ¶그는 웃으며
고개를 ~ 저었다 他笑着摇了摇头

설레-이다 圏 '설레다'의 틀린

설령(設令) 圏 即使 jíshǐ; 即便 jíbiàn;
就算 jiùsuàn; 就是 jiùshì; 纵然 zòng-
rán; 哪怕 nǎpà = 설사(設使) / 설혹 ¶
~ 그가 틀렸다 하더라도, 이런 태도
로 그를 대해서는 안 된다 就算他错
了, 也不能以这种态度对待他

설립(設立) 圏하타 创立 chuànglì; 创
办 chuàngbàn; 成立 chénglì; 设立 shè-
lì; 建立 jiànlì ¶~자 创立者 / 연구소를
~하다 设立研究所

설마 圏 难道 nándào; 莫非 mòfēi; 岂
岂 qǐ = 설마하니 ¶너 ~ 아직도 모르는
거니? 难道你还不明白吗? / 그녀가 오
늘 오지 않을 ~ 또 병이 났나? 她今天
没有来, 莫非又生病了?

설마가 사람 죽인다[잡는다] 谚 大
意失荆州

설마-하니 圏 = 설마

설명(說明) 圏하타 说明 shuōmíng; 解
释 jiěshì; 解说 jiěshuō ¶모두에게 ~
하다 向大家说明 / 늦은 이유를 ~했다
他向我解释了迟到的
理由

설명-문(說明文) 圏 【文】 说明文 shuō-
míngwén; 议论文 yìlùnwén

설명-서(說明書) 圏 说明书 shuō-
míngshū; 简介书 jiǎnjièshū ¶사용
使用说明书

설문(設問) 명하자 설문 shèwèn; 提问 tíwèn ¶~ 조사 设问调查 =[问卷调查]

설문-지(設問紙) 명 问卷 wènjuàn ¶~를 제출하다 提交问卷

설법(說法) 명하자 [佛] 说法 shuōfǎ

설복(說服 · 說伏) 명하자 说服 shuōfú

설비(設備) 명하자 设备 shèbèi; 设施 shèshī; 装备 zhuāngbèi ¶안전 ~ 安全设施 / ~ 자금 设备资金 / ~ 투자 设备投资 / ~수영장의 ~가 매우 좋다 游泳馆的设备很不错

설:-빔 명하자 新年服装 xīnnián fúzhuāng

설사(泄瀉) 명하자 腹泻 fùxiè; 拉肚子 lādùzi; 拉稀 lāxī

설사(設使) 부 = 설령

설사-약(泄瀉藥) 명 [藥] 泻药 xièyào; 止泻药 zhǐxièyào; 下剂 xiàjì = 지사제

설산(雪山) 명 雪山 xuěshān

설상-가상(雪上加霜) 명 雪上加霜 xuěshàngjiāshuāng; 祸不单行 huòbùdānxíng

설설 부 1 徐徐地 xúxúde ¶물이 ~고 있다 水徐徐地开着 2 暖烘烘 nuǎnhōnghōng ¶~ 끓는 온돌방 暖烘烘的火炕房 3 轻轻地 qīngqīngde ¶송충이가 ~ 기어간다 松毛虫轻轻地爬去

　설설 기다 귀 惟命是听; 惟命是从; 唯唯诺诺 ¶그는 상사 앞에서 늘 설설 긴다 他在上司面前总是惟命是听的

설왕설래(說往說來) 명하자 说来说去 shuōláishuōqù; 你一言我一语 nǐyīyán wǒyīyǔ ¶이러쿵저러쿵 크게 말다툼을 했다 说来说去最后竟吵了大架

설욕(雪辱) 명하자 雪耻 xuěchǐ ¶재도전하여 마침내 ~하다 再度挑战终于雪耻

설욕-전(雪辱戰) 명 = 복수전1

설:움 명 委屈 wěiqū; 悲伤 bēishāng; 伤痛 shāngtòng ¶서러움 ~을 당하다 受委屈 / ~을 겪어 抱委屈

설원(雪原) 명 [地理] 雪原 xuěyuán ¶히말라야의 ~ 喜马拉雅的雪原 2 雪原 xuěyuán ¶~에서 스키를 타다 在雪原滑雪

설:-음식(-飲食) 명 年饭 niánfàn ¶~을 차리다 摆年饭

설-익다 자 半生不熟 bànshēngbùshú ¶설익은 과실 半生不熟的水果

설인(雪人) 명 雪人 xuěrén

설-자리 명 立身之地 lìshēnzhīdì ¶그는 제 ~도 모른다 他自己的立身之地也不知道 / ~를 잃다 失去立身之地

설전(舌戰) 명하자 = 말다툼 ¶격렬한 ~을 벌이다 展开激烈的舌战

설정(設定) 명하자 1 设定 shèdìng; 定 dìng; 制定 zhìdìng ¶목표를 ~하다 设定目标 / 상황을 ~하다 设定情况 2 [法] 制定 zhìdìng ¶저당권을 ~하다 制定抵压权

설치(設置) 명하자 设置 shèzhì; 安 ān; 装 zhuāng; 安装 ānzhuāng; 设立 shèlì ¶미술 设置美术 / 전화를 ~하다 安装电话 / 연구 센터를 ~하다 设立研究中心 / 횡단보도에 신호등을 ~하다 在人行横道上设置红绿灯

설치(설치다)¹ 자 1 乱 luàn; 横行 héngxíng; 猖狂 chāngkuáng ¶불량배가 또 설치기 시작했다 流氓又开始横行 2 匆匆忙忙 cōngcongmángmáng; 急急忙忙 jíjímángmáng

설치(설치다)² 타 不足 bùzú; 不好 bùhǎo; 不够 bùgòu ¶어젯밤에 잠을 설쳤다 昨天晚上睡不好觉

설치-류(齧齒類) 명 [動] 齧齿类 nièchǐlèi

설컹-거리다 자 嘎吱嘎吱 gāzhīgāzhī (嚼半生不熟的豆子、栗子时的声音) = 설컹대다 **설컹-설컹** 부에자형

설탕(雪糖) 명 糖 táng; 白糖 báitáng; 砂糖 shātáng ¶~ 사탕2 ¶~물 糖水 / ~을 우유에 넣다 把糖放到牛奶里

설태(舌苔) 명 [醫] 舌苔 shétái ¶~가 끼다 起舌苔

설파(說破) 명하자 道破 dàopò; 说破 shuōpò ¶중생들에게 진리를 ~하다 向众生们说明真理道破

설혹(設或) 부 = 설령

설화(說話) 명 1 传奇 chuánqí; 传说 chuánshuō 2 [文] 故事 gùshi ¶민간 ~ 民间故事 / 문학 설화文学 / 소설 说话小说

섬¹ 한명 大草包 dàcǎobāo ¶~에 쌀을 담다 在大草包装大米 二의명 石 dàn = 석(石) ¶밀 세 ~ 三石小麦

섬:² 명 岛 dǎo; 海岛 hǎidǎo; 岛屿 dǎoyǔ ¶~나라 岛国 / ~사람 海岛人 / ~의 경치가 아주 아름답다 岛屿上的风景优美

섬광(閃光) 명 闪光 shǎnguāng ¶~ 전구 闪光灯泡 / ~이 번쩍이다 熠熠闪光

섬기다 타 1 侍 shì; 拜 bài; 侍奉 shìfèng; 服侍 fúshì; 侍候 shìhòu; 奉养 fèngyǎng ¶부모를 ~ 服侍父母 / 스승으로 ~ 拜师 / 노인을 ~ 侍候老人 2 帮助 bāngzhù; 服务 fúwù

섬돌 명 台阶 táijiē ¶~을 오르다 踏入台阶

섬뜩 부에자형 打冷战 dǎlěngzhan; 打寒噤 dǎhánjìn; 悚然 sǒngrán ¶사람을 ~하게 만드는 울음소리 令人打冷战的哭声

섬멸(殲滅) 명하타 歼灭 jiānmiè ¶~전 歼灭战 / 우리들은 어제 적군 삼천 명을 ~했다 我们昨日歼灭敌军三千人

섬모(纖毛) 명 1 细毛 xìmáo 2 [生] 纤毛 xiānmáo ¶~충 纤毛虫 / ~ 운동 纤毛运动

섬섬-옥수(纖纖玉手) 명 纤纤玉手 xiānxiānyùshǒu

섬세-하다(纖細—) 형 纤细 xiānxì; 细腻 xìnì; 精细 jīngxì ¶인물 묘사가 섬세하면서 생동감 있다 人物描写细腻而生动 **섬세-히** 부

섬유(纖維) 명 1 [生] 纤维 xiānwéi ¶~질 纤维质 / ~ 조직 纤维组织 2 纤维 xiānwéi ¶인조 ~ 人造纤维 / 화학 ~ 化学纤维 / 천연 ~ 天然纤维 / 제품 纤维制品

섬유-소(纖維素) 명 [化] = 셀룰로오스

섭렵(涉獵) 명하타 涉猎 shèliè ¶거문고 · 바둑 · 글 · 그림을 ~하다 涉猎琴棋书画

섭리(攝理) 명 天理 tiānlǐ; 天意 tiānyì ¶자연의 ~ 自然的天理

섭생(攝生) 명 = 양생1 ¶항상 ~에 힘쓰다 经常在养生上下功夫

섭섭-하다 형 1 依依不舍 yīyībùshě; 留恋 liúliàn; 依恋 yīliàn; 舍不得 shěbude ¶헤어지고 ~ 舍不得离开 2 惋惜 wǎnxī; 可惜 kěxī ¶중도에 하차하다니 정말 너무 ~ 半途而废, 实在太可惜了 3 遗憾 yíhàn ¶그녀가 교통사고로 회의에 참석하지 못하게 되자 모두들 섭섭해 했다 他因车祸未能出席大会, 大家都感到遗憾 **섭섭-히** 부

섭식(攝食) 명하타 摄食 shèshí

섭씨(攝氏) 명 [物] 摄氏 shèshì ¶~ 온도계 摄氏温度计 / ~ 3도 摄氏三度

섭외(涉外) 명하타 涉外 shèwài; 交涉 jiāoshè ¶이 일은 이미 ~가 끝났다 这件事已经交涉好了

섭정(攝政) 명하자 摄政 shèzhèng ¶왕비가 ~하다 由王妃摄政

섭취(攝取) 명하타 摄取 shèqǔ; 吸取 xīqǔ; 吸收 xīshōu ¶충분한 영양을 ~하다 摄取足够的营养 / 유익한 지식을 ~하다 吸取有益的知识

성: 명 气 qì; 火 huǒ; 怒气 nùqì; 怒火 nùhuǒ ¶~을 내다 发火

성:(姓) 명 姓 xìng; 姓氏 xìngshì ¶그 ~은 박씨이다 他的姓是朴
  성을 갈다 관 该是忘八的

성:(性) 명 1 性 xìng 《性质或性能》 2 [佛] 天性 tiānxìng; 人性 rénxìng 3 性 xìng; 性别 xìngbié = 섹스1 4 性 xìng; 性欲 xìngyù

성(에)[성(이)] 차다 관 心满意足

성:(省) 명 1 [地理] 省 shěng ¶산둥~ 山东省 2 [政] 省 shěng ¶외무~ 外务省

성(城) 명 城 chéng; 城池 chéngchí ¶~을 쌓다 筑城 / ~을 함락시키다 沦陷城池

성-(聖) 접두 [宗] 圣 shèng ¶~만찬 圣晚宴

-성(性) 접미 性 xìng ¶적극~ 积极性 / 양면~ 两面性

성:가(聖歌) 명 1 圣歌 shènggē 2 [宗] 赞美歌 zànměigē

성가시다 형 讨厌 tǎoyàn; 麻烦 máfan; 烦人 fánrén; 讨嫌 tǎoxián ¶너 이 아이는 정말 성가시구나! 这孩子真烦人! / 스팸 메일은 정말 ~ 垃圾邮件真讨嫌

성-가퀴(城—) 명 城垛口 chéngduǒkǒu

성:감-대(性感帶) 명 性敏感区 xìngmǐngǎnqū ¶~를 자극하다 刺激性敏感区

성:게 명 [動] 海胆 hǎidǎn

성:격(性格) 명 1 性格 xìnggé; 性情 xìngqíng; 性子 xìngzi; 脾气 píqi; 气性 xìngqì ¶~ 묘사 性格描写 / ~이 이상하다 性格异常 / 그는 ~이 급하다 他性情急躁 2 性质 xìngzhì ¶문제의 ~ 问题的性质

성:결(聖潔) 명하형 圣洁 shèngjié

성:경(聖經) 명 1 经典 jīngdiǎn; 圣经 shèngjīng 2 [宗] = 성서

성공(成功) 명하자 成功 chénggōng ¶~한 사람 成功人士 / 실험에 ~하다 实验成功 / 그들은 마침내 ~했다 他们终于取得了成功

성공-적(成功的) 관명 成功(的) chénggōng(de) ¶통신 위성을 ~으로 발사했다 成功地发射了一颗通信卫星

성과(成果) 명 成果 chéngguǒ ¶연구 ~ 研究成果 / 커다란 ~를 거두었다 取得了丰硕的成果

성과-급(成果給) 명 [經] 按件计酬 ànjiàn jìchóu; 计件工资 jìjiàn gōngzī

성곽(城郭 · 城廓) 명 城郭 chéngguō ¶~을 쌓다 筑城郭

성:-관계(性關係) 명하자 性交 xìngjiāo; 房事 fángshì; 做爱 zuò'ài ¶~를 맺다 结性交 / ~를 가지다 进行做爱

성광(星光) 명 = 별빛

성:교(性交) 명하자 性交 xìngjiāo; 房事 fángshì; 做爱 zuò'ài; 性行为 xìngxíngwéi ¶~하다 做爱

성:-교육(性教育) 명 [教] 性教育 xìngjiàoyù

성:군(聖君) 명 圣君 shèngjūn; 圣上 shèngshàng; 圣主 shèngzhǔ

성:극(聖劇) 몡 [演] 성극 shèngjù

성글다 혱 = 성기다

성금(誠金) 몡 捐款 juānkuǎn ¶~을 모으다 募捐款

성:급-하다(性急一) 혱 急躁 jízào; 性急 xìngjí; 急忙 jímáng ¶이 일은 네 가 너무 성급하게 했다 这件事你做得太性急了 성:급-히 閉 ¶그는 ~ 갔다 他走得急急忙忙

성:기(性器) 몡 生殖器 shēngzhíqì; 性器官 xìngqìguān

성:-기능(性機能) 몡 性机能 xìngjīnéng ¶~이 쇠퇴하다 性机能衰退

성기다 혱 稀疏 xīshū; 稀少 xīshǎo = 성글다 ¶초목이 성기게 자랐다 草木长得稀少

성:-깔(性一) 몡 脾气 píqi; 性子 xìngzi; 性气 xìngqì ¶남자 친구에게 ~을 부리다 对男友发脾气 / 조그만 아이가 정말 ~ 있네! 这小孩子可有脾气了!

성:-나다 ①몡 生气 shēngqì; 发火 fāhuǒ; 发怒 fānù; 冒火 màohuǒ ¶호랑이가 성나서 큰 소리로 포효하다 老虎发怒了, 大声咆哮 2 恶化 èhuà; 更厉害 gènglìhài ¶상처가 또 성났다 伤处又恶化了 3 厉害 lìhai; 激烈 jīliè; 汹涌 xiōngyǒng ¶성난 파도 汹涌的波涛

성:-내다 ①타① 生气 shēngqì; 发火 fāhuǒ; 发怒 fānù; 冒火 màohuǒ ¶그런 일로 성내지 마라 别为那种事发火 2 厉害 lìhai; 激烈 jīliè

성냥 몡 火柴 huǒchái; 洋火 yánghuǒ ¶~갑 火柴盒 / ~개비 火柴棍 / ~불 火柴火 / ~을 긋다 划火柴 =[擦火柴] / ~ 한 개비 一根火柴

성:녀(聖女) 몡 [宗] 圣女 shèngnǚ

성년(成年) 몡 [法] 成人 chéngrén ¶~식 成年仪式 =[冠礼]

성:능(性能) 몡 性能 xìngnéng ¶~ 테스트를 하다 进行性能测试 / ~이 뛰어나다 性能出色

성:당(聖堂) 몡 [宗] 圣堂 shèngtáng; 教堂 jiàotáng; 天主堂 tiānzhǔtáng = 성전2 ¶~에 다니다 上教堂

성대(聲帶) 몡 [生] 声带 shēngdài = 목청1

성대-모사(聲帶模寫) 몡 仿声 fǎngshēng

성:대-하다(盛大一) 혱 盛大 shèngdà; 隆重 lóngzhòng ¶성대한 개막식을 거행하다 举行盛大的开幕式 / 이번 전람회는 이전 어느 때보다 ~ 这次展览会比历次隆重 성:대-히 閉

성:도(聖徒) 몡 圣徒 shèngtú

성량(聲量) 몡 音量 yīnliàng; 声量 shēngliàng = 볼륨3 ¶그는 ~이 약하다 他音量弱

성:령(聖靈) 몡 [宗] 圣灵 shènglíng

= 성신

성루(城樓) 몡 城楼 chénglóu

성루(城壘) 몡 1 城墙 chéngqiáng 2 城堡 chéngbǎo

성:-리-학(性理學) 몡 [哲] 性理学 xìnglǐxué; 理学 lǐxué = 이학4

성립(成立) 몡하자 成立 chénglì ¶이 결론은 ~되기 어렵다 这个结论难以成立

성망(聲望) 몡 声望 shēngwàng; 声誉 shēngyù

성:-명(姓名) 몡 姓名 xìngmíng = 이름3 ¶~학 姓名学 / 당신의 ~과 연락처를 남기세요 留下您的姓名和联系电话

성명(聲明) 몡하타 声明 shēngmíng ¶~서 声明书 / ~을 발표하다 发表声明

성:모(聖母) 몡 1 圣母 shèngmǔ [宗] = 성모 마리아 ¶~상 圣母像 3 国母 guómǔ

성:모 마리아(聖母Maria) [宗] 圣母 shèngmǔ = 성모(聖母)2

성묘(省墓) 몡하자 扫墓 sǎomù; 省墓 xǐngmù; 上坟 shàngfén ¶조상의 무덤에 가서 벌초하고 ~하다 到祖坟去伐草和省墓

성문(成文) 몡하타 成文 chéngwén ¶~법 成文法 / ~ 헌법 成文宪法

성문(城門) 몡 城门 chéngmén ¶~을 열다 打开城门

성:물(聖物) 몡 [宗] 圣具 shèngjù

성:미(性味) 몡 脾气 píqi; 性子 xìngzi; 性情 xìngqíng; 性格 xìnggé; 性气 xìngqì ¶이 사람은 ~가 매우 괴팍하다 这个人的脾气很古怪

성:배(聖杯) 몡 1 圣杯 shèngbēi 2 [宗] 圣杯 shèngbēi

성:-범죄(性犯罪) 몡 性犯罪 xìngfànzuì; 性侵犯 xìngqīnfàn

성:벽(性癖) 몡 癖好 pǐhào; 癖子 pǐzi ¶이런 ~은 그의 일생에 영향을 주었다 这种癖好影响了他的一生

성벽(城壁) 몡 城墙 chéngqiáng; 城壁 chéngbì

성:-별(性別) 몡 性別 xìngbié ¶이름은 같지만 ~이 다른 두 학생 同名不同性别的两名学生

성:병(性病) 몡 [醫] 性病 xìngbìng; 脏病 zāngbìng; 花柳病 huāliǔbìng ¶~에 걸리다 得性病

성:부(聖父) 몡 [宗] 圣父 shèngfù

성분(成分) 몡 1 成分 chéngfen; 成份 chéngfen ¶~비 成分比例 / 화학 성분 化学成分 / 주요 ~ 主要成分 ¶온천수에는 광물 ~이 함유되어 있다 温泉水里含有矿物成分 2 [語] 成分 chéngfen; 成份 chéngfen ¶문장 ~ 句子成分 3 (个人的) 成分 chéngfen; 成份 chéngfen 圀출신 ~ 出身成分

성:**불구**(性不具) 圀 性残废 xìngcánfèi

성:**비**(性比) 圀 性别比 xìngbiébǐ ¶~가 심하게 불균형이다 性别比严重失衡

성사(成事) 圀閑刃 成 chéng; 办成 bànchéng; 促成 chéngquán; 完成 wánchéng ¶그 두 사람의 결혼은 큰형이 가운데서 ~시킨 것이다 他俩的婚事, 有大哥从中成全

성:**-생활**(性生活) 圀 性生活 xìngshēnghuó ¶문란한 ~ 紊乱的性生活

성:**서**(聖書) 圀【宗】圣经 shèngjīng = 성경2

성:**선-설**(性善說) 圀【哲】性善说 xìngshànshuō

성성-이(猩猩一) 圀【動】= 오랑우탄

성성-하다(星星一) 圀 (须发白) 苍苍 cāngcāng ¶백발이 성성한 노인 白发苍苍的老头儿

성:**세**(盛世) 圀 盛世 shèngshì ¶~를 누리다 享有盛世

성:**쇠**(盛衰) 圀 盛衰 shèngshuāi

성:**수**(聖水) 圀【宗】圣水 shèngshuǐ ¶~를 뿌리다 洒圣水

성:**수-기**(盛需期) 圀 旺季 wàngjì ¶여행 ~ 旅游旺季 /~에 들어가다 进入旺季

성숙(成熟) 圀閑刃 1 成熟 chéngshú ¶보리가 ~한 이후에 때맞춰 수확해야 한다 麦子成熟以后, 要及时收割 2 成熟 chéngshú ¶몇 년 못 보았더니 그녀는 이미 ~한 아가씨로 변했다 几年没见, 她已经变成一个成熟的大姑娘了 3 成熟 chéngshú《发展到完善的程度》 ¶~한 조건을 구비하다 具备成熟的条件

성:**-스럽다**(聖一) 匬 神圣 shénshèng; 圣洁 shèngjié ¶성스러운 사명 神圣的使命 성:**스레** 图

성:**신**(聖神) 圀【宗】= 성령

성실(誠實) 圀閑匬 诚实 chéngshí; 老实 lǎoshi; 认真 rènzhēn ¶선생님은 ~한 학생을 좋아한다 老师喜欢诚实的学生 / 너는 그의 지휘를 ~히 따라야 한다 你必须老实地听从他的指挥

성심(誠心) 圀 诚心 chéngxīn; 诚意 chéngyì; 真心 zhēnxīn ¶~을 다하여 처리하다 尽诚心办理

성심-껏(誠心一) 图 诚心(地) chéngxīn(de); 诚意(地) chéngyì(de); 真心(地) zhēnxīn(de) ¶그녀는 진심으로 우리를 도와주려 한다 她是真心想帮咱们

성심-성의(誠心誠意) 圀 诚心诚意 chéngxīnchéngyì; 真心诚意 zhēnxīnchéngyì

성심성의-껏(誠心誠意一) 图 诚心诚

意(地) chéngxīnchéngyì(de); 真心诚意(地) zhēnxīnchéngyì(de) ¶그가 ~ 많은 음식을 차렸다 他诚心诚意地做了很多菜

성:**-싶다** 閨刑 可能 kěnéng; 也许 yěxǔ; 会 huì ¶그는 이 일을 허락하지 않을 ~ 这事他会不答应

성:**씨**(姓氏) 圀 姓 xìng; 姓氏 xìngshì ¶그들은 같은 ~이다 他们是同姓

성악(聲樂) 圀【音】声乐 shēngyuè ¶~가 声乐家

성:**악-설**(性惡說) 圀【哲】性恶说 xìng'èshuō

성:**애**(性愛) 圀 性爱 xìng'ài

성어(成語) 圀閑刃 1 成语 chéngyǔ 2【語】= 관용구

성:**업**(盛業) 圀 (事业) 兴隆 xīnglóng; 兴旺 xīngwàng; 兴盛 xīngshèng ¶이 시장은 현재 매우 ~중이다 这个市场现在兴旺得很

성에 圀 1 霜花 shuānghuā ¶~가 끼다 结霜花 2 = 성엣장

성에-꽃 圀 冰花 bīnghuā ¶차창에 ~이 피었다 车窗上结了冰花

성엣-장 圀 浮冰 fúbīng; 流冰 liúbīng = 성에2·유빙

성:**역**(聖域) 圀 圣地 shèngdì; 圣域 shèngyù ¶~ 없는 수사 没有圣地的搜查

성:**-염색체**(性染色體) 圀【生】性染色体 xìngrǎnsètǐ

성:**욕**(性慾) 圀 性欲 xìngyù ¶~이 왕성하다 性欲旺盛 /~이 감퇴하다 性欲减退

성우(聲優) 圀【演】配音演员 pèiyīn yǎnyuán; 广播剧演员 guǎngbōjù yǎnyuán

성운(星雲) 圀【天】星云 xīngyún

성원(成員) 圀 1 成员 chéngyuán ¶조직의 ~ 组织的成员 2 法定人数 fǎdìng rénshù ¶~ 미달이다 法定人数不够

성원(聲援) 圀閑匬 声援 shēngyuán; 助威 zhùwēi; 捧场 pěngchǎng ¶지지와 ~을 보내다 给予支持和声援

성:**은**(聖恩) 圀 圣恩 shèng'ēn; 圣上之恩 shèngshàngzhī'ēn ¶~이 망극하옵니다 圣恩无以复加

성의(誠意) 圀 1 诚意 chéngyì; 诚心 chéngxīn; 精诚 jīngchéng ¶~를 보이다 表示诚意 /~가 없다 没有诚心 2 意思 yìsi; 心意 xīnyì ¶이것은 그저 저의 조그만 ~일 뿐이니 받아 주세요 这不过是我的一点儿小意思, 请收下吧

성의-껏(誠意一) 图 竭诚(地) jiéchéng(de); 诚意(地) chéngyì(de); 诚心(地) chéngxīn(de); 精诚(地) jīngchéng(de)

(de) ¶그들은 ~ 나를 도와주고 있다 他们是在诚意地帮助我

성인(成人) 명 成人 chéngrén; 大人 dàrén = 대인(大人)1 ¶~병 成人病 / ~ 영화 成人电影

성·인(聖人) 명 圣人 shèngrén

성·자(聖子) 명 [宗] 圣子 shèngzi

성장(成長) 명[하자] 成长 chéngzhǎng; 生长 shēngzhǎng; 长大 zhǎngdà; 增长 zēngzhǎng ¶~ 과정 成长过程 / 호르몬 등의 生长激素 / 경제 ~ 经济增长 여기에서는 한대 식물이 ~할 수 없다 这里生长不了寒带植物 / 그는 서울에서 ~했다 他是在首尔长大的

성장기(成長期) 명 成长期 chéngzhǎngqī; 发育期 fāyùqī ¶~의 어린이 成长期的儿童 2 生长周期 shēngzhǎng zhōuqī ¶~가 짧은 식물 生长周期短 植物 ‖ = 발육기

성장-률(成長率) 명 [生] 成长率 chéngzhǎnglǜ

성·적(性的) 관[형] 性的 xìng(de) = 본능 性本能 / ~ 매력 性魅力 / ~ 충동이 생기다 产生性冲动 / ~인 농담을 하다 作出性挑逗

성적(成績) 명 1 成果 chéngguǒ; 成就 chéngjiù 2 [教] 成绩 chéngjī ¶시험 ~ 考试成绩 / 그는 최근에 ~이 좀 떨어졌다 他最近成绩有些下降

성적-표(成績表) 명 成绩单 chéngjīdān; 成绩通知书 chéngjī tōngzhīshū

성·전(聖殿) 명 1 圣殿 shèngdiàn 2 [宗] = 성당

성·전환(性轉換) 명 变性 biànxìng; 性转换 xìngzhuǎnhuàn ¶~ 수술 变性手术

성·정(性情) 명 性情 xìngqíng; 品性 pǐnxìng; 性灵 xìnglíng ¶~이 온유하다 性情温柔 / 좋은 ~을 기르다 养成优良的品性

성조(聲調) 명 1 声调 shēngdiào 2 [语] 声调 shēngdiào ¶중국어의 ~ 汉语的声调

성조-기(星條旗) 명 星条旗 xīngtiáoqí; 花旗 huāqí

성좌(星座) 명 [天] = 별자리

성주(城主) 명 城主 chéngzhǔ

성지(城地) 명 城地 chéngdì

성·지(聖地) 명 1 圣地 shèngdì ¶혁명 ~ 革命圣地 2 [宗] 圣地 shèngdì ¶~ 순례 圣地巡礼

성·지(聖旨) 명 圣旨 shèngzhǐ ¶~를 받들다 奉戴圣旨

성·직(聖職) 명 [宗] 圣职 shèngzhí ¶~자 圣职者=[圣职人员] / ~에 종사하다 从事圣职

성·질(性質) 명 1 性子 xìngzi; 脾气 píqi; 性头 xìngtou ¶그는 ~이 급하다 他性子很急 / 나쁜 ~을 고치다 改一改坏脾气 2 性质 xìngzhì ¶사건의 ~ 事件的性质

성·질-나다(性質—) 자 生气 shēngqì ¶너는 무슨 일로 성질났느냐? 你为什么事生气呀?

성·질-내다(性質—) 자 生气 shēngqì; 发火 fāhuǒ; 发脾气 fāpíqi; 发怒 fānù = 성질부리다 ¶성질내지 말고 좋게 말해라 别发火, 有话好好说

성·질-부리다(性質—) 자 = 성질내다

성·징(性徵) 명 [生] 性征 xìngzhēng

성·차별(性差別) 명 性别歧视 xìngbié qíshì ¶~을 받다 受到性别歧视

성·찬(聖餐) 명 [宗] 圣餐 shèngcān ¶~식 圣餐式

성찰(省察) 명[하타] 省察 xǐngchá; 反省 fǎnxǐng ¶자신을 ~하다 反省自己

성채(城砦) 명 城寨 chéngzhài

성체(成體) 명 [动] 成体 chéngtǐ

성·추행(性醜行) 명[하자타] 猥亵 wěixiè ¶교사가 여학생을 ~하다 教师猥亵女生

성충(成蟲) 명 [虫] 成虫 chéngchóng

성취(成就) 명[하자] 成就 chéngjiù; 成果 chéngguǒ; 成功 chénggōng; 实现 shíxiàn; 达到 dádào ¶소원을 ~하다 实现愿望 / 그는 기술 혁신 방면에서 대단한 ~를 이루었다 他在技术革新方面取得了很大的成就

성층-권(成層圈) 명 [地理] 平流层 píngliúcéng; 同温层 tóngwēncéng

성큼 부 1 阔步 kuòbù; 大步 dàbù; 大踏步 dàtàbù ¶그는 ~ 앞으로 가서 노인을 부축했다 他阔步走上前去, 把老人扶起来 2 霍地 huòdì; 忽然 hūrán ¶~ 몸을 돌리다 霍地转过身来 3 一晃 yīhuàng; ~ 다 가왔다 冬天一晃就到了 ¶겨울이 ~ 다

성·탄(聖誕) 명 1 圣诞 shèngdàn 2 [宗] = 성탄절 ¶~ 예배 圣诞礼拜 / ~ 선물 圣诞节礼物

성·탄-절(聖誕節) 명 [宗] 圣诞节 shèngdànjié; 圣诞 shèngdàn = 성탄 2 · 크리스마스

성토(聲討) 명[하타] 声讨 shēngtǎo ¶~대회를 벌이다 进行声讨大会

성패(成敗) 명 成败 chéngbài ¶이 일의 ~는 아직 알 수 없다 此事的成败尚未可知

성·폭력(性暴力) 명 性暴力 xìngbàolì

성·폭행(性暴行) 명[하타] 性暴行 xìngbàoxíng; 强奸 qiángjiān ¶부녀자에 대한 ~ 对妇女的性暴行

성·품(性品) 명 品性 pǐnxìng; 性子

xìngzi; 性情 xìngqíng; 禀性 bǐngxìng; 秉性 bǐngxìng ¶~이 유순하다 性情随和

성-하다 혱 **1** 完整 wánzhěng; 完全 wánquán; 完好 wánhǎo ¶집 안에 성한 물건이 하나도 없다 家里没有一个完好的东西 **2** (身体) 完全 wánquán; 结实 jiēshi; 无恙 wúyàng ¶사지가 ~ 四肢完全 성-히 閅

성:-하다(盛一) 〓혱 **1** 旺 wàng; 旺盛 wàngshèng; 兴旺 xīngwàng; 兴盛 xīngshèng; 繁盛 fánshèng ¶불이 갈수록 ~ 火越来越旺 **2** 茂盛 màoshèng; 旺盛 wàngshèng; 繁盛 fánshèng; 茂 wàng ¶초목이 ~ 草木茂盛 〓혱 昌盛 chāngshèng ¶자손이 ~ 子孙昌盛 성:-히 閅

성:-함(姓銜) 몡 贵姓 guìxìng; 尊姓大名 zūnxìng dàmíng ¶저에게 ~을 알려 주십시오 请告诉我尊姓大名

성:-행(盛行) 몡햐짜 盛行 shèngxíng ¶이런 춤이 한동안 ~했다 这种舞蹈行一时

성:-행위(性行爲) 몡 = 성교

성:-향(性向) 몡 取向 qǔxiàng; 倾向 qīngxiàng; 趋向 qūxiàng ¶소비 ~ 消费取向 / 성적 ~ 性取向 / 보수적 ~ 保守取向

성:-현(聖賢) 몡 圣贤 shèngxián ¶~의 가르침 圣贤的教诲

성형(成形) 몡햐짜 **1** 成形 chéngxíng ¶~ 기계 成形机 **2** 〔醫〕整形 zhěngxíng; 整容 zhěngróng ¶~ 수술 整形手术 / 미용 ~ 수술 整容手术 / ~외과 整形外科

성:-호(聖號) 몡 〔宗〕圣号 shènghào ¶~를 긋다 划圣号

성:-호르몬(性hormone) 몡 〔生〕性激素 xìngjīsù

성혼(成婚) 몡햐짜 成婚 chénghūn; 结婚 jiéhūn

성홍-열(猩紅熱) 몡 〔醫〕猩红热 xīnghóngrè

성화(成火) 몡햐짜 **1** 憋躁 biēzào; 急躁 jízào ¶어쩔 줄 몰라 하며 매우 ~를 내다 坐立不安, 憋躁极了 **2** 纠缠 jiūchán; 磨蹭 móceng; 缠磨 chánmó; 蘑菇 mógu ¶아이가 공원에 가고 싶어서 나에게 하루 종일 ~다 孩子要去公园, 跟我蘑蹭了半天

성:-화(聖火) 몡 **1** 圣火 shènghuǒ; 〔宗〕圣火 shènghuǒ **3** 〔體〕圣火 shènghuǒ; 火炬 huǒjù ¶~ 台 圣火台 / 올림픽 ~ 奥运会圣火 / ~ 릴레이 火炬接力跑 / ~를 봉송하다 传递火炬

성:-화(聖畵) 몡 〔美〕圣画 shènghuà

성:-황(盛況) 몡 盛况 shèngkuàng; 红火 hónghuǒ ¶공연의 ~을 이루다 盛

况空前

성:-황-리(盛況裡) 몡 盛况中 shèng kuàngzhōng ¶음악회가 ~에 끝났다 音乐会在盛况中结束了

성회(成會) 몡햐짜 开成会议 kāichéng huìyì ¶~를 선포하다 宣布开成会议

성:-희롱(性戲弄) 몡햐짜 性骚扰 xìngsāorǎo ¶~ 사건 性骚扰事件 / ~ 을 당하다 遭受性骚扰

섶[섭] 몡 = 옷섶 ¶~을 여미다 整整衣襟

섶² 몡 柴 chái; 柴禾 cháihé; 柴火 cháihuǒ = 섶나무

섶-나무 몡 = 섶²

세: 囹 三 sān ¶사람 三个人 / ~ 살 三岁 / ~ 가지 三种 / ~ 편의 논문 三篇论文

세 살 적 버릇[마음]이 여든까지 간다 속땀 三岁定八十, 八岁定终身; 三岁到老, 百岁勿改

세:(世) 의명 世 shì ¶리처드 일 ~ 理查德一世

세:(稅) 몡 **1** 〔法〕= 조세 **2** 〔史〕税 shuì

세:(貰) 몡 **1** 租金 zūjīn ¶~를 올리다 抬高租金 **2** 租 zū ¶~를 주다 出租 / 집을 살 수 없으니 ~를 얻는 수밖에 없다 买不起房子, 只能租

세:(勢) 몡 = 세력 ¶~를 믿고 남을 업신여기다 仗势欺人

세:(歲) 의명 岁 suì ¶오 ~ 아동 五岁儿童

세:-가(世家) 몡 世家 shìjiā; 世族 shì zú = 세족 ¶그는 명문 ~ 출신이다 他出身名门世家

세:-간(家件) 몡 家什 jiāshi; 家具 jiāju = 세간살이 ¶~을 갖추다 具备家什

세:-간(世間) 몡 世间 shìjiān; 世上 shì shàng; 世 shì; 人世 rénshì; 人间 rénjiānshì ¶~의 이목을 끌다 引世间的注目

세간-살이 몡 = 세간

세:-계(世界) 몡 **1** 世界 shìjiè; 全球 quánqiú; 天下 tiānxià ¶~화 世界化 / ~사 世界史 / ~인 世界人 / ~정세 世界形势 / ~ 지도 世界地图 / ~ 대전 世界大战 / ~ 제일 世界第一 / ~ 경제 世界经济 / ~ 평화 世界和平 **2** 世界 shìjiè; 天地 tiāndì 《指领域或范围》¶정신 ~ 精神世界 / 문학 ~ 文学世界 / 현실 ~ 现实世界 / 동물의 ~ 动物世界 / 미지의 ~ 未知的世界

세:-계-관(世界觀) 몡 〔哲〕世界观 shìjièguān; 宇宙观 yǔzhòuguān

세:-계 기록(世界記錄) 몡 〔體〕世界纪录 shìjiè jìlù = 세계 신기록 ¶~ 보유자 世界纪录保持者 / ~을 세우다 创造世界纪录

세:계-무대(世界舞臺) 〘명〙 世界舞台 shìjiè wǔtái ¶~에 진출하다 走上世界舞台

세:계 무역 기구(世界貿易機構) 〘經〙 世界贸易组织 Shìjiè Màoyì Zǔzhī = 더블유티오

세:계 보건 기구(世界保健機構) 〘醫〙 世界卫生组织 Shìjiè Wèishēng Zǔzhī = 더블유에이치오

세:계 시:장(世界市場) 〘經〙 世界市场 shìjiè shìchǎng ¶우리나라 상품이 ~에 진출하다 我国的产品进入世界市场

세:계 신기록(世界新記錄) 〘體〙 = 세계 记录

세:계-적(世界的) 〘관형〙 世界(的) shìjiè(de); 世界性 shìjièxìng; 全球(的) quánqiú(de); 全球性 quánqiúxìng ¶기술이 ~인 수준에 도달했다 技术达到了国际水平

세:공(細工) 〘명〙 细工 xìgōng; 细活 xìhuó; 手工 shǒugōng ¶~이 정교하다 手工精细

세:관(稅關) 〘명〙 〘法〙 海关 hǎiguān ¶~원 海关人员 / ~ 수속 海关手续 / ~ 압수 海关扣押 / ~ 검사 海关检查 = [验关]

세:관 신고(稅關申告) 〘法〙 报关 bàoguān; 海关登记 hǎiguān dēngjì

세:관 신고서(稅關申告書) 〘法〙 报关单 bàoguāndān; 保税单 bǎoshuìdān; 海关申报单 hǎiguān shēnbàodān

세:균(細菌) 〘명〙 〘生〙 细菌 xìjūn; 菌 jūn = 박테리아 ¶~이 번식하다 细菌繁殖 / 상처가 ~에 의해 감염되다 伤口被细菌感染

세:균-성(細菌性) 〘명〙 细菌性 xìjūnxìng ¶~ 이질 细菌性痢疾

세:금(稅金) 〘명〙 = 조세 ¶~을 내다 纳税 = [交稅] / ~을 체납하다 拖税 = [拖欠稅款]

세:기〘명〙 〘物〙 = 강도(强度)2

세:기(世紀) 〘명〙 世纪 shìjì ¶~를 뛰어넘다 跨世纪 / 20 ~ 二十世纪 / ~의 영웅 世纪的英雄

세:기-말(世紀末) 〘명〙 世纪末 shìjìmò; 末世 mòshì ¶~이 곧 다가온다 世纪末即将来临

세:-내다(貰一) 〘타〙 租 zū; 赁 lìn; 租借 zūjiè; 租赁 zūlìn ¶차를 ~ 租车 = [赁车] / 집 한 채를 세냈다 租借了一套房子

세:-놓다(貰一) 〘타〙 出租 chūzū; 租赁 zūlìn ¶점포를 ~ 出租店铺

세:뇌(洗腦) 〘명〙〘하타〙 洗脑 xǐnǎo ¶~ 교육 洗脑教育 / 그는 적에게 ~된 것이 틀림없다 他肯定是被敌人洗脑了

세:다¹ 〘자〙 〔머리가〕 변白 biànbái; 发白 fābái ¶머리가 ~ 头发变白

세:다² 〘타〙 数 shǔ; 点 diǎn; 算 suàn; 计算 jìsuàn ¶수를 ~ 数数儿 / 人员을 ~ 数人数 / 돈을 ~ 点钱 / 모두 몇 개인지 세어 보다 数一数一共数多少个 / 셀 수 없이 많다 多得数也数不清

세:다³ 〘형〙 1 〔力气〕强 qiáng; 大 dà; 猛 měng; 用力 yònglì ¶키는 작지만 힘은 ~ 个子小，力气大 / 문을 세게 닫다 用力地关门 2 〔酒量〕大 dà ¶술이 ~ 酒量大 3 〔性格, 意志, 态度〕强 qiáng; 硬 yìng ¶자존심이 ~ 自尊心很强 / 고집이 ~ 脾气硬 4 〔要求〕强 qiáng; 硬 yìng ¶가시가 ~ 刺硬 5 〔风速或流速〕大 dà; 猛 měng; 猛烈 měngliè ¶바람이 정말 ~ 风可大 6 〔风水或命运〕不好 bùhǎo; 硬 yìng; 凶 xiōng ¶팔자가 ~ 八字不好 7 〔水平〕高 gāo ¶그는 장기 실력이 상당히~ 他象棋水平非常高

세단(sedan) 〘명〙 轿车 jiàochē ¶고급 ~ 高级轿车

세:대(世代) 〘명〙 1 世代 shìdài ¶~로 전해지다 世代相传 2 代 dài; 辈 bèi; 世代 shìdài ¶~ 차이 代沟 / 다음 ~ 下一代 / ~교체 世代交替 = [换代] 3 世代 shìdài; 世上 shìshàng; 社会 shèhuì ¶~가 달라지다 世代不同

세:대(世帶) 〘명〙 〘法〙 住户 zhùhù; 户口 hùkǒu; 户 hù ¶우리 아파트에는 삼천 ~가 있다 我公寓里有三千家住户

세:대-주(世帶主) 〘명〙 户主 hùzhǔ; 家长 jiāzhǎng

세:도(勢道) 〘명〙〘하자〙 权势 quánshì; 派头 pàitóu; 霸道 bàdào; 威 wēi ¶~를 부리다 作威作福 / ~를 잡다 横行霸道

세:도-가(勢道家) 〘명〙 专权者 zhuānquánzhě

세라믹(ceramics) 〘명〙 陶器 táoqì; 陶瓷 táocí ¶~ 냄비 陶瓷锅

세레나데(serenade) 〘명〙 〘音〙 小夜曲 xiǎoyèqǔ = 소야곡·야곡

세:력(勢力) 〘명〙 势力 shìlì; 力量 lìliang; 势 shì = 세(勢) ¶~가 有权有势的人 / ~권 势力范围 / 정치 ~ 政治势力 / ~이 강하다 势力很强

세:련(洗練·洗鍊) 〘명〙〘하타〙 1 精练 jīngliàn; 洗练 xǐliàn ¶수정한 문장은 이전보다 ~되다 修改后的文章比以前精练了 2 时髦 shímáo; 潇洒 xiāosǎ ¶그는 매우 ~되게 입었다 他穿得非常时髦

세:례(洗禮) 〘명〙 1 〘宗〙 洗礼 xǐlǐ; 洗 xǐ ¶~식 洗礼仪式 / 유아 ~ 婴儿洗礼 / ~를 받다 受洗 = [接受洗礼] 2 洗礼 xǐlǐ; 雨 yǔ ¶질문 ~를 받다 接受问题的洗礼 / 주먹 ~를 받다 惨遭拳头胡

세:례-명(洗禮名) 명【宗】圣名 shèngmíng; 教名 jiàomíng

세:-로 图 명 纵 zòng; 竖 shù; 直 zhí ¶~무늬 纵纹 / ~쓰기 竖写 / ~줄 竖线 / ~축 纵轴 / ~로 쓰다 竖着写 / 이 탁자는 ~가 50cm이다 这个桌子纵边 50厘米

세:-면(洗面) 명 하 자 = 세수(洗手)

세:면-기(洗面器) 명 洗脸盆 xǐliǎnpén; 脸盆 liǎnpén

세:면-대(洗面臺) 명 洗脸台 xǐliǎntái

세:면-도구(洗面道具) 명 洗脸用具 xǐliǎn yòngjù

세:-모 명 1 三角 sānjiǎo; 三角形 sānjiǎoxíng ¶종이를 ~로 접다 把纸折成三角形 2 【數】 = 삼각형

세:모(細毛) 명 = 세밀

세:모-꼴 명 1 三角形 sānjiǎoxíng; 三角 sānjiǎo ¶~ 얼굴 三角脸 2 【數】 = 삼각형

세:-모시(細一) 명 细夏布 xìxiàbù

세:모-지다 명 成三角 chéng sānjiǎoxíng

세:목(細目) 명 细目 xìmù ¶지출을 ~별로 나누다 把支出分成细目

세:-무(稅務) 명 税务 shuìwù ¶~사 税务师 / ~서 税务局 / ~ 조사 税务检查 =[税务] / ~ 비리를 폭로하다 揭露税务不合理

세미나(seminar) 명 【教】专题讨论会 zhuāntí tǎolùnhuì; 研讨会 yántǎohuì ¶~를 열다 召开研讨会

세미콜론(semicolon) 명 【語】分号 fēnhào

세:밀-하다(細密一) 형 细密 xìmì; 细致 xìzhì; 细腻 xìnì; 周密 zhōumì; 精密 jīngmì; 精细 jīngxì ¶세밀한 조사를 하다 这件事必须进行细致的调查 / 묘사가 상당히 ~ 描写相当细腻 / 분석이 ~ 分析精密 세:밀-히 图 ¶~분석하다 细密分析

세:-밀(歲一) 명 岁末 suìmò; 岁暮 suìmù; 岁底 suìdǐ = 세모(歲暮)

세:-발-자전거(一自轉車) 명 三轮自行车 sānlún zìxíngchē; 三轮童车 sānlún tóngchē

세:배(歲拜) 명 하 자 拜年 bàinián ¶부모님께 ~ 드리다 向父母拜年 / 어제 할아버지 댁에 가서 ~를 드렸다 昨天到爷爷家拜了个年

세:-뱃-돈(歲拜一) 명 压岁钱 yāsuìqián ¶~을 받다 收到压岁钱

세:법(稅法) 명 【法】税法 shuìfǎ = 조세법

세:-부(細部) 명 细部 xìbù ¶~ 계획 细部计划 / ~ 묘사 细部描写

세:부-적(細部的) 명 细部的(的) xìbù(de) ¶~인 부분까지도 검토하다 连细部部分也进行研讨

세:-분(細分) 명 하 자 细分 xìfēn ¶내용을 항목별로 ~하다 把内容按项目细分

세:분-화(細分化) 명 하 자 타 细分化 xìfēnhuà ¶등급을 ~하다 把等级细分化 / 사회 계층이 ~되다 社会阶层细分化

세:-상(世上) 명 1 世 shì; 世上 shìshàng; 世界 shìjiè; 世间 shìjiān; 天下 tiānxià = 세속1 ¶~ 사람 世人 / 온 ~ 整个世界 / ~을 뒤흔들다 轰动世界 2 一生 yīshēng; 一辈子 yībèizi; 平生 píngshēng ¶그녀는 이렇게 한 ~을 마쳤다 她就这样结束了自己的一生 3 外边 wàibian; 社会 shèhuì ¶~ 소식이 궁금하다 想知道社会消息 4 = 세상인심 ¶~이 매우 각박하다 世道非常刻薄 / 야속한 ~ 无情的世道 5 无比 wúbǐ; 再 zài ¶그 물건이 ~ 좋더라도 나는 필요 없다 那东西再好我也不要

세상(을) 떠나다[뜨다] 구 逝世; 去世; 与世长辞; 弃世; 离世 = 세상(을) 하직하다2 · 세상을 등지다2 · 세상(을) 떠나다[뜨다]

세상(을) 버리다 구 1 = 세상을 등지다1 2 = 세상(을) 떠나다[뜨다]

세상을 등지다 구 1 遁世; 离世 = 세상(을) 버리다1 2 = 세상(을) 떠나다[뜨다]

세상(을) 하직하다 구 = 세상(을) 떠나다[뜨다]

세:상-만사(世上萬事) 명 世上万事 shìshàng wànshì ¶~가 뜻대로 되는 것은 아니다 世上万事不可能都有如意

세:-상-모르다(世上一) 자 1 不懂事 bùdǒngshì 2 死忘的 sǐsǐde; 死 sǐ ¶세상모르고 잔다 睡得很死

세:상-사(世上事) 명 世事 shìshì = 세상일 ¶~에 정통하다 精于世事

세:상-살이(世上一) 명 处世 chǔshì; 社会生活 shèhuì shēnghuó ¶고달픈 ~ 艰苦的社会生活

세:상-없어도(世上一) 图 死也 sǐyě; 不管怎样一定 bùguǎn zěnyàng yídìng; 无论如何一定 wúlùn rúhé yídìng ¶~ 오늘 안으로 이 일을 끝내야 한다 今天之内一定要完成这件工作

세:-상-없이(世上一) 图 再…不过 zài…búguò; 无比 wúbǐ ¶~ 좋은 사람 再好不过的人

세:상-에(世上一) 图 天啊 tiān'a; 天哪 tiānna ¶~, 이런 일이 있다니! 天啊, 竟有这样的事

세:상-인심(世上人心) 명 世上人心 shìshàng rénxīn; 世道 shìdào = 세상4

¶~이 예전 같지 않다 世上人心和前不一样

세:상-일(世上一) 몡 = 세상사 ¶~에 무관심하다 对世事不关心

세:상-천지(世上天地) 몡 '세상1'의 강조어 ¶이런 일이 ~에 또 있을까? 天下还有这种事?

세:세-하다(細細一) 톙 1 细 xì; 详细 xiángxì; 仔细 zǐxì; 细细 xìxì ¶세세하게 검사하다 检查得仔细 2 细小 xì xiǎo; 琐碎 suǒsuì ¶이렇게 세세한 일은 따지지 마라! 这么细小的事不要计较了吧 세:-세-히 뭐

세:속(世俗) 몡 1 = 세상1 ¶~을 등지다 避世 2 世俗 shìsú ¶~ 오계 世俗五戒 3 【佛】= 속세

세:속-적(世俗的) 관몡 世俗(的) shìsú(de); 庸俗(的) yōngsú(de); 俗气(的) súqì(de) ¶~인 견해 世俗的见解 / ~인 기준 世俗标准

세:손(世孫) 몡 = 왕세손

세:수(洗手) 몡하자 洗脸 xǐliǎn; 盥洗 guànxǐ = 세면 ¶~ 수건 洗脸毛巾 / 깨끗이 ~하다 洗脸洗得很干净

세:수(稅收) 몡 = 세수입

세:-수입(稅收入) 몡 稅收 shuìshōu = 세수(稅收)

세:숫-대야(洗手一) 몡 洗脸盆 xǐliǎnpén

세:숫-물(洗手一) 몡 洗脸水 xǐliǎnshuǐ ¶~을 데우다 烧热洗脸水

세:숫-비누(洗手一) 몡 香皂 xiāngzào = 화장비누

세:습(世襲) 몡하타 世袭 shìxí ¶왕위를 ~하다 世袭王位

세:시(歲時) 몡 岁时 suìshí; 年中 niánzhōng ¶~ 풍속 岁时风俗

세:심-하다(細心一) 톙 细心 xìxīn; 精心 jīngxīn; 仔细 zǐxì ¶세심하게 관찰하다 观察得细心 ¶이 환자는 ~ 돌봐야 한다 这个病人你要精心照顾 세:-심-히 뭐

세:-쌍둥이(一雙一) 몡 三胞胎 sānbāotāi

세:안(洗顔) 몡하자 洗脸 xǐliǎn; 洗面 xǐmiàn ¶비누로 ~하다 用香皂洗脸

세:액(稅額) 몡 稅额 shuì'é ¶~ 감면 稅额减免 / ~을 산출하다 算出稅额

세우다 타 1 站 zhàn; 立 lì ¶비스듬하게 하지 말고, 몸을 바로 세워라 身体站直, 别歪着 2 立 lì; 竖 shù ¶비석을 ~ 立碑 / 동상을 ~ 立铜像 / 광고판을 곧게 ~ 把广告牌立直了 3 建 jiàn; 修建 xiūjiàn; 建立 jiànlì; 建筑 jiànzhù ¶고층 건물을 ~ 建高楼 4 立 lì; 树立 shùlì; 制定 zhìdìng ¶뜻을 ~ 立志 / 목표를 세웠다 目标树立了 / 정책을 ~ 制定政策 / 학습 계획을 ~ 制定教学 计划 5 立 lì; 建立 jiànlì; 树立 shùlì ¶공을 ~ 立功 / 가설을 ~ 立假设 / 위신을 ~ 树立威信 / 人生观을 ~ 树立人生观 6 停 tíng ¶건물 앞에 차를 세워서는 안 된다 楼前不准停车 7 排队 páiduì ¶사람들을 줄 ~ 让大家排队 8 拥戴 yōngdài; 拥立 yōnglì; 打 dǎ; 布置 bùzhì; 作为 zuòwéi ¶그를 선봉에 ~ 把他立为先锋 / 보초를 ~ 布置步哨 / 목격자를 증인으로 ~ 把目击者作为证人 9 竖 shù ¶옷깃을 ~ 竖起衣领 10 开 kāi ¶칼날을 ~ 开刀儿 11 维持 wéichí ¶생계를 ~ 维持生活 12 坚持 jiānchí; 固执 gùzhí ¶자신의 주장만 ~ 固执己见 13 带 dài ¶핏발을 ~ 带血丝

세:월(歲月) 몡 1 岁月 suìyuè; 日子 rìzi; 光阴 guāngyīn; 年月 niányuè; 年华 niánhuá ¶기나긴 ~ 漫长的岁月 / ~을 헛되이 보내다 虚度年华 / ~이 흐르다 岁月流逝 / ~이 정말 빠르다 日子过得真快 2 景气 jǐngqì; 景况 jǐngkuàng; 世道 shìdào ¶~이 갈수록 좋아진다 景气越来越好

세:율(稅率) 몡 【法】= 과세율

세이프(safe) 몡 【體】1 (棒球的) 安全进垒 ānquán jìnlěi 2 (网球的) 线内球 xiànnèiqiú

세:인(世人) 몡 世人 shìrén ¶~의 주목을 받다 受到世人注目

세일(sale) 몡하타 1 销售 xiāoshòu; 出售 chūshòu ¶자동차 ~ 汽车销售 2 甩卖 shuǎimài; 大减价 dàjiǎnjià; 廉价出售 liánjià chūshòu; 打折 dǎzhé ¶백화점 ~이 시작되다 开始百货大楼甩卖

세일러-복(sailor服) 몡 1 = 해군복 2 水手服 shuǐshǒufú; 水兵服 shuǐbīngfú

세일즈-맨(salesman) 몡 = 외판원 ¶자동차 ~ 汽车售货员

세:입(稅入) 몡 【經】稅收 shuìshōu ¶~이 고갈되다 稅收枯竭

세:입-자(貰入者) 몡 房客 fángkè

세:자(世子) 몡 【史】= 왕세자 ¶~로 책봉하다 册封为太子

세:정(洗淨) 몡하타 洗净 xǐjìng; 洗清 xǐqīng ¶~력 洗净力

세:정-제(洗淨劑) 몡 【藥】= 세제(洗劑)1

세:제(洗劑) 몡 1 洗衣粉 xǐyīfěn ¶중성 ~ 中性洗衣粉 2 【藥】= 세척제

세:제(稅制) 몡 【法】稅制 shuìzhì ¶~ 개혁 稅制改革

세:-제곱 몡하타 【數】立方 lìfāng ¶~근 立方根 / ~미터 立方米

세:족(世族) 몡 = 세가

세: ‒주다(貰‒) **配** 出租 chūzū ¶방을 ~ 出租房子

세:‒차(洗車) **명**[하타] 洗车 xǐchē ¶~장 洗车场 / 전자동 ~ 시설 全自动洗车设备

세:‒차다(勢‒) **형** 澎湃 jiōng; 激烈 jīliè; 猛 měng; 猛烈 měngliè; 疾 jí; 烈 liè; 奔 bēn ¶세찬 바람 疾风 / 세찬 불길 烈火 / 세차게 흐르다 奔流

세:척(洗滌) **명**[하타] 洗涤 xǐdí; 清洗 qīngxǐ; 洗濯 xǐzhuó ¶~력 洗涤力 / ~효과 洗涤效果 / 식기를 ~하다 清洗餐具 / 위를 ~하다 清洗胃肠

세:척‒제(洗滌劑) **명**[**藥**] 洗涤剂 xǐdíjì = 세제(洗劑)2

세:칙(細則) **명** 细则 xìzé ¶~을 마련하다 制定细则

세:탁(洗濯) **명**[하타] = 빨래1 ¶옷을 ~하다 洗衣服

세:탁‒기(洗濯機) **명** 洗衣机 xǐyījī ¶자동 ~ 自动洗衣机

세:탁‒물(洗濯물) **명** = 빨랫감

세:탁‒비누(洗濯‒) **명** 洗衣皂 xǐyīzào = 빨랫비누

세:탁‒소(洗濯所) **명** 洗衣店 xǐyīdiàn; 洗染店 xǐrǎndiàn ¶~를 차리다 开一间洗衣店

세:태(世態) **명** 世态 shìtài ¶~ 풍속 世态风俗 / ~를 풍자하다 讽刺世态

세트(set) **명 1** 套 tào; 组 zǔ; 副 fù; 成套 chéngtào ¶선물 ~ 成套礼品 / 메뉴 套餐 / ~로 되어 있는 买成套的 **2** 舞台装置 wǔtái zhuāngzhì; 布景 bùjǐng ¶야외 ~를 설치하다 布置露天布景 **3** 整理发型 shūzhěng fàxíng **4** [**體**] 盘 pán; 局 jú ¶~ 스코어 得胜局数 / 테니스 시합의 첫 번째 ~ 第一局网球比赛

세팅(setting) **명**[하타] **1** 布置 bùzhì; 摆 bǎi; 配置 pèizhì; 安放 ānfàng; 设置 shèzhì ¶회의장은 ~이 다 되었습니까? 会场布置好了吗? **2** 梳整发型 shūzhěng fàxíng **3** [**演**] 舞台装置 wǔtái zhuāngzhì; 布景 bùjǐng

세:파(世波) **명** 世上风波 shìshàng fēngbō; 世上沧桑 shìshàng cāngsāng ¶온갖 ~를 다 겪다 经受各种世上风波

세:포(細胞) **명**[**生**] 细胞 xìbāo ¶~막 细胞膜 / ~벽 细胞壁 / ~질 细胞质 / ~ 조직 细胞组织 / ~ 배양 细胞培养 / ~ 분열 细胞分裂 / 동물 ~ 动物细胞

세:포‒핵(細胞核) **명**[**生**] = 핵4

섹스(sex) **명 1** = 성3 **2** 做爱 zuò'ài; 性行为 xìngxíngwéi; 性交 xìngjiāo ¶~ 상대 做爱对象 / ~로 감염된 성병 因性行为而感染的性病

섹스‒어필(sex appeal) **명**[하자] 性魅

력 xìngmèilì; 性感 xìnggǎn

섹시‒하다(sexy‒) **형** 性感 xìnggǎn 色情 sèqíng; 肉感 ròugǎn ¶섹시한 스타 性感明星 / 섹시한 입술 肉感的嘴唇 / 그녀는 섹시하게 생겼다 她长得很性感

센:‒말 **명**[**語**] 强势词 qiángshìcí

센:‒물 **명**[**化**] 硬水 yìngshuǐ

센:‒바람 **명**[**地理**] 强风 qiángfēng = 강풍(强風)2

센서(sensor) **명**[**物**] = 감지기

센세이션(sensation) **명** 轰动 hōngdòng ¶일대 ~을 일으키다 引起了极大的轰动

센스(sense) **명** 感觉 gǎnjué; 知觉 zhījué ¶그는 ~가 없다 他没有感觉

센터(center) **명 1** [**體**] 中锋 zhōngfēng **2** 中心 zhōngxīn ¶무역 ~ 贸易中心

센터링(centering) **명**[**體**] 传中 chuánzhōng; 向中锋传球 xiàngzhōngfēng chuánqiú

센티(←centimeter) **의명** = 센티미터 ¶170~의 키 一百七十厘米的个子

센티멘털‒하다(sentimental‒) **형** 感伤 gǎnshāng; 感情 gǎnqíng; 多愁善感 duōchóu shàngǎn = 센티하다 ¶이런 날씨는 사람을 센티멘털하게 만든다 这种天气使人感伤

센티‒미터(centimeter) **의명** 厘米 límǐ = 센티

센티‒하다 **형** = 센티멘털하다

셀러리(celery) **명**[**植**] 芹菜 qíncài

셀로판(cellophane) **명**[**工**] 玻璃纸 bōlizhǐ; 赛璐珞 sàilùfēn; 胶膜 jiāomó = 셀로판지 ¶~테이프 玻璃纸胶带

셀로판‒지(cellophane紙) **명**[**工**] = 셀로판

셀룰로오스(cellulose) **명**[**生**] 纤维素 xiānwéisù = 섬유소

셀프‒서비스(self-service) **명** 自助 zìzhù; 顾客自理 gùkè zìlǐ; 无人售货 wúrén shòuhuò ¶이 식당은 ~하는 음식점이다 这家食堂是自助餐馆

셈 **명**[하타] **1** 计算 jìsuàn; 算 suàn ¶~이 빠르다 计算得很快 **2** 结算 jiésuàn; 帐 zhàng ¶~이 분명하다 结算得清楚 / ~이 흐리다 借钱不还 **의명 1** 打算 dǎsuan; 想 xiǎng; 想法 xiǎngfa ¶어쩔 ~이지 정말 모르겠다 真不知道有什么打算 **2** 算 suàn; 算是 suànshì; 算作 suànzuò; 认为 rènwéi ¶좋은 선생님을 만났으니 네 운은 좋은 ~이다 遇上一位好老师, 算你运气好 **3** 算 suàn ¶~ 속은 ~ 치자 就算上当了

셈:‒법(‒法) **명**[**數**] = 산법

셈:‒속 **명 1** 内幕 nèimù **2** 内心 nèixīn

셋: 令 三 sān; 三个 sānge ¶~으로 나누다 分成三个

셋:-방(貰房) 명 出租房 chūzūfáng ¶~을 구하다 寻找出租房 / ~에 살다 住在出租房

셋:방-살이(貰房─) 명하자 租房间住 zū fángjiān zhù

셋:-집(貰─) 명 出租房 chūzūfáng ¶~을 구하다 求出租房 / ~에 들다 租住出租房

셋:-째 令凭 第三 dìsān ¶~ 아들 第三个儿子 / ~줄에 앉다 坐在第三排

셔츠(←shirt) 명 衬衫 chènshān; 衬衣 chènyī ¶흰색 ~를 입고 있는 남자 穿着白衬衫的男人

셔터(shutter) 명 1 【演】快门 kuàimén ¶~를 누르다 摁快门 2 卷门 juǎnmén; 百叶门 bǎiyèmén ¶폐점 시간이 되어 ~를 내리다 到了关门时间拉下卷门

셔틀-버스(shuttle bus) 명 区间公共汽车 qūjiān gōnggòng qìchē ¶~를 타고 출퇴근하다 乘区间公共汽车上下班

셔틀콕(shuttlecock) 명【體】羽毛球 yǔmáoqiú = 배드민턴공

셰퍼드(shepherd) 명【動】德国狼犬 Déguó lángquǎn; 德国牧羊犬 Déguó mùyángquǎn

소¹ 명【動】牛 niú ¶~ 한 마리 一头牛 / ~가 밭을 갈고 있다 牛在耕地

소 닭 보듯 (닭 소 보듯) 俗语 牛看鸡, 无动于衷

소 잃고 외양간 고친다 俗语 马后炮; 亡羊补牢; 贼走了关门

소² 명 1 馅(儿) xiàn(r) ¶~를 너무 적게 넣었다 把馅儿放得太少了 2 (泡菜里의) 作料 zuòliào

소(訴) 명【法】诉 sù; 诉讼 sùsòng ¶~를 제기하다 起诉

소:-(小) 접두 小 xiǎo ¶~규모 小规模 / ~사전 小词典

-소(所) 접미 所 suǒ ¶연구~ 研究所 / 사무~ 事务所

소:-가족(小家族) 명 1 小户 xiǎohù; 小家子 xiǎojiāzi 2 = 핵가족

소-가죽 명 = 쇠가죽 ¶~ 장갑 牛皮手套

소각(燒却) 명하자 烧毁 shāohuǐ; 焚烧 fénshāo; 烧掉 shāodiào ¶~장 焚烧场 / 쓰레기~를 하다 焚烧垃圾 / 문서~를 하다 把文件烧掉了

소-간(─肝) 명 = 쇠간

소:-갈-머리(─肝) 명 心眼儿 xīnyǎnr; 心地 xīndì; 心思 xīnsi ¶~가 좁다 心眼儿小

소-갈비 명 = 쇠갈비

소:-감(所感) 명 感想 gǎnxiǎng; 感

gǎnyán; 所感 suǒgǎn ¶수상 ~ 获奖感言 / ~을 말해 주실 수 있습니까? 能谈谈你的感想吗?

소:-강(小康) 명하자 1(病情) 好转 hǎozhuǎn 2 安定 āndìng; 平稳 píngwěn

소:-강-상태(小康狀態) 명 平稳状态 píngwěn zhuàngtài; 缓和 huǎnhé; 好转 hǎozhuǎn ¶치열했던 전투가 ~에 들어갔다 激烈的战斗进入了平稳状态

소개(紹介) 명하자 介绍 jièshào ¶~비 介绍费 / ~ 소개信 / 직업 ~ 职业介绍 / 우리는 친구의 ~로 알게 된 사이다 我们是经朋友介绍认识的 / 책의 내용을 ~하다 介绍书的内容 / 제 ~를 하겠습니다 自我介绍一下

소:-견(所見) 명 意见 yìjiàn; 看法 kànfǎ; 见解 jiànjiě ¶나의 ~은 이렇습니다 我的意见就是这样

소:-경 명 盲人 mángrén; 瞎子 xiāzi

소경 문고리 잡듯(잡은 격) 俗语 瞎子摸门环儿, 靠运气; 瞎鸡啄虫, 靠造化

소:-계(小計) 명 小计 xiǎojì

소-고기 명 = 쇠고기

소-고집(─固執) 명 = 쇠고집

소곤-거리다 자타 嘀咕 jígu; 唧咕 jīnóng; 叽咕 jīgu; 打喳 dāchā; 喁喁私语 yúyú sīyǔ; 窃窃私语 qièqiè sīyǔ; 说悄悄话 shuō qiāoqiāohuà = 소곤대다 ¶두 사람은 만나기만 하면 쉴 새 없이 소곤거린다 他们俩一见面就唧咕没完

소곤-소곤 부하자

소:-관(所管) 명 管 guǎn; 管辖 guǎnxiá ¶이곳은 서울시의 ~이다 这个地方在首尔管辖之内

소-괄호(小括弧) 명【語·數】小括号 xiǎoguāhào

소:-국(小國) 명 小国 xiǎoguó

소굴(巢窟) 명 巢穴 cháoxué; 窝子 wōzi; 老巢 lǎocháo = 굴(窟) ¶이 집은 도적의 ~이다 这间屋子是贼窝子

소-귀 명 = 쇠귀

소:-규모(小規模) 명 小规模 xiǎoguīmó; 小型 xiǎoxíng; 小 xiǎo ¶우리 공장은 ~ 기업이다 我们厂是个小型企业

소:-극장(小劇場) 명 小剧场 xiǎojùchǎng

소극-적(消極的) 관명 消极 xiǎojí; 不主动 bùzhǔdòng ¶~인 태도 消极的态度 / 그는 너무 ~이다 他这个人太消极 / 너 왜 이렇게 ~으로 변했니? 你为什么变得如此消极?

소금 명 盐 yán; 食盐 shíyán = 염(鹽)1 ¶~기 盐分 / ~물 盐水 / ~을

뿌리다 撒盐 /～을 조금만 넣어라 少
放点儿盐

소금-구이 〔하자〕 **1** 熬盐 āoyán; 煮
盐 zhǔyán **2** 盐烤 yánkǎo; 加盐烤 jiā-
yánkǎo

소금-물 〔명〕 = 식염수1

소금쟁이 〔명〕〔蟲〕 沼泽水龟 zhǎozé-
shuǐmǐn

소급(遡及) 〔명〕〔하자〕 补发 bǔfā; 追
zhuī; 追溯 zhuīsù 〔인상된 월급을 ～
하여 지급하다 补发增加工资

소-기(所期) 预期 yùqī; 所期待 suǒ-
qīdài 〔～의 목적을 달성하다 达到预
期目的

소-기업(小企業) 小企业 xiǎoqǐyè

소-꼬리 〔명〕 = 쇠꼬리

소꿉 〔명〕 过家家时用的 玩具 wánjù

소꿉-놀이 〔명〕〔하자〕 过家家 guòjiājiā;
过家家玩儿 guòjiājiāwánr 〔남자아이와
여자아이가 함께 ～하고 있다 男孩和
女孩在一起玩过家家

소꿉-동무 〔명〕 青梅竹马 qīngméizhú-
mǎ = 소꿉친구

소꿉-장난 〔명〕〔하자〕 过家家 guòjiājiā;
过家家玩儿 guòjiājiāwánr 〔어릴 적 ～
하던 친구 小时候过家家的朋友

소꿉-친구 〔명〕 = 소꿉동무

소나기 〔명〕 骤雨 zhòuyǔ; 急雨 jíyǔ;
雷阵雨 léizhènyǔ; 阵雨 zhènyǔ = 소
낙비 〔갑자기 ～가 쏟아졌다 突然下
了一场骤雨 **2** 阵雨 zhènyǔ 〔～ 펀치
를 맞다 挨打像阵雨似的攻击

소-나무 〔명〕〔植〕 松树 sōngshù; 松
sōng = 솔1 〔～ 한 그루 一棵松树

소나타(이sonata) 〔명〕〔音〕 奏鸣曲
zòumíngqǔ

소나티네(독Sonatine) 〔명〕〔音〕 小奏
鸣曲 xiǎozòumíngqǔ

소낙-비 〔명〕 = 소나기1

소:-녀(小女) ㉠〔명〕 小女孩 xiǎonǚhái
㉡〔대〕 小女 xiǎonǚ 〔～ 할아버님께 문
안드리옵니다 小女, 向爷爷问安

소:녀(少女) 〔명〕 少女 shàonǚ 〔문학 ～
文学少女 /～ 가장 少女家长 / 귀여운
～ 可爱的少女

소:년(少年) 〔명〕 少年 shàonián 〔～ 시
절 少年时代 / 범죄 ～ 少年犯罪

소:년-기(少年期) 〔명〕 少年时期 shào-
nián shíqī; 少年时代 shàonián shídài 〔
～를 서울에서 보내다 少年时期生活
在首尔

소:년-원(少年院) 〔명〕〔法〕 少年管教
所 shàonián guǎnjiàosuǒ

소:뇌(小腦) 〔명〕〔生〕 小脑 xiǎonǎo

소다(soda) 〔명〕〔化〕 苏打 sūdǎ; 纯碱
chúnjiǎn

소다-수(soda水) 〔명〕〔化〕 = 탄산수

소-달구지 〔명〕 牛车 niúchē

소담-스럽다 〔형〕 丰腴 fēngyú 〔소담스
럽게 쌓인 눈이 길을 가득 덮고 있다
丰腴的积雪满铺在路径上 **소담스레** 〔부〕

소담-하다 〔형〕 **1** 丰美 fēngměi 〔밥상
을 소담하게 담다 饭菜盛得很丰美 **2**
丰腴 fēngyú 〔소담한 꽃송이 丰腴的
花朵儿 **소담-히** 〔부〕

소:-대(小隊) 〔명〕〔軍〕 小队 xiǎoduì; 排
pái 〔～원 小队员 /～장 排长

소:-도구(小道具) 〔명〕〔演〕 道具 dào-
jù; 小道具 xiǎodàojù = 소품4

소:-도둑 〔명〕 **1** 偷牛者 tōuniúzhě **2** 盗牛
贼 dàoniúzéi 〔～같이 생겼다 长得像
盗牛贼一样

소:-도시(小都市) 〔명〕 小城市 xiǎo-
chéngshì

소독(消毒) 〔명〕〔하타〕〔醫〕 消毒 xiāodú
〔～기 消毒器 /～차 消毒车 / 고온 ～
高温消毒 / 수건을 ～하다 消毒毛巾 /
상처를 ～하다 消毒伤口

소독-면(消毒綿) 〔명〕〔醫〕 = 탈지면

소독-약(消毒藥) 〔명〕〔藥〕 消毒药 xiāodú-
dúyào; 消毒剂 xiāodújì 〔～을 바르다
上消毒药

소독-저(消毒—) 〔명〕 卫生筷子 wèi-
shēng kuàizi = 위생저

소동(騷動) 〔명〕〔하자〕 骚动 sāodòng; 骚
乱 sāoluàn; 闹事 nàoshì 〔～을 피우
다 闹事 /～을 일으키다 引起骚动

소:-동맥(小動脈) 〔명〕〔生〕 小动脉
xiǎodòngmài

소:-득(所得) 〔명〕 **1** 所得 suǒdé; 收获
shōuhuò; 收入 shōurù 〔개인 ～ 个人
收入 /～ 수준 收入水平 **2**〔法〕 所得
suǒdé 〔불법 ～ 非法所得 /～ 공제 所
得控除 /～ 분배 所得分配

소:-득-세(所得稅) 〔명〕〔經〕 所得税
suǒdéshuì 〔～를 징수하다 征收所得
税 / 부가하다 缴纳所得税

소:-득-액(所得額) 〔명〕〔經〕 所得额
suǒdé'é; 收入额 shōurù'é

소등(消燈) 〔명〕〔하자〕 熄灯 xīdēng; 灭灯
mièdēng; 息灯 xīdēng 〔우리 기숙사는
밤 12시에 ～한다 我们宿舍每晚上十二
点熄灯

소-똥 〔명〕 = 쇠똥2

소:-라(—) 〔명〕〔貝〕 螺 luó; 海螺 hǎiluó

소란(騷亂) 〔명〕〔하자〕〔부〕 骚乱 sāoluàn;
吵闹 chǎonào; 喧闹 xuānnào; 喧嚣
xuānxiāo; 乱 luàn; 乱腾腾 luànténg-
téng; 嘈杂 cáozá 〔～한 환경 喧闹的
环境 /～을 피우다 捣乱 / 한바탕 ～이
지나가고서야 사람들이 조용해졌다
一阵骚乱过后, 人们开始安定下来了

소란-스럽다(騷亂—) 〔형〕 喧嚣 xuān-
nào; 喧嚣 xuānxiāo; 乱腾腾 luànténg-
téng; 嘈杂 cáozá 〔거리가 ～ 街市喧
闹 **소란스레** 〔부〕 〔아이들 몇 명이

소:량(少量) 몧 少量 shǎoliàng ¶～의 약물 少量药物 / ～ 생산 少量生产

소:령(少領) 몧 〖軍〗少校 shàoxiào

소:로(小路) 몧 小路 xiǎolù

소:름 몧 寒心 hánxīn; 鸡皮疙瘩 jīpí-gēda; 毛骨悚然 máogǔsǒngrán ¶그 일은 지금 생각해도 ～이 끼친다 那件事现在想起来还寒心 / ～이 돋을 정도로 춥다 冻得起鸡皮疙瘩

소리 몧 **1** 声 shēng; 声音 shēngyīn; 音响 yīnxiǎng = 音(音) 〖피아노～ 钢琴声 / ～를 죽이다 压声 / 이게 무슨 ～지? 这是什么声音? **2** = 말¹² ¶쓸데없는 ～ 废话 / 무슨 ～를 하는 거니? 说什么话? **3** (人的) 声音 shēng-yīn; 声 shēng ¶큰 ～로 말하다 大声说话 / 크게 ～를 지르다 大声喊叫 **4** 〖音〗唱曲(儿) chàngqǔ(r); 歌 gē ¶～는 할아버지께 ～를 배운 적이 있다 他跟爷爷学习过唱曲儿 **5** 舆论 yúlùn; 消息 xiāoxi ¶政府는 국민의 ～를 매우 중시한다 政府对国民的舆论很重视 **소리 소문도 없이** 悄悄地; 不声不响地

소리-꾼 몧 **1** 说唱能手 shuōchàng néngshǒu **2** 唱曲儿的 chàngqǔrde

소리-치다 저 喊 hǎn; 叫喊 jiàohǎn; 喊叫 hǎnjiào; 叫唤 jiàohuan; 叫嚷 jiào-rǎng ¶복도에서 소리치지 마라 别在楼道里喊叫

소:림-사(小林寺) 몧 〖佛〗小林寺 xiǎolínsì

소:립(小粒) 몧 小颗粒 xiǎokēlì

소:립-자(素粒子) 몧 〖物〗基本粒子 jīběn lìzǐ

소:만(小滿) 몧 小满 xiǎomǎn

소:망(所望) 몧하타 希望 xīwàng; 愿望 yuànwàng; 期望 qīwàng; 心愿 xīn-yuàn ¶～을 품다 怀抱一个希望 / 간절히 ～하다 殷切地希望 / 조국 통일의 그날을 ～하다 期望祖国统一的那一天

소:원(素願) 몧 夙愿 sùyuàn; 夙愿 sùyuàn ¶이 ～은 결국 이루어졌다 这种宿愿终于实现了

소매 몧 袖子 xiùzi; 袖(儿) xiù(r); 袖筒 xiùtǒng = 옷소매 ¶짧은 ～ 短袖 / ～가 너무 길다 袖子太长 / ～를 걷어 올리다 挽起袖子

소매(를) 걷어붙이다 굔 = 소매를 걷다

소매를 걷다 굔 奋袂而起; 奋勇当先 = 소매(를) 걷어붙이다

소:매(小賣) 몧하타 零售 língshòu; 卖 língmài ¶～상 零售商 / ～업 零售业 / ～점 零售店 / ～상점 零售商店 / ～ 시장 零售市场

소:매-가(小賣價) 몧 = 소매가격

소:매-가격(小賣價格) 몧 零售价格 língshòu jiàgé; 零售价 língshòujià = 소매가

소매-치기 몧하타 **1** 扒手 páshǒu; 小绺 xiǎoliǔ ¶그 ～는 이미 잡혔다 那个扒手已经被抓住了 **2** 扒窃 páqiè; 偷 tōu ¶지갑을 ～하다 扒窃钱包

소매-통 몧 袖幅 xiùfú ¶～이 헐렁하다 袖幅宽大

소:맥(小麥) 몧 〖植〗= 밀

소:맥-분(小麥粉) 몧 小麦粉 xiǎomài-fěn; 面粉 miànfěn

소맷-부리 몧 袖口 xiùkǒu ¶～는 특히 쉽게 더러워진다 袖口特别容易脏

소맷-자락 몧 衣袖 yīxiù ¶그는 ～으로 눈물을 닦았다 他用衣袖擦了擦泪水

소:-머리 몧 = 쇠머리

소:면(素麵) 몧 白面 báimiàn

소멸(消滅) 몧하자 消灭 xiāomiè; 消失 xiāoshī; 消亡 xiāowáng ¶저절로 ～하다 自行消灭 / 많은 동물들이 이미 지구상에서 ～되었다 很多动物已经地球上消失了

소명(召命) 몧 **1** (皇帝的) 召命 zhào-mìng ¶～을 받다 奉召命 **2** 〖宗〗召命 zhàomìng

소모(消耗) 몧하타 消耗 xiāohào; 耗费 hàofèi; 耗 hào; 损耗 sǔnhào; 耗损 hàosǔn ¶～량 耗量 / ～전 消耗战 / ～품 消费品 / 에너지를 ～하다 消耗能源 / 체력 ～가 너무 많다 体力消耗太大了 / 쓸데없이 시간을 ～하다 瞎耗时间

소-몰이 몧하자 **1** 赶牛 gǎnniú **2** 赶牛人 gǎnniúrén

소몰이-꾼 몧 赶牛人 gǎnniúrén

소:묘(素描) 몧하타 〖美〗素描 sùmiáo

소:문(所聞) 몧 传闻 chuánwén; 风声 fēngshēng; 风闻 fēngwén; 小道儿消息 xiǎodàor xiāoxi; 风 fēng ¶～이 퍼지다 传闻四起 / ～이 나다 走漏风声

소:문-나다(所聞一) 저 出名 chū-míng; 闻名 wénmíng ¶그는 힘이 세다고 ～났다 他以力气大而出名

소문난 잔치에 먹을 것 없다 속담 好名气的宴会, 糟糠饼一盘

소:문-내다(所聞一) 타 声张 shēng-zhāng; 露风 lòufēng; 走漏风声 zǒulòu fēngshēng; 外扬 wàiyáng ¶제발 소문 내지 마라 千万不要声张 / 그는 고의로 이 일을 소문내려고 한다 他故意要声张一下这件事

소:-글자(小一字) 몧 小写 xiǎoxiě

소박(疏薄) 몧하타 冷落 lěngluò; 薄待 bódài; 受气 shòuqì; 苛待 kēdài; 亏待 kuīdài ¶～데기 受气婆 / 조강지처를

~하다 薄待糟糠之妻

소박-맞다(疏薄一) **자** 被丈夫冷落 bèi zhàngfu lěngluò

소박-하다(素朴一) **혱** 朴素 pǔsù; 素朴 sùpǔ; 朴实 pǔshí; 质朴 zhìpǔ ¶옷차림이 ~ 穿戴朴素 / 소박하게 지내다 日子过得朴素

소:반(小盤) **몡** 小饭桌 xiǎofànzhuō

소방(消防) **몡하타** 消防 xiāofáng; 救火 jiùhuǒ ¶~관 消防官员 / ~서 消防站 / ~펌프 消防泵 =[救火器] / ~시설 消防设备 / ~ 훈련 消防演习

소방-대(消防隊) **몡** 【法】 消防队 xiāofángduì; 救火队 jiùhuǒduì ¶~원 消防队员 =[救火队员]

소방-차(消防車) **몡** 消防车 xiāofángchē; 救火车 jiùhuǒchē ¶불자동차 ¶두 대의 ~가 출동하다 出动两辆消防车

소:변(小便) **몡** 小便 xiǎobiàn; 尿 niào ¶~기 小便斗 / ~ 검사 小便检查 / ~이 마렵다 想小便

소:변-보다(小便一) **자** 解小便 jiě xiǎobiàn; 小便 xiǎobiàn; 解小手 jiě xiǎoshǒu; 撒尿 sāniào; 尿 niào ¶밤에 일어나 ~ 夜间起床解小便 / 여기에서 소변보면 안 된다 这儿不能撒尿

소:복(素服) **몡** 素服 sùfú; 丧服 sāngfú; 白衣 báiyī; 孝服 xiàofú ¶~을 입은 여인 穿丧服的女人

소복-소복 **閈하혱** 1 满 mǎn; 满满 mǎnmǎn 2 鼓鼓 gǔgǔ

소복-이 **閈** 1 满满(地) mǎnmǎn(de) 2 鼓鼓(地) gǔgǔ(de)

소복-하다 **혱** 1 (盛得) 满 mǎn; 满满 mǎnmǎn ¶소복하게 담은 쌀밥 盛得满满的米饭 2 (因发胖或发肿) 鼓起 gǔqǐ ¶눈이 소복하게 부었다 眼睛肿得鼓起

소비(消費) **몡하타** 1 消费 xiāofèi; 消耗 xiāohào; 耗费 hàofèi; 花费 huāfèi ¶~를 줄이다 减少消耗 / 시간을 노는 데 ~하다 把时间花费在玩耍上 2 【經】 消费 xiāofèi ¶~세 消费税 / ~품 消费品 / ~ 수준 消费水平 / ~ 생활 消费生活 / ~ 경제 消费经济

소비-량(消費量) **몡** 【經】 消费量 xiāofèiliàng ¶일인당 평균 맥주 ~ 人均啤酒消费量

소비-자(消費者) **몡** 1 【經】 消费者 xiāofèizhě; 用户 yònghù ¶~ 가격 消费者价格 / ~ 보호법 消费者权益保护法 / ~ 단체 消费者协会 / ~ 물가 지수 消费者物价指数 / ~의 권익을 보호하다 保护消费者的权益 2 【生】 消费者 xiāofèizhě ¶초식 동물은 일차~이다 草食动物是第一次消费者

소-뼈 **몡** = 쇠뼈

소-뿔 **몡** = 쇠뿔

소:산(所産) **몡** = 소산물 ¶연구의 ~ 研究的产物

소:산-물(所産物) **몡** 1 产品 chǎnpǐn; 产物 chǎnwù 2 产物 chǎnwù ¶시대의 ~ 时代的产物 ‖ = 소산

소-상인(小商人) **몡** 小商贩 xiǎoshāngfàn; 小商人 xiǎoshāngrén

소상-하다(昭詳一) **혱** 详细 xiángxì; 详明 xiángmíng ¶소상하게 기록하다 详细地记录 소상은히 **閈** ¶일의 과정을 ~ 말해 보세요 事情的过程请讲得详细

소:생(所生) **몡** 亲生 qīnshēng ¶본처 ~ 正妻亲生

소생(蘇生·甦生) **몡하자** 复苏 fùsū; 苏醒 sūxǐng; 回生 huíshēng; 复生 fùshēng = 회생 ¶만물이 ~하는 봄 万物复苏的春天 / 대지가 ~하다 大地复苏 / 환자가 ~하다 病人苏醒

소:생(小生) **몡** 鄙人 bǐrén; 在下 zàixià; 弊人 bìrén ¶~은 죄가 없습니다 鄙人没有得罪

소:서(小暑) **몡** 小暑 xiǎoshǔ

-소서 **어미** 表示请求或祈愿的尊敬语尾 ¶성공하~ 谨祝成功 / 고이 잠드~ 祈祷冥福

소-석회(消石灰) **몡** 【化】 = 수산화칼슘

소:설(小雪) **몡** 小雪 xiǎoxuě

소:설(小說) **몡** 1 【文】 小说 xiǎoshuō ¶현대 ~ 现代小说 / ~의 줄거리 小说的情节 2 = 소설책 ¶~을 읽다 看小说

소:설-가(小說家) **몡** 小说家 xiǎoshuōjiā; 小说作家 xiǎoshuō zuòjiā

소:설-책(小說冊) **몡** 小说 xiǎoshuō = 소설(小說)2 ¶한 권 一本小说

소:설-화(小說化) **몡하타** 写成小说 xiěchéng xiǎoshuō ¶그들의 이야기를 ~하다 把他们的故事写成小说

소:-소하다(小小一) **혱** 小小 xiǎoxiǎo; 细小 xìxiǎo; 零碎 língsuì; 琐碎 suǒsuì ¶소소한 문제 小小的问题 / 소소한 변화 细小的变化 소:-소-히 **閈**

소:속(所屬) **몡** 所属 suǒshǔ; 隶属 lìshǔ; 归属 guīshǔ ¶~ 기관 所属单位 / 정치부 ~ 기자 政治部所属记者

소:속-감(所屬感) **몡** 归属感 guīshǔgǎn; 隶属感 lìshǔgǎn ¶~을 가지다 拥有归属感

소송(訴訟) **몡하타** 【法】 诉讼 sùsòng ¶~법 诉讼法 / ~ 비용 诉讼费用 / ~ 절차 诉讼程序 / 법원에 ~을 제기하다 向法院提起诉讼 / ~을 취하하다 撤回诉讼

소송-장(訴訟狀) 閱 【法】 = 소장(訴狀)

소:수(小數) 閱 【數】 小数 xiǎoshù

소:수(少數) 閱 少数 shǎoshù; 少数人 shǎoshùrén ¶~당 少数政党 / ~ 민족 少数民族 / ~파 少数派 / ~ 정예 少数精锐 / 반대한 사람은 ~에 불과하다 反对的人只不过是少数 / ~의 의견을 존중하다 尊重少数人的意见

소수(素數) 閱 【數】 素数 sùshù

소:수-점(小數點) 閱 小数点 xiǎoshùdiǎn ¶~을 찍다 打小数点

소스(sauce) 閱 调味汁 tiáowèizhī; 沙司 shāsī; 酱汁 jiàngzhī; 酱 酱 jiàng ¶를 뿌리다 放沙司

소스(source) 閱 来源 láiyuán; 出处 chūchù; 资料 zīliào; 情报 qíngbào

소스라-치다 咜 打冷战 dǎ lěngzhan; 打寒噤 dǎ hánjìn ¶소스라치게 놀라다 吓得打冷战

소슬-바람(蕭瑟—) 閱 萧瑟秋风 xiāosè qiūfēng

소슬-하다(蕭瑟—) 혱 萧瑟 xiāosè ¶소슬한 바람이 불어오다 吹来萧瑟的风 **소슬-히** 閉 ¶산바람이 ~ 불어오다 山风萧瑟地刮来

소:승(小乘) 閱 【佛】 小乘 xiǎoshèng ¶~ 불교 小乘佛教

소:승(小僧) 덴 小僧 xiǎoseng

소:시(少時) 閱 小时候 xiǎoshíhou; 小 xiǎo ¶아버지는 ~부터 음악을 좋아하셨다 父亲从小就喜欢音乐

소:-시민(小市民) 閱 【社】 小市民 xiǎoshìmín ¶~ 계급 小市民阶级

소:시민-적(小市民的) 괜閱 小市民的 xiǎoshìmínde ¶~인 생활 小市民的生活

소시지(sausage) 閱 香肠 xiāngcháng; 腊肠 làcháng; 灌肠 guàncháng

소:식(小食) 閱 少吃 shǎochī; 少食 shǎoshí ¶건강을 위해 ~하다 为健康少吃

소식(消息) 閱 消息 xiāoxi; 音信 yīnxìn; 信息 xìnxī; 信(儿) xìn(r) ¶~란 消息栏 / 좋은 ~ 好消息 / ~이 빠르다 消息灵通 / ~을 전하다 送信儿 / 그의 ~을 남기다 留给他的消息

소식-불통(消息不通) 閱 1 消息不通 xiāoxi bùtōng 2 消息不灵通 xiāoxi bùlíngtōng; 不知道 bùzhīdào

소식-통(消息通) 閱 消息通 xiāoxitōng; 消息灵通人士 xiāoxi língtōng rénshì ¶ 정계의 ~ 政界的消息灵通人士

소:신(小臣) 덴 小臣 xiǎochén; 卑臣 bēichén

소:신(所信) 閱 信念 xìnniàn; 信心 xìnxīn ¶확고한 ~을 가지다 有坚定的信念

소:신-껏(所信—) 閉 有信念地 yǒuxìnniànde ¶~ 밀고 나가다 有信念地往前推进

소실(消失) 閱혜자타 消失 xiāoshī; 消失; 散失 sànshī ¶전쟁 통에 많은 문화재가 ~되었다 战争中许多文物消失了

소실(燒失) 閱혜자타 烧毁 shāohuǐ; 焚毁 fénhuǐ ¶절의 본당이 ~되었다 寺院的正殿焚毁了

소:-하다(小心—) 혱 胆小 dǎnxiǎo ¶그는 소심한 사람이다 他是个胆小鬼 **소:심-히** 閉

소:-싯적(少時—) 閱 年轻时 niánqīngshí; 年纪小的时候 niánjì xiǎode shíhou ¶~에는 아이스크림을 정말 좋아했다 年纪小的时候, 我真喜欢吃冰淇淋

소:-싸움 閱 【民】 斗牛 dòuniú

소:-아(小兒) 閱 = 어린아이 ¶~의 성장 발육 小儿的成长发育

소:아-과(小兒科) 閱 【醫】 儿科 érkē; 小儿科 xiǎo'érkē ¶그는 ~ 의사이다 他是个儿科医生

소:아-마비(小兒痲痺) 閱 【醫】 小儿麻痹症 xiǎo'ér mábìzhèng; 小儿麻痹 xiǎo'ér mábì; 儿麻 érmá ¶를 앓다 患小儿麻痹症

소:액(少額) 閱 小额 xiǎo'é; 小 xiǎo ¶~권 小额券 / ~ 대출 小额贷款 / ~ 투자자 小额投资者 / ~ 거래 小额交易 / ~ 주주 小股东 / ~ 지폐 小额纸币

소:야-곡(小夜曲) 閱 【音】 = 세레나데

소양(素養) 閱 素养 sùyǎng; 素质 sùzhì; 修养 xiūyǎng ¶예술적 ~이 부족하다 艺术素养差

소염(消炎) 閱혜자타 【醫】 消炎 xiāoyán ¶~제 消炎剂 / ~ 진통제 消炎镇痛药

소외(疏外) 閱혜자타 疏远 shūyuǎn; 冷落 lěngluò ¶~ 계층 被疏远阶层 / 친구에게 ~를 당하다 为朋友所疏远

소외-감(疏外感) 閱 疏远感 shūyuǎngǎn; 疏远 shūyuǎn; 冷落感 lěngluògǎn ¶~를 느끼다 感到疏远

소:요(所要) 閱 所需 suǒxū; 需要 xūyào; 需求 xūqiú ¶~량 需要量 / ~ 인원 所需人员 / ~ 시간 所需时间 / 기차로 세 시간이 ~된다 坐火车需要三个小时

소요(騷擾) 閱혜자 【法】 骚扰 sāorǎo; 骚乱 sāoluàn ¶~를 일으키다 引起骚扰

소:용(所用) 閱 用处 yòngchu; 所用 suǒyòng ¶~이 있는 물건 有用处的东西

소용-돌이 閱 1 旋涡 xuánwō; 漩涡

xuánwō; 涡 wō; 水涡 shuǐwō ¶~가 배를 삼켜 버렸다 旋涡把船卷进去了 / 분쟁의 ~에 말려 들다 被卷入纷争的旋涡里 **2** 【物】涡流 wōliú; 旋流 xuánliú

소용돌이-치다 困 **1** 涡旋 wōxuán; 打漩 dǎxuán; 起旋涡 qǐxuánwō ¶소용돌이치는 강물 打漩的流水 **2** (感情等) 打漩 dǎxuán; 起旋涡 qǐxuánwō; 激动 jīdòng ¶소용돌이치는 정국 打漩的政局 / 뜨거운 피가 가슴속에서 ~ 热血在胸中激动

소:용-되다(所用─) 困 有用 yǒuyòng; 有用处 yǒu yòngchu

소:용-없다(所用─) 囹 没用 méiyòng; 无用 wúyòng; 没用处 méi yòngchu ¶후회해도 ~ 后悔也没用了 / 네가 아무리 그를 설득해도 ~ 你再劝他也没用 **소:용없이-** 男

소:원(所願) 囹固固 愿 yuàn; 愿望 yuànwàng; 宿愿 sùyuàn; 心愿 xīnyuàn ¶~ 성취 如愿以偿 / ~을 빌다 发愿 / ~이 이루어졌다 愿望实现了

소원(訴願) 囹固固 【法】 诉愿 sùyuàn 헌법 ~ 宪法诉愿

소원-하다(疏遠─) 囹 疏远 shūyuǎn ¶결혼한 이후에 오랜 친구와 소원해졌다 婚后疏远了老朋友

소:위(少尉) 囹 【軍】 少尉 shàowèi ¶육군 ~ 陆军少尉

소:위(所謂) 男 = 이른바 ¶~ 어법이란 단어를 조합하고 문장을 만드는 규칙이다 所谓语法就是组词造句的规则

소:유(所有) 囹固固 有 yǒu; 拥有 yōngyǒu; 领有 lǐngyǒu ¶이 차는 그의 개인 ~이다 这辆车是他个人所有

소:유-권(所有權) 囹 【法】 所有权 suǒyǒuquán ¶~의 이전 所有权的转移 / ~을 가지다 享有所有权

소:유-물(所有物) 囹 所有物 suǒyǒuwù; 所有 suǒyǒu

소:유-욕(所有慾) 囹 占有欲 zhànyǒuyù; 所有欲 suǒyǒuyù ¶~이 강하다 占有欲强

소:유-자(所有者) 囹 **1** 所有者 suǒyǒuzhě **2** 所有者 suǒyǒuzhě; 物主 wùzhǔ = 소유주

소:유-주(所有主) 囹 = 소유자2

소:유-지(所有地) 囹 所有地 suǒyǒudì; 领地 lǐngdì

소음(消音) 囹固困 消音 xiāoyīn ¶~기 消音器 / ~ 장치 消音装置

소음(騷音) 囹 噪声 zàoshēng; 噪音 zàoyīn ¶~계 噪音计 / ~ 공해 噪声污染 / ~ 측정 噪音测试

人国 **3** (人格低下的) 小人 xiǎorén ¶~배 小人之辈 / ~을 상대하지 않다 不理小人 **1**固 鄙人 bǐrén; 在下 zàixià; 小人 xiǎorén; 弊人 bìrén

소인(消印) 囹 盖章注销 gài zhāng zhùxiāo **2** 邮戳 yóuchuō; 日戳 rìchuō = 스탬프 ¶우체국 ~ 邮局的邮戳 / 편지 봉투에 ~이 찍혀 있지 않다 信封上没有盖邮戳

소인(燒印) 囹 烙印 làoyìn ¶~을 찍다 打烙印

소일(消日) 囹固困 **1** 虚度时光 xūdù shíguāng; 打发日子 dǎfā rìzi; 消磨 xiāomó ¶할아버지는 매일 노인정에서 ~하신다 爷爷每天在老人亭度时光 **2** 消遣 xiāoqiǎn; 消闲 xiāoxián ¶꽃을 가꾸며 ~하다 养花消遣

소일-거리(消日─) 囹 (用以消遣的东西) 消遣 xiāoqiǎn ¶호수나 산을 구경하는 것이 가장 좋은 ~이다 欣赏湖光山色是最好的消遣

소:임(所任) 囹 任务 rènwu; 职责 zhízé ¶학생의 ~은 공부이다 学生的任务是学习

소:자(小子) **1**固 小子 xiǎozǐ (对弟子的爱称) **2** 不肖 bùxiào; 不肖子弟 bùxiào zǐdì; 小子 xiǎozǐ ¶~ 문안 드리옵니다 不肖问安 **2** 寡人 guǎrén

소:-자본(小資本) 囹 小资本 xiǎozī-běn; 小本 xiǎoběn

소:작(小作) 囹固困 佃 diàn; 租佃 zūdiàn; 租田 zūtián; 租耕 zūgēng; 种租 zhòngzū ¶땅 세 마지기를 ~으로 부치다 租佃四亩地

소:작-농(小作農) 囹 【農】 佃农 diànnóng; 佃户 diànhù

소:작-료(小作料) 囹 佃租 diànzū; 佃额 diàn'é ¶~를 내다 支付佃租

소:작-인(小作人) 囹 佃夫 diànfū; 佃农 diànnóng; 佃户 diànhù

소:작-지(小作地) 囹 租地 zūdì

소:장(小腸) 囹 【生】 = 작은창자

소:장(少壯) 囹固困 少壮 shàozhuàng ¶~파 少壮派

소:장(少將) 囹 【軍】 少将 shàojiàng

소:장(所長) 囹 所长 suǒzhǎng ¶연구소 ~ 研究所所长

소:장(所藏) 囹 收藏 shōucáng ¶그의 작품은 박물관에 ~되어 있다 他的作品由博物馆收藏着

소장(訴狀) 囹 【法】 诉状 sùzhuàng; 诉纸 sùzhǐ; 诉讼状 sùsòngzhuàng = 소송장 ¶~을 제출하다 呈递诉状

소:장-품(所藏品) 囹 藏品 cángpǐn ¶개인 ~ 私人藏品

소:재(所在) 囹固困 **1** 所在 suǒzài; 所在的位置 suǒzàide wèizhì ¶책임의 ~를 밝히다 搞清楚责任所在 / 그의

~를 아는 사람이 한 사람도 없다 没有一个人晓得他所在的位置 **2** = 소재지

소재(素材) 图 **1** 材料 cáiliào ¶첨단ㅡ尖端材料 **2** 【文】素材 sùcái ¶일상생활을 ~로 한 작품 以日常生活为素材的作品

소재-지(所在地) 图 所在地 suǒzàidì; 地址 dìzhǐ = 소재(所在)2 ¶도청ㅡ道政府所在地

소-전제(小前提) 图 【論】小前提 xiǎoqiántí

소-절(小節) 图 **1** 小礼节 xiǎolǐjié **2** = 마디4 **3** 【音】= 마디5 ¶첫째 - 第一小节

소-정(所定) 图 所定 suǒdìng; 规定 guīdìng ¶~의 양식 所定样式 / ~의 수수료 规定的手续费

소제(掃除) 图하타 = 청소 ¶교실을 ~하다 打扫教室

소-제목(小題目) 图 小题目 xiǎotímù; 小标题 xiǎobiāotí

소-조(塑造) 图하타 【美】塑造 sùzào; 雕塑 diāosù

소주(燒酒) 图 烧酒 shāojiǔ ¶~병 烧酒瓶 / ~잔 烧酒杯=[烧酒盅] / ~ 한 병을 마시다 喝一瓶烧酒

소-주주(小株主) 图 小股东 xiǎogǔdōng

소-죽(ㅡ粥) 图 = 쇠죽

소중-하다(所重ㅡ) 혭 宝贵 bǎoguì; 珍贵 zhēnguì; 贵重 guìzhòng; 珍贵 zhēnxī ¶소중한 문화 유산 宝贵的文化遗产 / 당신의 소중한 의견을 남겨 주십시오 请留下您的宝贵意见 **소중-히** 图 ¶생명을 ~ 여기다 珍惜生命

소지(所持) 图하타 带 dài; 携带 xiédài; 持有 chíyǒu ¶몸에 거금을 ~하고 있다 身上带着巨款 / 무기를 불법으로 ~하다 非法携带武器

소지(素地) 图 底子 dǐzi; 根底 gēndǐ; 可能性 kěnéngxìng ¶특혜의 ~를 없애다 消除优惠的底子 / 실패할 ~가 있다 有失败的可能性

소지-인(所持人) 图 携带者 xiédàizhě; 持有者 chíyǒuzhě ¶수표의 ~ 支票的携带者

소지-자(所持者) 图 携带者 xiédàizhě; 持有...人 chí...rén; 持有者 chíyǒuzhě ¶운전면허 ~ 驾驶执照持有者 / 여권 ~ 持有护照者

소지-품(所持品) 图 随身物品 suíshēn wùpǐn; 携带物 xiédàipǐn ¶~ 검사 随身物品检查 / 그는 간단한 ~ 몇 개를 챙겨 집을 나왔다 他收拾了一些简单的随身物品离开了家

소진(消盡) 图하자타 耗尽 hàojìn ¶체력을 ~하다 耗尽体力

소질(素質) 图 素质 sùzhì; 天赋 tiānfù; 资质 zīzhì; 天资 tiānzī ¶~을 계발하다 启发素质 / 나는 음악에 ~이 없다 我没有音乐天赋

소집(召集) 图하타 召集 zhàojí; 集合 jíhé ¶~령 召集令 / 이번 회의는 그가 ~한 것이다 这次会议由他召开

소쩍-새 图 【鳥】红角鸮 hóngjiǎoxiāo

소-책자(小册子) 图 小册子 xiǎocèzi

소철(蘇鐵) 图 【植】苏铁 sūtiě

소-첩(小妾) 图 妾 qiè

소-청(所請) 图 请求 qǐngqiú ¶그의 ~을 거절하다 拒绝他的请求

소-총(小銃) 图 【軍】步枪 bùqiāng ¶~ 사격 步枪射击

소추(訴追) 图하타 【法】**1** 提起公诉 tíqǐ gōngsù; 追诉 zhuīsù **2** 上诉 shàngsù

소-치(所致) 图 所致 suǒzhì ¶무식의 ~ 无知所致

소켓(socket) 图 插座 chāzuò; 插口 chākǒu

소쿠리 图 笸箩 pǒluó

소탈-하다(疏脫ㅡ) 혭 潇脱 sǎtuō; 潇洒 xiāosǎ ¶말하고 행동하는 것이 모두 소탈해 보인다 言谈举止都显得洒脱

소-탐대실(小貪大失) 图하자 贪小失大 tānxiǎoshīdà

소탕(掃蕩) 图하타 扫荡 sǎodàng ¶~전 扫荡战 / 적을 ~하다 把敌人扫荡

소-털 图 = 쇠털

소통(疏通) 图하자타 **1** 疏通 shūtōng; 疏导 shūdǎo; 通行 tōngxíng ¶차량 ~이 원활하다 车辆通行顺畅 **2** (意思)疏通 shūtōng; 沟通 gōutōng ¶쌍방 간의 생각과 감정이 ~되다 沟通双方的感情

소파(sofa) 图 沙发 shāfā ¶~에 앉다 坐在沙发上

소-포(小包) 图 包裹 bāoguǒ; 邮包 yóubāo ¶~를 부치다 寄包裹 / ~를 받다 收到邮包 / 우체국에 가서 ~를 찾다 到邮局取包裹

소-폭(小幅) 图图 小幅度 xiǎofúdù; 小幅 xiǎofú ¶생산량이 ~ 증가하다 产量小幅增长 / 국제 유가가 ~ 오르다 国际油价小幅上涨

소-품(小品) 图 **1** 小品 xiǎopǐn ¶가정용 인테리어 ~ 家用装饰小品 **2** 零碎(儿) língsuì(r) **3** = 미니어처 **4** 【演】= 소도구 ¶마술 ~ 魔术小道具

소풍(逍風, 消風) 图 【敎】野游 yěyóu; 郊游 jiāoyóu ¶봄·가을마다 초등학교는 ~을 간다 每逢春、秋季小学都要组织小学生们郊游 **2** 远足 yuǎnzú; 散心 sànxīn; 兜风 dōufēng

소프라노(이soprano) 图 【音】女高

音 nǚgāoyīn; 여자 高音歌手 nǚgāoyīn gēshǒu

소프트 렌즈(soft lens) 【醫】 软性接触透镜 ruǎnxìng jiēchù tòujìng; 软镜片 ruǎnjìngpiàn

소프트볼(softball) 图 【體】 垒球 lěiqiú; 垒球运动 lěiqiú yùndòng ¶~ 게임 垒球比赛

소프트웨어(software) 图 【컴】 软件 ruǎnjiàn; 软设备 ruǎnshèbèi

소:-피(所避) 图 小便 xiǎobiàn

소:-피-보다(所避—) 困 小便 xiǎobiàn ¶소피보러 화장실 가야겠어 我要小便上厕所

소:-한(小寒) 图 小寒 xiǎohán

소:-행(所行) 图 行为 xíngwéi; 所作所为 suǒzuòsuǒwéi; 所作的 suǒzuòde

소:-행성(小行星) 图 【天】 小行星 xiǎoxíngxīng

소:-형(小型) 图 小型 xiǎoxíng ¶~-견 小型犬 =[小型狗] / ~ 컴퓨터 小型计算机 / ~ 아파트 小型公寓

소형 자동차(小型自動車) 【交】 小型汽车 xiǎoxíng qìchē; 小型车 xiǎoxíngchē = 소형차

소:-형-차(小型車) 图 【交】 = 소형 자동차

소홀(疏忽) 图하图 图早 疏忽 shūhū; 忽视 hūshì; 忽略 hūlüè; 马虎 mǎhu; 粗心 cūxīn; 粗心大意 cūxīndàyì ¶안전에 ~하다 疏忽安全 / 아무리 바빠도 체력 단련은 소홀히 하면 안 된다 不管多忙，都不能忽视体育锻炼

소화(消化) 图하图자타 1 【醫】 消化 xiāohuà ¶~-력 消化能力 / ~-액 消化液 / ~-제 消化剂 =[消化药] / 불량 消化不良 / ~ 효소 消化酶 / ~가 안 된다 消化不好 / 죽은 금방 ~된다 粥很快就消化了 2 消化 xiāohuà; 理解 lǐjiě ¶하루에 이렇게 많이 공부하는데 ~할 수 있느냐? 一天学这么多，消化得了吗? 3 (工作) 完成 wánchéng ¶반드시 제시간에 작업을 ~시켜야 한다 一定要按时完成作业

소화(消火) 图하타 救火 jiùhuǒ; 灭火 mièhuǒ; 消火 xiāohuǒ ¶~ 설비 消火设备

소화-기(消化器) 图 【生】 = 소화 기관

소화-기(消火器) 图 灭火器 mièhuǒqì; 消火器 xiāohuǒqì ¶~로 불을 끄다 用灭火器扑灭火

소화 기관(消化器官) 【生】 消化器官 xiāohuà qìguān = 소화기(消化器)

소:-화물(小貨物) 图 小件行李 xiǎojiàn xínglǐ; 包裹 bāoguǒ

소환(召喚) 图하타 【法】 传唤 chuánhuàn ¶증인을 법정으로 ~하다 把证

人传唤到法庭

소환(召還) 图하타 【法】 召回 zhàohuílái ¶대사를 본국으로 ~하다 把大使召回本国

소환-장(召喚狀) 图 【法】 传唤状 chuánhuànzhuàng; 传票 chuánpiào ¶~을 발부하다 发出传唤状

속 图 1 里 lǐ; 里面 lǐmiàn; 中 zhōng; 内 nèi ¶상자 ~ 箱子里 / ~이 비어 있다 里面是空的 / 서랍 ~에서 꺼내다 从抽屉里拿出来 2 心里 xīnli; 内心 nèixīn; 心胸 xīnxiōng; 心眼儿 xīnyǎnr ¶~이 좁다 心胸狭窄 / 네가 이렇게 말하니 내 ~이 편하다 你这么一说我心里就踏实了 / 그는 ~으로는 그 사람을 싫어한다 他打心眼儿里讨厌这个人 3 馅(儿) xiàn(r) ¶만두 ~ 饺子馅儿 4 肚子 dùzi ¶~이 편치 않다 肚子不舒服

속 빈 강정(의 잉어등 같다) 속답 马屎皮面光, 里头一包糠

속(을) 긁다 困 伤人心; 伤感情

속(을) 끓이다 困 令人心焦

속(을) 뜨다[떠보다] 困 摸底; 试探

속(을) 썩이다 困 苦恼; 苦闷

속(을) 주다[터놓다] 困 开诚见诚; 推心置腹

속(을) 차리다 困 1 懂事 2 为自己打算

속(을) 태우다 困 1 忧心不安; 忧愁烦恼 2 伤脑筋

속(이) 뒤집히다 困 1 恶心; 作呕 2 厌烦; 讨厌

속(이) 보이다 困 看得出心眼儿; 心迹昭然

속(이) 시원하다 困 痛快

속(이) 타다 困 忧心如焚

속(이) 풀리다 困 消气

속을 달래다 困 心安理得

속이 끓다 困 1 消化不良 2 焦急

속개(續開) 图하타 继续召开 jìxù zhàokāi ¶몇 분이 지나자 재판이 ~되었다 过了几分钟裁判就继续召开了

속결(速決) 图하타 速决 sùjué; 迅速处理 xùnsù chǔlǐ ¶~을 요하다 要迅速处理

속-공(速攻) 图하타 【體】 速攻 sùgōng; 快攻 kuàigōng ¶~ 작전 速攻战术

속국(屬國) 图 【政】 = 종속국 ¶이곳은 영국의 ~이었다 这里曾经是英国的属国

속기(速記) 图하타 速记 sùjì 1 快速记录 kuàisù jìlù 2 速记 sùjì ¶~-록 速记录 / ~-법 速记法 / ~-사 速记员 / ~-술 速记技术 / ~를 배우다 学速记

속-껍질 图 内皮 nèipí; 内皮层 nèipícéng = 내피1

속:-내 〖명〗 심리 xīnlī; 내심 nèixīn; 내정 nèiqíng; 底细 dǐxì; 底里 dǐlī ¶~를 털어놓다 吐露内心

속:-눈썹 〖명〗 睫毛 jiémáo ¶그녀의 긴 ~은 정말 아름답다 她长长的睫毛真美

속다 〖자〗 上当 shàngdàng; 受骗 shòupiàn; 被骗 bèipiàn ¶나는 하마터면 그에게 속을 뻔했다 我差点受了他的骗

속닥-거리다 〖자타〗 窃窃私语 qièqièsīyǔ; 嘀嘀咕咕 dídígūgū; 喁喁私语 yóyúsīyǔ ¶한쪽에서 속닥거리지 말고, 할 말이 있으면 모두에게 말해라 有话当着大家说，不要一旁窃窃私语 **속닥-속닥** 〖부〗窃窃

속단(速断) 〖명〗〖하타〗 草率判断 cǎoshuài pànduàn; 轻率判断 qīngshuài pànduàn; 轻率断定 qīngshuài duàndìng; 草率下结论 cǎoshuài xiàjiélùn ¶~은 금물이다 轻率的判断是要不得的

속달(速達) 〖명〗〖하타〗 1 快递 kuàidì 2 〖信〗 = 속달 우편 ¶~로 부치다 寄快信

속달 우편(速達郵便) 〖信〗〖邮政〗快件 kuàijiàn; 快信 kuàixìn; 快邮 kuàiyóu = 속달2

속담(俗談) 〖명〗谚语 yànyǔ; 常言 chángyán ¶그의 작품에는 ~이 자주 인용된다 他的作品中经常引用谚语

속도(速度) 〖명〗 1 速度 sùdù; 速率 sùlǜ ¶~ 제한 速度限制 / ~가 빠르다 速度很快 / ~가 느리다 速度很慢 / 일정한 ~를 유지하다 保持一定的速度 / ~를 높이다 提高速度 =[提速] / ~를 줄이다 减慢速度 / ~를 측정하다 测量速度 / ~를 조절하다 调整速度 =[调速] 2 〖物〗速度 sùdù 3 〖音〗速度 sùdù

속도-감(速度感) 〖명〗 速度感 sùdùgǎn ¶~을 즐기다 畅享速度感

속도-계(速度計) 〖명〗〖物〗 速度计 sùdùjì

속도-위반(速度違反) 〖명〗〖하자〗 1 〖交〗 超速行驶 chāosù xíngshǐ; 超速驾驶 chāosù jiàshǐ 2 婚前怀孕 hūnqián huáiyùn

속독(速讀) 〖명〗〖하타〗 速读 sùdú ¶~법 速读法

속-되다(俗—) 〖명〗 1 俗 sú; 庸俗 yōngsú; 俗气 súqì ¶속된 그림 俗画 2 世俗 shìsú ¶그는 정말 속된 사람이다 他是个很世俗的人

속:-뜻 〖명〗 1 심리 xīnlī; 内心 nèixīn 2 含意 hányì; 含义 hányì ¶~을 설명해 보세요 请你说明一下它的含意

속력(速力) 〖명〗 速度 sùdù ¶~을 높이다 提高速度 / ~을 내다 加快速度

속:-마음 〖명〗 心里 xīnlī; 内心 nèixīn; 心中 xīnzhōng = 내심 ¶~에 있는 말을 털어놓다 吐露心里话

속물(俗物) 〖명〗俗物 súwù ¶생각한 것과 달리 그 역시 ~이었다 没想到，他也是个俗物

속물-근성(俗物根性) 〖명〗庸俗习气 yōngsú xíqì; 俗气 súqì ¶그의 ~은 금방 드러났다 他的俗气很快就表现出来了

속물-적(俗物的) 〖관〗〖명〗庸俗的 yōngsúde ¶~인 사고방식 庸俗的思想

속:-바지 〖명〗衬裤 chènkù; 内裤 nèikù

속박(束縛) 〖명〗〖하타〗 束缚 shùfù ¶~에서 벗어나다 摆脱束缚 / 자유를 ~하다 束缚自由

속:-병(—病) 〖명〗 1 内疾 nèijí; 内病 nèibìng 2 胃肠病 wèichángbìng 3 心病 xīnbìng

속보(速步) 〖명〗〖하타〗 快步 kuàibù ¶~로 걷다 快步走

속보(速報) 〖명〗〖하타〗 快讯 kuàixùn; 快报 kuàibào ¶뉴스 ~ 新闻快讯 / ~를 듣다 快讯收听

속사(速射) 〖명〗〖하타〗 速射 sùshè ¶~포 速射炮

속:-사정(—事情) 〖명〗 内幕 nèimù; 就里 jiùlī; 底细 dǐxì; 隐情 yǐnqíng ¶~을 털어놓다 倾诉隐情 / 그의 ~이 매우 궁금하다 很想知道他的底细

속삭-이다 〖자타〗 喳喳 chāchā; 打耳喳 dǎ'ěrchā; 耳语 ěryǔ; 窃窃私语 qièqièsīyǔ; 交头接耳 jiāotóujiē'ěr

속:-살 〖명〗 1 (被衣服遮盖的) 肌肤 jīfū; 衣下肌肤 yīxià jīfū 2 (不是胖的) 肉 ròu 3 (植物的) 瓤子 rángzi; 肉 ròu ¶수박의 ~ 西瓜瓤子

속:-상하다(—傷—) 伤心 shāngxīn; 伤痛 shāngtòng; 伤情 shāngqíng; 难过 nánguò; 难受 nánshòu; 糟心 zāoxīn ¶너는 나를 너무 속상하게 했다 你太伤我的心了 / 그는 말하지 않았지만 내심 속상했다 他默默无语，内心伤痛

속설(俗說) 〖명〗 传说 chuánshuō

속성(速成) 〖명〗〖하자타〗 速成 sùchéng ¶삼 개월 ~ 三个月速成 / 영어 ~반 英语速成班

속성(屬性) 〖명〗 属性 shǔxìng; 性质 xìngzhì

속세(俗世) 〖명〗〖佛〗 尘世 chénshì = 세속3 ¶~를 떠나다 离开尘世

속:-셈 〖명〗〖하타〗 1 打算 dǎsuàn; 盘算 pánsuàn; 心里打算 xīnlī dǎsuàn; 小九九(儿) xiǎojiǔjiǔ(r); 主意 zhǔyì = 심산(心算) ¶나는 그의 ~을 도저히 모르겠다 我怎么也猜不出他心里的打算 2 心算 xīnsuàn; 暗算 ànsuàn ¶~ 학원 心算补习班

속속(續續) 〖부〗 陆续 lùxù; 续续 xùxù ¶~ 입장하다 陆续入场

속:-속-들이 ⑬ 彻底 chèdǐ; 完全 wánquán; 一清二楚地 yīqīng'èrchúde ¶~조사하다 彻底调查 / ~ 이해하다 完全理解

속수-무책(束手無策) ⑬ 束手无策 shùshǒuwúcè ¶이런 철없는 아이들은 정말 ~이다 对这些不懂事的孩子们实在束手无策

속:-싸개 ⑬ 内包层 nèibāocéng

속:-씨-식물(一植物) ⑬ 【植】被子植物 bèizǐ zhíwù

속-앓이 ⑬ '속병'의 错误

속어(俗語) ⑬ 1 俚语 lǐyǔ = 비속어 2 =방언

속언(俗諺) ⑬ 1 下流话 xiàliúhuà; 粗话 cūhuà 2 俗话 súhuà; 俗语 súyǔ

속:-없다 ⑱ 1 没主见 méi zhǔjiàn; 无心无肺 wúxīnwúfèi 2 没有恶意 méiyǒu èyì **속:-없-이** ⑭

속:-옷 ⑬ 内衣 nèiyī; 衬衣 chènyī = 내복1 / 내의1 ¶~을 갈아입다 换一件内衣 / ~ 바람으로 왔다갔다하다 穿着内衣走来走去

속요(俗謠) ⑬ 俗歌 súgē; 俚歌 lǐgē

속-이다 ⑭ 骗 piàn; 欺骗 qīpiàn; 欺瞒 qīmán; 瞒 mán; 诈骗 zhàpiàn; 哄骗 hǒng; 哄骗 hǒngpiàn; 蒙骗 mēng; 蒙骗 mēngpiàn; 隐瞒 yǐnmán(《'속다'의 사동》) ¶사람을 ~ 骗人 / 그는 두 살을 속였다 他瞒了两岁

속인(俗人) ⑬ 1 俗人 súrén; 俗子 súzǐ 2 【佛】俗人 súrén

속임-수(一數) ⑬ 骗术 piànshù; 骗局 piànjú = 암수(暗數) ¶~를 쓰다 耍骗术 / 그의 ~는 금방 간파되었다 他的骗局很快被识破了

속자(俗字) ⑬ 俗字 súzì

속전(速戰) ⑬⑭⑦⑭ 速战 sùzhàn ¶~속결 速战速决

속절-없다 ⑱ 无可奈何 wúkěnàihé; 不得已 bùdéyǐ **속절없-이** ⑭

속:-정(一情) ⑬ 1 内幕 nèimù; 隐情 yǐnqíng 2 深情 shēnqíng

속죄(贖罪) ⑬⑦⑭⑦⑭ 赎罪 shúzuì ¶죽음으로 ~하다 以死赎罪

속출(續出) ⑬⑦⑭ 不断发生 bùduàn fāshēng; 层出不穷 céngchūbùqióng; 继起 jìqǐ ¶사고가 ~하다 事故不断发生 / 새로운 상황이 ~하다 新情况层出不穷

속:-치마 ⑬ 衬裙 chènqún

속칭(俗稱) ⑬⑦⑭ 俗称 súchēng

속편(續篇) ⑬ 续篇 xùpiān

속:-표지(一表紙) ⑬ 扉页 fēiyè; 内封 nèifēng

속-하다(屬一) ⑭ 属 shǔ; 属于 shǔyú; 归 guī ¶상류 사회에 속한 사람 属于上流社会的人

속행(續行) ⑬⑦⑭⑦⑭ 继续进行 jìxù jìnxíng ¶경기를 ~하다 继续进行比赛

속:-히(速一) ⑭ 赶快 gǎnkuài; 火速 huǒsù; 赶紧 gǎnjǐn ¶~ 돌아오거라 赶快回来吧

솎다 ⑭ 间苗 jiànmiáo ¶배추를 ~ 间苗菜苗

손[^1] ⑬ 1 手 shǒu ¶두 ~ 两只手 =[一双手] / ~을 씻다 洗手 / ~으로 파리를 잡다 用手抓住苍蝇 / ~을 흔들어 인사하다 挥手打招呼 2 = 손가락 ¶~에 반지를 끼고 있다 手指上戴着戒指 3 = 일손3 ¶~이 달리다 人手不够 4 力气 lìqi; 力量 lìliang ¶조국통일은 우리의 ~으로 실현해야 한다 祖国统一用我们的力量要实现 5 助조; 帮助 bāngzhù ¶~을 빌리다 求助 6 手腕 shǒuwàn; 手段 shǒuduàn ¶~을 써서 실권을 탈취하다 运用手腕夺实权

손 안 대고 코 풀기 ⑳⑭ 手到擒拿，不费吹灰之力

손이 발이 되도록[되게] 빌다 ⑳⑭ 求爷爷告奶奶

손(에) 익다 ⑦ 手熟

손(을) 끊다 ⑦ 一刀两断; 罢手

손(을) 내밀다 ⑦ 1 伸手; 要求; 乞讨 = 손(을) 벌리다 2 干涉; 插手

손(을) 떼다 ⑦ 1 住手; 撒手; 罢手 2 完工

손(을) 벌리다 ⑦ = 손(을) 내밀다1

손(을) 빼다 ⑦ 罢手; 撒手

손(을) 씻다[털다] ⑦ 断绝关系; 罢手; 洗手

손(이) 맵다 ⑦ 1 手重 2 干活儿精明 ‖ = 손끝(이) 맵다

손(이) 빠르다 ⑦ 1 干活快 2 卖得很快

손(이) 여물다 ⑦ 做事周到 = 손끝(이) 여물다

손(이) 작다 ⑦ 1 手巴掌小; 小手小脚; 小气 2 手段很少

손(이) 크다 ⑦ 1 大手大脚; 手巴掌大; 大方 2 手段很多

손에 걸리다 ⑦ 1 落入手中 2 鸡毛蒜皮

손에 땀을 쥐다 ⑦ 手里捏把汗

손에 손(을) 잡다 ⑦ 手携手; 手挽手

손에 잡히다 ⑦ 得心应手

손에 잡힐 듯하다 ⑦ 近在眼前

손에 장을 지지다 ⑦ 根本不相信

손을 놓다 ⑦ 放手; 撒手

손을 맞잡다 ⑦ 携手

손[^2] ⑬ 客 kè; 客人 kèrén ¶~이 오다 来客

손[^3] ⑬ 【民】(妨碍人间的) 凶神 xiōngshén

손⁴ 〔의명〕 对 duì; 把 bǎ ¶조기 한 ～ 一对黄鱼

손(孫) 〔명〕 = 후손 ¶～이 귀하다 子孙 很稀少

손-가락 〔명〕 手指 shǒuzhǐ; 手指头 shǒuzhǐtou; 指 zhǐ; 指头 zhǐtou = 손 2·수지(手指) ¶～뼈 指骨 / 열 ～ 十 个手指 / ～ 마디 手指节 / ～이 가늘 다 手指很细

손가락 안에 꼽히다[들다] 〔큰〕 数一 数二

손가락 하나 까딱 않다 〔큰〕 横针不 拈; 竖针不动; 游手好闲 = 손끝 하나 까딱 안 하다

손가락-질 〔명〕〔하〕〔자타〕 1 指画 zhǐhuà; 指摹 zhǐzhe ¶～하며 말하다 指画说 2 指点 zhǐdiǎn; 指着 zhǐzhe ¶뒤에서 ～하다 在背后对人指指点点

손가락질(을) 받다 〔큰〕 非笑于人; 受 人指摘

손-가방 〔명〕 小提包 xiǎotíbāo; 手提包 shǒutíbāo

손-거스러미 〔명〕 倒刺 dàocì

손-거울 〔명〕 小镜子 xiǎojìngzi ¶～ 한 개 一面小镜子

손-금 〔명〕 手相 shǒuxiàng; 掌纹 zhǎng-wén; 手纹 shǒuwén ¶～을 보다 看手 相 / ～이 좋다 手相很好

손-길 〔명〕 1 (뻗는) 手 shǒu; 关怀 guānhuái; 帮助 bāngzhù; 支援 zhīyuán ¶따뜻한 ～을 내밀다 伸出温暖的手 2 手艺 shǒuyì ¶이 골동품은 조상의 ～ 이 느껴진다 这古董让人感到祖先的 手艺

손길을 뻗치다 〔큰〕 插手; 伸手

손-꼽다 〔자〕 1 屈指 qūzhǐ ¶손꼽아 세 어 보다 屈指算算 2 数一数二 shǔyì-shǔèr; 屈指可数 qūzhǐkěshǔ ¶그의 기 술은 우리 공장에서 본다면 손꼽을 만 하다 他的技术, 在我们厂里算得上是 数一数二的

손꼽아 기다리다 〔큰〕 屈指盼望

손꼽-히다 〔자〕 数一数二 shǔyìshǔèr; 数得着 shǔdezháo; 数得上 shǔde-shàng《'손꼽다2'의 被动词》¶중국에 서 손꼽히는 미인 在中国属于数一数二的美女

손-끝 〔명〕 1 手指尖 shǒuzhǐjiān ¶～ 나 까딱하기 싫다 连手指尖也不想动 2 手艺 shǒuyì ¶～이 야무지다 手艺 熟练

손끝 하나 까딱 안 하다 〔큰〕 = 손가 락 하나 까딱 안 하다

손끝(이) 맵다 〔큰〕 = 손(이) 맵다

손끝(이) 여물다 〔큰〕 = 손(이) 여물 다

손녀(孫女) 〔명〕 孙女 sūnnǚ ¶～사위 孙 女婿

손녀-딸(孫女-) 〔명〕 孙女 sūnnǚ

손녀-놀림 〔명〕〔하〕 手的动作 shǒude dòng-zuò; 手 shǒu ¶～이 날쌔다 手的动作 灵巧

손-님 〔명〕 1 客 kè; 客人 kèrén; 宾 bīn ¶귀한 ～ 贵宾 / ～을 맞이하다 迎接 客人 / ～을 치르다 招待客人 2 顾客 gùkè; 客 kè ¶～은 왕이다 顾客就是 上帝

손-대다 〔자〕 1 触 chù; 触动 chùdòng; 触摸 chùmō; 碰触 chùpèng; 着手 zhuóshǒu ¶내 물건에 손대지 마라 不 要触碰我的东西 2 动手 dòngshǒu; 着 手 zhuóshǒu; 下手 xiàshǒu; 动手 dòngshǒu ¶이 일에 손댄지 이미 몇 개월 되었다 这项工作已着手几个月了 3 动手 dòngshǒu; 打 dǎ ¶선생님이 어 떻게 마음대로 학생을 손댈 수 있 는가? 老师怎么能随便打学生呢? 4 修理 xiūlǐ; 修改 xiūgǎi ¶내가 보기에 이 소설은 손댈 필요가 없다 我看这篇 小说不用修改了 5 染指 rǎnzhǐ ¶공금 에 이미 여러 차례 손댔다 对公共资金 已染指多次

손-대중 〔명〕〔하〕 掂 diān; 掂算 diān-suàn ¶～을 해 보니 10킬로그램은 되 겠다 掂一掂, 约有十公斤

손-도장(一圖章) 〔명〕 = 지장(指章) ¶ ～을 찍다 按手印

손-독(一毒) 〔명〕 指甲毒 zhǐjiǎdú ¶피부 를 긁은 후에 ～이 올랐다 抓破皮肤之 后中了指甲毒以致发肿

손-동작(一動作) 〔명〕〔하자〕 手的动作 shǒude dòngzuò; 手 shǒu ¶～이 빠르 다 手的动作很快

손-들다 〔자〕 1 举手 jǔshǒu ¶손들고 발 언하세요 请举手发言 2 赞成 zàn-chéng ¶나는 그의 의견에 손들어 주었 다 我赞成了他的意见 3 投降 tóu-xiáng; 认输 rènshū; 没法子 méifǎzi; 降服 xiángfú ¶난 정말 이 문제에는 손 들었다 这事我可没法子了

손-등 〔명〕 手背 shǒubèi ¶～으로 땀을 닦다 用手背擦汗

손-때 〔명〕 1 (使用时) 顺手 shùnshǒu ¶ ～가 탄 작은 칼 用顺了手的小刀 2 手垢 shǒugòu; 手泥 shǒuní

손때(가) 묻다[먹다] 〔큰〕 用惯了; 用 顺手了

손-목 〔명〕 手腕子 shǒuwànzi; 手腕(儿) shǒuwàn(r); 手脖子 shǒubózi; 腕 wàn ¶～뼈 腕骨 / 그가 ～에 차고 있는 시 계 戴他手腕上的表 / ～이 시큰거리 다 手腕子酸痛

손목-시계(一時計) 〔명〕 手表 shǒubiǎo ¶새로 ～를 하나 샀다 买了一块新手 表

손-바느질 〔명〕〔하〕〔타〕 针线活儿 zhēnxianhuór

손-바닥 圀 手掌 shǒuzhǎng; 掌 zhǎng; 手心 shǒuxīn; 巴掌 bāzhǎng; 掌心 zhǎngxīn ¶~만 한 땅 窄如手掌的土地 / ~을 비비다 搓手掌 / ~에 물집이 잡히다 手掌起疱

손바닥(을) 뒤집듯 冠 1 一反常态 2 易如反掌

손-발 圀 1 手脚 shǒujiǎo; 手足 shǒuzú ¶밧줄로 그의 ~을 묶어 놓다 用绳子绑住他的手脚 2 左右手 zuǒyòushǒu; 爪牙 zhǎoyá; 手下 shǒuxià ¶사장의 ~이 되어 일하다 作为总经理的左右手从事工作 ‖ ~ 手足(手足)

손발(이) 맞다 冠 相互配合得好

손-버릇 圀 1 手的习惯 shǒude xíguàn 2 偷东西的习惯 tōudōngxide xíguàn 3 打人的习惯 dǎrén de xíguàn

손버릇(이) 사납다 冠 1 手脚不干净; 手不稳

손-보다 囼 1 维修 wéixiū; 修缮 xiūshàn; 修理 xiūlǐ; 收拾 shōushi ¶이 자전거는 좀 손봐야 한다 这辆自行车该修理修理了 2 (把人) 收拾 shōushi; 整治 zhěngzhì ¶그를 한 차례 손봐 주었다 他让收拾了一顿

손부(孫婦) 圀 = 손자며느리

손-빨래 圀[하다] 用手洗衣服 yòngshǒu xǐyīfu; 用手洗 yòngshǒu xǐ = 손세탁

손-뼉 圀 鼓掌 gǔzhǎng; 拍手 pāishǒu; 拍掌 pāizhǎng ¶모두 일어나치며 환영하다 大家站起来鼓掌欢迎

손-사래 圀 摇手 yáoshǒu; 摆手 bǎishǒu

손사래(를) 치다 冠 摇手; 摆手

손:-상(損傷) 圀[하다] 1 (事物) 损坏 sǔnhuài ¶기계 내부에 ~된 곳이 있다 机器内部有损坏的地方 2 (因病或受伤) 损伤 sǔnshāng; 损害 sǔnhài ¶뇌세포가 심하게 ~되었다 脑细胞损伤得厉害 3 (体面、名誉等) 损害 sǔnhài; 损伤 sǔnshāng; 折损 zhésǔn ¶이미지가 ~되다 折损形象 / 명예가 ~되다 名誉被损害

손:-색(遜色) 圀 逊色 xùnsè ¶국산품은 수입품과 비교해서 조금도 ~이 없다 国产品和舶来品比较, 一点儿都不逊色

손:-색-없다(遜色-) 圀 毫无逊色 háowú xùnsè ¶털끝 不减 háofà bùjiǎn

손-세탁(-洗濯) 圀[하다] = 손빨래

손수 閏 亲手 qīnshǒu; 亲自 qīnzì ¶~ 밥을 짓다 亲手做饭 / 그녀가 나를 위해 ~ 이 스웨터를 짰다 她亲手为我织了这件毛衣

손-수건(-手巾) 圀 手帕 shǒupà; 手绢 shǒujuàn ¶~ 한 장 一块手帕 / ~으로 눈물을 닦다 用手帕擦眼泪

손-수레 圀 手推车 shǒutuīchē

손-쉽다 圀 容易 róngyì; 轻易 qīngyì ¶손쉽게 상대방을 이겼다 他轻而易举赢了对方

손-실(損失) 圀[하다] 损失 sǔnshī ¶경제적인 ~ 经济损失 / ~을 보다 受损失

손-쓰다 囸 采取措施 cǎiqǔ cuòshī; 措手 cuòshǒu ¶여러모로 손써서 가격 상승을 막다 采取多种措施制止涨价

손-아귀 圀 1 虎口 hǔkǒu 2 手劲(儿) shǒujìn(r) 3 掌心 zhǎngxīn; 手心 shǒuxīn; 手中 shǒuzhōng ¶정권을 ~에 넣다 把政权掌握在手中 / ~에서 벗어날 수 없다 逃不出他的手心

손아귀에 넣다 冠 掌握; 握在手里; 据为已有 = 손안에 넣다

손-아래 圀 下辈 xiàbèi; 小辈 xiǎobèi; 晚辈 wǎnbèi; 手下 shǒuxià = 수하1 ¶~ 동서 下辈连襟

손-아랫-사람 圀 小辈 xiǎobèi; 晚辈 wǎnbèi; 手下 shǒuxià; 下级 xiàjí = 아랫사람1

손-안 圀 = 수중(手中) ¶권력은 그의 ~에 있다 权力在于他的掌中

손안에 넣다 冠 = 손아귀에 넣다

손-위 圀 长辈 zhǎngbèi; 前辈 qiánbèi ¶~ 동서 长辈连襟

손윗-사람 圀 长辈 zhǎngbèi; 前辈 qiánbèi = 윗사람1

손-익(損益) 圀 损益 sǔnyì; 盈亏 yíngkuī ¶~ 계산 盈亏会计 / ~ 계산서 盈亏清单 = [盈亏计算表]

손:-익 분기점(損益分岐點) 經 盈亏平衡点 yíngkuī pínghéngdiǎn; 盈亏转折点 yíngkuī zhuǎnzhédiǎn; 盈亏点 yíngkuīdiǎn

손자(孫子) 圀 孙子 sūnzi

손자-며느리(孫子-) 圀 孙媳妇 sūnxífu = 손부

손-잡다 囸 1 携手 xiéshǒu; 手拉手 shǒulāshǒu; 把手 bǎshǒu; 拉手 lāshǒu ¶손잡고 해변을 거닐다 手拉手散步海边 2 携手 xiéshǒu; 连手 liánshǒu; 合作 hézuò ¶~ 协作 xiézuò

손-잡이 圀 把手 bǎshǒu; 柄 bǐng; 把 bǎ; 把柄 bǎbǐng; 拉手 lāshǒu; 提手 tíshǒu ¶문 ~ 门把手 / 서랍 ~ 抽屉的把手

손-장단 圀 手拍子 shǒupāizi ¶~에 맞춰 노래 부르다 配合着手拍子唱歌

손-재주 圀 手巧 shǒuqiǎo; 手艺 shǒuyì ¶그는 ~가 좋다 他的手很巧

손-전등(-電燈) 圀 手电筒 shǒudiàntǒng; 手电 shǒudiàn; 电棒 diànbàng = 플래시1 · 회중전등 ¶~을 비추다 打手电筒 / ~을 하나 휴대하다 随身带一把手电

손주(孫一) 圆 손자손녀 sūnzi sūnnǚ; 孙孙 sūn sūn

손-질 圆[하타] 修理 xiūlǐ; 修补 xiūbǔ; 修整 xiūzhěng; 整治 zhěngzhì ¶어망을 ~하다 修补渔网 / 머리를 ~ 하다 修补头发

손-짓 圆 手势 shǒushì; 招手 zhāoshǒu; 比画 bǐhuà ¶~ 발짓을 하다 比手画脚 / 교통경찰이 ~으로 차량을 지휘하다 交通警打手势指挥车辆 / 그가 ~하며 나를 불렀다 他招手叫我了

손-찌검 圆[하자타] 动手 dòngshǒu; 动手动脚 dòngshǒudòngjiǎo ¶동생에게 ~해서는 안 된다 不应该对弟弟动手

손-칼국수 圆 手切面 shǒuqiēmiàn; 刀削面 dāoxiāomiàn

손-톱 圆 指甲 zhǐjia; 手指甲 shǒuzhǐjia ¶~깎이 指甲刀 / ~자국 指甲印 / ~을 깎다 剪指甲 / ~이 날카롭다 手指甲很尖

손톱만큼도 귄 → 一丝一毫

손:해(損害) 圆 损害 sǔnhài; 损失 sǔnshī; 亏 kuī; 亏损 kuīsǔn ¶~ 배상 赔偿损失 / ~ 보험 损害保险 / 회사의 이익에 커다란 ~를 끼치다 严重损害公司利益 / 나와 함께 하면 절대 ~ 보지 않을 것이다 跟我一起干, 绝对亏不了

솔:¹ 圆 刷子 shuāzi = 브러시 ¶~로 구두를 닦다 用刷子刷皮鞋

솔² 圆[植] → 소나무

솔(이sol) 圆[音] 咦 suō

솔-가지 圆 松枝 sōngzhī

솔개 圆[鳥] 黑耳鸢 hēi'ěryuān

솔기 圆 缝 féng; 衣缝 yīféng ¶~가 터지다 缝儿开绽

솔깃-하다 圆 感兴趣 gǎnxìngqù; 关注 guānzhù ¶그의 말에 ~ 对他的那句话感兴趣

솔로(이solo) 圆[音] 独奏 dúzòu; 独唱 dúchàng ¶피아노 ~ 钢琴独奏

솔로몬(Solomon) 圆[人] 所罗门 Suǒluómén ¶~의 지혜 所罗门的智慧

솔리스트(프soliste) 圆[音] 独唱者 dúchàngzhě; 独奏者 dúzòuzhě

솔-방울 圆 松球 sōngqiú ¶~을 따다 摘松球

솔선(率先) 圆[하자] 带头 dàitóu; 领头 lǐngtóu; 率先 shuàixiān ¶~해서 일하다 带头干活儿

솔선-수범(率先垂範) 圆[하자] 率先垂范 shuàixiānchuífàn ¶지도자는 ~해야 한다 领导必须率先垂范

솔솔 퓐 1 籔籔地 sùsùde ¶쌀이 ~ 흘러나왔다 大米籔籔地漏了出来 2 (风) 微微地 wēiwēide; 轻轻地 qīngqīngde; 溜溜 liūliū; 絮絮 xùxù ¶봄바람이 ~

불어오다 春风微微地吹来 3 慢慢地 mànmànde ¶꽃향기가 ~ 풍기다 慢慢地地散发着花香

솔솔-바람 圆 微风 wēifēng

솔-숲 圆 松林 sōnglín

솔-잎 圆 松针 sōngzhēn

솔직-하다(率直一) 圆 直率 zhíshuài; 坦率 tǎnshuài; 坦白 tǎnbái; 率直 shuàizhí ¶사람됨이 ~ 为人直率 / 솔직하게 자신의 의견을 밝히다 直率地阐明自己的意见 **솔직-히** 퓐 ~ 말하다 坦白地说

솔:-질 圆[하자타] 刷 shuā ¶~하여 먼지를 털다 刷掉灰尘

솜 圆 棉 mián; 棉花 miánhuā; 絮 xù ¶~사탕 棉花糖 / 이불~ 被絮 / 이불 棉被 / 바지 棉裤

솜씨 圆 1 手艺 shǒuyì ¶요리 ~ 做菜手艺 / ~가 뛰어나다 手艺高超 2 本事 běnshì; 能耐 néngnài; 才干 cáigàn; 两手 liǎngshǒu; 手段 shǒuduàn ¶개개인의 ~를 발휘하다 发挥每个人的才干

솜:-옷 圆 棉衣 miányī; 棉袄 mián'ǎo

솜:-털 圆 汗毛 hànmáo; 寒毛 hánmáo ¶얼굴의 ~를 제거하다 除去脸上的汗毛

솜:-틀 圆 弹花机 tánhuājī

솟구-치다 圆[자] 1 升腾 shēngténg; 涌上 yǒngshàng; 冒 mào ¶불길이 ~ 火焰升腾 / 짙은 연기가 솟구치고 있다 冒着浓浓的烟 2 涌起 yǒngqǐ; 鼓起 gǔqǐ; 充满 chōngmǎn ¶부아가 ~ 涌起一股怒火 / 용기가 ~ 鼓起勇气 圆[타] 往上冲 wǎngshàngchōng ¶물속에서 몸을 위로 ~ 在水里身子往上冲

솟다 圆 1 涌 yǒng; 冒 mào ¶샘물이 ~ 涌泉 2 耸立 sǒnglì; 高耸 gāosǒng ¶높은 산이 솟아 있다 高山耸立 3 涌 yǒng; 充满 chōngmǎn ¶자신감이 ~ 充满信心 4 冒 mào ¶땀이 ~ 冒汗 / 눈물이 ~ 冒泪

솟아-나다 圆[자] 1 涌出 yǒngchū; 冒出 màochū ¶눈물이 ~ 泪水涌出来 2 涌出 yǒngchū; 充满 chōngmǎn; 涌现 yǒngxiàn ¶얼굴에 행복한 미소가 솟아났다 脸上涌出幸福的笑容 / 용기가 ~ 勇气涌现出来

솟아-오르다 圆[자] 1 涌出 yǒngchū; 升起 shēngqǐ ¶하늘에 달이 ~ 天空涌出一轮明月 / 해가 ~ 太阳升起 2 涌起 yǒngqǐ; 充满 chōngmǎn ¶얼굴에 미소가 솟아올랐다 脸上涌起了笑容

송:-가(頌歌) 圆 颂歌 sònggē; 赞歌 zàngē

송골-매(松鶻一) 圆[鳥] = 매²

송골-송골 퓐[하형] 一颗颗 yīkēkē; 一粒粒 yīlìlì; 一滴滴 yīdīdī (《汗珠、眼

珠等出貌)〕¶얼굴에 ~ 땀이 맺혔다 脸上一滴滴地冒汗了

송:-곳 圐 锥子 zhuīzi; 锥 zhuī

송:-곳-니 圐 尖牙 jiānyá; 犬齿 quǎnchǐ; 犬牙 quǎnyá = 견치

송:-구(送球) 圐하짜 〔體〕传球 chuánqiú

송:-구-스럽다(悚懼—) 톙 歉疚 qiànjiù; 不好意思 bùhǎoyìsi; 难为情 nánwéiqíng ¶제가 도와드릴 수 없어서 정말 송구스럽습니다 我没能帮上忙，实在难为情

송:-구-영신(送舊迎新) 圐하짜 辞旧迎新 cíjiù yíngxīn ¶~ 예배 辞旧迎新礼拜

송:-구-하다(悚懼—) 톙 歉疚 qiànjiù; 不好意思 bùhǎoyìsi; 难为情 nánwéiqíng

송:-금(送金) 圐하타 汇款 huìkuǎn; 寄钱 jìqián ¶집에 ~하다 汇一笔钱给家里

송:-금-환(送金換) 圐 〔經〕汇兑 huìduì

송:-년(送年) 圐하짜 辞旧岁 cíjiùsuì

송:-년-호(送年號) 圐 (报刊杂志的)年终号 niánzhōnghào; 送旧号 sòngjiùhào

송:-년-회(送年會) 圐 年终聚会 niánzhōng jùhuì

송:-달(送達) 圐하타 递送 dìsòng; 传递 chuándì; 投递 tóudì; 发送 fāsòng ¶우편물을 ~하다 传递邮件

송두리-째 튀 整个 zhěnggè; 全部 quánbù; 全都 quándōu ¶홍수로 인해 ~ 떠내려갔다 被洪水全部冲走了

송두리-채 튀 '송두리째'의 착误

송:-별(送別) 圐하타 送 sòng; 送别 sòngbié; 送行 sòngxíng ¶~식 送别仪式 / ~연 送别宴 / ¶그는 공항에 친구를 ~하러 갔다 他到机场去送朋友

송:-별-회(送別會) 圐 送别会 sòngbiéhuì; 欢送会 huānsònghuì ¶그를 위해 ~를 열다 为他开欢送会

송:-부(送付) 圐하타 发送 fāsòng; 寄送 jìsòng ¶계약서를 ~하다 发送合同书

송:-사(訟事) 圐하타 〔法〕官司 guānsi; 诉讼 sùsòng ¶형제간에 ~를 벌이다 兄弟之间打官司

송:-사리 圐 〔魚〕青鳉 qīngjiāng; 阔尾鳉鱼 kuòwěijiāngyú

송송 튀 1 嚓嚓地 cācāde ¶대파를 ~ 썰다 嚓嚓地切大葱 2 密密麻麻 mìmimámá ¶구멍이 ~ 났다 密密麻麻起了许多洞 3 颗颗 kēkē; 滴滴 dīdī ¶땀이 ~ 솟다 冒出颗颗汗珠

송:-수(送水) 圐하짜 送水 sòngshuǐ ¶~관 送水管

송:-수-신(送受信) 圐 收发 shōufā

송:-신(送信) 圐하타 发报 fābào; 发信 fāxìn; 发报 fāshè ¶~소 发射台 =[发射站] / ~탑 发射塔

송:-신-기(送信機) 圐 〔信〕发报机 fābàojī; 发射机 fāshèjī ¶라디오 ~ 无线电发报机

송아지 圐 小牛 xiǎoniú; 牛犊 niúzǎi; 牛犊 niúdú ¶~ 한 마리 一头小牛

송알-송알 튀 颗颗 kēkē; 滴滴 dīdī ¶이마에 땀이 ~ 솟아났다 额头上冒出了一颗颗的汗珠

송어(松魚) 圐 〔魚〕鳟鱼 zūnyú

송:연-하다(竦然一·悚然一) 톙 悚然 sǒngrán ¶모골이 ~ 毛骨悚然 송:-연-히 튀

송:-유-관(送油管) 圐 输油管 shūyóuguǎn

송이 圐 1 朵 duǒ; 团 tuán; 苞 bāo ¶꽃~ 花朵 / 밤~ 栗苞 2 朵 duǒ ¶장미 한 ~ 一朵玫瑰

송:-이(松栮) 圐 〔植〕松菌 sōngjùn; 松茸 sōngróng; 松蕈 sōngxùn; 松菇 sōnggū; 松蘑 sōngmó = 송이버섯

송이-버섯(松栮—) 圐 〔植〕= 송이(松栮)

송이-송이 튀 朵朵 duǒduǒ; 团团 tuántuán ¶복숭아꽃이 ~ 활짝 피었다 朵朵桃花盛开

송:-장 圐 尸体 shītǐ; 尸身 shīshēn; 尸首 shīshǒu; 尸 shī = 시체·주검 ¶~ 한 구 一具尸首

송장(을) 치다 團 葬埋尸体

송:-장(送狀) 圐 发货单 fāhuòdān; 发货票 fāhuòpiào; 发货清单 fāhuò qīngdān

송:-전(送電) 圐하짜 〔電〕输电 shūdiàn ¶~선 输电线

송진(松津) 圐 松香 sōngxiāng; 松脂 sōngzhī

송:-축(頌祝) 圐하타 祝颂 zhùsòng

송:-출(送出) 圐하타 1 遣派 qiǎnpài ¶인력 ~ 人力遣派 2 播出 bōchū ¶방송국의 프로그램이 순조롭게 ~되다 广播电台的节目顺利播出

송충-이(松蟲—) 圐 〔蟲〕松毛虫 sōngmáochóng; 火毛虫 huǒmáochóng

송충이는 솔잎을 먹어야 한다 俗담 要安分守己

송:-치(送致) 圐하타 〔法〕扭送 niǔsòng; 解送 jiěsòng ¶범인을 ~하다 扭送犯人 2 送达 sòngdá

송판(松板) 圐 松木板材 sōngmùbǎncái; 松木板 sōngmùbǎn

송편(松—) 圐 蒸糕 zhēnggāo; 松糕 sōnggāo

송:-풍(送風) 圐하짜 送风 sòngfēng; 鼓风 gǔfēng ¶~기 送风机 =[鼓风机]

송:환(送還) 뎸타 遣返 qiǎnfǎn ¶포로를 ~하다 遣返俘房

솥 뎸 锅 guō ¶~뚜껑 锅盖

솨 뎸 뭐 1 刷刷 shuāshuā; 呼呼 hūhū; 渐渐 sīsī; 飒 sà 《风雨声》2 哗哗 huāhuā; 刷刷 shuāshuā 《水流声》

솨-솨 뭐 刷刷 shuāshuā; 哗哗 huāhuā; 飒飒 sàsà

쇄:(刷) 뎸印 第一次印刷 dì yī cì yìnshuā ¶3판 5~ 第3版第5次印刷

쇄:골(鎖骨) 뎸生 빗장뼈

쇄:국(鎖國) 뎸하타 锁国 suǒguó ¶~정책 锁国政策 / ~주의 锁国主义

쇄:도(殺到) 뎸하자 蜂拥 fēngyōng; 蜂拥而至 fēngyōng'érzhì; 蜂拥而上 fēngyōng'érshàng; 纷纷 fēnfēn; 纷至沓来 fēnzhìtàlái ¶주문이 ~하다 购买订货蜂拥而至 / 적군이 ~해 오다 敌人蜂拥而入

쇄:빙(碎氷) 뎸하자 破冰 pòbīng ¶~선 破冰船

쇄:석(碎石) 뎸하타 碎石 suìshí ¶~기 碎石机

쇄:신(刷新) 뎸하타 刷新 shuāxīn; 更新 gēngxīn ¶기강을 ~하다 更新纪纲

쇠 뎸 1 铁 tiě ¶이 그릇들은 모두 ~로 만든 것이다 这些器皿都是用铁做的 2 金属 jīnshǔ

쇠:-가죽 뎸 牛皮 niúpí = 소가죽·우피

쇠:-간(一肝) 뎸 牛肝 niúgān = 소간

쇠:-갈비 뎸 牛排 niúpái = 소갈비

쇠:-고기 뎸 牛肉 niúròu = 소고기·우육

쇠-고랑 뎸 手铐 shǒukào ¶그에게 ~을 채웠다 给他戴上了手铐

쇠:-고집 뎸 牛脾气 niúpíqi; 牛气 niúqi; 牛性 niúxìng; 死顽固 sǐwángù; 顽固不化 wángùbùhuà = 소고집·황소고집

쇠:-귀 뎸 牛耳 niúěr = 소귀

쇠귀에 경 읽기 속담 对牛弹琴

쇠:-기름 뎸 牛脂 niúzhī = 우지

쇠:-꼬리 뎸 牛尾 niúwěi = 소꼬리

쇠-꼬챙이 뎸 铁条 tiětiáo

쇠다[1] 뭐 1 (蔬菜等) 老 lǎo; 不嫩 bùnèn ¶무가 ~ 萝卜老了 2 恶化 èhuà ¶감기가 ~ 感冒恶化

쇠:다[2] 타 过 guò ¶생일을 ~ 过生日 / 설을 ~ 过年

쇠-딱지 뎸 (婴儿) 头垢 tóugòu = 쇠똥2

쇠-똥[1] 뎸 (冶铁时的) 铁屑 tiěxiè

쇠-똥[2] 뎸 1 牛粪 niúfèn = 소똥 2 = 쇠딱지

쇠똥-구리 뎸虫 蜣螂 qiāngláng = 말똥구리

쇠락(衰落) 뎸하자 衰落 shuāiluò; 衰

패 shuāibài ¶가업이 ~하다 家业衰微

쇠망(衰亡) 뎸하자 衰亡 shuāiwáng; 衰败 shuāibài ¶왕조가 ~하다 王朝衰亡

쇠-망치 뎸 铁锤 tiěchuí; 锤子 chuízi

쇠-머리 뎸 牛头 niútóu = 소머리

쇠-못 뎸 铁钉 tiědīng

쇠-문(一門) 뎸 铁门 tiěmén = 철문

쇠-붙이 뎸 1 = 금속 2 铁 tiě

쇠-뼈 뎸 牛骨 niúgǔ = 소뼈·우골

쇠-뿔 뎸 牛角 niújiǎo = 소뿔·우각

쇠뿔도 단김에 빼랬다 속담 趁热打铁; 乘热打铁

쇠-사슬 뎸 铁链 tiěliàn; 链子 liànzi; 锁链 suǒliàn; 铁链 tiěliàn = 사슬1·체인1 ¶~을 끊다 打断锁链

쇠스랑 뎸農 铁耙 tiěpá; 三股叉 sāngǔchā

쇠-심 뎸 1 牛筋 niújīn = 쇠심줄 2 牛力 niúlì

쇠:-심줄 뎸 = 쇠심1

쇠약(衰弱) 뎸하형 衰弱 shuāiruò ¶몸이 ~하다 身体衰弱

쇠잔(衰殘) 뎸하자 衰残 shuāicán; 衰落 shuāiluò; 衰败 shuāibài ¶~한 왕조 衰落的王朝

쇠진(衰盡) 뎸하자 衰竭 shuāijié ¶기력이 점점 ~해 가다 气力一天天地衰竭下去

쇠-창살(一窓一) 뎸 铁窗栏 tiěchuānglíng

쇠:-코뚜레 뎸 牛鼻环(儿) niúbíhuán(r); 桊(儿) juàn(r) = 코뚜레

쇠:-털 뎸 牛毛 niúmáo = 소털

쇠털 같은 날 속담 = 쇠털같이 하고많은[허구한] 날

쇠털같이 하고많은[허구한] 날 속담 千头明暗, 万个后事 = 쇠털 같은 날

쇠:-톱 뎸 钢锯 gāngjù

쇠퇴(衰退·衰頹) 뎸하자 衰退 shuāituì; 衰败 shuāibài; 衰弱 shuāiruò ¶기억력이 눈에 띄게 ~하다 记忆力明显衰退

쇠:-파리 뎸虫 牛蝇 niúyíng

쇠:-하다(衰一) 뭐 1 衰 shuāi ¶국력이 ~ 国力衰微; 衰 shuāituì; 衰落 shuāiluò; 衰萎 shuāiwěi; 减退 jiǎntuì ¶국력이 ~ 国力衰弱了/기억력이 ~ 记忆力衰退

쇳-가루 뎸 铁粉 tiěfěn; 铁屑 tiěxiè

쇳-덩어리 뎸 铁块 tiěkuài

쇳-덩이 뎸 铁块 tiěkuài

쇳-독(一毒) 뎸 铁毒 tiědú

쇳-물 뎸 1 铁锈水 tiěxiùshuǐ 2 铁水 tiěshuǐ; 液态铁 yètàitiě

쇳-소리 뎸 1 金属声 jīnshǔshēng 2 尖嗓音 jiānsǎngyīn

쇳ー조각 圄 铁片 tiěpiàn

쇼(show) 圄[하자] **1** 热闹(儿) rènào(r); 洋相 yángxiàng **2** 圄 表演 biǎoyǎn; 演出 yǎnchū; 秀 xiù ¶〜를 관람하다 观看表演 **3** 做作 zuòzuò

쇼맨십(showmanship) 圄 演示技巧 yǎnshì jìqiǎo; 主持演出技巧 zhǔjī yǎnchū jìqiǎo

쇼ー윈도(show window) 圄 陈列窗 chénlièchuāng; 橱窗 chúchuāng

쇼크(shock) 圄 **1** 打击 dǎjī; 冲击 chōngjī **2** 〔醫〕休克 xiūkè ¶〜사 休克死亡 / 〜 요법 休克疗法
　쇼크(를) 먹다 큎 深受冲击

쇼킹ー하다(shocking一) 圄 令人震惊的 lìngrén zhènjīngde; 骇人听闻 hàiréntīngwén; 冲击的 chōngjīde; 惊人的 jīngrénde ¶오늘은 쇼킹한 뉴스가 정말 많다 今天令人震惊的新闻真多

쇼트닝(shortening) 圄 起酥油 qǐsūyóu

쇼트ー커트(short cut) 圄 超短发 chāoduǎnfà; 超短发发型 chāoduǎnfà fàxíng

쇼트 트랙(short track) 〔體〕短道速滑 duǎndào sùhuá

쇼트 패스(short pass) 〔體〕短传 duǎnchuán; 短递 duǎndì

쇼핑(shopping) 圄[하자] 购物 gòuwù; 买东西 mǎi dōngxi ¶〜가 购物街 / 〜객 购物人 / 〜백 购物袋 / 〜 욕구를 자극하다 刺激购物欲 / 인터넷 〜 网上购物

쇼핑ー몰(shopping mall) 圄 = 쇼핑센터

쇼핑ー센터(shopping center) 圄 购物中心 gòuwù zhōngxīn = 쇼핑몰

숄(shawl) 圄 披肩 pījiān; 披巾 pījīn

숄더ー백(shoulder bag) 圄 挂肩式皮包 guàjiānshì píbāo

수¹ 圄 雄 xióng; 公 gōng ¶암〜 雌雄

수² 一圄 办法 bànfǎ; 法子 fǎzi; 方法 fāngfǎ ¶좋은 〜가 생각났다 想出了一个好办法 / 별 〜가 없다 没法子 一 의圄 能 néng; 会 huì; 可能 kěnéng; 只能 zhǐnéng; 只好 zhǐhǎo ¶너 어떻게 그럴 〜 있니? 你怎么会这样呢? / 우리는 여기에서 그를 기다릴 〜밖에 없다 我们只能在这儿等他

수(手) 圄의圄 (围棋、象棋의) 着 zhāo; 招 zhāo; 着数 zhāoshù ¶다음 〜 下一着棋 / 이 〜는 정말 대단하다 这一招真厉害

수(首) 의圄 **1** 首 shǒu ¶시 한 〜 一首诗 **2** 只 zhī ¶오리 한 〜 一只鸭

수:(数) 一圄 **1** 数 shù; 数目 shùmù; 数量 shùliàng ¶사람 〜 人数 / 여행객의 수량 旅客的数量 **2** 〔數〕数 shù 一圄

数 shù; 几 jǐ; 好多 hǎoduō ¶〜 킬로미터 好多公里

수(繡) 圄 绣 xiù; 刺绣 cìxiù; 绣花 xiùhuā

수:ー(雄) 〔접두〕公 gōng; 雄 xióng ¶〜개미 雄蚂蚁 / 〜거미 雄蜘蛛 / 〜게 雄螃蟹 / 〜고양이 公猫 = [雄雄] / 〜나비 雄蝶 / 〜벌 雄蜂 / 〜토끼 公兔 [雄兔]

수:ー(数) 〔접두〕数 shù; 几 jǐ ¶〜차례 数次 / 상품이 〜십 종에 달하다 商品达数十种

一수(手) 〔접미〕手 shǒu; 工 gōng; 员 yuán ¶공격〜 攻击手 / 운전〜 驾驶员

수ー간호사(首看護師) 圄 护士长 hùshizhǎng

수감(收監) 圄[하타] 收监 shōujiān; 囚禁 qiújìn ¶여죄수만을 〜하는 감옥 专门收监女囚犯的监狱

수감ー자(收監者) 圄 囚犯 qiúfàn

수갑(手匣) 圄 手铐 shǒukào ¶죄인에게 〜을 채우다 给犯人带上手铐

수강(受講) 圄[하타] 听讲 tīngjiǎng; 听课 tīngkè ¶〜료 听课费 / 〜생 听课生 / 〜을 신청하다 报名听课

수:ー개월(数箇月) 圄 几个月 jǐge yuè; 数月 shùyuè ¶〜 전에 그는 이미 서울을 떠났다 几个月前他已经离开首尔了

수거(收去) 圄[하타] 收 shōu; 收走 shōuzǒu ¶쓰레기를 〜해 가다 收走垃圾

수:ー건(手巾) 圄 毛巾 máojīn; 手巾 shǒujīn ¶〜걸이 毛巾架 / 〜 한 장을 새로 샀다 新买了一条毛巾 / 〜으로 물기를 닦다 用手巾把水分擦干

수경(水耕) 圄[하자] 〔農〕水培 shuǐpéi; 水耕 shuǐgēng ¶〜 채소 水培蔬菜

수경(水鏡) 圄 = 물안경

수:ー고 圄[하자] 辛苦 xīnkǔ; 受苦 shòukǔ; 受累 shòulèi; 麻烦 máfan; 劳累 láolèi ¶〜하셨습니다! 您辛苦了! / 이 일은 네가 〜를 좀 해야겠다 这件事你得辛苦一下 / 〜하셨으니 빨리 좀 쉬세요 您辛苦了累, 快休息一会儿吧

수:ー고ー롭다 圄 辛苦 xīnkǔ; 受苦 shòukǔ; 受累 shòulèi; 麻烦 máfan; 劳累 láolèi 수:고로이 큎

수:ー고ー비(一費) 圄 小费 xiǎofèi; 服务费 fúwùfèi ¶〜를 받다 收小费

수:ー고ー스럽다 圄 辛苦 xīnkǔ; 受苦 shòukǔ; 受累 shòulèi; 麻烦 máfan; 劳累 láolèi 수:고스레 큎

수공(手工) 圄 **1** 手工艺 shǒugōngyì ¶〜품 手工艺品 **2** 手工 shǒugōng ¶〜을 들이다 做手工 ¶이 옷은 〜이 얼마입니까? 这件衣服多少手工?

수공ー업(手工業) 圄 手工业 shǒugōngyè ¶〜자 手工业者

수-공예(手工藝) 똉 手工艺 shǒugōng-yì

수교(修交) 똉자 建交 jiànjiāo ¶한중 ~ 韩中建交

수구(水球) 똉톙 水球 shuǐqiú

수구(守舊) 똉자 守旧 shǒujiù ¶~파 守旧派

수구-초심(首邱初心) 똉 首丘之情 shǒuqiūzhīqíng

수국(水菊) 똉植 绣球花 xiùqiúhuā; 紫阳花 zǐyánghuā; 八仙花 bāxiānhuā

수군-거리다 자타 唧咕 jīgu; 唧哝 jīnong; 叽咕 jīgu; 打噎 dāchā = 수군대다 ¶두 사람이 수군거리며 은밀한 이야기를 하다 有两人唧咕唧咕说悄悄话 수군-수군 톙자타

수그러-들다 자 1 低下 dīxià 2 低落 dīluò ¶사기가 ~ 士气低落

수그러-지다 자 1 低下 dīxià ¶머리가 ~ 低下头 2 低落 dīluò; 收敛 shōuliǎn ¶불길이 ~ 火焰低落 / 미소가 ~ 微笑收敛

수그리다 타 1 低 dī ¶머리를 ~ 低头 =[低首] 2 低落 dīluò

수금(收金) 똉타 收款 shōukuǎn; 收银 shōuyín ¶~원 收款员 =[收银员]

수급(需給) 똉 供求 gōngqiú; 供需 gōngxū ¶인력 ~ 人力资源供需 / ~이 불균형하다 供求不平衡

수긍(首肯) 똉톙타 首肯 shǒukěn; 肯定 kěndìng; 同意 tóngyì; 赞成 zànchéng ¶누구한테 말해도 ~하는 사람이 없다 和谁说谁不首肯

수기(手記) 똉 手记 shǒujì ¶생활 ~ 生活手记 / 제험 ~ 体验手记

수기(手旗) 똉 手旗 shǒuqí ¶~ 신호 手旗通讯

수-꽃 똉植 雄花 xiónghuā

수-꿩 똉 雄稚 xióngzhì ¶ 장끼

수-나귀 똉 = 수탕나귀

수-나무 똉植 雄树 xióngshù

수-나사(一螺絲) 똉 工 = 볼트 (bolt)

수난(受難) 똉 1 受难 shòunàn; 苦难 kǔnàn; 受苦 shòukǔ ¶~기 受难时期 / 온갖 ~을 다 겪다 受尽各种苦难 2 宗 受难 shòunàn ¶~일 受难日 / ~곡 受难曲

수납(收納) 똉톙타 收取 shōuqǔ; 收纳 shōunà; 收款 shōukuǎn; 接收 jiēshōu ¶~ 기관 收纳机关 / ~ 창구 收款台 / 세금을 ~하다 收取税金

수납(受納) 똉톙타 储藏 chǔcáng ¶~ 공간 储藏空间 / ~장 储藏柜 / 잡동사니를 ~하다 储藏杂物

수녀(修女) 똉宗 修女 xiūnǚ ¶~원 修女院

수-년(數年) 똉 数年 shùnián; 几年 jǐnián

수-놓다 타 绣花 xiùhuā; 刺绣 cìxiù; 绣花 xiùhuā; 扎花 zhāhuā

수뇌(首腦) 똉 首脑 shǒunǎo; 领导 lǐngdǎo ¶각 국 ~들이 모두 회의에 출석했다 各国首脑都出席了会议

수뇌 회-담(首腦會談) 政 = 정상회담

수:다 똉톙 啰唆 luōsuo; 唠叨 láodao; 贫嘴 pínzuǐ ¶~를 한번 떨기 시작하면 끝이 없다 一啰唆起来就没完没了

수:다-스럽다 톙 啰唆 luōsuo; 唠叨 láodao; 贫嘴 pínzuǐ ¶그녀는 너무 수다스러워서 짜증난다 她说话唠叨唠叨叨的, 真讨厌 수:다-쟁이 똉 啰唆人 luōsuōrén

수단(手段) 똉 1 手段 shǒuduàn; 方法 fāngfǎ; 方式 fāngshì ¶자신의 목적을 이루기 위해서 ~을 가리지 않는다 为了达到自己的目的不择手段 2 本事 běnshì; 本领 běnlǐng; 手段 shǒuduàn ¶~만 있으면 돈을 벌 수 있다 只要有本事就能赚钱

수달(水獺·水獐) 똉動 水獭 shuǐtǎ

수당(手當) 똉 津贴 jīntiē ¶초과 근무 ~ 加班津贴

수더분-하다 톙 温顺 wēnshùn; 温和 wēnhé ¶성격이 ~ 性格温顺

수도(水道) 똉 1 自来水 ¶~ 요금 水费 / ~를 설치하다 安装自来水 2 = 하수도 3 = 수도꼭지 ¶~를 틀다 开水龙头

수도(首都) 똉 首都 shǒudū; 都 dū ¶~권 首都圈 / ~를 옮기다 迁都

수도(修道) 똉톙자 修道 xiūdào ¶~승 修道僧 / ~원 修道院 / ~자 修道者

수도-관(水道管) 똉 自来水管 zìláishuǐguǎn; 水管 shuǐguǎn

수도-꼭지(水道一) 똉 水龙头 shuǐlóngtou = 수도(水道)3

수도-사(修道士) 똉宗 = 수사(修士)

수돗-물(水道一) 똉 自来水 zìláishuǐ ¶~의 공급이 중단되다 自来水供应中断

수동(手動) 똉 手动 shǒudòng ¶~ 기어 变速기 手动变速器 / ~으로 조절하다 手动调节

수동(受動) 똉 被动 bèidòng

수동-식(手動式) 똉 手动式 shǒudòngshì; 手动 shǒudòng ¶~ 제품 手动式产品 / ~ 세탁기 手动洗衣机

수동-적(受動的) 관똉 被动(的) bèidòng(de) ¶~ 태도 被动的态度 / ~으

로 일하다 被动地工作 / ~으로 대처하다 被动地应付

수두(水痘) 명 【醫】水痘 shuǐdòu

수두룩-이 男 很多 hěnduō; 满满地 mǎnmǎnde

수두룩-하다 혱 很多 hěnduō; 有的是 yǒudeshì; 多得很 duōdehěn ¶이런 물건은 우리 집에 ~ 这种东西, 我家里有的是

수라(水剌) 명 御膳 yùshàn ¶~간 御膳房 / ~상 御膳桌

수라-장(修羅場) 명 1 乱七八糟 luànqībāzāo; 仰马人翻 yǎngmǎrénfān; 一塌糊涂 yītāhútú 2 【佛】修罗场 xiūluóchǎng ‖ =아수라장

수락(受諾) 명하타 接受 jiēshòu; 承诺 chéngnuò; 答应 dāying ¶제의를 ~하다 接受提议 / 그들이 제시한 조건을 ~하다 接受他们提出的条件

수란(水卵) 명 卧果儿 wòguǒr; 荷包蛋 hébāodàn

수량(水量) 명 水量 shuǐliàng

수:량(數量) 명 数量 shùliàng ¶~이 감소하다 数量减少 / ~이 부족하다 数量不够

수렁 명 泥坑 níkēng; 泥塘 nítáng; 泥沼 nízhǎo ¶~에 빠지다 陷入泥坑里

수레 명 车 chē; 车子 chēzi ¶~바퀴 车轮 / ~를 끌다 拉车

수려-하다(秀麗-) 혱 秀丽 xiùlì ¶용모가 ~ 容貌秀丽

수력(水力) 명 【物】水力 shuǐlì ¶~발전 水力发电 =[水电] / ~발전소 水力发电站 =[水电站]

수련(修鍊·修練) 명하타 修炼 xiūliàn; 进修 jìnxiū; 实习 shíxí ¶정신 ~ 精神修炼 / 심신을 ~ 修炼身心

수련(睡蓮) 명 【植】睡莲 shuǐlián

수련-의(修鍊醫) 명 【醫】实习医生 shíxí yīshēng = 전공의

수렴(收斂) 명하타 1 收 shōu 2 收集 shōují ¶의견을 ~하다 收集意见 3 收敛 shōuliǎn ¶~제 收敛剂

수렴-청정(垂簾聽政) 명 【史】垂帘听政 chuílián tīngzhèng; 垂帘听政 chuílián tīngzhèng

수렵(狩獵) 명하자 = 사냥1 ¶~ 생활 狩猎生活

수렵-기(狩獵期) 명 = 사냥철

수령(守令) 명 【史】守令 shǒulìng

수령(受領) 명하타 领取 lǐngqǔ ¶장학금을 ~하다 领取奖金

수령(首領) 명 首领 shǒulǐng ¶지하 조직의 ~ 黑世界的首领

수령-인(受領人) 명 领取人 lǐngqǔrén; 接收人 jiēshōurén

수령-증(受領證) 명 收据 shōujù

수로(水路) 명 1 = 물길2 ¶~를 내다 开水路 2 船道 chuándào; 船线 chuán-

xiàn; 船路 chuánlù; 水路 shuǐlù 3 【體】(游泳的) 泳道 yǒngdào

수록(收錄) 명하타 收录 shōulù ¶이 책에는 그의 작품이 ~되어 있다 这本书中收录了他的作品

수뢰(水雷) 명 【軍】水雷 shuǐléi

수뢰(受賂) 명하자 受贿 shòulù ¶~혐의로 기소되다 嫌受贿被起诉

수료(修了) 명하타 结业 jiéyè ¶~생 结业生 / ~증 结业证书 / ~식 结业典礼 / 대학원 과정을 ~하다 研究院课程结业

수류(水流) 명 水流 shuǐliú

수-류탄(手榴彈) 명 【軍】手榴弹 shǒuliúdàn ¶~을 던지다 投掷手榴弹 / 한 개가 폭발했다 一颗手榴弹爆炸了

수륙(水陸) 명 水陆 shuǐlù ¶~ 양용 水陆两用 / ~ 양용 장갑차 水陆两用战车

수리 명 【鳥】鹰 yīng

수리(水利) 명 水利 shuǐlì ¶~ 시설 水利设施 / ~ 공사를 하다 兴修水利工程

수리(受理) 명하타 接受 jiēshòu; 受理 shòulì ¶사표를 ~하다 接受辞呈

수리(修理) 명하타 修 xiū; 维修 wéixiū; 修理 xiūlǐ; 修缮 xiūshàn ¶~공 维修员 =[维修工] / ~비 维修费 / ~공장 修理厂 / 집을 ~하다 修房屋

수:리(數理) 명 数理 shùlǐ ¶~경제학 数理经济学

수리-부엉이 명 【鳥】雕鸮 diāoxiāo

수림(樹林) 명 = 나무숲 ¶~이 무성하다 树林茂盛

수립(樹立) 명하타 建立 jiànlì; 树立 shùlì; 制订 zhìdìng ¶외교 관계를 ~하다 建立外交关系 / 경제 계획을 ~하다 制订经济计划

수마(水魔) 명 水魔 shuǐmó; 洪魔 hóngmó; 水害 shuǐhài ¶이번 ~는 매우 심하다 这次水魔很严重

수마(睡魔) 명 睡魔 shuìmó ¶~와 싸워 이기다 战胜睡魔

수:만(數萬) 명 数万 shùwàn; 几万 jǐwàn ¶~ 관중 数万观众 / ~ 명이 다치다 数万人受伤

수:-많다(數一) 혱 许多 xǔduō; 数多 shùduō; 众多 zhòngduō; 很多 hěnduō; 无数 wúshù ¶수많은 인재 众多的人才 / 수많은 별들 无数颗星星

수-말 명 公马 gōngmǎ; 牡马 mǔmǎ

수매(收買) 명하타 收买 shōumǎi; 收购 shōugòu ¶~가 收购价 / 농산물을 ~하다 收购农产物

수맥(水脈) 명 【地理】水脉 shuǐmài

수면(水面) 명 水面 shuǐmiàn ¶~ 위로 떠오르다 在水面上浮起来

수면(睡眠) 명하자 睡眠 shuìmián ¶

부족 睡眠不足 /누군가가 내 ~을 방
해했다 有人打扰我的睡眠

수면-제(睡眠劑) 명 【藥】 安眠药 ān·
miányào; 催眠剂 cuīmiánjì = 최면제 ¶
~를 먹다 服用安眠药

수명(壽命) 명 1 (生物的) 寿 shòu; 寿
命 shòumìng ¶~이 길다 寿命很长 /
인간의 ~ 人的寿命 /~을 연장하다
延长寿命 2 寿命 shòumìng ¶이 제품
의 ~은 5년이다 这种产品的寿命为
五年

수모(受侮) 명하타 侮辱 wǔrǔ; 欺侮
qīwǔ ¶~를 당하다 遭受侮辱 /그에게
~를 주다 使他受到侮辱

수:목(數目) 명 数目 shùmù ¶~을 세
다 数数目

수목(樹木) 명 【植】 树木 shù·mù ¶~이 우거지다 树木茂盛

수몰(水沒) 명하자 淹没 yānmò ¶마을
이 모두 ~되었다 村子都被淹没了

수묵(水墨) 명 1 水墨 shuǐmò 2 【美】
= 수묵화

수묵-화(水墨畫) 명 【美】 水墨画 shuǐ·
mòhuà = 수묵2

수문(水門) 명 水闸 shuǐzhá; 闸门
zhámén ¶~을 열다 把水闸打开

수문(守門) 명하자 守门 shǒumén ¶~
장 门将

수-바늘(繡─) 명 绣花针 xiùhuāzhēn

수:박 명 【植】 西瓜 xīguā ¶~씨 西瓜
子

수박 겉 핥기 속담 隔皮猜瓜, 难知
好坏

수반(水盤) 명 水盆 shuǐpén

수반(首班) 명 元首 yuánshǒu; 首脑
shǒunǎo ¶국가 ~ 国家元首

수반(隨伴) 명하자타 伴随 bànsuí ¶모
든 투자는 다 위험을 ~하고 있다 所
有的投资都伴随着风险

수발(명하타) 명 陪侍 péishì; 服侍 fúshì ¶
환자를 ~하다 服侍病人

수발-들다 타 陪侍 péishì; 服侍 fúshì ¶
그가 앓아 누웠을 때 줄곧 딸이 수발
들었다 他患病期间, 一直由女儿陪侍

수배(手配) 명하타 通缉 tōngjī ¶~령
通缉令 /~자 通缉犯 /강도 혐의로 ~
되다 因抢劫被通缉

수-백(數百) 준관 数百 shùbǎi ¶~ 개
数百个 /~ 년 数百年 /~ 가지 数百种

수:-백만(數百萬) 준관 数百万 shù·
bǎiwàn ¶~ 관중 数百万观众 /~ 달러
数百万美元

수법(手法) 명 1 手法 shǒufǎ; 手段
shǒuduàn; 伎俩 jìliǎng ¶상투적인 ~
惯用伎俩 /교묘한 ~ 巧妙的手法 /이
런 ~은 매우 비열하다 这种手法很卑
鄙 2 手法 shǒufǎ; 技巧 jìqiǎo ¶상징

적인 ~ 象征的手法

수병(水兵) 명 【軍】 水兵 shuǐbīng

수복(收復) 명하타 收复 shōufù ¶잃어
버린 땅을 ~하다 收复失地

수북-이 부 满满地 mǎnmǎnde; 鼓鼓
地 gǔgǔde; 厚厚地 hòuhòude ¶밥을
~ 담다 饭盛得满满的 /어제 눈이 ~
내렸다 昨天雪下得厚厚的

수북-하다 형 1 满 mǎn; 厚 hòu; 鼓
gǔ ¶물건을 수북하게 담다 东西装得
满满的 2 肿 zhǒng ¶눈두덩이 수북해
졌다 眼泡肿起来 3 丛生 cóngshēng ¶
잡초가 ~ 杂草丛生

수분(水分) 명 水分 shuǐfèn = 물기 ¶
~ 부족 水分不足 /~을 흡수하다 吸
收水分 /~을 섭취하다 摄取水分

수분(受粉) 명하자 【植】 受粉 shòufěn
= 가루받이

수비(守備) 명하타 防守 fángshǒu; 守
备 shǒubèi; 守卫 shǒuwèi ¶~군 军备
军 /~대 守备队 /~력 防守力 / 국경
을 ~하다 守卫国境

수비-수(守備手) 명 【體】 防守球员
fángshǒuqiúyuán; 守备员 shǒubèiyuán;
后卫 hòuwèi

수비-진(守備陣) 명 【軍】 防守阵营
fángshǒu zhènyíng; 守备阵营 shǒubèi
zhènyíng = 방어진

수사(修士) 명 【宗】 修士 xiūshì = 수
도사

수사(修辭) 명하자 修辞 xiūcí ¶~법
修辞法

수사(搜査) 명하타 【法】 搜查 sōuchá;
侦查 zhēnchá ¶~관 侦查人员 /~ 기
관 侦查机关 /~력 搜查力量 /~본부
搜查本部 /범인을 ~하다 搜查犯人 /
사건의 내용을 ~하다 侦查案情

수:사(數詞) 명 【語】 数词 shùcí

수사-망(搜査網) 명 搜查网 sōuchá·
wǎng ¶~을 펴다 布下搜查网 /~을
바싹 좁히다 缩紧搜查网

수산(水産) 명 水产 shuǐchǎn ¶~물
水产品 /~ 시장 水产市场 /~ 자원
水产资源

수산-업(水産業) 명 水产业 shuǐchǎn·
yè ¶~ 협동조합 水产业合作社 /~이
매우 발달하다 水产业很发达

수산-화(水酸化) 명 【化】 氢氧化 qīng·
yǎnghuà ¶~나트륨 氢氧化钠 =[苛性
碱] /~ 암모늄 氢氧化铵 /~바륨 氢氧
化钡 /~칼륨 氢氧化钾

수산화-칼슘(水酸化calcium) 명 【化】
氢氧化钙 qīngyǎnghuàgài = 석회2·
소석회

수삼(水蔘) 명 生参 shēngshēn

수상(水上) 명 1 水上 shuǐshàng ¶~
교통수단 水上交通工具 /~ 경기 水
上竞赛 2 上游 shàngyóu

수상(受賞) 〔명〕〔하타〕 受奖 shòujiǎng; 获奖 huòjiǎng; 受赏 shòushǎng; 领奖 lǐngjiǎng ¶~ 작품 获奖作品 / ~ 소감 获奖感言 / 대상을 ~하다 受大奖

수상(首相) 〔명〕〔政〕 首相 shǒuxiàng ¶~ 관저 首相官邸

수상 경:찰(水上警察) 〔명〕 水上警察 shuǐshàng jǐngchá = 해상 경찰

수상-기(受像機) 〔명〕〔電〕 显示器 xiǎnshìqì ¶텔레비전 ~ 电视显示器

수상 스키(水上ski)〔體〕 滑水 huáshuǐ

수상-자(受賞者) 〔명〕 获奖者 huòjiǎngzhě ¶~ 명단 获奖名单 / 노벨상 ~ 诺贝尔奖获奖者 / ~를 발표하다 发表获奖者

수상-쩍다(殊常一) 〔형〕 可疑 kěyí; 反常 fǎncháng ¶수상쩍은 행동 可疑的举动 / 수상쩍은 물건 可疑物品

수상-하다(殊常一) 〔형〕 可疑 kěyí; 反常 fǎncháng ¶최근에 그의 행동은 매우 ~ 他近来的行动很可疑 **수상-히**〔부〕

수색(搜索) 〔명〕〔타〕 **1** 搜索 sōusuǒ; 搜 sōu ¶~대 搜索队 / 실종자를 ~하다 搜索失踪者 **2** 〔法〕 搜查 sōuchá; 抄查 chāochá ¶~ 영장 搜查证 / 몸을 ~하다 抄身 / 가택을 ~하다 搜查住宅

수생(水生) 〔명〕〔하자〕 水生 shuǐshēng

수생 동:물(水生動物) 〔動〕 水生动物 shuǐshēng dòngwù = 수서 동물

수생 식물(水生植物) 〔植〕 = 수중 식물

수서(水棲) 〔명〕〔하자〕 水栖 shuǐqī

수서 동:물(水棲動物) 〔動〕 = 수생 동물

수석(水石) 〔명〕 **1** 水石 shuǐshí **2** 水石风景 shuǐshí fēngjǐng; 泉水 quánshuǐ **3** 观赏石 guānshǎngshí ¶그가 수집한 ~ 他收集的观赏石

수석(首席) 〔명〕 首席 shǒuxí; 首座 shǒuzuò; 第一名 dìyīmíng; 头名 tóumíng ¶~ 지휘자 首席指挥 / 합격 头名考上 / ~대표 首席代表

수선 〔명〕〔하형〕 闹 nào; 吵闹 chǎonào; 喧闹 xuānnào ¶~을 떨다 吵闹

수선(垂線) 〔명〕〔數〕 垂线 chuíxiàn; 垂直线 chuízhíxiàn = 수직선

수선(修繕) 〔명〕〔하타〕 修补 xiūbǔ; 修 xiū; 补缀 bǔzhuì ¶~공 修补工 / 비 修补费 / 집 修补店 / 구두를 ~하다 修补皮鞋 / 핸드백을 ~하다 修补手提包 / 헌 옷을 ~하다 修补旧衣服

수선-스럽다 〔형〕 吵闹 chǎonào; 喧闹 xuānnào 수선스레 〔부〕

수선-화(水仙花) 〔명〕〔植〕 水仙 shuǐxiān

수성(水性) 〔명〕 水性 shuǐxìng ¶~ 잉크

水性油墨 / ~ 펜 水性笔 / ~ 사인펜 水性签字笔 / ~ 페인트 水性涂料

수성(水星) 〔명〕〔天〕 水星 shuǐxīng

수성(壽星) 〔명〕〔天〕 = 남극노인성

수세(守勢) 〔명〕 守势 shǒushì ¶~에 몰리다 处于守势

수세-미 〔명〕 **1** 洗碗刷 xǐwǎnshuā; 洗碗布 xǐwǎnbù **2** 〔植〕 = 수세미외

수세미-외 〔명〕〔植〕 丝瓜 sīguā = 수세미2

수세-식(水洗式) 〔명〕 水冲式 shuǐchōngshì ¶~ 화장실 水冲式厕所

수-소 〔명〕 公牛 gōngniú; 牡牛 mǔniú

수소(水素) 〔명〕〔化〕 氢 qīng ¶~이온 氢离子 / ~ 이온 농도 氢离子浓度 / ~폭탄 氢弹

수-소문(搜所聞) 〔명〕〔하타〕 打听 dǎtīng; 探听 tàntīng; 探访 tànfǎng; 探寻 tànxún; 搜寻 sōuxún ¶그의 행방을 ~하다 打听他的下落

수속(手續) 〔명〕〔하타〕 手续 shǒuxù ¶입국 ~ 出入境手续 / 입원 ~ 住院手续 / ~ 절차 手续程序 / ~을 밟다 办手续

수송(輸送) 〔명〕〔하타〕 运输 yùnshū; 输送 shūsòng; 运送 yùnsòng ¶~차 运输车 / ~기 运输机 / ~량 运输量 / ~력 运输能力 / ~로 运输线 / ~선 运输船 / 물자들을 재난 지역으로 ~하다 把物资输送到灾区

수수〔植〕 高粱 gāoliáng; 蜀黍 shǔshǔ; 秫 shú ¶~쌀 秫米 / ~경단 高粱面团

수수(收受) 〔명〕〔하타〕〔法〕 收受 shōushòu ¶금품을 ~하다 收受金钱

수수(授受) 〔명〕〔하타〕 授受 shòushòu ¶뇌물을 ~하다 授受贿赂

수수-깡 〔명〕 高粱秆 gāoliánggǎn; 秫秸 shújiē

수수-께끼 〔명〕 **1** 谜 mí; 谜语 míyǔ ¶~를 풀다 猜谜 / 모두에게 ~를 내다 给大家说一个谜语 **2** 谜 mí; 神秘 shénmì ¶우주의 ~ 宇宙之谜 / 인물 神秘人物

수수-료(手數料) 〔명〕 手续费 shǒuxùfèi = 마진3 ¶~를 내다 交手续费

수수-방관(袖手傍觀) 〔명〕〔하타〕 袖手旁观 xiùshǒupángguān

수수-쌀 〔명〕 高粱米 gāoliángmǐ = 고량미

수수-하다 〔형〕 朴素 pǔsù; 朴质 pǔzhì; 质朴 zhìpǔ ¶수수한 옷차림 朴素的衣着 / 수수하게 입다 穿得朴朴素素的 **수수-히**〔부〕

수술〔植〕 雄蕊 xióngruǐ

수술(手術) 〔명〕〔하타〕〔醫〕 手术 shǒushù; 术 shù ¶~대 手术台 / ~비 手术费 / ~실 手术室 / 심장 ~ 心脏手术 / ~을 하다 动手术

수습(收拾) 명하타 **1** 收拾 shōushi; 整理 zhěnglǐ; 整顿 zhěngdùn ¶상자 속에 있는 물건을 ~하다 整理箱子里的东西 **2** 收拾 shōushi ¶~책 收拾办法 / 교통사고를 ~하다 收拾交通事故 **3** 收 shōu; 收住 shōuzhù; 安定 āndìng ¶민심을 ~하다 收住民心

수습(修習) 명하타 实习 shíxí; 见习 jiànxí ¶~공 实习工 = [见习工] / ~기자 实习记者 = [见习记者] / ~사원 实习职员 / ~생 实习生 = [见习生] / ~기간 实习期间

수시(随時) 명하자 随时 suíshí ¶~ 점검 随时检点

수시-로(随時一) 부 随时 suíshí; 经常 jīngcháng ¶~ 보고하다 随时报告 / 전화를 걸다 经常打电话

수식(修飾) 명하타 修饰 xiūshì ¶ [語] 修饰 xiūshì ¶문장을 ~하다 修饰句子

수-식(數式) [數] 数式 shùshì

수식-어(修飾語) [語] 定语 dìngyǔ

수신(受信) 명하타 **1** 收信 shōuxìn; 收 shōu ¶~ 업무 收信业务 / 전보를 ~하다 收接 ¶**2** 接收 jiēshōu; 收音 shōuyīn; 收 shōu ¶~기 接收机 / ~ 안테나 接收天线 / 전파를 ~하다 收电波

수신(修身) 명하자 修身 xiūshēn

수신-인(受信人) 명 收信人 shōuxìn-rén = 수신자

수신-자(受信者) 명 = 수신인

수신-제가(修身齊家) 명 修身齐家 xiūshēn qíjiā ¶~ 치국평천하 修身齐家治国平天下

수신-함(受信函) 명 信箱 xìnxiāng

수-실(繡絲) 명 绣线 xiùxiàn

수심(水深) 명 水深 shuǐshēn ¶~이 깊다 水深 / ~을 측정하다 测量水深

수심(愁心) 명하자 愁 chóu; 愁闷 chóumèn; 忧心 yōuxīn ¶~에 찬 얼굴 愁眉苦脸 / 얼굴에 ~이 가득하다 愁容满面

수-십(數十) 쉬관 数十 shùshí; 几十 jǐshí ¶~ 명 数十人 / ~ 년 数十年

수압(水壓) 명 [物] 水压 shuǐyā ¶~이 높다 水压高 / ~을 약하다 水压弱

수액(樹液) 명 树液 shùyè; 树汁 shùzhī

수양(收養) 명하타 收养 shōuyǎng

수양(修養) 명 养气 yǎngqì; 陶冶 táoyě; 修 xiū ¶인격 ~ 人格陶冶 / 심신을 ~하다 陶冶身心

수양-딸(收養一) 명 养女 yǎngnǔ; 干女儿 gānnǔr = 양녀1 · 양딸

수양-버들(垂楊一) 명 [植] 垂柳 chuíliǔ

수양-부모(收養父母) 명 养父母 yǎngfùmǔ

수양-아들(收養一) 명 养子 yǎngzǐ; 干儿子 gān'érzi

수양-아버지(收養一) 명 养父 yǎngfù; 义父 yìfù; 干爹 gāndiē = 의부2

수양-어머니(收養一) 명 养母 yǎngmǔ; 干娘 gānniáng = 의모2

수어지교(水魚之交) 명 鱼水之交 yúshuǐzhījiāo

수:억(數億) 쉬관 数亿 shùyì; 几亿 jǐyì ¶~ 달러 数亿美元 / ~의 인구 数亿人口 / ~에 달하는 재산 达数亿的财产

수업(修業) 명하타 进修 jìnxiū ¶작가 ~ 作家进修

수업(授業) 명 [敎] 课 kè; 上课 shàngkè; 授业 shòuyè; 讲课 jiǎngkè ¶~ 시간 上课时间 / ~ 거부 罢课 / 분위기 上课气氛 / 우리는 토요일에 ~이 없다 我们星期六没有课 / 학생들이 ~을 받고 있다 学生们正在听课

수업-료(授業料) 명 学费 xuéfèi = 를 내다 交学费

수:-없다(數一) 혱 无数 wúshù; 数不清 shǔbùqīng; 数不胜数 shǔbùshèngshù; 不可胜数 bùkěshèngshù ¶우리 나라의 수없는 명산들 我国无数的名山

수:없-이(數一) 부 ¶~ 많은 별들 无数的星星

수여(授與) 명하타 授予 shòuyǔ; 颁发 bānfā; 授 shòu ¶~식 授予仪式 / 우수한 학생에게 상장을 ~하다 给优秀的学生颁发奖状

수역(水域) 명 水域 shuǐyù ¶공동 ~ 公共水域

수:열(數列) 명 [數] 数列 shùliè

수염(鬚髯) 명 **1** 胡子 húzi; 胡须 húxū; 须 xū ¶~을 깎다 刮胡子 / ~이 자라다 长胡子 / ~을 기르다 把胡子留起来 **2** 须子 xūzi; 须 xū ¶옥수수 ~ 玉米须子 / 쥐 ~ 老鼠须子

수염-뿌리(鬚髯一) 명 [植] 须根 xūgēn = 실뿌리

수영(水泳) 명하자 [體] 游泳 yóuyǒng ¶~ 경기 游泳比赛 / ~모 游泳帽 / ~복 游泳衣 / 강에서 ~하다 在江里游泳

수영-장(水泳場) 명 游泳池 yóuyǒngchí = 풀(pool) · 풀장

수예(手藝) 명 手工艺 shǒugōngyì ¶~품 手工艺品

수온(水溫) 명 水温 shuǐwēn ¶~계 水温计 / ~을 재다 测水温 / ~이 상승하다 水温上升

수완(手腕) 명 手腕 shǒuwàn; 手段 shǒuduàn; 才干 cáigàn ¶사업을 ~을 발휘하다 发挥经商手腕 / ~이 대단하다 手腕厉害

수요(需要) 명 [經] 需求 xūqiú; 求 qiú

¶~ 곡선 需求曲线 / ~량 需求量 / ~자 需求者 / ~ 공급의 법칙 供求法则 / ~가 줄어들다 需求减少 / 공급이 ~를 따라가지 못하다 供不应求

수요-일(水曜日) 圏 星期三 xīngqī-sān; 礼拜三 lǐbàisān; 周三 zhōusān

수용(收用) 圏[하타] 征用 zhēngyòng ¶정부가 토지를 ~하다 政府征用土地

수용(收容) 圏[하타] 收容 shōuróng; 容róng; 容纳 róngnà ¶이재민을 ~하다 收容灾民 / 이 체육관은 삼만 명을 ~할 수 있다 这个体育馆可以容纳三万人

수용(受容) 圏[하타] 接受 jiēshòu; 容纳 róngnà ¶의견을 ~하다 接受意见 / 그들의 요구를 ~하다 容纳他们的要求

수용-성(水溶性) 圏【化】水溶性 shuǐróngxìng ¶~ 비타민 水溶性维生素

수용-소(收容所) 圏 收容所 shōuróngsuǒ ¶포로 ~ 俘虏收容所 / ~를 설치하다 设立收容所

수원(水源) 圏 水源 shuǐyuán ¶~지 水源池

수월찮다 圏 1 不容易 bùróngyì 2 不少 bùshǎo ¶수월찮은 돈을 벌었다 挣钱挣得不少

수월-하다 圏 容易 róngyì; 轻易 qīngyì; 轻而易举 qīng'éryìjǔ ¶대도시는 일자리를 찾기가 비교적 ~ 大城市比较容易找到工作

수위(水位) 圏 1 水位 shuǐwèi ¶~를 조절하다 调节水位 / 저수지의 ~가 낮아졌다 水库的水位下降了 2 强度 qiángdù; 程度 chéngdù ¶오염은 이미 매우 심각한 ~에 달했다 污染已达到非常严重的程度

수위(守衛) 圏[하타] 1 守卫 shǒuwèi 2 门卫 ménwèi ¶~실 门卫室

수위(首位) 圏 首位 shǒuwèi ¶~를 유지하다 坚持首位 / 성적이 반 전체에서 ~를 차지하다 成绩居全班首位

수유(授乳) 圏[하타] 哺乳 bǔrǔ; 喂奶 wèinǎi; 喂 wèi ¶모유 ~ 母乳喂养 / 기 哺乳期 / ~실 哺乳室 / 아기에게 ~하다 给婴儿喂奶

수육(─肉) 圏 熟肉 shúròu

수은(水銀) 圏【化】水银 shuǐyín; 汞 gǒng ¶~등 汞灯 =[水银灯] / ~ 온도계 水银温度计 / ~ 전지 水银电池 / ~주 水银柱 / ~ 중독 水银中毒

수음(手淫) 圏[하타] 手淫 shǒuyín = 자위(自慰)2

수의(囚衣) 圏 囚衣 qiúyī = 죄수복

수의(壽衣) 圏 寿衣 shòuyī

수의(隨意) 圏[하자] 随意 suíyì ¶~ 계약 随意合同

수의과 대ː학(獸醫科大學) 【教】兽医学院 shòuyī xuéyuàn; 兽医大学 shòuyī

dàxué = 수의대

수의-근(隨意筋) 圏【生】随意肌 suíyìjī

수의-대(獸醫大) 圏【教】= 수의과대학

수-의사(獸醫師) 圏 兽医 shòuyī

수의-학(獸醫學) 圏 兽医学 shòuyīxué

수익(收益) 圏[하자]【經】收益 shōuyì ¶회사의 ~ 公司的收益 / ~금 收益金额 / ~률 收益率 / 자산 收益财产 / ~이 아주 적다 收益甚少

수익-성(收益性) 圏【經】效益 xiàoyì ¶~이 대폭 올라가다 效益大幅度提高

수ː일(數日) 圏 数日 shùrì; 几天 jǐtiān ¶~ 전 数日前

수입(收入) 圏[하타] 收入 shōurù ¶~이 증가하다 收入增加

수입(輸入) 圏[하타] 进口 jìnkǒu; 输入 shūrù ¶~ 관세 进口税 / ~상 进口商 / ~ 신고서 进口报单 / ~품 进口货 / ~을 개방하다 开放进口 / 원자재를 ~하다 进口原材料

수입-원(收入源) 圏 收入源 shōurùyuán ¶우리 회사의 주요 ~은 바로 광고 수입이다 我公司的主要收入源就是广告收入

수입 인지(收入印紙) 【法】印花 yìnhuā ¶~를 붙이다 贴印花

수-자원(水資源) 圏 水资源 shuǐzīyuán ¶~을 보호하다 保护水资源

수작(秀作) 圏 优秀作品 yōuxiù zuòpǐn

수작(酬酌) 圏[하타] 1 酬酢 chóuzuò 2 过话 guòhuà; 交谈 jiāotán 3 把戏 bǎxì; 花招 huāzhāo; 鬼 guǐ ¶못된 ~ 鬼把戏 / 무슨 ~을 부리는 거냐? 搞什么鬼?

수-작업(手作業) 圏 手工 shǒugōng

수장(水葬) 圏[하타] 水葬 shuǐzàng

수장(收藏) 圏[하타] 收藏 shōucáng ¶그의 작품은 박물관에 ~되어 있다 他的作品由博物馆收藏着

수장(首長) 圏 首长 shǒuzhǎng ¶부대의 ~ 部队首长

수재(水災) 圏 水灾 shuǐzāi ¶~민 水灾民 / ~ 의연금 水灾捐款 / ~를 당하다 遭受水灾

수재(秀才) 圏 秀才 xiùcái

수저 圏 1 匙筷 chíkuài; 勺筷 sháokuài ¶~통 勺筷桶 / ~를 들다 拿起勺筷 2 调羹 tiáogēng; 汤匙 tāngchí; 羹匙 gēngchí

수ː-적(數的) 倡圏 数量上 shùliàngshang ¶~으로 불리하다 数量上不利

수전-노(守錢奴) 圏 守财奴 shǒucáinú; 看财奴 kāncáinú; 守钱奴 shǒuqiánnú

수전-증(手顫症) 圏【醫】手抖 shǒudǒu; 手颤症 shǒuchànzhèng

수절(守節) 명하자 守节 shǒujié ¶~
과부 守节寡妇

수전-집 명 匙筷盒 chíkuàihé; 匙筷袋
chíkuàidài; 筷袋 kuàidài

수정(水晶) 명 【鑛】 水晶 shuǐjīng; 晶
jīng = 크리스털1 ¶~ 반지 水晶戒指

수정(受精) 명하자 【生】 受精 shòujīng
¶인공 ~ 人工授精

수정(修正) 명하타 修正 xiūzhèng; 修
改 xiūgǎi; 改正 gǎizhèng ¶~안 修正
案／계획을 ~하다 修改计划／잘못을
~하다 修正错误／내용을 ~하다 修改
内容

수정(修訂) 명하타 修订 xiūdìng ¶~
판 修订版／전문가들이 교재를 한 차
례 ~했다 专家们把课本修订了一下

수-정과(水正果) 水正果 shuǐzhèng-
guǒ

수정-관(輸精管) 명 【生】 = 정관

수정-란(受精卵) 명 【生】 受精卵
shòujīngluǎn

수정-체(水晶體) 명 【生】 晶状体 jīng-
zhuàngtǐ

수제(手製) 명하타 1 手制 shǒuzhì; 手
工 shǒugōng ¶~ 구두 手工皮鞋／비
누 手制皂 2 = 수제품

수제비 片儿汤 piànrtāng; 拉片儿
汤 lāpiànrtāng

수제비(를) 뜨다 웜 1 做片儿汤 2
打水漂(儿)

수-제자(首弟子) 명 大弟子 dàdìzǐ;
首席弟子 shǒuxí dìzǐ

수제-품(手製品) 명 手工制品 shǒu-
gōng zhìpǐn = 수제2

수조(水槽) 명 水槽 shuǐcáo ¶~에 물
이 가득 찼다 水槽里水都满了

수조(水藻) 명 水藻 shuǐzǎo

수-조(數兆) 준 数兆 shùzhào ¶~
달러 数兆美元

수족(手足) 명 = 손발

수족(水族) 명 水族 shuǐzú ¶~관 水
族馆

수-종(數種) 명 数种 shùzhǒng; 几种
jǐzhǒng ¶~에 달하는 제품 达几种的
产品

수종(隨從) 명하타 随从 suícóng; 侍
从 shìcóng

수주(受注) 명하타 接单 jiēdān; 接受
订货 jiēshòu dìnghuò

수준(水準) 명 水平 shuǐpíng; 水准
shuǐzhǔn ¶~을 높이다 提高水平／~
이 낮다 水平很低／일정한 ~에 도달
하다 达到一定水平／생활 ~이 비교
적 높다 生活水准较高

수준-급(水準級) 명 水平相当高 shuǐ-
píng xiāngdāng gāo

수준-기(水準器) 명 【物】 水准仪 shuǐ-
zhǔnyí

수줍다 害羞 hàixiū; 害臊 hàisào;
怕羞 pàxiū; 腼腆 miǎntiǎn ¶여인이 수
줍게 손으로 눈을 가리고 있다 女人害
羞地用手捂着眼睛

수줍어-하다 害羞 hàixiū; 害臊 hài-
sào; 怕羞 pàxiū; 腼腆 miǎntiǎn ¶그녀
는 남학생만 보면 수줍어한다 她看见
男同学就害羞

수줍-음 害羞 hàixiū ¶~을 잘 타
다 爱害羞

수중(水中) 명 = 물속 ¶~ 탐사 水下
勘探／~ 촬영 水下摄影／~ 분만 水
中分娩／~ 카메라 水下摄影机

수중(手中) 명 手中 shǒuzhōng; 手里
shǒuli; 手头 shǒutou = 손안 ¶물건이
~에 없다 东西不在手头／그의 ~에
들어가다 落在他的手中

수중 발레(水中ballet) 【體】 = 싱
크로나이즈드 스위밍

수중 식물(水中植物) 【植】 水生植物
shuǐshēng zhíwù = 수생 식물

수-증기(水蒸氣 · 水蒸氣) 명 水蒸气
shuǐzhēngqì; 蒸气 zhēngqì = 증기2 ¶
~가 서리다 水蒸气凝聚

수지(手指) 명 = 손가락 ¶~침 手指
针

수지(收支) 명 1 收支 shōuzhī ¶국제
~를 조절하다 调节国际收支 2 合算
hésuàn; 划算 huásuàn; 上算 shàng-
suàn ¶이 장사는 너무 ~가 맞지 않는
다 这笔买卖太不合算了

수지(樹脂) 명 树脂 shùzhī

수지-맞다(收支——) 명 合算 hésuàn; 划算 huá-
suàn; 上算 shàngsuàn ¶수지맞는 장
사 合算的生意／수지맞는 가격 划算
的价格

수직(垂直) 명 1 垂直 chuízhí; 竖 shù
¶~ 기류 垂直气流／~ 분포 垂直分
布／~으로 날아 올라가다 垂直起飞／
~으로 내려가다 垂直下降 2 【數】 垂
直 chuízhí ¶~ 거리 垂直距离／~면
垂直面

수직-선(垂直線) 명 【數】 = 수선(垂
線)

수직-적(垂直的) 관명 垂直(的) chuí-
zhí(de) ¶~인 조직 구조 垂直的组织
结构

수질(水質) 명 水质 shuǐzhì ¶~ 오염
水质污染／~을 개선하다 改善水质

수집(收集) 명하타 收集 shōují; 集 jí
¶폐품을 ~하다 收集废品

수집(蒐集) 명하타 搜集 sōují; 收集
shōují ¶~가 搜集家／~광 搜集狂／
~벽 搜集癖／~상 搜集商／우표를 ~
하다 搜集邮票／자료를 ~하다 收集
资料／골동품을 ~하다 搜集古玩

수차(水車) 명 1 = 물레방아 2 = 무
자위

수:-차례(數次例) 〖명〗数次 shùcì; 几次 jǐcì; 好几次 hǎojǐcì ¶~ 방문했다 访问了数次 / 이 문제를 ~ 물어보았다 这个问题问过好几次了

수채 〖명〗下水道 xiàshuǐdào

수채(水彩) 〖명〗水彩 shuǐcǎi ¶~ 물감 水彩颜料 / ~화 水彩画

수채-통(水─筒) 〖명〗下水管 xiàshuǐguǎn; 污水筒 wūshuǐtǒng = 하수관·하수통

수챗-구멍 〖명〗下水道口 xiàshuǐdào-kǒu

수척-하다(瘦瘠─) 〖형〗瘦瘠 shòují; 瘦弱 shòuruò; 消瘦 xiāoshòu ¶몸이 마른 나무처럼 ~ 身子瘦瘠得像枯木 / 환자가 나날이 수척해지다 患者一天天变得瘦瘠

수:-천(數千) 〔관〕数千 shùqiān; 几千 jǐqiān ¶~ 명 数千人 / ~ 년 数千年

수:-천만(數千萬) 〔관〕1 数千万 shù-qiānwàn ¶~ 명이 참여하다 数千万的人参加 2 成千上万 chéngqiān shàng-wàn ¶그의 부친이 남긴 가산은 ~이다 他父亲留下的家业成千上万

수첩(手帖) 〖명〗1 小本子 xiǎoběnzi 2 手册 shǒucè; 手帖 shǒutiě ¶업무 ~ 工作手册

수청(守廳) 〖명〗【史】侍候 shìhòu ¶~을 들다 侍候

수초(水草) 〖명〗【植】水草 shuǐcǎo = 물풀

수축(收縮) 〖명〗〖하자〗收缩 shōusuō ¶동공이 ~하다 瞳孔收缩了 / 부피가 많이 ~되었다 体积收缩得多

수출(輸出) 〖명〗〖하타〗出口 chūkǒu; 输出 shūchū ¶~ 관세 出口关税 / ~ 송장 出口送货单 / ~ 신고서 出口报单 / ~ 품 出口产品 / 이 회사는 매년 자동차를 거의 백만 대나 ~한다 该公司每年出口汽车近百万辆

수-출입(輸出入) 〖명〗进出口 jìnchūkǒu ¶~ 은행 进出口银行

수취(受取) 〖명〗〖하타〗领取 lǐngqǔ; 接收 jiēshōu ¶우편물을 ~하다 领取邮件

수취-인(受取人) 〖명〗1 领取人 lǐngqǔ-rén 2 【法】接收者 jiēshōuzhě

수치(羞恥) 〖명〗羞耻 xiūchǐ; 羞辱 xiū-rǔ; 耻辱 chǐrǔ ¶그는 이것들을 최대의 ~로 여겼다 他把这些都当作最大的耻辱

수:-치(數値) 〖명〗【數】数值 shùzhí

수치-감(羞恥感) 〖명〗羞耻 xiūchǐ ¶~을 느끼다 感到羞耻

수치-스럽다(羞恥─) 〖형〗羞耻 xiūchǐ; 耻辱 chǐrǔ ¶그는 이것들을 ~심 때문에 아주 수치스러웠다 他为此觉得很羞耻 **수치스레** 〖부〗

수-치질(─痔疾) 〖명〗【醫】外痔 wàizhì

수칙(守則) 〖명〗守则 shǒuzé ¶안전 ~

안전 守则 / 업무 ~ 工作守则

수캉아지 〖명〗小公狗 xiǎogōnggǒu; 小雄狗 xiǎoxióngǒu

수개 〖명〗公狗 gōnggǒu; 雄狗 xiónggǒu

수컷 〖명〗雄(的) xióng(de); 公(的) gōng-(de); 牡(的) mǔ(de) ¶그 말은 ~이다 那匹马是公的

수키와 〖명〗筒瓦 tǒngwǎ

수탁(受託) 〖명〗〖하타〗受托 shòutuō ¶~ 매매 受托买卖 / ~인 受托人

수탈(收奪) 〖명〗〖하타〗掠夺 lüèduó; 抢夺 qiǎngduó; 夺取 duólüè; 剥夺 bōduó ¶백성의 재물을 ~하다 掠夺百姓的财物

수탉 〖명〗公鸡 gōngjī; 雄鸡 xióngjī

수탕나귀 〖명〗公驴 gōnglú; 雄驴 xióng-lú = 수나귀

수태(受胎) 〖명〗〖하타〗受胎 shòutāi; 受孕 shòuyùn; 怀妊 huáirèn; 怀孕 huáiyùn

수퇘지 〖명〗公猪 gōngzhū; 雄猪 xióng-zhū

수:-틀(繡─) 〖명〗绣绷 xiùbēng; 绣架 xiùjià = 자수틀

수-틀리다 〖자〗不顺心 bùshùnxīn; 不如意 bùrúyì ¶만약 수틀리면 전부 엎으려치울 수 있다 如果不顺心全部要放弃

수:-판(數板) 〖명〗算盘 suànpan ¶~으로 계산하다 用算盘计算

수판-을 놓다 〔子〕打算盘 = 주판(을) 놓다

수:-판-알(數板─) 〖명〗算盘子儿 suàn-panzǐr = 주판알 ¶~을 튀기다 拨动算盘子儿

수평(水平) 〖명〗水平 shuǐpíng; 平行 píngxíng; 平 píng ¶~각 水平角 / ~거리 水平距离 / ~면 水平面 / ~을 유지하다 保持平行

수평-선(水平線) 〖명〗1 海平线 hǎipíng-xiàn; 水平线 shuǐpíngxiàn ¶아득한 ~ 远远的水平线 2 【數】水平线 shuǐpíng-xiàn

수평아리 〖명〗小公鸡 xiǎogōngjī; 小雄鸡 xiǎoxióngjī

수포(水泡) 〖명〗水泡 = 물거품 ¶모든 희망이 ~로 돌아가다 所有的希望都化为泡影

수포(水疱) 〖명〗【醫】'물집'의 旧称

수표(手票) 〖명〗【經】支票 zhīpiào ¶~를 발행하다 开支票 / ~를 현금으로 바꾸다 兑现支票

수풀 〖명〗1 树丛 shùcóng; 树林 shùlín 2 草丛 cǎocóng ¶우거진 ~ 茂密的草丛

수프(soup) 〖명〗汤 tāng; 羹 gēng; 羹汤 gēngtāng; 菜汤 càitāng; 肉汤 ròu-tāng

수필(隨筆) 〖명〗【文】随笔 suíbǐ = 에세이 ¶~가 随笔家 / ~집 随笔集

수하(手下) 명 1 = 손아래 2 = 부하 (部下) 3 手下 shǒuxià ¶그의 ~의 군사 他手下的军士

수-하물(手荷物) 명 随身行李 suí-shēn xíngli; 小件行李 xiǎojiàn xíngli; 行李 xíngli = 수화물

수학(受學) 명[하타] 受学 shòuxué; 受教 shòujiào ¶그는 젊었을 때 저명한 화가에게 ~했다 他早年受教于著名画家

수학(修學) 명[하타] 修学 xiūxué; 学习 xuéxí ¶~여행 修学游

수:학(數學) 명 [數] 数学 shùxué ¶~공식 数学公式

수해(水害) 명 水害 shuǐhài; 水灾 shuǐ-zāi ¶~를 입다 遭受水害 /~를 방지하다 防止水灾

수행(修行) 명[하타] 修 xiū; 修行 xiū-xíng ¶절에서 ~하다 在寺庙修行

수행(遂行) 명[하타] 执行 zhíxíng; 履行 lǚxíng; 实行 shíxíng ¶임무를 ~하다 执行任务

수행(随行) 명[하타] 随从 suícóng; 随行 suíxíng; 跟随 gēnsuí; 随同 suí-tóng ¶총장을 ~하여 외국을 방문하다 随从校长访问外国

수행-원(随行員) 명 随从 suícóng; 随员 suíyuán; 跟随 gēnsuí; 随从人员 suícóng rényuán

수험(受驗) 명[하자] 报考 bàokǎo; 应考 yìngkǎo; 投考 tóukǎo ¶~ 준비 应考准备 /~ 자격 报考资格

수험-료(受驗料) 명 报考费 bàokǎo-fèi; 应考费 yìngkǎofèi; 投考费 tóukǎo-fèi ¶~를 내다 交报考费

수험-생(受驗生) 명 报考生 bàokǎo-shēng; 应考生 yìngkǎoshēng; 投考生 tóukǎoshēng

수험-표(受驗票) 명 准考证 zhǔnkǎo-zhèng

수혈(輸血) 명[하자] [醫] 输血 shūxuè

수혜(受惠) 명 受惠 shòuhuì ¶~자 受惠者 /~ 대상 受惠对象

수호(守護) 명[하타] 守护 shǒuhù; 维护 wéihù; 守卫 shǒuwèi; 保卫 bǎowèi ¶~신 守护神 /~자 守护者 /~천사 守护天使 /평화를 ~하다 维护和平

수화(手話) 명 手语 shǒuyǔ; 手指语 shǒuzhǐyǔ ¶~로 이야기를 나누다 用手语交谈

수화(受話) 명[하자] 受话 shòuhuà; 接电话 jiē diànhuà

수화-기(受話器) 명 受话器 shòuhuà-qì; 听筒 tīngtǒng; 话筒 huàtǒng ¶~를 들어 귀에 대다 拿起听筒放到耳边

수-화물(手貨物) 명 = 수화물

수확(收穫) 명[하타] 1 收成 shōuchéng; 收获 shōuhuò; 收割 shōugē ¶~기 收

割期 /~량 收获量 /벼를 ~하다 收割水稻 2 成果 chéngguǒ; 收获 shōuhuò ¶이번 참관에서 우리는 모두 큰 ~이 있었다 这次参观,我们都有很大收获

수:회(數回) 명 数次 shùcì; 数回 shù-huí; 几次 jǐcì

수:효(數爻) 명 数量 shùliàng ¶~가 맞지 않다 数量不对

수훈(殊勳) 명 殊勋 shūxūn; 功勋 gōngxūn ¶여러 차례 ~을 세우다 屡建殊勋

숙고(熟考) 명[하타] 熟虑 shúlǜ; 熟思 shúsī

숙녀(淑女) 명 1 淑女 shūnǚ ¶재색을 겸비한 ~ 才貌双全的淑女 2 女士 nǚshì ¶~복 女士服装 /신사 ~ 여러분! 女士们, 先生们!

숙달(熟達) 명[하타] 熟练 shúliàn; 精通 jīngtōng; 娴熟 xiánshú ¶~된 기술 熟练的技术 /이 일에 대하여 아직 많이 ~되지 않았다 对这个工作还很不熟练

숙덕-거리다 자타 窃窃私语 qièqièsī-yǔ; 叽咕 jīgu; 喁喁私语 yúyúsīyǔ = 숙덕대다 ¶너희 두 사람은 무엇을 숙덕거리고 있느냐? 你们俩在叽咕什么? 숙덕-숙덕 부자타

숙독(熟讀) 명[하타] 熟读 shúdú ¶명작을 ~하다 熟读名作

숙려(熟慮) 명[하타] 熟虑 shúlǜ; 熟思 shúsī

숙련(熟鍊 · 熟練) 명[하자] 熟练 shúliàn ¶~공 熟练工人 /기술이 ~되다 技术熟练

숙맥(菽麥) 명 1 菽麦 shūmài 2 二百五 èrbǎiwǔ; 五谷不分 wǔgǔbùfēn; 半彪子 bànbiāozi

숙면(熟眠) 명[하자] 熟睡 shúshuì; 熟眠 shúmián; 沉睡 chénshuì; 酣睡 hān-shuì ¶다른 사람은 모두 깼지만 그는 여전히 ~을 취하고 있다 别人都醒了, 他还沉睡着

숙명(宿命) 명 宿命 sùmìng; 命中注定 mìngzhōngzhùdìng ¶~의 대결 宿命的决战 /~의 라이벌 命中注定的竞争对手

숙명-적(宿命的) 관명 宿命(的) sù-mìng(de); 命中注定(的) mìngzhōng-zhùdìng(de) ¶~ 관계 宿命关系 /~인 사랑 命中注定的爱情

숙모(叔母) 명 叔母 shūmǔ; 婶母 shěn-mǔ = 작은어머니1

숙박(宿泊) 명[하자] 住宿 zhùsù; 投宿 tóusù; 住 zhù ¶~료 住宿费 /~부 宿登记簿 /~시설 住宿设施 /~업 住宿业 /여관에서 ~하다 在旅馆住宿

숙변(宿便) 명 宿便 sùbiàn ¶~을 제거하다 去除宿便

숙부(叔父) 몡 叔父 shūfù; 叔叔 shū-
shu = 작은아버지

숙성(熟成) 몡하자타 1 성숙 chéngshú
¶~한 여인 成熟的女人 2 醸熟 niàng-
shú; 熟成 shúchéng

숙소(宿所) 몡 住处 zhùchù; 住所 zhù-
suǒ ¶~를 정하다 定好住处 / 그의 ~
는 학교에서 멀지 않다 他的住处离学
校不远

숙식(宿食) 몡하자 食宿 shísù; 吃住
chīzhù ¶~을 제공하는 여관 提供食宿
的旅馆 / 친구 집에서 ~하다 食宿在
朋友家

숙어(熟語) 몡【語】= 관용구 ¶중국
어 ~ 사전 汉语熟语词典

숙어-지다 자 1 下垂 xiàchuí; 低垂
dīchuí ¶졸음으로 머리가 갈수록 ~
困難儿头越来越下垂 2 減弱 jiǎnruò;
消沉 xiāochén; 消退 xiāotuì; 低落
dīluò ¶바람의 기세가 숙어졌다 风势
减弱了 / 더위가 숙어졌다 热消退了

숙연-하다(肅然─) 톙 肃然 sùrán; 肃
穆 sùmù ¶분위기가 ~ 气氛肃然 숙
연-히 뤼 ¶~ 머리 숙여 명복을 빌다
肃然低头祈祷冥福

숙영(宿營) 몡하자 【軍】宿营 sùyíng
¶~지 宿营地

숙원(宿怨·夙怨) 몡 夙怨 sùyuàn; 夙
嫌 sùxián ¶宿怨 sùyuàn; 宿嫌 sùxián ¶
~을 풀다 消了夙怨

숙원(宿願) 몡 夙愿 sùyuàn; 宿愿 sù-
yuàn ¶오랜 ~을 이루다 了却多年的
宿愿

숙-이다 타 低 dī; 垂 chuí; 低垂 dī-
chuí ¶그녀는 미안해하며 고개를 숙였
다 她不好意思地低下了头

숙적(宿敵) 몡 1 夙仇 sùchóu; 宿
仇 sùchóu 2 夙敌 sùdí; 宿敌 sùdí ¶~을
쓰러뜨리다 打倒宿敌

숙제(宿題) 몡 1 作业 zuòyè ¶~를 하
다 做作业 / ~를 내다 布置作业 2 (等
待解决的)课题 kètí ¶공기 오염은 당
면한 ~ 중의 하나이다 空气污染是当
前课题之一

숙주(宿主) 몡【生】宿主 sùzhǔ; 寄主
jìzhǔ

숙주-나물 몡 1 绿豆芽 lǜdòuyá 2 凉
拌绿豆芽 liángbàn lǜdòuyá

숙지(熟知) 몡하자타 熟知 shúzhī ¶주의
사항을 ~하다 熟知注意事项

숙직(宿直) 몡하자 值夜 zhíyè; 值宿
zhíbān; 值宿 zhísù ¶돌아가며 ~하다
轮流值夜

숙직-실(宿直室) 몡 夜间值班室 yè-
jiān zhíbānshì; 值宿室 zhísùshì

숙질(叔姪) 몡 叔姪 shūzhí ¶~간 叔
姪之间

숙청(肅清) 몡하자 肃清 sùqīng ¶반대파를

한꺼번에 ~하다 一举肃清反对派

숙취(宿醉) 몡 宿醉 sùzuì; 宿酒 sùjiǔ
¶~로 머리가 띵하다 因宿醉头脑昏沉

숙환(宿患) 몡 宿疾 sùjí; 老病 lǎobìng
¶~으로 돌아가시다 因宿疾去世

순 뤼 纯 chún; 纯粹 chúncuì; 完全
wánquán ¶~ 거짓말 纯粹的鬼话 /
악질 完全的坏蛋

순(筍·笋) 몡 芽 yá ¶~이 나다 发芽

순(純) 관 纯 chún; 净 jìng ¶~ 한국
식 요리 纯韩国风味的菜

-순(順) 졉미 顺序 shùnxù ¶나이~
年龄顺序 / 선착~ 先来后到的顺序

순간(瞬間) 몡 1 瞬间 shùnjiān; 瞬时
shùnshí; 瞬息 shùnxī; 刹那 chànà ¶
~ 속도 瞬时速度 / 극적인 ~ 戏剧性
的瞬间 / 인생의 매 ~ 人生的每个瞬
间 / 마지막 ~ 最后的一刹那 2 那时
nàshí; 一时 yīshí

순간-적(瞬間的) 관몡 瞬间(的) shùn-
jiān(de); 瞬息 shùnxī ¶~으로 일어난
교통사고 瞬间发生的交通事故

순간-접착제(瞬間接着劑) 몡 快速胶
粘剂 kuàisù jiāozhānjì

순견(純絹) 몡 纯绢 chúnjuàn; 纯丝绸
chúnsīchóu

순결(純潔) 몡하톙 1 纯洁 chúnjié; 纯
粹 chúncuì ¶~한 마음 纯洁的心灵 2
贞操 zhēncāo; 童贞 tóngzhēn ¶~을
지키다 守贞操 / ~을 잃다 失去贞操

순경(巡警) 몡【法】巡警 xúnjǐng

순교(殉教) 몡하자【宗】殉教 xùnjiào
¶~자 殉教者

순국(殉國) 몡하자 殉国 xùnguó ¶~
선열 殉国先烈 / ~열사 殉国烈士

순금(純金) 몡 纯金 chúnjīn; 赤金 chì-
jīn ¶~ 반지 纯金戒指

순대 몡 米肠 mǐcháng

순댓-국 몡 米肠汤 mǐchángtāng ¶~
밥 米肠汤饭

순도(純度) 몡 纯度 chúndù ¶이 황금
의 ~는 99%에 달한다 这种黄金的纯
度达百分之九十九

순-두부(─豆腐) 몡 豆腐脑(儿) dòu-
fǔnǎo(r) ¶~찌개 豆腐脑汤

순례(巡禮) 몡하타【宗】巡礼 xúnlǐ ¶
~자 巡礼者 / 성지를 ~하다 巡礼圣
地

순록(馴鹿) 몡【動】驯鹿 xúnlù

순-리(順理) 몡하자 順理 shùnlǐ; 顺其
自然 shùnqízìrán ¶~를 따르다 顺其
自然

순망치한(脣亡齒寒) 몡 唇亡齿寒 chún-
wángchǐhán

순면(純綿) 몡 纯棉 chúnmián ¶~ 제
品 纯棉制品 / ~ 속옷 纯棉内衣

순모(純毛) 몡 纯毛 chúnmáo ¶~ 스
웨터 纯毛毛衣

순-무 圐【植】芜菁 wújīng; 蔓菁 mánjing

순박-하다(淳朴·醇朴) (淳朴 chúnpǔ; 醇朴 chúnpǔ)¶순박한 얼굴 淳朴的面孔 / 순박한 성격 淳朴的性格

순발-력(瞬發力) 圐【體】爆发力 bàofālì ¶~을 발휘하다 发挥爆发力

순방(巡訪) 圐[하타] 巡访 xúnfǎng ¶유럽을 ~하다 巡访欧洲

순배(巡杯) 圐[하자] 巡杯 xúnbēi ¶넉 ~가 돌다 巡杯过三四巡

순백(純白·醇白) 圐 1 = 순백색 ~의 설원 纯白的雪原 2 纯粹 chúncuì; 纯白 chúnbái

순-백색(純白色) 圐 纯白 chúnbái; 雪白 xuěbái; 纯白色 chúnbáisè = 순백1 ¶온 산이 ~으로 변하다 满山变得像雪

순-번(順番) 圐 顺序 shùnxù; 次序 cìxù ¶~을 정하다 定顺序 / ~에 따라 请按照次序人席

순-산(順産) 圐[하타] 顺产 shùnchǎn; 安产 ānchǎn ¶~을 기원하다 祝愿顺产

순-서(順序) 圐 顺序 shùnxù; 次序 cìxù; 次 cì ¶배열 = 排列的顺序 / ~대로 입장하다 顺次入场 / ~를 지키다 遵守次序 / ~가 바뀌다 顺序颠倒 / ~에 따라 한 사람씩 발언하세요 请按照次序一个一个发言

순수(純粹) 圐[하형] 1 纯 chún; 纯粹 chúncuì; 纯正 chúnzhèng; 地道 dìdao ¶~성 纯粹性 / 문학 纯文学 / 그는 ~한 농민이다 他是地地道道的老农民 2 纯 chún; 纯粹 chúncuì; 纯正 chúnzhèng ¶동기가 ~하지 않다 动机不纯 / 그는 ~한 사람이다 他是个纯粹的人

순-하다(順順—) (溫顺 wēnshùn; 乖乖 guāiguāi; 温驯 wēnxún; 服帖 fútiē; 驯服 xúnfú; 顺从 shùncóng ¶그의 성질은 순순해졌다 他的脾气温顺起来了 2 (味道) 醇和 chúnhé 순순-히 ¶~ 그를 따라가다 顺从地跟着他 / ~ 내놓다 乖乖地交出

순시(巡視) 圐[하타] 巡视 xúnshì ¶건설 현장을 ~하다 巡视建设现场

순식-간(瞬息間) 圐 瞬息间 shùnxījiān; 瞬息 shùnxī; 瞬间 shùnjiān; 瞬时 shùnshí; 瞬刻 shùnshí ¶화염이 ~에 2층으로 올라갔다 火焰瞬间冲上了二楼

순애(殉愛) 圐[하자] 殉情 xùnqíng

순양(巡洋) 圐[하타] 巡洋 xúnyáng ¶~함 巡洋舰

순-연(順延) 圐[하타] 顺延 shùnyán ¶비가 오면 ~한다 遇雨顺延

순-위(順位) 圐 名次 míngcì; 位次 wèicì ¶~를 다투다 争名次 / ~를 정하다 定位次

순은(純銀) 圐 纯银 chúnyín

순-응(順應) 圐[하자] 1 顺应 shùnyìng; 适应 shìyìng ¶자연에 ~하다 顺应自然 / 현실에 ~하다 顺应现实 2【生】顺应 shùnyìng

순-이익(純利益) 圐 纯利 chúnlì; 纯利益 chúnlìyì = 순익

순이익-금(純利益金) 圐 纯利钱 chúnlìqián = 순이익금

순익(純益) 圐 = 순이익

순익-금(純益金) 圐 = 순이익금

순장(殉葬) 圐[하자]【史】殉葬 xùnzàng

순전-하다(純全—) (纯 chún; 纯粹 chúncuì; 完全 wánquán ¶극의 줄거리는 순전한 허구이다 剧情纯粹虚构 순전-히 圐¶이것은 ~ 오해이다 这完完全全是个误会

순정(純正) 圐[하형] 纯正 chúnzhèng; 纯 chún ¶~ 부품 纯正部件

순정(純情) 圐 纯情 chúnqíng ¶~파 纯情派 / ~을 바치다 献上纯情

순-조롭다(順調—) (顺利 shùnlì; 顺当 shùndàng; 顺 shùn ¶일이 순조롭게 진행되다 事情进行得很顺利 / 모든 것이 ~ 一切很顺利 순-조로이 圐¶조약이 ~ 체결됐다 顺利地签订了条约

순-종(順從) 圐[하자] 顺从 shùncóng; 听从 tīngcóng ¶부모의 뜻에 ~하다 顺从父母的意思

순종(純種) 圐【生】纯种 chúnzhǒng ¶이 진돗개는 ~이다 这只珍岛狗是纯种的

순직(殉職) 圐[하자] 殉职 xùnzhí ¶공무로 ~하다 因公而殉职

순진무구-하다(純眞無垢—) (纯真无邪 chúnzhēnwúxié ¶어린아이처럼 ~ 纯真无邪得像个孩子

순진-하다(純眞—) (1 纯真 chúnzhēn 2 天真 tiānzhēn ¶그는 너무 순진해서 다른 사람의 말을 잘 믿는다 他太天真, 容易相信别人的话

순-차(順次) 圐 依次 yīcì; 顺次 shùncì ¶~대로 앉다 依次入坐

순-차-적(順次的) 관圐 依次 yīcì; 顺次 shùncì ¶~으로 발표하다 依次发言

순찰(巡察) 圐[하타] 巡逻 xúnluó; 巡察 xúnchá; 巡查 xúnchá ¶~대 巡逻队 / ~차 巡逻车 / ~을 강화하다 加强巡逻

순-탄-하다(順坦—) (1 温和 wēnhé ¶그의 성격은 아주 ~ 他的性格十分温和 2 平坦 píngtǎn ¶순탄한 길 平坦的马路 3 顺利 shùnlì; 顺当 shùndàng; 平坦 píngtǎn ¶인생은 늘 순탄한 것이 아니다 人生的道路并不都平坦 순-탄-히 圐¶일이 ~ 진행되다 事

情进行得顺利

순:풍(順風) 〖명〗 **1** 微风 wēifēng **2** 顺风 shùnfēng ¶~에 배가 순조롭게 간다 遇上顺风, 船走得顺利

순:-하다(順一) 〖형〗 **1** 温顺 wēnshùn; 温和 wēnhé; 驯顺 xúnshùn; 驯良 xúnliáng ¶그의 태도가 순하게 변했다 他的态度变得温和了 / 이 강아지는 아주 ~ 这只小狗特别驯良 **2** 醇和 chúnhé ¶술이 ~ 酒醇和 **순:-히** 〖부〗

순:항(順航) 〖명〗〖하자〗 順利航行 shùnlì hángxíng ¶~ 중인 배가 태풍을 만나다 正在顺利航行的船遇上台风

순항 미사일(順航missile) 〖軍〗 = 크루즈 미사일

순행(順行) 〖명〗〖하자〗 顺行 shùnxíng

순화(純化) 〖명〗〖하자〗 纯化 chúnhuà; 净化 jìnghuà ¶사람들의 영혼을 ~시키다 净化人们的灵魂

순화(醇化) 〖명〗〖하타〗 **1** 感化 gǎnhuà ¶청소년 · 교육 青少年感化教育 **2** 醇化 chúnhuà; 净化 jìnghuà ¶언어를 ~하다 净化语言

순환(循環) 〖명〗〖하자〗 循环 xúnhuán ¶~계통 循环系统 / ~ 과정 循环过程 / ~도로 循环公路 / ~선 循环线路 / ~ 장애 循环障碍 / 혈액이 체내에서 ~하다 血液在体内循环

순회(巡廻) 〖명〗〖하타〗 巡回 xúnhuí ¶~공연 巡回演出 / 유럽 각 나라를 ~하다 巡回欧洲各国

숟-가락 〖명〗 **1** 匙子 chízi; 勺子 sháozi; 羹匙 gēngchí; 调羹 tiáogēng; 汤匙 tāngchí ¶~으로 밥을 먹다 用勺子吃饭 **2** 勺 sháo; 匙 chí ¶밥 한 ~ 一勺饭

숟가락(을) 놓다 〖관〗 去世; 死亡

숟가락을 들다 〖관〗 吃饭; 进餐

숟가락-질 〖명〗 用勺子 yòng sháozi ¶그는 ~을 잘 못한다 他勺子用不太好

숟-갈 〖명〗 '숟가락'의 略词

술[1] 〖명〗 酒 jiǔ ¶~ 한 병을 마시다 喝一瓶酒 / ~을 끊다 戒酒 / ~을 따르다 倒酒 / ~을 권하다 劝酒 / 그녀는 ~에 취했다 她喝酒喝醉了 / 제가 ~ 한 잔 올리겠습니다 我敬你一杯酒

술:[2] 〖명〗 穗子 suìzi; 缨子 yīngzi

술[3] 〖의명〗 勺 sháo; 匙 chí ¶밥 한 ~ 들어 보세요 吃一匙饭吧

-술(術) 〖접미〗 术 shù ¶최면 ~ 催眠术 / 사격 ~ 射击术

술-값 〖명〗 酒资 jiǔzī; 酒费 jiǔfèi

술-고래 〖명〗 酒鬼 jiǔguǐ; 酒囊 jiǔnáng; 酒豪 jiǔháo

술-국 〖명〗 下酒汤 xiàjiǔtāng

술-기운 〖명〗 酒劲(儿) jiǔjìn(r); 酒意 jiǔyì; 醉意 zuìyì; 酒力 jiǔlì ¶~이 오

르다 酒劲上来 / ~을 이기지 못하다 不胜酒力 / ~을 빌려 속에 있는 말을 하다 借着酒劲儿说心里话

술-김 〖명〗 醉中 zuìzhōng; 酒中 jiǔzhōng ¶~에 하는 말 醉中之言

술-꾼 〖명〗 酒徒 jiǔtú; 酒客 jiǔkè; 酒鬼 jiǔguǐ

술-내 〖명〗 酒味(儿) jiǔwèi(r)

술-독 〖명〗 酒缸 jiǔgāng; 酒槽 jiǔcáo

술독에 빠지다 〖관〗 落在酒缸里; 喝酒太多

술-독(一毒) 〖명〗〖韓醫〗 酒毒 jiǔdú

술래 〖명〗 (玩捉迷藏时的) 提家 zhuōjiā

술래-잡기 〖명〗 捉迷藏 zhuōmícáng; 藏猫儿 cángmāor ¶~를 하다 玩捉迷藏

술렁-거리다 〖자〗 骚乱 sāoluàn; 骚动 sāodòng; 乱腾腾 luàntēngtēng; 慌乱 huāngluàn = 술렁대다 ¶사람들이 갑자기 술렁거리기 시작했다 人群忽然骚乱起来 **술렁-질** 〖명〗

술렁-대다 〖자〗 骚乱 sāoluàn; 骚动 sāodòng; 乱腾腾 luàntēngtēng; 慌乱 huāngluàn

술-버릇 〖명〗 酒脾气 jiǔpíqì; 酒疯 jiǔfēng = 주벽 ¶~을 드러내다 耍酒脾气 / ~이 나쁘다 酒疯不好

술-병(一病) 〖명〗 因喝酒生病 yīnjiǔ shēngbìng

술-병(一瓶) 〖명〗 酒瓶 jiǔpíng; 酒壶 jiǔhú

술-상(一床) 〖명〗 酒桌 jiǔzhuō; 酒席 jiǔxí = 주안상 ¶~을 차리다 摆酒席

술수(術數) 〖명〗 **1** 〖民〗 术数 shùshù; 术 fāngshù **2** 술책 ¶적의 ~를 간파하다 识破敌人的计谋 / 사기꾼의 ~에 넘어갔다 中了骗子的圈套

술술 〖부〗 **1** 哗啦 huālā; 哗哗 huāhuā ¶물이 ~ 샌다 水哗啦哗啦地漏 **2** 习习 xíxí; 拂拂 fúfú ¶시원한 바람이 ~ 불다 凉风习习 **3** 流利(地) liúlì(de); 流畅(地) liúchàng(de) ¶그는 외국인이지만 한국어를 ~ 잘 차린다 别看他是外国人, 他用韩语流利地表达清楚 **4** 顺利(地) shùnlì(de) ¶그는 어느 문제든 ~ 풀 수 있다 他什么问题都能顺利地解释

술-안주(一按酒) 〖명〗 酒菜 jiǔcài; 下酒菜 xiàjiǔcài; 酒肴 jiǔyáo = 안주(按酒)

술어(述語) 〖명〗 **1** 〖論〗 术语 shùyǔ **2** 〖語〗 = 서술어

술-자리 〖명〗 酒席 jiǔxí; 酒宴 jiǔyàn ¶~를 마련하다 设酒席

술-잔(一盞) 〖명〗 酒杯 jiǔbēi; 酒盅 jiǔzhōng = 잔2 ¶~을 돌리다 传递酒杯

술잔을 기울이다 〖관〗 = 잔을 기울이다

술잔을 나누다 〖관〗 一起喝酒

술잔을 비우다 🈁 = 잔을 비우다

술-장사 團﹙하﹚ 卖酒 màijiǔ

술-주정(—酒酊) 團﹙하﹚ 酒疯 jiǔfēng ¶~을 하다 撒酒疯 / 그는 술에 취하기만 하면 ~을 부린다 他一喝醉就耍酒疯

술-주정뱅이(—酒酊—) 團 = 주정뱅이

술-지게미 團 酒糟 jiǔzāo

술-집 團 酒吧 jiǔbā; 酒馆间 jiǔbājiān; 酒馆(儿) jiǔguǎn(r); 酒馆子 jiǔguǎnzi; 酒店 jiǔdiàn; 酒家 jiǔjiā = 주점

술-찌끼 團 酒糟 jiǔzāo

술책(術策) 團 计策 jìcè; 计谋 jìmóu; 圈套 quāntào = 술수2 ¶비열한 ~을 부리다 耍卑鄙的计策

술-친구(—親舊) 團 酒友 jiǔyǒu; 酒肉朋友 jiǔròu péngyou

술-타령(—) 團 好酒贪杯 hàojiǔ tān-bēi ¶밤낮없이 ~이다 不分昼夜好酒贪杯

술-통(—桶) 團 酒缸 jiǔgāng; 酒桶 jiǔtǒng

술-판 團 酒席 jiǔxí ¶~을 벌이다 摆酒席

숨: 團 1 气 qì; 气息 qìxī; 呼吸 hūxī ¶~을 쉬다 呼吸 / ~을 헐떡이다 气喘 / 이 몹시 가쁘다 上气不接下气 2 ﹙蔬菜等的﹚新鲜劲儿 xīnxiānjìnr ¶소금으로 배추를 절였지만, 아직 ~이 살아 있다 用盐腌白菜, 但还有着它的新鲜劲儿

숨 쉴 사이 없다 🈁 气都喘不过来

숨(을) 거두다[걷다] 🈁 断气; 咽气; 死亡

숨(을) 돌리다 🈁 喘气; 喘息; 松口气

숨(이) 가쁘다 🈁 气喘; 憋气

숨(이) 끊어지다 🈁 断气; 咽气; 死亡

숨(이) 넘어가는 소리 🈁 一命呜呼

숨(이) 막히다 🈁 1 憋气; 憋闷 2 紧张

숨(이) 붙어 있다 🈁 活着

숨:-결 團 1 呼吸 hūxī; 气息 qìxī ¶이 거칠다 呼吸急促 / 이 미약하다 气息微弱 2 ﹙事物的﹚气息 qìxī ¶봄의 ~ 春天的气息

숨:-구멍 團 1 = 숫구멍 2 呼吸道 hūxīdào ¶~이 트이다 开通呼吸道 3 ﹙蟲﹚气孔 qìkǒng; 气门 qìmén 4 ﹙植﹚气孔 qìkǒng

숨:-기다 囲 1 '숨다1'의 사동사 ¶할아버지는 그녀를 동굴에 숨겼다 爷爷把她藏在山洞里 2 藏 cáng; 隐 yǐn; 隐藏 yǐncáng; 隐瞒 yǐnmán; 掩盖 yǎngài; 隐匿 yǐnnì; 藏匿 cángnì; 掩藏 yǎncáng ¶너는 내 책을 어디에 숨겼느

냐? 你把我的书藏到哪儿了? / 사건의 진상을 ~ 隐瞒事情的真相

숨김-없다 圈 毫无隐藏 háowú yǐn-cáng 숨김없이 自己的过失을 털어놓다 把自己的错误毫无隐藏地说出了

숨:-넘어가다 囨 断气 duànqì; 死去 sǐqù

숨:-다 囨 1 藏 cáng; 躲 duǒ; 隐藏 yǐncáng; 躲藏 duǒcáng; 隐蔽 yǐnbì; 隐遁 yǐndùn; 躲躲闪闪 ¶지하실에 ~ 藏在地下室 / 그가 숨은 곳이 경찰에게 발각되었다 他躲藏的地方被警察发见了 2 埋设 máishè; 潜在 qiánzài; 潜藏 qiáncáng ¶숨은 재능을 찾다 发掘埋设的才能

숨바꼭-질 團﹙하﹚ 1 捉迷藏 zhuōmícáng; 藏猫儿 cángmāor 2 隐现 yǐnxiàn ¶~하던 별들이 사라져 버렸다 一些隐现者的星消失了

숨:-소리 團 呼吸声 hūxīshēng; 喘气声 chuǎnqìshēng ¶~를 죽이고 듣다 屏住呼吸声听着

숨어-들다 囨 偷偷地进 tōutōude jìn

숨:-죽이다 囨 屏气 bǐngqì; 屏息 bǐngxī ¶숨죽이고 가만히 듣다 屏息静听

숨:-지다 囨 断气 duànqì; 咽气 yànqì; 气绝 qìjué; 去世 qùshì; 死 sǐ ¶교통사고로 — 因交通事故断气 / 그는 결국 병원에 숨졌다 他终于在医院咽了气

숨:-차다 圈 气喘 qìchuǎn; 气喘吁吁 qìchuǎnxūxū; 喘息 chuǎnxī ¶숨차게 달려온 한 해 跑得气喘的一年 / 산 정상에 오르니 ~ 爬到山顶气喘吁吁

숨:-통(—筒) 團 ﹙生﹚气管(氣管) 숨통을 끊어 놓다 🈁 杀死

숨:-표(—標) 團 ﹙音﹚呼吸记号 hūxī jìhào ¶~를 찍다 点呼吸记号

숫-구멍 團 囟门 xìnmén; 顶门(儿) dǐngmén(r); 囟脑门 xìnnǎomén = 숨구멍1

숫-기(—氣) 團 大方 dàfang; 不害羞 bùhàixiū; 不腼腆 bùliǎnnèn ¶우리 집 아이는 낯선 사람 앞에서는 ~가 없다 在生人面前, 我家小孩儿大方不起来

숫기(가) 좋다 🈁 大方; 不怯场

숫-놈 團 '수놈'의 잘못

숫-돌 團 磨刀石 módāoshí; 砥石 dǐshí ¶~에 스케이트 날을 갈다 在磨刀石上磨冰刀

숫-양(—羊) 團 公羊 gōngyáng

숫-염소 團 公山羊 gōngshānyáng

숫-자(數字) 團 数字 shùzì; 数 shù; 数目 shùmù ¶아라비아 ~ 阿拉伯数字 / 천문학적 ~ 天文数字 / ~를 세다 数数字

숫-쥐 團 公鼠 gōngshǔ

숫-처녀(一處女) 圐 童女 tóngnǚ; 处女 chǔnǚ; 黄花闺女 huánghuā guīnǚ = 처녀3

숫-총각(一總角) 圐 童男 tóngnán; 处男 chǔnán; 黄花后生 huánghuā hòushēng = 총각2

숭고-하다(崇高一) 휑 崇高 chónggāo ¶숭고한 정신 崇高的精神 / 숭고한 희생 崇高的牺牲

숭늉 圐 锅巴水 guōbāshuǐ; 锅巴汤 guōbātāng

숭배(崇拜) 圐ᄒᄐ 崇拜 chóngbài ¶우상을 ~하다 崇拜偶像 / 사람들의 ~를 받다 受到人们的崇拜

숭상(崇尚) 圐ᄒᄐ 崇尚 chóngshàng ¶정의를 ~하다 崇尚正义

숭숭 튀 1 大块大块地 dàkuàidàkuàide ¶~ 썰은 무를 탕에 넣다 把大块大块地切成的萝卜放进汤中 2 (窟窿) 密密麻麻 mìmimámá ¶구멍이 ~ 뚫리다 密密麻麻尽是窟窿 3 (毛、汗等) 密密麻麻 mìmimámá ¶털이 ~ 난 다리 毛密密麻麻地长的腿

숭-어(一魚) [魚] 鲻鱼 zīyú; 梭鱼 suōyú ¶숭어가 뛰니까 망둥이도 뛴다 俗담 一犬吠形，百犬吠声；一个婆婆歪嘴，一个婆婆嘴歪

숯 圐 炭 tàn; 木炭 mùtàn = 목탄 ¶~불 炭火 / ~가마 炭窑 / ~검정 木炭烟子 / ~을 굽다 烧炭

숱 圐 (毛发等的) 量 liàng ¶머리~이 적다 头发量少

숱-하다 휑 很多 hěnduō; 许多 xǔduō; 好多 hǎoduō ¶숱한 경험 很多经验 / 하늘에 별이 숱하게 많다 天上的星星多得很

숲 圐 林 lín; 树林 shùlín; 树丛 shùcóng ¶~길 树林路 / 소나무 ~ 松林 / ~이 우거지다 树林很茂密

쉬:¹ 1 圐ᄒᄐ (小孩儿) 撒尿 sāniào; 尿 niào ¶~를 하다 撒尿 Ⅱ감 嘘 xū 《催小孩儿撒尿的声音》 ‖ = 쉬야

쉬:² 『쉬어』의 略词

쉬:³ 감 嘘 xū 《要求安静下来的声音》

쉬:⁴ 타 呼吸 hūxī; 喘气 chuǎnqì ¶숨을 ~ 呼吸

쉬-쉬-하다 타 隐瞒 yǐnmán; 隐藏 yǐncáng; 掩着 yǎnzhe; 藏掖 cángyē; 掩掖盖盖 yǎnyègàigài ¶모두 아는데 그는 여전히 쉬쉬하려고 한다 大家都知道了，他还想隐瞒

쉬여 圐ᄒᄐ감 = 쉬

쉬엄-쉬엄 튀ᄒᄐ자타 慢慢地 mànmànde 《一会儿歇一会儿干》 ¶~ 하세요 慢慢做吧

쉬이 튀 1 容易 róngyì ¶위생을 중시하지 않으면 ~ 병이 생긴다 不讲卫生容易生病 2 就 jiù; 马上 mǎshàng; 不久 bùjiǔ ¶너 ~이 끝나면 나는 곧바로 退勤할 거야 你一下班就退勤

쉬-파리 圐 [蟲] 绿豆蝇 lǜdòuyíng

쉰 囹관 五十 wǔshí ¶~ 명 五十个人 / ~ 살 五十岁

쉰-내 圐 馊味 sōuwèi; 馊气 sōuqì ¶~가 나는 음식 有馊味的食物

쉼-표(一標) 圐 1 [語] 逗号 dòuhào 2 [音] 休止符 xiūzhǐfú

쉽다 휑 1 容易 róngyì ¶이 문제들은 모두 ~ 这些问题都很容易 / 말하기는 쉬워도 하기는 어렵다 说起来容易做起来难 2 容易 róngyì 《很可能》 ¶병나기 ~ 容易生病 / 속기 ~ 很容易上当

쉽-사리 튀 容易 róngyì; 轻易 qīngyì

슈-크림(프chou+cream) 圐 泡芙 pàofú; 奶油泡芙 nǎiyóu pàofú

슈팅(shooting) 圐ᄒᄐ [體] 射门 shèmén; 投篮 tóulán

슈퍼(←supermarket) 圐 = 슈퍼마켓

슈퍼마켓(supermarket) 圐 超级市场 chāojí shìchǎng; 超市 chāoshì = 슈퍼

슈퍼맨(superman) 圐 超人 chāorén

슈퍼스타(superstar) 圐 超级明星 chāojí míngxīng; 超级偶像 chāojí ǒuxiàng

슈퍼 헤비급(super heavy级) [體] 超重量级 chāozhòngliàngjí

슛(shoot) 圐ᄒᄐ [體] 射 shè; 射门 shèmén; 投篮 tóulán

스낵-바(snack bar) 圐 小吃店 xiǎochīdiàn; 点心店 diǎnxīndiàn; 快餐馆 kuàicānguǎn

쉬:⁵ 휑 呼吸 ... ᄐ자타 1 休息 xiūxi; 歇息 xiēxi; 停歇 tíngxiē ¶쉬는 시간 休息时间 / 매우 피곤한 테니 좀 쉬어라 你太累了，还是休息休息吧 2 (物体) 停 tíng; 休 xiū ¶기계가 쉬지 않고 돌아가다 机器不停地转动 3 睡 shuì; 睡

觉 shuìjiào; 歇息 xiēxi ¶어제 저녁 잘 쉬지 못했다 昨晚睡得不太好 4 勤 qínqín; 缺课 quēkè ¶나는 어제 1 장을 쉬었다 我昨天缺了勤 5 停留 tíngliú ¶우리들은 오늘 밤 할 수 없이 여기에서 쉬어야 한다 我们今晚只好在这儿停留 6 放假 fàngjià; 放工 fàng gōng; 休息 xiūxi ¶우리 회사는 토요일과 일요일에 쉰다 我们公司休息星期六和星期日

쉬:⁴ 타 呼吸 hūxī; 喘气 chuǎnqì ¶숨을 ~ 呼吸

스냅(snap) 명 1 = 똑딱단추 2〖演〗= 스냅사진
스냅 사진(snap寫眞)〖演〗快照 kuàizhào; 快拍 kuàipāi; 快相 kuàixiàng = 스냅2
스노보드(snowboard) 명〖體〗雪板 xuěbǎn
스노-타이어(snow tire) 명〖交〗防滑轮胎 fánghuá lúntāi; 雪地轮胎 xuědì lúntāi
스님 명〖佛〗1 和尚 héshang 2 师父 shīfu
스라소니 명〖動〗猞猁 shēlì
스르르 부 1 自动地 zìdòngde ¶끈이 ~ 풀리다 绳子自动地散开了 2 轻轻地 qīngqīngde ¶사탕이 ~ 녹다 糖轻轻地消融了 / 눈이 ~ 감기다 眼睛轻轻地闭上
스릴(thrill) 명 惊险 jīngxiǎn; 战栗 zhànlì; 紧张感 jǐnzhānggǎn ¶이 영화는 아주 ~ 있다 这部电影非常惊险
스릴러(thriller) 명 惊险片 jīngxiǎnpiàn; 惊险小说 jīngxiǎn xiǎoshuō; 恐怖片 kǒngbùpiàn; 恐怖小说 kǒngbù xiǎoshuō
스마트 폰(smart phone)〖信〗智能手机 zhìnéng shǒujī
스마트-하다(smart—) 형 潇洒 xiāosǎ; 端庄 duānzhuāng; 时髦 shímáo ¶스마트한 신사 潇潇洒洒的男士
스매시(smash) 명하타〖體〗扣球 kòuqiú; 扣杀 kòushā; 高压球 gāoyāqiú = 스매싱
스매싱(smashing) 명하타〖體〗= 스매시
스며-들다 자 渗 shèn; 浸 jìn; 渗入 shènrù; 浸入 jìnrù ¶빗물은 모두 땅으로 스며들었다 雨水都渗到地里去了 / 구두에 빗물이 스며들었다 皮革被雨水浸透了
스모그(smog) 명〖地理〗烟雾 yānwù
스무 관 二十 èrshí ¶~고개 二十关 / ~ 명 二十个人 / ~ 살 二十岁
스물 수 二十 èrshí ¶갓 ~의 젊은이 刚二十岁的青年
스미다 자 1 (液体) 渗 shèn; 浸 jìn; 渗入 shènrù; 浸入 jìnrù ¶물이 진흙에 ~ 水渗入泥土 2 (气体) 透进 tòujìn ¶찬바람이 옷 속으로 ~ 冷风透进衣服里边 3 蕴藏 yùncáng ¶그의 마음속에 스며 있는 열정을 발휘하다 要发挥他心中蕴藏的热情
스산-하다 형 1 (环境) 凄凉 qīliáng; 冷清 lěngqīng ¶거리는 더욱 스산하게 변했다 街道变得更加凄凉了 2 (天气) 萧瑟 xiāosè; 阴凉 yīnliáng; 肃杀 sùshā ¶스산한 가을바람 萧瑟的秋风 3 (心情) 烦乱 fánluàn ¶마음이 ~ 心理烦乱
스스럼-없다 형 不拘束 bùjūshù; 亲密 qīnmì; 亲近 qīnjìn; 不分彼此 bùfēnbǐcǐ ¶그들 두 사람은 이번 일을 통해 스스럼없게 변했다 他们俩经过这件事变得亲密起来 **스스럼없-이** 부
스스로 一부 自 zì; 自觉 zìjué; 自愿 zìyuàn; 自己 zìjǐ; 亲自 qīnzì ¶이 일은 네가 ~ 해결해야 한다 这事你应该亲自去解决 二명 自己 zìjǐ; 自身 zìshēn; 亲身 qīnshēn ¶~를 믿다 相信自己
스승 명 老师 lǎoshī; 导师 dǎoshī ¶~의 가르침을 지키다 遵守老师的训诲
스웨이드(suede) 명 绒面革 róngmiàngé
스웨터(sweater) 명 毛衣 máoyī; 毛线衣 máoxiànyī
스위치(switch) 명〖電〗开关 kāiguān; 电门 diànmén; 电闸 diànzhá = 개폐기 ¶~를 끄다 关上开关 / ~를 올리다 拨动开关
스위트-룸(suite room) 명 套房 tàofáng; 豪华套房 háohuá tàofáng
스윙(swing) 명〖體〗1 (拳击) 摆拳 bǎiquán 2 (棒球) 挥动 huīdòng; 挥击 huījī 3 (滑雪) 旋转 xuánzhuǎn
스치다 자타 1 擦 cā; 掠 lüè ¶자전거가 내 옆을 스치며 지나갔다 自行车从我身边擦过去了 / 봄바람이 얼굴에 ~ 春风掠面 2 掠 lüè ¶그 나쁜 소식을 듣자, 마음속에 어두운 그림자가 스쳤다 听到那坏消息, 心里掠过一片阴影
스카우트(scout) 명하타 1 物色人才 wùsè réncái; 发掘 fājué; 选拔 xuǎnbá 2 童子军 tóngzǐjūn
스카이다이버(skydiver) 명 跳伞运动员 tiàosǎn yùndòngyuán; 跳伞员 tiàosǎnyuán
스카이다이빙(skydiving) 명〖體〗跳伞 tiàosǎn; 高空跳伞 gāokōng tiàosǎn; 跳伞运动 tiàosǎn yùndòng
스카치-위스키(Scotch whisky) 명 苏格兰威士忌 sūgélán wēishìjì
스카치-테이프(Scotch tape) 명 透明胶带 tòumíng jiāodài
스카프(scarf) 명 围巾 wéijīn; 披巾 pījīn; 头巾 tóujīn
스캐너(scanner) 명〖컴〗扫描仪 sǎomiáoyí; 扫描器 sǎomiáoqì
스캔들(scandal) 명 丑闻 chǒuwén; 丑事 chǒushì ¶~에 휘말린 스타 被丑闻纠缠的明星
스커트(skirt) 명 裙子 qúnzi; 衬裙 chènqún; 裙服 qúnfú
스컹크(skunk) 명〖動〗臭鼬 chòuyòu
스케이트(skate) 명〖體〗1 冰鞋 bīngxié; 滑冰 huábīng; 溜冰 liūbīng ¶~ 경

기 滑冰比赛 / 강에서 많은 사람들이 ~를 타고 있다 河上有很多人在滑冰 2 = 스케이팅

스케이트보드(skateboard) 명 【體】 滑板 huábǎn

스케이트-장(skate場) 명 【體】 滑冰场 huábīngchǎng; 溜冰场 liūbīngchǎng ¶실내 ~ 室内滑冰场

스케이팅(skating) 명하자 【體】 滑冰 huábīng

스케일(scale) 명 1 规模 guīmó ¶~이 큰 공사 规模宏大的工程 2 气度 qìdù; 度量 dùliàng ¶~이 큰 인물 气度不凡的大人物

스케일링(scaling) 명하타 【醫】 洗牙 xǐyá; 牙齿洁治 yáchǐ jiézhì

스케줄(schedule) 명 日程 rìchéng; 日程表 rìchéngbiǎo; 时间表 shíjiānbiǎo ¶~을 짜다 安排日程 / ~이 꽉 차다 日程排满

스케치(sketch) 명하타 1 【美】 写生 xiěshēng; 速写 sùxiě; 素描 sùmiáo 2 【文】 小品 xiǎopǐn 3 【音】 短曲 duǎnqǔ

스케치북(sketchbook) 명 【美】 写生簿 xiěshēngbù; 素描册 sùmiáocè

스코어(score) 명 【體】 得分 défēn; 得分表 défēnbiǎo; 分数 fēnshù

스코어보드(scoreboard) 명 【體】 示分牌 shìfēnpái; 记分牌 jìfēnpái = 득점판

스쿠버(scuba) 명 水肺 shuǐfèi; 自携式水中呼吸器 zìxiéshì shuǐzhōng hūxīqì; 斯库巴 sīkùbā

스쿠버 다이빙(scuba diving) 【體】 水肺潜水 shuǐfèi qiánshuǐ; 斯库巴潜水 sīkùbā qiánshuǐ

스쿠터(scooter) 명 踏板车 tàbǎnchē

스쿨-버스(school bus) 명 校车 xiàochē; 学校班车 xuéxiào bānchē

스쿼시(squash) 명 1 果汁汽水 guǒzhī qìshuǐ 2 【體】 壁球 bìqiú

스크랩(scrap) 명하타 剪贴 jiǎntiē; 剪报 jiǎnbào

스크랩북(scrapbook) 명 剪贴簿 jiǎntiēbù

스크린(screen) 명 幕 mù; 银幕 yínmù; 屏幕 píngmù; 屏幕 píngmù; 画面 huàmiàn

스키(ski) 명 【體】 滑雪 huáxuě; 滑雪板 huáxuěbǎn ¶~장 滑雪场 / ~ 경기 滑雪比赛 / 우리들은 매년 겨울에 늘 ~ 타러 간다 我们每年冬天都去滑雪

스킨-로션(skin lotion) 명 润肤水 rùnfūshuǐ; 化妆水 huàzhuāngshuǐ

스킨쉽(skin+ship) 명 肌肤之亲 jīfūzhīqīn; 肌肤相亲 jīfūxiāngqīn

스타(star) 명 1 明星 míngxīng; 红星 hóngxīng ¶영화 ~ 电影明星 / 해외 ~ 海外明星 / 스포츠 ~ 运动明星 2 将星 jiàngxīng ¶군대의 ~ 军队的将星

스타덤(stardom) 명 明星界 míngxīngjiè; 明星 míngxīng ¶~에 오르다 登上明星界

스타디움(라stadium) 명 【體】 体育场 tǐyùchǎng; 运动场 yùndòngchǎng

스타일(style) 명 1 样式 yàngshì; 款式 kuǎnshì; 式样 shìyàng ¶다양한 ~의 옷 各种样式的服装 / 이런 ~은 이미 시대에 뒤떨어진다 这种式样早已过时了 2 方式 fāngshì ¶독특한 경영 ~ 独特的经营方式

스타카토(이staccato) 명 【音】 断音 duànyīn; 断奏 duànzòu

스타킹(stocking) 명 长袜 chángwà; 丝袜 sīwà

스태프(staff) 명 【演】 编导人员 biāndǎo rényuán; 制作人员 zhìzuò rényuán

스탠드(stand) 명 1 台 tái; 架 jià 2 观众席 guānzhòngxí; 看台 kàntái ¶야외 ~ 外场看台 3 = 전기스탠드

스탠바이(←stand-by) 명 【言】 1 准备 zhǔnbèi; 待命 dàimìng 2 备用节目 bèiyòng jiémù 3 准备信号 zhǔnbèi xìnhào

스탬프(stamp) 명 = 소인(消印)2

스턴트(stunt) 명 【演】 特技 tèjì ¶~맨 特技演员

스테레오(stereo) 명 【言】 立体声 lìtǐshēng; 立体声装置 lìtǐshēng zhuāngzhì ¶~ 방송 立体声广播

스테로이드(steroid) 명 【化】 类固醇 lèigùchún ¶~제 类固醇药品

스테이크(steak) 명 1 肉排 ròupái; 排 pái 2 = 비프스테이크

스테이플러(stapler) 명 订书机 dìngshūjī

스테인리스(stainless) 명 不锈钢 bùxiùgāng

스테인리스-강(stainless鋼) 명 【工】 不锈钢 bùxiùgāng

스텝(step) 명 (保龄球、舞蹈的) 步 bù; 跨步 kuàbù; 舞步 wǔbù

스토리(story) 명 故事 gùshi; 情节 qíngjié; 梗概 gěnggài ¶이 소설의 ~는 매우 생동감이 있다 这部小说的情节很生动

스토커(stalker) 명 跟踪者 gēnzōngzhě

스톱워치(stopwatch) 명 秒表 miǎobiǎo; 停表 tíngbiǎo; 跑表 pǎobiǎo

스툴(stool) 명 凳子 dèngzi

스튜(stew) 명 焖菜 mèncài; 煨炖菜 wēidùncài

스튜디오(studio) 명 1 摄影室 shèyǐngshì; 画室 huàshì; 画廊 huàláng 2 制片厂 zhìpiànchǎng; 摄影棚 shèyǐngpéng 3 播音室 bōyīnshì; 演播室 yǎnbōshì

스튜어디스(stewardess) 圀 空姐 kōngjiě; 空中小姐 kōngzhōng xiǎojiě; 女乘务员 nǚchéngwùyuán

스트라이크(strike) 圀 【體】1 (棒球的) 正道球 zhèngdàoqiú; 好球 hǎoqiú 2 (保龄球) 全中 quánzhòng

스트레스(stress) 圀 【醫】压力 yālì; 重压 zhòngyā; 紧张状态 jǐnzhāng zhuàngtài ¶~를 해소하다 消除压力

스트레칭(stretching) 圀 伸展运动 shēnzhǎn yùndòng

스트립-쇼(strip+show) 圀 脱衣舞 tuōyīwǔ; 裸体舞 luǒtǐwǔ; 四脱舞 sìtuōwǔ

스티로폼(styrofoam) 圀 保利龙 bǎolìlóng; 泡沫塑料 pàomò sùliào; 泡沫 pàomò ¶~ 상자 泡沫箱

스티커(sticker) 圀 贴纸 tiēzhǐ; 胶纸 jiāozhǐ; 胶粘标签 jiāozhān biāoqiān

스팀(steam) 圀 蒸汽 zhēngqì; 汽 qì; 水蒸气 shuǐzhēngqì ¶~ 다리미 蒸汽熨斗

스파게티(이spaghetti) 圀 意大利面 yìdàlìmiàn; 意大利实心面 yìdàlì shíxīnmiàn

스파르타 교육(Sparta敎育) 【敎】斯巴达式教育 sībādàshì jiàoyù

스파링(sparring) 圀 【體】拳击陪练 quánjī péiliàn

스파이(spy) 圀 = 간첩

스파이크(spike) 圀 【體】1 (排球的) 扣球 kòuqiú 2 = 스파이크 슈즈

스파이크 슈즈(spike shoes) 【體】钉鞋 dìngxié; 跑鞋 pǎoxié = 스파이크2

스파크(spark) 圀 【物】火花 huǒhuā; 闪火 shǎnhuǒ ¶변압기에서 ~가 일어나다 变压器发出火花

스판덱스(spandex) 圀 氨纶 ānlún; 氨纶纤维 ānlún xiānwéi

스패너(spanner) 圀 【工】扳手 bānshǒu; 扳钳 bānqián; 扳子 bānzi = 렌치

스퍼트(spurt) 圀 【體】冲刺 chōngcì ¶라스트 ~ 最后冲刺

스펀지(sponge) 圀 海绵 hǎimián; 多孔塑料 duōkǒng sùliào ¶~ 수세미 洗刷用海绵

스페어(spare) 圀 备件 bèijiàn; 备用 bèiyòng; 备品 bèipǐn ¶~타이어 备用轮胎

스페이드(spade) 圀 【體】(纸牌的) 黑桃 hēitáo

스펙터클—하다(spectacle—) 혱 壮观 zhuàngguān; 巨大 jùdà

스펙트럼(spectrum) 圀 【物】光谱 guāngpǔ; 波谱 bōpǔ

스펠링(spelling) 圀 拼写 pīnxiě; 缀字 zhuìzì ¶이 단어의 ~은 어떻게 됩

니까? 这个词怎么拼写?

스포이트(네spuit) 圀 【化】滴管 dīguǎn

스포츠(sports) 圀 【體】= 运动 经기 ¶~ 뉴스 体育新闻 / ~ 댄스 体育舞蹈

스포츠-맨(sportsman) 圀 = 运动选수 ¶그는 만능 ~이다 他是个全才运动员

스포츠 센터(sports center) 【體】体育中心 tǐyù zhōngxīn; 综合体育场 zōnghé tǐyùchǎng

스포츠-카(sports car) 圀 跑车 pǎochē ¶~를 몰다 开跑车

스포트라이트(spotlight) 圀 【演】1 聚光灯 jùguāngdēng 2 注目 zhùmù ¶이번 무대에서 가장 많이 받은 사람은 그다 这台节目最引人注目的是他

스폰서(sponsor) 圀 1 资助者 zīzhùzhě; 赞助者 zànzhùzhě; 发起人 fāqǐrén 2 广告主 guǎnggàozhǔ

스푼(spoon) 圀 匙 chí; 汤匙 tāngchí; 调羹 tiáogēng

스프레이(spray) 圀 喷发胶 pēnfàjiāo

스프링(spring) 圀 = 용수철

스프링클러(sprinkler) 圀 = 살수기

스피드(speed) 圀 速度 sùdù; 速率 sùlǜ ¶~를 내다 加快速度 / ~ 스케이팅 速度滑冰

스피커(speaker) 圀 = 확성기 ¶컴퓨터 ~ 电脑扩音器 / ~ 음량 扩音器音量

스핑크스(Sphinx) 圀 1 【古】狮身人面巨像 shīshēn rénmiàn jùxiàng 2 【文】斯芬克斯 Sīfēnkèsī

슬개-골(膝蓋骨) 圀 【生】= 무릎뼈

슬그머니 悍 悄悄(地) qiāoqiāo(de); 偷偷(地) tōutōu(de); 暗中 ànzhōng ¶~ 일어나다 悄悄站起来 / 그들은 ~ 극장을 빠져나왔다 他们悄悄地从剧场里溜了出来 ¶그는 自 ànzì ¶그가 나를 놀리자 나는 ~ 화가 났다 他嘲弄我, 我暗自生气了

슬금—슬금 悍 悄悄(地) qiāoqiāo(de); 偷偷(地) tōutōu(de) ¶~ 도망치다 偷偷地跑出来

슬기 圀 智慧 zhìhuì; 机智 jīzhì ¶~를 발휘하다 发挥智慧

슬기—롭다 혱 聪明 cōngmíng; 机灵 jīling; 机智 jīzhì ¶슬기로운 아이 聪明的孩子 슬기롭게 혬

슬다¹ [丞]1 生 shēng; 长 zhǎng ¶녹이 ~ 生锈 2 发 fā; 长 zhǎng ¶곰팡이가 ~ 发霉

슬다² [타]圁 产 chǎn; 产卵 chǎnluǎn ¶벌레가 나무에 알을 ~ 虫子把卵产在树上

슬라이드(slide) 명【演】幻灯片 huàn-dēngpiàn

슬라이딩(sliding) 명하자【體】1 (排球的) 滑 huá; 滑动 huádòng 2 (棒球的) 滑垒 huálěi; 滑进 huájìn

슬라이스(slice) 명 薄片 báopiàn; 切片 qiēpiàn ¶~ 치즈 奶酪切片

슬래그(slag) 명【鑛】= 광재

슬럼(slum) 명 贫民窟 pínmínkū; 贫民区 pínmínqū

슬럼-가(slum街) 명 = 빈민가

슬럼프(slump) 명 1 下降 xiàjiàng; 萎靡 wěimǐ; 消沉 xiāochén ¶요즘은 ~에 빠져서 일이 순조롭지 않다 近来萎靡不振工作不顺利 2 【經】不景气 bùjǐngqì; 萧条 xiāotiáo

슬레이트(slate) 명【建】石板 shíbǎn; 石板瓦 shíbǎnwǎ

슬로건(slogan) 명 标语 biāoyǔ; 口号 kǒuhào ¶~을 외치며 행진하다 高呼口号游行

슬로 모션(slow motion) 【演】慢动作 màndòngzuò; 慢镜头 mànjìngtóu

슬로-비디오(slow video) 명 慢动作磁带录象 mànddòngzuò cídài lùxiàng

슬롯-머신(slot machine) 명 老虎机 lǎohǔjī; 吃角子老虎 chījiǎozi lǎohǔ

슬리퍼(slipper) 명 拖鞋 tuōxié; 便鞋 biànxié ¶~를 신다 穿拖鞋 / ~를 질질 끌며 걷다 趿着拖鞋走

슬립(slip) 명 长衬裙 chángchènqún

슬며시 부 1 悄悄(地) qiāoqiāo(de) 2 暗自 ànzì

슬슬 부 1 偷偷(地) tōutōu(de); 悄悄(地) qiāoqiāo(de) ¶눈치를 보다 偷偷看眼色 2 渐渐(地) jiànjiàn(de) ¶사랑이 ~ 녹는다 糖渐渐地溶化了 3 巧妙(地) qiǎomiào(de) ¶아이를 ~ 달래다 巧妙地哄孩子 4 (风) 轻轻(地) qīngqīng(de) ¶봄바람이 ~ 분다 春风轻轻地吹 5 (揉、骚) 轻轻(地) qīngqīng(de) ~ 문지르다 轻轻地揉 6 慢慢(地) mànmàn(de) ¶시간이 되었으니 ~ 출발합시다 时间到了，慢慢地出发吧

슬쩍 부 1 快速地 kuàisùde; 迅速地 xùnsùde ¶~ 그에게 약간의 돈을 주다 迅速地给他一些钱 2 轻轻地 qīngqīngde; 微微地 wēiwēide ¶그녀는 ~ 눈살을 찌푸렸다 她微微地皱了一下眉头 3 草草地 cǎocǎode ¶~ 한 차례 보다 草草地看一遍

슬쩍-하다 타 偷 tōu ¶어릴 때 물건을 슬쩍한 적이 있다 小时候偷过东西

슬퍼-하다 타 悲哀 bēiāi; 悲痛 bēitòng; 哀痛 āitòng; 伤痛 ¶너무 슬퍼하지 마라 不要过分悲哀

슬프다 형 悲哀 bēiāi; 悲痛 bēitòng; 哀

痛 āitòng; 伤心 shāngxīn; 伤痛 shāngtòng ¶슬픈 표정 悲哀的表情 / 슬프게 울다 悲痛地哭

슬픔 명 悲哀 bēiāi; 悲痛 bēitòng; 哀痛 āitòng; 伤痛 shāngtòng ¶~을 잊어버리다 忘掉悲哀 / ~을 억제하다 控制悲哀 / ~을 해소하다 解消伤痛

슬피 부 悲哀地 bēiāide; 悲痛地 bēitòng-de; 哀痛地 āitòngde; 伤心地 shāng-xīnde ¶~ 울다 悲哀地哭

슬하(膝下) 명 膝下 xīxià ¶~에 자식이 없다 膝下无儿

습격(襲擊) 명하타 袭击 xíjī ¶상대방의 진지를 ~하다 袭击对方的阵地 / 적의 ~을 받다 遭到敌人的袭击

습곡(褶曲) 명【地理】褶曲 zhěqū; 褶皱 zhězhòu

습관(習慣) 명 习惯 xíguàn ¶생활 ~ 生活习惯 / 일찍 일어나는 ~을 기르다 养成早起的习惯

습관-성(習慣性) 명 习惯性 xíguàn-xìng ¶~ 천식 习惯性气喘

습관-적(習慣的) 관명 习惯性(的) xí-guànxìng(de); 习惯(的) xíguàn(de) ¶그는 ~으로 안경을 위로 올린다 他习惯地把眼镜往上推了一推

습기(濕氣) 명 潮气 cháoqì; 湿气 shī-qì ¶~가 많다 潮气大 / ~를 제거하다 除去潮气

습도(濕度) 명【物】湿度 shīdù ¶~계 湿度计 = [湿度表] / 공기의 ~가 높다 空气湿度很大

습득(拾得) 명하타 拾 shí; 捡 jiǎn ¶지갑을 하나 ~하다 拾到一个钱包

습득(習得) 명하타 学会 xuéhuì; 掌握 zhǎngwò ¶조작 방법을 ~하다 学会操作方法

습성(習性) 명 1 习性 xíxìng; 习惯 xíguàn ¶~은 고치기 어렵다 习性难改 2 习性 xíxìng ¶동물의 ~ 动物的习性

습속(習俗) 명 习俗 xísú

습식(濕式) 명 湿式 shīshì ¶~ 구조 湿式构造

습윤(濕潤) 명 湿润 shīrùn

습자(習字) 명 习字 xízì ¶~지 习字纸 / ~ 연습 习字练习

습작(習作) 명하타 习作 xízuò ¶소설을 ~하다 习作小说

습지(濕地) 명 湿地 shīdì; 沼泽地 zhǎozédì ¶~ 식물 湿地植物 / 생태 ~ 공원 生态湿地公园

습진(濕疹) 명【醫】湿疹 shīzhěn ¶그는 ~에 걸렸다 他得了湿疹

습포(濕布) 명하자【醫】湿布 shībù

습-하다(濕一) 형 潮湿 cháo-shī ¶날씨가 ~ 天气潮湿 / 방이 아주 ~ 房间特别潮湿

승(勝) 一回의 勝 shèng; 胜利 shènglì ¶첫 ~을 올리다 取头一胜 二回의 勝 shèng ¶3~2패 三胜二败

승강-기(昇降機) 回 升降机 shēngjiàngjī; 电梯 diàntī = 리프트2 ¶~를 타다 坐电梯 / ~ 운행을 잠시 멈추다 暂停升降机运行

승강-이(昇降—) 回하자 抬杠 táigàng; 争 zhēng; 争辩 zhēngbiàn; 论辩 zhēnglùn = 실랑이2 ¶사소한 일인데 왜 ~를 벌이려 하느냐? 区区小事, 何必进行论争呢?

승강-장(乘降場) 回 月台 yuètái; 站台 zhàntái

승객(乘客) 回 乘客 chéngkè ¶버스 ~ 公共汽车乘客 / ~을 가득 태운 기차 满载着乘客的火车

승격(昇格) 回하자 升格 shēnggé; 提升 tíshēng ¶공사가 대사로 ~되다 公使升格为大使

승계(承繼) 回하타 【法】继承 jìchéng; 承继 chéngjì

승급(昇級 · 陞級) 回 升级 shēngjí; 晋升 jìnshēng; 晋级 jìnjí; 提级 tíjí; 提升 tíshēng ¶과장에서 부장으로 ~하다 由科长升级为部长

승기(勝機) 回 获胜的机会 huòshèngde jīhuì ¶~를 잡다 抓住获胜的机会 / ~를 놓치다 错过获胜的机会

승낙(承諾) 回하타 承诺 chéngnuò; 答应 dāying; 同意 tóngyì; 允诺 yǔnnuò; 允许 yǔnxǔ ¶흔쾌히 ~하다 欣然允诺 / 선생님의 ~을 받았다 得到了老师的承诺 / 아버지는 내가 여행가는 것을 ~하셨다 爸爸答应我去旅行

승냥이(豺) 【動】豺 chái; 豺狼 cháiláng

승려(僧侶) 回 【佛】僧侣 sēnglǚ

승률(勝率) 回 胜率 shènglǜ ¶~을 올리다 提高胜率 / 5할 대의 ~을 기록하다 胜率达五成

승리(勝利) 回하자 胜利 shènglì ¶~감 胜利感 / ~ 투수 胜利投手 / ~를 거두다 取得胜利 / 우리가 마침내 ~했다 我们终于胜利了

승리-자(勝利者) 回 = 승자

승마(乘馬) 回하자 1 = 기마(騎馬) ¶~복 骑马服 / 그의 취미는 ~이다 他的爱好是骑马 2 【體】骑马 qímǎ

승마-술(乘馬術) 回 骑马术 qímǎshù; 马术 mǎshù = 마술(馬術)

승무(僧舞) 回 【藝】僧舞 sēngwǔ

승무-원(乘務員) 回 乘务员 chéngwùyuán ¶비행기 ~ 飞机乘务员

승복(承服) 回하자 信服 xìnfú; 服气 fúqì; 折服 zhéfú ¶사람들을 ~시키다 让人们信服

승복(僧服) 回 僧衣 sēngyī; 僧裝 sēngqiú

승부(勝負) 回 胜负 shèngfù; 胜败 shèngbài ¶~에 너무 연연하지 마라 不要太在意胜负

승부-수(勝負手) 回 (围棋、象棋等的) 关键着儿 guānjiànzhāor ¶~를 두다 下关键着儿

승부-욕(勝負慾) 回 好胜心 hàoshèngxīn ¶~이 강하다 好胜心强

승부-차기(勝負—) 回 【體】互射点球 hùshè diǎnqiú

승부-처(勝負處) 回 胜负关键 shèngfù guānjiàn

승산(勝算) 回 胜算 shèngsuàn ¶우리 쪽에 ~이 있다 我方有胜算

승선(乘船) 回 上船 chéngchuán; 上船 shàngchuán; 坐船 zuòchuán; 搭船 dāchuán ¶화물선으로 ~하여 인천으로 가다 搭轮船到仁川

승소(勝訴) 回하자 【法】胜诉 shèngsù ¶원고가 ~하다 原告胜诉

승수(乘數) 回 【数】乘数 chéngshù

승승-장구(乘勝長驅) 回 乘胜长驱 chéngshèngchángqū; 乘胜直追 chéngshèngzhízhuī

승용-차(乘用車) 回 轿车 jiàochē ¶~를 한 대 샀다 买了一辆轿车

승은(承恩) 回하자 承恩 chéng'ēn

승인(承認) 回하타 1 承认 chéngrèn; 认可 rènkě; 许可 xǔkě; 同意 tóngyì ¶~서 承认书 / 선생님의 ~이 없으면 누구도 나갈 수 없다 没有老师许可, 谁也不能出去 2 【法】承认 chéngrèn; 批准 pīzhǔn ¶새로운 국가를 ~하다 承认新国家

승자(勝者) 回 胜者 shèngzhě = 승리자 ¶두 시합의 ~가 결승에 오를 것이다 两场比赛的胜者将进入总决赛

승전(勝戰) 回하자 战胜 zhànshèng ¶장군에게 ~ 소식을 알리다 告诉将军战胜消息

승전-고(勝戰鼓) 回 胜利的战鼓 shènglìde zhàngǔ ¶~를 울리다 鸣胜利的战鼓

승점(勝點) 回 【體】胜利得分 shènglìdéfēn; 决胜分 juéshèngfēn ¶~을 올리다 获得决胜分 / ~을 확보하다 确保胜利得分

승진(昇進 · 陞進) 回하자 晋升 jìnshēng; 晋级 jìnjí; 晋职 jìnzhí ¶~ 시험 晋升考试 / ~제도 晋升制度 / 과장으로 ~하다 晋升成科长

승차(乘車) 回하자 1 上车 shàngchē; 乘车 chéngchē ¶줄 서서 ~하세요 排队上车吧 2 载客 zàikè ¶~ 거부 拒绝载客

승차-권(乘車券) 回 车票 chēpiào = 차표 ¶~을 사다 买车票

승천(昇天) 回하자 升天 shēngtiān

승ː패(勝敗) 명 승패 shèngbài; 胜负 shèngfù; 输赢 shūyíng ¶경력과 능력이 ~를 결정한다 经验和能力决定胜败

승하(昇遐) 명[하자] 升遐 shēngxiá; 驾崩 jiàbēng

승ー하차(乘下車) 명[하자] 上下车 shàngxiàchē

승합(乘合) 명[하자] = 합승

승합ー차(乘合車) 명 小面包车 xiǎomiànbāochē

승화(昇華) 명[하자] 1 升华 shēnghuá ¶생활이 예술로 ~되다 生活升华成艺术 2【物】升华 shēnghuá ¶열 승화 열 / ~ 작용 升华作用

시ː(市) 명 1 市 shì 2 = 시청(市廳)

시ː(是) 명 是 shì; 对 duì ¶~와 비를 가리다 分清是非

시(時) 명 (出生的) 时 shí 囗의명 1 点 diǎn ¶오전 열 ~ 삼십 분 上午十点三十分 / 지금은 몇 ~입니까? 现在几点? 2 时 shí; 时候 shíhou ¶전쟁 ~에 그는 기자였다 战争时他是记者

시(詩) 명【文】诗 shī; 诗歌 shīgē ¶~를 짓다 作诗 / 한 수 一首诗 / ~를 낭송하다 朗诵诗歌

시(이si) 명【音】西 xī

시ː가(市街) 명 1 大街 dàjiē; 街道 jiēdào; 市区 shìqū ¶~행진 市区行进 / 이 도시의 ~는 아주 깨끗하다 这座城市的街道很干净 2 街 jiē; 街市 jiēshì ¶~에 나가 많은 물건을 샀다 上街买点儿很多东西

시ː가(市價) 명 市价 shìjià; 市场价格 shìchǎng jiàgé; 行市 hángshi ¶~에 따라 매입하다 按市价买入

시가(媤家) 명 = 시집(媤—)

시가(詩歌) 명 诗 shī; 诗歌 shīgē

시가(cigar) 명 엽궐련

시ː가ー지(市街地) 명 市区 shìqū; 街市 jiēshì ¶번화한 ~ 繁华的市街

시ː각(時刻) 명 1 时刻 shíkè = 시간2 ¶약속한 ~ 约定的时刻 2 刻 kè; 片刻 piànkè ¶~을 다투다 刻不容缓

시ː각(視角) 명 1 视角 shìjiǎo ¶~의 차이 视觉的差异 2【物】视角 shìjiǎo

시ː각(視覺) 명【生】视觉 shìjué ¶~화 视觉化 / ~ 디자인 视觉设计 / ~장애인 视觉残疾人 / ~을 잃다 失去视觉

시ː각ー적(視覺的) 관명 视觉的 shìjué(de) ¶~인 효과를 높이다 提升视觉效果

시간(時間) 囗명 1 时间 shíjiān ¶~대 时间段 / ~문제 时间问题 / 일하는 ~ 工作时间 / ~을 낭비하다 浪费时间 / ~이 많이 걸리다 需要很长时间 2 = 시각(時刻)1 ¶마감 ~ 最后时刻 / ~을 지체하지 마라 别误了时刻 3 空 kòng; 时间 shíjiān ¶바빠서 신문 볼 ~도 없다 忙得连看报纸的时间都没有 囗의명 小时 xiǎoshí; 钟头 zhōngtóu ¶하루에 여덟 ~ 일한다 一天工作八小时 / 퇴근까지 아직 한 ~이 남아 있다 离下班还有一个小时

시간 가는 줄 모르다 ⊞ 不知东方之已白

시간을 벌다 ⊞ 掌握时间

시간ー관념(時間觀念) 명 时间观念 shíjiān guānniàn ¶그는 ~이 철저하다 他时间观念很强

시간ー급(時間給) 명【經】计时工资 jìshí gōngzī; 钟点收费 zhōngdiǎn shōufèi = 시급

시간 외 근무(時間外勤務)【社】加班 jiābān; 加工 jiāgōng; 加点工作 jiādiǎn gōngzuò

시간ー적(時間的) 관명 时间(的) shíjiān(de) ¶~ 여유 时间的余地

시간ー제(時間制) 명 时制 shíjiānzhì; 计时 jìshí ¶~ 근무 时间制工作

시간차 공ː격(時間差攻擊)【體】时间差扣球 shíjiānchā kòuqiú

시간ー표(時間表) 명 1 时间表 shíjiānbiǎo; 时刻表 shíkèbiǎo ¶열차 운행 ~ 列车运行时刻表 2 课程表 kèchéngbiǎo; 功课表 gōngkèbiǎo ¶~를 짜다 排课程表

시ー건방지다 형 骄慢 jiāomàn; 自高自大 zìgāozìdà; 骄慢自大 jiāomànzìdà; 傲慢 àomàn ¶시건방진 말투 傲慢的口气

시계(時計) 명 表 biǎo; 钟 zhōng; 钟表 zhōngbiǎo ¶~ 추 钟摆 / ~탑 钟塔 / ~태엽 钟表发条 / ~는 매우 정확하다 这座钟走得很准

시ː계(視界) 명 = 시야 ¶~가 넓다 视野广阔

시곗ー바늘(時計—) 명 表针 biǎozhēn

시곗ー줄(時計—) 명 表带 biǎodài

시ː고모(媤姑母) 명 姑婆 gūpó

시골 명 乡下 xiāngxià; 乡村 xiāngcūn ¶~ 생활 乡村生活 / ~ 사람 乡下人 / ~ 풍경 乡村风景 / 나는 어려서부터 ~에서 살았다 我从小住在乡村 / 故乡 gùxiāng; 家乡 jiāxiāng ¶올해 설날에 또 ~에 갔다 今年春节又回到了故乡

시골ー구석 명 = 촌구석1

시골ー내기 명 乡下人 xiāngxiàrén

시골ー뜨기 명 土包子 tǔbāozi; 乡下佬 xiāngxiàlǎo; 土豆子 tǔdòuzi

시골ー집 명 1 村舍 cūnshè 2 老家 lǎojiā

시골ー티 명 = 촌티

시ː공(施工) 명[하타] 施工 shīgōng ¶

자 施工者 / ~ 업체 施工单位 / 아파트를 ~하다 施工公寓

시공(時空) 图 时空 shíkōng ¶~을 초월하다 超越时空

시-공간(時空間) 图 【物】 四维空间 sìwéi kōngjiān; 四度空间 sìdù kōngjiān = 사차원 공간·사차원 세계

시구(始球) 图하자 【體】 (棒球) 开球 kāiqiú

시구(詩句) 图 【文】 诗句 shījù

시국(時局) 图 时局 shíjú ¶~에 어수선하다 时局动荡

시굴(試掘) 图하타 【鑛】 试掘 shìjué; 探井 tànjǐng; 钻探 zuāntàn

시궁 图 脏水沟 zàngshuǐgōu; 污水坑 wūshuǐkēng

시궁-창 图 臭水沟 chòushuǐgōu; 脏水沟 zàngshuǐgōu; 污水坑 wūshuǐkēng

시그널 뮤직(signal music) 图 【演】 信号音乐 xìnhào yīnyuè; 标题音乐 biāotí yīnyuè

시금치 图 【植】 菠菜 bōcài ¶~나물 凉拌菠菜

시금치-국 图 菠菜汤 bōcàitāng

시급(時給) 图 【經】 = 시간급

시급-하다(時急-) 图 急迫 jípò; 紧急 jǐnjí; 紧迫 jǐnpò ¶시급한 과제 急迫课题 / 이 일은 아주 ~ 这件事情非常急迫 **시급-히** 團 ~ 해결하다 急迫解决

시기(時期) 图 时期 shíqī; 时候 shíhou ¶청소년 ~ 青少年时期

시기(時機) 图 时机 shíjī ¶~를 기다리다 等待时机 / ~를 놓치다 错过时机

시기(猜忌) 图하타 猜忌 cāijì; 猜嫉 cāixián; 忌妒 jìdu; 嫉妒 jídù ¶다른 사람의 재능을 ~하다 嫉妒别人的才能

시기-상조(時機尙早) 图 为时尚早 wéishíshàngzǎo; 为时过早 wéishíguòzǎo ¶이 계획을 시행하는 것은 아직 ~이다 做这个计划还为时尚早

시기-심(猜忌心) 图 猜忌心 cāijìxīn; 忌妒心 jìdùxīn ¶~이 강하다 猜忌心强

시-꺼멓다 图 1 漆黑 qīhēi; 黑糊糊 hēihūhū; 黑洞洞 hēidòngdòng ¶머리카락이 ~ 头发漆黑 2 (心、行为) 黑 hēi; 漆黑 qīhēi ¶마음씨가 ~ 心眼儿黑

시꺼메-지다 图 变得漆黑 biànde qīhēi ¶개천의 물이 ~ 沟里的水变得漆黑

시끄럽다 图 1 吵 chǎo; 吵闹 chǎonào; 嘈杂 cáozá; 喧闹 xuānnào; 喧哗 xuānhuá ¶바깥의 시끄러운 소리 外面的吵闹声 / 거리에 접해 있어서 아주 ~ 临街十分喧闹 2 乱 luàn; 混乱 hùn-

luàn; 麻烦 máfan; 厌烦 yànfan ¶일이 시끄럽게 되다 事情变得麻烦了

시끌-벅적 團하정 吵 chǎo; 喧闹 xuān-nào; 吵闹 chǎonào; 嘈杂 cáozá ¶교실 안이 갑자기 ~해졌다 教室里的声音忽然变得嘈杂起来

시끌시끌-하다 图 1 喧闹 xuānnào; 吵闹 chǎonào; 嘈杂 cáozá ¶홀 전체가 사람 소리로 ~ 整个大厅人声嘈杂 2 心烦意乱 xīnfán yìluàn

시나리오(scenario) 图 【演】 电影剧本 diànyǐng jùběn ¶~를 쓰다 写电影剧本 2 (事先安排好的) 计划 jìhuà ¶전쟁 ~ 战争计划

시:내 图 溪 xī; 小溪 xiǎoxī; 小河 xiǎohé; 溪流 xīliú ¶한 줄기 ~가 산 위에서 흘러 내려오다 一条小溪从山上穿流而下

시:내(市內) 图 市内 shìnèi; 市区 shìqū; 城里 chénglì ¶~ 전화 市内电话 / 서울 ~ 首尔市内

시:내-버스(市內bus) 图 市内公共汽车 shìnèi gōnggòng qìchē; 市内巴士 shìnèi bāshì; 市内公交车 shìnèi gōngjiāochē ¶~를 타다 乘坐市内公共汽车 / ~ 정거장 市内公共汽车站

시:냇-가 图 小溪边 xiǎoxībiān

시:냇-물 图 溪水 xīshuǐ

시너(thinner) 图 【化】 冲淡剂 chōngdànjì; 稀料 xīliào; 信那水 xìnnàshuǐ

시:녀(侍女) 图 1 【史】 = 나인 2 侍女 shìnǚ

시-누이(媤-) 图 姑 gū; 姑子 gūzi ¶손위 ~ 大姑子 / 손아래 ~ 小姑子

시늉 图하타 装 zhuāng; 假装 jiǎzhuāng; 仿效 fǎngxiào; 模仿 mófǎng ¶그는 침대에 누워 병난 ~을 한다 他躺在床上假装生病

시니컬-하다(cynical-) 图 玩世不恭 wánshìbùgōng; 愤世嫉俗 fènshìjí-sú; 冷嘲热讽的 lěngcháorèfěngde ¶시니컬한 태도 玩世不恭的态度

시다 图 1 酸 suān ¶귤이 ~ 橘子很酸 / 김치가 먹지 못할 정도로 ~ 泡菜酸得没法吃 2 刺眼 cìyǎn; 刺目 cìmù; 眩目 xuànmù ¶강한 햇살에 눈이 ~ 因阳光太强刺眼 3 酸疼 suānténg; 酸痛 suāntòng ¶발목이 ~ 脚脖子酸痛 4 不顺眼 bùshùnyǎn; 碍眼 àiyǎn ¶정말 눈꼴이 ~ 实在看不顺眼

시:달(示達) 图하타 下达 xiàdá ¶명령을 ~하다 下达命令

시달리다 图 折磨 zhémó; 磨折 mózhé ¶병으로 ~ 被病折磨

시대(時代) 图 时代 shídài; 时期 shíqī ¶~상 时代面貌 / ~착오 时代错误 / 석기 ~ 石器时代 / ~가 변했다 时代变了 / ~에 뒤떨어지다 落后于时代 /

~의 조류에 부합하다 符合时代潮流

시대-적(時代的) 판명 时代的(的) shí-dài(de) ¶~ 배경 时代的背景 / ~ 산물 时代的产物

시댁(媤宅) 图 婆家 pójiā ¶결혼 후에 그녀는 줄곧 ~에서 살았다 结婚以后, 她一直住在婆家

시:도(試圖) 图하타 试图 shìtú; 试 xì; 图谋 túmóu; 企图 qǐtú; 打算 dǎsuan ¶탈옥을 ~하다 试图越狱 / 적의 공격~를 간파하다 识破敌人的攻击企图

시:동(始動) 图하타 发动 fādòng; 启动 qǐdòng; 开动 kāidòng ¶자동차가 ~이 걸리지 않는다 汽车发动不起来

시-동생(媤同生) 图 小叔子 xiǎoshūzi

시들다 재 1 蔫 niān; 枯萎 kūwěi; 干枯 gānkū; 谢 xiè; 凋谢 diāoxiè ¶꽃이~ 花落谢了 / 나뭇잎이 금방 시들어 树叶很快就枯萎了 2 (精神或精力) 蔫 niān; 萎靡 wěimí 3 (气勢) 衰退 shuāi-tuì; 衰弱 shuāiruò; 下降 xiàjiàng ¶인기가 ~ 人气下降

시들-하다 형 1 蔫 niān; 枯萎 kūwěi; 干枯 gānkū 2 鸡毛蒜皮 jīmáosuànpí; 无关紧要 wúguānjǐnyào; 无足轻重 wúzúqīngzhòng 3 不称意 bùchènyì; 不乐意 bùlèyì; 不满意 bùmǎnyì

시디¹(CD) 图 【物】= 콤팩트디스크

시디²(CD)[cash dispenser] 图 【經】= 현금 인출기

시디-롬(CD-ROM) 图 【컴】光盘驱动器 guāngpán qūdòngqì; 光驱 guāngqū

시디-플레이어(CD player) 图 激光唱机 jīguāng chàngjī

시래기 图 干菜 gāncài

시래깃-국 图 干菜汤 gāncàitāng

시럽(syrup) 图 1 果子露 guǒzilù 2 【藥】糖浆 tángjiāng

시렁 图 搁板 gēbǎn

시:력(視力) 图 视力 shìlì ¶~ 검사 视力检查 / ~ 검사표 视力表 / ~이 좋다 视力良好 / ~을 측정하다 测量视力

시련(試鍊·試練) 图하타 考验 kǎoyàn ¶~을 겪다 · 经受考验 / ~을 이기다 战胜考验 / 혹독한 ~ 严峻的考验

시:료(試料) 图 【化】试验物质 shìyàn wùzhì

시루 图 蒸笼 zhēnglóng; 蒸盒 zhēnghé; 蒸屉 zhēngtì; 蒸屉 lóngtì ¶찐빵을 ~에 넣고 찌다 把馒头放在蒸笼蒸一蒸

시루-떡 图 蒸糕 zhēnggāo

시류(時流) 图 时流 shíliú; 时代潮流 shídài cháoliú; 时尚 shíshàng; 时俗 shísú ¶~에 따르다 顺应时代潮流

시름 图 忧愁 yōuchóu; 忧心 yōuxīn; 忧虑 yōulǜ; 愁苦 chóukǔ; 担心 dān-

xīn; 担忧 dānyōu ¶~겹다 忧心忡忡 / 깊은 ~에 잠기다 陷入深深的忧虑之中

시름-시름 튀 (病) 绵绵 chánmián ¶몇 년 동안 ~ 앓다 缠绵病榻好几年

시리다 형 1 冷 lěng; 凉 liáng ¶손발이 ~ 手脚冷 2 (牙齒) 发冷 fālěng ¶이가 ~ 牙齿发冷 3 刺眼 cìyǎn; 刺目 cìmù; 眩目 xuànmù

시리즈(series) 图 1 系列片 xìlièpiàn 丛书 cóngshū 2 循环赛 xúnhuánsài

시:립(市立) 图 市立 shìlì ¶~ 병원 市立医院 / ~ 대학 市立大学

시:말-서(始末書) 图 悔过书 huǐguòshū; 检讨书 jiǎntǎoshū

시멘트(cement) 图 【建】水泥 shuǐní; 洋灰 yánghuī; 水门汀 shuǐméntīng ¶~ 공장 水泥厂 / ~ 벽돌 水泥石专 / ~를 반죽하다 搅拌水泥

시모(媤母) 图 = 시어머니

시:무(始務) 图하자 开始工作 kāishǐ gōngzuò; 开始办公 kāishǐ bàngōng ¶~식 开始工作典礼

시무룩-이 튀 不高兴地 bùgāoxìngde; 不满意地 bùmǎnyìde; 怏怏不乐地 yàngyàngbùlède ¶~ 잔디밭에 앉아 있다 不高兴地坐在草地上 / ~ 고개를 끄덕였다 不满意地点了点头

시무룩-하다 형 不高兴 bùgāoxìng; 不满意 bùmǎnyì; 怏怏不乐 yàngyàngbùlè ¶시험을 잘 보지 못해 시무룩해졌다 没考好, 不高兴起来

시문(詩文) 图 诗文 shīwén ¶~집 诗文集

시뮬레이션(simulation) 图 模拟实验 mónǐ shíyàn

시:민(市民) 图 市民 shìmín ¶~권 市民权 / ~ 계급 市民阶级 / 서울 ~ 首尔市民 / 공원을 ~에게 무료로 개방하다 公园向市民免费开放

시:발(始發) 图하자 1 始发 shǐfā ¶~역 始发站 =[出发站] / 서울 ~ 열차 首尔始发列车 2 开始 kāishǐ; 开头 kāitóu 3 (病) 开始 kāishǐ

시:발-점(始發點) 图 出发点 chūfādiǎn; 起点 qǐdiǎn ¶우리는 새로운 역사의 ~에 서 있다 我们站在新的历史起点上

시범(示範) 图하타 示范 shìfàn ¶☆ 동작 ~을 보이다 示范投篮动作

시:범-적(示範的) 판명 示范的(的) shìfàn(de); 示范性 shìfànxìng

시보(時報) 图 1 时事报道 shíshì bàodào 2 报时 bàoshí

시부(媤父) 图 = 시아버지

시부렁-거리다 재타 嘟囔 dūnang; 啰唆 luōsuo; 叨叨 dāodao = 시부렁대다 ¶그는 걸핏하면 끊임없이 시부렁

거린다 他anonymous动不动唧嘴个没完没了 **시부렁-시부렁** [부사][자타]

시-부모(媤父母) 명 公婆 gōngpó; 公婆 gōnglǎo; 翁姑 wēnggū ¶~를 모시고 侍候公婆

시부모-님(媤父母—) 명 '시부모'의 敬词

시:비(是非) 명[하][자타] 1 是非 shìfēi; 好歹 hǎodǎi ¶~를 가리다 分清是非 2 是非 shìfēi; 口舌 kǒushé ¶~를 일으키다 惹起是非

시:비(施肥) 명[농] 施肥 shīféi

시비(詩碑) 명 诗碑 shībēi

시:비-곡직(是非曲直) 명 是非曲直 shìfēi qūzhí

시:비-조(是非調) 명 挑剔的口气 tiāotide kǒuqì ¶~로 말하다 用挑剔的口气说

시-뻘걸다 [형] 通红 tōnghóng; 鲜红 xiānhóng; 涨红 zhànghóng ¶얼굴이 온통 ~ 满脸通红 / 시뻘건 태양이 솟아오르다 鲜红的太阳升起

시뻘게-지다 [형] 变红 biànhóng ¶얼굴이 ~ 脸面变红

시-뿌옇다 [형] 白蒙蒙 báiméngméng ¶그곳은 늘 시뿌연 안개로 뒤덮여 있다 那里总是被一层白蒙蒙的雾气笼罩着

시:사(示唆) 명[하][타] 暗示 ànshì; 启发 qǐfā; 启示 qǐshì ¶이 논문은 나에게 ~하는 바가 있다 这篇论文对我很有启发

시사(時事) 명 时事 shíshì ¶~ 뉴스 时事新闻 / 문제 时事问题 / 시사 만평 时事漫评 ¶ 만화 时事漫画 / ~성时事性 / ~용어 时事用语 / ~ 평론 时事评论 [时评]

시:사(試寫) 명[하][타] 试映 shìyìng; 试片 shìpiàn ¶~회 试映会

시사-적(時事的) [관][명] 时事的 shíshì(de); 时事性(的) shíshìxìng(de)

시:상(施賞) 명[하][타] 发奖 fājiǎng; 颁奖 bānjiǎng ¶~대 发奖台 / ~식 发奖仪式 / 교장 선생님이 성적 우수한 학생에게 ~하셨다 校长为成绩优秀学生发奖

시상(詩想) 명 诗思 shīsī; 诗兴 shīxìng ¶~이 크게 일다 诗兴大发

시샘 [명] 嫉妒 jídù; 妒忌 dùjì; 忌妒 jìdù ¶그녀는 이 때문에 ~를 받았다 她为此遭到嫉妒

시:선(視線) 명 视线 shìxiàn; 眼光 yǎnguāng; 目光 mùguāng ¶~을 끌다 吸引眼光 / 날카로운 ~ 锐利的目光 / ~을 돌리다 转移视线 / ~을 막다 挡住 ~ / 그녀의 ~과 마주쳤다 碰到她的视线 / 모두의 ~이 그에게 집중되다 大家的眼光都集中在他身上

시:선(詩選) 명 诗选 shīxuǎn ¶역대 중국 ~ 历代中国诗选

시:설(施設) 명[하][타] 设施 shèshī; 设备 shèbèi ¶통신 ~ 通讯设施 / 의료 ~ 医疗设施 / ~이 낙후하다 设备落后

시설-물(施設物) 명 设备 shèbèi; 设施 shèshī ¶~ 관리 设备管理

시세(時勢) 명 1 时势 shíshì; 时务 shíwù; 形势 xíngshì ¶~에 순응하다 顺应时务 2 时价 shíjià; 行情 hángqíng ¶주식 ~ 股票行情 / ~가 오르다 上涨行情

시소(seesaw) 명 跷跷板 qiāoqiāobǎn ¶~를 타다 玩跷跷板

시소-게임(seesaw game) 명 [체] 拉锯战 lājùzhàn ¶~을 벌이다 展开拉锯战

시속(時速) 명 时速 shísù ¶최고 ~이 300킬로미터에 달하다 最高时速达三百公里

시:술(施術) 명[하][타] 施行手术 shīxíng shǒushù ¶의사가 환자에게 ~하다 医生对病人施行手术

시스템(system) 명 [컴] 系统 xìtǒng ¶자동화 ~ 自动化系统

시:승(試乘) 명[하][타] 试乘 shìchéng; 试驾 shìjià; 试乘试驾 shìchéngshìjià ¶자동차 ~ 汽车试乘试驾

시시각각(時時刻刻) 명 时时刻刻 shíshíkèkè ¶산의 날씨가 ~으로 변하고 있다 山区的天气时时刻刻在变化

시시껄렁-하다 [형] 无聊 wúliáo; 没意思 méiyìsi ¶시시껄렁한 농담 无聊的玩笑

시시덕-거리다 [자] 嘻嘻哈哈 xīxīhāhā; 大大咧咧 dàdàliēliē = 시시덕대다 ¶교실에서 시시덕거리지 마라 不要大大咧咧地在课堂上说话

시시-때때로(時時—) [부] '때때로'의 강조말

시:비비비(是非非非) 명[하][자타] 是是非非 shìshìfēifēi ¶~를 가리다 分清是非是非

시시-콜콜 [부][하][형][부] 1 小心眼儿 xiǎoxīnyǎnr; 小里小气 xiǎolixiǎoqì 2 鸡毛蒜皮 jīmáosuànpí; 无关紧要 wúguānjǐnyào; 区区琐细 qūqū; 猥杂 wěizá ¶그녀는 늘 ~한 것 때문에 화를 낸다 她老是为鸡毛蒜皮的东西生气

시시 티브이(CCTV)[closed circuit television] [전] = 폐회로 텔레비전

시시-하다 [형] 1 不怎么样 bùzěnmeyàng; 没意思 méiyìsi; 无聊 wúliáo ¶그는 시시한 회사에 들어갔다 他进了不怎么样的公司 2 小气 xiǎoqì; 不大方 bùdàfang; 没出息 méichūxi ¶그가 어떻게 이렇게 시시하게 변했을까? 他怎么变得这么小气呢?

시:식(試食) 명[하][타] 试食 shìshí; 试吃

shìchī ¶고객을 위해 공짜 ~을 준비 했다 为顾客准备了免费试食

시:신(屍身) 圐 尸身 shīshēn; 尸首 shīshǒu; 尸体 shītǐ ¶몇 구의 ~을 발 견했다 发现了几具尸体

시:-신경(視神經) 圐 【生】视神经 shìshénjīng

시~아버님(媤一) 圐 '시아버지'的敬 词

시~아버지(媤一) 圐 公公 gōnggōng = 시부

시~아주버니(媤一) 圐 大伯子 dàbozi

시:안(試案) 圐 草案 cǎo'àn; 试行方 案 shìxíng fāng'àn ¶~을 잡다 制定草 案

시:야(視野) 圐 1 视野 shìyě; 眼界 yǎnjiè = 시계(視界) ¶~가 넓다 视野 宽阔 / ~가 좁다 眼界不宽 / ~가 탁 트이다 视野豁然开阔 2 视野 shìyě; 眼界 yǎnjiè ¶~를 넓히다 开阔眼界

시:약(試藥) 圐 【化】试药 shìyào

시어(詩語) 圐 诗语 shīyǔ

시~어른(媤一) 圐 婆家的尊长 pójiade zūnzhǎng

시~어머니(媤一) 圐 婆婆 pópo; 婆母 pómǔ = 시모

시~어머님(媤一) 圐 '시어머니'的敬 词

시에프(CF)[commercial film] 圐 【言】电视广告 diànshì guǎnggào; 广告 影片 guǎnggào yǐngpiàn

시엠(CM)[commercial message] 圐 【言】广播广告 guǎngbō guǎnggào; 商业广告 shāngyè guǎnggào

시엠~송(CM song) 圐 【言】广告歌 曲 guǎnggào gēqǔ; 广告歌 guǎnggàogē

시:연(試演) 圐[하타] 试演 shìyǎn ¶~ 회 试演会

시:외(市外) 圐 市外 shìwài

시:외~버스(市外bus) 圐 长途汽车 chángtú qìchē

시:외 전화(市外電話) 【信】长途电话 chángtú diànhuà

시운(時運) 圐 时运 shíyùn ¶~이 따 르지 않다 时运不济 / ~을 얻지 못하 다 不得时运 / ~을 타다 乘时运 / ~ 이 다하다 用尽时运 / ~이 트이다 走 时运

시:-운전(試運轉) 圐[하타] 试车 shì-chē; 试开 shìkāi; 试运转 shìyùnzhuǎn ¶작업 전에 ~을 하다 作业前进行试 运转

시원섭섭-하다 圐 一边高兴一边难舍 yībiān gāoxìng yībiān nánshě; 又高兴 又难舍 yòu gāoxìng yòu nánshě ¶그 장난꾸러기를 보내고 나니 ~ 把那个 调皮鬼送走了, 又高兴又难舍 **시원섭 섭-히** 閈

시원-스럽다 圐 1 凉快 liángkuai; 凉 爽 liángshuǎng; 清爽 qīngshuǎng ¶바 람이 아주 시원스럽게 분다 凉风得得 凉爽 2 亮敞 liàngchang; 豁然 huòrán 豁然开朗 huòrán kāilǎng ¶집이 널찍하 고 ~ 房子又宽敞, 又豁亮 3 (说话, 行动等) 爽快 shuǎngkuai; 直爽 zhí-shuǎng; 直率 tòngkuai 干脆 gāncuì ¶그는 일 처리가 아주 ~ 他办事爽快极了 4 一干二净 yī gān'èrjìng; 干干净净 gāngānjìngjìng ¶ 방이 시원스럽게 청소되었다 房间被 清洗得一干二净 5 满意 mǎnyì; 满足 mǎnzú 6 (心里) 爽快 shuǎngkuai; 痛 快 tòngkuai; 舒畅 shūchàng; 轻松 qīngsōng; 宽爽 kuānshuǎng ¶수영 후 에 좀 힘들었지만, 마음은 아주 시원 스럽게 느껴졌다 游泳后有点累, 但心 里觉得爽快得许多 **시원스레** 閈

시원-시원 閈[하:형][히:형] 1 爽快(地, shuǎngkuai(de); 直爽(地) zhíshuǎng (de); 直率(地) zhíshuài; 痛快(地) tòngkuai(de) 干脆(地) gāncuì(de) ¶그 는 자신의 생각을 ~하게 말했다 他 直率地谈了自己的想法 2 爽快(地) shuǎngkuai(de); 痛快(地) tòngkuai(de) ¶의외로 그는 ~하게 동의했다 没想 到他竟爽快地同意了 3 (心里) 爽快 (地) shuǎngkuai(de); 舒畅(地) shū-chàng(de) ¶~하게 속을 털어놓다 爽 快地发泄一下

시원찮다 圐 1 不痛快 bùtòngkuai; 不 怎么好 bùzěnmehǎo; 不怎么样 bùzěn-meyàng ¶일하는 것이 ~ 做事不痛快 2 不舒服 bùshūfu ¶최근에 몸이 ~ 最 近身体不太舒服

시원-하다 圐 1 凉快 liángkuai; 凉爽 liángshuǎng; 清爽 qīngshuǎng ¶시원한 공기 凉快的空气 / 새벽바람이 아주 ~ 晨风清爽极了 2 爽口 shuǎngkǒu ¶ 시원한 김칫국 爽口的泡菜汤 3 豁然 开朗 huòrán kāilǎng ¶시원하게 탁 트 인 정경 豁然开朗的景象 4 (说话, 行 动等) 干脆 gāncuì; 爽朗 shuǎnglǎng; 爽快 shuǎngkuai; 直爽 zhíshuǎng; 痛 快 tòngkuai ¶그는 성격이 아주 ~ 他 性格挺爽快 / 그는 아주 시원하게 허 락했다 他答应得十分干脆 5 满意 mǎnyì; 满足 mǎnzú ¶너희들의 이번 일 처리는 영 시원치 않다 你们这次 办事很不满意 6 (心里) 宽爽 kuān-shuǎng; 爽快 shuǎngkuai; 痛快 tòng-kuai; 舒畅 shūchàng ¶일이 다 처리되 니 마음이 좀 ~ 事情办完了, 心里爽 快了些 **시원-히** 閈

시월(←十月) 圐 十月 shíyuè ¶~ 이 십 일 十月二十号 / ~의 마지막 날 十 月的最后一天

시위 명 = 활시위

시:위(示威) 명하자 = 시위운동 ¶~
대 示威队伍 / ~행진 示威游行 / 반정
부 ~ 反政府示威 / 무력으로 ~를 진
압하다 用武力镇压示威民众

시:위-운동(示威運動) 명 示威 shì·
wēi; 示威游行 shìwēi yóuxíng = 데
모 · 시위(示威)

시:음(試飲) 명하타 试饮 shìyǐn ¶포
도주를 ~하다 试饮葡萄酒 / ~ 행사
를 열다 举行试饮活动

시의(時宜) 명 时宜 shíyí ¶~적절하
다 切合时宜 / ~에 맞지 않다 不合时
宜

시:-의원(市議員) 명 【法】市议会议
员 shìyìhuì yìyuán; 市议员 shìyìyuán

시:-의회(市議會) 명 【法】市议会
shìyìhuì

시이오(CEO) [chief executive officer]
명 【經】首席执行官 shǒuxí zhíxíng-
guān

시:인(是認) 명하타 认 rèn; 承认
chéngrèn ¶범행을 ~하다 承认罪行 /
자신의 잘못을 ~하다 承认自己的错
误

시인(詩人) 명 诗人 shīrén ¶저명한 ~
著名的诗人 / 낭만파 ~ 浪漫派诗人

시일(時日) 명 1 时日 shírì; 时间 shí-
jiān ¶적어도 일 년의 ~이 필요하다
至少需要一年的时间 2 日期 rìqī ¶
~을 수개월 늦추다 日期推迟数月

시:작(始作) 명하자타 1 开始 kāishǐ;
开头(儿) kāitóu(r); 开端 kāiduān; 起
头 qǐtóu ¶~부터 기초를 잘 다져야
한다 从开始就要打好基础 / 좋은 ~은
성공의 절반이다 良好的开端是成功
一半 2 开 kāi; 起 qǐ; 开始 kāishǐ; 动
手 dòngshǒu ¶촬영을 ~하다 开拍 / 날
씨가 추워지기 ~했다 天开始变凉了 /
피아노를 배우기 ~하다 开始学习钢
琴 / 털옷을 짜기 ~하다 动手织毛衣

시작이 반이다 속담 万事开头难; 曲
子好唱起头难

시:작(試作) 명하타 试作 shìzuò

시:장 명하형 饿 è; 饥 jī ¶~하실 테니
어서 드세요 您大概饿了, 请快吃吧

시장이 반찬 속담 饿了吃糠甜如蜜;
饥者甘食, 渴者甜饮

시:장(市長) 명 【法】市长 shìzhǎng

시:장(市場) 명 1 市 shì; 市场 shì-
chǎng ¶~에 나오다 上市 / 동대문 ~
东大门市场 / 골동품 ~ 古玩市场 2
【經】市场 shìchǎng ¶금융 ~ 金融市
场 / 국제 ~ 国际市场 / 경제 ~ 经济
经济 / ~ 점유율 市场占有率 / ~ 조사
市场调查 / 새로운 ~을 개척하다 开
拓新市场

시:장 가격(市場價格) 【經】市场价

시:장-성(市場性) 명 市场性 shì·
chǎngxìng ¶~을 조사하다 调查市场
性 / ~이 높다 市场性很高

시-적(詩的) 관명 有诗意的 yǒu shīyì-
de; 诗意的 shīyìde ¶~ 분위기 诗意
的气氛

시절(時節) 명 1 时节 shíjié; 季节 jìjié
¶꽃 피는 ~ 开花时节 2 时节 shíjié;
时光 shíguāng ¶아름다운 ~ 美好时
节 / 이전의 행복했던 ~을 떠올리다
想起以前的幸福时光 3 时候 shíhou;
时代 shídài ¶어린 ~ 小时候 / 소년 ~
少年时代

시점(時點) 명 时点 shídiǎn; 时刻 shí-
kè ¶결정적인 ~ 关键时刻 / 지금 이
~에서 现在这个时点上

시:점(視點) 명 1 【生】注视点 zhùshì-
diǎn 2 【美】视平线 shìpíngxiàn 3 【文】
(小说的) 视角 shìjiǎo; 视点 shìdiǎn ¶3
인칭 ~ 第三人称视角

시:접 명 缝边 féngbiān; 折边 zhébiān
¶~을 넣다 加缝边

시:정(市井) 명 市井 shìjǐng ¶~아치
市井之徒 / ~잡배 市井无赖

시:정(市政) 명 市政 shìzhèng

시:정(是正) 명하타 矫正 jiǎozhèng;
纠正 jiūzhèng; 更正 gēngzhèng; 改正
gǎizhèng; 匡正 kuāngzhèng ¶잘못을
~하다 矫正错误 / 나쁜 습관을 ~하
다 纠正坏习惯

시제(時制) 명 【語】时 shí; 时态 shí-
tài; 时称 shíchēng

시제(時祭) 명 时祭 shíjì; 时享 shí-
xiǎng

시:제(試製) 명하타 试制 shìzhì ¶~
品 试制品

시제(詩題) 명 【文】诗题 shītí

시:조(始祖) 명 1 始祖 shǐzǔ ¶한국의
~는 단군이다 韩国的始祖是檀君 2
鼻祖 bízǔ; 开山鼻祖 kāishān bízǔ

시조(時調) 명 【文】时调 shídiào ¶~
를 읊다 吟时调

시-조모(媤祖母) 명 = 시할머니

시-조부(媤祖父) 명 = 시할아버지

시:조-새(始祖—) 명 【鳥】始祖鸟
shǐzǔniǎo

시:종(始終) 一명하자 始终 shǐzhōng
¶사건의 ~을 조사하다 调查事件的
始终 二부 始终 shǐzhōng ¶그 목표는
~ 변화가 없었다 那个目标始终没有
变化

시:종(侍從) 〔명〕〔史〕侍从 shìcóng

시:종-일관(始終一貫) 〔명〕〔하자〕始终一贯 shǐzhōngyīguàn; 始终如一 shǐzhōngrúyī; 始终不懈 shǐzhōngbùxiè ¶그는 ～ 한 마음으로 이 일을 했다 他始终如一, 一心一意做这份工作

시:주(施主) 〔佛〕一〔명〕施主 shīzhǔ; 化主 huàzhǔ 二〔명하타〕施舍 shīshě; 布施 bùshī ¶공양미를 ～하다 施舍粮米

시중 〔명하타〕照顾 zhàogù; 侍候 shìhòu; 服待 fúshì; 伺候 sìhòu ¶환자의 ～을 들다 服待病人

시:중(市中) 〔명〕市里 shìli; 市内 shìnèi; 市中 shìzhōng ¶자금이 투입되다 市里投入资金

시중-들다 〔타〕照顾 zhàogù; 侍候 shìhòu; 服待 fúshì; 伺候 sìhòu ¶친어머니처럼 여기고 ～ 当作亲生母亲一样侍候

시즌(season) 〔명〕季 jì; 季节 jìjié; 旺季 wàngjì ¶프로 야구 ～ 职业棒球赛季 / 졸업 ～이 되었다 毕业季节来临了

시:차(時差) 〔명〕**1** 时间差 shíjiānchā **2** 时差 shíchā ¶서울과 베이징은 한 시간의 ～가 있다 首尔与北京有一个小时的时差 / 적응을 하다 适应时差

시:찰(視察) 〔명하타〕视察 shìchá ¶사고 현장을 ～하다 视察事故现场

시:책(施策) 〔명〕措施 cuòshī ¶～을 마련하다 制订措施

시:청(市廳) 〔명〕市政府 shìzhèngfǔ; 市厅 shìtīng; 市政厅 shìzhèngtīng = 시(市)2 ¶～ 공무원 市政府公务员

시:청(視聽) 〔명〕看看 shōukàn; 收视 shōushì ¶텔레비전을 ～하다 收看电视

시:청-각(視聽覺) 〔명〕视听 shìtīng ¶～ 자료 视听资料 / ～ 교육 视听教育

시:청-료(視聽料) 〔명〕收看费 shōukànfèi; 收视费 shōushìfèi ¶텔레비전 ～

电视收看费 / ～를 납부하다 缴纳收看费

시:청-률(視聽率) 〔명〕收看率 shōukànlǜ; 收视率 shōushìlǜ ¶～이 지난주보다 조금 떨어졌다 收视率比上一周有了小幅下跌

시:청-자(視聽者) 〔명〕(电视的) 观众 guānzhòng ¶텔레비전 ～ 电视观众

시:체(屍體) 〔명〕= 송장 ¶세 구의 ～를 발견하다 发现三具尸体

시쳇-말(時體一) 〔명〕流行语 liúxíngyǔ ¶～로 그들은 아주 쿨한 젊은이들이다 用流行语来讲, 他们是些很酷的年轻人

시:초(始初) 〔명〕开端 kāiduān; 开头 kāitóu; 开始 kāishǐ; 起头 qǐtóu; 起初 qǐchū; 起首 qǐshǒu ¶전쟁의 ～ 战争的开端

시:추(試錐) 〔명하타〕〔鑛〕试钻 shìzuān; 钻探 zuāntàn = 보링 ¶～ 작업 试钻工作

시:추-기(試錐機) 〔명〕〔地理〕钻探机 zuāntànjī; 钻机 zuànjī

시치다 〔타〕绷 bēng ¶이불을 ～ 绷被头

시치미 〔명〕装蒜 zhuāngsuàn; 装糊涂 zhuānghútu; 佯装 yángzhuāng; 糊涂 zhuānghútu

시치미(를) 떼다 〔구〕装蒜 zhuāngsuàn; 装; 假装; 佯装; 装糊涂 ¶그는 기계를 망가뜨려 놓고도 시치미를 떼고 있다 他弄坏了机器还装蒜

시침(時針) 〔명〕时针 shízhēn ¶～이 5시를 가리키고 있다 时针指着五时

시침-바느질 〔명하타〕假缝 jiǎféng = 가봉

시침-질 〔명하타〕绷 bēng

시-커멓다 〔형〕漆黑 qīhēi; 乌黑 wūhēi; 黑糊糊 hēihūhū ¶학생들의 얼굴이 모두 시커멓게 탔다 学生们的脸都晒得漆黑 / 사방이 ～ 四周黑糊糊的

시커메-지다 〔자〕(变得) 漆黑 qīhēi; 乌黑 wūhēi; 黑糊糊 hēihūhū ¶달이 사라지자 대지가 시커메졌다 月亮消失了, 大地变得黑糊糊的

시큰-거리다 〔자〕酸 suān; 酸痛 suāntòng; 酸疼 suānténg ¶시큰대다 ¶허리가 며칠 동안 시큰거렸다 腰背酸痛了好几天 **시큰-시큰** 〔부하〕¶손목에 ～한 느낌이 있다 手腕子有酸的感觉

시큰둥-하다 〔형〕**1** 放肆 fàngsì; 傲慢 àomàn ¶태도가 아주 ～ 态度傲慢极了 **2** 不满意 bùmǎnyì; 不顺心 bùshùnxīn ¶시큰둥하게 대답하다 回答得不满意

시큰-하다 〔형〕 酸 suān; 酸痛 suāntòng; 酸疼 suānténg ¶허리가 무척 ~ 腰酸极了

시큼-시큼 〔부〕〔하〕 酸酸的 suānsuānde

시큼-하다 〔형〕 酸 suān; 酸溜溜 suānliūliū ¶그녀는 시큼한 것을 싫어한다 她嫌酸的东西 / 매실이 아주 ~ 青梅酸得很 시큼-히 〔부〕

시키다 〔동〕 1 使 shǐ; 使唤 shǐhuan; 支使 zhīshǐ; 致使 zhìshǐ; 叫 jiào; 让 ràng ¶남에게 시키지 말고, 스스로 해라 自己动手做, 不要使别人 / 어머니는 나더러 채소를 사오라고 시키셨다 妈妈叫我去买菜 2 点 diǎn ¶음식을 ~

-시키다 〔접미〕 使 shǐ; 叫 jiào; 让 ràng ¶적을 항복~ 让敌人投降 / 그들을 만족~ 让他们满意

시트(sheet) 〔명〕 1 床单 chuángdān; 被单 bèidān; 褥单 rùdān ¶~를 갈다 更换床单 2 帆布 fānbù

시트르-산(←citric酸) 〔명〕【化】柠檬酸 níngméngsuān; 枸橼酸 jǔyuánsuān = 구연산·레몬산

시트커버(seat+cover) 〔명〕 座套 zuòtào

시트콤(sitcom) 〔명〕【演】= 시추에이션 코미디

시티 촬영(CT撮影)〔醫〕= 컴퓨터 단층 촬영

시-퍼렇다 〔형〕 1 碧蓝 bìlán; 蔚蓝 wèilán; 湛蓝 zhànlán; 湛蓝 zhànlán ¶바닷물이 ~ 海水碧蓝 2 发青 fāqīng; 铁青 tiěqīng ¶얼굴색이 ~ 脸色铁青 3 (气势) 汹汹 xiōngxiōng ¶서슬이 ~ 气势汹汹 4 (刀刃) 锋利 fēnglì ¶칼날이 ~ 刀刃很锋利

시퍼레-지다 〔재〕 发青 fāqīng; 铁青 tiěqīng; 变青 biànqīng; 变蓝 biànlán ¶추워서 입술이 ~ 嘴唇冻得发青

시평(詩評) 〔명〕 诗评 shīpíng

시폰(chiffon) 〔명〕 1【手工】雪纺绸 xuěfǎngchóu; 雪纺 xuěfǎng ¶~ 블라우스 雪纺衬衫 2 戚风 qīfēng; 雪芳 xuěfāng ¶~ 케이크 戚风蛋糕 =[雪芳蛋糕]

시풍(詩風) 〔명〕 诗风 shīfēng

시피유(CPU)[central processing unit] 〔명〕【컴】中央处理器 zhōngyāng chǔlǐqì; 中央处理器 zhōngyāng chǔlǐ zhuāngzhì = 중앙 처리 장치

시한(時限) 〔명〕 期限 qīxiàn; 限期 xiànqī; 时限 shíxiàn ¶~이 다 되었다 期限已经到了 ~ 를 연장하다 延长期限

시한-부(時限附) 〔명〕 有限 yǒuxiàn; 有期限 yǒuqīxiàn; 限期 xiànqī; 规定日期 guīdìng rìqī ¶~ 인생 有限的人生 / ~ 근무 有期限服务

시한-폭탄(時限爆彈) 〔명〕 计时炸弹 jìshí zhàdàn; 定时炸弹 dìngshí zhàdàn

시-할머니(媤一) 〔명〕 丈夫的奶奶 zhàngfude nǎinai = 시조모

시-할아버지(媤一) 〔명〕 丈夫的爷爷 zhàngfude yéye = 시조부

시합(試合) 〔명〕〔하타〕 赛 sài; 比赛 bǐsài; 竞赛 jìngsài; 比赛 bǐsài / 축구 ~ 足球比赛 / 누구의 속도가 빠른지 ~해 보자 赛赛谁的速度快 / ~을 시작하다 开展竞赛

시:해(弑害) 〔명〕〔하타〕 弑 shì; 弑杀 shìshā ¶임금을 ~하다 弑君主

시:행(施行) 〔명〕〔하타〕 1 施行 shīxíng; 实施 shíshī; 实行 shíxíng ¶이 방안은 이미 2년 동안 ~했다 这种方案已经实行两年了 2【法】施行 shīxíng; 实施 shíshī; 执行 zhíxíng ¶새 법령을 ~하다 实施新法令

시:행-착오(試行錯誤) 〔명〕【教】施误法 shīwùfǎ; 执行错误 zhíxíng cuòwù; 反复试验 fǎnfù shìyàn

시험(試驗) 〔명〕〔하타〕 1 试 shì; 考 kǎo; 考试 kǎoshì; 测试 cèshì; 测验 cèyàn ¶~ 점수 考分 / 대학 입학 ~ 高考 / ~공부를 하다 准备考试 / ~에 붙다 考上 / ~에 떨어지다 考不上 / ~을 거부하다 罢考 / ~에 참가하다 参加考试 =[应考] / 그의 솜씨는 ~해 볼만하다 一试他的手艺 2 试 shì; 验 yàn; 试验 shìyàn; 尝试 chángshì ¶제동기의 성능을 ~해 보자 试验一下刹车性能 3 考验 kǎoyàn ¶~을 견뎌 내다 经得起考验

시험-관(試驗官) 〔명〕 考官 kǎoguān; 监考 jiānkǎo

시험-관(試驗管) 〔명〕【化】试管 shìguǎn ¶~ 아기 试管婴儿

시험-대(試驗臺) 〔명〕 (试验用的) 试验台 shìyàntái 2 试验台 shìyàntái ¶우리 상품이 ~에 올라 일거에 성공을 거두었다 我们的产品上了试验台一举成功

시험 문제(試驗問題) 〔教〕试题 shìtí; 考题 kǎotí

시험 비행(試驗飛行) 〔航〕试飞 shìfēi ¶첫 ~을 하다 进行首次试飞

시험-장(試驗場) 〔명〕 1 考场 kǎochǎng; 试场 shìchǎng 2 试验场 shìyànchǎng ¶임업 ~ 林业试验场

시험-지(試驗紙) 〔명〕 1 考卷 kǎojuàn; 试卷 shìjuàn ¶~를 나눠 주다 发试卷 / ~를 제출하다 交考卷 / ~를 걷다 收考卷 2【化】试纸 shìzhǐ ¶임신 테스트 ~ 测孕试纸

시화(詩畫) 〔명〕 1 诗画 shīhuà ¶~전 诗画展 2 诗配画 shīpèihuà

시:황(市況) 〔명〕 市况 shìkuàng; 行情

hángqíng ¶주식 ~ 股份行情 /~이 좋지 않다 市況不佳

시효(時效) 囧 【法】 时效 shíxiào ¶~가 이미 지나다 时效已过

시흥(詩興) 囧 诗兴 shīxìng

식(式) ㊀囧 1 规矩 guījǔ 2 = 의식(儀式) 3 【數】 式 shì; 式子 shìzi; 公式 gōngshì; 算式 suànshì ¶공식을 세우다 立式子 ㊁의閔 方式 fāngshì; 式 shì; 样式 yàngshì ¶자기 ~대로 하다 按自己的方式做

-식(式) 囼闯 1 样式 yàngshì; 方式 fāngshì; 式 shì ¶서양~ 복장 西式服装 2 仪式 yíshì; 典礼 diǎnlǐ; 式 shì ¶폐막~ /개막~ 开幕式/结婚式 ~ 结婚仪式

식객(食客) 囧 1 食客 shíkè; 门客 ménkè 2 吃闲饭 chīxiánfàn; 吃白饭 chībáifàn ¶친구 집에서 ~으로 있다 在朋友家里吃闲饭

식견(識見) 囧 见识 jiànshi; 眼界 yǎnjiè ¶~이 넓다 见识很广 /~을 넓히다 开阔眼界

식곤-증(食困症) 囧【醫】 食困症 shíkùnzhèng; 食后困倦症 shíhòu kùnjuànzhèng; 饭后犯困症 fànhòu fànkùnzhèng

식구(食口) 囧 口 kǒu; 家口 jiākǒu; 家眷 jiājuàn ¶너희 집은 ~가 몇 명이니? 你家有几口人?

식권(食券) 囧 饭票 fànpiào; 饭券 fànquàn; 餐券 cānquàn ¶~을 가지고 식당에 가서 밥을 먹다 拿着饭票去食堂吃饭

식기(食器) 囧 餐具 cānjù; 食具 shíjù; 碗 wǎn ¶~ 洗碗机

식다(字) 1 凉 liáng ¶밥이 아직 식지 않았으니, 빨리 먹어라 饭还没凉了, 快吃吧 2 消退 xiāotuì; 消退 xiāotuì; 降温 jiàngwēn; 凉 liáng; 变凉 biànliáng; 低落 dīluò ¶애정이 ~ 爱情变凉 /열기가 점점 식어가다 热气渐渐消下去 3 消 xiāo; 消退 xiāotuì; 凉 liáng

식은 죽 먹기 密圕 不费吹灰之力; 易如反掌

식단(食單) 囧 食谱 shípǔ ¶~을 짜다 计食谱

식당(食堂) 囧 1 食堂 shítáng; 餐厅 cāntīng; 饭厅 fàntīng ¶학생 ~ 学生食堂 / 나는 매일 직원 ~에서 밥을 먹는다 我每天都在职工食堂吃饭 2 饭馆(儿) fànguǎn(r); 餐厅 cāntīng ¶부근에 ~ 하나가 새로 개업했다 附近新开了一家餐厅

식당-가(食堂街) 囧 餐厅街 cāntīngjiē; 美食城 měishíchéng

식당-차(食堂車) 囧 餐车 cānchē; 饭车 fànchē

식대(食代) 囧 餐费 cānfèi; 饭钱 fànqián; 饭费 fànfèi ¶~를 지불하다 支付餐费

식도(食道) 囧 【生】食管 shíguǎn; 食道 shídào = 밥줄2 ¶~암 食道癌 / 협착 食道狭窄

식-도락(食道樂) 囧 美食乐 měishílè; 口福乐 kǒufúlè

식-도락-가(食道樂家) 囧 美食家 měishíjiā

식량(食糧) 囧 = 양식(糧食) ¶~난 粮荒 /~을 저장하다 存粮食 /~이 부족하다 粮食短缺

식료-품(食料品) 囧 食品 shípǐn ¶~점 食品商店 /~을 구입하다 购买食品

식모(食母) 囧 女佣 nǚyōng; 家庭厨娘 jiātíng chúniáng

식목(植木) 囧団 植树 zhíshù; 种树 zhòngshù ¶~일 植树日 =[种树节]

식물(植物) 囧 【生】植物 zhíwù ¶열대 ~ 热带植物 /~ 채집 植物采集 /~도감 植物图监 =[植物志] /~원 植物园 /~학 植物学

식물 섬유(植物纖維) 【工】= 식물성 섬유

식물-성(植物性) 囧 植物性 zhíwùxìng; 植物 zhíwù ¶~ 기름 植物油 /~ 단백질 植物蛋白质

식물성 섬유(植物性纖維) 【工】 植物纤维 zhíwù xiānwéi = 식물 섬유

식물-인간(植物人間) 囧 【醫】 植物人 zhíwùrén

식민(植民·殖民) 囧団 【政】 殖民 zhímín ¶~국 殖民国 /~지 殖民地 /~ 정책 殖民政策

식별(識別) 囧団 辨认 biànrèn; 识别 shíbié; 监别 jiànbié; 辨别 biànbié ¶진짜와 가짜를 ~하다 识别真假 =[辨别真假] /여러 사람들 중에서 범인을 ~해 내다 从人群中辨认罪犯

식비(食費) 囧 膳费 shànfèi; 饭钱 fànqián; 饭费 fànfèi ¶~를 절약하기 위해 집에서 밥을 먹다 为了节约饭钱, 在家里做饭吃

식-빵(食-) 囧 面包 miànbāo ¶~ 두 조각을 먹다 吃两片面包

식사(食事) 囧団 饭 fàn; 餐 cān; 饮食 yǐnshí; 饭菜 fàncài; 吃饭 chīfàn; 就餐 jiùcān; 用餐 yòngcān; 用膳 yòngshàn; 用馔 yòngzhuàn ¶아침 ~ 早餐 =[早餐] /점심 ~ 午饭 =[午餐] /저녁 ~ 晚饭 =[晚餐] /한 끼 ~ 一顿饭 /~ 시간 吃饭时间 /그에게 ~ 대접을 하다 请他吃饭 /~를 제공하다 提供饭菜 /우리 ~하러 가자 咱们去就餐吧

식사-량(食事量) 囧 饭量 fànliàng

량 shíliàng ¶~을 조절하다 调节饮量

식상(食傷) 명하자 [韓醫] 1 食伤 shí-shāng = 식체 2 腻 nì; 腻烦 nìfan; 腻味 nìwei ¶나는 그런 말들을 듣는 것에 ~했다 这些话我都听腻了

식-생활(食生活) 명 饮食生活 yínshí shēnghuó ¶~을 개선하다 改善饮食生活

식성(食性) 명 1 口味 kǒuwèi; 胃口 wèikǒu; 食性 shíxìng ¶개인 ~ 个人口味 / ~이 좋다 胃口好 2 [動] 食性 shíxìng

식솔(食率) 명 家属 jiāshǔ; 家小 jiā-xiǎo; 家眷 jiājuàn ¶~을 거느리고 고향으로 돌아가다 携家眷回老家

식수(食水) 명 食水 shíshuǐ; 饮用水 yǐnyòngshuǐ; 吃水 chīshuǐ ¶~난 吃水难 / ~가 부족하다 食水不足

식순(式順) 명 仪式顺序 yíshì shùnxù ¶~에 따라 식을 진행하다 依据仪式顺序进行仪式

식식명 哮吁 xūxū

식식-거리다 타 哮吁 xūxū = 식식대다 ¶식식거리며 숨을 몰아쉬다 气喘吁吁

식신(食神) 명 [民] 食神 shíshén

식언(食言) 명하자 食言 shíyán; 失信 shīxìn; 失约 shīyuē ¶~을 일삼다 以食言为业

식염(食塩) 명 食盐 shíyán; 食用盐 shíyòngyán

식염-수(食塩水) 명 1 盐水 yánshuǐ; 食盐水 shíyánshuǐ = 소금물 2 [藥] 生理 식염수

식욕(食慾) 명 食欲 shíyù ¶~ 부진 食欲不振 / ~ 억제제 抑制食欲药 = [抑制食欲剂] / ~이 왕성하다 食欲旺盛 / ~이 조금도 없다 一点儿食欲也没有 / ~이 감퇴하다 食欲减退

식용(食用) 명하자 食用 shíyòng ~ 개구리 食用蛙 / ~ 달팽이 食用蜗牛 / ~ 색소 食用色素 / ~할 수 없는 물고기 不能食用的鱼

식용-유(食用油) 명 食油 shíyóu; 食用油 shíyòngyóu

식육(食肉) 명하자 1 吃肉 chīròu 2 食肉 shíròuyóu

식은-땀 명 1 盗汗 dàohàn; 冷汗 lěng-hàn; 虚汗 xūhàn ¶몸에 ~이 나다 身上冒冷汗 / ~이 나다 冒冷汗 ¶놀라서 온몸에 ~이 나다 吓出一身冷汗

식음(食飮) 명하자 饮食 yínshí; 吃喝 chīhē ¶~을 전폐하다 饮食俱废

식이(食餌) 명 1 먹이 2 食物 shíwù

식이 요법(食餌療法) 명 [醫] 食物疗法 shíwù liáofǎ; 食疗 shíliáo

식인(食人) 명 食人 shírén; 吃人 chī-rén ¶~종 食人族; 食人鲨 鲨鱼

식자(植字) 명하타 [印] 排字 páizì ¶~공 排字工

식자-우환(識字憂患) 명 知者招罪 zhīzhě zhāozuì

식장(式場) 명 会场 huìchǎng; 典礼场 diǎnlǐchǎng

식전(式前) 명 式前 shìqián

식전(食前) 명 1 饭前 fànqián ¶~에 꿀 한 숟갈을 먹다 饭前饮用一勺蜂蜜 2 早饭前 zǎofànqián; ~대부 yīdàzǎo ¶~부터 기차역에 가서 줄을 서다 一大早就赶到火车站排队

식-중독(食中毒) 명 [醫] 食物中毒 shíwù zhòngdú

식지(食指) 명 = 집게손가락

식체(食滞) 명 [韓醫] = 식상1

식초(食醋) 명 醋 cù = 초(醋)

식충(食蟲) 명 1 食虫 shíchóng; 吃虫子 chīchóngzi ¶~ 식물 食虫植物 2 = 식충이

식충-이(食蟲—) 명 饭桶 fàntǒng; 饭袋 fàndài; 饭囊 fànnáng; 菜包 càibāo; 酒囊饭桶 jiǔnáng fàntǒng = 식충2

식-칼(食—) 명 菜刀 càidāo = 부엌칼 ¶가정용 ~ 家用菜刀

식탁(食卓) 명 饭桌 fànzhuō; 餐桌 cānzhuō ¶~ 의자 餐桌椅 / ~을 차리다 摆餐桌

식탁-보(食卓褓) 명 桌布 zhuōbù = 를 깔다 铺桌布

식탐(食貪) 명하자 贪食 tānshí; 贪吃 tānchī; 馋 chán ¶그는 ~이 많다 他很贪吃

식판(食板) 명 餐盘 cānpán ¶스텐인리스 ~ 不锈钢餐盘

식품(食品) 명 食品 shípǐn; 食物 shí-wù ¶~ 가공 食品加工 / ~ 회사 食品公司 / ~ 공학 食品工程学 / ~ 위생 食品卫生 / ~ 첨가물 食品添加剂 / 통조림 ~ 罐头食品 / 기름에 튀긴 ~ 油炸食品 / ~의 영양 성분 食物营养成分

식해(食醢) 명 鲜鱼酱 xiānyújiàng

식혜(食醯) 명 酒酿 jiǔniàng

식후(式後) 명 式后 shìhòu ¶~ 행사 式后活动

식후(食後) 명 饭后 fànhòu ¶이 약은 ~ 30분에 먹어야 한다 这种药应该饭后半小时服用

식후-경(食後景) 명 饭后的景致 fàn-hòude jǐngzhì ¶금강산도 ~ 金刚山也是饭后的景致

식-히다 타 凉 liáng; 消热 xiāorè; 冷却 lěngquè; 凉快 liángkuai; 休息 xiūxi; 冷静 lěngjìng (‘식다’의 사동词) ¶뜨거운 물을 불어서 ~ 把热水吹凉 / 머리를 ~ 休息头脑 =[使头脑冷静] / 우리 나무 그늘로 가서 잠시 더위를 식

히자 我们到树荫下面去凉快一会儿吧

신¹ 명 鞋 xié = 신발 ¶~을 벗다 脱鞋 / ~을 신다 穿鞋

신² 명 兴 xìng; 兴头 xìngtou; 劲 jìn; 兴致 xìngzhì ¶~이 나다 兴高采烈 = [起劲]

신(臣) 一명 = 신하 二명 臣 chén

신(神) 명 1 神 shén ¶~에게 빌다 求神 2 宗 = 하나님

　신(이) 내리다 국 降神

신(scene) 명 演 1 (戏剧的) 一场 yīchǎng; 一幕 yīmù 2 (电影的) 场面 chǎngmiàn; 镜头 jìngtóu

신-(新) 접두 新 xīn ¶~기술 新技术 / ~문화 新文化 / ~교육 新教育

신간(新刊) 명하타 新刊 xīnkān; 新出版 xīnchūbǎn; 新书 xīnshū ¶이 책들은 모두 ~이다 这些书都是新刊

신검(身檢) 명 = 신체검사

신격-화(神格化) 명하타 神化 shénhuà ¶황제를 ~하다 把皇帝加以神化

신경(神經) 명 1 生 神经 shénjīng ¶뇌 ~ 脑神经 / ~과민 神经过敏 / ~쇠약 神经衰弱 / ~마비 神经麻痹 / ~세포 神经细胞 / ~조직 神经组织 ¶~을 자극하다 刺激神经 2 神经 shénjīng; 神 shén; 心 xīn ¶~이 곤두서다 神经紧张 / ~이 날카롭다 神经敏锐

　신경(을) 쓰다 국 费神; 费心思; 用心思

신경-계(神經系) 명 生 神经系统 shénjīng xìtǒng = 신경 계통

신경 계통(神經系統) 生 = 신경계

신경-성(神經性) 명 神经性 shénjīngxìng ¶~ 위염 神经性胃炎

신경 안정제(神經安靜劑) 藥 = 정신 안정제

신경-전(神經戰) 명 神经战 shénjīngzhàn ¶~을 벌이다 展开神经战

신경 정신과(神經精神科) 醫 神经精神科 shénjīng jīngshénkē; 神经科 shénjīngkē; 精神科 jīngshénkē = 정신과

신경-질(神經質) 명 神经质 shénjīngzhì; 脾气 píqi ¶~을 내다 发脾气 / 그는 좀 ~적으로 변했다 他变得有些神经质

신경-통(神經痛) 명 醫 神经痛 shénjīngtòng ¶~이 또 도졌다 神经痛又犯了

신고(申告) 명하타 1 报告 bàogào; 申报 shēnbào; 申告 shēngào; 呈报 chéngbào ¶세관 ~를 하다 报关 / 출생 ~를 하다 报警/出生 = 出生申报 2 軍 报告 bàogào ¶휴가 ~ 休假报告

신고(辛苦) 명하자 辛苦 xīnkǔ; 艰辛 jiānxīn; 艰辛 jiānxīn ¶온갖 ~를 다 겪다 历尽艰辛

신다 타 穿 chuān ¶양말을 ~ 穿袜子 / 신을 거꾸로 ~ 把鞋穿反

신당(神堂) 명 神堂 shéntáng

신곡(新曲) 명 新歌 xīngē; 新曲 xīnqǔ ¶~을 내다 发新歌 / ~을 발표하다 发表新歌

신공(神工) 명 神工 shéngōng ¶神工鬼斧 shéngōng guǐfǔ

신-관(信管) 명 軍 引信 yǐnxìn; 信管 xìnguǎn ¶폭탄의 ~을 제거하다 去掉炸弹的信管

신관(新官) 명 新官 xīnguān ¶~이 부임하다 新官上任

신관(新館) 명 新馆 xīnguǎn ¶기념관 ~ 纪念馆新馆

신구(新舊) 명 新旧 xīnjiù ¶~ 세력 新旧势力 / ~ 교체 新旧交替

신규(新規) 명 1 新规矩 xīnguīju; 新规则 xīnguīzé 2 新 xīn; 重新 chóngxīn ¶~ 등록 新登记 / ~ 거래를 확대하다 扩大新交易 / ~로 가입한 회원 新加入的会员

신기(神技) 명 神技 shénjì; 神术 shénshù; 绝技 juéjì ¶~에 가까운 솜씨 接近神技的手艺

신-기다 타 穿 chuān (『신다』의 사동사) ¶아이에게 작은 신을 억지로 신기다 勉强给孩子穿小鞋

신-기록(新記錄) 명 新纪录 xīnjìlù ¶세계 ~ 世界新纪录 / ~ 보유자 新纪录保持者 / ~를 세우다 创造新纪录 / ~을 깨다 打破新纪录

신-기루(蜃氣樓) 명 1 蜃景 shènjǐng; 海市 hǎishì; 蜃楼 shènlóu; 海市蜃楼 hǎishìshènlóu; 蜃市 shènshì 2 空中楼阁

신-기원(新紀元) 명 新纪元 xīnjìyuán ¶~을 열다 开创新纪元

신기-하다(神奇) 형 神奇 shénqí ¶신기한 모험 세계에 오신 것을 환영합니다 欢迎进入神奇冒险世界

신기-하다(新奇) 형 新奇 xīnqí ¶신기한 물건 很新奇的东西 / 그는 이곳의 모든 것들이 무척 신기했다 他对这里的一切都觉得格外新奇

신나 명 化 '시너'의 잘못

신년(新年) 명 = 새해 ¶~ 인사를 드리다 拜新年 / ~ 파티를 열다 举办新年晚会

신년-사(新年辭) 명 新年词 xīnniáncí; 新年祝词 xīnnián zhùcí; 新年贺词 xīnnián hècí ¶~를 발표하다 发表新年贺词

신-념(信念) 명 信念 xìnniàn ¶~을 굳히다 坚定信念 / ~에 차다 充满信念 / 확고한 ~을 가지고 있다 抱有坚定的信念

신-대륙(新大陸) 명地理 新大陆 Xīn-

법이 아주 ~하다 技法神妙极了

신데렐라(Cinderella) 명 【文】 灰姑娘 huīgūniang ¶~ 콤플렉스 灰姑娘情结 / ~의 꿈을 이루다 达到灰姑娘的理想

신:도(信徒) 명 信徒 xìntú ¶천주교 ~ 天主教信徒

신:도시(新都市) 명 新城市 xīnchéngshì; 新都市 xīndūshì ¶~를 건설하다 建设新城市

신동(神童) 명 神童 shéntóng ¶그는 어려서부터 ~이라고 불렸다 他从小被称为神童

신드롬(syndrome) 명 症候群 zhènghòuqún; 综合征 zōnghézhēng

신-들리다(神─) 재 出神人化 chūshénrùhuà ¶신들린 듯한 연기 出神人化的表演

신랄-하다(辛辣─) 형 辛辣 xīnlà ¶ 풍자가 아주 ~ 讽刺非常辛辣 **신랄-히** 부

신랑(新郞) 명 新郞 xīnláng ¶~이 아주 잘 생겼다 新郞长得很帅

신령(神靈) 명 【民】 神 shén; 神灵 shénlíng

신령-님(神靈─) 명 【民】 '신령'의 敬词 ¶~께서 우리를 보우하신다 神灵保佑我们

신령-하다(神靈─) 형 神 shén; 神妙 shénmiào; 灵验 língyàn ¶신령한 의술 神妙的医术

신록(新綠) 명 新綠 xīnlǜ ¶~의 계절 新绿季节

신:뢰(信賴) 명하타 信赖 xìnlài ¶고객의 ~를 얻다 赢得顾客的信赖 / ~할 만한 친구 值得信赖的朋友

신:뢰-감(信賴感) 명 信赖感 xìnlàigǎn ¶~을 회복하다 恢复信赖感

신:뢰-도(信賴度) 명 可信度 kěxìndù; 可靠度 kěkàodù ¶제품의 ~를 높이다 增加产品的可信度

신:뢰-성(信賴性) 명 可靠性 kěkàoxìng; 可信性 kěxìnxìng ¶~을 잃다 失去可靠性

신-맛 명 酸味 suānwèi; 酸头儿 suāntóur ¶~이 나다 带有酸味

신:망(信望) 명하타 信望 xìnwàng; 信任 xìnrèn; 威信 wēixìn; 威望 wēiwàng ¶~을 쌓다 树立信望 / 친구들의 ~을 얻다 得到朋友们的信任

신명 명 兴 xìng; 兴头 xìngtou; 兴致 xìngzhì; 劲 jìn ¶~이 나다 兴致勃勃

신명(身命) 명 身命 shēnmìng; 躯命 qūmìng ¶~을 다하다 竭尽身命

신명(神明) 명 神明 shénmíng; 神灵 shénlíng

신묘(神妙) 명하형 神妙 shénmiào ¶기

신:문(訊問) 명하타 1 讯问 xùnwèn; 询问 xúnwèn ¶환자의 상태를 ~하다 讯问患者的病情 2 【法】讯问 xùnwèn; 审讯 shěnxùn; 审问 shěnwèn ¶피고를 ~하다 审讯被告

신문(新聞) 명 1 新闻 xīnwén 2 报报 bào; 报纸 bàozhǐ ¶~ 광고 报纸广告 / ~ 기자 报纸记者 / ~ 구독료 报纸订费 / ~ 배달원 送报员 / 저녁 ~ 晚报 / ~을 읽다 读报 / ~을 배달하다 送报纸 3 = 신문지

신문-고(申聞鼓) 명 【史】申闻鼓 shēnwéngǔ ¶~를 울리다 响申闻鼓

신문-사(新聞社) 명 报社 bàoshè

신문-지(新聞紙) 명 (印报的) 报纸 bàozhǐ = 신문(新聞)3 ¶~로 싸다 用报纸包上

신문-팔이(新聞─) 명하타 卖报童 màibàotóng; 报童 bàotóng; 卖报(的) màibào(de)

신-물 명 1 【生】酸水 suānshuǐ; 胃酸 wèisuān 2 厌倦 yànjuàn; 厌腻 yànnì; 腻味 nìwèi; 腻烦 nìfan ¶그는 이러한 생활에 ~이 났다 他厌倦这种生活了

신-바람 명 兴冲冲 xìngchōngchōng; 兴高采烈 xìnggāocǎiliè; 兴致勃勃 xìngzhì bóbó; 神气活现 shénqì huóxiàn ¶~이 나서 달려오다 兴冲冲地跑来 / 아이들은 ~ 나게 놀았다 孩子们玩得兴冲冲

신발 명 = 신¹ ¶~ 한 짝 一只鞋 / ~ 한 켤레 一双鞋 / ~ 끈 鞋带 / ~ 가게 鞋店

신발-장(─欌) 명 = 신장(─欌)

신발-주머니 명 = 신주머니

신발-창 명 = 신창

신방(新房) 명 新房 xīnfáng; 洞房 dòngfáng = 동방(洞房)2 ¶신혼 첫날밤, 그와 그녀는 ~에 들었다 新婚之夜, 他与她进入新房

신변(身邊) 명 人身 rénshēn; 手头 shǒutóu; 身边 shēnbiān; 身上 shēnshàng ¶~잡기 身边杂记 / ~ 보호 保护人身安全 / ~에 일이 많다 手头的事情很多

신병(身柄) 명 (被保护者的) 本人身体 běnrén shēntǐ; 人身 rénshēn ¶~을 확보하다 确保人身

신병(身病) 명 身病 shēnbìng; 疾病 jíbìng; 病 bìng

신병(新兵) 명 新兵 xīnbīng ¶~ 훈련 新兵训练

신:봉(信奉) 명하타 信奉 xìnfèng

신부(神父) 명 【宗】神甫 shénfu; 神父 shénfu; 司铎 sīduó

신부(新婦) 명 新娘 xīnniáng; 新娘子 xīnniángzi; 新妇 xīnfù ¶그녀는 10월에

신부전

518

~가 된다 她将于十月当新娘

신：-부전(腎不全) 〖명〗〖醫〗肾不全 shènbùquán

신분(身分) 〖명〗身份 shēnfen；身分 shēnfen ¶~ 제도 身份等级制度 / 학생의 ~ 学生身份 / ~에 어울리지 않다 与身份不相称

신분-증(身分證) 〖명〗身份证 shēnfenzhèng；身份证明书 shēnfen zhèngmíngshū ¶~을 제시하다 出示身份证

신비(神秘) 〖명〗〖형〗神秘 shénmì ¶~감 神秘感 / ~주의 神秘主义 / ~한 해저 세계 神秘的海底世界 / 안개 속의 산은 아주 ~해 보인다 雾中的山显得十分神秘

신비-롭다(神秘—) 〖형〗神秘 shénmì ¶아름답고 신비로운 섬 美丽又神秘的岛 神秘的岛 shénbìde dǎo

신비-스럽다(神秘—) 〖형〗神秘 shénmì 신비스레 〖부〗

신：-빙(信憑) 〖명〗〖타〗信凭 xìnpíng；信xìn ¶~성 可信性 / ~할 만한 자료 可信的资料

신사(神社) 〖명〗神社 shénshè ¶~를 참배하다 参拜神社

신：-사(紳士) 〖명〗1 绅士 shēnshì；君子 jūnzǐ ¶기품 있는 ~ 有品格的绅士 2 男士 nánshì；先生 xiānsheng ¶~ 숙녀 여러분! 女士们先生们!

신：-사-도(紳士道) 〖명〗绅士风度 shēnshì fēngdù；君子道 jūnzǐdào ¶~를 발휘하다 发挥绅士风度

신：-사-복(紳士服) 〖명〗西服 xīfú；西装 xīzhuāng ¶~을 입고 출근하다 穿着西服去上班

신：-사-적(紳士的) 〖관〗〖명〗绅士(的) shēnshì(de)；绅士般的 shēnshìbānde；彬彬有礼 bīnbīnyǒulǐ；有礼貌的 yǒulǐmàode ¶사람이나 사물을 대하는 태도가 ~이다 待人接物彬彬有礼

신：-사-협정(紳士協定) 〖명〗绅士协定 shēnshì xiédìng；君子协定 jūnzǐ xiédìng

신상(身上) 〖명〗个人情况 gèrén qíngkuàng；经历 jīnglì；身世 shēnshì ¶자신의 ~에 대해 이야기하다 讲述自己的经历

신상(神像) 〖명〗神像 shénxiàng

신상-명세서(身上明細書) 〖명〗个人情况登记表 gèrén qíngkuàng dēngjìbiǎo；个人详细资料 gèrén xiángxì zīliào

신-상품(新商品) 〖명〗新产品 xīnchǎnpǐn

신：-상-필벌(信賞必罰) 〖명〗信赏必罚 xìnshǎngbìfá

신생(新生) 〖명〗〖하자〗新生 xīnshēng ¶기업 新生企业 / ~ 축구팀 新生足球队

신생-대(新生代) 〖명〗〖地理〗新生代 xīnshēngdài

신생-아(新生兒) 〖명〗= 갓난아이 ¶~ 보호실 新生儿监护室

신-석기(新石器) 〖명〗〖古〗新石器 xīnshíqì ¶~ 시대 新石器时代

신선(神仙) 〖명〗神仙 shénxiān；仙人 xiānrén；仙子 xiānzi；仙 xiān = 선인 (仙人)1 ¶~이 내려오시다 神仙下凡

신선-놀음(神仙—) 〖명〗〖하자〗神仙般的日子 shénxiānbānde rìzi；神仙般的生活 shénxiānbānde shēnghuó 신선놀음에 도낏자루 썩는 줄 모른다 〖속담〗沉迷于游乐，斧柄烂掉也不晓得

신선-도(新鮮度) 〖명〗新鲜度 xīnxiāndù；鲜度 xiāndù ¶~를 유지시키다 保持新鲜度 / ~가 아주 높다 鲜度非常高

신선-로(神仙爐) 〖명〗火锅 huǒguō

신선-하다(新鮮—) 〖형〗1 (食物)新鲜 xīnxiān ¶신선한 과일 新鲜的水果 / 채소가 모두 매우 ~ 蔬菜都很新鲜 2 新鲜 xīnxiān ¶이 프로그램은 형식이 매우 ~ 这个节目形式很新鲜

신설(新設) 〖명〗〖하타〗新设 xīnshè；新建 xīnjiàn；新办 xīnbàn；新开设 xīnkāishè ¶~된 학교 新建的学校 / 교과 과정을 몇 가지 ~하다 新开设几门课

신성(神聖) 〖명〗〖형〗神圣 shénshèng ¶~ 모독 冒渎神圣 / ~ 불가침 神圣不可侵犯 / 생명은 ~한 것이다 生命是神圣的

신성(新星) 〖명〗1 〖天〗新星 xīnxīng ¶新星 xīnxīng ¶연예계의 ~ 娱乐圈的新星

신세(身世) 〖명〗1 身世 shēnshì；处境 chǔjìng ¶한탄을 하다 悲叹身世 / ~지 ~가 되다 沦落为气丐的身世 / ~가 처량하다 身世凄凉 2 帮助 bāngzhù；照顾 zhàogù；观照 guānzhào；沾光 zhānguāng；借光 jièguāng ¶당신의 ~를 겠습니다 沾了你的光

신-세계(新世界) 〖명〗1 新世界 xīnshìjiè 2 〖地理〗= 신대륙

신-세기(新世紀) 〖명〗新世纪 xīnshìjì

신-세대(新世代) 〖명〗新世代 xīnshìdài；新一代 xīnyīdài

신세-타령(身世—) 〖명〗〖하자〗诉说身世 sùshuō shēnshì ¶그녀는 울면서 나에게 ~을 했다 她一边哭一边向我诉说身世

신-소재(新素材) 〖명〗新材料 xīncáiliào ¶~를 개발하다 开发新材料

신：속-하다(迅速—) 〖형〗迅速 xùnsù ¶동작이 ~ 动作迅速 **신：속-히** 〖부〗~ 행동하다 迅速行动

신수(手) 〖명〗1 气色 qìsè；神色 shénsè ¶환자의 ~가 많이 좋아졌다 病人的气色好多了 2 风采 fēngcǎi；仪表 yíbiǎo ¶~가 훤하다 风采照人 =[仪

表堂堂]

신수(身數) 圏 运 yùn; 运气 yùnqi; 时运 shíyùn; 命 mìng ¶~가 좋다 走运 /~가 사납다 运气不好 /~를 보다 算命

신승(辛勝) 圏하자 险胜 xiǎnshèng ¶3대 2로 ~을 거두다 以三比二险胜

신-시대(新時代) 圏 新时代 xīnshídài

신식(新式) 圏 新式 xīnshì ¶~ 여성 新式女性 / ~ 무기 新式武器 / ~ 혼례 新式婚礼

신신-당부(申申當付) 圏하타 再三叮嘱 zàisān dīngzhǔ; 一再嘱咐 yīzài zhǔfù; 一再嘱托 yīzài zhǔtuō ¶아버지는 안전에 주의하라고 ~하셨다 父亲一再嘱咐注意安全

신-실(信實) 圏하囷회투 信实 xìnshí; 诚实 chéngshí ¶사람됨이 ~하다 为人信实

신-앙(信仰) 圏하타 信仰 xìnyǎng ¶~심 信仰心 /~의 자유 信仰的自由

신약(新約) 圏 宗 1 新约 xīnyuē 2 = 신약 성경

신약(新藥) 圏 新药 xīnyào ¶~을 개발하다 开发新药

신약 성:경(新約聖經) 宗 新约圣书 xīnyuē shèngshū = 신약(新約)2

신어(新語) 圏 語 新词 xīncí ¶~ 사전 新词词典

신-여성(新女性) 圏 新女性 xīnnǚxìng

신열(身熱) 圏 发热 fārè; 发烧 fāshāo = 열(熱)1 ¶~이 조금 있다 有点儿发热

신예(新銳) 圏 新锐 xīnruì; 新秀 xīnxiù ¶~ 작가 新锐作家

신-용(信用) 圏 1 信用 xìnyòng ¶~을 잃다 丧失信用 /~을 지키다 守信用 /~이 떨어지다 信用下降 2 經 信用 xìnyòng ¶~ 대출 信用借贷 /~ 거래 信用交易 / ~ 기관 信用机关 / ~ 등급 信用评级 / ~ 판매 信用贩卖

신-용 금고(信用金庫) 經 = 상호 신용 금고

신-용-장(信用狀) 圏 經 信用证 xìnyòngzhèng

신-용 카드(信用card) 經 信用卡 xìnyòngkǎ ¶~로 1200위안을 결제했다 信用卡刷了1200元

신-우(腎盂) 圏 生 肾盂 shènyú ¶~염 肾盂炎

신원(身元) 圏 个人情况资料 gèrén qíngkuàng zīliào; 个人情况 gèrén qíngkuàng; 身份 shēnfen ¶~ 보증 身份担保 /~을 조회하다 查询个人资料 /~을 파악하다 弄清身份

신위(神位) 圏 神位 shénwèi; 神主 shénzhǔ ¶조상의 ~를 모시다 供奉祖宗神位

신음(呻吟) 圏하자 呻吟 shēnyín ¶~ 소리 呻吟声 / 환자가 병상에서 계속 ~하고 있다 病人在病床上不停地呻吟

신:의(信義) 圏 信义 xìnyì ¶~를 지키다 守信义 /~를 저버리다 背弃信义

신인(新人) 圏 新人 xīnrén; 新 xīn ¶~ 가수 新歌手 /~을 발굴하다 发掘新人

신:임(信任) 圏하타 信任 xìnrèn ¶~을 얻다 得到信任 /~을 잃다 失去信任 / 사장이 가장 ~하는 직원 老板最信任的职员

신임(新任) 圏하자 新任 xīnrèn ¶~ 감독 新任主教练 / ~ 시장 新任市长

신입(新入) 圏하자 新进 xīnjìn; 新来 xīnlái ¶~ 사원 新进职员 /~ 회원 新进会员

신입-생(新入生) 圏 新生 xīnshēng ¶~을 모집하다 招收新生 =[招生] /~ 환영회 新生欢迎会

신:자(信者) 圏 信徒 xìntú

신작(新作) 圏하타 新作 xīnzuò ¶~ 소설 小说新作 /~을 발표하다 发表新作

신작-로(新作路) 圏 大马路 dàmǎlù; 大路 dàlù

신-장(一檠) 圏 鞋柜 xiéguì = 신발장

신장(身長·身丈) 圏 个儿 gèr; 身高 shēngāo ¶그의 ~은 1미터 80이다 他身高一米八十 / 두 사람은 ~ 차가 많이 난다 两人身高差距很大

신장(伸張) 圏하자타 伸张 shēnzhāng; 发展 fāzhǎn; 发扬 fāyáng; 增强 zēngqiáng ¶~를 发展率 / 国力 ~ 增强国力 / 인권을 ~하다 伸张人权

신:장(腎臟) 圏 生 = 콩팥 ¶~ 결석 肾结石 /~병 肾脏病 /~염 肾炎

신장-개업(新裝開業) 圏하자타 新张 xīnzhāng; 新装开业 xīnzhuāng kāiyè ¶이 상점은 내일 ~한다 这家商店明日新装开业

신전(神殿) 圏 神殿 shéndiàn

신접(新接) 圏하자 1 新家庭 xīnjiātíng; 成家 chéngjiā ¶~살림 新家庭生活 2 新迁居 xīnqiānjū

신정(新正) 圏 1 新年初 xīnniánchū 2 元旦 yuándàn

신-제품(新製品) 圏 新制品 xīnzhìpǐn; 新品 xīnpǐn

신:조(信條) 圏 1 信条 xìntiáo ¶生活 ~ 生活信条 2 宗 信条 xìntiáo; 教义 jiàoyì

신종(新種) 圏 1 新 xīn; 新型 xīnxíng 新类型 xīnlèixíng ¶~ 사기 사건 新诈

骗事 2 新品种 xīnpǐnzhǒng

신주(神主) 圐 神主 shénzhǔ; 位牌 shénwèi; 神牌 shénpái; 位牌 wèipái

신주 모시듯 뜃 犹如侍奉神主

신-주머니 圐 鞋袋 xiédài = 신발주머니

신-중(愼重) 圐 圐廖 慎重 shènzhòng ¶~한 입장 慎重立场 / 태도가 ~하다 态度慎重 / ~히 처리하다 慎重地处理

신-지식(新知識) 圐 新知识 xīnzhīshi

신진(新進) 图廖困 新 xīn; 新进 xīnjìn; 新人 xīnrén ¶~ 세력 新势力 / ~ 작가 新进作家

신진-대사(新陳代謝) 圐 生 新陈代谢 xīnchén dàixiè ¶~를 촉진하다 促进新陈代谢

신-짝 圐 1 一只鞋 yìzhī xié 2 鞋 xié

신차(新車) 圐 新车 xīnchē ¶~ 발표회 新车发表会

신참(新參) 圐廖困 新 xīn; 新进 xīnjìn; 新人 xīnrén ¶~이 우리 팀에 들어왔다 新人参加了我们队 2 新到任 xīndàorèn

신-창 圐 1 鞋底 xiédǐ ¶~이 닳다 鞋底磨坏 2 鞋垫 xiédiàn ¶~을 깔다 塞鞋垫 ‖ = 신발창

신-천지(新天地) 圐 新天地 xīntiāndì

신첩(臣妾) 떼 臣妾 chénqiè

신청(申請) 圐廖困 申请 shēnqǐng; 请请 qǐng ¶허가증을 ~하다 申请许可证 / 장학금을 ~하다 申请奖学金 / 휴가를 ~하다 请假 / 가입을 ~하다 申请加入

신체(身體) 圐 身体 shēntǐ; 身子 shēnzi ¶~ 조건 身体条件 / ~의 자유 身体的自由 / ~를 단련하다 锻炼身体 / ~가 튼튼하다 身体结实

신체-검사(身體檢査) 圐廖困자 身体检查 shēntǐ jiǎnchá; 体格检查 tǐgé jiǎnchá; 健康检查 jiànkāng jiǎnchá; 体检 tǐjiǎn = 신검

신축(伸縮) 圐廖困자 伸缩 shēnsuō ¶그것은 ~하는 특징을 가지고 있다 它具有可伸缩的特点

신축(新築) 圐廖困 新建 xīnjiàn; 新盖 xīngài ¶공장을 ~하다 新建工厂

신축-성(伸縮性) 圐 1 伸缩性 shēnsuōxìng ¶~이 뛰어나다 伸缩性很大 2 灵活性 línghuóxìng ¶~ 伸缩性 shēnsuōxìng ¶~을 가진 제도 灵活性的制度

신춘(新春) 圐 = 새봄

신출-귀몰(神出鬼沒) 圐廖困자 神出鬼没 shénchū guǐmò ¶그 사람은 ~하여 잡기 어렵다 此人神出鬼没, 很难抓捕

에 익숙하지 않다 他是个生手, 一切都不熟悉

신-코 圐 鞋鼻 xiébí; 鞋尖 xiéjiān

신-탁(信託) 圐廖困 1 委托 wěituō 2 法 信托 xìntuō ¶~ 은행 信托银行 / ~ 회사 信托公司 / ~ 통치 委托统治 [托管]

신토불이(身土不二) 圐 身土不二 shēntǔbù'èr

신통-력(神通力) 圐 神通 shéntōng ¶~을 발휘하다 显神通

신통-하다(神通一) 圐 1 神 shén; 神通 shéntōng ¶신통한 효과 神效 2 (药效) 灵验 língyàn ¶그 방법은 약을 쓰는 것보다 더욱 ~ 那种方法比用药还灵验 3 灵 líng; 好 hǎo; 佳 jiā 4 不简单 bùjiǎndān; 了不起 liǎobuqǐ ¶고학으로 대학에 진학하다니, 정말 ~ 半工半读考上大学, 真不简单 **신통-히** 뜃

신-트림 圐廖困자 酸饱嗝 suānbǎogé

신파(新派) 圐 1 新流派 xīnliúpài 2 演 = 신파극

신파-극(新派劇) 圐 演 新派剧 xīnpàijù = 신파2

신판(新版) 圐 1 新版 xīnbǎn 2 翻版 fānbǎn

신하(臣下) 圐 臣下 chénxià; 臣子 chénzǐ = 신(臣)

신학(神學) 圐 宗 神学 shénxué ¶~ 교 神学校 / ~자 神学家

신-학기(新學期) 圐 新学期 xīnxuéqī

신-학문(新學問) 圐 新学 xīnxué; 新学问 xīnxuéwèn

신형(新型) 圐 新型 xīnxíng ¶~ 자동차 新型汽车 / 전투기 新型战斗机

신-호(信號) 圐廖困자 信号 xìnhào ¶~ 위험 ~ 危险信号

신-호-기(信號旗) 圐 信号旗 xìnhàoqí

신-호-기(信號機) 圐 交 信号机 xìnhàojī

신-호-등(信號燈) 圐 交 信号灯 xìnhàodēng

신-호-탄(信號彈) 圐 信号弹 xìnhàodàn

신혼(新婚) 圐廖困자 新婚 xīnhūn ¶~ 생활 新婚生活 / ~ 밤을 보내다 度过新婚之夜

신혼-부부(新婚夫婦) 圐 新婚夫妇 xīnhūn fūfù; 新婚夫妻 xīnhūn fūqī

신혼-여행(新婚旅行) 圐 新婚旅行 xīnhūn lǚxíng; 蜜月旅行 mìyuè lǚxíng = 밀월여행 · 허니문2

신화(神話) 圐 神话 shénhuà ¶그리스~ 希腊神话 / 불패의 ~ 不败的神话 / ~를 창조하다 创造神话

신출-내기(新出一) 圐 新手 xīnshǒu ¶그는 ~라서 모든 것

신흥(新興) 圐廖困자 新兴 xīnxīng ¶~ 국가 新兴国家 / 세력 新兴势力 / ~ 계급 新兴阶级 / 종교 新兴宗教

실:다 탄 **1** 装 zhuāng; 载 zài; 驮 tuó ¶식량을 ~ 装粮食 / 짐을 ~ 载货 / 화물은 이미 차에 실었다 货物已经装在车上了 **2** 乘 chéng; 搭 dā; 坐 zuò; 搭乘 dāchéng; 搭坐 dāzuò ¶기차에 몸을 ~ 搭坐火车 **3** 登 dēng; 登载 dēngzài; 载 zài; 刊登 kāndēng; 刊载 kānzài ¶신문에 광고를 ~ 报纸上登广告

실: 명 线 xiàn ¶ ~ 한 가닥 一根线 / ~로 꿰매다 用线缝 / ~을 꿰다 穿线 / ~을 감다 绕线
실 가는 데 바늘도 간다 속담 = 바늘 가는 데 실 간다

실(失) 명 失 shī; 损失 sǔnshī ¶득보다 ~이 많다 得不偿失

실- 접두 微 wēi; 小 xiǎo; 细 xì; 轻 qīng ¶ ~바람 微风 / ~개천 小溪 / ~가지 细枝

-실(室) 접미 室 shì ¶연구~ 研究室 / 사무~ 办公室

실각(失脚) 명하자 **1** 失足 shīzú **2** 下野 xiàyě; 下台 xiàtái; 失势 shīshì ¶그는 ~하여 권한이 없다 他失势无权

실감(實感) 명하타 真实感 zhēnshígǎn; 实感 shígǎn ¶갈수록 ~이 난다 愈来愈有真实感

실격(失格) 명하자타 失格 shīgé; 失去资格 shīqù zīgé; 取消资格 qǔxiāo zīgé; 丧失资格 sàngshī zīgé ¶ ~패 失格败 / 금지 약물 복용으로 인해 시합에서 ~되다 因服用违禁药物而被取消比赛资格

실-고추 명 辣椒丝 làjiāosī ¶ ~를 얹다 放辣椒丝

실-구름 명 云丝 yúnsī

실권(實權) 명 实权 shíquán ¶ ~을 장악하다 掌握实权

실-금 명 **1** 细纹 xìwén; 细裂痕 xìlièhén **2** 细线 xìxiàn

실기(實技) 명 实技 shíjì; 技能 jìnéng ¶ ~ 시험 技能测试

실-날 명 线条 xiàntiáo

실날-같다 형 **1** 很细 hěnxì **2** 微微 wēiwēi; 一丝 yīsī ¶실날같은 희망 微微的希望 ¶실날같-이 부

실내(室內) 명 室内 shìnèi ¶ ~등 室内灯 / ~복 室内便服 / ~악 室内乐 / ~화 室内鞋

실-눈 명 **1** 细长的眼睛 xìchángde yǎnjing **2** 眯缝眼 mīfengyǎn; 眯缝眼睛 mīfeng yǎnjing ¶웃으면 ~으로 변한다 笑起来变成眯缝眼

실-답다(實~) 형 真实 zhēnshí; 真诚 zhēnchéng ¶실답지 않은 행동 不真实的行为

실랑이 명하자 **1** 折磨 zhémo **2** = 승

강이

실력(實力) 명 **1** 实力 shílì; 功夫 gōngfu; 能力 nénglì ¶영어 ~ 英语实力 / ~자 实力人物 / ~이 탄탄하다 实力雄厚 / ~을 기르다 培养能力 **2** 武力 wǔlì ¶ ~을 행사하다 行使武力

실례(失禮) 명하자 失礼 shīlǐ; 不礼貌 bùlǐmào; 对不起 duìbuqǐ ¶ = 실수(失手) **2** ¶이유 없이 늦는 것은 ~이다 无故迟到很不礼貌 / ~지만, 우체국은 어디에 있습니까? 对不起, 邮局在哪儿?

실례(實例) 명 实例 shílì ¶ ~를 들다 举出实例

실-로(實-) 부 = 참으로 ¶너는 ~ 나의 좋은 친구이다 你真是我的好朋友

실로폰(xylophone) 명【音】木琴 mùqín ¶ ~을 치다 弹奏木琴

실록(實錄) 명【史】实录 shílù ¶조선 왕조~ 朝鲜王朝实录

실루엣(프silhouette) 명 **1**【美】黑色轮廓像 hēisè lúnkuòxiàng **2**【演】侧面影像 cèmiàn yǐngxiàng; 剪影 jiǎnyǐng **3**【手工】衣着 yīzhuó

실룩 부하자타 抽搐 chōuchù; 抽搦 chōunuò; 痉挛 jìngluán; 抽动 chōudòng ¶얼굴의 근육이 한 차례 ~했다 脸上的肌肉抽搐了一下

실룩-거리다 자타 抽搐 chōuchù; 抽动 chōudòng; 抽搦 chōunuò; 痉挛 jìngluán = 실룩대다 ¶입가가 쉴 새 없이 실룩거린다 嘴角不停地抽动 **실룩-실룩** 부하자타

실리(實利) 명 实利 shílì ¶ ~를 추구하다 追求实利

실리다¹ 자 '싣다'의 被动词 ¶그녀의 글이 잡지에 실렸다 她的文章登在杂志上了 / 그의 논문이 잡지에 실렸다 他的论文刊登在杂志上

실리다² 타 '싣다1'의 使动词

실리카 겔(silica 독Gel) 【化】氧化硅胶 yǎnghuà guījiāo; 硅胶 guījiāo

실리콘(silicon) 명【化】= 규소 ¶ ~밸리 硅谷 / ~ 수지 硅树脂

실리콘(silicone) 명【化】= 규소 수지

실린더(cylinder) 명【機】气筒 qìtǒng = 기통

실-마리 명 **1** 线头 xiàntóu **2** 线索 xiànsuǒ; 头绪 tóuxù; 线头 xiàntóu; 端绪 duānxù; 端倪 duānní ¶여러 번 조사했지만 어떤 ~도 찾지 못했다 调查了好几次也没有发现任何线索

실망(失望) 명하자 失望 shīwàng; 灰心 huīxīn; 气馁 qìněi ¶ ~감 失望感 / 몇 번의 실패를 겪었지만, 그는 ~하

지 않았다 경과 몇 번의 실패에, 그는 낙심하지 않았다

실명(失明) 명하자 失明 shīmíng ¶두 눈이 ~하다 双目失明

실명(實名) 명 实名 shímíng; 本名 běnmíng; 真名 zhēnmíng ¶인터넷 ~제 网络实名制

실무(實務) 명 实务 shíwù; 业务 yèwù ¶무역 ~ 贸易实务 / ~ 능력 业务能力 / ~자 业务人员 / ~에 정통하다 精通业务

실물(實物) 명 1 实物 shíwù ¶~ 모형 实物模型 2 【經】现货 xiànhuò; 实物 shíwù = 现물 ¶~ 가격 现货价格 / ~ 자산 实物资产 / ~ 거래 实物交易 = [现货交易]

실-바람 명 轻风 qīngfēng; 微风 wēifēng

실-밥 명 1 线头 xiàntóu; 针脚 zhēnjiǎo; 线脚 xiànjiǎo ¶~을 뜯다 抽线头 2 破丝头 pòsītóu; 废线头 fèixiàntóu

실-뱀 명 [動] 黄脊游蛇 huángjǐyóushé; 绿瘦蛇 lǜshòushé

실-버들 명 [植] 细柳 xìliǔ; 垂柳 chuíliǔ

실버-산업(silver産業) 명 【社】银发产业 yínfà chǎnyè; 老年产业 lǎonián chǎnyè

실버-타운(silver town) 명 老年公寓 lǎonián gōngyù; 老年村 lǎoniáncūn

실비(實費) 명 实际费用 shíjì fèiyong

실-뿌리 명 [植] = 수염뿌리

실사(實査) 명하타 实查 shíchá; 清点 qīngdiǎn

실사(實寫) 명하타 实写 shíxiě

실사-구시(實事求是) 명 实事求是 shíshìqiúshì

실상(實狀) ⊟명 真相 zhēnxiàng; 实况 shíkuàng ¶일의 ~을 밝히다 弄清事情的真相 / ~을 이해하다 了解真相 ⊟튀 = 实际上 ¶보기에는 나쁜 일이지만, ~ 좋은 일이다 看起来是坏事, 其实是好事

실-생활(實生活) 명 实际生活 shíjì shēnghuó; 现实生活 xiànshí shēnghuó ¶~에 응용하다 应用到实际生活去

실성(失性) 명하자 精神失常 jīngshén shícháng; 发疯 fāfēng; 失心 shīxīn ¶그는 ~해서 사람만 보면 운다 他精神失常, 见人就哭

실세(實勢) 명 1 实际势力 shíjì shìlì ¶그가 바로 재계의 ~이다 他就是财界的实际势力 2 实际行情 shíjì hángqíng

실소(失笑) 명하자 失笑 shīxiào ¶~를 금할 수가 없다 不禁失笑

실-속(實—) 명 1 扎实 zhāshí; 踏实 tāshí 2 实惠 shíhuì; 实利 shílì ¶~ 있는 가격 实惠价格

실수(失手) 명하자 1 失 shī; 失误 shīwù; 失手 shīshǒu; 不小心 bùxiǎoxīn ¶사소한 ~ 细小失误 / 나는 ~로 화병을 깨뜨렸다 我不小心把花瓶打碎了 2 = 실례(失禮) ¶너는 그에게 약간 ~했다 你对他有点儿失礼

실-수요(實需要) 명 实际需要 shíjì xūyào ¶~자 实际需要者

실-수익(實收益) 명 实际收益 shíjì shōuyì

실-수입(實收入) 명 实际收入 shíjì shōurù; 实收 shíshōu

실습(實習) 명하타 实习 shíxí; 见习 jiànxí ¶~생 实习生 / 운전 ~을 하다 实习开车

실시(實施) 명하타 实施 shíshī; 实行 shíxíng; 施行 shīxíng ¶신체검사를 ~하다 实行体检

실-시간(實時間) 명 实时 shíshí ¶~ 처리 实时处理

실신(失神) 명하자 失神 shīshén; 昏倒 hūndǎo; 昏迷 hūnmí ¶그는 갑자기 집에서 ~했다 他忽然昏倒在家中

실실 명하자 笑嘻嘻 xiàoxīxī; 嬉皮笑脸 xīpíxiàoliǎn ¶그녀는 ~ 웃으면서 걸어 나왔다 她笑嘻嘻地走出来

실실-거리다 자 笑嘻嘻 xiàoxīxī; 嬉皮笑脸 xīpíxiàoliǎn = 실실대다

실어(失語) 명 失语 shīyǔ ¶~증 失语症

실언(失言) 명하자 失言 shīyán; 失口 shīkǒu ¶죄송합니다, 제가 ~을 했군요 对不起, 我失言了

실업(失業) 명하자 失业 shīyè ¶~률 失业率 / ~자 失业者 / 문제 失业的问题 / ~ 수당 失业救济金 = [失业补助金] / ~ 인구 失业人口 / ~을 줄이다 减少失业

실업(實業) 명 实业 shíyè ¶~가 实业家

실업 고등학교(實業高等學校) 【教】职业高中 zhíyè gāozhōng

실-없다 형 无稽 wújī; 无聊 wúliáo; 不真实 bùzhēnshí; 不真诚 bùzhēnchéng; 不正经 bùzhèngjing 실없-이 튀 ¶그 둘은 ~ 이것도 저것도 아닌 말을 하고 있다 他俩无聊地谈着不三不四的话

실연(失戀) 명하자 失恋 shīliàn ¶~의 아픔 失恋的痛苦 / ~ 당한 친구를 위로하다 安慰失恋的朋友

실연(實演) 명하자타 1 演示 yǎnshì ¶현장에서 ~를 진행 现场演示 2 【演】舞台表演 wǔtái biǎoyǎn ¶그녀는 풍부한 ~ 경험을 가지고 있다 她有着丰富的舞台表演经验

실-오라기 명 一丝 yīsī; 一根线 yīgēnxiàn ¶~ 하나 걸치지 않고 저대

늫늪 一丝不挂地躺在床上

실온(室溫) 명 室温 shìwēn; 室内温度 shìnèi wēndù ¶~에서 자연 해동시키기 在室温中自然解冻

실외(室外) 명 室外 shìwài; 户外 hùwài ¶~ 테니스장 室外网球场 / ~ 운동 室外运动

실용(實用) 명하타 实用 shíyòng ¶~성 实用性 / ~품 实用品 =[实用物品] / ~화 实用化 / ~주의 实用主义 / ~음악 实用音乐 / ~사전 实用词典 / ~가치 实用价值

실용-문(實用文) 명 应用文 yìngyòngwén

실용-적(實用的) 관명 实用的 shíyòngde ¶~인 기능 实用的功能

실-은(實一) 부 实际上 shíjìshang; 其实 qíshí ¶겉으로 보면 그가 중국인 같지만, ~ 한국 사람이다 看样子他像中国人, 其实他是韩国人

실의(失意) 명하자 失意 shīyì; 消沉 xiāochén; 失望 shīwàng ¶~에 빠지다 消沉情绪

실익(實益) 명 实利 shílì; 实惠 shíhuì

실-잠자리 명 【虫】 豆娘 dòuniáng

실장(室長) 명 室长 shìzhǎng

실재(實在) 명하자 真实 zhēnshí; 实在 shízài; 存在 cúnzài ¶그는 역사 속에~하는 인물이 아니다 他不是历史中的真实人物

실적(實績) 명 (实际的)成就 chéngjiù; 成绩 chéngjī ¶수출 ~ 出口贸易/판매 ~ 销售成绩 / ~에 따라 급여를 주다 按成绩发工资

실전(實戰) 명 实战 shízhàn ¶풍부한 ~ 경험 丰富的实战经验 / ~ 능력을 높이다 提高实战能力

실점(失點) 명하자 失分 shīfēn ¶~을 만회하다 挽回失分

실정(失政) 명 政治失策 zhèngzhì shīcè; 政治失误 zhèngzhì shīwù

실정(實情) 명 实情 shíqíng; 真情 zhēnqíng ¶~을 숨기다 隐瞒实情 / ~을 살피다 察实情

실제(實際) 명부 实际 shíjì; 真实 zhēnshí ¶~ 상황 实际情况 / ~ 생활 实际生活 / ~ 나이 真实年龄 명부 = 실제로 ¶~ 해 보면 그렇게 쉽지는 않다 实际做起来就不那么容易了

실조(失調) 명하자 失调 shītiáo ¶영양 ~ 营养失调

실족(失足) 명하자 失足 shīzú; 失脚 shījiǎo ¶~하여 개천으로 미끄러져 떨어졌다 失足滑落到一河沟内

실존(實存) 명하자 实在 shízài; 存在

cúnzài ¶~주의 存在主义

실종(失踪) 명하자 失踪 shīzōng; 下落不明 xiàluò bùmíng; 生死不明 shēngsǐ bùmíng ¶~자 失踪者 / 재해로 20명이 ~되다 因灾失踪20人

실증(實證) 명하타 实证 shízhèng; 证实 zhèngshí; 证明 zhèngmíng ¶그것은 ~이 안 된 유언비어이다 那是没有实证的流言

실지(實地) 명 1 实际 shíjì ¶회사는 인재의 ~ 경험을 특히 중시한다 公司特别注重人才的实际经验 2 = 현장(現場)3 ¶여러 차례 ~ 답사를 실시하다 多次进行实地调查 명부 = 실제로

실직(失職) 명하자 失业 shīyè ¶~자 失业者 / ~을 당하다 被失业

실질(實質) 명 实质 shízhì; 实际 shíjì ¶~ 소득 实际所得 / ~ 금리 实际利息

실질-적(實質的) 관명 实质 shízhì; 实质性的 shízhìxìng(de) ¶~인 기회를 제공하다 提供实质的机会 / ~인 성과를 얻다 取得实质性成果

실책(失策) 명 1 失策 shīcè; 失算 shīsuàn; 失误 shīwù 2 【體】 = 에러2 ¶그의 ~으로 팀이 패했다 他的失误造成全队的失败

실천(實踐) 명하타 实践 shíjiàn; 履行 lǚxíng; 实行 shíxíng ¶자신의 약속을 ~하다 履行自己的诺言

실체(實體) 명 1 实体 shítǐ; 实质 shízhì; 本质 běnzhì ¶문제의 ~를 파악하다 把握问题的实质 2 【哲】本体 běntǐ; 实体 shítǐ

실추(失墜) 명하타 扫地 sǎodì; 丧失 sàngshī ¶명예가 ~되다 名誉扫地

실측(實測) 명하타 实测 shícè ¶~도 实测图 / ~ 조사 实测调查

실컷 부 尽量 jìnliàng; 尽情 jìnqíng; 够 gòu; 饱 bǎo ¶~ 마시다 喝个够 / ~ 먹다 吃够 / ~ 보다 饱看 / ~ 드세요 请尽量吃吧

실크(silk) 명 丝 sī; 蚕丝 cánsī; 丝绸 sīchóu; 丝织品 sīzhīpǐn; 绸缎 chóuduàn

실크 로드(Silk Road) 【史】= 비단길

실-타래 명 线抹 xiànguà

실탄(實彈) 명 实弹 shídàn ¶~ 사격 实弹射击 / ~을 발사하다 发射实弹

실태(實態) 명 实况 shíkuàng; 实情 shíqíng; 实相 shíxiàng ¶~ 보고 实况报告 / 국가 경제의 ~를 조사하다 调查国家经济的实况

실토(實吐) 명하자타 说实话 shuō shíhuà; 说真话 shuō zhēnhuà; 说心话 shuō xīnhuà

실-톱 명 钢丝锯 gāngsījù

실투(失投) 명하자 【體】(棒球的)投球失误 tóuqiú shīwù

실:-파 명 〖植〗 细葱 xìcōng
실:-패 명 线板 xiànbǎn; 绕线板 ràoxiànbǎn; 络子 làozi ¶~에 실을 감다 在线板绕线
실패(失敗) 명하자 失败 shībài ¶~의 원인 失败原因 / ~는 성공의 어머니 失败是成功之母 / 그들은 최대한 노력했지만, 결국 ~했다 他们尽了最大的努力, 结果还是失败了
실:-핏줄 명 〖生〗 = 모세 혈관 ¶~이 터지다 毛细血管破裂
실-하다(實—) 형 **1** 结实 jiēshi; 硬棒 yìngbàng; 壮实 zhuàngshí ¶몸이 ~ 身体结实 **2** 富裕 fùyù; 富有 fùyǒu ¶그의 집안 살림은 ~ 他家生活很富裕 **3** 饱 bǎo; 饱满 bǎomǎn ¶벼의 알이 ~ 谷粒儿很饱 **실-히** 부
실학(實學) 명 〖史〗 实学 shíxué ¶~운동 实学运动 / ~사상 实学思想 / ~자 实学家 / ~파 实学派
실행(實行) 명하타 **1** 实行 shíxíng; 执行 zhíxíng; 实施 shíshī; 施行 shīxíng ¶새로운 방안을 ~하다 施行新的方案 **2** 〖컴〗 运行 yùnxíng
실향(失鄕) 명하자 失乡 shīxiāng; 失去家乡 shīqù jiāxiāng ¶~민 失乡民
실험(實驗) 명하타 **1** 试验 shìyàn ¶성능을 ~하다 试验性能 **2** 实验 shíyàn ¶~실 实验室 / 화학 ~ 化学实验 / ~도구 实验器具 **3** 尝试 chángshì ¶그는 ~ 삼아 소설을 드라마로 개편하였다 他尝试把小说改编成电视剧
실험-적(實驗的) 관명 试验(的) shìyàn(de); 试验性 shìyànxìng ¶~인 연구 试验性研究 / ~인 단계 试验阶段
실현(實現) 명하타 实现 shíxiàn ¶이상을 ~하다 实现理想 / 자신의 꿈을 ~하다 实现自己的愿望
실형(實刑) 명 〖法〗 实刑 shíxíng ¶~을 선고하다 判实刑
실화(失火) 명하자 失火 shīhuǒ
실화(實話) 명 真人真事 zhēnrén zhēnshì ¶~를 바탕으로 만든 영화 根据真人真事改编的电影
실황(實況) 명 实况 shíkuàng ¶경기 ~ 比赛实况 / ~ 녹화 实况录像 / ~ 방송 实况广播 / ~ 중계 实况转播
실효(失效) 명하자 失效 shīxiào ¶기간이 지나 ~되다 过期失效
실효(實效) 명 实效 shíxiào ¶~성 实效性 / ~를 거두다 取得实效
싫다 형 **1** 不喜欢 bùxǐhuan; 讨厌 tǎoyàn; 厌烦 yànfán; 厌恶 yànwù; 嫌 xián ¶나는 그가 정말 ~ 我真的不喜欢他 / 나는 내 키가 너무 작은 것이 ~ 我嫌我个子太矮 **2** 不愿意 bùyuànyì; 不要 bùyào; 不想 bùxiǎng; 不肯 bùkěn ¶나는 너를 떠나기가 정말 ~ 我很不愿意离开你
싫어-하다 타 不喜欢 bùxǐhuan; 不爱 bù'ài; 讨厌 tǎoyàn; 厌烦 yànfán; 厌恶 yànwù; 嫌 xián ¶그는 운동을 싫어한다 他不喜欢运动 / 그녀는 치마를 입는 것을 싫어한다 他不爱穿裙子 / 네가 제일 싫어하는 사람은 누구냐? 你最讨厌的人是谁?
싫-증(—症) 명 厌倦 yànjuàn; 厌烦 yànfán; 腻烦 nìfan; 腻 nì; 烦厌 fányàn = 염증(厭症) ¶그는 벌써 이 일에 ~내기 시작했다 他已经厌倦起这工作来了 / 무료한 생활에 ~이 나다 无聊的生活令人厌烦
심(心) 명 **1** (谷物的) 面团 miàntuán **2** 心 xīn ¶나무 ~ 树心 **3** 菜筋 càijīn **4** 衬布 chènbù **5** 芯 xīn ¶연필~ 铅笔芯 **6** 芯子 xīnzi; 捻子 niǎnzi
-심(心) 접미 心 xīn ¶자존~ 自尊心 / 공포~ 恐怖心 / 애국~ 爱国心
심:각-성(深刻性) 명 迫切性 pòqièxìng
심:각-하다(深刻—) 형 深刻 shēnkè; 严重 yánzhòng; 迫切 pòqiè ¶상황은 우리가 상상한 것보다 훨씬 ~ 情况比我们想象的严重得多 / 연료 문제가 아주 ~ 燃料的问题十分迫切 **심:각-히** 부
심경(心境) 명 心境 xīnjìng; 心绪 xīnxù; 心情 xīnqíng ¶당시의 ~ 当时的心境 / ~의 변화 心情的变化
심근(心筋) 명 〖生〗 心肌 xīnjī ¶~ 경색증 心肌梗塞症
심금(心琴) 명 心弦 xīnxián ¶~을 울리는 이야기 扣人心弦的故事
심기(心氣) 명 心气 xīnqì; 心情 xīnqíng ¶~가 불편하다 心气不顺
심기(心機) 명 心机 xīnjī ¶~일전 心机一转
심:다 타 **1** 种 zhòng; 栽 zāi; 植 zhí; 播 bō; 下 xià ¶꽃을 ~ 种花 / 산에 가서 나무를 ~ 去山上植树 **2** 怀着 huáizhe; 抱着 bàozhe ¶원대한 이상을 ~ 抱着远大理想
심:도(深度) 명 **1** 深度 shēndù ¶바다의 ~를 측량하다 测量海水的深度 **2** 深度 shēndù; 深刻 shēnkè ¶아주 ~ 있게 분석하다 分析得非常深刻
심드렁-하다 형 不乐意 bùlèyì; 不关心 bùguānxīn; 不热情 bùrèqíng; 冷淡 lěngdàn; 冷漠 lěngmò ¶태도가 ~ 态度冷淡 / 그는 심드렁하게 대답했다 他冷淡地回答 **심드렁-히** 부
심란-하다(心亂—) 형 心乱 xīnluàn ¶마음이 몹시 ~ 心乱如麻 **심란-히** 부
심려(心慮) 명하타 担忧 dānyōu; 担心 dānxīn; 忧虑 yōulǜ ¶너무 ~하실 필요 없습니다 不必过分担忧 / 정말 죄송합니다, 또 ~를 끼쳤습니다 实在对不

起, 又让您担心了

심령(心靈) 圐 **1** 心灵 xīnlíng; 精神 jīngshén; 内心 nèixīn ¶~ 세계 心灵 世界 **2** [心] 心灵 xīnlíng ¶~술 心灵 术 / ~ 현상 心灵现象

심리(心理) 圐 [心] **1** 心理 xīnlǐ ¶~ 극 心理剧 / ~전 心理战 / ~묘사 心理描写 / 요법 心理疗法 / 범죄 ~ 犯罪心理 / 소비자의 ~를 파악하다 抓住消费者的心理 **2** = 심리학

심리(審理) 圐하타 [法] 审理 shěnlǐ

심리-학(心理學) 圐 [心] 心理学 xīnlǐxué = 심리(心理)2

심문(尋問) 圐 采参人 cǎishēnrén

심문(審問) 圐하타 [法] 审问 shěnwèn; 审讯 shěnxùn ¶피고를 ~하다 审问被告 / 원고를 ~하다 审讯原告

심미(審美) 圐 审美 shěnměi ¶~안 审美眼光

심미-학(審美學) 圐 [哲] = 미학

심방(心房) 圐 [生] 心房 xīnfáng

심방(尋訪) 圐하타 寻访 xúnfǎng; 造访 zàofǎng ¶댁으로 ~ 가겠습니다 登门造访

심벌즈(cymbals) 圐 [音] 大镲 dàchǎ; 铙钹 náobó; 铙钹 náobó

심-보(心一) 圐 = 마음보 ¶~가 고약하다 心眼儿坏 / ~가 나쁘다 存心不良

심복(心腹) 圐 心腹 xīnfù; 心腹之人 xīnfùzhīrén ¶이 사람이 바로 대통령의 ~이다 这人就是总统的心腹

심-부름 圐하타 跑腿儿 pǎotuǐr; 当差 dāngchāi; 帮忙 bāngmáng ¶~ 센터 跑腿儿公司 / 그에게 ~을 시키다 让他跑腿儿

심-부름-꾼 圐 跑腿儿的 pǎotuǐrde; 当差的 dāngchāide ¶그는 단지 ~일 뿐이다 他只是个跑腿儿的

심사(心思) 圐 **1** 心思 xīnsī ¶~가 편하다 心思不好 **2** 心术 xīnshù; 心眼儿 xīnyǎnr; 居心 jūxīn ¶~가 바르지 않다 心术不正 / ~가 고약하다 心眼儿坏

심사(가) 사납다 ㄷ 心眼儿坏

심사(審査) 圐하타 审查 shěnchá ¶철저히 ~하다 彻底审查 / 이 일에 대해서는 엄격하게 ~해야 한다 对这件事要严加审查

심-사-숙고(深思熟考) 圐하타 深思熟虑 shēnsīshúlǜ

심산(心算) 圐 打算 dǎsuan; 盘算 pánsuan; 企图 qìtú = 속셈1

심:산(深山) 圐 深山 shēnshān ¶~유곡 深山幽谷

심상(心象) 圐 **1** [文] 心象 xīnxiàng = 이미지12 **2** [心] 心象 xīnxiàng

심상-하다(尋常—) 阇 寻常 xúncháng

¶심상치 않다 不寻常 =[不对劲儿][异常][异乎寻常] / 심상치 않은 행동 不寻常的举动 심상-히 阊

심성(心性) 圐 心性 xīnxìng; 心眼儿 xīnyǎnr; 心地 xīndì ¶~이 곱다 心眼儿美好

심술(心術) 圐 **1** 耍脾气 shuǎpíqi (执拗的心眼儿) **2** 心术 xīnshù; 歪心眼儿 wāixīnyǎnr; 坏心眼儿 huàixīnyǎnr; 坏心肠 huàixīncháng ¶그는 ~ 사나운 녀석이다 他是心术不正的家伙

심술-궂다(心術—) 阇 心术可恶 xīnshù kěwù; 心眼儿坏 xīnyǎnr huài ¶그녀는 결코 심술궂은 사람이 아니다 她并不是一个心术可恶的人

심술-꾸러기(心術—) 圐 儍头 chàntóu; 拐棒儿 guǎibàngr; 轴脾气儿 zhóupíqir = 심술쟁이

심술-부리다(心術—) 巫 使坏心眼儿 shǐ huàixīnyǎnr ¶나한테 심술부리지 마라 你别给我使坏心眼儿

심술-쟁이(心術—) 圐 = 심술꾸러기

심신(心身) 圐 心身 xīnshēn; 身心 shēnxīn ¶~ 미약자 身心微弱者 / ~이 건강하다 心身健康 / ~을 단련하다 锻炼身心

심실(心室) 圐 [生] 心室 xīnshì

심:-산천(深深山川) 圐 深邃的山川 shēnsuìde shānchuān

심심-찮다 阇 频繁 pínfán ¶다양한 분쟁 사건이 심심찮게 발생하다 各种纠纷事件频繁发生

심심-풀이 圐하타 消遣 xiāoqiǎn; 消闲 xiāoxián; 解闷 jiěmèn; 取乐 qùlè ¶~로 바둑을 두다 下棋消一消闲

심심-하다[1] 阇 无聊 wúliáo; 闲着没事 xiánzhe méishì; 没意思 méi yìsi ¶혼자 집에 있으니 정말 ~ 一个人呆在家里, 真没意思 심심-히[1] 阊

심심-하다[2] 阇 (味道) 淡 dàn ¶이 음식은 너무 ~ 这个菜太淡了 심심-히[2] 阊

심:-하다(深甚—) 阇 深 shēn; 深切 shēnqiè; 深深 shēnshēn ¶심심한 사의를 표하다 深表谢意 / 심심한 경의를 표하다 表示深深的敬意 심심-히[3] 阊

심:-야(深夜) 圐 深夜 shēnyè; 深更 shēngēng; 半夜 bànyè; 子夜 zǐyè; 三更半夜 sāngēng bànyè ¶~ 프로그램 深夜节目

심약-하다(心弱—) 阇 心软 xīnruǎn; 心虚 xīnxū; 脆弱 cuìruò; 薄弱 bóruò ¶심약한 사람 心软的人

심:-연(深淵) 圐 深渊 shēnyuān ¶~에 큰 물고기가 있다 深渊有大鱼

심:-오-하다(深奧—) 阇 深奥 shēn'ào; 深邃 shēnsuì; 高深 gāoshēn; 深刻 shēnkè ¶글의 내용이 아주 ~ 文章内

容很深奥 / 심오한 이치 深邃的道理

심:의(審議) 〖명〗〖하다〗 审议 shěnyì ¶~ 회 审议会 / 법안을 ~하다 审议法案

심장(心臟) 〖명〗 1 〖生〗 心 xīn; 心脏 xīnzàng = 염통 ¶~ 마비 心脏麻痹 / 병 心脏病 / ~ 박동 心脏搏动 / ~ 수술 心脏手术 / 그의 ~은 격렬하게 뛰고 있다 他的心激烈地跳动着 2 心脏 xīnzàng; 中心 zhōngxīn; 中枢 zhōngshū ¶엔진은 자동차의 ~이다 发动机 是汽车的心脏

심장-부(心臟部) 〖명〗 心脏 xīnzàng ¶ 서울은 한국의 ~이다 首尔是韩国的心脏

심:장-하다(深長一) 〖형〗 深长 shēncháng ¶의미가 ~ 意味深长

심-적(心的) 〖관형〗 心理的 xīnlǐ(de); 内心的 nèixīn(de) ¶인물의 ~ 변화 를 그려 내다 刻画人物的心理变化

심전-도(心電圖) 〖명〗〖醫〗 心电图 xīndiàntú ¶~ 검사 接受心电图检查

심정(心情) 〖명〗 心情 xīnqíng; 心境 xīnjìng ¶나는 그의 ~을 십분 이해한다 我十分理解他的心情 / 괴로운 ~을 털 어놓다 倾吐烦闷的心情

심중(心中) 〖명〗 = 마음속 ¶어머니의 ~을 헤아리다 摸透母亲的心思

심증(心證) 〖명〗〖法〗 心证 xīnzhèng ¶ ~을 굳히다 加深了心证 / 법관은 ~ 에 의거하여 재판해야 한다 法官应凭 依其心证进行裁判

심지(心一) 〖명〗 1 芯 xīn; 心 xīn; 灯芯 dēngxīn; 灯心 dēngxīn ¶등의 ~를 돋 우다 挑灯芯 / ~에 불을 붙이다 点燃 灯芯 2 引线 yǐnxiàn; 导火线 dǎohuǒxiàn ¶폭약의 ~에 불을 붙이다 点燃 炸药的引线 3 棉 mián; 布 bù ¶수술 한 상처 자리에 ~를 박다 把棉披在手 术伤口

심지(心地) 〖명〗 心地 xīndì; 心田 xīntián ¶~가 곱다 心地善良

심지(心志) 〖명〗 心志 xīnzhì; 意志 yìzhì ¶~가 굳다 意志坚定

심:지어(甚至於) 〖부〗 甚至 shènzhì; 甚 而 shèn'ér; 甚而至于 shèn'érzhìyú ¶시 간이 오래되어, 나는 ~ 그의 이름조 차도 잊어버렸다 时间长了, 我甚而连 他的名字也给忘了

심취(心醉) 〖명〗〖하다〗 心醉 xīnzuì; 醉心 zuìxīn; 陶醉 táozuì ¶나는 아름다운 경치에 ~되었다 我为美丽的景色心 醉

심:층(深層) 〖명〗 深层 shēncéng ¶~ 구 조 深层结构 / ~ 분석 深层分析

심통(心一) 〖명〗 坏心眼儿 huàixīnyǎnr; 坏心肠 huàixīncháng; 黑心肠 hēixīncháng; 术术 xīnshù ¶그녀는 착한 여 자아이라 ~을 부려본 적이 없다 她是

个善良的女孩子, 从没有过什么坏心眼儿

심통(心痛) 〖명〗〖하다〗〖부〗 心痛 xīntòng ¶~는 표정 心痛的表情

심:판(審判) 〖명〗〖하다〗 1 〖法〗 审判 shěnpàn; 裁判 cáipàn ¶민사 소송 사건을 ~하다 审判民事案件 2 〖體〗 裁判 cáipàn; 裁判员 cáipànyuán = 심판관 3 · 심판원 〖국제 ~ 国际裁判 3 〖宗〗 审判 shěnpàn ¶최후의 ~ 最后的审判

심:판-관(審判官) 〖명〗 1 〖法〗 裁判 cáipàn; 裁判员 cáipànyuán 2 〖法〗 裁判 官 shěnpànguān 3 〖體〗 = 심판2

심:판-대(審判臺) 〖명〗 1 审判台 shěnpàntái 2 审判台 shěnpàntái ¶~에 오르다 上审判台

심:판-원(審判員) 〖명〗 = 심판2

심포니(symphony) 〖명〗〖音〗 = 교향곡

심포지엄(symposium) 〖명〗 研讨会 yántǎohuì; 专题讨论会 zhuāntí tǎolùnhuì; 座谈会 zuòtánhuì ¶~을 열다 开展专题讨论会

심:-하다(甚一) 〖형〗 甚 shèn; 厉害 lìhai; 严重 yánzhòng; 过分 guòfèn; 重 zhòng; 深重 shēnzhòng; 要命 yàomìng; 不行 bùxíng ¶그의 병은 또 심 해졌다 他的病又严重起来了 / 그의 상 처는 아주 ~ 他的伤很重 / 그의 집은 심 하게 가난하다 他家穷得要命 **심:-히** 〖부〗

심:해(深海) 〖명〗 深海 shēnhǎi ¶~ 유 전 深海油田

심혈(心血) 〖명〗 心血 xīnxuè; 心思和精 力 xīnsi hé jīnglì ¶~을 기울이다 费尽 心血 =[倾注心血]

심:-호흡(深呼吸) 〖명〗〖하자〗 深呼吸 shēnhūxī ¶오래 잠수했다가, 나와서 한 차 례 ~하다 潜水久了, 出来呼吸了一口 气

심:-화(深化) 〖명〗〖하자타〗 深化 shēnhuà; 加深 jiāshēn; 深入 shēnrù ¶양국 간의 갈등이 더욱 ~되었다 两国间的矛盾 更加深化了

십(十) 〖수관〗 十 shí ¶삼~ 세 三十岁 / ~여 명 十多个人

십 년 묵은 체증이 내리다 〖속담〗 扬 眉吐气

십 년이면 강산[산천]도 변한다 〖속담〗十年江山变; 十年河东, 十年河 西

십간(十干) 〖명〗〖民〗 十干 shígān; 天干 tiāngān

십계(十誡) 〖명〗〖宗〗 = 십계명

십-계명(十誡命) 〖명〗〖宗〗 十诫命 shíjièmìng = 십계 ¶~을 어기다 违反十诫命

십년-감수(十年減壽) 〖명〗〖하자〗 减寿十 年 jiǎnshòu shínián

십년-공부(十年工夫) 圀 十年工夫 shínián gōngfu; 十年读书 shínián dúshū; 十年寒窗 shínián hánchuāng

십년공부 도로 아미타불 속담 十年而谋之, 一朝而弃之; 十年工夫废于一旦

십년지계(十年之計) 圀 百年大计 bǎinián dàijì; 十年树木 shínián shùmù

십년-지기(十年知己) 圀 老朋友 lǎopéngyou

십만(十萬) 주관 十万 shíwàn ¶~ 대군 十万大军／참여 인원은 연인원 ~에 달한다 参与人数达到十万人次

십분(十分) 图 十分 shífēn; 充分 chōngfēn; 万分 wànfēn; 非常 fēicháng ¶그녀의 심정을 나는 ~ 이해한다 对于她的心情, 我是十分理解的／능력은 ~ 발휘하다 充分地发挥能力

십상 图圀 正好 zhènghǎo; 正合适 zhènghéshì; 恰好 qiàhǎo ¶날씨가 좋아 나가 놀기엔 ~좋다 天气不冷不热, 正好出去玩儿／밖으로 나가 거리 구경하기에는 이런 복장이 ~이다 出门逛街正合适这样的穿法

십시일반(十匙一飯) 圀 十匙一饭 shíchíyīfàn

십오-야(十五夜) 圀 三五之夜 sānwǔzhīyè; 十五之夜 shíwǔzhīyè ¶~은 달 三五之夜的明月

십이-월(十二月) 圀 1 十二月 shí'èryuè 2 = 섣달

십이-지(十二支) 圀 〖民〗 地支 dìzhī; 十二支 shí'èrzhī; 十二辰 shí'èrchén

십이지-장(十二指腸) 圀 〖生〗 十二指肠 shí'èrzhǐcháng ¶~ 궤양 十二指肠溃疡

십이지장-충(十二指腸蟲) 圀 〖動〗 钩虫 gōuchóng

십인-십색(十人十色) 圀 十人十色 shírén shísè; 各不相同 gèbùxiāngtóng; 各有不同 gèyǒubùtóng

십일-월(十一月) 圀 1 十一月 shíyīyuè 2 = 동짓달

십일-조(十一條) 圀 〖宗〗 十一税 shíyīshuì; 十一租 shíyīzū

십자(十字) 圀 十字 shízì

십자-가(十字架) 圀 〖宗〗 十字架 shízìjià
　십자가를 지다 权 背十字架; 受罪

십자-군(十字軍) 圀 1 〖史〗 十字军 shízìjūn ¶~ 기사 十字军骑士 2 十字军 shízìjūn ¶평화의 ~ 和平的十字军

십자-로(十字路) 圀 = 네거리

십자-수(十字繡) 圀 十字绣 shízìxiù; 挑花儿 tiǎohuār ¶~ 도안 十字绣图案／~를 놓다 绣十字绣

십-장생(十長生) 圀 〖民〗 十长生 shícháng shēng

십전-대보탕(十全大補湯) 圀 〖韓醫〗 十全大补汤 shíquán dàbǔtāng

십종 경·기(十種競技) 〖體〗 十项全能 shíxiàng quánnéng; 十项运动 shíxiàng yùndòng

십중-팔구(十中八九) 圀 十之八九 shízhībājiǔ; 十有八九 shíyǒubājiǔ; 十九 shíjiǔ ¶이렇게 늦었으니 그는 ~오지 않을 것이다 这么晚了, 他十之八九不来了

십진-법(十進法) 圀 〖數〗 十进法 shíjìnfǎ; 十进位制 shíjìnwèizhì; 十进制 shíjìnzhì

십진-수(十進數) 圀 〖數〗 十进位数 shíjìnwèishù

십팔-금(十八金) 圀 十八金 shíbājīn

십팔-번(十八番) 圀 拿手歌曲 náshǒu gēqǔ ¶그의 ~은 아리랑이다 他拿手歌曲是阿里郎

싱겁다 혭 1 淡 dàn; 不咸 bùxián ¶이 음식은 너무 싱거우니 소금을 좀 더 넣어라 这道菜太淡了, 再加点儿盐／국이 약간 ~ 汤淡了一些 2 〈烟、酒等〉薄 báo; 不厉害 bùlìhai ¶술맛이 너무 ~ 酒味太薄 3 无味 wúiào; 无聊 fáwèi ¶싱거운 사람 无聊的人／후반전 시합은 더욱 싱거웠다 下半场的比赛更是乏味

싱그럽다 혭 清香 qīngxiāng; 芬芳 fēnfāng; 清新 qīngxīn ¶야생화가 싱그러운 향기를 풍기다 野花散发出一阵阵的清香

싱글(single) 圀 1 一 yī; 一个 yīge; 单 dān; 单一 dānyī; 单个 dāngè; 单人 dānrén ¶~베드 单人床／~ 룸 单间 2 독身 dānshēn; 单一 dānyī ¶~라이프 独身生活 3 〖體〗 = 단식 경기

싱글-거리다 邳 微笑 wēixiào; 笑盈盈 xiàoyíngyíng; 笑吟吟 xiàoyínyín ¶싱글대다 ¶아이들이 차를 향해 싱글거리며 손을 흔든다 孩子们向车辆微笑招手 싱글-싱글 圁혭圀

싱글-벙글 圁혭圀 笑眯眯 xiàomīmī; 笑吟吟 xiàoyínyín ¶남편 이야기만 하면, 아내는 늘 ~한다 说起丈夫, 妻子总是笑眯眯的

싱긋 圁혭圀 笑吟吟 xiàoyínyín; 笑盈盈 xiàoyíngyíng; 微笑 wēixiào

싱숭-생숭 圁하혭 〈心緒〉纷乱 fēnluàn; 缭乱 liáoluàn; 不宁 bùníng ¶~한 마음이 겨우 안정되어 嬚 纷乱的心绪才得以平息

싱싱-하다 혭 1 鲜 xiān; 新鲜 xīnxiān ¶싱싱한 고기 鲜肉／싱싱한 과일 鲜果 =〖新鲜水果〗／생선이 ~ 鱼很新鲜 2 清新 qīngxīn ¶아침 공기가 ~ 早晨空气很新鲜 3 茁壮 zhuózhuàng ¶새로 심은 잔디가 싱싱하게 자라고 있다 新

종의 草皮가 正在 苗壯生長 **싱싱-히** 閈

싱크-대(sink臺) 圀 **1** (廚房) 水槽 shuǐcáo; 洗滌槽 xǐdícáo; 污水槽 wū-shuǐcáo **2** (實驗室) 水池 shuǐchí

싱크로나이즈드 스위밍(synchro-nized swimming) 【體】花樣游泳 huāyàng yóuyǒng = 水중 발레

싶다 보형 **1** 想 xiǎng; 愿 yuàn; 愿意 yuànyì; 希望 xīwàng ¶먹고 ~ 想吃 / 사고 ~ 想买 / 가고 ~ 愿意去 / 좋은 성적을 얻고 ~ 希望取得好成绩 **2** 好像 hǎoxiàng; 似乎 sìhū; 也许 yěxǔ ¶그는 이미 가버린 듯 ~ 也许他已经去了 **3** 愿 yuàn; 愿意 yuànyì ¶몸이 건강했으면 ~ 愿身体健康

싶어-하다 보동 愿 yuàn; 愿意 yuànyì ¶그는 고향에 돌아가고 싶어한다 他愿回到家乡 / 그들은 영어를 배우고 싶어한다 他们愿意学英语

싸고-돌다 印 **1** 绕着转 ràozhe zhuǎn; 围着转 wéizhe zhuǎn ¶태양을 중심으로 하여 ~ 以太阳为中心绕着转 **2** 偏袒 piāntǎn; 袒护 tǎnhù; 包庇 bāobì; 庇护 bìhù ¶어느 한쪽이라도 싸고돌아서는 안 된다 不能偏袒任何一方

싸구려 圀 次货 cìhuò; 贱货 jiànhuò; 便宜货 piányihuò; 价廉 jiàlián; 低级 dījí; 劣质 lièzhì ¶~ 화장품 劣质化妆品 / ~ 술집 低级酒吧

싸늘-하다 혱 **1** 冷 lěng; 凉 liáng; 凉飕飕 liángsōusōu; 冷飕飕 lěngsōusōu; 冷丝丝 lěngsīsī ¶가을이 되자 날씨가 싸늘해졌다 一到秋天, 天气就凉起来了 **2** 冷 lěng; 凉 liáng; 冷淡 lěngdàn; 冷漠 lěngmò; 冷冰冰 lěngbīngbīng ¶싸늘한 기색 冷冷的神情 / 싸늘한 표정 冷漠的表情 **싸늘-히** 閈

싸다[1] 印 **1** 包 bāo; 裹 guǒ; 包裹 bāoguǒ; 包裹起来 bāoguǒ qǐlai ¶종이로 과일을 ~ 用纸把水果包起来 / 붕대로 상처를 ~ 用绷带裹伤口 / 짐을 ~ 包裹行李 **2** 装 zhuāng ¶도시락을 ~ 装盒饭

싸다[2] 印 撒 sā; 拉 lā ¶오줌을 ~ 撒尿 / 똥을 ~ 拉屎

싸다[3] 혱 **1** 嘴不严 zuǐbùyán; 嘴快 zuǐkuài; 嘴不稳 zuǐbùwěn ¶그는 친구들 중에서 입이 싼 것으로 유명하다 他嘴不严, 在朋友中是出了名的 **2** 敏捷 mǐnjié; 快捷 kuàijié; 快当 kuàidàng ¶반응이 아주 ~ 反应十分敏捷 **3** (火势) 猛烈 měngliè ¶불이 싸게 타다 燃烧得猛烈 **4** (性格) 耿直 gěngzhí ¶그는 성격이 너무 ~ 他性格过于耿直

싸다[4] 혱 **1** 便宜 piányi; 低廉 dīlián; 贱 jiàn ¶물건이 ~ 东西便宜 / 바나나가 사과보다 좀 더 ~ 香蕉比苹果便宜一点 **2** 活该 huógāi ¶욕을 먹어도 ~ 活该挨骂 / 매를 맞아도 ~ 活该挨打

싼 것이 비지떡 쪽담 便宜无好货; 一分钱, 一分货

싸-다니다 印 跑 pǎo; 瞎跑 xiāpǎo; 瞎逛 xiāguàng; 乱跑 luànpǎo; 乱窜 luàncuàn ¶거리를 ~ 在街上瞎逛

싸-돌아다니다 印 跑 pǎo; 瞎跑 xiā-pǎo; 瞎逛 xiāguàng; 跑来跑去 pǎolái-pǎoqù; 转来转去 zhuǎnláizhuǎnqù ¶여기저기 ~ 到处瞎跑

싸라기 圀 **1** 碎米 suìmǐ; 米碎 mǐsuì; 米渣子 mǐzházi **2** =싸라기눈

싸라기-눈 圀 霰 xiàn; 霰雪 xiànxuě; 雪糁 xuěshēn = 싸라기2

싸락-눈 圀 '싸라기눈'의 略词

싸리 圀 【植】=싸리나무 ¶~비 胡枝子扫帚

싸리-나무 圀 【植】胡枝子 húzhīzi; 胡枝子树 húzhīzishù; 山荻 shānqiū = 싸리 ¶~로 울타리를 치다 用胡枝子树设栅子

싸-매다 印 包扎 bāozā; 缠 chán; 裹 guǒ ¶소독 거즈로 ~ 用消毒纱布包扎 / 상처를 ~ 包扎伤口

싸우다 재 **1** 吵 chǎo; 吵架 chǎojià; 争吵 zhēngchǎo; 打架 dǎjià ¶그 두 사람은 만나기만 하면 싸운다 他们俩一见面就争吵 / 어릴 때, 나는 자주 형과 싸웠다 小时候, 我常常和哥哥打架 **2** 战斗 zhàndòu; 打仗 dǎzhàng; 较量 jiàoliàng ¶아주 용감하게 ~ 战斗得很勇敢 ¶이 두 팀은 한참 싸웠지만, 결국 승부를 가리지 못했다 这两队较量了半天, 结果不分胜负 **3** 斗争 dòu-zhēng; 战斗 zhàndòu; 奋斗 fèndòu ¶병마와 장기간 ~ 与病魔长期斗争

싸움 圀하자 战斗 zhàndòu; 战争 zhàndòu; 斗争 dòuzhēng; 打仗 dǎzhàng; 打架 dǎjià; 争吵 zhēngchǎo ¶~을 시작하다 开战 / 그 ~은 아주 격렬했다 那场战争非常激烈

싸움은 말리고 흥정은 붙이랬다 쪽담 婚姻劝捷, 患难开评; 是非讨散, 婚姻讨好

싸움-꾼 圀 打手 dǎshǒu

싸움-닭 圀 战斗鸡 zhàndòujī; 斗架鸡 dòujiàjī

싸움-터 圀 战场 zhànchǎng; 疆场 jiāngchǎng; 战地 zhàndì

싸움-판 圀 战场 zhànchǎng; 疆场 jiāngchǎng; 战地 zhàndì

싸-이다 재 **1** 被包 bèibāo; 被围 bèi-wéi (《'싸다'의 被动词》) ¶월병은 여러 모양의 작은 포장에 싸여 있다 月饼被包在不同形状的小包装里 **2** 笼罩 lǒngzhào; 沉浸 chénjìn ¶기쁨에 ~ 沉浸在欢乐中

싸:-하다 혱 辣乎乎 làhūhū; 凉津津 liángjīnjīn ¶唅 qiāng ¶목을 싸하게 하

는 탄 냄새 呛嗓子的烧焦味

싹¹ 图 **1** 芽 yá; 苗儿 miáor; 萌芽 méngyá ¶~이 트다 发芽 = 萌芽] /이 파릇파릇하다 苗儿青青 qīngqīng 2 萌芽 méngyá; 苗头 miáotou 3 = 싹수 ¶싹이 노랗다 〔구〕= 싹수(가) 노랗다

싹² 图 1 磕碰 kēpèng《用刀或剪子切纸的声音》¶~ 베어 버리다 磕碰砍下来 /~ 하고 2 一口气 yīkǒuqì; 一下子 yíxiàzi ¶이 소설은 너무 재미있어서 나는 ~ 다 읽어 버렸다 这篇小说真有意思, 我一口气就看完了 3 全部 quánbù; 统统 tǒngtǒng; 完全 wánquán; 彻底 chèdǐ ¶이 문제들은 ~ 다 해결했다 这些问题就统统解决了 /냉장고에 있는 음식을 ~ 다 먹었다 将冰箱内的食物统统吃光 /그가 하는 말은 ~ 다 거짓말이다 他说的话完全是谎言 4 断然 duànrán; 干脆 gāncuì ¶~ 다 말해 보아라 干脆说吧

싹둑 图 喀嚓 kāchā; 咔嚓 kāchā ¶그가 무를 자르자 ~ 하는 소리가 났다 喀嚓一声, 萝卜被他切开了

싹둑-거리다 타 喀嚓喀嚓地切 kāchā-kāchāde qiē = 싹둑대다 **싹둑-싹둑** 图〔하타〕

싹-수 图 苗头 miáotou; 出息 chūxi = 싹³ ¶~가 없다 没出息 **싹수(가) 노랗다** 〔구〕没出息; 毫无希望 = 싹이 노랗다

싹수-없다 图 毫无希望 háowú xīwàng; 没出息 méi chūxi **싹수없-이** 图

싹-싹 图 1 嚓嚓 chāchā ¶그는 몇 번 ~ 하더니 밀가루 피를 가는 국수로 잘랐다 他嚓嚓几下, 将面皮切成了细细的面条 2 全部 quánbù; 统统 tǒngtǒng; 彻底地 chèdǐde ¶금메달을 ~ 쓸어 가다 把金牌全部搂走 3 唰唰 shuāshuā; 沙沙 shāshā ¶손을 ~ 비비다 唰唰地搓手 /용서해 달라고 ~ 빌다 唰唰地求绕

싹싹-하다 图 和气 héqi; 和蔼 hé'ǎi; 和霭可亲 hé'ǎikěqīn; 亲切 qīnqiè ¶태도가 ~ 态度和霭

싹-쓸이 图〔하타〕一扫而光 yīsǎo'ér-guāng ¶나쁜 놈들을 싹쓸이해 버리다 把坏蛋们一扫而光

싹-트다 쟈 发芽 fāyá; 发苗 fāmiáo; 萌芽 méngyá ¶사랑의 씨앗이 두 사람의 마음속에 ~ 爱情的种子在两个人的心中发芽

싼-값 图 低价 dījià; 廉价 liánjià = 저가

쌀 图 米 mǐ; 大米 dàmǐ; 稻米 dàomǐ ¶~가마니 米袋子 /~겨 米糠 /~눈 米胚 /~독 米缸 /~뒤주 米囤 /~자루 米袋子 /~통 米箱 /~을 씻다 淘米 /~을 찧다 捣米 =[春米][扪米]

쌀-가게 图 粮店 liángdiàn; 粮坊 liángfáng; 米铺 mǐpù; 干米店 gānmǐdiàn; 米局子 mǐjúzi = 쌀집

쌀-값 图 米价 mǐjià; 粮价 liángjià ¶~이 갑자기 오르다 粮价突然上涨

쌀-뜨물 图 米泔水 mǐgānshuǐ; 淘米水 táomǐshuǐ

쌀-밥 图 米饭 mǐfàn; 大米饭 dàmǐfàn

쌀-벌레 图 1 米蛀虫 mǐzhùchóng; 米象 mǐxiàng 2 不劳而食的人 bùláo'érshíde rén

쌀-보리 图〔植〕裸大麦 luǒdàmài; 裸麦 kēmài; 青麦 qīngmài; 元麦 yuánmài

쌀쌀-맞다 图 冷淡 lěngdàn; 冷冰冰 lěngbīngbīng ¶쌀쌀맞게 대답하다 冷淡地回答 /그녀는 유독 나에게만 ~ 她唯独对我冷冰冰的

쌀쌀-하다 图 1 冷 lěng; 冷丝丝 lěngsīsī; 冷冰冰 lěngbīngbīng; 凉丝丝 liángsīsī; 凉飕飕 liángsōusōu; 冷飕飕 lěngsōusōu ¶그녀는 방 안이 쌀쌀하다고 느꼈다 我感到屋里冷冰冰的 2 冷淡 lěngdàn; 冷冰冰 lěngbīngbīng; 冷飕飕 lěngsōusōu ¶그녀는 그에게 유달리 ~ 她对他冷淡得出奇

쌀-알 图 米粒 mǐlì = 낟알2

쌀-장사 图〔하타〕粮食买卖 liángshí mǎimai; 粮商 liángshāng; 粮行 liángháng

쌀-장수 图 粮商 liángshāng; 粮贩 liángfàn

쌀-죽 图 米粥 mǐzhōu = 흰죽

쌀-집 图 = 쌀가게

쌈¹ 图 饭团 fàntuán; 包饭 bāofàn

쌈:² 图〔하타〕‘싸움’의 略词

쌈³ 의명 1 (针) 包 bāo ¶바늘 한 ~ 一包针 2 (黄金) 百两 bǎiliǎng 3 布匹 团 bùpītuán

쌈:-닭 图 ‘싸움닭’의 略词

쌈지 图 烟荷包 yānhébāo

쌈짓-돈 图 烟荷包里的钱 yānhébāoli-de qián《比喻钱不多》

쌉싸름-하다 图 微苦 wēikǔ; 有点苦 yǒudiǎn kǔ

쌉쌀-하다 图 微苦 wēikǔ; 有点苦 yǒudiǎn kǔ ¶맛이 ~ 味道有点苦

쌍(雙) 图 双 shuāng; 对 duì ¶~을 이루다 成对 /네 ~의 젓가락 四双筷子 /한 ~의 남녀 一对男女 /한 ~의 원앙 一对鸳鸯

쌍-가마(雙--) 图 双头旋儿 shuāng-tóuxuánr

쌍-곡선(雙曲線) 图〔数〕双曲线 shuāngqūxiàn

쌍-권총(雙拳銃) 图 双枪 shuāngqiāng

쌍-꺼풀(雙--) 图 = 쌍꺼풀

쌍-꺼풀(雙--) 图 双眼皮 shuāngyǎnpí = 쌍까풀 ¶그녀는 눈이 크고, 双 예쁘다 她眼睛很大, 双眼皮也很漂亮

쌍-날(雙一) 〖명〗 双刃 shuāngrèn

쌍-년 〖명〗 骚妇 sāofù; 臭娘们儿 chòuniángmenr; 泼妇 pōfù

쌍-놈 〖명〗 坏蛋 huàidàn; 坏家伙 huàijiāhuo; 野汉子 yěhànzi

쌍두-마차(雙頭馬車) 双套马车 shuāngtào mǎchē; 双套车 shuāngtào chē

쌍-둥이(雙一) 〖명〗 双胞胎 shuāngbāotāi; 孪生 luánshēng; 双子 shuāngzǐ ¶ ~를 낳다 生一对双胞胎/그들 두 사람은 아주 닮아서 그야말로 ~ 같다 他们两长得太像了, 简直像一对双胞胎

쌍떡-잎(雙一) 〖명〗 〖植〗 双子叶 shuāngziyè ¶ ~식물 双子叶植物

쌍-말 〖명〗〖하자〗 下流话 xiàliúhuà; 粗话 cūhuà; 脏话 zānghuà ¶ 그는 나에게 ~을 하였다 他朝我说了一些下流话

쌍무(雙務) 〖명〗 双边 shuāngbiān; 双方责任 shuāngfāng zérèn ¶ ~ 关系 双边关系

쌍-무지개(雙一) 〖명〗 双虹 shuānghóng

쌍방(雙方) 〖명〗 双方 shuāngfāng; 两方 liǎngfāng; 两边 liǎngbiān = 양방(兩方) ¶ ~의 이익을 보호하는 维护双方的利益

쌍벽(雙璧) 〖명〗 双璧 shuāngbì

쌍봉-낙타(雙峰駱駝) 〖명〗 〖動〗 双峰骆驼 shuāngfēng luòtuo

쌍생(雙生) 〖명〗〖하자〗 双生 shuāngshēng; 生双胞胎 shēng shuāngbāotāi

쌍생-아(雙生兒) 〖명〗 = 쌍둥이

쌍-소리 〖명〗 下流话 xiàliúhuà; 粗话 cūhuà; 脏话 zānghuà

쌍수(雙手) 〖명〗 双手 shuāngshǒu ¶ ~를 들어 환영하다 举双手欢迎

쌍-스럽다 〖형〗 下流 xiàliú; 粗俗 cūsú; 下贱 xiàjiàn; 卑鄙 bēijiàn; 卑劣 bēiliè ¶말과 행동이 아주 ~ 言谈举止粗俗不堪/그런 쌍스러운 말을 하지 마라 别说那下贱话 **쌍스레** 〖부〗

쌍-심지(雙心一) 〖명〗 双灯心 shuāng-dēngxīn

쌍심지(를) 켜다 〖구〗 两眼冒火

쌍쌍(雙雙) 〖명〗 双双对对 shuāngshuāngduìduì; 成双成对 chéngshuāngchéngduì; 一双双 yīshuāngshuāng; 一对对 yīduìduì ¶광장에서 많은 사람들이 ~ 수교를 춘다 在广场上很多人成双成对跳起了交谊舞

쌍쌍-이(雙雙一) 〖부〗 双双 shuāngshuāng; 双双对对(地) shuāngshuāngduìduì(de); 成双成对(地) chéngshuāngchéngduì(de); 一双一双(地) yīshuāngyīshuāng(de); 一对一对(地) yīduìyīduì(de) ¶원앙이 ~ 날아가다 鸳鸯双双飞去

쌍-안경(雙眼鏡) 〖명〗〖物〗 双筒望远镜 shuāngtǒng wàngyuǎnjìng

쌍-알(雙一) 〖명〗 双黄蛋 shuānghuángdàn

쌍점(雙點) 〖명〗〖語〗 冒号 màohào = 콜론

쌍-지팡이(雙一) 〖명〗 双拐杖 shuāng-guǎizhàng ¶ ~를 짚고 가다 拄着一双拐杖走

쌍지팡이(를) 짚고[들고] 나서다 〖구〗坚决反对

쌍-칼(雙一) 〖명〗 1 双剑 shuāngjiàn; 双刀 shuāngdāo 2 双剑手 shuāngjiànshǒu; 双刀手 shuāngdāoshǒu

쌍태(雙胎) 〖명〗 双胎 shuāngtāi ¶ ~ 임신 双胎妊娠

쌍화-탕(雙和湯) 〖명〗〖韓醫〗 双和汤 shuānghétāng

쌓다 〖타〗 1 堆 duī; 堆积 duījī; 堆放 duīfàng; 积 jī ¶장작을 난로 옆에 쌓아 두다 把柴火堆放在炉子旁 2 垒 lěi; 砌 qì; 筑 zhù ¶담을 ~ 砌墙/둑을 ~ 筑堤 3 奠定 diàndìng; 打下 dǎxià ¶기초 지식을 ~ 打下基础知识 4 立 lì; 建立 jiànlì; 积 jī; 积累 jīlěi ¶공을 ~ 立功/덕을 ~ 积德/경험을 ~ 积累经验

쌓-이다 〖자〗 1 堆 duī; 积 jī ¶쓰레기가 길 옆에 쌓여 있다 一大批垃圾堆在路边 2 垒 lěi; 砌 qì; 筑 zhù ¶담이 높고 두껍게 쌓여 있다 墙垒得又高又厚 3 积 jī; 堆积 duījī ¶피로가 쌓이면 병이 된다 积劳成疾/문제가 너무 많이 쌓여 있다 问题堆积得太多

쌔근-거리다 〖자타〗 1 喘息 chuǎnxī; 气喘 qìchuǎn; 喘吁吁 chuǎnxūxū 2 (안정히) 呼吸 hūxī; 呼呼 hūhū ‖ = 쌔근대다 쌔근-쌔근 〖부〗〖자타〗 ¶아이는 아직 ~ 자고 있다 小孩儿还在呼呼地睡

쌔다 〖자〗 有的是 yǒudeshì; 多得很 duōdehěn ¶방법은 쌔고 쌨다 方法有的是/나보다 조건이 좋은 남자는 쌔고 쌨다 比我条件好的男人多得很

쌕쌕〖하타〗 呼呼 hūhū (呼吸的声音)

쌕쌕-거리다 呼呼 hūhū = 쌕쌕대다

쌤-통 〖명〗 活该 huógāi ¶그것 참 ~이다 那真是活该

쌩 〖부〗〖하자〗 飕 sōu; 嗖 sōu; 啸 xiào ¶ ~하고 바람이 불었다 飕的一声, 风吹了/총알이 ~하고 날아갔다 子弹嗖地飞过

쌩쌩 〖부〗〖하자〗 飕飕 sōusōu ¶바람이 ~ 불다 风飕飕地刮

쌩쌩-하다 〖형〗 1 生机勃勃 shēngjībóbó; 朝气蓬勃 zhāoqìpéngbó ¶활력이

충만하고 ~ 充满活力, 生机勃勃 **2** 新鲜 xīnxiān; 生意盎然 shēngyì'àngrán ¶이 채소는 여전히 ~ 这道蔬菜仍然新鲜

써-내다 囮 写出来 xiěchūlái ¶겨울방학을 이용하여 논문을 ~ 利用寒假把论文写出来

써-넣다 囮 填写 tiánxiě; 记入 jìrù; 写入 xiěrù ¶이름을 ~ 填写名字

써:레 圐 把 pá

써:레-질 圐囵ੴ 〖農〗 把地 pádì

써-먹다 囮 应用 yìngyòng; 运用 yùnyòng; 使用 shǐyòng; 使 shǐ; 用 yòng ¶두 가지 방법 모두 써먹을 수 없다 两种方法都应用不了

썩 囤 **1** 快 kuài; 立刻 lìkè ¶~ 물러가지 못할까? 还不快滚? **2** 非常 fēicháng; 很 hěn; 相当 xiāngdāng; 甚 guì ¶그는 한국어를 ~ 잘한다 他韩语说得很好

썩다 圐圊 **1** (有机物) 烂 làn; 腐烂 fǔlàn; 腐败 fǔbài; 腐朽 fǔbài ¶복숭아는 쉽게 썩는다 桃儿容易烂 / 고기가 ~ 肉腐烂 **2** (身体的一部分) 腐烂 fǔlàn; 烂 làn ¶이가 ~ 牙齿腐烂 **3** 埋没 máimò ¶인재가 ~ 埋没人才 / 재능이 ~ 埋没才能 **4** (思想) 腐败 fǔbài; 腐朽 fǔxiǔ ¶썩은 정신 腐败的精神 / 그들의 사상은 아주 썩었다 他们的思想极为腐朽 **5** 监禁 jiānjìn; 蹲 dūn ¶교도소에서 3년을 썩었다 监禁在监狱三年 / 焦 jiāo; 劳 fèi; 操 cāo ¶속이 푹푹 ~ 心闷闷地焦 / 너 혼자 속 썩지 말고, 모두 함께 상의하자 不要你一个人操心, 大家一起商量吧

썩-이다 圐 ('썩다⊟3'의 사동词) ¶그는 정말 속 썩이는 아이다 他实在是让人操心的孩子

썩-히다 囮 **1** 烂 làn; 沤烂 òulàn; 埋没 máimò ('썩다⊟1'의 사동词) ¶풀은 썩히면 비료가 된다 草沤烂了就变成了肥 **2** 埋没 máimò ('썩다⊟3'의 사동词) ¶스스로 자신의 재능을 ~ 自己埋没自己的才能

썰:다 圐 切 qiē ¶칼로 오이를 ~ 用刀切黄瓜 / 채를 ~ 切成细丝

썰링-하다 圐 **1** 凉 liáng; 寒凉 hánliáng; 凉丝丝 liángsīsī; 凉飕飕 liángsōusōu ¶오늘 아침은 아주 ~ 今天早晨现凉的 / 空荡荡 kōngdàngdàng; 空落落 kōngluòluò

썰:-리다 囵 切 qiē ('썰다'의 피동词) ¶고기가 돌같이 얼어서 썰리지 않는다 肉冻得石头一样, 切不动

썰매 圐 橇 qiāo; 雪橇 xuěqiáo; 冰橇 bīngqiáo; 雪车 xuěchē ¶~를 타면서 놀다 坐雪橇玩儿

썰-물 圐 〖地理〗落潮 luòcháo; 退潮

tuìcháo

쏘가리 圐 〖魚〗 鳜鱼 guìyú; 桂花鱼 guìhuāyú

쏘다 囮 **1** 射 shè; 打 dǎ; 放 fàng; 发射 fāshè ¶활을 ~ 射箭 / 총을 ~ 打枪 / 폭죽을 ~ 放鞭炮 **2** 蜇 zhē ¶말벌이 사람을 ~ 马蜂蜇人 **3** 顶 dǐng; 带刺儿 dàicìr ¶너는 어째서 말할 때마다 늘 쏘아 대느냐? 你这个人说话怎么总是带刺儿呢?

쏘-다니다 囮 瞎逛 xiāguàng ¶하루종일 거리를 ~ 一天到晚在街上瞎逛

쏘시개 圐 = 불쏘시개

쏘아-보다 囮 瞪视 chēngshì; 盯视 dīngshì; 怒视 nùshì ¶눈을 부라리며 ~ 怒目瞪视

쏘아-붙이다 囵 顶 dǐng; 带刺儿 dàicìr ¶는 말만하면 쏘아붙이길 좋아한다 她说话就爱带刺儿

쏘이다¹ 囮 = 쐬다1

쏘-이다² 囵 被蜇 bèizhē ('쏘다2'의 被动词) ¶그는 벌에 쏘였다 他被蜂蜇到了

쏙 囤 **1** 凹 āo; 凸 tū ¶보조개가 ~ 들어가다 酒窝凹进去 / 一下 yīxià ¶배추 한 포기를 ~ 뽑다 一墩白菜一下给拔出来 **3** 轻率地 qīngshuàide ¶선생님이 말씀하시는 ~ 끼어들다 在老师面前说话时轻率地插嘴

쏙닥-거리다 圐圊 嘀嘀咕咕 dídigūgū; 喁喁私语 yúyúsīyǔ; 窃窃私语 qièqiè-sīyǔ = 쏙닥대다 ¶그들은 끊임없이 수다를 떨었다 他们嘀嘀咕咕唠叨个나 没完 쏙닥-쏙닥 圐囵囮

쏜살-같다 圐 飞快 fēikuài; 急速 jísù; 飞速如飞 fēijiānbān ¶시간이 ~ 时间飞快 쏜살같-이 ¶차가 ~ 달리다 车急速地奔驰

쏟다 囮 **1** 洒 sǎ; 撒 sā ¶그는 실수로 물을 바닥에 쏟았다 他不小心把水洒在地上了 **2** 倾注 qīngzhù; 灌注 guànzhù ¶심혈을 ~ 倾注心血 / 그는 모든 열정을 창작에 쏟았다 他把全部的热情倾注于创作 **3** 倾吐 qīngtǔ; 倾诉 qīngsù; 吐露 tǔlù ¶억울함을 쏟아 놓다 倾诉自己委屈 / 말을 쏟아 내다 畅露不满 **4** 流 liú; 失 shī ¶그는 자주 코피를 쏟는다 他经常流鼻血

쏟아-지다 囵 倾泻 qīngxiè; 洒落 sǎluò ¶과일이 땅에 가득 쏟아겼다 水果洒落满地

쏠:다 囮 咬 yǎo; 蛀 zhù; 啃 kěn; 嗑 kè ¶쥐가 구두를 쏠아 구멍을 냈다 老鼠把皮鞋啃破了

쏠리다 囮 **1** 倾 qīng; 斜 xié; 倾斜 qīngxié; 偏 piān; 歪 wāi ¶자동차가 돌 때, 내 몸이 왼쪽으로 쏠렸다 汽车拐弯时, 我身子向左倾斜了一下 **2** 倾注

qīngxīn; 注目 zhùmù; 集注 jízhù ¶사람들의 시선이 나의 오른손으로 쏠렸다 人们的视线集注在我的右手上

쓸쓸-하다 〔형〕 还可以 háikěyǐ; 还好 háiháo; 还行 háixíng ¶수입이 ~ 收入还行 **쓸쓸-히** 〔부〕 ¶돈을 ~ 벌다 赚钱赚得还好

싹 〔부〕 1 刷刷 shuāshuā; 呼呼 hūhū; 渐渐 sīsī 《风雨声》 ¶바닷바람이 ~ 분다 海风吹得刷刷作声 2 哗哗 huāhuā; 刷刷 shuāshuā 《水流声》 ¶~ 하며 배수관을 따라 밖으로 흘러갔다 水哗哗地顺着排水管往外流

싹-싹 〔부〕 1 渐渐 sīsī; 刷刷 shuāshuā; 呼呼 hūhū 《风雨声》 ¶~ 하고 비가 내리다 渐渐雨下 2 哗哗 huāhuā; 刷刷 shuāshuā 《水流声》 ¶물이 산 위에서 ~ 흘러 내려오다 水从山上哗哗冲下来

쐐:기[1] 〔建〕 楔子 xiēzi; 尖劈 jiānpī **쐐기(를) 박다**[치다] 〔관〕 1 事先敲定 2 插嘴打岔 3 捣乱

쐐:기[2] 〔虫〕 洋刺子 yángcìzi; 刺蛾 cì'é; 洋辣子 yánglàzi

쐐기-풀 〔植〕 荨麻 qiánmá

쐬:다[1] 1 吹 chuī = 쏘이다[1] ¶옥상에서 바람을 ~ 在屋顶上吹风 2 听取 评价 tīngqǔ píngjià

쐬:다[2] 〔방〕 '쏘이다'의 略词

쑤군-거리다 〔자동〕 唧咕 jīgu; 唧哝 jīnong; 叽咕 jīgu; 打喳 dǎchā; 嘀嘀私语 yúyúsīyǔ; 悄悄私话 qièqièsīyǔ; 说悄悄话 shuō qiāoqiāohuà = 쑤군대다 ¶그의 주위에 있는 사람들이 쑤군거리기 시작했다 他周围的人们就开始窃窃私语起来 **쑤군-쑤군** 〔부〕〔하자타〕

쑤다 〔타동〕 熬 áo; 打 dǎ ¶죽을 ~ 熬粥 / 풀을 ~ 打糨子

쑤시다[1] 〔자동〕 刺痛 cìtòng; 酸痛 suāntòng; 酸酸 suānsuān; 发酸 fāsuān ¶온몸이 ~ 全身发酸 / 두 다리가 ~ 两腿刺痛

쑤시다[2] 〔타동〕 1 捅开 tǒngkāi; 剔 tī; 扎进 zhājìn; 拨弄 bōnong ¶이를 ~ 剔牙 / 화로의 재를 ~ 拨弄炉子的灰 / 벌집을 ~ 捅马蜂窝 2 捅 tǒng

쑥[1] 〔植〕 艾草 àicǎo; 蒿 hāo

쑥[2] 〔부〕 1 凸 tū; 凸 tū; 塌 tā ¶배가 ~ 나오다 肚子凸出来 / 눈언저리가 ~ 들어갔다 眼窝塌下去了 2 一下 yīxià ¶무릎을 ~ 빼다 猛一下抬出来了

쑥-갓 〔植〕 茼蒿 tónghāo

쑥대-머리 〔명〕 蓬头 péngtóu

쑥대-밭 〔명〕 1 艾草丛生的土地 àicǎo cóngshēngde tǔdì 2 废墟 fèixū ¶전쟁은 도시를 ~으로 만들었다 一场战争把城市变成了废墟

쑥덕-거리다 〔자동타〕 窃窃私语 qièqièsīyǔ; 叽叽咕咕 jījigūgū; 唧唧私语 yú-

---

yúsīyǔ = 쑥덕대다 ¶그들은 동료와 한참을 쑥덕거렸다 他们和同事叽叽咕咕了半天 **쑥덕-쑥덕** 〔부〕〔하자타〕

쑥-떡 艾糕 àigāo ¶~을 찌다 蒸艾糕

쑥-색(—色) 〔명〕 深绿色 shēnlǜsè; 其色 kǎqísè

쑥-스럽다 〔형〕 不好意思 bùhǎoyìsi; 难为情 nánwéiqíng ¶이렇게 칭찬을 받으니 정말 좀 ~ 受到了这样的表扬真有些不好意思 **쑥스레** 〔부〕

쓰기 〔명〕〔教〕 写 xiě ¶읽기와 ~ 读写

쓰다[1] 〔타동〕 1 写 xiě; 书写 shūxiě ¶글자를 ~ 写字 / 연필로 ~ 用铅笔写 / 자기의 이름을 ~ 写自己的名字 2 写 xiě; 写作 xiězuò ¶소설을 ~ 写小说 / 편지를 ~ 写信 / 일기를 ~ 写日记

쓰다[2] 〔타동〕 1 戴 dài 帽子를 ~ 戴帽子 / 가면을 ~ 戴假面具 / 안경을 쓴 남자 戴眼镜的男人 2 打 dǎ; 撑 chēng ¶우산을 ~ 打伞 = [撑伞] 3 受 shòu; 蒙 méng; 蒙受 méngshòu ¶누명을 ~ 蒙冤

쓰다[3] 〔타동〕 1 用 yòng; 使用 shǐyòng; 使 shǐ 《表示手段、材料等》 ¶물을 ~ 用水 / 이 식칼은 쓰기 10년을 썼다 这把菜刀已经用了十年了 / 나는 이런 기계는 써 보지 않았다 我没使过这种机器 2 雇 gù; 佣 yòng ¶사람을 ~ 佣人 / 가정부를 ~ 雇小保姆 3 动 dòng ¶머리를 ~ 动脑筋 4 《力气或努力》 用 yòng; 花 huā; 使 shǐ; 倾注 qīngzhù ¶모든 힘을 ~ 使全力 5 《时间或钱财》 花 huā; 用 yòng ¶돈은 이미 다 썼다 钱已用完了 / 그는 삼 년의 시간을 써서 이 소설을 번역했다 他花了三年的时间翻译了这本小说 6 《语言》 用 yòng; 使用 shǐyòng; 讲 jiǎng; 操 cāo ¶존댓말을 ~ 用敬语 / 표준어를 ~ 讲普通话 7 耍 shuǎ ¶떼를 ~ 耍脾气 8 请客 qǐngkè ¶오늘은 내가 한턱 쓴다 今天我来请客

쓰다[4] 〔坟墓〕 修造 xiūzào ¶그는 자신을 위해 아주 호화스러운 묘지를 썼다 他为自己修造了一座颇为豪华的坟墓

쓰다[5] 〔棋〕 走 zǒu ¶말을 잘못 ~ 棋走错了

쓰다[6] 〔형〕 1 苦 kǔ ¶맛이 ~ 味道苦 / 이 약은 좀 ~ 这种药有点儿苦 2 《胃口》不好 bùhǎo ¶입맛이 ~ 胃口不好 3 痛苦 tòngkǔ ¶쓴 경험 痛苦的经验

쓰다듬다 〔타동〕 抚 fǔ; 捋 lǚ; 抚摩 fǔmó; 摸 mó; 抚摸 fǔmō ¶머리를 ~ 抚摸头 / 수염을 ~ 捋须

쓰디-쓰다 〔형〕 1 很苦 hěnkǔ; 极苦 jíkǔ ¶쓰디쓴 약 很苦的药 / 쓰디쓴 커피 极苦的咖啡 2 苦 kǔ; 痛苦 tòngkǔ

¶쓰디쓴 경험 痛苦的经验

스라리다 〖형〗 1 火辣辣 huǒlàlà; 火辣辣地疼 huǒlàlàde téng ¶얼굴이 햇빛에 타서 ~ 伤口火辣辣地疼 2 苦 kǔ; 痛苦 tòngkǔ; 辛酸 xīnsuān ¶쓰라린 경험 痛苦的经验 / 쓰라린 과거 辛酸的过去

쓰러-뜨리다 〖타〗 摔倒 shuāidǎo ¶상대방이 그를 ~ 对手将他摔倒

쓰러-지다 〖자〗 1 倒 dǎo; 摔倒 shuāidǎo; 倒塌 dǎotā; 摔跟头 shuāigēntóu ¶땅에 ~ 倒地 / 그는 쓰러진 나무에 깔려 다쳤다 他被倒下的树木压伤 2 台 táidǎo; 倒产 dǎochǎn; 倒闭 dǎobì; 崩溃 bēngkuì ¶그 회사는 쓰러졌다 那家公司倒了

쓰레기 〖명〗 垃圾 lājī ¶~봉투 垃圾袋 / ~차 垃圾车 / ~장 垃圾场 / ~를 줍다 捡垃圾 / ~를 함부로 버리지 마라 不要乱扔垃圾 / ~ 분리 수거를 실시하다 实行垃圾分类收集

쓰레기-통(一桶) 〖명〗 垃圾箱 lājīxiāng; 垃圾桶 lājītǒng; 果皮箱 guǒpíxiāng ¶쓰레기를 ~에 넣다 把垃圾放进垃圾箱

쓰레-받기 〖명〗 簸箕 bòjī; 撮箕 cuōjī

쓰르라미 〖명〗 〖蟲〗 寒蝉 hánchán; 知了 zhīliǎo; 蜘了 zhīliǎo

쓰리다 〖형〗 1 火辣辣 huǒlàlà; 火辣辣地疼 huǒlàlàde téng; 杀 shā ¶눈물이 상처에 떨어지자 몹시 ~ 泪水落在伤口上矣得慌 2 饿 (肚子·胃) 难受 nánshòu ¶배고파서 속이 ~ 肚子饿得难受

쓰-이다[1] 〖자〗 写 xiě (《'쓰다'의 피동사) ¶상품 설명서에 쓰여진 내용 写在产品说明书里的内容 〖타〗 写 xiě (《'쓰다'의 사동사)

쓰-이다[2] 〖자〗 '쓰다[3]'의 피동사 ¶기부금은 모두 어디에 쓰입니까? 捐款都被用在哪儿.

쓰임-새 〖명〗 用处 yòngchu; 用途 yòngtú ¶~가 광범위하다 用处广泛

쓱 〖부〗 1 一下 yīxià; 一下子 yīxiàzi ¶눈물을 ~ 닦다 擦一下眼泪 2 迅速地 xùnsùde; 很快地 hěnkuàide ¶빠르게 ~ 한 번 보다 迅速地看一眼

쓱싹 〖부〗〖하다〗 1 嚓嚓 chāchā (《锯的声音) 2 掩饰 yǎnshì; 掩盖 yǎngài ¶잘못을 ~하다 掩饰过失 3 抵消 dǐxiāo ¶쌍방이 서로 채무를 지고 있으면 서로 ~할 수 있습니까? 双方互负债务能否相互抵消?

쓱싹-거리다 〖자타〗 嚓嚓地锯 chāchā-de jù = 쓱싹대다 ¶두 사람이 큰톱을 들고, 쓱싹거리며 톱질하다 两人举起大锯, 嚓嚓地锯起来 **쓱싹-쓱싹** 〖하자타〗

쓴-맛 〖명〗 1 苦味 kǔwèi; 苦头(儿) kǔtóu(r) ¶먹어 보니 약간 ~이 난다 吃起来稍带苦味 2 苦头(儿) kǔtóu(r) ¶그는 막 창업했을 때, 적지 않은 ~을 보았다 他在创业之初, 吃了不少苦头

쓴맛 단맛 다 보았다 〖속담〗 饱经风霜; 甜酸苦辣都尝到; 饱尝过酸甜苦辣

쓴-웃음 〖명〗 苦笑 kǔxiào ¶그는 ~을 지으면서 한숨을 쉬었다 他苦笑一声, 叹了一口气

쓸개 〖명〗 胆 dǎn; 胆囊 dǎnnáng; 苦胆 kǔdǎn = 담(膽)2·담낭

쓸개 빠진 놈 〖속담〗 没振作精神的家伙

쓸개(가) 빠지다 〖구〗 嘴上没毛, 办事不牢

쓸개-즙(一汁) 〖명〗 〖生〗 胆汁 dǎnzhī = 담즙

쓸다[1] 〖타〗 1 扫 sǎo ¶눈을 ~ 扫雪 / 마당을 ~ 扫院子 2 抚 fǔ; 抚摸 fǔmó; 摸 mó; 抚摸 fǔmó; 捋 lǚ ¶그는 나의 머리를 쓸고 있다 他抚摸着我的头 3 蔓延 mànyán; 席卷 xíjuǎn 了 ¶전쟁의 불길이 이미 전국을 쓸었다 战火已经蔓延到全国 4 独揽 dúlǎn; 搂 lōu; 掠 lüè ¶한국 팀이 금메달 세 개를 쓸어 갔다 韩国队独揽三金

쓸다[2] 〖타〗 锉 cuò ¶줄로 ~ 用锉刀锉

쓸-데 〖명〗 花项 huāxiàng; 用项 yòngxiàng; 用处 yòngchu

쓸데-없다 〖형〗 无用 wúyòng; 没用 méiyòng; 没必要 méibìyào ¶쓸데없는 내용은 말하지 마라 不要谈无用的内容 **쓸데없-이** 〖부〗

쓸리다[1] 〖자〗 倾斜 qīngxié; 歪 wāi ¶풀이 한쪽으로 쓸렸다 草倾斜在一旁

쓸-리다[2] 〖자〗 蹭破 cèngpò; 磨破 mópò ¶다리 살갗이 쓸렸다 腿的皮都蹭破了

쓸-리다[3] 〖자〗 扫 sǎo (《'쓸다'의 피동사) ¶큰길이 깨끗하게 ~ 大道扫得干干净净

쓸-모 〖명〗 用处 yòngchu; 用途 yòngtú; 用场 yòngchǎng ¶그것은 아무 ~도 없는 것이다 那是没有任何用处的

쓸모-없다 〖형〗 没有用处 méiyǒu yòngchu ¶이것은 쓸모없는 물건에 불과하다 这不过是没有用处的东西 **쓸모없-이** 〖부〗

쓸쓸-하다 〖형〗 1 寂寞 jìmò; 寂寥 jìliáo; 悽清 qīqīng; 冷清 lěngqīng ¶네가 있기에 나는 쓸쓸하다고 느껴지지 않는다 因为有你, 我不再觉得寂寞 / 집안이 ~ 家里很冷清 2 凉飕飕 liángsōusōu; 冷飕飕 lěngsōusōu ¶그는 혼자 집에서 ~ 시간을 보냈다 他一个人在家里, 寂寞地打发时间

쓸어-버리다 〖타〗 清除 qīngchú; 扫除 sǎochú ¶무장 세력의 주요 거점을 ~

清除武装分子的一个主要据点

씀바귀 圀【植】苦荬 kǔmǎi

씀씀-이 圀 开销 kāixiāo; 花钱 huāqián ¶나의 한 달 ～를 계산해 보다 算算我的月开销 / ～가 헤프다 花钱大手大脚

씁스름-하다 閺 1 有点苦 yǒudiǎn kǔ; 稍苦 shāokǔ; 苦丝丝 kǔsīsī ¶씁스름한 커피 稍苦的咖啡 2 有点痛苦 yǒudiǎn tòngkǔ

씁쓸-하다 閺 1 有点苦 yǒudiǎn kǔ; 稍苦 shāokǔ; 苦丝丝 kǔsīsī ¶이 차의 맛은 ～ 这种茶味道稍苦 2 有点痛苦 yǒudiǎn tòngkǔ **씁쓸-히** 튀

씌다¹ 着魔 zháomó

씌다² 困 '쓰이다'의 略词

씌:다³ 困 '쓰이다'의 略词

씌우다 困 '쓰다²'의 使动词 1 给戴上 gěidàishàng; 盖上 gàishàng; 蒙上 méngshàng ¶아이에게 모자를 ～ 给孩子戴上帽子 2 蒙受 méngshòu; 委 wěi ¶남에게 죄를 ～ 委罪于人

씨¹ 圀 1 种 zhǒng; 种子 zhǒngzi ¶～를 뿌리다 播种 =[撒种] / 면화 ～ 棉花的种子 2 核 hé; 核儿 húr; 籽(儿) zǐ(r); 子(儿) zǐ(r) ¶～ 없는 수박 无子儿西瓜 3 种 zhǒng; 血统 xuètǒng ¶좋은 말 良种马 4 种子 zhǒngzi ¶혁명의 ～를 뿌렸다 播下了革命的种子 씨가 마르다 困 绝种 씨를 말리다 困 斩草除根

씨² 圀【布四】纬线 wěixiàn

씨(氏) 圀 존칭 shì 존칭의 先生 xiānsheng; 女士 nǚshì ¶홍길동 ～ 洪吉童先生

-씨(氏) 접미 氏 shì ¶김～와 박～ 金氏和朴氏

씨-눈 圀【生】= 胚(胚)

씨름 圀 1 摔跤 shuāijiāo ¶～판 摔跤场 2 打交道 dǎ jiāodao

씨받-이 圀 1 留种 liúzhǒng; 采种 cǎizhǒng 2 代理母 dàilǐmǔ

씨-방(一房) 圀【植】子房 zǐfáng

씨부렁-거리다 困国 唠叨 láodao; 啰唆 luōsuo; 啰嗦 luōsuo; 嘟囔 dūnang = 씨부렁대다 ¶싫으면 싫은 것이지 뭘 씨부렁거리느냐? 不喜欢就不喜欢, 你嘟囔什么? 씨부렁-씨부렁 튀困국国

씨-실 圀 纬线 wěixiàn

씨-알 圀 1 种卵 zhǒngluǎn 2 种粒 zhǒnglì 3 (鱼의) 大小 dàxiǎo

씨-암탉 圀 配种母鸡 pèizhǒng mǔjī

씨앗 圀 种子 zhǒngzi ¶～을 심다 种下种子

씨족(氏族) 圀【社】氏族 shìzú ¶～ 공동체 氏族公社 / ～ 사회 氏族社会

씩 튀 噗哧 pūchī ¶(无声和无聊地一笑的样子) ～ 웃다 噗哧地笑

-씩 접미 1 各 gè ¶매 사람마다 세 개 ～ 나누어 갖다 每人各分三个 2 表示 '各各'的词尾 ¶한 개에 얼마～합니까? 一个苹果多少钱?

씩씩 튀国国 呼哧呼哧 hūchīhūchī

씩씩-거리다 困国 呼哧呼哧地喘 hūchīhūchīde chuǎn = 씩씩대다 ¶그는 거칠게 씩씩거렸다 他呼哧呼哧地喘着粗气

씩씩-하다 閺 雄纠纠 xióngjiūjiū; 雄壮 xióngzhàng; 矫健 jiǎojiàn; 刚劲 gāngjìn ¶씩씩한 발걸음 矫健的步伐 / 씩씩하게 걷다 走得雄纠纠

씰룩 튀国国 抽动 chōudòng; 抽搐 chōuchù ¶그가 입가를 ～했다 他嘴角抽动了一下

씰룩-거리다 困国 (一直) 抽动 chōudòng = 씰룩대다 ¶입가를 씰룩거리면서 말하다 他说起这个嘴角一直抽动着 씰룩-씰룩 튀国国

씹다 困 1 嚼 jiáo; 咀嚼 jǔjué ¶꼭꼭 ～ 细嚼 / 그는 껌을 씹고 있다 他嘴里嚼着口香糖 2 诽谤 fěibàng; 中伤 zhòngshāng; 说坏话 shuōhuàihuà ¶그는 남을 잘 씹는다 他最会说别人的坏话

씻-기다¹ ¶마루는 이미 다 씻겼다 地板已经洗刷完毕 드피 洗 xǐ (('씻다¹'의 被动词)) 드피 洗 xǐ (('씻다¹'의 使动词)) ¶엄마가 아기의 몸을 깨끗이 ～ 妈妈把小孩儿的身体洗干净

씻다 国 1 洗 xǐ; 洗刷 xǐshuā; 洗涤 xǐdí; 涮 shuàn; 淘 táo ¶그릇을 ～ 洗碗 / 손을 ～ 洗手 / 쌀을 ～ 淘米 2 洗雪 xǐxuě; 洗刷 xǐshuā ¶누명을 ～ 洗雪冤枉 / 오점을 ～ 洗刷污点 3 解除 jiěchú; 消除 xiāochú ¶부담을 ～ 解除负担 / 피로를 ～ 解除疲劳 씻은 듯이 困 一干二净

쑹 튀国国国 飕 sōu (风声) ¶귓가에 ～하는 바람 소리 들리다 耳边听到飕飕风声

쑹긋 튀国困 莞尔 wǎn'ěr (微微笑的样子) ¶그녀가 ～ 웃었다 她莞尔一笑

쑹긋-거리다 困 笑吟吟 xiàoyínyín; 笑盈盈 xiàoyíngyíng; 笑眯眯 xiàomīmī (微微地笑) = 쑹긋대다 쑹긋-쑹긋 튀困国

쑹-쑹 튀国国 飕飕 sōusōu (风声)

쑹쑹-하다 閺 生机勃勃 shēngjībóbó; 蓬勃 péngbó; 旺盛 wàngshèng

ㅇ

아¹ [감] **1** 아 ㅏ ¶~, 깜짝이야! 啊，吓倒我了!/~, 알았대 啊，知道了/~, 휴대폰을 안 가지고 왔네 啊，我忘了带手机 **2** 에휴 āi ¶~, 이 아이는 정말 불쌍하다 唉，这个孩子真可怜/~, 정말 귀찮아 唉，真麻烦/~, 시간이 정말 빨리 간다 唉，时间过得真快

아² [조] 주로 받침으로 끝나는 명사나 대명사 뒤에 붙어, 다정하게 부를 때 쓰는 조사 用于辅音收尾的名词词干和部分称代词后，表示称呼 ¶영숙~, 안녕! 英淑，你好!/철민~, 같이 학교 가자! 哲民，我们一起去课吧!

-아 [어미] 用于末音节的元音为 'ㅏ, ㅗ'의 동사, 형용사 어간 뒤에 붙는 어미 用于末音为'ㅏ, ㅗ'的动词、形容词词干之后的词尾 ¶이거 받~! 把这个收下吧!/너는 어디 살~? 你住在哪里?

-아(兒) [접미] **1** 儿 ér《表示小孩子》¶신생~ 新生儿/미숙~ 未成熟儿/기형~ 畸形儿 **2** 子 zǐ；儿 ér《表示男儿》¶기린~ 麒麟儿/행운~ 幸运儿

아가 [명] 小宝贝儿 xiǎobǎobèir；宝贝儿 bǎobèir ¶~야，울지마 宝贝儿，不要哭

아가리 [명] **1** 嘴 zuǐ《'입'의 俗称》¶~ 닥쳐! 闭嘴! **2** (物品的) 口(儿) kǒu(r) ¶병 ~ 瓶口儿/~가 좁은 단지 小口儿的坛子

아가미 [동] 鰓 sāi

아가씨 [명] **1** 小姐 xiǎojie；姑娘 gūniang ¶저 ~는 회장님의 따님이시다 那位小姐是总经理的女儿 **2** 小姑子 xiǎogūzi

아관(牙關) [명] 牙关 yáguān

아교(阿膠) [명] = 아교풀

아교-풀(阿膠—) [명] 阿胶 ējiāo；驴皮胶 lúpíjiāo；骨胶 gǔjiāo；胶水 jiāoshuǐ = 갖풀·아교

아구 [명] 【魚】 'ㅏ귀'의 错误

아구-찜 [명] 'ㅏ귀찜'의 错误

아구-창(鴉口瘡) [醫] 鹅口疮 ékǒuchuāng；雪口症 xuěkǒuzhèng

아:군(我軍) [명] 我军 wǒjūn ¶~이 승리를 거두다 我军获得胜利

아궁이 [명] 【建】 灶孔 zàokǒng；灶门 zàomén；灶坑 zàokàng

아귀¹ [명] **1** 分叉处 fēnchàchù；叉口 chākǒu ¶구석이 ~가 맞지 않아 계속 소리가 난다 角边有分叉处一直啊声 **2** (의복의) 衣襟 yìjīn；衩口 chàkǒu ¶두루마기의 ~ 长袍的开口 **3** 芽发处 fāyàchù；芽眼 yáyan ¶아직 ~가 되지 않았다 在发芽处还没发芽 **4** 弓中腰 gōngzhōngyāo

아귀(가) **맞다** [구] 够数

아귀(를) **맞추다** [구] 凑够数

아귀² [명] 【魚】 鮟鱇 ānkāng；老头儿鱼 lǎotóuryú

아:귀(餓鬼) [명] **1** 【佛】 饿鬼 èguǐ；饿死鬼 èsǐguǐ **2** 饭量大的人 fànliàngdà de rén

아귀-다툼 [명] 【하자】 吵嘴 chǎozuǐ；争吵 zhēngchǎo ¶그들은 자주 ~을 벌인다 他们常常吵嘴

아귀-아귀 [부] 大口大口地 dàkǒu dàkǒude；馋嘴地 chánzuǐde ¶그들은 먹기 시작했다 他们大口大口地吃起来了

아귀-찜 [명] 炖鮟鱇 dùnānkāng

아귀-힘 [명] 握力 wòlì ¶그는 ~이 아주 세다 他握力很强

아기 [명] **1** 宝宝 bǎobao；娃娃 wáwa；婴儿 yīng'ér；小孩儿 xiǎoháir ¶~에게 젖을 먹이다 给娃娃喂奶/~가 막 말을 배우기 시작했다 小孩儿刚开始学说话 **2** 女儿 nǚ'ér；媳妇 xífu；儿媳妇 érxífu ¶우리 ~는 아주 효성스럽다 我的儿媳妇很孝顺

아기-자기 [형] 【하자】 **1** 美丽可爱 měilìkě'ài；小巧玲珑 xiǎoqiǎolínglóng ¶~한 장식품 小巧玲珑的装饰品/이 완구점 안에는 ~한 장남감이 많이 있다 这家玩具店里面有很多美丽可爱的玩具 **2** 饶有趣味 ráoyǒuqùwèi；有趣儿 yǒuqùr；有意思 yǒu yìsi；引人入胜 yǐnrénrùshèng ¶여름 방학을 ~하게 보내다 暑假生活得饶有趣味

아까 [명][부] 刚才 gāngcái；适才 shìcái ¶그는 ~ 학교에서 돌아왔다 他刚才从学校回来了/나는 ~ 점심을 먹었다 我刚才吃午饭了

아까워-하다 [타] 爱惜 àixī；舍不得 shěbude ¶돈 쓰는 것을 ~ 很舍不得花钱

아깝다 [형] **1** 可惜 kěxī；惋惜 wǎnxī ¶그렇게 좋은 기회를 놓친다면 정말 아까울 것이다 错过了那么好的机会真的会很可惜 **2** 舍不得 shěbude ¶버리기 ~ 舍不得丢掉/자식들이 준 돈을 쓰기 ~ 舍不得花儿女给的钱

아끼다 [타] **1** 节约 jiéyuē；省 shěng；节省 jiéshěng ¶생활비를 ~ 节约生活费/전기를 ~ 省电/에너지를 ~ 节省能源 **2** 爱护 àihù；爱惜 àixī ¶너는 자신을 아껴야 한다 你应该爱护自

아낌없다

536

己/시간을 아껴 열심히 생활하다 爱惜时间努力生活

아낌-없다 劐 毫不吝惜 háobùlìnxī; 不惜一切 bùxī yīqiè ¶아낌없는 찬미의 말 毫不吝惜赞美之词 **아낌없-이** 图 ¶~ 다른 사람에게 주다 毫不吝惜地送给别人

아나운서(announcer) 몡 播音员 bōyīnyuán; 广播员 guǎngbōyuán

아낙 1 闺房 guīfáng; 内房 nèifáng 2 = 아낙네

아낙-네 몡 妇女 fùnǚ; 婆娘 póniáng; 老娘们儿 lǎoniángmen = 아낙2

아날로그(analogue) 몡 【物】模拟 mónǐ; 类似物 lèisìwù; 相似体 xiāngsìtǐ ¶~ 통신 模拟通信 / 손목시계 模拟手表

아내 몡 妻子 qīzi; 妻 qī; 太太 tàitai; 爱人 àirén = 처(妻)

아냐 '아니야'의 略词 ¶이거 네가 그런 거야? ~, 나도 몰라 这是你干的吗? 不是, 我也不知道

아-녀자(兒女子) 몡 1 小丫头 xiǎoyātou; 女人 nǚrén ¶~라고 무시하지 마라 不要小看女人 2 孩子와 女子 háizi hé nǚzi ¶~를 먼저 보호해야 한다 要先保护孩子和女子

아뇨 캅 '아니요'의 略词

아늑-하다 劐 1 幽静 yōujìng; 舒适 shūshì; 雅静 yǎjìng ¶아늑한 방 雅静的房间 2 暖和 nuǎnhuo ¶아늑한 봄날 暖和的春天 **아늑-히** 图

아니[1] 图 不 bù; 没 méi; 没有 méiyǒu ¶아직 ~ 돌아오다 还没有回来

아니 땐 굴뚝에 연기 날까 촉팀 无风无起浪

아니[2] 캅 不 bù; 不是 bùshì; 没有 méiyǒu 《表示否定的答话》¶"너는 미국인이냐?" "~, 나는 미국인이 아니야" "你是美国人吗?" "不, 我不是美国人" 2 啊 ā 《表示感叹》¶~! 그가 벌써 죽었다니! 啊! 他居然已经去世了! 3 嗯 ńg 《表示疑问》¶~, 네가 방금 한 말이 사실이냐? 嗯, 你刚才说的是真的吗?

아니꼽다 劐 不顺眼 bùshùnyǎn; 令人作呕 lìngrén zuò'ǒu; 看不惯 kànbuguàn; 讨厌 tǎoyàn ¶그의 거들먹거리는 모습은 정말 ~ 他那么得意扬扬的样子真令人作呕

아니다 캅 不是 bùshì ¶그는 내 동생이 ~ 他不是我的弟弟

아닌 밤중에 홍두깨 (내밀듯) 촉팀 突如其来

아니나 다를까[다르냐] 귀 果然; 不其然; 不出所料

아니-야 캅 不是 bùshì; 不对 bùduì; 不 bù; 没有 méiyǒu ¶"미안해, 다 내

가 잘못했어" "~, 내 잘못이야" "对不起, 都是我的错" "不, 是我的错误"

아니-오 캅 '아니요'의 错误

아니-요 캅 不 bù; 不是 bùshì; 没有 méiyǒu ¶"너희 엄마 돌아오셨니?" "~" "你妈妈回来了吗?" "没有"

아니-하다 보동 보형 不 bù; 没 méi; 没有 méiyǒu ¶아무 일도 하지 ~ 什么工作也 안 做 / 얼굴이 예쁘지 ~ 脸长得不漂亮

아다지오(이adagio) 몡 【音】柔板 róubǎn; 慢板 mànbǎn

아담(Adam) 몡 【宗】亚当 Yàdāng

아-담-하다(雅淡一) 劐 雅致 yǎzhì ¶아담한 서재 雅致的书房 / 집이 ~ 房子很雅致

아동(兒童) 몡 儿童 értóng ¶~기 儿童期 / 문학 儿童文学 / 화 儿童鞋

아동-복(兒童服) 몡 童装 tóngzhuāng

아둔-하다 劐 笨 bèn; 愚笨 yúbèn; 迟钝 chídùn ¶아둔한 사람 愚笨的人 / 그는 정말 ~ 他真笨

아드-님 몡 令郎 lìngláng; 公子 gōngzǐ; 贤郎 xiánláng

아드레날린(adrenaline) 몡 【化】肾上腺素 shènshàngxiànsù

아득-바득 图 하자 1 固执 gùzhí ¶자신의 의견을 ~ 우기다 固执地坚持自己的意见 2 拼命 pīnmìng ¶그는 돈을 벌기 위해 매일 ~ 일을 한다 他为了赚钱每天拼命地工作

아득-하다 劐 1 遥远 yáoyuǎn; 苍茫 cāngmáng; 茫茫 mángmáng ¶아득한 수평선 遥远的水平线 / 누군가의 노랫소리가 아득하게 들린다 远远地听见有人在唱歌 2 很久 hěnjiǔ; 悠久 yōujiǔ ¶이것은 아득한 옛날에 있었던 일이다 这是很久很久以前发生的事 3 渺茫 miǎománg ¶우리는 지금 먹고 살 길이 ~ 我们现在生路渺茫 4 昏眩 hūnxuàn; 发黑 fāhēi; 发晕 fāyūn; 昏 hūn; 晕眩 yūnxuàn ¶그는 갑자기 정신이 아득해졌다 他忽然觉得一阵昏眩 **아득-히** 图

아들 몡 儿子 érzi; 儿 ér; 小子 xiǎozi ¶~을 낳다 生儿子

아들-딸 몡 儿女 érnǚ; 子女 zǐnǚ

아들-아이 몡 儿子 érzi = 아들자식

아들-자식(一子息) 몡 = 아들아이

아등-바등 图 하자 拼命 pīnmìng; 挣扎 zhēngzhá ¶돈을 벌기 위해 ~ 애를 쓰다 为了赚钱, 拼命地努力

아라비아(Arabia) 몡 【地】阿拉伯 Ālābó = 아랍 ¶~ 숫자 阿拉伯数字

아랍(Arab) 몡 【地】= 아라비아 ¶~인 阿拉伯人

아랑곳 몡 하자타 管 guǎn; 理睬 lǐcǎi; 理会 lǐhuì; 介意 jièyì; 在乎 zàihū

머니 사정은 ~하지 않고 비싼 옷을 사다 不管有没有钱，就买很贵的衣服 / 내가 울어도 그는 ~하지 않는다 我哭他也不在乎

아래 圀 **1** 下 xià; 下面 xiàmiàn; 底下 dǐxià ¶~로 가다 往下走 / 커튼을 ~로 내려뜨리다 垂下窗帘 / 나무 ~에 누워 책을 보다 躺在树底下看书 **2** 差 chà; 低 dī; 小 xiǎo ¶그의 성적은 너보다 ~이다 他的成绩比你差 / 그는 너보다 세 살 ~之下 zhīxià; 下 xià ¶선생님의 지도 ~ 우리는 모두 크게 향상되었다 在老师的指导之下，我们都有了很大的进步 **4** 以下 yǐxià ¶모두들 ~의 내용을 주의 깊게 봐 주세요 请大家注意看以下的内容

아래-옷 圀 下身(儿) xiàshēn(r); 下衣 xiàyī; 下装 xiàzhuāng = 아랫도리2·하의

아래-위 圀 上下 shàngxià = 위아래1 ¶~로 훑어보다 上下打量

아래-쪽 圀 下 xià; 下边 xiàbian; 下面 xiàmian; 下头 xiàtou ¶~으로 가라앉다 往下沉 / 책상 ~에 두다 放在桌子下面

아래-층(一層) 圀 楼下 lóuxià; 下层 xiàcéng = 하층1 ¶~의 세입자 楼下的房客

아래-턱 【生】下颌 xiàhé; 下颚 xià'è; 下巴 xiàba = 하악

아래턱-뼈 【生】下颌骨 xiàhégǔ; 下颚骨 xià'ègǔ; 下巴颌骨 xiàbākēgǔ; 下颌骨 xiàhékēgǔ = 하악골

아랫-것 圀 手下人 shǒuxiàrén; 下人 xiàrén; 仆人 púrén

아랫-니 圀 下牙 xiàyá

아랫-단 圀 下摆 xiàbǎi

아랫-도리 圀 **1** 下半身 xiàbànshēn; 下身(儿) xiàshēn(r) = 下体 xiàtǐ ¶손으로 ~를 가리다 用手遮住下半身 **2** = 아랫옷

아랫-마을 圀 下村 xiàcūn

아랫-목 圀 炕头 kàngtóu

아랫-배 圀 小肚子 xiǎodùzi; 小腹 xiǎofù = 하복(下腹) ¶갑자기 ~가 아프기 시작하다 小肚子突然疼起来

아랫-부분(一部分) 圀 下部 xiàbù; 下部分 xiàbùfen; 底部 dǐbù

아랫-사람 圀 **1** = 손아랫사람 **2** 手下 shǒuxià; 下级 xiàjí; 部下 bùxià ¶~에게 명령하다 命令手下

아랫-입술 圀 下唇 xiàchún = 下嘴唇 xiàzuǐchún ¶~을 깨물다 咬下嘴唇

아랫-집 圀 左邻 zuǒlín; 下头邻居 xiàtou línjū

아·량(雅量) 圀 雅量 yǎliàng; 宽宏大度 kuānhóng dàdù; 宽宏大量 kuānhóng

---

dàliàng ¶남을 포용하는 ~ 容人的雅量 / ~이 넓다 雅量豁然

아련-하다 圀 模糊 móhu; 隐约 yǐnyuē; 依稀 yīxī ¶아련하게 떠오르는 그의 얼굴 依稀浮现来的他的面容 **아련-히** 厗

아·령(啞鈴) 【體】哑铃 yǎlíng ¶~체조 哑铃操

아로마(aroma) 圀 芳香 fāngxiāng; 香味 xiāngwèi; 香气 xiāngqì ¶~ 치료법 芳香疗法

아로-새기다 困 **1** 精雕 jīngdiāo; 精雕细刻 jīngdiāoxìkè ¶옥에 관세음보살을 ~ 精雕细刻玉体观世音 **2** 铭记 míngjì; 铭刻 míngkè; 牢记 láojì ¶고통을 가슴에 ~ 把痛苦铭记于心

아롱-거리다 困 时隐时现 shíyǐnshíxiàn = 아롱대다 ¶창밖에 검은 그림자가 ~ 窗外有个黑影时隐时现 **아롱-아롱** 厗하짜

아롱-다롱 厗하짜 花花绿绿 huāhuālùlù; 五彩缤纷 wǔcǎibīnfēn ¶~한 사탕종이 花花绿绿的糖纸

아롱-사태 圀 牛后肘肉 niúhòuzhǒuròu

아롱-아롱² 厗하짜 五彩缤纷 wǔcǎibīnfēn; 花花搭搭 huāhuadādā; 花花绿绿 huāhualùlù ¶~한 무지개 五彩缤纷的彩虹

아롱-지다 圀 花花绿绿 huāhuālùlù; 五彩缤纷 wǔcǎibīnfēn ¶아롱진 옷 花花绿绿的衣服

아뢰다 困 **1** 禀 bǐng; 禀报 bǐngbào; 禀告 bǐnggào; 敬禀 jìngbǐng ¶사실대로 ~ 据实禀报 / 소인이 아뢸 말씀이 있습니다 小的有一件事情要禀告 **2** 奏 zòu; 演奏 yǎnzòu ¶제례악을 ~ 演奏祭乐

아·류(亞流) 圀 **1** 第二流 dì'èrliú; 亚流 yàliú ¶~작 第二流作品 **2** 模仿 mófǎng ¶이것은 한국 문화의 ~에 불과하다 这只不过是韩国文化的模仿

아르바이트(독Arbeit) 圀하짜 打工 dǎgōng ¶대학생 ~ 大学生打工 / 나는 지금 ~하러 가야한다 我现在要去打工

아르 앤드 비(R&B) 【音】= 리듬 앤드 블루스

아른-거리다 困 **1** 晃动 huàngdòng; 摇曳 yáoyè ¶그녀의 굴이 계속 눈앞에서 ~ 她的脸一直在眼前晃动 **2** 时隐时现 shíyǐnshíxiàn ¶여러 봉우리들이 ~ 诸峰时隐时现 ‖ = 아른대다 **아른-아른** 厗하짜

아름 의圀 **1** 合抱 hébào; 围 wéi ¶나무 굵기가 다섯 ~이다 树大五围 **2** 抱 bào ¶한 ~의 장미를 사다 买一抱玫瑰

아름답다 〔형〕 **1** 美 měi; 美丽 měilì; 漂亮 piàoliang ¶아름다운 꽃 한 다발 一束美丽的花 / 아름다운 동화 美丽的童话 / 그녀는 정말 ~ 她真漂亮 **2** 美好 měihǎo; 善良 shànliáng ¶아름다운 우정 美好的友情 / 아름다운 사랑 美好的爱情

아름-드리 〔명〕 合抱 hébào; 一围 yīwéi ¶~은행나무 合抱的银杏树

아리다 〔형〕 **1** 麻 má; 刺痛 cìtòng ¶고추를 먹었더니 혀가 좀 ~ 吃了辣椒, 舌头有点儿麻 **2** 疼痛 téngtòng ¶손발이 저리고 ~ 手脚麻木疼痛 **3** 心痛 xīntòng ¶사람의 마음을 아리게 하는 이야기 让人心痛的故事

아리땁다 〔형〕 娇美 jiāoměi; 漂亮 piàoliang; 美丽 měilì ¶아리따운 아가씨 漂亮的姑娘

아리랑 〔명〕【音】= 아리랑 타령

아리랑 타령 【音】阿里郎 ālīláng = 아리랑

아리송-하다 〔형〕 = 알쏭하다 ¶그들의 태도는 여전히 ~ 他们的态度依然模糊不清

아리아(이àaria) 〔명〕 **1** 咏唱 yǒngchàng; 咏叹调 yǒngtàndiào 唱〕**2** 抒情小曲 shūqíng xiǎoqǔ

아릿-하다 〔형〕 有些麻 yǒuxiē má; 有些刺辣 yǒuxiē cìtòng; 火辣辣 huǒlàlà ¶김치를 먹었더니 혀끝이 좀 ~ 吃了泡菜, 舌尖有点儿火辣辣的

아마(亞麻) 〔명〕【植】亚麻 yàmá; 胡麻 húmá

아마 〔부〕 也许 yěxǔ; 恐怕 kǒngpà; 大概 dàgài; 可能 kěnéng; 或许 huòxǔ ¶~ 그는 돌아오지 않을 것이다 恐怕他不会回来 / 그들은 ~ 내일 공원에 갈 것이다 他们明天可能去公园

아마(←amateur) 〔명〕 = 아마추어

아마-하다 〔부〕 '아마'의 강조명

아마추어(amateur) 〔명〕 业余 yèyú; 业余爱好者 yèyú àihàozhě = 아마(←amateur) ¶~ 작가 业余作家

아말감(amalgam) 〔명〕【化】汞齐 gǒngqí; 汞合金 gǒnghéjīn

아메바(amoeba) 〔명〕【生】阿米巴 āmǐbā; 变形虫 biànxíngchóng; 阿米巴虫 āmǐbāchóng

아멘(히amen) 〔감〕【宗】阿门 āmén

아몬드(almond) 〔명〕 **1** 杏仁 xìngrén; 扁桃 biǎntáo **2** 杏仁 xìngrén; 扁桃仁 biǎntáorén

아:무 〔대〕 **1** 谁 shéi ¶~도 그를 도와주지 않는다 谁也不帮助他 **2** 某 mǒu; 某人 mǒurén ¶김 ~와 장 ~가 만났다 金某人张某人见面了 〔관〕 **1** 某 mǒu; 什么 shénme; 任何 rènhé ¶~ 때나 와도 된다 什么时候都可以

来 / 나는 ~ 편에도 속하지 않는다 我不属于任何一方 **2** = 아무런 ¶그 일은 나와 ~ 상관도 없다 那件事跟我毫无相关

아:무-개 〔대〕 某 mǒu; 某人 mǒurén ¶어제 이 ~가 그를 찾아왔다 昨天李某人来找他

아:무-것 〔명〕 什么 shénme ¶~이나 좋으니 마음대로 골라라 什么都可以, 随便挑吧

아:무래도 〔부〕 还是 háishi; 怎么也 zěnme yě ¶나는 ~ 안 가는 게 좋을 것 같다 看来我还是不去好

아:무려면 〔부〕 难道 nándào; 怎么可能 zěnme kěnéng ¶~ 내가 너한테 거짓말을 하겠느냐? 难道我跟你说慌吗?

아:무러-하다 〔형〕 **1** 不管怎么样 bùguǎn zěnmeyàng; 无论怎么样 wúlùn zěnmeyàng; 不管怎样 zěnmeyàng ¶나는 아무러하든지 상관없다 不管怎么样我都无所谓 **2** 任何 rènhé; 什么 shénme ¶그는 지금까지 아무런한 설명이 없다 他到现在没有任何解释 随便 suíbiàn; 马马虎虎 mǎmahūhū

아:무런 〔관〕 任何 rènhé; 什么 shénme = 아무②¶~ 취미도 없다 没有任何爱好 / ~ 소식이 없다 没有任何消息 / ~ 반응이 없다 没有任何反应

아:무럴다 〔형〕 **1** '아무러하다1'의 략어 **2** '아무러하다3'의 략어

아:무렴 〔감〕 当然 dāngrán = 암 ¶~, 그렇고말고 当然, 是啊

아:무리 〔부〕 **1** 不管 bùguǎn; 无论如何 wúlùn rúhé; 不管怎样 bùguǎn zěnyàng; 再 zài ¶가격이 ~ 비싸도 나는 꼭 그 옷을 살 것이다 不管价格多贵, 我一定要买那件衣服 / ~ 생각해도 그의 이름이 떠오르지 않는다 我再怎么想, 也想不起他的名字 **2** 尽管 jǐnguǎn; 虽然 suīránguǎ ‖ = 아무리 □관 〔부〕 不会吧 bùhuìba; 不会的 bùhuìde ¶~, 그가 살인자일려고 不会吧, 他不会是凶手

아:무-짝 〔명〕 哪方面 nǎfāngmiàn; 任何方面 rènhé fāngmiàn; 什么地方 shénme dìfang ¶이 물건은 ~에도 쓸모가 없다 这个东西无论哪方面都毫无用处

아:무-쪼록 〔부〕 = 모쪼록 ¶~ 빨리 돌아오세요 请尽可能早点回来

아:무튼 〔부〕 无论如何 wúlùn rúhé; 反正 fǎnzhèng; 不管怎(么)样 bùguǎn zěn(me)yàng; 无论怎(么)样 wúlùn zěn(me)yàng; 总之 zǒngzhī; 总而言之 zǒng'éryánzhī; 好歹 hǎodǎi = 어쨌든 · 여하튼 · 하여튼 ¶~ 나는 그를 좋아하지 않는다 反正, 我不喜欢他 / ~ 나는 그의 집에 가지 않을 것이다 反正我不要去他的家

┼**물다** 困 愈合 yùhé; 口口 hékǒu; 封口 fēngkǒu ¶상처가 천천히 ~ 伤口慢慢愈合

┼**미노-산**(amino酸) 图 【化】氨基酸 ānjīsuān

┼**미타-불**(阿弥陀佛) 图 【佛】阿弥陀佛 ēmítuófó; 弥陀 mítuó; 弥陀佛 mítuófó

┼**밀라아제**(독Amylase) 图 【化】淀粉酶 diànfěnméi

┼**바-마마**(―媽媽) 图 父王 fùwáng

┼**방-궁**(阿房宮) 图 【史】阿房宮 Efánggōng

┼**버-님** 图 父亲 fùqīn; 令尊 lìngzūn (《'아버지'의 敬称》)

┼**버지** 图 父亲 fùqīn; 爸爸 bàba; 爹爹 diēdie

┼**범** 图 **1** 他爸 tābà; 他爹 tādiē **2** 老男仆 lǎonánpú

┼**부**(阿附) 图困困 阿谀 ēyú; 阿谄 ēchǎn; 拍马屁 pāi mǎpì; 献媚 xiànmèi; 巴结 bājie; 逢迎 féngyíng; 卖好(儿) màihǎo(r) ¶그는 ~를 매우 잘 한다 他很会拍马屁

┼**비** 图 **1** 父亲 fùqīn; 爸爸 bàba **2** 孩子들 háizi들; 孩子 háizid·

┼**비-규환**(阿鼻叫喚) 图 阿鼻叫喚 ābí jiàohuàn; 惨叫 cǎnjiào; 惨绝人寰 cǎnjué rénhuán ¶사고 현장은 그야말로 ~의 생지옥이었다 发生事故的现场真是个惨绝人寰的活地狱

┼**빠** 图 爸爸 bàba

┼**뿔싸** 囧 唉呀 āiyā; 哎呀 āiyā ¶~, 전화를 잘못 걸었다 哎呀, 我打错了电话 / ~, 지갑을 잃어버렸다 哎呀, 我丢失了钱包

아:-사(餓死) 图困 饿死 èsǐ ¶나는 ~하기 직전이다 我差点饿死了

아삭 囧困困困 咔嚓 kāchā; 喀嚓 kāchā; 喀哧 kāchī ¶배를 ~ 베어 먹다 喀嚓吃了一口梨子

아삭-거리다 困困 咔嚓咔嚓地嚼 kāchākāchāde jiáo = 아삭대다 ¶고추가 입안에서 ~ 青椒塞入嘴里咔嚓咔嚓地嚼 **아삭-아삭** 囧困困困

아서라 囧 算了吧 suànleba; 别那样 bié nàyàng ¶~, 이미 다 지나간 일이다 算了吧, 反正已经过去的事了

아성(牙城) 图 **1** 牙城 yáchéng **2** 堡垒 bǎolěi ¶단단한 ~을 무너뜨리다 打垮坚固的堡垒

아세톤(acetone) 图 【化】丙酮 bǐngtóng; 二甲基酮 èrjiǎjītóng

아세트-산(←acetic酸) 图 【化】醋酸 cùsuān; 乙酸 yǐsuān = 초산(醋酸)

아수라(阿修羅) 图 【佛】阿修罗 āxiūluó ¶~왕 阿修罗王

아수라-장(阿修羅場) 图 = 수라장(修

~이 된 화재 피해 현장 乱作一团的受灾现场

아쉬워-하다 困 依依 yīyī; 可惜 kěxī; 愧惜 wànxí ¶만일 네가 가지 않으면 모두들 아쉬워할 것이다 如果你不去, 大家都会觉得很可惜

아쉽다 囧 **1** 可惜 kěxī; 舍不得 shěbude; 愧惜 wànxí ¶그가 참가하지 않아서 정말 ~ 他没有来参加, 真可惜 **2** 焦急 jiāojí; 发慌 fāhuāng ¶지금 농촌에서는 일손이 모자라 ~ 现在在农村缺手叫人发慌

아스라-하다 囧 **1** 高耸 gāosǒng; 辽阔 liáokuò; 遥远 yáoyuǎn ¶아스라한 평원 辽阔的平原 / 아스라한 지평선 遥远的地平线 **2** 隐约 yǐnyuē ¶아스라한 기억 隐约的记忆 **3** 模糊 móhu ¶아스라하게 들려오는 소리 模糊的声音

아스파라거스(asparagus) 图 【植】芦笋 lúsǔn; 石刁柏 shídiāobǎi

아스팔트(asphalt) 图 【化】沥青 lìqīng; 柏油 bǎiyóu; 柏油路 bǎiyóulù ¶~로 피치3 ¶~ / 도로 柏油路 [柏油马路] / ~ 포장 铺柏油路

아스피린(aspirin) 图 【藥】阿司匹林 āsīpǐlín; 阿司匹林药片 āsīpǐlín yàopiàn

아슬-아슬 囧困 **1** 冷丝丝 lěngsīsī; 冷森森 lěngsēnsēn ¶온몸이 ~한 것이 마치 감전된 것 같다 全身冷丝丝的如同过电一样 **2** 惊险可怕 jīngxiǎn kěpà; 惊险 jīngxiǎn; 紧张 jǐnzhāng ¶~하게 길을 건너다 惊险地过马路 / ~하게 이기다 惊险地赢了

아시아(Asia) 图 【地】亚洲 Yàzhōu; 亚细亚 Yàxìyà; 亚 yà ¶~인 亚洲人 / ~ 국가 亚洲国家会

아시아 경기 대회(Asia競技大會) 【體】亚洲运动会 Yàzhōu yùndònghuì; 亚运会 Yàyùnhuì = 아시안 게임

아시아 주(Asia州) 图 【地】亚洲 yàzhōu; 亚细亚洲 Yàxìyàzhōu

아시안 게임(Asian game) 【體】= 아시아 경기 대회

아:-씨 图 小姐 xiǎojie; 少奶奶 shàonǎinai

아야 囧 哎哟 āiyō; 哎呀 āiyā ¶~, 네가 내 손을 밟았어! 哎哟, 你踩到我的手了!

아양 图 撒娇 sājiāo; 媚态 mèitài; 献媚 xiànmèi ¶~ 떨다 撒娇

아역(兒役) 图 儿童角色 értóng juésè; 儿童演员 értóng yǎnyuán ¶~ 배우 儿童演员

아연(亞鉛) 图 【化】锌 xīn; 亚铅 yàqiān ¶~판 锌版 = [锌铁板]

아연(啞然) 囧困困 囧 哑然 yǎrán; 目瞪口呆 mùdèngkǒudāi ¶그녀는 그

사진을 보고 ~하여 소리도 내지 못했다 她看到那张照片哑然无声了

아연-실색(啞然失色) 명하자 哑然失色 yǎrán shīsè; 大惊失色 dàjīng shīsè ¶그의 그런 대담한 행동에 나는 ~했다 他的那大胆的行动让我哑然失色

아:-열대(亞熱帶) 명 【地理】亚热带 yàrèdài; 亚热带 ~ 난대 ¶~ 기후 亚热带气候 / ~ 지역 亚热带地区 / 우림 亚热带雨林

아:-열대-림(亞熱帶林) 명 【地理】= 난대림

아예 부 干脆 gāncuì; 全然 quánrán; 千万 qiānwàn; 绝对 juéduì; 本来 běnlái; 根本 gēnběn ¶~ 기대도 안 했다 根本没抱什么期望

아옹-거리다 자 1 唠叨 láodao ¶그녀는 한참 동안 아옹거렸지만 효과가 없었다 她唠叨了半天, 没有效果 2 争吵 zhēngchǎo; 吵嘴 chǎozuǐ ¶됐다, 너희들 그만 아옹거리려 말자, 你们不要争吵吧 ‖=아옹대다 **아옹-아옹** 부하자

아옹-다옹 부하자 争执 zhēngzhí; 争吵 zhēngchǎo ¶그들은 만나기만 하면 ~한다 他们一见面就争执

아우 명 弟弟 dìdi

아우르다 타 成对(儿) chéngduìr; 结伙儿 jiéhuǒr; 成伙儿 chénghuǒr; 结群成对 jiéqún chéngduì; 筹集 chóují; 配对(儿) pèiduìr ¶함께 아울러서 외출하다 一起结群成对地出门

아우성(一聲) 명 呐喊 nàhǎn; 呼声 hūshēng; 惨叫 cǎnjiào; 叫苦 jiàokǔ ¶군중의 ~ 群众呼声

아우성-치다(一聲—) 자 大声号叫 dàshēng háojiào; 大声呼喊 dàshēng hūjiào ¶사람들이 살려달라고 큰 소리로 아우성쳤다 人们大声呼叫救命

아욱 명 【植】冬葵 dōngkuí; 冬寒菜 dōnghàncài; 冬苋菜 dōngxiàncài ¶~국 冬苋菜汤

아울러 부 同时 tóngshí; 兼 jiān; 并且 bìngqiě; 而且 érqiě ¶이 일은 아주 중요하기도 하고 ~ 아주 어렵기도 하다 这件事很重要, 同时也很难做

아웃(out) 명 【體】1 = 아웃사이드 2 (球球式) 出局 chūjú ¶삼진 ~ 三振出局

아웃렛(outlet) 명 品牌折扣店 pǐnpái zhékòudiàn

아웃사이더(outsider) 명 1 外人 wàirén; 局外人 júwàirén 2 【經】非会员 fēi huìyuán

아웃사이드(outside) 명 【體】(球类比赛的) 出界 chūjiè = 아웃1

아옹-다옹 부하자 '아웅다웅'의 틀림

아이[1] 명 1 孩子 háizi; 小孩儿 xiǎo-

hái'r; 小孩子 xiǎoháizi ¶유치원에서 ~들과 놀다 在幼稚园跟孩子们玩一玩 2 子女 zǐnǚ; 孩子 háizi; 小孩儿 xiǎohái'r; 小孩子 xiǎoháizi ¶그들은 ~가 둘 있다 他们有两个孩子 / 그녀는 지난달에 ~를 낳았다 她上个月生了孩子

아이[2] 감 哎呀 āiyā; 哎哟 āiyō ¶~년 왜 전화를 안 받니! 哎呀, 你怎么不接电话呢!

아이고 감 哎呀 āiyā; 哎哟 āiyō ¶~ 답답해 죽겠네! 哎哟, 闷死我了!

아이고-머니 감 哎呀 āiyā; 妈呀 māyā; 天啊 tiān'a ¶~, 소매치기가 내 지갑을 훔쳐갔어! 唉呀, 小偷偷走了我的钱包! / ~, 아이가 없어졌다! 天啊 孩子不见了!

아이고머니-나 감 '아이고머니'의 강조어

아이디(ID)[identification] 명 【信】网名 wǎngmíng

아이디어(idea) 명 主意 zhǔyi; 构想 gòuxiǎng; 想法 xiǎngfa; 创意 chuàngyì; 意见 yìjiàn; 点子 diǎnzi; 设想 shèxiǎng ¶~ 상품 创意产品 / 그것 참 좋은 ~구나! 这真是个好主意!

아이디-카드(ID card)[identification card] 명 身份卡 shēnfènkǎ

아이-라이너(eye liner) 명 眼线笔 yǎnxiànbǐ; 眼线膏 yǎnxiàngāo; 眼线液 yǎnxiànyè

아이-라인(eye line) 명 眼线 yǎnxiàn ¶~을 그리다 画眼线

아이러니(irony) 명 1 【語】= 반어 2 【論】反语 fǎnyǔ; 讽刺 fěngcì; 讥讽 jīfěng

아이리스(iris) 명 【植】鸢尾 yuānwěi; 蝴蝶花 húdiéhuā

아이보리(ivory) 명 1 = 상아색 2 象牙纸 xiàngyázhǐ

아이비(ivy) 명 1 = 아이비리그 2 【植】= 담쟁이덩굴

아이비-리그(Ivy league) 명 常春藤联盟 Chángchūnténg Liánméng = 아이비1

아이섀도(eye shadow) 명 眼影 yǎnyǐng ¶~ 브러시 眼影刷 / ~를 바르다 涂眼影

아이-쇼핑(eye+shopping) 명 橱窗购物 chúchuāng gòuwù; 逛商店 guàng shāngdiàn; 浏览商店橱窗 liúlǎn shāngdiàn chúchuāng; 浏览橱窗 liúlǎn chúchuāng = 윈도쇼핑

아이스 링크(ice rink) 【體】= 빙상경기장

아이스-바(ice+bar) 명 冰棍 bīnggùn

아이스박스(icebox) 명 手提冰箱 shǒutí bīngxiāng; 冷藏箱 lěngcángxiāng

아이스-커피(ice+coffee) 圏 = 냉커피

아이스-콘(ice+cone) 圏 = 아이스크림콘

아이스-크림(ice cream) 圏 冰淇淋 bīngqílín; 冰激凌 bīngjīlíng; 冰糕 bīnggāo; 雪糕 xuěgāo ¶딸기 맛 ~ 草莓口味冰淇淋

아이스크림-콘(ice-cream cone) 圏 1 蛋卷冰淇淋 dànjuǎn bīngqílín 2 (裝冰淇淋的) 锥形蛋卷 zhuīxíng dànjuǎn ‖ = 아이스크림

아이스-티(ice tea) 圏 冰红茶 bīnghóngchá

아이스-하키(ice hockey) 圏 [體] 冰球 bīngqiú; 冰球运动 bīngqiú yùndòng ‖ = 하키2

아이시¹(IC) 圏 [交] = 인터체인지

아이시²(IC)[integrated circuit] 圏 【컴】 집적 회로 ¶~ 카드 集成电路卡

아이엠에프(IMF)[International Monetary Fund] 圏 [經] = 국제통화 기금

아이오시(IOC)[International Olympic Committee] 圏 [體] = 국제올림픽 위원회

아이젠(독Eisen) 圏 [體] 冰爪 bīngzhǎo

아이코 갑 哎呀 āiyā ¶~, 우산 가져오는 걸 잊어버렸다 哎呀, 我忘了带雨伞

아이콘¹(icon) 圏 【宗】 1 圣画像 shènghuàxiàng; 圣像 shèngxiàng 2 偶像 ǒuxiàng ¶새로운 시대의 ~ 新时代的偶像

아이콘²(icon) 圏 【컴】 图标 túbiāo ¶바탕 화면 ~ 桌面图标

아이큐(IQ)[Intelligence Quotient] 圏 [教] = 지능 지수 ¶그는 ~가 아주 높다 他智商很高

아이템(item) 圏 【컴】 条款 tiáokuǎn; 品目 pǐnmù; 项目 xiàngmù ¶관련 ~ 有关条款

아작 [부(하자타)] 咯吱吱 gēzhīzhī ¶아이가 잠잘 때 항상 ~ 이를 간다 孩子睡觉总咯吱吱磨牙

아작-거리다 자타 咯吱吱地响 gēzhīzhīde xiǎng = 아작대다 ¶나는 뼈가 아작거리는 소리를 들었다 我听到骨头在咯吱吱地响 **아작-아작** 부

아장-거리다 자타 1 姗姗而行 shānshān érxíng; 姗姗地走 shānshānde zǒu ¶우리 딸이 요즘 아장거리기 시작했다 我女儿最近姗姗地走起来了 2 小步慢走 xiǎobù mànzǒu; 小步缓行 xiǎobù huǎnxíng ‖ = 아장대다 **아장-아장** [부(자타)]

아쟁(牙箏) 圏 [音] 牙筝 yázhēng

아저씨 圏 1 叔叔 shūshu; 叔父 shūfù 2 叔叔 shūshu; 大叔 dàshū ¶저 사람은 우리 이웃집 ~이다 那个人是我们家邻居的叔叔

아전(衙前) 圏 [史] 衙前 yáqián; 衙吏 yálì

아: 전인수(我田引水) 圏 只为自己行事 zhǐ wèi zìjǐ xíngshì; 只为自己着想 zhǐ wèi zìjǐ zhuóxiǎng

아주¹ [부] 1 非常 fēicháng; 很 hěn; 挺 tǐng; 十分 shífēn ¶~ 오랜 옛날 很久以前 / ~ 난처한 일이 하나 생겼다 发生了一件十分尴尬的事情 / 교통이 ~ 편리하다 交通很方便 2 永远 yǒngyuǎn; 完全 wánquán; 彻底 chèdǐ ¶고향을 ~ 떠나다 永远离开故乡 / 우리 두 사람의 성격이 ~ 다르다 我们两个人的性格完全不同 / 나는 이미 그 일을 ~ 잊어버렸다 我已经彻底忘记那件事了

아: 주² 갑 嗬 hē ¶~, 제법이야! 嗬, 真不错啊!

아주까리 圏 【植】 = 피마자1

아주머니 圏 1 伯母 bómǔ; 族母 zúmǔ; 老伯母 lǎobómǔ 2 太太 tàitai; 夫人 fūren 3 阿姨 āyí; 婶子 shěnzi; 大婶(儿) dàshěn(r) ¶우리 집 주인은 동동한 ~이다 我们家房东是一个胖胖的阿姨 4 嫂嫂 sǎosao; 嫂子 sǎozi; 大嫂 dàsǎo

아주버니 圏 大伯子 dàbǎizi

아줌마 圏 阿姨 āyí

아지랑이 圏 野马 yěmǎ; 游丝 yóusī; 地气 dìqì; 河影 héyǐng; 阳炎 yángyán ¶~가 피어오르다 游丝升起来

아지랭이 圏 '아지랑이'의 오류

아지트(←러agitpunkt) 圏 1 = 근거지 2 巢穴 cháoxué; 黑窝 hēiwō; 巢窟 cháokū; 秘密住所 mìmì zhùsuǒ 3 [社] 秘密联络站 mìmì liánluòzhàn; 秘密据点 mìmì jùdiǎn

아직 [부] 1 还 hái; 未 wèi; 尚且 shàngqiě ¶그는 ~ 돌아오지 않았다 他还没回来了 / ~까지도 완성하지 못하다 迄今还没完成 2 仍然 réngrán; 仍旧 réngjiù; 仍 réng; 一直 yīzhí ¶그녀는 ~도 대답하지 않고 있다 她仍然没有回答

아직-껏 [부] 至今 zhìjīn; 迄今 qìjīn; 直到现在 zhídào xiànzài (《'아직1'의 강조语》) ¶그들은 ~ 아무런 소식이 없다 他们至今没有任何消息 / 나는 ~ 그 일에 대해 생각해 본 적이 없다 我至今对那件事没有考虑过

아: 집(我執) 圏 1 固执己见 gùzhí jǐjiàn 2 【佛】 我执 wǒzhí

아쩔-아쩔 [부(하쟁)] 晕晕糊糊 yūnyun-

húfú ¶정신이 ~해 호수로 뛰어들다
晕晕糊糊地跃进湖中

아찔-하다 휑 晕 yùn; 昏眩 hūnxuàn;
发黑 fāhēi; 发晕 fāyùn; 眩晕 xuànyùn;
晕眩 yūnxuàn; 发眩 fāxuàn ¶머리가
갑자기 ~ 头突然晕 / 눈앞이 ~ 眼前
发黑

아차 갑 哎哟 āiyā; 唉哟 āiyō ¶~, 그
의 생일을 깜박했다 哎哟, 我忘记了
他的生日

아첨(阿諂) 몡[하다] 阿谀 éyú; 谄媚 chǎn-
mèi; 奉承 fèngcheng; 拍马屁 pāi mǎ-
pì; 捧屁 pěngpì; 献媚 xiànmèi ¶그는
언제나 상사에게 ~한다 他一向对上
司奉承

아ː취(雅趣) 몡 雅趣 yǎqù ¶그는 매우
~가 있는 사람이다 他是个挺有雅趣
的人

아치(arch) 몡【建】拱 gǒng; 拱形
gǒngxíng; 拱门 gǒngmén; 弓形 gōng-
xíng ¶~ 구조 拱形结构

아치-교(arch橋) 몡【建】拱形桥
gǒngxíngqiáo; 拱桥 gǒngqiáo

아치-형(arch形) 몡 拱形 gǒngxíng;
弓形 gǒngxíng ¶~ 건물 拱形建筑物

아침 1 早晨 zǎochén; 早上 zǎo-
shang; 晨 chén ¶~ 7시 早晨七点 / 내
일 ~에 다시 와라 明天早上再来吧 2
= 아침밥 ¶~ 먹었니? 你吃了早饭
吗?

아침-나절 몡 早半天 zǎobàntiān; 早
半响(儿) zǎobànshǎng(r) ¶오늘 ~에
벼를 다 베어야 한다 今天早半响把稻
谷割干净

아침-노을 몡 早霞 zǎoxiá; 朝霞 zhāo-
xiá

아침-놀 몡 '아침노을'의 略词

아침-밥 몡 早饭 zǎofàn; 早餐 zǎocān
= 아침2·조반·조식

아침-잠 몡 早觉 zǎojiào ¶~을 자다
睡个早觉

아침-저녁 몡 = 조석

아카데미(academy) 몡 1 学院 xué-
yuàn; 研究院 yánjiūyuàn 2 学术研究院
xuéshù yánjiūyuàn; 科学院 kēxuéyuàn;
艺术院 yìshùyuàn 3【史】柏拉图学园
Bólātú xuéyuàn

아카데미-상(academy賞) 몡【演】
奥斯卡金像奖 Àosīkǎ jīnxiàngjiǎng

아카시아(acacia) 몡【植】洋槐 yáng-
huái; 刺槐 cìhuái ¶~ 꿀 洋槐蜜 /~
꽃 洋槐花

아 카펠라(ㅇla cappella)【音】无伴
奏合唱 wúbànzòu héchàng; 阿卡贝拉
ākābèilā; 纯人声合唱 chúnrénshēng
héchàng; 阿卡贝拉人声合唱 ākābèilā
rénshēng héchàng ¶~ 곡 无伴奏合唱
歌曲

아케이드(arcade) 몡 1【建】连拱廊
liánggǒngláng; 连环拱廊 liánhuán gǒng-
láng; 拱廊 gǒngláng 2 拱廊市场 gǒng-
láng shìchǎng; 商场 shāngchǎng ¶지□
~ 地下商场

아코디언(accordion) 몡【音】手□
琴 shǒufēngqín

아크(arc) 몡【物】= 아크 방전 ¶~
용접 电弧焊接

아크릴(←acrylic) 몡 1【手工】○
크릴 섬유 2【化】= 아크릴산 수지

아크릴 물감(←acrylic—)【美】丙□
酸颜料 bǐngxīsuān yánliào

아크릴산 수지(←acrylic酸樹脂)【化□
丙烯酸树脂 bǐngxīsuān shùzhī; 亚克
力 yàkèlì; 压克力 yàkèlì; 聚甲基丙烯
酸甲脂 jùjiǎjī bǐngxīsuān jiǎzhí = 아□
릴2·아크릴 수지

아크릴 섬유(←acrylic纖維)【手工】○
烯酸纤维 bǐngxīsuān xiānwéi; 阿克力
纤维 ākèlì xiānwéi; 阿克力 ākèlì = ○
크릴1

아크릴 수지(←acrylic樹脂)【化】=
아크릴산 수지

아크 방ː전(arc放電)【物】电弧 diàn-
hú; 弧光 húguāng = 아크

아킬레스-건(Achilles腱) 몡 1【生】
跟腱 gēnjiàn; 阿基里斯腱 ājīlǐsījiàn ¶
그는 축구를 하다가 ~이 끊어졌다 他
踢足球跟腱断了 2 (致命的) 弱点 ruò-
diǎn ¶그것이 그의 ~이다 那就是他
的弱点

아테네(Athenae) 몡【文】雅典娜
Yǎdiǎnnà《罗马神话中智慧的女神》

아토피(atopy) 몡【醫】= 아토피 피
부염

아토피 피부염(atopy皮膚炎)【醫】异
位性皮肤炎 yìwèixìng pífūyán; 异位性
皮炎 yìwèixìng píyán = 아토피

아트-지(art紙) 몡【化】铜版纸 tóng-
bǎnzhǐ; 美术纸 měishùzhǐ; 粉纸 fěn-
zhǐ; 涂料纸 túliàozhǐ

아틀란티스(Atlantis) 몡【文】亚特
兰蒂斯 Yàtèlándìsī; 亚特兰提斯 Yàtè-
lántísī

아틀리에(ㅇatelier) 몡 1 画室 huà-
shì; 雕刻室 diāokèshì 2 摄影室 shè-
yǐngshì

아티스트(artist) 몡 = 예술가

아파트(←apartment) 몡 公寓 gōng-
yù; 公寓大楼 gōngyù dàlóu; 单元房
dānyuánfáng; 楼房 lóufáng ¶고층 ~
高层公寓 / 임대 ~ 出租公寓 / ~ 단지
公寓住宅小区 / ~ 설계 楼房设计

아파-하다 타 觉着痛 juézhe tòng; 叫
痛 jiàotòng; 叫疼 jiàoténg ¶아이가 주
사를 맞고 나서 계속 아파한다 孩子打
了针以后一直叫痛

아편(阿片·鴉片) 圓 【藥】鸦片 yā-piàn; 阿片 āpiàn; 雅片 yāpiàn; 大烟 dàyān; 烟 yān ¶~屈 大烟窟 / ~쟁이 鸦片鬼 / ~을 피우다 吸鸦片 / 그는 ~에 중독되었다 他吸鸦片上瘾了

아폴로(Apollo) 圓 【文】阿波罗 Ābō-luó; 太阳神 tàiyángshén

아프다 圈 **1** 痛 tòng; 疼 téng ¶손이 ~ 手很痛 / 허리가 ~ 腰疼 **2** 痛苦 tòngkǔ ¶그 소식을 듣고 그는 마음이 아팠다 听到那个消息, 他感到痛苦

아프리카(Africa) 圓 【地】非洲 Fēizhōu ¶~ 국가 非洲国家 / ~인 非洲人

아하 圆 啊哈 āhā ¶~, 생각났다! 啊哈, 我想起来了!

아: -한대(亞寒帶) 圓 【地理】亚寒带 yàhándài = 냉대(冷帶)

아홉 㑇쾬 九 jiǔ

아홉-수(一數) 圓 【民】数九数 shǔjiǔshù

아홉-째 㑇쾬 第九 dìjiǔ

아: -황산(亞黃酸) 圓 【化】亚硫酸 yàliúsuān

아황산-가스(亞黃酸gas) 圓 【化】= 이산화황

아황산-나트륨(亞黃酸독Natrium) 圓 【化】亚硫酸钠 yàliúsuānnà

아흐레 圓 九天 jiǔtiān = 아흐렛날2

아흐렛-날 圓 **1** 第九天 dìjiǔtiān **2** = 아흐레

아흔 㑇쾬 九十 jiǔshí

악[1] 圓 挣扎 zhēngzhá; 拼命 pīnmìng ¶목적을 이루기 위해 ~을 쓰고 노력하다 为了完成目的, 拼命地努力

악[2] 圆 啊 á ¶~, 깜작이야! 啊, 你吓我一跳!

악(惡) 圓 恶 è ¶선과 ~ 善和恶

악-감정(惡感情) 圓 恶感 ègǎn ¶그에게 ~을 품다 对他心怀恶感

악곡(樂曲) 圓 【音】乐曲 yuèqǔ = 곡(曲)2

악공(樂工) 圓 【史】乐工 yuègōng

악귀(惡鬼) 圓 恶鬼 èguǐ; 恶魔 émó; 魔鬼 móguǐ

악극(樂劇) 圓 【演】**1** 乐剧 yuèjù **2** 音乐剧 yīnyuèjù = 뮤직 드라마

악극-단(樂劇團) 圓 【演】乐剧团 yuèjùtuán = 악단2

악기(樂器) 圓 【音】乐器 yuèqì ¶~점 乐器店 / ~를 연주하다 演奏乐器

악다구니 圓 漫骂 mànmà; 咒骂 zhòumà; 臭骂 chòumà

악단(樂團) 圓 **1**【音】乐团 yuètuán **2** 【演】= 악극단

악담(惡談) 圓 圓하자 坏话 huàihuà; 恶语 èyǔ ¶남편 앞에서 아내의 ~을 하다 在丈夫面前说妻子的坏话

악당(惡黨) 圓 **1** 恶徒 ètú **2** 恶棍 ègùn;

악덕(惡德) 圓圓하형 道德败坏 dàodé bài-huài; 不道德 bùdàodé ¶~ 기업 不道德的公司

악독(惡毒) 圓하형圓부 恶毒 èdú; 狠毒 hěndú; 万恶 wàn'è; 凶恶 xiōng'è ¶~한 여자 狠毒的女人

악동(惡童) 圓 **1** 坏孩子 huàiháizi **2** = 장난꾸러기

악랄(惡辣) 圓하형圓부 恶辣 èdú; 毒辣 dúlà ¶~한 수법 恶毒的方法 / 그는 아주 ~한 사람이다 他为人狠毒

악령(惡靈) 圓 恶灵 èlíng; 冤魂 yuān-hún; 怨鬼 yuànguǐ

악마(惡魔) 圓 恶魔 émó; 恶鬼 èguǐ

악명(惡名) 圓 恶名 èmíng; 臭名 chòu-míng ¶~ 높은 기업 臭名昭著的企业

악몽(惡夢) 圓 恶梦 èmèng; 噩梦 èmèng ¶나는 어젯밤에 ~을 꾸었다 我昨晚做了一场恶梦

악-물다 圄 咬紧 yǎojǐn ¶어금니를 ~ 咬紧槽牙

악-바리 圓 **1** 泼辣货 pōlàhuò; 厉害的 人 lìhaide rén **2** 顽强的人 wánqiáng-de rén; 坚韧不拔的人 jiānrènbùbáde rén

악법(惡法) 圓 恶法 èfǎ; 坏法律 huài-fǎlü ¶~을 철폐하다 铲除恶法

악보(樂譜) 圓 【音】乐谱 yuèpǔ; 曲谱 qǔpǔ; 歌谱 gēpǔ

악사(樂士) 圓 【音】乐师 yuèshī; 音乐师 yīnyuèshī

악성(惡性) 圓 恶性 èxìng; 性质恶劣 xìngzhì èliè ¶~ 빈혈 恶性贫血 / ~ 종양 恶性肿瘤

악성(樂聖) 圓 乐圣 yuèshèng ¶~ 베토벤 乐圣贝多芬

악세사리 圓 '액세서리'의 错误

악셀 圓 【機】'액셀'의 错误

악수(握手) 圓하자 握手 wòshǒu ¶서로 ~를 나누다 相互握手

악-순환(惡循環) 圓 恶性循环 èxìng xúnhuán

악습(惡習) 圓 恶习 èxí; 坏习惯 huài-xíguàn; 恶风陋习 èfēng lòuxí ¶~을 타파하다 革除恶习

악-쓰다 圄 生气 shēngqì; 发脾气 fā-píqì; 发火 fāhuǒ; 狠毒 hěndú; 毒辣 dúlà ¶악쓰지 말고 먼저 내 말을 들어라 你不要乱发脾气, 先听我说

악어(鰐魚) 圓 【動】鳄鱼 èyú

악어-가죽(鰐魚독) 圓 鳄鱼皮 èyúpí ¶~ 지갑 鳄鱼皮钱包 / ~ 가방 鳄鱼皮包

악역(惡役) 圓 坏人角色 huàirén jué-sè; 反面角色 fǎnmiàn juésè

악연(惡緣) 圀 恶缘 èyuán; 冤家 yuān-jia

악용(惡用) 圀[하타] 滥用 lànyòng; 恶毒地利用 èdúde lìyòng ¶그는 직권을 ~해 아랫사람을 괴롭혔다 他滥用职权, 欺负下级

악의(惡意) 圀 恶意 èyì; 恶心 èxīn ¶~를 품다 心怀恶意

악인(惡人) 圀 坏人 huàirén; 恶人 èrén

악장(樂章) 圀[音] 乐章 yuèzhāng = 파트3

악전(惡戰) 圀[하타] 恶战 èzhàn; 恶仗 èzhàng

악전-고투(惡戰苦鬪) 圀[하타] 恶斗 èdòu; 恶战苦斗 èzhàn kǔdòu; 苦战 kǔzhàn

악-조건(惡條件) 圀 恶劣条件 èliè tiáojiàn; 不利条件 bùlì tiáojiàn; 坏条件 huàitiáojiàn ¶각종 ~을 극복하다 克服种种坏条件

악질(惡質) 圀 恶劣 èliè; 恶性 èxìng; 恶霸 èbà; 坏蛋 huàidàn

악착(齷齪) 圀[하타][하튀] 1 死劲儿 sǐjìnr; 拼命 pīnmìng 2 度量小 dùliàng xiǎo 3 毒辣 dúlà; 残酷 cánkù; 狠毒 hěndú

악착-같다(齷齪-) 圀 拼命 pīnmìng; 顽强 wánqiáng **악착같-이** 튀 1 卯足劲 干 儿 mǎizhe jìnr gàn 2 拼命 pīnmìng ¶돈을 벌기 위해 매일 일찍부터 밤늦게까지 ~ 일하다 为了赚钱, 每天从早上到很晚拼命工作

악처(惡妻) 圀 恶妻 èqī; 坏妻子 huàiqīzi

악-천후(惡天候) 圀 坏天气 huàitiānqi; 恶劣气候 èliè qìhòu; 恶劣天气 èliè tiānqì ¶~로 인해 경기가 취소되었다 因为天气坏, 比赛被取消了

악취(惡臭) 圀 恶臭 èchòu; 臭味 chòuwèi

악-취미(惡趣味) 圀 恶癖 èpǐ

악평(惡評) 圀[하타] 坏评 huàipíng; 坏批评 huàipīpíng

악필(惡筆) 圀 1 拙劣的字 zhuōliède zì; 拙笔 zhuōbǐ 2 劣质毛笔 lièzhì máobǐ

악-하다 圀 恶 è; 坏 huài; 恶毒 èdú; 凶恶 xiōng'è; 狠毒 hěndú; 毒辣 dúlà; 凶狠 xiōnghěn ¶악한 사람 凶恶的人 / 그 사람은 갑자기 악하게 변했다 那个人突然变得很凶恶

악행(惡行) 圀 恶行 èxíng; 恶迹 èjì; 坏事 huàishì

악화(惡化) 圀[하타] 恶化 èhuà ¶상황이 갑자기 ~되었다 局势骤然恶化

안¹ 圀 1 (物体、空间의) 里 lǐ; 里面 lǐmiàn; 里头 lǐtou; 里边 lǐbian; 内 nèi; 中 zhōng ¶그는 집 ~에 있다 他在屋里 / 교실 ~에는 아무도 없다 教

室里没有人 / ~에서 잠시 기다려라 在里面等一下 2 (一定的 범위의) 内 nèi; 以内 yǐnèi; 中 zhōng ¶이 일은 3일 ~에 끝내야 한다 这份工作三天内要完成

안² 튀 不 bù; 没 méi; 没有 méiyǒu ¶~ 먹다 不吃 / 어제는 별로 ~ 추웠다 昨天不太冷 / 꼼짝도 ~ 하다 一动不动

안:(案) 圀 1 = 안건 2 方案 fāng'àn

안-간힘 圀 全力 quánlì ¶~을 다해 대항하다 全力对抗

안-감 圀 1 (衣服의) 里(儿) lǐ(r); 里子 lǐzi; 衬布 chènbù; 衬垫 chèndiàn 2 (纺织品의) 里(儿) lǐ(r); 里子 lǐzi

안-개 圀 雾 wù; 雾气 wùqì; 雾霭 wù'ǎi; 霭 ǎi ¶~비 雾雨 / ~가 자욱하다 雾气弥漫

안-개-꽃 圀[植] 满天星 mǎntiānxīng; 霞草 xiácǎo

안-건(案件) 圀 案件 ànjiàn; 议案 yì'àn; 案 àn = 안(案)1

안-경(眼鏡) 圀 眼镜 yǎnjìng ¶~다리 眼镜腿 / ~알 眼镜片 / ~원 眼镜店 / ~집 眼镜盒 / ~테 眼镜框 / ~을 쓰다 戴眼镜

안-경-잡이(眼鏡-) 圀 = 안경쟁이

안-경-쟁이(眼鏡-) 圀 戴眼镜的人 dàiyǎnjìngde rén = 안경잡이

안-과(眼科) 圀[醫] 眼科 yǎnkē ¶~의 眼科医生 / 질병 眼科疾病

안-구(眼球) 圀 = 눈알 ¶~ 건조증 眼球干燥症 / ~ 돌출 眼球突出 / ~ 적출 眼球摘除

안-구-은행(眼球銀行) 圀[醫] 眼库 yǎnkù = 각막은행

안-기다¹ 困 '안다1'의 피동사

안-기다² 困 1 给…抱 gěi…bào (('안다1'의 사동사)) ¶할머니에게 아이를 ~ 给奶奶抱孩子 2 使…担负 shǐ…dānfù; 让…担负 ràng…dānfù (('안다3'의 사동사)) ¶회사에 막대한 손실을 ~ 让公司担负巨大的损失 3 使…怀 shǐ…huái; 让…怀 ràng…huái (('안다4'의 사동사)) ¶나에게 희망을 안겨 주다 让我怀希望 4 使…挨 shǐ…ái; 让…挨 ràng…ái (('안다4'의 사동사)) ¶그에게 매를 ~ 让他挨打

안-내(案內) 圀[하타] 1 介绍 jièshào; 指南 zhǐnán; 服务 fúwù; 查询 cháxún ¶터미널 ~ 车站查询 / 음성 ~ 시스템 声音服务系统 2 引导 yǐndǎo; 向导 xiàngdǎo; 带路 dàilù ¶그가 우리를 강당으로 ~ 해 주었다 他带我们进大礼堂

안-내-도(案內圖) 圀 示意图 shìyìtú

안-내-서(案內書) 圀 说明书 shuōmíngshū; 指南 zhǐnán

안-내-소(案內所) 圀 问讯处 wènxùnchù; 服务台 fúwùtái; 服务站 fúwùzàn; 查询台 cháxúntái

안:내-인(案内人) 명 介绍人 jièshào-rén; 导游 dǎoyóu = 안내자

안:내-자(案内者) 명 = 안내인

안:내-장(案内狀) 명 通知单 tōngzhī-dān; 通知书 tōngzhīshū

안녕(安寧) 一형 하형 平安 píng'ān; 安好 ānhǎo ¶집 好 hǎo; 你好 nǐhǎo

안:다 타 1 捧 pěng; 抱 bào ¶할아버지가 손자를 ~ 爷爷抱孙子 2 迎着 yíngzhe; 顶着 dǐngzhe; 兜着 dōuzhe ¶바람을 안고 계속해서 앞으로 걸어가다 迎着风往前走 3 担负 dānfù ¶환경보호의 책임을 ~ 担负环境保护的责任 4 怀 huái ¶열정을 품고 ~ 满怀热情/자신감을 가득 안고 중국으로 가다 满怀信心去中国

안단테(이andante) 명 音 行板 xíngbǎn

안달 명 焦心 jiāoxīn; 焦急 jiāojí; 焦躁 jiāozào; 着急 zháojí ¶~하지 마라, 분명 문제가 순조롭게 잘 해결될 것이다 你别着急，问题一定会顺利解决的

안달-복달 명부하자 着急 zháojí; 折腾 zhēteng ¶~하지 마라, 나도 방법이 없다 别着急，我也没办法

안:대(眼帶) 명 醫 眼罩 yǎnzhào ¶의사 선생님이 내 왼쪽 눈에 ~를 씌웠다 医生给我的左眼盖上眼罩

안도(安堵) 명하자 1 安堵 āndǔ 2 放心 fàngxīn; 安心 ānxīn ¶내일 그가 돌아오기 전까지 나는 ~할 수 없다 到明天他回来之前，我不能放心

안도-감(安堵感) 명 放心感 fàngxīn-gǎn; 安心感 ānxīngǎn

안:-되다 1 可怜 kělián; 惋惜 wǎnxī ¶이 아이는 부모님이 모두 돌아가셨으니 정말 안됐다 这个孩子两亲都去世了，真可怜 2 憔悴 qiáocuì; 难看 nánkàn ¶요즘 그의 얼굴이 좀 안돼 보이던데 무슨 일이라도 있느냐? 最近他的脸有点憔悴，是不是发生什么事? 3 不成 bùchéng ¶불경기라 장사도 잘 안된다 由于经济不景气，生意也不好

안락(安樂) 명하형 安乐 ānlè; 舒适 shūshì ¶~사 安乐死/~의자 安乐椅/이곳은 비교적 ~하다 这里比较舒适

안:료(顏料) 명 颜料 yánliào

안:마(按摩) 명하자 按摩 ànmó = 마사지1 ¶~기 按摩器/~사 按摩师=[按摩员]/~술 按摩术/~의자 按摩椅/~요법 按摩疗法

안마(鞍馬) 명 體 1 鞍马 ānmǎ 2 鞍马 ānmǎ = 안마 운동

안:마 운동(鞍馬運動) 體 = 안마(鞍馬)2

안면(安眠) 명하자 安眠 ānmián; 安息 ānxī ¶~을 방해하다 打扰安眠

안면(顏面) 명 1 = 얼굴1 2 面 miàn; 相识 xiāngshí; 认识 rènshi ¶나는 그와 ~이 없다 我不认识他

안면부지(顏面不知) 명 不认识 bùrènshi

안면 신경(顏面神經) 生 = 얼굴 신경

안:목(眼目) 명 眼光 yǎnguāng; 眼力 yǎnlì ¶너는 정말 ~이 높다 你真有眼光

안:무(按舞) 명하자 藝 编舞 biānwǔ ¶~가 编舞家=[编舞师]

안:방(一房) 명 内房 nèifáng; 内室 nèishì ¶그는 ~에서 자고 있다 他在内房睡着

안:배(按排·按配) 명하자 安排 ānpái; 安放 ānpái; 排 pái; 配 pèi; 分配 fēnpèi; 布局 bùjú ¶일정 ~ 日程安排/시간을 ~하다 安排时间

안보(安保) 명 安定 āndìng; 安保 ānbǎo 2 政 安全保障 ānquán bǎozhàng ¶국가 ~ 国家安全保障

안부(安否) 명하자 安 ān; 好 hǎo ¶그를 만나면 나 대신 ~ 전해 줘 见到他代我问好

안분-지족(安分知足) 명하자 安分知足 ānfēnzhīzú

안빈-낙도(安貧樂道) 명 安贫乐道 ānpínlèdào

안:-사돈(一查頓) 명 亲家母 qìngjiamǔ; 亲家娘 qìngjianiáng = 사돈댁2

안:-사람 명 妻子 qīzi; 内人 nèirén; 内子 nèizǐ

안색(顏色) 명 = 얼굴빛 ¶너 ~이 안 좋은데 무슨 일 있어? 你神色不好，有什么事吗?/~을 살피다 观察气色

안성-맞춤(安城一) 명 合适 héshì; 正好 zhènghǎo; 恰如其分 qiàrúqífèn ¶길이가 딱 ~이다 长度正合适/지금이 여행하기엔 ~이다 现在正好去旅行

안:-손님 명 女客人 nǚkèrén = 내빈(內賓)1

안:수(按手) 명하자 宗 按手 ànshǒu ¶~ 기도 按手祈祷/~를 받다 接受按手

안식(安息) 명하자 安息 ānxī ¶~교 安息教/~년 安息年/~일 安息日/~처 安身之处

안:-식구(一食口) 명 1 女眷 nǚjuàn 2 妻子 qīzi; 内人 nèirén; 内子 nèizǐ ¶제~는 어제 친정에 가서 아직 돌아오지 않았습니다 我内人昨天去娘家还没回来

안:-심 명 里脊 lǐjǐ ¶~살 里脊肉

안심(安心) 명하자 放心 fàngxīn; 安

ānxīn ¶~하세요, 그는 지금 안전하니 다 请放心, 他现在很安全

안쓰럽다 혱 担心 dānxīn; 不放心 bù-fàngxīn ¶부모님은 외지에서 일하는 자식을 안쓰러워 하신다 父母担心在外地工作的孩子

안·압(眼壓) 몡 〖生〗眼压 yǎnyā; 眼内压 yǎnnèiyā ¶~계 眼压计 / ~이 높다 眼压高 / ~을 재다 测定眼压

안·약(眼藥) 몡 〖藥〗眼药 yǎnyào; 眼药水 yǎnyàoshuǐ

안위(安危) 몡 安危 ānwēi ¶조국의 ~ 祖国的安危 / 국민의 ~ 国民的安危

안이-하다(安易一) 톙 1 简单 jiǎn-dān; 容易 róngyì ¶안이한 생각 容易的想法 2 安适 ānshì; 舒适 shūshì ¶안이한 태도 安适的态度

안일(安逸) 몡혱 安逸 ānyì; 松懈 sōngxiè; 安闲 ānxián ¶学习 태도가 나날이 ~해지다 学习态度日益松懈

안장(安葬) 몡혱타 安葬 ānzàng ¶그의 유해를 가족 묘지에 ~하다 把他的遗体安葬在家族墓地

안·장(鞍裝) 몡 1 鞍子 ānzi; 鞍 ān ¶말 등의 ~을 내리다 摘下马背上的鞍子 2 (自行车的) 车坐 chēzuò

안·장-코(鞍裝一) 몡 鞍鼻 ānbí; 塌鼻子 tābízi

안전(安全) 몡혱 혱부 安全 ānquán; 保险 bǎoxiǎn ¶~ 관리 安全管理 / 교육 安全教育 / ~ 조치 安全措施 / 설비 安全设备 / ~시설 安全设施 / 장치 安全装置 / 제일 安全第一 / 표지 安全标志 / 이곳은 지금 ~하지 않다 现在这里不安全

안전-거리(安全距離) 몡 〖交〗1 安全距离 ānquán jùlí 2 安全视距 ānquán shìjù; 停车视距 tíngchē shìjù ¶~를 유지하다 保持安全车距离

안전-그물(安全一) 몡 = 안전망

안전-띠(安全一) 몡 安全带 ānquán-dài = 안전벨트 ¶자동차 ~ 汽车安全带 / ~를 매다 系上安全带

안전-망(安全網) 몡 安全网 ānquán-wǎng = 안전그물

안전-면도(安全面刀) 몡 保险刀 bǎo-xiǎndāo; 安全剃刀 ānquán tìdāo

안전-모(安全帽) 몡 安全帽 ānquán-mào ¶~를 쓰다 戴安全帽

안전-판(安全valve) 몡 = 안전판

안전-벨트(安全belt) 몡 = 안전띠

안전-사고(安全事故) 몡 安全事故 ānquán shìgù ¶~를 예방하다 预防安全事故

안전-선(安全線) 몡 安全线 ānquán-xiàn

안전-성(安全性) 몡 安全性 ānquán-xìng; 安全性能 ānquán xìngnéng ¶~

테스트 安全性测试 / ~을 검사하다 检查安全性

안전-지대(安全地帶) 몡 1 〖建〗安全岛 ānquándǎo 2 安全地区 ānquán-dìqū; 安全区 ānquánqū

안전-판(安全瓣) 몡 安全阀 ānquánfá = 안전밸브

안전-핀(安全pin) 몡 1 安全针 ānquánzhēn; 安全别针 ānquán biézhēn; 别针 biézhēn 2 安全销 ānquánxiāo

안절부절 몡 坐立不安 zuòlìbù'ān; 坐卧不宁 zuòwòbùníng; 坐卧不安 zuò-wòbù'ān

안절부절-못하다 재 坐立不安 zuòlì-bù'ān; 坐卧不宁 zuòwòbùníng; 坐卧不安 zuòwòbù'ān ¶그는 안절부절못하고 계속 시계만 쳐다보았다 他坐立不安, 一直看了手表

안정(安定) 몡혱타 1 安定 āndìng; 稳定 wěndìng; 稳固 wěngù; 稳住 wěn-zhù; 安生 ānshēng ¶생활이 ~되지 못하다 生活不安定 / 집 값을 ~시키다 稳定住房价格 2 〖物〗稳定 wěn-dìng

안정(安靜) 〖—〗몡혱타 安静 ānjìng; 稳定 wěndìng; 安宁 ānníng; 安稳 ān-wěn; 平静 píngjìng ¶~감 安定感 / 마음이 아주 ~되다 心里非常安静 〖二〗몡혱타 镇定 zhèndìng ¶너는 지금 너무 흥분해 있으니 우선 잠시 ~을 취해라 你现在太激动, 先镇定一下

안정-제(安定劑) 몡 〖藥〗= 精神安定剂

안주(安住) 몡혱재 1 安居 ānjū 2 满足 mǎnzú; 满意 mǎnyì; 安于 ānyú ¶현실에 ~하다 安于现实

안주(按酒) 몡 = 술안주 ¶~를 준비하다 准备酒菜

안-주머니 몡 里兜儿 lǐdōur ¶양복 ~에서 지갑을 꺼내다 从西服的里兜儿拿出钱包来

안-주인(一主人) 몡 女主人 nǚzhǔrén; 老板娘 lǎobǎnniáng; 家主婆 jiāzhǔpó

안·중(眼中) 몡 眼里 yǎnli; 目中 mù-zhōng; 眼中 yǎnzhōng ¶그의 ~에는 너밖에 없다 他的眼里只有你

안-짝 몡 1 里边的 lǐbiande ¶~ 문里 边的门 2 将近 jiāngjìn; 约 yuē; 大约 dàyuē ¶그는 스무 살 ~이다 他将近二十岁 / 키가 160센티미터 ~이다 身高大约一米六左右

안짱-걸음 몡 内八字步 nèibāzìbù ¶~을 걷다 走内八字步

안짱-다리 몡 内八字脚 nèibāzìjiǎo

안-쪽 몡 里儿 lǐr; 里面(儿) lǐmiàn(r); 里头 lǐtou; 里边 lǐbian; 内 nèi; 内侧 nèi-cè ¶골목 ~ 胡同里面 / ~으로 들어와 기다리세요 到里边等吧

안착(安着) 閉저 1 安抵 āndǐ; 平安 到达 píng'ān dàodá 2 安居 ānjū

안-채 里屋 lǐwū; 后屋 hòuwū

안치(安置) 閉 安置 ānzhì; 安放 ānfàng ¶자금을 ~하다 安置资金

안치-실(安置室) 閉 = 영안실

안치다 到锅里放 fàng ¶우선 쌀을 가마에 안쳐라 先把米放到锅里吧

안타(安打) 閉【體】安打 āndǎ; 安全打 ānquándǎ = 히트2

안타까워-하다 可惜 kěxī ¶그는 그녀가 죽었다는 소식을 듣고 많이 안타까워했다 他听到她去世的消息, 觉得很可惜

안타깝다 難受 nánshòu; 难过 nánguò; 遗憾 yíhàn ¶그가 병에 걸렸다는 얘기를 들으니 무척 ~ 听到他得病了, 我心里很难受 / 정말 안타깝지만 저는 당신의 결혼식에 참석할 수 없습니다 真遗憾, 我不能参加你的婚礼

안테나(antenna) 閉【物】天线 tiānxiàn

안테나-선(antenna線) 閉【物】天线 tiānxiàn

안티(anti) 閉 反对 fǎnduì; 反 fǎn

안팎 閉 1 内外 nèiwài; 里外 lǐwài ¶교실 ~에 학생들이 많이 있다 教室内外都有很多学生 2 表里 biǎolǐ ¶~이 다른 사람 表里不一的人 3 内外 nèiwài; 里外 lǐwài; 左右 zuǒyòu; 上下 shàngxià ¶3개월 ~ 三个月左右 / 그는 마흔 살 ~ 이다 他四十岁上下

안:하무인(眼下無人) 閉 眼中无人 yǎnzhōngwúrén; 目中无人 mùzhōngwúrén; 目无余子 mùwúyúzǐ; 目空一切 mùkōngyíqiè ¶그는 어떻게 갈수록 ~이냐 他怎么越来越目中无人

앉다 재 1 坐 zuò; 坐下 zuòxia; 入座 rùzuò ¶앉으세요 请坐 / 나는 그녀 뒤에 앉았다 我坐在她的后面 2 当 dāng; 任 rèn ¶부장 자리에 ~ 被任为部长 / 과장 자리에 ~ 当科长 3 积 jī ¶탁자에 먼지가 앉아 있다 桌子上积着灰尘

앉은-걸음 閉 蹲着走 dūnzhe zǒu

앉은-뱅이 閉 瘫子 tānzi ¶그는 태어날 때부터 ~였다 他从出生时就是一个瘫子

앉은뱅이-걸음 閉 蹲着走 dūnzhe zǒu

앉은뱅이-저울 閉 台秤 táichèng; 磅秤 bàngchèng

앉은뱅이-책상(一床) 閉 矮桌 ǎizhuō; 小桌 xiǎozhuō

앉은-자리 閉 即席 jíxí; 当场 dāngchǎng

앉은-키 閉 坐高 zuògāo ¶~를 재다 测量坐高

앉히다 旦 1 让…坐 ràng…zuò; 使…坐 shǐ…zuò ¶아이를 무릎에 ~ 让孩子坐在膝盖上 2 让…任 ràng…rèn; 让…当 ràng…dāng; 使…任 shǐ…rèn; 使…当 shǐ…dāng ¶우선 이런 사람을 부장 자리에 앉힐 수 있습니까? 怎么可以让这样的人当部长呢? 3 安装 ānzhuāng; 放 fàng ¶최신 설비를 공장에 ~ 把最新设备安装在工厂

않다 旦 不 bù ¶그는 뚱뚱하지 ~ 他不胖 / 그녀는 별로 예쁘지 ~ 她长得不太漂亮

알 閉 1【生】蛋 dàn; 卵 luǎn; 子 zǐ ¶개구리 ~ 青蛙蛋 2 颗 kē; 粒 lì; 子 lizi ¶팥 한 ~ 一颗红豆 3 片 piàn ¶안경~이 깨지다 眼镜片破裂

알갱이 閉 粒 lì; 颗粒 kēlì ¶플라스틱 ~ 塑料颗粒 / 밥 ~을 세다 数饭粒

알-거지 閉 穷光蛋 qióngguāngdàn; 穷苦的人 qióngkǔde rén; 一贫如洗的人 yīpínrúxǐde rén

알-곡(一穀) 閉 粮食 liángshí; 谷物 gǔwù

알:다 旦 1 知道 zhīdao ¶그는 내 이름을 안다 他知道我的名字 / 그는 이미 오늘이 네 생일이라는 걸 안다 他已经知道今天是你的生日 2 明白 míngbái; 懂 dǒng; 会 huì ¶나는 드디어 그의 뜻을 알았다 我终于明白了他的意思 / 그는 운전할 줄 안다 他会开车 3 认识 rènshi; 认得 rènde; 熟识 shúshi ¶나는 그를 알지 못한다 我不认识他 / 그들 둘은 잘 아는 친구 사이이다 他们俩是很熟识的朋友 4 为 yǐwéi; 认为 rènwéi ¶나는 오늘이 금요일인 줄 알았다 我以为今天是星期五 / 나는 그가 네 오빠인 줄 알았다 我以为他是你的哥哥 5 管 guǎn; 在乎 zàihu ¶이건 네가 알 바 아니다 这不管你的事 / 그가 가든 안 가든 내 알 바 아니다 我不在乎他走还是不去 6 斟酌 zhēnzhuó ¶알아서 해석하다 斟酌解释 7 认 rèn ¶그는 돈을 쓸 줄만 알고 벌 줄은 모른다 他只认花钱来赚钱

알게 모르게 귀 不知不觉

알다가도 모를 귀 莫名其妙

알데히드(aldehyde) 閉【化】醛 quán ¶~산 醛酸

알딸딸-하다 閉 1 模模糊糊 mómóhúhú; 迷迷糊糊 mímíhúhú; 稀里糊涂 xīlihútú 2 昏沉沉 hūnchénchén; 头昏脑涨 tóuhūnnǎozhàng 3 微醉 wēizuì; 有点儿醉 yǒudiǎnr zuì ¶몸이 안 좋은지 한 잔만 마셨는데도 알딸딸하게 취하는 것 같다 可能身体不好了, 只喝了一杯好像就有点儿醉了

알뜰-살뜰 閉하와 [希부] 勤俭 qínjiǎn ¶~ 살아가다 勤俭地过着日子

알뜰-하다 혱 1 勤俭 qínjiǎn; 体贴人微 tǐtiērùwēi; 殷实 yīnshí ¶알뜰한 사람이 성공하기 쉽다 勤俭的人容易成功 2 精心 jīngxīn; 细心 xìxīn ¶알뜰하게 가족들을 보살피다 我妈妈细心地照顾家人 **알뜰-히** 튄

알라(Allah) 몡 【宗】安拉 ānlā; 真主 zhēnzhǔ = 알라신

알라-신(Allah神) 몡 【宗】= 알라

알랑-거리다 재 拍马屁 pāi mǎpì; 阿谀 ēyú; 谄媚 chǎnmèi = 알랑대다 ¶선생님께 알랑거리지 마라 你们不要拍马屁讨好老师 **알랑-알랑** 튄헝재

알랑-방귀 몡 拍马屁 pāi mǎpì; 谄媚 chǎnmèi; 阿谀 ēyú

알랑방귀(를) 뀌다 판 拍马屁巴结

알랑-하다 혱 不怎么好的 bùzěnme hǎode; 不屑一顾的 búxièyígùde; 次的 cìde; 没用的 méiyòngde ¶그 알량한 자존심 때문에 이런 기회 놓치지 마라 不要因为那个没用的自尊心而放弃这次机会

알래스카 주(Alaska州) 몡 【地】阿拉斯加 Ālāsījiā

알레그로(이allegro) 몡 【音】快板 kuàibǎn; 快节奏的 kuàijiézòude

알레르기(독Allergie) 몡 【醫】过敏 guòmǐn; 过敏性反应 guòmǐnxìng fǎnyìng ¶꽃가루 ~ 花粉过敏 / ~를 일으키다 引起过敏

알레르기-성(독Allergie性) 몡 【醫】过敏性 guòmǐnxìng; 变应性 biànyìngxìng ¶ ~ 질환 过敏性疾病 / ~ 비염 过敏性鼻炎 / ~ 체질 过敏性体质 / ~ 피부염 过敏性皮炎

알력(軋轢) 몡 〈意〉不合 bùhé; 冲突 chōngtū; 矛盾 máodùn ¶두 종파 간에 ~이 생기다 两个宗派之间发生冲突

알로에(aloe) 몡 【植】芦荟 lúhuì

알록-달록 튄혱재 花花绿绿 huāhualǜlǜ; 花花搭搭 huāhuadādā ¶ ~한 바지 花花绿绿的裤子

알루미늄(aluminium) 몡 【化】铝 lǚ; 钢精 gāngjīng ¶ ~판 铝板

알루미늄-박(aluminium箔) 몡 【化】铝箔 lǚbó; 铝箔纸 lǚbózhǐ = 알루미늄포일

알루미늄 포일(aluminium foil) 【化】= 알루미늄박

알-리다 타 告 gào; 告诉 gàosu; 布告 bùgào; 通知 tōngzhī (《'알다'의 사동사) ¶그에게 이 소식을 알리지 마라 不要告诉他这个消息 / 네가 가서 그들에게 알려라 你去通知他们

알리바이(alibi) 몡 【法】不在现场的证明 bùzài xiànchǎngde zhèngmíng

알-맞다 혱 合适 héshì; 适合 shìhé; 恰好 qiàhǎo; 符合 fúhé; 切合 qièhé;

恰当 qiàdàng; 适宜 shìyí; 相当 xiāngdāng; 相配 xiāngpèi ¶길이가 꼭 ~ 长度正合适 / 너 마침 알맞게 잘 왔다 你来得恰好 / 자기에게 알맞은 옷을 고르다 挑选适合自己的衣服

알맹이 몡 1 仁儿 rénr ¶호박씨 ~ 瓜子仁儿 2 精华 jīnghuá; 精髓 jīngsuǐ; 核心 héxīn ¶ ~가 없는 이론 没有精髓的理论

알-몸 몡 1 裸体 luǒtǐ; 裸身 luǒshēn; 赤身 chìshēn; 赤身裸体 chìshēn luǒtǐ; 光身子 guāngshēnzi = 나체·맨몸1·전라 ¶ ~ 사진을 찍다 拍摄裸体照片 2 一无所有 yìwúsuǒyǒu; 赤手空拳 chìshǒukōngquán ¶ ~으로 사업에 뛰어들다 赤手空拳闯商海

알-몸뚱이 몡 裸体 luǒtǐ; 光身 guāngshēn; 赤身裸体 chìshēn luǒtǐ

알미늄 몡 【化】'알루미늄'의 오류

알-밤 몡 1 栗仁 lìrén 2 以拳点击头部 yǐquán diǎnjí tóubù; 用拳头打头 yòng quántou dǎtóu

알-배기 몡 1 (肚里)有卵的 yǒuluǎnde 2 内容充实 nèiróng chōngshí

알-배다 재 1 (肚里)有卵 yǒuluǎn; 有蛋 yǒudàn 2 结实 jiēshí

알-뿌리 몡 【植】球根 qiúgēn = 구근

알-사탕(一沙糖) 몡 块儿糖 kuàirtáng; 糖块儿 tángkuàir

알선(幹旋) 몡하타 1 幹旋 wòxuán; 介绍 jièshào ¶ ~료 幹旋金 / ~ 수료 幹旋受贿 / 그의 ~으로 우리는 문제를 해결했다 由于他的幹旋, 我们解决了问题 2 【法】调停 tiáotíng; 调解 tiáojiě

알싸-하다 혱 辣乎乎 làhūhū; 辣辣辣辣 làsūsū; 刺痛 cìtòng ¶나는 점심에 알싸하게 매운 요리를 먹었다 我中午吃了辣乎乎的菜

알쏭-달쏭 튄혱재 1 花花绿绿 huāhualǜlǜ 2 模模糊糊 mómohūhū ¶그녀의 이름은 ~하니 생각이 안 난다 模模糊糊地, 想不起她的名字

알쏭-하다 혱 迷糊 míhu; 迷惑 míhuò; 迷离 mílí; 含糊不清 hánhu bùqīng; 模糊不清 móhubùqīng; 迷离 mílí ¶ 아리송하다

알아-내다 타 认出 rènchū; 探出 tànchū; 探知 tànzhī; 品出 pǐnchū ¶너희는 어떻게 알아냈니? 你们是怎么认出来的? / 적의 소재를 ~ 试探敌人的所在

알아-듣다 타 1 听懂 tīngdǒng ¶나는 그의 말을 알아들었다 我听懂了他的话 2 听明白 tīngmíngbai; 听出 tīngchū ¶개는 주인의 목소리를 알아들을 수 있다 狗听得出主人的声音

알아-맞추다 타 '알아맞히다'의 오류

알아-맞히다 타 猜 cāi; 猜测 cāicè;

看出 kànchū；捉摸 zhuōmō ¶선생님게
서 언제 오실지 한번 알아맞혀 봐라
你猜老师什么时候来

알아-보다 他 **1** 打听 dǎtīng；了解
liǎojiě；询问 xúnwèn ¶네가 먼저 가서
알아본 다음 나에게 전화를 해라 你先
去了解情况，然后打电话给我 **2** 分辨
fēnbiàn；认出 rènchū ¶우리는 오랫동
안 보지 못했지만 나는 바로 그의 얼
굴을 알아보았다 我们久没见，可是
我马上认出了他的脸 **3** 知道 zhīdao；
懂得 dǒngde ¶그들은 진상을 알아보
지 못했다 他们不知道事情的真相了
4 看懂 kàndǒng ¶나는 일본어를 알아
볼 수 있다 我可以看懂日文

알아-주다 他 **1** 认定 rèndìng；给予好
评 jǐyǔ hǎopíng ¶상품의 가치를 ～ 认
定商品的价值 / 많은 사람들이 이 작
품을 알아주다 很多人都对这个作品
给予好评 **2** 了解 liǎojiě；理解 lǐjiě ¶
당신에 대한 그의 마음을 알아주세요
请了解他对你的心 / 제 입장을 알아주
세요 请了解我的立场

알아-차리다 他 **1** 注意 zhùyìdào；
觉察 fājué；发现 fāxiàn；觉察到 jué-
chádào；看出 kànchū ¶나는 지하철을
탈 때 신용카드가 없어진 것을 알아차
렸다 我坐地铁的时候，发现我的信用
卡不见了 **2** = 알아채다 ¶그녀는 그
의 생각을 알아차렸다 她猜到他的想
法

알아-채다 他 猜到 cāidào；觉察 fā-
jué；注意到 zhùyìdào；理会到 lǐhuì-
dào；觉察到 juéchádào；看出 kànchū
= 알아차리다2 ¶그녀는 그의 마음을
알아챘다 她猜到了他的心思

알알-이 用 一粒粒 yīlìlì；一颗颗 yī-
kēkē ¶～이 맺힌 눈물 结成一颗颗的
泪珠

알-약(―藥) 图 = 정제(錠劑)

알-약(―藥) 图 = 환약

알은-척 图|하自 = 알은체

알은-체 图|하自 **1** 稍加关心 shāojiā
guānxīn **2** 打招呼 dǎ zhāohu；理 l;理
会 lǐhuì ¶그가 나를 보고 먼저 ～했다
他先向我打了个招呼 ‖ = 알은척

알음-알음 图 **1** 认识 rènshi **2** 交情
jiāoqing

알-줄기 图 [植] 球茎 qiújīng = 구경
(球莖)

알짜 图 **1** 精髓 jīngsuǐ；精华 jīnghuá
¶～만 뽑아내다 抽出精髓 **2** 真正的
zhēnzhèngde；道地的 dàodide

알짱-거리다 图 **1** 讨好卖乖 tǎohǎo
màiguāi；百般阿谀 bǎibān ēyú；百般奉
承 bǎibān fēngchéng；拍马屁 pāi mǎpì
2 闲逛 xiánguàng；悠闲 yōuxián；逛来
逛去 guànglái guàngqù ‖ = 알짱대다

알짱-알짱 用|하자

알-차다 图 实在 shízai；实 shí；充实
chōngshí；饱满 bǎomǎn；饱 bǎo ¶이번
여름 방학은 아주 알차게 보낸 것 같
다 这个暑假感觉过得很充实

알츠하이머-병(Alzheimer病) 图 [醫]
阿尔茨海默病 Ā'ěrcíhǎimòbìng；阿尔茨
海默默症 Ā'ěrcíhǎimòmòzhèng；阿尔茨海默
氏症 Ā'ěrcíhǎimòshìzhèng；老年痴呆症
lǎonián chīdāizhèng

알칼로이드(alkaloid) 图 [化] 生物碱
shēngwùjiǎn

알칼리(alkali) 图 [化] 碱 jiǎn ¶～ 건
전지 碱性电池 =[碱性干电池]

알칼리-성(alkali性) 图 [化] = 염기
성 ¶～ 식품 碱性食品 / ～ 토양 碱性
土壤 =[碱土]

알코올(alcohol) 图 **1** [化] 酒精 jiǔ-
jīng；醇 chún ¶～램프 酒精灯 **2** [化]
= 에탄올 **3** 酒 jiǔ；酒精 jiǔjīng ¶～ 중
독 酒精中毒

알타리-무 图 '총각무'의 错误

알타이(Altai語) [語] 阿尔泰语
Ā'ěrtàiyǔ

알타이 어-족(Altai語族) [語] 阿尔泰
语系 Ā'ěrtài yǔxì

알토(이alto) 图 [音] **1** 女低音 nǚdī-
yīn **2** 中音 zhōngyīn

알-토란(一土卵) 图 净芋 jìngyù

알토란 같다 冠 殷实；殷富；小康；
殷富无忧

알-통 图 突出的肌肉 tūchūde jīròu

알파(그alpha) 图 阿尔法 ā'ěrfǎ

알파벳(alphabet) 图 [語] 罗马字母
luómǎ zìmǔ；字母表 zìmǔbiǎo ¶～순
按字母表顺

알현(謁見) 图|하자타 谒见 yèjiàn；拜
见 bàijiàn ¶임금을 ～하다 谒见帝王

앓다 他 **1** 患 huàn；害 hài；得 dé ¶폐
렴을 ～ 患肺炎 / 한바탕 홍역을 ～ 害
了一场麻疹 ¶得 shàng；操心 cāoxīn
¶그 때문에 골치를 앓을 필요 없다 不
用为他伤脑筋

앓느니 죽지 [속담] 长痛不如短痛

앓던 이 빠진 것 같다 [속담] 如释重
负

암 冠 = 아무렴

암-(癌) 图 [醫] 癌 ái；癌症 áizhèng ¶
그는 ～에 걸렸다 他得了癌症

암- [접두] **1** (动植物的) 雌 cí；母 mǔ；
牝 pìn；草 cǎo ¶～꽃 雌花 / ～토끼
雌兔 / ～사자 雌狮 / ～호랑이 雌虎 **2**
(事物的) 母 mǔ；牝 pìn；凹 āo；副 fù
¶～나사 螺母 / ～무지개 副虹 / ～키와
牝瓦

암-갈색(暗褐色) 图 深褐色 shēnhèsè

암-거(暗渠) 图 [建] 暗沟 àngōu；阴沟
yīngōu

암:-거래(暗去來) 몡[하타] 黑市交易 hēishì jiāoyì; 背地交易 bèidì jiāoyì; 暗盘交易 ànpán jiāoyì; 炒黑市 chǎo hēishì; 非法交易 fēifǎ jiāoyì; 暗地买卖 àndì mǎimai = 암매매

암:기(暗記) 몡[하타] 背诵 bèisòng; 背记 bèijì; 默记 mòjì ¶문장을 ~하다 背文章 / 영어 단어를 ~하다 背诵英语单词

암-꽃 몡【植】雌花 cíhuā; 雌蕊花 círuǐhuā

암-꿩 몡 母野鸡 mǔyějī; 雌野鸡 cíyějī = 까투리

암-나사(一螺絲) 몡【工】= 너트

암-내[1] 몡 (雌性发情时发出的) 气味 qìwèi ¶발정난 암캐가 ~를 풍겨 수캐를 유혹하다 发情的母狗发出气味诱惑雄狗

암-내[2] 몡 腋臭 yèchòu; 狐臭 húchòu; 胡臭 húchòu; 狐臊 húsāo; 腋下臭 yèxiàchòu = 액취 ¶~가 심한 사람 有严重腋臭的人 / ~를 없애다 消除腋臭

암-놈 몡 雌性 cíxìng; 母的 mǔde

암:-달러(暗dollar) 몡 黑市美元 hēishì měiyuán

암:담-하다(暗澹一) 혱 暗淡 àndàn; 黑暗 hēi'àn ¶암담한 미래 黑暗的未来 / 암담한 생활 暗淡的生活

암만 뮈 = 아무리

암만-하다 쟈 不管怎样 bùguǎn zěnyàng; 还是 háishi ¶암만해도 네가 가서 그를 만나 봐야겠다 我看你还是要去看他

암-말 몡 母马 mǔmǎ; 雌马 címǎ; 草马 cǎomǎ

암:-매매(暗買賣) 몡[하타] = 암거래

암:-매장(暗埋葬) 몡[하타] 暗葬 ànzàng

암모나이트(ammonite) 몡【動】菊石 júshí

암모늄(ammonium) 몡【化】= 암모늄 이온

암모늄 이온(ammonium ion)【化】铵 ǎn; 铵离子 ǎnlízǐ = 암모늄

암모니아(ammonia) 몡【化】氨 ān; 阿摩尼亚 āmóníyà; 氨气 ānqì

암모니아-수(ammonia水) 몡【化】氨水 ānshuǐ; 氨溶液 ānróngyè; 氨液 ānyè; 氢氧化铵 qīngyǎnghuà'ān; 阿摩尼亚水 āmóníyàshuǐ; 一水合氨 yīshuǐhé'ān

암-무지개 몡【地理】= 이차 무지개

암:-묵시(暗默示) 몡 暗默 ànmò; 默示 mòshì; 默不作声 mòbùzuòshēng; 不公开 bùgōngkāi

암:-묵-적(暗默的) 뮈【默示(的) mòshì(de); 默不作声(的) mòbùzuòshēng-

(de) ¶ ~ 동의 默示同意

암반(巖盤) 몡 岩盘 yánpán; 岩盖 yángài

암벽(巖壁) 몡 岩壁 yánbì ¶인공 人工岩壁 / ~ 등반 =[攀岩] / ~을 오르다 攀登岩壁

암:-산(暗算) 몡[하타] 心算 xīnsuàn ¶~능력 心算能力

암:-살(暗殺) 몡[하타] 暗杀 ànshā ¶~단 暗杀团 / ~자 暗杀者 / 정계 요인을 ~하다 暗杀政界要人

암석(巖石)【地理】岩石 yánshí ¶~층 岩石层

암:-세포(癌細胞) 몡【醫】癌细胞 áixìbāo

암-소 몡 母牛 mǔniú; 牝牛 pìnniú

암:-송(暗誦) 몡[하타] 背诵 bèisòng ¶우리 모두 교과서 본문을 ~해야 한다 我们都要背诵课文

암-수 몡 雌雄 cíxióng; 雌雄 cíxióng; 公母 gōngmǔ = 자웅1 ¶~딴그루 雌雄异株 / ~딴몸 雌雄异体 / ~한그루 雌雄同株 / ~한몸 雌雄同体

암:-수(暗數) 몡 = 속임수

암:-순응(暗順應)【生】暗适应 ànshìyìng

암:-술 몡【植】雌蕊 círuǐ

암:시(暗示) 몡[하타] 暗示 ànshì ¶언어 ~ 语言暗示 / ~ 효과 暗示效果 / ~ 요법 暗示疗法

암:-시세(暗時勢) 몡 黑市价 hēishìjià; 黑市价格 hēishì jiàgé; 黑市率 hēishìlǜ; 暗盘 ànpán

암:-시장(暗市場) 몡【經】黑市 hēishì ¶~ 거래 黑市交易 / ~ 상인 黑市商人

암:-실(暗室) 몡 暗室 ànshì; 暗房 ànfáng ¶지하 ~ 地下暗室

암:-암-리(暗暗裡) 몡 暗暗 àn'àn; 暗中 ànzhōng; 暗地里 àndìlǐ; 暗地 àndì ¶~에 중요한 일을 진행하다 暗地里进行重要的事

암염(巖鹽) 몡【鑛】石盐 shíyán; 岩盐 yányán = 돌소금

암:-영(暗影) 몡 暗影 ànyǐng; 黑影 hēiyǐng; 阴影 yīnyǐng ¶불분명한 ~ 模糊不清的暗影

암:-운(暗雲) 몡 乌云 wūyún; 阴云 yīnyún

암:-울(暗鬱) 몡[하형] 暗淡 àndàn; 黑暗 hēi'àn; 长夜漫漫 chángyè mànmàn ¶~한 시절 黑暗的时代

암자(庵子) 몡【佛】庵 ān; 庵子 ānzi

암-자색(暗紫色) 몡 深紫色 shēnzǐsè

암장(巖漿)【地理】= 마그마

암:-전(暗轉) 몡[하자]【演】暗转 ànzhuǎn

암:-중(暗中) 몡 1 黑暗之中 hēi'ànzhīzhōng 2 暗中 ànzhōng; 暗暗 àn'àn; 暗

地里 àndìli ¶~모색 暗中摸索 / ~ 활 약 暗中活跃

암ː초(暗礁) 图 暗礁 ànjiāo; 礁石 jiāoshí = 조석(礁石) ¶배가 ~에 부딪치다 船舶触碰暗礁

암ː치질(一痔疾) 图【醫】内痔 nèizhì

암강아지 图 小母狗 xiǎomǔgǒu; 小雌狗 xiǎocígǒu

암캐 图 母狗 mǔgǒu; 雌狗 cígǒu

암ː컷 图 母的 mǔde; 雌的 cíde; 牝的 pìnde

암키와(∼)【建】牝瓦 pìnwǎ; 凹瓦 āowǎ

암탕나귀 图 母驴 mǔlǘ; 草驴 cǎolǘ

암ː탉 图 母鸡 mǔjī; 雌鸡 cíjī; 牝鸡 pìnjī; 婆鸡 pójī; 草鸡 cǎojī

암ː퇘지 图 母猪 mǔzhū; 雌猪 cízhū; 牝猪 pìnzhū

암ː투(暗鬪) 图하자 暗斗 àndòu; 钩心斗角 gōuxīndòujiǎo

암튼 閉 '아무튼'의 略词

암팡지다 图 短小精悍 duǎnxiǎo jīnghàn; 矮小壮实 ǎixiǎo zhuàngshi; 精明强干 jīngmíng qiánggàn; 强悍 qiánghàn ¶암팡진 여인 精明强干的女人 / 그 아이는 아주 ~ 那个小孩短小精悍

암페어(ampere) 의명【物】安培 ānpéi

암평아리 图 小母鸡 xiǎomǔjī; 小草鸡 xiǎocǎojī; 小雌鸡 xiǎocíjī

암ː표(暗票) 图 黄牛票 huángniúpiào ¶10만 원을 더 주고 ~ 한 장을 샀다 多出10万元购买了一张黄牛票

암ː표ː상(暗票商) 图 票贩子 piàofànzi; 黄牛党 huángniúdǎng; 黄牛 huángniú

암ː행(暗行) 图하자타 暗行 ànxíng

암ː행ː어ː사(暗行御史) 图【史】暗行御史 ànxíng yùshǐ; 微行御史 wēixíng yùshǐ; 钦差大臣 qīnchāi dàchén = 어사2

암ː호(暗號) 图 1 密码 mìmǎ; 暗号 ànhào ¶~를 해독하다 破译密码 2【컴】= 패스워드¶사용자 ~ 用户密码 / ~를 잊어버리다 忘记密码

암ː흑(暗黑) 图하형 黑暗 hēi'àn; 天昏地暗 tiānhūn dì'àn; 漆黑一团 qīhēi yìtuán ¶~가 黑暗的 = [暗社会] / ~기 黑暗期 / ~사회 黑暗社会 / ~세계 黑暗世界

압권(壓卷) 图 1 压卷 yājuàn 2 突出的 部分 tūchūde bùfen; 最好的部分 zuìhǎode bùfen ¶이 장면이 이 영화의 ~ 这个场面是这部电影里最好的部分

압도(壓倒) 图하타 压倒 yādǎo; 凌驾 língjià ¶상대를 ~하다 压倒对手

압도ː적(壓倒的) 관명 压倒(的) yādǎo-

(de); 压倒性(的) yādǎoxìng(de) ¶~ 인 지지 压倒性支持 / ~ 승리 压倒性 胜利

압력(壓力) 图 1【物】压力 yālì ¶~계 =[压力表] 2 压力 yālì ¶상부의 ~ 上级的压力

압력-솥(壓力—) 图 高压锅 gāoyāguō; 压力锅 yālìguō

압류(壓留) 图하자【法】扣押 kòuyā; 查封 cháfēng; 封押 fēngyā; 没收 mòshōu ¶~ 물품 没收物品 / 법원에 된 부동산 被法院查封的房地产 / 재산 을 ~하다 扣押财产

압박(壓迫) 图하타 压 yā; 压迫 yāpò ¶~ 붕대 压迫绷带 = [压迫带] / 종양 가 커서 좌골 신경을 ~한다 胎儿太大了 压迫坐骨神经

압박-감(壓迫感) 图 压迫感 yāpògǎn; 感到受压迫 gǎndào shòuyāpò; 感到闷 gǎndào bēimen

압사(壓死) 图하자 压死 yāsǐ ¶자동차 가 개를 ~시켰다 汽车把狗压死了

압송(壓送) 图하타【法】押送 yāsòng; 押解 yājiě ¶범인을 ~하다 押送犯人 / 전쟁 포로를 ~하다 押解战俘

압수(壓收) 图하타【法】扣押 kòuyā; 没收 mòshōu; 查获 cháhuò; 查抄 cháchāo ¶장물을 ~하다 没收赃物 / 경찰이 마약을 ~하다 警察查获毒品

압승(壓勝) 图하자 压倒性胜利 yādǎoxìng shènglì

압연(壓延) 图하타【工】压延 yāyán; 轧 zhá; 轧钢 zhágāng ¶금속 ~ 金属压延

압연-기(壓延機) 图【工】压延机 yāyánjī; 轧钢机 zhágāngjī

압운(壓韻) 图하자【文】押韵 yāyùn; 压韵 yāyùn

압정(押釘) 图 图钉 túdīng; 摁钉(儿) èndīng(r)

압지(押紙·壓紙) 图 吸墨纸 xīmòzhǐ

압착(壓搾) 图하타 1 压榨 yāzhà ¶~기 压榨机 / 원유를 ~하다 压榨原油 2 压缩 yāsuō

압축(壓縮) 图하타 压缩 yāsuō ¶~기 压缩机 / ~ 도구 压缩工具 / ~ 파일 压缩文件

압출(壓出) 图하타 挤压 jǐyā; 挤出 jǐchū ¶~기 挤压机 =[挤出机]

앗 ② 啊 ā; 哎呀 āiyā; 우산을 잃어버렸어! 啊, 我丢了雨伞! / ~, 이러다가 기차 시간 늦겠다! 哎呀, 这样赶不上火车了

앗ː기다 图 被抢 bèiqiǎng; 被夺 bèiduó (('앗다'의 被动词))

앗ː다 图 抢 qiǎng; 夺 duó ¶그가 내 돈을 앗아 갔다 他把我的钱抢走了

양-갚음 图하타 复仇 fùchóu; 报仇

bàochóu; 报复 bàofù = 보복 ¶나는 부모님을 위해서 반드시 ~할 것이다 为父母我一定要报仇

앙고라(Angora) 몡 【手工】 安哥拉绒 ānggēlāróng; 安哥拉呢 ānggēlāní

앙금 몡 淀 diàn; 淀粉 diànfěn ¶팥 ~ 红豆淀粉

앙꼬(앙anko) 몡 豆馅 dòuxiàn; 豆沙 dòushā; 红豆沙 hóngdòushā

앙-다물다 囲 紧闭 jǐnbì ¶그녀는 입술을 앙다물고 말을 하지 않았다 她紧闭嘴唇, 没有说话

앙:망(仰望) 몡하타 期望 qīwàng; 盼望 pànwàng; 仰望 yǎngwàng ¶진심으로 ~하다 诚心祈望

앙-버티다 囵 支撑 zhīcheng; 坚持 jiānchí ¶그 탁자는 이렇게 큰 압력을 앙버틸 수 없다 那个桌子不能支撑这么大的压力

앙상블(프ensemble) 몡 1 统一 tǒngyī; 谐调 xiétiáo 2 (女性的)整套服装 zhěngtào fúzhuāng 3 【音】合套乐团; 合唱 héchàng 4 【音】合奏团 hézòutuán 5 【演】集体演出 jítǐ yǎnchū

앙상-하다 톙 1 松散 sōngsàn; 不严密 bùyánmì 2 瘦削 shòuxuē ¶그녀의 앙상한 손을 보니 나는 정말 마음이 아프다 看她瘦削的手, 我真心疼 3 凋零 diāolíng ¶앙상한 나뭇가지 凋零的树枝 **앙상-히** 囝

앙숙(快宿) 톙 冤家 yuānjia

앙심(快心) 몡 报仇心 bàochóuxīn; 恨 hèn ¶~을 品다 怀恨

앙앙 囝하타 哇哇大哭 wāwā dàkū

앙앙-거리다 囵 哇哇哭 wāwākū = 앙앙대다 ¶갓난아이가 막 깨서 ~ 婴儿刚睡醒, 哇哇哭

앙:양(昂扬) 몡하타 昂扬 ángyáng; 高昂 gāoáng; 高涨 gāozhǎng; 高潮 gāocháo ¶투지를 ~하다 高昂斗志

앙증-맞다 톙 小巧玲珑 xiǎoqiǎolínglóng ¶앙증맞은 여자아이 长得小巧玲珑的女孩 / 앙증맞은 강아지 小巧玲珑的小狗

앙칼-지다 톙 1 拼命 pīnmìng ¶앙칼지게 노력하다 拼命地努力 2 尖锐 jiānruì; 尖利 jiānlì ¶앙칼진 고함 소리가 들리다 听到尖锐的叫声

앙케트(프enquête) 몡 意见征询 yìjiàn zhēngxún; 意见调查 yìjiàn diàochá; 问卷调查 wènjuàn diàochá; 通函询证 tōnghán xúnzhèng

앙코르(프encore) 몡 (观众或听众提出的)再来一次 zàilái yīcì; 再演一次 zàiyǎn yīcì; 再唱一次 zàichàng yīcì; 加演 jiāyǎn

앙큼-하다 톙 别有用心 biéyǒu yòngxīn

앙탈 몡하타 1 要赖 shuǎlài; 抵赖 dǐlài ¶여러 사람 앞에서 ~을 부리다 当众要赖 2 推托 tuītuō; 借故推辞 jiègù tuící

앞 몡 1 前头 qiántou; 前边 qiánbian; 前面 qiánmian ¶~에 서서 보다 站在前头看 / ~에서 말하다 说在前头 2 面前 miànqián ¶그의 ~에서는 모두들 감히 말하지 못했다 在他面前, 大家都不敢说话了 3 前途 qiántú; 前程 qiánchéng; 未来 jiānglái ¶너는 ~으로 무슨 일을 하려는가? 你将来要干什么呢? 4 以后 yǐhòu; 往后 wǎnghòu ¶~으로 나는 그를 다시는 보고 싶지 않다 以后我不想再看他 / ~으로 나는 유학 갈 준비를 할 것이다 以后我要准备去留学 / 너는 ~으로 나를 찾아오지 마라 你从今以后不要来找我 5 (摆在) 前面 qiánmian ¶우리집 ~에 산이 하나 있다 我们家前面有一座山 6 份 fèn ¶한사람 ~에 하나씩 每人一份儿 7 收 shōu ¶왕 선생 ~ 王先生收

앞(을) 다투다 囝 争先恐后

앞(을) 못 보다 囝 1 眼瞎了 目光短浅; 没有远见

앞이 캄캄하다 囝 前途渺茫

앞-가르마 몡 中分 zhōngfēn ¶~를 타다 梳中分 / ~를 탄 헤어스타일 中分发型

앞-가림 몡하타 分内事 fènnèishì ¶네 ~부터 잘하고 나서 나에게 충고를 해라 你先做好份内事, 然后再对我忠告吧

앞-가슴 몡 1 胸 xiōng; 胸膛 xiōngtáng 2 前襟 qiánjīn; 胸襟 xiōngjīn 3 【虫】前胸 qiánxiōng

앞 구르기 囵 前滚 qiángǔn

앞-길 몡 1 前面的路 qiánmiànde lù ¶운전할 때 ~을 잘 보다 开车的时候看好前面的路 2 前进的道路 qiánjìnde dàolù ¶내 ~을 막지 마라 不要挡住前面的路 3 前途 qiántú; 前程 qiánchéng = 앞날 2 ¶~이 구만리 같은 젊은이 前程万里的年轻人 / ~이 가장 창창한 업종 最有前途的行业

앞길이 멀다 囝 前程远大; 前途无量

앞-날 몡 1 未来 wèilái; 将来 jiānglái ¶아름다운 ~을 기대하다 期待美好的未来 2 = 앞길3 3 余下的日子 yúxiàde rìzi; 余生 yúshēng

앞-날개 몡 1 (飞机等的)前翼 qiányì 2 【虫】前翅 qiánchì

앞-니 몡 门牙 ményá; 切牙 qiēyá; 门齿 ménchǐ ¶넘어져서 ~ 하나가 부러졌다 摔断了一颗门牙 / 위 ~ 4개가 모두 빠졌다 四颗上门牙都掉了

앞-다리 몡 前腿 qiántuǐ ¶소의 ~ 牛

의 前腿

앞-당기다 〔他〕 **1** 拉到前面 lādào qián-
mian ¶의자를 앞당겨 앉다 把椅子拉
到前面来坐 **2** 提前 tíqián; 提早 tízǎo
¶그는 한 시간 앞당겨서 떠났다 他提
前一个小时走了 / 3교시 수업을 1교시
로 ~ 第三节课提前在第一节上

앞-두다 〔他〕以前 yǐqián; 前夕 qiánxī

앞-뒤 〔명〕前后 qiánhòu = 전후1 ¶~
공간 前后空间 / ~가 일치하다 前后
一致

앞뒤가 맞다 〔□〕有条不紊

앞뒤를 가리다 [재다] 〔□〕周密计算;
慎重考虑; 思前想后; 瞻前顾后

앞-뜰 〔명〕院 前庭 yuàn = 앞마당

앞-마당 〔명〕= 앞뜰

앞-머리 〔명〕 **1** 头的前部 tóude qiánbù
¶~가 약간 부어 오르다 头的前部前额
隆起 **2** 面前的头发 miànqiánde tóufa **3**
前头 qiántóu ¶~에 쓰다 写在前头

앞-면(一面) 〔명〕前面 qiánmiàn; 正面
zhèngmiàn = 전면(前面)1 ¶물체의 ~
物体的前面 / 동전의 ~ 硬币的正面

앞-모습 〔명〕正面的样子 zhèngmiànde
yàngzi

앞-문(一門) 〔명〕前门 qiánmén; 正门
zhèngmén ¶~으로 들어가다 从前门进
去

앞-바다 〔명〕前海 qiánhǎi

앞-바퀴 〔명〕前轮 qiánlún

앞-발 〔명〕 **1** 前爪 qiánzhǎo **2** 前脚 qián-
jiǎo

앞-부분(一部分) 〔명〕前部 qiánbù; 前
面部分 qiánmian bùfen

앞-산(一山) 〔명〕前山 qiánshān

앞-서 〔부〕 **1** 先 xiān; 先前 xiānqián ¶나는 그
보다 ~ 숙제를 끝냈다 我先他做完了
作业 **2** 上次 shàngcì ¶~ 제기했던 문
제 上次提到的问题 **3** 事先 shìxiān;
事前 shìqián ¶~ 시간을 안배하다 事
先安排时间

앞-서다 〔자〕 **1** 走在前面 zǒuzài qián-
mian ¶그가 앞서서 걷고 우리는 그를
따랐다 他走在前面, 我们跟着他 **2** 提
前 tíqián; 先 xiān; 在先 zàixiān ¶예정
보다 한 달 앞서서 완성했다 提早一个
月完成了 / 그들보다 앞서서 예측하다
比他们提前预测 **3** 领先 lǐngxiān; 抢先
qiǎngxiān; 占先 zhànxiān; 先进 xiānjìn
¶상대 선수가 1점 ~ 위우 선두를一分 /
다른 학생들보다 그의 체력이 ~ 比别
的学生他的体力占先 / 앞선 기술력 先
进的技术力量 〔자他〕 **1** 超过 chāoguò
¶앞선 선수보다 ~ 超过了前面
的选手 **2** (配偶或下辈) 先死 xiānsǐ ¶
아들이 부모를 ~ 儿子比父母先死

앞서거니 뒤서거니 〔부〕你追我赶; 时
时前后

앞-섶 〔명〕前襟 qiánjīn

앞-세우다 〔他〕 **1** 让…走在前面 ràng…
zǒuzài qiánmian; 使…走在前面 shǐ…
zǒuzài qiánmian; 让…站在前面 ràng…
zhànzài qiánmian; 使…站在前面 shǐ…
zhànzài qiánmian ('앞서다1'의 使动
词) ¶악대를 ~ 让乐队走在前面 **2** 放
在首位 fàngzài shǒuwèi; 放在前面
fàngzài qiánmian; 摆在首位 bǎizài shǒu-
wèi ¶일을 하는 데 있어 국민을 ~ 办
事把人民放在前面 **3** (儿孙) 失去
shīqù ('앞서다2'의 使动词) ¶외동
딸을 ~ 失去独生女

앞으로-가 〔감명〕【軍】向前进 xiàng-
qián jìn

앞으로-나란히 〔감명〕【軍】向前看齐
xiàngqián kànqí

앞-이마 〔명〕额头 étóu; 前额 qián'é;
脑门子 nǎoménzi; 脑门儿 nǎoménr

앞-일 〔명〕未来的事 wèiláide shì ¶~은
누구도 보장하지 못한다 未来的事谁
也不敢保证

앞-자락 〔명〕前襟 qiánjīn

앞-자리 〔명〕前座 qiánzuò; 前面(的)座
位 qiánmiàn(de) zuòwèi; 前排(的)座位
qiánpái(de) zuòwèi ¶그는 아이를 ~에
앉혔다 他让孩子坐在前座

앞-잡이 〔명〕 **1** 前导 qiándǎo **2** 走狗
zǒugǒu; 爪牙 zhǎoyá; 狗腿子 gǒutuǐzi;
马前卒 mǎqiánzú; 鹰犬 yīngquǎn =
주구(走狗)2 ¶그는 전에 일본군의
~ 노릇을 했었다 他以前给日军当了
走狗

앞장-서다 〔자〕 **1** 站在前头 zhànzài
qiántou ¶대열에 앞장서서 큰 소리로
노래를 부르다 站在队列的前列大声
唱歌 **2** 领头 lǐngtóu; 带头 dàitóu; 打
头 dátóu ¶앞장서서 개혁을 실행하다
率先带头实行改革

앞-줄 〔명〕前排 qiánpái; 前列 qiánliè
¶맨 ~에 앉은 사람 坐在最前排的
人 / ~에 앉아서 영화를 보다 坐在前
排看电影 **2** 前面的线 qiánmiànde xiàn

앞-지르다 〔他〕 **1** (由事物的后面) 超过
chāoguò; 赶超 gǎnchāo; 超过去 chāo-
guòqù ¶속도를 높여 앞차를 ~ 加快
速度超过了前辆车先走 **2** (发展、能力
等) 赶超 gǎnchāo; 超过去 chāoguòqù;
胜过 shèngguò **3** 提前 tíqián; 提早 tí-
zǎo ¶그는 나라보다 앞질러 발전하다
比其他国家提前发展

앞-집 〔명〕前一家 qiányìjiā; 前面邻居
qiánmiàn línjū

앞-쪽 〔명〕前面 qiánmiàn; 前头 qián-
tou; 前边 qiánbian; 前 qián = 전면(前
面)2·전방1

앞-차(一車) 〔명〕 **1** 前面的车 qiánmiande
chē; 前辆车 qiánliàngchē; 前车 qián-

chē 2 先离开的车 xiānlíkāide chē

앞-치마 [명] 围裙 wéiqún ¶~를 두르고 음식을 만들다 穿着围裙做菜

앞-표지(一表紙) [명] 前封皮 qiánfēngpí; 前封面 qiánfēngmiàn

애:¹ [명] 1 心 xīn ¶~를 태워서 미안하다 不好意思叫你费心 2 心思 xīnsi; 心机 xīnjī ¶다행히 나는 헛되이 ~를 쓰지 않았다 幸好我没有白费心思

애:² [명] '아이'의 略词

애가(哀歌) [명] 哀歌 āigē

애:-간장(一肝肠) [명] 心 xīn ¶부모님이 자식 때문에 ~을 졸이다 父母为孩子操心

애개 [감] 1 唉 āi; 哎呀 āiya 2 哼 hng; 啧 zé ¶~, 그렇게 작은 일 때문에 화낼 필요가 있겠니? 啧, 为了那么点小事何必生气呢?

애개개 [감] 哎咯咯 āigēgē

애걸(哀乞) [명][하자타] 乞求 qǐqiú; 哀求 āiqiú; 乞哀 qǐ'āi; 央求 yāngqiú; 央告 yānggào ¶그는 주인에게 ~했다 他向主人乞求了

애걸-복걸(哀乞伏乞) [명][하자타] 苦苦哀求 kǔkǔ āiqiú ¶그녀는 반지를 돌려달라고 ~했다 她苦苦哀求把戒指还给她

애:-견(爱犬) [명][하자] 宠狗 chǒnggǒu; 爱狗 àigǒu

애:-견-가(爱犬家) [명] 宠狗者 chǒnggǒuzhě; 爱狗者 àigǒuzhě = 애견인

애:-견-인(爱犬人) [명] = 애견가

애:-교(爱娇) [명] 撒娇 sājiāo; 娇媚 jiāomèi ¶그의 딸은 아주 ~가 많다 他的女儿很会撒娇

애:-국(爱国) [명][하자] 爱国 àiguó ¶~가 爱国歌 / ~심 爱国心 / ~자 爱国者 / ~선열 爱国先烈 / ~지사 爱国志士

애기 [명] '아기'의 略词

애기똥-풀 [명][植] 白屈菜 báiqūcài

애꾸 [명] 1 = 애꾸눈 2 = 애꾸눈이

애꾸-눈 [명] 独眼 dúyǎn = 애꾸1·반소경2

애꾸눈-이 [명] 独眼龙 dúyǎnlóng = 애꾸2·외눈박이

애:-꽂다 [명] 1 冤枉 yuānwang; 无辜 wúgū ¶애꽂게 처벌을 받다 无辜受到惩罚 2 毫不相干 háobùxiānggān ¶그는 화가 나서 애꽂은 사람에게 성질을 부렸다 他很生气, 向毫不相干的人发脾气

애:-늙은이 [명] 小大人儿 xiǎodàrénr

애니메이션(animation) [명][演] 动画 dònghuà = 동화편 dònghuàpiàn

애:-닳다 [자] 悲痛 bēitòng; 悲惨 bēicǎn; 苦恼 kǔnǎo ¶그가 병들어 죽었다는 소리를 들으니 마음이 아주 ~ 听说他病死了, 我感到很悲痛

애달프다 [형] 1 焦急 jiāojí; 心焦 xīnjiāo ¶내 애달픈 마음은 아무도 모른다 我这么焦急的心, 谁也不知道 2 悲痛 bēitòng; 悲惨 bēicǎn ¶애달픈 목소리 悲痛的声音

애달피 [부] 1 焦急地 jiāojíde 2 悲哀地 bēiāide ¶그의 이름을 ~ 부르다 悲哀地叫他的名字 / 울다 悲哀地哭泣

애닯다 [형] '애달프다'의 错误

애:-당초(一当初) [명] 最初 zuìchū; 当初 dāngchū ¶나는 너를 좋아하지 않았다 当初我没有喜欢你

애도(哀悼) [명][하타] 哀悼 āidào ¶~ 기간 哀悼期间 / ~사 哀悼词 / ~식 哀悼仪式 / ~의 뜻을 표하다 表示哀悼

애:-독(爱读) [명][하타] 爱读 àidú; 耽读 dāndú

애:-독-자(爱读者) [명] 热心的读者 rèxīnde dúzhě

애드리브(ad lib) [명] 1 [演] 即兴台词 jíxìng táicí 2 [音] 即兴演奏 jíxìng yǎnzòu

애드벌룬(adballoon) [명] 广告气球 guǎnggào qìqiú

애로(隘路) [명] 1 隘路 àilù; 隘道 àidào; 狭路 xiálù 2 困难 kùnnan; 难关 nánguān; 障碍 zhàng'ài; 隘路 àilù ¶~가 생기다 发生困难 / ~를 겪다 经历困难

애:-마(爱马) [명] 宠马 chǒngmǎ

애:-매(暧昧) [명][하자][부] 暧昧 áimèi; 含糊 hánhu; 模棱 móléng; 不分明 bùfēnmíng; 不清楚 bùqīngchu; 不明不白 bùmíngbùbái ¶그의 말은 너무 ~하다 他的话太模糊

애:-매-모호(暧昧模糊) [명][하형] (态度或说话) 暧昧不明 áimèibùmíng; 含糊 hánhu; 模糊 móhu; 模棱 móléng; 不清楚 bùqīngchu; 不分明 bùfēnmíng ¶~한 태도 模糊的态度

애:-매-하다 [형] 无辜 wúgū; 冤枉 yuānwang ¶애매하게 누명을 쓰다 无辜被人冤枉 애-히[부]

애:-먹다 [자] 辛苦 xīnkǔ; 吃苦头 chīkǔtou; 吃苦 chīkǔ; 心焦 xīnjiāo ¶아이를 찾기 위해 우리들 애먹었다 为了找孩子我们都心焦如焚

애:-먹이다 [타] 使…辛苦 shǐ…xīnkǔ; 使…吃苦 shǐ…chīkǔ; 叫…心焦 jiào…xīnjiāo ('애먹다'의 使动词) ¶이 아이는 정말 부모를 애먹인다 这个孩子真叫父母心焦

애:-모(爱慕) [명][하타] 爱慕 àimù; 爱抚 àifǔ

애:-무(爱抚) [명][하타] 爱抚 àifǔ

애:-물(一物) [명] 1 讨厌鬼 tǎoyànguǐ 2 夭折的子女 yāozhéde zǐnǚ

애:-물-단지(一物—) [명] '애물'의 鄙称

애:-벌 [명] 初 chū; 初次 chūcì; 第一遍

디저번 ; 머리 일 번 tóuyībiàn = 초벌 ¶~
빨래 洗第一遍

애:-벌레 명 【蟲】幼虫 yòuchóng =
유충(幼蟲)

애비 '아비'의 錯誤

애:석(哀惜) 명하감(히부) 惋惜 wǎnxī;
可惜 kěxī ¶~한 일 惋惜的事情 / 우리
는 모두 이번 일을 ~하게 생각한다
我们都为这件事感到惋惜

애-송이 명 毛孩子 máoháizi; 黄口小
儿 huángkǒu xiào'ér

애수(哀愁) 명 哀愁 āichóu; 哀伤 āi-
shāng; 忧伤 yōushāng ¶이곳의 풍경은
~를 자아낸다 这里的风景引起哀愁

애시-당초(一當初) '애당초'의 錯
誤

애:-쓰다 자 费心 fèixīn; 费力 fèilì;
辛苦 xīnkǔ; 吃苦 chīkǔ; 费尽心机 fèi-
jìn xīnjī; 费劲(儿) fèijìn(r); 辛劳 xīnláo
¶오늘 모두 애쓰셨습니다! 今天大家
都辛苦了!

애:-연(-煙家) 명 烟民 yānmín

애:완(愛玩) 명하타 欣赏 xīnshǎng; 爱
玩 àiwán

애:완-견(愛玩-) 명 宠物狗 chǒng-
wùgǒu; 伴侣犬 bànlǚquǎn

애:완-동물(愛玩動物) 명 宠物 chǒng-
wù; 伴侣动物 bànlǚ dòngwù

애:완-용(愛玩用) 명 欣赏用 xīnshǎng-
yòng; 爱玩用 àiwányòng

애:욕(愛欲) 명 1 爱欲 àiyù 2 情欲
qíngyù

애:용(愛用) 명하타 爱用 àiyòng; 喜欢
用 xǐhuanyòng ¶스타들이 ~하는 화장
品 明星爱用的化妆品 / 国产品을 ~하
다 爱用国货

애원(哀願) 명하타 哀求 āiqiú; 央求
yāngqiú; 央告 yānggào; 苦求 kǔqiú; 悬
求 kěnqiú ¶살려달라고 ~하다 哀求救
命 / 그는 돈을 돌려 달라고 ~했다 他
哀求把钱还给他

애:-인(愛人) 명하자 恋人 liànrén; 情人
qíngrén ¶너 ~ 있니? 你有情人吗?

애자(碍子) 명 【電】绝缘子 juéyuánzi

애잔-하다 형 1 单薄 dānbó; 瘦弱
shòuruò ¶그녀는 애잔한 얼굴을 들었
다 她抬起了瘦弱的脸 2 怜悯 liánmǐn;
怜愍 liánmǐn ¶애잔한 눈빛 怜悯的眼
神 애잔-히 부

애-저녁 '애초'의 錯誤

애절-하다(哀切一) 형 凄切 qiēqiè; 悲
伤 bēishāng ¶애절한 가사 悲伤的歌词
애절-히 부

애:정(愛情) 명 爱 ài; 爱情 àiqíng; 爱
意 àiyì ¶~관 爱情观 / ~ 소설 爱情小
说 / ~을 느끼다 感到爱

애:-주가(愛酒家) 명 爱酒人 àijiǔrén;
爱酒者 àijiǔzhě

애:-증(愛憎) 명 爱憎 àizēng ¶~이 분
명하다 爱憎分明

애:-지중지(愛之重之) 부(하타) 疼爱
téng'ài ¶그녀 는 남자 친구가 준 반지를 ~한다 她
很珍爱男朋友给她的戒指

애:착(愛着) 명하타 热爱 rè'ài; 爱惜
àixī; 依依不舍 yīyībùshě; 恋恋不舍
liànliànbùwàng ¶조국에 ~을 가지다
热爱祖国 / 生活에 ~을 가지다 热爱
生活

애:착-심(愛着心) 명 热爱之心 rè'ài-
zhīxīn; 眷恋之情 juànliànzhīqíng; 依依
不舍 yīyībùshě; 恋恋不忘 liànliànbù-
wàng

애:창(愛唱) 명하타 爱唱 àichàng ¶~
曲 爱唱曲

애:처(愛妻) 명하자 爱妻 àiqī ¶~가
爱妻者

애처-롭다 형 可怜 kělián; 令人怜悯
lìngrén liánmǐn; 令人心疼 lìngrén xīn-
téng ¶그녀가 우는 것을 보니 정말 ~
看她哭泣, 真令人心疼 애처로이 부

애:첩(愛妾) 명 爱妾 àiqiè; 宠妾 chǒng-
qiè

애:청(愛聽) 명하타 爱听 àitīng ¶내가
가장 ~하는 라디오 프로그램 我最爱
听的广播节目

애초(一初) 명 最初 zuìchū; 当初 dāng-
chū; 根本 gēnběn ¶~의 목적을 잊어
서는 안 된다 不要忘记当初的目的 /
그는 ~부터 그런 능력이 없었다 他根
本没有那种能力

애:칭(愛稱) 명 爱称 àichēng ¶여자
친구에게 ~을 붙여 주다 为女友起爱
称

애:-타다 자 心焦 xīnjiāo; 焦虑 jiāolù;
焦躁 jiāozào ¶애타는 마음 焦躁的感
觉

애:타-심(愛他心) 명 爱他心 àitāxīn;
爱他人之心 àitārénzhīxīn

애:-태우다 타 焦急 jiāojí; 心焦 xīn-
jiāo; 烦躁 fánzào (『애타다』의 使动词)
¶애태우며 가족의 소식을 기다리다
焦急地等待亲人的消息

애통(哀痛) 명하타 哀痛 āitòng; 悲痛
bēitòng ¶가족을 잃은 ~함 失去亲人
的悲痛 / ~한 눈물 悲痛的眼泪

애틋-하다 형 1 悲痛 bēitòng; 哀痛欲
绝 āitòng yùjué ¶애틋한 눈물을 흘리
다 流悲痛的眼泪 2 深情 shēnqíng; 依
恋 yīliàn ¶애틋한 마음으로 그를 바라
보다 满怀深情望着他

애:-티 명 稚气 zhìqì; 孩子气 háiziqì

애프터-서비스(after service) 명 售
后服务 shòuhòu fúwù; 销售后服务 xiāo-
shòuhòu fúwù = 에이에스 ¶~ 센터
售后服务中心 / ~ 비용 售后服务费

애플-파이(apple pie) 명 苹果馅饼 píngguǒ xiànbǐng; 苹果派 píngguǒpài

애피타이저(appetizer) 명 开胃菜 kāiwèicài; 开胃品 kāiwèipǐn; 开胃小吃 kāiwèi xiǎochī

애:호(愛好) 명[하자] 爱好 àihào; 嗜好 shìhào ¶美술을 ～하다 爱好美术 / 야구를 ～하다 爱好棒球

애:호(愛護) 명[하자] 爱护 àihù ¶문화유산을 ～하다 爱护文化遗产

애호-가(愛好家) 명 爱好者 àihàozhě ¶동물 ～ 动物爱好者 / 음악 ～ 音乐爱好者

애-호박 명 小南瓜 xiǎonánguā; 嫩南瓜 nènnánguā

애환(哀歡) 명 悲欢 bēihuān ¶삶의 ～ 人生的悲欢

액(厄) 명 厄 è; 灾厄 zāi'è

액(液) 명 1 液体 yètǐ 2 液 yè ¶냉각～ 冷却液 / 수정～ 修改液

-액(額) 명 数额 shù'é ¶수출～ 出口额 / 판매～ 销售额

액-땜(厄一) 명[하자] 去邪 qùxié; 禳灾 rángzāi

액-막이(厄一) 명[하자] 【民】 去邪 qùxié; 除邪 chúxié

액막이-굿(厄一) 명 【民】 跳大神 tiàodàshén

액면(額面) 명 1 匾额面 biǎn'émiàn 2 票面额 piàomiàn'é; 额面 émiàn; 票面 piàomiàn

액면-가(額面價) 명 【經】 = 액면 가격 ¶～ 만원의 주식 面值一万元的股票

액면 가격(額面價格) 【經】 面额 miàn'é; 票面额 piàomiàn'é; 票面价格 piàomiàn jiàgé; 额面 émiàn; 面值 miànzhí; 面价 miànjià = 액면가

액면-주(額面株) 명 【經】 面额股票 miàn'é gǔpiào; 面值股票 miànzhí gǔpiào = 액면 주식

액면 주식(額面株式) 명 【經】 = 액면주

액상(液狀) 명 液态 yètài ¶～ 분유 液态奶粉

액세서리(accessory) 명 首饰 shǒushì; 配饰 pèishì; 饰品 shìpǐn ¶～를 착용하다 戴首饰

액센트 명 '악센트'의 错误

액셀(←accelerator) 명 【機】 = 액셀러레이터

액셀러레이터(accelerator) 명 【機】加速器 jiāsùqì; 加速踏板 jiāsù tàbǎn = 가속 페달·액셀

액션(action) 명 [-] 【演】 动作 dòngzuò; 行动 xíngdòng ¶～ 영화 动作片 [-] 【演】 开始 kāishǐ

액수(額數) 명 数额 shù'é; 额 é; 量

liàng ¶～가 매우 크다 数额巨大

액운(厄運) 명 厄运 èyùn ¶～이 끊이지 않다 厄运不断

액자(額子) 명 镜框(儿) jìngkuàng(r); 相框 xiàngkuàng; 画框 huàkuàng ¶벽에 큰 ～ 하나가 걸려 있다 墙上挂着一个大镜框

액정(液晶) 명 【物】 液晶 yèjīng ¶～ 텔레비전 液晶电视

액즙(液汁) 명 = 즙

액체(液體) 명 【物】 液体 yètǐ ¶～성분 液体成分 / 연료 液体燃料

액취(腋臭) 명 = 암내 ¶～증 腋臭症

액화(液化) 명[하자] 【物】 液化 yèhuà ¶～ 가스 液化气 / ～열 液化热

액화 석유 가스(液化石油gas) 【化】 液化石油气 yèhuà shíyóuqì = 엘피 가스

액화 천연가스(液化天然gas) 【化】 液化天然气 yèhuà tiānránqì = 엘엔지

앨범(album) 명 1 = 사진첩 ¶졸업 ～ 毕业影集 2 = 음반 ¶새 ～을 내다 发行新专辑

앰뷸런스(ambulance) 명 = 구급차 ¶～이 제시간에 도착하다 救护车及时到达现场

앰풀(ampoule) 명 【醫】 安瓿 ānbù

앰프(←amplifier) 명 【物】 = 증폭기 ¶～ 시설 扩音设施 / ～를 설치하다 安装扩音器

앳-되다 형 幼小 yòuxiǎo; 年幼 niányòu; 嫩 nèn; 显得年轻 xiǎnde niánqīng; 有孩子气 yǒu háiziqì ¶그녀는 벌써 서른이지만 아주 앳되어 보인다 她已经三十岁了，不过显得很年轻

앵 튀 嗡 wēng (蚊子或蜂的声音)

앵글(angle) 명 1 (看事物的) 角度 jiǎodù; 观点 guāndiǎn 2 【演】 镜头角度 jìngtóu jiǎodù

앵-돌아지다 자 1 闹翻脸 nào fānliǎn ¶그녀는 앵돌아져 나가 버렸다 她心里不高兴，就出去了 2 偏向一方 piānxiàng yīfāng

앵두 명 樱桃 yīngtáo ¶～ 같은 입술 樱桃般的嘴唇

앵두-나무 명 【植】 樱桃树 yīngtáoshù; 樱桃 yīngtáo

앵무(鸚鵡) 명 【鳥】 = 앵무새

앵무-새(鸚鵡一) 명 【鳥】 鹦鹉 yīngwǔ; 鹦哥 yīnggē; 能言鸟 néngyánniǎo = 앵무

앵무-조개(鸚鵡一) 명 【貝】 鹦鹉贝 yīngwǔbèi

앵-앵 튀[하자] 嗡嗡 wēngwēng

앵앵-거리다 자 嗡嗡地响 wēngwēngde xiǎng = 앵앵대다 ¶모기가 밤새 앵앵거려 잠을 잘 수가 없었다 蚊子整夜嗡嗡地响, 让我不能睡觉

앵커(anchor) 명 = 앵커맨

앵커-맨(anchor man) 명 新闻主播 xīnwén zhǔbō; 新闻报道员 xīnwén bàodàoyuán = 앵커

앵클-부츠(ankle boots) 명 短筒靴 duǎntǒngxuē

야:[1] 감 1 啊 ā; 呀 yā; 哟 yō ¶ ~, 오늘 날씨 정말 좋다! 呀, 今天天气真好! 2 喂 wèi ¶ ~, 얼른 와서 봐봐 喂, 快来看呀 ‖ = 얘!

야:[2] 조 ① 用于各种形态的体词、谓词、副词、词尾后面, 表示强调 ¶ 이번에는 꼭 그를 이기고 말겠다 这次我一定要打败他 / 이렇게 늦게 와서 ~ 어떻게 이길줄을 보러 갈수 있겠니? 哲浃, 跟我们一起去玩儿吧! 2 用于某音节为开音节的名词词干之后, 表示称呼 ¶ 철수 ~, 우리랑 같이 놀러 가자! 哲浃, 跟我们一起去玩儿吧!

야:간(夜間) 명 1 夜间 yèjiān; 夜; 夜里头 yèlitou ¶ ~ 경기 夜场比赛 / ~ 근무 夜班 / ~ 비행 夜间飞行 / ~ 대학 夜大学 =[夜大] / ~ 열차 夜间列车 2 【教】 = 야간부

야:간-도주(夜間逃走) 명하자 = 야반도주

야:간-부(夜間部) 명 【教】 夜间部 yèjiānbù = 야간2

야:간-작업(夜間作業) 명하자 = 밤일1

야:간 학교(夜間學校) 【教】 夜间学校 yèjiān xuéxiào = 야학교

야:경(夜景) 명 夜景 yèjǐng; 夜色 yèsè ¶ 홍콩의 ~ 香港夜景 / 사진 夜景照片

야:경(夜警) 명하자 1 打更 dǎgēng 2 = 야경꾼

야:경-꾼(夜警─) 명 打更的 dǎgēngde = 야경(夜警)2

야:곡(夜曲) 명 【音】 = 세레나데

야:광(夜光) 명 夜光 yèguāng ¶ ~ 제품 夜光制品 / ~ 시계 夜光表 / ~ 찌 夜光鱼漂

야:광-주(夜光珠) 명 夜明珠 yèmíngzhū; 夜光珠 yèguāngzhū; 夜珠 yèzhū

야:구(野球) 명 【體】 棒球 bàngqiú ¶ ~ 공 棒球 / ~ 장 棒球场 / ~ 선수 棒球手 / ~ 규칙 棒球规则

야:구-단(野球團) 명 【體】 棒球团 bàngqiútuán; 棒球队 bàngqiúduì = 야구단

야구르트 명 '요구르트'의 잘못

야:구 방망이(野球─) 【體】 球棒 qiúbàng; 球棍 qiúgùn

야:구-팀(野球team) 명 = 야구단

야:권(野圈) 명 = 야당권

야:근(夜勤) 명하자 夜班 yèbān ¶ ~을 자주 하다 经常上夜班

야:금(冶金) 명하자 【工】 冶金 yějīn ¶ ~ 술 冶金术

야금-거리다 타 一点儿一点儿地嚼 yīdiǎnryīdiǎnrde jiáo; 一点儿一点儿地吃 yīdiǎnryīdiǎnrde chī = 야금대다 ¶ 그녀는 내 옆에서 과자를 야금거렸다 她在我旁边一点儿一点儿地吃饼干 야금-야금 부하자

야:기(惹起) 명하자 引起 yǐnqǐ; 惹起 rěqǐ; 引致 yǐnzhì; 导致 dǎozhì; 招惹 zhāore; 勾起 gōuqǐ ¶ 중대한 문제를 ~하다 引起重大问题 / 사망을 ~하다 导致死亡

야:뇨-증(夜尿症) 명 【醫】 夜尿症 yèniàozhèng; 遗尿 yíniào; 尿床 niàochuáng

야누스(Janus) 명 【文】 坚纽斯 Jiānniǔsī; 两面神 liǎngmiànshén

야:단(惹端) 명하자 1 喧嚷 xuānrǎng; 喧扰 xuānrǎo; 闹腾 nàoteng; 吵闹 chǎonào ¶ 무슨 일 생겼나? 왜 이러는 ~이야? 发生什么事? 你们为什么这么闹腾? 2 骂 mà; 说 shuō; 批评 pīpíng ¶ 그의 아버지는 성적이 좋지 않다고 그를 ~을 치셨다 他爸爸因为他成绩不好 3 糟糕 zāogāo; 糟 zāo; 不得了 bùdéliǎo ¶ 폭설이 계속되면 ~인데 暴风雪要是还持续下的话就糟糕了

야:단-나다(惹端─) 자 1 (开心得) 热闹 rènao; 喧哗 xuānhuá; 喧闹 xuānnào 2 糟 zāo; 糟糕 zāogāo; 不得了 bùdéliǎo ¶ 야단났어, 여권을 잃어버렸어! 糟了, 我丢了护照! / 세상에! 야단났네! 我的天啊! 不得了了!

야:단-맞다(惹端─) 자 1 挨骂 áimà; 挨说 áishuō; 挨批评 áipīpíng ¶ 그는 너무 장난이 심해서 항상 엄마한테 야단 맞는다 他因为太淘气, 老挨妈妈的骂

야:단-법석(野壇法席) 명 喧嚷 xuānrǎng; 喧扰 xuānrǎo; 闹腾 nàoteng; 吵闹 chǎonào ¶ ~ 좀 떨지 마라, 이웃 사람들이 잠을 잘 수가 없다 你们别吵闹, 邻居的人不能入睡

야:단-스럽다(惹端─) 형 喧嚷 xuānrǎng; 闹哄哄 nàohōnghōng ¶ 많은 여자들이 공항에서 야단스럽게 스타를 환영했다 很多女性在机场闹哄哄地欢迎了明星 야:단스레 부

야:단-치다(惹端─) 자타 叱责 chìzé; 骂 mà; 说 shuō; 批评 pīpíng ¶ 그녀의 어머니는 그녀가 방을 치우지 않았다고 야단쳤다 她妈妈骂她没有收拾房间

야:담(野談) 명 野谈 yětán ¶ ~가 野谈家

야:당(野黨) 명 在野党 zàiyědǎng ¶ ~ 의원 在野党议员 / ~ 후보 在野党候

选人

야:당-권(野黨圈) 圆 在野圈 zàiyě-quān = 야권

야드(yard) 의명 码 mǎ = 마(碼)

야들-야들 부하통 润滑 rùnhuá; 细嫩 xìnèn ¶피부를 ～하게 만들다 使皮肤变得细嫩光滑

야릇-하다 阌 奇怪 qíguài; 奇妙 qímiào; 奇异 qíyì; 神秘 shénmì ¶야릇한 사진 奇怪的图片 / 야릇한 표정 奇怪的表情 / 야릇한 기분 奇异的心情

야리-야리 부하통 柔弱 róuruò; 软弱 ruǎnruò; 纤细 xiānxì ¶몸매가 ～한 여자 身材纤细的女性

야:만(野蠻) 圆 野蛮 yěmán; 野 yě ¶～성 野蛮性 / ～인 野蛮人 / ～ 행위 野蛮行为 / ～의 민족 野蛮民族

야:만-스럽다(野蠻—) 阌 野蛮 yěmán; 野 yě ¶야만스러운 사람 野蛮的人
야:만스레 부

야:만-적(野蠻的) 관명 野蛮 yěmǎn ¶～인 행동 野蛮的行动

야:말로 조 才 cái; 才是 cáishì ¶그～ 진정한 챔피언이다 他才是真正的冠军

야:망(野望) 圆 野心 yěxīn; 雄心 xióngxīn; 抱负 bàofù ¶정치적 ～ 政治雄心 / 그는 ～이 없다 他没有野心 / 자신의 ～을 이루다 完成自己的野心

야:맹-증(夜盲症) 圆 【醫】夜盲 yèmáng; 夜盲症 yèmángzhèng; 雀盲眼 qiǎomángyǎn = 야맹증

야멸-차다 阌 1 只顾自己 zhǐgù zìjǐ; 自私无情 zìsī wúqíng 2 冷淡 lěngdàn; 无情 wúqíng; 冷酷无情 lěngkù wúqíng ¶그는 내 요구를 ～게 거절했다 他冷淡地拒绝了我的要求

야멸-치다 阌 1 只顾自己 zhǐgù zìjǐ; 自私无情 zìsī wúqíng 2 冷淡 lěngdàn; 无情 wúqíng; 冷酷无情 lěngkù wúqíng ¶그녀는 그에게 아주 ～ 她对他很冷淡

야무-지다 阌 结实 jiēshí; 精明 jīngmíng; 精明强干 jīngmíng qiánggàn; 精干 jīnggàn ¶이 아이는 참 야무지게 생겼다 这孩子长得真结实

야물다 目재 (籽粒等) 饱满 bǎomǎn; 成熟 chéngshú ¶벼가 야물었다 稻穗成熟了 目阌 1 精干 jīnggàn; 精明 jīngmíng; 精明强干 jīngmíng qiánggàn ¶그 사람은 아주 ～ 那个人为人精明强干 2 仔细 zǐxì; 节省 jiéshěng ¶그녀는 일처리가 ～ 她做事很仔细

야물딱-지다 阌 '야무지다'의 방언

야:바위 명하재 揩油 kāiyóu; 诈骗 zhàpiàn

야바위(를) 치다 구 1 要花招 2 偷梁换柱

야:바위-꾼 명 骗子 piànzi; 骗子手 piànzishǒu

야:바위-판 명 揩油 kāiyóu; 骗局 piànjú

야:박-스럽다(野薄—) 阌 刻薄 kèbó; 冷酷 lěngkù; 冷毒 lěngdú; 无情 wúqíng; 薄情 bóqíng ¶내 부탁까지 거절하다니 너 정말 야박스럽구나 连我的请求也拒绝, 你真无情 **야:박스레** 부

야:박-하다(野薄—) 阌 刻薄 kèbó; 冷酷 lěngkù; 冷毒 lěngdú; 无情 wúqíng; 薄情 bóqíng ¶다른 사람에게 너무 야박하게 굴지 마라 对别人不要太刻薄 **야:박-히** 부

야:반(夜半) 명 = 밤중 ¶～에 우리 집에 도둑이 들었다 半夜我家里进小偷了

야:반-도주(夜半逃走) 명 夜间逃走 yèjiān táozǒu; 夜半逃走 ¶그녀는 내 돈을 훔쳐서 ～했다 她偷了我的钱, 夜间逃走了

야:-밤(夜—) 명 深夜 shēnyè; 半夜 bànyè ¶그들은 ～에 출발했다 他们在半夜出发了

야:-밤중(夜—中) 명 = 한밤중 ¶우리가 돌아왔을 때는 이미 ～인 것 같았다 我们回到的时候, 已经是半夜十二点了

야:비-하다(野卑·野鄙) 阌 卑鄙 bēibǐ; 卑劣 bēiliè; 卑污 bēiwū; 下流 xiàliú ¶그렇게 하는 것은 너무 ～ 这样做太卑鄙了

야:사(野史) 명 野史 yěshǐ; 野乘 yěshèng; 野录 yělù

야:산(野山) 명 小山岗 xiǎoshāngǎng; 小山坡 xiǎoshānpō

야:상-곡(夜想曲) 명 【音】= 녹턴

야:생(野生) 명하재 野生 yěshēng ¶～초 野生草 / ～ 동물 野生动物 / ～ 식물 野生植物

야:생-마(野生馬) 명 野生马 yěshēngmǎ; 野马 yěmǎ

야:생-화(野生花) 명 = 들꽃

야:성(野性) 명 野性 yěxìng; 野 yě ¶～녀 野女人 =[野女] / ～을 드러내다 表现出野性

야:성-미(野性美) 명 野性美 yěxìngměi; 野性之美 yěxìngzhīměi; 野性 yěxìng

야:속(野俗) 명하통 遗憾 yíhàn; 不够交情 bùgòu jiāoqíng; 无情 wúqíng; 感到别扭 gǎndào bièniu; 埋怨 mányuàn ¶이러한 결과에 대해 그들은 아주 ～하게 생각한다 对于这样的结果, 他们深感到遗憾

야:수(野手) 명 【體】守场员 shǒuchǎngyuán

야:수(野獸) 명 野兽 yěshòu ¶미녀와

～ 美女与野兽

야:시-장(夜市場) 명 夜市 yèshì

야:식(夜食) 명하자 = 밤참 ¶～을 먹다 吃夜餐

야:심(夜深) 명하형 夜深 yèshēn

야:심(野心) 명 野心 yěxīn ¶～가 野心家 / 작 野心之作 / 그는 아무런 ～이 없다 他没有任何野心

야:심만만-하다(野心滿滿一) 형 野心勃勃 yěxīn bóbó 야:**심만만-히** 부

야:영(野營) 명하자 1 【軍】野營 yě-yíng; 扎营 zhāyíng; 露营 lùyíng 2 露营 lùyíng; 野营 yěyíng; 夏令营 xiàlìngyíng ¶～객 露营者 /~장 露营地 /지 露营地

야옹 부 咪咪 mīmī; 喵喵 miāomiāo 《猫叫声》

야옹-거리다 자 (猫) 喵喵地叫 miāo-miāode jiào; 咪咪地叫 mīmīde jiào = 야옹대다 야옹-야옹 부하자

야옹-이 명 猫 māo; 猫猫 māomāo; 小猫 xiǎomāo

야:외(野外) 명 1 野外 yěwài ¶～활동 野外活动 / ～ 운동 野外运动 /~로 놀러 나가다 到野外去玩 2 露天 lù-tiān; 户外 hùwài ¶～ 수업 露天上课 / ～ 결혼식 户外婚礼

야:외-무대(野外舞臺) 명 露天舞台 lùtiān wǔtái; 户外舞台 hùwài wǔtái

야:외 촬영(野外撮影) 【演】= 현지 촬영

야:욕(野慾) 명 1 野心 yěxīn 2 鬼扮 guǐtāi

야위다 자 瘦 shòu; 瘦削 shòuxuē ¶그는 전보다 더 야위었다 他比以前更瘦了

야:유(揶揄) 명하자 倒好儿 dàohǎor; 倒彩 dàocǎi; 揶揄 yéyú; 嘲笑 cháo-xiào; 奚落 xīluò ¶다른 사람을 ～하다 揶揄别人

야:유-회(野游會) 명 野游会 yěyóu-huì; 郊游会 jiāoyóuhuì

야:인(野人) 명 野人 yěrén

야:자(椰子) 명 【植】= 야자나무 1 2 椰子 yēzi; 椰 yē

야:자-나무(椰子一) 명 【植】1 椰子树 yēzishù = 야자1·야자수 2 = 코코야자

야:자-수(椰子樹) 명 【植】= 야자나무 1

야:적(野積) 명하자 露天存储 lùtiān cúnchú; 露天堆存 lùtiān duīcún; 在露天堆积 zàilùtiān duījī; 户外贮藏 hùwài zhùcáng

야:적-장(野積場) 명 积场 jīchǎng; 露天堆场 lùtiān duīchǎng; 露天储放场 lùtiān chǔfàngchǎng

야:전(野戰) 명 【軍】野战 yězhàn ¶～

군 野战军 /～복 野战服 / ～ 병원 野战医院 /~잠바 野战夹克 /～ 침대 野战床

야:차(夜叉) 명 【佛】夜叉 yèchā

야:참(夜一) 명 = 밤참

야:채(野菜) 명 1 野菜 yěcài 2 = 채소 ¶～류 蔬菜类 /～샐러드 蔬菜沙拉 /～ 주스 蔬菜汁 / 무공해 ～ 无公害蔬菜 / 신선한 ～ 新鲜的蔬菜 /～를 심다 种植蔬菜

야쿠자(일Yakuja[八九三]) 명 日本黑帮 Rìběn hēibāng; 八九三黑帮 bā-jiǔsān hēibāng

야크(yark) 명 【動】牦牛 máoniú

야트막-하다 형 矮矮 ǎi'ǎi; 矮 ǎi ¶야트막한 하늘 矮矮的天空 / 야트막한 탁자 矮矮的桌子

야:-하다(冶一) 형 粗野 cūyě; 不大方 bùdàfāng ¶이 셔츠는 색이 좀 ～ 这件衬衫颜色不够大方

야:학(夜學) 명하자 1 夜学 yèxué 2 夜校 yèxiào 《'야간 학교'의 略称》 ¶～에 다니다 上夜校

야:-학교(夜學校) 명 【教】= 야간 학교

야:-학생(夜學生) 명 夜校学生 yèxiào xuéshēng

야:합(野合) 명하자 1 通奸 tōngjiān; 私通 sītōng ¶그의 아내는 외간 남자와 ～했다 他的妻子与人私通了 2 勾结 gōujié; 狼狈为奸 lángbèiwéijiān; 私通 sītōng ¶경찰과 도둑이 ～하다 警贼勾结

야:행(夜行) 명하자 夜行 yèxíng

야:행-성(夜行性) 명 【動】夜行性 yè-xíngxìng; 夜间活动的 yèjiān huódòng-de ¶～ 동물 夜行性动物

야호 감 嘿嗬 yōhē 《登山者相互呼叫声》

야:화(夜話) 명 【文】夜话 yèhuà

약 명 1 (辣椒、烟叶等具有的) 刺激性 cìjīxìng ¶이 고추는 ～이 잔뜩 올랐다 这个辣椒具有很强的刺激性 2 火 huǒ; 脾气 píqi; 上火 shànghuǒ

약(을) 올리다 관 让…生气; 让…发火; 让…火大

약(이) 오르다 관 1 生效; 成熟 2 生气; 冒火

약(約) 관 约 yuē; 大约 dàyuē; 大概 dàgài; 左右 zuǒyòu ¶学교에서 우체국까지는 ～ 오백 미터쯤 된다 学校离邮局大概五百米左右

약(藥) 명 1 药 yào = 약품 ¶～값 药费 =[药钱] / 다이어트 ～ 减肥药 / 시간 맞춰 ～을 먹다 按时吃药 2 杀虫剂 shāchóngjì ¶～을 뿌려 모기를 잡다 喷洒杀虫剂杀蚊子 3 擦光油 cāguāng yóu; 油 yóu; 釉药 yòuyào ¶구두에

을 칠하다 往皮鞋上擦油 4 毒 dú; 鸦
片 yāpiàn ¶그는 전에 종종 ~을 했다
他以前常常吸毒 5 '건전지'의 别称 ¶
손목시계가 멈춰서 ~을 갈다 手表停
止, 去更换电池

약에 쓰려도 없다 [구] 一点也没有

약간(若干) 명[부] 微 wēi; 微微 wēiwēi;
微小 wēixiǎo; 稍 shāo; 稍稍 shāoshāo;
少 shǎo; 点(儿) diǎn(r); 一点(儿) yī-
diǎn(r); 一些 yīxiē; 有点(儿) yǒu-
diǎn(r); 有些 yǒuxiē; 若干 ruògān; 稍
微 shāowēi; 略微 lüèwēi; 多少 duō-
shǎo ¶~의 사람는 若干人 / 얼굴이 ~
붉다 脸色微红 / 머리가 ~ 어지럽다
头有点晕 / 나는 ~ 배가 고프다 我有
些饿了 / 이 글을 ~만 수정해 주세요
请你把这篇文章稍微修改一下

약골(弱骨) 명 1 体弱者 tǐruòzhě; 体
弱的人 tǐruòde rén 2 弱骨 ruògǔ; 弱骨
头 ruògǔtou

약과(藥果) 명 1 蜜麻花 mìmáhuā 2
算不了什么 suànbùliǎo shénme; 不算
什么 bùsuàn shénme; 没什么 méishe-
me ¶이 일은 나에게 ~이다 这件事对
我来说算不了什么

약관(約款) 명[法] 条款 tiáokuǎn; 规
条 guītiáo ¶保险 ~ 保险条款 / 아래의
~을 자세히 읽어 보세요 请您仔细阅
读以下规条

약관(弱冠) 명 弱冠 ruòguàn; 二十岁
èrshísuì ¶그는 ~의 나이에 전기를 발
명했다 他二十岁的时候发明了电气

약국(藥局) 명 1 药店 yàodiàn; 药房
yàofáng; 药铺 yàopù; 药局 yàojú = 약
방1 ¶~에 가서 감기약을 사다 去药
铺买感冒药 2 (医院里的) 药房 yào-
fáng

약다 형 机灵 jīling; 机伶 jīlíng; 精灵
jīnglíng; 乖巧 guāiqiǎo ¶약은 아이 机
灵的孩子 / 그는 어려서부터 약았다
他从小就乖巧

약대(藥大) 명[教] '약학 대학'의 略
词

약도(略圖) 명 略图 lüètú; 示意图 shì-
yìtú; 位置示意图 wèizhì shìyìtú ¶시험
장 ~ 考点位置示意图 / 베이징 주변
~ 北京周边略图 / 学교 ~ 学校略图

약동(躍動) 명[하타] 跃动 yuèdòng; 生
机盎然 shēngjī àngrán; 沸腾 fèiténg ¶
~하는 세계 生机盎然的世界

약력(略歷) 명 简历 jiǎnlì ¶저자 ~ 作
者简历 / ~을 소개하다 介绍简历

약령(藥令) 명 药令市 yàolìngshì =
약령시

약령-시(藥令市) 명 = 약령

약리(藥理) 명[藥] 药理 yàolǐ ¶~ 효
과 药理效果 / ~ 작용 药理作用

약리-학(藥理學) 명[藥] 药理学 yào-

lǐxué ¶~자 药理学家

약-물(藥物) 명[藥] 药物 yàowù; 药
剂 yàojì ¶~ 소독 药物消毒 / ~ 요법
药物疗法 / ~ 내성 药物耐受性 /
알레르기 ~ 药物过敏 / ~ 중독 药物中
毒

약물 검사(藥物檢査) [體] 药物检查
yàowù jiǎnchá = 도핑 테스트

약-밥(藥—) 명 八宝饭 bābǎofàn =
약식(藥食)

약방(藥房) 명 1 = 약국1 2 药铺
yàopù

약방에 감초 [속담] 什么事都参与; 不
可缺少的人

약-방문(藥方文) 명[藥] 药方 yào-
fāng; 药单 yàodān; 处方 chǔfāng =
방문(方文)

약-병(藥瓶) 명 药瓶 yàopíng

약-병아리(藥—) 명 = 영계

약-봉(藥封) 명 = 약봉지

약-봉지(藥封紙) 명 药包 yàobāo; 药
袋儿 yàodàir = 약봉

약분(約分) 명[하타] [數] 约分 yuēfēn

약-빠르다 형 机灵 jīling; 机伶 jīlíng;
精灵 jīnglíng; 乖巧 guāiqiǎo ¶약빠른
행동 机灵的行动 / 그 사람은 어려서
부터 약빨랐다 那个人从小就乖巧

약사(略史) 명 略史 lüèshǐ; 简史 jiǎn-
shǐ

약사(藥師) 명 药剂师 yàojìshī

약사(藥事) 명[法] 药事 yàoshì ¶~
법 药事法 / ~ 관리 药事管理

약-사발(藥沙鉢) 명 盛药碗 shèngyào-
wǎn

약삭-빠르다 형 精灵 jīnglíng; 机灵
jīling; 机伶 jīlíng; 乖巧 guāiqiǎo ¶그
사람은 아주 약삭빠르게 행동한다 那
个人做事很机灵

약성(藥性) 명 药性 yàoxìng

약세(弱勢) 명 1 弱势 ruòshì 2 [經] 弱
势 ruòshì; 走势趋弱 zǒushì qūdiē; 趋
跌 qūdiē; 趋疲 qūpí; 疲软 píruǎn; 看
跌 kàndiē; 下跌 xiàdiē ¶엔화가 ~를
보이다 日元呈现弱势

약소(弱小) 명 弱小 ruòxiǎo ¶~민
族 弱小民族 / ~한 나라 弱小的国家

약소-국(弱小國) 명 弱小国 ruòxiǎo-
guójiā; 弱小国 ruòxiǎoguó = 약소국가

약소-국가(弱小國家) 명 = 약소국

약속(約束) 명[하자타] 约 yuē; 约定 yuē-
dìng; 约言 yuē; 诺言 nuòyán ¶~
시간 约定的时间 / 제시간에 ~ 장소
에 도착하다 准时来到约定的地方 / ~
을 실천하다 实践约言 / ~을 어기다
违背诺言 / ~을 깨다 打破约定 / 우리
는 이번 주 토요일에 같이 영화 보러
가기로 ~했다 我们约定这个星期六
一起去看电影

약속 어음(約束—) 【經】期票 qīpiào; 本票 běnpiào

약속-일(約束日) 명 约期 yuēqī; 约定日 yuēdìngrì

약-손(藥—) 명 = 약손가락

약-손가락(藥—) 명 无名指 wúmíngzhǐ; 四指 sìmùzhǐ = 무명지·약손·약지(藥指)

약-솜(藥—) 명 【醫】 탈지면

약수(約數) 【數】约数 yuēshù

약수(藥水) 명 (有药效的) 矿泉水 kuàngquánshuǐ; 药泉水 yàoquánshuǐ ¶ ～를 뜨러 가다 去打矿泉水

약수-터(藥水—) 명 (有药效的) 矿泉水 kuàngquánshuǐ; 药泉 yàoquán

약-숟가락(藥—) 명 药匙 yàochí

약-술(藥—) 명 药酒 yàojiǔ = 약주[2]

약술(略述) 명하타 简述 jiǎnshù; 略述 lüèshù; 略叙 lüèxù ¶특징을 ～하다 简述特征

약시(弱視) 명 弱视 ruòshì ¶～를 치료하다 治疗弱视

약식(略式) 명 简式 jiǎnshì; 简易 jiǎnyì; 简略 jiǎnlüè; 简单形式 jiǎndān xíngshì; 略式 lüèshì; 从简 cóngjiǎn ¶ ～ 기소 简式起诉 / ～ 재판 简易审判 / ～ 보고 简易报告 / 결혼식을 집에서 ～으로 치르다 婚礼在家里办, 形式一切从简

약식(藥食) 명 = 약밥

약실(藥室) 명 1 = 약제실 2 【軍】 药室 yàoshì

약아-빠지다 형 机灵 jīlíng; 精灵 jīnglíng; 机伶 jīlíng; 油头滑脑 yóutóuhuánǎo ¶약아빠진 아이 机灵的孩子

약어(略語) 명 【語】 1 = 준말 2 简称 jiǎnchēng

약용(藥用) 명하타 当药用 dàngyào yòng; 药用 yàoyòng; 药 yào ¶～ 비누 药皂 =[药肥皂] / ～ 식물 药用植物 / ～ 작물 药用作物 / 영지의 ～ 가치 灵芝的药用价值

약육-강식(弱肉強食) 명하자 弱肉强食 ruòròuqiángshí ¶～의 세계 弱肉强食的世界 / ～의 논리 弱肉强食逻辑

약자(弱者) 명 弱者 ruòzhě ¶～를 보호하다 保护弱者

약자(略字) 명 简笔字 jiǎnbǐzì; 简字 jiǎnzì; 简化汉字 jiǎnhuà hànzì; 减笔字 jiǎnbǐzì

약장(藥欌) 명 药柜 yàoguì

약-장사(藥—) 명하자 卖药 màiyào

약-장수(藥—) 명 药商 yàoshāng; 卖药的 màiyàode

약재(藥材) 명 药材 yàocái; 药料 yàoliào ¶～ 시장 药材市场

약재-상(藥材商) 명 药材商 yàocáishāng; 药材商店 yàocái shāngdiàn; 药

材商人 yàocái shāngrén

약-저울(藥—) 명 = 분칭

약-절구(藥—) 명 药臼 yàojiù

약점(弱點) 명 弱点 ruòdiǎn; 缺点 quēdiǎn; 短处 duǎnchu ¶자신의 ～을 극복하다 克服自己的弱点

약정(約定) 명하타 约定 yuēdìng; 约好 yuēhǎo; 契约 qìyuē; 商定 shāngdìng; 合同 hétong; 契字 qìzì ¶～서 约定书 / ～ 가격 约定价格 / ～ 기간 契约期间 / ～을 깨다 打破约定

약제(藥劑) 명 药剂 yàojì = 약품[3] ¶화학 ～ 化学药剂

약제-실(藥劑室) 명 药剂室 yàojìshì = 약제[1]

약조(約條) 명하타 1 约定 yuēdìng; 约好 yuēhǎo ¶그가 먼저 ～를 깼다 是他先打破了约定 / 우리는 벌써 ～했다 我们已经约好了 2 约条 yuētiáo

약졸(弱卒) 명 弱兵 ruòbīng ¶강한 장수 밑에는 ～이 없다 强将手下无弱兵

약주(藥酒) 명 1 = 약술(藥—) 2 酒 jiǔ

약지(藥指) 명 = 약손가락

약진(躍進) 명하자 跃进 yuèjìn ¶지방경제의 ～ 地方经济的跃进

약체(弱體) 명 1 虚弱的身体 xūruòde shēntǐ; 身体虚弱 shēntǐ xūruò; 体弱 tǐruò ¶～로 태어나다 生来身体就虚弱 2 弱体 ruòtǐ; 弱队 ruòduì ¶～를 상대하다 对付弱队

약초(藥草) 명 药草 yàocǎo ¶～를 캐다 挖药草

약칭(略稱) 명하타 简称 jiǎnchēng; 略称 lüèchēng

약탈(掠奪) 명하타 掠夺 lüèduó; 打劫 dǎjié; 劫夺 jiéduó; 劫掠 jiélüè; 掠取 lüèqǔ; 抢夺 qiāngduó; 劫抢 qiǎngjié; 抢掠 qiǎnglüè ¶～자 掠夺者 / ～ 행위 掠夺行为 / 재물을 ～하다 掠夺财物 / 다른 나라에서 ～해 온 문물 从他国掠取的文物

약-탕관(藥湯罐) 명 药罐 yàoguàn = 약탕기[2]

약-탕기(藥湯器) 명 1 汤药碗 tāngyàowǎn 2 = 약탕관

약통(藥桶) 명 药桶 yàotǒng

약품(藥品) 명 1 = 약(藥)[1] 2 药品质量 yàopǐn zhìliàng 3 = 약제

약-하다(弱—) 형 1 (力量) 弱 ruò; 虚虚 xū; 衰弱 shuāiruò; 薄弱 bóruò; 微弱 wēiruò ¶몸이 약한 사람 体弱的人 / 의지가 약한 사람 意志薄弱的人 / 맥박이 ～ 脉搏微弱 ¶ 연하고 무르다 软弱 ruǎnruò; 不结实 bùjiēshi ¶여자들은 약한 남자를 좋아하지 않는다 女人不喜欢脆弱的男人 / 나는 ～해지고 싶지 않다 我不想让我自己软弱 3 差 chā; 浅薄 qiǎnbó ¶남세 의식이 ～ 纳税意

약-하다(藥—) ─재 吃药 chīyào; 用
药 yòngyào ─탸 当药 dāngyào; 做药
zuòyào

약학(藥學) 圀 药学 yàoxué

약학 대:학(藥學大學) 【教】药剂学院
yàojì xuéyuàn

약호(略號) 圀 略码 lüèmǎ; 简写符号
jiǎnxiě fúhào

약혼(約婚) 圀하재 订婚 dìnghūn; 定婚
dìnghūn; 婚约 hūnyuē; 定亲 dìngqīn;
订亲 dìngqīn ¶~반지 订婚戒指 / ~식
订婚仪式 / ~ 예물 订婚礼物 / 그녀는
남자 친구와 이미 ~했다 她跟男友已
经订婚了

약혼-녀(約婚女) 圀 未婚妻 wèihūnqī

약혼-자(約婚者) 圀 订婚者 dìnghūn-
zhě; 未婚夫 wèihūnfū; 未婚妻 wèihūn-
qī

약화(弱化) 圀하재타 削弱 xuēruò; 弱
化 ruòhuà ¶정부의 권력이 ~되다 政
府权利弱化 / 적의 의지를 ~시키다
削弱敌人意志 / 왕권이 ~되다 王权弱
化

약효(藥效) 圀 药效 yàoxiào ¶~가 아
주 강하다 药效很强 / ~를 나타내다
发挥药效 / ~가 점점 떨어지다 药效渐
渐消失

얄개 圀 调皮 tiáopí

얄-궂다 圀 古怪 gǔguài ¶얄궂은 사
람 古怪的人

얄-밉다 圀 讨厌 tǎoyàn; 可恶 kěwù;
可憎 kězēng ¶나는 그가 ~ 我很讨厌
他

얄팍-얄팍 閏하圀 薄薄的 báobáode
¶호박을 ~하게 썰다 把南瓜切得薄薄
的

얄팍-하다 圀 1 薄 báo ¶얄팍한 책
薄的书 / 지갑이 ~ 钱包很薄 2 浅薄
qiǎnbó; 鼠目寸光 shǔmùcùnguāng **얄
팍-히** 閏

얇:다 圀 1 薄 báo ¶얇은 편지 봉투
薄的信封 2 浅薄 qiǎnbó; 不深 bùshēn

얌전 圀 (性格或态度) 斯文 sīwén; 文
静 wénjìng; 安详 ānxiáng; 老实 lǎoshi;
温顺 wēnshùn ¶그렇게 얌전 떨지 말
고 이리 와서 같이 춤추자! 别那样装
斯文, 来这里一起跳舞吧!

얌전-스럽다 圀 (性格或态度) 斯文
sīwén; 文静 wénjìng; 安详 ānxiáng; 老
实 lǎoshi; 温顺 wēnshùn ¶말하는 것이
매우 얌전스러운 사람 讲话很斯文的
人 **얌전스레** 閏

얌전-하다 圀 (性格或态度) 文静 wén-
jìng; 斯文 sīwén; 安详 ānxiáng; 温顺
wēnshùn; 老实 lǎoshi ¶얌전한 여자아
이 文静的女孩 / 그녀는 아주 얌전하
게 걷는다 她走得很安详 / 이 아이는

정말 ~ 这个孩子真温顺 **얌전-히** 閏

얌체 圀 不要脸的 bùyàoliǎnde; 没良
心的 méiliángxīnde; 没脸面 méiyǒu
liǎnmiàn ¶~ 같은 여자 不要脸的女人

양(羊) 圀圐 1 羊 yáng 2 绵羊 mián-
yáng = 면양 ¶어린 ~ 羔羊

양(兩) 꿘 两 liǎng; 两个 liǎnggè; 双
shuāng ¶~ 국가 两个国家 / ~ 진영
两阵营 / ~ 팀 两队

양(胖) 圀 牛肚 niúdǔ; 牛胃 niúwèi

양(量) 圀 1 量 liàng; 分量 fènliang; 数
量 shùliàng ¶~이 감소하다 数量减
少 / ~이 너무 많다 分量太多 2 饭量
fànliang; 食量 shíliàng

양(陽) 圀 1 【物】= 음극 2 【数】正
zhèng = 플러스5 3 【哲】阳 yáng 4
【韓醫】阳 yáng

양 圀 样子 yàngzi ¶그는 그녀 앞에서
나를 모르는 ~ 내 눈을 피했다 他在
她面前装着不认识我的样子, 避开我
的眼睛

양(孃) 의圀 小姐 xiǎojiě ¶이 ~, 이것
좀 출력해 주세요 李小姐, 请把这个
打印一下

양-(洋) 졉투 洋 yáng; 西 xī ¶~담배
洋烟 / ~의사 西医 / ~약 西药

양:-(養) 졉투 养 yǎng; 收养 shōu-
yǎng ¶~부모 养父母 / ~딸 养女

-양(洋) 졉미 洋 yáng ¶태평~ 太平
洋 / 인도~ 印度洋

양가(良家) 圀 1 良民家 liángmínjiā 2
良家 liángjiā ¶~의 규수 良家闺秀 ‖
= 양갓집

양:가(兩家) 圀 两家 liǎngjiā ¶~ 부모
님 两家的父母 / ~ 친척 两家的亲戚

양-가죽(羊—) 圀 羊皮
양가죽을 쓰다 匽 披羊皮

양각(陽刻) 圀하타 【美】阳刻 yángkè;
刻阳文 kèyángwén

양갓-집(良家—) 圀 = 양가(良家) ¶
그녀는 본래 ~ 딸이었다 她本是良家
女

양갱(羊羹) 圀 羊羹 yánggēng; 红豆羹
糕 hóngdòu tánggāo

양:-계(養鷄) 圀하재 养鸡 yǎngjī ¶~장
养鸡场

양-고기(羊—) 圀 = 양육(羊肉)

양곡(糧穀) 圀 粮食 liángshi; 粮谷
liánggǔ; 谷物 gǔwù ¶~ 시장 粮食市
场 / ~ 수매 가격 粮食收购价格

양-과자(洋菓子) 圀 西点 xīdiǎn = 양
점 西点店

양:-국(兩國) 圀 两国 liǎngguó ¶~ 국
민 两国国民 / ~의 수상이 만나다 两
国的首相见面

양궁(洋弓) 圀 【體】射箭运动 shèjiàn
yùndòng; 射箭 shèjiàn

양귀비(楊貴妃) 圀 【植】罂粟 yīngsù

~꽃 罌粟花

양:-극(兩極) 명 1【物】两极 liǎngjí 지구 자기장의 ~ 地球磁场的两极 2【地理】两极 liǎngjí ¶지구의 ~ 地球两极 3 = 양극단

양극(陽極) 명【物】阳极 yángjí; 正极 zhèngjí = 양(陽)1・양전극・플러스3

양:-극단(兩極端) 명 两个极端 liǎngge jíduān = 양극(兩極)3

양:-극-화(兩極化) 명하자 两极化 liǎngjíhuà; 两极分化 liǎngjí fēnhuà ¶세계 경제의 ~ 世界经济的两极化 / ~ 현상이 나타나다 出现两极分化的现象

양기(陽氣) 명 1 阳气 yángqì 2 活气 huóqì; 生气 shēngqì 3【韓醫】阳气 yángqì ¶~가 부족하다 阳气不足

양-껏(量-) 부 尽量 jìnliàng ¶오늘은 내가 내는 것이니 ~ 먹어라! 今天我请客, 你们尽量吃吧!

양:-날(兩-) 명 两刃 liǎngrèn ¶~톱 两刃锯

양:-녀(養女) 명 1 = 수양딸 2【法】养女 yǎngnǚ

양념 명하자 佐料 zuǒliào; 作料 zuòliao; 调料 tiáoliào ¶~ 간장 佐料酱油 / ~병 调料瓶 / ~장 佐料酱 / ~을 치다 放佐料

양-놈(洋-) 명 西洋佬 xīyánglǎo

양:-다리(兩-) 명 两腿 liǎngtuǐ ¶양다리(를) 걸치다[걸다] 관 脚踏两只船; 脚踩两只船; 骑墙; 两边倒

양:-단(兩端) 명 两端 liǎngduān; 两头 liǎngtóu

양:-단(兩斷) 명하타 两断 liǎngduàn; 两分 liǎngfēn ¶국토 ~의 아픔 国土两断之痛

양:-단-간(兩端間) 명부 无论如何 wúlùn rúhé ¶참가하든 안 하든 내일까지는 ~에 결정을 해야 한다 参加或不参加, 到明天无论如何要做个决定

양달(陽-) 명 = 양지(陽地)

양-담배(洋-) 명 洋烟 yángyān; 西洋烟 xīyángyān

양:-대(兩大) 관 两大 liǎngdà; 两个大 liǎngge dà ¶~ 산맥 两大山脉 / ~ 세력 两大势力

양:-도(讓渡) 명하타 1 让 ràng ¶물건을 다른 사람에게 ~하다 把东西让给别人 2【法】让渡 ràngdù; 转让 zhuǎnràng; 让与 ràngyǔ ¶~ 계약 转让合同 / ~ 소득 转让收益 / ~ 소득세 转让所得税 / ~인 让与人 =〔转让人〕/ 채권 ~ 债权让与 / 모든 권리를 을에게 ~하다 让渡资产

양:-돈(養豚) 명하자 养猪 yǎngzhū ¶~업 养猪业 / ~장 养猪场

양-동이(洋-) 명 白铁桶 báitiětǒng

양:-딸(養-) 명 = 수양딸

양력(陽曆) 명【天】= 태양력 ¶~설 阳历新年 / 내 생일은 ~ 3월 10일이다 我的生日是阳历三月十号

양:-로(養老) 명하자 养老 yǎnglǎo ¶~ 시설 养老设施

양:-로-원(養老院) 명【社】养老院 yǎnglǎoyuàn; 老人院 lǎorényuàn ¶부모를 ~에 보내다 把父母送到养老院

양:-론(兩論) 명 两论 liǎnglùn ¶찬반~ 赞反两论

양:-립(兩立) 명하자 1 并存 bìngcún; 两立 liǎnglì; 共存 gòngcún; 共处 gòngchǔ ¶현실 생활에서 선과 악은 언제나 ~한다 现实生活中善与恶总是两立的 2 对峙 duìzhì; 对立 duìlì ¶의견이 ~되다 意见对立

양말(洋襪) 명 袜子 wàzi; 袜 wà ¶~ 공장 袜厂 / ~목 袜筒(儿) / ~ 두 켤레 两双袜子 / ~ 한 짝이 없어졌다 一只袜子不见了 / ~을 신다 穿袜子 / ~에 구멍이 나다 袜子破了一个洞

양:-면(兩面) 명 1 双面 shuāngmiàn; 两面 liǎngmiàn ¶동전의 ~ 硬币的两面 / ~ 복사 双面复印 / ~ 거울 双面镜 / ~ 인쇄 双面印刷 / ~ 자수 双面绣 / ~테이프 双面胶 2 两面 liǎngmiàn ¶~성 两面性 / 모든 일에는 다 ~이 있다 凡事都有两面

양명(揚名) 명하자 扬名 yángmíng; 出名 chūmíng; 成名 chéngmíng

양명-학(陽明學) 명【哲】阳明学 yángmíngxué; 王学 wángxué

양모(羊毛) 명 = 양털 ¶~ 스웨터 羊毛毛衣 / ~ 혼방 羊毛混纺

양:-모(養母) 명 = 양어머니

양:-미-간(兩眉間) 명 眉间 méijiān; 两眉间 liǎngméijiān; 眉头 méitóu; 印堂 yìntáng ¶~ 주름을 펴라 消除两眉间皱纹 / ~이 좁다 印堂狭窄

양미리 명【魚】玉筋鱼 yùjīnyú; 银针鱼 yínzhēnyú; 洋丝鱼 yángsīyú; 沙钻鱼 shāzuānyú

양민(良民) 명 良民 liángmín; 良民百姓 liángmín bǎixìng ¶~을 학살하다 屠杀良民

양:-반(兩班) 명 1【史】两班 liǎngbān; 贵族 guìzú ¶~가 两班家 / ~ 계급 两班阶级 2 君子 jūnzǐ ¶모두들 그가 진짜 ~이라고 한다 大家都说他真是一位君子 3 先生 xiānsheng ¶우리 집 ~은 지금껏 집안일을 도와준 적이 없다 我先生从来没帮我做家务 4 人 rén ¶그 ~은 술 마시는 걸 너무 좋아한다 那个人太喜欢喝酒

양:-발(兩-) 명 两脚 liǎngjiǎo ¶~을 벌리다 把两脚叉开

양:-방(兩方) 명 两方 liǎngfāng; 双方

shuāngfāng = 쌍방 ¶당사자 ~이 협상하다 当事人双方协商

양-배추(洋一) 图 【植】 甘蓝 gānlán; 洋白菜 yángbáicài; 卷心菜 juànxīncài; 包心菜 bāoxīncài

양-변기(洋便器) 图 座便器 zuòbiànqì; 马桶 mǎtǒng = 좌변기

양:병(養兵) 图 养兵 yǎngbīng

양:보(讓步) 图动 让 ràng; 让步 ràngbù; 谦让 qiānràng ¶~의 미덕 谦让的美德 / 아이에게 ~하다 对孩子让步 / 노인에게 자리를 ~하다 给老人让座

양복(洋服) 图 1 西服 xīfú; 西装 xīzhuāng; 洋服 yángfú 2 男西服 nánxīfú; 西服 xīfú; 西装 xīzhuāng ¶~바지 西服裤子 / ~저고리 西装上衣 / 고급 ~ 高档西服 / 캐주얼 ~ 休闲西服 / ~을 제작하다 制作西服

양복-점(洋服店) 图 服装店 fúzhuāngdiàn; 西服店 xīfúdiàn

양:봉(養蜂) 图 养蜂 yǎngfēng ¶~가 养蜂人 / ~업 养蜂业 / ~장 养蜂场

양:부(養父) 图 = 양아버지

양-부모(養父母) 图 养父母 yǎngfùmǔ ¶~로부터 학대를 받다 遭受养父母虐待 / ~의 유산을 물려받다 继承养父母的遗产

양-부호(陽符號) 图 【數】 = 양호(陽号)

양:분(兩分) 图动 两分 liǎngfēn; 分成两部分 fēnchéng liǎngbùfen

양:분(養分) 图 养分 yǎngfèn; 营养 yíngyǎng = 영양분 ¶필요한 ~을 얻다 获得所需的养分 / ~이 부족하다 养分不够

양산(陽傘) 图 阳伞 yángsǎn; 旱伞 hànsǎn ¶~을 쓰고 길을 걷다 打着阳伞走在马路上 / ~을 펼치다 把阳伞撑起来 / 안에 있는 ~을 꺼내 들다 拿出里面的阳伞撑起来

양산(量産) 图动 大批生产 dàpī shēngchǎn; 大量生产 dàliàng shēngchǎn; 大批量生产 dàpīliàng shēngchǎn; 批量生产 pīliàng shēngchǎn

양상(樣相) 图 样子 yàngzi; 状态 zhuàngtài; 情况 qíngkuàng ¶다양한 ~을 띠다 有多种状态

양상-군자(梁上君子) 图 梁上君子 liángshàng jūnzǐ 〖指小偷〗

양-상추(洋一) 图 【植】 圆球菜 yuánshēngcài; 洋生菜 yángshēngcài; 洋莴苣 yángwōjù

양:생(養生) 图动자타 1 养生 yǎngshēng; 保养 bǎoyǎng; 养身 yǎngshēn = 섭생 ¶~의 도리 养生之道 2 【建】养护 yǎnghù

양서(良書) 图 好书 hǎoshū

양:서(兩棲) 图动 两栖 liǎngqī ¶~동물 两栖动物 / ~류 两栖类

양서(洋書) 图 洋书 yángshū

양성(良性) 图 【醫】良性 liángxìng ¶~종양 良性肿瘤 / 그의 종양은 ~다 他的肿瘤是良性的

양:성(兩性) 图 两性 liǎngxìng ¶~생식 两性生殖

양성(陽性) 图 1 阳的性质 yángde xìngzhì 2 向阳性 xiàngyángxìng 3 【化】阳性 yángxìng ¶~화 阳性化

양:성(養成) 图动 1 培育 péiyù; 培养 péiyǎng; 造就 zàojiù; 培训 péixùn ¶~기관 培训机构 / 인재 ~ 人才培养 / 후계자를 ~하다 培训后继者 2 养成 yǎngchéng; 培养 péiyǎng ¶좋은 습관을 ~하다 养成好习惯 / 실력을 ~하다 养成实力

양성(陽聲) 图 【語】阳声 yángshēng ¶~모음 阳声母音 〖强母音〗

양성 반:응(陽性反應) 【醫】阳性反应 yángxìng fányìng

양:성-애(兩性愛) 图 双性恋 shuāngxìngliàn ¶~자 双性恋者

양성-자(陽性子) 图 【物】质子 zhìzǐ = 양자(陽子)

양:-손(兩一) 图 双手 shuāngshǒu; 两手 liǎngshǒu ¶~를 들어 환영을 표하다 举起双手表示欢迎 / ~을 내밀다 伸出两手 / ~으로 쟁반을 받치다 用双手端盘子

양:-손잡이(兩一) 图 左右手都会使的人 zuǒyòushǒu dōu huì shǐde rén

양-송이(洋松栮) 图 【植】洋松茸 yángsōngróng; 洋松口蘑 yángsōngkǒumó = 양송이버섯

양송이-버섯(洋松栮一) 图 【植】 = 양송이

양수(羊水) 图 【醫】羊水 yángshuǐ ¶~검사 羊水检查 / ~ 과다 羊水过多

양수(揚水) 图动자 抽水 chōushuǐ; 扬水 yángshuǐ ¶~시설 抽水设备

양수(陽數) 图 【數】正数 zhèngshù

양수-기(揚水機) 图 扬水机 yángshuǐjī; 抽水机 chōushuǐjī; 水泵 shuǐbèng; 抽水泵 chōushuǐbèng

양순-하다(良順一) 图 温顺 wēnshùn; 温柔 wēnróu ¶이 아이는 정말 ~ 这个孩子真温顺

양식(良識) 图 良识 liángshí; 良知 liángzhī

양식(洋式) 图 = 서양식

양:식(洋食) 图 西餐 xīcān; 西菜 xīcài; 西洋菜 xīyángcài ¶~기 西餐餐具 / 집 西餐厅 / ~ 메뉴 西菜菜单 / ~ 예절 西餐礼仪

양식(樣式) 图 1 格式 géshì; 形式

xíngshì; 样式 yàngshì; 程式 chéngshì = 포맷1 『졸업 논문 ~ 毕业论文格式 / 이력서 ~ 简历格式 2 方式 fāngshì; 形式 xíngshì 『생활 ~ 生活 方式 / 표현 ~ 表现形式 3 (문학, 예술, 건축 등의) 形式 xíngshì; 样式 yàngshì; 式 shì 『건축 ~ 建筑形式 / 고딕 ~ 哥特式

양·식(養殖) 명하타 养殖 yǎngzhí 『~ 업 养殖业 / ~장 养殖场 / 기술 养 殖技术 / 수산물 ~ 水产养殖

양식(糧食) 명 粮食 liángshi; 口粮 kǒu-liáng; 食粮 shíliáng; 粮 liáng = 식량 『~을 절약하다 节约粮食

양·식 진주(養殖眞珠) 【工】 = 인공 진주

양심(良心) 명 良心 liángxīn; 天良 tiān-liáng 『~에 선언 良心宣言 / ~도 없는 놈 没良心的家伙 / 자신의 ~에 따라 행동 하다 按照自己的良心去办事 / ~의 가 책 受到良心的谴责

양심-범(良心犯) 명 良心犯 liángxīn-fàn = 양심수 『~의 석방을 요구하다 要求释放良心犯

양심-수(良心囚) 명 = 양심범

양심-적(良心的) 관명 有良心 yǒu liángxīn 『~인 사람 有良心的人

양·아들(養—) 명 = 양자(養子)

양·아버지(養—) 명 养父 yǎngfù = 양부

양-아치 명 1 '거지'의 俗称 2 流氓 liúmáng

양안(兩岸) 명 两岸 liǎng'àn 『하천 ~에 버드나무가 서 있다 河两岸挺立 着垂柳

양약(良藥) 명 良药 liángyào; 好药 hǎo-yào 『~은 입에 쓰나 병에는 이롭다 良药苦利于病

양약(洋藥) 명 西药 xīyào

양·어(養魚) 명하타 养鱼 yǎngyú 『~ 장 养鱼池 = [养鱼场]

양-어깨(兩—) 명 两肩 liǎngjiān; 两 肩膀 liǎngjiānbǎng; 双肩 shuāngjiān; 双肩膀 shuāngjiānbǎng 『~가 몹시 쑤 시다 两肩膀很酸痛

양·어머니(養—) 명 养母 yǎngmǔ = 양모(養母)

양·여(讓與) 명하타 让与 ràngyǔ; 让 ràng; 过户 guòhù 『모든 권리를 을에 게 ~하다 所有权利让与乙方

양옥(洋屋) 명 洋房 yángfáng; 洋楼 yánglóu; 西式房子 xīshì fángzi = 양옥집

양옥-집(洋屋—) 명 = 양옥

양·용(兩用) 명하타 两用 liǎngyòng 『수륙 ~ 水陆两用

양·원(兩院) 명 【法】 两院 liǎngyuàn 『

~제 两院制

양·위(讓位) 명하타 让位 ràngwèi = 선양(禪讓) · 선위

양유(羊乳) 명 = 양젖

양·육(養育) 명하타 养育 yǎngyù; 抚 养 fǔyǎng 『~법 养育法 =[养育方 法] / ~비 抚养费 / ~자 抚养者 / 자녀 를 ~하다 养育子女

양은(洋銀) 명 白铜 báitóng; 洋白铜 yángbáitóng; 锌银 xīnyín

양의(洋醫) 명 1 中医 xīyī 『~를 배우 다 学西医 2 西医医生 xīyī yīshēng; 西医 xīyī; 洋医 yángyī = 양의사1 3 西洋医生 xīyáng yīshēng; 洋医 yángyī = 양의사2

양·의사(洋醫師) 명 1 = 양의2 2 = 양의3

양·이온(洋ion) 명 【物】 正离子 zhèng-lízǐ; 阳离子 yánglízǐ

양·익(兩翼) 명 1 两翼 liǎngyì 『비행 기의 ~ 飞机的两翼 2 【军】 两翼 liǎngyì 『~에서 적군을 포위하다 从两 翼包围敌军

양인(良人) 명 1 好人 hǎorén 2 良人 liángrén

양인(洋人) 명 = 서양인

양·일(兩日) 명 两天 liǎngtiān

양·자(兩者) 명 两者 liǎngzhě; 二人 èrrén; 双方 shuāngfāng 『~ 간 관계 两者之间关系

양자(陽子) 명 【物】 = 양성자 『~ 역 학 量子力学

양·자(養子) 명 养子 yǎngzǐ = 양아들

양자(로) 들이다 타 收养子

양자(를) 들이다 타 收养子

양·자-택일(兩者擇一) 명하타 二者择 一 èrzhě zéyī

양·잠(養蠶) 명하자 【農】 养蚕 yǎng-cán = 누에치기 『~업 养蚕业

양장(洋裝) 명하자타 1 洋装 yáng-zhuāng; 洋式打扮 yángshì dǎban; 西 装 xīzhuāng; 西服 xīfú 2 精装 jīng-zhuāng; 洋装 yángzhuāng 『~본 精装 本 =[洋装本]

양장-점(洋裝店) 명 西装店 xīzhuāng-diàn = 의상실2

양재(洋裁) 명하자 洋裁 yángcái 『~ 학원 洋裁补习班 / ~를 배우다 学洋 裁 / ~의 기초 洋裁的基础

양-재기(洋—) 명 搪瓷器 tángcíqì

양-잿물(洋—) 명 烧咸水 shāoxián-shuǐ; 火咸水 huǒxiánshuǐ

양적(量的) 관 量的 liàngde; 数量 shùliàng; 数量的 shùliàngde; 数量上 shùliàngshàng 『~ 변화 量的变化 / ~ 규제 数量控制

양-전극(陽電極) 명 【物】 = 양극(陽

양-전기(陽電氣) 圐 【物】 正电 zhèngdiàn; 阳电 yángdiàn

양-전자(陽電子) 圐 【物】 正电子 zhèngdiànzǐ; 阳电子 yángdiànzǐ

양-전하(陽電荷) 圐 【物】 正电荷 zhèngdiànhé

양-젖(羊─) 圐 羊奶 yángnǎi = 양유

양:조(釀造) 圐|하[타] 酿造 niàngzào ¶~업 酿造业 niàngzàoyè / ~장 酿造厂 niàngzàochǎng / ~간장 酿造酱油 niàngzào jiàngyóu / ~식초 酿造醋 niàngzàocù / ~기술을 연구하다 研究酿造技术

양주(洋酒) 圐 1 西洋酒 xīyángjiǔ 2 洋酒 yángjiǔ ¶도수가 높은 ~를 마시다 喝很烈的洋酒

양:주(釀酒) 圐|하[자] 酿酒 niàngjiǔ

양주-배(釀酒杯) 圐 洋酒杯 yángjiǔbēi

양지(陽地) 圐 向阳地 xiàngyángdì; 朝阳地 cháoyángdì; 阳地 yángdì = 양달 ¶식물 阳地植物

양지(諒知) 圐|하[타] 谅知 liàngzhī

양지-머리 圐 牛排肉 niúpáiròu

양지-바르다(陽地─) 휑 向阳 xiàngyáng ¶나의 방은 양지발라서 겨울에도 그다지 춥지 않다 我的房间向阳, 所以冬天也不太冷

양질(良質) 圐 优质 yōuzhì; 良质 liàngzhì; 好质量 hǎozhìliàng ¶~의 교육 优质教育 / ~의 서비스 优质服务

양-쪽(兩─) 圐 两边 liǎngbiān; 两旁 liǎngpáng; 两头 liǎngtóu ¶도로의 ~ 马路的两头

양철(洋鐵) 圐 白铁 báitiě; 镀锌铁 dùxīntiě; 马口铁 mǎkǒutiě ¶~통 白铁桶

양-초(洋─) 圐 洋蜡 yánglà; 石蜡 shílà ¶~ 두 자루 两支洋蜡 / ~를 켜다 点洋蜡

양-측(兩側) 圐 1 两下里 liǎngxiàli; 双方 shuāngfāng ¶~이 협상을 진행하다 双方进行协商 2 两侧 liǎngcè; 两旁 liǎngpáng

양치(─齒) 圐|하[자] 刷牙 shuāyá; 漱口 shùkǒu ¶소금으로 ~하다 用盐刷牙

양-치기(羊─) 圐 牧羊 mùyáng; 饲羊 sìyáng; 牧羊者 mùyángzhě ¶~ 소년 牧羊少年

양치-질(─齒─) 圐|하[자] 刷牙 shuāyá; 漱口 shùkǒu ¶하루에 세 번 ~을 하다 一天刷三次牙

양:친(兩親) 圐 双亲 shuāngqīn ¶그는 어렸을 때 ~을 잃었다 他小时候就失去了双亲

양칫-물 圐 漱口水 shùkǒushuǐ

양코-배기(洋─) 圐 洋鬼子 yángguǐzi

양키(Yankee) 圐 美国佬 měiguólǎo

양-탄자(洋─) 圐 = 융단

양-털(羊─) 圐 羊毛 yángmáo = 양모(羊毛)·울(wool)1 ¶~ 부츠 羊毛靴 / ~ 이불 羊毛被 / ~을 깎다 剪羊毛

양-파(洋─) 圐 【植】 洋葱 yángcōng 葱头 cōngtóu ¶~를 까다 剥洋葱 / ~를 썰다 切洋葱

양판-점(量販店) 圐 量販店 liàngfàndiàn

양:-팔(兩─) 圐 两胳膊 liǎnggēbo; 双胳膊 shuānggēbo

양:-편(兩便) 圐|하[타] 两边 liǎngbiān; 两旁 liǎngpáng; 两头 liǎngtóu; 两侧 liǎngcè; 两处 liǎngchù

양분 圐 铜盆 tóngpén

양품(洋品) 圐 洋货 yánghuò; 洋品 yángpǐn ¶~점 洋货店 =[洋品店]

양피(羊皮) 圐 羊皮 yángpí = 양가죽 ¶~지 羊皮纸 / ~구두 羊皮皮鞋 / ~장갑 羊皮手套

양학(洋學) 圐 西学 xīxué

양해(諒解) 圐|하[타] 谅解 liàngjiě; 原谅 yuánliàng; 体谅 tǐliàng; 担待 dāndài = 이해(理解)3 ¶~ 각서 谅解备忘录 / 서로 ~하다 相互谅解

양행(洋行) 圐|하[자] 1 洋行 yángxíng 2 洋行 yángháng

양형(量刑) 圐|하[자] 【法】 量刑 liàngxíng

양호(良好) 圐|하[휑] 良好 liánghǎo ¶~한 상태 良好的状态 / 보존 상태가 ~하다 保存良好 / 성적이 ~하다 成绩良好

양호(陽號) 圐 【數】 正号 zhènghào = 양부호·플러스6

양:-호 교:사(養護敎師) 【敎】 保健老师 bǎojiàn lǎoshī

양:-호-실(養護室) 圐 医务室 yīwùshì

양회(洋灰) 圐 【建】 洋灰 yánghuī; 水泥 shuǐní

얕다 휑 1 浅 qiǎn ¶이 강은 매우 ~ 这条河很浅 / 구덩이가 너무 얕게 파졌다 坑挖得太浅了 2 浅薄 qiǎnbó; 疏浅 shūqiǎn; 浅陋 qiǎnlòu; 浅显 qiǎnxiǎn ¶학식이 얕은 사람 学识疏浅的人 / 얕은 관점 浅陋的看法

얕-보다 圁 小看 xiǎokàn; 轻视 qīngshì; 看不起 kànbuqǐ; 瞧不起 qiáobuqǐ; 藐视 miǎoshì ¶다른 사람을 ~ 轻视别人 / 그가 어리다고 얕보지 마라 不可小看他年轻

얕보-이다 圂 被轻视 bèi qīngshì; 被小看 bèi xiǎokàn (《 얕보다》的被动词)

얕은-꾀 圐 小权术 xiǎoquánshù; 短计 duǎnjì

얕은-맛 圐 清味 qīngwèi; 淡味 dànwèi

얘: [1] 圙 = 야!

얘: [2] 这个孩子 zhège háizi; 他 tā ¶~

가 또 안보이는군 他又不见了

야ː기 뎽 '이야기'의 略말

어 캡 **1** 啊 ā; 唉 ài〔表示吃惊或慌张〕¶~! 내일 회의에 참석하지 못하는데 어떡하죠? 唉! 明天我不能参加会议, 怎么办呢? **2** 嗨 hāi〔表示高兴、悲伤、后悔、赞扬〕¶~! 우산 가져오는 걸 깜박했다 嗨! 我忘了带来雨伞 **3** 哎 āi〔引起注意〕¶~! 빨리 와서 이것 좀 봐봐 哎! 快过来看看这个东西

―어(語) 졉뮈 语 yǔ; 话 huà; 文 wén; 词 cí ¶외래 ~ 外来词 / 고유 ~ 固有词 / 프랑스 ~ 法语 / 스페인 ~ 西班牙语

어(語) (語幹) 뎽 语干 cígàn

어ː간(語間) 뎽【語】词干 cígàn

어간-유(魚肝油) 뎽【藥】= 간유

어ː감(語感) 뎽 语感 yǔgǎn ¶~이 좋지 않다 语感不好 / ~이 다르다 语感不一样

어구(漁具) 뎽 渔具 yújù; 鱼具 yújù

어교(魚膠) 뎽 = 부레풀

어ː구(語句) 뎽 语句 yǔjù; 词句 cíjù

어군(魚群) 뎽 鱼群 yúqún; 鱼队 yúduì

어군 탐지기(魚群探知機)【水】探鱼仪 tànyúyí; 探鱼器 tànyúqì

어귀 뎽 口 kǒu; 入口 rùkǒu ¶마을 ~ 村庄口 / 나는 골목 ~에서 그를 세 시간 동안 기다렸다 我在胡同入口等了他三个小时

어그러-뜨리다 타 **1** 弄歪斜 nòng wāixié ¶문을 ~ 把门弄歪斜了 **2** 辜负 gūfù ¶나는 모두의 기대를 어그러뜨릴 수 없다 我不能辜负大家的期望 **3** 违背 wéibèi; 违反 wéifǎn ¶상도덕을 ~ 违背商业道德 ‖ = 어그러트리다

어그러-지다 자 **1** 歪斜 wāixié ¶사고로 입이 ~ 因事故, 口角歪斜 **2** 闹别扭 nào bièniu ¶우리는 사이가 어그러졌다 我们闹别扭了 **3** 猜不中 cāibuzhòng; 出乎 chūhū; 吹 chuī

어ː근(語根) 뎽【語】词根 cígēn

어금-니 뎽【生】白齿 jiùchǐ; 槽牙 cáoyá; 磨牙 móyá = 구치(臼齒)

　어금니를 악물다 囝 紧咬牙关

어긋-나다 자 **1** 歪斜 wāixié ¶어긋난 톱니바퀴 歪斜的齿轮 **2** 不合 bùhé; 违背 wéibèi; 不符值 bùfúzhí; 辜负 gūfù ¶상도덕에 ~ 违背商业道德 / 축구팬들의 기대에 ~ 辜负了球迷的期望 **3** 不和 bùhé ¶학부모와 학생이 ~ 家长与学生不和

어ː기(語氣) 뎽 语气 yǔqì

어기다 타 违背 wéibèi; 违反 wéifǎn; 辜负 gūfù; 孤负 gūfù; 违逆 wéinì ¶교통 법규를 ~ 违背交通法规 / 원칙을 ~ 违背原则

어기야 캡 = 어기야디야

어기야-디야 캡 唉嗨呀 āihāiyā = 어기야

어기여차 캡 嗨唷 hāiyō = 어기영차

어기영차 캡 = 어기여차

어기적-거리다 자 蹒跚地走 pánshānde zǒu = 어기적대다 ¶아이가 나를 향해 팔을 벌리고 어기적거리며 두 세 걸음 걷자 孩子向我伸开手臂, 蹒跚地走两三步 **어기적-어기적** 뮈하자

어김-없다 뎽 不违背 bùwéibèi; 没错 méicuò; 一定 yídìng; 必须 bìxū; 正确无误 zhèngquè wúwù **어김없-이** 뮈 ¶그녀는 오늘도 ~ 올 것이다 她今天也一定会来的 / ~ 제시간에 돌아와야 한다 必须按时回来

어깨 뎽 肩膀 jiānbǎng; 肩头 jiāntóu; 肩胛 jiānjiǎ; 肩 jiān ¶~선 肩线 / 솔기 肩缝 / 가방을 ~에 메다 把包子搭在肩上

　어깨가 가볍다 囝 如释重负

　어깨가 무겁다 囝 负担很重

　어깨가 움츠러들다 囝 心中羞愧

　어깨[어깨를] 으쓱거리다 囝 堂堂正正; 扬眉吐气

　어깨가 처지다[늘어지다] 囝 垂头丧气

　어깨를 겨누다[겨루다] 囝 不相上下

어깨-동무 뎽하자 **1** 搭肩膀 dājiānbǎng; 搭背 dājiān; 勾肩搭背 gōujiāndābèi ¶~를 하고 사진을 찍다 搭肩照相 **2** 竹马之友 zhúmǎzhīyǒu

어깨-뼈 뎽【生】肩胛骨 jiānjiǎgǔ; 肩骨 jiāngǔ; 琵琶骨 pípagǔ = 견갑골

어깨-춤 뎽 耸肩舞 sǒngjiānwǔ; 耸肩跳舞 sǒngjiān tiàowǔ ¶이 노래를 들으면 ~이 절로 난다 听这首歌, 就不觉地耸肩跳舞

어깻-죽지 뎽 肩头 jiāntóu; 肩臂 jiānbì

어깻-짓 뎽하자 动肩 dòngjiān; 耸肩 sǒngjiān ¶그는 너무 즐거워서 ~하며 큰 소리로 노래를 불렀다 他很高兴, 一边耸肩, 一边大声唱歌

어ː눌-하다(語訥一) 뎽【生】木讷 mùnè; 讷讷 nènè; 讷口 nèkǒu; 呐吃 nàchī ¶그녀는 말하는 것이 약간 ~ 她说话有些木讷

어느 괜 **1** 어느 nǎ; 哪个 nǎge; 哪一个 nǎyīge; 什么 shénme ¶너희는 ~ 나라에서 왔니? 你们是从哪个国家来的? / 너는 ~ 것이 마음에 드니? 你喜欢哪一个? **2** 某 mǒu; 某某 mǒumǒu; 有一个 yǒuyīge; 有一 yǒuyī ¶~ 날 某一天晚上 / ~ 회사 某某公司 **3** 多少 duōshao; 多 duō; 多么 duōme **4** 什么 shénme; 任何 rènhé

어느-덧 뮈 不知不觉中 bùzhībùjuézhōng; 不知不觉之间 bùzhībùjuézhījiān; 不觉间 bùjuéjiān; 一晃 yīhuàng ¶~ 봄이 찾아왔다 不知不觉中春天来了

어느-새 뮈 不一会儿 bùyìhuìr; 不多会儿 bùduōhuìr; 不一时 bùyìshí; 不知不觉间 bùzhībùjuéjiān ¶나는 ~ 그를 좋아하게 되었다 我不知不觉间爱上他了

어:는-점(─點) 몡 【物】1 冰点 bīngdiǎn = 冰点 2 结冰点 jiébīngdiǎn

어댑터(adapter) 몡 电源适配器 diànyuán shìpèiqì; 适配器 shìpèiqì; 转接器 zhuǎnjiēqì

어동육서(魚東肉西) 몡 鱼东肉西 yúdōngròuxī

어두육미(魚頭肉尾) 몡 鱼头肉尾 yútóuròuwěi

어두침침-하다 혱 = 어둠침침하다 **어두침침-히** 뮈

어두컴컴-하다 혱 昏暗 hūn'àn; 黑漆漆 hēiqīqī; 黑洞洞 hēidòngdòng; 黑沉沉 hēichénchén; 昏黑 hūnhēi; 黑糊糊 hēihūhū; 黑黢黢 hēiqūqū ¶하늘이 다시 어두컴컴해졌다 天空又变得昏暗 / 밖은 이미 ~ 外面已是黑漆漆

어둑-어둑[하]뮈 昏暗 hūn'àn; 昏沉 hūnchén; 黑洞洞 hēidòngdòng; 黑漆漆 hēiqīqī ¶한 길을 혼자서 걷다 一个人走在黑漆漆的路

어둑-하다 혱 昏暗 hūn'àn; 黑蒙蒙 hēiméngméng; 黑洞洞 hēidòngdòng; 黑漆漆 hēiqīqī; 黑沉沉 hēichénchén ¶하늘은 여전히 ~ 天色仍然是黑沉沉的 **어둑-히** 뮈

어둠 몡 昏暗 hūn'àn; 黑暗 hēi'àn; 黑 hēi; 夜幕 yèmù ¶~이 깔리다 夜幕低垂

어둠침침-하다 혱 阴暗 yīn'àn; 阴晦 yīnhuì; 阴沉沉 ànchénchén; 阴霾 yīnmái; 阴沉沉 yīnchénchén; 阴森 yīnsēn = 어두침침하다 ¶어둠침침한 날씨 阴霾的天气 / 하늘은 어두침침하고 가랑비가 내리고 있다 天阴沉沉的, 下着朦雨 **어둠침침-히** 뮈

어둡다 혱 1 暗 àn; 黑 hēi; 黑暗 hēi'àn ¶어두운 사회 黑暗的社会 / 어두운 복도 黑暗的走廊 2 (视力、听力) 弱 ruò; 不好 bùhǎo ¶그는 눈이 ~ 他视力不好 / 우리 할머니는 귀가 어두우시다 我奶奶听力不好 / 이 방은 너무 ~ 这个房间太暗 3 (세상 물정에) 昧 mèi; 不懂 bùdǒng; 盲目 mángmù ¶그는 이쪽 일에 ~ 他不懂这行业 4 阴沉 yīnchén; 灰暗 huī'àn ¶마음이 ~ 心情阴沉 / 그는 얼굴색이 ~ 他面色阴暗 / 피부가 ~ 皮肤暗

어디 떼 哪里 nǎli; 哪儿 nǎr ¶너는 ~에서 왔니? 你是从哪里来的? / 너희들 ~ 가니? 你们去哪儿? / 오늘 저녁은

~에서 먹지? 今天晚上在哪儿吃饭呢?

어떠-하다 혱 怎么样 zěnmeyàng; 如何 rúhé; 怎样 zěnyàng; 什么样 shénmeyàng ¶일의 결과가 어떠하겠습니까? 事情的结果会如何?

어떤 떼 某 mǒu; 谁 shéi; 哪些 nǎxiē; 哪个 nǎge; 有的 yǒude ¶~ 곳에서는 담배를 피우지 못한다 在有的地方禁止吸烟 / ~ 사람들은 술을 마시지 못한다 有的人不能喝酒

어떻다 혱 怎么样 zěnmeyàng; 如何 rúhé; 怎样 zěnyàng; 什么样 shénmeyàng

어려움 몡 困难 kùnnan

어려워-하다 타 1 介意 jièyì; 客气 kèqi; 不好意思 bùhǎoyìsi; 敬畏 jìngwèi; 畏惧 wèijù ¶어려워하지 말고 많이 드세요 别介意, 请慢用 / 상사를 ~ 敬畏上司 2 畏难 wèinán; 为难 wéinán ¶수학을 ~ 畏难数学

어려이 뮈 1 难 nán; 困难 kùnnan 2 介意 jièyì ¶~ 여기지 말고 많이 드세요 别介意, 请慢用

어련-하다 혱 当然 dāngrán (与疑问式谓语搭配, 表示明确的肯定) ¶그건 일류 요리사가 만든 음식이니 어련하겠습니까 那是一流的厨师做的菜, 当然会好吃

어렴풋-하다 혱 不清楚 bùqīngchu; 模模糊糊 mómohúhú; 模糊 móhu; 模糊不清 móhùbùqīng; 朦胧 ménglóng; 隐约 yǐnyuē; 隐隐约约 yǐnyǐnyuēyuē; 缥缈 piāomiǎo; 影影绰绰 yǐngyingchuòchuò; 依稀 yīxī; 恍惚 huǎnghū ¶어렴풋한 뒷모습 模模糊糊的背影 / 그는 어렴풋하게 과거의 일을 기억하고 있다 他依稀记得过去的事情

어렵다 혱 1 难 nán; 不容易 bùróngyì ¶이 문제는 너무 ~ 这个问题太难 2 困难 kùnnan; 艰苦 jiānkǔ ¶经济가 ~ 经济困难 / 지금 상황이 아주 ~ 现在的情况十分困难 / 조건이 아주 ~ 条件很艰苦 3 (脾气) 怪 guài ¶그는 성미가 어려워 사귀기 좋지 않다 他脾气很古怪, 不好交往

어렵사리 뮈 难得 nándé; 好容易 bùróngyì; 好不容易 hǎobùróngyì

어로(漁撈) 몡[하]타 渔捞 yúlāo; 捕捞 bǔlāo; 捕鱼 bǔyú

어로-기(漁撈期) 몡 捕鱼期 bǔyúqī; 渔汛 yúxùn; 鱼汛 yúxùn; 渔汛期 yúxùnqī

어:-록(語錄) 몡 语录 yǔlù ¶마오쩌둥 ~ 毛泽东语录

어뢰(魚雷) 몡 【军】鱼雷 yúléi ¶~정 鱼雷艇 / ~를 발사하다 发射鱼雷

어루-만지다 타 1 摸 mō; 抚摸 fǔmō;

抚摩 fǔmó; 摩 mó; 拨弄 fǔnòng; 摩弄 mónòng; 摸摸 mōmō ¶내 손을 ~ 抚摩我的手 2 抚慰 fǔwèi; 安慰 ānwèi ¶상처 입은 마음을 ~ 抚慰受伤的心

어류(魚類) 圀〔動〕鱼类 yúlèi ¶~도 감 鱼类图鉴

어:르다 囲 1 哄 hǒng; 哄逗 hǒngdòu 2 逗 dòu; 捉弄 zhuōnòng; 戏弄 xìnòng 3 诱劝 yòuquàn; 引诱 yǐnyòu

어르고 뺨 치기 [團] 口蜜腹剑

어:르신 圀 = 어르신네

어:르신-네 圀 1 令尊 lìngzūn; 令大人 lìngdàrén ¶~께서는 네가 여행가는 것에 동의하시니? 令尊同意你去旅行吗? 2 大爷 dàye; 老爷子 lǎoyézi; 老人家 lǎorénjia; 老太爷 lǎotàiyé ¶~를 모시고 박물관에 가다 陪老爷子去博物馆 ∥ = 어르신

어:른 圀 1 成人 chéngrén; 大人 dàren; 人丁 réndīng ¶그는 이미 커서 ~이 되었다 他已经长大成人了 2 尊长 zūnzhǎng; 长辈 zhǎngbèi ¶~께 무례하다 对长辈无礼 / 시叔 ~들을 찾아 뵙다 造访婆婆家的尊长 3 已婚者 yǐhūnzhě 4 长老 zhǎnglǎo 5 尊长 lìngzūn; 令大人 lìngdàrén

어른 뺨치다 [句] 后生可畏

어른-거리다 죄 1 隐隐约约 yǐnyīn-yuēyuē 2 晃动 huàngdòng ¶눈앞에서 ~ 在眼前晃动 ∥ = 어른대다 **어른-어른** 閉[하다] 小黑点在眼前晃动

어:른-스럽다 圀 老成 lǎochéng; 稳气 lǎoqi ¶나는 네가 아주 어른스러운 것 같아 我是觉得你很老成 **어:른스레** 閉

어리광 圀[하다] 娇态 jiāotài; 撒娇 sājiāo; 娇姿 jiāozī ¶그녀는 ~ 부리는 모습이 아주 귀엽다 她撒娇的样子很可爱 / 그녀는 ~을 잘 부린다 她很会撒娇

어리-굴젓 圀 辣牡蛎酱 làmǔlìjiàng

어리다[1] 죄 1 (眼泪) 噙 qín; 带 dài 2 结 jié; 弥漫 mímàn; 泛知 1 ¶성공의 기쁨이 어려어 있다 凝聚着成功的喜悦 / 실패의 아픔이 어려어 있다 弥漫着失败的痛苦

어리다[2] 圀 1 (年龄) 小 xiǎo; 年小 niánxiǎo; 幼 yòu; 幼小 yòuxiǎo; 年幼 niányòu; 少 shào ¶어려서 아는 것이 없다 年幼无知 / (年龄比某人) 小 xiǎo

어리둥절-하다 圀 迷糊 míhu; 迷茫 mímáng; 蒙在鼓里 méngzàigǔlǐ; 眼花缭乱 yǎnhuā liáoluàn ¶그는 우리를 어리둥절하게 바라보았다 他迷糊地看着我们 **어리둥절-히** 閉

어리벙벙-하다 圀 含糊不清 hánhun-

bùqīng; 迷糊 míhu; 眼花缭乱 yǎnhuā liáoluàn ¶말하는 것이 ~ 说话含糊不清 **어리벙벙-히** 閉

어리석다 圀 愚蠢 yúchǔn; 愚笨 yúbèn; 愚昧 yúmèi; 愚钝 yúdùn ¶그는 좀 ~ 他比较愚钝 / 어리석은 질문을 하다 问愚蠢的问题 / 어리석은 잘못 愚蠢的错误 / 어리석은 행동 愚蠢的行动

어리숙-하다 圀 呆傻 dāishǎ; 傻帽儿 shǎmàor; 傻乎乎 shǎhūhū; 傻呵呵 shǎhēhē; 憨厚 hānhou; 傻笨 shǎbèn

어린-나무 圀〔農〕幼树 yòushù

어린-싹 圀〔植〕嫩芽 yòuyá; 嫩芽 nènyá

어린-아이 圀 小孩(儿) xiǎohái(r); 小孩子 xiǎoháizi; 孩子 háizi = 소아 · 유아(幼兒)2

어린-애 圀 '어린아이'의 略词

어린-양(一羊) 圀〔宗〕羔羊 gāoyáng

어린-이 圀 儿童 értóng; 孩子 háizi; 小孩子 xiǎoháizi; 小孩(儿) xiǎohái(r) ¶~날 儿童节

어린이-집 圀 托儿所 tuō'érsuǒ

어린-잎 圀〔植〕嫩叶 nènyè; 幼叶 yòuyè

어림 圀[하다] 估 gū; 估计 gūjì; 估量 gūliang; 估摸 gūmo ¶내가 ~컨대 그는 내년까지는 돌아오지 못할 것이다 我估摸着他到明年不能回来

어림-셈 圀[하다] 估算 gūsuàn; 估计 gūjì ¶이 물품의 가격을 ~해 봐라 估算一下这个物品的价格

어림-수(一數) 圀 估计数 gūjìshù

어림-없다 圀 没门儿 méiménr; 没有门儿 méiyǒuménr; 根本不可能 gēnběn bùkěnéng ¶내 능력으로 그 일을 한다는 것은 ~ 以我的能力, 根本不可能做那件事 **어림없-이** 閉

어림-잡다 圀 估计 gūjì; 估量 gū-liang; 估摸 gūmo ¶가격을 ~ 估摸价格 / 어림잡아 삼백 명 정도가 지진으로 사망했다 估计三百人地震中死亡

어림-짐작 圀[하다] 估计 gūjì; 估量 gū-liang; 估摸 gūmo ¶이번 달 소비량이 ~으로 10톤에 이른다 这个月的消费量估计达10万吨

어릿-광대 圀 小丑 xiǎochǒu; 小艺人 xiǎoyìrén

어마어마-하다 圀 1 厉害 lìhai; 吓人 xiàrén ¶어마어마하게 높은 아파트 高得吓人的楼房 2 可怕 kěpà ¶나는 어제 어마어마한 소식을 들었다 我昨天听到了可怕的消息

어망(漁網 · 魚網) 圀 渔网 yúwǎng; 鱼网 yúwǎng ¶~을 치다 撒渔网

어머 囧 哎呀 āiyā; 我的妈妈 wǒde mā-yā ¶~, 밖에 눈이 왔네 哎呀, 外面下

雪了／～, 이를 어째? 我的妈呀, 这怎么办?

어머나 값 '어머'의 강조어 ¶～, 오늘 그의 생일인 걸 깜빡했다 我的妈呀, 我忘了今天是他的生日

어머니 몡 妈妈 māma; 母亲 mǔqīn; 家母 jiāmǔ; 娘 niáng; 妈 mā; 母 mǔ ¶그의 ～ 他的母亲

어머-님 몡 '어머니'의 경칭

어멈 몡 老妈子 lǎomāzi; 管家婆 guǎnjiāpó

어:명(御命) 몡 圣旨 shèngzhǐ; 敕命 chìmìng; 君命 jūnmìng; 大命 dàmìng; 诏旨 zhàozhǐ

어-묵(魚一) 몡 鱼饼 yúbǐng; 鱼糕 yúgāo = 생선묵

어:문(語文) 몡 **1** 语文 yǔwén = 언문 **2** = 어문학

어:문-학(語文學) 몡 语文学 yǔwénxué = 어문2

어물(魚物) 몡 鱼 yú; 干鱼 gānyú

어물-거리다 재 **1** 磨蹭 móceng ¶거기서 어물거리지 말고 얼른 들어와라! 别在那里磨蹭, 快进来吧! **2** 晃动 huàngdòng ¶벌레 같은 것이 눈앞에서 ～ 小虫子似的东西在眼前晃动 ∥어물대다 **어물-어물** 튀郟 ¶문 앞에서 ～하며 차마 들어오지 못하다 在门前磨磨蹭蹭的, 不敢进来

어물-전(魚物廛) 몡 鱼店 yúdiàn 어물전 망신은 꼴뚜기가 시킨다 속담 一条臭鱼坏了一锅汤

어물쩍 튀郟 蒙混 ménghùn; 含混 hánhùn; 混水摸鱼 hún shuǐ mōyú ¶～ 넘어갈 생각하지 마라 你别想蒙混过去

어물쩍-거리다 재 蒙混过去 ménghùnguòqù; 含混过去 hánhùnguòqù; 混水摸鱼 hún shuǐmōyú; 浑水摸鱼 hún shuǐ-mōyú; 混过关 hùnguòguān; 含混 hánhùn; 蒙混 ménghùn = 어물쩍대다 ¶너는 '잊어버렸다'는 한 마디면 그냥 어물쩍거리고 넘길 수 있을 줄 알았니? 你以为一句你 '忘了' 就可以蒙混过去吗? **어물쩍-어물쩍** 튀郟

어미 몡 **1** 妈 mā; 母 mǔ; 妈妈 māma; 娘 niáng ¶～ 소 母牛 / ～ 호랑이 母老虎 **2** (结婚后有子女的) 女儿 nǚ'ér **3** (公婆指称的) 儿媳妇 érxífu

어-미(語尾) 몡 【語】 词ต cíwěi; 语尾 yǔwěi; 后缀 hòuzhuì

어민(漁民) 몡 = 어부

어백(魚白) 몡 = 이리1

어버이 몡 父母 fùmǔ ¶～의 은혜 父母的恩惠

어버이-날 몡 父母节 fùmǔjié; 母亲节 mǔqīnjié

어:법(語法) 몡 【語】 语法 yǔfǎ ¶中国

어:부(漁夫·漁父) 몡 渔人 yúrén; 渔夫 yúfū; 渔民 yúmín; 渔工 yúgōng; 打鱼的 dǎyúde = 어민

어부바 몡하자 背背 bèibèi; 背我 bèiwǒ

어부지리(漁夫之利) 몡 渔人之利 yúrénzhīlì; 渔人得利 yúrén délì; 渔利 yúlì; 渔翁之利 yúwēngzhīlì; 渔翁得利 yúwēng délì

어:불성설(語不成說) 몡 不像话 bùxiànghuà; 不成话 bùchénghuà ¶네가한 말은 완전히 ～이다 你说的简直不成话

어:사(御史) 몡 【史】 **1** 御史 yùshǐ **2** = 암행어사

어:사-또(御史一) 몡 【史】 '어사'의 경칭

어:산적(漁散炙) 몡 烤鱼串 kǎoyúchuàn

어:색-하다(語塞一) 톙 **1** 不自然 bùzìran; 尴尬 gāngà; 别扭 bièniu; 难为情 nánwéiqíng; 腼腆 miǎntiǎn ¶不自然的感觉 / 그의 태도가 좀 ～ 他的态度有点儿不自然 **2** 生硬 shēngyìng; 不成话 bùchénghuà ¶内容이 좀 ～ 内容有些不通顺 / 어색한 부분을 수정하다 修改不通顺的地方 **3** 理屈词穷 lǐqūcíqióng; 难言 nányán; 语塞 yǔsè ¶어색한 변명 难言的借口 어:색-히 튀

어서 튀 **1** 快 kuài; 赶快 gǎnkuài ¶손님이 곧 오시니 ～ 방을 치워라! 客人不久要来, 快点儿收拾房间吧! / ～ 발합시다! 我们赶快出发吧! **2** 请 qǐng; 欢迎 huānyíng ¶～ 오세요 欢迎光临 / ～ 들어오세요 请进

어서-어서 튀 **1** 快快 kuàikuài; 很快 hěnkuài **2** 欢迎 huānyíng; 请 qǐng

어선(漁船) 몡 渔船 yúchuán = 고기잡이배·고깃배

어:설프다 톙 **1** 散漫 sǎnmàn; 稀疏 xīshū; 疏稀 shūxī; 不自然 bùzìran; 粗cū ¶그는 어설프지만 열정적인 사람이다 他是一个很散漫而热情的人 **2** 轻率 qīngshuài ¶어설픈 결론 轻率的结论

어:설피 튀 **1** 稀疏地 xīshūde; 不自然地 bùzìrande; 生疏地 shēngshūde ¶～ 짠 어망 结得很稀疏的鱼网 **2** 轻率地 qīngshuàide ¶혼자서 ～ 중대한 일을 결정하다 一个人轻率地决定重大的事

어:세(語勢) 몡 语势 yǔshì

어:소(語素) 몡 【語】 词素 císù

어수룩-하다 톙 **1** 憨厚 hānhou; 纯朴 chúnpǔ ¶어수룩한 시골 처녀 纯朴的乡村姑娘 **2** 傻笨 shǎbèn ¶어수룩한 말과 행동 傻笨的言行 **어수룩-이** 튀

어수선-하다 휑 **1** 乱 luàn; 乱糟糟 luànzāozāo; 散乱 sǎnluàn; 杂乱 záluàn; 纷乱 fēnluàn; 乱七八糟 luànqībāzāo ¶교실이 너무 ~ 教室里太乱了/방 안에 옷과 쓰레기들이 어수선하게 널려 있다 房间里到处都是乱糟糟的衣服和垃圾 **2** 〈心情或气氛〉烦 fán; 烦乱 fánluàn; 乱 luàn; 乱纷纷 luànfēnfēn; 乱腾腾 luànténgténg; 乱糟糟 luànzāozāo ¶그는 지금 마음이 어수선해서 아무런 일도 할 수가 없다 他现在心烦意乱, 不能做什么工作 **어수선-히** 튀

어:순〈語順〉 몡 〖語〗 词序 cíxù; 语序 yǔxù

어스레-하다 휑 昏暗 hūn'àn; 朦胧 ménglóng = 어스름하다 ¶하늘이 다시 어스레해졌다 天空又变得昏暗 **어스레-히** 튀

어스름 昏暗 hūn'àn = 거미¹ ¶저녁 ~이 내리깔린 초원 晚上昏暗的草原

어스름-하다 휑 = 어스레하다 **어스름-히** 튀

어슬렁-거리다 짜 慢慢走 mànmàn zǒu; 慢吞吞地走 màntūntūn de zǒu = 어슬렁대다 ¶할 일이 없어 밖에 나가 어슬렁거리고 다니다 没有事可做, 就出去到处慢慢走 **어슬렁-어슬렁** 튀 **허겁타** 〔一的〕한 무리의 사람들이 나를 보더니 – 다가왔다 一群人一看我就慢吞吞地走过来

어슴푸레 튀휑 **1** 昏暗 hūn'àn = 한 가로등 昏暗的路灯 **2** 隐约 yǐnyuē; 朦胧 ménglóng ¶밖에 사람이 오고 가는 것이 ~하게 보이다 隐约看到有人在外边来回 **3** 模糊 móhu ¶~한 기억 模糊的记忆

어슷-비슷 튀휑 差不离 chàbùlí; 差不多 chàbuduō; 不相上下 bùxiāngshàngxià ¶그들은 성적이 ~하다 他们成绩不相上下 / 우리는 키가 다 ~하다 我们身高都差不离

어슷-썰기 몡 切成斜片 qiēchéng xiépiàn ¶오이를 칼로 ~ 하다 把黄瓜用刀切成斜片

어슷-하다 휑 斜 xié; 歪 wāi; 歪斜 wāixié; 歪斜的 wāixiéde ¶호박을 어슷하게 썰다 把南瓜切得歪斜 / 모자를 어슷하게 쓰고 있다 歪戴着帽子 **어슷-이** 튀〔一的〕생선에 ~ 칼집을 몇 군데 냈다 鱼身上斜斜地划了几刀

어시스트〈assist〉 몡 〖體〗〈篮球、足球等的〉助攻 zhùgōng

어-시장〈魚市場〉 몡 鱼市 yúshì; 鱼市场 yúshìchǎng

어:안 瞠目结舌 chēngmùjiéshé; 目瞪口呆 mùdèngkǒudāi; 发愣 fālèng; 张口结舌 zhāngkǒujiéshé

어안이 벙벙하다 囝 瞠目结舌; 目瞪口呆; 发愣; 张口结舌

어언〈於焉〉 튀 = 어언간

어언-간〈於焉間〉 튀 不觉间 bùjuéjiān; 不知不觉间 bùzhībùjuéjiān = 어언 ¶~ 벌써 새벽 1시가 되었다 不知不觉间已经快天亮一点了

어업〈漁業〉 몡 渔业 yúyè ¶~ 자원 渔业资源 / ~ 협정 渔业协定 / ~에 종사하다 搞渔业

어여쁘다 휑 可爱 kě'ài; 美 měi; 美丽 měilì; 漂亮 piàoliang; 妩媚 wǔmèi; 标致 biāozhì ¶어여쁜 아가씨 美丽的姑娘 / 그의 딸은 아주 어여쁘게 생겼다 他的女儿长得十分妩媚

어여삐 튀 可爱(地) kě'ài(de); 美丽(地) měilì(de) ¶모두들 그녀를 아주 ~ 여긴다 大家都觉得她很可爱

어엿-하다 휑 堂堂 tángtáng; 当之无愧 dāngzhīwúkuì; 理直气壮 lǐzhíqìzhuàng ¶어엿한 축구왕이다 他是当之无愧的足球王

어:용〈御用〉 몡 御用 yùyòng ¶~ 문인 御用文人 / ~ 기자 御用记者 / ~ 문학 御用文学 / ~ 신문 御用报纸 / ~학자 御用学者

어우러-지다 짜 和谐 héxié; 协调 xiétiáo; 和协 héxié ¶서로 어우러지는 사회를 건설하다 建立和谐社会

어우르다 타 并 bìng; 合 hé ¶여럿이서 힘을 어울러 문제를 해결하다 多方合力解决问题

어울리다 짜 谐调 xiétiáo; 和谐 héxié; 适合 shìhé; 合适 héshì; 相称 xiāngchèn ¶이 옷은 너에게 잘 어울린다 这件衣服很合适你 / 자기에게 가장 어울리는 상대를 찾다 寻找最适合自己的对象

어:원〈語源·語原〉 몡 〖語〗词源 cíyuán; 语源 yǔyuán

어유 = 어이구 ¶~, 답답해 죽겠네! 哎呀, 闷死我了! / ~, 오늘 날씨 정말 춥다 唉呀, 今天天气真冷

어육〈魚肉〉 몡 鱼肉 yúròu

어음 몡 〖經〗票据 piàojù; 期票 qīpiào; 汇票 huìpiào ¶~장 票据册 / ~거래 票据买卖 / ~ 인수 票据承兑 / ~회수 票据回收 / ~을 매매하다 买卖票据 / ~을 발행하다 开票据

어음 할인〈一割引〉 몡 〖經〗贴现 tiēxiàn; 票据贴现 piàojù tiēxiàn = 할인2

어:의〈御醫〉 몡 〖史〗御医 yùyī

어:의〈語義〉 몡 语义 yǔyì; 词义 cíyì ¶~ 분석 语义分析

어이¹ 몡 = 어처구니

어이² 튀짜타 怎么 zěnme; 怎么办 zěnmebàn; 哪能 nǎnéng ¶이 일을 ~ 할꼬? 这该怎么办呢?

어이³

572

어:이³ 웨 wèi

어이구 젭 哎呀 āiyā; 哎哟 āiyō = 어유 ¶~, 아까 죽겠다! 哎哟, 痛死了!

어이-없다 휑 = 어처구니없다 ¶모두들 어이없다는 듯이 그를 보고 있다 大家都无可奈何地看着他 **어이없-이** 闬

어이쿠 젭 哎呀 āiyā; 哎哟 āiyō

어인 괜 怎么 zěnme; 什么 shénme; 何 hé ¶그는 ~ 까닭으로 울고 있는가? 他在哭是什么缘故?

어장(漁場) 몡 渔场 yúchǎng; 渔区 yúqū ¶~을 경영하다 经营渔场

어저께 몡闬 = 어제

어:전(御前) 몡 御前 yùqián ¶~ 회의 御前会议

어정-거리다 짜탸 慢慢地走 mànmàn de zǒu; 磨蹭 móceng = 어정대다 ¶밖에서 어정거리지 말고 얼른 들어와라! 别在外面磨蹭, 快进来吧! **어정-어정** 闬하짜탸

어정쩡-하다 휑 1 犹豫不决 yóuyù bùjué ¶그녀는 지금까지도 여전히 어정쩡한 태도를 취하고 있다 她直到现在, 还是犹豫不决 2 模糊 móhu **어정쩡-히** 闬

어제 몡闬 昨天 zuótiān; 昨儿 zuór; 昨日 zuórì; 昨儿께 zuór ¶그는 ~ 중국에서 돌아왔다 他昨天从中国回来了 / ~가 무슨 날이었니? 昨天是什么日子?

어제-오늘 몡闬 昨天今天 zuótiān jīntiān; 昨今 zuójīn; 最近 zuìjìn; 近来 jìnlái; 这几天 zhèjǐtiān ¶우리는 ~ 무척 바빴다 我们昨天今天都很忙 / 실업 문제는 ~의 일이 아니라 失业问题并不是近来的事情

어제-저녁 몡 昨晚 zuówǎn; 昨天晚上 zuótiān wǎnshàng ¶그는 ~ 전화 한 통을 받았다 他昨晚接到了一个电话

어젯-밤 몡 昨夜 zuóyè; 昨晚 zuówǎn; 昨天晚上 zuótiān wǎnshang = 전야(前夜) ¶~에 술을 너무 많이 마셨다 昨晚酒喝得太多了

어:조(語調) 몡 1 语调 yǔdiào; 语气 yǔqì; 腔调 qiāngdiào; 声调 shēngdiào ¶그는 친절한 ~로 말했다 他用亲切地语调说了 2 [语] = 억양2

어:조-사(語助辭) 몡 [语] 虚词 xūcí

어:족(語族) 몡 [语] 语族 yǔzú; 语系 yǔxì

어종(魚種) 몡 鱼种 yúzhǒng ¶진귀한 ~ 珍贵鱼种 / ~이 다양하다 鱼种很多

어죽(魚粥) 몡 = 생선죽

어:줍다 휑 不灵便 bùlíngbiàn; 不熟练 bùshúliàn

어줍잖다 휑 '어쭙잖다'의 오류

어중간(於中間) 몡하闬 1 倒长不短 dàochángbùduǎn; 倒多不少 dàoduō bùshǎo; 怎么也不合适 zěnme yě bù héshì; 高不成, 低不就 gāobùchéng dībùjiù ¶길이가 ~하다 长度怎么也不合适 2 犹豫 yóuyù ¶내 말을 듣고 나서도 그는 여전히 ~한 태도를 취했다 听了我的话以后, 他还是犹豫不决

어중-되다 휑 不合适 bùhéshì ¶크기가 어중되어 내가 입으면 너무 크고 언니가 입으면 너무 작다 大小不合适, 我穿太大, 姐姐穿太小

어:중이-떠중이 몡 乌龟王八 wūguīwángbā; 乌合之众 wūhézhīzhòng; 牛鬼蛇神 niúguǐ shéshén

어지간-하다 휑 1 差不多 chàbuduō ¶그만하면 ~ 那样就差不多了 2 相当 xiāngdāng ¶성격이 어지간해서 그 사람들과 잘 지낸다 性格相当不错, 跟别人和睦相处 3 一般 yìbān; 普通 pǔtōng ¶그는 키가 ~ 他的个子一般高 / 그녀는 몸매가 ~ 她身材普通 **어지간-히** 闬

어지러-뜨리다 탸 搞乱 gǎoluàn; 弄乱 nòngluàn; 弄得乱七八糟 nòngde luànqībāzāo = 어지러트리다 ¶그들은 방을 엉망으로 어지러뜨렸다 他们把房间弄得乱七八糟了

어지럼 몡 = 현기

어지럼-증(-症) 몡 = 현기증

어지럽다 휑 1 晕 yūn; 昏 hūn; 晕眩 yūnxuàn; 晕花 yūnhuā ¶그녀는 갑자기 머리가 어지러웠다 她的头突然发昏了 / 잠을 잘 못자서 머리가 좀 ~ 睡不好觉, 头有点晕 2 混乱 hùnluàn; 乱 luàn; 乱腾 luànténg ¶이 세상은 너무 ~ 这个世界太乱了

어지럽-히다 탸 '어지럽다'의 사동사

어지르다 탸 搞乱 gǎoluàn; 弄乱 nòngluàn; 弄得乱七八糟 nòngde luànqībāzāo ¶아이들이 금새 방을 엉망으로 질렀다 孩子们很快就把房间弄得乱七八糟了

어질다 휑 仁慈 réncí; 善良 shànliáng; 良善 liángshàn ¶그는 진실하고 어진 사람이다 他是个又老实又善良的人

어질-어질 몡하闬 发晕 fāyūn; 晕糊糊 yūnhúhú; 眩晕 xuànyùn

어째서 闬 为什么 wèishénme; 怎么 zěnme ¶내가 ~ 네 대신 거기에 가야 하는 거니? 我为什么要替你去那里呢?

어쨌든 闬 不管怎样 bùguǎn zěnyàng; 无论怎样 wúlùn zěnyàng; 无论如何 wúlùn rúhé; 无论怎样

어쨌든 闬 = 아무튼 ¶사람들이 너를 속일 수도 있지만 ~ 너는 진실해야 한다 人们可能骗你, 无论如何, 你要诚实

어쩌고-저쩌고 뭐하자 说这说那 shuōzhèshuōnà; 说长道短 shuōchángdàoduǎn; 说白道绿 shuōbáidàolǜ

어쩌다¹ 재 '어찌하다2'的略词 2 什么 shénme; 为什么 wèishénme

어쩌다² 一부 1 '어찌다가1'的略词 2 '어찌다가2'的略词 ¶~ 나는 그들이 생각난다 偶尔我想起他们 一재타 '어찌하다'的略形

어쩌다가 一부 1 偶然 ǒurán; 不料 bùliào ¶그는 ~ 그가 쓴 옛 일기를 발견했다 他偶然发现了以前他写的日记 2 偶尔 ǒu'ěr ¶우리는 ~ 한 번씩 만난다 我们偶尔见面

어쩌면 一부 1 可能 kěnéng; 恐怕 kǒngpà ¶~ 그는 안 올지도 모른다 恐怕他不会来 / 그들은 ~ 오늘이 네 생일인 것 같으면 모른다 他们可能今天是你的生日 2 怎么 zěnme; 如何 rúhé ¶너는 ~ 이것도 모르니? 你怎么连这个都不知道 二 怎么办 zěnmebàn; 怎么搞 zěnmegǎo ¶대체 ~ 좋을지 말씀해 주세요 请你告诉我, 我到底怎么办才好

어쩐지 부 不知知怎么 bùzhī zěnme; 不知为什么 bùzhī wèishénme; 怪不得 guàibude; 难怪 nánguài ¶~, 그래서 네 몸이 이렇게 좋구나! 怪不得你身体这么好!

어쩜 一부 1 '어쩌면一1'的略词 2 '어쩌면一2'的略词 二감 哎呀 āiyā; 我的妈呀 wǒde māyā

어쭙잖다 형 不怎么样 bùzěnmeyàng; 没什么了不起 méishénme liǎobuqǐ; 没什么大不了 méishénme dàbùliǎo ¶그는 어쭙잖은 능력에 대단히 우쭐해한다 他能力不怎么样, 但很骄傲

어찌 부 1 怎么 zěnme; 哪能 nǎnéng ¶우리가 ~ 네 결혼식에 참석하지 않을 수 있겠니? 我们哪能不去参加你的婚礼呢? 2 别提多… biétí duō…; 那么 nàme; 太 tài; 很 hěn

어찌나 부 '어찌2'的强调语 ¶날씨가 ~ 추운지 나가기가 겁난다 天气太冷, 不敢出门

어찌-어찌 부하자 这么这么 zhème zhème; 这样那样 zhèyàng nàyàng

어찌-하다 재타 怎么 zěnme; 为什么 wèishénme ¶그는 어찌하여 수업에 안 나옵니까? 他为什么不来上课? / 이 일을 어찌하면 좋겠니? 这件事怎么处理才好呢? 2 怎么搞 zěnme gǎo; 怎么办 zěnmebàn

어차피 (於此彼) 부 反正 fǎnzheng; 不管怎样 bùguǎn zěnyàng; 无论怎样 wúlùn zěnyàng; 无论如何 wúlùn rúhé; 好歹 hǎodǎi; 既然 jìrán ¶~ 그녀는 내일 출국이니 이미 너무 늦었다 反正她明

天要出国, 已经太晚了

어처구니 명 无可奈何 wúkě nàihé; 有口难辩 yǒukǒu nánbiàn; 啼笑皆非 tíxiào jiēfēi = 어이¹

어처구니-없다 형 无可奈何 wúkě nàihé; 有口难辩 yǒukǒu nánbiàn; 啼笑皆非 tíxiào jiēfēi = 어이없다 ¶어처구니없는 사실 让人有口难辩的事实 / 어처구니없는 대답 令人啼笑皆非的回答 어처구니-없이 부

어촌 (漁村) 명 渔村 yúcūn

어쿠스틱 기타 (acoustic guitar) [音] 原声吉他 yuánshēng jítā

어: -투 (語套) 명 = 말투

어패-류 (魚貝類) 명 鱼贝类 yúbèilèi

어폐 (語弊) 명 语弊 yǔbì; 语病 yǔbìng ¶이 말에는 ~가 있다 这句话有语病

어포 (魚脯) 명 鱼脯 yúfú

어푸-어푸 부하자 噗噗 pūpū 《落水后吐水声》

어필 (appeal) 명하자타 1 呼吁 hūyù; 呼请 hūqíng 2 [體] (比赛中) 诉请裁判 sùzhū cáipàn; 抗议裁判 kàngyì cáipàn

어: -학 (語學) 명 [語] 1 语言研究 yǔyán yánjiū 2 学习外语 xuéxí wàiyǔ 3 = 언어학

어: -학-연수 (語學研修) 명 语言进修 yǔyán jìnxiū ¶단기 ~ 短期语言进修 / 캐나다에서 ~를 하다 到加拿大进行语言进修

어항 (魚缸) 명 鱼缸 yúgāng

어항 (漁港) 명 渔港 yúgāng

어험 명 嗯哼 ēnhēng 《故作威严的咳嗽声》

어: -혈 (瘀血) 명 [韓醫] 淤血 yūxuè; 郁血 yùxuè; 淤 yū ¶~을 풀다 化淤

어: -형 (語形) 명 [語] 语形 cíxíng ¶~ 변화 词形变化

어획 (漁獲) 명하자 捕鱼 bǔyú; 捕获 bǔhuò ¶~기 捕鱼期 / ~량 捕鱼量

어: -휘 (語彙) 명 词汇 cíhuì; 语汇 yǔhuì ¶기본 ~ 基本词汇 / 상용 ~ 常用词汇

어: -휘-력 (語彙力) 명 词汇量 cíhuìliàng ¶~ 테스트 词汇量测试

어: -휘-집 (語彙集) 명 词汇集 cíhuìjí; 词汇大全 cíhuì dàquán

어흥 감 呜嗷 wū'āo 《狮虎吼啸声》

억 (億) 수 명 亿 yì; 万万 wànwàn ¶몇 ~ 년 전 几亿年前 / 삼십 ~ 인구 三十亿人口

억-누르다 타 抑制 yìzhì; 压抑 yāyì; 遏抑 èyì; 遏制 èzhì ¶감정을 ~ 压抑感情 / 마음속의 분노를 ~ 抑制内心的愤怒

억-눌리다 재 '억누르다'的被动词

억대(億臺) 몡 算亿的 suànyìde ¶~의 별장 算亿的别墅 / 그의 재산은 최소한 ~는 될 것이다 他的家产至少是算亿的

억류(抑留) 몡하타 扣留 kòuliú; 关押 guānyā; 拘管 jūguǎn ¶불법으로 조업하던 어선을 ~하다 扣留非法捕鱼的渔船

억만(億萬) 囝 亿万 yìwàn; 无数 wúshù; 不可估量 bùkě gūliang ¶~금 亿万金钱 / ~년 亿万年 / ~장자 亿万富翁

억:새 몡 [植] 紫芒 zǐmáng ¶~밭 紫芒地

억:새-풀 몡 紫芒 zǐmáng

억-세다 웽 1 (식물의 잎이나 줄기) 坚韧 jiānrèn; 坚挺 jiāntǐng ¶식물의 줄기가 억세지다 植物的茎坚挺起来 2 (몸이나 의지) 坚硬 jiānyìng; 顽强 wánqiáng; 矫健 jiǎojiàn; 坚强 jiānqiáng ¶억센 팔뚝 坚硬的手臂 / 억센 생명 顽强的生命

억수 倾盆 qīngpén; 倾盆大雨 qīngpén dàyǔ; 瓢泼大雨 piáopō dàyǔ; 滂沱 pāngtuó ¶비가 ~같이 내리고 있다 下着倾盆大雨

억압(抑壓) 몡하타 压抑 yāyì; 压迫 yāpò; 欺压 qīyā; 压制 yāzhì ¶소수 민족을 ~하다 压迫少数民族 / 정권의 ~을 받다 遭到政权的欺压

억양(抑揚) 몡하타 [語] 语调 yǔdiào; 抑扬 yìyáng = 어조2

억울-하다(抑鬱—) 웽 冤枉 yuānwang; 委屈 wěiqu ¶나는 정말 너무 ~ 我真的好冤枉 / 나는 갑자기 아주 억울하게 느껴졌다 我突然觉得很委屈

억장(億仗) 몡하짜 高高的 gāogāode ¶억장이 무너지다 悲痛; 难受

억제(抑制) 몡하타 抑制 yìzhì; 遏制 èzhì; 抑止 yìzhǐ; 遏止 èzhǐ; 克制 kèzhì; 压制 yāzhì; 节制 jiézhì; 扼制 èzhì ¶~력 抑制力 = [抑止力] / 억제제 = [压制剂] / 식욕을 ~하다 抑制食欲 / 소비를 ~하다 抑制消费 / 부동산 가격을 ~하다 抑制房价

억지 몡 牵强 qiānqiǎng; 倔强 juéjiàng; 固执 gùzhí; 硬 yìng; 不讲理 bùjiǎnglǐ; 强辩 qiǎngbiàn; 无理 wúlǐ ¶~를 세우다 固执追求 / 상대가 ~ 부리는 것을 나무라다 指责对方不讲理

억지-로 뮈 勉强 miǎnqiǎng; 强 qiáng; 硬 yìng ¶나는 아침에 ~ 우유를 마셨다 我早上勉强喝了牛奶

억지-스럽다 웽 无理 wúlǐ; 不讲理 bùjiǎnglǐ; 牵强 qiānqiǎng; 固执 gùzhí; 倔强 juéjiàng ¶원래 그의 미소는 이렇게 ~ 原来他的笑容如此牵强 억지스레 뮈

억지-웃음 몡 硬笑 yìngxiào; 装笑 zhuāngxiào; 勉强笑 miǎnqiǎng xiào

억척 顽强 wánqiáng; 倔强 juéjiàng; 泼辣 pōla

억척-스럽다 웽 倔强 juéjiàng; 顽强 wánqiáng; 泼辣 pōla ¶억척스러운 여자 倔强的女人 / 억척스러운 정신 坚强不屈的精神 억척스레 뮈

억측(臆測) 몡하타 臆测 yìcè; 臆度 yìduó ¶이건 단지 그의 ~일 뿐이다 这只是他的臆测而已

언감생심(焉敢生心) 뮈 怎么敢 zěnme gǎn; 不敢 bùgǎn

언급(言及) 몡하짜타 提 tí; 提到 tídào; 提及 tíjí; 提起 tíqǐ; 谈到 tándào; 涉及 shèjí ¶이 상품의 특징에 대해 ~하다 涉及这个产品的特征 / 그들은 심지어 이혼까지 ~하였다 他们甚至还谈到离婚

언니 몡 1 姐姐 jiějie; 姐 jiě 2 大姐 dàjiě; 老大姐 lǎodàjiě

언더그라운드(underground) 몡 1 地下活动 dìxià huódòng; 地下组织 dìxià zǔzhī 2 [藝] 反主流 fǎnzhǔliú; 非商业 fēishāngyè; 先锋派 xiānfēngpài

언더웨어(underwear) 몡 衬衣 chènyī; 内衣 nèiyī

언덕(―儿) 몡(r) 坡子 pōzi; 小山坡 xiǎoshānpō; 丘陵 qiūlíng; 土岗(子) tǔgāng(zi) = 구릉

언덕-길 몡 坡路 pōlù; 坡道 pōdào ¶~을 오르다 上坡路

언덕-바지 몡 坡顶 pōdǐng; 陡坡 dǒupō = 언덕배기

언덕-배기 몡 = 언덕바지

언덕-지다 웽 成斜坡 chéngxiépō; 坑洼洼 kēngkēngwāwā; 坎坷不平 kǎnkě bùpíng

언동(言動) 몡 言行 yánxíng ¶~을 삼가다 谨慎言行

언뜻 뮈 猛然 měngrán = 얼핏 ¶길을 걷다 ~ 그의 얼굴이 생각났다 走着走着, 猛然想起了他的脸

언뜻-언뜻 뮈하짜 一晃一晃地 yīhuàngyīhuàngde = 얼핏얼핏 ¶눈을 감으면 눈앞에 ~ 그녀의 얼굴이 떠오른다 闭着眼睛, 眼前一晃一晃地出现她的脸

언론(言論) 몡 言论 yánlùn ¶~기관 言论机构 / ~계 言论界 / ~사 言论公司 / ~활동 言论活动 / ~ 자유화 言论自由化

언론-인(言論人) 몡 新闻工作者 xīnwén gōngzuòzhě

언문(言文) 몡 = 어문(語文)1

언문-일치(言文一致) 몡 言文一致 yánwén yīzhì

언밸런스-하다(unbalance—) 웽 不

언변(言辯) 명 口才 kǒucái; 口辯 kǒubiàn; = 구변 ¶자신의 ~을 충분히 발휘하다 充分发挥自己的辩才 / 그녀는 총명하고 ~이 좋다 她聪明而有口辩

언사(言辭) 명 言辞 yáncí; 言词 yáncí

언성(言聲) 명 话音 huàyīn; 声音 shēngyīn; 言声 yánshēng; 嗓门(儿) sǎngmén(r) ¶~을 높이다 提高嗓门儿

언약(言約) 명하 口头约定 kǒutóu yuēdìng

언어(言語) 명 语言 yǔyán ¶~ 습관 语言习惯 / ~ 学习 语言学习 / ~ 교육 语言教育 / ~ 능력 语言能力 / ~ 사회 语言社会 / ~ 예술 语言艺术

언어-도단(言語道斷) 명 荒谬透顶 huāngmiù tòudǐng; 荒谬绝伦 huāngmiù juélún; 岂有此理 qǐyǒucǐlǐ

언어-적(言語的) 관명 语言(的) yǔyán(de); 语言性 yǔyánxìng ¶~ 표현 语言表现

언어-학(言語學) 명 【語】语言学 yǔyánxué = 어학3 ¶~자 语言学家

언외(言外) 명 言外 yánwài ¶~의 뜻 言外之意

언쟁(言爭) 명하 = 말다툼 ¶그는 자주 다른 사람과 ~을 벌인다 他常常跟别人争吵

언저리 명 1 边(儿) biān(r); 周边 zhōubiān; 边缘 biānyuán; 缘边 yuánbiān; 边沿 biānyán ¶입 ~에 종기가 나서 嘴边长痘 / 입구 ~에서 서성거리다 在门口周边走来走去 2 (时间或年龄的) 前后 qiánhòu; 上下 shàngxià; 左右 zuǒyòu

언:제 대명 什么时候 shénme shíhou; 何时 héshí ¶너는 ~ 여기 왔니? 你什么时候来这里的? / 회의는 ~ 시작할까요? 会议什么时候开始?

언:제-나 부 1 总是 zǒngshì; 总 zǒng; 无论什么时候 wúlùn shénme shíhou ¶터미널 앞의 승객들은 ~ 많다 车站前面的乘客总是很多 / 그는 ~ 억지를 부린다 他总是不讲道理 2 到 什么时候 dào shénme shíhou cái ¶돈을 벌어서 ~ 내 집을 살 수 있을까? 这样赚钱, 到什么时候才能买到自己的家呢?

언중-유골(言中有骨) 명 话里有刺 huàlǐ yǒucì; 话中带刺 huàzhōng dàicì

언지(言—) 명 '언질'의 잘못

언질(言質) 명 话柄 huàbǐng ¶언질(을) 주다 ⇨ 留话柄

언짢다 형 (心情) 不快 bùkuài; 不好 bùhǎo; 不愉快 bùyúkuài; 不舒服 bùshūfu ¶무슨 언짢은 일이라도 있으십니까? 你有什么不快的事? / 그는 마음

이 언짢았다 他心里不舒服

언청이 명 兔唇 tùchún; 唇裂 chúnliè; 豁嘴 huōzuǐ; 豁唇子 huōchúnzi

언행(言行) 명 言行 yánxíng; 言谈奉止 yántán fèngzhǐ ¶~일치 言行一致 / 학생의 신분에 맞지 않는 ~ 学生的不得体言行

얹다 타 上 shàng; 放 fàng; 搁上 gēshàng ¶나는 조용히 그녀의 어깨에 손을 얹었다 我默默地把手搁在她肩上 / 가스렌지에 냄비를 ~ 瓦斯炉上放着铁锅

얹혀-살다 자 寄居 jìjū; 寄生 jìshēng; 寄寓 jìyù; 寄人篱下 jìrénlíxià; 靠人过活 kàorén guòhuó ¶그는 어렸을 때부터 큰아버지 댁에 얹혀살았다 他从小就寄居在伯父家里

얹-히다 자 1 被放上 bèifàngshàng ('얹다'의 被动词) 2 寄生 jìshēng; 依赖 yīlài ¶그는 아직 일을 구하지 못해서 부모님께 얹혀 지내고 있다 他还没找工作, 依赖父母生活 3 = 체하다 (滯一) ¶밥을 너무 빨리 먹어서 얹힌 것 같다 把饭吃得太快, 好像没消化好

얻:다 타 1 得到 dédào; 得 dé ¶교훈을 ~ 得到教训 / 자신이 원하던 결과를 ~ 得到自己想要的结果 2 获得 huòdé; 取得 qǔdé; 博得 bódé; 博取 bóqǔ ¶큰 기쁨을 ~ 获得大的欢乐 / 동정을 ~ 博取同情 / 좋은 성적을 ~ 取得好成绩 / 널리 신뢰를 ~ 博得信赖 3 借到 jièdào; 租到 zūdào ¶적당한 집을 ~ 租到合适的房子 4 娶 qǔ; 嫁 jià ¶그는 좋은 아내를 얻고 싶어한다 他想娶好妻 5 患 huàn; 生 shēng ¶그 는 며칠 동안 계속 야근하더니 결국 병을 얻었다 他几天一直加班, 终于生病了

얻:어-맞다 자타 挨打 áidǎ ¶너는 왜 가만히 서서 언어맞기만 하니? 你为什么只是站着挨打?

얻:어-먹다 타 1 吃食 chīshí; 讨吃 tǎochī 2 挨骂 áimà; 受骂 shòumà ¶그는 아버지의 손목시계를 잃어버려서 한 차례 욕을 얻어먹었다 他把父亲的手表丢失, 挨了一顿骂

얻:어-터지다 자타 挨打 áidǎ

얼 명 魂儿 húnr; 神 shén; 灵魂 línghún

얼간-이 명 傻瓜 shǎguā; 傻子 shǎzi; 呆子 dāizi; 笨蛋 bèndàn; 二百五 èrbǎiwǔ ¶이 ~ 같으니라구! 你, 这个傻瓜!

얼:-같이 명하 【農】 1 冬耕 dōnggēng 2 冬种的蔬菜 dōngzhòngde shūcài

얼개 명 结构 jiégòu; 构造 gòuzào

얼-결 명 = 얼떨결

얼굴

얼굴 명 1 脸 liǎn; 面 面 miàn; 面孔 miànkǒng; 脸庞 脸蛋 liǎnpáng liǎndàn; 面部 miànbù; 面庞 miànpáng = 안면(颜面)1 ¶~ 윤곽 面部轮廓 / ~ 표정 面部表情 / 아름다운 ~ 漂亮的脸蛋 / 네~도 못생긴 건 아니다 你的脸色也不难看 2 容貌 róngmào; 面貌 miànmào ¶순수한 ~ 俊秀的面容 / ~이 예쁘다 容貌很漂亮 3 体面 tǐmiàn ¶친구 앞에서 ~이 서지 않다 在朋友面前感到不体面 4 表情 biǎoqíng ¶기분 나쁜 ~ 不高兴的表情 / 기쁜 ~을 하다 露出满腹喜悦的表情

얼굴에 똥칠[먹칠]을 하다 ⼦ 损坏名誉; 不给面子

얼굴에 철판을 깔다 ⼦ 厚颜无耻

얼굴을 들다 ⼦ 有体面 = 고개를 들다·낯(을) 들다

얼굴이 두껍다 ⼦ 厚脸无耻; 脸皮厚; 厚脸皮 = 낯가죽(이) 두껍다·낯(이) 두껍다

얼굴-값 명 体面 tǐmiàn

얼굴-빛 명 脸色 liǎnsè; 神色 shénsè; 面色 miànsè; 气色 qìsè; 容光 róngguāng = 안색·얼굴색 ¶그녀는 ~이 창백하다 她面色苍白 / ~을 살피다 观察气色

얼굴-색(一色) 명 = 얼굴빛

얼굴 신경(一神經) 【生】 面神经 miànshénjīng; 面部神经 miànbù shénjīng = 안면신경

얼기-설기 ⾴⾵⼺ 纠缠 jiūchán; 错综 cuòzōng ¶~ 복잡하게 얽힌 문제를 해결하다 解决错综复杂的问题

얼다 타 1 冻 dòng; 结冰 jiébīng; 上冻 shàngdòng; 封冻 fēngdòng ¶호수가 ~ 湖水结冰 2 (身体一部分) 冻 dòng; 冻僵 dòngjiāng ¶그의 얼굴과 코는 벌써 빨갛게 얼었다 他的脸和鼻子早就被冻得通红 / 손발이 모두 얼었다 手脚都冻僵了 3 发呆 fādāi; 发硬 fāyìng ¶그는 그 소식을 듣고 너무 놀라서 그 자리에 선 채로 얼어 버렸다 他听到那个消息后很吃惊, 站在那里发呆

언 발에 오줌 누기 속담 无济于事

얼렁-뚱땅 ⾵ 稀里糊涂 xīlihútú = 얼렁 ¶그는 ~에 그녀의 요구를 들어준다고 대답했다 他稀里糊涂答应了她的要求

얼떨떨-하다 형 1 模糊糊糊 mómóhúhú; 迷迷糊糊 mímíhúhú; 稀里糊涂 xīlihútú ¶전혀 생각도 못한 일이라 얼떨떨하기 그지없다 是 내 生각도 바라보았기 때문에 진짜 못했어, 他们都迷糊糊看着我的脸 2 昏沉沉 hūnchénchén; 头昏脑涨 tóuhūn nǎozhàng

얼:-뜨기 명 傻瓜 shǎguā; 呆子 dāizi; 傻子 shǎzi; 糊涂虫 hútúchóng; 木头人

儿 mùtóurénr

얼:-뜨다 형 傻头傻脑 shǎtóushǎnǎo; 糊里糊涂 húlihútú

얼렁-뚱땅 ⾴ 含糊 hánhu; 马马虎虎 mǎmǎhūhū; 敷衍 fūyǎn ¶~ 일을 처리해서는 안 된다 马马虎虎地办事可不行

얼레 명 绕线板 ràoxiànbǎn

얼루기 명 1 斑纹 bānwén; 斑点 bāndiǎn 2 带斑纹的 dàibānwéndde

얼룩 명 斑纹 bāndiǎn; 花斑 huābān ¶~ 고양이 花斑猫

얼룩-덜룩 ⾴⾵ 花花搭搭 huāhuadādā; 斑斑点点 dàibāndiǎndiǎn

얼룩-말 【动】 斑马 bānmǎ

얼룩-무늬 명 斑纹 bānwén

얼룩-빼기 명 花花搭搭的 huāhuaddādā; 有斑点的 yǒubāndiǎndde; 有斑的 yǒubāndde; 有花斑的 yǒuhuābāndde

얼룩-소 명 斑点牛 bāndiǎnniú; 花斑牛 huābānniú

얼룩-송아지 명 小花斑牛 xiǎohuābānniú

얼룩-얼룩 ⾴⾵ 花花绿绿 huāhuālǜlǜ; 花花搭搭 huāhuadādā; 斑斑 bānbān

얼룩-이 명 '얼루기'의 错误

얼룩-지다 자 有斑纹 yǒubānwén; 有斑点 yǒubāndiǎn; 斑斑 bānbān ¶눈물로 얼룩진 얼굴 泪痕斑斑的脸

얼른 ⾴ 快 kuài; 赶快 gǎnkuài ¶선생님께서 곧 오시니 ~ 교실로 들어가라! 老师不久要来, 快点儿进教室来吧! / 음식이 다 식겠다, ~ 먹자 菜都凉了, 赶快吃吧

얼른-얼른 ⾴ '얼른'의 强调语

얼-리다 타 '얼다'의 使动词

얼마 명 1 多少 duōshao; 几 jǐ; 几个 jǐge; 多 duō; 多少 duōshǎo ¶이 사과는 한 근에 ~입니까? 这个苹果多少钱一斤啊? / 오신 지 ~나 됐나요? 你来多久了? 2 怎么 zěnme; 尽管 jǐnguǎn; 多少 duōshao (表示不定的数量、程度) ¶~든지 와라! 不管多少次, 随便吧! 3 一些 yīxiē; 多 duō; 一会儿 yīhuǐr (表示比较少的数量、程度)

얼마-간(一間) ⾴ 1 多少 duōshǎo; 几分 jǐfēn; 或多或少 huòduōhuòshǎo; 若干 ruògān 2 一些时候 yīxiē shíhou; 不一会儿 bùyīhuìr ¶~ 기다리자 그가 정말로 왔다 等了一些时候, 他真的来了

얼마-나 ⾴ 多 duō; 多么 duōme; 多少 duōshao ¶네가 온다는 얘기를 듣고 그들이 ~ 기뻐했는지 모른다 听到你要来, 不知道他们多么高兴

얼-버무리다 재타 **1** 含糊 hánhú; 糊其词 hánhú qící; 支吾 zhīwu; 支吾其词 zhīwú qící ¶얼버무리지 말고 빨리 사실을 말하라 不要糊其词, 赶快说实话 **2** 混 hùn ¶남은 음식을 모두 얼버무려 놓다 把剩下的菜都混在一起

얼:-빠지다 재 失魂落魄 shīhún luòpò; 失魂丧魄 shīhún sàngpò; 失神 shīshén; 못情 dàilèng; 没精神 méijīngshén; 掉魂 diàohún ¶그는 요 며칠 얼빠져 있다 他这几天失魂落魄似的 / 얼빠진 사람처럼 멍하니 앉아 있다 像掉了魂似的呆坐着

얼싸-안다 타 拥抱 yōngbào ¶서로 꽉 ~ 互相紧紧拥抱

얼씨구 감 **1** 哎嗨 āihāi ¶~, 정말 좋구나 真的好极了 **2** 哎哟 āiyō; 哎哟哟 āiyōyō ¶~, 그게 또 무슨 말이냐 哎哟, 那又是什么话?

얼씨구-나 감 '얼씨구'의 강조말

얼씨구-절씨구 감 哎嗨唷哎嗨唷 āihāiyō āihāiyō

얼씬 부하재 闪现 shǎnxiàn; 晃动 huàngdòng ¶그 집 사람들은 모두 외출했는지 종일 ~하지 않았다 那家的人可能都出去, 整天都没有闪现

얼씬-거리다 재 闪现 shǎnxiàn; 晃动 huàngdòng ¶얼씬대다 ¶내 눈앞에서 얼씬거리지 마라 不要在我的眼前晃动 **얼씬-얼씬** 부하재 ¶계속 눈앞에서 ~하다 一直在眼前晃动

얼어-붙다 재 **1** 冻结 dòngjié; 凝乐 níngdòng; 封冻 fēngdòng ¶호수가 얼어붙었다 湖水冻结了 **2** 僵住 jiāngzhù; 惊呆 jīngdāi ¶모두들 무서워서 얼어붙었다 由于害怕大家吓得僵住了

얼얼-하다 형 **1** 麻辣 málà; 火辣辣 huǒlàlà; 辣乎乎 làhūhū ¶얼얼하게 매운 음식 辣乎乎的菜 **2** (痛得) 火辣辣 huǒlàlà ¶손에 화상을 입어 쓰리고 ~ 手烫伤了, 疼得火辣辣的 **3** 微醉 wēizuì ¶그는 이미 얼얼하게 취해서 자신이 무슨 말을 하는지도 모른다 他已经微醉, 不知道自己说什么

얼음 冰 bīng ¶~ 조각 冰雕 /~을 깨다 凿冰 /~이 매우 두껍게 얼었다 冰结得很厚

얼음-과자 명 冰棍儿 bīnggùnr; 冰棒 bīngbàng = 빙과

얼음-덩이 명 冰块 bīngkuài

얼음-물 명 加冰的水 jiābīngde shuǐ; 冰水 bīngshuǐ

얼음-사탕 명 冰糖 bīngtáng

얼음-장 명 冰块 bīngkuài

얼음-주머니 명 【醫】冰囊 bīngnáng; 冰袋 bīngdài

얼음-집 명 = 이글루

얼음-찜질 명하자 冰敷 bīngfū

얼음-판 명 冰场 bīngchǎng

얼쩡-거리다 재 **1** 讨好卖乖 tǎohǎo màiguāi; 百般阿谀 bǎibān ēyú; 百般奉承 bǎibān fēngchéng; 拍马屁 pāi mǎpì **2** 闲逛 xiánguàng; 悠闲 yōuxián; 逛来逛去 guàngláiguàngqù ¶날도 어두워졌으니 얼쩡거리지 말고 집에 가라 天都黑了, 不要闲逛走来走去 ‖ = 얼쩡대다 **얼쩡-얼쩡** 부하자

얼:-차려 명 【軍】体罚 tǐfá

얼추 부 **1** 大概 dàgài; 差不多 chàbuduō ¶여기서 학교까지는 ~ 500m쯤 될 것이다 这里离学校大概五百米左右 **2** 快要 kuàiyào; 几乎 jīhū; 差不多 chàbuduō ¶일이 ~ 끝났다 工作快要结束了 / ~ 완성되었다 几乎完成了

얼추-잡다 타 估计 gūjì; 估量 gūliang; 大概 dàgài ¶이 옷은 얼추잡아 100만 원안 정도 할 것이다 这件衣服估计价值约达100万元

얼-치기 명 **1** 四不像 sìbùxiàng; 不伦不类 bùlúnbùlèi **2** 混合物 hùnhéwù **3** 湖涂虫 hútuchóng

얼큰-하다 형 **1** 辣乎乎 làhūhū; 微辣 wēilà ¶오늘은 얼큰한 찌개가 먹고 싶다 今天想喝辣乎乎的汤 **2** 很醉 hěnzuì ¶그는 벌써 얼큰하게 취했다 他已经很醉

얼토당토-아니하다 형 **1** 毫无根据 háowú gēnjù; 荒诞无稽 huāngdànwújī; 荒诞不经 huāngdànbùjīng ¶얼토당토아니한 추측 毫无根据的猜测 / 그가 한 말은 ~ 他说的话是荒诞无稽的 **2** 毫不相干 háobù xiānggān; 风马牛不相及 fēngmǎniú bùxiāngjí; 不着边际 bùzhuóbiānjì ¶얼토당토아니한 사람이 소매치기로 몰리다 毫不相干的人被当作小偷

얼토당토-않다 형 '얼토당토아니하다'의 略词

얼핏 부 = 언뜻

얼핏-얼핏 부 = 언뜻언뜻

얽다¹ 재 **1** (脸) 麻 má ¶그의 얼굴은 살짝 얽었다 他的脸稍有些麻 **2** (物体表面) 有缺陷 yǒu quēxiàn

얽다² 타 **1** 捆扎 kǔnzā ¶단단히 얽지 않아 흩어지다 因捆扎不牢组成散 **2** 罗织 luózhī ¶죄명을 ~ 罗织罪名

얽-매다 타 **1** = 얽어매다1 **2** = 얽어매다2 ¶다른 사람의 자유를 ~ 束缚别人的自由

얽매-이다 재 '얽매다'의 被动词

얽어-매다 타 **1** 缠 chán; 捆扎 kǔnzā = 얽매다1 ¶땔감을 ~ 捆起木柴 **2** 束缚 shùfù; 约束 yuēshù; 桎梏 zhìgù = 얽매다2 ¶돈으로 직원들을 ~ 用

金钱把员工束缚住

얽히고-설키다 죄 缠在一起 chánzài yīqǐ; 绕成一团 ràochéng yītuán

얽-히다 죄 **1** 被捆 bèikǔn; 被缠 bèichán, 缠 chán; 缠绕 chánrào《'얽다²1'的被动词》¶연줄이 나뭇가지에 ~ 风筝的丝线被捆在树枝上 / 털실이 한데 얽혀 있다 毛线缠在一起 **2** 被牵连 bèiqiānlián; 关连 guānlián; 相关 xiāngguān《'얽다²2'의 被动词》¶이 반지에 얽힌 이야기 跟这枚戒指关连的故事 / 뇌물 사건에 얽혀 들다 被牵连进贿赂事件

엄격(嚴格) 몡ᄒᄒ부 严格 yángé; 严厉 yánlì; 严 yán; 严酷 yánkù ¶규정을 ~히 준수하다 严格遵守规定 / ~하게 통제하다 严格控制

엄금(嚴禁) 몡ᄒᄐ 严禁 yánjìn ¶흡연 ~ 严禁吸烟

엄:-니 몡 (大象、野猪、老虎等的) 獠牙 liáoyá

엄단(嚴斷) 몡ᄒᄐ 严断 yánduàn; 严处 yánchǔ

엄동(嚴冬) 몡 严冬 yándōng; 隆冬 lóngdōng

엄동-설한(嚴冬雪寒) 몡 数九寒天 shǔjiǔ hántiān

엄두 몡 (敢做某事的) 念头 niàntou; 想 xiǎng; 敢 gǎn ¶날이 너무 더워서 밖에 나가 산책할 ~가 안 난다 天气太热了不想出去散步 / 그의 안색이 너무 안 좋아서 도와달라고 할 ~가 안 난다 他的脸色很不好, 不敢要他帮我的忙

엄마 몡 妈妈 māma; 妈 mā ¶우리 ~ 我妈妈

엄명(嚴命) 몡ᄒᄐ 严令 yánlìng; 严命 yánmìng ¶~을 내리다 下严令 / ~을 받다 受严令

엄밀-하다(嚴密—) 혱 严密 yánmì; 严紧 yánjǐn ¶엄밀한 검사를 하다 严密检查 / 방어 체계가 아주 ~ 防御体系非常严密

엄벌(嚴罰) 몡ᄒᄐ 严罚 yánfá; 严惩 yánchéng; 严厉处罚 yánlì chǔfá ¶불법 주차를 ~하다 严罚违法停车 / 그들을 ~에 처하다 对他们进行严惩 / 그 살인범은 법의 ~을 받았다 那个杀人犯受到了法律的严惩

엄벙-덤벙 뷔ᄒᄌ 稀里糊涂 xīlihútú; 马马虎虎 mǎmahūhū ¶이런 일은 ~ 처리해서는 안 된다 这种事不可马马虎虎地处理

엄살 몡ᄒᄌ (痛苦或困难时) 装得严重 zhuāngde yánzhòng; 装假 zhuāngjiǎ; 装痛 zhuāngtòng ¶~ 부리지 마라, 안 속는다 你不要装假, 我不会被骗

엄살-떨다 혱 (痛苦或困难时) 装得严重 zhuāngde yánzhòng; 装假 zhuāngjiǎ; 装痛 zhuāngtòng ¶그는 사실 그다지 아프지도 않으면서 괜히 엄살떤다 他其实不太痛, 却故意装得很严重

엄살-쟁이 몡 装痛的人 zhuāngtòngde rén; 装假的人 zhuāngjiǎde rén

엄선(嚴選) 몡ᄒᄐ 严格选择 yángé xuǎnzé; 严格挑选 yángé tiāoxuǎn ¶능력이 출중한 군관을 ~하다 严格挑选能力出众的军官

엄수(嚴守) 몡ᄒᄐ 严守 yánshǒu; 严格遵守 yángé zūnshǒu ¶규율을 ~하다 严守纪律 / 시간을 ~하다 严守时间

엄숙-하다(嚴肅—) 혱 严肃 yánsù; 气氛很严肃 ¶그는 모두에게 엄숙하게 말했다 他对大家严肃地说 엄숙-히 뷔

엄:-습(掩襲) 몡ᄒᄐ 掩袭 yǎnxí; 突然袭击 tūrán xíjí ¶공포가 ~하다 恐惧突然袭击

엄연-하다(儼然—) 혱 无可争辩 wúkězhēngbiàn; 无可置辩 wúkězhìbiàn; 明显 míngxiǎn ¶지구가 둥글다는 것은 엄연한 사실이다 地球是圆型的是无可争辩的事实 엄연-히 뷔

엄정(嚴正) 몡ᄒᄐ 严正 yánzhèng ¶~성 严正性 / 역사 교과서 문제에 대한 ~한 입장 对历史教科书问题的严正立场

엄중(嚴重) 몡ᄒᄒ부 **1** 严重 yánzhòng ¶~ 처벌 严重处罚 / 이것은 아주 ~한 문제이다 这是很严重的问题 **2** 严厉 yánlì ¶그는 내의 의견을 ~하게 비판했다 他严厉地批评了我的意见

엄지 몡 = 엄지가락

엄지-가락 몡 拇指 mǔzhǐ; 大拇指 dàmǔzhǐ = 엄지

엄지-발가락 몡 脚拇指 jiǎomǔzhǐ; 拇趾 mǔzhǐ = 장지(將指)

엄지-발톱 몡 脚拇指甲 jiǎomǔzhǐjiǎ; 拇趾甲 mǔzhǐjiǎ

엄지-손가락 몡 拇指 mǔzhǐ; 大拇指 dàmǔzhǐ; 拇 mǔ

엄지-손톱 몡 大拇指甲 dàmǔzhǐjiǎ; 拇指甲 mǔzhǐjiǎ

엄처-시하(嚴妻侍下) 몡 惧内 jùnèi; 怕老婆 pà lǎopo; 季常癖 jìchángpǐ; 季常之惧 jìchángzhījù; 妻管严 qīguǎnyán

엄청 뷔 非常 fēicháng; 好 hǎo; 太 tài; 特别 tèbié; 挺 tǐng; 要命 yàomìng; 极了 jíle ¶그녀는 ~ 예쁘다 她非常漂亮 / 음식이 ~ 맵다 饭菜辣得要命

엄청-나다 혱 厉害 lìhai; 莫大 mòdà; 天大 tiāndà; 极大 jídà; 很大 hěndà; 非常 fēicháng; 非常大 fēicháng dà; 特

别 tèbié; 格外 géwài ¶엄청난 거짓말 天大的谎言 / 규모가 ~ 规模极大 / 이 영화는 엄청나게 재미있다 这部电影 特别有意思

엄-폐(掩蔽) 圐[하타] 掩蔽 yǎnbì ¶사실을 ~하려 하다 企图掩蔽事实

엄-폐-물(掩蔽物) 圐 【軍】 掩蔽物 yǎnbìwù; 掩体 yǎntǐ

엄-폐-호(掩蔽壕) 圐 【軍】 暗堡 ànbǎo; 掩蔽壕 yǎnbìháo = 벙커3

엄-포 圐 恐吓 kǒnghè; 威吓 wēihè; 吓唬 xiàhu; 下马威 xiàmǎwēi ¶그 녀는 핸드폰으로 문자를 보내 ~를 놓다 她就用手机发短信恐吓

엄-하다(嚴─) 혭 严格 yángé; 严厉 yánlì ¶그의 부모님은 매우 엄하시다 他的父母对他很严格 **엄-히** 囝 살인범을 ~ 처벌하다 把杀人犯严厉处罚

엄-호(掩護) 圐[하타] 1 包庇 bāobì; 庇护 bìhù ¶자식을 ~하다 包庇孩子 2 【軍】掩护 yǎnhù; 사격 掩护射击 ¶동료를 ~하다 给同伴做掩护

업(業) 圐 1 = 직업 2 任务 rènwù 3 圐 업보 yè

업계(業界) 圐 业界 yèjiè; 实业界 shíyèjiè

업그레이드(upgrade) 圐[하타] 【컴】 升级 shēngjí

업다 圐 1 背 bēi; 背负 bēifù ¶네가 나 대신 아이 좀 업어라 你替我把孩子背一下 2 依仗 yīzhàng ¶그는 아버지의 배경을 등에 업고 쉽게 일을 구했다 他依仗父亲的背景容易找到了工作
업어 가도 모르다 圀 睡得很死

업데이트(update) 圐[하타] 【컴】(电脑) 更新 gēngxīn

업-둥이 圐 拣来的孩子 jiǎnláide háizi; 捡来的孩子 jiǎnláide háizi

업로드(upload) 圐 【컴】上传 shàngchuán; 上载 shàngzài

업무(業務) 圐 业务 yèwù; 工作 gōngzuò; 事务 shìwù; 营业 yíngyè; 事务 bànshì ¶~ 管理 事务管理 / ~ 报告 业务报告 / ~ 시간 工作时间 / ~ 방해 业务妨害 / ~상 과실 业务过失 / 그는 통신 ~에 종사한다 他从事通信业务

업보(業報) 圐 【佛】业报 yèbào

업-신-여기다 타 欺负 qīfu; 轻视 qīngshì; 小看 xiǎokàn; 蔑视 mièshì; 藐视 miǎoshì ¶그를 업신여기지 마라 别欺负他

업-신여김 圐 欺负 qīfu; 小看 xiǎokàn; 轻视 qīngshì; 藐视 miǎoshì ¶많은 사람들의 ~을 받다 受到很多人的轻视

업자(業者) 圐 从业者 cóngyèzhě; 业主 yèzhǔ

업적(業績) 圐 功业 gōngyè; 业绩 yèjì; 功绩 gōngjì; 事迹 shìjì; 功绪 gōngxù; 实积 shíjī; 业务成果 yèwù chéngguǒ ¶빛나는 ~ 光辉的业绩 / ~ 평가 实积评价

업종(業種) 圐 行业 hángyè; 部门 bùmén; 门类 ménlèi; 专业 zhuānyè; 类别 lèibié

업체(業體) 圐 企业 qǐyè ¶~ 정보 企业信息 / ~ 관리 企业管理 / ~ 자료 企业资料

업-히다 짜 1 被背 bèibēi ¶그녀는 술에 취해 동료에게 업혀서 돌아갔다 她喝醉酒, 被同事背着回去了 2 被依仗 bèiyīzhàng ¶권세에 ~ 被依仗权势

없:다 혭 1 没有 méiyǒu; 无 wú ¶갈 곳이 ~ 无处可去 / 할 일이 ~ 无事可做 / 오늘은 수업이 ~ 今天没有课 / 나는 그들을 비판할 자격이 ~ 你没有资格批评他们 / 나는 지금 돈이 ~ 我现在没有钱 2 不 bù; 不能 bùnéng ¶그는 중국어를 알아들을 수가 ~ 他听不懂汉语 3 不在 bùzài ¶그는 지금 집에 ~ 他现在不在家 / 그는 기숙사에 ~ 他不在宿舍 4 贫穷 pínqióng; 贫困 pínkùn ¶그의 집은 비록 없는 살림이지만 그래도 그를 대학에 보냈다 他家虽然很贫困, 但还是让他上大学 5 去世 qùshì ¶그는 이미 이 세상에 ~ 他已经去世了 6 稀少 xīshǎo; 少有 shǎoyǒu ¶그녀는 세상에 없는 미녀이다 她是世上少有的美女
없는 것이 없다 圀 应有尽有

없:애다 타 消灭 xiāomiè; 消除 xiāochú; 破除 pòchú; 摒除 bìngchú; 清除 qīngchú; 驱除 qūchú; 取消 qǔxiāo; 打消 dǎxiāo; 散 sǎn; 除去 chúqù ¶여드름을 ~ 消除青春痘 / 잡념을 ~ 摒除杂念 / 기록을 ~ 清除记录 / 흔적을 ~ 清除痕迹 / 입냄새를 ~ 驱除口臭

없어-지다 짜 消失 xiāoshī; 消退 xiāotuì; 不见 bùjiàn; 没有 méiyǒu ¶그가 갑자기 없어졌다 他突然不见了 / 유일한 희망이 없어졌다 唯一的希望没有了

없:이 囝 1 没有 méiyǒu; 无 wú 2 贫穷 pínqióng; 贫困 pínkùn ¶우리는 지금 비록 ~ 살지만 그래도 아주 행복하다 我们现在虽然很贫穷, 但很幸福

엇-갈리다 짜 错 cuò; 错过 cuòguò; 分岔 fēnchà; 交叉 jiāochā; 不和 bùhé ¶우리는 늘 이렇게 엇갈린다 我们总是这样错过 / 이곳은 길이 엇갈리는 곳이다 这里是路分岔的地方

엇-나가다 짜 1 (线) 斜 xié ¶엇나가지 않게 자르다 剪得不斜 2 闹别扭 nào bièniu ¶더 이상 엇나가지 말고 내

말을 잘 들어라 不要再闹别扭, 好好听我的话

엇비슷-이 〔부〕 1 差不多地 chàbuduōde 2 微斜地 wēixiéde; 歪斜地 wāixiéde ¶탁자를 ~ 놓다 把桌子微斜地放着

엇비슷-하다 〔형〕 1 相差不多 xiāngchà bùduō; 难分伯仲 nánfēn bózhòng; 差不多 chàbuduō ¶실력이 ~ 实力难分伯仲 2 微斜 wēixié; 歪斜 wāixié ¶의자를 엇비슷하게 놓다 把椅子微斜地放着

엉거주춤 〔부〕〔자〕〔비〕 1 缩着腰 suōzhe yāo; 半蹲 bàndūn ¶~한 자세 半蹲姿势 2 犹豫 yóuyù; 踌躇 chóuchú; 含糊 hánhu ¶아직도 ~ 결정을 못하고 있으면 어떡하니? 还在犹豫不决, 怎么办呢?

엉겁결-에 〔부〕 下意识地 xiàyìshí(de); 猝不及防 cùbùjífáng ¶그때 나는 ~ 다른 사람의 전화번호를 말했다 当时我却下意识地把别人的手机号码说了出来

엉겅퀴 〔명〕〔植〕 大蓟 dàjì

엉금-엉금 〔부〕 慢腾腾 mànténgténg; 慢吞吞 màntūntūn ¶거북이가 ~ 기어간다 乌龟慢吞吞地爬着

엉기다 〔자〕 1 凝 níng; 凝固 nínggù; 凝结 níngjié = 엉기다3 ¶기름이 아직 엉기지 않았다 油还没有凝固 2 夹杂 jiāzá; 搀杂 chānzá; 含着 hánzhe 3 笨手笨脚地干活 bènshǒubènjiǎode gànhuó

엉:덩-방아 〔명〕 倒蹲儿 dǎodūnr; 跌坐 diēzuò; 一屁股坐下 yìpìgu zuòxià ¶그녀는 ~를 찧었다 她跌坐在地上了

엉:덩-뼈 〔명〕〔生〕 屁股骨头 pìgu gǔtou = 엉덩이뼈

엉:덩이 〔명〕 屁股 pìgu; 臀 tún; 臀部 túnbù = 둔부·히프 ¶엄마가 아이의 ~를 때리다 妈妈拍打孩子的屁股

엉덩이가 근질근질하다 〔구〕 呆不住

엉덩이가 무겁다[질기다] 〔구〕 久坐不起 = 궁둥이가 무겁다[질기다]

엉덩이를 붙이다 〔구〕 坐下来 = 궁둥이를 붙이다

엉:덩이-뼈 〔명〕〔生〕 = 엉덩뼈

엉뚱-하다 〔형〕 1 出格 chūgé; 过分 guòfèn ¶그는 자주 엉뚱한 말을 한다 他常常说过分的话 2 意外 yìwài; 想象不到 xiǎngxiàngbùdào; 出乎意料 chūhūyìliào ¶아이가 엉뚱한 질문을 하다 孩子问出乎意料的问题 3 毫不相干 háobù xiānggān

엉망 〔명〕 乱七八糟 luànqībāzāo; 杂乱无章 záluànwúzhāng; 一塌糊涂 yìtāhútu ¶내 생활은 여전히 ~이다 我的生活依旧是乱七八糟

엉망-진창 〔명〕 '엉망'의 强调语 ¶그의 방은 정말이지 ~이다 他的房间简直是乱七八糟的

엉성-하다 〔형〕 1 松散 sōngsàn; 不严密 bùyánmì; 不结实 bùjiēshi ¶구조가 ~ 结构松散 2 瘦削 shòuxuē ¶그녀의 엉성한 얼굴을 보니 나는 정말 마음이 아프다 看她瘦削的脸, 我真心疼 3 稀疏 xīshū ¶그는 나날이 엉성해지는 머리카락 때문에 걱정이다 他因越来越稀疏的头发很担心 4 不充实 bùchōngshí ¶이 책은 내용이 ~ 这本书内容不充实 엉성-히 ¶

엉엉 〔부〕〔하자〕 哇 wā; 哇哇 wāwā; 呜呜 wū; 呜呜 wūwū ¶그녀는 갑자기 ~ 울기 시작했다 她突然哇的一声哭起来

엉치-뼈 〔명〕〔生〕 骶骨 dǐgǔ; 荐骨 jiàngǔ

엉클다 〔타〕 弄乱 nòngluàn ¶엉클어 놓은 책 弄乱的书 / 실을 엉클어 놓다 弄乱丝线

엉클어-지다 〔자〕 缠在一起 chánzài yìqǐ; 扭结 niǔjié = 엉키다1 ¶털실이 한데 엉클어져 있다 毛线扭结在一起 = 엉클어지다2 = 엉키다2

엉큼-하다 〔형〕 别有用心 biéyǒu yòngxīn ¶그는 엉큼하니 상대하지 마라 他肯定别有用心, 不要理他

엉키다 〔자〕 1 = 엉클어지다1 2 = 엉클어지다2 3 = 엉기다1

엉터리 〔명〕 1 荒唐 huāngtáng; 荒诞 huāngdàn; 荒唐的人 huāngtángde rén ¶~ 이야기 荒诞的故事 / 그의 말은 진짜 ~다 他的话真荒唐 2 蹩脚 biéjiǎo ¶~ 의사 蹩脚的医生 / 이 물건은 딱 봐도 ~이다 这东西一看就是个蹩脚货 3 大概轮廓 dàgài lúnkuò

엊-그저께 〔명〕 前天 qiántiān; 前几天 qián jǐtiān ¶~ 나는 이발을 했다 几天前我理发了 / 도대체 무슨 일이 있었니? 前几天到底发生了什么事?

엊-그제 〔명〕〔부〕 '엊그저께'의 略词

엊-저녁 〔명〕 '어제저녁'의 略词 ¶~에 그는 갑자기 나를 보러 왔다 昨天晚上他突然来看我

엎다 〔타〕 1 翻 fān; 扣 kòu 2 打翻 dǎfān; 翻倒 fāndǎo; 摞倒 liàodǎo; 推翻 tuīfān; 打翻 dǎfān ¶화로를 ~ 打翻火炉 / 식용유 한 통을 전부 땅에 ~ 一桶食用油全部打翻在地

엎드리다 〔자〕 趴 pā; 卧 wò; 伏 fú; 趴下 pāfú; 趴下 pāxià; 伏卧 fúwò; 卧倒 wòdǎo ¶그는 땅에 엎드려 반지를 찾고 있다 他趴在地下寻找戒指 / 강아지가 의자 옆에 엎드려 있다 小狗卧着在椅子旁边

엎어-지다 风 1 跌倒 diēdǎo; 摔倒 shuāidǎo; 跌跤 diējiāo; 跌 diē; 扑跌 pūdiē; 栽倒 zāidǎo; 栽跟头 zāi gēntou; 摔跟头 shuāi gēntou ¶그는 빨리 달리다가 엎어졌다 他急速奔跑而跌倒了 / 나는 하마터면 치마를 밟고 엎어질 뻔했다 我差点就踩到裙子跌跤 2 翻倒 fāndǎo; 打翻 dǎfān ¶차 한 대가 고속도로에 엎어지면서 세 명이 다쳤다 一辆汽车在高速公路翻倒, 三个人受伤了

엎-지르다 타 打翻 dǎfān; 打泼 dǎpō; 覆 fù ¶맥주를 ～ 打翻啤酒 / 우유 한 통을 전부 땅에 ～ 一桶牛奶全部打泼在地

엎지른 물 귀 覆水难收

엎질러-지다 风 打泼 dǎpō; 倒出 dàochū

엎-치다 风타 趴下 pāxià; 卧倒 wòdǎo 三타 '엎다2'의 강조어

엎친 데 덮치다 귀 雪上加霜

엎치락-뒤치락 부(하다)타 反来复去 fānláifùqù; 辗转反侧 zhǎnzhuǎnfǎncè; 不相上下 bùxiāngshàngxià; 你争我夺 nǐzhēngwǒduó ¶침대에 누워 ～ 잠을 이루지 못하다 躺在床上, 辗转反侧睡不着

에게 조 1 给 gěi; 向 xiàng 《表示对象》¶～ 전화를 걸다 打电话给他 / 이건 친구에게～ 줄 것이다 这个要给朋友／가족에게～ 편지를 쓰다 给家人写信 2 被 bèi; 被水被动句中的行为主体 ¶선생님에～ 들키다 被老师发现 / 경찰에～ 잡히다 被警察抓住 / 엄마～ 맞다 挨妈妈打一顿 3 在 zài 《表示限定的范围》¶그 사진은 나～ 있다 那张照片在我这儿

에구 갑 '어이구'의 略词 ¶～, 이 강아지 너무 불쌍하다 哎哟, 这只小狗真可怜

에구-에구 갑 哎哟哎呀 āiyō āiyā 《非常悲痛的哭声》¶～, 불쌍하기도 하지 哎哟哎呀真可怜

에나멜 (enamel) 명 1 【化】 瓷漆 cíqī; 亮漆 liàngqī; 漆 qī ¶～가죽 漆皮 / ～ 구두 漆皮鞋 2 【手工】 = 법랑

에너지 (energy) 명 1 能量 néngliàng; 精力 jīnglì; 活力 huólì ¶～가 넘치다 充满活力 2 【物】 能 néng; 能量 néngliàng; 能源 néngyuán ¶태양열 ～ 太阳热能 / ～를 절약하다 节约能源

에너지-원 (energy源) 명 能源 néngyuán

에누리 명(하다) 1 谎价 huǎngjià ¶이 상점은 ～가 없다 这家商店没有谎价 2 砍价 kǎnjià; 还价 huánjià; 打折扣 dǎ zhékòu; 压价 yājià ¶우표를 ～해서 팔다 将邮票打折扣出售 / ～가 너무 심하다 砍价砍得太厉害

에:다 타 挖 wā; 割 gē; 剜 wān ¶마음이 칼로 에는 듯이 무척 아프다 我的心就如刀割般的疼痛难忍

에덴 (Eden) 명 【宗】 伊甸 Yīdiàn; 伊甸园 Yīdiànyuán = 에덴동산

에덴-동산 (Eden~) 명 【宗】 = 에덴

에델바이스 (독Edelweiss) 명 【植】 火绒草 huǒróngcǎo; 雪绒花 xuěrónghuā

에:-돌다 风 1 绕弯 ràowān; 绕道 ràodào; 迂回 yūhuí ¶이 길은 가기 나쁘니 에돌아서 가자 这条路不好走, 还是绕道走吧 2 盘旋 pánxuán; 盘绕 pánrào

에:-두르다 타 1 围住 wéizhù; 围上 wéishàng ¶울타리로 ～ 用篱笆围住 2 绕弯子 ràowānzi; 绕圈子 rào quānzi ¶그는 그녀가 화낼까 무서워 에둘러 말했다 他怕她会生气, 就绕着弯子说

에러 (error) 명 1 谬误 miùwù; 错误 cuòwù; 谬错 miùcuò 2 【體】 (棒球的)失误 shīwù = 실책2 ¶유격수 ～ 游击手失误 3 【컴】 = 오류2

에로 (～erotic) 명 性爱 xìng'ài; 色情 sèqíng; 性欲 xìngyù; 好色 hàosè; 黄色 huángsè ¶～ 영화 黄色片 / ～ 배우 色情演员

에로스 (Eros) 명 1 【文】 爱罗斯 Àiluósī; 爱神 àishén 2 【天】 爱神星 àishénxīng; 爱罗斯 àiluósī

에로티시즘 (eroticism) 명 【藝】 性爱 xìng'ài; 色情 sèqíng

에로틱-하다 (erotic~) 형 色情 sèqíng; 黄色 huángsè ¶에로틱한 장면 色情场面

에메랄드 (emerald) 명 【鑛】 绿宝石 lùbǎoshí

에세이 (essay) 명 【文】 = 수필

에센스 (essence) 명 精华素 jīnghuásù

에스에프 (SF)[science fiction] 명 【文】 = 공상 과학 소설 ¶～ 영화 科幻片 = [科幻电影]

에스오에스 (SOS) 명 【信】 无线电紧急呼救信号 wúxiàndiàn jǐnjí hūjiù xìnhào; 呼救信号 hūjiù xìnhào

에스컬레이터 (escalator) 명 电动扶梯 diàndòng fútī; 自动扶梯 zìdòng fútī; 自动楼梯 zìdòng lóutī = 자동계단

에스코트 (escort) 명(하다)타 护送 hùsòng; 护卫 hùwèi

에스키모 (Eskimo) 명 爱斯基摩 Àisījīmó; 爱斯基摩人 Àisījīmórén

에스트로겐 (estrogen) 명 【生】 雌激素 cíjīsù

에스프레소 (이espresso) 명 意大利浓咖啡 yìdàlì nóngkāfēi; 意式浓缩咖啡 yìshì nóngsuō kāfēi

에어로빅(aerobic) 명 【體】 = 에어
로빅댄스

에어로빅-댄스(aerobic dance) 명
【體】有氧健身操 yǒuyǎng jiànshēncāo;
有氧舞蹈 yǒuyǎng wǔdǎo = 에어로빅

에어-백(air bag) 명 安全气囊 ān-
quán qìnáng

에어컨(←air conditioner) 명 空调
kōngtiáo; 空调设备 kōngtiáo shèbèi; 空
气调节器 kōngqì tiáojiéqì = 에어컨디
셔너

에어컨디셔너(air conditioner) 명 =
에어컨

에어-쿠션(air cushion) 명 气垫 qì-
diàn

에어 펌프(air pump) 【機】气泵 qì-
bèng; 空气泵 kōngqìbèng

에우다 타 1 围 wéi; 围绕 wéirào 2
绕路 ràolù ¶길이 막혀서 에워갈 수밖
에 없다 路被挡住，只好绕路走 3 删
除 shānchú; 划掉 huàdiào ¶관련 사항
을 목록에서 ~ 把有关事项在目录上
划掉

에워-싸다 타 包围 bāowéi; 围绕 wéi-
rào ¶적군을 ~ 包围敌军

에워싸-이다 자 被包围 bèi bāowéi;
被围绕 bèi wéirào ¶그는 공항에서 많
은 팬들에게 에워싸였다 他在机场被
很多影迷围绕了

에이 감 唉 āi(表示失望惋念) ¶~, 포
기하자 唉, 放弃吧 /~, 마음대로 해
라 唉, 随便吧

에이그 감 唉 āi(表示讨厌或感叹) ¶
~, 넌 어쩜 이렇게 쉬운 문제도 모를
수가 있니? 唉, 你怎么连这么容易的
问题都不知道呢?

에-이다 자 ‘에다’의 피동사

에이디(A.D.) [라Anno Domini] 명
= 기원후

에이스(ace) 명 【體】1 (扑克的) 尖儿
jiānr ¶하트 ~ 红桃尖儿 2 = 서비스
에이스 3 (棒球的) 王牌投手 wángpái
tóushǒu 4 = 홀인원

에이에스(AS) 명 = 애프터서비스

에이전시(agency) 명 代理人 dài-
lǐrén; 经纪人 jīngjìrén; 经纪公司 jīngjì
gōngsī

에이즈(AIDS) [Acquired Immune
Deficiency Syndrome] 명 【醫】艾
滋病 àizībìng; 爱滋病 àizībìng; 爱死
病 àisǐbìng = 후천 면역 결핍증

에이커(acre) 의명 英亩 yīngmǔ

에이티엠(ATM) [automatic teller
machine] 명 【經】自动存取款机 zì-
dòng cúnqǔkuǎnjī; 自动取款机 zìdòng
qǔkuǎnjī

에이형 간염(A型肝炎) 【醫】 = 유행성
간염

에잇 감 嗳 ài(心情不愉快时发出的声
音)¶~, 됐다! 더 이상 말하지 마라!
嗳, 算了! 别再说!

에취 감 阿嚏 ātì ¶누군가 ~ 하고 재
채기를 했다 有人阿嚏的打喷嚏了

에코(echo) 명 1 【物】回波 huíbō 2
【電】回声机 huíshēngjī

에탄(ethane) 명 【化】乙烷 yǐwán

에탄올(ethanol) 명 【化】乙醇 yǐ-
chún; 酒精 jiǔjīng = 알코올 2·에틸알
코올

에테르(ether) 명 1 【物】以太 yǐtài;
依打 yīdǎ 2 【化】乙醚 yǐmí; 醚 mí

에티켓(Pretiquette) 명 礼仪 lǐyí; 礼
节 lǐjié ¶~을 지키다 遵守礼仪

에틸(ethyl) 명 【化】 = 에틸기

에틸-기(ethyl基) 명 【化】乙基 yǐjī

에틸렌(ethylene) 명 【化】乙烯 yǐxī

에틸-알코올(ethyl alcohol) 명 【化】
= 에탄올

에프엠(FM)[frequency modulation]
명【物】调频 tiáopín ¶~ 방송 调频广
播

에피소드(episode) 명 1 小故事 xiǎo-
gùshi; 逸事 yìshì ¶나에게 ~를 하나
들려주다 给我听一个小故事 2 【文】
插话 chāhuà 3 【音】插曲 chāqǔ =
삽입곡

에필로그(epilogue) 명 1 【文】结尾
jiéwěi; 收尾 shōuwěi 2 【音】尾声
wěishēng

에헴 감 呃吭 èkēng(装斯文或暗示自
己来到时的空咳声)

엑기스(←일ekisu) 명 ‘진액’의 错误

엑스-레이(X-ray) 명 【物】1 = 엑
스선 2 = 엑스선 사진

엑스-선(X線) 명 【物】X光 X guāng;
X光线 X guāngxiàn; X射线 X shèxiàn;
爱克斯射线 àikèsī shèxiàn; 爱克斯光
àikèsīguāng; 伦琴射线 lúnqínshèxiàn =
뢴트겐·뢴트겐선·엑스레이1

엑스선 사진(X線寫眞) 명 X光照片
X guāng zhàopiàn; 爱克斯光照片 ài-
kèsīguāng zhàopiàn = 뢴트겐 사진·
엑스레이2

엑스선 촬영(X線撮影) 【醫】X光摄影
X guāng shèyǐng; 爱克斯光摄影 àikèsī-
guāng shèyǐng = 뢴트겐 촬영

엑스트라(extra) 명 【演】 = 단역

엑스포(Expo) [Exposition] 명 【經】
= 만국 박람회

엔(일en[円]) 의명 日元 rìyuán

엔간-하다 형 差不多 chàbuduō; 差不
离 chàbulí 엔간-히 부 ¶모두들 ~ 먹
었으니 그만 돌아갑시다 大家都吃得
差不多了, 回家吧

엔도르핀(endorphine) 명 【生】内啡

肽 nèitàitài

엔지(NG) [No good] 圐 〖演〗不行 bùxíng; 不好 bùhǎo; 无用 wúyòng

엔지니어(engineer) 圐 1 【工】工程师 gōngchéngshī; 技师 jìshī 2 〖文〗= 기관사

엔진(engine) 圐 发动机 fādòngjī; 引擎 yǐnqíng ¶자동차 ~ 汽车引擎 / ~오일 发动机润滑油 = [机油] / 100마력 ~ 100马力引擎

엔트리(entry) 圐 选手名单 xuǎnshǒu míngdān ¶참가 인명 단 참加人名 míngdān

엔-화(el[円]貨) 圐 日元 rìyuán

엘니뇨(에l Niño) 圐 【地理】厄尔尼诺 è'ěrnínuò; 厄尔尼诺现象 è'ěrnínuò xiànxiàng; 圣婴现象 shèngyīng xiànxiàng

엘리베이터(elevator) 圐 电梯 diàntī; 升降机 shēngjiàngjī ¶~를 타다 坐电梯

엘리트(프élite) 圐 精英 jīngyīng ¶~교육 精英教育 / ~의식 精英主义 / ~를 육성하다 培养精英

엘시디(LCD) [liquid crystal display] 圐 【電】液晶显示器 yèjīng xiǎnshìqì

엘엔지(LNG) [liquefied natural gas] 圐 【化】= 액화 천연가스

엘피 가스(LP gas) [liquefied petroleum gas] 【化】= 액화 석유 가스

엘피-반(LP盤) 圐 〖演〗密纹唱片 mìwén chàngpiàn = 엘피판

엘피지(LPG) [liquefied petroleum gas] 圐 【化】液化石油气 yèhuà shíyóuqì

엘피-판(LP板) 圐 〖演〗= 엘피반

엠보싱(embossing) 圐 【手工】压花 yāhuā; 轧花 yàhuā ¶~ 화장지 压花卫生纸

엠브이피(MVP) [most valuable player] 圐 【體】最优秀选手 zuìyōuxiù xuǎnshǒu; 最有价值运动员 zuìyǒu jiàzhí yùndòngyuán

엠시(MC) [master of ceremonies] 圐 节目主持人 jiémù zhǔchírén; 主持人 zhǔchírén

엠앤드에이(M&A) [merger and acquisition] 圐 企业并购 qǐyè bìnggòu

엠티(MT) [membership training] 圐 联谊游 liányìyóu; 联谊活动 liányì huódòng

엥 圓 哼 hēng; 哎 āi 〖厌烦、后悔、生气、尴尬时发出的声音〗 ¶~, 귀찮아 죽겠다 哎, 真烦死我了

엥겔 계수(Engel係數) 【經】恩格尔系数 ēngé'ěr xìshù

여(女) 圐 1 = 여자 2 = 여성

여-(女) 〖접투〗女 nǚ ¶~사장 女经理 / ~선생 女教师 / ~비서 女秘书 / ~기자 女记者 / ~순경 女巡警 / ~의사 女医生

-여(餘) 〖접미〗余 yú; 上 shàng; 多 duō ¶백~개 一百多个 / 이십~ 년 二十多年 / 만~ 명 一万余人

여가(餘暇) 圐 余暇 yúxiá; 余闲 yúxián; 空暇 kōngxiá; 空闲 kōngxián ¶~시간 余暇时间 / ~ 활동 余暇活动

여간(如干) 〖부〗〖하〗 一般 yībān; 普通 pǔtōng ¶그는 ~ 빨리 달리지 않는다 他跑得真不一般

여객(旅客) 圐 旅客 lǚkè; 乘客 chéngkè; 客 kè ¶~기 客机 / ~선 客轮 = [客船] / ~ 열차 客车

여-건(與件) 圐 条件 tiáojiàn; 环境 huánjìng ¶일정한 자격 ~을 갖추다 具备一定的资格条件 / 이곳의 생활 ~은 좋은 편이다 这里的生活环境是还好的

여걸(女傑) 圐 巾帼英雄 jīnguó yīngxióng; 巾帼丈夫 jīnguó zhàngfū; 女中丈夫 nǚzhōng zhàngfū; 女杰 nǚjié

여경(女警) 圐 女警 nǚjǐng

여고(女高) 圐 【教】'여자 고등학교'의 略词 ¶~생 女高中生

여공(女工) 圐 女工 nǚgōng

여:과(濾過) 圐〖하〗过滤 guòlǜ; 滤过 lǜguò ¶~ 설비 过滤设备 / ~ 장치 过滤装置 / ~기 过滤器

여:과-지(濾過紙) 圐 【化】= 거름종이

여관(旅館) 圐 旅馆 lǚguǎn; 旅舍 lǚshè; 旅店 lǚdiàn ¶~비 旅馆费用 / ~에서 밤을 보내다 在旅舍过夜 / ~에 투숙하다 投宿旅馆

여군(女軍) 圐 【軍】女军 nǚjūn

여권(女權) 圐 【社】女权 nǚquán; 女权伸张 / ~ 운동 女权运动

여권(旅券) 圐 护照 hùzhào = 패스 4 · 패스포트 1 ¶~ 번호 护照号码 / ~기간 연장 护照延期 / ~ 사진 护照照片 / ~을 지참하다 持有护照 / ~을 발급하다 发护照 / ~을 분실하다 遗失护照

여기 떼 这里 zhèli; 这儿 zhèr; 此地 cǐdì; 此处 cǐchù; 此 cǐ ¶~가 바로 우리 집이다 这里就是我的 / ~에서 뭐하고 있니? 你在这儿干什么呢?

여기다 〖자타〗认为 rènwéi; 以为 yǐwéi; 视为 shìwéi; 感到 gǎndào; 看 kàn ¶나는 그가 말한 것이 옳다고 여긴다 我认为他说的是对的 / 스스로를 가볍게 ~ 把自己看得很轻

여기-저기 圐 各处 gèchù; 到处 dàochù; 四处 sìchù; 东…西… dōng…xī…

¶~ 쓰레기가 널려 있다 到处都是垃圾

여-남은 㑔 十几 shíjǐ ¶나는 사과 세 개를 샀다 我买了十几个苹果

여념(餘念) 명 余心 yúxīn; 专心 zhuānxīn ¶훈련에 ~이 없다 专心训练

여느 팬 一般 yìbān; 普通 pǔtōng; 平常 píngcháng; 别的 biéde ¶그날은 ~때와 달랐다 那天跟平常不一样 / 이곳은 ~상점과 다르다 这家跟普通商店不一样

여단(旅團) 명 【軍】旅 lǚ ¶~장 旅团长

여-닫다 탄 开了又关 kāile yòuguān; 开关 kāiguān ¶대문을 ~ 开开关门

여-닫이 명 平开 píngkāi; 平开门 píngkāimén ¶~문 平开门 / ~창 平开窗

여담(餘談) 명 闲话 xiánhuà; 闲谈 xiántán

여-당(與黨) 명 执政党 zhízhèngdǎng; 在朝党 zàicháodǎng

여대(女大) 명 【敎】'여자 대학'의 略词 ¶~생 女大学生

여덟 㑔 八 bā ¶~ 살 八岁 / ~ 명 八个人 / ~ 마리 개 八只狗

여덟-째 㑔 第八 dìbā; 第八个 dìbāgè

여독(旅毒) 명 征尘 zhēngchén ¶~을 풀다 洗征尘

여독(餘毒) 명 余毒 yúdú

여-동생(女同生) 명 妹妹 mèimei

여드레 명 八天 bātiān; 八日 bārì; 八号 bāhào = 여드렛날2

여드렛-날 명 1 第八天 dìbātiān 2 = 여드레

여드름 명 痤疮 cuóchuāng; 青春痘 qīngchūndòu; 面疱 miànpào; 酒刺 jiǔcì; 粉刺 fěncì ¶~을 치료하다 治疗痤疮 / ~을 짜다 挤痤疮

여든 㑔 八十 bāshí ¶~ 명 八十个人 / ~ 개 八十个 / 그는 올해 ~이다 他今年八十岁

여러 팬 许多 xǔduō; 很多 hěnduō; 不少 bùshǎo; 多 duō; 数 shù ¶~ 번 多次 / ~ 사람 很多人 / ~ 가지 일 许多事情 / ~ 문제 许多问题

여러모-로 閉 多方面 duōfāngmiàn; 多角度 duōjiǎodù; 几个方面 jǐge fāngmiàn = 다각도로

여러-분 閂 大家 dàjiā; 各位 gèwèi; 诸位 zhūwèi; 众位 zhòngwèi ¶시청자 ~ 各位观众朋友 / ~, 안녕하세요! 大家好!

여러해-살이 명 【植】多年生 duōniánshēng = 다년생 ¶~식물 多年生植物 /~풀 多年生草本植物 =[多年生草]

여럿 명 很多 hěnduō; 数多 shùduō;

好多 hǎoduō; 很多人 hěnduō rén; 多人 shùduō rén; 好多人 hǎoduō rén ¶그런 사람들이 요즘 ~ 있다 那样人现在很多 / ~이 같이 영화를 보러 갔다 好多人一起去看电影

여력(餘力) 명 余力 yúlì ¶슬퍼할 ~ 없다 没有余力伤悲

여로(旅路) 명 旅途 lǚtú ¶인생의 ~ 人生旅途

여-론(輿論) 명 舆论 yúlùn; 舆情 yúqíng; 民意 mínyì = 公论(公論)3 ¶~이 들끓다 舆论沸腾 / ~을 반영하다 反映舆论

여론 조사(輿論調査) 【社】民意测验 mínyì cèyàn; 舆论调查 yúlùn diàochá; 民意调查 mínyì diàochá

여류(女流) 명 女 nǚ; 女性 nǚxìng; 女 女 fùnǚ ¶~ 사상가 女思想家 / ~ 시인 女诗人

여름 명 夏 xià; 夏天 xiàtiān; 夏日 xiàrì; 夏季 xiàjì; 夏令 xiàlìng = 철夏季 /~밤 夏夜 / ~ 방학 暑假 /~캠프 夏令营 / ~ 학기 夏季学期 /~휴가 夏季休假 =[夏休假] / 길고 긴 ~ 漫长的夏季

여름-옷 명 = 하복(夏服)

여리다 혱 1 柔嫩 róunèn; 嫩 nèn; 不结实 bùjiēshi ¶여린 나뭇잎 柔嫩的树叶 / 피부가 ~ 皮肤很嫩 2 (感情、意志) 薄弱 bóruò; 脆弱 cuìruò; 软弱 ruǎnruò; 软 ruǎn ¶감정이 여린 사람 感情薄弱的人 / 마음이 ~ 心肠软弱 3 弱 ruò; 浅 qiǎn ¶여린박 弱拍

여명(黎明) 명 黎明 límíng; 天亮 tiānliàng ¶~기 黎明期

여물 명 草料 cǎoliào; 饲料 sìliào ¶소가 외양간에서 ~을 먹다 牛在牛棚里吃草料

여물다 囗혱 成熟 chéngshú; 饱满 bǎomǎn = 영글다 ¶옥수수가 ~ 玉米饱满 囗혱 结实 jiēshi ¶몸이 아주 여문 청년 身体很结实的年轻人

여미다 탄 扣好 kòuhǎo; 整好 zhěnghǎo ¶옷깃을 잘 여미고 밖에 나가다 整好衣领出门

여-배우(女俳優) 명 女演员 nǚyǎnyuán; 女伶 nǚlíng = 여우(女優)

여백(餘白) 명 空白 kòngbái ¶~의 미 空白之美 / 약간의 ~을 남기다 留一点空白

여-벌(餘-) 명 多余的 duōyúde; 备用的 bèiyòngde ¶그의 집에는 ~의 밥그릇 하나가 없다 他家里没有一个多余的碗子 / 나는 지금 ~ 옷이 없다 我现在没有备用的衣服

여-보 캅 1 喂 wèi 2 爱人 àiren; 亲爱的 qīn'àide《用于夫妻之间的称呼》

여-보게 캅 喂 wèi ¶~, 지금 어디에

나? 예, 너는 지금 어디 가니?

여-보세요 갑 喂 wèi ¶~, 김 선생님 댁에 계십니까? 喂, 金老师在家吗? / ~, 누구 없어요? 喂, 有人在吗?

여복(女福) 명 艳福 yànfú

여-봐라 来人啊 láirén'a

여봐란-듯이 大摇大摆地 dàyáo-dàbǎide ¶그들은 ~ 술집에 들어갔다 他们大摇大摆地走进酒吧

여:부(與否) 명 是否 shìfǒu; 与否 yǔfǒu; 能否 néngfǒu ¶안전 ~를 확인하다 确认安全与否 / 임신 ~를 판단하다 判断是否怀孕

여분(餘分) 명 = 나머지1

여비(旅費) 명 路费 lùfèi; 旅费 lǚfèi; 盘费 pánfèi; 盘缠 pánchan; 车马费 chēmǎfèi; 川费 chuānfèi; 川资 chuānzī ¶~가 모자라다 旅费不够 / ~를 마련하다 筹备路费

여사(女士) 명 女士 nǚshì

여색(女色) 명 女色 nǚsè; 色 sè ¶~에 빠지다 沉迷于女色 / ~을 탐하다 贪图女色 / ~을 밝히다 好色

여생(餘生) 명 余生 yúshēng; 余年 yúnián ¶그녀와 함께 ~을 보내다 陪她度过余生

여섯 수관 六 liù ¶~ 살 六岁 / ~ 달 六个月 / ~ 시간 六个小时

여섯-째 一수관 第六 dìliù; 第六个 dìliùgè ¶~ 딸 第六个女儿 二명 老六 lǎoliù ¶그는 ~이다 他是老六

여성(女性) 명 女性 nǚxìng; 女 nǚ; 妇女 fùnǚ; 女人 nǚrén = 여(女)2 ¶~지 女性杂志 / ~계 女性界 / ~관 女性观 / ~미 女性美 / ~복 女服装 / 아름다운 ~ 漂亮的女性 / 중년 ~ 中年妇女

여성(女聲) 명 1 女声音 nǚshēngyīn 2 【音】女声 nǚshēng ¶~ 합창 女声合唱 / ~ 합창단 女声合唱团

여성-적(女性的) 관명 女性的 nǚxìng(de); 女人的 nǚrén(de); 女里女气 nǚlínǚqì; 女气 nǚqì; 脂粉气 zhīfěnqì ¶~인 관점 女人观点 / ~인 남자 女里女气的男人

여성 호르몬(女性hormone) 【生】雌激素 cíjīsù; 女性激素 nǚxìng jīsù

여세(餘勢) 명 余势 yúshì; 势头 shìtou ¶이 ~를 몰아 연승해 나가다 继续这个势头连胜下去

여승(女僧) 명 女僧 nǚsēng; 尼姑 nígū; 姑子 gūzi

여식(女息) 명 = 딸

여신(女神) 명 女神 nǚshén ¶승리의 ~ 胜利的女神 / 자유의 ~상 自由女神像

여·신(與信) 명 【經】信贷 xìndài ¶~ 계약 信贷合约 / ~ 업무 信贷业务

여실-하다(如實―) 혱 如实 rúshí 여

실-히 튀 ¶이 영화는 농민들의 현재 상황을 ~ 반영하고 있다 这部电影如实地反映了农民的现状

여심(女心) 명 女人的心 nǚrénde xīn ¶~을 사로잡다 抓住女人的心

여아(女兒) 명 = 여자아이 ¶~복 女童装

여:야(與野) 명 朝野 cháoyě ¶~가 합의를 보다 朝野达成协议

여열(餘熱) 명 余热 yúrè

여왕(女王) 명 女王 nǚwáng; 女皇 nǚhuáng

여왕-개미(女王―) 명 【蟲】蚁后 yǐhòu; 母蚁 mǔyǐ

여왕-벌(女王―) 명 【蟲】蜂王 fēngwáng; 蜂后 fēnghòu

여우 명 1【動】狐狸 húli 2 狐狸精 húlíjīng

여우(女優) 명 = 여배우 ¶~ 주연상 最佳女主角奖

여우-비 명 太阳雨 tàiyángyǔ

여운(餘韻) 명 1 余韵 yúyùn ¶감동의 ~ 感动的余韵 / 시의 ~ 诗之余韵 2 余音 yúyīn ¶긴 ~을 남기다 余音绕梁

여울 명 浅滩 qiǎntān; 浅水滩 qiǎnshuǐtān ¶~목 浅滩口

여위다 자 瘦 shòu; 消瘦 xiāoshòu; 瘦削 shòuxuē ¶그녀는 전보다 많이 여위었다 她比以前瘦了很多

여유(餘裕) 명 1 宽裕 kuānyù; 富余 fùyu; 余裕 yúyù; 敷余 fūyú; 绰绰有余 chuòchuòyǒuyú; 宽松 kuānsōng 2 从容 cóngróng; 宽 kuān; 宽松 kuānsōng 悠闲 yōuxián; 悠游 yōuyóu; 悠闲从容 yōuxiáncóngróng; 从容不迫 cóngróngbùpò

여유-롭다(餘裕―) 혱 裕如 yùrú; 充裕 chōngyù

여의다 타 1 失去 shīqù ¶교통사고로 부모를 ~ 因交通事故失去父母 2 嫁 jià; 嫁出去 jiàchūqù ¶큰딸을 ~ 把长女嫁出去

여의-봉(如意棒) 명 金箍棒 jīngūbàng

여의-주(如意珠) 명 摩尼珠 mónízhū; 如意宝珠 rúyìbǎozhū

여의-하다(如意―) 명 如意 rúyì; 顺利 shùnlì ¶상황이 여의치 않다 情况不如意 / 만사가 ~ 여의하시기를 기원합니다 祝你万事如意

여인(女人) 명 女人 nǚrén; 妇女 fùnǚ ¶중년의 ~ 中年女人

여인-숙(旅人宿) 명 旅馆 lǚguǎn; 旅社 lǚshè; 旅舍 lǚshè; 旅店 lǚdiàn; 客栈 kèzhàn

여자(女子) 명 1 女子 nǚzǐ; 女人 nǚrén; 女性 nǚxìng; 女 nǚ = 여(女)1 ¶~ 친구 女朋友 / ~ 가수 女歌手 / ~ 화장실 女厕 2 (男子的)情人 qíngrén;

여인 nǚrén; 여朋友 nǚpéngyou

여자 고등학교(女子高等學校)【教】女子高级中学 nǚzǐ gāojí zhōngxué; 女子高中 nǚzǐ gāozhōng; 女高中 nǚgāozhōng

여자 대학(女子大學)【教】女子大学 nǚzǐ dàxué; 女子学院 nǚzǐ xuéyuàn; 女大 nǚdà

여자-아이(女子—)图 女孩子 nǚháizi; 女孩儿 nǚháir; 女童 nǚtóng = 여아

여자 중학교(女子中學校)【教】女子初级中学 nǚzǐ chūjí zhōngxué; 女子初中 nǚzǐ chūzhōng; 女初中 nǚchūzhōng

여장(女裝) 图[하자] 男扮女装 nánbàn nǚzhuāng ¶그는 ~했다 他是男扮女装的

여장(旅裝) 图 行装 xíngzhuāng ¶~을 꾸리다 收拾行装 / ~을 풀다 打开行装

여-장부(女丈夫) 图 女强人 nǚqiángrén; 巾帼丈夫 jīnguó zhàngfū; 女将 nǚjiàng

여전-하다(如前—) 혱 仍然 réngrán; 依然 yīrán; 如故 rúgù; 如故 rújiù; 依然如故 yīrán rúgù ¶그의 미소는 ~ 他的微笑依然如故 **여전-히** 튄 ¶그녀는 ~ 아름답다 她依然很漂亮

여정(旅程) 图 旅程 lǚchéng; 行程 xíngchéng; 旅途 lǚtú ¶인생 ~ 人生的旅程 / 4박 5일의 ~ 五天四夜的行程

여제(女帝) 图 女皇 nǚhuáng; 女帝 nǚdì; 女皇帝 nǚhuángdì

여-종(女—) 图 婢女 bìnǚ; 丫鬟 yāhuan; 丫头 yātou = 계집종

여죄(餘罪) 图 余罪 yúzuì; 残罪 cánzuì ¶그의 ~를 다시 조사하다 对他的余罪重新审查

여-주인공(女主人公) 图 女主人公 nǚzhǔréngōng; 女主角 nǚzhǔjué

여중(女中) 图【教】'여자 중학교'의 略称 ¶~생 女初中生

여지(餘地) 图[의료] 余地 yúdì; 余步 yúbù; 地步 dìbù ¶선택의 ~가 없다 没有选择的余地 / 약간의 ~를 남기다 留点余步

여지-없다(餘地—) 혱 毫无余地 háowú yúdì **여지없-이** 튄

여진(餘震) 图【地理】余震 yúzhèn

여:쭈다 邼 1 禀告 bǐnggào; 告诉 gàosu; 进言 jìnyán; 问 wèn; 告 gào ¶사실대로 ~ 据实禀告 / 성함을 여쭤 봐도 되겠습니까? 我可以问你的名字吗? 2 请安 qǐng'ān; 问候 wènhòu ‖ = 여쭙다

여:쭙다 邼 = 여쭈다 ¶말씀을 여쭙고 용서를 구하다 禀告之后请求原谅

여차여차-하다(如此如此—) 혱 = 이러이러하다 **여차여차-히** 튄

여차-하다[1](如此—) 혱 = 이렇다 **여차-히** 튄

여차-하다[2](如此—) 재 情况不好 qíngkuàng bùhǎo; 不妙 bùmiào

여:-치【虫】蝈蝈儿 guōguor; 纺织娘 fǎngzhīniáng; 螽斯 zhōngsī

여타(餘他) 图 其他 qítā; 其它 qítā ¶~ 항목 其它项目

여탕(女湯) 图 女池 nǚchí; 女澡堂 nǚzǎotáng

여태 튄 直到现在 zhídào xiànzài; 至今 zhìjīn; 一直 yīzhí; 一向 yīxiàng; 迄今 qìjīn; 从来 cónglái; 还 hái ¶그는 ~ 집에서 자고 있다 他还在家睡觉 / ~까지도 완성하지 못하다 迄今没有完成

여태-껏 튄 '여태'의 强调语 = 이제껏 ¶너는 ~ 뭐하다가 이제 오니? 你一直做什么, 现在才回来?/ ~ 문제를 해결하지 못하다 迄今没有解决问题

여파(餘波) 图 余波 yúbō; 影响 yīngxiǎng ¶지진의 ~ 地震的余波 / 사건의 ~ 事件的影响 / ~가 가라앉지 않다 余波未平

여편-네(女便—) 图 1 娘儿们 niángrmen 2 老婆 lǎopo

여하(如何) 图[하자][하부] 如何 rúhé; 任何 rènhé ¶다함께 한 마음으로 노력하면 ~한 어려움도 극복할 수 있다 大家一心努力, 能够克服任何困难

여하-간(如何間) 튄 = 하여튼

여하-튼(如何—) 튄 = 아무튼

여-학교(女學校) 图 女学校 nǚxuéxiào; 女子学校 nǚzǐ xuéxiào

여-학생(女學生) 图 女学生 nǚxuéshēng

여한(餘恨) 图 遗憾 yíhàn; 遗憾 yíhàn ¶지금 죽어도 ~이 없다 现在就是死也没有遗憾了

여행(旅行) 图[하자][하타] 旅游 lǚyóu; 旅行 lǚxíng; 游 yóu ¶~사 旅行社 / 국내 ~ 国内旅游 / 단체 ~ 团体旅游 / ~가방 旅行包 / ~ 일정 旅行日程 / 혼자 ~을 떠나다 一个人去旅游 / 중국으로 ~을 가다 去中国旅行

여행-객(旅行客) 图 旅客 lǚkè; 旅人 lǚrén; 旅行者 lǚxíngzhě

여행-기(旅行記) 图【文】= 기행문

여행-자(旅行者) 图 旅客 lǚkè; 旅人 lǚrén; 旅行者 lǚxíngzhě

여행자 수표(旅行者手票)【經】旅行支票 lǚxíng zhīpiào

여호와(—히)Jehovah) 图【宗】耶和华 Yēhéhuá ¶~의 증인 耶和华见证人

여흥(餘興) 图[하자] 余兴 yúxìng ¶밤늦게까지 놀고도 ~이 채 가시지 않다

玩到深夜余兴未消

역(役) 圐 角 jué; 角色 juésè = 역할2 ¶이번에 그녀는 여왕 ~을 맡았다 这次她要演女王一角

역(逆) 圐 反 fǎn; 逆 nì ¶~으로 말하다 反过来说

역(驛) 圐 火车站 huǒchēzhàn; 车站 chēzhàn; 站 zhàn = 철도역 ¶~ 대합실 火车站候车室 / ~ 광장 火车站广场 / 다음 ~ 下一站

역-(逆) 圐졉 逆 nì; 反 fǎn ¶~효과 反效应 / ~방향 反向 / ~이용 反利用

역-겹다(逆—) 혱 恶心 ěxin; 讨厌 tǎoyàn; 厌恶 yànwù; 臭 chòu; 难闻 nánwén; 作呕 zuò'ǒu ¶역겨운 냄새 令人作呕的味儿 / 그의 그런 행동은 정말 ~ 他那样的行动让人恶心

역경(逆境) 圐 逆境 nìjìng; 困难环境 kùnnan huánjìng ¶~을 만나다 遭遇逆境 / ~에 처하다 身处逆境 / ~을 딛고 일어나다 从逆境中站起

역공(力攻) 圐혱탄 全力攻击 quánlì gōngjī ¶~을 퍼붓다 展开全力攻击

역공(逆攻) 圐혱탄 反攻 fǎngōng ¶~을 펼치다 进行反攻

역광(逆光) 圐 【物】 = 역광선

역-광선(逆光線) 圐 【物】 逆光 nìguāng = 역광

역군(役軍) 圐 主力军 zhǔlìjūn; 骨干 gǔgàn ¶산업 ~ 产业主力军

역기(力技) 圐 【體】 = 역도

역기(力技) 圐 【體】 杠铃 gànglíng = 바벨 ¶~를 들다 举起杠铃

역내(域內) 圐 域内 yùnèi

역대(歷代) 圐 历届 lìjiè; 历代 lìdài ¶~ 월드컵 우승국 历届世界杯冠军 / ~ 전적 历届战绩 / ~ 황제 历代皇帝

역도(力道) 圐 【體】 举重 jǔzhòng = 역기(力技) ¶~ 선수 举重运动员

역동-적(力動的) 롼혱 充满活力(的) chōngmǎn huólì(de); 活跃 huóyuè(de)

역량(力量) 圐 力量 lìliàng; 能力 nénglì ¶~이 부족하다 力量不够 / ~을 발휘하다 发挥力量

역력-하다(歷歷—) 혱 历历在目 lìlìzàimù; 记忆犹新 jìyìyóuxīn; 清楚 qīngchu 역력-히 혱

역류(逆流) 圐혱탄 反流 fǎnliú; 逆流 nìliú; 回流 huíliú; 倒流 dàoliú ¶~ 현상이 나타나다 出现回流现象

역마-살(驛馬煞) 圐 驿马煞 yìmǎshà

역-마차(驛馬車) 圐 驿马车 yìmǎchē; 公共马车 gōnggòng mǎchē

역모(逆謀) 圐혱탄 谋反 móufǎn ¶~를 꾸미다 策划谋反 / ~에 가담하다 参加谋反

역무-원(驛務員) 圐 火车站员工 huǒchēzhàn yuángōng

역법(曆法) 圐 历法 lìfǎ

역병(疫病) 圐 【醫】 疫病 yìbìng; 流行病 liúxíngbìng

역부족(力不足) 圐혱 力量不够 lìliang bùgòu; 力不胜任 lìbùshèngrèn

역사(力士) 圐 力士 lìshì

역사(歷史) 圐 历史 lìshǐ; 史 shǐ ¶~가 历史家 / ~ 교육 历史教育 / ~ 박물관 历史博物馆 / ~ 소설 历史小说 / 반만년의 ~ 半万年历史 / ~를 왜곡하다 歪曲历史 / ~가 유구하다 历史悠久

역사(驛舍) 圐 车站建筑 chēzhàn jiànzhù

역사-관(歷史觀) 圐 历史观 lìshǐguān; 史观 shǐguān = 사관(史觀)

역사-극(歷事劇) 圐 【演】 历史剧 lìshǐjù; 史剧 shǐjù = 사극(史劇)

역사-상(歷事上) 圐 历史上 lìshǐshàng = 사상(史上)

역사-적(歷史的) 롼혱 历史(的) lìshǐ(de); 具有历史意义(的) jùyǒu lìshǐ yìyì(de) = 사적(史的) ¶~인 날 具有历史意义的一天 / ~인 사건 具有历史意义的事件

역사-책(歷史册) 圐 历史书 lìshǐshū; 历史书籍 lìshǐ shūjí; 史书 shǐshū

역사-학(歷史學) 圐 史学领域 shǐxué lǐngyù = 사학(史學) ¶~자 历史学家

역산(逆算) 圐혱탄 逆运算 nìyùnsuàn

역-삼각형(逆三角形) 圐 【數】 倒三角形 dàosānjiǎoxíng

역서(曆書) 圐 历书 lìshū; 历本 lìběn

역서(譯書) 圐 译本 yìběn

역설(力說) 圐혱탄 强调 qiángdiào ¶그는 회의에서 문제의 심각성을 ~했다 他在会议上强调了问题的严重性

역설(逆說) 圐혱탄 1 僻论 pìlùn; 异说 yìshuō 2 【論】 悖论 bèilùn = 패러독스

역성 圐혱탄 袒护 tǎnhù; 护庇 hùbì; 偏袒 piāntǎn; 偏护 piānhù ¶그녀는 자기 아들의 ~을 들었다 她袒护自己的儿子

역성-들다 탄 袒护 tǎnhù; 护庇 hùbì; 偏袒 piāntǎn; 偏护 piānhù

역-수입(逆輸入) 圐혱탄 【經】 复进口 fùjìnkǒu; 再进口 zàijìnkǒu

역-수출(逆輸出) 圐혱탄 【經】 复出口 fùchūkǒu; 再出口 zàichūkǒu

역순(逆順) 圐 倒序 dàoxù; 逆序 nìxù ¶~으로 배열하다 按逆序排列

역습(逆襲) 圐혱탄 反攻 fǎngōng; 反袭击 fǎnxíjī; 反击 fǎnjī ¶~을 당하다 遭到反攻

역시(亦是) 혱 1 = 또한 lìng ¶그녀 ~ 내 친구이다 她也是我的朋友 2 果然 guǒrán; 果真 guǒzhēn ¶그는 ~ 천재

로구나 ¶他果然是个天才 **3** 依然 yīrán; 仍然 réngrán; 还是 háishi ¶그녀는 지금도 ～ 동東하다 她现在还是很胖 **4** 还是 háishi ¶수학은 ～ 어렵다 数学还是很难

역암(礫巖) 똉 【地理】 砾岩 lìyán

역용(逆用) 똉【하타】 = 역이용

역원(役員) 똉 = 임원

역-이용(逆利用) 똉【하타】 反利用 fǎnlìyòng = 역용

역자(譯者) 똉 译者 yìzhě

역작(力作) 똉 力作 lìzuò ¶최고의 ～ 最佳力作 / 최신 ～ 最新力作

역장(驛長) 똉 站长 zhànzhǎng

역적(逆賊) 똉 叛贼 pànzéi; 叛徒 pàntú; 逆贼 nìzéi

역전(逆轉) 똉【하자타】 逆转 nìzhuǎn; 倒转 dàozhuǎn; 扭转 niǔzhuǎn ¶～승 逆转获胜 / 패 逆转失败 / 상황이 ～ 되다 情况逆转 / 한국이 ～ 해서 중국을 이기다 韩国逆转摧毁中国

역전(歷戰) 똉【하자】 身经百战 shēnjīngbǎizhàn ¶～의 용사 身经百战的勇士

역전(驛前) 똉 站前 zhànqián ¶～ 광장 站前广场 / ～에서 만나다 站前见面

역점(力點) 똉 重点 zhòngdiǎn ¶상품의 질을 향상시키는 데에 ～을 두다 把重点放在提高产品质量上

역정(逆情) 똉 脾气 píqi ¶그는 갑자기 우리에게 ～을 냈다 他突然对我们发了脾气

역정(歷程) 똉 历程 lìchéng ¶인생 ～ 人生历程

역주(力走) 똉【하자타】 尽力跑 jìnlì pǎo; 使劲跑 shǐjìn pǎo

역주(譯註) 똉 译注 yìzhù

역지사지(易地思之) 똉【하자】 易地而处 yìdì'érchǔ

역풍(逆風) 똉 逆风 nìfēng; 顶风 dǐngfēng ¶～이 일다 刮起逆风

역-하다(逆-) 똉 【하】 **1** 作呕 zuò'ǒu; 恶心 ěxin ¶그 냄새는 정말 ～ 那个臭味真恶心 **2** 不顺眼 bùshùnyǎn; 讨厌 tǎoyàn

역학(力學) 똉 【物】 力学 lìxué

역학(易學) 똉 【哲】 易学 yìxué

역학(疫學) 똉 【醫】 流行病学 liúxíngbìngxué ¶～ 조사 流行病学调查

역할(役割) 똉 角色 juésè ¶～ 분담 角色分担 / 부모의 ～ 父母的作用 **2** = 역(役)

역행(逆行) 똉【하자】 逆行 nìxíng; 背道而驰 bèidào'érchí; 倒行逆施 dàoxíng nìshī ¶시대의 흐름에 ～하다 逆时代

潮流而行

역-효과(逆效果) 똉 相反的效果 xiāngfǎnde xiàoguǒ; 反效果 fǎnxiàoguǒ; 反面影响 fǎnmiàn yǐngxiǎng ¶이렇게 하면 ～만 날 수 있다 这下只会造成相反的效果

엮다 타 **1** 编 biān; 捆 kǔn; 编结 biānjié; 编制 biānzhì; 扎 zā ¶바구니를 ～ 编筐子 / 자리를 ～ 编席子 / 울타리를 ～ 扎篱笆 **2** (故事，资料) 编 biān; 编辑 biānjí ¶교과서를 ～ 编教科书

엮-이다 자 '엮다'의 被动词

연(年) 똉 年 nián; 一年 yīnián ¶～ 우량 年降雨量

연(鳶) 똉 风筝 fēngzheng; 纸鸢 zhǐyuān ¶～을 날리다 放风筝

연(緣) 똉 = 연분(緣分) ¶～을 끊다 绝缘

연(蓮) 똉 【植】 = 연꽃1

연-(軟) [접두] 浅 qiǎn; 淡 dàn ¶～노랑 浅黄色 / ～녹색 浅绿色 / ～갈색 浅褐色

연-가(戀歌) 똉 **1** 恋歌 liàngē **2** 【音】 浪漫曲 làngmànqǔ = 로맨스3

연간(年間) 똉 年度 niándù; 年间 niánjiān; 全年 quánnián ¶～ 소득 年度所得 / ～ 생산량 全年产量

연감(年鑑) 똉 年鉴 niánjiàn

연-거푸(連-) 튕 连续 liánxù; 接连 jiēlián; 接二连三 jiē'èrliánsān; 不断 bùduàn ¶～ 사고가 발생하다 不断发生事故 / 술을 ～ 세 잔 마시다 连续喝了三杯酒

연결(連結) 똉【하타】 连结 liánjié; 联结 liánjié; 连 lián; 联 lián; 连缀 liánzhuì; 接 jiē; 接通 jiētōng ¶전화 ～ 电话接通 / 컴퓨터 두 대를 한데 ～하다 把两台电脑连起来

연계(連繫·聯繫) 똉【하타】 联系 liánxì; 连结 liánjié ¶～ 방식 连接方式 / ～성 联系性 / 이론이 실제와 ～하다 理论联系实际

연-고(軟膏) 똉 【藥】 软膏 ruǎngāo ¶～를 바르다 涂抹软膏

연고(緣故) 똉 **1** = 사유(事由) **2** 亲戚故旧 qīnqi gùjiù; 关系 guānxi **3** = 인연1

연고-자(緣故者) 똉 关系户 guānxìhù; 关系人 guānxìrén

연-골(軟骨) 똉 【生】 软骨 ruǎngǔ; 脆骨 cuìgǔ = 물렁뼈 ¶～ 손상 软骨损伤 / 무릎 ～ 膝盖软骨 / ～ 조직 软骨组织

연공(年功) 똉 年资 niánzī; 资 zī ¶～

서열 논공배열

연관(聯關) 명하타 联系 liánxì; 关联 guānlián; 关系 guānxi; 相关 xiāngguān; 关 guān ¶이번 일은 그와 ~이 있다 这件事跟他有联系 / 정부의 정책은 국민 생활과 ~이 있다 政府的政策与人民生活有关系

연:구(研究) 명하타 研究 yánjiū; 钻研 zuānyán ¶~가 研究家 / ~비 研究费 / ~소 研究所 / ~실 研究室 / ~원 研究员 / ~ 대상 研究对象 / ~ 개발 研究开发 / ~ 성과 研究成果 / ~ 결과 研究结果 / 그는 고대 중국 문화를 ~한다 他研究古代中国文化

연:구개(軟口蓋) 명 生 软腭 ruǎn'è ¶~음 软腭音

연:극(演劇) 명하자 1 演 戏剧 xìjù; 戏 xì; 剧 jù ¶~계 剧坛 / ~배우 戏剧演员 / ~인 戏剧人 / ~을 공연하다 表演戏剧 / ~ 한 편을 보다 看一场戏剧 2 把戏 bǎxì; 鬼把戏 guǐbǎxì ¶내 앞에서 ~할 필요 없다 你们不需要在我面前做什么鬼把戏了

연근(蓮根) 명 植 藕 ǒu; 莲藕 lián'ǒu

연금(年金) 명 法 年金 niánjīn; 养老金 yǎnglǎojīn ¶~ 보험 年金保险 / ~ 제도 年金制度

연:금(軟禁) 명하타 软禁 ruǎnjìn ¶가택 ~ 软禁在家

연:금(鍊金) 명하자 炼金 liànjīn; 冶炼 yěliàn ¶~술 炼金术 / ~술사 炼金术士

연기(延期) 명하타 延期 yánqī; 延迟 yánchí; 推迟 tuīchí; 展期 zhǎnqī; 展缓 zhǎnhuǎn; 缓期 huǎnqī ¶시험이 다음 달로 ~되다 考试延期到下月 / 출국을 ~하다 推迟出国

연기(煙氣) 명 烟 yān; 烟雾 yānwù ¶~가 나다 冒烟

연:기(演技) 명하타 演 演技 yǎnjì; 表演 biǎoyǎn; 演 yǎn ¶~자 演员 / ~파 演技派 / 그의 ~는 정말 끝내준다 他的演技真棒

연-꽃(蓮一) 명 1 植 莲 lián; 荷 hé; 荷花 héhuā; 莲花 liánhuā = 연(蓮) 2 莲花 liánhuā; 荷花 héhuā = 부용1

연-날리기(鳶一) 명하자 放风筝 fàng fēngzheng

연내(年內) 명 年内 niánnèi ¶반드시 ~에 완성해야 한다 必须在年内完成

연년(年年) 명부 = 매해 ¶~ 감소하다 一年年地减少

연년(連年) 명 连年 liánnián

연년-생(年年生) 명 连年出生的 liánnián chūshēngde ¶그들 형제는 ~이다 他们是连年出生的兄弟

연-놈 명 狗男女 gǒunánnǚ

연-단(演壇) 명 讲台 jiǎngtái; 讲坛 jiǎngtán

연-달다(連一) 자 = 잇따르다 ¶연달아 고장이 나다 接连发生故障

연대(年代) 명 年代 niándài ¶~순 年代次序

연대(連帶) 명하자 连带 liándài; 联名 liánmíng; 共同 gòngtóng ¶~ 서명 共同署名 / ~ 의식 共同意识 / ~ 보증 连带保证 / ~ 책임 连带责任

연대(聯隊) 명 軍 团 tuán ¶~장 团长

연대-기(年代記) 명 史 编年史 biānniánshǐ

연대-표(年代表) 명 年表 niánbiǎo = 연표

연도(年度) 명 年度 niándù; 年份 niánfèn ¶졸업 ~ 毕业年度 / 제작 ~ 制作年度

연도(沿道) 명 沿道 yándào; 沿途 yántú; 沿路 yánlù

연동(聯動·連動) 명하자 機 连动 liándòng ¶~ 장치 连动装置

연동(蠕動) 명하자 蠕动 rúdòng ¶~운동 蠕动运动

연두(年頭) 명 年初 niánchū; 岁初 suìchū; 新年 xīnnián ¶~교서 新年国情咨文 / ~ 기자 회견 年初记者招待会

연:두(軟豆) 명 1 = 연두색 2 = 연둣빛 3 美 豆绿 dòulǜ

연:두-색(軟豆色) 명 豆绿色 dòulǜsè = 연두(軟豆)1

연:둣-빛(軟豆一) 명 淡绿色 dànlǜsè = 연두(軟豆)2 ¶~ 나뭇잎 淡绿色的树叶

연등(燃燈) 명 佛 燃灯 rándēng ¶~ 회 燃灯会

연락(連絡·聯絡) 명하타 1 通知 tōngzhī; 告诉 gàosu; 告知 gàozhī ¶네가 나 대신 그에게 ~해라 你替我通知他一下 2 联络 liánluò; 联系 liánxì ¶~ 방식 联络方式 / ~망 联络网 / ~을 끊다 和他断绝联系 / 그와 ~이 되지 않는다 跟他联系不上

연락-선(連絡船) 명 轮渡 lúndù; 渡船 dùchuán

연락-처(連絡處) 명 联络处 liánluòchù; 通信地址 tōngxìn dìzhǐ

연령(年齡) 명 = 나이 ¶결혼 ~ 结婚年龄 / ~ 제한 年龄限制 / ~층 年龄层

연례(年例) 명 年例 niánlì; 年 nián ¶~회 年会 / ~행사 年例活动

연:로(年老) 명 年老 niánlǎo; 上年纪 shàng niánjì ¶~한 부모님 年老的父母

연료(燃料) 명 燃料 ránliào ¶~봉 燃料棒 / 액체 ~ 液体燃料 / ~비 燃料

費 /~를 공급하다 供给燃料 /~를 절
약하다 节约燃料

연루(連累·緣累) 명하자 『法』 株连
zhūlián; 连累 liánlèi; 挂累 guàlèi; 牵累
qiānlèi; 牵连 qiānlián = 연좌(連坐)2 ¶
다른 사람이 ~되다 连累他人 /무고
한 사람이 ~되다 株连无辜的人

연륜(年輪) 명 1 『植』 = 나이테 2 成
熟 chéngshú; 工齢 gōnglíng

연리(年利) 명 年息 niánxī; 年利 nián-
lì

연립(聯立) 명하자 联合 liánhé; 联立
liánlì ¶~ 내각 联合内阁 / ~ 방정식
联立方程 / ~ 정부 联合政府

연:마(研磨·練磨·鍊磨) 명하타 1 研
磨 yánmó; 打磨 dǎmó ¶~기 研磨机 /
~제 研磨剂 /대리석을 ~하다 研磨大
理石 2 磨炼 móliàn; 磨练 móliàn; 锻
炼 duànliàn; 锤炼 chuíliàn; 钻研 zuānyán ¶무
술을 ~하다 练功夫 / 학문을 ~하다
钻研学习 /자신을 ~하다 锤炼自己

연:마-반(研磨盤) 명 『工』 = 연삭기

연막(煙幕) 명 1 『軍』烟幕 yānmù ¶
~탄 烟幕弹 2 烟幕 yānmù ¶~ 작전
烟幕作战

연막(을) 치다 宣 掩盖真相

연말(年末) 명 年底 niándǐ; 年末 nián-
mò; 年终 niánzhōng; 年根(儿) nián-
gēn(r); 年关 niánguān; 年尾 niánwěi;
岁暮 suìmù ¶~ 결산 年终结账 /~
보너스 年终奖 / ~ 정산 年底结转

연말ㅡ연시(年末年始) 명 = 연년 ¶~에
年底年初

연맹(聯盟) 명 联盟 liánméng ¶~
에 가입하다 加入联盟 / ~을 결성하다
成立联盟

연맹ㅡ전(聯盟戰) 명 [體] = 리그전

연-면적(延面積) 명 『建』总面积 zǒng-
miànjī

연명(延命) 명하자 度命 dùmìng; 维
持生命 wéichí shēngmìng; 苟延残喘
gǒuyáncánchuǎn ¶이렇게 해서는 더
이상 ~하기 힘들다 这样不能再维持
生命了

연:모(戀慕) 명하타 恋慕 liànmù; 爱
慕 àimù ¶~하는 마음을 품다 怀爱慕
之心

연목구어(緣木求魚) 명하자 缘木求鱼
yuánmùqiúyú

연ㅡ못(蓮一) 명 1 荷池 héchí; 荷花
池 héhuāchí; 荷塘 hétáng; 莲花池 lián-
huāchí; 莲池 liánchí 2 = 못3

연무(煙霧) 명 烟雾 yānwù

연:미-복(燕尾服) 명 燕尾服 yànwěifú

연민(憐憫·憐愍) 명하타 憐憫 lián-
mǐn ¶~을 느끼다 感到怜悯

연발(連發) 명하자타 1 接连发出 jiē-
lián fāchū; 连续 liánxù ¶실수를 ~하다
连续失误 /하품을 ~하다 连续打呵欠

2 连发 liánfā; 连放 liánfàng ¶~ 장치
连发装置

연ㅡ밥(蓮一) 명 莲子 liánzǐ

연방(連方) 부 不断(地) búduàn(de);
连连 liánlián; 连气(儿) liánqì(r) ¶그녀
는 나를 향해 ~ 손을 흔들었다 她向
我不断地挥手

연방(聯邦) 명 『政』联邦 liánbāng ¶~
은행 联邦银行 / ~ 의회 联邦议会

연배(年輩) 명 年辈 niánbèi; 同辈 tóng-
bèi ¶~가 같다 年辈相当

연변(沿邊) 명 沿线 yánxiàn; 沿边
yánbiān ¶~ 지역 沿边地区 / ~ 도로
沿边公路

연별(年別) 명하타 年别 niánbié; 按年
ànnián

연병(練兵·鍊兵) 명하자 『軍』练兵
liànbīng ¶~장 练兵场

연보(年報) 명 年报 niánbào

연보(年譜) 명 年谱 niánpǔ

연:보라(軟一) 명 藕合色 ǒuhésè; 藕
荷色 ǒuhésè

연봉(年俸) 명 年薪 niánxīn; 年资 nián-
zī ¶~제 年薪制 / 인상된 ~ 提高的年
薪 /~을 책정하다 定年资

연분(緣分) 명 1 缘分 yuánfèn ¶좋은
~을 만나다 遇上好缘分 2 姻缘 yīn-
yuán = 연(緣)

연:-분홍(軟粉紅) 명 浅粉红色 qiǎn-
fěnhóngsè; 淡粉红色 dànfěnhóngsè ¶
~ 치마 淡粉红色裙子

연:사(演士) 명 演说者 yǎnshuōzhě;
讲演者 jiǎngyǎnzhě = 변사(辯士)2

연:삭-기(研削機) 명 『工』磨床 mó-
chuáng = 연마반

연:산(演算) 명하타 『數』运算 yùn-
suàn ¶~ 기호 运算符 / 사칙 ~ 四则
运算

연상(年上) 명 (比自己) 年龄大 nián-
líng dà; 年长 niánzhǎng ¶~의 여자를
좋아하다 喜欢比自己年龄大的女人 /
그녀는 나보다 다섯 살 ~이다 她比我
年长五岁

연상(聯想) 명하타 『心』联想 liánxiǎng
¶~ 작용 联想作用 / 겨울하면 눈이
~된다 一提起冬天就会联想到雪

연서(連書) 명하자 『法』联名 liánmíng;
共同签署 gòngtóng qiānshǔ; 联合签署
liánhé qiānshǔ

연석(聯席) 명 联席 liánxí ¶~회
의 联席会议

연:설(演說) 명하자 演说 yǎnshuō; 演
讲 yǎnjiǎng; 讲话 jiǎnghuà ¶취임 ~
就职演说 /~문 演说文 /그는 회의에
서 중요한 ~을 했다 他在会议上发表
重要讲话

연:성(軟性) 명 软性 ruǎnxìng

연세(年歲) 명 '나이'의 敬词 ¶~가 지

굿한 교수님 上了年纪的教授 / ～가 어떻게 되십니까? 您多大年纪了?

연소(燃燒) 〔動〕〔化〕燃烧 ránshāo; 燃 rán / ～기 燃烧器 / ～열 燃烧热 / ～ 장치 燃烧装置 / ～ 설비 燃烧设 备 / 지방을 ～하다 燃烧脂肪

연소-자(年少者) 〔名〕年少者 niánshào-zhě

연소-하다(年少—) 〔形〕年少 niánshào; 年幼 niányòu; 年轻 niánqīng

연속(連續) 〔名〕连续 liánxù; 接连 jiēlián; 连环 liánhuán ¶～성 连续性 / ～ 촬영 连续拍摄 / 며칠 동안 ～으로 야근을 하다 连续几天加班 / ～으로 교통사고가 발생하다 接连发生交通 事故

연속-극(連續劇) 〔名〕〔演〕连续剧 liánxùjù

연쇄(連鎖) 〔名〕〔動자타〕连锁 liánsuǒ; 连 续 liánxù ¶～폭파 连锁爆炸 / ～ 테러 连锁恐怖事件 / ～ 충돌 连续相撞 / ～ 반응 连锁反应 / ～ 살인 사건 连续杀 人案

연쇄-점(連鎖店) 〔名〕〔經〕连锁商店 liánsuǒ shāngdiàn; 连锁店 liánsuǒdiàn

연수(年數) 〔名〕= 햇수

연-수(研修) 〔名〕〔動타〕进修 jìnxiū / 교사 ～ 教师进修 / ～생 进修生 / 中国에서 일 년간 ～하다 在中国进修一年

연-수(軟水) 〔名〕〔化〕软水 ruǎnshuǐ = 단물4

연습(演習) 〔名〕〔動타〕演习 yǎnxí; 练习 liànxí ¶～ 경기 练习比赛

연-습(練習·鍊習) 〔名〕〔動타〕练习 liàn-xí; 练 liàn; 训练 xùnliàn ¶타자 ～ 打字练习 / 합창 ～ 合唱训练 / ～ 과정 练习过程 / ～ 문제 练习题 / ～장 训练 场 / ～곡 练习曲 / ～장 练习本 / 노래 ～을 하다 练习唱歌

연승(連勝) 〔名〕〔動자〕连续胜利 liánxù shènglì; 连续获胜 liánxù huòshèng

연-시(軟柿) 〔名〕软柿 ruǎnshì

연-식(軟式) 〔名〕软式 ruǎnshì

연-식(軟食) 〔名〕软食 ruǎnshí = 반고 형식

연신 〔副〕不断(地) búduàn(de); 连连 liánlián; 连气(儿) liánqì(r) ¶～ 고개를 끄덕거리다 不断地点头

연안(沿岸) 〔名〕沿岸 yán'àn; 近海 jìn-hǎi; 沿海 yánhǎi ¶동해 ～ 东海沿岸 / ～ 지역 沿海地区 / ～ 도시 沿海城市

연-애(戀愛) 〔名〕〔動자〕恋爱 liàn'ài; 相好 xiānghǎo; 谈情说爱 tánqíngshuō'ài ¶～ 고수 恋爱高手 / ～ 기술 恋爱技术 / 결혼 恋爱结婚 / ～관 恋爱观 / ～질 搞 恋爱 / 나는 그와 ～를 하고 있다 我正 在跟他谈情说爱

연애-편지(戀愛便紙) 〔名〕情书 qíng-

shū

연:약-하다(軟弱—) 〔形〕软弱 ruǎnruò; 脆弱 cuìruò ¶연약한 여자 脆弱的女 人 / 그녀는 나이가 들고 나서 많이 연 약해졌다 她上了年纪以后变得很软弱

연:역(演繹) 〔名〕〔動타〕〔論〕演绎 yǎnyì ¶ ～ 추리 演绎推理 / ～법 演绎法

연:연-하다(戀戀—) 〔動자〕恋恋 liànliàn; 眷恋 juànliàn; 留恋 liúliàn; 依恋 yīliàn; 流连 liúlián ¶과거에 ～ 对过去恋恋不 忘 / 나는 첫사랑에 조금도 연연하지 않는다 我一点也不眷恋初恋情人 **연:** 연-히 〔副〕

연:예(演藝) 〔名〕〔動타〕演艺 yǎnyì; 娱乐 yúlè ¶～ 담당 기자 娱乐记者

연:예-계(演藝界) 〔名〕娱乐圈 yúlè-quān; 演艺界 yǎnyìjiè; 演艺圈 yǎnyì-quān ¶～에 데뷔하다 初入娱乐圈

연:예-인(演藝人) 〔名〕艺人 yìrén; 演 艺人员 yǎnyìrényuán

연원(淵源) 〔名〕渊源 yuānyuán ¶～을 캐다 寻找渊源

연월일(年月日) 〔名〕年月日 niányuèrì ¶ 출생 ～ 出生年月日

연:유(煉乳) 〔名〕炼乳 liànrǔ

연유(緣由) 〔名〕= 사유(事由) ¶～를 설명하다 解释缘由 / ～를 묻다 打 听缘由

연-이율(年利率) 〔名〕年利率 niánlìlǜ; 年率 niánlǜ

연:인(戀人) 〔名〕恋人 liànrén; 情侣 qínglǚ ¶다정한 ～ 甜蜜恋人 / 그들은 ～ 사이다 他们是恋人关系

연-인원(延人員) 〔名〕人次 réncì; 总计 人次 zǒngjì réncì ¶～ 300명 三百个 人次

연일(連日) 〔名〕〔動자〕连天 liántiān; 连日 liánrì; 层出不穷 céngchūbùqióng ¶～ 궂은비가 내리다 连天阴雨 / ～ 고온 이 계속되다 连日来持续高温

연임(連任) 〔名〕〔動자〕连任 liánrèn ¶대통 령을 ～하다 连任总统 / ～에 성공하 다 成功连任

연-잇다(連—) 〔動자〕接连 jiēlián; 接着 jiēzhe; 接上 jiēshang; 连续 liánxù; 接 二连三 jiē'èrliánsān ¶각지에서 산불이 연이어 발생하다 各地接连发生森林 火灾 / 정치인들이 연이어 습격을 받다 政治家被袭击的事件接二连三

연-잎(蓮—) 〔名〕〔植〕荷叶 héyè

연-자(研子—) 〔名〕碾子 niǎnzi

연작(連作) 〔名〕〔動타〕1〔農〕连作 lián-zuò 2〔文〕合作 hézuò; 合著 hézhù

연장 〔名〕工具 gōngjù ¶～을 챙기다 准 备工具

연장(年長) 〔名〕〔動형〕年长 niánzhǎng; 年

연장(延長) 명하타 延长 yáncháng; 延续 yánxù; 拖长 tuōcháng; 继续 jìxù ¶~선 延长线 / 기한을 ~하다 延长期限 / 수명을 ~하다 延长寿命

연장-전(延長戰) 명 [體] 加时赛 jiāshísài; 延时赛 yánshísài

연재(連載) 명하타 连载 liánzǎi ¶~만화 连载漫画 / ~물 连载读物 / ~소설 连载小说 / 신문에 소설을 ~하다 在报纸上连载小说

연:적(硯滴) 명 砚滴 yàndī

연:적(戀敵) 명 情敌 qíngdí

연전-연승(連戰連勝) 명하자 连战连捷 liánzhànliánjié; 连战连胜 liánzhànliánshèng

연접(連接) 명하자 连接 liánjiē; 联接 liánjiē ¶거실과 주방이 ~해 있다 客厅和餐厅连接在一起 / 대륙에 ~하다 连接大陆

연:정(戀情) 명 恋情 liànqíng

연좌(連坐) 명하자 1 静坐 jìngzuò ¶~시위 静坐示威 2 [法] = 연루

연좌(緣坐) 명하자 连坐 liánzuò ¶~제 连坐制

연:주(演奏) 명하타 演奏 yǎnzòu; 弹奏 tánzòu; 奏 zòu ¶기타 ~ 吉他演奏 / 피아노 ~ 钢琴弹奏 / ~가 演奏家 / ~단 演奏团 / ~법 演奏法 / ~자 演奏者 / ~회 演奏会 / 악기를 ~하다 演奏乐器

연-줄(鳶─) 명 风筝线 fēngzhengxiàn

연-줄(緣─) 명 路子 lùzi; 关系 guānxi; 门路 ménlu; 门子 ménzi ¶~을 이용하다 走路子

연중(年中) 명 年中 niánzhōng; 一年里头 yīnián lǐtou; 全年 quánnián ¶~강설량 一年里头的降雪量 / ~ 계획 年中的计划

연지(臙脂) 명 1 胭脂 yānzhi ¶~를 찍다 涂胭脂 2 胭红 yānhóng; 胭脂红 yānzhīhóng

연:질(軟質) 명 软质 ruǎnzhì

연차(年次) 명 1 年度 niándù 2 年的次序 niánde cìxù

연차 휴가(年次休暇) [法] 年薪休假 niánxīn xiūjià; 年假 niánxīnjià

연착(延着) 명하자 晚点 wǎndiǎn; 误点 wùdiǎn; 迟到 chídào ¶비행기가 4시간 ~하다 飞机晚点四个小时

연체(延滯) 명하타 [法] 延迟 yánchí; 拖欠 tuōqiàn; 迟延 chíyán; 拖欠 tuōqiàn; 滞纳 zhìnà; 逾期 yúqī; 过期 guòqī ¶채무 ~ 债务迟延 / ~ 이자 逾期利息

연:체-동물(軟體動物) 명 [動] 软体动物 ruǎntǐ dòngwù

연체-료(延滯料) 명 [法] 延期费 yán-

연초(年初) 명 年初 niánchū; 岁初 suìchū

연초(煙草) 명 [植] = 담배1

연:출(演出) 명하타 [演] 导演 dǎoyǎn ¶~가 导演 / ~자 导演者 / ~을 맡다 担当导演 / 공포 영화를 ~하다 导演恐怖电影

연타(連打) 명하타 连击 liánjī

연:탄(煉炭) 명 [鑛] 煤饼 méibǐng 煤砖 méizhuān; 煤球 méiqiú; 蜂窝煤 fēngwōméi; 煤 méi = 탄(炭)2 ¶~공장 煤饼厂 / ~난로 蜂窝煤炉 / ~불 煤球火 / ~재 蜂窝煤渣 / ~을 때다 烧煤饼

연통(煙筒) 명 烟筒 yāntong

연패(連敗) 명하자 连败 liánbài; 接连失败 jiēlián shībài

연-평균(年平均) 명 年均 niánjūn ¶~증가율 年均增长率

연표(年表) 명 = 연대표

연필(鉛筆) 명 铅笔 qiānbǐ; 笔 bǐ ¶~심 铅笔芯 / ~화 铅笔画 / ~깎이 铅笔刀 / ~꽂이 笔筒 / 한 자루 一支铅笔 / 한 다스 一打铅笔

연하(年下) 명 (비교자신보다) 年纪小 niánjì xiǎo; 晚辈 wǎnbèi; 小 xiǎo ¶그녀는 나보다 ~이다 她比我年纪小

연하(年賀) 명 贺年 hènián ¶~장 贺年卡

연:-하다(軟─) 형 1 嫩 nèn; 软 ruǎn ¶이 고기는 아주 연하고 맛있는 肉又嫩又好吃 2 (颜色) 浅 qiǎn; 淡 dàn ¶연한 녹색 淡绿 / 연한 화장 淡妆 3 (浓度) 淡 dàn

연한(年限) 명 年限 niánxiàn; 年份 niánfèn ¶근무 ~ 工作年限 / 토지 사용 ~ 土地使用年限 / ~이 차다 到达年限

연합(聯合) 명하자타 联合 liánhé; 组合 zǔhé; 联 lián ¶~국 联合国 / ~군 联军 / ~경영 联合经营 =[联营] / ~작전 联合作战 / ~해서 대항하다 组合对抗

연해(沿海) 명 沿海 yánhǎi ¶~구역 沿海地区 / ~기후 沿海气候

연행(連行) 명하타 逮捕 dàibǔ; 逮走 dàizǒu ¶경찰이 피의자를 ~하다 警方逮走嫌疑犯

연:혁(沿革) 명 沿革 yángé; 因革 yīngé

연호(年號) 명 [史] 年号 niánhào

연호(連呼) 명하타 连声呼唤 liánshēng hūhuàn; 连声呼喊 liánshēng hūhǎn ¶그의 이름을 ~하다 连声呼唤他的名字

연:화(軟化) 명하자타 软化 ruǎnhuà; 变软 biànruǎn ¶~현상 软化现象 / ~증 软化症

연ː회(宴會) 图 宴会 yànhuì ; 宴 yàn ¶ ~ 석 宴席 / ~실 宴会客房 / ~장 宴会厅 / 성대한 ~를 열다 举办盛大的宴会

연후(然後) 图 然后 ránhòu ; 之后 zhīhòu ¶ 우리는 한 잔 더 마신 ~에 집으로 돌아갔다 我们再喝了一杯, 然后回到座位上

연휴(連休) 图 连休 liánxiū ; 连休假期 liánxiū jiàqī ¶ ~ 기간 连休期间

열 四 十 shí ¶ ~ 시간 十个小时 / ~ 달 十个月 / ~ 명 十个人 / 종이 ~ 장 十张纸

열 길 물속은 알아도 한 길 사람의 속은 모른다 熟語 人心隔肚皮; 人心难测; 知人知面不知心

열 번 찍어 아니 넘어가는 나무 없다 熟語 只要功夫深, 铁杵磨成针

열 손가락 깨물어 안 아픈 손가락이 없다 熟語 十指连心

열에 아홉 囝 十有八九; 十拿九稳

열(列) 图 队列; 列 liè; 排 pái ¶ 이 ~ 종대 两列纵队 / ~을 지어 행진하다 排队行进

열(熱) 图 1 = 신열 [발열] ¶ 갑자기 ~이 나다 突然发烧 / 점차 ~이 내리다 渐渐退烧 2 [化] 热 rè ¶ 태양~ 太阳热 / ~화학 热化学 / ~기관 热机 / ~에너지 热能 ¶ ~ 기 qì; 火 huǒ ¶ ~ 받아 죽겠네! 气死我了! — 내지 마라 你别发火 4 热情 rèqíng; 热诚 rèchéng; 积极性 jījíxìng; 积极 jījí

열(이) 올리다[내다] 囝 1 发火; 发热 2 热诚; 热衷

열(이) 오르다 囝 1 来劲 2 激愤; 激动

열에 받히다 囝 (心中) 冒火; 上火

열강(列强) 图 列强 lièqiáng ¶ 세계 ~ 世界列强 / ~의 침략 列强的侵略

열거(列擧) 图하타 列举 lièjǔ; 列出 lièchū ¶ 특징을 일일이 ~하다 把特点——列举

열광(熱狂) 图하자 狂热 kuángrè; 狂热 rèliè; 疯魔 fēngmó; 入魔 rùmó ¶ 스타에게 ~하다 对明星狂热 / 극도로 ~하다 极度狂热

열광-적(熱狂的) 冠 狂热(地) kuángrè(de); 热烈(地) rèliè(de) ¶ ~인 반응 热烈的反应 / 그녀는 그 스타를 ~로 좋아한다 她狂热地喜欢那个明星

열권(熱圈) 图 [地理] 热层 rècéng

열기(熱氣) 图 1 热气 rèqì; 高温 gāowēn ¶ 많은 ~를 내뿜다 冒出很多热气 2 热度 rèdù; 热 rè ¶ ~를 식히다 降温 3 热气 rèqì; 热潮 rècháo; 激动 jīdòng; 激情 jīqíng ¶ 관객들의 ~가 무대를 가득 채웠다 观众的热情充满了舞台

열-기구(熱氣球) 图 热气球 rèqìqiú

열-나다(熱—) 자 1 发烧 fāshāo; 发热 fārè 2 热衷 rèzhōng ¶ 열나게 일하다 热衷于工作 3 生气 shēngqì; 发火 fāhuǒ; 气 qì ¶ 더 이상 나를 열나게 하지 마라 你别再让我生气

열녀(烈女) 图 烈女 liènǚ = 열부 ¶ ~문 烈女门 / ~ 비 烈女碑

열ː다 타 1 打开 dǎkāi; 开 kāi ¶ 그는 곧바로 문을 열고 나갔다 他马上打开门出去了 2 打开 …을 ~ 打开文件 / 설 kāishè ¶ 사이트를 ~ 开设网站 / 상점을 ~ 开设商店 3 召开 zhàokāi; 召集 zhàojí; 开 kāi ¶ 좌담회를 ~ 召开座谈会 / 시합을 ~ 召集比赛 4 开门 kāimén ¶ 은행이 9시에 문을 연다 银行九点开门 5 开辟 kāipì; 开创 kāichuàng ¶ 국제 통로를 ~ 开辟国际通道 / 새로운 항로를 ~ 开辟新航路 6 张 zhāng; 开 kāi ¶ 그는 마침내 입을 열었다 他终于张开嘴说起话来

열대(熱帶) 图 [地理] 热带 rèdài ¶ ~ 과일 热带水果 / ~어 热带鱼 / ~기후 热带气候 / ~림 热带林 / 식물 热带植物 / ~야 热带夜 / ~우림 热带雨林 / ~ 지방 热带地区 / ~성 저기압 热带低气压

열도(列島) 图 [地理] 列岛 lièdǎo ¶ 일본 ~ 日本列岛

열독(閱讀) 图하타 阅读 yuèdú

열등(劣等) 图 劣等 lièděng; 劣 liè; 低等 dīděng; 下等 xiàděng ¶ ~감 劣等感 / ~생 劣等生 / ~의식 劣等意识

열-띠다(熱—) 타 热烈 rèliè; 激烈 jīliè ¶ ~ 경쟁 激烈竞争 / 열띤 분위기 热烈气氛 / 열띤 토론을 벌이다 展开热烈讨论

열람(閱覽) 图하타 阅览 yuèlǎn ¶ ~실 阅览室 / 도서관에 가서 도서를 ~하다 到图书馆阅览图书

열량(熱量) 图 [物] 热量 rèliàng; 칼로리三 ¶ ~계 热量计 / ~이 낮다 热量低 / ~이 높다 热量高 / ~을 소비하다 消耗热量

열렬-하다(熱烈— · 烈烈—) 图 热烈 rèliè; 热情 rèqíng; 激烈 jīliè ¶ 열렬한 반응 热烈的反应 / 열렬한 지지 热情支持 **열렬-히** 囝 ¶ 그들은 우리의 방문을 ~ 환영했다 他们热烈地欢迎我们的访问

열리다¹ 자 (果實) 结 jiē; 结果 jiēguǒ ¶ 나무에 과일이 잔뜩 열렸다 树上结满了水果

열리다² 자 1 被开 bèikāi; 被打开 bèidǎkāi; 被张开 bèizhāngkāi 《('열다'的被动词)》 문이 갑자기 열렸다 门突然被打开了 2 被开创 bèikāichuàng;

被开辟 bèikāipì《'열다5'의 피동사》¶
새로운 시대가 ~ 新时代被开创 / 새로
운 노선이 ~ 新的路线被开辟 3 被开
设 bèikāishè《'열다2'의 피동사》4 被
召开 bèizhàokāi; 被召集 bèizhàojí《'열
다3'의 피동사》¶교류회가 ~ 交流会
被召开

열망(熱望) 명하타 热望 rèwàng; 渴望
kěwàng ¶개혁에 대한 ~ 对改革的热
望 / 조국의 통일을 ~하다 热望祖国
统一

열매 명 1 果实 guǒshí; 果子 guǒzi; 果
(儿) guǒ(r) = 과실(果實) 2 ¶~가 열
리다 结果

열매(를) 맺다 구 获得成就

열무 명 小萝卜 xiǎoluóbo ¶~김치 小
萝卜泡菜

열반(涅盤) 명하자 【佛】 1 涅盘 niè-
pán 2 = 입적(入寂)

열변(熱辯) 명 热烈辩论 rèliè biànlùn;
雄辩 xióngbiàn ¶~을 토하다 展开热
烈辩论

열병(熱病) 명 1 【醫】 热病 rèbìng; 热
症 rèzhèng 2 伤寒 shānghán

열병(閱兵) 명 【軍】 阅兵 yuèbīng ¶
~식 阅兵式

열부(烈婦) 명 = 열녀

열사(烈士) 명 烈士 lièshì ¶혁명 ~
革命烈士

열사-병(熱射病) 명 【醫】 中暑 zhòng-
shǔ

열상(裂傷) 명 撕裂伤 sīlièshāng; 裂
伤 lièshāng

열선(熱線) 명 1 【物】 = 적외선 2
【電】 电热线 diànrèxiàn

열성(劣性) 명 1 劣性 lièxìng 2 【生】
隐性 yǐnxìng ¶~ 유전자 隐性基因

열성(熱誠) 명 热诚 rèchéng; 热情 rè-
qíng; 赤诚 chìchéng; 热忱 rèchén ¶일
을 할 때는 ~을 가져야 한다 做事要
充满热诚

열성-적(熱誠的) 관명 热情 rèqíng;
热心 rèxīn; 热诚 rèchéng; 积极 jījí ¶
~인 태도 积极的态度 / 그는 줄곧 나
를 ~으로 격려해 주었다 他一直积极
地鼓励我

열세(劣勢) 명하형 劣势 lièshì ¶기술
상의 ~ 技术上的劣势 / 제도적인 ~
制度的劣势 / ~를 만회하다 挽回劣势

열: -쇠 명 1 钥匙 yàoshi = 키(key)¶
만능 ~ 万能钥匙 / ~고리 钥匙环 ¶
그는 오늘 ~를 잃어버렸다 他今天丢
了钥匙 2 关键 guānjiàn ¶비밀을 푸는
~ 揭开秘密的关键

열심(熱心) 명 努力 nǔlì; 认真 rènzhēn;
热心 rèxīn; 用功 yònggōng; 热衷 rè-
zhōng ¶일에 ~이다 热衷于做工作
──히 부 ¶~ 공부하다 努力学习

열악-하다(劣惡─) 형 恶劣 èliè; 差
chà; 劣等 lièděng; 低等 dīděng ¶열악
한 조건 恶劣条件 / 환경이 ~ 环境恶
劣

열애(熱愛) 명하자타 热恋 rèliàn ¶그
들은 지금 ~중이다 他们正在热恋

열어-젖히다 타 敞开 chǎngkāi ¶환기
를 위해 그는 문을 열어젖혔다 为了通
风, 他把门敞开了

열연(熱演) 명하타 认真演出 rènzhēn
yǎnchū; 热心演出 rèxīn yǎnchū

열의(熱意) 명 热情 rèqíng; 热心 rè-
xīn; 热诚 rèchéng; 热忱 rèchén ¶그는
~가 부족하다 他缺乏热情

열전(列傳) 명 列传 lièzhuàn

열전(熱戰) 명 1 热战 rèzhàn ¶대선
~ 大选热战 2 白热战 báirèzhàn

열-전기(熱電氣) 명 【物】 热电 rèdiàn

열-전도(熱傳導) 명 【物】 热传导 rè-
chuándǎo; 导热 dǎorè ¶~율 热传导率

열정(熱情) 명 热情 rèqíng; 热肠 rè-
cháng; 热度 rèdù; 热血 rèxuè; 热心
rèxīn; 干劲 gànjìn; 热忱 rèchén

열정-적(熱情的) 관명 热情(的) rè-
qíng(的); 热心(的) rèxīn(的); 热忱(的)
rèchén(的) ¶그녀는 무대 위에서 아주
~으로 노래를 불렀다 她在舞台上very
热心地唱歌

열중(熱中) 명하자 热衷 rèzhōng; 热
中 rèzhōng; 专心 zhuānxīn; 潜心 qián-
xīn; 聚精会神 jùjīng huìshén; 专心致
志 zhuānxīn zhìzhì; 专心一意 zhuānxīn
yīzhì; 专心致意 zhuānxīn zhìyì; 入
迷 rùmí ¶독서에 ~하다 热衷于读书

열차(列車) 명 列车 lièchē ¶~ 시간표
列车车时刻表 / ~가 지금 출발한다 列车
现在要出发了

열창(熱唱) 명하타 认真唱歌 rènzhēn
chànggē; 高唱 gāochàng

열-처리(熱處理) 명하타 【工】 热处理
rèchǔlǐ

열탕(熱湯) 명 开水 kāishuǐ ¶~ 소독
开水消毒

열풍(烈風) 명 1 烈风 lièfēng; 狂风
kuángfēng 2 热 rè ¶독서 ~이 일다 兴
起读书热

열풍(熱風) 명 热风 rèfēng ¶~로 热
风炉

열핵(熱核) 명 【物】 热核 rèhé

열혈(熱血) 명 热血 rèxuè ¶~남아 热
血男儿 / ~ 청년 热血青年

열화(熱火) 명 热火 rèhuǒ; 热烈 rèliè
¶~와 같은 성원 热烈声援 / ~와 같
은 지지를 받다 受到热烈支持

열-효율(熱效率) 명 【物】 热效率 rè-
xiàolǜ

열흘 명 十天 shítiān ¶~ 만에 겨우
일을 마치다 花了十天才做完工作 /

뒤에 다시 만납시다! 십 일 후 다시 회!

접:다 웹 1 薄 báo ¶이 목판은 좀 ~
이 块 木板比较薄 2 淡 dàn; 浅 qiǎn ¶
엷은 화장 淡妆 3 稀薄 xībó¶엷은 안
개 稀薄烟雾 4 (笑容等) 轻微 qīngwēi
¶얼굴에 엷은 미소를 띠다 脸上挂着
轻微的笑容

검:(殮) 명하타 装殓 zhuāngliàn ¶시
신을 ~하다 装殓尸体

염(鹽) 명 1 = 소금 2 【化】盐 yán

염가(廉價) 명 廉价 liánjià; 低价 dījià
¶~ 판매 廉价销售

염기(鹽基) 명 【化】碱 jiǎn; 盐基 yánjī

염기성(鹽基性) 명 【化】碱性 jiǎn-
xìng; 碱 jiǎn = 알칼리성 ¶~ 반응 碱
性反应

염도(鹽度) 명 盐度 yándù ¶~를 측
정하다 测量盐度

염:두(念頭) 명 = 마음속 ¶늘 그때의
일을 ~에 두다 常把当时的事放在心
上

염라-대왕(閻羅大王) 명 【佛】阎罗
yánluó; 阎王 yánwang; 阎王爷 yán-
wangye

염:(念慮) 명하타 牵挂 qiānguà; 挂
念 guàniàn; 挂念 guàniàn; 顾念 gù-
niàn; 挂心 guàxīn; 挂怀 guàhuái; 挂虑
guàlǜ; 挂记 guàjì; 担心 dānxīn; 惦记
diànjì; 惦念 diànniàn ¶자신의 안위를
~하다 挂念自己的安危 / 다른 사람을
~하다 顾念他人

염:-려-스럽다(念慮—) 웹 牵挂 qiān-
guà; 挂念 guàniàn; 挂念 guàniàn; 顾
念 gùniàn; 挂心 guàxīn; 挂怀 guàhuái;
挂虑 guàlǜ; 挂记 guàjì; 担心 dānxīn;
惦记 diànjì; 惦念 diànniàn ¶그는 어머
니 건강이 좋지 않음이 매우 염려스러
웠다 他很挂念他的妈妈健康不好 **염:
려스레** 甼

염:력(念力) 명 【心】念力 niànlì

염:료(染料) 명 染料 rǎnliào

염:문(艷聞) 명 桃色传闻 táosè chuán-
wén; 绯闻 fēiwén

염:병(染病) 명 1 '장티푸스'의 俗称
2 【醫】= 전염병 ——하다 자 染伤寒
rǎn shānghán

염분(鹽分) 명 盐分 yánfèn ¶~ 농도
盐分浓度 / ~이 높다 盐分高 / ~을 줄
이다 减少盐分

염:불(念佛) 명하자 【佛】念佛 niànfó;
念经 niànjīng

염산(鹽酸) 명 【化】盐酸 yánsuān

염:-색(染色) 명하타 1 染色 rǎnsè; 染
rǎn ¶~ 공장 染坊 / ~약 染色剂 / 머
리를 ~하다 染头发 2 【生】染色 rǎn-
sè

염:색-체(染色體) 명 【生】染色体
rǎnsètǐ ¶~ 이상 染色体异常

염:세(厭世) 명 厌世 yànshì

염:세-주의(厭世主義) 명 【哲】厌世
主义 yànshì zhǔyì ¶~자 厌世主义者

염소 명 【動】山羊 shānyáng = 산양1

염소(鹽素) 명 【化】氯 lǜ ¶~산 氯酸

염:원(念願) 명하타 心愿 xīnyuàn; 意
愿 yìyuàn; 愿望 yuànwàng; 夙愿 sù-
yuàn; 宿愿 sùyuàn; 企望 qīwàng ¶많
은 사람들이 성공을 ~한다 很多人都
企望成功

염장(鹽藏) 명하타 腌制 yānzhì; 腌
渍 yānzì ¶~법 腌制法

염전(鹽田) 명 盐田 yántián

염:주(念珠) 명 【佛】数珠(儿) shùzhū-
(r); 念珠 niànzhū

염:증(炎症) 명 【醫】炎症 yánzhèng;
炎 yán ¶~이 생기다 发炎

염:증(厭症) 명 = 싫증 ¶~을 느끼다
感到厌烦

염치(廉恥) 명 廉耻 liánchǐ ¶그 사람
은 ~가 없다 那个人没有廉耻

염치-없다(廉恥—) 웹 无廉耻 wúlián-
chǐ; 无耻 wúchǐ; 不害臊 bùhàisào **염치
없이** 甼

염:탐(廉探) 명하타 侦探 kuītàn; 窥察
kuīchá; 侦探 zhēntàn; 暗地打听 àndì
dǎtīng; 暗地打探 àndì dǎtàn ¶적의 동
태를 ~하다 窥察敌人的动静

염탐-꾼(廉探—) 명 奸细 jiānxi; 侦探
zhēntàn; 侦谍 zhēndié

염통 명 【生】= 심장1

염화(鹽化) 명하자 【化】氯化 lǜhuà ¶
~나트륨 氯化钠 / ~마그네슘 氯化
镁 / ~수소 氯化氢 / ~칼륨 氯化钾 /
~칼슘 氯化钙

엽-궐련(葉—) 명 雪茄 xuějiā; 卷烟
juǎnyān = 시가(cigar)

엽기(獵奇) 명하자 猎奇 lièqí ¶~ 사
진 猎奇图片

엽기-적(獵奇的) 관명 猎奇(的) lièqí-
(de); 猎奇性 lièqíxìng ¶~인 이야기
猎奇的故事 / ~인 살인 사건 猎奇杀
人案

엽록-소(葉綠素) 명 【植】叶绿素 yè-
lǜsù

엽록-체(葉綠體) 명 【植】叶绿体 yè-
lǜtǐ

엽서(葉書) 명 【信】明信片 míngxìnpiàn
= 우편엽서 ¶친구에게 ~를 보내다
给朋友寄明信片

엽전(葉錢) 명 铜钱 tóngqián

엽차(葉茶) 명 叶茶 yèchá

엽총(獵銃) 명 猎枪 lièqiāng = 사냥총

엿 명 麦芽糖 màiyátáng; 软糖 ruǎn-
táng; 糖饴 tángyí; 饴糖 yítáng

엿 먹어라 甼 倒霉去吧; 够你受的

엿 먹이다 甼 暗中算计别人

엿-가락 명 麻花糖 máhuātáng

엿-기름 圓 麦芽 màiyá = 맥아

엿-당(一糖) 圓 【化】麦芽糖 màiyátáng = 맥아당

엿-듣다 囮 偷听 tōutīng; 窃听 qiètīng ¶그는 탁자 밑에 숨어서 우리의 대화를 엿들었다 他躲在桌子下面，偷听我们的对话

엿:-보다 囮 1 偷看 tōukàn ¶그의 편지를 ~ 偷看他的信 2 觊觎 jìyú; 窥伺 kuīsì ¶기회를 ~ 窥伺机会

엿새 六天 liùtiān ¶그는 여행 갔다가 ~ 뒤에 돌아왔다 他去旅游六天之后回来了

엿-장수 圓 卖麦芽糖的 mài màiyátángde; 卖糖的 màitángde

엿장수 마음대로[맘대로] 随心所欲; 随意

영 艮 1 完全 wánquán; 全然 quánrán; 根本 gēnběn ¶~ 자신이 없다 完全没有自信 2 太 tài; 真 zhēn; 完全 wánquán ¶기분이 ~ 안 좋다 心情太不好

영:(永) 艮 = 영영

영(零) 圓 零 líng = 제로1 ¶3에서 3을 빼면 ~이다 三减三等于零

영(靈) 圓 灵 líng; 灵魂 línghún

영가(靈歌) 圓 【音】灵歌 línggē ¶흑인 ~ 黑人灵歌

영:감(令監) 圓 1 令公 lìnggōng 2 老头子 lǎotóuzi《老夫妻之间妻子称丈夫》3 老太爷 lǎotàiye; 老翁 lǎowēng; 老爷子 lǎoyézi; 老先生 lǎoxiānsheng

영감(靈感) 圓 灵感 línggǎn; 感悟 gǎnwù ¶~을 얻다 得到感悟 /~이 떠오르다 浮现灵感

영:감-님(令監—) 圓 '영감(令監)'의 敬称

영:결(永訣) 圓囮짜囮 永诀 yǒngjué; 永别 yǒngbié ¶~을 하다 永诀; 永别

영계(一鷄) 圓 笋鸡 sǔnjī; 幼鸡 yòujī; 大雏鸡 dàchújī = 약병아리

영공(領空) 圓 【政】领空 lǐngkōng ¶~을 침범하다 侵犯领空

영광(榮光) 圓 荣幸 róngxìng; 光荣 guāngróng; 光彩 guāngcǎi; 荣耀 róngyào ¶광영 ¶여러분을 알게 되어 매우 ~입니다 认识你们我很荣幸 /~에 ~을 돌리다 光荣归于祖国

영광-스럽다(榮光—) 囮 荣幸 róngxìng; 光彩 guāngcǎi; 荣耀 róngyào ¶이번에 상을 받은 것은 나에게 있어 아주 영광스러운 일이다 这次获奖, 对我来说, 是一件很光荣的事 영광스레

영:-구(永久) 圓囮짜囮 艮 永久 yǒngjiǔ; 永远 yǒngyuǎn; 永恒 yǒnghéng; 恒久 héngjiǔ ¶~ 불변 永远不变 =[永久不变] /~성 永久性 /~ 보존 永久保存 /~ 거주 永久居住

영구(靈柩) 圓 灵柩 língjiù

영:-구-적(永久的) 超圓 永久(的) yǒngjiǔ(de); 永久性(的) yǒngjiǔxìng(de) ¶~인 청력 손상 永久性的听力损伤

영구-차(靈柩車) 圓 灵车 língchē; 柩车 jiùchē

영:-구-치(永久齒) 圓 【生】恒牙 héngyá

영글다 囵 = 여물다印

영:농(營農) 圓囮짜 农业生产 nóngyè shēngchǎn; 经营农业 jīngyíng nóngyè; 农业管理 nóngyè guǎnlǐ; 务农 wùnóng; 农业开发 nóngyè kāifā ¶~ 자금 农业开发资金 /~ 기술 农业生产技术

영달(榮達) 圓囮짜 荣达 róngdá; 荣华 rónghuá; 显达 xiǎndá

영도(零度) 圓 零度 língdù ¶~ 이상 零度以上

영도(領導) 圓囮囮 领导 lǐngdǎo ¶~자 领导者 /~력 领导力 /~ 능력 领导能力

영락(零落) 圓囮짜 1 凋零 diāolíng; 零落 língluò; 飘零 piāolíng ¶꽃잎이 ~하다 花叶零落 2 (势力或家道) 零落 língluò; 破落 pòluò; 没落 mòluò; 凋敝 diāobì ¶집안이 ~하다 家道零落

영락-없다(零落—) 超 毫无疑问 háowúyíwèn; 必定 bìdìng; 必然 bìrán ¶그는 영락없는 왕 선생님의 아들이다 他毫无疑问是王老师的儿子 영락없-이 艮 ¶번개가 친 뒤에는 ~ 큰 비가 내린다 打雷以后, 必定会下大雨

영:령(英靈) 圓 英灵 yīnglíng ¶호국 ~ 护国英灵

영롱-하다(玲瓏—) 超 1 晶莹 jīngyíng; 皎洁 jiǎojié ¶영롱한 이슬 晶莹的露珠 2 清脆 qīngcuì ¶방울 소리가 ~ 铃声清脆 영롱-히 艮

영리(營利) 圓 营利 yínglì; 谋利 móulì ¶~ 단체 营利组织 /~법인 营利法人 /~ 행위 营利行为

영:리-하다(伶俐—・伶俐—) 超 伶俐 línglì; 聪明 cōngmíng; 乖 guāi; 鬼 guǐ; 机灵 jīling ¶이 아이는 정말 ~ 这个孩子真聪明 /우리 집 개는 무척 ~ 我家的狗很聪明

영매(靈媒) 圓 灵媒 língméi

영:면(永眠) 圓囮짜 永眠 yǒngmián; 长眠 chángmián; 永逝 yǒngshì

영문 原因 yuányīn; 原由 yuányóu; 缘故 yuángù; 缘由 yuányóu; 怎么回事 zěnme huíshì; 所以然 suǒyǐrán ¶그는 ~도 모른 채 매를 맞았다 他不知道原因就挨打了 /나도 무슨 ~인지 모르겠다 我也不知道怎么回事

영문(英文) 圓 英文 yīngwén; 英语 yīngyǔ ¶~ 표기 英文标记 /~ 소설 英文小说 /~ 번역 英文翻译 /~ 이름

英文名字/~ 자기 소개서 英文自我
介绍

경-문법(英文法) 몡【語】英语语法
yīngyǔ yǔfǎ

경물(靈物) 몡 灵物 língwù ¶모두들
그 집 고양이가 ~이라고 한다 大家都
说那家的猫是灵物

경민-하다(英敏─·潁敏─) 웹 聪敏
cōngmǐn ¶영민한 아이 聪敏孩子 **영
민-히** 믠

경:별(永別) 몡하자타 永别 yǒngbié

경-부인(令夫人) 몡 第一夫人 dìyī fū-
rén

경빈(迎賓) 몡하자 迎宾 yíngbīn ¶~
관 迎宾馆

경사(映寫) 몡하타 放映 fàngyìng ¶上
映 shàngyìng ¶~기 放映机 / ~ 렌즈
放映镜头 / ~실 放映室

영사-막(映寫幕) 몡【演】银幕 yínmù
= 은막1

영상(映像) 몡 1【物】映像 yìngxiàng
¶거울에 비친 ~ 镜子里的映像 2 (脑
里的)印象 yìnxiàng ¶그때의 ~이 지
금껏 내 머릿속에 남아 있다 那时的印
象至今还在我的脑海里 3 影像 yǐng-
xiàng; 映像 yìngxiàng; 图象 túxiàng ¶
~ 매체 影像媒体 / ~ 파일 映像文件

영상(零上) 몡 (温度) 零上 língshàng
¶~ 30도 零上三十度

경:생(永生) 몡하자 永生 yǒngshēng
¶~불멸 永生不灭 / ~을 얻다 得到永
生

경:세(永世) 몡하형 永世 yǒngshì; 永
久 yǒngjiǔ ¶~ 중립국 永久中立国

영세(零細) 몡하형 窘困 jiǒngkùn; 小
xiǎo; 小型 xiǎoxíng ¶~ 기업 小企业 /
~업자 小业主 / ~한 생활 窘困的生
活

영세(領洗) 몡하자【宗】领洗 lǐngxǐ

영세-민(零細民) 몡 贫民 pínmín

경:속(永續) 몡하자타형 永续 yǒngxù;
永久 yǒngjiǔ ¶~성 永续性

경:속-적(永續的) 뀐 永久(的) yǒng-
jiǔ(de); 永存(的) yǒngcún(de) ¶~인
사랑 永久的爱情

영수(領受·領收) 몡하타 领受 lǐng-
shòu; 收款 shōukuǎn; 收到 shōudào

영수(領袖) 몡 领袖 lǐngxiù; 首领 shǒu-
lǐng ¶~ 회담 领袖会谈

영수-증(領收證) 몡 发票 fāpiào; 收据
shōujù; 收条(儿) shōutiáo(r); 凭单
píngdān; 存执 cúnzhí; 回单(儿) huí-
dān(r); 回条(儿) huítiáo(r); 回执 huí-
zhí ¶~을 끊다 打收据 / ~을 써 주다
开收条

영시(零時) 몡 零时 língshí; 零点 líng-
diǎn

영아(嬰兒) 몡 = 젖먹이

영악-스럽다(靈惡─) 웹 伶俐 línglì;
机灵 jīling ¶이 아이는 참 ~ 这个孩子
好伶俐 **영악스레** 믠

영악-하다(靈惡─) 웹 伶俐 línglì; 机
灵 jīling ¶그는 아주 영악한 사람이다
他是个性格机灵的人

영안-실(靈安室) 몡 太平间 tàipíng-
jiān; 停尸间 tíngshìjiān; 停尸间 tíng-
shìjiān; 陈尸所 chénshìsuǒ = 안치실

영약(靈藥) 몡 灵药 língyào; 灵丹妙药
língdānmiàoyào; 灵丹圣药 língdān-
shèngyào; 灵丹 língdān

영양(羚羊) 몡【動】羚羊 língyáng; 羚
líng

영양(營養) 몡【生】营养 yíngyǎng; 滋
养 zīyǎng ¶~ 불균형 营养不均 / ~
상태 营养状态 / ~실조 营养失调 / ~
학 营养学 / ~ 부족 营养餐 / ~ 부족
养不足 / ~ 성분 营养成分 / ~이 풍
부한 식품 营养丰富的食品 / ~을 보
충하다 补充营养 / ~을 섭취하다 摄取
营养

영양-가(營養價) 몡【生】营养价值
yíngyǎng jiàzhí ¶~가 아주 높은 과일
营养价值高的水果

영양-분(營養分) 몡 = 양분(養分)

영양-사(營養士) 몡 营养师 yíng-
yǎngshī

영양-소(營養素) 몡【生】营养素 yíng-
yǎngsù ¶칠대 ~ 七大营养素 / 필수
~ 必需营养素 / ~를 파괴하다 破坏营
养素

영양-제(營養劑) 몡【藥】营养药 yíng-
yǎngyào; 营养剂 yíngyǎngjì

영어(英語) 몡【語】英语 yīngyǔ; 英文
yīngwén ¶~ 교육 英语教育 / 비즈니
스 ~ 商务英语 / 그는 ~를 할 줄 모
른다 他不会说英语 / ~를 공부하다
学习英语

영업(營業) 몡하자【經】营业 yíngyè;
经营 jīngyíng ¶~비 营业费用 / ~ 사
원 营业职员 / ~부 营业部 / ~ 정지
停止营业 / ~ 실적 营业业绩 / ~용 자
동차 营业用汽车 / ~ 시간 营业时间 /
~ 관리 营业管理 / ~ 전략 营业战略

영업-소(營業所) 몡 = 영업장소

영업-장(營業場) 몡 = 영업장소

영업-장소(營業場所) 몡 营业场所 yíng-
yèsuǒ; 办事处 bànshìchù; 营业场所
yíngyè chǎngsuǒ = 영업소·영업장

영역(領域) 몡 领域 lǐngyù ¶신의 ~
神之领域 / ~을 넓히다 扩大领域

경:영(永永) 믠 永远 yǒngyuǎn = 영
(永) ¶그는 이곳을 ~ 떠났다 他永远
离开这里了

영예(榮譽) 뎽 荣誉 róngyù; 光荣 guāngróng ¶우승의 ~를 누리다 享受冠军荣誉 / ~를 차지하다 获得荣誉

영예-롭다(榮譽一) 阌 荣誉 róngyù; 光荣 guāngróng ¶그는 영예로운 죽음을 선택했다 他选择了荣誉的死亡 **영예로이** 囝

영욕(榮辱) 뎽 荣辱 róngrǔ ¶~의 세월 荣辱岁月

영웅(英雄) 뎽 英雄 yīngxióng ¶민족 ~ 民族英雄 / ~심 英雄心 / ~ 신화 英雄神话 / ~호걸 英雄豪杰

영:원(永遠) 뎽阌囝 永远 yǒngyuǎn; 永恒 yǒnghéng; 永久 yǒngjiǔ; 永世 yǒngshì; 永 yǒng ¶~불변 永恒不变 / ~무궁 永远无穷 / ~한 친구 永远的朋友 / 우리의 우정은 ~히 변치 않을 것이다 我们的友谊永不变

영위(營爲) 뎽阌타 维持 wéichí; 享受 xiǎngshòu; 创造 chuàngzào ¶삶을 ~하다 创造生活 / 문화생활을 ~하다 享受文化生活

영유(領有) 뎽阌타 领有 lǐngyǒu ¶~권 领有权

영입(迎入) 뎽阌타 迎入 yíngrù ¶신입회원을 ~하다 迎入新成员

영자(英字) 뎽 英文字 yīngwénzì; 英文 yīngwén ¶~로 쓴 글 用英文写的一篇文章

영장(令狀) 뎽 1 命令书 mìnglìngshū; 通知书 tōngzhīshū; 令状 lìngzhuàng ¶입대 ~ 入伍通知书 2 【法】拘票 jūpiào; 状 zhuàng; 证 zhèng ¶체포 ~ 逮捕状

영장(靈長) 뎽 灵长 língzhǎng ¶만물의 ~ 万物灵长

영재(英才) 뎽 英才 yīngcái ¶~교육 英才教育

영적(靈的) 관뎽 1 神灵(的) shénlíng(de) ¶~ 존재 神灵的存在 / ~ 세계 神灵世界 2 心灵(的) xīnlíng(de) ¶~교감 心灵沟通 / ~인 체험 心灵的体验

영전(靈前) 뎽 灵前 língqián ¶밤낮으로 ~을 지키다 日夜守候灵前

영점(零點) 뎽 零分 língfēn; 鸭蛋 yādàn ¶~을 받다 得零分 = [吃鸭蛋] / ~을 주다 给零分

영접(迎接) 뎽阌타 迎接 yíngjiē ¶외국에서 온 손님을 ~하다 迎接从外国来的客人

영:정(影幀) 뎽 真影 zhēnyǐng

영:주(永住) 뎽阌자 永久居留 yǒngjiǔ jūliú ¶~권 永久居留权

영주(領主) 뎽 1 = 지주(地主) 2 【史】领主 lǐngzhǔ; 封建主 fēngjiànzhǔ

영지(領地) 뎽 1 领地 lǐngdì 2 【法】= 영토

영지(靈芝) 뎽 【植】灵芝 língzhī = 영지버섯

영지-버섯(靈芝一) 뎽 【植】= 영지(靈芝)

영:차 갑 嗨哟 hāiyō; 哼唷 hēngyo (众人合力时的喊声)

영:창(詠唱·咏唱) 뎽 【音】= 아리아

영창(營倉) 뎽 【軍】(军队的) 禁闭室 jìnbìshì

영토(領土) 뎽 【法】领土 lǐngtǔ = 영지(領地) 2 ¶~ 분쟁 领土争端

영특-하다(英特一) 阌 聪明 cōngming; 出众 chūzhòng; 英明 yīngmíng ¶이 아이는 정말 ~ 这个孩子真聪明 **영특-히** 囝

영하(零下) 뎽 零下 língxià ¶~ 5도 零下五度 / 기온이 ~로 떨어지다 气温降到零下

영합(迎合) 뎽阌자 迎合 yínghé ¶시대의 풍조에 ~하다 迎合时代潮流

영해(領海) 뎽 【法】领海 lǐnghǎi ¶~권 领海权 / ~ 상공 领海上空

영:향(影響) 뎽 影响 yǐngxiǎng ¶부정적인 ~ 负面影响 / 태풍의 ~을 받다 受台风的影响

영:향-력(影響力) 뎽 影响力 yǐngxiǎnglì; 影响度 yǐngxiǎngdù ¶~ 있는 뉴스 有影响力的新闻 / ~을 행사하다 行使影响力

영혼(靈魂) 뎽 1 灵魂 línghún; 魂灵 húnlíng; 灵 líng; 亡灵 wánglíng; 幽魂 yōuhún = 혼령 2 心灵 xīnlíng; 灵魂 línghún ¶순수한 ~ 纯粹的灵魂

영화(映畫) 뎽 【演】电影 diànyǐng; 影片 yǐngpiàn; 片子 piānzi; 片 piàn; 影 yǐng ¶~광 影迷 / ~평 影评 / ~제작 电影制作 / ~감독 电影导演 / ~배우 电影演员 / ~사 电影公司 / 최신 ~ 最新电影 / ~를 찍다 拍电影 / 나는 어제 ~ 한 편을 보았다 我昨天看了一篇电影

영화(榮華) 뎽 荣华 rónghuá ¶~를 누리다 享受荣华

영화-계(映畫界) 뎽 【演】电影界 diànyǐngjiè; 影坛 yīngtán

영화-관(映畫館) 뎽 电影院 diànyǐngyuàn; 影院 yǐngyuàn ¶~에 가서 영화를 보다 去电影院看电影

영화-롭다(榮華一) 阌 荣华 rónghuá ¶영화로운 일생을 마치다 结束荣华的一生 **영화로이** 囝

옅다 阌 1 浅 qiǎn; 薄 báo; 轻薄 qīngbó ¶옅은 개울 浅沟 2 肤浅 fūqiǎn; 浅薄 qiǎnbó ¶그는 지리에 대한 지식이 매우 ~ 他的地理知识浅薄 3 不高 bùgāo; 矮 ǎi ¶옅은 하늘 矮的天空

옆 뎽 旁边 pángbiān; 旁 páng; 边 biān; 侧 cè ¶방 ~ 房间内 / ~에서 있던 사람 刚才站在我旁边的人

옆-구리 뎽 肋 lèi; 肋下 lèixià ¶신문

을 ~에 끼다 把报纸夹在肋下

옆-길 囲 1 (大路旁的) 小路 xiǎolù 2 走题 zǒutí; 跑题 pàotí; 离题 lítí

옆-면(一面) 囲 侧 cè; 侧面 cèmiàn = 측면 ¶거울로 ~을 관찰하다 用镜子观察侧面

옆-모습 囲 侧貌 cèmào; 侧影 cèyīng

옆-문 囲 侧门 cèmén

옆-방 隔壁房间 gébì fángjiān; 侧房 cèfáng

옆-얼굴 囲 侧脸 cèliǎn

옆-집 囲 隔壁 gébì; 邻居 línjū ¶~ 아주머니 隔壁的阿姨

옆-쪽 囲 旁 páng; 旁边 pángbiān; 侧边 cèbiān

예:¹ 囲 很久以前 hěnjiǔ yǐqián; 昔 xī; 过去 guòqù; 从前 cóngqián ¶~로부터 전해져 내려오는 비방 从很久以前流传下来的秘方

예:² 囲 네³ 맞습니다 对, 你说得没错 / ~? 방금 뭐라고 하셨습니까? 什么? 请刚才说什么?

예:(例) 囲 例子 lìzi; 事例 shìlì; 比如 bǐrú; 譬如 pìrú; 比方 bǐfāng; 打比 dǎbǐ ¶간단한 ~ 简单的例子 / ~를 들어 설명해 주세요 请举个例子说明

예ː법(例法) 囲 1 道理 dàolǐ 2 = 예식1 3 = 예법1

예-각(銳角) 囲【数】锐角 ruìjiǎo ¶~ 삼각형 锐角三角形

예-감(豫感) 囲豫感 yùgǎn ¶불길한 ~ 不祥的预感 / ~이 적중하다 预感应验 / 자신의 운명을 ~하다 预感到自己的命运

예-견(豫見) 囲쪼퇸 预见 yùjiàn; 预料 yùliào ¶~할 수 있는 결말 可预见的结局 / 미래를 ~하다 预见未来

예ː고(豫告) 囲쪼퇸 预告 yùgào; 预示 yùshì ¶~편 预告片 / 텔레비전 프로그램 ~ 电视节目预告 / 먹구름은 큰 비를 ~한다 乌云预示着雨将临

예ː금(預金) 囲쪼퇸【经】存款 cúnkuǎn; 存款 cún; 存钱 cúnqián; 储蓄 chǔxù; 储金 chūjīn ¶~ 잔고 存款余额 / ~ 업무 存蓄业务 / 이율 存款利率 / ~ 계좌 存款账户 / ~ 담보 存款担保 / ~ 이자 存款利息 / ~ 통장 存折 / ~을 찾다 提存款 =[提款]提取存款

예ː금-자(預金者) 囲储户 chǔhù; 存户 cúnhù; 存款人 cúnkuǎnrén

예ː기(銳氣) 囲 锐气 ruìqì ¶눈에 ~가 가득하다 眼睛充满锐气

예ː기(豫期) 囲쪼퇸 预期 yùqī; 预料 yùliào ¶~치 못한 결과 预料不到的结果

예ː끼 囤 哼 hēng; 呸 pēi〈责备人时

的声音〉¶~, 거짓말하지 마라! 呸, 你别撒谎!

예ː년(例年) 囲常年 chángnián; 历年 lìnián; 往年 wǎngnián; 例年 lìnián ¶올해 수확량은 ~보다 두 배 증가했다 今年的收获量比往年增加了两倍

예ː능(藝能) 囲 艺能 yìnéng; 艺艺 yìyì ¶~계 艺能界 / ~인 艺人

예-니레 囲 六七天 liùqītiān ¶그는 ~ 후에 귀국한다 他要六七天后回国

예-닐곱 囮 六七 liùqī ¶사과 ~ 개를 사다 买六个七个苹果

예ː단(豫斷) 囲쪼퇸 预断 yùduàn ¶섣부른 ~ 轻率的预断

예단(禮單) 囲 礼单 lǐdān; 礼帖 lǐtiě

예ː리-하다(銳利─) 圂 锐利 ruìlì; 尖尖 jiān; 尖锐 jiānruì; 犀利 xīlì ¶예리한 칼끝 锐利的刀锋 / 그는 문제를 예리하게 지적했다 他尖锐地指出问题

예-매(豫買) 囲쪼퇸 预购 yùgòu ¶기차표를 ~하다 预购火车票

예-매(豫賣) 囲쪼퇸 预售 yùshòu ¶~ 창구 预售窗口 / ~권 预售票 / ~처 预售处 / ~가 시작되다 开始预售 / ~를 실시하다 实施预售

예ː명(藝名) 囲 艺名 yìmíng

예ː문(例文) 囲 例句 lìjù ¶사전 속의 ~ 词典里的例句

예물(禮物) 囲 信物 xìnwù ¶결혼 ~ 结婚信物 / 결혼식에서 ~을 교환하다 婚礼上交换信物

예ː민-하다(銳敏─) 圂 敏锐 mǐnruì; 锐敏 ruìmǐn ¶예민한 감각 敏锐的感觉 / 청각이 ~ 听觉锐敏

예ː방(豫防) 囲쪼퇸 预防 yùfáng; 防治 fángzhì ¶~ 접종 预防接种 / ~ 주사 预防注射 =[预防针] / ~법 预防法 / 질병을 ~하다 预防疾病 / 범죄를 ~하다 预防犯罪

예배(禮拜) 囲쪼퇸【宗】礼拜 lǐbài ¶주일 ~ 主日礼拜 / ~를 보다 做礼拜

예배-당(禮拜堂) 囲【宗】'교회(教会)' 的旧称

예법(禮法) 囲 1 礼法 lǐfǎ = 예(禮)3 ¶전통 ~ 传统礼法 / ~을 지키다 守礼法 2 = 예절 ¶동양인의 ~ 东方人的礼节

예ː보(豫報) 囲쪼퇸 预报 yùbào ¶황사 ~ 沙尘预报 / 일기 ~ 天气预报

예복(禮服) 囲 礼服 lǐfú ¶결혼 ~ 结婚礼服 / 신랑 ~ 新郎礼服

예불(禮佛) 囲쪼퇸【佛】礼佛 lǐfó

예ː비(豫備) 囲쪼퇸 1 预备 yùbèi; 备用 bèiyòng; 后备 hòubèi; 储备 chǔbèi ¶~ 전원 后备电源 / ~ 자금 备用资金 / ~ 식량 备用粮食 / ~ 지식 预备知识

예ː비-군(豫備軍) 囲【军】预备军

예비역 (豫備役) 〚명〛【軍】豫备役 yùbèijūn; 后备军 hòubèijūn

예쁘다 〚형〛漂亮 piàoliang; 好看 hǎokàn; 美 měi; 清秀 qīngxiù; 标致 biāozhi; 俏丽 qiàolì ¶내 여동생은 아주 예쁘게 생겼다 我的妹妹长得很漂亮

예쁘장-하다 〚형〛漂亮 piàoliang; 好看 hǎokàn; 美 měi; 清秀 qīngxiù; 标致 biāozhi; 美丽 měilì; 俏丽 qiàolì ¶예쁘장한 아가씨 美丽的姑娘

예사 (例事) 〚명〛平常事 píngchángshì; 常事 chángshì; 习以为常 xíyǐwéicháng = 상사(常事) ¶함부로 쓰레기를 버리는 것을 ~이다 习以为常地随便抛弃垃圾

예사-로 (例事一) 〚부〛平常 píngcháng; 普通 pǔtōng; 一般 yìbān ¶그는 약속에 늦는 것을 ~ 생각한다 他认为约会迟到是一般的事

예사-롭다 (例事一) 〚형〛平常 píngcháng; 普通 pǔtōng; 一般 yìbān; 习以为常 xíyǐwéicháng ¶그의 행동이 예사롭지 않다 他的行动不一般 / 이제 이런 일은 이미 예사로운 일이 되었다 现在这种事情已经成了一般的事 **예사로이** 〚부〛

예산 (豫算) 〚명〛〚하타〛【經】预算 yùsuàn ¶정부 ~ 政府预算 / ~ 관리 预算管理 / ~안 预算案 / ~을 정하다 制定预算 / ~을 초과하다 超过预算 / ~을 짜다 编制预算

예삿-일 (例事一) 〚명〛平常事 píngchángshì; 常事 chángshì; 例行之事 lìxíngzhīshì

예상 (豫想) 〚명〛〚하자타〛预料 yùliào; 预测 yùcè; 预计 yùjì; 料想 liàoxiǎng; 预想 yùxiǎng; 意料 yìliào ¶~ 문제 预测试题 / 사람들의 ~을 뛰어넘다 超出人们的预料 / 결과를 ~하다 预料到结果 / ~을 완전히 빗나가다 完全出乎意料

예상-외 (豫想外) 〚명〛出乎预料 chūhū yùliào; 出乎意料 chūhū yìliào; 意外 yìwài ¶~의 경기 결과 出乎预料的比赛结果

예선 (豫選) 〚명〛〚하자〛预选 yùxuǎn; 预赛 yùsài ¶~ 탈락하다 在预赛中被淘汰

예선 경기 (豫選競技) 【體】预赛 yùsài; 预选赛 yùxuǎnsài = 예선전 经기

예선-전 (豫選戰) 〚명〛【體】= 예선 경기

예속 (隸屬) 〚명〛〚하자〛隶属 lìshǔ; 奴役 núyì; 附属 fùshǔ; 附属 fùyōng ¶~ 관계 隶属关系

예수 (←Jesus) 〚명〛【宗】耶稣 Yēsū ¶

~ 그리스도 耶稣基督 / ~회 耶稣会

예수-교 (←Jesus教) 〚명〛【宗】1 = 기독교 基督教 2 耶稣教 Yēsūjiào

예순 〚수관〛六十 liùshí ¶우리 할머니는 올해 ~이시다 我奶奶今年六十岁了

예술 (藝術) 〚명〛艺术 yìshù ¶~계 艺术界 / ~ 교육 艺术教育 / ~성 艺术性 / ~품 艺术品 / ~ 작품 艺术作品 / ~ 대학 艺术学院 / ~ 영화 艺术片 / 인생은 짧고 ~은 길다 人生短暂, 艺术久长

예술-가 (藝術家) 〚명〛艺术家 yìshùjiā = 아티스트 · 예술인

예술-인 (藝術人) 〚명〛= 예술가

예술-적 (藝術的) 〚관명〛艺术性(的) yìshùxìng(de) ¶~인 작품 有艺术性的作品

예-스럽다 〚형〛古式 gǔshì; 古老 gǔlǎo; 古色古香 gǔsègǔxiāng ¶예스러운 괘종시계 古式的挂钟 / 예스러운 도시 古老的城市 **예스레** 〚부〛

예습 (豫習) 〚명〛〚하타〛预习 yùxí; 预备功课 yùbèi gōngkè ¶수업하기 전에 ~을 하다 课前预习

예시 (例示) 〚명〛〚하타〛举例 jǔlì; 示例 shìlì ¶~ 자료 示例资料

예식 (禮式) 〚명〛1 仪式 yíshì; 典礼 diǎnlǐ = 예(禮)2 ¶~을 거행하다 举行仪式 2 = 결혼식 ¶~을 올리다 举行婚礼

예식-장 (禮式場) 〚명〛结婚礼堂 jiéhūn lǐtáng; 婚姻礼堂 hūnyīn lǐtáng; 婚礼厅 hūnlǐtīng

예심 (豫審) 〚명〛【法】预审 yùshěn ¶~을 신청하다 提出预审申请

예약 (豫約) 〚명〛〚하타〛预约 yùyuē; 订定 dìng; 预订 yùdìng ¶수술 ~ 手术预约 / 호텔 ~ 酒店预约 / ~금 预订金 =[예약금] / ~자 预约者 / ~ 전화 预订电话 / ~증 预约证 / ~ 번호 预约挂号 / ~ 판매 预约销售 / 비행기표를 ~하다 预订机票 / ~을 취소하다 取消预约

예언 (豫言) 〚명〛〚하자타〛预言 yùyán ¶~가 预言家 / ~서 预言书 / ~자 预言者 / ~이 적중하다 预言应验 / 미래를 ~하다 预言未来

예열 (豫熱) 〚명〛【工】预热 yùrè ¶~기 预热器

예외 (例外) 〚명〛例外 lìwài ¶~ 규정 例外规定 / ~가 없다 没有例外 / 너는 ~ 다 你是一个例外

예외-적 (例外的) 〚관명〛例外(的) lìwài(de) ¶~인 상황 例外的情况

예우 (禮遇) 〚명〛〚하자타〛礼遇 lǐyù

예의 (禮儀) 〚명〛礼貌 lǐmào; 礼仪 lǐyí ¶그는 ~가 없다 他没有礼貌 / ~에 어긋나다 不礼貌 / ~가 바르다 懂礼貌

예의-범절(禮儀凡節) 〔명〕 礼节 lǐjié

예-인(曳引) 〔명〕〔하타〕 曳引 yèyǐn ¶~
선 曳引船

예-전 〔명〕 以前 yǐqián; 过去 guòqù; 从
前 cóngqián ¶~에 사귀었던 여자 친
구 以前交往过的女朋友 / 몸이 ~만
못하다 身体不如从前

예절(禮節) 〔명〕 礼节 lǐjié; 礼貌 lǐmào;
礼 lǐ = 예법2 ¶~을 지키다 遵守礼
节 / ~을 중시하다 讲究礼貌

예-정(豫定) 〔명〕〔하타〕 预定 yùdìng;
预计 yùjì; 预 yù 예 yù ¶도착 ~ 시간 预定
到达时间 / 출산 ~일 预产期

예:제(例題) 〔명〕 例题 lìtí ¶~ 풀이 例
题讲解

예:지(豫知) 〔명〕〔하타〕 预知 yùzhī ¶~
몽 预知梦 / ~ 능력 预知能力 / 미래를
~하다 预知未来

예찬(禮讚) 〔명〕〔하자타〕 礼赞 lǐzàn; 赞美
zànměi; 歌颂 gēsòng ¶청춘 ~ 青春
礼赞

예:측(豫測) 〔명〕〔하자타〕 预测 yùcè; 预
料 yùliào; 估计 gūjì; 逆料 nìliào; 估摸
gūmo; 估量 gūliang; 预想 yùxiǎng; 预
计 yùjì ¶결과를 ~하기 어렵다 后果
难以逆料

예:치(預置) 〔명〕〔하타〕 寄存 jìcún; 存入
cúnrù; 存放 cúnfàng ¶은행에 돈을 ~
하다 把钱存入银行

예:-컨대(例一) 〔명〕 比如 bǐrú; 比如说
bǐrúshuō; 比方 bǐfang; 譬如 pìrú

예:-행(豫行) 〔명〕 预行 yùxíng

예:-행-연습(豫行演習) 〔명〕 预演 yùyàn

예:-후(豫後) 〔명〕 预后 yùhòu ¶~가 좋
지 않다 预后不良

옐로-카드(yellow card) 〔명〕〔體〕 黄
牌 huángpái; 黄牌警告 huángpái jǐng-
gào ¶그는 주심에게 ~를 받았다 他被
主裁判出示黄牌警告

옛 〔관〕 旧 jiù; 故 gù; 老 lǎo; 古 gǔ;
往 wǎng; 旧 jiùrì; 往日 wǎngrì ¶~
친구 老朋友 / 기억 旧日的回忆 ¶~
모습 老样子

옛-것 〔명〕 老的 lǎode; 旧的 jiùde

옛-날 〔명〕 **1** 很久以前 hěnjiǔ yǐqián; 古
来 gǔlái; 古老 gǔlǎo; 古代 gǔdài; 古
时 gǔshí; 古时候 gǔshíhòu ¶아주 먼 ~ 很
久很久以前 **2** 过去 guòqù; 往日 wǎng-
rì; 古时 wǎngshí; 从前 cóngqián; 往
昔 wǎngxī; 昔日 xīrì; 昔时 xīshí ¶몸
이 ~ 같지 않다 身体不如从前

옛날 옛적에 〔구〕 古时候; 很久以前

옛:-날-이야기 〔명〕 故事 gùshi

옛:-말 〔명〕 **1** 古语 gǔyǔ = 고어 ¶~
을 공부하다 学习古语 **2** 古话 gǔhuà;
古语 gǔyǔ ¶~을 인용하다 引用古话
3 旧事 jiùshì; 往事 wǎngshì

옛:-사람 〔명〕 古人 gǔrén

옛:-사랑 〔명〕 **1** 旧情 jiùqíng **2** 旧情人
jiùqíngrén

옛-스럽다 〔형〕 '예스럽다'의 错误

옛:-일 〔명〕 往事 wǎngshì; 旧事 jiùshì
¶더 이상 ~에 대해 언급하지 마라 别
再提旧事

옛:-적 〔명〕 过去 guòqù; 往日 wǎngrì;
往事 wǎngshì; 从前 cóngqián; 往昔
wǎngxī; 昔日 xīrì; 昔时 xīshí

옛:-정(一情) 〔명〕 旧情 jiùqíng ¶~을
잊지 못하다 旧情难忘

옛:-집 〔명〕 **1** 老房子 lǎofángzi; 旧房
子 jiùfángzi **2** 故居 gùjū; 旧居 jiùjū

옛:-터 〔명〕 旧址 jiùzhǐ; 遗址 yízhǐ

옜다 〔감〕 给 gěi

오: 〔감〕 哦 ò; 啊 ā ¶~, 네 말이 맞구나
哦, 你说的没错

오(五) 〔수관〕 五 wǔ ¶~ 일 五天 / ~
년 五年 / ~ 미터 五米

오-가다 〔자타〕 来往 láiwǎng ¶도시와
농촌 사이를 ~ 来往城乡间 / 빈번하
게 ~ 频繁地来往

오-가피(五加皮) 〔명〕〔韓醫〕 = 오갈
피

오:-각(五角) 〔명〕 五角 wǔjiǎo ¶~기둥
五角柱 / ~뿔 五角锥 / ~형 五角形

오-갈피(五加皮) 〔명〕〔韓醫〕 五加皮 wǔjiāpí =
오가피

오갈피-나무 〔명〕〔植〕 五加 wǔjiā

오:-감(五感) 〔명〕〔生〕 五感 wǔgǎn

오-곡(五穀) 〔명〕 五谷 wǔgǔ ¶~밥 五
谷饭 / ~백과 五谷百果

오골-계(烏骨鷄) 〔명〕〔鳥〕 乌骨鸡 wū-
gǔjī

오:-관(五官) 〔명〕〔生〕 五官 wǔguān

오그라-들다 〔자〕 蜷缩 quánsuō; 抽巴
chōuba; 抽 chōu; 缩进法 suōjìnqù; 抽
抽儿 chōuchour; 萎缩 wěisuō; 瘪 biě;
凹陷 āoxiàn ¶사지가 ~ 四肢蜷缩 / 냄
비 뚜껑이 ~ 锅盖瘪进去了

오그리다 〔타〕 **1** 弄瘪 nòngbiě ¶공을
~ 把气球弄瘪 **2** 弄弯 nòngwān

오금 〔명〕 腘窝 guówō; 腿窝 tuǐwō
¶오금이 저리다 〔구〕 提心吊胆

오:-기(傲氣) 〔명〕 傲气 àoqì; 志气 zhìqì
¶~가 나다 长志气 / ~를 부리다 耍傲
气

오:-기(誤記) 〔명〕〔하타〕 笔误 bǐwù; 写错
xiěcuò ¶책에서 ~를 발견하다 发现书
中的笔误

오나-가나 〔부〕 总是 zǒngshì; 老是
lǎoshì

오:냐 〔감〕 **1** 嗯 ng ¶~, 알았다 嗯, 我
知道了 **2** 好 hǎo; 好的 hǎode

오:-냐오:냐-하다 〔자타〕 娇养 jiāoyǎng;
娇宠 jiāochǒng; 娇惯 jiāoguàn ¶아이
를 ~ 娇养宝宝

오-누이 〔명〕 兄妹 xiōngmèi; 姐弟 jiědì

오:뉴-월(五六月) 圐 五六月 wǔliùyuè ‖ [오뉴월 감기는 개도 아니 걸린다알는다] 属目 夏天连狗都不感冒

오늘 圐 1 今天 jīntiān; 今日 jīnrì = 금일 ¶~의 뉴스 今日的新闻 / ~ 밤 今晚=[今天晚上]/~이 무슨 요일입니까? 今天星期几? 2 = 오늘날 今天 jīntiān; 今日 jīnrì ¶그는 ~ 출근하지 않았다 他今天没有上班了

오늘-날 圐 当今 dāngjīn; 今天 jīntiān; 今日 jīnrì; 如今 rújīn = 오늘2 ¶~의 한국 사회 当今韩国社会

오다 国邧 1 来 lái; 到 dào; 到来 dàolái ¶나는 여기 처음 올 때 이곳에 네 번째로 온다 我首次来这里 / 그들은 아직 오지 않았다 他们还没来了 / 그들은 내일 올 것이다 他们明天将会到来 2 (雨、雪、霜等) 下 xià ¶눈이 ~ 下雪 / 어제 비가 왔다 昨天下了一场大雨 3 (睡觉、疼痛等) 袭来 xílái ¶잠이 ~ 睡意袭来 4 (季节、时期、世道等) 到来 dàolái ¶봄이 왔다 春天到来了 5 由于 yóuyú; 由来 yóulái ¶당뇨병은 주로 영양 과잉에서 온다 糖尿病常常是由于营养过剩 6 (某事、某种局面) 面临 miànlín; 来临 láilín ¶죽을 지경까지 ~ 面临死亡 / 큰 위기가 ~ 面临很大的危机 7 (电灯、火、气等) 开 kāi; 来 lái ¶손으로 잡으면 전기가 올 수 있다 手拿上去会流电的感觉 8 到 dào; 到达 dàodá (某种程度) ¶물이 무릎까지 ~ 水到膝盖 9 (电话、电报、消息) 来到 láidào; 传来 chuánlái ¶막 문을 나섰을 때 전화한 통이 왔다 刚出门就有一个电话打来了 10 (某种情况或某个时期) 到 dào ¶이제 와서 싫다고 해도 방법이 없다 到现在说不要也没办法 / 드디어 그의 차례가 ~ 终于轮到他 属匿表示动作或状态持续下来 ¶그녀는 이곳에서 벌써 20년이나 일해 왔다 她在这里已经工作了二十年 / 하늘이 점점 밝아 ~ 天渐渐亮起来

오도 가도 못하다 冠 左右为难
오라 가라 하다 冠 麻烦别人
올 것이 오다 冠 该来的终究会来
왔다 갔다 하다 冠 (精神) 时而清醒时而糊涂

오다-가다 匐 来回路上 láihuílùshàng ¶~ 만나다 来回路上遇见
오:-답(誤答) 圐邧 错答 cuòdá
오:-대양(五大洋) 圐 (地理) 五大洋 wǔdàyáng
오:-대주(五大洲) 圐 (地理) 五大洲 wǔdàzhōu
오더(order) 圐 订货 dìnghuò
오뎅(일 oden(御田)) 圐 '어묵'의 错误
오도독 副邧자타 1 喀吱 gēzhī; 喀吱

喀吱 gēzhīgēzhī (咬硬物声) ¶얼음을 ~ 깨물어 먹다 喀吱喀吱地嚼冰块吃 2 嘎巴 gābā; 嘎巴嘎巴 gābāgābā (小东西折断声)

오도독-거리다 邧타 1 喀吱喀吱 gēzhīgēzhī xiǎng 2 嘎巴嘎巴响 gābāgābā xiǎng ‖ = 오도독대다 오도독-오도독 副邧자타 ¶아이가 ~ 사탕을 물어 먹는다 孩子喀吱喀吱地嚼糖吃

오도독-뼈 圐 (牛或猪的) 软骨 ruǎngǔ
오동-나무(梧桐─) 圐 (植) 梧桐 wútóng; 梧桐树 wútóngshù; 青桐树 qīngtóngshù
오동통 副邧 矮胖 ǎipàng; 胖乎乎 pànghūhū ¶체형이 ~한 사람 体型矮胖的人 / ~한 얼굴 胖乎乎的脸
오두-막(─幕) 圐 窝棚 wōpeng; 窝铺 wōpù
오두막-집(─幕─) 圐 窝棚 wōpeng; 窝铺 wōpù
오:-두-방정 圐 轻狂 qīngkuáng; 轻佻 qīngtiāo
오들-거리다 邧타 (因冷或怕而) 索索发抖 suǒsuǒ fādǒu; 哆嗦嗦嗦 duōsuōsuōsuō ¶그는 추워서 온몸을 오들거렸다 他浑身寒冷开始哆嗦嗦嗦了 ‖ = 오들-오들
오디 圐 桑葚 sāngshèn; 桑葚儿 sāngrènr; 桑葚子 sāngshènzi
오디션(audition) 圐 (对志愿艺人的) 面试 miànshì; 试唱 shìchàng; 试演 shìyǎn ¶~을 보다 参加试唱
오디오(audio) 圐 1 (收音机、电视等的) 音频 yīnpín; 声音 shēngyīn 2 音响 yīnxiǎng 3 音响装置 yīnxiǎng zhuāngzhì ¶~ 세트 音响组合
오뚝 副邧 凸起 tūqǐ; 鼓起 gǔqǐ; 隆起 lóngqǐ; 高高 gāogāo ¶코가 ~하다 鼻子高高
오뚝-이 圐 不倒翁 bùdǎowēng; 扳不倒儿 bānbùdǎor
오:-라기 圐 1 (纸、布、线等) 碎条 suìtiáo 2 条 tiáo
오라버니 圐 '오빠'의 敬词
오:-락(娛樂) 圐 娱乐 yúlè; 余兴 yúxìng; 游艺 yóuyì
오락-가락 副邧자 1 反复来往 fǎnfù láiwǎng; 走来走去 zǒuláizǒuqù ¶문밖에서 ~하다 在门外走来走去 2 (雨或雪) 下下停停 xiàxiàtíngtíng 3 时而清醒时而糊涂 shí'ér qīngxǐng shí'ér hútu
오:-락-실(娛樂室) 圐 游戏厅 yóuxìtīng; 游戏室 yóuxìshì
오랑우탄(orangutan) 圐 (動) 猩猩 xīngxing = 성성이
오랑캐 圐 1 夷狄 yídí 2 '이민족'의 鄙称

오래 图 久 jiǔ; 很久 hěnjiǔ; 老 lǎo; 好久 hǎojiǔ; 很长 hěncháng ¶시간이 ~ 걸리다 需要很长时间/~ 기다리셨습니다 让你久等了

오래-가다 困 持久 chíjiǔ; 长久 chángjiǔ ¶그는 장거리 연애는 오래가지 못한다고 생각한다 他认为远距离的恋爱不会持久

오래간-만 图 好久 hǎojiǔ; 难得 nándé ¶~에 오다 难得来到/~에 비가 오는구나! 好久不下雨啊!

오래다 图 久 jiǔ; 很久 hěnjiǔ; 好久 hǎojiǔ ¶우리는 헤어진 지 벌써 ~ 我们分手已经很久了

오래-달리기 图【體】长跑 chángpǎo

오래-도록 图 好久 hǎojiǔ; 长久 chángjiǔ; 久久 jiǔjiǔ ¶그를 ~ 기억하다 把他久久记在脑里

오래-되다 图 久远 jiǔyuǎn; 久 jiǔ; 许久 xǔjiǔ ¶오래된 생각 久远的思念/오래된 기억 久远的记忆/연대가 좀 오래되었다 年代有些久远了

오래-오래 图 好久 hǎojiǔ; 久久 jiǔjiǔ; 许久 xǔjiǔ ¶~ 기다렸지만 나는 결국 그를 만나지 못했다 等了好久, 我还是没看到他

오래-전 图 很久以前 hěnjiǔ yǐqián; 早 zǎo; 早就 zǎojiù ¶그 일은 이미 ~에 잊어버렸다 那件事我早就忘掉了

오랜 图 老 lǎo; 久 jiǔ; 久远 jiǔyuǎn ¶~ 병 久病/~ 세월 久远的岁月

오랜-만 图 '오래간만'의 略记 ¶~에 뵙습니다 好久不见了

오랫-동안 图 久久 jiǔjiǔ; 好久 hǎojiǔ; 许久 xǔjiǔ; 老久 lǎojiǔ; 长久 chángjiǔ ¶~ 연락을 못했다 久没联系了/나는 ~ 일기를 쓰지 않았다 我好久没有写日记了

오렌지(orange) 图 橙子 chéngzi; 橙 chéng ¶~색 橙红色/~ 주스 橙汁/신선한 ~ 鲜橙子

오로라(aurora) 图【地理】极光 jíguāng

오:로지 图圆 只 zhǐ; 光 guāng; 专 zhuān; 专门 zhuānmén; 只是 zhǐshì; 只有 zhǐyǒu ¶그는 ~ 자기 가족만 신경 쓴다 他只顾自己的家人/내 눈에는 ~ 너 밖에 없다 我的眼里只有你/그는 밥도 먹지 않고 ~ 책만 읽는다 他连饭都不吃, 只是看书

오:류(誤謬) 图 1 错误 cuòwù; 差错 chācuò; 谬误 miùwù ¶~가 발생하다 发生错误/~를 범하다 犯错误 2【컴】误差 wùchā; 错误 cuòwù = 에러3 ¶응용 프로그램 ~ 应用程序错误

오:류(五六) 配 五六 wǔliù ¶~ 년 五六年/~ 회 五六次

오:륜-기(五輪旗) 图【體】五环旗 wǔhuánqí = 올림픽기

오르가슴(프 orgasme) 图 性高潮 xìnggāocháo; 性乐 xìnglè

오르간(organ) 图【音】风琴 fēngqín

오르골(←네 orgel) 图【音】八音盒 bāyīnhé

오르-내리다 回 1 上下 shàngxià; 起落 qǐluò; 升降 shēngjiàng; 上上下下 shàngshàngxiàxià ¶계단을 ~ 上上下下楼梯 2 成为话柄 chéngwéi huàbǐng ¶사람들 입에 ~ 成为话柄

오르다 口타 上 shàng; 登 dēng; 爬 pá; 攀登 pāndēng ¶3층에 ~ 上三楼/그는 산에 오르는 것을 좋아한다 他喜欢爬山 二困 1 (地位、级别等) 提高 tígāo ¶과장에서 부장으로 ~ 由科长升为部长 2 (乘坐的东西上) 骑乘 qíchéng; 上 shàng; 坐上 zuòshàng ¶빨리 차에 오르세요 请快上车 3 相当于 xiāngdāngyú; 等于 děngyú; 达到 dádào ¶국제 수준에 ~ 相当于国际水平 4 走上 zǒushàng ¶주가가 하락길에 ~ 股价走上下降通道 / 레드 카펫에 ~ 走上红地毯 5 (到岸) 上 shàng; 登 dēng ¶바다거북이 뭍에 올라 알을 낳다 海龟上岸产卵 6 (肉) 长 zhǎng ¶얼굴에 살이 ~ 脸长肉 7 摆上 bǎishang ¶그는 상에 오른 음식을 바라보기만 할 뿐 감히 먹지 못했다 他只有着摆上桌的菜, 不敢动筷 8 被议论 bèiyìlùn; 成为话柄 chéngwéi huàbǐng ¶그와 관련된 소문은 금방 모두의 입에 올랐다 有关他的传闻马上就成为大家的话柄 9 记载 jìzài; 登载 dēngzài ¶유명한 잡지에 ~ 登载于有名的杂志 10 (价格) 上升 shàngshēng; 上涨 shàngzhǎng ¶기름 값이 ~ 油价上升/환율이 ~ 汇率上升/물가가 ~ 物价上涨 11 (温度) 上升 shàngshēng ¶온도가 계속해서 ~ 温度继续上升 12 (成绩、效果) 提高 tígāo ¶수학 성적이 꽤 올랐다 数学成绩提高不少 13 (药、酒等) 有 yǒu ¶맥주 세 병을 마시고 나서야 취기가 올랐다 喝了三瓶啤酒以后才有了醉意

> **오르지 못할 나무는 쳐다보지도 마라** 俗語 不作无补之功; 不为无益之事

오르락-내리락 图하자타 上上下下 shàngshàngxiàxià; 上来下去 shànglái xiàqù; 涨落 zhǎngluò ¶종일 엘리베이터를 타고 ~하다 整天都坐在电梯上来下去的/유가가 ~하다 油价涨落

오르-막 图 上坡 shàngpō

오르막-길 图 上坡路 shàngpōlù ¶~을 걷다 走上坡路

오른 配 右 yòu; 右边 yòubian ¶~발 右脚/~뺨 右颊/~ 다리 右腿

오른-손 图 右手 yòushǒu ¶~을 들다

举起右手

오른손-잡이 몡 右撇子 yòupiězi

오른-쪽 몡 右 yòu; 右边 yòubian; 右方 yòufāng; 右侧 yòucè; 右面 yòumian ＝ 오른편·우(右)1·우측 ¶～으로 가다 向右边走

오른-팔 몡 **1** 右胳膊 yòugēbo; 右臂 yòubì ＝ 우완 **2** 膀臂 bǎngbì; 得力助手 délì zhùshǒu ¶그는 내 영원한 ～이다 他是我永远的膀臂

오른-편(―便) 몡 ＝ 오른쪽

오른-세(―勢) 몡 (股市、物价等)涨势 zhǎngshì; 涨风 zhǎngfēng; 看涨 kànzhǎng ¶주가가 ～를 보이다 股价看涨

오:리 몡 [鳥] 鸭子 yāzi; 鸭 yā ¶～털 鸭绒

오:리-걸음 몡 鸭步 yābù ¶～을 걷다 走鸭步

오:리-너구리 몡 [動] 鸭嘴兽 yāzuǐshòu

오리다 타 剪 jiǎn ¶색종이를 ～ 剪彩纸 / 신문에 난 기사를 오려 붙이다 把报纸上的消息剪下来贴上

오:리무중(五里霧中) 몡 **1** 五里雾 wǔlǐwù; 五里雾中 wǔlǐwùzhōng ¶～에 빠지다 坠入五里雾中

오:리-발 몡 **1** 물갈퀴 **2** 不认账 bùrènzhàng ¶～을 내밀다 不认账

오리엔테이션(orientation) 몡 新生培训 xīnshēng péixùn; 新职员培训 xīnzhíyuán péixùn

오리지널(original) 몡 原 yuán; 原本 yuánběn; 最初 zuìchū; 原作 yuánzuò ¶～사운드 트랙 原声带＝原声大碟]

오막(―幕) 몡 '오두막'의 略记字

오막-살이(―幕―) 몡 **1** 窝棚 wōpeng; 茅屋 máowū; 茅草房 máocáofáng; 小草房 xiǎocǎofáng **2** 窝棚生活 wōpeng shēnghuó

오:만(五萬) 몡 许许多多 xǔxǔduōduō; 千万 qiānwàn; 成千上万 chéngqiānshàngwàn; 无数 wúshù; 各色各样 gèsègèyàng; 各种各样 gèzhǒnggèyàng ¶～ 가지 생각 许许多多的心思

오:만(傲慢) 몡 傲慢 àomàn; 傲气 àoqì ¶～불손 傲慢不逊 / 그는 ～하고 예의도 없다 他既傲慢又无礼貌

오:만-상(五萬相) 몡 愁眉苦脸 chóuméikǔliǎn

오:매-불망(寤寐不忘) 몡하타 梦寐难忘 mèngmèinánwàng; 念念不忘 niànniànbúwàng

오:명(汚名) 몡 污名 wūmíng; 臭名 chòumíng ¶～을 벗다 洗刷污名 / 무능하다는 ～을 쓰다 背负无能的污名

오목 무하형 凹 āo; 凹陷 āoxiàn ¶～거울 凹面镜＝[凹镜] / ～렌즈 凹透

오목(五目) 몡 [體] 五子棋 wǔzǐqí

오목-조목 무하형 **1** 凹凸不平 āotūbùpíng **2** 小巧 xiǎoqiǎo

오목-판(―版) 몡 [印] 凹版 āobǎn ＝ 요판 ¶～ 인쇄 凹版印刷

오:묘-하다(奧妙―) 형 奥妙 àomiào ¶오묘한 이치 奥妙的原理 / 대자연의 오묘함 大自然的奥妙

오:물(汚物) 몡 污物 wūwù; 垃圾 lājī ¶～통 污物桶 / ～을 처리하다 处理污物

오:물-거리다 자타 **1** (嘴) 慢慢地动 mànmànde dòng ¶음식을 오물거리며 먹다 孩子慢慢地动嘴嚼东西 **2** 喋喋 niérǔ; 含糊 hánhu ¶입을 오물거리기만 하고 아무 말이 없다 嘴里喋喋嘴无声 ∥ ＝ 오물대다 **오물-오물** 무하자타

오므라-들다 자 **1** 萎缩 wěisuō ¶다음날 장미꽃이 오므라들었다 第二天玫瑰花就萎缩了 **2** 凹陷 āoxiàn; 凹进 āojìn; 瘪 biě ¶풍선이 오므라들었다 气球瘪了

오므라이스(←omelet rice) 몡 蛋卷米饭 dànjuàn mǐfàn

오므리다 타 抿 mǐn; 缩 suō ¶입을 오므리고 한 번 웃다 抿嘴一笑

오믈렛(omelet) 몡 煎蛋饼 jiāndànbǐng; 煎蛋卷 jiāndànjuǎn

오:미-자(五味子) 몡 **1** [植] ＝ 오미자나무 **2** [韓醫] 五味子 wǔwèizǐ ¶～차 五味子茶

오:미자-나무(五味子―) 몡 [植] 五味子树 wǔwèizǐshù; 五味子 wǔwèizǐ ＝ 오미자1

오밀-조밀(奧密稠密) 무하형 精细 jīngxì; 精巧 jīngqiǎo; 玲珑 línglóng ¶외관도 ～하고 깜찍하다 外观也很精巧别致

오바이트(←overeat) 몡하자 呕吐 ǒutù

오:발(誤發) 몡하타 走火 zǒuhuǒ ¶～ 사고 走火事故 / ～탄 走火子弹 / ～탄알 走火的子弹

오:-밤중(午―中) 몡 ＝ 한밤중 ¶그들은 ～에 출발하였다 他们在午夜出发了

오버(over) 몡 ＝ 외투

오버액션(overaction) 몡 [演] 表演过火 biǎoyǎn guòhuǒ

오버타임(overtime) 몡 [體] (排球)四次击球 sìcì jīqiú

오:보(誤報) 몡하자타 误报 wùbào; 误传 wùchuán; 错误报道 cuòwù bàodào ¶～를 방지하다 防止误报

오보에(이오boe) 몡 [音] 双簧管 shuānghuángguǎn

오:복(五福) 圀 五福 wǔfú

오붓-하다 閣 **1** 和睦 hémù; 恬静 tiánjìng ¶오붓한 오후 티타임 恬静的下午茶时间 **2** 殷实 yīnshí; 小康 xiǎokāng ¶오붓한 살림살이 殷实的家什

오븐(oven) 圀 烤炉 kǎolú; 烤箱 kǎoxiāng ¶~에 구운 빵 在烤箱里烤的面包

오비이락(烏飛梨落) 圀 瓜李之嫌 guālizhīxián

오빠 圀 哥哥 gēge; 哥 gē ¶옆집 ~ 隔壁哥哥

오:산(誤算) 圀田 **1** 算错 suàncuò; 误算 wùsuàn **2** 失算 shīsuàn; 误认为 wùrènwéi; 误以为 wùyǐwéi; 估计错误 gūjì cuòwù

오:색(五色) 圀 **1** 五彩 wǔcǎi; 五色 wǔsè《青、黄、赤、白、黑》¶~기 五色旗 wǔsè qí ~ 五彩 wǔcǎi; 五光十色 wǔguāngshísè; 五颜六色 wǔyánliùsè; 五光十彩 wǔguāngshícǎi ¶~등 五彩灯 / ~꽃이 만개해 있다 五光十色的鲜花盛开着

오:색찬란-하다(五色燦爛—) 閣 五彩缤纷 wǔcǎi bīnfēn

오:선(五線) 圀 [音] 谱表 pǔbiǎo

오:선-지(五線紙) 圀 [音] 五线谱纸 wǔxiànpǔzhǐ

오소리 圀 [動] 獾 huān; 猪獾 zhūhuān

오솔-길 圀 小道 xiǎodào; 小径 xiǎojìng; 羊肠小道 yángchángxiǎodào

오:수(午睡) 圀 = 낮잠

오:수(汚水) 圀 구정물 ¶~ 처리장 污水处理厂 / ~를 배출하다 排出污水

오순-도순 團閣 亲切 qīnqiè; 和睦 hémù; 多情和睦 duōqíng hémù; 心平气和 xīnpíng qìhé ¶친구들이 모여 ~ 이야기를 나누다 朋友们聚在一起亲切地交谈者 / 그들 부부는 ~ 잘 지낸다 他们夫妻俩和睦相处

오:순-절(五旬節) 圀 [宗] 五旬节 wǔxúnjié

오스카-상(Oscar賞) 圀 [演] '아카데미상'의 별칭

오:심(誤審) 圀田자타 错判 cuòpàn ¶시합 중 ~은 피하기 어렵다 比赛中错判是难免的

오:십(五十) 주관 五十 wǔshí ¶~년 五十年 / ~ 미터 五十米 / ~ 세 五十岁

오:십-견(五十肩) 圀 [醫] 肩周炎

jiānzhōuyán; 五十肩 wǔshíjiān

오:십보-백보(五十步百步) 圀 五十步笑百步 wǔshíbù xiào bǎibù

오싹 團해자 (因冷或害怕) 打寒噤 dǎ hánjìn; 打冷战 dǎ lěngzhàn ¶그는 놀라서 온몸이 ~했다 他吓得全身直打寒噤

오싹-거리다 자태 (因寒冷或害怕而一直) 打冷战 dǎ lěngzhàn; 打寒噤 dǎ hánjìn = 오싹대다 ¶그는 추위에 몸이 오싹거렸다 他冻得直打冷战 **오싹-오싹** 團해자

오아시스(oasis) 圀 绿洲 lǜzhōu ¶사막에서 ~를 발견하다 在沙漠里发现绿洲

오:언(五言) [文] 五言 wǔyán ¶~고시 五言古诗 =[古] / ~시 五言诗 / ~ 율시 五言律诗 =[律] / ~절구 五言绝句

오:역(誤譯) 圀田타 误译 wùyì

오열(嗚咽) 圀田자 呜咽 wūyè; 呜噎 wūyē ¶~하는 나를 안고 ~하셨다 妈妈抱着我呜咽了

오:염(汚染) 圀田자 污染 wūrǎn ¶~도 污染度 / ~물 污染物 / ~원 污染源 / 실내 공기 ~ 室内空气污染 / 환경 ~ 环境污染 / 수질을 ~시키다 造成水质污染

오:용(誤用) 圀田타 误用 wùyòng ¶성어를 ~하다 误用成语

오:월(五月) 圀 五月 wǔyuè

오월-동주(吳越同舟) 圀 吴越同舟 wúyuè tóngzhōu

오이 圀 [植] 黄瓜 huángguā; 胡瓜 húguā ¶~지 腌黄瓜 / ~냉국 黄瓜冷汤 / ~소박이 夹馅黄瓜泡菜

오이엠(OEM) [Original Equipment Manufacturer] 圀 [經] 定牌生产 dìngpái shēngchǎn

오:인(誤認) 圀田타 错认 cuòrèn; 误认 wùrèn ¶그는 종종 내 남자 친구로 ~받는다 他经常被错认成我男朋友

오:입(誤入) 圀田자 外遇 wàiyù; 外欢 wàihuān; 嫖 piáo = 외도1

오:입-질(誤入−) 圀田자 外遇 wàiyù; 外欢 wàihuān; 嫖 piáo

오:자(誤字) 圀 错字 cuòzì; 白字 báizì; 别字 biézì ¶~를 발견하다 发现错字 / ~를 교정하다 纠正错字

오작-교(烏鵲橋) 圀 [民] 鹊桥 quèqiáo

오:장(五臟) 圀 [韓醫] 五脏 wǔzàng ¶~ 육부 五脏六腑

오:전(午前) 圀 上午 shàngwǔ; 午前 wǔqián; 上半天(儿) shàngbàntiān(r) ¶~반 上午班 / ~ 11시 上午十一点

오:점(汚點) 圀 污点 wūdiǎn ¶인생에 ~을 남기다 给人生留下污点

오존(ozone) 명 【化】 臭氧 chòuyǎng ¶
~층 臭氧层 / ~ 살균기 臭氧杀菌机 /
~ 처리 臭氧处理

오죽 부 多么 duōme; 多 duō ¶试验에
통과하지 못했으니 그가 ~ 실망했을
까 没通过考试, 他会多么失望 ---하
다 형 何况 hékuàng ¶어른도 견디기
힘든데 아이는 오죽하겠니? 大人都受
不了了, 何况孩子呢?

오죽-이나 부 '오죽'의 강조어 ¶그렇
게 좋은 선물을 받았으니 그녀가 ~
기뻐했을까 受到那么好的礼物, 她会
多么高兴

오줌 명 尿 niào; 小便 xiǎobiàn ¶~소
태 尿频 / 길가에서 ~ 을 누다 在路边
撒尿 / ~ 이 마렵다 想小便

오줌-보 명 膀胱 pángguāng ¶~가 터
질 것 같다 膀胱快要憋爆了

오줌-싸개 명 尿床的孩子 niàochuáng-
de háizi; 尿裤子的孩子 niàokùzide
háizi; 尿炕的孩子 niàokàngde háizi

오-중주(五重奏) 명 【音】 五重奏
wǔchóngzòu

오:지(奧地) 명 腹地 fùdì; 边远地区
biānyuǎn dìqū; 偏远地方 piānyuǎn dì-
fang ¶아프리카 ~ 非洲腹地 / 사막 ~
를 탐험하다 探险沙漠腹地

오지-그릇 명 = 도기

오지랖 명 前襟 qiánjīn

오지랖(이) 넓다 관 爱管闲事

오직 부 唯 wéi; 惟 wéi; 唯有 wéiyǒu;
惟有 wéiyǒu; 只 zhǐ; 只有 zhǐyǒu ¶그
녀는 ~ 내 말만 듣는다 她只听我的
话 / 지금 그의 눈에는 ~ 그녀밖에 없
다 现在他的眼里只有她

오:진(誤診) 명 【醫】误诊 wùzhěn
¶~율 误诊率 / 위암을 위암으로 ~하
다 把胃炎误诊为胃癌

오징어 명 【動】墨鱼 mòyú; 鱿鱼 yóu-
yú; 乌贼 wūzéi ¶干乌贼 = 干墨鱼

오:차(誤差) 명 误差 wùchā; 差错
chācuò ¶실험 ~ 实验误差 / 标准 ~
标准误差 / ~가 크지 않다 误差不大

오:찬(午餐) 명 午餐 wǔcān; 午宴 wǔ-
yàn ¶~회 午宴

오:체(五體) 명 五体 wǔtǐ; 全身 quán-
shēn ¶~투지 五体投地

오카리나(ocarina) 명 【音】陶笛 táo-
dí; 奥卡利那笛 àokǎlìnàdí

오케스트라(orchestra) 명 【音】 =
관현악단

오타(誤打) 명하자 打错字 dǎcuòzì

오토바이(←auto+bicycle) 명 摩托
车 mótuōchē = 모터사이클

오트밀(oatmeal) 명 燕麦粥 yànmài-
zhōu

오팔(opal) 명 【鑛】蛋白石 dànbáishí

오퍼(offer) 명 【經】报价 bàojià; 发价

fājià; 发盘 fāpán ¶~상 报价商

오퍼레이터(operator) 명 操作人员
cāozuò rényuán

오페라(opera) 명 歌剧 gējù ¶~
가극 ~ 극장 歌剧院 / ~ 하우스 歌
剧院

오프라인(off-line) 명 【컴】离线 lí-
xiàn; 下网 wǎng; 脱网 tuōwǎng

오프닝(opening) 명 首场演出 shǒu-
chǎng yǎnchū

오프사이드(offside) 명 【體】越位
yuèwèi; 越位犯规 yuèwèi fànguī

오픈 게임(open+game) 【體】公开赛
gōngkāisài

오픈-카(open car) 명 敞篷车 chǎng-
péngchē; 敞车 chǎngchē

오피스텔(←office+hotel) 명 商住两
用房 shāngzhù liǎngyòngfáng; 写字楼
xiězìlòu

오한(惡寒) 명 【韓醫】恶寒 wùhán; 发
冷 fālěng ¶감기에 걸려 온몸에 ~이
나다 感冒了浑身觉得发冷

오합지졸(烏合之卒) 명 乌合之众 wū-
hézhīzhòng; 乌合之卒 wūhézhīzú

오:해(誤解) 명하자 误解 wùjiě; 误会
wùhuì ¶~를 사다 引起误解 / ~를 풀
다 消除误解 / ~가 생기다 产生误解 /
~가 깊어지다 误会越陷越深

오:후(午後) 명 下午 xiàwǔ; 午后 wǔ-
hòu; 下半天(儿) xiàbàntiān(r); 过午
guòwǔ ¶~반 下午班 / ~ 4시 下午四
点

오히려 부 1 反而 fǎn'ér; 反倒 fǎn-
dào; 却 què; 倒 dào; 倒是 dàoshì ¶越
래 잘수록 ~ 더 피곤하다 睡得越久反
倒越累 / 그녀의 여동생은 ~ 그녀보
다 더 늙어 보인다 她的妹妹反而显得
比她老 2 还 hái; 尚 shàng ¶그곳에
가느니 ~ 안 가는 게 낫다 去那里还
不如不去

옥(玉) 명 【鑛】玉 yù; 玉石 yùshí ¶~
비녀 玉簪 / ~가락지 玉戒指 / ~도장
玉石印章

옥에 티 속담 白璧微瑕; 美中不足

옥에도 티가 있다 속담 人无完人;
金无足赤

옥(獄) 명 = 감옥

옥-니 명 内倒牙 nèidàoyá; 贼牙 zéiyá

옥-돔(玉一) 명 【魚】方头鱼 fāngtóuyú

옥-동자(玉童) 명 1 玉童 yùtóng;
仙童 xiāntóng 2 宝宝 bǎobǎo; 宝贝
bǎobèi ¶그녀는 작년에 ~를 낳았다
她去年生了宝宝

옥문(獄門) 명 狱门 yùmén; 牢门 láo-
mén

옥사(獄死) 명하자 死于狱中 sǐyúyù-
zhōng; 瘐死 yǔsǐ

옥-살이(獄一) 명하자 = 감옥살이

옥상(屋上) 명 屋顶 wūdǐng; 楼顶 lóu-dǐng ¶ ~ 정원 屋顶庭园

옥새(玉璽) 명 玉玺 yùxǐ; 印玺 yìnxǐ

옥색(玉色) 명 玉色 yùsè

옥석(玉石) 명 1 玉石 yùshí; 玉 yù 2 好坏 hǎohuài ¶ ~을 구분하다 区分好坏

옥-수수 명 【植】玉米 yùmǐ; 玉蜀黍 yùshǔshǔ; 包米 bāomǐ; 棒子 bàngzi ~ 강냉이1 ¶ ~기름 玉米油 / ~수염 玉米须 / ~를 수확하다 收割玉米

옥수숫-대 명 玉米棵子 yùmǐ kēzi

옥신-각신 명부하자 争闹 zhēngnào; 争吵 zhēngchǎo ¶그들 부부는 매일 ~ 한다 他们夫妻俩每天争吵

옥-양목(玉洋木) 명 漂白布 piǎobáibù

옥외(屋外) 명 屋外 wūwài; 室外 shì-wài; 户外 hùwài; 露天 lùtiān; 露天地儿 lùtiāndìr ¶ ~조명등 室外照明灯 / ~ 활동 室外活动 / ~ 무대 露天舞台 / ~ 집회 露天聚会 / ~ 광고 户外广告 / ~등 屋外灯

옥잠-화(玉簪花) 명 【植】玉簪 yùzān; 玉簪花 yùzānhuā; 白萼 bái'è; 白鹤仙 báihèxiān

옥좌(玉座) 명 玉座 yùzuò; 宝座 bǎo-zuò = 보좌1

옥-죄다 타 抽紧 chōujǐn; 勒紧 shā-jǐn; 捆紧 kǔnjǐn; 勒紧 lēijǐn ¶자금을 ~ 资金抽紧 / 밧줄을 더욱 ~ 把绳子更加抽紧

옥중(獄中) 명 狱中 yùzhōng ¶ ~ 일기 狱中日记

옥체(玉體) 명 1 玉体 yùtǐ 2 贵体 guìtǐ ¶ ~를 보증하옵소서 请保重贵体

옥타브(octave) 명 【音】 1 【音】八度音 bā-dùyīn 2 【의성】【音】八度 bādù ¶한 ~ 높다 一八度高

옥탑(屋塔) 명 【建】屋塔 wūtǎ ¶ ~방 屋塔房

옥토(沃土) 명 沃土 wòtǔ; 沃壤 wò-rǎng; 肥田 féitián ¶황무지를 ~로 개간하다 把荒地开垦成沃土

옥-토끼(玉一) 명 1 (月中的)玉兔 yùtù 2 白兔 báitù

옥패(玉佩) 명 玉佩 yùpèi

옥편(玉篇) 명 1 = 자전(字典) 2 【書】玉篇 yùpiān

옥호(屋號) 명 字号 zìhào; 商店名称 shāngdiàn míngchēng

옥황-상제(玉皇上帝) 명 玉皇大帝 yùhuáng dàdì; 玉帝 yùdì

온: 관 全 quán; 全部 quánbù; 全体 quántǐ; 整个 zhěnggè; 满 mǎn; 所有 suǒyǒu ¶ ~ 세상 全世界 / ~ 직원들 全体职工 / ~ 방 안이 엉망이다 整个房间都是乱七八糟的

온:-갖 관 各种 gèzhǒng; 种种 zhǒng-zhǒng; 百 bǎi; 百般 bǎibān; 形形色色 xíngxíngsèsè ¶ ~ 식품 各种食品 / ~ 형태 种种形态 / ~ 이유를 들어 대답을 거절하다 列出种种理由拒绝回答

온:-건(穩健) 명하형 부 稳健 wěnjiàn ¶ ~파 稳健派 / ~한 외교 정책 稳健的外交政策

온고-지신(溫故知新) 명하자 温故知新 wēngùzhīxīn

온기(溫氣) 명 暖气 nuǎnqì; 热气 rè-qì; 暖和 nuǎnhuo ¶ ~가 가득하다 热气腾腾

온난(溫暖·溫煖) 명하형 温暖 wēn-nuǎn; 暖和 nuǎnhuo ¶ ~함 nuǎn = 난기(暖氣) ¶ ~ 전선 暖锋 / ~면 [暖峰面] / ~한 기후 温暖的气候

온난-화(溫暖化) 명하자 暖化 nuǎn-huà ¶지구 ~ 地球暖化

온:-당-하다(穩當-) 형 稳当 wěn-dang; 妥当 tuǒdang; 稳妥适当 wěntuǒ shìdàng ¶ ~한 방법 妥当的做法 / ~한 선택 稳妥的选择 온:-당-히 부

온대(溫帶) 명 【地理】温带 wēndài ¶ ~ 기후 温带气候 / ~과일 温带水果 / ~ 계절풍 温带季风

온데간데-없다 형 没有去向 méiyǒu qùxiàng; 不知所向 bùzhī suǒxiàng; 无影无踪 wúyǐngwúzōng ¶방금 전까지 있던 아이가 ~ 刚才还在的孩子, 现在却无影无踪了 온데간데없-이 부

온도(溫度) 명 【物】温度 wēndù ¶표면 ~ 表面温度 / ~ 변화 温度变化 / ~를 조절하다 调节温度 / ~를 재다 检测温度 / 정상 ~를 유지하다 保持正常温度

온도-계(溫度計) 명 温度计 wēndùjì; 温度表 wēndùbiǎo; 寒暑表 hánshǔbiǎo; 寒暖计 hánnuǎnjì

온돌(溫突·溫埃) 명 1 炕 kàng; 暖炕 nuǎnkàng; 火炕 huǒkàng = 방구들 ¶ ~을 놓다 布装火炕 2 = 온돌방

온돌-방(溫突房) 명 火炕房 huǒkàng-fáng; 暖炕房 nuǎnkàngfáng = 온돌2

온라인(on-line) 명 【컴】联机 liánjī; 联线 liánxiàn; 在线 zàixiàn; 网上 wǎngshàng; 线上 xiànshàng ¶ ~조작 联机操作 / ~ 처리 联机处理 / ~ 시스템 联机系统

온:-몸 명 全身 quánshēn; 周身 zhōu-shēn; 浑身 húnshēn; 满身 mǎnshēn = 전신(全身)·혼신 ¶ ~이 가렵다 周身瘙痒 / ~이 쑤시고 아프다 浑身酸痛 / ~에 힘이 없다 浑身没劲 / ~에 상처를 입다 全身受伤

온:-밤 명 整夜 zhěngyè; 终夜 zhōngyè; 通宵 tōngxiāo; 通夜 tōngyè; 竟夜 jìngyè ¶~을 꼬박 새워 게임을 하다 整夜玩游戏

온상(溫床) 圐 1 【農】温床 wēnchuáng ¶~재배 温床栽培 2 温床 wēnchuáng ¶범죄의 ~ 犯罪的温床

온수(溫水) 圐 = 더운물 ¶~기 热水器 / ~로 목욕을 하다 用温水洗澡

온순-하다(溫順-) 혭 温顺 wēnshùn; 温和 wēnhé; 温柔 wēnróu; 婉顺 wǎnshùn; 服贴 fútiē ¶온순한 강아지 温顺的小狗 / 이 아이는 정말 ~ 这个孩子真温顺 / 그녀는 성미가 ~ 她性情很温柔 **온순-히** 閈

온-쉼표(-標) 圐 【音】全休止符 quánxiūzhǐfú

온스(ounce) 의펭 盎司 àngsī; 盎斯 àngsī; 英两 yīngliǎng; 啢 liǎng

온습-하다(溫濕-) 혭 温湿 wēnshī ¶온습한 기후 温湿的气候

온실(溫室) 圐 1 温室 wēnshì; 暖房 nuǎnfáng ¶~효과 温室效应 / ~에서 재배한 과일 在温室栽培的水果 2 供暖房 gōngnuǎnfáng

온실 속의 화초 囨 温室里的花

온아-하다(溫雅-) 혭 温雅 wēnyǎ; 温文尔雅 wēnwén'ěryǎ

온유(溫柔) 圐하펭 温柔 wēnróu ¶~한 미소 温柔的微笑 / 그는 성품이 ~하다 他品性很温柔

온-음(-音) 圐 【音】全音 quányīn ¶~계 全音阶

온-음표(-音標) 圐 【音】全音符 quányīnfú

온전-하다(穩全-) 혭 1 完整 wánzhěng; 完整无缺 wánzhěngwúquē; 完好 wánhǎo ¶온전한 판본 完整的版本 2 健康 jiànkāng; 健全 jiànquán ¶온전한 사상 健全的思想 / 인격이 ~ 人格健全 **온-전-히** 閈 ¶잃어버렸던 자전거를 ~ 되찾았다 丢了的车子完整无缺地找回来了

온-점(-點) 圐 【語】句号 jùhào; 句点 jùdiǎn

온정(溫情) 圐 温情 wēnqíng ¶~에 넘치는 말을 하다 说洋溢着温情的话

온-종일(-終日) 圐閈 整天 zhěngtiān; 终日 zhōngrì; 整日 zhěngrì; 成天 chéngtiān; 一天到晚 yītiāndàowǎn; 从早到晚 cóngzǎo dàowǎn ¶~ 그는 ~ 풀이 죽어 있다 他整天无精打采 / 어제는 ~ 눈이 내렸다 昨天终日下了雪

온천(溫泉) 圐 【地理】温泉 wēnquán; 汤泉 tāngquán ¶~가스 温泉气 / ~ 여관 温泉旅馆 2 = 온천장

온천-물(溫泉-) 圐 温泉水 wēnquánshuǐ = 온천수

온천-수(溫泉水) 圐 = 온천물

온천-욕(溫泉浴) 圐 温泉浴 wēnquányù; 泡温泉 pào wēnquán

온천-장(溫泉場) 圐 温泉地 wēnquándì; 温泉地区 wēnquán dìqū = 온천2

온탕(溫湯) 圐 汤池 tāngchí; 热水浴池 rèshuǐ yùchí

온:-통 圐閈 全 quán; 整个 zhěnggè; 全部 quánbù; 完全 wánquán; 满满 mǎn; 都 dōu; 一片 yīpiàn ¶~ 거짓말이다 全是谎话 / 그곳에는 ~ 모르는 사람들뿐이다 那里满都是陌生人

온풍(溫風) 圐 热风 rèfēng; 温风 wēnfēng; 暖风 nuǎnfēng

온풍-기(溫風器) 圐 暖风机 nuǎnfēngjī; 热风取暖器 rèfēng qǔnuǎnqì

온혈(溫血) 圐 1 【韓醫】(鹿或獐的)热血 rèxuè 2 【動】温血 wēnxuè

온혈 동-물(溫血動物) 圐 温血动物 wēnxuè dòngwù; 恒温动物 héngwēn dòngwù = 항온 동물

온화-하다(溫和-) 혭 1 (天气)温和 wēnhé; 温暖 wēnnuǎn; 暖和 nuǎnhuo ¶온화한 기후 温暖的气候 / 요 며칠 날씨가 아주 ~ 这几天天气很温暖 2 (性情、态度等)温和 wēnhé; 和蔼 hé'ǎi; 温柔 wēnróu; 和气 héqi; 和平 hépíng; 和缓 héhuǎn; 温润 wēnrùn ¶온화하게 웃는 얼굴 温润的笑容 / 그는 성격이 ~ 他性格很温和

온후-하다(溫厚-) 혭 温厚 wēnhòu; 和气厚道 héqi hòudao ¶그는 인품이 아주 ~ 他的人品很温厚

올:¹ 圁펭 (线或绳的) 条 tiáo; 丝 sī; 线条 xiàntiáo ¶~이 비교적 가늘다 线条比较细 / ~이 나가다 跳丝 圁의펭 段 duàn; 条 tiáo; 根 gēn ¶틸실 한 ~ 一条毛线

올² 圐 今年 jīnnián ¶~ 연말 今年年底 / ~ 10월 今年十月

올- 젭두 早熟 zǎoshú ¶~감자 早熟土豆 / ~과일 早熟水果

올가미 圐 1 套索 tàosuǒ; 绳套 shéngtào; 圈套 quāntào; 套子 tàozi ¶~를 놓다 安下绳套 / ~를 벗어나다 脱离套索 2 圈套 quāntào; 诡计 guǐjì; 骗局 piànjú; 鬼(儿) tào(r); 勾当 gòudàng ¶아무래도 우리가 ~에 걸린 것 같다 看来我们上了勾当

올-가을 圐 今年秋天 jīnnián qiūtiān; 今秋 jīnqiū

올-겨울 圐 今年冬天 jīnnián dōngtiān; 今冬 jīndōng

올-곧다 혭 1 正直 zhèngzhí; 直性(儿) zhíxìng(r); 正派 zhèngpài ¶올곧은 품성 正直的品德 2 板正 bǎnzhèng; 笔直 bǐzhí ¶버드나무가 올곧게 자라다 杨树长得笔直

올-내년(一來年) 명 今明年 jīnmíngnián; 今明两年 jīnmíng liǎngnián

올드-미스(old+miss) 명 老姑娘 lǎogūniang; 老处女 lǎochǔnǚ

올라-가다 자타 1 上去 shàngqù; 登上 dēngshàng; 走上 zǒushàng ¶같이 위층으로 올라가자 一起上楼去吧 / 우리는 마침내 산꼭대기에 올라갔다 我们终于登上了峰顶 / 처음으로 강연대에 ~ 第一次走上讲台 2 (等级·地位가) 升 shēng; 高升 gāoshēng; 上升 shàngshēng; 高升 gāoshēng ¶그는 올해 과장으로 올라갔다 他今年升为科长了 / 등급이 점차 ~ 等级渐渐高升了 3 溯流而上 sùliú'érshàng; 上溯 shàngsù; 上行 shàngxíng ¶그들은 강물을 따라 거슬러 올라갔다 他们顺着江水, 溯流而上 4 (从地方向城里) 进 jìn; 上 shàng ¶그녀는 아이를 데리고 서울로 올라갔다 她带领小孩进京了 5 (价格·数值·温度·物价等) 涨 zhǎng; 上涨 shàngzhǎng; 升 shēng; 高升 gāoshēng; 上升 shàngshēng ¶땅값이 ~ 地价上涨 / 수위가 30미터로 ~ 水位涨到三十米 / 아주 기온이 올라갔다 雨来了气温升了 6 (到岸) 登 dēng; 上 shàng ¶물으로 올라갈 힘도 없다 连上岸的力气都没有了 7 振奋 zhènfèn; 旺盛 wàngshèng ¶사기가 ~ 士气旺盛 8 (成绩·水平等) 提高 tígāo; 上升 shàngshēng; 高 gāo ¶성적이 갈수록 ~ 成绩越来越高 / 수준이 ~ 水平提高了

올라-서다 자 1 登上 dēngshang; 爬上 páshang ¶산꼭대기에 ~ 登上峰顶 / 무대에 ~ 登上舞台 2 踩上 cǎishang; 踏上 tàshang ¶탁자 위에 ~ 踩在桌子上 / 돌계단에 ~ 踏上石阶 3 (等级·地位等) 升 shēng; 高升 gāoshēng ¶품질이 세 단계 ~ 品质提升三级跳 / 부장으로 ~ 提升为部长

올라-오다 자타 1 上来 shànglái; 上(来) 来 shàng(lái) ¶빨리 올라와라! 快上来吧! / 그가 급하게 뛰어 올라왔다 他急忙跑上来了 2 溯流而上 sùliú'érshàng ¶강물을 따라 거슬러 ~ 一个人沿着江水溯流而上 3 (从地方向城里) 进 jìn; 上 shàng ¶그들은 온 가족이 지난달 서울로 올라왔다 他们全家人上个月进京了

올라-타다 자타 1 坐上 zuòshàng; 骑上 qíshàng; 乘上 chéngshàng; 上 shàng ¶차에 ~ 上车 / 열기구에 ~ 坐上热气球 2 登上 dēngshàng; 爬上 páshàng ¶소등에 ~ 骑上牛背 / 나뭇가지에 올라타서 과일을 따다 爬上树枝摘果子

올려-놓다 타 1 放上 fàngshàngqù;

置于上面 zhìyú shàngmian; 放在…上 fàngzài…shàng ¶꽃병을 탁자 위에 ~ 把花瓶放在桌子上 / 옷을 침대 위에 ~ 把衣服放在床上 2 记上 jìshàng; 记 jì ¶그의 이름을 명단에 ~ 把他的名字记在名单 3 (等级·职位) 提升 tíshēng; 升 shēng; 高升 gāoshēng ¶그를 간부 자리에 ~ 把他提升为干部

올려다-보다 타 1 向上看 xiàngshàng kàn; 仰望 yǎngwàng; 仰视 yǎngshì ¶하늘을 ~ 仰望天空 / 무대 위에 있는 사람을 ~ 仰视舞台上的人 2 敬仰 jìngyǎng; 瞻仰 zhānyǎng ¶그는 우리가 우러러볼 만한 사람이다 他是值得我们敬仰的人

올록-볼록 부형 凹凸不平 āotū bùpíng ¶표면이 ~하다 表面凹凸不平

올리고-당(←oligosaccharide糖) 명 【化】 低聚糖 dījùtáng; 寡糖 guǎtáng

올리다 타 1 提高 tígāo; 提升 tíshēng (《오르다11'의 使动词》) ¶성적을 ~ 提高成绩 / 온도를 ~ 提升温度 / 소득 수준을 ~ 提高收入水平 / 속도를 ~ 提高速度 2 举行 jǔxíng; 上 shàng ¶그들은 어제 결혼식을 올렸다 他们昨天举行了婚礼 3 打 dǎ ¶그의 따귀를 한 대 ~ 打他一巴掌 4 登记 dēngjì; 登 dēng; 报 bào; 记载 jìzǎi; 刊登 kāndēng ¶호적에 ~ 报户口 / 公고를 ~ 登记公告 / 인터넷 사이트에 광고를 ~ 网站上刊登广告 5 盖 gài; 上 shàng ¶지붕에 기와를 ~ 给房顶上瓦 6 敬献 jìngxiàn; 呈递 chéngdì; 上 shàng; 进 jìn ¶귀중한 물건을 임금께 ~ 将宝贵的东西呈递给皇上

올리브(olive) 명 【植】 橄榄 gǎnlǎn; 油橄榄 yóugǎnlǎn; 洋橄榄 yánggǎnlǎn ¶~유 橄榄油

올리브-색(olive色) 명 橄榄绿 gǎnlǎnlǜ; 橄榄色 gǎnlǎnsè; 暗绿色 ànlǜsè

올림-표(一標) 명 【音】 升号 shēnghào; 升半音号 shēngbànyīnhào; 升记号 shēngjìhào ¶~ 샤프1

올림픽(Olympic) 명 【體】 = 国际奥林匹克 经기 대회 ¶~ 선수촌 奥运村

올림픽-기(Olympic旗) 명 【體】 = 五환기

올림픽 대-회(Olympic大會) 【體】 = 국제 올림픽 경기 대회 ¶~를 개최하다 举办奥运会 / ~에 참가하다 参加奥林匹克

올림픽 위원회(Olympic委員會) 【體】 = 国际奥林匹克 위원회

올망-졸망 부형 大大小小 dàdàxiǎoxiǎo; 高高矮矮 gāogāo'ǎi'ǎi ¶~한 초등학생들 大大小小的一群小学生

올무 명 (捕禽兽用的) 套索 tàosuǒ; 网套 wǎngtào; 圈套 quāntào ¶함정으로

파고 ~를 놓다 设下陷阱, 安下套索 / ~에서 탈출하다 从套索中逃出

올-바로 閉 正直地 zhèngzhíde; 正义地 zhèngyìde; 正确地 zhèngquède ¶~ 사용하다 正确地使用 / ~ 선택하다 正确地选择

올-바르다 阊 正经 zhèngjing; 正派 zhèngpài; 正直 zhèngzhí; 正确 zhèngquè; 在理 zàilǐ ¶똑바르다2 ¶올바른 설명 正确的说明 / 기기를 올바르게 사용하다 正确地使用机器

올-백(all+back) 閉 背头 bēitóu; 大背头 dàbēitóu

올-봄 閉 今年春天 jīnnián chūntiān; 今春 jīnchūn

올빼미 閉 1 〔鳥〕 猫头鹰 māotóuyīng; 鸱鸮 chīxiāo; 夜猫子 yèmāozi 2 夜游神 yèyóushén; 夜猫子 yèmāozi

올-스타(all-star) 閉 全明星 quánmíngxīng ¶~ 투표 全明星投票 / ~ 게임 全明星赛

올-여름 閉 今年夏天 jīnnián xiàtiān; 今夏 jīnxià

올챙이 閉〔動〕 蝌蚪 kēdǒu

올챙이-배 閉 大肚子 dàdùzi; 大腹便便 dàfù piánpián

올케 閉 嫂嫂 sǎosao; 嫂子 sǎozi

올-해 閉 今年 jīnnián = 금년 ¶그는 ~ 졸업한다 他今年要毕业

옭다 囲 1 捆紧 kǔnjǐn; 绑紧 bǎngjǐn ¶ 땔감을 ~ 捆紧木柴 2 套住 tàozhù; 勒住 yàoshēng ¶야생 동물을 ~ 套住野生动物 3 骗诱 piànyòu ¶순진한 사람을 ~ 骗诱天真的人 4 拘束 jūshù ¶그들은 죄 없는 사람을 옭아 넣으려 한다 他们要拘束不幸的人

옭-매다 囲 1 系紧 jìjǐn; 捆绑 kǔnbǎng ¶끈을 옭매는 것을 잊지 마라 千万别忘了要系紧绳子 2 = 옭아매다1

옭-매듭 閉 死结 sǐjié; 死扣儿 sǐkòur; 死疙瘩 sǐgēda

옭-매이다 困 1 被捆绑 bèi kǔnbǎng ¶올가미에 ~ 被绳套捆绑 2 被陷住 bèi chánzhù ¶다리가 수초에 옭매어 익사하다 被水草缠住脚溺水身亡 3 被诬陷 bèi wūxiàn ¶살인죄에 ~ 被诬陷为杀人罪

옭아-매다 囲 1 套住 tàozhù; 勒住 lèzhù; 缠住 chánzhù ¶멧돼지를 ~ 套住野猪 2 罗织罪名 luózhī zuìmíng; 诬陷 wūxiàn ¶억울한 사람을 모반죄로 ~ 把无辜的人诬陷为谋反罪 ‖ = 옭매다2

옮기다 囲 1 搬 bān; 挪 nuó; 搬动 bāndòng; 挪动 nuódòng; 搬移 bānyí; 移动 yídòng 《'옮다1'의 사동어》 ¶가구를 ~ 搬家具 / 위치를 ~ 挪动位置 / 탁자를 창문 쪽으로 좀 옮겨라 把桌子

朝窗户那边挪动一下 2 挪步 nuóbù; 迈步 màibù ¶발걸음을 집 쪽으로 ~ 向家的方向挪步 3 (把视线或关心) 转 zhuǎn ¶시선을 그에게서 탁자 위의 사진으로 ~ 把视线从他转到桌子上的照片 4 转变 zhuǎnbiàn; 转化 zhuǎnhuà; 付诸 fùzhū ¶생각을 행동에 ~ 把想法转变为行动 / 계획을 실천에 ~ 把计划付诸实践 5 搬迁 bānqiān; 迁移 qiānyí; 搬移 bānyí ¶호적을 현재 거주지로 ~ 将户口迁移到现住地 6 转换 zhuǎnhuàn; 换 huàn; 更换 gēnghuàn; 过 guò; 调动 diàodòng ¶명의를 ~ 转换名义 / 직장을 ~ 转换工作单位 7 (把听到的) 传 chuán; 传出去 chuánchūqù ¶이 이야기를 밖으로 옮기지 마라 你别把这些话传出去 8 照写 zhàoxiě; 照画 zhàohuà ¶이 글은 옮겨 쓸 수 없다 这篇文章不能照写 9 传染 chuánrǎn ¶독감을 ~ 传染流感 / 간염을 ~ 传染肝炎 10 翻译 fānyì ¶한국어를 일본어로 ~ 把韩文翻译成日文

옮:다 困 1 转移 zhuǎnyí; 变换 biànhuàn; 换 huàn ¶그는 아랫자리로 옮아 앉았다 他换到下位坐了 2 传 chuán; 传出去 chuánchūqù ¶그 일에 대한 이야기가 입에서 입으로 옮았다 大家都把那些话传出去了 3 传播 chuánbō; 蔓延 mànyán ¶다행히 이번 화재는 다른 곳으로 옮지 않았다 幸好这次火灾没有蔓延到别的地方 4 传染 chuánrǎn; 染 rǎn; 染上 rǎnshàng; 沾染 zhānrǎn ¶수영장에서 피부병이 옮았다 在游泳池染上了皮肤病

옮아-가다 困 1 搬 bān; 搬走 bānzǒu; 迁走 qiānzǒu ¶그들은 베이징으로 옮아갔다 他们搬到北京了 2 传播 chuánbō; 蔓延 mànyán ¶이번 화재는 다른 곳으로 옮아갔다 这次火灾蔓延到别的地方

옮아-오다 困 1 搬 bān; 搬来 bānlái; 迁入 qiānrù ¶광주에서 서울로 ~ 从光州搬到首尔 2 传来 chuánlái; 染上 rǎnshàng ¶나는 어디서 피부병이 옮아왔는지 모르겠다 我不知道在哪里染上了皮肤病

옳다[1] 阊 正确 zhèngquè; 正 zhèng; 合理 hélǐ; 对 duì ¶그가 한 말이 ~ 他说的话是对的

옳다[2] 沓 对呀 duìya; 是啊 shì'a ¶~, 네 말이 맞다 是啊, 你说的没错

옳아 沓 对呀 duìya; 是啊 shì'a ¶~, 그가 너를 속여서 네가 화를 냈구나 对呀, 他骗了你, 所以你才生他的气

옳지 沓 对呀 duìya; 是啊 shì'a; 好 hǎo; 不错 bùcuò ¶~, 이렇게 해야 맞다 对呀, 这样做才对

옴: 圀 【韓醫】 疥疮 jièchuāng; 疥癣 jièxuǎn = 개선(疥癬)

옴(ohm) 의명 【物】 欧姆 ōumǔ; 欧 ōu (电阻单位)¶~의 법칙 欧姆定律

옴니버스(omnibus) 圀 【演】 1 选集 xuǎnjí 2 短片集 duǎnpiànjí; 影片集 yǐngpiànjí

옴니버스 영화(omnibus映畫) 【演】 (同一主题的) 短片集 duǎnpiànjí; 影片集 yǐngpiànjí

옴짝 凰해자타 微动 wēidòng; 一动 yídòng; 动弹 dòngtan ¶의자에 앉아 ~도 하지 않다 坐在椅子, 一动也不动

옴짝-거리다 자타 微动 wēidòng; 一动 yídòng; 动弹 dòngtan = 옴짝대다
　옴짝-옴짝 凰해자타

옴짝-달싹 凰해자타 微动 wēidòng; 一动 yídòng; 动弹 dòngtan ¶차에 사람이 너무 많아서 ~할 수가 없다 车上人太多, 一动也不能动

옴폭 凰해형 深陷 shēnxiàn; 凹陷 āoxiàn ¶지면이 ~들어가다 地面凹陷
　옴폭-옴폭 凰해형 坑坑洼洼 kēngkēngwāwā

옵션(option) 圀 1 选择权 xuǎnzéquán; 选择自由 xuǎnzé zìyóu; 选择 xuǎnzé 2 【經】 买卖的特权 mǎimàide tèquán

옷 圀 衣服 yīfu; 衣裳 yīshang; 服装 fúzhuāng; 衣 yī = 의복 ¶~을 빨다 洗衣服 / ~을 입다 穿衣服 / ~을 벗다 脱衣服 / 나는 오늘 ~을 두 벌 샀다 我今天买了两件衣服

옷-가지 圀 一些衣服 yīxiē yīfu; 几件衣服 jǐjiàn yīfu

옷-감 圀 衣料 yīliào; 布料 bùliào ¶~를 재단하다 裁剪衣料

옷-값 圀 衣价 yījià; 衣服费 yīfufèi; 服装费 fúzhuāngfèi ¶~을 지불하다 交衣服费

옷-거리 圀 装束模样 zhuāngshù múyàng; 穿戴风度 chuāndài fēngdù ¶그는 ~가 좋다 他穿戴风度很好

옷-걸이 圀 衣架 yījià; 衣钩 yīgōu ¶외투를 ~에 걸다 把外套挂在衣架上

옷-고름 圀 衣带 yīdài; 袄带 ǎodài; 衣服飘带 yīfu piāodài = 고름² ¶~을 매다 系上衣带

옷-깃 圀 衣领 yīlǐng = 깃²¹ ¶와이셔츠 ~ 衬衫衣领 / ~을 세우다 竖起衣领

옷-단 圀 (衣服的) 折边 zhébiān; 窝边 wōbiān = 단²

옷-매무새 圀 衣着 yīzhuó; 装束 zhuāngshù; 衣冠 yīguān

옷-맵시 圀 1 服式 fúshì 2 穿戴风度 chuāndài fēngdù

옷-상자(一箱子) 圀 衣箱 yīxiāng

옷-섶 圀 衣襟 yījīn ¶시원한 바람이 ~을 날리다 凉风掀起衣襟

옷-소매 圀 = 소매

옷-솔 圀 衣刷 yīshuā ¶~로 먼지를 털다 用衣刷掸掸尘土

옷-자락 圀 衣角 yījiǎo; 衣摆 yībǎi ¶뜨거운 눈물이 ~을 적시다 热泪打湿衣角

옷-장(一欌) 圀 衣柜 yīguì; 衣橱 yīchú

옷-차림 圀해자 衣着 yīzhuó; 穿着 chuānzhuó; 穿戴 chuāndài; 打扮 dǎban; 着装 zhuózhuāng ¶~으로 그 사람의 성격을 알아보다 从穿着看那个人的性格

옷-치레 圀해자 衣着打扮 yīzhuó dǎban ¶그는 ~에 매우 신경을 쓴다 他很讲究衣着打扮

옷-핀(一pin) 圀 扣针 kòuzhēn; 别针 biézhēn

옹(翁) 圀의명 翁 wēng ¶고 이철수 ~ 故李哲修翁

옹-고집(甕固執) 圀 顽固 wángù; 死顽固 sǐwángù; 牛脾气 niúpíqi; 非常顽执 fēicháng gùzhí ¶내 동생은 성격이 아주 ~이다 我的弟弟性子很顽固

옹고집-쟁이(甕固執一) 圀 固执的人 gùzhíde rén; 老顽固 lǎowángù

옹골-지다 圀 饱满 bǎomǎn; 充实 chōngshí; 丰富 fēngfù ¶이 게들은 살도 많고 아주 ~ 这些螃蟹有很多肉, 很饱满 / 매일 하루를 옹골지게 보내다 充实过好每一天

옹골-차다 圀 结实 jiēshí; 壮实 zhuàngshí; 饱满 bǎomǎn ¶그는 몸이 아주 ~ 他身体很结实 / 구조가 아주 ~ 结构非常结实

옹글다 圀 完整 wánzhěng; 整整 zhěngzhěng; 整个儿 zhěnggèr ¶옹근 과일 完整的水果

옹-기(甕器) 圀 = 옹기그릇

옹기-그릇(甕器一) 圀 陶器 táoqì; 瓦器 wǎqì; 瓦盆 wǎpén = 옹기

옹기-장이(甕器一) 圀 陶工 táogōng; 陶匠 táojiàng; 瓦盆匠 wǎpénjiàng = 도공

옹기-종기 凰해형 大大小小 dàdàxiǎoxiǎo; 参差不齐 cēncībùqí; 大小不一 dàxiǎobùyī; 错落不齐 cuòluòbùqí; 错落 cuòluò ¶할머니 곁에 ~ 앉아서 옛날이야기를 듣다 错落地围着奶奶坐听故事

옹달-샘 圀 小泉 xiǎoquán; 泉井 quánjǐng

옹-립(擁立) 圀해타 拥立 yōnglì; 拥戴 yōngdài ¶중신들이 선왕의 장자를 왕으로 ~했다 众臣拥立先帝长子为王

옹-벽(擁壁) 圀 挡土墙 dǎngtǔqiáng

옹:**색**-**하다**(壅塞—) 혱 **1** 拮据 jiéjū; 穷酸 qióngsuān; 窄 zhǎi ¶경제 상황이 아주 ~ 经济状况非常拮据 **2** 狭窄 xiázhǎi; 狭小 xiáxiǎo ¶장소가 ~ 场所狭小 / 그가 사는 집은 아주 ~ 他住的房子很狭窄 **3** 狭隘 xiá'ài ¶옹색한 생각 狭隘的想法

옹(甕) 몡 瓮城 wèngchéng; 月城 yuèchéng

옹알-**거리다** 찌타 **1** 自言自语 zìyánzìyǔ; 嘀咕 dígu ¶그녀는 끊임없이 옹알거린다 她不停地嘀咕 **2** (尚不太会说话的小孩) 咿呀学语 yīyā xuéyǔ; 咿呀说话 yīyā shuōhuà ¶아이가 ~ 孩子咿呀说话 ∥ = 옹알대다

옹알-**옹알** 틘찌타

옹알-**이** 몡하타 咿呀说话 yīyā shuōhuà; 咿呀学语 yīyā xuéyǔ; 哑哑说话 yāyā shuōhuà ¶우리 집 아기는 2개월이 되었을 때 ~ 을 시작했다 我家宝宝在两个月的时候就开始咿呀说话了

옹이 몡 节子 jiézi

옹:**졸**-**하다**(壅拙—) 혱 小气 xiǎoqi; 小心眼儿 xiǎoxīnyǎnr; 狭隘 xiá'ài; 畏琐 wèisuǒ ¶옹졸한 생각 狭隘的想法 / 성격이 ~ 性格狭隘

옹:**호**(擁護) 몡하찌 拥护 yōnghù; 维护 wéihù; 支持 zhīchí ¶민주주의를 ~ 하다 拥护民主主义 / 동료를 ~ 하다 支持同事

옻 몡 漆 qī; 漆毒 qīdú; 漆疮 qīchuāng = 옻칠1

옻-**나무** 몡 【植】漆树 qīshù

옻-**닭** 몡 漆树皮炖鸡 qīshùpí dùnjī

옻-**오르다** 찌 生漆疮 shēng qīchuāng

옻-**칠**(—漆) 몡하찌타 **1** = 옻 **2** 漆 qī; 涂漆 túqī = 칠(漆)1

와[1] 탄 哇 wā〈喧嚷声〉¶아이들이 ~ 하고 아이들이 哇地 一声进来了 孩子们哇地一声进来了

와[2] 갑 '우아'의 略词

와[3] 조 和 hé; 跟 gēn; 与 yǔ ¶그는 여자 친구와 ~ 헤어졌다 他跟他女朋友分手了 / 나는 그와 ~ 다르다 我跟他不一样 / 이 일은 너 ~ 무관하다 这件事跟你无关 / 나는 연필 두 자루 ~ 공책 세 권을 샀다 我买了两支铅笔和三本笔记本

와그르 틘하찌타 **1** 哗啦 huālā〈倒塌声〉¶ ~ 하는 소리와 함께 집이 무너져 내렸다 哗啦一声, 房子就倒塌了 **2** 咕嘟咕嘟 gūdūgūdū〈水沸腾声〉¶김치찌개가 ~ 끓고 있다 泡菜汤咕咕嘟嘟地开着 **3** 轰隆隆 hōnglōnglōng〈近处雷鸣声〉¶천둥 번개가 ~ 치다 轰隆隆地打雷闪电了 **4**

哗 huā; 哗啦 huālā ¶많은 사람들이 입구로 ~ 몰리다 很多人都哗地拥向入口

와글-**거리다** 찌 **1** 闹闹哄哄 nàonaohōnghōng; 熙熙攘攘 xīxīrǎngrǎng; 拥挤 yōngjǐ ¶오늘은 휴일이라 길에는 사람들이 와글거린다 由于今天放假, 在街上人们熙熙攘攘地走着 **2** (少量水) 滚沸 gǔnfèi; 哗啦 huālā ∥ = 와글대다

와글-**와글** 틘하찌

와다닥 틘하찌 《急跑貌》¶깨지는 소리를 듣고 ~ 밖으로 뛰어나오다 听到破碎声, 一下子跑到外边了

와당탕 틘하찌 啪啦 pālā; 扑通 pūtōng; 乒乓 pīngpāng ¶ ~하고 유리가 깨졌다 啪啦一声, 玻璃碎了

와당탕-**거리다** 찌 噼里啪啦响 pīlipālā xiǎng; 乒乒乓乓响 pīngpīngpāngpāng xiǎng = 와당탕대다 와당탕-와당탕 틘하찌 ¶아이들이 교실에서 ~ 하며 뛰고 있다 孩子们在教室里乒乒乓乓地跳着

와드득 틘하찌타 咯吱吱 gēzhīzhī〈啃或弄断硬物的声音〉¶ ~ 이를 갈다 咯吱咯吱响牙 / ~ 사탕을 깨물다 咯吱咯吱地咬糖果

와드득-**거리다** 찌 (啃或弄断硬物时) 咯吱咯吱响 gēzhīgēzhī xiǎng = 와드득대다 와드득-와드득 틘하찌타 ¶아이가 ~ 사탕을 깨물어 먹다 孩子咯吱咯吱咯吱地嚼糖吃

와들-**와들** 틘 (因冷或害怕) 哆嗦 duōsuō; 发抖 fādǒu; 颤抖 chàndǒu ¶추워서 온몸이 ~ 떨린다 冷得浑身发抖 / 그들은 모두 무서워서 ~ 떨기 시작했다 他们都很害怕, 就开始哆嗦

와락 틘 一下子 yīxiàzi; 猛地 měngde; 突然 tūrán ¶그는 아이를 ~ 끌어안았다 他突然抱了孩子 / 늑대가 ~ 덤벼들다 狼猛地扑过来

와르르 틘하찌타 **1** 哗啦啦 huālālā; 哗啦 huālā; 稀里哗啦 xīlihuālā《倒塌声》¶돌담이 ~ 무너졌다 石墙哗一声倒塌了 **2** 轰隆隆 hōnglōnglōng《打雷声》¶ ~ 천둥이 쳤다 轰隆隆地打雷了 **3** 哗啦 huālā《突然涌出声》¶많은 사람들이 ~ 계단으로 몰리다 很多人都哗啦地拥向阶梯

와:**병**(臥病) 몡하찌 卧病 wòbìng; 因病卧床 yīnbìng wòchuáng ¶그는 심장병으로 오랫동안 ~ 중이다 他因心脏病长期卧床不起

와사-**등**(瓦斯燈) 몡 = 가스등

와사비(일wasabi[山葵]) 몡 '고추냉이'의 错误

와삭 틘하찌타 沙沙 shāshā; 刷刷 shuāshuā; 瑟瑟 sèsè《干树叶等摩擦

（或破碎声）

와삭-거리다 저태 沙沙响 shāshā xiǎng; 刷刷响 shuāshuā xiǎng; 瑟瑟响 sèsè xiǎng; 刷啦刷啦响 shuālāshuālā; 咔嚓咔嚓 kāchākāchā 《干树叶等摩擦或破碎声》¶바람이 부니 나뭇잎이 와삭거린다 风吹树叶刷刷响

와삭-와삭 튀[하]자태 ¶마른 나뭇잎을 밟으니 ~ 소리가 난다 踩到干树叶发出刷刷刷响的声音

와:신-상담〔卧薪尝胆〕 명[하]자 卧薪尝胆 wòxīnchángdǎn ¶~하며 기회를 기다리다 卧薪尝胆等待机会

와-와 튀 ¶哇啦 wālā; 哇哇 wāwā ¶~ 큰 소리로 외치다 哇哇地大声叫喊 ⊟의 '우아우아'의 略词

와우〔蜗牛〕명【動】＝달팽이

와우-관〔蜗牛管〕명【生】＝달팽이관

와이-셔츠〔←white+shirts〕명《西服的》衬衫 chènshān; 衬衣 chènyī ¶흰색 ~ 白色衬衫

와이어〔wire〕명＝강삭

와이어-로프〔wire rope〕명＝강삭

와이퍼〔wiper〕명 雨刮器 yǔguàqì; 雨刷 yǔshuā

와이프〔wife〕명 妻子 qīzi; 太太 tàitai; 夫人 fūrén

와인〔wine〕명 葡萄酒 pútaojiǔ; 果酒 guǒjiǔ ¶레드 ~ 红葡萄酒

와인글라스〔wineglass〕명 1 高脚酒杯 gāojiǎo jiǔbēi 2 葡萄酒杯 pútaojiǔbēi

와일드-하다〔wild―〕형 狂暴 kuángbào; 粗暴 cūbào; 失控 shīkòng ¶그는 성격이 ~ 他性格狂暴

와작-와작 튀 咯吱咯吱 gēzhī-gēzhī 《嚼泡菜或腌萝卜块的声音》¶깍두기를 ~ 씹어 먹다 咯吱咯吱地嚼着腌萝卜块

와장창 튀[하]자 哗啦 huālā; 哗啦啦 huālālā ¶유리창이 ~하고 깨졌다 哗啦一声, 玻璃窗碎裂了

와전〔訛傳〕명[하]타 讹传 échuán; 误传 wùchuán ¶그의 말은 사람들에 의해 ~되었다 他的话被人们误传了

와중〔渦中〕명 1 漩涡中 xuánwōzhōng 2 中 zhōng ¶이야기하는 ~에 전화벨이 울렸다 谈话中, 电话铃响了

와지끈 튀 咔嚓 kāchā; 咯吱 gēzhī 《硬物破碎声》¶~ 소리와 함께 가로수 한 그루가 바람에 뽑혔다 咔嚓一声一行道树被风拔出了

와지끈-거리다 저태 咯嚓咔嚓响 kāchākāchā xiǎng; 咯吱咯吱响 gēzhīgēzhī xiǎng ＝와지끈대다 **와지끈-와지끈** 튀[하]자태

와트〔watt〕의명【電】瓦特 wàtè; 瓦 wǎ

와트-시〔watt時〕의명【物】瓦特小时 wǎtè xiǎoshí; 瓦时 wǎshí

와플〔waffle〕명 华夫饼干 huáfū bǐnggān; 华夫 huáfū; 窝夫 wōfū; 格子饼 gézibǐng

와하하 튀 哇哈哈 wāhāhā 《毫无顾忌地大笑声》¶그는 큰 소리로 ~ 웃기 시작했다 他哇哈哈大笑起来了

와해〔瓦解〕명[하]자태 瓦解 wǎjiě; 崩溃 bēngkuì ¶제도가 ~되다 制度瓦解 / 체제가 ~되다 体制崩溃

왁스〔wax〕명 蜡 là ¶~를 바르다 涂蜡

왁자지껄 튀[하]자 《许多人聚在一起》热闹 rènao; 闹嚷 nàorǎng; 叽里呱啦 jīliguālā; 闹哄哄 nàohōnghōng; 嘈杂 cáozá ¶우리는 공항에서 ~하게 그를 환영했다 我们在机场闹哄哄地欢迎了他

왁자-하다 형 1 热闹 rènao; 嘈杂 cáozá; 乱哄哄 luànhōnghōng ¶조용하던 마을에 여행객들로 왁자해졌다 原本安静的村庄由于游客的到来而热闹起来 2 众说纷纭 zhòngshuōfēnyún; 满城风雨 mǎnchéngfēngyǔ ¶새로 시행되는 제도에 대해 사람들이 ~ 对新实行的制度众说纷纭

완강-하다〔頑強―〕형 顽强 wánqiáng; 强硬 qiángyìng; 坚持 jiānchí ¶태도가 ~ 态度强硬 / 혐의를 완강하게 부인하다 坚持否认嫌疑 / 그는 성격이 아주 ~ 他性格很顽强 **완강-히** 튀 ¶~ 거부하다 强硬地拒绝

완결〔完結〕명[하]타 完结 wánjié; 完毕 wánbì; 结束 jiéshù ¶~ 소설 完结小说 / ~판 完结版 / 작업을 ~하다 工作完毕

완고-하다〔頑固―〕형 顽固 wángù; 擘 jiàng ¶그녀의 아버지는 아주 완고하시다 她的父亲很顽固 **완고-히** 튀

완:곡-하다〔婉曲―〕형 婉转 wǎnzhuǎn; 婉曲 wǎnqū; 委婉 wěiwǎn ¶완곡하게 거절하다 婉转地拒绝 **완:곡-히** 튀 ¶~ 권하다 婉转地劝告

완공〔完工〕명[하]타 完工 wángōng; 完竣 wánjùn; 竣工 jùngōng ¶공사가 제때에 ~되다 建筑工程按时完工

완:구〔玩具〕명＝장난감 ¶~점 玩具店 / 어린이용 ~ 儿童玩具

완:급〔緩急〕명 缓急 huǎnjí; 慢快 mànkuài ¶~을 구분하다 分别缓急 / ~을 조절하다 调节慢急

완납〔完納〕명[하]타 缴清 jiǎoqīng; 缴完 jiǎowán; 纳讫 nàqì; 付讫 fùqì; 清 jiāoqīng ¶학비를 ~하다 缴清学费 / 세금은 이미 전부 ~했다 税款已经全部缴清了

완두〔豌豆〕명【植】豌豆 wāndòu

완두콩

614

완두-콩(豌豆─) 몡 豌豆 wāndòu

완:력(腕力) 몡 **1** 腕力 wànlì; 臂力 bìlì ¶~l 腕力器 / ~을 증강시키다 增强腕力 **2** 力气 lìqi; 力量 lìliang ¶~으로 남을 굴복시키다 以力气服人

완료(完了) 몡하타 完了 wánliǎo; 结束 jiéshù; 完 wán; 完毕 wánbì ¶준비가 ~되다 准备完毕

완리창청(Wanlichangcheng[萬里長城]) 몡 【古】万里长城 Wànlǐ Chángchéng; 长城 Chángchéng = 만리장성

완:만-하다(緩慢─) 혭 **1** 缓慢 huǎnmàn; 迟缓 chíhuǎn; 舒缓 shūhuǎn ¶이동 속도가 ~ 移动速度缓慢 **2** (坡度) 缓 huǎn; 不陡 bùdǒu; 舒缓 shūhuǎn ¶완만한 산비탈 不陡的山坡 **완:만-히** 뿐

완미(完美) 몡하혭 完美 wánměi ¶~한 동작 完美的动作

완벽(完璧) 몡하혭 完善 wánshàn; 完美 wánměi; 十全十美 shíquánshíměi; 完美无缺 wánměiwúquē; 尽善尽美 jìnshànjìnměi ¶세상에 ~한 사람은 없다 世界上没有完美的人 / 문제를 ~히 해결하다 完美无缺地解决问题

완봉(完封) 몡하타 **1** 完全封闭 wánquán fēngbì; 完全封锁 wánquán fēngsuǒ **2** 【體】完封 wánfēng ¶~승 完封胜

완불(完拂) 몡하타 付讫 fùqì; 交清 jiāoqīng; 如数支付 rúshù zhīfù ¶현금으로 ~하다 现金付讫 / 구입한 집값을 ~하다 付讫购买的房子

완비(完備) 몡하타 完备 wánbèi; 齐全 qíquán; 齐备 qíbèi ¶주차장 ~ 停车场完备 / 자료를 ~하다 资料齐全

완:상(玩賞) 몡하타 玩赏 wánshǎng ¶미술품을 ~하다 玩赏美术品

완성(完成) 몡하타 完成 wánchéng; 结束 jiéshù; 成 chéng; 做完 zuòwán ¶지도를 ~하다 完成地图 / 그의 작품이 드디어 ~되었다 他的作品终于做成了

완수(完遂) 몡하타 完成 wánchéng; 遂 suì; 尽 jìn; 实现 shíxiàn ¶임무를 ~하다 完成任务

완숙(完熟) 몡하자타혭 **1** (果实等) 完全成熟 wánquán chéngshú; 完熟 wánshú ¶~한 열매 完全成熟的果实 **2** (人或动物) 成熟 chéngshú ¶~한 여인 成熟的女人 **3** (技术或技艺) 熟练 shúliàn ¶~한 솜씨 熟练的手艺 **4** (把食物) 全熟 quánshú ¶달걀을 ~으로 삶다 把鸡蛋煮到全熟

완승(完勝) 몡하자 完胜 wánshèng ¶한국팀이 5 대 0으로 미국 팀에 ~했

다 韩国队以5比0完胜美国队

완역(完譯) 몡하타 全译 quányì; 全文翻译 quánwén fānyì ¶소설 전역 / ~본 全译本 / ~판 全译版

완:연-하다(宛然─) 혭 **1** 宛然 wǎnrán; 历历 lìlì; 显然 xiǎnrán; 盎然 àngrán ¶가을빛이 ~ 秋色盎然 **2** (어떤 现象) 宛如 wǎnrú; 相似 xiāngsì **완:연-히** 뿐 ¶나를 대하는 그의 태도가 ~ 달라졌다 他对我的态度显然变了

완:자(完子) 몡 丸子 wánzi ¶~탕 丸子汤

완:장(腕章) 몡 臂章 bìzhāng; 袖章 xiùzhāng; 袖标 xiùbiāo ¶~을 두르다 戴臂章

완전(完全) 몡하혭뿐 完全 wánquán; 完整 wánzhěng; 完美 wánměi; 完好 wánhǎo; 完善 wánshàn; 全 quán ¶~ 범죄 完全犯罪 / ~ 변태 完全变态 / ~식품 完全营养食品 / ~ 연소 完全燃烧 / ~한 사랑 完整的爱 / ~히 실패하다 完全失败

완전 군장[軍] = 완전 무장

완전-무결(完全無缺) 몡하혭 完美无缺 wánměiwúquē; 完整 wánzhěng; 十全十美 shíquánshíměi; 十全 shíquán; 完好无缺 wánhǎowúquē ¶~한 상태 完整无缺的状态

완전 무:장(完全武裝) [軍] 全副武装 quánfù wǔzhuāng; 严装 yánzhuāng = 완전 군장

완제(完濟) 몡하타 偿清债务 chángqīng zhàiwù

완제-품(完制品) 몡 成品 chéngpǐn; 制成品 zhìchéngpǐn ¶~을 수입하다 进口成品

완주(完走) 몡하타 跑完 pǎowán; 走完 zǒuwán ¶그는 마라톤을 ~했다 他跑完了马拉松

완:충(緩衝) 몡하타 缓冲 huǎnchōng ¶~기 缓冲器 / ~ 장치 缓冲装置 / ~재 缓冲材料 / ~제 缓冲剂 / ~ 효과 缓冲效果 / ~ 방법 缓冲方法

완치(完治) 몡하타 痊愈 quányù; 治愈 zhìyù; 治好 zhìhǎo ¶~율 治愈率 / 폐결핵이 ~되다 肺结核痊愈

완쾌(完快) 몡하자 痊愈 quányù; 复原 fùyuán ¶그는 이미 혼자 걸을 수 있을 정도로 ~되었다 他已经复原到可以自己走路

완투(完投) 몡하자 [體] (棒球的) 完投 wántóu ¶~승 完投胜

완패(完敗) 몡하자 完败 wánbài ¶우리 팀은 홍 팀에게 0 대 3으로 ~했다 我队0比3完败于主队

완:행(緩行) 몡하자 **1** 缓行 huǎnxíng; 慢走 mànzǒu **2** = 완행열차

완:행-열차(緩行列車) 몡 慢车 mànchē = 완행2

완:화(緩和) 명하타 완화 huǎnhé; 和缓 héhuǎn ¶병세가 ～되다 病情缓和 / 규제를 ～하다 缓和控制

왈(日) 통 曰 yuē ¶맹자 ～ 孟子日

왈가닥 명 男人婆 nánrénpó; 假小子 jiǎxiǎozi

왈가왈부(日可日否) 명하타 说三道四 shuōsāndàosì; 说长道短 shuōchángdàoduǎn; 说短论长 shuōduǎnlùncháng; 议论 yìlùn ¶내 결혼에 대해 ～하지 마라 别对我的婚姻说三道四

왈왈 튀하자 汪汪 wāngwāng 《狗的叫声》 ¶개가 ～ 짖다 狗汪汪叫

왈츠(waltz) 명 [音] 华尔兹 huá'ěrcí; 圆舞曲 yuánwǔqǔ; 慢三步 mànsānbù

왈칵 튀하자타 1 (呕吐) 哇地 wāde ¶말이 끝나기도 전에 나는 ～ 토하고 말았다 话音未落，我忍不住哇地一声呕吐起来 2 一下子 yīxiàzi; 猛地 měngde ¶그녀가 아이를 ～ 끌어안았다 她猛地抱住了孩子 3 (倾泻或涌出) 哗地一下子 huālā yìxiàzi ¶눈물이 ～ 쏟아져 나오다 泪水哗啦一下子涌出了眼眶

왕(王) 명 1 [史] 王 wáng; 国王 guówáng; 帝王 dìwáng 2 头子 tóuzi; 第一 dìyī; 王 wáng ¶봉황은 새 중의 ～이다 凤凰是鸟中之王

왕-(王) 접두 1 大 dà; 老 lǎo ¶～만두 大包子 / ～못 大钉子 / ～소금 粗盐 2 非常 fēicháng; 死 sǐ; 老 lǎo 《表示程度很深》 ¶～고집 死顽固

-왕(王) 접미 王 wáng; 大王 dàwáng ¶석유～ 石油之王 / 발명～ 에디슨 发明大王爱迪生

왕가(王家) 명 王家 wángjiā; 王室 wángshì; 王族 wángzú

왕-개미(王－) 명 [蟲] 1 大蚂蚁 dàmǎyǐ 2 蚍蜉 pífú

왕-거미(王－) 명 [蟲] 大蜘蛛 dàzhīzhū

왕-겨(王－) 명 稻糠 dàokāng; 砻糠 lóngkāng

왕-고모(王姑母) 명 ＝ 고모할머니

왕-고모부(王姑母夫) 명 ＝ 고모할아버지

왕-고집(王固執) 명 非常固执 fēicháng gùzhí; 死顽固 sǐwángù ¶그는 아주 ～이다 他非常固执

왕-골 명 [植] 莞草 guāncǎo; 营草 yíngcǎo ¶～ 방석 莞草坐垫 / ～자리 莞草席

왕관(王冠) 명 王冠 wángguàn; 皇冠 huángguàn ¶머리에 ～을 쓰다 头戴王冠

왕국(王國) 명 王国 wángguó ¶스웨덴 ～ 瑞典王国 / 동물의 ～ 动物王国

왕궁(王宮) 명 王宫 wánggōng; 皇宫 huánggōng

왕권(王權) 명 王权 wángquán; 君权 jūnquán ¶～을 강화하다 加强王权

왕녀(王女) 명 王女 wángnǚ; 公主 gōngzhǔ

왕:년(往年) 명 往年 wǎngnián; 往前 wǎngqián; 以往 yǐwǎng; 过去 guòqù; 从前 cóngqián ¶～의 스타 过去的明星 / ～의 모습을 되찾다 恢复过去的样子

왕도(王道) 명 王道 wángdào ¶～ 정치 王道政治 / 공부에는 ～가 없다 没有学习的王道

왕:래(往來) 명하자타 1 来往 láiwǎng; 往来 wǎnglái; 过往 guòwǎng ¶차량의 ～가 매우 빈번하다 车辆往来得很频繁 / ～하던 행인들이 점점 줄어들다 来往的行人渐渐少去 2 (人和人) 来往 láiwǎng; 来往 wǎnglái; 过往 guòwǎng; 交往 jiāowǎng; 打交道 dǎ jiāodao ¶나는 지금은 그들과 ～하지 않는다 我现在跟他们不来往了 / 그와 편지로 ～하다 和他写信来往

왕릉(王陵) 명 王陵 wánglíng; 皇陵 huánglíng

왕:림(枉臨) 명하자타 光临 guānglín; 来临 láilín; 枉顾 wǎnggù; 枉临 wǎnglín; 枉驾 wǎngjià; 屈驾 qūjià ¶～해 주셔서 감사합니다 谢谢您的光临

왕명(王命) 명 王命 wángmìng; 君命 jūnmìng

왕-방울(王－) 명 大铃 dàlíng

왕:복(往復) 명하타 往复 wǎngfù; 往返 wǎngfǎn; 来回 láihuí ¶～ 비행기표 往返机票 / ～ 엽서 往返明信片 / 출근하는 데 ～ 세 시간이 걸린다 上班来回三个小时 / 통근 버스가 매일 ～ 운행된다 班车每天往返运行

왕:복-권(往復券) 명 ＝ 왕복표

왕:복-표(往復票) 명 往返票 wǎngfǎnpiào; 双程票 shuāngchéngpiào; 来回票 láihuípiào ＝ 왕복권

왕비(王妃) 명 王妃 wángfēi; 王后 wánghòu ＝ 왕후

왕-새우 명 [動] ＝ 대하(大蝦)

왕:생(往生) 명하자 [佛] 往生 wǎngshēng

왕:성(旺盛) 명하형튀형 旺盛 wàngshèng; 旺 wàng; 盛 shèng; 充沛 chōngpèi ¶가을에는 식욕이 ～하다 秋天食欲旺盛 / 혈기가 ～하다 血气充沛

왕-세손(王世孫) 명 王世孙 wángshìsūn; 世孙 shìsūn ＝ 세손

왕-세자(王世子) 명 [史] 王世子 wángshìzǐ; 王太子 wángtàizǐ; 世子 shìzǐ; 太子 tàizǐ ＝ 세자 ¶～비 王太

왕손(王孫) 명 王孙 wángsūn

왕실(王室) 명 王室 wángshì ¶영국 ~ 英国王室

왕왕 뤼하자 嚎啕 háotáo; 嗡嗡 wēngwēng; 轰隆轰隆 hōnglōnghōnglōng; 嗷嗷 áo'áo ¶스피커 소리가 ~ 울리다 音响嘟得很轰隆轰隆响

왕:왕(往往) 뤼 往往 wǎngwǎng ¶나는 ~ 그 일이 생각난다 我往往想起那件事

왕왕-거리다 자 嚎叫 háojiào; 嚎啕 háotáo; 嗡嗡 wēngwēng = 왕왕대다 ¶벌이 왕왕거리는 소리가 들리다 听到蜜蜂的嗡嗡声

왕위(王位) 명 王位 wángwèi = 보위(寶位) ¶~를 계승하다 继承王位 / ~에 오르다 登上王位

왕자(王子) 명 王子 wángzǐ ¶어린 ~ 小王子

왕자(王者) 명 1 = 임금 2 第一 dìyī; 权威 quánwēi; 霸主 bàzhǔ ¶축구의 ~ 足球霸主

왕정(王政) 명 1 王政 wángzhèng; 帝政 dìzhèng 2 君主政治 jūnzhǔ zhèngzhì

왕조(王朝) 명 王朝 wángcháo ¶고려 ~ 高丽王朝 / 조선 ~ 朝鲜王朝

왕족(王族) 명 王族 wángzú

왕좌(王座) 명 1 王座 wángzuò; 帝位 dìwèi ¶~에 오르다 登上帝位 / ~에서 물러나다 退出王座 2 首席 shǒuxí; 魁首 kuíshǒu ¶농구계의 ~ 篮球界的魁首

왕:진(往診) 명하타 出诊 chūzhěn ¶~ 가방 出诊箱 / ~비 出诊费 / 한밤중에 ~을 가다 半夜出诊

왕창 뤼 大规模地 dàguīmóde; 多多地 duōduōde ¶그물로 고기를 ~ 잡다 用网大规模地捕鱼 / 돈을 ~ 쓰다 多多地花钱 / 술을 ~ 마시다 多多地喝酒

왕초(王一) 명 乞丐王 qǐgàiwáng; 破烂王 pòlànwáng

왕-태자(王太子) 명 【史】王太子 wángtàizǐ; 太子 tàizǐ = 태자1 ¶~궁 王太子宫 / ~비 王太子妃

왕통(王統) 명 王室血统 wángshì xuètǒng ¶~을 잇다 继承王室血统

왕호(王號) 명 王号 wánghào

왕후(王后) 명 = 왕비

왜: 日뤼 为什么 wèishénme; 为何 wèihé; 怎么 zěnme; 干吗 gànmá; 干什么 gànshéme ¶너 어제 ~ 안 왔니? 昨天你怎么没来? / 내가 ~ 그에게 사과를 해야 합니까? 我干吗要给他道歉呢? / 나는 그녀가 ~ 우는지 모르겠다 我不知道她为什么哭 日갑 那 nà; 那个 nàge ¶너 그 식당 알지? ~, 학교 앞에 있는 식당 말이야 你知道那家餐厅

吧? 那个, 在学校对面的餐厅

왜(倭) 명 倭 wō; 日本 Rìběn

왜: 가리 □ 苍鹭 cānglù

왜-간장(倭一醬) 명 日本酱油 Rìběn jiàngyóu

왜곡(歪曲) 명하타 歪曲 wāiqū; 扭曲 niǔqū ¶~된 보도 扭曲的报道 / 고의로 역사를 ~하다 有意地歪曲历史 / 임의로 사실을 ~하다 任意歪曲事实

왜구(倭寇) 명 【史】倭寇 Wōkòu; 日寇 rìkòu

왜군(倭軍) 명 倭军 wōjūn

왜냐-하면 뤼 因为 yīnwèi ¶그는 요즘 기분이 좋지 않다, ~ 여자 친구와 헤어졌기 때문이다 最近他心情不好, 因为跟女朋友分手

왜란(倭亂) 명 1 倭乱 wōluàn 2 【史】= 임진왜란

왜병(倭兵) 명 倭兵 wōbīng; 小鬼子兵 xiǎoguǐzibīng

왜소-하다(矮小一) 형 矮小 ǎixiǎo ¶체형이 왜소하고 마른 사람 体形矮小瘦弱的人

왜인(倭人) 명 倭人 wōrén

왜장(倭將) 명 倭将 wōjiāng

왜적(倭敵) 명 倭敌 wōdí ¶~을 물리치다 击退倭敌 / ~에 대항하다 抗击倭敌

왜정(倭政) 명 倭政 wōzhèng; 日帝统治 rìdì tǒngzhì

왝 뤼하자 1 呱 gū (苍鹭等的叫声) 2 哇 wā (呕吐声)

왝-왝 뤼하자 1 呱呱 gūgū (苍鹭一连串的叫声) 2 喂喂 wèiwèi (喊声) 3 哇哇 wāwā (呕吐声) ¶~ 토하다 哇哇地呕吐起来

왝왝-거리다 자 1 (呕吐) 哇哇 wāwā ¶그는 속이 좋지 않아서 왝왝거리며 토했다 他肚子不舒服, 就哇哇地呕吐起来 2 呱呱叫 gūgūjiào ‖ = 왝왝대다

왠지 뤼 不知为什么 bùzhī wèishénme; 不知怎的 bùzhī zěnde; 不知道怎的 bùzhīdao zěnde ¶요즘 ~ 기분이 좋지 않다 最近不知怎的心情不好

앵 뤼하자 1 嗡 wēng; 呜 wū (虫飞鸣声或风吹电线声) ¶파리가 계속 귓가에서 ~하고 날아다닌다 苍蝇一直在耳边嗡地飞着 2 鸣 wū (消防车、救护车等呼啸声) ¶구급차가 ~ 소리를 내며 달려가다 救护车在街上呼啸而过

앵-앵 뤼하자 1 嗡嗡 wēngwēng; 呜呜 wūwū (虫飞鸣声或风吹电线声) ¶바람이 불어 전선이 계속 ~ 소리를 낸다 风吹电线一直鸣呜响着 / 모기가 ~ 날아 다닌다 蚊子嗡嗡飞着 2 鸣鸣 wūwū (消防车、救护车等呼啸声)

앵앵-거리다 자 1 (虫子等飞时) 嗡嗡

(响) wēngwēng (xiàng) ¶모기가 계속 귓가에서 왱왱거려서 잠을 잘 수가 없다 蚊子一直在耳边嗡嗡地飞着, 让我睡不着 **2** 鸣鸣响 wūwū xiǎng (风声)¶ 바람이 불자 전선이 왱왱거린다 风一吹电线就呜呜响着 **3** 鸣鸣 wūwū (消防车、救护车等呼啸而过之声) ∥ = 왱왱대다

외:(外) [의명] 外 wài; 以外 yǐwài; 之外 zhīwài ¶가족 ~의 다른 사람 家人以外的别人 / 그는 사과 ~에 다른 과일은 모두 싫어한다 他除了苹果以外的水果都不喜欢

외- [접두] **1** 独 dú; 孤 gū (用在名词前)¶~을 独生儿子 孤 gū (用在某些副词或动词的前面)¶~따로 孤零零地 / ~떨어지다 孤零零

외:-(外) [접두] **1** 外 wài (表示母系血族)¶~할아버지 外公 / 할머니 外婆 / ~손녀 外孙女 **2** 外 wài; 外部 wàibù (表示外部)¶~감각 外部感觉

외:가(外家) [명] 外婆家 wàipójiā; 外家 wàijiā; 外公外婆家 wàigōngwàipójiā = 외갓집

외:각(外角) [명] [數] 外角 wàijiǎo

외:갓-집(外家一) [명] = 외가 ¶아이가 ~에서 봄 방학을 보냈다 孩子在外家过春假

외:견(外見) [명] = 외관

외:겹 [명] 单层 dāncéng ¶~ 치마 单层裙子

외겹-실 [명] = 외올실

외:경(外徑) [명] [數] = 바깥지름

외:계(外界) [명] **1** 外界 wàijiè; 外部世界 wàibù shìjiè **2** 外星 wàixīng ¶~에서 온 생물체 从外来的生物体 **3** [哲] 客观世界 kèguān shìjiè **4** [佛] 外界 wàijiè

외:계-인(外界人) [명] 外星人 wàixīng-rén = 우주인2

외-고집(一固執) [명] 犟脾气 jiàngpíqi; 死犟 sǐjiàng; 顽固 wángù ¶그의 ~은 아무도 못 고친다 他的犟脾气谁也不能改

외고집-쟁이(一固執一) [명] 固执的人 gùzhíde rén; 老顽固 lǎowángù

외:-골격(外骨格) [명] [生] 外骨格 wàigǔgé

외-곬 [명] **1** 一条道 yìtiáodào **2** 一个方面 yíge fāngmiàn; 一个方法 yíge fāngfǎ ¶~할 수밖에 别 从那方面想才想就 ~할 수밖에 别只考虑一个方面

외:-과(外科) [명] [醫] 外科 wàikē ¶~ 의사 外科医生 / ~ 수술 外科手术 / 정형 ~ 整形外科 / 흉부 ~ 胸腔外科

외:-곽(外廓・外郭) [명] **1** 外郭 wàiguō; 外郭城 wàiguōchéng **2** 外围 wàiwéi ¶도시 ~ 城市外围 / ~ 지대 外围地

段 / ~ 도로 外围道路

외:-관(外觀) [명] 外观 wàiguān; 外表 wàibiǎo; 外面(儿) wàimiàn(r) = 외견 ¶~이 보기 좋다 外表好看 / ~상 그럭저럭 괜찮다 从外观上看还可以

외:-교(外交) [명] **1** [政] 外交 wàijiāo ¶~관 外交官 / ~단 外交团 / ~부 外交部 / ~ 기관 外交机关 / ~력 外交力 / ~ 사절 外交使节 / ~ 문제 外交问题 / ~ 관계 外交关系 / ~ 문서 外交文件 / ~ 정책 外交政策 **2** 交往 jiāowǎng; 交际 jiāojì; 公关 gōngguān ¶~ 성공적인 ~ 成功的交际 / ~ 기술 交际技巧

외:교-적(外交的) [관][명] 外交性(的) wàijiāoxìng(de); 外交上(的) wàijiāoshang(de) ¶~ 교섭 外交上的交涉

외:-구(外寇) [명] = 외적(外敵)

외:-국(外國) [명] 外国 wàiguó; 国外 guówài; 海外 hǎiwài ¶~ 사람 外国人 / ~ 소설 外国小说 / ~ 친구 外国朋友 / ~ 도서 外国图书 / ~ 영화 外国电影 / ~ 은행 外国银行 / ~ 자본 外国资本 = [외자]

외:-국 무:역(外國貿易) [명] [經] 对外贸易 duìwài màoyì; 海外贸易 hǎiwài mào-yì; 国际贸易 guójì màoyì; 外贸 wài-mào = 국제 무역・대외 무역・해외무역

외:-국-산(外國産) [명] 外国产 wàiguóchǎn; 外国产品 wàiguó chǎnpǐn ¶~ 담배 外国产香烟 / ~ 화장품 外国产化妆品

외:-국-어(外國語) [명] 外国语 wàiguóyǔ; 外语 wàiyǔ ¶~ 시험 外语考试 / ~ 교육 外语教育 / ~ 학교 外语学校 / ~를 공부하다 学习外国语

외:-국-인(外國人) [명] 外国人 wàiguórén; 外人 wàirén = 외인(外人)4 ¶~ 학교 外国人学校

외:-국-제(外國製) [명] 外国制造 wàiguó zhìzào; 外国制 wàiguózhì; 外国制品 wàiguó zhìpǐn = 외제 ¶~를 사용하다 使用外国制品

외:-국-채(外國債) [명] [經] 外债 wàizhài = 외채 ¶~를 상환하다 偿还外债

외:-국-환(外國換) [명] [經] **1** 外汇 wàihuì ¶~ 거래 外汇交易 / ~ 관리 外汇管理 **2** = 외국환 어음

외:국환 시:장(外國換市場) [명] [經] 外汇市场 wàihuì shìchǎng = 외환 시장・환시장

외:국환 어음(外國換一) [명] [經] 外汇票据 wàihuì piàojù; 外汇 wàihuì = 외국환2・외환(外換)

외:국환 은행(外國換銀行) [명] [經] 外汇银行 wàihuì yínháng = 외환 은행

외:근(外勤)【하자】外勤 wàiqín ¶~
업무 外勤工作 / ~ 기자 外勤记者 / ~
을 하다 跑外勤

외-기러기 孤雁 gūyàn ¶짝 잃은
~ 失去伴侣的孤雁

외-길 명 独路 dúlù; 孤路 gūlù; 一条
路 yītiáolù ¶~ 인생 独路人生

외길-목 명 孤路口 gūlùkǒu; 独路口
dúlùkǒu

외나무-다리 명 独木桥 dúmùqiáo

외눈-박이 명 = 애꾸눈이

외:다[1] 反复说 fǎnfù shuō 2 '외우
다2'의 略词

외-닫이 명 单扇 dānshàn; 单扇门
dānshànmén ¶~ 창 单扇窗 / ~ 문 单
扇门

외:-도(外道)【명】【하자】1 = 오입 ¶그녀
는 마침내 남편이 그 사실을 알았다
她终于知道她的丈夫搞外遇的事 2 改
行 gǎiháng ¶선생님이 ~하여 모델이
되다 教师改行当模特儿

외-돌토리 명 孤身 gūshēn; 独身 dú-
shēn; 孑然一身 jiérányīshēn = 외톨박
이2 · 외톨이

외동-딸 명 独生女 dúshēngnǚ

외동-아들 명 独生子 dúshēngzǐ; 独
子 dúzǐ

외-따로 부 孤零零地 gūlínglíngde; 孤
单地 gūdānde; 孤独地 gūdúde ¶그녀
는 ~ 문 앞에 서 있다 她孤零零地站
在门前

외딴 관 孤零零的 gūlínglíngde; 孤单
的 gūdānde 的 gūdúde

외딴-곳 명 偏僻之地 piānpìzhīdì; 僻
壤 pìràng ¶인적이 드문 ~ 人迹稀少
的偏僻之地

외딴-길 명 偏僻小路 piānpì xiǎolù

외딴-섬 명 孤岛 gūdǎo

외딴-집 명 独户人家 dúhù rénjiā; 偏
僻的人家 piānpìde rénjiā

외-딸 명 独生女 dúshēngnǚ

외-딸다 자 孤单 gūdān; 孤零零 gū-
línglíng ¶동네에서 외딸아 있는 집 远
离村里的孤零零的家

외-떡잎 명【植】单子叶 dānzǐyè ¶~
식물 单子叶植物

외-떨어지다 자 孤零零 gūlínglíng;
孤单 gūdān ¶외떨어진 시골 학교 孤
零零的乡村学校

외:람-되다(猥濫一) 형 冒昧 màomèi;
冒失 màoshí; 无理 wúlǐ ¶외람되지만
하나만 여쭙겠습니다 我要冒昧地问一
下 외:람되-이 부

외:-래(外來) 명 1 外来 wàilái ¶~문화
外来文化 / ~어 外来词 =[外来语] /
~ 사상 外来思想 2 门诊 ménzhěn;
门诊병인 ménzhěn bìngrén

외:래-품(外來品) 명 舶来品 bóláipǐn

외:래 환:자(外來患者)【醫】门诊病人
ménzhěn bìngrén; 门诊患者 ménzhěn
huànzhě

외:-려 부 '오히려'의 略词

외:-로 부 1 向左边 xiàngzuǒbiān; 向左
xiàngzuǒ ¶~ 돌아서 앞으로 가다 向
左拐往前走 2 倾斜地 qīngxiéde; 颠倒
地 diāndàode

외로움 명 孤单 gūdān; 孤独 gūdú; 寂
寞 jìmò ¶~을 느끼다 觉得孤独 / ~을
달래 주다 安慰寂寞

외로이 부 孤单地 gūdānde; 孤独地
gūdúde ¶그들은 자식도 없이 ~ 지낸
다 他们没有子女, 孤独地生活

외롭다 형 孤寂 gūjì; 孤单 gūdān; 寂寞
jìmò ¶외로운 나그네 孤独的游客 / 나
는 요즘 너무 ~ 我最近觉得很孤独

외-마디 명 1 独节 dújié; 无节 wújié
2 一句 yíjù; 一声 yìshēng ¶그녀는 ~
비명을 지르고는 기절했다 她尖叫了
一声就晕倒了

외:-면(外面)【명】1 = 겉면 2 外貌
wàimào; 外表 wàibiǎo; 外形 wàixíng ¶
~만 보고 판단하다 只看外表判断

외:-면²(外面)【명】【하다】1 背脸 bèiliǎn;
转脸 zhuǎnliǎn; 背过脸去 bèiguòliǎn-
qù; 转过脸去 zhuǎnguòliǎnqù ¶그녀는
나를 보더니 그냥 ~하고 지나갔다 她
一看见我就背着脸从我身边过去了 2
回避 huíbì ¶현실을 ~하다 回避现
实 / 사실을 ~하다 回避事实

외:-면-적(外面的) 관명 外表(的) wài-
biǎo(de); 表面上(的) biǎomiànshàng-
(de) ¶~으로는 보기 좋다 表面上好看

외:모(外貌) 명 外貌 wàimào; 容貌
róngmào ¶그녀는 ~가 아주 빼어나다
她的外貌很出色

외-바퀴 명 独轮 dúlún

외:-박(外泊)【명】【하자】外宿 wàisù; 在外
过夜 zàiwài guòyè ¶그는 어제 ~해서
부모님께 꾸중을 들었다 他昨天在外
过夜, 被父母骂了一顿

외:-배엽(外胚葉) 명【生】外胚叶
wàipēiyè

외:-배유(外胚乳) 명【生】外胚乳
wàipēirǔ

외:-벽(外壁)【建】外壁 wàibì; 外墙
wàiqiáng

외:-부(外部) 명 1 外部 wàibù; 外面
wàimiàn; 外边 wàibian ¶~ 설비 外部
设备 / ~ 환경 外部环境 / ~ 공기가
차다 外边的空气很冷 2 外围 wàiwéi;
外界 wàijiè; 局外 júwài; 外部 wàibù ¶
~인 局外人 / 압력 外界压力 / ~
요소 外界因素 / ~와의 관계를 강화
하다 加强与外界的交往

외:-부-적(外部的) 관명 外部的(的) wài-
bù(de); 外部性(的) wàixìngbù(de); 外

界(的) wàijiè(de) ¶～ 충격 外部冲击 / ～인 문제 外部性问题

외:빈(外賓) 명 外宾 wàibīn; 外国客人 wàiguó kèrén ¶～을 접대하다 接待外国客人 / ～에게 환영을 표하다 对外国客人表示欢迎

외:-사촌(外四寸) 명 舅表兄弟 jiùbiǎo xiōngdì; 舅表姐妹 jiùbiǎo jiěmèi; 舅表 jiùbiǎo ¶～ 형 舅表哥

외:-삼촌(外三寸) 명 舅舅 jiùjiu; 舅父 jiùfù = 외숙 · 외숙부

외:-삼촌-댁(外三寸宅) 명 **1** 舅母 jiùmǔ **2** 舅舅家 jiùjiujiā

외:상 명 赊账 shēzhàng; 赊欠 shēqiàn; 赊 shē; 挂账 guàzhàng ¶～ 사절 概不赊账 / ～으로 물건을 사다 赊欠买东西 / 그는 나에게 돼지고기 두 근을 ～으로 주었다 他给我赊了两斤猪肉

외:-상(外相) 명 【法】 外相 wàixiàng; 外交大臣 wàijiāo dàchén

외:-상(外傷) 명 外伤 wàishāng; 创伤 chuàngshāng ¶～ 후 출혈 外伤后出血 / 사고로 ～을 입다 因事故受外伤

외:상-값 명 赊账 shēzhàng ¶～을 갚다 偿还赊账

외:상-술 명 喝酒赊账 hējiǔ shēzhàng

외:선(外線) 명 **1** 外边线 wàibianxiàn; 外侧线 wàicèxiàn **2** 室外电线 shìwài diànxiàn **3** 外线 wàixiàn; 外线电话 wàixiàn diànhuà ¶～ 전화번호 外线号码 / ～이 불통이다 外线不通

외:설(猥褻) 명[하진] 猥亵 wěixiè; 淫猥 yínwěi; 淫秽 yínhuì; 黄色 huángsè ¶～물 猥亵物 / ～ 문학 黄色文学 / ～ 행위 猥亵行为

외:성(外城) 명 外城 wàichéng

외:세(外勢) 명 **1** 外边形势 wàibian xíngshì **2** 国外势力 guówài shìlì; 外国势力 wàiguó shìlì

외-손 一只手 yìzhī shǒu; 单手 dānshǒu

외:-손녀(外孫女) 명 外孙女(儿) wàisūnnǚ(r)

외:-손자(外孫子) 명 外孙子 wàisūnzi; 外孙 wàisūn

외:-손주(外孫) 명 外孙子外孙女 wàisūnzi wàisūnnǚ

외-숙(外叔) 명 = 외삼촌

외:-숙모(外叔母) 명 舅母 jiùmǔ; 舅妈 jiùmā

외:-숙부(外叔父) 명 = 외삼촌

외:-식(外食) 명[하진] 在外吃饭 zàiwài chīfàn; 上馆子吃饭 shàngguǎnzi chīfàn; 吃馆子 chīguǎnzi ¶그들은 저녁에 종종 ～을 한다 他们晚上常常在外吃饭

외:신(外信) 명 外电 wàidiàn; 外国通讯 wàiguó tōngxùn ¶～ 기자 外电记者 / ～ 보도 外电报道

외-아들 명 独生子 dúshēngzǐ; 独子 dúzǐ = 독자(獨子)

외:압(外壓) 명 外压 wàiyā; 外部压力 wàibù yālì ¶～에 굴복하다 屈服外部压力

외:야(外野) 명 【體】 **1** (棒球的) 外场 wàichǎng; 外野 wàiyě **2** = 외야수 **3** = 외야석

외:야-석(外野席) 명 【體】 (棒球场的) 露天看台 lùtiān kàntái; 外场观众席 wàichǎng guānzhòngxí = 외야3

외:야-수(外野手) 명 【體】 (棒球的) 外场手 wàichǎngshǒu; 外野手 wàiyěshǒu = 외야2

외:양(外樣) 명 = 겉모양

외양-간(一間) 명 牛棚 niúpéng; 牲口棚 shēngkoupéng; 牛圈 niúquān = 우사

외올-실 명 单股线 dāngǔxiàn = 외겹실

외:용(外用) 명[하진] 外用 wàiyòng ¶～ 연고 外用软膏 / ～약 外用药

외우다 타 **1** 背下 bèixià; 背 bèi; 记得 jìde; 记 jì; 默记 mòjì ¶暗号를 ～ 默记暗号 / 영어 단어 백 개를 ～ 背下一百个英语单词 / 나는 아직도 그의 전화번호를 외우고 있다 我还记得他的电话号码 **2** 背 bèi; 背诵 bèisòng; 念 niàn; 念诵 niànsòng ¶주문을 ～ 念咒 / 염불을 ～ 念佛 / 고시를 ～ 背诵古诗

외:유(外柔) 명[하진] 外柔 wàiróu ¶～내강 外柔内刚 = [内刚外柔]

외:유(外游) 명 外国旅行 wàiguó lǚxíng; 出国旅游 chūguó lǚyóu ¶그는 마침내 ～에서 돌아왔다 他终于从外国旅行回来了

외:-음부(外陰部) 명 【生】 外阴部 wàiyīnbù

외:이(外耳) 명 【生】 = 바깥귀

외:-이도(外耳道) 명 【生】 外耳道 wài'ěrdào ¶～염 外耳道炎

외:인(外人) 명 **1** (家人以外的) 外人 wàirén **2** (某个范围或组织以外的) 外人 wàirén; 外部人 wàibùrén; 局外人 júwàirén; 闲人 xiánrén ¶～ 출입 금지 闲人免进 **4** = 외국인

외:인(外因) 명 **1** 外因 wàiyīn **2** 其他原因 qítā yuányīn

외:-인-부대(外人部隊) 명 外籍雇佣军 wàijí gùyōngjūn; 外籍兵团 wàijí bīngtuán

외-자(一字) 명 单字 dānzì; 单个字 dāngèzì ¶～ 이름 单字名 / ～로 이름을 짓다 单字取名

외:-자(外資) 명 【經】 外资 wàizī; 外国

资本 wàiguó zīběn ¶～ 도입 外资引进 / ～ 기업 外资企业 / ～가 대량으로 우리나라에 들어오다 外资大量进入我国

외:장(外裝) 閱 **1** 外装 wàizhuāng; 外部装饰 wàibù zhuāngshì ¶～ 공사 外装工事 **2** 外部设备 wàibù shèbèi

외:적(外的) 閱 **1** 外部(的) wàibù(de); 外在(的) wàizài(de) ¶～ 환경 外部环境 / ～ 요인 外部因素 / ～ 조건 外在条件 **2** 肉体(的) ròutǐ(de); 物质(的) wùzhì(de)

외:적(外敵) 閱 外敌 wàidí; 外寇 wàikòu = 외구 ¶～에 대항하다 抗击外敌

외:전(外典) 閱 **1** 【宗】 圣书外典 shèngshū wàidiǎn **2** 【佛】 外典 wàidiàn

외:전(外傳) 閱 外传 wàizhuàn

외:접(外接) 閱[하자] 【數】 **1** 外接 wàijiē ¶～원 外接圆 **2** 外切 wàiqiè

외:제(外製) 閱 = 외국제

외:제-품(外製品) 閱 外国制品 wàiguó zhìpǐn; 外国产品 wàiguó chǎnpǐn

외:조(外助) 閱 **1** 外部帮助 wàibù bāngzhù **2** 贤外助 xiánwàizhù ¶남편의 ～ 老公的贤外助

외:조(外祖) 閱 = 외할아버지

외:-조모(外祖母) 閱 = 외할머니

외:-조부(外祖父) 閱 = 외할아버지

외:-조부모(外祖父母) 閱 外祖父母 wàizǔfùmǔ

외:종(外從) 閱 舅表兄弟 jiùbiǎo xiōngdì; 舅表姐妹 jiùbiǎo jiěmèi = 외종사촌 ¶～형 舅表兄 / ～형제 舅表兄弟

외:종-사:촌(外從四寸) 閱 = 외종

외:주(外注) 閱[하자] 【經】 向外订购 xiàngwài dìnggòu; 外部订购 wàibù dìnggòu; 订做 dìngzuò

외-줄 閱 单线 dānxiàn; 一条线 yītiáo xiàn; 一根线 yīgēn xiàn = 단선(單線) ¶～을 타다 踩一条线

외:-증조모(外曾祖母) 閱 外曾祖母 wàizēngzǔmǔ

외:-증조부(外曾祖父) 閱 外曾祖父 wàizēngzǔfù

외:지(外地) 閱 外地 wàidì; 外边 wàibian; 外乡 wàixiāng ¶～인 外地人 / ～에서 생활하다 外地生活 / ～로 돈 벌러 가다 到外地赚钱

외-지다 閱 偏僻 piānpì; 偏远 piānyuǎn ¶외진 시골에 생활하다 偏僻的乡村生活

외-짝 閱 单只 dānzhǐ; 不成双的 bùchéngshuāngde; 单扇 dānshàn; 一张 yīzhāng; 一条 yītiáo ¶～ 양말 单只袜子 / 나무로 된 ～ 문 木质单扇门

외-쪽 閱 **1** 单方 dānfāng; 一方 yìfāng

2 一块 yīkuài; 一片 yīpiàn; 一瓣 yībàr ¶～ 마늘 一瓣大蒜

외:채(外債) 閱 = 外国债 ¶～ 시장 外债市场 / ～ 상환율 外债偿还率

외:척(外戚) 閱 **1** 外家亲戚 wàijiā qīnqi; 外戚 wàiqī ¶～ 세력 外戚势力 **2** 外姓亲戚 wàixìng qīnqi

외:출(外出) 閱[하자] 外出 wàichū; 出门 chūmén; 出去 chūqù ¶～복 出门服装 / ～ 준비를 하다 准备出门 / 그는 지금 ～ 중이다 他现在出去外面了

외:-출-증(外出證) 閱 外出证 wàichūzhèng ¶～을 끊어 주다 发给外出证

외:-출혈(外出血) 閱 【醫】 外出血 wàichūxuè

외치다 [자타] 閿 喊 hǎn; 喊叫 hǎnjiào; 叫喊 jiàohǎn; 叫 jiào; 呼 hū; 呼喊 hūhǎn; 叫唤 jiàohuan ¶구호를 ～ 喊口号 / 어떤 사람이 밖에서 큰 소리로 외치고 있다 有一个人在外面大声喊叫 / 主张 zhǔzhāng; 提倡 tíchàng ¶민주주의를 ～ 主张民主主义 / 자유를 ～ 提倡自由

외:-탁(外一) 閱[하자] (长相、气质等) 像外家人 xiàng wàijiārén ¶그는 ～을 했다 他长得很像外家人

외톨-박이 閱 **1** 独粒 dúlì; 单颗 dānkē **2** = 외돌토리

외톨-이 閱 = 외돌토리 ¶나는 더 이상 ～가 아니다 我不再是孑然一身

외:투(外套) 閱 外套(儿) wàitào(r); 大衣 dàyī = 오버

외:판(外販) 閱[하타] 外出推销 wàichū tuīxiāo

외:판-원(外販員) 閱 推销员 tuīxiāoyuán; 营业员 yíngyèyuán; 售货员 shòuhuòyuán = 세일즈맨

외-팔 閱 独臂 dúbì ¶～이 独臂人

외:풍(外風) 閱 **1** 贼风 zéifēng ¶～을 차단하다 严防贼风 **2** 外国风俗 wàiguó fēngsú

외:피(外皮) 閱 **1** = 겉껍질 **2** = 겉가죽 **3** 【動】体表 tǐbiǎo

외:-할머니(外一) 閱 外婆 wàipó; 外祖母 wàizǔmǔ; 姥姥 lǎolao = 외조모

외:-할아버지(外一) 閱 外公 wàigōng; 外祖父 wàizǔfù; 姥爷 lǎoye = 외조부(外祖) · 외조부

외:항(外航) 閱[하자] 【海】 外航 wàiháng; 出航国外 chūháng guówài ¶～선 外航船

외:항(外項) 閱 【數】 外项 wàixiàng

외:해(外海) 閱 【地理】 外海 wàihǎi

외:핵(外核) 閱 【地理】 外核 wàihé

외:-행성(外行星) 閱 【天】 外行星 wàixíngxīng

외:향(外向) 閱[하자] 外向 wàixiàng

외:향-적(外向的) 쩐閱 外向 wàixiàng

외향형 外向型 wàixiàngxíng ¶나는 성격이 비교적 ~이다 我性格比较外向

외:형(外形) 圄 外形 wàixíng; 外表 wàibiǎo; 表面 biǎomiàn ¶~도 外形图 / ~ 설계 外形设计 / ~ 구조 外形结构

외:형-적(外形的) 관圄 外形的 wàixíng(de); 表面性(的) biǎomiànxìng(de); 外表(的) wàibiǎo(de) ¶~인 아름다움 表面性的美丽

외:화(外貨) 圄 1 【經】 外汇 wàihuì; 外币 wàibì; 外国货币 wàiguó huòbì ¶~를 낭비하다 浪费外汇 / ~를 벌어들이다 赚取外汇 2 外国货 wàiguóhuò; 外货 wàihuò

외:화(外畵) 圄 外国电影 wàiguó diànyǐng; 外国影片 wàiguó yǐngpiàn

외:환(外患) 圄 外患 wàihuàn; 外忧 wàiyōu

외:환(外換) 圄 【經】 = 외국환 어음

외:환 시장(外換市場) 【經】 = 외환시장

외:환 은행(外換銀行) 【經】 = 외환은행

왼 圄 左边(儿) zuǒbian(r); 左 zuǒ ¶~ 손목 左手腕

왼:-발 圄 左脚 zuǒjiǎo; 左足 zuǒzú ¶~이 마비되다 左脚麻木

왼:-뺨 圄 左颊 zuǒjiá; 左脸 zuǒliǎn

왼:-손 圄 左手 zuǒshǒu

왼:손-잡이 圄 左撇子 zuǒpiězi

왼:-쪽 圄 左侧 zuǒcè; 左边(儿) zuǒbian(r); 左面(儿) zuǒmiàn(r); 左方 zuǒfāng; 左 zuǒ = 왼편·좌·좌측 ¶그는 내 ~에 섰다 他站在我的左边

왼:-팔 圄 左臂 zuǒbì

왼:-편(-便) 圄 = 왼쪽

윙 圁 嗡 wēng 《小虫飞行时或电线、铁丝等被风刮的响声》 ¶파리가 ~ 하고 날아갔다 苍蝇嗡地一声飞了

윙-윙 副動자 嗡嗡 wēngwēng ¶벌이 계속 귓가에서 ~ 하고 날아다닌다 蜜蜂一直在耳边嗡嗡地飞着

윙윙-거리다 자 嗡嗡(响) wēngwēng(xiǎng) = 윙윙대다 ¶모기가 윙윙거리며 날아 蚊子嗡嗡地飞着 / 냉장고가 ~ 冰箱嗡嗡响

요[1] 圄 褥子 rùzi; 褥 rù ¶~를 깔다 铺褥子

요[2] 圄 这 zhè; 这个 zhège ¶~ 근방 这附近 / ~ 녀석 这个家伙 / ~ 며칠 这几天

요(要) 圄 要点 yàodiǎn; 要旨 yàozhǐ; 纲要 gāngyào; 关键 guānjiàn ¶~는 네가 언제 오느냐 하는 것이다 关键是你什么时候来

요가(산yoga) 圄 瑜伽 yújiā; 瑜珈 yújiā ¶~ 수련을 하다 练瑜伽

요강 圄 尿壶 niàohú; 尿罐 niàoguàn; 夜壶 yèhú

요강(要綱) 圄 纲要 gāngyào; 简要 jiǎnzhāng; 大纲 dàgāng ¶시험 ~ 考试大纲 / 학생 모집 ~ 招生简章

요-거 대 这个 zhège; 这 zhè ¶요건 뭐지? 这是什么? / 요게 바로 내가 제일 좋아하는 음식이다 这就是我最喜欢的菜

요건(要件) 圄 要件 yàojiàn; 必要条件 bìyào tiáojiàn ¶자격 ~ 资格要件 / ~을 갖추다 具备必要条件

요-것 대 1 这个 zhège ¶빨리 와서 ~ 좀 봐라! 快来看看这个! / ~ 좀 먹어 봐라, 참 맛있다 吃吃看这个, 很好吃 2 这小子 zhè xiǎozi

요격(邀擊) 圄하타 邀击 yāojī; 阻击 zǔjī; 截击 lánjī; 截击 jiéjī ¶~기 阻击机 / ~전 阻击战 / 미사일을 ~하다 阻击导弹

요괴(妖怪) 圄하타 妖怪 yāoguài; 妖魔 yāomó ¶~가 나타나다 妖怪出现了 / 여우가 ~로 변하다 狐狸变成妖怪 2 妖邪 yāoxié

요구(要求) 圄하타 1 要求 yāoqiú; 要求 yāo ¶~ 사항 要求事项 / ~ 조건 要求条件 / 상대방의 ~를 들어주다 答应对方的要求 / 그들이 나에게 돈을 ~했다 他们跟我要钱了 2 【法】 要求 yāoqiú ¶증인 출두를 ~하다 要求证人出庭

요구르트(yogurt) 圄 酸奶 suānnǎi; 酸牛奶 suānniúnǎi; 酸乳酪 suānrǔlào

요:금(料金) 圄 费 fèi; 收费 shōufèi ¶전기 ~ 电费 / 수도 ~ 水费 / 버스 ~ 公共汽车收费 / 택시 ~ 出租汽车费 / 전화 ~ 电话费 / ~을 인상하다 提高收费 / ~을 인하하다 降低收费

요-기 대 这里 zhèlǐ; 这儿 zhèr ¶앉아서 기다려라 你坐在这儿等一下

요기(妖氣) 圄 妖气 yāoqì; 邪气 xiéqì

요기(療飢) 圄하자 点补 diǎnbǔ; 点饥 diǎnjī; 垫底儿 diàndǐr; 疗饥 liáojī; 充饥 chōngjī; 垫饥 diànjī ¶라면으로 ~를 하다 用泡面点饥

요긴-하다(要緊-) 圄 = 긴요하다 ¶매우 요긴한 물건 很紧要的东西 요긴-히 圁

요-까짓 관 这么点儿 zhème diǎnr; 才这么个程度 cái zhème chéngdù ¶너는 겨우 ~ 일로 나를 찾은 거니? 你就是为了这么点儿事找我的吗?

요-깟 관 '요까짓'의 略词

요-년 대 这个丫头 zhège yātou; 臭丫头 chòuyātou

요-놈 대 1 这个家伙 zhège jiāhuo; 这个小子 zhège xiǎozi ¶~이 바로 내 동생을 때린 놈이다 这个家伙就是打我

弟弟的 **2** 这个 zhège ¶~이 제일 맛있어 보인다 看起来这个最好吃

요-다음 몡 此次 cǐcì; 此后 cǐhòu; 下 xià ¶~ 정류장에서 내리자 到下一站下车吧 /~에는 내가 밥을 사마 下次我请你吃饭

요대-로 뷔 这么 zhème; 照这样 zhào zhèyàng; 就这样 jiù zhèyàng; 如此 rúcǐ ¶~만 하면 된다 照这样做就可以

요도(尿道) 몡 〖生〗 尿道 niàodào ¶~염 尿道炎

요동(搖動) 몡하자타 摇动 yáodòng; 晃动 huàngdòng; 震荡 zhèndàng; 摇荡 yáodàng; 摇晃 yáohuang; 簸荡 bǒdàng; 颠簸 diānbǒ ¶배의 ~이 심해서 우리는 모두 배멀미를 했다 船摇晃得很厉害, 我们都晕船了

요동-치다(搖動一) 자 摇动 yáodòng; 震荡 zhèndàng; 摇荡 yáodàng; 摇晃 yáohuang; 簸荡 bǒdàng; 颠簸 diānbǒ ¶작은 배가 물 위에서 ~ 小船摇荡在水中

요들(yodel) 몡 〖音〗岳得尔 yuèdé'ěr; 岳得尔调 yuèdé'èrdiào ¶~송 岳得尔歌

요-따위 관대 这类 zhèlèi; 这一类 zhèyílèi; 这种 zhèzhǒng; 像这样 xiàng zhèyàng ¶~ 것을 어떻게 다른 사람에게 줄 수 있니? 这类东西怎么能给别人呢?

요란(搖亂·擾亂) 몡하형 히부 **1** 嘈杂 cáozá; 闹哄哄 nàohōnghōng; 哄然 hōngrán; 杂沓 zátà; 喧闹 xuānnào; 响 xiǎng ¶~한 폭죽 소리 喧闹的爆竹声 / 요 ~하게 골다 呼噜打得很响 /~한 빗소리에 놀라서 깨다 被嘈杂的雨声惊了 **2** 刺眼 cìyǎn; 过分 guòfèn ¶그녀는 차림새가 너무 ~하다 她打扮得太刺眼

요란-스럽다 형 **1** 嘈杂 cáozá; 闹哄哄 nàohōnghōng; 哄然 hōngrán; 杂沓 zátà; 喧闹 xuānnào; 响 xiǎng **2** 刺眼 cìyǎn; 过分 guòfèn 요란스레 뷔

요람(要覽) 몡 要览 yàolǎn; 概况 gàikuàng

요람(搖籃) 몡 摇篮 yáolán ¶~기 摇篮期 / 영재 양성의 ~ 培养英才的摇篮 / 아기가 ~에서 잠을 자다 宝宝在摇篮里睡觉

요래-조래 뷔 这事儿那事儿地 zhèshìrnàshìrde; 这样那样地 zhèyàngnàyàngde ¶~ 적지 않은 돈을 썼다 这样那样地花了不少钱

요량(料量) 몡하타 斟酌 zhēnzhuó; 思量 sīliang ¶그의 ~껏 처리하다 由他的酌量办理

요러요러-하다 형 这这般般 zhèzhèbānbān; 如此这般的 rúcǐzhè-bānde ¶네가 그에게 요러요러한 일이 있었다고 알려 주어라 你就告诉他有这样这样的事

요러조러-하다 형 这样那样的 zhèyàngnàyàngde ¶요러조러하게 몇 달이 지났다 这样那样地过了几个月

요러-하다 형 这样的 zhèyàng(de) ¶내가 원하는 것이 바로 요러한 것이다 我要的是就是这样的 / 원인은 ~ 原因是这样的

요런[1] 관 这样的 zhèyàngde; 像这样的 xiàngzhèyàngde ¶~ 경우 这样的情况 /~ 사람 像这样的人

요런[2] 감 哎哟 āiyō; 这个 zhège 《惊呼声》 ¶~ 개구쟁이! 你这个调皮蛋!

요렇다 형 '요러하다'의 略词

요령(要領) 몡 **1** 要领 yàolǐng; 重点 zhòngdiǎn; 要点 yàodiǎn; 要旨 yàozhǐ ¶부자가 되는 ~ 致富要领 / 면접 ~ 面试要领 **2** 诀窍 juéqiào; 窍门 qiàomén ¶노래 잘 부르는 ~ 唱歌诀窍 /~을 터득하다 领会诀窍 /~을 알다 知道窍门 **3** 小计谋 xiǎojìmóu; 手腕 shǒuwàn; 巧 qiǎo ¶~을 쓰다 要手腕 /~을 부리다 耍手巧

요령-부득(要領不得) 몡하형 不得要领 bùdé yàolǐng; 抓不住要领 zhuābuzhù yàolǐng

요로(尿路) 몡 〖生〗 尿路 niàolù ¶~ 결석 尿路结石

요리[1] 뷔 这儿 zhèr; 向这儿 xiàngzhèr ¶탁자를 ~로 옮겨 주세요 请把桌子搬到这儿

요리[2] 뷔하자타 这样 zhèyàng; 如此 rúcǐ ¶~하면 된다 这样做就可以

요리(料理) 몡 **1** 菜 cài; 菜肴 càiyáo; 料理 liàolǐ ¶한국 ~ 韩国菜 / 일본 ~ 日本料理 **2** 烹饪 pēngrèn; 烹调 pēngtiáo; 做菜 zuòcài; 炒菜 chǎocài ¶~대 烹饪台 /~실 烹饪室 /~책 烹饪书 /~ 솜씨 做菜的手艺 /~ 기술 烹饪技术 / 그들은 종종 집에서 ~를 해 먹는다 他们常常在家做菜吃 **3** 料理 liàolǐ; 处理 chǔlǐ ¶문제를 잘 ~하다 好好处理问题

요리-법(料理法) 몡 烹饪法 pēngrèn-fǎ; 烹调方法 pēngrèn fāngfǎ; 做法 zuòfǎ

요리-사(料理師) 몡 厨师 chúshī; 烹饪师 pēngrènshī; 大师傅 dàshīfu

요리-조리 뷔하자타 **1** 这儿那儿 zhèrnàr; 处处 chùchù; 到处 dàochù ¶그는 ~ 피하기만 하는 나를 만나려하지 않는다 他到处躲避, 不要看我 **2** 这样那样 zhèyàngnàyàng; 左…右… zuǒ…yòu… ¶빚을 갚기 위해 ~ 생각하다 为还债左思右想

요릿-집(料理一) 몡 饭馆 fànguǎn; 餐

館 cānguǎn = 요정(料亭)

요-만 〔관〕 这么个程度 zhème chéngdù; 这么点 zhèmediǎn ¶ 그녀가 — 일로 화를 낼 줄은 정말 생각지도 못했다 真没想到她竟然为这么点事生气 〔부〕就这样 jiù zhèyàng ¶ 오늘은 ~ 끝내자 今天就这样结束吧

요-만치 〔부〕 = 요만큼

요-만큼 〔부〕 这个程度 zhège chéngdù; 这么些 zhèmexiē = 요만치 ¶ 그에게 ~만 주어라 就给他们这么些吧

요만-하다 〔형〕 这么个程度 zhème chéngdù; 这么些 zhèmexiē; 这样 zhèyàng ¶ 요만하면 됐다 这样就够了

요맘-때 〔명〕 这个时候 zhège shíhou ¶ 작년 ~ 언니가 아이를 낳았다 去年的这个时候姐姐生了孩子 ¶ 매년 ~가 가장 덥다 每年这个时候最热

요망 〔妖妄〕 〔명〕〔하형〕 1 妖妄 yāowàng; 怪异荒诞 guàiyìhuāngdàn ¶ ~한 일 怪异荒诞的事 2 滑头 huátóu ¶ ~한 여자 奸滑的女人

요망 〔要望〕 〔명〕〔하타〕 期待 qīdài; 盼望 pànwàng ¶ 전화 ~ 期待电话 / 연락 ~ 期待联络

요면 〔凹面〕 〔명〕 凹面 āomiàn

요모-조모 〔명〕 多方面 duōfāngmiàn; 多个角度 duōgè jiǎodù ¶ 문제를 ~로 생각하다 多方面地思考问题 / ~로 써먹다 多方面地利用 / ~를 살펴보다 从多个角度观察

요물 〔妖物〕 〔명〕 1 妖物 yāowù; 怪物 guàiwù 2 奸邪的人 jiānxiéde rén

요-번 〔一番〕 〔명〕 这次 zhècì; 这回 zhèhuí; 这个 zhège ¶ ~ 시험 这次考试 / ~ 주말 这个周末 / 나는 ~에는 참가하지 않겠다 这次我不要参加

요법 〔療法〕 〔명〕 疗法 liáofǎ ¶ 최면 ~ 催眠疗法 / 물리 ~ 物理疗法 / 자극 ~ 刺激疗法

요부 〔妖婦〕 〔명〕 妖妇 yāofù; 妖女 yāonǚ

요사 〔妖邪〕 〔명〕〔하형〕 妖邪 yāoxié; 奸诈 jiānzhà
요사(를) 떨다 〔판〕 奸诈
요사(를) 부리다 〔판〕 奸诈

요사-스럽다 〔妖邪-〕 〔형〕 妖邪 yāoxié
요사스레 〔부〕

요-사이 〔명〕 近来 jìnlái; 最近 zuìjìn; 这程子 zhèchéngzi; 这阵儿 zhèzhènr; 日来 rìlái = 근간(近間) · 금일 2 ¶ ~ 그는 살이 쪘다 他最近胖了 / 나는 ~ 그를 보지 못했다 我最近没有看到他

요산-요수 〔樂山樂水〕 〔명〕 乐山乐水 yàoshānyàoshuǐ; 喜爱山水 xǐ'ài shānshuǐ

요상-하다 〔형〕 '이상하다'의 错误

요새 〔명〕 '요사이'의 略词 ¶ ~ 어떻게 지내니? 最近过得怎么样?

요새 〔要塞〕 〔명〕〔軍〕 要塞 yàosài; 关隘 guān'ài ¶ 안전한 ~ 安全的要塞

요소 〔尿素〕 〔명〕〔化〕 尿素 niàosù

요소 〔要所〕 〔명〕 要地 yàodì; 要冲 yàochōng; 要隘 yào'ài; 关口 guānkǒu ¶ 병력을 ~에 배치하다 把兵力布置到关口

요소 〔要素〕 〔명〕 1 要素 yàosù; 因素 yīnsù; 基本成分 jīběn chéngfèn ¶ 소설의 삼 ~ 小说的三要素 / 생산 ~ 生产要素 / 기본 ~ 基本要素 2 〔數〕 = 원소1

요술 〔妖術〕 〔명〕 魔术 móshù; 戏法 xìfǎ; 变戏法 biànxìfǎ ¶ ~ 피리 魔术笛子 / ~ 거울 魔术镜子 / ~쟁이 魔术师

요식 〔要式〕 〔명〕 要式 yàoshì; 正规程式 zhèngguī chéngshì; 规定程式 guīdìng chéngshì

요식-업 〔料食業〕 〔명〕 餐饮业 cānyǐnyè; 饮食业 yǐnshíyè

요-실금 〔尿失禁〕 〔명〕〔韓醫〕 尿失禁 niàoshījīn

요약 〔要約〕 〔명〕〔하타〕 要略 yàolüè; 概要 gàiyào; 概括 gàikuò ¶ 내용의 요점을 ~하다 概括内容的要点 / 주제를 ~하다 概括主题

요양 〔療養〕 〔명〕〔하타〕 疗养 liáoyǎng; 养病 yǎngbìng ¶ 그는 현재 집에서 ~하고 있다 他现在在家里养病

요양-소 〔療養所〕 〔명〕 = 요양원

요양-원 〔療養院〕 〔명〕 疗养院 liáoyǎngyuàn; 疗养所 liáoyǎngsuǒ = 요양소

요업 〔窯業〕 〔명〕〔工〕 窑业 yáoyè; 瓷业 cíyè

요염 〔妖艶〕 〔명〕〔하형〕 妖艳 yāoyàn; 妖冶 yāoyě; 妖里妖气 yāoliyāoqi; 妖娆 yāoráo; 娇艳 jiāoyàn; 娇媚 jiāomèi ¶ ~한 자태 妖艳的姿态 / ~하고 섹시한 미녀 妖艳性感的美女

요오드 〔독 Jod〕 〔명〕〔化〕 碘 diǎn ¶ ~산 碘酸 / ~팅크 碘酊

요요 〔yoyo〕 〔명〕 悠悠球 yōuyōuqiú; 悠悠拉线盘 yōuyōulāxiànpán ¶ ~ 현상 悠悠球现象 [反弹现象]

요원 〔要員〕 〔명〕 1 人员 rényuán; 员 yuán ¶ 안전 ~ 安全人员 / 기술 ~ 技术人员 2 要员 yàoyuán ¶ 백악관 ~ 白宫要员

요원-하다 〔遙遠-·邈遠-〕 〔형〕 遥远 yáoyuǎn; 辽远 liáoyuǎn ¶ 행복은 아직 나에게는 매우 요원한 일이다 幸福离我还很遥远

요인 〔要人〕 〔명〕 要人 yàorén ¶ 정계 ~ 政界要人

요인 〔要因〕 〔명〕 要因 yàoyīn; 主要因素 zhǔyào yīnsù ¶ 성공 ~ 成功原因 / 심리적 ~ 心理上的原因 / ~을 분석하다 分析要因

요일(曜日) 图 星期 xīngqī; 礼拜 lǐbài ¶오늘이 무슨 ~이냐? 今天星期几?

요-전(一前) 图 不久前 bùjiǔ qián; 几天前 jǐtiān qián ¶~에 발생한 사건 此前发生的事件 / 나는 ~에 그를 만났었다 我几天前见过他

요-전번(一前番) 图 前一次 qiányīcì; 上一次 shàngyīcì ¶~ 모임 上一次聚会 / ~에 쓴 글 上一次写的文章

요-절(夭折) 图 夭折 yāozhé; 早逝 zǎoshì; 夭亡 yāowáng ¶~한 천재작가 夭折的天才作家 / 그는 교통사고로 ~했다 他因交通事故早逝了

요절(腰絶) 图하자 (笑得) 腰都直不起来 yāo dōu zhíbuqǐlái ¶~ 복통하다 笑得腰都直不起来了

요절-나다(挽folks一) 자 1 破碎 pòsuì; 完蛋 wándàn; 毁坏 huǐhuài; 损坏 sǔnhuài ¶나의 새 휴대폰이 요절났다 我的新手机完蛋了 2 失败 shībài; 完蛋 wándàn ¶중요한 문서를 잃어버렸으니 우리는 이제 요절났다 把重要的文件丢掉, 我们就完蛋了

요절-내다(挽folks一) 타 1 搞坏 gǎohuài; 弄坏 nònghuài ¶그가 내 컴퓨터를 요절냈다 他把我的电脑弄坏了 2 使之失败 shǐzhī shībài; 使之完蛋 shǐzhī wándàn

요점(要點) 图 要点 yàodiǎn; 重点 zhòngdiǎn ¶~을 파악하다 把握重点 / ~을 정리하다 整理要点

요정(妖精) 图 妖精 yāojīng ¶~처럼 예쁘다 像妖精一样漂亮

요정(料亭) 图 요릿집

요:조-숙녀(窈窕淑女) 图 窈窕淑女 yǎotiǎo shūnǚ

요-주의(要注意) 图 要注意 yào zhùyì; 须注意 xū zhùyì ¶그는 ~ 인물이다 他是要注意的人物

요-즈막 图 近来 jìnlái; 最近 zuìjìn ¶~에 그는 많이 늙었다 他最近老了许多

요-즈음 图 近来 jìnlái; 最近 zuìjìn ¶이 며칠 zhèjǐtiān ¶그녀는 ~ 살이 많이 졌다 她最近胖了不少 / ~ 날씨가 많이 추워졌다 这几天天气很冷了

요-즘 图 ‘요즈음’의 略词 ¶~엔 학교에서 그녀를 보기 힘들다 最近在学校不容易看到她

요지(要地) 图 要地 yàodì; 重地 zhòngdì ¶이곳을 수도 방위의 ~로 삼다 把这里作为防卫京都的要地

요지(要旨) 图 要旨 yàozhǐ; 要点 yàodiǎn; 要义 yàoyì ¶글의 ~를 파악하다 把握这篇文章的要旨 / 그가 말하려고 하는 ~가 무엇인지 모르겠다 不知道他要说的要点是什么

요지-경(瑤池鏡) 图 西洋景 xīyángjǐng; 西洋镜 xīyángjìng; 拉洋片 lā-

yángpiàn; 瑶池镜 yáochíjīng

요지부동(搖之不動) 图하자 毫不动háobùdòngyáo; 屹立不动 yìlìbùdòng ¶아무리 설득해도 그녀의 결심은 ~다 不管怎么说服她, 她的决心毫不动摇

요직(要職) 图 要职 yàozhí ¶~에 오르다 登上要职 / 그는 회사에서 ~을 맡고 있다 他在公司担任要职

요-쪽 대 这边; 这边 zhèbiān; 这儿 zhèr ¶~에 앉으세요 请这边坐 / ~으로 가세요 往这边走

요-쯤 图튀 这么点 zhèmediǎn; 这么个程度 zhème chéngdù; 这样的程度 zhèyàngde chéngdù ¶~ 넣으면 되겠지? 放这么点就可以吧?

요철(凹凸) 图하자 凹凸 āotū ¶~이 많은 도로 凹凸不平的道路

요청(要請) 图하자타 请求 qǐngqiú; 请求 qǐng ¶~서 请求书 / 지원을 ~하다 请求支援 / 그의 ~을 거절하다 拒绝他的请求 / 도움을 ~하다 请求帮助

요충(要衝) 图 = 요충지

요충-지(要衝地) 图 要冲 yàochōng; 要害 yàohài; 要地 yàodì ¶군사 전략 ~ 军事战略要地

요통(腰痛) 图 [醫] 腰痛 yāotòng ¶나쁜 자세는 ~을 유발할 수 있다 不良姿势可引起腰痛

요트(yacht) 图 游艇 yóutǐng; 帆船 fānchuán

요트 경기(yacht競技) 图 [體] 赛艇 sàitǐng; 帆船比赛 fānchuán bǐsài = 요트경주

요트 경주(yacht競走) 图 [體] = 요트 경기

요판(凹版) 图 [印] = 오목판

요-하다(要一) 타 需要 xūyào; 必需 bìxū; 必要 bìyào ¶주의를 ~ 必要注意 / 도움을 ~ 需要帮助 / 기적을 ~ 需要奇迹

요한 계:시록 (←Johannes啓示錄) 图 [宗] 约翰启示录 yuēhàn qǐshìlù; 启示录 qǐshìlù = 계시록 · 묵시록

요한-복음 (←Johannes福音) 图 [宗] 约翰福音 yuēhàn fúyīn

요해(要害) 图 요해처

요해-지(要害地) 图 = 요충지

요해-처(要害處) 图 1 要冲 yàochōng; 要隘 yàoài; 要害 yàohài 2 (身体的)要害处 yàohàichù; 重要部分 zhòngyào bùfēn = 요해

요행(僥倖·僥幸) 图 图하자타 僥幸 jiǎoxìng ¶~ 심리 僥幸心理 / ~을 바라다 期待僥幸

요행-수 (僥倖數) 몡 僥幸 jiǎoxìng；走
运 zǒuyùn

욕(辱) 몡하자 1 骂 mà；骂人 màrén；
骂人(的)话 màrén(de) huà；咒骂
mà ¶ ~을 매우 심하게 하다 骂人骂得
很厉害 / 모두가 그녀를 늙은 여우라
고 ～한다 大家都骂她是个老狐狸 2
耻辱 chǐrǔ；侮辱 wǔrǔ；羞辱 xiūrǔ；辱
rǔ ¶ 사람들 앞에서 큰 ～을 당했다 当
众受了很大的侮辱 3 苦累 xīnkǔ；劳累
láolèi；吃苦头 chī kǔtóu ¶ 그는 이 일
때문에 크게 ～을 보았다 他为了这件
事吃尽了苦头

-욕 (慾·欲) 젭미 欲 yù ¶ 명예~ 名誉
欲 / 성취~ 成就欲

욕구 (欲求·慾求) 몡하타 求求 yùqiú；
欲念 yùniàn；欲望 yùwàng ¶ ～望만
欲求不满 / 성적 ～을 채우다 满足性欲
/ ～가 점점 커지다 欲求越来越大

욕-되다 혱 不光彩 bùguāngcǎi；蒙受
耻辱 méngshòu chǐrǔ；玷辱 diànrǔ ¶ 부
모님을 의되게 하다 让父母蒙受耻辱

욕망 (欲望·慾望) 몡하타 欲望 yùwàng
¶ 성공에 대한 ～ 对成功的欲望 / ～에
사로잡히다 被欲望缠绕

욕-먹다 (辱—) 자 1 挨骂 āimà；受骂
shòurà；受骂 shòumà ¶ 그는 항상 사
장에게 욕을 먹는다 他经常被老板挨
骂 2 蒙受耻辱 méngshòu chǐrǔ

욕-보다 (辱—) 자 1 蒙受耻辱 méng-
shòu chǐrǔ ¶ 내가 잘못하면 부모님이
욕보신다 如果我犯错误就父母会蒙受
耻辱 2 受累 shòulěi；受累 shòulěi；辛
苦 xīnkǔ；吃苦头 chī kǔtóu ¶ 오늘 모
두들 욕보셨습니다 今天让大家都受累
了 3 被强奸 bèiqiángjiān；被强暴 bèi-
qiángbào

욕보-이다 (辱—) 타 1 侮辱 wǔrǔ；使
之丢脸 shǐzhī diūliǎn (《욕보다》의 使
动词) ¶ 마을 사람들이 ～이 生기다
们 / 노인을 ～ 侮辱老人 2 使之受苦
shǐzhī shòukǔ；使之受累 shǐzhī shòulèi
(《욕보다》의 使动词) 3 强奸 qiángjiān
(《욕보다》의 使动词) ¶ 한 여자를 돌
아가며 ～ 轮流强奸一个女人

욕설 (辱說) 몡하자 骂 mà；骂人 mà-
rén；骂人(的)话 màrén(de) huà；咒骂
zhòumà；谩骂 mànmà ¶ ～을 퍼부
었다 他们很生气，就对我们破口大骂

욕실 (浴室) 몡 浴室 yùshì；洗澡间 xǐ-
zǎojiān

욕심 (欲心·慾心) 몡 贪心 tānxīn；贪
婪 tānyù；贪欲 tānyù ¶ ～이 生기다
起贪心 / ～부리지 마라 别起贪心

욕심-꾸러기 (欲心—) 몡 贪心鬼 tān-
xīnguǐ = 욕심쟁이

욕심-나다 (欲心—) 자 起贪心 qǐ tān-

xīn；眼馋 yǎnchán；眼红 yǎnhóng

욕심-내다 (欲心—) 타 '욕심나다'의
使动词

욕심-쟁이 (欲心—) 몡 = 욕심꾸러기

욕-쟁이 (辱—) 몡 爱骂人的人 ài mà-
rén de rén

욕정 (欲情·慾情) 몡 情欲 qíngyù；性
欲 xìngyù；欲情 yùqíng ¶ ～을 느끼다
感到情欲 / ～이 일다 起情欲 / ～을 채
우다 满足性欲

욕조 (浴槽) 몡 浴盆 yùpén；浴缸 yù-
gāng；澡盆 zǎopén ¶ ～에 물을 가득
채우다 在浴盆里放满水

욕-지거리 (辱—) 몡하자 = 욕설

욕창 (褥瘡) 몡 【醫】褥疮 rùchuāng

욕탕 (浴湯) 몡 = 목욕탕

욕통 (浴桶) 몡 = 목욕통

용 (用) 의 劲(儿) jìn(r)；力气 lìqi ¶ ～을 쓰
다 使劲儿

용 (龍) 몡 龙 lóng

용(이) 되다 구 成龙

-용 (用) 젭미 用 yòng ¶ 학생～ 学生
用 / 업무～ 工作用 / 성인～ 成人用 /
연습～ 练习用

용-감-무쌍 (勇敢無雙) 몡하혱 勇敢无
双 yǒnggǎn wúshuāng；英勇无比 yīng-
yǒng wúbǐ

용-감-하다 (勇敢—) 혱 勇敢 yǒnggǎn
¶ 용감한 군인 勇敢的军人 / 용감하게
현실을 마주하다 勇敢地去面对现实

용-감-히 뿌 ～ 싸우다 勇敢地战斗

용-건 (用件) 몡 ¶ ～이 없으면
돌아가라 如果没有事，那就回去
吧 / ～만 간단히 말하다 有事，简单说
他的错误

용광-로 (鎔鑛爐) 몡 【工】熔炉 rónglú

용-구 (用具) 몡 用具 yòngjù；工具
gōngjù ¶ 낚시 ～ 钓鱼用具 / 사무 ～
办公用具

용-기 (用器) 몡 用器 yòngqì ¶ 주방 ～
厨房用器

용-기 (勇氣) 몡 勇气 yǒngqì ¶ 백배
勇气倍增 / ～를 내서 도전하다 鼓起
勇气挑战 / ～ 있게 말하다 有勇气地
说 / 나는 그녀에게 고백할 ～가 없다
我没有勇气向她表白

용기 (容器) 몡 容器 róngqì；盛器
chéngqì ¶ 플라스틱 ～ 塑料容器

용-꿈 (龍—) 몡 龙梦 lóngmèng；梦见
龙 mèngjiàn lóng ¶ ～을 꾸다 做龙梦

용납 (容納) 몡하타 包容 bāoróng；容
忍 róngrěn；宽恕 kuānshù；容纳 róng-
nà ¶ 그의 잘못을 ～할 수 없다 不可宽
恕他的错误

용-단 (勇斷) 몡하타 果断 guǒduàn ¶
우리는 그의 요구를 거절하기로 ～을
내렸다 我们果断决定了拒绝他的要求

용-달 (用達) 몡하타 传送 chuánsòng；

递送 dìsòng; 运送 yùnsòng; 送货 sònghuò ¶~업 递送业 / ~차 送货车

용도(用途) 图 用途 yòngtú; 用场 yòngchǎng; 用处 yòngchu ¶~가 다양하다 用途多样 / ~에 따라 분류하다 按用处分类 / 개인적인 ~로 쓰다 用于私人用途

용ː돈(用一) 图 零花钱 línghuāqián; 零用钱 língyòngqián; 零花(儿) línghuā(r); 零用 língyòng; 零钱 língqián ¶~을 타다 领取零用钱 / ~을 모아 휴대폰을 사다 攒零花钱买手机

용두―사미(龍頭蛇尾) 图 龙头蛇尾 lóngtóu shéwěi; 虎头蛇尾 hǔtóu shéwěi

용ː량(用量) 图 1 用量 yòngliàng ¶ 剂量 jìliàng ¶~을 지켜 복용하세요 请按照剂量服用

용량(容量) 图 1 容量 róngliàng; 容积 róngjī ¶ 대― 大容量 / 저장 ~이 그리 크지 않다 存储容量不太大 2 [物] 容量 róngliàng 3 [컴] 容量 róngliàng ¶컴퓨터의 ~이 작아서 이 프로그램을 설치할 수 없다 电脑的容量少，不能安装这个软件

용ː례(用例) 图 用例 yònglì; 例子 lìzi; 实例 shílì ¶~를 들어 설명하다 举个例子说明

용―마루(龍一) 图 【建】 房脊 fángjǐ; 屋脊 wūjǐ

용매(溶媒) 图 【化】 溶媒 róngméi; 溶剂 róngjì = 용해제

용ː맹(勇猛) 图 勇猛 yǒngměng ¶~한 군인 勇猛的军人 / ~을 떨치다 显示勇猛

용ː맹―스럽다(勇猛―) 图 勇猛 yǒngměng ¶용맹스러운 장군 勇猛的将军

용ː맹―스레(勇猛―) 图 ¶~ 앞으로 나아가다 勇猛地向前冲击

용모(容貌) 图 容貌 róngmào; 长相 zhǎngxiàng; 相貌 xiàngmào; 容颜 róngyán ¶~가 단정하다 相貌端正 / 그는 ~가 아주 출중하다 他的长相出色

용ː무(用務) 图 = 볼일1 ¶무슨 ~로 나를 찾아왔더냐? 你有什么事来找我?

용ː법(用法) 图 用法 yòngfǎ

용ː변(用便) 图하자 大小便 dàxiǎobiàn; 解手(儿) jiěshǒu(r) ¶~이 마렵다 想解手 / 아무 데서나 ~을 보다 随地大小便

용ː병(用兵) 图하자 用兵 yòngbīng ¶~에 능하다 善于用兵

용병(傭兵) 图 【軍】 雇佣军 gùyōngjūn; 雇佣兵 gùyōngbīng; 佣兵 yōngbīng ¶외국인 ~ 外籍雇佣兵

용ː병―술(用兵術) 图 1 【軍】 用兵术 yòngbīngshù; 兵法 bīngfǎ; 用兵 yòng-

bīng ¶~이 귀신 같은 장군 用兵如神的将军 2 [體] 用兵术 yòngbīngshù; 用兵 yòngbīng ¶그의 ~이 이번 승리를 이끌어 냈다 他的用兵术主导了这次胜利

용ː사(勇士) 图 勇士 yǒngshì; 勇夫 yǒngfū ¶참전 ~ 参战勇士

용상(龍床) 图 龙椅 lóngyǐ; 龙床 lóngchuáng

용ː상(聳上) 图 [體] 挺举 tǐngjǔ

용서(容恕) 图하타 饶 ráo; 饶恕 ráoshù; 宽恕 kuānshù; 原谅 yuánliàng ¶나는 절대 그를 ~할 수 없다 我绝对饶不了他; 我与他势不两立 / ~를 빌다 给他跪下求饶 / 저의 무례함을 ~해 주세요 请原谅我的无礼

용ː솟음(涌一) 图하자 1 涌出 yǒngchū; 涌起 yǒngqǐ; 冒出 màochū ¶온천 물이 ~하다 涌起温泉水 2 奔腾 bēnténg; 沸腾 fèiténg; 滚涌 gǔnyǒng ¶뜨거운 피가 ~하다 热血沸腾

용ː솟음―치다(涌一) 图 1 涌出 yǒngchū; 涌起 yǒngqǐ; 冒出 màochū ¶지하수가 ~ 地下水涌出 2 奔腾 bēnténg; 沸腾 fèiténg; 滚涌 gǔnyǒng ¶기쁨이 ~ 喜悦沸腾

용ː수(用水) 图 用水 yòngshuǐ ¶공업 ~ 工业用水 / 생활 ~ 生活用水 / 농업 ~ 农业用水

용ː수―로(用水路) 图 水渠 shuǐqú; 灌溉水路 guàngài shuǐlù

용수―철(龍鬚鐵) 图 弹簧 tánhuáng = 스프링 ¶~저울 弹簧秤 / ~이 튀어오르다 弹簧弹起来

용ː―쓰다 图 1 使劲(儿) shǐjìn(r); 用力 yònglì; 竭尽全力 jiéjìn quánlì ¶임무를 완성하기 위해 ~ 为完成任务竭尽全力 2 竭力忍受 jiélì rěnshòu; 强忍 qiángrěn

용안(龍顔) 图 龙颜 lóngyán

용암(鎔巖) 图 【地理】 熔岩 róngyán ¶~굴 熔岩洞 / ~ 지대 熔岩区

용액(溶液) 图 【化】 溶液 róngyè = 용해액 ¶완충 ~ 缓冲溶液 / 포화 ~ 饱和溶液

용ː어(用語) 图 用语 yòngyǔ ¶인터넷 ~ 网络用语 / 경제 ~ 经济用语 / 의학 ~ 医学用语 / 전문 ~ 专门用语 / 부적절한 ~를 사용하다 使用不恰当的用语

용ː언(用言) 图 【語】 谓词 wèicí

용ː역(用役) 图 【經】 服务 fúwù; 劳务 láowù ¶~ 회사 劳务公司 / ~을 맡기다 委托劳务

용―오름(龍一) 图 【地理】 水龙卷 shuǐlóngjuǎn

용왕(龍王) 图 【佛】 龙王 lóngwáng

용용 图 要气死吧 yào qìsǐ ba

용용 죽겠지 国 要气死吧

용ː의(用意) 圀하타 1 用意 yòngyì; 愿意 yuànyì; 意 yì; 图谋 yuàn ¶나는 그곳에 갈 ~가 있다 我有意去那里 2 心理准备 xīnlǐ zhǔnbèi; 决心 juéxīn

용의(容疑) 圀 (犯罪) 嫌疑 xiányí ¶~ 차량을 추격하다 追查嫌疑车辆

용의-자(容疑者) 圀 【法】 嫌疑犯 xiányífàn; 嫌疑人 xiányírén; 疑犯 yífàn ¶~를 지목하다 指出嫌疑犯 / ~ 세 명을 체포하다 逮捕三个嫌疑人

용ː의주도-하다(用意周到—) 웹 周到 zhōudào; 周全 zhōuquán; 考虑周到 kǎolǜ zhōudào; 想得周到 xiǎngde zhōudào ¶그들은 이번 일을 아주 용의주도하게 준비했다 他们把这件事准备得很周到

용이-하다(容易—) 웹 容易 róngyì; 易 yì ¶접근이 ~ 容易接近 / 이 세탁기는 사용이 ~ 这台洗衣机使用起来很容易

용인(容忍) 圀하타 容忍 róngrěn ¶나는 이런 일을 ~할 수 없다 我不能容忍这种事

용인(容認) 圀하타 容许 róngxǔ; 认可 rènkě ¶그들은 이미 이번 활동을 ~했다 他们已经认可了这次活动

용ː-장(勇將) 圀 勇将 yǒngjiàng; 猛将 měngjiàng

용ː-재(用材) 圀 1 用材 yòngcái 2 原材料 yuáncáiliào

용적(容積) 圀 1 容积 róngjī; 容量 róngliàng ¶~률 容积率 / ~ 단위 容积单位 / ~을 계산하다 计算容积 2 【数】 体积 tǐjī

용접(鎔接) 圀하타 【工】 焊接 hànjiē; 焊 hàn ¶~공 焊接工 = [焊工] / ~기 焊接机 = [焊机] / ~봉 焊条 = [焊棒] / ~ 기술 焊接技术 / 철판을 ~하다 焊接铁板

용ː-지(用地) 圀 用地 yòngdì ¶공업 ~ 工业用地 / ~ 변경을 신청하다 申请用地变更

용ː-지(用紙) 圀 用纸 yòngzhǐ; 专用纸 zhuānyòngzhǐ ¶인쇄 ~ 印刷用纸 / 포장 ~ 包装用纸

용질(溶質) 圀 【化】 溶质 róngzhì = 용해질

용ː-처(用處) 圀 用处 yòngchu; 用途 yòngtú ¶~가 불분명하다 用途不明

용ː-퇴(勇退) 圀하타 勇退 yǒngtuì

용-트림(龍—) 圀하타 故意打嗝 gùyì dǎgé

용포(龍袍) 圀 【史】 = 곤룡포

용ː-품(用品) 圀 用品 yòngpǐn ¶사무 ~ 办公用品 / 생활 ~ 生活用品 / 위생 ~ 卫生用品 / 주방 ~ 厨房用品

용ː-하다 圀 1 才华出众 cáihuá chū-

zhòng; 能干 nénggàn; 有本事 yǒu běnshi ¶용한 의사 才华出众的医生 / 그녀는 솜씨가 아주 ~ 她有本事 2 可嘉 kějiā; 难能可贵 nánnéng kěguì; 难得 nándé ¶그렇게 어려운 일을 해내다니 정말 ~ 还完成了那么难的事情实在难能可贵 3 幸好 xìnghǎo; 幸亏 xìngkuī ¶용하게 난관을 극복하다 幸好克服难关

용해(溶解) 圀하타 1 溶化 rónghuà; 融化 rónghuà ¶소금이 물에 ~되다 盐溶化在水里 2 【化】 溶解 róngjiě

용해(鎔解) 圀하타 【化】 熔解 róng-jiě; 熔化 rónghuà

용해-도(溶解度) 圀 【化】 溶解度 róngjiědù; 溶度 róngdù

용해-액(溶解液) 圀 【化】 = 용액

용해-제(溶解劑) 圀 【化】 = 용매

용해-질(溶解質) 圀 【化】 = 용질

우 囝 1 哇 wā (蜂拥貌) ¶아이들一 하고 집으로 들어오다 孩子们哇地一声进屋来 2 哗哗 huāhuā (风雨交加声)

우ː(右) 圀 1 = 오른쪽 ¶~로 나란히! 向右看齐! 2 【政】 = 우익5

우각(牛角) 圀 = 쇠뿔

우거지 圀 菜帮子 càibāngzi; 白菜帮子 báicàibāngzi

우거지다 邛 (草木) 茂盛 màoshèng; 茂密 màomì ¶우거진 숲 茂密树林 / 잡초가~ 杂草茂盛

우거지-상(—相) 圀 愁眉苦脸 chóu-méikǔliǎn ¶너는 왜 하루 종일 ~을 하고 있니? 你为什么整天愁眉苦脸?

우거짓-국 圀 白菜帮子汤 báicàibāng-zitāng

우걱-우걱 囝하타 嘎吱嘎吱 gāzhīgā-zhī

우격-다짐 圀하타 强迫 qiǎngpò; 硬逼 yìngbī; 硬要 yìngyào ¶그는 ~으로 나를 그곳에 가게 했다 他硬逼我去那里

우ː-경(右傾) 圀하자 右倾 yòuqīng ¶~ 사상 右倾思想 / ~ 세력 右倾势力 / ~적 태도 右倾的态度

우-계(雨季) 圀 = 우기

우골(牛骨) 圀 = 쇠뼈

우국(憂國) 圀하자 忧国 yōuguó; 为国担忧 wèiguó dānyōu ¶~충정 忧国衷情

우국지사(憂國之士) 圀 忧国之士 yōu-guózhīshì

우국지심(憂國之心) 圀 忧国之心 yōu-guózhīxīn

우ː-군(友軍) 圀 友军 yǒujūn

우그러-들다 邛 1 凹陷进去 āoxiàn-jìnqu; 瘪进去 biějìnqu ¶찌그러진 알루미늄 주전자 瘪进去的铝制水壶 / 차문이 다른 차와 부딪쳐 우그러들었다

车门被别的车撞瘪进去 **2** 抽 chōu·ba; 皱巴巴 zhòubābā

우그러-뜨리다 他 弄凹陷 nòng āoxiàn; 弄瘪 nòngbiě; 弄皱巴 nòng zhòu·bā = 우그러트리다 ¶상자를 ~ 把箱子弄瘪

우그러-지다 자 **1** 凹陷 āoxiàn; 瘪 biě ¶풍선이 우그러졌다 气球瘪了 / 냄비가 우그러졌다 锅子瘪进去了 **2** 抽巴 chōu·ba; 皱巴巴 zhòubābā

우그리다 他 弄弯 nòngwān; 弄瘪 nòngbiě; 弄皱 nòngzhòu ¶종이 상자를 ~ 把纸箱子弄瘪

우글-거리다 자 **1** (水) 沸腾 fèiténg; 咕嘟咕嘟 gūdūgūdū ¶국이 ~ 汤бур咕嘟地开着 **2** 拥挤蠕动 yōngjǐ rúdòng; 密密麻麻 mìmìmámá ¶많은 벌레들이 상자 안에서 ~ 很多虫子在箱子里拥挤蠕动 ‖ = 우글대다 **우글-우글** 뿐하형 ¶식탁 아래 개미가 ~하다 餐桌下面都是密密麻麻的蚂蚁

우글-쭈글 뿐하형 皱巴巴 zhòubābā ¶할머니의 ~한 얼굴 奶奶的皱巴巴的脸

우:기(雨期) 명 雨季 yǔjì = 우계

우기다 자타 固执 gùzhí; 犟 jiàng; 硬说 yìshuō ¶그는 자기가 결백하다고 우긴다 他硬说自己清白

우:는-소리 명 叫苦 jiàokǔ; 诉苦 sùkǔ ¶내 앞에서 ~ 하지 마라 不要在我面前叫苦

우담-화(優曇華) 명 [佛] 优昙花 yōutánhuā; 优昙华 yōutánhuá

우당탕 뿐자타 咣当当 guāngdāngdāng; 咣当 guāngdāng; 空隆隆 kōnglónglóng ¶쟁반이 ~하고 땅에 떨어졌다 盘子咣当一声掉到地上

우당탕-거리다 자 咣当咣当响 guāngdāngguāngdāng xiǎng; 空隆空隆响 kōnglóngkōnglóng xiǎng = 우당탕대다 ¶학생들이 복도에서 우당탕거리며 놀涉 学生们哐当哐当响地在走廊里玩 **우당탕-우당탕** 뿐

우당탕-퉁탕 뿐자타 咣当当 guāngdāngguāngdāng; 空隆空隆 kōnglónglóng ¶집집마다 ~ 소란스러운 소리가 들린다 家家户户传出咣当当的打闹声

우대(優待) 명 他 优待 yōudài; 优惠 yōuhuì ¶優遇 yōuyù ¶~ 가격 优惠价格 / 대학 졸업자를 ~하다 优待大学毕业者

우대-권(優待券) 명 优待券 yōudàiquàn; 优惠券 yōuhuìquàn

우동(일udon〔饂飩〕) 명 日本式面条 rìběnshì miàntiáo; 乌冬 wūdōng; 乌冬面 wūdōngmiàn

우두(牛痘) 명 [醫] 牛痘 niúdòu ¶~

우두둑 뿐자타 **1** 嘎吱 gāzhī (咬唐硬物声)¶ ~ 씹어 먹다 嘎吱嘎吱地嚼萝卜吃 **2** 咔嚓 kāchā (突然裂声)¶사다리가 ~하고 부러지다 楼子咔嚓一声断了 **3** 哔 sī (衣服撕破声)¶옷이 ~하고 찢어지다 哔的一声衣服撕破了 **4** 咯吱 gēzhī (折骨声)¶손가락을 꺾으니 ~ 소리가 난다 折手指发出咯吱咯吱的响声 **5** 笃笃 dǔdǔ (大雨点落地声)¶빗방울이 ~ 땅에 떨어지다 笃笃的雨点打在地上

우두둑-거리다 자타 **1** (咬断硬物时) 嘎吱嘎吱响 gāzhīgāzhī xiǎng **2** (突然断裂时) 咔嚓咔嚓响 kāchākāchā xiǎng **3** (衣服撕破时) 哔哔响 sīsī xiǎng **4** (折骨节时) 咯吱咯吱响 gēzhīgēzhī xiǎng **5** (大雨点落地时) 笃笃响 dǔdǔ xiǎng ‖ = 우두둑대다 **우두둑-우두둑** 뿐하자타

우두머리 명 头子 tóuzi; 头(儿) tóu(r); 头目 tóumù; 魁首 kuíshǒu ¶조직의 ~ 组织的头目 / ~를 체포하다 逮捕头子

우두커니 뿐 呆呆地 dāidàide; 发愣 fālèngde ¶~ 문 앞에서 있다 呆呆地站在门口 / 그녀는 ~ 내 얼굴만 바라보고 있다 她发愣地看着我的脸

우둔(愚鈍) 명하형 愚鲁 yúdùn; 蠢笨 chǔnbèn ¶머리가 ~하다 头脑蠢笨

우둘-투둘 뿐하형 凹凸不平 āotū bùpíng

우들-우들 뿐하자타 哆哆嗦嗦 duōduōsuōsuō ¶온몸을 ~ 떨다 全身哆嗦嗦的颤抖

우듬지 명 树梢 shùshāo; 梢头 shāotóu

우등(優等) 명하자타 优等 yōuděng; 优秀 yōuxiù ¶~品 优等品 / ~상 优等奖 / ~생 优等生 / ~상장 优等奖状

우뚝 뿐하형 **1** 高高 gāogāo; 突兀 tūwù ¶~ 솟은 산맥 高高耸起的山脉 **2** 突出 tūchū; 惹人注目 rěrén zhùmù

우라늄(uranium) 명 [化] 铀 yóu ¶~광 铀矿

우라-지다 자 要死 yàosǐ; 该死 gāisǐ; 他妈的 tāmāde ¶우리질 노인네 该死的老头 / 우라지게도 춥구나 冷得要死

우라-질 감 他妈的 tāmāde; 该死的 gāisǐde ¶~, 운도 지지리 없지 该死的, 真没有运气

우락-부락 뿐하형 **1** 凶 xiōng; 凶神恶地 xiōngshénbánde ¶비록 생긴 건 ~ 하지만 마음은 아주 부드럽다 虽然外貌长得很凶, 但内心很温柔 **2** 暴躁 bàozào ¶그는 성질이 ~해서 주위에 사람이 없다 他性情很暴躁, 周围就没有人

우람-하다 혱 雄壮 xióngzhuàng; 魁梧 kuíwu; 雄伟 xióngwěi; 高大 gāodà; 魁伟 kuíwěi ¶그 사람은 체격이 아주 ~ 那个人身材很高大

우량(雨量) 몡 = 강우량 ¶~계 雨量计

우량(優良) 몡혱 优良 yōuliáng ¶~ 서비스 优良服务 / ~ 품종 优良品种

우량-아(優良兒) 몡 优良儿 yōuliáng'ér

우량-주(優良株) 몡〖經〗良股 liánggǔ

우러-나다 쟈 1 浸出 jìnchū; 泡出 pàochū; 泡下来 pàoxiàlái ¶녹차 맛이 진하게 ~ 泡出来的绿茶的味道很浓 2 = 우러나오다

우러-나오다 쟈 (内心) 发出 fāchū; 出自 chūzì = 우러나다2 ¶이건 진심에서 우러나온 말이다 这是出自真心的话

우러러-보다 타 1 仰望 yǎngwàng; 仰视 yǎngshì; 抬头望 táitóu wàng ¶하늘을 ~ 仰望天空 2 敬仰 jìngyǎng; 仰慕 yǎngmù ¶많은 사람들이 그녀를 우러러본다 很多人仰慕她

우러러다 쟈타 1 仰望 yǎngwàng; 仰望 yǎng ¶태산을 우러러 바라보다 仰望泰山 2 敬仰 jìngyǎng; 景仰 jǐngyǎng; 钦仰 qīnyǎng ¶지도자를 우러러 섬기다 敬仰领导

우렁쉥이 몡〖動〗= 멍게

우렁이 몡〖動〗田螺 tiánluó; 土螺 tǔluó

우렁-차다 혱 1 (声音) 响亮 xiǎngliàng; 嘹亮 liáoliàng; 洪亮 hóngliàng ¶맑고 우렁찬 목소리 清晰而响亮的声音 / 그의 목소리는 아주 ~ 他的声音很响亮 2 生气勃勃 shēngqì bóbó; 刚强 gāngqiáng

우레 몡 = 천둥 ¶~가 치다 打雷

우레탄(urethane) 몡 乌拉坦 wūlātǎn; 氨基甲酸乙酯 ānjījiǎsuānyǐzhǐ; 聚氨酯 jùānzhǐ 2 = 우레탄 고무

우레탄 고무(urethane—)〖化〗聚氨酯橡胶 jùānzhǐ xiàngjiāo = 우레탄2

우렛-소리 몡 = 천둥소리 ¶먼저 번개가 치고 나서 ~가 들리다 先看到闪电后听到雷声

우려(憂慮) 몡혱타 忧虑 yōulǜ; 担心 dānxīn; 担心 dānxīn ¶~를 나타내다 表示忧虑 / 나는 그의 안전이 ~된다 我很担忧他的安全

우려-내다 타 1 浸出 jìnchū; 泡出 pàochū ¶진한 맛을 ~ 泡出浓味 2 勒索 lèsuǒ; 骗取 piànqǔ ¶다른 사람의 돈을 ~ 骗索别人的金钱

우려-먹다 타 1 泡吃 pàochī; 泡喝 pàohē; 泡饮 pàoyǐn ¶찻잎을 여러 번 ~ 多次泡饮茶叶 / 곰국을 여러 번 ~

多次泡喝牛骨汤 2 老用 lǎoyòng; 老调重弹 lǎodiàochóngtán

우롱(愚弄) 몡하타 愚弄 yúnòng; 捉弄 zhuōnòng ¶소비자를 ~하다 捉弄消费者 / 우리는 그에게 ~을 당했다 我们被他愚弄了

우롱-차(←Wulongcha[乌龙茶]) 몡 乌龙茶 wūlóngchá

우뢰 몡 '우레'의 잘못

우르르 뭐하쟈 1 一窝蜂地 yìwōfēngde; 蜂拥 fēngyōng; 哗地 huāde ¶이곳은 수업이 끝나면 학생들이 ~ 몰려든다 这里下课后学生们一窝蜂地涌来 / 많은 사람들이 ~ 계단으로 몰리다 很多人都哗地拥向台阶 2 哗啦哗啦 huālāhuālā; 咕嘟咕嘟 gūdūgūdū; 哗啦哗啦 huālāhuālā〖水沸腾的声音〗¶물이 ~ 끓고 있다 水咕嘟咕嘟地开着 3 哗啦啦 huālālā〖堆积物倒塌声〗¶돌탑이 ~ 무너졌다 石塔哗啦哗啦倒塌了 4 隆隆 lónglóng; 轰轰 hōnghōng; 轰隆 hōnglóng〖响雷声〗¶~ 천둥 치는 소리가 들리다 听到隆隆雷声

우르릉 뭐하쟈 1 轰隆隆 hōnglōnglóng; 轰轰 hōnghōng; 轰隆 hōnglóng; 隆隆 lónglóng〖打雷声〗¶~ 천둥이 치다 隆隆地打雷 2 哗啦啦 huālālā〖堆积物倒塌声〗¶돌 무더기가 ~ 무너졌다 石堆哗啦哗啦倒塌了

우르릉-거리다 쟈 1 哗啦啦响 huālālā xiǎng 2 轰隆隆响 hōnglónglóng xiǎng ‖ = 우르릉대다 **우르릉-우르릉** 뭐하쟈

우리[1] 몡 圈 juàn; 栏 lán; 棚 péng; 兽栏 shòulán; 铁槛 tiějiàn; 兽槛 shòujiàn ¶~에 갇힌 호랑이 关在兽栏里的老虎

우리[2] 대 1 咱们 zánmen; 我们 wǒmen《包括谈话的对方》¶~ 같이 영화 보러 가자 咱们一起去看电影吧 / 언제 다시 만날 수 있니? 我们什么时候能再见面啊? 2 我们 wǒmen《不包括谈话的对方》¶~는 그를 별로 좋아하지 않는다 我们不太喜欢他 / ~ 먼저 갈게 我们先走了 3 我们(的) wǒmen(de); 我(的) wǒ(de) ¶~ 학교 我们学校 / ~ 엄마 我妈妈 / ~ 집 我家 / ~ 나라 我国

우리다 타 1 泡 pào; 沏 qī; 沤 òu; 浸泡 jìnpào ¶차를 ~ 泡茶 / 도라지를 물에 ~ 把桔梗浸泡在水里 2 骗取 piànqǔ; 敲竹杠 qiāozhúgàng; 勒索 lèsuǒ ¶남의 재산을 ~ 骗取别人的财产

우마(牛馬) 몡 = 마소

우-마차(牛馬車) 몡 牛马车 niúmǎchē

우매(愚昧) 몡하혱 愚昧 yúmèi; 愚蠢 yúchǔn; 愚蒙 yúméng = 우미 ¶~한 사람 愚昧的人

우무 **閔** 琼脂 qióngzhī; 洋菜 yángcài; 石花胶 shíhuājiāo; 洋粉 yángfěn = 한천(寒天)

우:묵 **厚하** 凹陷 āoxiàn; 凹进 āojìn; 陷进去 xiànjìnqù; 洼 wā; 塌陷 tāxiàn ‖ ~ 패인 구덩이 凹进去的土坑 / 이 땅은 너무 ~하다 这块地太洼

우문(愚問) **閔** 愚蠢问题 yúchǔn wèntí; 愚问 yúwèn ‖ ~현답 愚问贤答 / ~을 하다 提出愚蠢问题

우물 **閔** 井 jǐng; 水井 shuǐjǐng ‖ ~물 井水 / ~을 하나 파다 打一口井 / 두레박으로 ~에서 물을 긷다 用吊桶从水井里打水

우물 안 개구리 **쏙담** 井底之蛙; 坐井观天

우물에 가 숭늉 찾는다 **쏙담** 到井边要开水; 操之过急

우물을 파도 한 우물을 파라 **쏙담** 莫学灯笼千只眼, 要学蜡烛一条心

우물-가 **閔** 井边 jǐngbiān; 井旁 jǐngpáng ‖ ~에서 빨래를 하다 在井边洗衣服

우물-거리다 **쨈** 1 (闭嘴) 嚼 jiáo ‖ 고기를 우물거리면서 먹는다 嘴巴一动一动地嚼肉吃 2 支支吾吾 zhīzhī-wúwú ‖ 말을 우물거려서 알아듣지 못하겠다 话支支吾吾的, 听不清楚 3 瘪 biě ‖ 입술을 ~ 瘪嘴唇 4 犹豫 yóuyù; 含糊 hánhu ‖ = 우물대다 **우물-우물** **厚하쨈**

우물-쭈물 **厚하쨈**(言行) 含含糊糊 hánhanhūhū; 含糊不清 hánhúbùqīng; 犹犹豫豫 yóuyóuyùyù; 犹豫不定 yóuyùbùdìng ‖ ~하다가 그만 기회를 놓치고 말았다 犹犹豫豫地就把机会给错过了

우뭇-가사리 **閔** 【植】石花菜 shíhuācài; 海冻菜 hǎidòngcài

우미(愚味) **閔** = 우매

우민(愚民) **閔** 愚民 yúmín; 愚氓 yúméng ‖ ~ 정책 愚民政策

우민-화(愚民化) **閔하** 愚民化 yúmínhuà ‖ ~ 교육 愚民化教育

우:박(雨雹) **閔** 冰雹 bīngbáo; 雹子 báozi; 雹 báo ‖ ~이 내리다 下雹子

우:발(偶發) **閔** 偶发 ǒufā ‖ ~ 사건 偶发事件 / ~사고 偶发事故

우:발-적(偶發的) **판** 偶发的 ǒufā-(de); 偶发性 ǒufāxìng ‖ ~ 행동 偶发性行为 / ~인 다툼 偶发性的矛盾

우:방(友邦) **閔** 友邦 yǒubāng = 우방국

우:방-국(友邦國) **閔** = 우방

우범(虞犯) **閔** 虞犯 yúfàn ‖ ~자 虞犯者 / ~ 지역 虞犯地区

우범 지대(虞犯地帶) 【法】犯罪多发地区 fànzuì duōfā dìqū

우:비(雨備) **閔** 雨具 yǔjù

우사(牛舍) **閔** = 외양간

우:산(雨傘) **閔** 雨伞 yǔsǎn; 伞 sǎn ‖ ~을 접다 折叠雨伞 / ~을 삼다 - 三折雨伞 / ~대 伞杆 / ~살 伞骨 / ~손잡이 伞柄 / ~을 펴다 撑开雨伞 / ~을 쓰다 打伞 / ~을 접다 合起雨伞

우:산-이끼(雨傘一) **閔** 【植】地钱 dìqián

우:산 효과(雨傘效果) 【地理】阳伞效应 yángsǎn xiàoyìng

우:상(偶像) **閔** 1 雕像 diāoxiàng; 塑像 sùxiàng ‖ 나무로 깎아 만든 ~ 用木头刻成的雕像 2 偶像 ǒuxiàng ‖ ~으로 떠받들다 拥戴为偶像 / 그는 젊은이들의 ~이다 他是年轻人的偶像 3 【宗】偶像 ǒuxiàng ‖ ~을 숭배하다 崇拜偶像

우:상-화(偶像化) **閔하타** 偶像化 ǒuxiànghuà ‖ 영웅적 인물을 ~하다 把英雄人物偶像化

우선(優先) **閔하타** 优先 yōuxiān ‖ 승객의 안전이 무엇보다 ~이다 乘客的安全优先于一切

우선(于先) **厚** 1 先 xiān; 首先 shǒuxiān ‖ 밥 먹기 전에 ~ 손부터 씻어라 吃饭前先洗手 / ~ 그의 생각을 들어보자 首先听听他的想法 2 暂且 zànqiě; 权且 quánqiě; 一时 yīshí ‖ 밥이 곧 되니 ~ 비스킷으로 요기를 좀 해라 饭马上就好, 你暂且吃点儿饼干充饥吧

우선-권(優先權) **閔** 优先权 yōuxiānquán; 先得权 xiāndéquán ‖ ~을 가지다 拥有优先权 / ~을 따내다 获得优先权

우선-순위(優先順位) **閔** 优先顺序 yōuxiān shùnxù; 优先次序 yōuxiān cìxù ‖ ~를 정하다 定出优先顺序 / ~에 따라 처리하다 按优先次序处理

우선-적(優先的) **판** 优先的 yōuxiān(de) ‖ 근무 경력이 많은 사람을 ~으로 채용하다 工作经验丰富的人优先采用

우설(牛舌) **閔** 牛舌 niúshé

우성(偶性) **閔** 【生】优性 yōuxìng

우성 유전자(優性遺傳子) 【生】优性遗传因子 yōuxìng yíchuán yīnzǐ; 优性遗传基因 yōuxìng yíchuán jīyīn = 우성 유전자

우성 인자(優性因子) 【生】= 우성 유전자

우세(優勢) **閔하** 优势 yōushì; 上风 shàngfēng ‖ 우리의 전력이 그들보다 ~하다 我们的战力优于他们 / 전반전은 우리 팀이 ~했다 上半场我队占了上风

우송(郵送) **閔하타** 邮递 yóudì; 邮寄

yóujì; 寄 jì; 邮 yóu ¶항공 ~ 航空邮递 / 열차 ~ 火车邮寄 / 등기로 ~하다 挂号邮寄

우송-료(郵送料) 뗑 邮递费 yóudìfèi; 邮费 yóufèi; 邮资 yóuzī; 邮寄费 yóujìfèi ¶항공 ~ 航空邮寄费 / ~를 지불 付邮资

우·수(雨水) 뗑 1 = 빗물 2 雨水 yǔshuǐ 《二十四节气之一》

우·수(偶數) 뗑 = 짝수

우수(憂愁) 뗑 忧愁 yōuchóu ¶~에 젖은 눈 浸满忧愁的眼睛 / ~에 잠기다 沉浸在忧愁之中

우수(優秀) 뗑하 优秀 yōuxiù; 优等 yōuděng; 出色 chūsè ¶~ 상품 优秀产品 / 성적이 ~하다 成绩优秀 / 제품의 질이 모두 ~하다 产品的质量都是优等的

우수리 뗑 1 (买卖时) 找头 zhǎotou; 找回的钱 zhǎohuíde qián; 的的零钱 zhǎode língqián ¶~는 받지 않을 테니 물건이나 좋은 것으로 주세요 钱不用找了, 货要挑好的 2 零数 língshù; 余数 yúshù ¶~가 없이 딱 맞는다 没有余数, 正好

우수-성(優秀性) 뗑 优秀性 yōuxiùxìng; 优越性 yōuyuèxìng ¶제품의 ~ 产品的优越性

우수수 뛰 1 哗啦 huālā; 哗啦啦 huālālā 《物体大量倾泻貌》¶흙벽의 흙이 ~ 떨어지다 哗啦一声, 泥墙土掉了下来 2 簌簌 sùsù 《千叶子飘落声貌》¶나뭇잎이 ~ 떨어지다 树叶簌簌地飘落下来

우스개 뗑 笑话 xiàohuà; 玩笑 wánxiào; 滑稽 huájī; 滑稽动作 qiàopí dòngzuò ¶~를 부리다 开玩笑

우스갯-소리 뗑 玩笑话 wánxiàohuà; 俏皮话 qiàopíhuà; 逗乐的话 dòulède huà ¶실없는 ~를 하다 说些无聊的俏皮话

우스꽝-스럽다 휑 1 滑稽 huájī; 诙谐 huīxié; 好笑 hǎoxiào; 笑死 xiàosǐ ¶그는 생김새가 ~ 他长得有些好笑 **우스꽝스레** 뛰

우·습다 휑 1 可笑 kěxiào; 好笑 hǎoxiào; 滑稽 huájī; 笑死 xiàosǐ; 诙谐 huīxié ¶무엇이 우스운지 그녀는 바보처럼 웃기만 한다 不知有什么可笑的, 她净傻笑 2 没什么之可 méishénme liǎobuqǐ; 不算什么 bùsuàn shénme; 不值一提 bùzhí yītí ¶국수 서너 그릇 먹는 것쯤이야 우습지 못 吃个三四碗面也不算什么 2 开闹笑话 nào xiàohuà ¶일이 우습게 되었다 事情闹了个笑话

우습게 알다[여기다] 团 不重视; 不当回事

우습지도 않다 团 气死; 气坏

우승(優勝) 뗑허자휑 优胜 yōushèng; 第一名 dìyīmíng; 冠军 guànjūn ¶~ 후보 优胜候补 / ~을 차지하다 获得冠军 / ~을 다투다 争夺冠军 / 경기에서 ~하다 在比赛中获得冠军

우승-기(優勝旗) 뗑 锦旗 jǐnqí; 优胜旗 yōushèngqí

우승-자(優勝者) 뗑 = 챔피언

우승-컵(優勝cup) 뗑 优胜杯 yōushèngbēi; 奖杯 jiǎngbēi ¶~을 수여하다 授予优胜杯

우-시장(牛市場) 뗑 牛市场 niúshìchǎng; 牛市 niúshì

우:-심방(右心房) 뗑 【生】 右心房 yòuxīnfáng

우:-심실(右心室) 뗑 【生】 右心室 yòuxīnshì

우아 갑 1 哇 wā 《意外地惊喜时发出的声音》¶~, 눈 온다! 哇, 下雪了! / ~, 우리가 이겼다! 哇, 我们赢了! 2 噢 ō 《助威的喊声》3 吁 yū 《叫牲口停下的声音》

우아-우아 갑 1 哇哇 wāwā 《意外的惊喜声》2 噢噢 ōō 《助威的喊声》3 吁吁 yūyū 《连续发出叫牲口停住声》

우아-하다(優雅—) 휑 优雅 yōuyǎ; 文雅 wényǎ; 典雅 diǎnyǎ; 高雅 gāoyǎ ¶우아한 말씨 优雅的语气 / 우아한 자태 高雅的姿态

우악-스럽다(愚惡—) 휑 1 粗鲁 cūlǔ ¶그는 우악스럽게 생겼다 他长得很粗鲁 2 凶恶无知 xiōng'èwúzhī; 愚顽凶暴 yúwánxiōngbào ¶그 사람은 성격이 ~ 那个人性格凶顽凶暴 **우악스레** 뛰

우악-하다(愚惡—) 휑 1 粗鲁 cūlǔ ¶그는 우악하게 생겼다 他长得粗鲁 2 凶恶无知 xiōng'èwúzhī; 愚顽凶暴 yúwánxiōngbào ¶우악한 폭군 凶恶无知的暴君 / 성질이 ~ 性格愚顽凶暴

우:애(友愛) 뗑 友爱 yǒu'ài; 友情 yǒuqíng; 友好 yǒuhǎo ¶~가 깊다 友情深厚 / 친구 사이의 ~가 돈독하다 朋友之间友情甚笃

우:언(寓言) 뗑 【文】 = 우화

우엉 뗑 【植】牛蒡 niúbàng

우여-곡절(迂餘曲折) 뗑 曲折 qūzhé; 迂回曲折 yūhuíqūzhé; 艰难险阻 jiānnánxiǎnzǔ ¶몇 번의 ~을 겪은 끝에 해결을 보다 几经迂回曲折, 终于得到解决

우연(偶然) 뗑하휑뛰 偶然 ǒurán ¶~성 偶然性 / ~한 기회 偶然的机会 / ~의 일치 偶然的巧合 = [偶合] / ~히 만나다 偶然碰到

우연-스럽다(偶然—) 휑 偶然 ǒurán ¶그들의 만남은 참으로 우연스러운 것이었다 他们的相识实属偶然 **우연스레** 뛰

우열(優劣) 圀 优劣 yōuliè; 上下 shàng-xià; 高低 gāodī ¶서로 ~을 다투다 互争高低 / 이 두 작품은 ~을 가리기 어렵다 这两篇作品很难分出高低

우:완(右腕) 圀 = 오른팔1 ¶~ 투수 右臂投手

우:왕좌왕(右往左往) 圀하자 동 东跑西窜 dōngpǎozīchuàn; 东奔西跑 dōngbēnxīpǎo ¶불이 나자 ~하며 어쩔 줄 모르다 起火后东奔西跑地不知所措

우:-우 圙 噢噢 ō'ō〈嘲笑声〉¶구경꾼들이 ~ 야유를 하다 看热闹的人们噢噢地喝倒彩

우울(憂鬱) 圀하렴 형부 忧郁 yōuyù; 忧闷 yōumèn; 忧愁 yōuchóu; 郁闷 yùmèn; 闷闷不乐 mènmènbùlè; 抑郁不平 yìyùbùpíng ¶대학 시험에 붙지 못하여 몹시 ~하다 没考上大学, 心里很郁闷 / 그는 얼굴에 ~해 보인다 他脸上显得很忧郁

우울-증(憂鬱症) 圀【醫】忧郁症 yōuyùzhèng; 抑郁症 yìyùzhèng ¶~에 걸리다 患忧郁症

우월(優越) 圀하렴 优越 yōuyuè; 优秀 yōuxiù; 高超 gāochāo ¶~감 优越感 / ~성 优越性 / ~주의 优越主义 / ~한 지위에 있다 处于优越的地位 / 그는 나보다 기술이 ~하다 他技术比我高超

우위(優位) 圀 优势 yōushì; 上风 shàngfēng ¶군사적 ~ 军事优势 / ~를 차지하다 占优势 =[占上风][居上风] / ~를 지키다 保持优势

우유(牛乳) 圀 牛奶 niúnǎi; 牛乳 niúrǔ ¶~병 牛奶瓶 =[奶瓶]

우유부단(優柔不斷) 圀하렴 优柔寡断 yōuróuguǎduàn ¶~한 사람 优柔寡断的人

우육(牛肉) 圀 = 쇠고기

우웅-빛(牛乳-) 圀 乳白色 rǔbáisè ¶~ 피부 乳白色皮肤

우:의(友誼) 圀 友谊 yǒuyì; 友情 yǒuqíng; 交情 jiāoqíng ¶~를 다지다 加强友谊

우:의(雨衣) 圀 = 비옷

우:-의정(右議政) 圀【史】右议政

우이-독경(牛耳讀經) 圀 对牛弹琴 duìniú tánqín; 牛耳诵经 niú'ěr sòngjīng; 当耳边风 dàng'ěrbiānfēng

우:익(右翼) 圀 1〈鸟或飞机的〉右翼 yòuyì; 右边翅膀 yòubian chìbǎng ¶비행기의 ~이 흔들리다 飞机的右翼震动 2【軍】右翼部队 yòuyì bùduì ¶적의 ~을 공격하다 攻击敌人的右翼 3【體】〈棒球的〉右外场 yòuwàichǎng; 右外野 yòuwàiyè 4【體】右翼 yòuyì; 右边锋 yòubiānfēng 5【政】

〈政治或思想上〉右翼 yòuyì; 右派 yòupài; 右倾 yòuqīng = 우(右)2 ¶~ 단체 右翼团体

우:익-수(右翼手) 圀【體】〈棒球的〉右外场手 yòuwàichǎngshǒu; 右外野手 yòuwàiyěshǒu

우적-우적 부하자타 1 喀吱喀吱 gē-zhīgēzhī〈嚼硬物的声音〉~ 씹어 먹다 喀吱喀吱地嚼泡菜吃 2 嘎吱嘎吱 gāzhīgāzhī〈物体受压或摩擦时发出的声音〉¶멜대가 늘어서 ~ 소리를 내다 扁担压得嘎吱嘎吱地响

우:정(友情) 圀 友情 yǒuqíng; 友谊 yǒuyì ¶~을 맺다 建立友情 / ~이 깊어지다 友情更加深厚

우정(郵政) 圀 邮政 yóuzhèng ¶~국 邮政局

우:주(宇宙) 圀 宇宙 yǔzhòu; 太空 tàikōng ¶~관 宇宙观 / ~ 개발 宇宙开发 / ~ 기지 太空基地 / ~ 로켓 宇宙火箭 / ~ 여행 太空旅游 =[星际旅行] / ~ 왕복선 太空穿梭机 =[太空梭]

우:주-복(宇宙服) 圀 航天服 hángtiānfú; 宇航服 yǔhángfú; 太空服 tàikōngfú

우:주-선(宇宙船) 圀 宇宙飞船 yǔzhòu fēichuán; 太空船 tàikōngchuán; 航天飞船 hángtiān fēichuán; 宇航飞船 yǔhángchuán

우:주-인(宇宙人) 圀 1 宇航员 yǔhángyuán; 太空人 tàikōngrén; 航天员 hángtiānyuán 2 = 외계인

우중충 부하자타 1 暗淡 àndàn; 阴暗 yīn'àn; 阴沉沉 yīnchénchén ¶~한 날씨 阴沉沉的天气 2〈色彩〉不鲜明 bùxiānmíng; 暗淡 àndàn ¶교복 색깔이 ~하다 校服颜色很暗淡

우지(牛脂) 圀 = 쇠기름

우지끈 부하자타 1 咔嚓 kāchā; 喀嚓 kāchā〈物体断裂的声音〉¶세찬 바람에 나뭇가지가 ~하고 부러졌다 咔嚓一声, 树枝被狂风吹折了

우지끈-거리다 자타〈物体连接断裂时〉咔嚓咔嚓响 kāchākāchā xiǎng = 우지끈대다 우지끈-우지끈 부하자타

우지직 부하자타 1 哔哔剥剥 bìbōbō〈干麦秸等燃烧声〉¶마른 풀이 ~ 소리를 내며 타다 干草哔哔剥剥地燃烧着 2 嘶嘶 sīsī; 哧哧 chīchī〈酱汤等遇热蒸发声〉3 咔嚓 kāchā〈干树枝折断声〉

우지직-거리다 자타 1〈干麦秸等燃烧时〉哔哔剥剥响 bìbōbō xiǎng ¶마른 나뭇가지가 우지직거리며 타고 있다 干树枝哔哔剥剥地燃烧着 2〈酱汤等遇热蒸发时〉嘶嘶响 sīsī xiǎng; 哧哧响 chīchī xiǎng 3〈干树枝折断时〉

까끄랑 kāchā xiǎng ‖ = 우지직거리다 **우지직-우지직** 〔부〕자타〕

우직-하다(愚直─) 〔형〕愚直 yúzhí; 憨直 hānzhí; 愚顽 yúwán ¶성격이 ~ 性格憨顽

우-짖다 〔자〕 **1** 号叫 háojiào; 嗷叫 áojiào ¶옆집 개가 우짖는 소리에 잠이 깼다 邻居狗的嗷叫声把我弄醒了 **2** (鸟) 啼 tí; 鸣叫 míngjiào ¶숲에서 새들이 우짖고 있다 树林里小鸟们鸣叫

우쭐-거리다 〔자타〕 **1** 摇曳 yáoyè; 摇荡 yáodàng; 晃动 huàngdòng ¶허수아비가 바람에 ~ 稻草人随风晃动 **2** 大摇大摆 dàyáodàbǎi; 得意 déyì; 得意扬扬 déyìyángyáng ¶그녀의 칭찬은 나를 우쭐거리게 했다 她的称赞让我得意起来 ‖ = 우쭐대다 우쭐우쭐 〔부〕자타〕

우쭐-하다 〔자타〕 **1** 摇晃 yáohuàng; 摇摆 yáobǎi ¶어깨를 우쭐하며 춤을 추다 摇晃着肩膀跳舞 **2** 得意扬扬 déyìyángyáng; 得意 déyì; 自高自大 zìgāozìdà; 自命不凡 zìmìngbùfán ¶선생님의 칭찬에 그는 우쭐하며 웃었다 他听了老师的表扬, 得意得笑了

우-천(雨天) 〔명〕 下雨天 xiàyǔtiān; 雨天 yǔtiān; 下雨 xiàyǔ ¶~순연 下雨顺延 / ~으로 경기가 연기되다 由于下雨比赛推迟

우체-국(郵遞局) 〔명〕邮局 yóujú; 邮政局 yóuzhèngjú

우체-부(郵遞夫) 〔명〕邮递员 yóudìyuán; 邮差 yóuchāi

우체-통(郵遞筒) 〔명〕邮筒 yóutǒng; 信箱 xìntǒng; 邮箱 yóuxiāng; 信箱 xìnxiāng

우-측(右側) 〔명〕 = 오른쪽

우-측-통행(右側通行) 〔명〕자〕〔交〕靠右行走 kàoyòu xíngzǒu; 右侧通行 yòucè tōngxíng

우툴-두툴 〔부〕하형〕凹凸不平 āotūbùpíng; 高低不平 gāodībùpíng; 坑坑洼洼 kēngkēngwāwā ¶표면이 ~하다 表面凹凸不平

우-파(右派) 〔명〕〔政〕右派 yòupài; 保守派 bǎoshǒupài

우편(郵便) 〔명〕 **1** 邮递 yóudì; 邮寄 yóují ¶항공 ~ 航空邮寄 **2** 우편물

우편-료(郵便料) 〔명〕〔信〕 = 우편 요금

우편-물(郵便物) 〔명〕邮件 yóujiàn = 우편2 ¶~을 배달하다 投递邮件

우편 번호(郵便番號) 〔信〕邮政编码 yóuzhèng biānmǎ; 邮编 yóubiān

우편 사서함(郵便私書函) 〔信〕 = 사서함

우편-엽서(郵便葉書) 〔信〕 = 엽서

우편 요-금(郵便料金) 〔信〕邮费 yóufèi; 邮资 yóuzī = 우편료

우편-집배원(郵便集配員) 〔명〕〔信〕邮递员 yóudìyuán; 邮差 yóuchāi = 집배원2

우편-함(郵便函) 〔명〕信箱 xìnxiāng

우편-환(郵便換) 〔명〕邮政汇票 yóuzhèng huìpiào

우표(郵票) 〔명〕邮票 yóupiào ¶~를 붙이다 贴邮票 / ~를 수집하다 收集邮票

우피(牛皮) 〔명〕 = 쇠가죽

우:향-우(右向右) 〔감〕向右转 xiàngyòu zhuǎn

우-현(右舷) 〔명〕右舷 yòuxián

우:호(友好) 〔명〕友好 yǒuhǎo ¶~ 조약 友好条约 / ~ 관계를 맺다 建立友好关系

우:호-적(友好的) 〔관명〕友好(的) yǒuhǎo(de) ¶~인 태도 友好的态度 / ~으로 해결하다 友好地解决

우:화(寓話) 〔명〕〔文〕寓言 yùyán = 우언 ¶이솝 ~ 伊索寓言 / ~ 소설 寓言小说 / ~집 寓言集

우환(憂患) 〔명〕忧患 yōuhuàn; 困苦 kùnkǔ; 患难 huànnàn ¶집안에 ~이 들다 家里发生忧患

우황(牛黃) 〔명〕〔韓醫〕牛黄 niúhuáng

우황-청심환(牛黃淸心丸) 〔명〕〔韓醫〕牛黄清心丸 niúhuáng qīngxīnwán = 청심환2

우회(迂廻·迂回) 〔명〕하자〕迂回 yūhuí; 绕路 ràolù; 绕道 ràodào; 绕远儿 ràoyuānr; 绕 rào ¶~ 도로 迂回道路 / 전술 迂回战术 / 길을 ~해서 지나가다 绕道而行 / 이 일에 대한 불만을 ~적으로 표현하다 对这事的不满迂回婉转地说

우:-회전(右廻轉·右回轉) 〔명〕하자〕右转弯 yòuzhuǎnwān; 向右拐 xiàngyòu guǎi; 往右拐 wǎngyòu guǎi ¶앞 사거리에서 ~해 주세요 请在前面的十字路口往右拐

우-후죽순(雨後竹筍) 〔명〕雨后竹笋 yǔhòu zhúsǔn; 雨后春笋 yǔhòu chūnsǔn

욱 〔부〕 **1** 勃然 bórán ¶因生气突然变脸色的样子) 一下 yīxià 气 qì 하고 화를 내다 勃然大怒 **2** 哇 wā; 哕 yuě (呕吐的声音)

욱신-거리다 〔자〕 **1** (头或伤口等) 刺痛 cìtòng; 酸痛 suāntòng; 抽着疼 chōuzhe téng ¶상처가 ~ 伤口刺痛 **2** 拥挤 yōngjǐ; 挤成一团 jīchéngyìtuán; 乱哄哄 luànhōnghōng; 拥挤闹哄 yōngjǐnàohōng ‖ = 욱신대다 **욱신-욱신** 〔부〕하자〕 ¶온몸이 ~ 쑤시다 全身一阵阵地酸痛

욱여-넣다 〔자〕塞 sāi ¶그는 장갑을 벗어 호주머니에 욱여넣었다 他把手套脱下来, 塞在口袋里

욱-하다 재 急躁 jízào; 火暴 huǒbào; 暴躁 bàozào ¶욱하는 성미가 있어 걸핏하면 손찌검이다 性子暴躁, 动不动就动手

운:(運) 몡 = 운수(運數) ¶~이 트이다 走运气 / ~이 나쁘다 运气不好 / ~이 좋다 运气好 / ~으로 합격하다 凭运气合格

운:(韻) 몡 1【文】 = 운자 2【文】 韵 yùn 3【言】 韵 yùn

운(을) 달다 구 1 押韵 2 表示附和赞同对方的话

운(을) 떼다 구 1 开始讲话 2 悄悄暗示

운구(運柩) 몡하타 运柩 yùnjiù; 搬运棺材 bānyùn guāncái; 搬运灵柩 bānyùn língjiù ¶~차 运柩车 / 장지로 ~하다 把灵柩搬到葬地

운:동(運動) 몡하자타 1 运动 yùndòng; 锻炼 duànliàn; 锻炼身体 duànliàn shēntǐ ¶~ 运动感觉 / 기관 运动器官 / 그는 매일 아침 공원에 가서 ~을 한다 他每天早上去公园锻炼 / 지나친 ~은 몸에 해롭다 过度运动对身体有害 2 (某个目的) 运动 yùndòng; 活动 huódòng ¶환경 ~ 环保运动 / 절약 ~ 节约运动 3 运动 yùndòng; 体育 tǐyù ¶~모자 运动帽 / 네가 제일 잘하는 ~은 무엇이니? 你最擅长的运动是什么? 4【物】运动 yùndòng ¶빠른 속도로 ~하는 물체 高速运动的物体

운:동-가(運動家) 몡 活动家 huódòngjiā ¶인권 ~ 人权活动家

운:동 경:기(運動競技)【體】体育比赛 tǐyù bǐsài; 体育 tǐyù; 运动 yùndòng = 스포츠

운:동-권(運動圈) 몡 运动圈 yùndòngquān ¶~ 학생 运动圈里的学生 / ~ 출신 运动圈出身

운:동 기구(運動器具)【體】运动器具 yùndòng qìjù; 体育器材 tǐyù qìcái

운:동-량(運動量) 몡 运动量 yùndòngliàng ¶~이 부족하다 运动量不足

운:동-복(運動服) 몡 = 체육복

운:동-선수(運動選手) 몡 运动员 yùndòngyuán; 运动选手 yùndòng xuǎnshǒu = 스포츠맨

운:동 신경(運動神經) 1【生】运动神经 yùndòng shénjīng; 传出神经 chuánchū shénjīng 2 运动细胞 yùndòng xìbāo ¶~이 매우 발달하다 运动细胞很发达

운:동 에너지(運動energy)【物】动能 dòngnéng

운:동-원(運動員) 몡 活动家 huódòngjiā ¶선거 ~ 选举活动家

운:동-장(運動場) 몡 运动场 yùndòngchǎng; 操场 cāochǎng; 体育场 tǐyùchǎng

운:동-화(運動靴) 몡 运动鞋 yùndòngxié; 球鞋 qiúxié

운:동-회(運動會) 몡 运动会 yùndònghuì

운두 몡 (器皿、鞋帮等的) 高度 gāodù

운:명(運命) 몡 命运 mìngyùn; 宿命 sùmìng; 命 mìng; 天命 tiānmìng; 定命 mìngdìng; 天数 tiānshù = 명(命)2·명운 ¶조국의 ~을 걸머지다 肩负着祖国的命运 / ~에 맡길 수밖에 없다 只能听天由命了

운:명(殞命) 몡하자 殒命 yǔnmìng; 故去 gùqù; 死亡 sǐwáng ¶할아버지께서는 80세를 일기로 ~하셨다 爷爷故去, 享年八十岁

운:명-론(運命論)【哲】宿命论 sùmìnglùn ¶~자 宿命论者

운:명-선(運命線) 몡 命运线 mìngyùnxiàn; 幸运线 xìngyùnxiàn ¶내 ~은 매우 짧다 我的命运线很短

운:명-적(運命的) 관몡 命运(的) mìngyùn(de); 宿命(的) sùmìng(de); 必然(的) bìrán(de); 命中注定(的) mìngzhōngzhùdìng(de) ¶~ 만남 命运的邂逅 / ~인 사랑 命中注定的爱情

운모(雲母)【鑛】云母 yúnmǔ = 돌비늘

운:모(韻母)【語】韵母 yùnmǔ

운:무(雲霧) 몡 云雾 yúnwù ¶~에 싸인 산봉우리 云雾笼罩的山峰

운:문(韻文) 몡【文】韵文 yùnwén ¶~체 韵文体

운:반(運搬) 몡하타 搬运 bānyùn; 搬 bān; 运送 yùnsòng ¶~비 搬运费 =[运费] / ~차 搬运车 / 이삿짐 ~ 搬运搬家行李 / 화물을 창고로 ~하다 把货物搬到仓库

운:석(隕石) 몡【鑛】陨石 yǔnshí

운:세(運勢) 몡 运势 yùnshì; 运气 yùnqì; 运情 yùnqíng ¶한 해의 ~ 一年运气

운:송(運送) 몡하타 运送 yùnsòng; 运输 yùnshū; 搬运 bānyùn ¶~선 运输船 / ~업 运输业 / 여객 ~ 旅客运输 / 화물 ~ 车辆 货物搬运车辆

운:송-료(運送料) 몡 = 운임

운:송-비(運送費) 몡 = 운임

운:송-장(運送狀) 몡 1 提货单 tíhuòdān; 提单 tídān; 货票 huòpiào 2 货物清单 huòwù qīngdān

운:수(運數) 몡 运气 yùnqì; 命运 mìngyùn; 运 yùn = 운(運) ¶~가 좋다 运气好 =[走运] / ~가 나쁘다 运气不佳 / ~가 사납다 背运

운:수(運輸) 몡하타 运输 yùnshū ¶~업 运输业 / ~ 회사 运输公司

운:신(運身) 몡하자 1 动弹 dòngtan; 活动身体 huódòng shēntǐ ¶허리를 다쳐 ~이 어렵다 腰受了伤, 不好动弹

2 (随心所欲地) 活动 huódòng; 做事 zuòshì ¶남의 집에 얹혀사는 처지라서 ~하기가 불편하다 寄宿在别人家, 活动不方便

운:영(運營) 명하타 运营 yùnyíng; 经营 jīngyíng; 管理 guǎnlǐ ¶~비 运营费 / ~위원회 管理委员会 / 회사를 ~하다 经营公司

운:용(運用) 명하타 运用 yùnyòng ¶자금을 ~하다 运用资金

운운(云云) 명하자타 云云 yúnyún; 说三道四 shuōsāndàosì; 谈论 tánlùn; 议论 yìlùn; 谈 tán ¶지난 일을 더 이상 ~하지 마라 过去的事请不要再谈了

운율(韻律) 명 文 韵律 yùnlǜ

운:임(運賃) 명 运费 yùnfèi; 运价 yùnjià; 运资 yùnzī; 运输费 yùnshūfèi = 운송료·운송비 ¶~표 运费表 / ~을 인상하다 提高运费 / ~이 비싸다 运费很贵

운:자(韻字) 명 文 韵字 yùnzì = 운(韻)1

운:전(運轉) 명하타 1 开 kāi; 驾 jià; 开车 kāichē; 驾驶 jiàshǐ; 操作 cāozuò; 操纵 cāozòng ¶초보 ~ 开车新手 / ~면허증 驾驶证 =[驾照] / ~ 경력 驾龄 / 음주 ~ 酒后开车 / 자동차를 ~하다 驾驶汽车 =[开车] / 그는 기계 ~이 능숙하다 他操纵机器非常熟练 **2** (资金) 运转 yùnzhuǎn; 周转 zhōuzhuǎn

운:전-기사(運轉技士) 명 '운전사'의 敬称 = 기사(技士)

운:전-대(運轉一) 명 驾驶盘 jiàshǐpán; 转向杆 zhuǎnxiànggǎn; 方向盘 fāngxiàngpán; 驾驶杆 jiàshǐgǎn; 操纵杆 cāozònggǎn ¶~를 돌리다 转方向盘

운전대(를) 잡다 구 开车; 驾车

운:전-대(運轉臺) 명 驾驶台 jiàshǐtái; 操纵台 cāozòngtái ¶~에 앉다 坐在驾驶台上

운:전-면허(運轉免許) 명 驾驶执照 jiàshǐ zhízhào; 驾照 jiàzhào ¶~를 따다 拿到驾驶执照

운:전-병(運轉兵) 명 軍 驾驶兵 jiàshǐbīng

운:전-사(運轉士) 명 司机 sījī; 驾驶员 jiàshǐyuán; 操纵人员 cāozòng rényuán

운:전-석(運轉席) 명 驾驶席 jiàshǐxí

운:전-수(運轉手) 명 '운전사'의 鄙称

운:전-자(運轉者) 명 驾驶人 jiàshǐrén

운집(雲集) 명하자 云集 yúnjí; 聚集 jùjí ¶~한 청중 앞에서 선거 유세를 하다 在云集的听众面前进行选举游说

운:치(韻致) 명 雅致 yǎzhì; 情致 qíngzhì; 韵味 yùnwèi ¶정원이 매우 ~ 있

다 庭院很雅致

운:필(運筆) 명하자 运笔 yùnbǐ

운:하(運河) 명 运河 yùnhé ¶~를 파다 开凿运河

운:항(運航) 명하자 运航 yùnháng; 航运 hángyùn; 航行 hángxíng ¶태풍으로 ~을 중지하다 由于台风中止航运

운:행(運行) 명하자 1 运行 yùnxíng ¶열차 ~ 시간 列车运行时间 / 버스 ~ 노선 公共汽车运行路线 **2** 天 运行 yùnxíng; 运转 yùnzhuàn ¶천체가 궤도를 따라 ~하다 天体沿着轨道运行

울1 명 = 울타리 ¶~을 치다 围上篱笆

울2 대 '우리2'의 略词 ¶~ 어머니 我母亲

울(wool) 명 1 = 양털 2 毛织物 máozhīwù

울-고-불고 부하자 哭哭啼啼 kūkútí; 哭天抹泪 kūtiānmǒlèi; 号啕大哭 háotáodàkū ¶집에 초상이라도 났나, 왜 이리 ~ 야단이냐? 家里死人了吗, 怎么这么号啕大哭?

울긋-불긋 부하형 五颜六色 wǔyánliùsè; 花花绿绿 huāhuālǜlǜ; 红红绿绿 hónghónglǜlǜ ¶단풍이 온 산을 ~ 물들이다 红叶把整座山染得红红绿绿的

울기(鬱氣) 명 忧郁 yōuyù; 抑郁 yìyù

울:-다 자 1 哭 kū; 哭啼 kūtí; 泣 qì; 哭泣 kūqì ¶너 왜 우니? 你为什么哭呢? / 내 남동생은 툭하면 운다 我弟弟动不动就哭 / 울어도 소용없다 哭也没用了 / 아이가 밤에 잠도 안 자고 계속 운다 孩子晚上不睡觉一直哭闹 **2** (动物, 虫子, 风) 鸣叫 míngjiào; 啼 tí; 鸣 míng; 叫 jiào ¶늑대 우는 소리 狼叫的声音 / 귀뚜라미가 ~ 蟋蟀鸣叫 **3** (物体被风) 响 xiǎng; 作响 zuòxiǎng ¶바람이 불어 전선이 ~ 风吹电线响 **4** (钟, 雷等) 响 xiǎng; 鸣 míng ¶기적이 ~ 汽笛鸣响 / 천둥이 ~ 雷响 **5** (裱糊纸, 油纸炕, 针线活等) 皱 zhòu; 翘起 qiàoqǐ ¶장판이 울었다 地板革皱了

우는 아이 젖 준다 俗談 孩不哭, 娘不奶; 娃子不哭奶不咳

울며 겨자 먹기 俗談 恨病吃苦药

울-대 명 篱笆桩子 líba zhuāngzi

울뚝-불뚝 부하형 1 (物体的面或皮) 高低不平 gāodībùpíng; 参差不齐 cēncībùqí; 凹凸不平 āotūbùpíng ¶~한 등 근육 凹凸不平的背部肌肉 / ~한 바위 高低不平的岩石 2 (态度) 生硬 shēngyìng; (性情) 粗鲁 cūlǔ; 倔强 juè ¶~한 성미 倔强气

울렁-거리다 자 1 (因惊惧或小心害怕等) 心怦怦跳 xīn pēngpēng tiào ¶놀라서 가슴이 ~ 吓得心怦怦跳 2 恶心

ĕxin; 作呕 zuò'ǒu ¶멀미가 나서 자꾸만 속이 ~ 晕车, 一阵一阵地恶心 **3** (水波) 荡漾 dàngyàng ¶물결이 ~ 水波荡漾 ‖ = 울렁대다 **울렁-울렁** 〔부〕〔하자〕

울렁-이다 〔자〕 **1** 心怦怦乱跳 xīn pēng-pēng tiào **2** 恶心 ĕxin ¶뱃멀미로 속이 ~ 晕船了, 觉得恶心 **3** (水波) 荡漾 dàngyàng ¶울렁이는 파도 荡漾的水波

울려-오다 〔자〕 (声音) 传来 chuánlái ¶멀리서 울려오는 종소리 远处传来的钟声

울룩-불룩 〔부〔하〕〕 鼓鼓 gǔgǔ; 鼓鼓囊囊 gǔgunángnáng; 凹凸不平 āotūbùpíng; 高低不平 gāodībùpíng ¶내용물이 많아 배낭이 ~하다 背包里装满了东西, 鼓鼓囊囊的

울리다 〔타〕 **1** (物体) 作响 zuòxiǎng; 作响 zuòxiǎng; 响 xiǎng; 响 xiǎng ¶전화벨이 한참을 울렸지만 받는 사람이 없다 电话铃响了半天都没人接 **2** (声音) 响 xiǎng; 传响 chuán ¶그의 목소리가 내 귓가에 ~ 他的声音在我耳边响起 **3** 震 zhèn; 震荡 zhèndàng; 震动 zhèndòng ¶지면이 갑자기 울리기 시작했다 地面突然震动起来了

울-리다[2] 〔타〕 **1** 弄哭 nòngkū; 叫···哭 jiào···kū; 让···哭 ràng···kū (《'울다1'의 사동형》) ¶누가 아기를 울렸느냐? / 그의 그 말이 나를 울렸다 他的那句话让我哭了 **2** 打 dǎ; 鸣 míng; 响 xiǎng (《'울다4'의 사동형》) ¶북을 ~ 打鼓 **3** 打动 dǎdòng; 扣动 kòudòng ¶심금을 ~ 扣动心弦

울림 〔명〕 回声 huíshēng; 回响 huíxiǎng

울먹-거리다 〔자〕 欲哭 yùkū; 想哭 xiǎngkū = 울먹대다 ¶울먹거리는 아이를 달래다 哄欲哭的孩子 **울먹-울먹** 〔부〔하〕〕

울먹-이다 〔자〕 欲哭 yùkū; 要哭 yàokū ¶길을 잃고 울먹이는 아이 迷路欲哭的孩子

울:며-불며 〔부〔하〕〕 哭哭啼啼 kūkūtí; 又哭又叫 yòukūyòujiào; 哭天抹泪 kūtiānmǒlèi; 一把鼻涕一把泪 yībǎ bítì yībǎ lèi ¶~ 하소연하다 一把鼻涕一把泪地诉说 / ~ 애원하다 哭哭啼啼地哀求

울:-보 〔명〕 爱哭鬼 àikūguǐ

울부짖다 〔자〕 哭叫 kūjiào; 哭喊 kūhǎn; 嚎叫 háojiào; 呼啸 hūxiào ¶사람들이 울부짖는 소리가 들려오다 传来了人们哭喊的声音

울분 〔鬱憤〕 〔명〔하형〕〕 郁愤 yùfèn; 气愤 qìfèn ¶~을 터뜨리다 发泄气愤 / ~을 참다 忍着郁愤

울:-상 (-相) 〔명〕 哭脸 kūliǎn ¶~을 짓다 哭丧着脸

울-음 〔명〕 哭 kū; 泣 qì; 哭泣 kūqì ¶~을 그치다 停止哭泣 / ~을 터뜨리다 放声大哭

울음-바다 〔명〕 一片哭声 yīpiàn kūshēng; 众人痛哭 zhòngrén tòngkū; 哭声震天 kūshēng zhèntiān

울음-보 〔명〕 (强忍着的) 哭 kū; 哭泣 kūqì ¶~가 터지다 放声大哭

울음-소리 〔명〕 **1** 哭声 kūshēng **2** 啼声 tíshēng; 鸣声 míngshēng; 叫声 jiàoshēng ¶삐꾸소리 ~ 布谷鸟的叫声

울적-하다 〔鬱寂-〕 〔형〕 忧郁寂寞 yōuyù jìmò; 郁闷 yùmèn ¶마음이 ~ 心情郁闷 / 울적한 마음을 달랠 길이 없다 忧郁寂寞的心无法劝慰

울-짱 〔명〕 **1** 栅栏 zhàlan; 木栅 mùzhà **2** = 울타리

울창-하다 〔鬱蒼-〕 〔형〕 郁郁葱葱 yùyùcōngcōng; 郁郁苍苍 yùyùcāngcāng ¶울창한 숲 郁郁葱葱的树林

울컥 〔부〔하자타〕〕 **1** 涌上心头 yǒngshàng xīntóu; 涌上来 yǒngshànglai; 一下子 yīxiàzi; 猛地 mèngde; 勃然 bórán (《感情突然发貌》) ¶~ 부아가 치밀다 心里的气一下子涌上来了 **2** 哇 wā (《呕吐时嘴里发出的声音》) ¶방금 먹은 것을 ~하고 전부 토했다 哇的一声, 把刚吃的东西全吐了

울컥-거리다 〔자〕 **1** 哕哕欲吐 yuě-yuè yùtù; 哕哕作呕 yuěyuě zuò'ǒu **2** 怒不可遏 nùbùkě'è; 勃然大怒 bórán dànù; 怒气冲冲 nùqìchōngchōng ‖ = 울컥대다 **울컥-울컥** 〔부〔하자타〕〕

울타리 〔명〕 篱笆 líba; 栅 zhà; 栅栏 zhàlan = 울[1]·울짱2 ¶~를 치다 搭篱笆 / ~를 두르다 围篱笆

울툭-불툭 〔부〔하〕〕 凹凸不平 āotūbùpíng; 坑坑洼洼 kēngkengwāwā; 参差不齐 cēncībùqí; 坎坷不平 kǎnkěbùpíng

울퉁-불퉁 〔부〔하〕〕 高低不平 gāodībùpíng; 凹凸不平 āotūbùpíng; 坑坑洼洼 kēngkengwāwā; 坎坷不平 kǎnkěbùpíng ¶~한 산길 坎坷不平的山路

울-하다 〔鬱-〕 〔형〕 (心情) 忧郁 yōuyù; 郁闷 yùmèn

울혈 〔鬱血〕 〔명〕〔醫〕 淤血 yūxuè

울화 〔鬱火〕 〔명〕 忧郁 yōuyù; 肝火 gānhuǒ; 怒气 nùqì; 火气 huǒqì ¶~가 터지다 肝火攻心 / ~가 치밀다 郁火上涌

울화-병 〔鬱火病〕 〔명〕〔韓醫〕 郁火症 yùhuǒzhèng = 화병(火病)

울화-통 〔鬱火통〕 〔명〕 郁火 yùhuǒ; 肝火 gānhuǒ; 怒气 nùqì; 火气 huǒqì ¶~이 터지다 大动肝火 = [肝火发作]

움:[1] 〔명〕 芽 yá; 蘖 niè ¶~이 트다 发芽

움:[2] 〔명〕 窖 jiào; 地窖 dìjiào; 地窟 dìkū

¶~을 파다 挖窖

움: **-막**(一幕) 圐 '움막집'의 略词

움: **막-살이**(一幕一) 圐[하자] 住窝棚 zhùwōpéng

움: **막-집**(一幕一) 圐 窝棚 wōpéng; 小棚 xiǎopéng ¶~을 짓다 盖窝棚 = [搭窝棚]

움직-거리다 凤 动弹 dòngtan; 一动一动 yīdòngyīdòng; 动来动去 dòngláidòngqù = 움직대다 ¶자꾸 몸을 움직거리면 어떻게 사진을 찍겠니? 身体老是一动一动的, 怎么拍照片呢?

움직-움직 凬자타

움직-이다 凤 1 动 dòng; 动弹 dòngtan; 移动 yídòng ¶모두 움직이지 마! 大家都别动! / 다리가 저려 움직일 수가 없다 两腿麻木, 动弹不得 2 变动 biàndòng; 动摇 dòngyáo; 改变 gǎibiàn ¶움직일 수 없는 사실 不可改变的事实 / 상대의 마음을 ~ 动摇对方心意 3 调动 diàodòng; 发动 fādòng; 指挥 zhǐhuī ¶활动 간첩이 비밀리에 ~ 间谍暗中活动 4 开动 kāidòng; 投产 tóuchǎn; 经营 jīngyíng ¶공장을 ~ 经营工场 / 기계를 ~ 开动机器

움직임 圐 1 动 dòng; 动弹 dòngtan; 动作 dòngzuò ¶그는 ~이 너무 둔하다 他的动作太迟钝 2 活动 huódòng; 动向 dòngxiàng; 动态 dòngtài; 动静 dòngjìng ¶적의 ~을 살피다 侦察敌人的动静

움: **-집** 圐 洞穴 dòngxué; 窖洞 jiàodòng, 地窖 dìjiào; 窑洞 yáodòng

움: **집-살이** 圐[하자] 住窝棚 zhù wōpéng; 住窑洞 zhù yáodòng

움쩍 凬하자타 一动也不动; 一动 yídòng ¶문이 안으로 잠겨 있어서 ~도 하지 않는다 门被反锁了, 纹丝不动

움쩍-거리다 凤자타 一动一动 yīdòngyīdòng; 动弹 dòngtan = 움쩍대다 ¶몸을 ~ 身子一动一动的 = **움쩍-움쩍** 凬자타

움쩍-달싹 凬자타 一动 yídòng ¶몸이 아파서 ~도 못하고 누워 있다 身子疼得一动也不动, 只好躺着

움찔 凬하자타 缩 suō; 蜷缩 quánsuō; 瑟缩 sèsuō 《因惊吓而缩身体》 ¶~ 놀라다 吓得身体缩了一下

움찔-거리다 凤 1 缩 suō; 蜷缩 quánsuō; 瑟缩 sèsuō 《因惊吓而总缩身体》 ¶자고 있는 아이가 나쁜 꿈을 꾸는지 자꾸 몸을 움찔거렸다 睡着的孩子好像做了恶梦, 身体老是一缩一缩的 2 慢慢动弹 mànmàn dòngtan; 磨磨蹭蹭 mómocèngcèng ‖ = 움찔대다 = **움찔-움찔** 凬하자타

움츠러-들다 凤 1 瑟缩 sèsuō; 蜷缩

quánsuō; 抽动 chōudòng; 缩回 suōhuí ¶근육이 ~ 肌肉抽动 / 날씨가 추워서 몸이 자연히 ~ 因为天气很冷, 身体自然蜷缩起来 2 退缩 tuìsuō; 气馁 qìněi; 消沉 xiāochén ¶적군은 아군의 강한 기세에 눌려 움츠러들었다 敌军被我军强大的气势吓得气馁了

움츠러-지다 凤 1 《因害怕或冷》 蜷缩 quánsuō; 缩回 suōhuí ¶바람이 너무 세서 몸이 자연히 ~ 因为风太大, 身体自然蜷缩起来 2 退缩 tuìsuō; 气馁 qìněi; 消沉 xiāochén

움츠리다 凤 1 瑟缩 sèsuō; 蜷缩 quánsuō ¶몸을 움츠려 동굴 안으로 들어가다 蜷缩着身子进到了洞内 2 退缩 tuìsuō; 萎靡 wěimǐ

움켜-잡다 凤 抓住 zhuāzhù; 握住 wòzhù; 揪住 jiūzhù ¶멱살을 ~ 抓住领口 / 나뭇가지를 꽉 ~ 死死地抓住树枝 / 그는 아이의 손을 움켜잡았다 他紧紧地握住孩子的手

움켜-쥐다 凤 1 抓住 zhuāzhù; 握住 wòzhù; 抓紧 zhuājǐn ¶주먹을 ~ 握住拳头 / 기둥을 꽉 ~ 死死地抓住柱子 / 그녀는 아버지의 손을 움켜쥐었다 她紧紧地握住父亲的手 2 控制 kòngzhì; 掌握 zhǎngwò; 操纵 cāozòng ¶권력을 ~ 掌握权力 / 손아귀에 ~ 掌握在手中 / 남자의 마음을 ~ 操纵男人的心

움큼 의명 把 bǎ; 撮 cuō ¶아이가 사탕을 한 ~ 집었다 小孩抓了一把糖

움키다 凤 紧抓 jǐnzhuā; 紧握 jǐnwò ¶매가 병아리를 움키고 하늘로 날아갔다 老鹰抓住小鸡飞上天去了

움: **-트다** 凤 发芽 fā méng; 萌芽 méngsheng ¶싹이 ~ 萌芽 / 사랑이 ~ 萌生恋情

움푹 凬 凹陷 āoxiàn; 深陷 shēnxiàn ¶가운데가 ~ 패이다 中间深陷 / ~ 패인 곳은 다 메워야 한다 深陷进去的地方都得填平

움푹-움푹 凬 坑坑洼洼 kēngkengwāwā; 高低不平 gāodībùpíng ¶길이 ~ 패여 걷기 나쁘다 道路坑坑洼洼相当难走

웃-기다 凤 逗笑(儿) dòuxiào(r); 逗乐(儿) dòulè(r); 逗趣(儿) dòuqù(r); 使人发笑 shǐrén fāxiào; 可笑 kěxiào 《'웃다'의 使动》 = 逗人发笑 2 令人嘲笑 lìngrén cháoxiào; 令人可笑 lìngrén kěxiào ¶웃기는 세상 令人可笑的社会

웃-다 凤 1 笑 xiào; 发笑 fāxiào ¶웃으며 인사하다 笑着打招呼 / 하하하 크게 ~ 哈哈哈大笑 / 그가 갑자기 큰 소리로 웃기 시작했다 他突然大声笑起来了 2 嘲笑 cháoxiào ¶저런 사람이

선생이라니 지나가면 개가 다 웃을 일이다 那种人还当了老师, 过路的狗也会嘲笑的

웃는 낯에 침 못 뱉는다 속담 = 웃는 낯에 침 뱉으랴

웃는 낯에 침 뱉으랴 속담 伸手不打笑面人; 举手不打笑脸人; 唾手不打笑面人 = 웃는 낯에 침 못 뱉는다

웃-도리 명 '웃옷도리2'의 착오

웃-돈 명 **1** 添加钱 tiānjiāqián; 加钱 jiāqián ¶구하기 힘든 약이라 –을 주고 사 왔다 这药很难买到, 加了点钱才买来了 **2** (换东西时) 找补的钱 zhǎobude qián

웃-돌다 자 超出 chāochū; 超过 chāoguò; 超额 chāo'é ¶최고 기온이 30도를 ~ 最高气温超过三十度 / 수출이 목표를 ~ 出口超过目标

웃-바람 명 漏风 lòufēng = 웃풍 ¶이집은 –이 세다 这房子四面漏风

웃어-넘기다 타 一笑了之 yīxiàoliǎozhī; 付之一笑 fùzhīyīxiào; 一笑置之 yīxiàozhìzhī ¶이 일은 그냥 웃어넘길 일이 아니다 这不是能一笑了之的事

웃-어른 명 长辈 zhǎngbèi; 尊长 zūnzhǎng

웃-옷 명 **1** 外衣 wàiyī; 罩衣 zhàoyī **2** '윗옷'의 착오

웃음 명 笑 xiào; 笑容 xiàoróng ¶–을 띠다 含笑 =[带笑]

웃음-거리 명 笑料 xiàoliào; 笑柄 xiàobǐng; 笑话 xiàohuà ¶남의 ~가 되다 成为别人的笑料

웃음-기 명 笑容 xiàoróng ¶~를 띠다 面带笑容

웃음-꽃 명 笑 xiào; 笑开花 xiàokāihuā ¶–을 피우다 笑逐颜开

웃음-바다 명 哄堂大笑 hōngtáng dàxiào

웃음-보 명 大笑 dàxiào; 暴笑 bàoxiào ¶~가 터지다 哈哈大笑

웃음-소리 명 笑声 xiàoshēng ¶방 안에서 그들의 –가 흘러나온다 房间里传来他们的笑声

웃-자라다 자 徒长 túzhǎng; 疯长 fēngzhǎng

웃-통 명 **1** 上身 shàngshēn; 上半身 shàngbànshēn ¶–을 드러내다 露出上半身 **2** 윗옷 ¶~을 벗다 脱上衣

웃-풍(一風) 명 = 웃바람

웅담(熊膽) 명 【韓醫】熊胆 xióngdǎn

웅대-하다(雄大一) 형 雄大 xióngdà; 雄伟 xióngwěi; 宏伟 hóngwěi; 壮阔 zhuàngkuò ¶웅대한 뜻을 품다 心怀壮志

웅덩이 명 水坑 shuǐkēng; 水洼 shuǐwā ¶–에 빠지다 掉进水坑里

웅변(雄辯) 명 演讲 yǎnjiǎng; 辩才 biàncái; 雄辩 xióngbiàn ¶청중을 앞에

서 ~을 토하다 在听众面前大展辩才

웅변-가(雄辯家) 명 雄辩家 xióngbiànjiā; 演说家 yǎnshuōjiā

웅변-대회(雄辯大會) 명 演讲大会 yǎnjiǎng dàhuì; 演讲比赛 yǎnjiǎng bǐsài

웅성-거리다 자 闹哄哄 nàohōnghōng; 闹嚷嚷 nàorǎngrǎng; 人声鼎沸 rénshēng dǐngfèi; 人声嘈杂 rénshēng cáozá; 人声鼎沸 rénshēng dǐngfèi; 喧嚷 xuānrǎng = 웅성대다 ¶사람들과 웅성거리는 소리 人们的喧嚷声 / 사람들이 ~ 人们闹哄哄的 **웅성-웅성** 부하자 ¶영화가 시작되자 –하던 장내가 일시에 조용해졌다 电影一开始, 原本人声鼎沸的场内一下子安静了

웅얼-거리다 자타 自言自语 zìyányǔ; 喃喃自语 nánnányǔ; 嘟哝 dūnong = 웅얼대다 ¶뭘 그렇게 웅얼거리고 있느냐? 你在嘟哝什么呢? 你在嘟哝什么呢? **웅얼-웅얼** 부하자타 ¶그는 혼자서 한참을 ~하였다 他一个人自言自语地说了好半天

웅장-하다(雄壯一) 형 雄壮 xióngzhuàng; 雄伟 xióngwěi; 宏伟 hóngwěi ¶웅장하고 화려한 궁궐 雄伟壮丽的宫殿

웅크리다 타 蜷 quán; 缩 suō; 蜷缩 quánsuō; 瑟缩 sèsuō ¶날씨가 추워서 몸을 ~ 天气很冷, 蜷缩身子 / 그녀는 몸을 웅크리고 침대 위에 앉아 있다 她蜷着身子坐在床上

워¹ 감 吁 yū 《叫牛马停住的声音》

워낙 부 **1** 非常 fēicháng; 太 tài; 很 hěn ¶~ 바빠다 太忙 / ~ 길이 험하다 路很险 **2** 原来 yuánlái; 本来 běnlái ¶~ 나쁜 놈이다 他本来就是坏蛋 ‖ = 원체

워낭 명 (牛马笼头上的) 牛铃 niúlíng; 马铃 mǎlíng

워드 프로세서(word processor) 【컴】文字处理软件 wénzì chǔlǐ ruǎnjiàn; 字处理机 zìchǔlǐjī

워밍업(warming-up) 명 【體】准备运动

워:**-워**: 감 吁吁 yūyū

워커(walker) 명 军靴 jūnxuē; 军鞋 jūnxié

워크숍(workshop) 명 【教】研习会 yánxíhuì; 研讨会 yántǎohuì

워키토키(walkie-talkie) 명 【信】对讲机 duìjiǎngjī; 步话机 bùhuàjī; 步谈机 bùtánjī

워킹 홀리데이(working holiday) 工作度假 gōngzuò dùjià; 打工度假 dǎgōng dùjià ¶~ 비자 工作度假签证

원¹ 의명 元 yuán; 韩币 yuán hánbì

韩元 hányuán 《韩国货币单位》 ¶천 ~ 一千元韩币

원² 《譯》 真是的 zhēnshìde; 嗳 ǎi; 嗜 hài ¶~, 별소리 다 듣겠네 嗜, 岂有此理

원〔圓〕 몡 **1** 圆 yuán; 圆圈 yuánquān; 圆形 yuánxíng ¶~을 그리다 划圆圈 **2** 〔數〕 圆 yuán

원〔願〕 몡 = 소원 ¶~을 풀다 实现愿望 /~이 풀리다 如愿以偿

원-〔元 ·原〕 졉두 原 yuán ¶~작자 原作者 /~주민 原住民

-원〔員〕 졉미 员 yuán; 士 shì ¶통신~ 通信员 /연구~ 研究员 /공무~ 公务员

-원〔院〕 졉미 院 yuàn ¶대학~ 研究院 /고아~ 孤儿院 /양로~ 养老院

-원〔園〕 졉미 园 yuán ¶동물~ 动物园 /유치~ 幼儿园

원가〔原價〕 몡 〔經〕 **1** 原价 yuánjià; 成本 chéngběn ¶~ 절감 削减成本 /~에 사다 以原价购买 /~를 낮추다 降低成本 /~ 이하로 팔다 低于原价出售 **2** = 매입 원가

원-거리〔遠距離〕 몡 远距离 yuǎnjùlí; 远程 yuǎnchéng; 长途 chángtú ¶~ 사격 远距离射击 /~ 신호 远距离信号

원-격〔遠隔〕 몡형 远隔 yuǎngé; 远距离 yuǎnjùlí

원-격 제어〔遠隔制御〕 〔物〕 = 리모트 컨트롤 ¶~ 신호 遥控信号

원-격 조종〔遠隔操縱〕 〔工〕 远程操控 yuǎnchéng cāokòng; 遥控 yáokòng ¶~ 장치 遥控装置

원-경〔遠景〕 몡 远景 yuǎnjǐng

원고〔原告〕 몡 〔法〕 原告 yuángào; 原告人 yuángàorén ¶~측 변호사 原告方律师

원고〔原稿〕 몡 **1** 稿件 gǎojiàn; 稿 gǎo; 稿子 gǎozi ¶~를 쓰다 写稿 /~를 출판사에 넘기다 把稿件交给出版社 **2** = 초고(草稿) ¶강연 ~ 演讲底稿

원고-료〔原稿料〕 몡 稿费 gǎofèi = 고료

원고-용지〔原稿用紙〕 몡 原稿纸 yuángǎozhǐ; 稿纸 gǎozhǐ = 원고지

원고-지〔原稿紙〕 몡 = 원고용지

원곡〔原曲〕 몡 原曲 yuánqǔ

원-군〔援軍〕 몡 援军 yuánjūn; 援兵 yuánbīng ¶~을 청하다 请求援军

원-귀〔冤鬼〕 몡 冤死鬼 yuānsǐguǐ; 屈死鬼 qūsǐguǐ

원-근〔遠近〕 몡 远近 yuǎnjìn; 遐迩 xiá'ěr ¶~감 远近感

원-근-법〔遠近法〕 〔美〕 透视法 tòushìfǎ; 透视画法 tòushì huàfǎ

원금〔元金〕 몡 〔經〕 本钱 běnqián; 本金 běnjīn ¶~을 날리다 折了本钱

원기〔元氣〕 몡 元气 yuánqì; 精力 jīng-

lì; 精神 jīngshen; 活力 huólì ¶~ 왕성한 젊은이 精力充沛的年轻人 /~가 부족하다 元气不足

원-기둥〔圓-〕 몡 〔數〕 圆柱 yuánzhù; 圆柱体 yuánzhùtǐ

원내〔院內〕 몡 院内 yuànnèi

원내 총무〔院內總務〕 〔政〕 院内总务 yuànnèi zǒngwù = 총무2

원년〔元年〕 몡 元年 yuánnián ¶개국 ~ 开国元年

원-님〔員-〕 몡 〔史〕 守令 shǒulìng ¶원님 덕에 나팔 분다 舎담 因利乘便; 因人成事

원단〔元旦〕 몡 元旦 yuándàn ¶오늘은 ~이라 하루 쉰다 今天是元旦, 放假一天

원단〔原緞〕 몡 料子 liàozi; 布料 bùliào ¶~을 수입해서 옷을 만들다 进口布料做服装

원대〔原隊〕 몡 〔軍〕 原部队 yuánbùduì = 자대(隊)

원대-하다〔遠大-〕 혱 远大 yuǎndà; 宏伟 hóngwěi ¶원대한 계획 宏伟的计划 /원대한 포부를 품다 胸怀远大抱负

원동-기〔原動機〕 몡 〔物〕 原动机 yuándòngjī; 动力机 dònglìjī

원동-력〔原動力〕 몡 原动力 yuándònglì; 动力 dònglì ¶경제 발전의 ~ 经济发展的原动力 /물체의 ~ 物体的动力

원두〔原頭〕 몡 原豆 yuándòu; 咖啡豆 kāfēidòu ¶~ 커피 原豆咖啡

원-두막〔園頭幕〕 몡 瓜棚 guāpéng

원-둘레〔圓-〕 몡 〔數〕 = 원주

원-뜻〔元- ·原-〕 몡 本意 běnyì; 原意 yuányì

원래〔原來 ·元來〕 몡뷔 = 본디 ¶그는 ~ 그런 사람이 아니었다 他本来不是那样的人 /~ 가격보다 훨씬 비싸다 比原来的价格贵得多

원로〔元老〕 몡 元老 yuánlǎo ¶~대신 元老大臣 /~ 교수 元老教授 /정계의 ~ 政界元老

원론〔原論〕 몡 原论 yuánlùn; 基础理论 jīchǔ lǐlùn ¶경제 ~ 经济原论 /~부터 배우다 从基础理论开始学习

원료〔原料〕 몡 原料 yuánliào ¶~비 原料费

원룸(one-room) 몡 〔建〕 = 원룸 아파트

원룸 아파트(←one-room apartment) 〔建〕 一间一套房子 yījiān yītào fángzi; 单间公寓 dānjiān gōngyù = 원룸

원류〔源流〕 몡 **1** （水的）源流 yuánliú; 源头 yuántóu ¶한강의 ~ 汉江的源头 **2** （事物或现象的）源流 yuánliú; 源头 yuántóu ¶문학의 ~ 文学的源流

원리(元利) 몡 本利 běnlì; 本息 běnxī
원리(原理) 몡 原理 yuánlǐ ¶지렛대의 ~ 杠杆原理 / ~를 이해하다 理解原理
원리-금(元利金) 몡 本利金 běnlìjīn; 本利 běnlì; 本息 běnxī ¶~을 상환하다 偿还本息
원만-하다(圆满—) 阌 1 圆满 yuánmǎn; 完满 wánmǎn; 美满 měimǎn ¶원만한 부부 생활 美满的夫妻生活 2 随和 suíhe; 和谐 héxié; 圆融 yuánróng ¶그는 성격이 원만해서 누구하고나 잘 어울린다 他性格随和, 跟谁都合得来
원만-히(圆满—) 凰 ¶문제가 ~ 해결되었다 问题完满解决了
원:망(怨望) 몡하타 埋怨 mányuàn; 抱怨 bàoyuàn; 怨恨 yuànhèn; 怨望 yuànwàng ¶~의 눈초리 怨望的目光 / 다른 사람을 ~하다 埋怨他人
원:망-스럽다(怨望—) 阌 埋怨 mányuàn; 抱怨 bàoyuàn; 怨恨 yuànhèn ¶그는 자신의 무능함이 원망스러웠다 他怨恨自己的无能 **원:망스레**凰
원맨-쇼(one-man show) 몡 独角戏 dújiǎoxì; 独脚戏 dújiǎoxì
원목(原木) 몡 原木 yuánmù; 原木材 yuánmùcái ¶~ 가구 原木家具
원문(原文) 몡 1 原文 yuánwén ¶~을 인용하다 引用原文 2 = 본문2
원반(圆盘) 몡 1 圆盘 yuánpán 2 〖體〗铁饼 tiěbǐng ¶~던지기 掷铁饼
원본(原本) 몡 原本 yuánběn; 蓝本 lánběn; 底本 dǐběn ¶~을 보고 베끼다 照着底本抄
원-불교(圆佛教) 몡 〖佛〗圆佛教 yuánfójiào
원-뿌리(元—) 몡 〖植〗主根 zhǔgēn
원-뿔(圆—) 몡 〖數〗圆锥 yuánzhuī; 圆锥体 yuánzhuītǐ ¶~형 圆锥形
원사(原丝) 몡 〖手工〗原丝 yuánsī; 原纱 yuánshā
원산(原产) 몡 原产 yuánchǎn ¶바나나는 열대 ~의 과일이다 香蕉是原产于热带的水果
원산-지(原产地) 몡 原产地 yuánchǎndì; 产地 chǎndì ¶~ 표시제 产地标注制度 / 상품의 ~를 밝히다 注明商品的产地
원상(原状) 몡 原状 yuánzhuàng; 原样 yuányàng ¶~ 복구 恢复原状
원색(原色) 몡 1 原色 yuánsè ¶~ 식물 도감 原色植物图鉴 2 亮色 liàngsè; 艳色 yànsè ¶~의 옷을 입다 穿亮色的衣服 3 〖印〗原色 yuánsè; 基色 jīsè ¶~판 原色版
원색-적(原色的) 꽌몡 1 亮色的 liàngsè(de); 绚丽 xuànlì ¶그의 미술 작품은 매우 ~이다 他的美术作品色彩

非常绚丽 2 露骨(的) lùgǔ(de) ¶~ 비난 露骨的指责
원생(院生) 몡 院生 yuànshēng
원생-동물(原生動物) 몡 〖動〗原生动物 yuánshēng dòngwù
원서(原書) 몡 原书 yuánshū; 原文书 yuánwénshū = 원전(原典)2 ¶~ 강독 原书讲读 / 불어 ~ 法语原文书
원:서(願書) 몡 报名表 bàomíngbiǎo; 志愿书 zhìyuànshū; 申请书 shēnqǐngshū ¶입사 ~ 应聘报名表 / 입학 ~ 入学报名表 / ~ 접수 受理志愿书 / ~를 내다 提交报名表
원석(原石) 몡 1 〖鑛〗原矿 yuánkuàng 2 原石 yuánshí ¶비취 ~ 을 가공하다 加工翡翠原石
원:성(怨聲) 몡 怨声 yuànshēng; 怨言 yuànyán ¶국민들의 ~이 높다 国民怨声载道
원소(元素) 몡 1 〖數〗元素 yuánsù = 요소(要素)2 2 〖化〗元素 yuánsù = 화학 원소; 化学元素 huàxué yuánsù = 화학 원소 ¶물질을 ~로 분해하다 把物质分解为元素
원소 기호(元素記號) 〖化〗化学符号 huàxué fúhào; 元素符号 yuánsù fúhào = 원자 기호 · 화학 기호
원소-명(元素名) 몡 元素名称 yuánsù míngchēng; 元素名 yuánsùmíng ¶화학 ~ 化学元素名称
원수(元首) 몡 〖法〗元首 yuánshǒu
원수(元帥) 몡 〖軍〗元帅 yuánshuài = 오성 장군
원:수(怨讐) 몡 仇人 chóurén; 仇敌 chóudí; 对头 duìtou; 冤家 yuānjia; 仇雠 chóuchóu ¶~ 돈이 ~다 钱是冤家 / 은혜를 ~로 갚다 恩将仇报 / ~를 갚다 报仇
원수는 외나무다리에서 만난다 쇽탐 冤家路窄; ~ 뜻은 冤家不聚头
원:수-지다(怨讐—) 재 结仇 jiéchóu ¶그들은 원수진 사이처럼 만나기만 하면 싸운다 他们像结了仇似的, 一见面就吵架
원숙-하다(圆熟—) 阌 1 熟练 shúliàn; 纯熟 chúnshú; 老到 lǎodào; 老练 lǎoliàn ¶원숙한 솜씨 熟练的手艺 / 위기 상황에 원숙하게 대처하다 危机情况下老练地应付 2 成熟 chéngshú; 精练 jīngliàn ¶예술적 기량이 더욱 원숙해지다 艺术技巧愈加成熟 **원숙-히**凰
원:숭이 몡 〖動〗猴子 hóuzi; 猿猴 yuánhóu
원숭이도 나무에서 떨어진다 쇽탐 猴子也会从树上掉下来; 猴子也有从树上掉下来的时候
원시(原始 · 元始) 몡 1 始初 shǐchū; 开始 kāishǐ 2 原始 yuánshǐ; 原生 yuánshēng ¶~ 상태 原始状态 / ~ 밀

앙 原始信仰 / ~ 사회 原始社会 / ~ 시대 原始时代 / ~ 언어 原始语言

원:시(遠視) 图 1 【医】远视 yuǎnshì ¶~안 远视眼 / 그는 눈이 ~라서 돋보기를 써야 한다 他眼睛近视, 要戴老花镜了 2 远望 yuǎnwàng; 远眺 yuǎntiào

원시-림(原始林) 图 原始林 yuánshǐlín; 原生林 yuánshēnglín

원시-인(原始人) 图 1 原始人 yuánshǐrén 2 野蛮人 yěmánrén

원시-적(原始的) 图 原始(的) yuánshǐ(de) ¶인력에 의지하는 것은 너무 ~이다 靠人力那太原始了

원심(原審) 图 【法】原审 yuánshěn ¶~ 판결 原判决 / ~을 깨고 무죄를 선고하다 撤销原审, 宣告无罪

원-심(遠心) 图 【物】离心 líxīn ¶~력 离心力 / ~ 분리기 离心分离机

원아(院兒) 图 院童 yuàntóng ¶고아원의 ~ 孤儿院的院童

원아(園兒) 图 园童 yuántóng; 幼儿生 yòu'érshēng ¶유치원의 ~ 幼儿园的园童 / ~ 모집 招收幼儿生

원안(原案) 图 原案 yuán'àn ¶~대로 통과되다 以原案通过

원앙(鴛鴦) 图 1 【鳥】鸳鸯 yuānyang; 匹鸟 pǐniǎo ¶한 쌍의 ~ 一对鸳鸯 2 鸳鸯 yuānyang (比喻和睦的夫妻) ¶~금침 鸳鸯被枕

원앙-새(鴛鴦─) 图 【鳥】= 원앙1

원액(原液) 图 原汁 yuánzhī; 原液 yuányè ¶이 음료는 사과 ~을 희석하여 만든 것이다 这饮料是用苹果原液稀释而成的

원야(原野) 图 原野 yuányě ¶황막한 ~를 개간하다 开垦荒漠原野

원:양(遠洋) 图 远洋 yuǎnyáng; 远海 yuǎnhǎi ¶~ 어선 远洋渔船 / ~ 어업 远洋渔业

원어(原語) 图 原文 yuánwén

원예(園藝) 图 园艺 yuányì ¶~가 园艺家 / ~사 园艺师 / ~농가 园艺农家

원예-농(園藝農) 图 【農】= 원예농업

원예 농업(園藝農業) 图 园艺农业 yuányì nóngyè = 원예농

원예 식물(園藝植物) 图 【農】园艺植物 yuányì zhíwù = 원예 작물

원예 작물(園藝作物) 图 【農】= 원예 식물

원유(原油) 图 原油 yuányóu ¶~관 原油管道 / ~ 파동 原油动荡 / ~를 정제하다 炼制原油

원음(原音) 图 1 原音 yuányīn; 原声 yuánshēng 2 【音】原音 yuányīn = 기본음2

원인(原人) 图 【古】原人 yuánrén ¶베

이징~ 北京原人

원인(原因) 图 原因 yuányīn; 原由 yuányóu; 缘由 yuányóu; 缘故 yuángù; 起因 qǐyīn ¶~ 모를 병 不明原因的病 / 사고의 ~을 규명하다 查明事故的原因

원인(猿人) 图 【古】猿人 yuánrén

원자(元子) 图 【史】元子 yuánzǐ ¶~를 세자에 책봉하다 将元子封为太子

원자(原子) 图 【物】原子 yuánzǐ ¶~ 구조 原子结构 / ~가 原子价 / ~량 原子量 / ~ 번호 原子序数

원자-구름(原子──) 图 蘑菇云 mógūyún; 蕈状云 xùnzhuàngyún = 버섯구름 · 폭풍운

원자 기호(原子記號) 图 【化】= 원소 기호

원자-력(原子力) 图 【物】原子能 yuánzǐnéng; 核能 hénéng

원자력 발전(原子力發電) 图 【物】原子能发电 yuánzǐnéng fādiàn; 核电 hédiàn

원자력 발전소(原子力發電所) 图 【物】原子能发电站 yuánzǐnéng fādiànzhàn; 核电站 hédiànzhàn; 核能电厂 hénéngdiànchǎng

원자-로(原子爐) 图 【物】原子反应堆 yuánzǐ fǎnyìngduī; 核反应堆 héfǎnyìngduī

원-자재(原資材) 图 原材料 yuáncáiliào ¶~를 수입하다 进口原材料

원자-탄(原子彈) 图 【軍】= 원자 폭탄

원자 폭탄(原子爆彈) 图 【軍】原子弹 yuánzǐdàn; 原爆 yuánbào; 核弹 hédàn = 원자탄 ¶~을 투하하다 投下原子弹 / ~이 터지다 核弹爆炸

원자-핵(原子核) 图 【物】原子核 yuánzǐhé = 핵3

원작(原作) 图 1 原作 yuánzuò 2 【文】原作 yuánzuò; 原著 yuánzhù ¶~에 충실한 번역 忠实于原著的翻译 / ~을 각색하다 改编原作

원작-자(原作者) 图 = 원저자

원장(元帳) 图 【經】元账 yuánzhàng; 原始总账 yuánshǐ zǒngzhàng; 总账簿 zǒngzhàngbù

원장(院長) 图 院长 yuànzhǎng ¶고아원 ~ 孤儿院院长 / 병원 ~ 医院院长

원장(園長) 图 园长 yuánzhǎng ¶유치원 ~ 幼儿园园长

원-재료(原材料) 图 原材料 yuáncáiliào

원-저자(原著者) 图 原著者 yuánzhùzhě; 原作者 yuánzuòzhě = 원작자

원:-적외선(遠赤外線) 图 【物】远红外线 yuǎnhóngwàixiàn

원전(原典) 图 1 原典 yuándiǎn; 原著 yuánzhù ¶~과 대조하다 查对原典 2 = 원서(原書) ¶이 책은 번역본이 ~

보다 낫다 ¶이 책이, 译本比原书好

원점(原點) 〖명〗 1 起点 qǐdiǎn; 基点 jīdiǎn ¶승부가 다시 ~으로 돌아가 이 승부를 回到起点 2 〖數〗(坐标的) 原点 yuándiǎn ¶~을 정하다 定原点

원:정(遠征) 〖명〗〖허타〗 1 远征 yuǎnzhēng ¶~대 远征队 / 유럽을 ~하다 远征欧洲 2 远征 yuǎnzhēng; 客: kè; 客场 kèchǎng ¶~ 팀 客队 / 경기 客场比赛 / 국가 대표 축구팀이 일본을 ~할 계획이다 国家足球队将远征日本

원제(原題) 〖명〗 原题 yuántí = 원제목

원-제목(原題目) 〖명〗 = 원제

원조(元祖) 〖명〗 1 元祖 yuánzǔ; 始祖 shǐzǔ; 鼻祖 bízǔ ¶인류의 ~ 人类的始祖 2 创始人 chuàngshǐrén; 首创人 shǒuchuàngrén ¶삼계탕의 ~ 参鸡汤的首创人

원:조(援助) 〖명〗〖허타〗 援助 yuánzhù; 援助 yuán; 接济 jiējì ¶경제 ~ 经济援助 / 이재민을 ~하다 接济灾民 / 식량을 ~하다 接济粮食

원:죄(怨罪) 〖명〗 因怨恨犯下的罪 yīn yuànhèn fànxiàde zuì

원죄(原罪) 〖명〗〖宗〗 原罪 yuánzuì

원주(圓周) 〖명〗〖數〗 圆周 yuánzhōu = 원둘레 ¶~율 圆周率

원주-민(原住民) 〖명〗 原住民 yuánzhùmín; 土着人 tǔzhùrén; 土着居民 tǔzhù jūmín ¶~이 사는 부락 土着居民居住的部落

원-주소(原住所) 〖명〗 原住所 yuánzhùsuǒ; 原住址 yuánzhùzhǐ

원-지름(圓一) 〖명〗〖數〗 径直 yuánjìng

원천(源泉) 〖명〗 源泉 yuánquán; 源头 yuántóu; 来源 láiyuán ¶한강의 ~ 汉江源头 / 힘의 ~ 力量的源泉

원천-적(源泉的) 〖명〗 源头的(的), 根源的(的) gēnyuán(de); 根本性(的) gēnběnxìng(de) ¶~ 결함 根本性的缺陷 / 부정을 ~으로 막다 不正之风从源头堵起

원체(元體) 〖부〗 = 워낙 ¶그는 ~ 건강해서 감기를 앓는 일이 없다 他本来就很健康, 很少患感冒

원초-적(原初的) 〖관〗 原初的(的), 第一性的(的) dìyīxìng(de); 原始(的) yuánshǐ(de); 基本(的) jīběn(de); 原始的 shǒuyàode(de) ¶인간의 ~인 욕망 人类的基本欲望 / ~인 문제 首要问题

원추리 〖명〗〖植〗 萱草 xuāncǎo; 忘忧草 wàngyōucǎo

원칙(原則) 〖명〗 原则 yuánzé ¶~을 세우다 制定原则 / ~을 따르다 遵守原则

원칙-적(原則的) 〖관〗 原则性 yuánzé-

xìng; 原则上 yuánzéshàng ¶~ 합의 原则性协议 / ~으로 동의하다 原则上同意

원:친(遠親) 〖명〗 远亲 yuǎnqīn

원:-컨대(願一) 〖부〗 但愿 dànyuàn; 希望 xīwàng ¶~ 이번에는 합격하십시오 但愿这次你能合格

원탁(圓卓) 〖명〗 圆桌 yuánzhuō ¶~회의 圆桌会议

원-터치(one touch) 〖명〗 一触式 yīchùshì; 单触式 dānchùshì; 单按式 dān'ànshì ¶~ 컨트롤 单触式控制 / 이 제품은 ~로 모든 기능이 작동한다 这种产品都是以单触式启动功能的

원통(冤痛) 〖명〗〖하형〗〖허부〗 冤枉 yuānwang; 冤屈 yuānqū; 冤 yuān ¶나보고 도둑이라니 아무리 생각해도 ~하기 짝이 없다 把我看成小偷, 想想都觉得冤死了

원통(圓筒) 〖명〗〖數〗'원기둥'의 旧称

원통-형(圓筒形) 〖명〗 圆筒形 yuántǒngxíng

원판(原板) 〖명〗〖演〗 底片 dǐpiàn; 原板 yuánbǎn ¶사진의 ~ 照相底片

원판(原版) 〖명〗 1 原版 yuánbǎn 2 〖印〗 = 초판(初版) 3 〖印〗(用以纸模子的) 铅字原版 qiānzì yuánbǎn

원폭(原爆) 〖명〗〖軍〗 原子 폭탄'의 略语 词 ¶~ 피해자 原爆受害者

원폭-운(原爆雲) 〖명〗 = 원자구름

원:-풀이(怨一) 〖명〗〖허자〗 报仇雪恨 bàochóu xuěhèn; 解恨 jiěhèn ¶그는 부친의 죽음에 대한 ~를 하고자 한다 对父亲的死, 他要报仇雪恨

원:-풀이(願一) 〖명〗〖허자〗 如愿以偿 rúyuànyǐcháng; 实现愿望 shíxiàn yuànwàng ¶자식이 명문 대학에 입학했더니 정말로 ~하셨군요 孩子上了名牌大学, 这可真是如愿以偿

원-피스(one-piece) 〖명〗 1 连衣裙 liányīqún ¶흰색 ~를 입은 여자 穿着白色连衣裙的女人 2 连体 liántǐ ¶~ 수영복 连体泳衣

원:-하다(願一) 〖타〗 愿 yuàn; 要 yào; 希望 xīwàng; 愿意 yuànyì; 甘心 gānxīn; 渴望 kěwàng ¶진심으로 ~ 心甘情愿 / 사람들은 누구나 행복을 원한다 不管谁都渴望幸福

원-한(怨恨) 〖명〗 怨恨 yuànhèn; 痛恨 tònghèn; 仇恨 chóuhèn; 冤仇 yuānchóu; 怨气 yuànqì; 恨 hèn ¶~이 맺히다 结下仇恨 / ~을 품고 죽다 含恨而死

원형(原形) 〖명〗 原形 yuánxíng; 原状 yuánzhuàng; 原貌 yuánmào ¶~을 복원하다 恢复原状 / ~을 유지하다 保持原状

원형(圓形) 〖명〗 圆形 yuánxíng

원형 경:**기장**(圓形競技場) 【古】圓形竞技场 yuánxíng jìngjìchǎng; 罗马斗兽场 luómǎ dòushòuchǎng = **원형 극장1·콜로세움**

원형 극장(圓形劇場) **1** 【古】 = **원형 경기장 2** 【演】圆形剧场 yuánxíng jùchǎng

원형 탈모증(圓形脫毛症) 【醫】斑秃 bāntū; 鬼剃头 guǐtìtóu

원-혼(冤魂) 圆 冤魂 yuānhún ¶~을 달래다 抚慰冤魂

원-화(一貨) 【經】韩币 hánbì ¶~의 평가 절하 韩币贬值

원화(原畫) 圆 原画 yuánhuà

원활(圓滑) 圆**하다[히]** 1 顺利 shùnlì; 顺畅 shùnchàng; 畅通无阻 chàngtōngwúzǔ ¶일이 ~하게 진행되다 事情进展得很顺利 / 교통이 ~하다 交通顺畅 / 물자를 ~하게 공급하다 畅通无阻地供给物资 2 圆滑 yuánhuá; 纯熟 chúnshú; 和谐 héxié ¶인간 관계가 ~하다 人际关系和谐

원흉(元兇) 圆 元凶 yuánxiōng; 首恶 shǒu'è; 祸首 huòshǒu ¶전쟁의 ~ 战争的元凶

월(月) 圆**의명** 月 yuè ¶~ 이자 月息/오늘은 몇 ~ 며칠입니까? 今天几月几号?

월간(月刊) 圆 **1** 月刊 yuèkān **2** = **월간지**

월간(月間) 圆 月度 yuèdù ¶~ 계획 月度计划 / ~ 경제 동향 月度经济动向

월간-지(月刊誌) 圆 月刊杂志 yuèkān zázhì = **월간**(月刊)2

월경(月經) 圆 【生】月经 yuèjīng; 例假 lìjià; 大姨妈 dàyímā = **달거리·멘스·생리**4 ¶~ 불순 月经失调 = [月经不调] / ~ 주기 月经周期 / 나는 ~만 하면 허리가 아프다 我一来月经腰就很疼

월경(越境) 圆**하다** 越境 yuèjìng; 越界 yuèjiè ¶미국인 한 명이 중국에서 ~하여 북한으로 갔다 一个美国人从中国越境到朝鲜

월경-대(月經帶) 圆 = **생리대**

월경-통(月經痛) 圆 = **생리통**

월계(月桂) 圆 【植】= **월계수**

월계-관(月桂冠) 圆 桂冠 guìguān = **계관**(桂冠) ¶승리의 ~을 쓰다 戴上胜利的桂冠

월계-수(月桂樹) 圆 【植】月桂 yuèguì; 月桂树 yuèguìshù; 桂 guì = **월계**

월광(月光) 圆 = **달빛**

월광-곡(月光曲) 圆 【音】月光曲 yuèguāngqǔ; 月光奏鸣曲 yuèguāng zòumíngqǔ = **월광 소나타**

월광 소나타(月光sonata) 【音】= **월광곡**

월권(越權) 圆**하다** 越权 yuèquán ¶~ 행위 越权行为

월급(月給) 圆 月薪 yuèxīn; 薪水 xīnshui; 工资 gōngzī; 月俸 yuèfèng; 工薪 gōngxīn ¶~날 发月薪日 =[发薪日]/月薪日 =发月薪日/工薪阶层 =[吃薪水的][工薪族]/~제 月工资制/이번 달 ~이 또 올랐다 这个月工资又上涨了/월말에 ~을 타다 月底领工资

월남¹(越南) 圆**하다** 1 去南方 qù nánfāng 2 逃往南越 táowǎngnányuè ¶그는 한국 전쟁 때 ~했다 他是韩国战争时逃往南韩的

월담(越—) 圆**하다** 越墙 yuèqiáng; 翻墙 fānqiáng ¶~하여 대사관에 난입하다 越墙闯入大使馆

월동(越冬) 圆**하다** 越冬 yuèdōng; 过冬 guòdōng = **겨울나기** ¶~비 过冬费 / 작물 越冬作物 / ~ 준비 过冬准备 / ~ 장비를 갖춘 차량 具有过冬装备的车辆

월드 와이드 웹(World Wide Web) 【컴】万维网 wànwéiwǎng; 网络 wǎngluò; 网 wǎng = **웹**

월드-컵(World Cup) 圆 【體】世界杯 shìjièbēi; 世界杯球赛 shìjièbēi qiúsài; 世界杯赛 shìjièbēisài ¶~ 개최국 世界杯主办国 / ~ 경기장 世界杯赛场 / ~ 축구 世界杯足球赛

월등(越等) 圆**부** 特别 tèbié; 优异 yōuyì; 超级 chāojí; 强得多 qiángdeduō ¶실력이 ~히 뛰어나다 实力特别优异 / 이 학생이 저 학생보다 ~하다 这个学生比那个学生强得多

월령(月齡) 圆 1 【天】月龄 yuèlíng 2 (未满周岁的幼儿的) 月龄 yuèlíng

월례(月例) 圆 月度定例 yuèdù dìnglì; 每月例行 měiyuè lìxíng ¶~ 행사 每月例行活动

월례-회(月例會) 圆 月度例会 yuèdù lìhuì; 月例会 yuèlìhuì ¶~에 참석하다 参加月例会

월리(月利) 圆 = **달변**(一邊)

월말(月末) 圆 月末 yuèmò; 月末 yuèmò; 月终 yuèzhōng ¶~ 고사 月底考试 / ~에는 은행이 몹시 붐빈다 月底时银行非常拥挤

월반(越班) 圆**하다** 【教】跳级 tiàojí; 跳班 tiàobān ¶그는 성적이 뛰어나 ~했다 他因为成绩优秀而跳级了

월별(月別) 圆**하다**; 按月 ànyuè ¶~ 생산량 月度产量 / ~ 계획 月度计划

월병(月餠) 圆 月饼 yuèbǐng

월부(月賦) 圆 分期付款 fēnqī fùkuǎn

月分期付款 yuè fēnqī fùkuǎn ¶~로 산 컴퓨터 月分期付款买的电脑

월북(越北) **명**[하자] **1** 去方方 qù běifāng **2** 逃往北韩 táowǎngběihán ¶~ 작가 逃往北韩的作家

월세(月貰) **명 1** (房子的) 月租 yuèzū; 月租金 yuèzūjīn; 房费租 yuèfángzū = 사글세1 ¶~로 30만 원을 지불하다 每月交纳房租三十万韩元 **2** = 월세방

월세-방(月貰房) **명** 月租房 yuèzūfáng = 사글세2 · 사글셋방 · 월세2

월수(月收) **명 1** = 월수입 **2** 按月还本付息 ànyuè huánběnfùxī

월-수입(月收入) **명** 月收入 yuèshōurù; 月入 yuèrù = 월수1 ¶~이 많다 月收入高 / 너는 ~이 얼마나 되니? 你月收入多少?

월식(月蝕 · 月食) **명**[하자] **【天】** 月食 yuèshí ¶개기 ~ 月全食 / 부분 ~ 月偏食

월요(月曜) **명** (用在部分名词前) 星期一 xīngqīyī; 礼拜一 lǐbàiyī; 周一 zhōuyī ¶~ 기획 周一企划 / ~ 강좌 周一讲座

월요-병(月曜病) **명** 星期一综合症 xīngqīyī zōnghézhèng; 周一疲乏症 zhōuyī pífázhèng

월-요일(月曜日) **명** 星期一 xīngqīyī; 礼拜一 lǐbàiyī; 周一 zhōuyī ¶매월 첫 번째 ~ 每个月的第一个星期一 / 나는 ~ 저녁에 회의에 참석해야 한다 我礼拜一晚上要参加会议

월정(月定) **명** 月定 yuèdìng; 每月固定(的) měiyuè gùdìng(de) ¶~ 독자 每月固定读者

월중(月中) **명** 月中 yuèzhōng; 一个月中 yīgèyuèzhōng ¶~ 행사 月中活动

월차(月次) **명 1** 月休假 yuèxiūjià ¶~를 내다 请月休假 **2** 【天】 月次 yuècì

월차 휴가(月次休暇) **【法】** 带薪月休假 dàixīn yuèxiūjià

월척(越尺) **명** (钓鱼) 一尺来长的鱼 yīchǐ lái chángde yú ¶~을 낚다 钓上一尺来长的鱼

월초(月初) **명** 月初 yuèchū ¶매달 ~ 每个月月初

월-평균(月平均) **명** 月均 yuèjūn ¶~ 수입 月均收入

월하(月下) **명** 月光之下 yuèguāngzhīxià; 月光下 yuèguāngxià ¶~의 공동묘지 月光下的公墓

월하-노인(月下老人) **명** 【文】 月下老人 yuèxià lǎorén; 月下冰人 yuèxià bīngrén; 月老 yuèlǎo = 월하빙인

월하-빙인(月下氷人) **명** 【文】 = 월하노인

웨딩-드레스(wedding dress) **명** 婚纱 hūnshā; 婚纱礼服 hūnshā lǐfú

웨이브(wave) **명** (头发的) 卷曲 juǎnqū; 烫发 tàngfà

웨이터(waiter) **명** (男)服务员 (nán)fúwùyuán; (男)招待员 (nán)zhāodàiyuán ¶~를 불러 음식을 주문하다 叫服务员来点菜

웨이트리스(waitress) **명** 女服务员 nǚfúwùyuán; 女招待员 nǚzhāodàiyuán

웨이트 트레이닝(weight training) 【體】重量训练 zhòngliàng xùnliàn; 重训练 fùzhòng xùnliàn

웨이퍼(wafer) **명** 威化饼 wēihuàbǐng; 威化 wēihuà

웨하스 ☞ '웨이퍼'의 착오

웩 **부** 哇 wā (呕吐声)

웩-웩 **부** **1** 嗷嗷 áo'áo 《大声喊叫貌》**2** 哇哇 wāwā (呕吐声)

웩웩-거리다 **자 1** 嗷嗷地叫 áo'áode jiào ¶누가 한밤중에 이렇게 웩웩거리는 거야? 半夜里谁这么嗷嗷地叫? **2** 哇哇地吐 wāwāde tù ¶입덧 때문에 아침마다 ~ 因为害喜, 每天早上哇哇地吐 ‖ = 웩웩대다

웬 **관 1** 怎样 zěnyàng; 怎么 zěnme ¶~ 영문인지 모르다 不知怎么回事 / 이제 곧 봄인데, ~ 눈이 이렇게 내리는 거지? 快春天了, 怎么还起雪来了? **2** 什么 shénme; 哪 nǎ; 哪来 nǎlái; 干什么 gànshénme ¶그게 ~ 돈이냐? 那是哪来的钱?

웬 떡이냐 **귀** 这是哪来的福气啊; 飞来之福

웬간-하다 **형** ☞ '웬만하다'의 착오

웬-걸 **감** 不知为何 bùzhī wèihé; 不知怎么搞的 bùzhī zěnmegǎode; 却 què; 谁知 shéizhī; 哪里 nǎlǐ; 哪啊 nǎ'a 《表示否定、怀疑、意外的语气》¶철수 는 술 알았더니 ~, 거지가 되었잖아 原以为生活得不错呢, 谁知却成了乞丐 / ~요, 고마워하기는커녕 화만 내지 뭐예요 哪啊, 他不说谢谢我, 还发火呢

웬-만큼 **부** 一般程度 yībān chéngdù; 说得过去 shuōdeguòqù; 还可以 háikěyǐ; 尚 shàng; 尚可 shàngkě; 差不多 chàbùduō; 强强人意 qiāngqiángrényì ¶영어를 ~ 한다 英语尚可 =[英语还可以] / ~ 생기다 长相尚可

웬-만하다 **형** 说得过去 shuōdeguòqù; 行 háixíng; 差不多 chàbùduō; 还可以 háikěyǐ; 一般 yībān ¶먹고살기가 ~ 生活还说得过거나 / 웬만한 사람은 다 안다 一般人都知道

웬-일 **명** 怎么回事 zěnme huíshì; 哪门子的事 nǎménzide shì; 什么风 shénme fēng ¶이게 ~이냐? 这是怎么回

事?/～로 네가 여길 다 왔니? 什么风
把你吹来了?

웬지 튀 '왠지'의 잘못

웰터(welter) 몡 [體] = 웰터급

웰터-급(welter級) 몡 [體] (拳击,
摔跤等的) 次中量级 cìzhōngliàngjí =
웰터

웹(web) 몡 [컴] = 월드 와이드 웹

웹 디자이너(web designer) [컴] 网
站设计师 wǎngzhàn shèjìshī

웹-마스터(web master) 몡 [컴] 站
长 zhànzhǎng; 网络管理员 wǎngluò
guǎnlǐyuán

웹 브라우저(web browser) 몡 [컴] 浏
览器 liúlǎnqì

웹 사이트(web site) [컴] 网站
wǎngzhàn

웹 서버(web server) [컴] 网站服务器
wǎngzhàn fúwùqì; 网站伺服器 wǎng-
zhàn cìfúqì

웹 페이지(web page) [컴] 网页
wǎngyè

웽 뷔하자 1 嗡嗡 wēng 《飞虫振翅声》
¶벌이 ～하고 날아가다 蜜蜂嗡地飞过
去 2 쑤 wū 《风吹电线声》¶바람에 전
깃줄이 ～하고 운다 电线被风吹得嗡
嗡响

웽-웽 뷔하자 1 嗡嗡 wēngwēng 《飞
虫振翅声》 2 呜呜 wūwū 《风吹电线
声》

웽웽-거리다 자 1 嗡嗡响 wēngwēng
xiǎng; 嗡嗡叫 wēngwēng jiào ¶모기가
귓전에서 ～ 蚊子在耳边嗡嗡地叫 2
呜呜响 wūwū xiǎng; 呜呜叫 wūwū jiào
∥ = 웽웽대다

위 몡 1 上 shàng; 上边 shàngbian; 上
面 shàngmian; 上头 shàngtou ¶～를
보다 往上看/산 ～에 오르다 爬到山
上/책상 ～에 있는 그것이 누구의
것이냐? 桌子上面的那本书是谁的? 2
(文章等的) 上 shàng; 上面 shàng-
mian; 上边 shàngbian ¶구체적인 내용
은 ～에 밝힌 바와 같다 具体的内容
如上所述 3 (地位、年龄、等级、程
度等) 上乘 shàngchéng; 高 gāo; 大
dà; 长 zhǎng ¶내가 너보다 한 수 ～
다 我比你高一招/나이가 서너 살
～다 年龄比我大三岁 4 加上 jiā-
shàng; 除此之外 chúcǐzhīwài ¶그 ～
에 또 무엇을 바라느냐? 除此之外还
指望什么?

위(位) 의몡 位 wèi; 名 míng (表示等
次、名次) ¶종합 순위에서 4～를 차
지하다 综合排位居第四位

위(胃) 몡 [生] 胃 wèi; 胃脏 wèizàng;
胃部 wèibù = 위장(胃臟) ¶～ 점막
胃黏膜/～ 내시경 胃内窥镜/～세척
洗胃/～절제술 胃切除术/～를 자극

하는 약물 刺激胃部的药物/～가 안
좋은 사람 胃不好的人

위-경련(胃痙攣) 몡 [醫] 胃痉挛 wèi-
jìngluán; 胃痉痛 wèijìǎotòng; 胃痉 wèi-
jìng

위계(位階) 몡 1 官位 guānwèi; 品级
pǐnjí; 品阶 pǐnjiē 2 级别 jíbié; 等级
děngjí; 层次 céngcì; 阶级 jiējí ¶～질
서 等级序列/군대에서는 ～가 분명
하다 军队里等级分明

위-궤양(胃潰瘍) 몡 [醫] 胃溃疡 wèi-
kuìyáng

위급(危急) 몡하 危急 wēijí ¶상황이
～하다 情况危急/병세가 ～하다 病
势危急

위기(危機) 몡 危机 wēijī ¶경제 ～ 经
济危机/～관리 危机处理/～를 넘기
다 摆脱危机/～가 닥치다 面临危机

위기-감(危機感) 몡 1 危机感 wēijī-
gǎn ¶～이 고조되다 危机感达到高
潮/일촉즉발의 ～이 감돌다 充满一
触即发的危机感 2 [哲] = 위기의식

위기-의식(危機意識) 몡 [哲] 危机意
识 wēijī yìshí; 危机感 wēijīgǎn = 위기
감2 ¶～을 가지다 怀有危机感

위기-일발(危機一髮) 몡 千钧一发
qiānjūnyīfà ¶～의 순간 千钧一发之际

위난(危難) 몡 危难 wēinàn ¶국가에
～이 닥치다 国家处于危难状态

위대-하다(偉大—) 혱 伟大 wěidà ¶
위대한 인물 伟大人物/사랑은 정말
～ 爱情真伟大

위도(緯度) 몡 [地理] 纬度 wěidù ¶～
변화 纬度变化

위도-선(緯度線) 몡 [地理] = 위선
(緯線)

위독-하다(危篤—) 혱 (病势) 病重
wēizhòng; 危笃 wēidǔ; 病危 bìngwēi;
危急 wēijí; 垂危 chuíwēi ¶위독한 환
자 病危病人/병세가 ～ 病情危急

위락(慰樂) 몡 娱乐 yúlè; 休闲 xiū-
xián; 消遣 xiāoqiǎn ¶～ 시설을 갖추
다 具有休闲设施

위력(威力) 몡 威力 wēilì ¶대자연의
～ 大自然的威力/～을 발휘하다 发挥
威力

위력(偉力) 몡 伟力 wěilì

위령(慰靈) 몡하 慰灵 wèilíng; 安魂
ānhún ¶～탑 慰灵塔

위령-곡(慰靈曲) 몡 [音] = 레퀴엠

위령-제(慰靈祭) 몡 慰灵祭 wèilíngjì;
追悼会 zhuīdàohuì ¶～를 지내다 举行
追悼会

위로(慰勞) 몡하 慰劳 wèiláo; 抚慰
fǔwèi; 安慰 ānwèi ¶～금 慰劳金 =[때
劳金]/대학 입학 시험에 떨어진 동생
을 ～하다 安慰高考落榜的弟弟/어떻
게 그를 ～해야 좋을지 모르겠다 不知

如何安慰他才好

위문(慰問) 【명】하타】慰问 wèiwèn ¶~금 慰问金 / ~단 慰问团 =[慰问队] / 편지 慰问信 / ~품 慰问品 / ~ 공연 慰问演出 / 일선 장병들을 ~하다 慰问第一线的士兵们

위민(爲民) 【명】爲民 wèimín; 为百姓 wèibǎixìng ¶~ 정치 为民政治

위반(違反) 【명】하타】违反 wéifǎn; 违背 wéibèi; 违犯 wéifàn; 触犯 chùfàn = 위배 /교통 법규를 ~하다 违反交通规则 / 선거법을 ~하다 触犯选举法

위배(違背) 【명】하타】= 위반 ¶원칙에 ~되다 违背原则

위법(違法) 【명】하자】违法 wéifǎ; 犯法 fànfǎ ¶~ 행위 违法行为 / ~ 집회 违法集会 / ~성 违法性

위벽(胃壁) 【명】【生】胃壁 wèibì

위병(胃病) 【명】【醫】= 위장병(胃臟病)

위병(衛兵) 【명】【軍】卫兵 wèibīng; 警卫兵 jǐngwèibīng ¶~소 卫兵室 =[卫室]

위산(胃酸) 【명】【生】胃酸 wèisuān ¶~ 결핍증 胃酸缺乏症 / ~ 과다증 胃酸过多症 / ~이 분비되다 分泌胃酸

위상(位相) 【명】1 地位 dìwèi ¶~을 높이다 提高地位 2 【物】位相 wèixiàng; 相位 xiàngwèi 3 【數】位相 wèixiàng; 相位 xiàngwèi

위생(衛生) 【명】卫生 wèishēng ¶~ 관념 卫生观念 / ~모 卫生帽 / ~ 시설 卫生设施 / ~ 관리 卫生管理 / ~ 상태가 좋지 않다 卫生情况不好 / ~에 신경을 쓰다 讲究卫生

위생-병(衛生兵) 【명】【軍】卫生员 wèishēngyuán; 护士兵 hùshìbīng

위생-복(衛生服) 【명】卫生服 wèishēngfú; 消毒服 xiāodúfú

위생-저(衛生一) 【명】= 소독저

위생-적(衛生的) 【관】명】卫生 wèishēng ¶이곳의 식기류는 별로 ~이지 않다 这里的餐具不太卫生

위선(僞善) 【명】伪善 wěishàn; 虚伪 xūwěi ¶~자 伪善者 =[伪君子][假善人] / ~을 벗기다 摆脱伪善

위선(緯線) 【명】【地理】纬线 wěixiàn = 위도선

위선-적(僞善的) 【관】명】伪善(的) wěishàn(de); 虚伪(的) xūwěi(de) ¶~인 정치가 伪善的政治家 / ~인 사람 虚伪的人

위성(衛星) 【명】【天】1 卫星 wèixīng 2 = 인공위성 ¶~ 방송 卫星广播 / ~ 사진 卫星照片 / ~ 중계 卫星转播 / ~ 통신 卫星通信 / ~을 통해 데이터를 전송하다 通过卫星传输数据

위성 국가(衛星國家) 【政】卫星国 wèixīngguó; 卫星国家 wèixīng guójiā

위성 도시(衛星都市) 【地理】卫星城市 wèixīng chéngshì; 卫星城 wèixīngchéng

위세(威勢) 【명】威势 wēishì; 威力 wēilì; 威风 wēifēng; 威 wēi ¶~를 부리다 要威风 / ~를 떨치다 大发威风

위스키(whiskey) 【명】威士忌 wēishìjì

위시(爲始) 【명】하타】以 ... 为首 yǐ ... wéishǒu ¶대통령을 ~하여 고위 공무원들이 한자리에 모이다 以总统为首的高级官员聚集在一起

위신(威信) 【명】威信 wēixìn; 威望 wēiwàng ¶~이 서다 树立威信 / ~을 잃다 威望尽失 / ~이 땅에 떨어지다 威信扫地

위-아래 【명】1 = 아래위 2 (地位或年龄) 上下 shàngxià; 高低 gāodī; 大小 dàxiǎo; 老少 lǎoshào = 상하 ¶~도 모르고 행동하다 做事没大没小的

위안(慰安) 【명】하타】慰安 wèi'ān; 安慰 ānwèi; 慰藉 wèijiè ¶~으로 삼다 当作慰藉 / 스스로를 ~하다 自我慰安

위안(Yuan[元]) 【의명】元 yuán; 块 kuài

위안-부(慰安婦) 【명】慰安妇 wèi'ānfù; 随军妓女 suíjūn jìnǚ ¶그녀는 ~로 끌려갔다 她被逼做了慰安妇

위암(胃癌) 【명】【醫】胃癌 wèi'ái

위압(威壓) 【명】하타】威压 wēiyā; 威胁 wēihè; 威迫 wēipò; 威逼 wēibī ¶~을 가하다 施加威压 / 상대방을 ~하다 威吓对方

위압-감(威壓感) 【명】威胁感 wēixiégǎn ¶그의 목소리는 상대방에게 ~을 준다 他的声音给对方造成威胁感

위압-적(威壓的) 【관】명】威慑(的) wēishè(de); 威吓(的) wēihè(de); 盛气凌人(的) shèngqìlíngrén(de); 威逼(的) wēibī(de) ¶~인 분위기 威慑氛围 / ~인 태도로 사람을 대하다 以盛气凌人的态度对待别人 / 분위기가 너무 ~이다 气氛太威慑了

위액(胃液) 【명】【生】胃液 wèiyè

위약(違約) 【명】하타】违约 wéiyuē; 毁约 huǐyuē; 失约 shīyuē; 爽约 shuǎngyuē ¶~ 행위 违约行为

위약-금(違約金) 【명】违约金 wéiyuējīn; 违约罚金 wéiyuē fájīn; 罚款 fákuǎn

위엄(威嚴) 【명】하타】威严 wēiyán; 派头 pàitóu; 威风 wēifēng ¶~을 보이다 摆威风 / ~ 있는 어조로 말하다 用威严的口气说话

위업(偉業) 【명】伟业 wěiyè; 大业 dàyè ¶~을 달성하다 成就伟业 / 삼국 통일의 ~을 이룩하다 实现三国统一的大业

위염(胃炎) 【명】【醫】胃炎 wèiyán

위용(威容) 【명】威容 wēiróng; 威仪 wēiyí ¶~을 과시하다 显耀威容

위원(委員) 圏 委员 wěiyuán ¶~단 委
员团 / ~장 委员长 / ~회 委员会 / 国
务 ~ 国务委员 / 편집 ~ 编辑委员 /
연구 ~ 研究委员

위인(偉人) 圏 伟人 wěirén ¶세계적인
~ 世界伟人

위인(爲人) 圏 1 为人 wéirén ¶그의 ~
은 내가 잘 알고 있다 他的为人我很
清楚 2 人 rén; 家伙 jiāhuo ¶그는 그
렇게 꽉 막힌 ~은 아니다 他不是那么
古板的人

위인-전(偉人傳) 圏 伟人传 wěirén-
zhuàn; 伟人传记 wěirén zhuànjì = 위
인전기

위인-전기(偉人傳記) 圏 = 위인전

위임(委任) 圏 団 委任 wěirèn; 委托
wěituō; 授予 shòuyǔ ¶~장 委任状 /
~통치 委任统治 / 권리를 다른 사람에
게 ~하다 把权利授予别人

위자-료(慰藉料) 圏 【法】 精神慰抚金
jīngshén wèifǔjīn; 抚恤金 fǔxùjīn; 精藉
金 wèijièjīn; 精神赔偿费 jīngshén péi-
chángfèi ¶이혼 ~ 离婚抚恤金 / 거액
의 ~를 청구하다 要求一笔巨额的精
神慰抚金

위작(僞作) 圏 団 1 伪作 wěizuò; 赝
品 yànpǐn ¶이 그림은 ~으로 판명되
었다 这幅画被验为赝品 2 【法】 伪作
wěizuò

위장(胃腸) 圏 【生】胃肠 wèicháng; 肠
胃 chángwèi ¶공복에 산성의 과일을
먹는 것은 ~에 좋지 않다 空腹吃酸性
水果对胃肠不好

위장(胃臟) 圏 【生】= 위(胃) ¶~에
병이 생기다 胃脏出了毛病

위장(僞裝) 圏 団 1 伪装 wěizhuāng;
冒充 màochōng; 假装 jiǎzhuāng; 假 jiǎ
¶~ 결혼 假结婚 / ~ 취업 假就业 / 농
부로 ~하다 假农民 / 타살을 자살로
~하다 把他杀案伪装成自杀案 2
【军】伪装 wěizhuāng ¶~복 伪装服

위장-병(胃腸病) 圏 胃肠病 cháng-
wèibìng; 胃肠病 wèichángbìng

위장-병(胃臟病) 圏 【醫】胃病 wèi-
bìng = 위병(胃病)

위장-약(胃腸藥) 圏 肠胃药 chángwèi-
yào; 胃肠药 wèichángyào

위장-염(胃腸炎) 圏 【醫】肠胃炎 cháng-
wèiyán; 胃肠炎 wèichángyán

위정(爲政) 圏 団 为政 wéizhèng; 执
政 zhízhèng ¶~자 为政者 = [执政者]

위조(僞造) 圏 団 伪造 wěizào; 假造
jiǎzào; 赝 yàn; 假 jiǎ; 伪 wěi ¶~ 수표
假公文 = [假文件] / ~ 수표 伪支票
= [假支票] / ~ 어음 假票据 / ~죄 伪
造罪 / 공문서를 ~하다 伪造公文 / 증
명서를 ~하다 伪造证件

위조-지폐(僞造紙幣) 圏 假钞 jiǎ-
chāo; 伪钞 wěichāo; 伪币 wěibì; 伪造
纸币 wěizào zhǐbì; 假币 jiǎbì = 위폐1

위조-품(僞造品) 圏 赝品 yànpǐn; 伪
造品 wěizàopǐn

위조 화폐(僞造貨幣) 【經】 伪币 wěi-
bì; 假币 jiǎbì = 위폐2

위주(爲主) 圏 以主 wěizhǔ; 着重 zhuó-
zhòng ¶입시 ~의 교육 以应试为主的
教育 / 실력 ~로 사람을 뽑다 着重实
力选拔人才

위중-하다(危重一) 혱 1 危重 wēi-
zhòng; 危笃 wēidǔ ¶병세가 ~ 病势危
重 2 危急 wēijí; 危殆 wēidài ¶사태가
~ 情势危殆

위증(僞證) 圏 団 【法】 伪证 wěizhèng
¶~죄 伪证罪 / 증인을 협박하여 ~하
게 하다 威胁证人作伪证

위-짝 圏 (上下成套物体的)上一半
shàngyíbàn; 上部分 shàngbùfen; 上边
的 shàngbiande

위-쪽 圏 上边 shàngbian; 上面 shàng-
mian; 上头 shàngtou

위-채 圏 上房 shàngfáng; 上间 shàng-
jiān ¶~에는 집주인이 살고 있다 上房
里住着房东

위촉(委囑) 圏 団 委托 wěituō; 托付
tuōfù; 拜托 bàituō; 委任 wěirèn ¶그는
지도 위원으로 ~되었다 他被委任为
指导委员

위축(萎縮) 圏 団 1 枯萎 kūwěi ¶근
육이 ~되다 肌肉萎缩 2 畏缩 wèisuō;
畏怯 wèiqiè; 萎缩 wěisuō; 退缩 tuìsuō
¶어떤 어려움에 직면해도 그는 ~되
는 법이 없다 不管遇到什么困难, 他
从不畏缩 / 경제가 날로 ~되다 经济
日趋萎缩

위-출혈(胃出血) 圏 【醫】胃出血 wèi-
chūxuè

위-층(一層) 圏 上层 shàngcéng; 楼上
lóushàng = 상층1 ¶그는 우리 집 ~
에 산다 他住在我家楼上

위치(位置) 圏 団 1 位置 wèizhi ¶~ 추적
기 位置跟踪器 / 그 가게는 ~가 안 좋
아서 장사가 잘 안된다 那家店地理位
置不好, 生意很清淡 2 地位 dìwèi; 位
置 wèizhi ¶여성의 사회적 ~ 女性的
社会地位 ---하다 団 位于 wèiyú ¶그
의 별장은 해변에 위치해 있다 他的别
墅位于海边

위치 에너지(位置energy) 【物】 位能
wèinéng; 势能 shìnéng

위탁(委託) 圏 団 委托 wěituō; 拜托
bàituō; 托付 tuōfù ¶~ 가공 委托加
工 / ~금 委托金 / ~ 교육 委托教育 /
~ 판매 委托销售 / 전문가에게 회사
의 운영을 ~하다 委托专家管理公司

위탁-물(委託物) 圏 委托物 wěituōwù; 委托品 wěituōpǐn = 위탁품

위탁-생(委託生) 🇲 【敎】 = 위탁 학생

위탁-품(委託品) 🇲 = 위탁물

위탁 학생(委託學生) 【敎】委托生 wěituōshēng = 위탁생

위태-롭다(危殆一) 🇲 危急 wēijí; 危险 wēixiǎn; 危殆 wēidài ¶형세가 ~ 情势危急 / 목숨이 ~ 生命危险 **위태로이** 图 ¶어떤 사람이 벼랑 위에 ~ 서 있다 有人正危险地站在悬崖上

위태위태-하다(危殆危殆一) 🇲 岌岌可危 jíjíkěwēi; 危在旦夕 wēizàidànxī; 千钧一发 qiānjūnyífà; 摇摇欲坠 yáoyáoyùzhuì ¶그의 정치적 지위가 ~ 他的政治地位岌岌可危

위태-하다(危殆一) 🇲 危急 wēijí; 危险 wēixiǎn; 危在旦夕 wēizàidànxī ¶경기 침체로 회사가 ~ 经济不景气, 公司危在旦夕

위-턱(生) 🇲 上颚 shàng'è = 상악

위턱-뼈 🇲 (生) 上颚骨 shàng'ègǔ = 상악골

위통(胃痛) 🇲 【醫】胃痛 wèitòng

위트(wit) 🇲 机智 jīzhì; 才智 cáizhì; 风趣 fēngqù; 才华 cáihuá ¶~가 넘치다 充满机智 / 그는 ~ 있는 사람이다 他是一个很有风趣的人

위-팔(一) 🇲 上臂 shàngbì; 大臂 dàbì; 大膀脯 dàgěbo = 상박 · 상완

위패(位牌) 🇲 牌位 páiwèi; 神主 shénzhǔ; 灵位 língwèi ¶~를 모시다 供奉牌位 / ~를 안치하다 安放灵位

위폐(僞幣) 🇲 1 = 위조지폐 ¶~ 사건 假钞事件 / ~를 가려내다 挑出假币 2 【經】= 위조 화폐

위풍(威風) 🇲 威风 wēifēng; 派头 pàitou ¶~이 넘치다 派头十足 / ~을 뽐내다 逞威风 = [摆威风]

위풍-당당(威風堂堂) 🇲 🇭 威风凛凛 wēifēng línlǐn; 气势轩昂 qìshì xuān'áng ¶~한 군인 威风凛凛的军人

위-하다(爲一) 🇲 1 为 wèi; 为了 wèile; 为…着想 wèi…zhuóxiǎng ¶조국을 위해 헌신하다 为祖国献身 / 내가 이렇게 하는 것은 모두 너를 위해서이다 我这样做都是为了你 2 爱 ài; 爱护 àihù; 疼爱 téng'ài; 宠爱 chǒng'ài ¶그는 강아지를 자식처럼 위한다 他把小狗当成孩子一样宠爱

위-하수(胃下垂) 🇲 【醫】胃下垂 wèixiàchuí ¶~증 胃下垂症

위해(危害) 🇲 危害 wēihài ¶~를 가하다 施加危害 / 환경 오염은 사람들의 건강에 ~를 줄 수 있다 污染环境, 会危害人的健康

위해-물(危害物) 🇲 危险品 wēixiǎnpǐn; 危险物品 wēixiǎn wùpǐn

위헌(違憲) 🇲 🇭🇿 【法】违宪 wéixiàn; 违反宪法 wéifǎn xiànfǎ ¶~성 违宪性 / ~ 여부를 심사하다 审判是否违反宪法

위험(危險) 🇲 🇭 危险 wēixiǎn; 艰险 jiānxiǎn; 风险 fēngxiǎn ¶~ 수위 危险水位 / ~ 신호 危险信号 / ~ 인물 危险人物 =[危险分子] / ~에서 벗어나다 脱离危险 / ~을 무릅쓰다 冒着危险 / 이곳은 매우 ~하다 这里很危险 / ~에 처하다 处于危险中

위험-성(危險性) 🇲 危险性 wēixiǎnxìng; 危险 wēixiǎn ¶화재의 ~이 높다 火灾的危险性大

위험-천만(危險千萬) 🇲 🇭 十分危险 shífēn wēixiǎn; 岌岌可危 jíjíkěwēi; 万分险恶 wànfēn xiǎn'è; 危如累卵 wēirúlěiluǎn ¶술을 마시고 물속에 들어가는 것은 아주 ~하다 酒后下水是十分危险的

위협(威脅) 🇲 🇭🇿 威胁 wēixié; 恫吓 xiàhu; 恫吓 dònghè; 威吓 wēihè ¶상대방을 ~하다 吓唬对方 / 칼로 ~하며 돈을 요구하다 持刀威胁要钱 / 생명의 ~을 받다 生命受到威胁

위협-사격(威脅射擊) 🇲 【軍】威胁性射击 wēixiéxìng shèjī

위협-적(威脅的) 🇰🇲 威胁的 wēixiéde; 威吓的 xiàhude ¶~인 말투 威胁的口气 / 분위기 吓唬人的气氛

위화(違和) 🇲 不协调 bùxiétiáo; 不和谐 bùhéxié ¶집 앞의 대형 마트가 주위 환경에 ~를 일으키다 家门前的大型超市跟周围环境不协调

위화-감(違和感) 🇲 不平 bùpíng; 不公 bùgōng; 不公平 bùgōngpíng; 不平衡感 bùpínghénggǎn; 不和谐 bùhéxié ¶~이 들다 心中不平 / ~을 주다 给人不平衡感 / 과소비는 사회에 ~를 조성할 수 있다 高消费会造成社会不和谐氛围

윈도(window) 🇲 1 【軍】金属箔片 jīnshǔ bópiàn 2 【컴】视窗 shìchuāng; 窗口 chuāngkǒu

윈도쇼핑(window-shopping) 🇲 = 아이쇼핑

윈드서핑(windsurfing) 🇲 🇱 风帆冲浪 fēngfān chōnglàng; 风帆冲浪运动 fēngfān chōnglàng yùndòng

윈치(winch) 🇲 【機】绞车 jiǎochē; 卷扬机 juǎnyángjī = 권양기

윗-눈썹 🇲 上睫毛 shàngjiémáo

윗-니 🇲 上齿 shàngchǐ; 上牙 shàngyá

윗-대(一代) 🇲 上代 shàngdài; 前代 qiándài ¶~로부터 물려받은 재산 从上代继承的财产

윗-도리 圕 **1** 上身 shàngshēn; 上体 shàngtǐ ¶~ 근육이 발달된 청년 上身 肌肉发达的青年 **2** = 윗옷 ¶더위에 ~를 벗다 热得把上衣脱了

윗-동네(一洞一) 圕 上村 shàngcūn

윗-마을 圕 上村 shàngcūn

윗-머리 圕 **1** 头上 tóushang **2** 头上面头发 tóushàngmian tóufa **3** 上头 shàngtou; 顶端 dǐngduān; 上端 shàng-duān

윗-목 圕 炕梢 kàngshāo ¶~에서 웅 크리고 잠을 자다 在炕梢缩着身子睡 觉

윗-몸 圕 上半身 shàngbànshēn; 上身 shàngshēn

윗몸 일으키기 〔體〕 仰卧起坐 yǎngwò-qǐzuò

윗-물 圕 **1** 上游 shàngyóu; 上游水 shàngyóushuǐ **2** 上级 shàngjí; 高层职 员 gāocéng zhíyuán

윗물이 맑아야 아랫물이 맑다 〔俗談〕 水头不清, 水尾混; 上行下效, 捷如影 响; 上梁不正下梁歪

윗-방(一房) 圕 上房 shàngfáng; 外屋 wàiwū

윗-배 圕 大腹 dàfù; 上腹 shàngfù

윗-부분(一部分) 圕 上半部分 shàng-bànbùfen; 上面部分 shàngmianbùfen; 上部分 shàngbùfen; 上端 shàngduān

윗-사람 圕 **1** = 손윗사람 ¶~을 섬 기다 服侍长辈 **2** 上司 shàngsi; 上级 shàngjí ¶~ 눈치를 보다 看上司脸色

윗-어른 圕 ‘웃어른’의 错误

윗-옷 圕 上衣 shàngyī; 上身(儿) shàngshēn(r); 上装 shàngzhuāng = 상 의(上衣) · 웃통2 · 윗도리2

윗-입술 圕 上唇 shàngchún ¶~을 깨 물다 咬着上唇

윗-잇몸 圕 上牙床 shàngyáchuáng; 上齿龈 shàngchǐyín

윗-자리 圕 **1** 上席 shàngxí; 上座 shàngzuò; 首座 shǒuzuò = 상석(上席) ¶손님을 ~에 모시다 请客人坐上座 **2** 高位 gāowèi

윗-집 圕 上边邻居 shàngbian línjū

윙(wing) 圕 〔體〕 边锋 biānfēng

윙 圕 嗡嗡 wēngwēng; 轰隆 hōnglōng 《虫子飞动或机器转动的声 音》¶진공청소기가 ~ 소리를 내다 吸 尘器轰轰作响

윙-윙 圕하잓 嗡嗡 wēngwēng; 轰隆 hōnglōng 《虫子飞动或机器转动的声 音》¶벌이 ~ 날아다니다 蜜蜂嗡嗡地 飞 ¶기계가 ~ 돌아가다 机器轰隆隆 隆地转动

윙윙-거리다 짼 嗡嗡地响 wēngwēng-de xiǎng; 隆隆作响 lónglóng zuòxiǎng = 윙윙대다 ¶벌레가 ~ 虫子嗡嗡地

响 / 기계가 ~ 机器隆隆作响

윙크(wink) 圕하잓 挤眼(儿) jǐyǎn(r); 眨一只眼 zhǎ yìzhī yǎn; 眨眼 zhǎyǎn ¶지나가는 여자에게 ~를 하다 向过 路的女人挤眼儿

유(有) 圕 有 yǒu ¶무에서 ~를 낳다 从无到有

유-(有) 〔접투〕 有 yǒu ¶~경험자 有经 验者 / ~의미 有意义

유:가(有價) 圕 有价 yǒujià ¶~ 증권 有价证券

유가(油價) 圕 油价 yóujià ¶~가 폭등 하다 油价飚涨

유가(儒家) 圕 儒家 rújiā

유-가족(遺家族) 圕 遗族 yízú; 遗属 yíshǔ; 死者亲属 sǐzhě qīnshǔ; 死者家 属 sǐzhě jiāshǔ = 유족 ¶희생자의 ~ 들이 국가에 보상을 요구하다 死者亲 属向国家要求赔偿

유감(遺憾) 圕하잓 遗憾 yíhàn; 可惜 kěxī; 不满 bùmǎn ¶~을 나타내다 表 示遗憾 / 나에게 ~이 있으면 말해라 对我有什么不满的话就说 / 이에 대해 우리는 매우 ~으로 생각한다 对此我 们深感遗憾

유감-스럽다(遺憾一) 혱 遗憾 yíhàn; 可惜 kěxī; 不称心 bùchènxīn ¶유감스 럽게도 나는 그에 대해 아는 바가 없 다 可惜的是我对他一无所知 **유감스레** 끋

유감-없다(遺憾一) 혱 无憾 wúhàn; 毫无遗憾 háowúyíhàn; 心满意足 xīn-mǎnyìzú 유감없이 끋 실력을 ~ 발 휘하다 毫无遗憾地发挥实力

유객(遊客) 圕 **1** 游客 yóukè; 游人 yóurén ¶유람선이 ~들로 북적대고 있다 游船上挤满了游人 **2** 二流子 èrliúzi

유격(遊擊) 圕하타 〔軍〕 游击 yóují ¶ ~ 훈련 游击训练

유격-대(遊擊隊) 圕 〔軍〕 游击队 yóu-jīduì = 게릴라1

유격-수(遊擊手) 圕 〔體〕 (棒球的) 游 击手 yóujīshǒu

유격-전(遊擊戰) 圕 〔軍〕 游击战 yóu-jīzhàn = 게릴라전

유:고(有故) 圕하혱 因故 yīngù; 有特 殊情况 yǒutèshū qíngkuàng; 因特殊原 因 yǒu tèshū yuányīn ¶~ 결석 因故缺 席 / 대통령 ~ 시에는 국무총리가 권 한을 대행한다 总统有特殊情况时国 务总理代行其权利

유골(遺骨) 圕 遗骨 yígǔ; 遗骸 yíhái; 骨灰 gǔhuī = 유해(遺骸) ¶~을 묻다 埋葬遗骨 / ~을 강물에 뿌리다 把骨 灰撒在江河里

유:공(有功) 圕하혱 有功 yǒugōng; 有 功劳 yǒugōngláo ¶전쟁에서 ~한 병사 에게 훈장을 수여하다 向战争中的有

유·**공-자**(有功者) 閔 有功者 yǒugōng-zhě; 有功劳者 yǒugōngláozhě ¶독립 ～ 独立运动有功者

유곽(遊廓) 閔 妓院 jìyuàn; 烟花巷 yānhuāxiàng; 花街柳巷 huājiēliǔxiàng ¶～에 드나들다 出入妓院

유·**관**(有關) 閔하형 有关 yǒuguān ¶～기관에 협조를 요청하다 要求有关部门协助

유·**광-지**(有光紙) 閔 有光纸 yǒuguāng-zhǐ

유괴(誘拐) 閔하타 拐骗 guǎipiàn; 诱拐 yòuguǎi ¶어린이 ～ 사건 拐骗儿童案 / 어린이를 ～하다 诱拐儿童 / ～를 당하다 遭到拐骗

유괴-범(誘拐犯) 閔【法】拐骗犯 guǎi-piànfàn; 诱拐犯 yòuguǎifàn ¶～을 체포하다 逮捕拐骗犯

유교(儒敎) 閔 儒教 rújiào ¶～ 문화권 儒教文化圈 / ～를 숭상하다 崇尚儒教

유·**구무언**(有口無言) 閔 有口无言 yǒukǒu wúyán; 哑口无言 yǎkǒu wúyán

유구-하다(悠久一) 휑 悠久 yōujiǔ ¶～구한 역사와 전통 悠久的历史和传统 유구-히 閔

유·**권**(有權) 閔 有权 yǒuquán ¶～ 해석 有权解释

유·**권-자**(有權者) 閔【法】= 선거인 ¶～들의 지지를 호소하다 号召选民的支持

유글레나(Euglena) 閔【生】眼虫 yǎnchóng; 裸藻 luǒzǎo

유·**급**(有給) 閔 有报酬 yǒubàochou; 有工资 yǒugōngzī; 有薪 yǒuxīn; 带薪 dàixīn ¶～ 직원 带薪职员

유급(留級) 閔하형 留级 liújí; 重读 chóngdú ¶～생 重读生 =[留级生] / 1학년에 ～되다 重读一年级

유·**급 휴가**(有給休暇)【經】带薪休假 dàixīn xiūjià; 有薪假 yǒuxīnjià ¶～기간 有薪假期

유·**기**(有期) 閔 = 유기형 ¶～ 징역 有期徒刑

유·**기**(有機) 閔 有机 yǒujī ¶～ 농산물 有机农产品 / ～ 합성 有机合成 / ～화학 有机化学

유기(遺棄) 閔하타 遗弃 yíqì; 弃 qì ¶～죄 遗弃罪 / 영아를 ～하다 遗弃婴儿 / 시체를 ～하다 遗弃尸体

유기(鍮器) 閔 = 놋그릇

유·**기-농**(有機農) 閔【農】1 (有机农法培育的) 有机 yǒujī ¶～ 식품 有机食品 / ～ 채소 有机蔬菜 2 = 유기 농업

유·**기 농업**(有機農業)【農】有机农业 yǒujī nóngyè = 유기농2

유·**기-물**(有機物) 閔 1【生】有机

유·**기-물 질**(有機物質) 1【生】= 유기물1 2【化】= 유기 화합물

유·**기 물질**(有機物質) 1【生】= 유기물1 2【化】= 유기 화합물

유·**기-적**(有機的) 관형 有机(的) yǒu-jī(de) ¶～으로 결합시키다 有机地结合起来

유·**기-질**(有機質) 閔【化】有机质 yǒujīzhì ¶～ 토양 有机质土壤

유·**기-체**(有機體) 閔 有机体 yǒujītǐ; 机体 jītǐ

유·**기-한**(有期限) 閔하형 有期限 yǒu-qīxiàn = 유기(有期)

유·**기-형**(有期刑) 閔【法】有期刑 yōuqíxíng

유·**기 화합물**(有機化合物)【化】有机化合物 yǒujī huàhéwù = 유기물2·유기 물질2

유·**난** 閔하형부 特别 tèbié; 异常 yìcháng; 格外 géwài; 分外 fènwài; 古怪 gǔguài; 脾气大 píqi dà ¶머리가 히 큰 아이 头异常大的孩子 / 오늘따라 그녀가 ～히 아름답다 今天她格外美丽

유·**난-스럽다** 휑 特别 tèbié; 异常 yìcháng; 格外 géwài; 分外 fènwài; 古怪 gǔguài; 脾气大 píqi dà ¶그는 조금 유난스러운 데가 있는 사람이다 他是有点古怪的人 유·난-스레 閔 ¶달빛이 ～ 밝다 月色格外明亮

유네스코(UNESCO)[United Nations Educational, Scientific and Cultural Organization] 閔【社】联合国教科文组织 liánhéguó jiàokēwén zǔzhī

유·**년**(幼年) 閔 幼年 yòunián; 童年 tóngnián ¶～ 시절 幼年时代 = [幼年时期][童年时代] / ～의 추억 童年的回忆

유년-기(幼年期) 閔 幼年时期 yòunián shíqí; 儿时 érshí

유념(留念) 閔하자타 记住 jìzhù; 留心 liúxīn; 留意 liúyì; 注意 zhùyì ¶건강에 ～하다 注意健康 / 내 말을 ～해라 记住我的话

유·**능**(有能) 閔하형 有能力 yǒunénglì; 有本领 yǒuběnlǐng; 有才干 yǒucáigàn; 能干 nénggàn; 有力 déli ¶～한 인재 有才干的人才 / 그는 매우 ～하다 他很能干

유니버시아드(Universiade) 閔【體】世界大学生运动会 shìjiè dàxuéshēng yùndònghuì

유니세프(UNICEF) [United Nations Children's Fund] 閔【社】联合国儿童基金会 liánhéguó értóng jījīnhuì

유니섹스(unisex) 閔 (服装、发型等)不分男女 bùfēn nánnǚ; 不分性别 bùfēn xìngbié; 无性别 wúxìngbié; 男女共

用 nánnǚ gòngyòng; 单性化 dānxìng-huà ¶요즘은 옷차림에서 ~ 스타일이 유행한다 最近不分男女的打扮很流行

유니콘(unicorn) 명 独角兽 dújiǎo-shòu

유니-폼(uniform) 명 1 = 제복 ¶~을 맞추다 定做制服 / ~을 입고 근무하다 穿着制服上班 2 운동복 yùn-dòngfú; 球服 qiúfú ¶붉은색 ~을 입은 한국 축구팀 선수들 穿着红色球服的韩国足球队员

유:-다르다(類一) 형 特别 tèbié; 格外 géwài; 不寻常 bùxúncháng; 与众不同 yǔzhòngbùtóng ¶막내에게 유다른 정을 쏟다 对老小特别疼爱

유:-단-자(有段者) 명 有段者 yǒuduàn-zhě ¶태권도 ~ 跆拳道有段者

유:-달리(類一) 형 特别 tèbié; 格外 géwài; 不寻常 bùxúncháng; 不同一般 bùtóng yībān ¶오늘따라 ~ 까분다 今天格外淘气 / 오늘은 ~ 덥다 今天特别热

유당(乳糖) 명 【化】= 젖당

유당 분해 효소(乳糖分解酵素) 【化】= 락타아제

유대(紐帶) 명 纽带 niǔdài ¶긴밀한 ~ 관계를 맺다 结成紧密的纽带关系

유대-감(紐帶感) 명 纽带感 niǔdàigǎn ¶민족 공동체의 ~을 형성하다 形成民族共同体的纽带感

유대-교(←Judea敎) 명 【宗】犹太教 yóutàijiào = 유태교

유대-력(←Judea曆) 명 【天】犹太历 yóutàilì = 유태력

유대 인(←Judea人) 犹太人 yóutàirén = 유태인

유덕(遺德) 명 遗德 yídé; 遗泽 yízé ¶고인의 ~을 추모하다 追慕故人的遗德

유:-덕-하다(有德一) 형 有德 yǒudé ¶그는 유덕한 사람이라 주변에 그를 따르는 사람이 많다 他是个有德之人, 周边很多人追随他

유도(柔道) 명 【體】柔道 róudào ¶~ 선수 柔道运动员 / ~복 柔道服

유도(誘導) 명하타 1 诱导 yòudǎo; 引导 yǐndǎo ¶~ 신문 诱导审问 / 선생님은 학생들이 가능한 한 책을 많이 읽도록 ~하셨다 老师诱导学生尽可能多读书 2 【물】感应 gǎnyìng; 导出 dǎochū = 감응2 3 【生】诱导 yòudǎo

유도 미사일(誘導missile) 【軍】= 유도탄

유도-탄(誘導彈) 명 【軍】导弹 dǎo-dàn; 飞弹 fēidàn = 미사일 · 유도 미사일

성분 有害成分 / ~ 폐기물 有毒废料 / 그 물질은 사람에게 매우 ~하다 那种物质对人非常有毒

유독(唯獨 · 惟獨) 부 1 唯独 wéidú; 只有 zhǐyǒu; 唯有 wéiyǒu ¶모두 좋아하는데 왜 ~ 너만 싫다고 하니? 大家都喜欢, 怎么只有你说不喜欢? / ~ 너만 반대한다 唯独你一个人反对 2 特别 tèbié; 格外 géwài; 异常 yìcháng ¶오늘따라 바람이 ~ 심하게 분다 今天风特别大

유:-독 가스(有毒gas) 【化】= 독가스 ¶~에 질식사하다 被毒气窒息而死

유:-독-성(有毒性) 명 有毒性 yǒudú-xìng; 有毒的 yǒudúde; 毒性 dúxìng ¶~ 물질 毒性物质

유동(流動) 명하자 流动 liúdòng; 流通 liútōng ¶~성 流动性 / ~ 인구 流动人口 / ~ 자금 流动资金 / ~ 자본 流动资本 / ~ 자산 流动资产 / 물의 ~이 거의 없는 늪 几乎没有水流动的沼泽

유동-량(流動量) 명 流量 liúliàng

유동-식(流動食) 명 流食 liúshí; 流质 liúzhì; 软食 ruǎnshí ¶환자에게 ~을 먹이다 喂病人吃流食

유동-적(流動的) 관형 流动(的) liú-dòng(de); 机动(的) jīdòng(de); 流动性 liúdòngxìng; 机动性 jīdòngxìng ¶~인 표 机动票 / 시장이 매우 ~이다 市场流动性很大

유두(乳頭) 명 1 = 젖꼭지1 ¶~ 함몰 乳头内陷 2 【生】乳头 rǔtóu

유들-거리다 자 1 脸皮厚 liǎnpíhòu; 赖皮赖脸 làipílàiliǎn; 没羞没臊 méixiū-méisào; 厚着脸皮 hòuzheliǎnpí ¶그는 유들거리며 자꾸 내게 귀찮게 굴다 他 赖皮赖脸的, 老找我麻烦 2 油光光 yóuguāngguāng ¶유들거리는 얼굴 油光光的脸 ‖ = 유들대다 유들-유들 부하형

유락(遊樂) 명하자 游乐 yóulè; 玩乐 wánlè ¶~ 시설 游乐设施 / ~에 빠지다 沉溺于玩乐

유람(遊覽) 명하타 游览 yóulǎn; 游玩 yóuwán; 游 yóu ¶전국을 ~하다 游览全国

유람-객(遊覽客) 명 游客 yóukè; 游人 yóurén

유람-선(遊覽船) 명 游船 yóuchuán; 游艇 yóutǐng; 游舫 yóufǎng ¶한강 ~을 타다 坐汉江游船

유랑(流浪) 명하자타 流浪 liúlàng; 流落 liúluò; 漂泊 piāobó ¶~ 생활 流浪生活 / 漂泊四方

유랑-객(流浪客) 명 = 유랑자

유랑-민(流浪民) 명 1 流民 liúmín = 유민(流民) 2 流浪民族 liúlàng mínzú

유랑-자(流浪者) 명 流浪者 liúlàng-

유래(由來) 명하자 由來 yóulái; 来由 láiyóu; 来源 láiyuán; 渊源 yuānyuán; 源 yuán ¶〜를 찾다 探寻渊源 / 〜가 깊다 由来已久 / 면화는 중국에서 —되었다 棉花源于中国

유럽(Europe) 명 【地】 欧洲 Ōuzhōu; 欧罗巴 Ōuluóbā

유럽 연합(Europe聯合) 【政】 欧洲联合 Ōuzhōu Liánhé; 欧洲联盟 Ōuzhōu Liánméng; 欧盟 Ōuméng = 이유(EU)

유럽 인종(Europe人種) = 백색 인종

유려-하다(流麗—) 형 流丽 liúlì ¶유려한 필치 流丽的笔调 / 문체가 〜 文采流丽 **유려-히** 부

유:력(有力) 명하형 1 有力 yǒulì; 强力 qiánglì; 强劲 qiángjìn; 有势力 yǒushìlì; 有权势 yǒuquánshì ¶〜인사 有权势人士 / 그는 〜한 사업가이다 他是具有势力的企业家 2 有望 kànhǎo; 可能性大 kěnéngxìng dà ¶그는 가장 〜한 대통령 후보이다 他是最被看好的总统候选人

유-력시(有力視) 명하자 被看好 bèikànhǎo; 视为可能性大 shìwéi kěnéngxìng dà ¶5명의 후보자 중에서 그의 당선이 가장 〜된다 在五位候选人中,他最被看好

유령(幽靈) 명 1 幽灵 yōulíng; 亡灵 wánglíng ¶〜선 幽灵船 = [鬼船] 2 鬼 guǐ; 死鬼 sǐguǐ ¶〜이 나오다 闹鬼 3 虚体 xūtǐ; 虚拟 xūnǐ ¶〜단체 虚拟组织

유령 도시(幽靈都市) 【社】 空城 kōngchéng; 废都 fèidū

유령 인구(幽靈人口) 【社】 幽灵人口 yōulíng rénkǒu

유령-주(幽靈株) 명 【經】 1 幽灵股 yōulínggǔ; 虚股 xūgǔ 2 伪股 wěigǔ

유령 회:사(幽靈會社) 皮包公司 píbāo gōngsī; 挂名公司 guàmíng gōngsī

유:례(類例) 명 前例 qiánlì; 先例 xiānlì ¶세계에서 〜를 찾아보기 힘든 괴현상 在世界上也难寻先例的怪现状

유:례-없다(類例—) 형 没有先例 méiyǒu xiānlì; 空前 kōngqián; 无先例 wúxiānlì; 前所未有 qiánsuǒwèiyǒu ¶유례없는 호황 前所未有的好景况 / 역사상 유례없는 사건 史无先例的事件 **유:례 없이** 부

유로(Euro) 명 【經】 欧元 ōuyuán 回의 명 欧元 ōuyuán ¶1〜는 달러로 얼마입니까? 1欧元等于多少美元?

유:료(有料) 명 收费 shōufèi ¶〜 주차장 收费停车场 / 〜 공연 收费演出 / 〜 도로 收费道路 = [收费公路]

유류(油類) 명 油类 yóulèi ¶油 yóu ¶〜 저장 탱크 储油箱 / 〜 수급이 원활하다 油类供应顺畅

유류(遺留) 명하타 遗留 yíliú

유류-품(遺留品) 명 1 遗物 yíwù ¶아버지의 〜을 정리하다 整理父亲的遗物 2 遗留物 yíliúwù; 遗留物品 yíliú wùpǐn ¶승객의 〜을 보관하다 保管乘客的遗留物

유-리(有利) 명하형 有利 yǒulì; 占便宜 zhàn piányi ¶상황이 우리에게 〜하다 情况对我们有利 / 나는 키가 커서 농구하는 데 〜하다 我个子高,打篮球占便宜

유리(琉璃) 명 【化】 玻璃 bōli ¶〜 조각 玻璃碎片 / 〜 제품 玻璃制品 / 〜 공장 玻璃厂 / 〜 공예 玻璃工艺 / 〜관 玻璃管 / 〜구슬 玻璃珠子 = [玻璃球] / 〜 그릇 玻璃器皿 = [玻璃器] / 〜문 玻璃门 / 〜병 玻璃瓶 / 〜칼 玻璃刀 / 〜를 깨다 打碎玻璃 / 〜를 끼우다 镶玻璃 / 〜에 금이 갔다 玻璃有了裂纹

유리(遊離) 명하자 1 脱离 tuōlí; 游离 yóulí ¶대중과 〜된 문학 脱离群众的文学 2 【化】 游离 yóulí

유리 섬유(琉璃纖維) 【手工】 玻璃纤维 bōli xiānwéi; 玻璃丝 bōlisī

유-리-수(有理數) 명 【數】 有理数 yǒulǐshù

유리-알(琉璃—) 명 1 玻璃球 bōliqiú ¶〜처럼 반짝이는 눈동자 像玻璃球一样闪烁的眼珠子 2 玻璃镜片 bōli jìngpiàn 3 窗玻璃 chuāngbōli

유리-잔(琉璃盞) 명 玻璃杯 bōlibēi = 글라스

유리-창(琉璃窓) 명 玻璃窗 bōlichuāng ¶〜에 김이 서리다 蒸气凝在玻璃窗上 / 〜을 닦다 擦玻璃窗

유리-컵(琉璃cup) 명 玻璃杯 bōlibēi ¶〜에 물을 따라 마시다 用玻璃杯倒水喝

유리-판(琉璃板) 명 玻璃板 bōlibǎn

유린(蹂躪·蹂躙) 명하타 蹂躏 róulìn; 糟蹋 zāota; 糟践 zāojian; 践踏 jiàntà ¶인권을 〜하다 蹂躏人权 / 적군의 발길에 국토가 〜되다 国土遭敌军践踏

유림(儒林) 명 儒林 rúlín

유-망(有望) 명 有前途 yǒuqiántú; 有出息 yǒuchūxi; 有望 yǒuwàng ¶〜산업 有前途的产业 / 〜 직종 有前途的职业 / 금메달 〜 종목 有望夺金的项目 / 전도가 〜한 청년 有前途的青年

유-망-주(有望株) 명 1 【經】 看涨股 kànzhǎnggǔ 2 明日之星 míngrìzhīxīng; 有前途的 yǒuqiántúde ¶마라톤 〜를 발굴하다 发掘有前途的马拉松选手 / 음악계의 〜로 떠오르다 作为音乐界的明日之星正冉冉升起

유머(humor) 명 幽默 yōumò; 诙谐 huīxié ¶ ~ 있게 말하다 说话很幽默 / ~ 감각이 뛰어나다 非常有幽默感

유머러스-하다(humorous—) 혱 幽默 yōumò; 滑稽 huájī; 诙谐 huīxié ¶ 유머러스한 사람 很幽默的人

유명(有名) 명혱 有名 yǒumíng; 知名 zhīmíng; 著名 zhùmíng; 著称 zhùchēng; 驰名 chímíng; 闻名 wénmíng; 名 míng ¶ ~ 상표 名牌 / ~ 인사 知名人士 / ~ 관광지 著名旅游区 / 온양은 온천으로 ~하다 温阳以温泉闻名

유명(幽明) 명 1 明暗 míng'àn 2 幽明 yōumíng ¶ 유명을 달리하다 ⤷ 幽期永隔; 死去

유:명-무실(有名無實) 명혱 有名无实 yǒumíngwúshí; 徒有其名 túyǒuqí-míng; 徒有虚名 túyǒuxūmíng ¶ ~한 회사 徒有虚名的公司

유:명-세(有名稅) 명 成名的代价 chéngmíng de dàijià; 名人出项多 míngrén chūxiàng duō; 名人多是非 míngrén duōshìfēi ¶ ~를 치르다 付出成名的代价

유모(乳母) 명 乳母 rǔmǔ; 奶妈 nǎimā; 奶娘 nǎiniáng ¶ ~의 손에 자라다 由奶妈带大

유모-차(乳母車) 명 婴儿车 yīng'érchē; 童车 tóngchē; 摇篮车 yáolánchē ¶ 아기를 ~에 태우다 把宝宝放在婴儿车里

유목(遊牧) 명혱 游牧 yóumù ¶ ~민 游牧民 / ~ 생활 游牧生活 / ~ 민족 游牧民族

유-무(有無) 명 有无 yǒuwú; 有没有 yǒuméiyǒu ¶ ~ 상통 互通有无 / 제품의 이상 ~를 판단하다 判断产品质量有没有异常

유물(唯物) 명 【哲】 唯物 wéiwù ¶ ~ 사관 唯物史观

유물(遺物) 명 1 文物 wénwù ¶ 선사시대의 ~을 발굴하다 发掘史前时期的文物 2 ~은 遗物 ¶ 할아버지의 ~ 是故爷爷的遗物 3 遗风 yífēng; 遗俗 yísú; 残渣 cánzhā ¶ 구시대의 ~ 认为是旧时代的遗风

유물-론(唯物論) 명 【哲】 唯物论 wéiwùlùn; 唯物主义 wéiwù zhǔyì = 物质主义2

유민(流民) 명 = 유랑민1

유민(遺民) 명 = 遗民 yímín; 亡国奴 wángguónú

유발(誘發) 명혱타 引起 yǐnqǐ; 引发 yǐnfā; 诱发 yòufā ¶교통 체증을 ~하다 引起交通堵塞 / 흥미를 ~하다 引起兴趣 / 흡연으로 ~되는 질병 吸烟引发的疾病

유방(乳房) 명 乳房 rǔfáng = 젖2

유방-암(乳房癌) 명 【醫】 乳房癌 rǔfáng'ái; 乳癌 rǔ'ái; 乳腺癌 rǔxiàn'ái = 유선암

유방-염(乳房炎) 명 【醫】 乳腺炎 rǔxiànyán; 乳房炎 rǔfángyán = 유선염

유배(流配) 명혱 【史】 流放 liúfàng; 流配 liúpèi; 放逐 fàngzhú ¶반역자가 섬으로 ~되다 叛逆者被流放到岛上

유배-지(流配地) 명 流配地 liúpèidì ¶ ~에서 죽다 死于流配地

유-백색(乳白色) 명 乳白色 rǔbáisè; 乳白 rǔbái ¶ ~의 피부 乳白色的皮肤

유:별(有別) 명혱혱 有别 yǒubié; 不同 bùtóng ¶남녀가 ~하다 男女有别

유:별-나다(有別—) 혱 特别 tèbié; 格外 géwài; 各别 gèbié; 怪异 guàiyì = 특별나다 ¶성격이 유별난 사람 性格怪异的人 / 그는 음악에 유별난 관심을 가지고 있다 他对音乐格外关心

유보(留保) 명혱타 = 보류(保留) ¶임금 인상 문제를 잠시 ~하다 提高工资的问题暂时保留

유복-자(遺腹子) 명 遗腹子 yífùzǐ; 暮生儿 mùshēngr ¶그는 ~로 태어나 아버지의 얼굴도 모른다 他是遗腹子, 父亲什么样都不知道

유:복-하다(有福—) 혱 有福 yǒufú; 有福气 yǒufúqì ¶그는 매우 유복한 사람이다 他是很有福气的人

유복-하다(裕福—) 혱 富裕 fùyù; 优裕 yōuyù; 富足 fùzú ¶유복한 가정에서 태어나다 出生在一个富裕的家庭 / 유복한 어린 시절을 보내다 度过富足的儿童时光

유부(油腐) 명 油豆腐 yóudòufu

유:부-남(有婦男) 명 有妇之夫 yǒufùzhīfū

유:부-녀(有夫女) 명 有夫之妇 yǒufùzhīfù

유분(油分) 명 油 yóu; 油腻 yóunì ¶얼굴의 ~을 제거하다 去掉脸上的油

유:-분수(有分數) 명 有分寸 yǒufēncun ¶사람을 무시해도 ~지 瞧不起人也得有个分寸

유브이(UV)[ultraviolet] 명 【物】 = 자외선

유:비-무환(有備無患) 명 有备无患 yǒubèiwúhuàn

유빙(流氷) 명 = 성엣장

유:사(有史) 명 有史 yǒushǐ ¶ ~ 이래 최고의 기록 有史以来的最高纪录

유:사(類似) 명혱혱 类似 lèisì; 相似 xiāngsì; 类同 xiāngtóng; 像 xiàng ¶ ~성 类似性 =[相似性] / ~점 类似点 =[类之处] / ~ 상표 类似商标 / ~ 종교 类似宗教 / 두 사람은 외모가 ~하다 两人长得很像 / 그들의 관점은 ~

한 점이 많다 他们的观点有很多类似之处

유:**사·시**(有事時) 圀 非常时期 fēicháng shíqī ¶~에 대비하다 防备非常时期

유:**사·품**(類似品) 圀 类似品 lèisìpǐn; 相似品 xiāngsìpǐn; 仿制品 fǎngzhìpǐn ¶~에 주의하세요 请注意仿制品

유:**산**(有産) 圀 有产 yǒuchǎn ¶~ 계급 有产阶级

유산(乳酸) 圀 【化】 젖산

유산(流産) 圀하자타 1 【醫】 流产 liúchǎn; 小产 xiǎochǎn; 小月 xiǎoyue = 낙태1 ¶습관성 ~ 习惯性流产 2 流产 liúchǎn ¶계획이 ~되다 计划流产

유산(遺産) 圀 1 (死者留下的) 遗产 yíchǎn ¶~ 상속 遗产继承 / 막대한 ~을 물려받다 继承巨大遗产 2 (前代留下的) 遗产 yíchǎn ¶文化 ~ 文化遗产

유산-균(乳酸菌) 圀 【化】 乳酸菌 rǔsuānjūn; 乳酸细菌 rǔsuān xìjūn; 奶酸菌 nǎisuānjūn ¶김치에는 ~이 들어 있다 泡菜中含有很多乳酸菌

유산균-음료(乳酸菌飲料) 圀 乳酸菌饮料 rǔsuānjūn yǐnliào; 乳酸饮料 rǔsuān yǐnliào

유산 상속세(遺産相續稅) 【法】 遗产继承税 yíchǎn jìchéngshuì = 유산세

유산 상속인(遺産相續人) 【法】 遗产继承人 yíchǎn jìchéngrén

유산-세(遺産稅) 圀 【法】 = 유산 상속세

유:**산소 운·동**(有酸素運動) 【體】 有氧运动 yǒuyǎng yùndòng

유산-탄(榴散彈) 圀 【軍】 榴霰弹 liúxiàndàn; 子母弹 zǐmǔdàn

유:**상**(有償) 圀 有偿 yǒucháng ¶~ 리 有偿修理 / ~ 서비스 有偿服务 / 분배 有偿分配 / ~ 증자 有偿增资

유:**색**(有色) 圀하 有色 yǒusè; 有颜色 yǒuyánsè ¶~ 옷감 有色布料

유:**색-인**(有色人) 圀 1 有色人 yǒusèrén ¶~을 차별하다 歧视有色人 2 = 유색인종

유:**색 인종**(有色人種) 有色人种 yǒusè rénzhǒng = 유색인2

유생(儒生) 圀 儒生 rúshēng ¶성균관 ~ 成均馆儒生

유서(由緒) 圀 由来 yóulái; 来历 láilì; 历史 lìshǐ ¶~ 깊은 고장 由来已久的地方 / ~ 있는 가문 有来历的家门

유서(遺書) 圀 遗书 yíshū ¶~를 남기다 留下遗书

유:**선**(有線) 圀 有线 yǒuxiàn ¶~ 전화 有线电话 / ~ 통신 有线通信 / ~으로 암호문을 보내다 通过有线传送密文

유선(乳腺) 圀 【生】 = 젖샘

유:**선 방·송**(有線放送) 【信】 有线广播 yǒuxiàn guǎngbō = 케이블 방송

유선 방·송국(有線放送局) 【言】 有线电视台 yǒuxiàn diànshìtái

유선-암(乳腺癌) 圀 【醫】 = 유방암

유선-염(乳腺炎) 圀 【醫】 = 유방염

유선-형(流線型) 圀 流线型 liúxiànxíng

유:**성**(有性) 圀 【生】 有性 yǒuxìng ¶~ 생식 有性生殖

유:**성**(有聲) 圀 有声 yǒushēng; 带声 dàishēng ¶~ 영화 有声电影 =[有声片]

유성(油性) 圀 油性 yóuxìng ¶~ 사인펜 油性签字笔 / ~ 페인트 油性涂料

유:**성**(流星) 圀 【天】 流星 liúxīng = 별똥별 ¶~ 하나가 하늘에서 떨어졌다 一颗流星从天上掉了下来

유성-기(留聲機) 圀 = 축음기

유:**성-우**(流星雨) 圀 【天】 流星雨 liúxīngyǔ

유:**성-음**(有聲音) 圀 【語】 带音 dàiyīn; 浊音 zhuóyīn

유:**세**(有勢) 圀하자타 1 有势 yǒushì; 有势力 yǒushìlì 2 耍权势 shuǎ quánshì; 专横 zhuānhèng; 摆架子 bǎi jiàzi ¶~를 부리다 耍权势

유세(遊說) 圀하자타 游说 yóushuì ¶~ 문 游说文 / ~장 游说场 / 선거 ~ 选举游说 / ~를 펼치다 展开游说

유:**소년**(幼少年) 圀 幼年和少年 yòunián hé shàonián; 少年 shàonián ¶~ 축구 少年足球

유소-하다(幼少一) 阍 幼小 yòuxiǎo; 年幼 niányòu

유속(流速) 圀 【物】 流速 liúsù ¶이 강의 상류는 ~이 빠르다 这条江的上流流速很快

유:**수**(有數) 圀하] 1 屈指可数 qūzhǐkěshǔ; 数得上 shǔdeshàng; 数一数二 shǔyīshǔ'èr ¶국내 ~의 대기업 国内屈指可数的大企业 / 세계 ~의 갑부 世界上数一数二的富翁 2 有命数 yǒumìngshù; 有定数 yǒudìngshù; 注定 zhùdìng

유수(流水) 圀 流水 liúshuǐ ¶세월은 ~와 같다 岁月如流水 =[似水年华]

유수-지(遊水池) 圀 【地理】 水库 shuǐkù; 蓄水池 xùshuǐchí

유숙(留宿) 圀하자 留宿 liúsù; 借宿 jièsù; 暂住 zànzhù ¶친구 집에서 하룻밤 ~하다 在朋友家借宿一夜

유순-하다(柔順一) 阍 柔顺 róushùn; 温顺 wēnshùn; 柔和 róuhé ¶말씨가 ~ 口气委和 / 태도가 ~ 态度温顺 유순-히 ভ

유스타키오-관(Eustachio管) 圀 【醫】 耳咽管 ěryānguǎn; 咽鼓管 yāngǔguǎn; 欧氏管 ōushìguǎn = 이관

유스 호스텔(youth hostel) 【社】青年招待所 qīngnián zhāodàisuǒ; 青年旅社 qīngnián lǚshè; 青年旅馆 qīngnián lǚguǎn; 青年旅舍 qīngnián lǚshè

유·식(有識) 圐【하圐】有知识 yǒuzhīshi; 有学问 yǒuxuéwèn; 有识 yǒushí ¶~한 사람 有学问的人 / 그는 매우 ~하다 他很有学问

유신(維新) 圐【하타】维新 wéixīn ¶~ 정책 维新政策 / ~의 명목으로 군부 독재를 자행하다 以维新为名, 恣意进行军部独裁

유·신·론(有神論) 圐【哲】有神论 yǒushénlùn ¶~자 有神论者

유실(流失) 圐【하타】流失 liúshī; 冲走 chōngzǒu; 冲塌 chōngtā ¶집이 홍수에 ~되다 房子被洪水冲走

유실(遺失) 圐【하타】遗失 yíshī; 丢失 diūshī ¶소지품을 ~하다 丢失随身用品

유실·물(遺失物) 圐 遗失物品 yíshī wùpǐn; 失物 shīwù ¶~ 보관소 失物保管处

유·실·수(有實樹) 圐 果树 guǒshù

유심론(唯心論) 圐【哲】唯心 wéixīn ¶~론 唯心论

유·심·하다(有心—) 圐 留心 liúxīn; 留意 liúyì; 注意 zhùyì **유심-히** 圐 ¶~ 관찰하다 留心观察

유아(幼兒) 圐 1 幼儿 yòu'ér ¶~ 교육 幼儿教育 =[幼教] / ~기 幼儿期 / ~ 모집 招募幼儿 / ~용 자전거 幼儿用自行车 2 어린아이

유아(乳兒) 圐 = 젖먹이 ¶~용품 婴儿用品 / ~용 모자 婴儿用毛毯

유아-독존(唯我獨尊) 圐 唯我独尊 wéiwǒ dúzūn; 惟我独尊 wéiwǒ dúzūn

유아 세·례(幼兒洗禮) 圐【宗】婴儿洗礼 yīng'ér xǐlǐ; 幼儿洗礼 yòu'ér xǐlǐ

유아-원(幼兒園) 圐 幼儿园 yòu'éryuán; 托儿所 tuō'érsuǒ

유압(油壓) 圐【物】油压 yóuyā ¶~식 油压式 / ~기 油压机 / ~식 油压式 / ~ 장치 油压装置 / ~ 펌프 油压泵

유액(乳液) 圐【化】乳液 rǔyè; 奶液 nǎiyè

유·야무야(有耶無耶) 圐【타圐】不了之 bùliǎoliǎozhī; 半途而废 bàntú'érfèi ¶사건의 수사가 ~로 끝나다 事件的搜查最后不了了之

유약(釉藥·釉藥) 圐【手工】釉 yòu; 釉子 yòuzi ¶~을 바르다 上釉

유약-하다(幼弱—) 圐 幼弱 yòuruò ¶유약한 아이 幼弱的儿童

유약-하다(柔弱—) 圐 柔弱 róuruò ¶성품이 ~ 性情柔弱

유언(流言) 圐 流言 liúyán; 传言 chuányán ¶갖가지 ~들이 떠돈다 各种各样

유언(遺言) 圐【하타】遗言 yíyán; 遗嘱 yízhǔ ¶~을 남기다 留下遗言 / 아버지는 내게 꼭 가문을 다시 일으키라고 ~하셨다 父亲留下遗嘱, 让我一定要重振家业

유언-비어(流言蜚語) 圐 流言蜚语 liúyánfēiyǔ; 流言飞语 liúyánfēiyǔ; 谣言 yáoyán ¶~를 퍼뜨리다 散布流言蜚语 / ~가 난무하다 谣言四处传开

유언-장(遺言狀) 圐 遗嘱 yízhǔ; 遗嘱书 yízhǔshū ¶생전에 ~을 만들다 生前立好遗嘱 / ~의 내용을 고치다 更改遗嘱内容

유업(遺業) 圐 遗业 yíyè ¶부친의 ~을 이어받다 继承父亲的遗业

유에프오(UFO)[unidentified flying object] 圐【物】= 미확인 비행 물체

유엔(UN)[United Nations] 圐【政】= 국제 연합 ¶~군 联合国军 / ~기 联合国旗 / ~ 사무총장 联合国秘书长 / ~ 총회 联合国大会 =[联大]

유역(流域) 圐 流域 liúyù ¶한강 ~ 汉江流域

유연-성(柔軟性) 圐 1 柔软性 róuruǎnxìng; 柔软度 róuruǎndù; 柔韧性 róurènxìng ¶~이 부족하다 缺乏柔软性 / 그는 ~이 매우 좋다 他身体柔韧性很好 2 灵活性 línghuóxìng ¶사고의 ~ 思考的灵活性

유·연·탄(有煙炭) 圐【鑛】有烟煤 yǒuyānméi

유연-하다(柔軟—) 圐 柔软 róuruǎn ¶유연한 자세 柔软的姿势 / 몸이 ~ 身体很柔软 **유연-히** 圐 ¶

유연-하다(悠然—) 圐 悠然 yōurán; 从容 cóngróng; 悠闲 yōuxián ¶유연한 태도 悠闲的态度 **유연-히** 圐 ¶어려운 상황을 ~ 대처하다 从容地应付困境

유예(猶豫) 圐【하타】1 犹豫 yóuyù; 犹豫不决 yóuyùbùjué ¶지금 사태가 너무나 위급해서 잠시도 일을 ~할 수 없다 目前的事态十分危急, 一刻也不能犹豫 2 推迟 tuīchí; 延迟 yánchí; 延期 yánqī; 延缓 yánhuǎn; 宽限 kuānxiàn ¶대금 상환을 ~시켜 주다 延期偿还贷款 / 3일 간을 ~ 주다 宽限三天 3 【法】缓期执行 huǎnqī zhíxíng; 延缓 yánhuǎn; 延期履行 yánhuǎnqī ¶기소를 ~하다 延缓起诉

유·용(有用) 圐【하타】有用 yǒuyòng; 管用 guǎnyòng ¶~성 有用性 / 어린이들에게 ~한 책 对孩子们有用的书 / 이 약은 감기를 치료하는 데 아주 ~하다 这药治感冒很管用

유용(流用) 圐【하타】挪用 nuóyòng; 转

용 zhuānyòng ¶공금 ~ 挪用公款 / 도서 구입비를 여행 경비로 ~하다 把购买图书的费用挪用做旅费

유원-지(遊園地) 명 游乐园 yóulèyuán; 游园地 yóuyuándì; 游览地 yóulǎndì

유월(←六月) 명 六月 liùyuè

유월-절(逾越節) 명【宗】逾越节 yúyuèjié

유-상종(類像相從) 명형 以类相从 yǐlèixiāngcóng; 物以类聚 wùyǐlèijù; 物以类聚, 人以群分 wùyǐlèijù, rényǐqúnfēn

유유-자적(悠悠自適) 명형자 悠闲自在 yōuxiánzìzài; 悠然自得 yōuránzìdé; 悠悠自得 yōuyōuzìdé; 悠游自在 yōuyóuzìzài ¶그는 퇴직 후 ~한 생활을 보내고 있다 他退休后过着悠闲自在的生活

유유-하다(悠悠─) 형 **1** 悠悠 yōuyōu; 悠然 yōurán; 从容 cóngróng ¶강물이 ~ 江水悠悠 **2** 遥远 yáoyuǎn; 长久 chángjiǔ; 悠悠 yōuyōu ¶유유한 세월 悠悠岁月 **유유-히** 퇴【금붕어가 어항 속에서 ~ 헤엄치고 있다 金鱼在鱼缸里悠然地游着

유의(留意) 명하자타 留意 liúyì; 留心 liúxīn; 注意 zhùyì; 留神 liúshén ¶~사항 注意事项 / 건강에 ~하다 注意健康

유-의미(有意味) 명형 有意义 yǒuyìyì ¶~한 결과 有意义的结果

유-의-어(類義語) 명【語】类义词 lèiyìcí; 近义词 jìnyìcí = 비슷한말

유-익(有益) 명형자 有益 yǒuyì ¶이 책은 아이들 교육에 ~하다 这本书有益于教育儿童

유-인(有人) 명 载人 zàirén ¶~ 우주선 载人宇宙飞船

유인(油印) 명하타【印】= 등사

유인(誘引) 명하타 引诱 yǐnyòu; 勾引 gōuyǐn; 引逗 yǐndòu; 诱 yòu ¶적을 계곡으로 ~하다 把敌人引诱到溪谷中 / 미끼로 물고기를 ~하다 用鱼饵引诱鱼

유인-물(油印物) 명 油印件 yóuyìnjiàn; 油印品 yóuyìnpǐn; 印刷品 yìnshuāpǐn; 印刷物 yìnshuāwù ¶~ 배포 印刷物分发 / ~을 뿌리다 散发油印材料

유-인-원(類人猿) 명【動】类人猿 lèirényuán; 人猿 rényuán

유인 작전(誘引作戰) 【軍】诱导作战 yòudǎo zuòzhàn; 诱引作战 yòuyǐn zuòzhàn

유일(唯一·惟一) 명형 唯一 wéiyī; 惟一 wéiyī; 独一 dúyī ¶사건의 ~한 목격자 事件的唯一目击者 / ~한 생존자 唯一生存者 / ~한 혈육 唯一的骨肉

유일-무이(唯一無二) 명형 独一无二 dúyīwú'èr; 唯一的 wéiyīde ¶~의 존재 独一无二的存在 / ~한 기회 唯一的机会

유일-신(唯一神) 명 唯一神 wéiyīshén ¶~ 사상 唯一神思想

유임(留任) 명하자 留任 liúrèn ¶이번 총회에서 현 회장의 ~ 여부를 정한다 这次总会上将决定现任会长是否留任

유입(流入) 명하자타 流入 liúrù; 流进 liújìn; 注入 zhùrù; 传入 chuánrù ¶외국 자본의 ~ 外国资本的流入 / 공장 폐수가 강으로 ~되다 工厂废水流进河里

유-자(柚子) 명 柚子 yòuzi; 柚 yòu ¶~청 柚子酱 / ~를 따다 摘柚子

유-자-나무(柚子─) 명【植】柚子 yòu; 柚子树 yòuzishù; 柚子 yòuzi

유-자녀(遺子女) 명 **1** 死者子女 sǐzhě zǐnǚ **2** 烈士子女 lièshì zǐnǚ

유작(遺作) 명 遗作 yízuò ¶고인의 ~ 故人的遗作

유적(遺蹟·遺跡) 명 遗迹 yíjì ¶선사 시대의 ~ 先史时期的遗迹 / ~을 발굴하다 发掘遗迹 / ~이 발견되다 遗迹被发现

유적-지(遺跡地) 명 遗址 yízhǐ ¶~를 답사하다 探访遗址

유전(油田) 명 油田 yóutián ¶~ 탐사 探查油田 / 중동 지역에는 ~이 많다 中东地区有很多油田

유전(遺傳) 명하자타 **1**【生】遗传 yíchuán ¶~병 遗传病 / ~성 遗传性 / 대머리는 자식에게 ~된다고 한다 听说光头会遗传给子女的 **2** 留传 liúchuán ¶조상으로부터 ~되어 내려온 비방 祖辈留传下来的秘方

유전 공학(遺傳工學)【生】基因工程 jīyīn gōngchéng; 遗传工程 yíchuán gōngchéng = 유전자 공학

유전-자(遺傳子) 명【生】基因 jīyīn; 遗传因子 yíchuán yīnzǐ; 遗传基因 yíchuán jīyīn ¶~ 치료 基因治疗 / ~를 감식하다 鉴定基因

유전자 공학(遺傳子工學)【生】= 유전 공학

유전자 조작(遺傳子操作)【生】转基因 zhuǎn jīyīn; 操纵基因 cāozòng jīyīn ¶~ 식품 转基因食品

유전-적(遺傳的) 관명 遗传(的) yíchuán(de); 遗传性 yíchuánxìng ¶~ 변이 遗传性变异 / ~인 질병 遗传性疾病

유전-체(遺傳體) 명【生】基因组 jīyīnzǔ; 染色体组 rǎnsètǐzǔ = 게놈

유전-학(遺傳學) 명【生】遗传学 yíchuánxué

유:정(有情) 명하형[히부] 1 有情 yǒuqíng; 有情意 yǒu qíngyì 2 【佛】有情 yǒuqíng; 众生 zhòngshēng

유정(油井) 명 【鑛】 油井 yóujǐng ¶~에서 석유를 채취하다 油井里采石油

유제(油劑) 명 【藥】 油剂 yóujì

유제(乳劑) 명 【化】 乳剂 rǔjì; 乳浊液 rǔzhuóyè; 乳状液 rǔzhuàngyè = 에멀션·유탁액

유-제품(乳製品) 명 乳制品 rǔzhìpǐn; 奶产品 nǎichǎnpǐn; 乳品 rǔpǐn

유조(油槽) 명 油槽 yóucáo; 油罐 yóuguàn

유조-선(油槽船) 명 油船 yóuchuán; 油轮 yóulún; 油槽船 yóucáochuán

유조-차(油槽車) 명 油罐车 yóuguànchē; 油槽车 yóucáochē; 油车 yóuchē

유족(遺族) 명 = 유가족 ¶사망자 ~에게 보상금을 지급하다 向死者家属支付补偿金

유-종(有終) 명하형 有终 yǒuzhōng; 善始善终 shànshǐshànzhōng ¶유종의 미 ☞ 有终之美; 善始善终 ¶~를 거두다 实现有终之美

유:죄(有罪) 명 有罪 yǒuzuì ¶~로 판결하다 判决有罪 / ~를 선고하다 宣判有罪

유:죄 판결(有罪判決) 【法】有罪判决 yǒuzuì pànjué ¶~을 내리다 作出有罪判决

유즙(乳汁) 명 = 젖1 ¶~이 분비되다 分泌乳汁

유:지(有志) 명 1 有志者 yǒuzhìzhě; 乡绅 xiāngshēn; 绅士 shēnshì ¶지역 ~ 地方乡绅

유지(乳脂) 명 1 = 크림1 2 乳脂 rǔzhī; 乳脂肪 rǔzhīfáng = 유지방

유지(油脂) 명 【化】油脂 yóuzhī ¶공업용 ~ 工业用油脂

유지(維持) 명하타 维持 wéichí; 保持 bǎochí; 维护 wéihù ¶생계 ~ 维持生计 / 현상 ~ 维持现状 / 질서를 ~하다 维持秩序 / 날씬한 몸매를 ~하다 保持苗条身材 / 일정한 거리를 ~하다 保持一定的距离 / 건강을 ~하기 위해 날마다 1시간씩 운동을 하다 为了保持健康, 每天运动一个小时

유지(遺志) 명 遗志 yízhì ¶~를 받들다 遵奉遗志 / ~를 따르다 继承遗志

유-지방(乳脂肪) 명 = 유지2(乳脂)

유지-비(維持費) 명 维修费 wéixiūfèi; 保养费 bǎoyǎngfèi; 维持费 wéichífèi ¶이 자동차는 ~가 많이 든다 这种汽车维修费很高

유착(癒着) 명하자 1 勾结 gōujié; 勾连 gōulián; 勾通 gōutōng ¶정경 ~ 官商勾结 / 조직 폭력배들이 경찰과 ~하다 黑社会组织跟警察勾结 2 【醫】

粘连 zhānlián

유찰(流札) 명하자 【經】流标 liúbiāo; 落标 luòbiāo ¶이번 공개 입찰은 응찰 업체가 없어 ~되었다 这次公开招标因没有单位投标而流标了

유창-하다(流暢—) 형 流畅 liúchàng; 流利 liúlì ¶그는 중국어를 유창하게 구사한다 他汉语说得很流利 유창-히 부

유채(油菜) 명 【植】油菜 yóucài; 芸薹 yúntái ¶~꽃 油菜花

유채(油彩) 명 【美】 1 油彩 yóucǎi 2 = 유화(油畫)

유-채-색(有彩色) 명 【美】有色 yǒusè; 彩色 cǎisè

유:책(有責) 명하형 有责任 yǒuzérèn; 有过错 yǒuguòcuò ¶~ 배우자 (离婚) 有过错方

유-추(類推) 명하타 类推 lèituī ¶~ 해석 类推解释 / 이로부터 다음과 같이 ~할 수 있다 由此可以类推如下

유출(流出) 명하자 1 流出 liúchū; 排油 páiyú ¶원유 ~ 流出原油 / 공장 폐수를 바다로 ~하다 把工厂废水排入海里 2 外流 wàiliú; 泄漏 xièlòu; 流失 liúshī ¶회사 기밀을 ~하다 泄漏公司机密 / 인재의 해외 ~ 人才外流 / 사전에 정보가 ~되다 事前情报被泄漏

유충(幼蟲) 명 【蟲】 = 애벌레

유취(乳臭) 명 乳臭 rǔchòu = 젖내1

유층(油層) 명 【地理】油层 yóucéng

유치(乳齒) 명 = 젖니

유치(留置) 명 1 保管 bǎoguǎn; 存留 cúnliú 2 【法】扣押 kòuyā; 扣留 kòuliú; 拘留 jūliú ¶살인 사건의 용의자로 ~되다 作为杀人案的嫌疑犯被拘留

유치(誘致) 명하타 1 诱致 yòuzhì; 诱来 yòulái 2 招揽 zhāolǎn; 招徕 zhāolái; 申办 shēnbàn; 引进 yǐnjìn ¶관광객을 ~하다 招揽游客 / 월드컵을 ~ 申办世界杯比赛 / 외국 자본을 ~하다 引进外国资本

유치-원(幼稚園) 명 【教】幼儿园 yòu'éryuán; 幼稚园 yòuzhìyuán

유치-장(留置場) 명 拘留所 jūliúsuǒ; 看守所 kānshǒusuǒ ¶하룻밤 ~ 신세를 지다 在拘留所住一夜

유치-하다(幼稚—) 형 幼稚 yòuzhì ¶그의 행동은 유치하기 짝이 없다 他的行动幼稚得得不得

유칼리(—eucalyptus) 명 【植】 = 유칼립투스

유칼립투스(eucalyptus) 명 【植】桉 ān; 桉树 ānshù; 有加利树 yǒujiālìshù; 玉树 yùshù = 유칼리

유쾌-하다(愉快—) 형 愉快 yúkuài; 快乐 kuàilè; 快活 kuàihuó ¶마음이 ~ 心情愉快 / 유쾌하게 웃다 愉快地笑

유쾌-히 图 ¶~ 지내다 过得很愉快

유탁-액(乳濁液) 圆 【化】 = 유제(乳劑)

유탄(流彈) 圆 流弹 liúdàn ¶~에 맞아 희생되다 中流弹牺牲

유태-교(猶太教) 圆【宗】 = 유대교

유태-력(猶太曆) 圆【天】 = 유대력

유태-인(猶太人) 圆 = 유대 인

유-턴(U turn) 圆하자 U字型转向 U zìxíng zhuǎnxiàng; U字型转弯 U zìxíng zhuǎnwān; 掉头 diàotóu; 向后拐弯 xiànghòu guǎiwān ¶여기서는 ~이 불가능하다 在这儿是不能掉头的 / 저 앞 사거리에서 ~해 주세요 请在前面的十字路口掉头

유토피아(utopia) 圆 = 이상향

유통(流通) 圆하자 **1** 流通 liútōng ¶공기가 ~되다 空气流通 **2** 周转 zhōuzhuǎn; 流通 liútōng; 流转 liúzhuǎn ¶~ 가격 流通价格 / ~ 경제 流通经济 / 화폐의 ~ 货币流通 / ~ 경로 流通途径 / ~ 구조 流通结构 / 외국산 농산물이 시중에 ~되다 外国农产品在市场流通

유통 기한(流通期限) 圆【經】 保质期 bǎozhìqī; 保鲜期 bǎoxiānqī; 保存期 bǎocúnqī ¶~이 지났다 过期了 / ~ 확인 确认保存期 / 화장품의 ~은 얼마나 됩니까? 化妆品的保质期是多久?

유통-량(流通量) 圆 流通量 liútōngliàng

유통-망(流通網) 圆 流通网 liútōngwǎng; 商业网 shāngyèwǎng ¶~을 넓히다 扩大流通网

유파(流派) 圆 流派 liúpài ¶새로운 ~를 형성하다 形成新的流派

유폐(幽閉) 圆하타 幽闭 yōubì; 幽禁 yōujìn ¶산간벽지에 ~되다 被幽禁在偏僻山沟里

유포(油布) 圆 油布 yóubù

유포(流布) 圆하자 流布 liúbù; 散布 sànbù; 流传 liúchuán ¶유언비어를 ~하다 散布谣言 / 허위 사실을 ~하다 散布虚伪事实

유품(遺品) 圆 遺物 yíwù = 유물(遺物) **2** ¶부모님의 ~ 父母亲的遗物

유풍(遺風) 圆 遗风 yífēng ¶봉건 시대의 ~ 封建时代的遗风

유-하다(柔一) 图 柔 róu; 柔软 róuruǎn; 柔和 róuhé ¶성격이 ~ 性格柔和

유학(留學) 圆하자 留学 liúxué ¶~생 留学生 / ~ 생활 留学生活 / 중국에 ~을 가다 去中国留学

유학(遊學) 圆하자 游学 yóuxué; 外地就学 wàidì jiùxué

유학(儒學) 圆 儒学 rúxué ¶~자 儒学家

유-한(有限) 圆하혱하뷔 有限 yǒuxiàn ¶~ 책임 有限责任 / ~ 회사 有限公司 / 인간의 수명은 ~하다 人的寿命是有限的

유-한(有閑) 圆하혱 有闲 yǒuxián ¶~ 계급 有闲阶级 / ~마담 有闲夫人 = [圆太太]

유-해(有害) 圆하혱 有害 yǒuhài ¶~성 有害性 / ~ 물질 有害物质 / ~ 식품 有害食品 / 인체에 ~한 물질 对人体有害的物质

유해(遺骸) 圆 = 유골 ¶~를 안치하다 安葬遗骨

유행(流行) 圆하자 **1**【社】流行 liúxíng; 时兴 shíxīng; 时髦 shímáo ¶~을 따르다 赶时髦 / 올해는 짧은 머리가 ~이다 今年短发很流行 / 이미 ~이 지난 스타일 已经不时兴的式样 **2**(疾病) 流行 liúxíng ¶요즘 홍역이 ~하고 있다 最近流行麻疹

유행-가(流行歌) 圆 流行歌曲 liúxíng gēqǔ

유행-병(流行病) 圆 流行病 liúxíngbìng = 돌림병 ¶~이 크게 번지다 流行病广泛蔓延

유행-성(流行性) 圆 流行性 liúxíngxìng ¶~ 눈병 流行性眼疾

유행성 간:염(流行性肝炎)【醫】甲型肝炎 jiǎxíng gānyán = 에이형 간염

유행성 감:기(流行性感氣)【醫】流行性感冒 liúxíngxìng gǎnmào; 流感 liúgǎn = 독감2·인플루엔자

유행-어(流行語) 圆 流行语 liúxíngyǔ ¶~가 되다 成为流行语

유혈(流血) 圆 流血 liúxuè; 浴血 yùxuè ¶~ 사태 流血事件 / ~ 충돌 流血冲突

유혈-극(流血劇) 圆 流血惨剧 liúxuè cǎnjù; 浴血斗殴 yùxuè dòu'ōu ¶대낮에 ~이 벌어지다 光天化日下发生流血惨剧

유-형(有形) 圆하혱 有形 yǒuxíng ¶~ 자산 有形资产

유:형(類型) 圆 类型 lèixíng ¶여러 ~의 시험 문제 各种类型的试题 / 사람의 성격을 몇 가지 ~으로 나누다 把人的性格分成几种类型

유:형 문화재(有形文化財)【古】有形文化遗产 yǒuxíng wénhuà yíchǎn = 유형 문화재 yǒuxíng wénhuà

유:형-물(有形物) 圆 有形物 yǒuxíngwù; 实物 shíwù

유혹(誘惑) 圆하타 诱惑 yòuhuò; 迷惑 míhuò; 引诱 yǐnyòu; 勾引 gōuyǐn ¶~을 뿌리치다 拒绝诱惑 / ~에 빠지다 陷入诱惑 / 여인에게 ~되다 被女人勾引

유혹-적(誘惑的) 〔관〕〔명〕 诱惑(的) yòuhuò(de); 诱人(的) yòurén(de) ¶~인 자 태 诱人的姿态 / ~인 눈길을 보내다 发出诱惑的目光

유화(油畫) 〔명〕〔美〕油画 yóuhuà = 유채(油彩)2

유화(宥和) 〔명〕〔하자〕 宥和 yòuhé; 宽宥 kuānyòu ¶~적인 태도 宽宥的态度 / ~ 정책 宥和政策

유황(硫黃) 〔명〕〔化〕硫黄 liúhuáng; 硫磺 liúhuáng ¶~불 硫黄火 =[硫 黄火焰] / ~천 硫黄泉

유-효(有效) 〔명〕〔하동〕〔부〕 1 有效 yǒuxiào ¶~ 기간 有效期 / ~ 사거리 有效射程 / 이 계약은 아직 ~하다 这个 合同还有效 2〔體〕有效 yǒuxiào

유-효적절-하다(有效適切——) 〔형〕 有 效而恰当 yǒuxiào ér qiàdàng ¶유효적 절한 조치를 취하다 采取有效而恰当 的措施 / 자원을 유효적절하게 이용하 다 有效而恰当地利用资源

유훈(遺訓) 〔명〕 遗训 yíxùn ¶선친의 ~ 先父的遗训

유휴(遊休) 〔명〕 闲置 xiánzhì; 闲散 xiánsàn; 休闲 xiūxián ¶~ 시설 闲置设施 / ~ 설비 闲置设备 / ~ 자금 闲散资 金 / ~ 자본 闲散资本 / ~지 休闲地

유흥(遊興) 〔명〕 游兴 yóuxìng; 游 乐 yóulè; 娱乐 yúlè ¶~ 시설 娱乐设 施 / 마음껏 ~을 즐기다 尽情游乐

유흥-가(遊興街) 〔명〕 花花世界 huāhuā shìjiè; 花街柳巷 huājiē liǔxiàng

유흥-비(遊興費) 〔명〕 游乐费用 yóulè fèiyòng

유흥-업(遊興業) 〔명〕 娱乐业 yúlèyè

유흥업-소(遊興業所) 〔명〕 娱乐场所 yúlè chǎngsuǒ ¶미성년자들의 ~ 출입 을 단속하다 限制未成年人出入娱乐 场所

유희(遊戲) 〔명〕〔하자〕 游戏 yóuxì; 游艺 yóuyì; 玩弄 wánnòng ¶친구들과 ~를 즐기다 和朋友们尽情游戏

육(六) 〔수관〕 六 liù ¶~ 개월 六个月 / ~ 미터 六米

육각(六角) 〔명〕 = 육모

육각-형(六角形) 〔명〕〔數〕六边形 liù-biānxíng; 六角形 liùjiǎoxíng

육감(六感) 〔명〕〔心〕第六感觉 dìliùgǎn-jué; 第六感 dìliùgǎn; 直觉 zhíjué ¶여 자의 ~ 女人的第六感觉 / ~으로 알 다 靠第六感觉来感悟

육감(肉感) 〔명〕 1 肉感 ròugǎn 2 性感 xìnggǎn

육감-적(六感的) 〔관형〕 直觉(的) zhí-jué(de); 靠第六感觉 kào dìliùgǎnjué; 凭第六感觉 píng dìliùgǎnjué ¶~ 판단 凭第六感觉判断

육감-적(肉感的) 〔관형〕 性感的 xìng-

gǎn(de); 肉感(的) ròugǎn(de) ¶~인 여 인 性感的女人 / 그녀의 몸매는 매우 ~이다 她的身材很肉感

육갑(六甲) 〔명〕〔하자〕 1〔民〕= 육십갑 자 2 蠢举 chǔnjǔ; 蠢事 chǔnshì; 蠢头 蠢脑 chǔntóuchǔnnǎo ¶~을 떨다 干蠢 事

육-개장(肉——醬) 〔명〕 辣牛肉汤 làniú-ròutāng

육계(肉鷄) 〔명〕 肉鸡 ròujī; 肉种鸡 ròu-zhǒngjī; 肉用鸡 ròuyòngjī

육교(陸橋) 〔명〕 1 天桥 tiānqiáo; 过街桥 guòjiēqiáo ¶~를 건너다 过天桥 2 高 架桥 gāojiàqiáo

육군(陸軍) 〔명〕〔軍〕陆军 lùjūn ¶~ 본 부 陆军本部

육군 사:관학교(陸軍士官學校) 〔軍〕 陆军军官学校 lùjūn jūnguān xuéxiào; 陆军士官学校 lùjūn shìguān xuéxiào

육-대주(六大洲) 〔명〕〔地理〕六大洲 liùdàzhōu ¶오대양 ~로 진출하다 打 入五大洋六大洲

육두-문자(肉頭文字) 〔명〕 污言秽语 wū-yánhuìyǔ; 下流话 xiàliúhuà; 脏话 zàng-huà ¶~로 남을 욕하다 说脏话骂人

육로(陸路) 〔명〕 陆路 lùlù; 旱路 hànlù ¶ ~를 이용하다 走旱路 / ~ 교통 陆路 交通

육류(肉類) 〔명〕 肉类 ròulèi ¶~ 소비가 늘다 肉类消费量增加

육림(育林) 〔명〕 育林 yùlín ¶~ 사업 育 林事业

육면-체(六面體) 〔명〕〔數〕六面体 liù-miàntǐ

육-모(六一) 〔명〕 六角 liùjiǎo = 육각

육박(肉薄) 〔명〕〔하자타〕 逼近 bījìn; 紧逼 jǐnbī; 接近 jiējìn; 近 jìn ¶5만 명에 ~ 하는 관중는 근五万名的观众 / 적진에 ~하다 逼近敌阵

육박-전(肉薄戰) 〔명〕〔軍〕肉搏战 ròu-bózhàn; 白刃战 báirènzhàn; 肉搏 ròu-bó ¶~을 벌이다 打白刃战

육부(六腑) 〔명〕〔韓醫〕六腑 liùfǔ

육사(陸士) 〔명〕〔軍〕'육군 사관학교' 的略称

육상(陸上) 〔명〕 1 陆地上 lùdìshang; 陆 上 lùshang ¶~ 운송 陆上运输 / ~ 식 물 陆上植物 2〔體〕田径 tiánjìng; 田 径赛 tiánjìngsài ¶~ 대회 田径运动 会 / ~ 선수 田径运动员

육상 경:기(陸上競技) 〔體〕田径赛 tiánjìngsài; 田径比赛 tiánjìng bǐsài

육서(六書) 〔명〕 1 六书 liùshū (汉字造 字的理论) 2 六书 liùshū; 六体 liùtǐ (六种字体)

육서(陸棲) 〔명〕〔하자〕 陆栖 lùqī ¶~ 동물 陆栖动物

육성(肉聲) 〔명〕 (直接说话的) 声音

shēngyīn ¶고인의 ~을 담은 테이프 녹음에 有故人声音的磁带

육성(育成) 图 培养 péiyǎng; 培育 péiyù ¶기술자를 ~하다 培养技术人员 / 영재를 ~하다 培育英才

육손-이(六一) 图 六指人 liùzhǐrén; 六指儿 liùzhǐr

육송(陆送) 图[하타] 陆上运输 lùshang yùnshū

육수(肉水) 图 肉汤 ròutāng ¶냉면 ~ 冷面的肉汤

육순(六旬) 图 六旬 liùxún; 花甲 huājiǎ ¶~을 바라보는 나이 将近六旬的年龄 / 나이가 ~에 가깝다 年近花甲

육시(戮屍) 图[하타] 戮尸 lùshī ¶~를 당하다 被戮尸

육식(肉食) 图[하자] 肉食 ròushí; 吃肉 chīròu; 吃荤 chīhūn ¶~ 动物 肉食动物 / 그는 ~을 좋아한다 他喜欢吃肉

육신(肉身) 图 = 육체(肉體) ¶~의 고통 肉体的苦痛 / ~이 병들다 身体有病

육십(六十) 囹괜 六十 liùshí ¶~ 세 六十岁 / ~년 六十年

육십-갑자(六十甲子) 图【民】六甲 liùjiǎ; 六十甲子 liùshí jiǎzǐ = 육갑1

육아(育兒) 图 育儿 yù'ér ¶~법 育儿法 =[육아방법] / ~ 상식 育儿常识 / ~ 일기 育儿日记

육아-낭(育兒囊) 图【动】育儿袋 yù'érdài; 育儿囊 yù'érnáng

육안(肉眼) 图 = 맨눈 ¶태양의 흑점은 ~으로는 볼 수 없다 太阳的黑点用肉眼是看不到的

육영(育英) 图[하자] 育英 yùyīng; 育才 yùcái ¶~ 사업 育英事业 / ~ 재단 育英财团

육욕(肉慾) 图 肉欲 ròuyù; 色情 sèqíng; 性欲 xìngyù ¶~을 참다 忍受肉欲 / ~을 일으키다 引起性欲

육용(肉用) 图[하타] 肉用 ròuyòng; 食肉用 shíròuyòng ¶이 소는 ~이 아니다 这头牛是肉用的

육우(肉牛) 图 肉牛 ròuniú; 肉用牛 ròuyòngniú

육운(陸運) 图 陆运 lùyùn

육-이오(六二五) 图【史】= 육이오 전쟁

육이오 사·변(六二五事變)【史】= 육이오 전쟁

육이오 전·쟁(六二五戰爭)【史】六·二五战争 liù'èrwǔ zhànzhēng; 韩国战争 hánguó zhànzhēng; 朝鲜战争 cháoxiān zhànzhēng; 韩战 hánzhàn = 육이오·육이오 사변·한국 전쟁

육-젓(六一) 图 六月虾酱 liùyuè xiājiàng

육중-하다(肉重一) 혭 **1** 笨重 bèn-

zhòng; 粗重 cūzhòng; 沉重 chénzhòng ¶육중한 몸집 笨重的身躯 **2** (声音)深沉 shēnchén; 低沉 dīchén ¶육중하고 둔탁한 소리 低沉钝重的声音

육지(陸地) 图 땅¹2 陆地 lùdì; 旱地 hàndì; 陆 lù ¶~면 陆地面 / ~에서 온 사람 从陆地来的人 / ~에 오르다 登陆

육질(肉質) 图 肉质 ròuzhì ¶~이 좋은 쇠고기 具有优良肉质的牛肉

육체(肉體) 图 肉体 ròutǐ; 身体 shēntǐ; 肉身 ròushēn; 身子 shēnzi = 육신 ¶~가 건강해야 정신도 건강하다 身体健康, 精神才健康

육체-관계(肉體關係) 图 肉体关系 ròutǐ guānxi; 性关系 xìngguānxi ¶~를 맺다 发生肉体关系

육체-노동(肉體勞動) 图 体力劳动 tǐlì láodòng

육체-미(肉體美) 图 健身美 jiànshēnměi; 形体美 xíngtǐměi ¶~를 과시하다 衒耀形体美

육체-적(肉體的) 괜田 肉体上(的) ròutǐshang(de); 身体上(的) shēntǐshang(de); 肉体的 ròutǐ de; 身体(的) shēntǐ(de) ¶~ 쾌락만을 추구하다 一味追求身体上的快感 / ~인 고통을 견디다 忍受肉体上的痛苦

육체-파(肉體派) 图 肉弹派 ròudànpài; 性感型 xìnggǎnxíng ¶~ 여배우 肉弹派女明星

육촌(六寸) 图 **1** 六寸 liùcùn **2** 堂表兄弟 tángshūbó xiōngdì; 堂叔伯姐妹 tángshūbó jiěmèi; 二辈堂兄弟 èrbèi tángxiōngdì; 二辈堂姐妹 èrbèi tángjiěmèi ¶~ 형 二辈堂兄 / ~ 누이 二辈堂妹

육친(肉親) 图 亲骨肉 qīngǔròu; 骨肉 gǔròu; 骨血 gǔxuè; 血亲 xuèqīn ¶~의 정 血亲之情 / ~ 관계 骨肉关系

육탄(肉彈) 图 肉弹 ròudàn ¶~전 肉弹战 / ~ 공격 肉弹攻击 / 적의 탱크를 ~으로 저지하다 用肉弹阻止敌人的坦克

육포(肉脯) 图 肉脯 ròufǔ; 肉干(儿) ròugān(r)

육풍(陸風) 图【地理】陆风 lùfēng

육필(肉筆) 图 手书 shǒushū; 手迹 shǒujì; 手笔 shǒubǐ; 亲笔 qīnbǐ ¶~의 원고 手迹原稿

육하-원칙(六何原則) 图 六何法 liùhéfǎ《何事、何人、何时、何地、为何、如何》

육해공-군(陸海空軍) 图【军】陆海空军 lùhǎikōngjūn

육혈-포(六穴砲) 图 六轮手枪 liùlún

shǒuqiāng; 六位手枪 liùwèi shǒuqiāng

육회(肉膾) 명 生拌牛肉片 shēngbàn niúròupiàn

윤:(潤) 동 = 윤기 ¶피부에 ~이 나다 皮肤光润/가구를 닦아서 ~을 내다 把家具擦得很光亮

윤간(輪姦) 명하타 轮奸 lúnjiān; 轮流强奸 lúnliú qiángjiān ¶세 명의 남자에게 ~을 당하다 遭到三名男子轮奸

윤곽(輪廓) 명 1 (事件的)轮廓 lúnkuò; 概况 gàikuàng ¶사건의 ~이 서서히 드러나다 案件的轮廓慢慢儿浮出水面 2 (事物的)轮廓 lúnkuò; 外形 wàixíng ¶~이 뚜렷한 얼굴 轮廓清晰的脸庞

윤:기(潤氣) 명 光泽 guāngzé; 润泽 rùnzé; 光亮 guāngliàng; 润 rùn; 光润 guāngrùn ¶~가 흐르는 새까만 머리카락 光泽油亮的乌发/얼굴에 ~가 흐르다 面有光泽

윤:-나다(潤一) 자 有光泽 yǒu guāngzé; 光润 guāngrùn; 油光光 yóuguāngguāng; 光亮 guāngliàng; 光润 rùn; 油光 yóuguāng; 发亮 fāliàng ¶그는 항상 반짝반짝 윤나는 구두를 신는다 他总是穿着一双油光发亮的皮鞋

윤:-날(閏一) 명 闰日 rùnrì = 윤일

윤:-내다(潤一) 타 磨光 móguāng; 擦光 cāguāng; 抛光 pāoguāng ¶윤내는 기름 擦光油

윤:년(閏年) 명 【天】 闰年 rùnnián

윤:-달(閏一) 명 【天】 闰月 rùnyuè = 윤월 ¶금년에는 ~이 있다 今年有闰月

윤락(淪落) 명하자 卖淫 màiyín; 卖身 màishēn ¶~녀 卖淫妇/~ 행위 卖淫行为

윤락-가(淪落街) 명 红灯区 hóngdēngqū

윤리(倫理) 명 1 伦理 lúnlǐ ¶~관 伦理观/~ 의식 伦理意识/기업 ~ 企业伦理/~에 어긋나는 행위 与伦理相悖的行为 2 【哲】 = 윤리학

윤리-적(倫理的) 관 伦理(的) lúnlǐ(de); 伦理上(的) lúnlǐshang(de) ¶~ 책임 伦理上的责任

윤리-학(倫理學) 명 【哲】 伦理学 lúnlǐxué = 윤리2

윤번(輪番) 명하자 轮番 lúnfān; 轮班 lúnbān; 轮流 lúnliú ¶~제 轮流制 = [輪班制]/~으로 노래를 부르다 轮流唱歌

윤색(潤色) 명하타 润色 rùnsè; 润饰 rùnshì ¶소설의 줄거리를 ~하다 对小说的情节加以润饰

윤:월(閏月) 명 【天】 = 윤달

윤:일(閏日) 명 = 윤날

윤전(輪轉) 명하자 1 轮转 lúnzhuàn ¶

~ 인쇄 轮转印刷 2 【佛】 = 윤회2

윤전-기(輪轉機) 명 【印】 = 윤전 인쇄기

윤전 인쇄기(輪轉印刷機) 【印】 轮转印刷机 lúnzhuàn yìnshuājī; 轮转机 lúnzhuànjī = 윤전기

윤:택(潤澤) 명 1 润泽 rùnzé; 光润 guāngrùn; 滋润 zīrùn 2 富裕 fùyù; 富足 fùzú ¶삶이 ~하다 生活富裕/그는 ~한 가정에서 자랐다 他生长在一个富足的家庭里

윤:허(允許) 명하타 (国王) 允许 yǔnxǔ; 允诺 yǔnnuò; 允准 yǔnzhǔn; 准许 zhǔnxǔ ¶~를 받다 获得准许/~를 내리다 下达允准

윤화(輪禍) 명 车祸 chēhuò; 交通事故 jiāotōng shìgù ¶~를 당하다 遭遇车祸/~로 목숨을 잃다 因交通事故而丧命

윤:활(潤滑) 명하형(희부) 润滑 rùnhuá

윤:활-유(潤滑油) 명 【工】 润滑油 rùnhuáyóu; 润滑 huáyóu

윤:활-제(潤滑劑) 명 【機】 润滑剂 rùnhuájì; 润滑料 rùnhuáliào; 滑剂 huájì

윤회(輪廻) 명하자 1 轮回 lúnhuí 2 【佛】 轮回 lúnhuí; 生死轮回 shēngsǐ lúnhuí; 轮回转生 lúnhuí zhuǎnshēng = 윤전2 ¶~ 사상 轮回思想

율동(律動) 명 1 律动 lǜdòng 2 【音】 节奏 jiézòu; 节拍 jiépāi 3 【體】 = 율동 체조

율동-감(律動感) 명 律动感 lǜdònggǎn; 节奏感 jiézòugǎn

율동-적(律動的) 관 有律动(的) yǒulǜdòng(de); 有节奏的 yǒujiézòu(de) ¶~인 동작 有节奏的动作

율동 체조(律動體操) 명 【體】 韵律操 yùnlǜcāo = 율동3

율령(律令) 명 【法】 律令 lǜlìng

율무 명 【植】 薏苡 yìyǐ ¶~차 薏苡茶

율법(律法) 명 【宗】 律法 lǜfǎ ¶여호와의 ~을 준행하다 遵行耶和华的律法

율시(律詩) 명 【文】 律诗 lǜshī ¶오언 ~ 五言律诗

융기(隆起) 명하자 隆起 lóngqǐ ¶~ 해안 隆起海岸/지각이 ~하다 地壳隆起

융단(絨緞) 명 【手工】 地毯 dìtǎn; 绒毯 róngtǎn; 地毡 dìzhān = 양탄자·카펫 ¶침실에 ~ 한 장을 깔다 在卧室铺一块地毯

융단 폭격(絨緞爆擊) 【軍】 地毯式轰炸 dìtǎnshì hōngzhà; 毯式轰炸 tǎnshì hōngzhà

융모(絨毛) 명 【生】 绒毛 róngmáo = 융털2

융비(隆鼻) 명 隆鼻 lóngbí; 高鼻梁 gāobíliáng ¶~술 隆鼻术

융성(隆盛) 명하자 隆盛 lóngshèng; 兴盛 xīngshèng; 兴隆 xīnglóng; 昌盛 chāngshèng; 兴旺 xīngwàng = 홍성 ¶불교가 크게 ～하다 佛教大为兴盛

융숭-하다(隆崇一) 형 热诚 rèchéng ¶융숭한 대접을 받다 受到热诚款待 융숭-히 閉

융자(融資) 명하타 融资 róngzī; 贷款 dàikuǎn; 通融资金 tōngróng zījīn ¶기업・企业融资 / 학자금・学费贷款 / 은행・银行 ~를 받다 得到银行贷款

융자-금(融資金) 명 贷款 dàikuǎn; 贷款额 dàikuǎn'é; 融资金 róngzījīn ¶집값의 절반은・금 가서야 겨우 냈던 房价的一半은 拿贷款支付的

융-털(絨一) 명 1 (地毯的) 绒毛 róngmáo 2 = 융모

융통(融通) 명하타 融通 róngtōng; 通融 tōngróng; 周转 zhōuzhuǎn; 借用 jièyòng ¶자금을 ~하다 融通资金 / 그는 나에게서 천 위안을 ~해 갔다 他从我这儿通融了一千块钱

융통-성(融通性) 명 灵活性 línghuóxìng; 伸缩性 shēnsuōxìng; 变通 biàntōng ¶~이 없다 没有灵活性 = [死板]

융합(融合) 명하자타 熔合 rónghé; 融合 rónghé; 融和 rónghé; 合成 héchéng ¶~ 반응 融合反应 / 산소와 수소가 ~하여 물이 된다 氧和氢合成水

융해(融解) 명하자타 熔化 rónghuà; 熔解 róngjiě; 融化 rónghuà; 融解 róngjiě; 溶化 rónghuà; 溶解 róngjiě ¶~ 온도 溶解温度

융해-열(融解熱) 명 [化] 熔解热 róngjiěrè; 熔化热 rónghuàrè

융해-점(融解點) 명 [化] 熔点 róngdiǎn = 녹는점

융화(融和) 명하자타 融洽 róngqià; 和睦 hémù; 和谐 héxié; 融和 rónghé ¶자연과 ～되어 살아가다 与自然和谐地生活 / 부부간의 감정이 ～되지 않다 夫妻之间感情不融和

윷: 명 [民] 尤茨 yóucì; 骰子 gǔzi; 板子 bǎnzi; 掷柶 zhìsì ¶~을 던지다 扔尤茨

윷:-가락 명 = 윷짝

윷:-놀이 명 [民] 尤茨游戏 yóucí yóuxì; 掷尤茨 zhìyóucì; 翻板子游戏 fānbǎnzi yóuxì ¶~를 하다 玩尤茨游戏

윷:-말 명 [民] (玩尤茨游戏时用的) 棋子 qízǐ

윷:-짝 명 尤茨 yóucì; 骰子 gǔzi; 板子 bǎnzi = 윷가락

으깨다 타 压碎 yāsuì; 捣碎 dǎosuì; 碾碎 niǎnsuì; 砸碎 zásuì ¶호두를 ~ 压碎核桃 / 삶은 감자를 ~ 搗碎煮熟的土豆

-으나 어미 1 但 dàn; 但是 dànshì; 可 kě; 可是 kěshì 《表示对立、转折》

¶그는 돈은 있~ 행복하지 못하다 他虽然有钱, 但是并不幸福 2 不管…还是 bùguǎn…háishì 《表示比较》¶양복을 입~ 한복을 입~ 모두 잘 어울린다 不管是穿西装还是穿韩服都挺合适 3 表示强调 ¶떫~ 떫은 감 非常涩的柿子 / 좁~ 좁은 방 小小的房间

-으니 어미 表示原因或根据 ¶약속을 했~ 가기 싫어도 갈 수밖에 없다 约好了, 不想去也得去

-으니까 어미 1 表示原因或根据 ¶그렇게 음식을 마구 먹~ 배탈이 나지 像这样乱吃东西, 当然会拉肚子 2 表示揭示说明 ¶자세히 읽~ 참 재미있더라 仔细读之后, 确实挺有意思的

으드득 閉하자타 1 咔嚓咔嚓 kāchākāchā; 咯吱咯吱 gēzhīgēzhī 《砸碎硬物声》¶사탕을 ~ 깨물다 咯吱咯吱嚼糖果 2 嘎吱嘎吱 gāzhīgāzhī; 咯咯 gēgē 《咬牙声》¶그는 잠을 잘 때 항상 ~ 이를 간다 他睡觉时老是嘎吱嘎吱地磨牙

으드득-거리다 자타 1 咔嚓咔嚓 kāchākāchā; 咯吱咯吱 gēzhīgēzhī ¶사탕을 으드득거리며 깨물어 咯咯咯吱 吱嚓吱嚓地咬碎饼 2 嘎吱嘎吱 gāzhīgāzhī; 咯咯 gēgē ‖ = 으드득대다 으드득-으드득 閉하자타

으뜸 명 1 第一 dìyī; 头等 tóuděng; 最好 zuìhǎo ¶그의 노래 실력은 전교에서 ~이다 他的唱歌实力数全校第一 2 根本 gēnjī; 根本 gēnběn; 基本 jīběn ¶효도는 윤리의 ~이다 孝道是伦理的根本

으뜸-가다 자 首屈一指 shǒuqūyīzhǐ; 数第一 shǔdìyī; 最好 zuìhǎo ¶으뜸가는 성적 最好的成绩

으뜸-상(一賞) 명 头等奖 tóuděngjiàng; 一等奖 yīděngjiàng

으뜸-음(一音) 명 [音] 主音 zhǔyīn; 主调音 zhǔdiàoyīn

-으러 어미 表示意图或目的 ¶점심을 먹~ 식당에 가다 去食堂吃午餐 / 새들이 먹이를 찾~ 이리저리 날아다닌다 小鸟们飞来飞去寻找食物

으레 閉 1 应当 yīngdāng; 当然 dāngrán ¶명절 때면 ～ 웃어른을 찾아뵈어야 한다 在节日里应当去看看长辈 2 照例 zhàolì; 必然 bìrán; 必定 bìdìng; 总是 zǒngshì ¶그는 퇴근 후에는 ~ 동료들과 술 한잔을 한다 他下班以后, 照例要跟同事们喝一杯

-으려고 어미 表示目的或意图 ¶사진을 찍~ 공원에 간다 去公园拍照片 / 싹이 돋~ 한다 要发芽了

으례 閉 '으레'의 错误

으로 조 1 往 wǎng; 向 xiàng; 去 qù 《表示方向》¶동쪽~ 가다 往东走 / 미

국~ 여행을 떠나다 去美国旅游 **2** 경유 jīng; 从 cóng; 경과 jīngguò; 途经 tújīng; 通过 tōngguò《表示动作的经过、路程》¶문틈으로 바람이 들어오다 风从门缝吹进来 / 홍콩~ 해서 미국으로 들어갈 예정이다 预定途经香港去美国 **3** 成 chéng; 转 zhuǎn《表示转化结果》¶자식을 훌륭한 사람~ 키우다 把子女培养成优秀人才 / 비는 오후부터 눈~ 변했다 下午开始雨转雪了 **4** 用 yòng《表示材料》¶흙~ 그릇을 만들다 用泥制作碗 **5** 用 yòng; 拿 ná; 以 yǐ《表示手段、方法、工具等》¶톱~ 나무를 켜다 用锯子拉开木头 / 붓글씨를 쓰다 拿毛笔写字 **6** 因 yīn; 因为 yīnwèi; 为 wèi《表示原因、理由》¶병~ 결석하다 因病缺席 为 wéi; 作为 zuòwéi; 作 zuò《表示身份、资格、地位、对象》¶회장~ 뽑히다 被选为会长 / 인간~ 어떻게 그럴 수가 있나? 作为人怎能那么做呢? **8** 在 zài《表示时间》¶오늘 중~ 마쳐야 한다 在今天内应当做完

으로-부터 조 从 cóng; 由 yóu《表示行为的出发点》¶남쪽~ 꽃 소식이 전해 오다 从南方传来开花的消息

으로서 조 为 wéi; 作为 zuòwéi; 以 yǐ《表示身份、资格、地位》¶자식~ 마땅히 해야 할 의무 作为子女应尽的义务

으로써 조 用 yòng; 以 yǐ; 拿 ná《表示工具、材料、手段》¶용기와 신념~ 작전에 임하다 以勇气和信念临战

으르다 타 威胁 wēixié; 吓唬 xiàhu; 恐吓 kǒnghè¶아무리 으르고 달래도 소용이 없다 吓也吓唬了, 哄也哄了, 可是都没用

으르렁 부하자 嗷嗷 áo'áo《咆哮、吼叫声》

으르렁-거리다 자 **1** 咆哮 páoxiào; 吼叫 hǒujiào; 叫嚣 jiàoxiāo《老虎吼叫》 ~ 老虎吼叫 **2** 大声争吵 dàshēng zhēngchǎo; 吵吵嚷嚷 chǎochǎorǎngrǎng¶그들은 만나기만 하면 으르렁거린다 他们一见面就争吵不休 ‖ 으르렁대다 ‖ **으르렁-으르렁** 부

으름장 명 威胁 wēixié; 恐吓 kǒnghè; 恫吓 dònghè

으름장(을) 놓다 군 危言耸听; 装腔作势, 借以吓人

으리으리-하다 형 辉煌 huīhuáng; 宏壮 hóngzhuàng; 金碧辉煌 jīnbìhuīhuáng; 雄伟壮丽 xióngwěizhuànglì¶으리으리한 화호 주택 金碧辉煌的豪宅

-으마 어미 吧 ba《表示约定或许诺》¶그 일은 내가 맡~ 那件事由我来办吧

-으며 어미 **1** 一会儿…一会儿… yīhuìr…yīhuìr…《表示并列》¶읽~ 쓰며 열심히 공부하다 一会儿读一会儿写, 学习很努力 **2** =—으면서1¶밥을 먹~ 신문을 보다 边吃饭边看报

-으면 어미 如果 rúguǒ; 要는 yàoshi; …的话 dehuà《表示假设或希望》¶내일 날씨가 좋~ 소풍을 가겠다 明天天气好的话, 去郊游 / 나도 베이징에 한번 가 봤~ 좋을까! 我要是能去一趟北京多么好啊!

-으면서 어미 **1** 边 biān; 一边 yībiān《表示并存的动作或状态》 = -으며2¶음악을 듣~ 공부를 하다 边听音乐边看书 **2** 却 què《表示转折》¶그는 집에 있~ 없다고 한다 他在家, 却说不在

-으므로 어미 表示原因、根据¶돈이 없~ 못 간다 没钱去不了

으스-대다 자 得意忘形 déyìwàngxíng; 摆架子 bǎijiàzi; 抖起来 dǒuqǐlai¶그는 요즘 관리가 되더니 으스대기 시작했다 他如今当了官, 摆起架子来了

으스러-뜨리다 타 打破 dǎpò; 打碎 dǎsuì; 弄碎 nòngsuì; 敲碎 qiāosuì = 으스러트리다¶호두를 망치로 ~ 用锤子敲碎核桃

으스러-지다 자 破碎 pòsuì; 粉碎 fěnsuì¶뼈가 ~ 骨头粉碎了

으스스 부하형 冷丝丝 lěngsīsī; 凉飕飕 liángsōusōu; 抖擞 dǒusǒu¶추워서 온몸이 ~ 떨린다 冷得浑身直哆嗦 / 새벽 공기가 ~하다 清晨的空气凉丝丝的

으슥-하다 형 **1** 幽暗 yōu'àn; 僻静 pìjìng; 背静 bèijìng¶으슥한 골목길 背静的小巷 **2** 沉静 chénjìng; 寂寥 jìliáo¶밤이 깊어지자 주위가 으슥해졌다 夜深了, 四周沉静下来

으슬-으슬 부하형 冷丝丝 lěngsīsī; 冷嗖嗖 lěngsōusōu; 瑟瑟 sèsè¶날씨가 ~ 춥다 天气冷嗖嗖的 / 몸이 ~한 게, 감기가 올 모양이다 身体瑟瑟发冷, 像要感冒

으시-대다 자 '으스대다'의 착오

으쓱 부하자타 **1** 耸肩 sǒngjiān; 耸 sǒng¶그는 어깨를 ~하며 이해할 수 없다는 표정을 지어 보였다 他耸了耸肩, 现出不可理解的神情 **2** 得意 déyì; 得意扬扬 déyìyángyáng; 神气 shénqi¶선생님의 칭찬이 나를 ~하게 했다 老师的称赞让我很得意

으쓱-거리다 자타 **1** 耸动 sǒngdòng; 耸肩 sǒngjiān; 耸 sǒng¶신이 나서 어깨가 저절로 으쓱거렸다 高兴得直耸肩膀 **2** 得意 déyì; 得意扬扬 déyìyángyáng; 神气 shénqi ‖ 으쓱대다 ‖

쓱-으쓱 [부][자][타] ¶그는 합격 소식을 듣고서 어깨를 ~하면서 집으로 돌아왔다 听到合格的消息后, 他肩膀一耸一耸地回家来了

으악 [갑] 啊 à; 呀 yā(吓人或惊叫声) ¶그는 놀라서 ~하고 소리를 질렀다 他吓得刚的一声叫起来

으앙 [부] 哇 wā(婴儿哭声) ¶잠을 자던 아기가 갑자기 ~하고 울기 시작했다 正睡觉的婴儿忽然哇地哭了起来

윽박-지르다 [타] 威逼 wēibī; 吓唬 xiàhu; 逼迫 bīpò ¶잘못한 아이를 ~ 威逼犯错误的孩子

은(銀) [化] 银 yín; 银子 yínzi; 白银 báiyín ¶~가락지 银戒指 / ~귀고리 银耳环 / ~목걸이 银项链

은 [조] 表示提示叙述或者强调、对照等含义 ¶이 가방~ 누구의 것이냐? 这个书包是谁的? / 너에게도 잘못~ 있다 你也有错 / 인생~ 짧고 예술~ 길다 人生短暂, 艺术永恒

은거(隱居) [명][하자] 隐居 yǐnjū ¶산중의 작은 암자에 ~하다 隐居在山中的小庙里

은공(恩功) [명] 恩 ēn; 恩功 ēngōng ¶부모의 ~을 잊다 忘却父母之恩

은광(銀鑛) [명][鑛] 1 银矿 yínkuàng 2 银矿石 yínkuàngshí

은괴(銀塊) [명] 银块 yínkuài

은-구슬(銀—) [명] 银珠 yínzhū; 银珠子 yínzhūzi

은-그릇(銀—) [명] 银器 yínqì; 银器皿 yínqìmǐn; 银碗 yínwǎn

은근(慇懃) [명][하][부] 1 幽寂 yōujì ¶달빛이 비치는 마당은 ~하고 아늑해 보인다 月光下的院子显得幽寂和宁静 2 深切 shēnqiè; 殷切 yīnqiè ¶~한 배려 深切的关怀 / ~한 기대 殷切的期待 3 暗自 ànzì; 暗暗 àn'àn; 隐含 yǐnhán ¶~히 기다리다 暗中等待 / 속으로 ~히 놀라다 心里暗暗吃惊

은근-슬쩍(慇懃—) [부] 悄悄地 qiāoqiāode; 暗自 ànzì; 偷偷地 tōutōude ¶그는 ~ 길에다 휴지를 버렸다 他偷偷地把废纸扔在路上

은닉(隱匿) [명][하타] 隐匿 yǐnnì; 隐藏 yǐncáng; 窝藏 wōcáng ¶~ 행위 隐匿行为 / 장물을 ~하다 隐匿脏物 / 범인을 ~하다 窝藏罪犯

은닉-죄(隱匿罪) [명][法] 隐匿罪 yínnizuì; 窝藏罪 wōcángzuì

은덕(恩德) [명] 恩德 ēndé ¶~을 입다 蒙受恩德

-은데 [어미] 1 不过 bùguò; 可 kě; 可是 kěshì; 就 jiùshì(表示转折) ¶물건은 좋~ 값이 비싸다 东西好是好, 不过价格贵 2 表示提示 ¶병이 나은

것 같~ 퇴원시켜 주십시오 病差不多痊愈了, 请让我出院吧 3 呀 ya; 啊 a(表示感叹, 并带有等待对方的反应的语气) ¶집이 좀 작~! 房子有点儿小呀! / 경치 좋~! 风景不错啊!

은-도금(銀鍍金) [명][하자] 镀银 dùyín

은-돈(銀—) [명] 银币 yínbì; 银元 yínyuán; 银元 yínyuán; 银钱 yínqián = 은화

은둔(隱遁) [명][하자] 隐遁 yǐndùn; 隐居 yǐnjū ¶~ 생활을 하다 过着隐居生活

은막(銀幕) [명][演] 1 = 영사막 2 电影界 diànyǐngjiè; 影坛 yǐngtán

은-메달(銀medal) [명] 银牌 yínpái ¶~을 따다 获得银牌 / ~을 목에 걸다 把银牌挂在脖子上

은-메달리스트(銀medalist) [명][體] 银牌得主 yínpái dézhǔ

은-물결(銀—) [명] = 은파

은밀-하다(隱密—) [형] 隐秘 yǐnmì; 秘密 mìmì ¶은밀한 계획 隐秘的计划 은밀-히 [부] ¶이번 일은 매우 ~ 추진되었다 这次的事非常隐密地进行着

은박(銀箔) [명] 银箔 yínbó; 银叶子 yínyèzi

은박-지(銀箔紙) [명] 银纸 yínzhǐ; 银箔纸 yínbózhǐ; 锡纸 xīzhǐ; 锡箔纸 xībózhǐ ¶남은 음식을 ~에 싸서 집으로 가져가다 剩下的饭菜用锡纸包好, 带回家去

은반(銀盤) [명] 1 银盘 yínpán 2 冰场 bīngchǎng ¶~ 위의 요정 冰场上的精灵

은-반지(銀半指) [명] 银戒指 yínjièzhi

은발(銀髮) [명] 银发 yínfà; 白发 báifà; 白头发 báitóufa ¶~의 노인 银发老人

은-방울(銀—) [명] 银铃 yínlíng ¶은방울을 굴리는 듯하다 [속담][像] 银铃般的; 如同银铃 ¶은방울을 굴리는 듯한 목소리 银铃般的嗓音

은방울-꽃(銀—) [명][植] 君影草 jūnyǐngcǎo; 银兰 yínlán

은백-색(銀白色) [명] 银白色 yínbáisè; 银白 yínbái

은-붙이(銀—) [명] 银制品 yínzhìpǐn; 银器 yínqì

은-비녀(銀—) [명] 银簪 yínzān; 银钗 yínchāi ¶~를 꽂다 插银簪

은-빛(銀—) [명] 银色 yínsè ¶물결 银色水波 / 날개 银色的翅膀

은사(恩師) [명] 恩师 ēnshī ¶고교 시절의 ~ 高中时的恩师

은사(恩賜) [명][하타] 1 恩赐 ēncì 2 恩赐物 ēncìwù

은사(銀絲) [명] 银丝 yínsī; 银线 yínxiàn = 은실

은사(隱士) [명] 隐士 yǐnshì

은상(銀賞) [명] 银奖 yínjiǎng; 亚军 yàjūn ¶~을 받다 获得银奖

은색(銀色) 图 银色 yínsè

은-세계(銀世界) 图 银白世界 yínbái shìjiè ¶대지가 ~로 변하다 大地变成银白世界

은 세:공(銀細工)【手工】银制工艺 yínzhì gōngyì; 银细工 yínxìgōng ¶~품 银制工艺品

은-수저(銀-) 图 银筷箸 yínchíkuài; 银匙箸 yínchízhù

은신(隱身) 图[하자] 隐身 yǐnshēn; 藏身 cángshēn ¶암자에 ~하고 있다 正在小庙里藏身

은신-처(隱身處) 图 隐身处 yǐnshēnchù; 藏身处 cángshēnchù; 窝点 wōdiǎn ¶범인의 ~를 찾아내다 找出犯人的窝点

은-실(銀-) 图 = 은사(銀絲)

은애(恩愛) 图[하타] 恩爱 ēn'ài; 亲情 qīnqíng

은어(銀魚) 图【魚】香鱼 xiāngyú; 年鱼 niányú

은어(隱語) 图 隐语 yǐnyǔ; 行话 hánghuà; 黑话 hēihuà; 暗语 ànyǔ ¶요즘 청소년들이 사용하는 ~는 이해하기 어렵다 最近青少年之间使用的暗语, 很难理解其意

은연-중(隱然中) 图[부] 暗中 ànzhōng; 暗暗(地) àn'àn(de); 不知不觉中 bùzhī-bùjuézhōng ¶~에 속내를 드러내다 暗中表露心思

은유(隱喩) 图【文】= 은유법

은유-법(隱喩法) 图【文】隐喩 yǐnyù; 暗喩 ànyù = 은유

은은-하다(殷殷-) 图 隆隆 lónglóng ¶은은한 포성 隆隆的炮声 **은은-히** 图

은은-하다(隱隱-) 图 隐隐 yǐnyǐn; 隐然 yǐnrán; 隐约 yǐnyuē; 隐隐约约 yǐnyinyuēyuē ¶달빛이 창에 은은하게 비치다 月光隐隐约约地照在窗户上 **은은-히** 图 ¶멀리서 ~ 들려오는 종소리 远处隐隐传来的钟声

은인(恩人) 图 恩人 ēnrén ¶생명의 ~救命恩人

은자(隱者) 图 隐居者 yǐnjūzhě; 隐士 yǐnshì

은잔(銀盞) 图 银杯 yínbēi; 银盏 yínzhǎn; 银酒杯 yínjiǔbēi ¶~에 술을 따르다 把酒倒在银杯里

은-장도(銀粧刀) 图 银妆刀 yínzhuāngdāo; 银制小刀 yínzhì xiǎodāo

은-쟁반(銀錚盤) 图 银盘 yínpán; 银盘子 yínpánzi; 银托盘 yíntuōpán

은정(恩情) 图 恩情 ēnqíng; 恩惠 ēnhuì ¶이재민에게 ~을 베풀다 向难民施加恩情

은제(銀製) 图 银制 yínzhì; 银 yín ¶~ 수저 银制箸匙

-은지 어미 表示疑感、情况不明 ¶물이 얼마나 깊~ 알 수가 없다 无法知道水有多深 ¶그가 기분이 좋~ 휘파람을 분다 他心情好像不错, 在吹口哨呢

은총(恩寵) 图 恩宠 ēnchǒng ¶하나님의 ~을 받다 得到上帝的恩宠

은-커녕 图 别说 biéshuō (表示否定某个事实) ¶천 원은 ~ 백 원도 없다 别说一千元了, 一百元也没有

은택(恩澤) 图 恩泽 ēnzé

은-테(銀-) 图 银边 yínbiān; 银框 yínkuāng ¶~ 안경 银框眼镜

은퇴(隱退) 图[하자] 退役 tuìyì; 引退 yǐntuì; 隐退 yǐntuì; 退隐 tuìyǐn ¶올림픽 이후 그녀는 ~했다 奥运会以后, 她就退役了

은파(銀波) 图 银波 yínbō; 银涛 yíntāo = 은물결

은-팔찌(銀-) 图 1 银手镯 yínshǒuzhuó ¶~를 차다 戴银手镯 2 手铐 shǒukào

은폐(隱蔽) 图[하타] 隐蔽 yǐnbì; 掩蔽 yǎnbì; 掩盖 yǎngài ¶비리를 ~하다 掩盖不正之风

은하(銀河) 图【天】银河 yínhé; 天河 tiānhé; 银汉 yínhàn; 云汉 yúnhàn; 星河 xīnghé ¶~계 银河系

은하-수(銀河水) 图 银河 yínhé; 天河 tiānhé; 云汉 yúnhàn; 星河 xīnghé; 银汉 yínhàn

은행(銀行) 图 1【經】银行 yínháng ¶~가 银行家 / ~원 银行职员 / ~장 银行行长 / ~ 창구 银行窗口 / ~ 강도 银行强盗 / ~ 계좌 银行账户 / ~ 담보 银行担保 / ~ 융자 银行融资 / ~ 수표 银行支票 / 돈을 ~에 예금하다 把钱存在银行里 / ~에서 대출을 받다 从银行获得贷款 2 库 kù ¶안구 ~ 眼库 / 혈액 ~ 血库

은행(銀杏) 图 银杏 yínxing; 白果 báiguǒ

은행-나무(銀杏-) 图【植】银杏 yínxìng; 白果 báiguǒ; 银杏树 yínxìngshù; 白果树 báiguǒshù

은혜(恩惠) 图 恩惠 ēnhuì; 恩典 ēndiǎn; 恩情 ēnqíng; 恩 ēn ¶~에 보답하다 报答恩情 / ~를 베풀다 施以恩惠 / ~를 원수로 갚다 恩将仇报

은혜-롭다(恩惠-) 图 恩惠深厚 ēnqíng shēnhòu **은혜로이** 图

은혼-식(銀婚式) 图 银婚庆典 yínhūn qìngdiǎn

은화(銀貨) 图 = 은돈

을 图 用于末音节为闭音节的体词后, 构成句子中的宾语 ¶옷~ 벗다 脱衣服 / 책~ 보다 看书 / 밥~ 먹다 吃饭

-을 어미 1 表示一般现在时 ¶밑~

사람이 없다 没有可相信的人 / 지금은 사람이 많~ 때다 现在正是人多的时候 **2** 表示未来将会或推测 ¶내일 입~ 옷 明天要穿的衣服 / 갈 사람이 많~ 것이다 要去的人可能很多

-을걸 [어미] **1** 表示后悔或惋惜 ¶준다고 할 때 받~ 给我的时候就该收下来的 **2** 表示推测 ¶그는 아마 벌써 떠났~ 他大概已经走了

-을게 [어미] 表示承诺或约定 ¶기다리고 있~ 我等你吧 / 있다가 먹~ 过一会儿就吃

-을까 [어미] **1** 表示推测性和可能性的疑问 ¶그 책을 다 읽었~? 把那本书看完了吧? **2** 表示拿不定的主意 ¶어느 것이 좋~? 哪个好呢?

-을께 [어미] '-을게'의 착오

-을래 [어미] 想 xiǎng《表示意图》 ¶나는 여기 있~ 我要就呆在这儿 / 너 뭐 먹~? 你想吃什么?

-을수록 [어미] 越~越…… yuè…yuè…《表示正反比例关系》 ¶많~ 좋다 越多越好 / 이 책은 읽~ 재미있다 这本书越读越有意思

을씨년스럽다 [형] **1** 阴沉沉 yīnchénchén; 冷清清 lěngqīngqīng; 冷凄凄 lěngqīqī; 阴暗 yīn'àn ¶날씨가 을씨년스러운 게 곧 눈이라도 쏟아질 것 같다 天空阴沉沉的, 像是要下雪 **2** 穷困潦倒 qióngkùnliáodǎo; 穷困不堪 qióngkùnbùkān ¶을씨년스러운 살림살이 穷困潦倒的生计 을씨년스레 [부]

-을지 [어미] 表示疑惑、犹豫不决 ¶막차가 있~ 모르겠다 不知末班车到了没有 / 날씨가 좋~ 모르겠다 不知道明天天气好不好

-을지라도 [어미] 就算 jiùsuàn; 就是 jiùshì; 即使 jíshǐ《表示让步或转折》¶굶어 죽~ 남의 것을 훔쳐서는 안 된다 就是饿死也不偷别人的东西

-을지언정 [어미] 宁可 nìngkě《表示让步》¶차라리 굶~ 더 이상 구걸은 못 하겠다 宁可挨饿, 也不愿再行乞了

읊다 [타] **1** 吟咏 yínyǒng; 吟唱 yínchàng; 吟诵 yínsòng ¶시를 한 수 ~ 吟诵一首诗 **2** (诗) 作 zuò ¶술을 마시고 시를 ~ 饮酒作诗

읊-조리다 [타] 吟咏 yínyǒng; 吟唱 yínchàng; 吟诵 yínsòng ¶은은한 달빛 아래서 시를 ~ 在柔和的月光下吟咏一首诗

음(音) [명] **1** = 자음(字音) **2** = 소리1 **3** [音] 音 yīn ¶~이 너무 낮다 音太低

음(陰) [명] **1** 【物】= 음극 **2** 【数】 负 fù = 마이너스5 **3** 【哲】阴 yīn **4** 〔韓醫〕阴 yīn

음으로 양으로 ⇨ 明里暗里; 或明或暗地; 公开非公开地 ¶~ 많은 도움을 받다 明里暗里得到许多帮助

음 [감] 唔 m̀《~》,你看的话听我这么一说的确是那样
음 [감] 唔 m̀《~》,你的话听我这么一说,的确是那样

음각(陰刻) [명하타]《美》阴刻 yīnkè

음감(音感) [명] 【音】音感 yīngǎn ¶~이 없다 没有音感 / ~이 좋다 音感好

음경(陰莖) [명] 【生】阴茎 yīnjīng

음계(音階) [명] 【音】音阶 yīnjiē

음극(陰極) [명] 【物】阴极 yīnjí; 负极 fùjí = 마이너스2 · 음(陰)1 · 음전극 ¶~관 阴极管

음기(陰氣) [명] 阴气 yīnqì

음낭(陰囊) [명] 【生】阴囊 yīnnáng

음-높이(音─) [명] 【音】音高 yīngāo

음담(淫談) [명] 猥亵话 wěixièhuà; 亵语 xièyǔ; 淫谈 yíntán

음담-패설(淫談悖說) [명] 淫词亵语 yíncí xièyǔ; 淫词秽语 yíncí huìyǔ; 污言秽语 wūyán huìyǔ; 脏言臭语 zāngyán chòuyǔ; 淫言狎语 yínyán xiáyǔ ¶~을 늘어놓다 说脏言臭语

음대(音大) [명] 【教】'음악 대학'의 略

음-독(飮毒) [명하자] 服毒 fúdú ¶~자살 服毒自杀 / ~을 결심하다 下决心服毒

음란(淫亂) [명하형] 淫乱 yínluàn; 淫秽 yínhuì ¶~ 비디오테이프 淫秽录像带 / ~한 생활 淫乱的生活 / ~한 풍속 淫秽的风俗

음란-물(淫亂物) [명] 淫秽物品 yínhuì wùpǐn

음란-죄(淫亂罪) [명] 【法】聚众淫乱罪 jùzhòng yínluànzuì

음랭-하다(陰冷─) [형] 阴冷 yīnlěng ¶음랭한 지하실 阴冷的地下室

음량(音量) [명] 音量 yīnliàng; 响度 xiǎngdù ¶~을 조절하다 调节音量 / ~이 풍부하다 音量大

음력(陰曆) [명] 【天】= 태음력 ¶~ 생일 阴历生日 / ~ 정월 대보름 阴历正月 15

음력-설(陰曆─) [명] 春节 chūnjié; 年节 niánjié; 年 nián ¶~을 쇠다 过年

음-료(飮料) [명] 饮料 yǐnliào; 饮品 yǐnpǐn ¶~를 마시다 喝饮料

음-료-수(飮料水) [명] **1** = 음용수 **2** 饮料 yǐnliào

음률(音律) [명] 【音】音律 yīnlǜ; 乐律 yuèlǜ

음매 [부] 哞 mōu《牛叫声》¶소가 ~~ 하고 울다 牛哞哞地叫

음모(陰毛) [명] 阴毛 yīnmáo

음모(陰謀) [명하타] 阴谋 yīnmóu; 鬼把戏 guǐbǎxì; 圈套 quāntào ¶~를 꾸미다 搞阴谋 / ~에 말려들다 落入圈套

음문(陰門) 圕【生】阴门 yīnmén; 阴户 yīnhù

음미(吟味) 圕[허타] 1 吟味 yínwèi 2 品味 pǐnwèi; 回味 huíwèi; 玩味 wánwèi ¶그의 말은～해 볼 만하다 他的那句话值得玩味 / 포도주의 향기와 맛을～하다 品味葡萄酒的香气和滋味

음반(音盤) 圕 唱片 chàngpiàn; 唱片儿 chàngpiānr; 唱盘 chàngpán; 唱碟 chàngdié = 레코드1·레코드판·앨범 2·판(板)⊟4 ¶클래식～古典音乐唱片 / ～판매량 唱片销售量 / ～을 내다 出唱片 / ～을 취입하다 灌唱片 / ～을 제작하다 制作唱片

음:복(飮福) 圕 饮福 yǐnfú; 吃祭品 chījìpǐn ¶제사를 지내고 둘러앉아～하다 祭祀之后围坐在一起吃祭品

음부(音符) 圕【音】= 음표

음부(陰部) 圕【生】阴部 yīnbù

음-부호(陰符號) 圕【數】= 음호

음산-하다(陰散一) 圕 阴沉 yīnchén; 阴森森 yīnsēn; 阴冷 yīnlěng; 阴惨 yīncǎn; 阴沉沉 yīnchénchén; 阴凄凄 yīnqīqī; 阴森森 yīnsēnsēn; 鬼森森 guǐsēnsēn ¶날씨가～天气阴沉 / 음산한 동굴 속 阴森森的山洞里 / 음산한 분위기에 휩싸이다 笼罩着鬼森森的气氛 음산-히 圓

음색(音色) 圕【音】音色 yīnsè; 音质 yīnzhì ¶부드러운～柔美的音色 / ～이 곱다 音色美

음서(淫書) 圕 淫书 yínshū; 黄色书籍 huángsè shūjí ¶～를 불태우다 焚烧淫书

음성(音聲) 圕 1 声音 shēngyīn; 嗓音 sǎngyīn ¶귀에 익은～很耳熟的声音 / 나지막한～低沉的嗓音 2 【語】语音 yǔyīn; 话音 huàyīn ¶～사서함 语音信箱 / ～인식 语音识别 / ～학 语音学

음성(陰性) 圕 1 阴性 yīnxìng 2 暗中 ànzhōng; 私下 sīxià; 私下里 sīxiàli; 暗地里 àndìlǐ ¶～수입 暗中收入 3 消极性 xiāojíxìng; 被动性 bèidòngxìng 4 【醫】= 음성 반응

음성 기호(音聲記號) 圕【語】音标 yīnbiāo

음성 다중 방:송(音聲多重放送) 圕【言】双语广播 shuāngyǔ guǎngbō

음성 반:응(陰性反應) 圕【醫】阴性反应 yīnxìng fǎnyìng = 네거티브2·음성(陰性)4

음성-적(陰性的) 괄圕 暗中 ànzhōng; 私下 sīxià; 暗地里 àndìlǐ ¶～인 거래 暗中交易 / ～으로 일을 처리하다 私下处理事情

음소(音素) 圕【語】音素 yīnsù ¶～문자 音素文字

음속(音速) 圕【物】声速 shēngsù; 音速 yīnsù

음수:(陰數) 圕【數】负数 fùshù

음수:(飮水) 圕 = 음용수

음수:-대(飮水臺) 圕 饮水台 yīnshuǐtái

음순(陰脣) 圕【生】阴唇 yīnchún

음습-하다(陰濕一) 圕 1 阴湿 yīnshī ¶버섯은 음습한 곳에서 잘 자란다 蘑菇在阴湿的环境下长得好 2 沉闷 chénmèn ¶음습한 기운 沉闷的气氛

음:식(飮食) 圕 1 饭菜 fàncài; 菜 cài; 饮食 yǐnshí; 膳食 shànshí ¶～을 먹다 吃饭菜 / ～을 장만하다 做饭菜 / 입에 맞다 饭菜很合口味 / ～솜씨를 자랑하다 显示做菜手艺 2 = 음식물

음:식-물(飮食物) 圕 食物 shíwù; 吃食 chīshi ¶～이 상하다 食物腐烂 / ～쓰레기 食物垃圾

음:식-점(飮食店) 圕 饭馆(儿) fànguǎn(r); 餐厅 cāntīng; 餐馆 cānguǎn ¶～에서 식사하다 吃馆子 / ～에 가다 下馆子 / ～을 차리다 开饭馆儿

음악(音樂) 圕【音】音乐 yīnyuè; 乐 yuè ¶～가 音乐家 / ～계 音乐界 = [乐坛] / ～대 乐队 / ～실 音乐室 / ～인 音乐人 / 학교 音乐学校 / ～을 듣다 听音乐 / ～에 맞춰 춤을 추다 伴着音乐跳舞

음악-당(音樂堂) 圕 音乐堂 yīnyuètáng; 音乐厅 yīnyuètīng = 콘서트홀

음악 대:학(音樂大學) 圕【教】音乐大学 yīnyuè dàxué

음악-성(音樂性) 圕 1 音乐性 yīnyuèxìng 2 音乐素质 yīnyuè sùzhì; 音乐感性 yīnyuè gǎnxìng ¶～이 뛰어나다 音乐素质超群

음악-적(音樂的) 괄圕 音乐(的) yīnyuè(de) ¶～효과 音乐效果 / ～인 요소 音乐因素

음악-회(音樂會) 圕 音乐会 yīnyuèhuì = 콘서트1 ¶청소년～青少年音乐会 / ～를 열다 举行音乐会

음양(陰陽) 圕 阴阳 yīnyáng ¶～가 阴阳家 / ～오행설 阴阳五行说

음역(音域) 圕 音域 yīnyù = 음폭 ¶～이 넓은 악기 宽音域的乐器

음역(音譯) 圕[허타] 音译 yīnyì; 译音 yìyīn ¶～어 音译词

음영(陰影) 圕 1 = 그늘1 ¶～으로 입체감을 나타내다 用阴影显出立体感 2 层次 céngcì 《色调、音调、情感等的细微差别》 ¶～이 풍부한 묘사 层次丰富的描写

음:용(飮用) 圕[허타] 饮用 yǐnyòng ¶이 우물의 물은～할 수 없다 这口井里的

水不能饮用

음·용·수(飮用水) 명 饮用水 yǐng-yòngshuǐ = 음료수1·음수(飮水)

음운(音韻) 명【語】 1 音韵 yīnyùn 2 音位 yīnwèi

음운-론(音韻論) 명【語】音韵论 yīnyùnlùn; 音韵学 yīnyùnxué =음운학

음운-학(音韻學) 명【語】=음운론

음울-하다(陰鬱―) 형 阴郁 yīnyù; 阴沉 yīnchén ¶음울한 기분 阴郁的心情 / 날씨가 ~ 天气阴沉 / 음울한 표정을 짓다 摆着一副阴郁的表情 **음울-히** 부

음유(吟遊) 명하자 吟游 yínyóu ¶~ 시인 吟游诗人

음-이온(陰ion) 명【化】负离子 fùlízǐ; 阴离子 yīnlízǐ

음자리-표(音―標) 명【音】谱号 pǔhào ¶높은~ 高音谱号 / 낮은~ 低音谱号

음전(陰電) 명【物】= 음전기

음-전극(陰電極) 명【物】= 음극

음-전기(陰電氣) 명【物】负电 fùdiàn; 阴电 yīndiàn = 음전

음절(音節) 명【語】音节 yīnjié ¶~ 문자 音节文字

음정(音程) 명【音】音程 yīnchéng ¶~이 불안정하다 音程不稳

음조(音調) 명 音调 yīndiào; 声调 shēngdiào

음·주(飮酒) 명하자 饮酒 yǐnjiǔ; 喝酒 hējiǔ ¶~ 운전 饮酒驾车 = [酒后驾车][酒后开车] / 간밤에 ~가 과했다 昨夜饮酒过度

음·주 측정기(飮酒測程器) 명【機】酒精测试仪 jiǔjīng cèshìyí

음지(陰地) 명 背阴地 bèiyīndì; 背阴处 bèiyīnchù; 阴地 yīndì = 응달

음지 식물(陰地植物) 명【植】喜阴植物 xǐyīn zhíwù; 阴性植物 yīnxìng zhíwù; 阴地植物 yīndì zhíwù; 阴生植物 yīnshēng zhíwù

음질(音質) 명 音质 yīnzhì ¶시디는 테이프보다 ~이 좋다 激光唱片比磁带音质好

음치(音癡) 명 五音不全 wǔyīn bùquán; 左嗓子 zuǒsǎngzi; 音痴 yīnchī; 音盲 yīnmáng; 声调聋 shēngdiàolóng

음침-하다(陰沈―) 형 1 (为人) 很阴 hěnyīn; 阴沉 yīnchén; 心里有阴私 xīnli yǒu xīnjì; 城府深 chéngfǔ shēn ¶속이 음침한 사람 城府深的人 / 음침한 표정 阴险的表情 2 (天气) 阴沉 yīnchén; 阴暗 yīn'àn; 阴沉沉 yīnchénchén ¶날씨가 종일 ~ 天气整天阴沉沉的 3 (气氛) 阴森 yīnsēn; 阴森森 yīnsēnsēn; 阴沉 yīnchén ¶음침한 분위기 阴沉沉的气氛 / 음침한 다락방 阴森的阁楼 **음침-**

음탕-하다(淫蕩―) 형 淫荡 yíndàng; 淫秽 yínhuì; 淫浪 yínlàng; 淫猥 yínwěi ¶음탕한 여자 淫荡女子 / 음탕한 생활에 빠지다 沉溺于淫荡的生活

음파(音波) 명【物】声波 shēngbō; 音波 yīnbō ¶~ 탐지 声波探测 =[音波探测] / ~ 탐지기 声波探测仪 =[音波探测器]

음폭(音幅) 명【音】= 음역(音域)

음표(音標) 명【音】音符 yīnfú = 음부(音符)

음해(陰害) 명하타 暗害 ànhài; 暗算 ànsuàn ¶~ 공작 暗害谋划 / 정적을 ~하다 暗算政敌

음핵(陰核) 명【生】阴蒂 yīndì; 阴核 yīnhé

음행(淫行) 명하자 淫乱行为 yínluàn xíngwéi ¶~을 저지르다 干出淫乱行为

음향(音響) 명 音响 yīnxiǎng; 声响 shēngxiǎng ¶~ 시설 音响设备 / ~ 신호 音响信号 / ~ 효과 音响效果 = [音效]

음험-하다(陰險―) 형 阴险 yīnxiǎn; 凶险 xiōngxiǎn ¶음험하고 교활한 눈빛 阴险狡诈的眼神

음호(陰號) 명【數】负号 fùhào = 음부호

음흉(陰凶) 명하형 阴险凶恶 yīnxiǎn'è; 心黑 xīnhēi; 凶险 xiōngxiǎn ¶~한 웃음 阴险的笑容 / 속이 ~한 사람 心地险恶的人 / ~하게 쳐다보다 用心险恶地望着

읍(邑) 명 1【法】邑 yì 2 = 읍내

읍(揖) 명하자타 揖 yī; 作揖 zuòyī ¶왕에게 ~하다 向王作揖

읍내(邑內) 명 邑内 yìnèi = 읍(邑)2

읍-사무소(邑事務所) 명 邑办事处 yìbànshìchù

읍소(泣訴) 명하자타 泣诉 qìsù; 哭诉 kūsù ¶그는 상부에 선처해 줄 것을 ~했다 他向上级哭诉要求妥善处理事情

-읍시다 어미 吧 ba〈表示劝诱〉¶같이 먹~ 一起吃吧 / 그의 말을 믿~ 我们就相信他的话吧

응 감 1 嗯 ng〈表示答应〉¶~, 알았어 嗯, 知道了 2 嗯 ng〈表示疑问〉¶~? 뭐라고? 嗯? 你说什么? 3 嗯 ng〈表示不顺心〉¶~, 그만큼 말했는데 또 늦었니? 嗯, 说了多少遍了, 怎么还迟到了?

응가 ㈠명 屎屎 shǐshǐ; 臭臭 chòuchòu; 便便 biànbiàn〈小儿语〉¶엄마, ~ 다 했어요 妈妈, 臭臭拉好了 ㈡감 嗯 ng; 啊 ā〈催小孩拉屎的话〉¶자, ~! 来, 嗯!

응·결(凝結) 명하자【物】凝结 níngjié; 凝 níng ¶수증기가 ~하여 물방울이 되다 蒸气凝结成水珠

应 :고(凝固) 【명하자】 凝固 nínggù; 凝结 níngjié; 凝 níng ¶~점 凝固点 / 열 凝固热 / ~된 혈액 凝结的血液 / 촛농이 하얗게 ~되다 蜡烛凝固成白色的

应 :급(應急) 【명하자】 应急 yìngjí; 抢救 qiǎngjiù; 急救 jíjiù; 急诊 jízhěn ¶~ 환자 急诊病人 =[急救病人] / ~ 센터 急诊中心 =[急救中心] / ~ 상황 应急情况 / ~ 수술 急诊手术 / ~조치 应急措施

应 :급-수단(應急手段) 【명】 应急手段 yìngjí shǒuduàn; 应急策 yìngjícè ¶~을 강구하다 寻求应急手段

应 :급-실(應急室) 【명】 急诊室 jízhěnshì; 急救室 jíjiùshì

应 :급-차(應急車) 【명】 = 구급차

应 :급 처치(應急處置) 【醫】 = 응급치료

应 :급 치료(應急治療) 【醫】 应急治疗 yìngjí zhìliáo; 急救治疗 jíjiù zhìliáo = 응급 처치

응달 = 음지

응달-건조(─乾燥) 【명하타】 阴干 yīngān

응달-지다 【형】 成阴 chéngyīn; 背阴 bèiyīn ¶응달진 산비탈 背阴的山坡

应 :답(應答) 【명하자】 应答 yìngdá; 回应 huíyìng; 回答 huídá; 答应 dāying; 对答 duìdá ¶~을 기다리다 等待回应 / 질의에 ~ 回答问题

应 :답-자(應答者) 【명】 回答者 huídázhě; 应答者 yìngdázhě

应 :당(應當) 【부】应该 yìnggāi; 应当 yìngdāng; 当然 dāngrán ¶나는 그저 ~해야 할 일을 했을 뿐이다 我只是做了应该做的事情

应 :대(應對) 【명하타】 应对 yìngduì; 答话 dáhuà; 应答 yìngdá; 对答 duìdá; 答应 dāying; 回应 huíyìng ¶무슨 가치가 없어 대답할 값어치가 없거나 몇 번 물어보았으나 아무런 ~도 없다 问了好几次都没有应答

应 :모(應募) 【명하자】 应募 yìngmù; 应招 yìngzhāo; 应征 yìngzhēng ¶~권 应募券 / ~ 자격 应募资格 / 신춘문예에 ~하다 应募新春文艺竞赛

应 :모-자(應募者) 【명】 应募者 yìngmùzhě; 应征者 yìngzhēngzhě

应 :모-작(應募作) 【명】 应征作品 yìngzhēng zuòpǐn

应 :보(應報) 【佛】报应 bàoyìng

应 :분(應分) 【명하】 妥当 tuǒdàng; 应当 yīngdāng; 应分 yīngfèn; 恰如其分 qiàrúqífèn ¶~의 대가를 치르다 付出

应当的代价 / ~의 조치를 취하다 采取妥当的措施

应 :사(應射) 【명하자】 对射 duìshè; 回击 huíjī ¶적의 사격에 ~하다 回击敌人

应 :석(嬌석) 【명하자】 娇 jiāo; 娇气 jiāoqì; 娇里娇气 jiāolijiāoqì ¶~을 부리다 撒娇 / ~을 받아 주다 娇惯 / 막내라고 너무 감싸서 ~이 심하다 因为是家里老小, 被惯着, 特别娇里娇气

应 :석-꾸러기 【명】 娇气包 jiāoqìbāo

应 :석-받이 【명】 娇宝宝 jiāobǎobāo; 娇 jiāo ¶~로 자라다 娇生惯养 / 아이를 ~로 키우다 娇惯孩子

应 :소(應訴) 【법】 应诉 yìngsù

应 :수(應手) 【명하자】 还着 huánzhāo; 还步 huánbù ¶상대방의 수에 ~하다 对对方的着数还步

应 :수(應酬) 【명하자】 回应 huíyìng; 应对 yìngduì; 顶嘴 dǐngzuǐ; 顶撞 dǐngzhuàng

应 :시(凝視) 【명하자타】 凝视 níngshì; 凝望 níngwàng; 盯 dīng ¶한 곳을 ~하다 凝视一个地方 / 멍하니 창밖을 ~하다 呆然地凝望窗外

应 :시(應試) 【명하자】 应考 yìngkǎo; 应试 yìngshì; 报考 bàokǎo ¶~ 자격 报考资格

应 :시-자(應試者) 【명】 应考者 yìngkǎozhě; 应试者 yìngshìzhě; 投考者 tóukǎozhě; 报考者 bàokǎozhě

응애 【부】 哇哇 wāwā; 呱呱 gūgū 《婴儿哭声》

응애-응애 【부】 哇哇 wāwā; 呱呱 gūgū 《婴儿哭声》 ¶아기가 ~ 울다 宝宝哇哇哭叫

응어리 【명】 1 疙瘩 gēda ¶장딴지에 ~가 생기다 腿肚子上长了个疙瘩 / 가슴 속에 맺힌 ~를 풀다 解开心中的疙瘩 2 果核 guǒhé ¶~를 도려내다 剜掉果核

응어리-지다 【자】 郁积 yùjī; 积蓄 jīxù ¶가슴에 응어리진 울분 积蓄在心里的忧愤

응얼-거리다 【자타】 1 嘀咕 dígu; 嘀嘀咕咕 dídígūgū ¶응얼거리지 말고 분명히 대답해라 不要嘀嘀咕咕的, 回答清楚点儿 2《唱歌或吟诗时》哼 hēng; 哼唧 hēngjī; 哼哼唧唧 hēnghengjījī ¶걸으면서 노래를 ~ 边走边哼着歌曲 ‖ = 응얼대다 응얼-응얼 【부하자타】

应 :용(應用) 【명하타】 应用 yìngyòng; 运用 yùnyòng ¶~과학 应用科学 / ~문제 应用题 / ~ 미술 应用美术 / ~ 프로그램 应用程序 / ~ 능력이 뛰어나다 应用能力超群 / 과학 지식을 실생활에 ~하다 把科学知识应用到实际生活

应 :원(應援) 【명하타】 1 助威 zhùwēi; 加

油 jiāyóu ¶～ 소리 加油声 /～ 구호 助威口号 / 모교의 야구팀을 ～하다 给母校的棒球队助威 / 넌 어느 팀을 ～하니? 你为哪个队加油? **2** 应援 yìngyuán; 声援 shēngyuán; 援助 yuánzhù ¶약자를 ～하다 声援弱者

응:-원-가(應援歌) 명 助威歌 zhùwēigē; 拉拉歌 lālāgē

응:-원-단(應援團) 명 拉拉队 lālāduì; 助威团 zhùwēituán

응:-원-석(應援席) 명 助威席 zhùwēixí

응:-원-전(應援戰) 명 助威战 zhùwēizhàn ¶열띤 ～을 펼치다 展开一场激烈的助战战

응:-전(應戰) 명 하자 应战 yìngzhàn; 迎战 yíngzhàn ¶적의 공격에 ～하다 对敌人的攻击迎战 / ～ 태세를 갖추다 摆好应战架势

응:-접(應接) 명 하타 应接 yìngjiē; 接待 jiēdài; 迎接 yíngjiē = 응대(應待) ¶손님을 ～하다 接待客人 / 주인의 ～을 받다 受到主人的接待

응:-접-실(應接室) 명 客厅 kètīng; 接待室 jiēdàishì; 会客室 huìkèshì ¶손님을 ～로 안내하다 把客人领到接待室

응:-집(凝集) 명 하자 [化] 凝集 níngjí; 凝聚 níngjù; 凝结 níngjié ¶～ 반응 凝聚反应 / 모든 역량을 ～하다 凝聚所有的力量 / 수증기가 ～해서 물방울이 되다 水蒸气凝结成水滴

응:-집-력(凝集力) 명 凝聚力 níngjùlì

응:-징(膺懲) 명 惩戒 chéngjiè; 惩处 chéngchǔ ¶법에 따라 ～하다 依法惩处 / 매국노를 ～하다 惩戒卖国奴

응:-찰(應札) 명 하자 (应招) 投标 tóubiāo ¶～ 가격 投标价格

응:-축(凝縮) 명 凝缩 níngsuō; 凝结 níngjié; 冷凝 lěngníng ¶태양에서 떨어져 나온 물질이 ～해서 응집이 되다 从太阳上脱落的物质冷凝成行星

응:-축-기(凝縮器) 명 [幾] 冷凝器 lěngníngqì

응:-축-열(凝縮熱) 명 [物] 冷凝热 lěngníngrè

응:-하다(應—) 자 应 yìng; 答应 dāying; 响应 xiǎngyìng; 接受 jiēshòu; 应答 yìngdá; 回答 huídá ¶도전에 ～ 接受挑战 / 질문에 ～ 回答提问 / 마지못해 협상에 ～ 不得不答应协商 / 그의 요구에 ～ 答应他的要求

응:-혈(凝血) 명 하자 凝血 níngxuě ¶～ 효소 凝血酵素

의 조 **1** 의 de 《表示所属关系》¶나～ 책 我的书 / 그～ 지갑 他的钱包 **2** 의 de 《表示主体》¶어머니～ 눈물 母亲的眼泪 / 나라～ 발전 国家的发展 / 그녀～ 부탁을 들어주다 受她的委托 **3** 의 de 《表示动作的直接客体》¶질서

～ 확립 秩序的确立 / 자연～ 관찰 对自然的观察 **4** 의 de; 之 zhī 《表示属性》¶예술～ 고장 艺术之乡 / 불후~ 명작 不朽之作 **5** 表示程度或量 ¶최고~ 기술 最高技术 / 한 컵~ 물 一杯水 **6** 表示比喻的对象 ¶철～ 여인 铁女人 **7** 表示用途 ¶동물～ 먹이 动物吃的食物

의:(義) 명 **1** 义 yì; 信义 xìnyì ¶～를 행하다 行义 **2** 情义 qíngyì ¶～를 중시하다 重情义 **3** 意义 yìyì

의:(誼) 명 ＝ 정의(情誼) ¶형제간의 ～가 좋다 兄弟之间的情谊很深厚

의가 나다 곧 不和睦; 有隙

의가사 제대(依家事除隊) [軍] 因家庭情况退伍 yīn jiātíng qíngkuàng tuìwǔ; 因家务事退伍 yīn jiāwùshì tuìwǔ

의거(依據) 명 하타 **1** 依据 yījù; 依靠 yī; 凭 píng ¶법에～하여 처벌하다 依法处罚 **2** 依仗 yīzhàng; 依傍 yībàng; 依靠 yīkào; 依赖 yīlài ¶폭력에～하여 일을 해결하다 依靠暴力解决问题

의:-거(義舉) 명 义举 yìjǔ; 起义 qǐyì ¶안중근 의사의 ～ 安重根义士的义举 / 을 일으키다 发起起义

의:-견(意見) 명 意见 yìjian; 看法 kànfǎ; 见解 jiànjiě ¶～ 차이 意见分歧 / ～을 교환하다 交换意见 / ～을 수렴하다 收敛意见 / ～이 분분하다 意见纷纭 / ～을 제시하다 提出意见 / ～이 충돌하다 闹意见 / 너의 ～대로 하자 照你的意见办吧 / 그들의 ～을 받아들이다 接受他们的意见 / 우리 둘의 ～이 일치하지 않는다 我们俩的看法不一致

의:-견-서(意見書) 명 意见书 yìjianshū

의결(議決) 명 하타 议决 yìjué; 决议 juéyì; 讨论表决 tǎolùn biǎojué; 通过 tōngguò ＝ 결의(決議) ¶예산안을 ～하다 议决预算案

의결-권(議決權) [法] **1** 议决权 yìjuéquán **2** 表决权 biǎojuéquán

의결 기관(議決機關) [法] 议决机关 yìjué jīguān; 合议机构 héyì jīgòu

의:-경(義警) [法] '의무 경찰'의 略词

의과(醫科) 명 [敎] 医科 yīkē

의과 대:학(醫科大學) [敎] 医科大学 yīkē dàxué; 医学院 yīxuéyuàn

의관(衣冠) 명 衣冠 yīguān; 衣帽 yīmào; 穿戴 chuāndài; 衣着 yīzhuó ¶～을 갖추다 备齐衣着 / ～을 정제하다 整整衣冠

의관(醫官) 명 [史] 医官 yīguān

의구-심(疑懼心) 명 疑惧 yíjù; 疑惧之心 yíjùzhīxīn; 疑惧心理 yíjù xīnlǐ ¶～이 들다 产生疑惧 / ～이 생기다 产生疑惧心理 / ～을 펼치다 打消疑惧

의구-하다(依舊—) 형 依旧 yījiù; 仍

旧 rěngjiù ¶산천은 의구한데 인걸은
간 곳 없네 山川依旧, 人杰无觅处 의
구-히 早

의: 군(義軍) 圐 = 의병

의:금-부(義禁府) 圐 【史】 义禁府 yì-
jīnfǔ

의: 기(意氣) 圐 1 意气 yìqì ¶~가 드
높다 意气风发 / ~가 왕성하다 意气
旺盛 2 = 기상(氣像)

의: 기(義氣) 圐 义气 yìqì

의:기-소침(意氣鎖沈) 圐하圐 意志消
沉 yìzhì xiāochén; 萎靡不振 wěimǐ
bùzhèn; 垂头丧气 chuítóu sàngqì; 灰
心丧气 huīxīn sàngqì; 低沉 dīchén ¶
시험에 떨어져서 그는 ~했다 考
试没通过, 他变得意志消沉

의:기-양양(意氣揚揚) 圐하圐 意气高
昂 yìqì gāo'áng; 意气风发 yìqì fēng-
fā; 意气扬扬 yìqì yángyáng ¶그는 ~하게
승리의 미소를 지었다 他意气风发,
露出胜利的微笑

의:기-충천(意氣衝天) 圐하圐 意气冲
天 yìqì chōngtiān; 意气风发 yìqì fēng-
fā

의:기-투합(意氣投合) 圐하자 意气相
投 yìqì xiāngtóu; 意气相合 yìqì xiāng-
hé; 意气相倾 yìqì xiāngqīng; 情投意
合 qíngtóu yìhé ¶그는 처음 만난 사람
과 ~하여 함께하는 人意气相投, 相约一起去
旅行

의:-남매(義男妹) 圐 1 结拜兄妹
jiébài xiōngmèi; 结拜姐妹 jiébài jiěmèi;
结义兄妹 jiéyì xiōngmèi; 结义姐妹 jié-
yì jiědì; 盟兄妹 méngxiōngmèi; 盟姐弟
méngjiědì 2 义兄妹 yìxiōngmèi; 义姐妹
yìjiěmèi

의녀(醫女) 圐 【史】 医女 yīnǚ

의논(議論) 圐하타 商量 shāngliang;
商讨 shāngtǎo; 商议 shāngyì ¶그 일
은 아직 ~된 바 없다 那件事还没商
讨过 / 나는 그와 이 일을 ~했다 我跟
他商量了这件事

의당(宜當) 早하圐허타 宜当 yídāng;
应当 yīngdāng; 应该 yīnggāi; 理应
lǐyīng; 理所当然 lǐsuǒdāngrán ¶자식은
~ 부모에게 효도해야 한다 当儿女的
应当对父母尽孝心

의대(醫大) 圐 【教】'의과 대학'의 略
词

의:도(意圖) 圐하자타 意图 yìtú; 意
向 yìxiàng; 用意 yòngyì; 意旨 yìzhǐ ¶
그들의 ~를 간파하다 识破他们的意
图 / 네가 이렇게 한 ~가 대체 무엇이
냐? 你这样做的意图到底是什么?

의:도-적(意圖的) 圐圐 有意识的 yǒu-
yìshì(de); 有计划的 yǒujìhuà(de); 故意 gùyì
故意 gùyì ¶~인 반칙 故意犯规

의례 早 '으레'의 错误

의례(儀禮) 圐 = 의식(儀式)

의례-적(儀禮的) 圐圐 1 合乎礼仪
(的) héhūlǐyí(de); 礼仪 lǐyí(de) ¶
~인 결혼식 合乎礼仪的婚礼 2 礼节
性 lǐjiéxìng ¶~인 방문 礼节性的访问

의론(議論) 圐하타 议论 yìlùn; 辩论
biànlùn; 争议 zhēngyì; 论争 lùnzhēng
¶~이 분분하다 议论纷纷 / 두 가지
~이 서로 맞서다 两种论争相互对立

의:-롭다(義~) 圐 讲义气 jiǎng yìqì;
正义 zhèngyì ¶의로운 죽음 正义之
死 / 의로운 일에 나서다 为正义的事
挺身而出 의:로이 早

의뢰(依賴) 圐하타 委托 wěituō; 托付
tuōfù; 请 qǐng; 托 tuō ¶~서 委托书 /
~인 委托者=[委托人] / 소송을 ~하
다 委托诉讼 / 추천을 ~하다 委托推
荐

의료(醫療) 圐 医疗 yīliáo; 医务 yīwù
¶~기 医疗器材 / ~법 医疗法 / ~ 보
험 医疗保险 / ~ 봉사 义务医疗 / ~비
医疗费 / ~ 기관 医疗机构 / ~ 환경
医疗环境 / ~ 설비 医疗设备 / ~ 시설
医疗设施 / ~ 행위 医务行为 / ~ 사고
医疗事故 / ~ 기술의 발달 医疗技术
的发达

의료-계(醫療界) 圐 医疗界 yīliáojiè;
医务界 yīwùjiè; 医坛 yītán

의료-인(醫療人) 圐 医务工作者 yīwù
gōngzuòzhě; 医务人员 yīwù rényuán

의료-진(醫療陣) 圐 医疗队 yīliáoduì
¶최고의 ~을 파견하다 派遣最好的医
疗队

의류(衣類) 圐 服装 fúzhuāng; 衣类 yī-
lèi ¶~ 대문 — 상가 东大门服装商业
街 / 여성 ~ 매장 女性服装销售处

의:리(義理) 圐 1 道义 dàoyì; 情义
qíngyì; 情理 qínglǐ; 义 yì ¶~를 지키
다 信守道义 / ~를 중시하다 重情义 /
그는 ~가 없다 他不讲情义 2 结义
jiéyì; 结拜 jiébài

의:모(義母) 圐 1 = 의붓어머니 2 =
수양어머니 3 义母 yìmǔ

의:무(義務) 圐 义务 yìwù ¶~ 교육
义务教育 / 병역 ~를 마치다 結束兵
役义务 / ~를 다하다 尽义务 / ~를 지
다 负义务 / 우리는 환경을 보호해야
할 ~가 있다 我们有义务保护环境

의무(醫務) 圐 医务 yīwù ¶~과 医务
科

의:무-감(義務感) 圐 义务感 yìwùgǎn
¶~이 강하다 义务感很强 / ~을 가지
다 具有义务感

의무 경찰(義務警察) 【法】 义务警察
yìwù jǐngchá

의:무-적(義務的) 圐圐 义务的 yìwù(de)
wù(de); 义务性的 yìwùxìng(de) ¶

인 만남 义务性的见面

의:무-화(義務化) 團團 义务化 yì-wùhuà; 义务 yìwù ¶안전벨트 착용은 이미 ~되었다 系安全带已成义务

의문(疑問) 團 疑问 yíwèn; 问号 wènhào ¶~ 대명사 疑问代词 / ~를 제기하다 提出疑问 / ~을 품다 抱有疑问

의문-문(疑問文) 團 【語】 疑问句 yíwènjù; 问句 wènjù

의문-부(疑問符) 團 【語】 = 물음표

의문 부호(疑問符號) 【語】 = 물음표

의문-스럽다(疑問一) 圈 可疑 kěyí; 有疑问 yǒuyíwèn; 疑惑 yíhuò ¶그의 신분이 ~ 他的身份很可疑 의문스레 團

의문-점(疑問點) 團 疑点 yídiǎn; 疑端 yíduān ¶풀리지 않는 ~이 아직도 많다 还有不少没解决的疑点

의뭉团) 阴险 yīnxiǎn; 有心计 yǒuxīnjì; 城府深 chéngfǔ shēn; 深藏不露 shēncáng bùlù ¶~을 떨다 有心计 / ~한 속셈을 드러내다 露出阴险的用心

의뭉-스럽다 圈 阴险 yīnxiǎn; 有心计 yǒuxīnjì; 城府深 chéngfǔ shēn; 深藏不露 shēncáng bùlù ¶의뭉스러운 놈 阴险的家伙 의뭉스레 團

의:미(意味) 團團 **1** 意思 yìsi; 含义 hányì; 意 yì ¶단어의 사전적 ~ 单词在词典上的意思 / 어제 그의 그 말은 무슨 ~일까? 昨天他那句话是什么意思? **2** 意味 yìwèi ¶패배는 내게 죽음을 ~한다 败北对我来说就意味着死亡 **3** 意义 yìyì ¶방학을 ~ 있게 보내다 度过有意义的假期

의:미심장-하다(意味深長—) 圈 意味深长 yìwèishēncháng ¶의미심장한 표정 意味深长的表情 / 의미심장한 한마디를 하다 说意味深长的一句话

의병(義兵) 團 义军 yìjūn; 义兵 yìbīng; 义师 yìshī = 의군 ¶~장 义兵将 / 각지에서 ~이 일어나다 各地义军蜂起

의병 제대(依病除隊) 【軍】 因病退伍 yīnbìng tuìwǔ

의복(衣服) 團 = 옷 ¶~을 갈아입다 换衣服 / ~을 수선하다 修补衣服

의부(義父) 團 **1** = 의붓아버지 **2** = 수양아버지 **3** 义父 yìfù

의:분(義憤) 團 义愤 yìfèn; 公愤 yìfèn ¶~을 참지 못하다 忍不住义愤 / 인종 차별에 ~을 느끼다 对种族歧视感到义愤

의:붓-딸 團 继女 jìnǚ

의:붓-아들 團 继子 jìzǐ

의:붓-아버지 團 继父 jìfù; 后父 hòufù; 后爹 hòudiē = 계부 · 의부1

의:붓-어머니 團 继母 jìmǔ; 后妈 hòumā; 后娘 hòuniáng = 계모 · 의모1

의:붓-자식(一子息) 團 继子继女 jìzǐjìnǚ

의:사(意思) 團 意思 yìsi; 意向 yìxiàng; 心意 xīnyì; 想法 xiǎngfa; 意图 yìtú ¶~ 능력 意思能力 / ~ 표시 意思表达 / ~를 전달하다 传达心意 / 나는 그와 결혼할 ~가 전혀 없다 我没有一点儿要跟他结婚的意思

의:사(義士) 團 义士 yìshì; 义人 yìrén

의사(醫師) 團 医生 yīshēng; 大夫 dàifu; 医师 yīshī ¶소아과 ~ 儿科医生 / 치과 ~ 牙科医生 / ~의 처방 医生的处方 / ~에게 진찰을 받다 请大夫看病

의사(議事) 團團 议事 yìshì

의사-당(議事堂) 團 议事堂 yìshìtáng; 国会大厦 guóhuì dàshà

의:사-소통(意思疏通) 團團 沟通 gōutōng ¶나는 외국인과 ~하는 데 어려움이 없다 我跟外国人沟通没问题

의사-일정(議事日程) 團 议事日程 yìshì rìchéng; 议程 yìchéng = 의정(程)

의상(衣裳) 團 **1** 衣裳 yīshang; 服装 fúzhuāng; 衣着 yīzhuó; 穿戴 chuāndài ¶전통 ~ 传统服装 / ~에 신경을 쓰다 讲究衣着穿戴 **2** 戏装 xìzhuāng ¶배우가 분장실에서 ~을 갈아입다 演员在化妆室里换戏装

의상-실(衣裳室) 團 **1** 更衣室 gēngyīshì; 衣服保管处 yīfu bǎoguǎnchù **2** = 양장점

의서(醫書) 團 医书 yīshū = 의학서

의석(議席) 團 **1** 会议席 huìyìxí **2** 议席 yìxí ¶~수 席数 / 야당이 다수 ~를 차지하다 在野党占大多数的议席

의성(擬聲) 團 【文】 = 의성

의성-법(擬聲法) 團 【文】 拟声法 nǐshēngfǎ; 象声法 xiàngshēngfǎ = 의성

의성-어(擬聲語) 團 【語】 象声词 xiàngshēngcí; 拟声词 nǐshēngcí

의:수(義手) 團 假手 jiǎshǒu; 义手 yìshǒu ¶~를 달다 安装假手

의술(醫術) 團 医术 yīshù; 医道 yīdào ¶~가 医术家 / ~이 뛰어나다 医术高明 / ~을 공부하다 学习医道 / ~을 베풀다 施展医术

의식(衣食) 團 衣食 yīshí ¶~이 풍족하다 衣食丰足

의:식(意識) 團 **1** 神志 shénzhì; 知觉 zhījué; 意识 yìshí ¶~을 잃다 失去知觉 / ~이 돌아오다 恢复意识 / ~이 몽롱하다 神志不清 **2** 意识 yìshí; 觉悟 juéwù ¶엘리트 ~ 一流意识 / 환경 보호에 대한 국민의 ~이 높아지다 国民的环境保护意识逐渐提高

의식(儀式) 團 仪式 yíshì; 典礼 diǎnlǐ; 式 shì = 식(式)2 · 의례(儀禮) · 의전 ¶경축 ~ 庆祝典礼 / 성대한 ~을 거

행하다 举行隆重的仪式

의:식 구조(意識構造) 【心】 意识结构 yìshí jiégòu; 意识构造 yìshí gòuzào ¶ ~를 개선하다 改善意识结构

의:식 불명(意識不明) 【醫】 昏迷 hūnmí; 晕迷 yūnmí ¶ ~에 빠지다 陷入昏迷

의:식-적(意識的) 판명 有意识的(的) yǒuyìshí(de); 有意(的) yǒuyì(de); 故意(的) gùyì(de) ¶ ~으로 피하다 故意躲避

의식주(衣食住) 명 衣食住 yīshízhù ¶ ~ 문제를 해결하다 解决衣食住问题

의:식-하다(意識—) 타 1 在乎 zàihu; 在意 zàiyì; 当回事 dānghuíshì ¶ 다른 사람의 시선을 의식하지 마라 你不要在乎别人的视线 / 너는 너무 그를 의식한다 你太把他当回事 2 发觉 fājué; 觉察 juéchá ¶ 그는 최면에 걸려 자기 행동을 의식하지 못했다 他被催眠了, 意识不到自己的行为

의심(疑心) 명[하타] 疑心 yíxīn; 怀疑 huáiyí; 疑虑 yílǜ ¶ ~을 품다 怀有疑心 / ~이 생기다 起疑心 / 그는 ~이 너무 많다 他疑心太重 / 함부로 남을 ~하다 无缘无故地怀疑别人 / 사장에게 물건을 훔쳤다는 ~을 받다 被老板怀疑偷东西

의심-나다(疑心—) 자 可疑 kěyí; 有疑问 yǒu yíwèn ¶ 그의 행동 중에서 의심나는 부분이 있는냐? 他的行动中有可疑之处吗?

의심-스럽다(疑心—) 형 可疑 kěyí; 怀疑 huáiyí; 令人怀疑 lìngrén huáiyí ¶ 의심스러운 눈빛으로 바라보다 用怀疑的眼光看着 **의심스레** 부

의아(疑訝) 명[하형][부사] 惊诧 jīngchà; 诧异 chàyì; 惊疑 jīngyí ¶ 나는 그가 혼자 온 사실이 ~했다 我对他独自前来感到诧异

의아-스럽다(疑訝—) 형 惊诧 jīngchà; 诧异 chàyì; 惊疑 jīngyí; 疑惑 yíhuò ¶ 의아스러운 눈으로 쳐다보다 用惊诧的眼光望着 **의아스레** 부

의:안(義眼) 명 假眼 jiǎyǎn; 义眼 yìyǎn

의안(議案) 명 议案 yì'àn ¶ ~을 심의하다 审议议案

의약(醫藥) 명 1 医药 yīyào 《医术与药物》 ¶ ~ 분업 医药分开 2 药品 yàopǐn

의—약품(醫藥品) 명 医药品 yīyàopǐn; 药品 yàopǐn

의:역(意譯) 명[하타] 意译 yìyì ¶ ~과 직역 意译与直译

의:연(義捐) 명[하타] 义捐 yìjuān; 捐献 juānxiàn

의:연-금(義捐金) 명 捐款 juānkuǎn; 捐钱 juānqián ¶ ~을 내다 交捐款

의연-하다(依然—) 형 依然 yīrán; 依旧 yījiù; 仍旧 réngjiù; 如故 rúgù 의연-히 부

의연-하다(毅然—) 형 毅然 yìrán 의연한 태도 毅然的态度 의연-히 부 ¶ 체력이 달려도 ~ 버티다 体力不支毅然坚持

의-예과(醫豫科) 【教】 医预系 yīyùxì

의:외(意外) 명 = 뜻밖 ¶ ~의 결과를 가져오다 带来意外的结果 / 나의 행운이 찾아오다 意外的好运降临

의:외-로(意外—) 부 = 뜻밖에 ¶ 시험은 ~ 쉬웠다 考试竟然很容易

의:욕(意慾) 명 意欲 yìyù; 欲望 yùwàng; 意愿 yìyuàn; 热情 rèqíng; 希求 xīqiú ¶ ~을 잃다 失去热情 / 그는 매사에 ~이 넘친다 他对事事都很热情

의:욕-적(意慾的) 판명 热情的(的) rèqíng(de); 积极的(的) jījí(de) ¶ ~으로 일하다 满怀热情地工作

의:용(義勇) 명 义勇 yìyǒng ¶ ~군 义勇军

의용(儀容) 명 仪容 yíróng; 仪表 yíbiǎo

의원(醫院) 명 医院 yīyuàn; 诊疗所 zhěnliáosuǒ ¶ 내과 ~ 内科医院

의원(議員) 명 议员 yìyuán ¶ 야당 ~ 在野党议员 / 총회 议员总会

의원(議院) 명 议员 yìyuán; 议会 yìhuì; 国会 guóhuì

의원 내각제(議員內閣制) 【政】 议员内阁制 yìyuán nèigézhì = 내각 책임제

의:의(意義) 명 意义 yìyì ¶ 역사적 ~ 历史性意义

의:인(義人) 명 义人 yìrén

의인(擬人) 명[하타] 拟人 nǐrén

의인-법(擬人法) 명 【文】 拟人法 nǐrénfǎ

의인-화(擬人化) 명[하타] 拟人 nǐrén; 拟人化 nǐrénhuà ¶ 동물을 ~하여 인간사회를 풍자하다 将动物拟人化, 以讽刺人间社会

의자(椅子) 명 椅子 yǐzi; 椅 yǐ; 凳子 dèngzi ¶ ~에 앉다 坐在椅子上 / ~ 등받이에 기대다 靠在椅背

의:장(意匠) 명 意匠 yìjiàng ¶ ~권 意匠权 / ~ 등록 意匠注册

의장(儀仗) 명 【史】 仪仗 yízhàng ¶ ~대 仪仗队

의장(議長) 명 议长 yìzhǎng; 主席 zhǔxí ¶ 국회 ~ 国会议长 / ~국 主席国 / 대회의 ~ 担任大会主席

의:적(義賊) 명 义贼 yìzéi

의전(儀典) 명 = 의식(儀式)

의:절(義絕) 명[하자] 义绝 yìjué; 绝义 juéyì; 绝交 juéjiāo ¶ 오랜 친구와 ~하

다 和老朋友绝交

의젓-하다 웹 庄重 zhuāngzhòng; 稳重 wěnzhòng; 持重 chízhòng ¶아이가 어린 나이에도 의젓해 보인다 小孩子年龄虽少, 看上去却很稳重 / 행동이 의젓하지 못하다 行为不稳重

의정(議政) 몝 【政】'의회 정치'的略词

의정(議程) 몝 = 의사일정

의정-서(議定書) 몝 【法】议定书 yìdìngshū ¶~에 조인하다 签定议定书

의제(議題) 몝 议题 yìtí ¶~로 채택되다 被选为议题

의-족(義足) 몝 假足 jiǎzú; 义足 yìzú; 假腿 jiǎtuǐ; 假脚 jiǎjiǎo ¶~을 달다 安假腿

의존(依存) 몝하자 依赖 yīlài; 仰赖 yǎnglài; 依靠 yīkào; 依赖(de) ¶~에~해 소설을 쓰다 依靠想象创作小说 / 다른 사람에게 너무 ~하지 마라 不要太依赖别人

의존-도(依存度) 몝 依存度 yīcúndù; 依赖度 yīlàidù

의존 명사(依存名詞) 【語】形式名词 xíngshìmíngcí; 依附名词 yīfù míngcí; 依存名词 yīcún míngcí

의존-적(依存的) 관 依赖性(的) yīlàixìng(de) ¶~ 관계 依赖性关系

의-좋다(誼一) 웹 感情好 gǎnqíng hǎo; 情谊深 qíngyì shēn; 友好 yòuhǎo ¶의좋은 부부 感情好的夫妻 / 이웃과 의좋게 지내다 和邻里人友好相处

의-중(意中) 몝 = 마음속 ¶상대방의 ~을 떠보다 试探对方的心意

의지(依支) 몝하자타 靠 kào; 依靠 yīkào; 依仗 yīzhàng; 依赖 yīlài; 仰赖 yǎnglài ¶난간에 몸을 ~하다 把身体靠在栏杆上 / 아들을 ~하고 살다 就靠着儿子生活 / 남에게 의지하지 말고 네 스스로 해라 别依赖别人, 自己办吧

의-지(意志) 몝 意志 yìzhì; 毅力 yìlì ¶~박약 意志薄弱 / 불굴의 ~ 意志 不屈的意志 / ~가 강하다 意志坚强 / 자신의 ~를 관철하다 贯彻自己的意志

의-지(義肢) 몝 = 인공사지

의지가지-없다(依支一) 웹 无依无靠 wúyīwúkào; 孤苦零丁 gūkǔlíngdīng ¶의지가지없는 가련한 신세 无依无靠的凄苦身世 의지가지없이~ ¶

의-지-력(意志力) 몝 意志 yìzhì; 意志力 yìzhìlì; 毅力 yìlì ¶~이 강한 사람 意志力很强的人 / ~을 시험하다 考验意志

의처-증(疑妻症) 몝【心】疑妻症 yíqīzhèng ¶~ 환자 患疑妻症的病人

의-치(義齒) 몝 假牙 jiǎyá; 义齿 yìchǐ ¶~를 해 박다 装上假牙

의타(依他) 몝하자 依赖他人 yīlài tā rén; 依靠别人 yīkào biérén

의타-심(依他心) 몝 依赖心理 yīlài xīnlǐ ¶~을 버리다 抛掉依赖心理

의탁(依託·依托) 몝하타 依托 yītuō; 依靠; 依赖 yīlài ¶늘그막에 몸을 자식에게 ~하다 老了就依靠子女生活

의태(擬態) 몝 拟态 nǐtài ¶~어 拟态词

의-표(意表) 몝 意表 yìbiǎo; 意料 yìliào ¶~를 찌르다 出人意表

의-하다(依一) 자 1 依 yī; 据 jù; 按照 ànzhào; 依靠 yīkào; 通过 tōngguò ¶소문에 의하면 그가 결혼한다고 한다 据说他要结婚了 2 因 yīn; 由于 yóuyú ¶전쟁에 의한 재난 因战争引起的灾难

의학(醫學) 몝 医学 yīxué; 医术 yīshù ¶~계 医学界 / ~부 医学系 / ~자 医学家 / ~ 상식 医学常识 / ~ 박사 医学博士 / ~을 배우다 学医 / ~이 발달한 나라 医学发达的国家

의학-도(醫學徒) 몝 医学徒 yīxuétú; 医学研究者 yīxué yánjiūzhě

의학-서(醫學書) 몝 = 의서

의-향(意向) 몝 意向 yìxiàng ¶상대방의 ~을 확인하다 确认对方的意向 / 그의~을 타진하다 探听他的意向

의-협(義俠) 몝 1 侠义 xiáyì 2 义侠 yìxiá; 侠义之士 xiáyìzhīshì

의-협-심(義俠心) 몝 侠义之心 xiáyìzhīxīn; 侠义心肠 xiáyì xīncháng ¶~에 불타다 侠义心肠沸腾不已 / ~이 강하다 充满侠义之心

의-형(義兄) 몝 1 义兄 yìxiōng; 盟兄 méngxiōng 2 异父兄 yìfùxiōng; 异母兄 yìmǔxiōng

의-형제(義兄弟) 몝 结拜兄弟 jiébàixiōngdì; 义兄弟 yìxiōngdì; 结义兄弟 jiéyì xiōngdì; 盟兄弟 méngxiōngdì; 把兄弟 bǎxiōngdì; 拜把兄弟 bàibǎ xiōngdì ¶~를 맺다 结拜为义兄弟

의혹(疑惑) 몝하타 疑惑 yíhuò; 怀疑 huáiyí ¶~을 제기하다 提出疑惑 / ~을 사다 招人疑惑 / ~을 품다 心怀疑惑 / ~이 풀리지 않다 疑惑不解

의회(議會) 몝 【法】议会 yìhuì; 国会 guóhuì ¶~를 해산하다 解散议会

의회 정치(議會政治) 【政】议会政治 yìhuì zhèngzhì; 议会制

이[1] 몝 【蟲】1 虱子 shīzi; 虱 shī ¶머리에 ~가 생기다 头上长虱子了 2 = 머릿니

이 잡듯이 ⇨ 仔细翻找

이[2] 몝 1 【生】牙 yá; 牙齿 yáchǐ; 齿 chǐ ¶~를 닦다 刷牙 / ~를 뽑다 拔牙 / ~가 아프다 牙疼 / ~를 갈다 磨牙 / ~가 나다 长牙 2 (기계, 공구

的) 齿(儿) chǐ(r) ¶톱니바퀴의 ~ 齿
轮的齿 3 (器皿口上的) 豁口 huōkǒu;
齿 chǐ

이(가) 갈리다 ☐ 切齿痛恨; 怒不可
遏; 义愤填膺

이(가) 빠지다 ☐ 1 有缺口; 出豁口;
出缺口 2 不完整

이(를) 갈다 ☐ 咬牙切齿

이를 악물다 ☐ 1 咬紧牙关 2 发愤
图强

이³ 의명 人 rén; 位 wèi ¶저기 있는
~가 누구지? 那边的人是谁呀?

이⁴ 대명 这 zhè; 此 cǐ; 这个 zhègè ¶
~ 일대 这一带 / ~ 때문에 因此 / ~
학생 这个学生 / ~ 점 这一点

이 핑계 저 핑계 ☐ 这样那样的借口
¶~ 대며 오지 않다 找这样那样的借
口没有来

이⁵ 조 1 表示主语 ¶달이 매우 밝다
月亮很明亮 / 얼굴~ 너무 못생겼다
脸太难看了 / 봄~ 왔다 春天来了 2
以 '~ 되다'的形式表示转化 ¶커서
훌륭한 사람이 되다 长大成为出色的
人才 3 以 '~ 아니다'的形式表示否定
¶나는 학생이 아니다 我不是学生

이(二·貳) 令명 二 èr; 两 liǎng; 贰 èr
¶~ 학년 二年级 / ~ 미터 二米 / ~
년 两年

이:(里) → 里 lǐ

-이¹ 접미 把一些谓词变成名词的后
缀 ¶높~ 高度 / 깊~ 深度

-이² 접미 附加在部分词根后使之变
成副词 ¶낮이~ 低低地 / 일일~ 事
事 / 낱낱~ 一一地

이:간(離間) 명하타 离间 líjiàn ¶~을
붙이다 挑拨离间

이:간-질(離間─) 명하타 离间 líjiàn ¶
그는 나와 친구들을 ~했다 他离间了
我和朋友们

이-갈이¹ 명 换牙 huànyá

이-갈이² 명 [醫] 磨牙 móyá; 磨牙症
móyázhèng

이감(移監) 명하자타 [法] 转狱 zhuǎn
yù

이-같이 뷔 这样 zhèyàng ¶그는 ~
말했다 他这样说了

이-거¹ 대 这 zhè; 这个 zhègè ¶내가
찾던 게 바로 ~다 我要找的就是这
个 / 이건 누구 거니? 这是谁的? / 이
게 바로 진정한 사랑이다 这就是真正
的爱

이-것 대 1 这 zhè; 这个 zhègè ¶~은
무엇이냐? 这是什么? / ~은 중국어
사전이다 这是汉语词典 / ~을 절대로
잊지 마라 这个你千万不要忘记 2 这
家伙 zhèjiāhuo; 这小子 zhèxiǎozi ¶~
이 하루 종일 날 못살게 군다 这家伙
一天到晚老缠我

이것-저것 명 这个那个 zhègè nàgè;
这那 zhènà ¶그에게 ~ 물어보다 向
他们问这问那

이:견(異見) 명 异见 yìjiàn; 不同见解
bùtóng jiànjiě; 不同意见 bùtóng yìjiàn
¶~이 있는 사람은 손을 드십시오 有不
同意见的人请举手

이:골 명 手滑 shǒuhuá; 习惯 xíguàn;
习性 xíxìng; 癖性 pǐxìng ¶~이 나다
习惯成自然

이-곳 대 这儿 zhèr; 这里 zhèli; 此
cǐ; 此地 cǐdì ¶나는 ~에 음식점을 하
나 낼 계획이다 我打算在这儿开一个
饭馆

이:공(理工) 명 理工 lǐgōng ¶~ 대학
理工大学

이:과(理科) 명 理科 lǐkē ¶~ 대학 理
科大学 / 나는 ~에 소질이 있다 我擅
长理科

이:관(耳管) 명 [生] = 유스타키오관

이:교(異教) 명 异教 yìjiào ¶~도 异教
徒

이:구-동성(異口同聲) 명 一口同音
yīkǒu tóngyīn; 异口同声 yìkǒu tóng-
shēng; 如出一口 rúchūyīkǒu; 众口一
词 zhòngkǒu yīcí ¶~으로 칭찬하
다 大家都异口同声地称赞

이구아나(iguana) 명 [動] 鬣蜥 lièxī

이:국(異國) 명 异国 yìguó; 异邦 yì-
bāng ¶~의 정취를 맛보다 欣赏异国情调

이:국-적(異國的) 관명 充满异国情
调 chōngmǎn yìguó qíngdiào ¶~인 외
모 充满异国情调的外貌 / ~인 분위기
充满异国情调的气氛

이:권(利權) 명 利权 lìquán ¶두 나라
간의 ~ 다툼이 심하다 两国之间利权
冲突激烈

이글-거리다 자 1 (火势) 旺 wàng; 熊
熊 xióngxióng; 炎炎 yányán; 灼热 zhuó-
rè; 炽热 chìrè ¶이글거리는 불길 熊熊
烈火 / 이글거리는 태양 炎炎烈日 2
(神采) 火热热 huǒrèrè; 烧乎乎 shāo-
hūhū; 热乎乎 rèhūhū / 火辣辣 huǒlàlà
¶이글거리는 눈빛 火辣辣的目光 ‖
= 이글대다 **이글-이글** 뷔하자

이글루(igloo) 명 圆顶冰屋 yuándǐng
bīngwū; 冰屋 bīngwū; 圆顶雪屋 yuán-
dǐng xuěwū; 雪屋 xuěwū = 얼음집

이:기(利己) 명 利己 lìjǐ; 自私 zìsī;
自私自利 zìsīzìlì

이:기(利器) 명 利器 lìqì ¶문명의 ~
文明的利器

이기다¹ 자타 赢 yíng; 打赢 dǎyíng;
胜 shèng; 获胜 huòshèng; 取胜 qǔ-
shèng; 制胜 zhìshèng; 战胜 zhàn-
shèng; 击败 jībài ¶전쟁에서 ~ 打胜
仗 / 어제 시합에서 누가 이겼습니까?

昨天的比赛谁赢了? 国他 1 (困难、考验、痛苦等) 克服 kèfú; 战胜 zhànshèng; 抑制 yìzhì; 抵制 dǐzhì ¶어려움을 ～ 克服困难 / 병마를 ～ 战胜病魔 / 유혹을 이기지 못하다 战胜不了诱惑 2 直起 zhíqǐ; 竖起 shùqǐ; 撑起 chēngqǐ ¶술에 취해서 몸을 이기지 못하다 喝醉了酒, 身体撑不起来

이기다² 国 和 huó; 揉 róu; 搅 jiǎo; 搅拌 jiǎobàn ¶시멘트를 ～ 和水泥 2 捣碎 dǎosuì; 剁碎 duòsuì ¶마늘을 ～ 捣碎大蒜 / 쇠고기를 ～ 把牛肉剁碎 3 捶 chuí ¶빨래를 ～ 捶衣服

이:기-심 (利己心) 圀 利己之心 lìjǐzhīxīn; 利己心 lìjǐxīn; 自私心 zìsīxīn; 私心 sīxīn ¶～을 극복하다 克服利己之心 / ～이 강하다 私心很重

이:기-적 (利己的) 冠圀 自私(的) zìsī(de); 利己(的) lìjǐ(de) ¶이기주의적인 ～인 행동 自私的行动 / 그는 성격이 ～이라서 남을 도울 줄 모른다 他性格自私, 不知道帮助别人

이:기-주의 (利己主義) 圀 【哲】 利己主义 lìjǐzhǔyì

이:기주의-적 (利己主義的) 冠圀 = 이기적

이:기주의-자 (利己主義者) 圀 利己主义者 lìjǐzhǔyìzhě; 自我主义者 zìwǒzhǔyìzhě

이기죽-거리다 困 (唠唠叨叨地) 嘲讽 cháofěng; 挖苦 wāku; 奚落 xīluò = 이기죽대다 이기죽-이기죽 무하지

이-까짓 冠 这么一类东西; 这样的 zhèyàngde; 这么点儿 zhèmèdiǎn《表示仅仅达到这种程度》¶～ 것을 누가 못하겠느냐? 这样的事谁干不了呢?

이-깟 冠 '이까짓'의 略词

이끌다 国 1 拉着 lāzhe; 带着 dàizhe; 牵着 qiānzhe; 率领 shuàilǐng ¶아이의 손을 이끌고 가다 拉着孩子的手走 / 가족을 이끌고 서울에 가다 率领全家去首尔 2 = 끌다3 ¶마음을 ～ 吸引人心 / 시선을 이끄는 광고 引人注目的广告 3 导 dǎo; 指引 zhǐyǐn; 指教 zhǐbó; 引 yǐn ¶팀을 승리로 ～ 把球队引向胜利之路

이끌-리다 困 1 '이끌다1'의 被动词 ¶아이는 엄마 손에 이끌려 병원에 갔다 孩子被妈妈牵着去了医院 2 '이끌다2'의 被动词 ¶그는 맛있는 냄새에 이끌려 부엌으로 갔다 他被一阵扑鼻的香味儿吸引到了厨房

이끼 圀 【植】 苔藓 táixiǎn; 苔 tái; 苔衣 táiyī; 地衣 dìyī; 藓苔 xiǎntái ¶～가 잔뜩 낀 바위 长满苔藓的岩石

이나 조 1 不管 bùguǎn; 不论 bùlùn《表示选择》¶그는 문학～ 음악～ 모두 소질이 있다 不管是文学方面还是

音乐方面, 他都有天赋 2 就 jiù《表示不得已而求其次》¶밥이 없으면 술～ 주세요 如果没有饭, 就给酒喝吧 3 才 cái《表示条件限制》¶이것은 경험 있는 사람～ 할 수 있는 일이다 这是只有经验的人才能做的事 4 竟 jìng; 竟然 jìngrán《表示比想象的多》¶운동장에 천 명～ 모였다 操场竟聚集了一千来人 5 表示藐视 ¶그는 돈푼～ 있다고 남을 업신여긴다 他有了几个钱, 就小看别人 6 大概 dàgài《表示推测、估计》¶며칠～ 걸리겠어요? 大概需要多少天? 7 表示强调 ¶그 일은 무척～ 힘들었다 那件事辛苦得很

이나-마 圀 连这个 liánzhège; 就这些 jiùzhèxiē ¶～ 없었더라면 어떻게 되었을지 모르겠다 万一连这个都没有的话, 真不知会怎么样了

이-날 圀 这天 zhètiān; 这一天 zhèyītiān ¶눈 내리는 크리스마스이브, 우리는 ～ 처음으로 만났다 下雪的圣诞前夜, 我们就在这天第一次见面了

이:남 (以南) 圀 1 以南 yǐnán ¶낙동강 ～ 지역 洛东江以南的地区 2 = 남한

이:내¹ 冠 '나의'의 强调语 ¶～ 마음을 누가 알아줄까 有谁能理解我这颗心啊

이내² 무 立刻 lìkè; 当即 dāngjí; 马上 mǎshàng; 立即 lìjí ¶～ 냉정을 되찾다 马上恢复冷静 / 눕자마자 ～ 잠이 들었다 一躺下立即就睡着了

이:내 (以内) 圀 以内 yǐnèi; 之内 zhīnèi ¶백 명 ～ 一百人以内 / 한 시간 ～ 一个小时以内

이:념 (理念) 圀 1 理念 lǐniàn; 理想 lǐxiǎng ¶건국 ～ 建国理想 / 정치적 ～ 政治上的理念 2 【哲】 理念 lǐniàn; 观念 guānniàn = 이데아

이-놈 圀 这(个)家伙 zhè(ge) jiāhuǒ; 这小子 zhèxiǎozi; 好小子 hǎoxiǎozi ¶～ 두고보자 这家伙, 等着瞧吧

이:농 (離農) 圀 弃农 qìnóng; 离开农村 líkāi nóngcūn ¶～ 현상 弃农现象

이:뇨 (利尿) 圀하지 【醫】 利尿 lìniào ¶～ 작용 利尿作用

이:뇨-제 (利尿劑) 圀 【藥】 利尿剂 lìniàozì; 利尿药 lìniàoyào

이니셜 (initial) 圀 首字母 shǒuzìmǔ; 大写首字母 dàxiě shǒuzìmǔ = 머리글자

이닝 (inning) 圀 【體】 (棒球的) 局 jú ¶정식 야구 경기는 매 경기당 9～이다 正式棒球比赛每场有九局

이다¹ 国 顶 dǐng; 头顶 tóudǐng ¶이불보따리를 머리에 ～ 把铺盖卷儿顶在头上

이:다² 国 (房顶) 盖 gài; 瓦 wǎ; 苫 shàn ¶기와로 지붕을 ～ 用瓦盖房

顶/기와를 ~ 瓦瓦

이/다음 몡 下一个 xiàyīge; 下一次 xiàyīcì; 下面 xiàmian; 下 xià ¶~은 누 구 차례입니까? 下面该谁了? / 나는 ~ 역에서 내린다 我在下一站下车

이/다지 뮈 这样 zhèyàng; 这么 zhème; 如此 rúcǐ = 이러도 ¶이는 어째 ~도 내 마음을 몰라주는가? 你怎么这么不懂我的心?/ 이 세상은 왜 ~ 불공평할까? 这世上为何如此不公平呢?

이:단(異端) 몡 异端 yìduān; 邪说 xiéshuō; 异教 yìjiào ¶~자 异端者 / ~을 배척하다 排斥异端

이:단-론(異端論) 몡 异端(的) yìduān(de) ¶~인 행위 异端的行为 / ~인 종교 异端宗教

이:단 평행봉(二段平行棒) 【體】高低杠 gāodīgàng

이-달 몡 本月 běnyuè; 这(个)月 zhè(ge)yuè; 此月 cǐyuè ¶~의 사원 本月优秀员工

이-대로 뮈 就这样 jiùzhèyàng; 就这么 jiùzhème; 照这样 zhàozhèyàng; 就此 jiùcǐ ¶~ 하다가는 10년이 되어도 못 끝낸다 照这样下去的话, 十年也完成不了 / ~ 끝낼 수는 없다 不能就此结束

이데아(독Idea) 몡 【哲】= 이념2

이데올로기(독Ideologie) 몡 【哲】意识形态 yìshi xíngtài; 观念形态 guānniàn xíngtài

이:동(異動) 몡 (人事나 政策) 变动 biàndòng; 调动 diàodòng

이동(移動) 몡[아]자타 移动 yídòng; 转移 zhuǎnyí; 迁移 qiānyí; 迁徙 qiānxǐ; 流动 liúdòng; 移 yí ¶인구 ~ 人口流动 / 철새의 ~ 候鸟迁徙 / 차가운 공기가 남쪽으로 ~하다 冷空气向南移动

이동성(移動性) 몡 移动性 yídòngxìng ¶~ 고기압 移动性高气压 【地理】移动性高压 yídòngxìng gāoyā

이동 전:화(移動電話) 【信】移动电话 yídòng diànhuà

이동 통신(移動通信) 【信】移动通信 yídòng tōngxìn; 移动通讯 yídòng tōngxùn

이:두-근(二頭筋) 몡 【生】二头肌 èrtóujī

이:두-박근(二頭膊筋) 몡 【生】肱二头肌 gōng'èrtóujī

이:득(利得) 몡 利得 lìdé; 利益 lìyì; 收益 shōuyì ¶부당한 ~을 취하다 获取不正当利得 / 큰 ~을 보다 获得大收益

이든 죄 还是 háishi; 不论 bùlùn; 无论 wúlùn 《表示无条件包括》= 이든지 ¶오늘~ 내일~ 상관없다 今天还是明天都没关系

이든지 죄 = 이든

이든-해 몡 第二年 dì'èrnián; 翌年 yìnián; 次年 cìnián = 익년1 ¶~ 봄 翌年春天 / 혼인한 ~ 婚后第二年

이:-등(二等) 몡 二等 èrděng; 次等 cìděng; 第二位 dì'èrwèi ¶~ 선실 二等船舱 / ~상 二等奖

이:-등변 삼각형(二等邊三角形) 【數】等腰三角形 děngyāo sānjiǎoxíng

이:-등-병(二等兵) 몡 【軍】二兵 èrbīng; 二等兵 èrděngbīng = 이병

이:-등분(二等分) 몡 二等分 èrděngfēn; 分成两半 fēnchéng liǎngbàn ¶빵을 ~하다 把面包分成两半

이:-등분-점(二等分點) 몡 【數】中点 zhōngdiǎn = 중점(中點)1

이따 뮈 = 이따가

이따가 뮈 等一会儿 děngyīhuìr; 回头 huítóu; 稍后 shāohòu; 一会儿 yīhuìr; 过一会儿 guòyīhuìr; 待会儿 dāihuìr = 이따 ¶이 문제는 ~ 다시 얘기하자 这个问题回头再说 / ~ 다시 오겠습니다 我待会儿再来

이따금 뮈 有时 yǒushí; 有时候 yǒushíhou; 偶尔 ǒu'ěr; 时而 shí'ér; 间或 jiànhuò ¶그는 ~ 우리 집에 찾아온다 他有时到我家里来 / ~ 네 생각을 한다 间或想起你

이-따위 때관 这种 zhèzhǒng; 这类 zhèlèi; (像)这样的 (xiàng)zhèyàngde ¶~ 물건은 필요 없다 像这样的东西我不要

이-때 몡 这个时候 zhège shíhou; 这时 zhèshí; 这时候 zhèshíhou; 此时 cǐshí ¶바로 ~, 선생님께서 교실로 들어오셨다 就在这时, 老师走进了教室

이때-까지 뮈 = 今至 jīnzhì; 到现在 dàoxiànzài ¶~ 살아오면서 거짓말을 한적이 한 번도 없다 活到现在未曾说过一句谎话

이라 죄 = '이라고'의 略词

이라고¹ 죄 表示引用 ¶가게에 '휴가중' ~ 메모가 붙어 있다 商店门上贴着'休假'的告示

이라고² 죄 1 表示轻视 ¶이것도 옷~ 샀니? 怎么买了这种衣服? 2 表示理由, 根据 ¶선생님~ 무엇이든 다 아나? 是老师, 就什么都懂吗? 3 表示提示, 提出 ¶인정~는 눈곱만큼도 없는 사람 没有一点儿人情味的人

이라도 죄 表示假设的让步 ¶아무리 선생님~ 모르는 것이 있다 即使老师也有不知道的

이라든지 죄 表示列举 ¶그는 돈~, 명예라든지 하는 것에 연연해하는 사람은 아니다 不管是金钱还是名誉, 他都不贪恋

이란 죄 表示强调说明的对象 ¶사람~ 겉모양을 보고 아는 것이 아니다

人不是看外表就能了解的

이:란성 쌍둥이(二卵性雙一) 【生】异卵双胞胎 yìluǎn shuāngbāotāi; 异卵双生儿 yìluǎn shuāngshēng'ér; 异卵双生 yìluǎn shuāngshēng; 双卵孪生 shuāngluǎn luánshēng

이랑¹ 閔 垄 lǒng; 畦 qí ¶~을 짓다 打畦

이랑² 조 1 和 hé; 跟 gēn; 与 yǔ (表示举出主要的与词对象) ¶오늘 동생 ~ 싸웠다 今天和弟弟打架了 2 和 hé; 跟 gēn; 与 yǔ (表示举出主要的比较对象) ¶그는 형~ 많이 닮았다 他跟哥哥长得很像/나는 네 형~ 동갑이다 我和你哥哥是同龄人 3 和 hé (表示列举主要事物) ¶떡~ 과일~ 많이 먹었다 吃了很多米糕和水果什么的

이:래(以来) 의명 以来 yǐlái; 自从 zìcóng ¶유사~ 有史以来/지난 여름에 떠나온 ~로 고향 소식을 듣지 못했다 自从去年夏天离开故乡后, 就没有听到故乡的消息

이래라-저래라 閔 指手画脚 zhǐshǒuhuàjiǎo ¶네가 뭔데 남의 일에 ~ 간섭하는 거야? 你是什么人, 对别人的事指手画脚的?

이래-저래 閔 这样那样 zhèyàng nàyàng ¶~ 돈 들어갈 데가 많다 这样那样用钱的地方很多

이랬다-저랬다 一会儿这样一会儿那样 yīhuìr zhèyàng yīhuìr nàyàng; 反复无常 fǎnfù wúchángg; 忽而这样忽而那样 hū'ér zhèyàng hū'ér nàyàng (《'이리하였다가 저리하였다가'의 略形》) ¶~하지 말고 빨리 결정해라 别一会儿这样一会儿那样, 快作决定吧

이랴 갑 驾 jià; 叮 dā (赶牛马声)

이러나-저러나 不管怎样 bùguǎn zěnyàng; 反正 fǎnzhèng (《'이러하나 저러하나'의 略形》) ¶이왕 죽을 목숨 ~ 매일반이다 既然横竖都是死, 不管怎样都一样

이러니-저러니 说这说那 shuōzhè shuōnà (《'이러하다느니 저러하다느니'의 略形》) ¶~ 말이 많다 说这说那的, 话很多

이러다 자 这样做 zhèyàngzuò; 继续这样 jìxù zhèyàng; 这样下去 zhèyàngxiàqù (《'이리하다'의 略词》) ¶너 이러다 병나겠다 你这样下去会得病的/이러다가는 제시간에 도착하기 어렵겠다 这样下去, 很难按时到达

이러면 这样的话 zhèyàngde huà; 这样 zhèyàng (《'이리하면'或 '이러하면'의 略形》) ¶~ 곤란하다 这样的话就麻烦了/또 ~ 절대 용서하지 않겠다 再这样的话绝不饶恕

이러이러-하다 閔 如此如此 rúcǐ rú-

cǐ; 如此这般 rúcǐ zhèbān = 여차여차하다 ¶사정이 ~ 情况就是如此这般

이러저러-하다 閔 这样那样 zhèyàng nàyàng; 这种种 zhèzhǒng nàzhòng ¶이러저러한 사정으로 가지 못했다 由于这样那样的原因, 没能去成

이러쿵-저러쿵 閔 说这说那 shuōzhèshuōnà; 说长道短 shuōchángdàoduǎn; 说白道绿 shuōbáidàolǜ ¶사람들이 그 일에 대해 ~ 떠들어댄다 人们对那件事说这说那, 议论纷纷

이러-하다 閔 如此 rúcǐ; 这样 zhèyàng ¶사건의 전모는 ~ 事件的全貌是这样

이럭-저럭 閔하자 1 这样那样 zhèyàngnàyàng; 就么 jiùnàme; 就那样 jiùnàyàng; 好歹 hǎodǎi ¶~ 밥은 먹고 산다 就那么糊口过日子 2 不知不觉 bùjué; 一晃 yīhuǎng ¶고향을 떠난 지 ~ 10년이 되었다 离开故乡一晃就是10年了

이런¹ 团 这样的 zhèyàngde; 这种 zhèzhǒng ¶~ 일은 처음 겪어 본다 第一次遇到这样的事情/~ 느낌을 너는 이해하지 못할 것이다 这种感觉你不会懂

이런² 웹 哎呀 āiyā ¶~, 내 정신 좀 봐라 哎呀, 瞧我这记性

이런-저런 团 这样那样的 zhèyàngnàyàngde ¶머릿속이 ~ 생각으로 가득하다 脑海里充满了这样那样的念头

이렇게 閔 这样 zhèyàng; 如此 rúcǐ (《'이러하게'의 略形》) ¶그는 웃으며 ~ 말했다 他笑着这么说了/이렇게 30년을 살아왔다 他这样过了三十年了/어차피 ~ 됐으니 차라리 그를 그냥 보내줘라 既然如此, 干脆放他走吧

이렇다 閔 这样 zhèyàng; 如此 rúcǐ; 这个样子 zhège yàngzi = 여차하다 ¶내가 이럴 줄 알았다 我早就知道会这样/요즘 애들이 ~ 现在的孩子就是这个样子

이렇다 저렇다 말이 없다 团 未置可否; 没有表态

이렇-듯 閔 (像)这样 (xiàng)zhèyàng; 如此 rúcǐ (《'이러하듯'의 略形》) ¶~ 착한 아들이 또 있을까? 哪有像这样的好儿子呀?

이레 团 1 七天 qītiān = 이렛날 2 ¶~ 동안 七天时间/난 지 ~ 된 송아지 出生七天的牛犊 2 = 초이렛날

이렛-날 团 1 第七天 dìqītiān ¶그는 첫날부터 ~까지 정신없이 일했다 他从第一天到第七天一直忙着干活儿了 2 = 이레1 3 = 초이렛날 ¶내달 ~ 만납시다 下个月初七见面吧

이:력(履歷) 团 履历 lǚlì; 经历 jīnglì;

阅历 yuèlì ¶그는 학생 운동에 참가한 ~이 있다 他有参加学生运动的经历

이:력-서(履歷書) 圏 履历表 lǚlìbiǎo; 履历书 lǚlìshū ¶~를 쓰다 写履历表

이:례(異例) 圏 违例 wéilì; 破例 pòlì; 破格 pògé; 打破常规 dǎpò chángguī ¶~의 승진 破格的升迁

이:례-적(異例的) 팬圏 打破常规的 dǎpò chángguī(de); 破例(的) pòlì(de); 破格(的) pògé(de) ¶~인 행동 打破常规的行为 ¶이것은 ~인 조치이다 这是破例的措施

이:론(理論) 圏 理论 lǐlùn ¶~가 理论家 / 경제 ~ 经济理论 / ~을 세우다 建立理论 / 그가 제시한 ~는 매우 신선하다 他提出的理论很新鲜

이:론(異論) 圏 异论 yìlùn; 异议 yìyì ¶~을 제기하다 提起异议

이:론-적(理論的) 팬圏 理论上(的) lǐlùnshang(de) ¶그것은 어디까지나 ~인 가설일 뿐이다 那只不过是理论上的假设而已

이:-롭다(利-) 圏 有益 yǒuyì; 有好处 yǒu hǎochu; 利于 lìyú ¶담배는 몸에 이로울 것이 없다 抽烟对身体没有好处 / 좋은 약은 입에 쓰지만 병에는 ~ 良药苦口利于病

이루 閏 无法 wúfǎ; 怎么도 zénme yě ¶눈물겨운 사연을 어찌 ~다 말할 수 있으랴 那催人泪下的遭遇怎能说得清呢 / 글로는 ~다 표현할 수 없다 无法用文字来一一表达

이:루(二壘) 圏 [體] 1 二垒 èrlěi 2 = 이루수

이루다 囲 1 形成 xíngchéng; 结成 jiéchéng; 构成 gòuchéng; 组成 zǔchéng; 做成 zuòchéng; 造成 zàochéng; 达成 dáchéng ¶선명한 대조를 ~ 形成鲜明的对照 / 교통 혼잡을 ~ 造成交通混乱 / 결혼을 해서 가정을 ~ 结了婚组成了家庭 2 实现 shíxiàn; 达到 dádào; 完成 wánchéng; 达成 dáchéng ¶목적을 ~ 达到目的 / 그녀는 소원을 이루었다 她实现了愿望

이:루-수(二壘手) 圏 [體] 二垒手 èrlěishǒu = 이루(二壘)2

이루어-지다 囲 1 形成 xíngchéng; 构成 gòuchéng; 结成 jiéchéng ¶물은 수소와 산소로 이루어졌다 水是由氢和氧构成的 2 实现 shíxiàn; 达到 dádào; 达成 dáchéng; 偿 cháng ¶이루어질 수 없는 사랑 实现不了的爱 / 소원이 ~ 愿望实现 / 합의가 ~ 达成协议 / 원하던 대로 ~ 如愿以偿

이:루-타(二壘打) 圏 [體] (棒球的) 二垒打 èrlěidǎ

이룩-되다 囲 实现 shíxiàn; 形成 xíngchéng; 取得 qǔdé ¶이러한 성과는

하루아침에 이룩되는 것이 아니다 这样的成果不是一朝一夕能取得的

이룩-하다 囲 1 实现 shíxiàn; 达成 dáchéng; 取得 qǔdé ¶나라와 민족의 번영을 ~ 实现国家和民族的繁荣 2 建立 jiànlì; 建成 jiànchéng; 建造 jiànzào ¶낙원을 ~ 建立乐园

이:류(二流) 圏 二流 èrliú ¶~ 호텔 二流宾馆 / 극장 二流剧场

이:륙(離陸) 圏하자퇴 (飞机) 起飞 qǐfēi; 离陆 lílù ¶그 비행기는 ~ 直후 추락했다 那架飞机起飞后就坠落了 / 여러 대의 헬기가 동시에 ~하다 多架直升机同时起飞

이:륜-구동(二輪驅動) 圏 [機] 二轮驱动 èrlún qūdòng

이:륜-마차(二輪馬車) 圏 二轮马车 èrlún mǎchē

이:륜-차(二輪車) 圏 二轮车 èrlúnchē; 双轮车 shuānglúnchē

이르다[1] 囲 1 (某一地点이나 时间) 到达 dàodá; 到 dào; 至 zhì; 抵达 dǐdá ¶속 장소에 ~ 抵达约定地点 / 오늘에 이르러서야 直至今日 2 达到 dádào; 到 dào; 至 zhì; 到 zhì ¶국제적인 수준에 ~ 达到国际先进水平

이르다[2] 자퇴 1 告诉 gàosu; 说 shuō ¶그에게 기다리지 말라고 ~ 告诉他别等了 / 옛말에 이르기를 말하 해도 삼 년은 간다고 했다 古语说瘦死的骆驼比马大 2 = 타이르다 3 告诉 gàosu; 告密 gàomì; 告状 gàozhuàng; 告发 gàofā ¶선생님께 이르다 向老师告状 ¶너 계속 이러면 엄마한테 이르겠다 要是你老这样, 我就告诉妈妈去 4 称为 chēngwéi; 叫做 jiàozuò ¶이러한 기계를 일러 기중기라고 한다 这种机器叫做起重机

이르다[3] 圉 早 zǎo ¶저녁을 먹기에는 아직 ~ 吃晚饭还早呢 / 그는 여느 때보다 이르게 학교에 도착했다 他比平时早到学校了

이른-바 圉 所谓 suǒwèi; 所说的 suǒshuōde; 名为 míngwéi = 소위(所謂) ¶이것이 ~ 대표작이란 말인가? 难道这就是所谓代表作?

이를-테면 圉 可以说 kěyǐshuō; 也就是 说 yějiùshìshuō; 换句话说 huànjùhuàshuō ¶내 친구는 ~ 걸어 다니는 사전이다 我的朋友可以说是活字典

이름 圏 1 名称 míngchēng; 名字 míngzi; 名 míng ¶이 꽃의 ~은 무엇입니까? 这花叫什么名字? / 이 학교는 작년에 ~이 바뀌었다 这所学校的名称在去年改变了 2 (人的) 名字 míngzi; 名 míng ¶아이에게 ~을 지어 주다 给孩子起个名字 / 너는 ~이 뭐니? 你叫什么名字? / 그가 밖에서 네 ~을 부른

다 他在外面叫你的名字 **3** = 성명(姓名) ¶편지 봉투에 ~과 주소를 적다 在信封上写姓名地址 **4** 名义 míngyì ¶회사 ~으로 위로금을 보내다 以公司的名义送抚恤金 **5** 名声 míngshēng; 名气 míngqi; 名誉 míngyù; 名 míng ¶전국에 ~이 알려지다 闻名全国

이름(을) 날리다 팀 扬名

이름(을) 팔다 팀 利用名义

이름(이) 없다 팀 没名气; 无名

이름(이) 있다 팀 有名义

이름-나다 짜 出名 chūmíng; 知名 zhīmíng; 著名 zhùmíng; 有名 yǒumíng; 有名声 yǒumíngshēng ¶이름난 신문 有名的报社

이름-자(一字) 명 名字 míngzi ¶제 ~도 쓸 줄 모르다 连自己的名字都不会写

이름-표(一標) 명 姓名卡 xìngmíngkǎ; 姓名牌儿 xìngmíngpáir; 名签 míngqiān = 명패2 ¶~를 달다 挂好姓名卡

이리¹ 명 鱼白 yúbái = 어백

이리² 명 [動] = 늑대

이리³ 명 向这边 xiàngzhèbiān; 到这边 dàozhèr; 往这里 wǎngzhèlǐ ¶~ 오세요 请到这儿来

이리 뒤척 저리 뒤척 팀 翻来覆去; 辗转反侧

이리 뛰고 저리 뛰다 팀 团团转; 奔忙

이리 오너라 팀 有人吗?《昔日有身份的人去访他人家时在门外的喊声》

이리-도 팀 = 이다지

이리-로 팀 '이리³'的强调语 ¶그가 ~ 걸어오고 있다 他正往这儿走来

이리-저리 팀 如此如彼 rúcǐrúbǐ; 东…西… dōng…xī… ¶~ 핑계를 대다 找这样那样的借口 / 그는 ~ 거짓말을 한다 他东拉西扯地撒谎

이리-저리² 팀 这里那里 zhèlǐnàlǐ; 这儿那儿 zhèrnàr; 东…西… dōng…xī… ¶~ 뛰어다니다 东奔西走

이리-하다 짜형 这样做 zhèyàng zuò; 继续这样 jìxù zhèyàng; 这样下去 zhèyàngxiàqù

이리-하여 팀 由此 yóucǐ; 于是 yúshì; 这么着 zhèmezhe ¶~ 그들은 헤어지게 되었다 由此他们分手了

이마 명 额 é; 前额 qián'é; 额头 étóu; 脑门 nǎomén ¶~가 넓은 사람 前额宽的人

이마를 맞대다[마주하다] 팀 聚在一起商量

이-만 관 这样的 zhèyàngde; 这么点 zhèmediǎn ¶~ 일을 가지고 뭘 걱정해 这么点事有什么可担心的 팀 就此 jiùcǐ; 到此 dàocǐ; 到就这里

此为止吧 / 오늘은 ~ 쓰겠습니다 今天就写到这里

이만-저만 팀부형 平常 píngcháng; 普通 pǔtōng; 寻常 xúncháng; 一般 yìbān《一般用于否定句中》¶~한 미인이 아니다 不是普通的美女 / 값이 ~ 비싼게 아니다 价格不是一般地贵

이-만치 명부 = 이만큼

이-만큼 명부 像这样 xiàng zhèyàng; 这么点儿 zhèmediǎnr; 这么多 zhème duō; 这么大 zhème dà; 这个程度 zhège chéngdù; 这样 zhèyàng; 这么 zhème = 이만치 ¶~ 자라다 长到这个程度 / 모두 쌓아 놓으니 ~이나 되었다 把所有的都堆起来也有这么多

이만-하다 형 这样 zhèyàng; 这么 zhème ¶이만하면 됐다 这样就行了 / 키가 ~ 个子就这么大

이맘-때 명 这个时候 zhège shíhou; 这时候 zhèshíhou ¶내일 ~ 만나자 明天这个时候见吧 / 작년 ~ 졸업했다 去年这个时候毕业的

이맛-살 명 额上皱纹 éshang zhòuwén; 眉头 méitóu ¶~을 찌푸리다 皱眉头

이메일(email)[electronic mail] 명컴 = 전자 우편 ¶~을 보내다 发电子邮件

이며 조 啦 la; 啊 a; 呀 ya《用于末音节为闭音节的体언后, 表示列举》¶그림~ 조각~ 미술품으로 가득 찬 화실 堆满了画呀, 雕塑呀, 美术品的画室

이-면(裏面) 명 **1** = 뒷면 ¶수표의 ~ 支票的背面 **2** 内情 nèiqíng; 内幕 nèimù; 内心 nèixīn ¶한국 정치사의 ~ 韩国政治史的内幕

이면수(一壽) 명 [魚] '임연수어'的错误

이-면-지(裏面紙) 명 反面用纸 fǎnmiànyòngzhǐ ¶~를 활용하다 使用反面用纸

이-명(耳鳴) 명 [醫] = 귀울림

이모(姨母) 명 姨母 yímǔ; 姨妈 yímā; 姨儿 yír

이모-부(姨母夫) 명 姨父 yífù; 姨夫 yífu; 姨丈 yízhàng

이-모-작(二毛作) 명 [農] 两茬复种 liǎngchá fùzhòng; 一年两茬 yīnián liǎngchá; 两熟制 liǎngshúzhì

이모-저모 명 方方面面 fāngfāngmiàn; 各个方面 gège fāngmiàn; 翻来复去 fānláifùqù ¶~로 자기 처지를 생각해 보다 翻来复去地思量着自己的处境

이-목(耳目) 명 耳目 ěrmù; 注目 zhùmù ¶~을 피하다 避人耳目 / ~을 끌다

다 引人注目

이:목구비(耳目口鼻) 몡 耳目口鼻 ěr-mùkǒubí; 五官 wǔguān ¶~가 수려하다 五官端正

이:무기 몡 **1** 螭 chī; 螭龙 chīlóng **2** 【動】 蟒 mǎng; 蟒蛇 mǎngshé

이물 몡 船头 chuántóu; 船首 chuán-shǒu

이:물(異物) 몡 异物 yìwù; 杂质 zázhì = 이물질 ¶~감 异物感 / 눈에 ~이 들어갔다 眼里进了异物

이:-물질(異物質) 몡 = 이물(異物)

이:미 묀 已经 yǐjīng; 业已 yèyǐ; 已 yǐ ¶그는 ~ 세상을 떠났다 他已经去世了 / 나는 ~ 그녀를 잊었다 我已经忘了她

이미지(image) 몡 **1** 【文】 = 심상1 **2** 印象 yìnxiàng; 形象 xíngxiàng ¶~ 광고 形象广告 / 좋은 ~를 남기다 留下了美好的印象

이미테이션(imitation) 몡 仿制品 fǎngzhìpǐn; 仿造品 fǎngzàopǐn; 仿造物 fǎngzàowù; 赝品 yànpǐn

이민(移民) 몡하자 移民 yímín ¶~국 移民国家 / ~ 정책 移民政策 / 미국으로 ~ 가다 移民到美国

이민-자(移民者) 몡 移民者 yímínzhě; 移民 yímín

이:-민족(異民族) 몡 异民族 yìmínzú; 异族 yìzú

이바지 몡하자 **1** 贡献 gòngxiàn ¶조국 발전에 ~하다 为祖国的发展做出贡献 **2** 供应 gōngyìng; 供应品 gōngyìngpǐn

이:-발(理髮) 몡하자 理发 lǐfà; 剃头 tì-tóu ¶나는 한 달에 한 번씩 ~을 한다 我一个月理一次发

이:-발-관(理髮館) 몡 = 이발소

이:-발-기(理髮器) 몡 理发器 lǐfàqì; 理发推子 lǐfà tuīzi; 剪发器 jiǎnfàqì

이:-발-사(理髮師) 몡 理发师 lǐfàshī; 理发员 lǐfàyuán

이:-발-소(理髮所) 몡 理发店 lǐfàdiàn; 理发馆 lǐfàguǎn = 이발관 ¶ ~에 이발하러 가다 到理发店去理发

이:-방(吏房) 몡 【史】 吏房 lìfáng

이:-방(異邦) 몡 = 이국

이:-방-인(異邦人) 몡 异邦人 yìbāng-rén; 异国人 yìguórén

이:-번(一番) 몡 这次 zhècì; 此次 zhèyīcì; 此次 cǐcì; 这回 zhèhuí; 这一回 zhèyīhuí; 这个 zhège = 금번 · 이참 ¶~에는 그가 이길 것이다 这一次会赢一 / 일요일 这 个星期天 / ~만 용서해 주겠다 就饶你这一回

이:벤트(event) 몡 **1** 活动 huódòng; 节目 jiémù **2** 比赛 bǐsài; 比赛项目 bǐsài xiàngmù

이:-변(異變) 몡 异变 yìbiàn; 反常 fǎn-cháng; 突变 tūbiàn; 意外局面 yìwài júmiàn = 변이(變異)1 ¶기상 ~ 气候反常现象 / ~이 발생하다 发生意外局面 / ~이 속출하다 频频出现意外局面

이:-별(離別) 몡하자타 离别 líbié; 别离 biélí; 分手 fēnshǒu; 分开 fēnkāi; 分别 fēnbié ¶별 bié ~가 离别歌 / 주 离别酒 / ~를 고하다 告别 / 사랑하는 사람과 ~하다 跟心爱的人离别

이:-병(二兵) 몡 【軍】 이등병

이:-복(異腹) 몡 异母 yìmǔ; 同父异母 tóngfù yìmǔ ¶~ 자매 同父异母姐妹 / ~ 누나 同父异母姐姐 / ~ 남매 同父异母兄妹

이:-복-동생(異腹同生) 몡 同父异母弟弟 tóngfù yìmǔ dìdi; 同父异母妹妹 tóngfù yìmǔ mèimei

이:-복-형(異腹兄) 몡 同父异母哥哥 tóngfù yìmǔ gēge

이:-복-형제(異腹兄弟) 몡 同父异母兄弟 tóngfù yìmǔ xiōngdì

이부-자리 몡 被褥 bèirù; 寝具 qǐnjù; 卧具 wòjù; 铺盖 pūgai = 자리2 ¶ ~를 펴다 铺被褥 / ~를 개다 叠被褥

이:-부-제(二部制) 몡 二部制 èrbùzhì ¶ ~ 학교 二部制学校 / ~ 수업 二部制教学

이:-북(以北) 몡 **1** 以北 yǐběi ¶한강 ~ 汉江以北 **2** 북한 北韩 ¶~에 두고 온 가족 留在北韩的家属

이-분 때 这位 zhèwèi ¶~은 나의 스승이시다 这位是我的老师

이:-분-법(二分法) 몡 【論】 二分法 èrfēnfǎ; 两分法 liǎngfēnfǎ

이:-분-쉼표(二分一標) 몡 【音】 二分休止符 èrfēn xiūzhǐfú

이:-분-음표(二分音標) 몡 【音】 二分音符 èrfēn yīnfú

이불 몡 被子 bèizi; 被 bèi; 被窝 bèi-wō ¶오리털 ~ 鸭绒被 / ~을 덮다 盖被子

이불-깃 몡 被头 bèitou

이불-보(-褓) 몡 (包被子的) 包袱皮 bāofupí

이불-잇 몡 被衬 bèichèn

이브(eve) 몡 前夕 qiánxī; 前夜 qián-yè

이브(Eve) 몡 【宗】 夏娃 Xiàwá

이브닝-드레스(evening dress) 몡 女晚礼服 nǚwǎnlǐfú; 女夜礼服 nǚyèlǐfú

이:-비인후-과(耳鼻咽喉科) 몡 【醫】 耳鼻喉科 ěrbíhóukē; 耳鼻喉科医院 ěrbíhóukē yīyuàn

이빨 몡 牙 yá; 牙齿 yáchǐ (《 '이3'的鄙称)

이쁘다 혱 '예쁘다'的错误

이:-사(理事) 몡 【法】 董事 dǒngshì; 理

事 **lǐshì** 〜 몇 분이 회의를 하고 계신다 几位董事正在开会

이사(移徙) 명[하자] 搬家 bānjiā; 搬 bān; 迁徙 qiānxǐ; 搬迁 bānqiān; 迁居 qiānjū ¶우리는 어제 〜했다 我们昨天搬家了／그 집은 어디로 〜 갔으냐? 那家搬到哪里去了?

이:-사-국(理事國) 명 【政】理事国 lǐshìguó

이:-사분기(二四分期) 第二季度 dì'èrjìdù

이:-사-장(理事長) 명 董事长 dǒngshìzhǎng; 理事长 lǐshìzhǎng

이:-사-회(理事會) 명 【法】董事会 dǒngshìhuì; 理事会 lǐshìhuì

이삭 1 穗(儿) suì(r); 穗子 suìzi 벼 ~ 稻穗／~이 패다 抽穗 = [吐穗] 2 (秋收时散落的) 庄稼 zhuāngjia ¶~을 줍다 拾庄稼

이:-산(離散) 명[하자] 离散 lísàn; 失散 shīsàn ¶~가족 离散家属／가족이 ~하다 家人离散

이:-산화(二酸化) 명 【化】二氧化 èryǎnghuà

이:산화-탄소(二酸化炭素) 명 【化】二氧化碳 èryǎnghuàtàn ¶~ 중독 二氧化碳中毒

이:산화-황(二酸化黃) 명 【化】二氧化硫 èryǎnghuàliú = 아황산가스

이:-삼(二三) 명 二三 èrsān; 两三 liǎngsān ¶~ 년 两三年／~일 两三天／~월 二三月

이삿-짐(移徙一) 명 搬家行李 bānjiā xíngli ¶~을 싸다 打包搬家行李

이삿짐-센터(移徙—center) 명 搬家公司 bānjiā gōngsī

이:-상(以上) 명 1 以上 yǐshàng; 多 duō ¶만 20세 ~ 20周岁以上／~은 최근의 조사에 의한 결과이다 以上是根据最近调查的结果 2 既然…就… jìrán…jiù…; 一旦…就… yīdàn…jiù… ¶약속한 ~ 반드시 지켜야 한다 既然约好了，就必须守约 3 到此 dàocǐ ¶~으로 보고를 마치겠습니다 我的报告到此为止

이:-상(理想) 명 理想 lǐxiǎng ¶원대한 ~을 품다 心怀远大的理想／자신의 ~을 실현하다 实现自己的理想

이:-상(異狀) 명 异常状态 yìcháng zhuàngtài

이:-상(異常) 명[하형][히부] 异常 yìcháng; 不正常 bùzhèngcháng; 反常 fǎncháng; 失常 shīcháng; 奇怪 qíguài ¶정신 ~ 精神失常／~ 기후 异常气候／참 ~하다 真奇怪

이:상 고온 현상(異常高溫現象) 【地理】异常高温 yìcháng gāowēn; 异常高温现象 yìcháng gāowēn xiànxiàng

이:-상-스럽다(異常一) 형 奇怪 qíguài; 可疑 kěyí ¶그의 행동이 매우 ~ 他的行动很可疑 **이:-상스레** 부

이:상 심리(異常心理) 【心】异常心理 yìcháng xīnlǐ

이:상야릇-이(異常一) 부 怪怪地 guàiguàide; 稀奇古怪地 xīqígǔguàide; 怪里怪气地 guàiliguàiqìde; 怪模怪样地 guàimóguàiyàngde ¶~de 웃다 怪怪地笑

이:상야릇-하다(異常一) 형 怪异 guàiyì; 怪里怪气 guàiliguàiqì; 怪模怪样 guàimóguàiyàng; 怪怪的 guàiguàide; 稀奇古怪 xīqígǔguài = 괴이하다 ¶이상야릇한 표정 怪怪的表情／그는 차림새가 ~ 他打扮得怪里怪气

이:상-적(理想的) 관명 理想(的) lǐxiǎng(de) ¶~인 사회 理想的社会

이:상 행동(理想行動) 명 异常行动 yìcháng xíngdòng; 异动 yìdòng

이:상-향(理想鄉) 명 安乐乡 ānlèxiāng; 乌托邦 wūtuōbāng; 桃源 táoyuán; 世外桃源 shìwàitáoyuán = 유토피아

이:상-형(理想型) 명 【哲】理想情人 lǐxiǎng qíngrén; 理想型 lǐxiǎngxíng

이:-색(異色) 명 1 异色 yìsè (不同的颜色) 2 特别 tèbié; 特殊 tèshū; 奇特 qítè; 不一般 bùyìbān; 异样 yìyàng ¶~ 결혼식 奇特的婚礼

이:-색-적(異色的) 관명 奇特的 qítè(de); 异样的 yìyàng(de) ¶~인 느낌 异样的感觉／~인 풍습 奇特的风俗

이:-생(一生) 명 今生 jīnshēng; 现世 xiànshì

이:-서(裏書) 명[하자] 【法】= 배서2 ¶수표에 ~해 주십시오 请在支票背面签字

이:-성(理性) 명 理性 lǐxìng; 理智 lǐzhì ¶~을 잃다 失去理性／~을 되찾다 恢复理智

이:-성(異性) 명 异性 yìxìng ¶~ 친구 异性朋友／~ 교제 异性交往／~에 대한 호기심 对异性的好奇心 **이성에 눈을 뜨다** 문 情窦初开; 性意识初萌

이:성-애(異性愛) 명 异性恋 yìxìngliàn; 异性爱 yìxìng'ài ¶~자 异性恋者 = [异性爱者]

이:성-적(理性的) 관명 理性(的) lǐxìng(de); 理智(的) lǐzhì(de) ¶~ 판단 理性的判断／~으로 대처하다 理智应付

이:-세(二世) 명 1 下一代 xiàyídài 2 二世 èrshì ¶요한 바오로 ~ 圣保罗二世 3 (侨胞的) 第二代 dì'èrdài ¶교포 ~ 侨胞第二代 4 子女 zǐnǚ; 孩子 háizi ¶~가 생기다 有了孩子

이솝(Aesop) 명 【人】伊索 Yīsuǒ

우화 伊索寓言

이ː송(移送) 명 하타 转送 zhuǎnsòng; 移交 yíjiāo; 转运 zhuǎnyùn ¶환자를 병원으로 ~하다 把病人转送医院 / 화물을 ~하다 转运货物

이ː수(履修) 명 하타 修完 xiūwán; 修业 xiūyè; 修 xiū ¶~ 과목 应修课目 / ~ 학점 应修学分 / 그는 대학원에서 박사 과정을 ~했다 他在研究院修完了博士课程

이ː순(耳順) 명 耳顺 ěrshùn; 耳顺之年 ěrshùnzhīnián (指六十岁)

이슈(issue) 명 争议 zhēngyì; 争论点 zhēnglùndiǎn; 论点 lùndiǎn; 议题 yìtí ¶회담의 주요 ~ 会谈的主要议题

이스트(yeast) 명 1【植】= 효모균 2 干酵母 gānjiàomǔ

이슥-하다 형 夜 (夜) 深 shēn ¶밤이 ~ 夜很深 **이슥-히** 부

이슬 명 1 露水 lù; 露水 lùshui ¶풀잎에 ~이 맺히다 草叶子上结露水 2 泪珠 lèizhū ¶눈가에 ~이 맺히다 眼角挂着泪珠

이슬로 사라지다 관 牺牲; 丧命

이슬람(Islam) 명 伊斯兰 Yīsīlán ¶~ 문화 伊斯兰文化

이슬람-교(Islam敎) 명【宗】伊斯兰教 Yīsīlánjiào; 清真教 Qīngzhēnjiào; 回教 Huíjiào; 回回教 Huíhuíjiào = 회교

이슬람-국(Islam敎國) 명【宗】伊斯兰国家 Yīsīlán guójiā; 回教国家 Huíjiào guójiā

이슬람-교도(Islam敎徒) 명【宗】伊斯兰教徒 Yīsīlánjiàotú; 穆斯林 mùsīlín; 回教徒 Huíjiàotú

이슬람-권(Islam圈) 명【宗】伊斯兰文化圈 Yīsīlán wénhuàquān; 回教圈 Huíjiàoquān

이슬-방울 명 露珠 lùzhū

이슬-비 명 毛毛雨 máomáoyǔ; 蒙蒙细雨 méngméng xìyǔ ¶~가 내리다 下毛毛雨

이슬-점(一點) 명【物】露点 lùdiǎn

이승(一) 명 阳间 yángjiān; 今生 jīnshēng; 今世 jīnshì; 人世 rénshì; 人世间 rénshìjiān ¶~을 하직하다 离开人世

이식(移植) 명 하타【農】移栽 yízāi ¶묘목 ~ 移栽树秧木 2【醫】移植 yízhí ¶~ 수술 移植手术 = [移植術] / 피부 ~ 皮肤移植 / 심장을 다른 사람의 몸에 ~하다 把心脏移植到别人的身体里

이ː식(利息) 명 = 이자(利子)

이ː실직고(以實直告) 명 하자타 照实直说 zhàoshí zhíshuō; 以实相告 yǐshí xiānggào; 直言不讳 zhíyán bùhuì ¶살고 싶으면 ~해라 想活命就照实直说

이ː심(二審) 명【法】二审 èrshěn ¶~

재판 二审裁判

이ː심전심(以心傳心) 명 하자 以心传心 yǐxīn chuánxīn; 心连心 xīnliánxīn; 心心相印 xīnxīn xiāngyìn

이ː십(二十) 수관 二十 èrshí ¶~ 킬로그램 二十公斤 / ~ 년 二十年

이ː십사-금(二十四金) 명 二十四开金 èrshísì kāijīn; 24K金 èrshísì-jīn (指纯金)

이ː십사-절기(二十四節氣) 명 二十四节气 èrshísì jiéqì

이ː십팔-수(二十八宿) 명【天】二十八宿 èrshíbāxiù

이-쑤시개 명 牙签(儿) yáqiān(r) ¶~로 이를 쑤시다 用牙签儿剔牙

이-앓이 명 하자【醫】= 치통

이앙(移秧) 명 하자【農】= 모내기

이앙-기(移秧機) 명 插秧机 chāyāngjī

이야 조 用于末音节为闭音节的体词后, 表示强调 ¶며칠 밤새우는 것쯤~ 견딜 수 있다 熬几天夜, 也能挺下来

이야기 명 하자타 1 话 huà; 话语 shuōhuà; 谈话 tánhuà; 谈 tán ¶제 ~를 좀 들어 보세요 请听听我的话 / 쓸데없는 ~하지 마라 别说废话了 2 话题 huàtí ¶아이들에게 손오공 ~를 들려주다 给孩子们讲孙悟空的故事 3 往事 wǎngshì; 经历 jīnglì ¶그는 딸에게 전쟁 후 고생한 ~를 해 주었다 他给女儿讲述了自己战后的苦难经历 4 传言 chuányán; 闲话 xiánhuà; 传闻 chuánwén ¶요즘 그녀에 대한 이상한 ~가 나돌고 있다 最近正在散布着关于她的奇怪传言

이야기-꾼 명 故事大王 gùshi dàwáng

이야기-보따리 명 = 이야기주머니

이야기-책(一冊) 명 1 故事书 gùshishū 2 小说 xiǎoshuō

이야깃-거리 명 话题 huàtí; 话柄 huàbǐng; 话料 huàliào; 话把儿 huàbàr; 谈资 tánzī = 토픽 2·화제 2 ¶~가 떨어지다 没有话题了 / 모두의 ~가 되다 成为大家的话题

이야깃-주머니 명 故事大王 gùshi dàwáng; 话匣子 huàxiázi = 이야기보따리 ¶~를 풀어 놓다 打开话匣子

이ː야-말로[1] 부 这才是 zhècáishì ¶~ 내 인생을 바꿀 절호의 기회다 这才是改变我人生的绝佳机会

이ː야-말로[2] 조 才 cái; 才是 cáishì ¶당신 ~ 거짓말을 하고 있잖아 你才撒谎呢

이양(移讓) 명 하타 移让 yíràng; 移交 yíjiāo; 转让 zhuǎnràng ¶권리를 ~하다 移让权利 / 정권을 ~하다 移交政权

이어-달리기 명 하자【體】= 계주

이어-받다 타 继承 jìchéng ¶왕위를

~ 繼承王位 / 가업을 ~ 繼承家業

이어-서 〔부〕 接着 jiēzhe; 隨即 suíjí; 繼而 jí'ér ¶10分 간의 휴식이 끝나고 ~ 회의가 시작되었다 休息 十分钟后, 接着 开会了 / ~ 예술 공연이 펼쳐졌다 接着 进行了 文艺演出

이어-지다 〔자〕 1 連接 liánjiē; 衔接 xiánjiē; 相连 xiānglián; 连 lián ¶이 길은 고속도로와 이어진다 这条路 与高速公路相连 / 이 문장은 앞뒤가 안 이어지지 않는다 这段文章 前后不衔接 2 傳承 chuánchéng; 繼承 jìchéng ¶비법이 후세에 ~ 秘方传承后世

이어폰(earphone) 〔명〕 耳机 ěrjī; 耳塞 ěrsāi ¶~을 끼다 戴耳机 / ~으로 음악을 듣다 用耳机听音乐

이엉 〔명〕 草苫子 cǎoshānzi ¶~을 엮다 编草苫子 / ~을 얹다 盖草苫子

이-에 〔부〕 因此 yīncǐ; 于是 yúshì; 玆此 zīcǐ ¶성적이 우수하여 ~ 상장을 수여함 成绩优秀, 玆此授予奖状

이여 〔조〕 啊 a 《用于末音节为闭音节的体言后, 表示感叹或号召的语气》 ¶하늘이여, 조국을 보살피소서 老天啊, 保佑我的祖国吧

이:역(異域) 〔명〕 異域 yìyù; 异乡 yìxiāng; 他乡 tāxiāng; 异国 yìguó ¶그는 먼 ~에서 쓸쓸히 숨졌다 他在异国凄凉地死了

이:역-만리(異域萬里) 〔명〕 万里异国 wànlǐ yìguó; 异国万里 yìguó wànlǐ; 万里之外 wànlǐzhīwài

이:열치열(以熱治熱) 〔명〕〔하자〕 以热治热 yǐrèzhìrè

이온(ion) 〔명〕【化】离子 lízǐ ¶~ 결정 离子晶体 / ~ 결합 离子键 / ~ 교환 离子交换

이온-화(ion化) 〔명〕【化】电离 diànlí; 离子化 lízǐhuà

이완(弛緩) 〔명〕〔하자〕 弛缓 chíhuǎn; 松弛 sōngchí; 松懈 sōngxiè ¶근육이 ~되다 肌肉松弛

이:왕(已往) 〔명〕 已往 yǐwǎng; 已往 yǐwǎng; 既往 jìwǎng; 过去 guòqù ¶~의 일은 다 잊어라 过去的事就忘了吧 〔부〕 = 이왕에 ¶~하는 일이니 잔소리하지 말고 열심히 하자 既然是要做的事, 就少说废话, 好好干吧

이:왕-에(已往一) 〔부〕 既然 jìrán = 이왕〔三〕 ~ 오셨으니 차라도 한 잔 하고 가세요 既然来了, 喝杯茶再走吧

이:왕-이면(已往一) 〔부〕 既然要…jìrányào…; 既然如此 jìrán rúcǐ ¶~ 예쁘게 찍어 주세요 既然要拍就拍得漂亮一点儿

이:왕지사(已往之事) 〔명〕 往事 wǎngshì; 以往之事 yǐwǎngzhīshì; 已往之事 yǐwǎngzhīshì; 已过之事 yǐguòzhīshì

~ 끝난 일을 뭐하러 또 꺼내느냐? 过去的事, 何必再提?

이:외(以外) 〔명〕 以外 yǐwài; 之外 zhīwài ¶이곳은 관계자 ~의 사람은 들어올 수 없습니다 这个地方有关人员以外不得入内 / 그는 공부 ~의 일에는 도통 흥미가 없다 他对学习以外的事完全不感兴趣

이:용(利用) 〔명〕〔하타〕 1 利用 lìyòng; 使用 shǐyòng; 用 yòng ¶~도 利用度 / ~률 利用率 / 폐품을 ~하다 利用废品 / 대중교통을 ~하다 利用大众交通工具 / 폐식용유를 ~해서 재생 비누를 만들다 利用废食用油做再生皂 2 利用 lìyòng ¶그는 나쁜 사람들에게 ~당했다 他被一些坏人利用了

이:용-자(利用者) 〔명〕 用户 yònghù ¶인터넷 ~ 网络用户 / 휴대폰 ~ 手机用户

이울다 〔자〕 1 枯萎 kūwěi; 凋谢 diāoxiè; 凋落 líng ¶꽃이 이울었다 花凋谢了 2 日趋衰弱 rìqū shuāiruò ¶국운이 ~ 国运日趋衰弱 3 亏 kuī ¶달도 차면 이운다 月满则亏

이웃 〔명〕〔하자〕 1 邻居 línjū; 近邻 línlín; 隔壁 gébì; 街坊 jiēfang ¶~과 거의 왕래가 없다 跟邻居几乎没有来往 2 邻 lín; 邻近 línjìn; 附近 fùjìn; 毗连 pílián; 毗邻 pílín ¶~ 나라 邻邦 / 바로 ~에 대형 마트가 들어섰다 就在附近盖了个大型超市

이웃-사촌(一四寸) 〔명〕 近邻 jìnlín ¶먼 친척보다 ~이 낫다 远亲不如近邻

이웃-집 〔명〕 邻居 línjū; 邻家 línjiā; 隔壁 gébì ¶~에 놀러가다 到隔壁串门儿

이:원(二元) 〔명〕 1 二元 èryuán ¶~ 방송 二元播放 / ~ 화합물 二元化合物 2 〔數〕 二元 èryuán ¶~ 일차 방정식 二元一次方程

이:월(二月) 〔명〕 二月 èryuè

이월(移越) 〔명〕〔하타〕 结转 jiézhuǎn ¶~금 结转金额 / 잔고를 다음 기로 ~하다 将余额结转下期

이:유(理由) 〔명〕 1 理由 lǐyóu; 缘故 yuángù; 原因 yuányīn; 原由 yuányóu ¶정당한 ~ 正当的理由 / 그들은 이러한 ~로 헤어졌다 他们因为这样的理由分手了 / 아무런 ~ 없이 无缘无故 2 借口 jièkǒu; 托词 tuōcí ¶~가 그리도 많으냐? 怎么那么多借口?

이:유(離乳) 〔명〕〔하자타〕 断奶 duànnǎi; 断乳 duànrǔ

이유(EU)[the European Union] 〔명〕【政】= 유럽 연합

이:유-기(離乳期) 〔명〕【醫】断奶期 duànnǎiqī; 断乳期 duànrǔqī

이:유-식(離乳食) 〔명〕 断奶食 duànnǎishí; 断奶食品 duànnǎi shípǐn ¶아기에게 ~을 먹이다 给婴儿喂断奶食

이:윤(利潤) 圀 利润 lìrùn; 盈利 yínglì; 赚头 zhuàntou ¶~을 남기다 剩下利润 /~이 남다 有盈利

이:율(利率) 圀 利率 lìlǜ; 息率 xīlǜ = 이자율을 ¶연 5리의 ~ 一年利五厘的息率 /~을 올리다 提高利率 /~을 내리다 降低利率 /이 저금은 ~이 높다 这种储蓄利率高

이:율-배반(二律背反) 圀 【論】二律背反 èrlǜ bèifǎn; 二律悖反 èrlǜ bèifǎn

이옥고 圄 不久 bùjiǔ; 不一会儿 bùyīhuìr; 过了一会儿 guòle yīhuìr; 过了片刻 guòle piànkè ¶해가 나자 ~ 안개가 걷혔다 太阳出来了, 不一会儿雾气就消失了

이음-매 圀 接头儿 jiētóur; 接缝 jiēfèng; 接口儿 jiēkǒur ¶~가 풀리다 接头儿松脱了

이음-새 圀 '이음매'의 错误

이음-표(一標) 圀 【語】连接号 liánjiēhào

이:의(異意) 圀 别的意见 biéde yìjiàn ¶~가 없다 没有别的意见

이:의(異義) 圀 异义 yìyì ¶동음~ 同音异义

이:의(異議) 圀혀자 异议 yìyì; 不同意见 bùtóng yìjiàn ¶~를 제기하다 提出异议

이:의 신청(異議申請) 【法】(依法) 异议申请 yìyì shēnqǐng; 申请复议 shēnqǐng fùyì

이:익(利益) 圀 1 利益 lìyì; 好处 hǎochu ¶~ 집단 利益集团 /~을 도모하다 谋求利益 / 막대한 ~을 얻다 获得极大利益 2 【經】利润 lìrùn; 赢利 yínglì; 盈利 yínglì; 赚头 zhuàntou; 收益 shōuyì ¶이번 거래는 ~이 적다 这回买卖赢利不多

이:익-금(利益金) 圀 盈利 yínglì; 赢利 yínglì

이:익 배당(利益配當) 【經】利益分配 lìyì fēnpèi; 分配红利 fēnpèi hónglì; 分红 fēnhóng

이:인(異人) 圀 1 异人 yìrén 2 别人 biérén 3 外人 wàirén

이:인-삼각(二人三脚) 圀 【體】两人三脚 liǎngrén sānjiǎo

이:인-칭(二人稱) 圀 【語】第二人称 dì'èrrénchēng

이입(移入) 圀혀타 移入 yírù; 加入 jiārù; 投入 tóurù ¶개인적인 감정이 ~되다 加入个人感情

이:자(子子) 圀 利息 lìxī; 利钱 lìqián = 이식(利息) ¶이 예금은 연 6리의 ~가 붙는다 这笔存款一年有六厘息

이-자(一者) 圀 此人 cǐrén; 这人 zhè-

rén; 这个人 zhège rén

이:자-세(利子稅) 圀 【法】利息所得税 lìxī suǒdéshuì; 利息税 lìxīshuì

이:자 소:득(利子所得) 圀 利息所得 lìxī suǒdé; 利息收入 lìxī shōurù

이:자-율(利子率) 圀 【經】= 이율

이:장(里長) 圀 里长 lǐzhǎng

이장(移葬) 圀혀타 移葬 yízàng; 迁葬 qiānzàng; 改葬 gǎizàng

이:재(理財) 圀혀자 理财 lǐcái ¶그녀는 ~에 밝다 她很会理财

이재(罹災) 圀혀자 罹灾 lízāi; 受灾 shòuzāi; 遭灾 zāozāi

이재-민(罹災民) 圀 灾民 zāimín; 受灾民 shòuzāimín ¶~ 수용소 灾民收容所 /~을 구제하다 救济灾民

이:적(利敵) 圀혀자 利敌 lìdí; 资敌 zīdí ¶~ 단체 利敌团体(= ~죄 利敌罪 /~ 행위 资敌行为

이적(移籍) 圀혀자 1 迁移户籍 qiānyí hùjí; 迁户口 qiānhùkǒu 2 (运动员) 转会 zhuǎnhuì; 转队 zhuǎnduì ¶~료 转会费 /그는 올 봄에 다른 팀으로 ~되었다 他今年春天转会到别的队

이:전(以前) 圀 1 以前 yǐqián; 从前 cóngqián; 以往 yǐwǎng; 既往 jìwǎng ¶그는 ~과 완전히 달라졌다 他跟以前完全不一样了 /그는 ~보다 훨씬 똥똥해졌다 他比从前胖多了 2 以前 yǐqián; 之前 zhīqián ¶산업 혁명 ~ 产业革命以前

이전(移轉) 圀혀타 1 迁移 qiānyí; 搬迁 bānqiān; 转移 zhuǎnyí ¶사무실을 ~하다 搬迁办公室 2 移交 yíjiāo; 转让 zhuǎnràng ¶소유권을 ~하다 移交所有权 /기술을 ~하다 转让技术

이:점(利點) 圀 益处 yìchu; 好处 hǎochu; 长处 chángchu ¶쓰기에 편리한 것이 이 기구의 ~이다 便于使用是这个工具的长处

이:정(里程) 圀 里程 lǐchéng; 路程 lùchéng

이:정-표(里程標) 圀 路标 lùbiāo; 里程碑 lǐchéngbēi ¶~를 보고 길을 찾다 看路标寻路 / 문학 발전사에 새로운 ~를 세우다 树立文学发展上新的里程碑

이제 圀圄 1 现在 xiànzài; 此刻 cǐkè; 此时 cǐshí; 这时 zhèshí ¶~부터는 거짓말을 하지 마라 从现在起就不要说谎了 /~라도 늦지 않았다 现在也不晚 2 马上 mǎshàng; 立刻 lìkè; 就 jiù; 即将 jíjiāng ¶~ 며칠 후면 졸업이다 再过几天就要毕业之 / 영화가 ~ 곧 시작하다 电影马上就要开演了

이제-껏 圄 = 여태껏 ¶이런 일은 ~ 들어본 적이 없다 这种事我从来没听说过

이제나-저제나 閈 左等右等 zuǒděng yòuděng ¶～ 기다렸지만 그는 끝내 오지 않았다 左等右等, 等了半天, 他还是没来

이제-야 閈 现在才 xiànzài cái; 这才 zhè cái; 才 cái ¶～ 그의 본색이 드러났다 现在才露出他的真面目 / 너는 어째서 ～ 오는 거냐? 你怎么才来呀?

이젤(easel) 圀 【美】画架 huàjià

이종(姨從) 圀 姨表 yíbiǎo; 姨表亲 yíbiǎoqīn ¶～이종사촌

이종-사:**촌**(姨從四寸) 圀 = 이종

이종-형(姨從兄) 圀 姨表兄 yíbiǎoxiōng

이종-형제(姨從兄弟) 圀 姨表兄弟 yíbiǎo xiōngdì

이주(移住) 圀한자 移居 yíjū; 迁居 qiānjū; 迁 qiān ¶해외 ～ 移居海外

이주-민(移住民) 圀 移民 yímín

이주-자(移住者) 圀 移居者 yíjūzhě; 迁居者 yíjūzhě

이죽-거리다 匹 '이기죽거리다'의 略词 ¶이죽대다 ¶이의가 있으면 이기죽거리지 말고 직접 얘기해라 有意见就直说, 不要挖苦人 **이죽-이죽** 閈한자

이:중(二重) 圀 二重 èrchóng; 双重 shuāngchóng; 重 chóng ¶～ 부담 双重负担 / ～결혼 重婚 / ～가격 双重价格 / ～간첩 双重间谍 / ～ 과세 双重课税＝[双重征税] / ～ 국적 双重国籍

이:중-고(二重苦) 圀 双重困难 shuāngchóng kùnnan; 双重苦 shuāngchóng kǔ; 双重苦难 shuāngchóng kǔnan; 双重痛苦 shuāngchóng tòngkǔ ¶그는 파산과 질병의 ～에 시달려 건강이 악화되었다 他破产了产又患了病, 受到双重苦难的折磨

이:중 모:음(二重母音) 圀【语】复元音 fùyuányīn; 复合元音 fùhé yuányīn; 复母音 fùmǔyīn

이:중-생활(二重生活) 圀 1 双重生活 shuāngchóng shēnghuó 2 (一家人) 两地生活 liǎngdì shēnghuó

이:중-성(二重性) 圀 两重性 liǎngchóngxìng; 双重性 shuāngchóngxìng; 二重性 èrchóngxìng

이:중-성격(二重性格) 圀 双重性格 shuāngchóng xìnggé; 双面性格 shuāngmiàn xìnggé; 矛盾性格 máodùn xìnggé

이:중-인격(二重人格) 圀 两重人格 liǎngchóng réngé

이:중인격-자(二重人格者) 圀 双重人格者 shuāngchóng réngézhě; 有双重人格的人 yǒu shuāngchóng réngéde rén

이:중-적(二重的) 관圀 双重(的) shuāngchóng(de); 两面(的) liǎngmiàn(de) ¶～인 태도 双重态度 / ～ 수법 两面手法

이:중-주(二重奏) 圀【音】二重奏 èrchóngzòu

이:중-창(二重唱) 圀【音】二重唱 èrchóngchàng

이:중-창(二重窓) 圀【建】双层窗 shuāngcéngchuāng

이:지(理智) 圀 理智 lǐzhì

이지러-뜨리다 匹 弄残缺 nòng cánquē; 打破口子 dǎpò kǒuzi; 败坏 bàihuài; 弄瘪 nòngbiě; 弄皱 nòngzhòu; 皱 zhòu = 이지러트리다 ¶밥공기를 ～ 把饭碗打破个口子

이지러-지다 匹 1 残缺 cánquē; 缺口(儿) quēkǒu(r); 残, 残 cán; 掉碴儿 diàochár ¶그릇이 ～ 器皿缺口儿 / 이지러진 달 残月 2 瘪 biě; 凹陷 āoxiàn ¶탁구공이 이지러졌다 乒乓球瘪了 3 (表情或行为) 歪 wāi; 歪斜 wāixié; 不正 bùzhèng ¶내 말을 듣고 그는 화가 나서 얼굴이 이지러졌다 听了我的话, 他气得脸都歪了

이:지-적(理智的) 관圀 理智 lǐzhì; 有理智 yǒulǐzhì ¶～인 외모 理智的外貌 / ～인 여성 理智型的女人

이:직(移職) 圀한자 转职 zhuǎnzhí; 换工作 huàngōngzuò; 跳槽 tiàocáo ¶～률 转职率 / 더 나은 조건을 찾아 ～하다 为寻求更好的待遇而跳槽

이:진(二陣) 圀【體】候补队员 hòubǔ duìyuán; 替补队员 tìbǔ duìyuán ¶～선수를 기용하다 起用替补队员

이:진-법(二進法) 圀【数】二进法 èrjìnfǎ; 二进位制 èrjìnwèizhì

이:질(異質) 圀 异质 yìzhì; 不同性质 bùtóng xìngzhì

이:질(痢疾) 圀【醫】痢疾 lìjí

이:질-적(異質的) 관圀 异质(的) yìzhì(de); 不同性质(的) bùtóng xìngzhì(de) ¶～인 문화 异质文化

이:질-화(異質化) 圀한자타 异化 yìhuà

이-쪽 떼 这边 zhèbiān; 这里 zhèlǐ ¶～으로 오세요 请到这边来 / ～은 남쪽이고 저쪽은 북쪽이다 这边是南边是北

이쪽-저쪽 圀 这边那边 zhèbiānnàbiān; 这儿那儿 zhèrnàr; 这…那… zhè…nà…; 到处 dàochù ¶～ 진달래꽃이 많이 피었다 这儿那儿地开满了杜鹃花

이-쯤 圀閈 这个程度 zhège chéngdù; 这份(儿)上 zhèfèn(r)shàng; 这儿 zhèr ¶～ 말했으니 그도 알아듣겠지 说到这份儿上, 他也该懂了吧 / 오늘 수업은 ～에서 마치자 今天的课就上到这儿吧

이:차(二次) 圀 1 二次 èrcì; 次要 cìyào = 부차 ¶~ 에너지 二次能源 2 【數】二次 èrcì ¶~ 방정식 二次方程 / ~ 함수 二次函数

이:차 무지개(二次一) 【地理】 副虹 fùhóng = 암무지개

이:차 산:업(二次産業) 【經】 第二产业 dì'èr chǎnyè

이:차 성징(二次性徵) 【生】 第二性征 dì'èr xìngzhēng; 副性征 fùxìngzhēng

이:-차원(二次元) 图 【數】二维 èrwéi

이:차-적(二次的) 图 次要(的) cìyào(de) ¶~ 과제 次要的课题 / ~인 문제 次要的问题

이:-착륙(離着陸) 图하자 (飞机、飞艇 등) 起降 qǐjiàng

이-참 = 이번

이:-채(異彩) 图 异彩 yìcǎi; 特色 tèsè ¶~를 띠다 大放异彩

이:-채-롭다(異彩一) 图 放异彩 fàngyìcǎi; 有特色 yǒutèsè **이:채로이** 閏

이체(移替) 图하자 **1** 互替 hùtì; 互换 hùhuàn **2** 转账 zhuǎnzhàng; 汇款 huìkuǎn ¶전화 요금을 자동 ~하다 自动转账电话费

이:층-집(二層一) 图 二层楼房 èrcéng lóufáng; 二层住宅 èrcéng zhùzhái

이:층 침:대(二層寢臺) 双层床 shuāngcéngchuáng

이:치(理致) 图 理 lǐ; 道理 dàolǐ; 情理 qínglǐ; 事理 shìlǐ ¶~에 맞다 合乎道理 / ~를 따지다 搞清事理 / 죄를 지으면 벌을 받는 것은 당연한 ~이다 犯罪受罚是理所当然的事

이퀄(equal) 图 【數】等号 děnghào

이큐(EQ)[Emotional Quotient] 图 【敎】情商 qíngshāng; 情绪智力 qíngxù zhìlì

이:타(利他) 图 利他 lìtā; 利人 lìrén; 舍己为人 shějǐwèirén ¶~주의 利他主义 / ~ 정신 舍己为人的精神

이:-탈(離脫) 图하자타 脱离 tuōlí; 离开 líkāi ¶~자 脱离者 / 부대를 무단 ~하다 擅自离开部队 / 인공위성이 궤도에서 ~하다 人造卫星脱离轨道

이탓-저탓 图하자 怨这怨那 yuànzhè yuànnà; 这个借口那个借口 zhè ge jièkǒu nàge jièkǒu ¶그는 번번이 약속을 어기면서 ~ 변명을 늘어놓는다 他频频失约, 还找这个借口那个借口

이탤릭(Italic) 图 【印】 = 이탤릭체

이탤릭-체(Italic體) 图 【印】 斜体 xiétǐ = 이탤릭 ¶~ 글자 斜体字

이-토록 閏 到这个程度 dào zhège chéngdù; 这么 zhème; 如此 rúcǐ ¶그녀가 나를 ~ 사랑하는지 몰랐나 没想到她这么爱我

이튿-날 图 第二天 dì'èrtiān; 次日 cìrì; 翌日 yìrì ¶~ 아침 第二天早上

이틀 图 **1** 两天 liǎngtiān ¶~을 꼬박 굶었다 一连饿了两天 / 그는 담배를 ~에 한 갑씩 피운다 他两天抽一包烟 **2** = 초이삼날

이-틈 图 齿缝 chǐfèng; 牙缝 yáfèng

이파리 图 叶 yè; 叶子 yèzi ¶나무 ~ 树叶 / ~가 무성하다 叶子茂盛

이판-사판(一板一板) 图 绝境 juéjìng; 困境 kùnjìng; 铤而走险 tǐng'érzǒuxiǎn; 进退维谷 jìntuìwéigǔ ¶빚을 갚기 위해 그는 ~으로 은행을 털었다 为了偿还债务, 他竟然铤而走险去抢劫银行

이:팔-청춘(二八靑春) 图 二八年华 èrbā niánhuá

이:-하(以下) 图 以下 yǐxià; 低 dī ¶18세 ~의 청소년 十八岁以下的青少年 / ~ 생략 以下省略 / 수준 ~의 작품 低水平作品

이:하-선(耳下腺) 图 【生】 = 귀밑샘 ¶~염 腮腺炎

이:학(理學) 图 **1** 理学 lǐxué = 박사 理学博士 / ~부 理科学部 / ~자 理学家 **2** 哲学 zhéxué **3** 【物】= 물리학 **4** 【哲】= 성리학

이:-합(離合) 图하자 离合 líhé ¶~집산 离合聚散

이-해 图 这一年 zhèyìnián ¶~도 다 저물었다 这一年快要过去了

이:-해(利害) 图 利害 lìhài ¶~관계 利害关系 / ~득실 利害得失 / ~를 따지지 않다 不计利害

이:-해(理解) 图하타 **1** 理解 lǐjiě; 理会 lǐhuì; 懂 dǒng; 明白 míngbai; 意会 yìhuì; 领会 lǐnghuì ¶~가 깊다 理解很深 / 나는 정말이지 그의 행동을 ~할 수가 없다 我真的不能理解他的行动 **2** 理解 lǐjiě ¶많은 사람들이 이 소설을 연애 소설이라고 ~하고 있다 很多人把这部小说理解成爱情小说 **3** 谅해 ¶상대방의 ~를 구하다 请求对方谅解

이:해-력(理解力) 图 理解力 lǐjiělì; 理解能力 lǐjiě nénglì ¶~이 부족하다 理解能力不强 / ~이 떨어지다 理解能力差

이:해-심(理解心) 图 同理心 tónglǐxīn ¶~이 많다 很有同理心

이:해-타산(利害打算) 图 打算盘 dǎsuànpan; 盘算利害 pánsuàn lìhài ¶그는 정말 ~에 밝다 他真会打算盘

이행(移行) 图하자 过渡 guòdù; 转换 zhuǎnhuàn; 推移 tuīyí ¶시장 경제 체제로의 ~ 단계 向市场经济体制过渡的阶段

이:행(履行) 图하타 履行 lǚxíng; 实践 shíjiàn ¶계약을 ~하다 履行合同 / 약속을 ~하다 履行诺言

이:-형(異形) 图 **1** 异形 yìxíng; 不同形状 bùtóng xíngzhuàng ¶~관 异形管 **2** 畸形 jīxíng

이:혼(離婚) 阅하자 离婚 líhūn ¶～사유 离婚理由 / ～ 소송 离婚诉讼 / ～ 합의서 离婚协议书 / ～ 전문 변호사 离婚律师 / ～ 수속을 하다 办理离婚手续 / 그들은 작년에 ～했다 他们去年离婚了

이:혼-남(離婚男) 阅 离婚男人 líhūn nánrén; 离婚男 líhūnnán

이:혼-녀(離婚-) 阅 离婚女人 líhūn nǔrén; 离婚女 líhūnnǔ

이혼-율(離婚率) 阅 离婚率 líhūnlǜ ¶요 몇 년 새에 ～이 10%에 이르렀다 这几年离婚率高达百分之十

이-화학(理化學) 阅 理化学 líhuàxué

이:후(已後) 阅 = 이후(以後)2

이:후(以後) 阅 **1** 今后 jīnhòu; 日后 rìhòu; 往后 wǎnghòu; 以后 yǐhòu ¶～로 다시는 그런 말을 하지 마라 今后别再说那种话了 /～부터는 건강에 유의하세요 往后请保重身体 **2** 以后 yǐhòu = 이후(已後) ¶～은 절대 밖에 나가지 마라 晚上十点以后千万不要出门 / 그때 ～로 나는 계속 몸이 좋지 않다 从那以后, 我身体一直不好

이년(翌年) 阅 **1** = 이듬해 **2** = 내년

익다[1] 困 阅 **1** 熟 shú; 成熟 chéngshú ¶잘 익은 수박 熟透的西瓜 / 고기가 푹 ～ 肉煮得烂熟 **2** 晒红 shàihóng ¶얼굴이 햇볕에 발갛게 ～ 脸像太阳晒红了 **3** 泡熟 pàoshú; 酿好 niànghǎo ¶김치가 알맞게 익었다 泡菜泡熟了 / 술이 다 익었다 酒都酿好了 **4** 正浓 zhèngnóng ¶가을이 익어가고 있는 들판 秋意正浓的田野

익다[2] 阅 熟悉 shúxī; 熟练 shúliàn; 熟 shú ¶낯이 ～ 面熟 / 일이 손에 익지 않다 对工作不熟悉 / 이름이 귀에 ～ 这个名字听着耳熟 **2** 惯 guàn; 习惯 xíguàn ¶어둠에 눈이 ～ 眼睛习惯了黑暗

익룡(翼龍) 阅 【動】翼龙 yìlóng

익명(匿名) 阅 匿名 nìmíng; 隐名 yǐnmíng; 不记名 bùjìmíng ¶～의 편지 匿名信 / ～으로 기부하다 匿名捐款

익모-초(益母-) 阅 【植】益母草 yìmǔcǎo; 茺蔚 chōngwèi

익-반죽 阅 하타 烫面 tàngmiàn

익사(溺死) 阅 하자 溺死 nìsǐ; 淹死 yānsǐ ¶～자 溺死者 = [溺死者] / ～된 溺死的尸体 = [溺尸] / 강에 빠져 ～하다 掉到河里淹死了 / ～ 사고가 발생하다 发生溺死事故

익살 阅 滑稽 huájī; 诙谐 huīxié; 逗乐 dòulè; 逗趣 dòuqù ¶광대가 ～을 부리다 小丑做出滑稽的动作

익살-꾼 阅 滑稽家 huájījiā; 活宝 huóbǎo; 小丑 xiǎochǒu

익살-맞다 阅 滑稽 huájī; 诙谐 huīxié; 俏皮 qiàopí; 好逗乐 hàodòulè; 好逗趣 hàodòuqù ¶익살맞은 소리 诙谐的话

익살-스럽다 阅 滑稽 huájī; 诙谐 huīxié; 俏皮 qiàopí; 好逗乐 hàodòulè; 好逗趣 hàodòuqù ¶익살스러운 동작으로 사람들을 웃기다 做出滑稽动作惹人发笑

익숙-하다 阅 **1** 熟练 shúliàn; 熟 shú ¶익숙한 솜씨 熟练的手艺 / 그는 기계에 매우 ～ 他对机器很熟 **2** 熟悉 shúxī; 熟 shú; 惯 guàn; 习惯 xíguàn ¶중국 사정에 ～ 对中国的情况很熟 / 길이 很熟悉하다 对这儿 很熟悉 /이곳 생활에 익숙해졌다 对这儿的生活习惯了

익애(溺愛) 阅 하타 溺爱 nì'ài ¶자식을 ～하다 溺爱子女

익일(翌日) 阅 翌日 yìrì; 第二天 dì'èrtiān; 次日 cìrì

익조(益鳥) 阅 益鸟 yìniǎo

익충(益蟲) 阅 益虫 yìchóng

익히 튄 熟悉 shúxī; 熟练 shúliàn ¶～ 아는 알고 지내는 사이다 我们之间很熟悉

익-히다[1] 타 阅 **1** 做熟 zuòshú; 烧熟 shāoshú; 煮熟 zhǔshú (《'익다[1]'의 사동词)¶고기를 ～ 把肉烧熟 **2** 泡熟 pàoshú; 腌透 yāntòu (《'익다[3]'의 사동词)¶김치를 ～ 把泡菜腌透

익-히다[2] 타 阅 **1** 练熟 liànshú; 练习 liànxí (《'익다[2]'의 사동词)¶기술을 ～ 练熟技术 / 피아노를 ～ 练习钢琴 **2** 熟悉 shúxī; 熟知 shúzhī; 熟 shú (《'익다[2]'의 사동词)¶지리를 ～ 熟知地理

인 阅 瘾 yǐn; 癖 pǐ ¶담배에 ～이 박였다 吸烟上瘾了

인(人) 阅 **1** 人 rén ¶～의 바다 人海 **2** 人 rén; 名 míng ¶십 ～분의 음식을 만들다 做十人份的饭菜

인(仁) 阅 【哲】仁 rén

인(印) 阅 **1** = 도장(圖章) **2** 印 yìn

인(燐) 阅 【化】磷 lín

-인(人) 困미 者 zhě; 人员 rényuán; 者 zhě ¶원시～ 原始人 / 자연～ 自然人 / 관리～ 管理人员 / 한국～ 韩国人

인가(人家) 阅 人家 rénjiā; 人烟 rényān; 住户 zhùhù; 人户 rénhù ¶～가 드문 산골 人烟稀少的山沟

인가(認可) 阅 하타 许可 xǔkě; 批准 pīzhǔn ¶～를 얻다 获得许可 / 정부의 ～ 政府的批准 **2** 【法】认可 rènkě

인간(人間) 阅 **1** 人 rén; 人类 rénlèi ¶～은 생각하는 갈대이다 人是会思维的芦苇 **2** 人间 rénjiān; 凡尘 fánchén; 尘世 chénshì; 人寰 rénhuán ¶～에 내려온 선녀 下凡尘的仙女 **3** 为人 wéirén; 人 rén ¶～이 어째 그 모양이냐

냐? 为人怎么可以这样? **4** 家伙 jiā-huo: 东西 dōngxi; 小子 xiǎozi ¶이 하고는 말도 하기 싫다 懒得跟这小子说话

인간 만사는 새옹지마라 속담 塞翁失马, 焉知非福

인간 같지 않다 ⇨ = 사람 같지 않다

인간-관계(人間關係) 명 人际关系 rénjì guānxi ¶그는 ~가 안 좋다 他的人际关系不好

인간-문화재(人間文化財) 명 非物质文化遗产传承人 fēiwùzhì wénhuà yíchǎn chuánchéngrén

인간-미(人間味) 명 人味 rénwèi; 人情味 rénqíngwèi ¶~가 철철 넘치다 人味很浓

인간-사(人間事) 명 人事 rénshì; 人间之事 rénjiānzhīshì; 人生万事 rénshēng wànshì

인간-상(人間像) 명 人间形象 rénjiān xíngxiàng ¶바람직한 ~ 所期待的人间形象

인간-성(人間性) 명 人性 rénxìng; 为人 wéirén ¶~을 회복하다 恢复人性 / ~이 좋다 为人好

인간 세:계(人間世界) 【佛】人世 rénshì; 人世间 rénshìjiān; 人间 rénjiān; 人类世界 rénlèi shìjiè

인간-쓰레기(人間—) 명 人渣 rénzhā; 人渣滓 rénzhāzǐ; 社会渣滓 shèhuì zhāzǐ

인간-애(人間愛) 명 人间爱 rénjiān'ài

인간-적(人間的) 관명 **1** 人的 rénde; 人类的 rénlèide ¶~ 욕망 人的欲望 **2** 有人情味 yǒurénqíngwèi; 像人的 xiàngrén(de) ¶그는 무척 ~이다 他很有人情味

인감(印鑑) 명 【法】印鉴 yìnjiàn ¶~도장 印鉴章

인감 증명(印鑑證明) 【法】**1** = 인감증명서 **2** 印鉴证明 yìnjiàn zhèngmíng

인감 증명서(印鑑證明書) 【法】印鉴证明书 yìnjiàn zhèngmíngshū = 인감증명1

인건-비(人件費) 명 【經】劳力费 láolìfèi; 人工费 réngōngfèi

인격(人格) 명 人格 réngé; 品格 pǐngé; 品质 pǐnzhì ¶~ 수양 人格修养 / 고상한 ~ 高尚的品格 / ~을 모독하다 侮辱人格 / 타인의 ~을 존중하다 尊重他人的人格

인격-적(人格的) 관명 人格(的) rén-géde ¶~으로 성숙한 사람 人格成熟的人

인견(人絹) 명 【手工】**1** = 인조견 **2** = 인조 견사

인견-사(人絹絲) 명 【手工】(人絹絲) = 인조견사

인계(引繼) 명 하자 移交 yíjiāo; 交代 jiāodài; 接替 jiētì ¶퇴직자의 일을 ~받다 接替退休人员的工作 / 후임자에게 일을 ~하다 把工作移交给后任者

인고(忍苦) 명 하자 忍受痛苦 rěnshòu tòngkǔ; 受苦 shòukǔ ¶~의 세월 忍受痛苦的岁月

인공(人工) 명 人工 réngōng; 人造 rénzào ¶~두뇌 人工头脑 / ~설 人造雪 =[人工雪] / ~수분 人工受粉 / ~수정 人工授精 =[人工受精] / ~지능 人工智能 / ~호 人工湖 / ~ 호수 人工湖 / ~폭포 人工瀑布 / ~각막 人工角膜 / ~강설 人工降雪 / ~강우 人工降雨 / ~관절 人工关节 =[人造关节] / ~교배 人工交配 / ~부화 人工孵化 / ~분만 人工分娩 / ~색소 人工合成色素 / ~신장 人工肾脏 =[人造肾脏] / ~심장 人工心脏 =[人造心脏]

인공 감미료(人工甘味料) 【工】人工甜味剂 réngōng tiánwèijì; 人造甜味添加剂 rénzào tiánwèi tiānjiājì; 人造甜味料 rénzào tiánwèiliào

인공-사지(人工四肢) 명 假肢 jiǎzhī; 义肢 yìzhī = 의지(義肢)

인공-위성(人工衛星) 명 【天】人造卫星 rénzào wèixīng; 卫星 wèixīng = 위성2

인공 유산(人工流産) 【醫】= 임신 중절 수술

인공-적(人工的) 관명 人工(的) réngōng(de); 人造(的) rénzào(de); 人为(的) rénwéi(de) ¶~으로 조성된 숲 人造树林

인공 진주(人工眞珠) 【工】人造珍珠 rénzào zhēnzhū; 养殖珍珠 yǎngzhí zhēnzhū = 양식 진주·인조 진주

인공 투석(人工透析) 【醫】血液透析 xuèyè tòuxī; 人工透析 réngōng tòuxī

인공-호흡(人工呼吸) 명 【醫】人工呼吸 réngōng hūxī

인공호흡-기(人工呼吸器) 명 【醫】人工呼吸器 réngōng hūxīqì; 氧气呼吸器 yǎngqì hūxīqì = 산소 호흡기

인과(因果) 명 因果 yīnguǒ ¶~ 관계 因果关系

인과-응보(因果應報) 명 【佛】因果报应 yīnguǒ bàoyìng; 果报 guòbào

인광(燐光) 명 **1** 【化】磷光 línguāng **2** 【物】余光 yúguāng

인구(人口) 명 **1** 人口 rénkǒu ¶농업 ~ 农业人口 / ~가 증가율 人口增加率 / ~분포 人口分布 / ~유동 流动人口 / ~노령화 人口老龄化 / ~ 문제 人口问题 / ~가 증가하다 人口增加 / 서울의 ~는 천만이 넘는다 首尔的人口越过

一千万 **2** 人的嘴 rénde zuǐ; 人口 rénkǒu ~에 회자되다 脍炙人口

인구 밀도(人口密度) 【社】人口密度 rénkǒu mìdù ¶~가 높다 人口密度很高 / ~가 고르지 않다 人口密度不匀

인구-분포도(人口分布圖) 图【社】人口地图 rénkǒu dìtú; 人口分布图 rénkǒu fēnbùtú

인구-수(人口數) 图 人口数 rénkǒushù

인구 조사(人口調査) 【社】人口普查 rénkǒu pǔchá; 人口调查 rénkǒu diàochá

인권(人權) 图 【法】人权 rénquán ¶~을 탄압하다 压制人权 / ~을 보호하다 维护人权

인권 유린(人權蹂躪) 【法】侵犯人权 qīnfàn rénquán; 侵害人权 qīnhài rénquán; 蹂躏人权 róulìn rénquán; 践踏人权 jiàntà rénquán = 인권 침해

인권 침해(人權侵害) 【法】= 인권 유린

인근(隣近) 图 邻近 línjìn; 附近 fùjìn ¶~ 도로 邻近公路 / ~ 마을 邻近的村庄 / ~에 소문이 자자하다 附近对传闻议论纷纷

인기(人氣) 图 人气 rénqì; 受欢迎 shòuhuānyíng; 红 hóng; 热门 rèmén; 吃香 chīxiāng; 吃得开 chīdekāi ¶~상 最具人气奖 / ~인 红人 / ~ 스타 红星 / ~ 순위 人气排行榜 / ~ 곡 热门歌曲 / ~ 상품 热门货 = [热货] / ~를 끌다 走红 / ~ 절정이다 红得发紫 / 이 장난감은 아이들의 ~에 가 있다 这个玩具很受孩子们的欢迎 **2** 气概 qìgài; 意气 yìqì

인-기척(人一) 图해자 人声 rénshēng; 动静 dòngjìng; 声息 shēngxī ¶~에 갑짝 놀라다 被人的动静吓了一跳 / 집안에서 ~이 나다 屋子里有动静

인기-투표(人氣投票) 图 人气投票 rénqì tóupiào; 排行榜投票 páihángbǎng tóupiào

인내(忍耐) 图하타 忍耐 rěnnài; 忍受 rěnshòu ¶고통을 ~하다 忍受痛苦

인내-력(忍耐力) 图 耐力 nàilì; 忍耐力 rěnnàilì ¶강인한 ~ 顽强的耐力 / ~이 부족하다 耐力不够

인내-심(忍耐心) 图 耐心 nàixīn; 忍耐心 rěnnàixīn ¶~을 키우다 培养耐心 / 그녀는 ~이 강하다 她很有耐心

인대(靭帶) 图 【生】韧带 rèndài ¶~가 늘어나다 韧带伸长了

인덕(人德) 图 = 인복

인도(人道·步道) 图 步道 bùdào; ¶버스가 ~로 뛰어들다 公交车冲到人行道上

인도(引渡) 图하타 引渡 yǐndù; 移交 yíjiāo; 转让 zhuǎnràng ¶범인 ~를 요청하다 要求引渡犯 / 물품을 매수인에게 ~하다 把物品移交给买主

인도(引導) 图하타 引 yǐn; 带 dài; 引导 yǐndǎo; 引领 yǐnlǐng; 带领 dàilǐng ¶길을 ~하다 引路 / 자녀를 바른길로 ~하다 把子女引向正轨

인도-교(人道橋) 图 人行桥 rénxíngqiáo

인도-양(印度洋) 图 【地】印度洋 Yìndùyáng

인도-적(人道的) 관图 人道(的) réndào(de); 人道主义(的) réndàozhǔyì(de) ¶이렇게 하는 것은 ~이지 못하다 这样做很不人道 / ~ 차원에서 해결책을 모색하다 从人道主义的角度寻求解决方法

인도-주의(人道主義) 图 人道主义 réndào zhǔyì = 휴머니즘1

인동(忍冬) 图 【植】忍冬 rěndōng; 金银花 jīnyínhuā = 인동초

인동-초(忍冬草) 图【植】= 인동

인두 1 熨斗 yùndǒu ¶~로 옷을 다리다 用熨斗熨衣服 **2** = 납땜인두

인두(人頭) 图 **1** 人头 réntóu **2** 人数 rénshù

인-두겁(人一) 图 人皮 rénpí; 人形 rénxíng; 人样 rényàng; 人样 rényàng

인두겁(을) 쓰다[뒤집어쓰다] 团 披着人皮 ¶인두겁을 쓴 짐승 披着人皮的野兽

인두-세(人頭稅) 图 【法】人头税 réntóushuì; 人口税 rénkǒushuì

인디(indie) 图 【演】独立 dúlì; 独立制作 dúlì zhìzuò ¶~ 밴드 独立乐队

인디고(indigo) 图 【化】靛蓝 diànlán; 靛青 diànqīng; 靛蓝染料 diànlán rǎnliào

인디언(Indian) 图 印第安人 Yìndì'ānrén; 印第安 Yìndì'ān

인라인-스케이트(in-line skate) 图 【體】直排滑轮 zhípái huálún

인력(人力) 图 **1** 人力 rénlì ¶죽고 사는 일은 ~으로는 안 되는 일이다 生死之事非人力所及 **2** 人力资源 rénlì zīyuán; 人力 rénlì; 劳动力 láodònglì; 劳务 láowù; 人工 réngōng ¶~시장 劳务市场 / ~을 양성하다 培训人力资源 / ~을 수출하다 出口劳动力

인력(引力) 图【物】引力 yǐnlì

인력-거(人力車) 图 人力车 rénlìchē; 黄包车 huángbāochē; 洋车 yángchē ¶~를 끌다 拉人力车

인력거-꾼(人力車一) 图 人力车夫 rénlìchēfū; 拉人力车的 lārénlìchēde; 黄包车夫 huángbāochēfū

인력-난(人力難) 图 招工难 zhāogōngnán; 用工荒 yònggōnghuāng; 人工荒 réngōnghuāng; 人力难求 rénlì nánqiú ¶~을 겪다 遭遇用工荒 / ~을 해소하다 解决招工难

인류(人類) 閔 인류 rénlèi ¶애 인류애 =[人间爱]/~학 인류학/~ 문명 人类文明

인륜(人倫) 閔 인륜 rénlún ¶~에 어긋나는 행위 悖逆人伦的行为

인륜-대사(人倫大事) 閔 인륜대사 rénlún dàshì; 人生大事 rénshēng dàshì; 终身大事 zhōngshēn dàshì

인망(人望) 閔 인망 rénwàng; 声望 shēngwàng ¶~이 높다 声望很高

인맥(人脈) 閔 인맥 rénmài; 人际网络 rénjì wǎngluò; 人脉关系 rénmài guānxi ¶~을 형성하다 建立人脉

인면(人面) 閔 인면 rénmiàn; 人脸 rénliǎn ¶~수심 人面兽心

인멸(湮滅・堙滅) 閔한자타 湮没 yānmò; 湮灭 yānmiè; 湮灭 yānchén ¶증거를 ~하다 湮没证据

인명(人名) 閔 인명 rénmíng ¶~록 人名录/~ 사전 人名词典

인명(人命) 閔 인명 rénmíng ¶~재천 人命在天/~ 경시 풍조 轻视人命的风潮/~을 구조하다 救人命

인명-부(人名簿) 閔 名簿 míngbù; 花名册 huāmíngcè

인모(人毛) 閔 人发 rénfà

인문(人文) 閔 인문 rénwén ¶~ 과학 人文科学/~학 人文学

인문-계(人文系) 閔 人文系统 rénwén xìtǒng; 文科系统 wénkē xìtǒng

인문-주의(人文主義) 閔【社】人文主义 rénwén zhǔyì; 人本主义 rénběn zhǔyì = 인본주의・휴머니즘2

인물(人物) 閔 1 人物 rénwù; 人 rén ¶~ 묘사 人物描写/영웅적인 ~ 英雄人物 2 人才 réncái; 伟人 wěirén ¶~이 없다 没有人才/~을 배출하다 人才辈出 3 长相 zhǎngxiàng; 容貌 róngmào ¶~이 반반하다 长相标致/~이 훤하다 容貌英俊

인물-값(人物—) 閔 指与长相符合的行为 ¶~도 못하다 徒有外表, 没有实才

인물-상(人物像) 閔 人像 rénxiàng

인물-평(人物評) 閔 人物评价 rénwù píngjià; 人物点评 rénwù diǎnpíng

인물-화(人物畵) 閔【美】人物画 rénwùhuà

인민(人民) 閔 人民 rénmín; 老百姓 lǎobǎixìng; 国民 guómín ¶~ 공화국 人民共和国/~군 人民军/~ 위원회 人民委员会/~재판 人民审判

인민-복(人民服) 閔 中山装 zhōngshānzhuāng

인복(人福) 閔 得助之福 dézhùzhīfú; 人缘(儿) rényuán(r) = 인덕 ¶너는 정말 ~이 있구나 你真有人缘儿啊

인본(印本) 閔【印】印本 yìnběn; 版本 bǎnběn

인본-주의(人本主義) 閔【社】= 인문주의

인부(人夫) 閔 人夫 rénfū; 苦力 kǔlì; 小工 xiǎogōng; 壮工 zhuànggōng ¶공사장 ~ 工地苦力/~를 쓰다 雇小工

인분(人糞) 閔 人粪 rénfèn ¶~을 거름으로 쓰다 把人粪用做肥料

인사(人士) 閔 人士 rénshì ¶각계의 ~ 各界人士/유명 ~ 著名人士

인사[1](人事) 閔한자 1 招呼 zhāohu; 请安 qǐng'ān; 寒暄 hánxuān; 行礼 xínglǐ; 问安 wèn'ān; 问候 wènhòu ¶선생님께 ~를 여쭙다 向老师问安/모자를 벗고 ~하다 脱帽行礼/그와 ~만 하고 떠났다 和他打了招呼就走了 2 互相认识 hùxiāng rènshi ¶두 분은 서로 초면이니 서로 ~ 나누세요 你们两位初次见面, 互相认识一下吧 3 礼节 lǐjié; 礼貌 lǐmào

인사[2](人事) 閔 1 人事 rénshì ¶~를 다하고 천명을 기다리다 尽人事听天命 2 (工作上的) 人事 rénshì ¶~과 人事科/~권 人事权/~이동 人事调动/~ 개편 人事改编/~ 관리 人事管理/~ 행정 人事行政/~ 파일 人事档案 3 (人间里的) 人事 rénshì

인사-말(人事—) 閔 应酬话 yìngchouhuà; 客套话 kètàohuà; 寒暄 hánxuān ¶몇 마디 ~을 주고받다 彼此寒暄几句

인사불성(人事不省) 閔 1 不省人事 bùxǐng rénshì; 神志不清 shénzhì bùqīng ¶~이 되도록 술을 마시다 喝酒喝到不省人事 2 不懂礼节 bùdǒng lǐjié

인사-성(人事性) 閔 礼貌 lǐmào ¶~이 없다 没有礼貌/~이 밝다 懂礼貌

인사이드(inside) 閔【體】(球) 界内 jiènèi; 线内 xiànnèi; 内侧 nèicè ¶~킥 脚内侧踢球 =[脚内踢球]

인사-치레(人事—) 閔한자 客套 kètào; 常套 chángtào; 虚套 xūtào ¶~로 하는 말 客套话

인산(燐酸) 閔【化】磷酸 línsuān ¶~나트륨 磷酸钠

인산-인해(人山人海) 閔 人山人海 rénshān rénhǎi ¶여름철만 되면 전국의 해수욕장들은 ~가 된다 一到夏天, 全国的海滨浴场人山人海

인삼(人蔘) 閔【植】人参 rénshēn; 参 shēn = 삼(蔘)2 ¶~주 人参酒/~차 人参茶 =[参茶]/~을 달여 먹다 熬参膏

인삿-말 閔 '인사말'의 잘못

인상(人相) 閔 相貌 xiàngmào; 面相 miànxiàng; 面容 miànróng ¶~을 펴다 面容舒展/~을 험악하게 하다 面相凶恶

인상(을) 쓰다 句 一脸凶狠; 一脸

相; 皱眉头

인상(引上) 图[하타] 1 引上 yǐnshàng; 拉上 lāshàng 2 (物价、利息等) 提高 tígāo; 抬高 táigāo; 上涨 shàngzhǎng; 涨价 zhǎngjià; 上调 shàngtiáo ¶金利 ~ 利息上涨 / 임금 ~ 工资上涨幅度 / 물가가 대폭 ~ 物价大幅度上涨了 3 [體] (举重的) 抓举 zhuājǔ

인상(印象) 图 印象 yìnxiàng ¶깊은 ~ 을 남기다 留下深刻的印象 / 다른 사람에게 좋은 ~을 주다 给别人好印象

인상-적(印象的) 冠图 印象深刻 yìnxiàng shēnkè; 印象很深 yìnxiàng hěnshēn; 好印象 hǎoyìnxiàng ¶~인 영화 印象深刻的电影 / 그곳의 정치는 내게 매우 ~이었다 那个地方的景色给我的印象很深

인상-착의(人相着衣) 图 衣着相貌 yīzhuó xiàngmào; 衣着长相 yīzhuó zhǎngxiàng ¶범인의 ~ 犯人的衣着相貌

인상-파(印象派) 图 [美] 印象派 yìnxiàngpài

인색(吝嗇) 图[하형][하부] 吝嗇 lìnsè; 小气 xiǎoqi; 嗇刻 sèkè; 抠门儿 kōuménr ¶~한 사람 吝嗇鬼 / 돈에 ~하다 对钱很抠门儿 / 칭찬에 조금도 ~하지 않다 夸人一点都不吝啬

인생(人生) 图 1 人生 rénshēng ¶~관 人生观 / ~무상 人生无常 / ~철학 人生哲学 / ~의 전환점 人生的转折点 / 내 ~에서 가장 행복했던 순간 我人生中最幸福的时刻 / ~은 짧고 예술은 길다 人生短暂, 艺术无涯 2 人 rén ¶그것도 모르다니 정말 불쌍한 ~이로군 连这个也不懂, 真是可怜的人

인생-길(人生—) 图 人生路 rénshēnglù; 人生旅程 rénshēng lǚchéng ¶힘겨운 ~ 艰难的人生旅程

인생-살이(人生—) 图 人间生活 rénjiān shēnghuó; 人的生活 rénde shēnghuó

인선(人选) 图[하타] 选拔 xuǎnbá ¶총리 ~ 选拔总理 / 파격적인 ~ 破例选拔

인성(人性) 图 人性 rénxìng ¶~ 교육 人性教育

인세(印税) 图 版税 bǎnshuì ¶~를 받다 收取版税 / ~를 지급하다 支付版税

인솔(引率) 图[하타] 带领 dàilǐng; 领导 lǐng; 带 dài; 率领 shuàilǐng; 引 yǐn ¶~ 책임자 领队负责人 / 학생들을 ~하여 여행을 가다 带领学生们去旅行

인쇄(印刷) 图[하타] [印] 印刷 yìnshuā; 印 yìn ¶신문을 ~하다 印刷报纸

인쇄-공(印刷工) 图 印刷工人 yìnshuā gōngrén; 印工 yìngōng; 印刷工

인쇄-기(印刷機) 图 印刷机 yìnshuājī = 프린터2

인쇄-물(印刷物) 图 印刷品 yìnshuāpǐn; 印刷物 yìnshuāwù; 印件 yìnjiàn

인쇄-소(印刷所) 图 印刷厂 yìnshuāchǎng

인쇄-술(印刷術) 图 印刷术 yìnshuāshù

인쇄-용지(印刷用紙) 图 [印] 印刷纸 yìnshuāzhǐ = 인쇄지

인쇄 잉크(印刷ink) 图 [印] 油墨 yóumò; 印刷墨 yìnshuāmò

인쇄-지(印刷紙) 图 [印] = 인쇄용지

인쇄-체(印刷體) 图 [印] 印刷体 yìnshuātǐ

인수(引受) 图[하타] 1 接管 jiēguǎn; 接受 jiēshòu; 收取 shōuqǔ; 领收 lǐngshōu ¶공장을 ~하다 接管工厂 / 경영권을 ~하다 接管经营权 / 세관에서 화물을 ~하다 从海关接取货物 2 [經] 承兑 chéngduì ¶~은행 承兑银行

인수(因數) 图 [數] 因式 yīnshì; 因子 yīnzǐ = 인자(因子)3 ¶~ 분해 因式分解

인수-인(引受人) 图 [經] 承兑人 chéngduìrén = 인수자2

인수-인계(引受引繼) 图 交接 jiāojiē; 接手 jiēshǒu; 接 jiē ¶업무 ~ 业务交接

인수-자(引受者) 图 1 接收人 jiēshōurén; 接管者 jiēguǎnzhě 2 [經] = 인수인

인수-증(引受證) 图 收据 shōujù; 收单 shōudān; 收条儿 shōutiáor

인술(仁術) 图 1 医术 yīshù ¶~을 베풀다 施与医术 2 仁术 rénshù

인슐린(insulin) 图 [化] 胰岛素 yídǎosù; 因苏林 yīnsūlín ¶~ 주사를 맞다 打胰岛素针

인스턴트(instant) 图 速食 sùshí; 速溶 sùróng; 速成 sùchéng; 即食 jíshí ¶~ 사랑 速食爱情 / ~ 문화 速食文化

인스턴트-식품(instant食品) 图 方便食品 fāngbiàn shípǐn; 快速食品 kuàisù shípǐn; 速食 sùshí; 即食 jíshí; 速熟食品 sùshú shípǐn = 즉석식품

인스턴트-커피(instant coffee) 图 速溶咖啡 sùróng kāfēi; 即冲咖啡 jíchōng kāfēi

인습(因習) 图 旧习 jiùxí; 陋习 lòuxí ¶~을 타파하다 破除旧习 / ~에 얽매이다 拘于旧习

인식(認識) 图[하타] 1 认识 rènshi; 认知 rènzhī; 了解 liǎojiě; 懂得 dǒngde ¶에이즈에 대한 ~이 부족하다 对艾滋病的认识不足 2 [心] = 인지(認知)2

인식 능력(認識能力) **1**【心】 = 인지 능력 **2**【哲】认识能力 rènshi nénglì

인식-론(認識論) 图【哲】认识论 rènshilùn

인식-표(認識票) 图【軍】随身名牌 suíshēn míngpái；番号牌 fānhàopái

인신(人身) 图 人身 rénshēn；人口 rénkǒu

인신-공격(人身攻擊) 图하자 人身攻击 rénshēn gōngjī ¶〜을 하다 搞人身攻击 / 〜성 댓글을 달다 写带有人身攻击性质的贴子

인신-매매(人身賣買) 图하자 买卖人口 mǎimài rénkǒu；贩卖人口 fànmài rénkǒu ¶〜범 人口贩子 =[人贩子]

인심(人心) 图 **1** 人心 rénxīn；人情 rénqíng；心地 xīndì ¶〜이 후하다 人情厚道 人心 mínxīn；民意 mínyì；人心 rénxīn ¶〜이 흉흉하다 民心惶惶 / 〜을 살피다 体察民意

인심(을) **쓰다** 团 **1** 助人为乐 **2** 好行小惠

인심(을) **잃다** 团 不得人心；失去人心

인심(이) **사납다** 团 人心险恶

인애(仁愛) 图하자 仁爱 rén'ài

인양(引揚) 图하자 打捞 dǎlāo；起吊 qǐdiào ¶침몰선을 〜하다 打捞沉船 / 바닷속 유물을 〜하다 打捞海里遗物

인어(人魚) 图 美人鱼 měirényú；人鱼 rényú

인연(因緣) 图하자 **1** 缘分 yuánfèn；因缘 yīnyuán；缘 yuán = 연고(緣故)**3** ¶부부의 〜 夫妻缘分 / 〜이 있으면 다시 만나겠지 有缘的话会再见的 **2** 关系 guānxi ¶부자의 〜을 끊다 断绝父子关系 **3**【佛】因缘 yīnyuán

인욕(忍辱) 图 忍辱 rěnrǔ ¶〜의 세월을 보내며 过着忍辱负重的生活

인용(引用) 图하자 引用 yǐnyòng；引引 yǐn；援引 yuányǐn ¶〜구 引用句 / 〜문 引用文 =[引文] / 〜법 引用法 / 성경의 한 구절을 〜하다 引用圣经里的一句话

인원(人員) 图 人员 rényuán；人手 rénshǒu；成员 chéngyuán ¶〜을 감축하다 裁减人员 / 〜이 부족하다 人手不足

인원-수(人員數) 图 人数 rénshù ¶〜를 세다 数人数

인위(人爲) 图 人为 rénwéi；人工 réngōng ¶〜로 된 경치 人工景色

인위-적(人爲的) 図图 人为(的) rénwéi(de)；人工(的) réngōng(de) ¶〜인 재해 人为的灾害 / 〜으로 조절하다 人为地调整

인육(人肉) 图 **1** 人肉 rénròu **2** (卖淫妇女的) 肉体 ròutǐ

인의(人義) 图 人道 réndào；道德 dàodé ¶〜를 지키다 坚持人道

인의(仁義) 图 仁义 rényì

인의예지(仁義禮智) 图 仁义礼智 rényìlǐzhì

인자(仁者) 图 仁者 rénzhě；仁人 rén rén

인자(因子) 图 **1** 因素 yīnsù **2**【生】基因 jīyīn **3**【數】= 인수(因數)

인자요산(仁者樂山) 图 仁者乐山 rénzhě lèshān

인자-하다(仁慈一) 图 仁慈 réncí；慈祥 cíxiáng；慈爱 cí'ài ¶인자한 노인 慈祥的老人 / 성품이 〜 品性仁慈

인장(印章) 图 = 도장(圖章) ¶〜을 찍다 盖印章

인재(人材) 图 人才 réncái；人材 réncái ¶〜난 人才荒 / 〜 양성 人才培养 / 〜가 배출되다 人才辈出 / 〜를 발굴하다 发掘人才

인재(人災) 图 人祸 rénhuò ¶천재와 〜 天灾人祸

인적(人跡·人迹) 图 人迹 rénjì ¶〜이 드물다 人迹稀少 / 거리에 〜이 끊겼다 街上断了人迹

인적(人的) 四图 人(的) rén(de) ¶〜교류 人的交流 / 〜 담보 保人担保

인적 자원(人的資源) 图【經】人力资源 rénlì zīyuán ¶〜이 풍부한 나라 人力资源丰富的国家

인절미(切성小方块的) 米糕 mǐgāo；糯米糕 nuòmǐgāo

인접(隣接) 图하자 邻接 línjiē；相邻 xiānglín；邻近 línjìn；比邻 bǐlín；毗邻 pílín ¶〜 도시 相邻城市 / 〜 학문 邻近学科

인접-국(隣接國) 图 邻国 línguó

인정(人情) 图 **1** 人之常情 rénzhīchángqíng；人情 rénqíng ¶돈을 보면 욕심이 나는 것이 〜이다 见钱生欲乃是人之常情 **2** 人情 rénqíng；情面 qíngmiàn；同情 tóngqíng；同情心 tóngqíngxīn；人情味 rénqíngwèi ¶〜이 많은 사람 很有人情味的人 / 〜을 베풀다 寄予同情 / 〜에 호소하다 求人情 **3** 人心 rénxīn ¶〜이 점점 각박해지다 人心渐渐刻薄

인정(仁政) 图 仁政 rénzhèng ¶〜을 베풀다 施仁政

인정(認定) 图하자 认 rèn；认定 rèndìng；承认 chéngrèn；认同 rèntóng；认为 rènwéi ¶잘못을 〜하다 承认错误 / 죄를 〜하다 认罪

인정-머리(人情一) 图 人情 rénqíng；人情味 rénqíngwèi ¶〜가 없다 毫无人情

인정-미(人情味) 圐 人情味 rénqíng-wèi ¶～가 넘치다 富有人情味

인정-받다(認定一) 囮 得到承认 dédào chéngrèn; 被认定 bèirèndìng ¶업무 능력을 ～ 工作能力得到承认

인정-사정(人情事情) 圐 人情 rénqíng; 情面 qíngmiàn ¶～ 볼 것 없다 不用看人情

인정사정-없다(人情事情一) 圈 不留情面 bùliú qíngmiàn; 毫不留情 háobù-liúqíng; 不顾情面 bùgùqíngmiàn; 无情 wúqíng **인정사정없-이** 囤 ¶～ 법에 따라 처리하다 毫不留情地依法处置

인조(人造) 圐 人造 rénzào; 人工 réngōng ¶～ 잔디 人工草坪＝[人造草坪] / ～ 잔디 구장 人工草坪球场 / ～ 보석 人造宝石 / ～ 모피 人造毛皮 / ～ 대리석 人造大理石

인조 가죽(人造一) 【手工】 人造革 rénzàogé; 人造皮 rénzàopí; 人造皮革 rénzào pígé = 인조 피혁

인조-견(人造絹) 【手工】 人造绢 rénzàojuàn; 人造丝绸 rénzào sīchóu = 인견1

인조 견사(人造絹絲) 【手工】 人造丝 rénzàosī; 人丝 rénsī = 인견2·인견사

인조 다이아몬드(人造diamond) 【工】 人造钻石 rénzào zuànshí; 人工钻石 réngōng zuànshí; 人造金刚石 rénzào jīngāngshí

인조-석(人造石) 圐 1 人造石 rénzàoshí 2 人造宝石 rénzào bǎoshí; 仿造宝石 fǎngzào bǎoshí

인조-인간(人造人間) 圐 【機】 = 로봇1

인조 진주(人造眞珠) 【工】 = 인공 진주

인조 피혁(人造皮革) 【手工】 = 인조 가죽

인종(人種) 圐 人种 rénzhǒng; 种族 zhǒngzú ¶～ 차별 种族歧视

인종-주의(人種主義) 【社】 种族主义 zhǒngzú zhǔyì = 인종 차별주의

인종 차별주의(人種差別主義) 【社】 = 인종주의

인주(印朱) 圐 印泥 yìnní; 印色 yìnse ¶～를 찍다 打印泥

인준(認准) 圐囮턔 【法】 批准 pīzhǔn; 认可 rènkě ¶개정안을 ～하다 批准修正案 / ～을 거부하다 拒绝认可

인중(人中) 圐 人中 rénzhōng
인중이 길다 囝 人中长 《寿命长》

인증(認證) 圐턔 【法】 认证 rènzhèng; 证实 zhèngshí; 证明 zhèngmíng ¶～서 认证书＝[认定书] / 품질 ～ 质量认证 / 이 약의 효능은 이미 충분히 ～되었다 这种药的功效已被证

实了

인지(人指) 圐 = 집게손가락

인지(印紙) 圐 印花 yìnhuā; 印花税票 yìnhuāshuìpiào ¶～세 印花税 / ～를 붙이다 贴印花

인지(認知) 圐턔 1 认知 rènzhī; 认识 rèn识 ¶그를 자기 자식으로 ～하다 认他为自己子女 2 【法】 认可 rènkě 3 【心】 认知 rènzhī = 인식2

인지 능력(認知能力) 【心】 认知能力 rènzhī nénglì = 인식 능력

인지-도(認知度) 圐 认知度 rènzhīdù ¶～가 낮다 认知度很低 / ～를 높이다 提高认知度

인지상정(人之常情) 圐 人之常情 rénzhīchángqíng ¶불쌍한 사람을 동정하는 것은 ～ 아니겠느냐? 同情可怜的人, 难道不是人之常情吗?

인질(人質) 圐 1 人质 rénzhì ¶대사가 ～로 잡히다 大使被扣作人质 / 여자를 ～로 잡다 把她作为当人质 / ～을 석방하다 释放人质 2 = 볼모2

인질-극(人質劇) 圐 人质闹剧 rénzhì nàojù ¶한바탕 ～을 벌이다 制造一场人质闹剧

인척(姻戚) 圐 姻亲 yīnqīn ¶나는 그와 ～ 관계이다 我与他有姻亲关系

인체(人體) 圐 人体 réntǐ ¶～ 공학 人体工程学 = 人体工学】 / ～ 구조 人体结构 / ～ 모델 人体模特 / ～ 모형 人体模型 / ～ 생리학 人体生理学 / ～의 신비 人体的奥秘 / ～에 해로운 물질 对人体有害的物质 / ～를 해부하다 解剖人体 / ～를 탐구하다 探究人体

인출(引出) 圐턔 1 引出 yǐnchū 2 提取 tíqǔ; 提 tí; 取 qǔ; 取出 qǔchū ¶예금을 ～하다 提取存款 / 현금 인출기에서 돈을 ～하다 在提款机取钱

인치(inch) 의圐 英寸 yīngcùn ¶40～ 텔레비전 四十英寸的电视机

인칭(人稱) 圐 【語】 人称 rénchēng ¶～ 대명사 人称代词

인큐베이터(incubator) 圐 【醫】 保育器 bǎoyùqì; 早产婴儿保育箱 zǎochǎn yīng'ér bǎoyùxiāng = 보육기

인터넷(internet) 圐 【컴】 互联网 hùliánwǎng; 因特网 yīntèwǎng; 网络 wǎngluò; 网 wǎng ¶～ 방송 网络广播 / ～ 뱅킹 网上银行 / ～ 서점 网上书店 / ～ 쇼핑 网上购物 / ～ 전화 网络电话 / ～ 포털 서비스 网络搜索服务 / ～ 사용자 上网用户 / ～ 게임 网络游戏 / ～에 접속하다 上网 / ～에 유언비어를 퍼뜨리다 在网上散布谣言

인터뷰(interview) 圐턔 1 采访 cǎifǎng; 走访 zǒufǎng; 专访 zhuānfǎng; 面谈 miàntán; 面试 miànshì ¶수상자를 ～하다 采访获奖者 / 대통령과의 인

독 ~를 갖다 独家专访总统

인터셉트(intercept) 명하타 [體] 抢断球 qiǎngduànqiú; 断传球 duànchuánqiú; 断球 duànqiú = 가로截球

인터체인지(interchange) 명 [交] 互通式立体交叉 hùtōngshì lìtǐ jiāochā; 立体交通枢纽 lìtǐ jiāotōng shūniǔ; 交换道 jiāohuàndào = 나들목·아이시시(IC)

인터폰(interphone) 명 对讲电话 duìjiǎng diànhuà; 对讲门铃 duìjiǎng ménlíng; 内部电话 nèibù diànhuà

인턴(intern) 명 1 [醫] 实习医生 shíxí yīshēng; 见习医生 jiànxí yīshēng 2 实习 shíxí; 见习 jiànxí; 实习生 shíxíshēng; 见习生 jiànxíshēng ¶ ~사원 实习职员 = [실습생][직원 실습생] / ~을 모집하다 招聘实习生 / ~ 채용 공고 实习生招聘公告

인테리어(interior) 명 [建] 室内装饰 shìnèi zhuāngshì; 室内布景 shìnèi bùjǐng; 室内装修 shìnèi zhuāngxiū; 室装 zhuānghuáng ¶ ~ 디자이너 室内装饰设计师

인텔리겐치아(←intelligentsia) 명 [社] 知识阶层 zhīshí jiēcéng

인파(人波) 명 人潮 réncháo; 人流 rénliú; 人海人海 rénhǎi rénhǎi ¶ ~ 속으로 사라지다 消失在人海中/广场上聚集了数万人潮

인편(人便) 명 便人 biànrén; 顺路人 shùnlùrén; 托人 tuōrén ¶ ~에 보내다 托便人带去 / ~으로 선물을 보내다 托人送去礼物

인품(人品) 명 人品 rénpǐn; 品格 pǐngé ¶ ~고상한 ~ 高尚的人品 / ~이 훌륭하다 人品很好

인프라(←infrastructure) 명 [建] 基础设施 jīchǔ shèshī; 下部构造 xiàbù gòuzào

인플레(←inflation) 명 [經] = 인플레이션

인플레이션(inflation) 명 [經] 通货膨胀 tōnghuò péngzhàng; 通胀 tōngzhàng; 物价暴涨 wùjià bàozhǎng = 인플레

인플루엔자(influenza) 명 [醫] = 유행성 감기

인하(引下) 명하타 1 引下 yǐnxià 2 降低 jiàngdī; 降 jiàng; 下调 xiàtiáo ¶가격 ~ 降价 / 금리를 ~하다 降低利率

인─하다(因─) 자 因 yīn; 因为 yīnwèi; 由于 yóuyú ¶부주의로 인한 사고 因不小心而引起的事故

인해(人海) 명 人海 rénhǎi ¶~ 전술 人海战术

인형(人形) 명 1 娃娃 wáwa; 布娃娃 bùwáwa; 偶人 ǒurén; 木偶 mù'ǒu; 傀儡 kuǐlěi ¶우리 딸은 ~을 가지고 놀기를 좋아한다 我女儿喜欢玩布娃娃 2 人形 rénxíng

인형─극(人形劇) 명 [演] 偶戏 ǒuxì; 木偶戏 mù'ǒuxì; 傀儡戏 kuǐlěixì

인화(引火) 명하자 引火 yǐnhuǒ; 点火 diǎnhuǒ ¶ ~ 물질 引火物 / 휘발유는 쉽게 ~한다 汽油容易引火

인화(印畫) 명 [演] 冲洗 chōngxǐ; 洗 xǐ; 洗印 xǐyìn ¶사진을 ~하다 洗印照片

인화(燐火) 명 1 鬼火 guǐhuǒ 2 = 반딧불1

인화─물(引火物) 명 易燃物 yìránwù; 引火物 yǐnhuǒwù; 火烛 huǒzhú

인화─성(引火性) 명 易燃性 yìránxìng = 물질 易燃性物品

인화─점(引火點) 명 [化] 引火点 yǐnhuǒdiǎn; 着火点 zháohuǒdiǎn

인화─지(印畫紙) 명 [演] 印相纸 yìnxiàngzhǐ; 感光纸 gǎnguāngzhǐ

인후(咽喉) 명 [生] 咽喉 yānhóu; 喉咙 hóulóng; 喉 hóu ¶ ~염 咽喉炎 / ~통 咽喉痛

일① 명하자 1 活儿 huór; 工作 gōngzuò; 劳动 láodòng; 活计 huójì ¶무슨 ~을 하십니까? 你做什么工作? / ~이 매우 바쁘다 工作忙得很 / 그녀는 번역 ~을 한다 她搞翻译工作 2 事(儿) shì(r); 事情 shìqing ¶무슨 ~로 그를 찾는 것이냐? 你找他有什么事儿? 3 事故 shìgù; 事件 shìjiàn; 事 shì ¶ ~났다 出事了 / ~을 저지르다 惹事 4 经历 jīnglì ¶나는 해외여행을 한 ~이 있다 我有过海外旅行的经历 ~이 方便 fāngbiàn ¶화장실로 ~을 보러 가다 去厕所方便

일② 명 1 星期日 xīngqīrì; 礼拜天 lǐbàitiān; 周日 zhōurì ¶토, ~은 휴식 周六周日休息 2 一日 yīrì; 一天 yītiān ¶ ~ 삼 회 복용하다 一天服用三次 三①의평 日 rì; 天 tiān ¶삼 ~ 동안 계속 비가 내리다 连续三天一直下雨

일(一·壹) 수관 一 yī ¶ ~ 년 一年 / ~ 미터 一米

일 년 열두 달 관 一年到头; 终年; 全年

─일(日) 접미 日 rì; 节 jié ¶기념~ 纪念日 / 공휴~ 公休日

일가(一家) 명 1 = 한집안1 ¶행복한 ~ 幸福的一家 2 亲族 qīnzú; 亲属 qīnshǔ; 同族 tóngzú ¶가 마을을 이루다 由亲族形成村子 3 一家 yījiā; 一派 yīpài ¶소설가로서 ~를 이루다 作为小说家自成一家

일가─견(一家見) 명 一家之说 yījiāzhīshuō; 독창적인 견해 dúdàode jiànjiě; 主见 zhǔjiàn ¶그는 요리에 ~이 있다 他对烹调有独到的见解

일-가족(一家族) 圏 一家子 yījiāzi; 一家 yījiā; 全家 quánjiā ¶~이 한자리에 모이다 全家团圆 / ~ 네 명이 사망한 사고 一家四人死亡的事故

일가-친척(一家親戚) 圏 一家亲戚 yījiā qīnqi ¶~이 모두 모이다 一家亲戚都聚在一起

일각(一角) 圏 一角 yījiǎo; 一隅 yīyú; 一个角落 yīge jiǎoluò ¶이것은 빙산의 ~에 불과하다 这只不过是冰山一角

일각(一刻) 圏 1 一刻 shíwǔfēnzhōng 2 刻 kè; 一刻 yīkè; 分秒 fēnmiǎo ¶~을 다투다 分秒必争 / ~도 지체할 수 없다 刻不容缓

일각-여삼추(一刻如三秋) 圏 一刻如三秋 yīkè rú sānqiū

일간(日刊) 圏하타 日刊 rìkān; 日报 rìbào ¶~과 월간 日刊和月刊

일간(日間) 圏 一天 yītiān; 一日 yīrì ¶~ 작업량 一天工作量 三日 不日 bùrì ¶~ 다시 들르시기를 바랍니다 希望不日再来

일간 신문(日刊新聞) 【言】日报 rìbào = 일간지·일보(日報)2

일간-지(日刊紙) 【言】= 일간 신문 ¶~를 구독하다 订阅日报

일갈(一喝) 圏하자 一喝 yīhè; 一喊 yīhǎn

일:-감 圏 = 일거리 ¶~이 쌓이다 活儿成堆

일-개(一介) 圏 一介 yījiè; 一个 yīge ¶~ 가난한 서생 一介穷书生

일:-개미(一-) 【蟲】工蚁 gōngyǐ

일거(一舉) 圏 一举 yījǔ; 一下子 yīxiàzi ¶~에 적을 섬멸하다 一举歼灭敌人 / 문제를 ~에 해결하다 一下子解决问题

일:-거리 圏 活(儿) huó(r); 工作 gōngzuò = 일감 ¶~가 많다 活儿多 / ~를 찾다 找工作

일거수-일투족(一舉手一投足) 圏 一举手一投足 yījǔshǒu yītóuzú; 一举一动 yījǔyīdòng ¶~을 주시하다 注视一举一动

일거-양득(一舉兩得) 圏하자 一举两得 yījǔ liǎngdé ¶~의 효과를 가져오다 带来一举两得的效果

일거-일동(一舉一動) 圏 一举一动 yījǔ yīdòng ¶~을 감시하다 监视一举一动

일격(一擊) 圏 一击 yījī ¶상대에게 치명적인 ~을 가하다 给予对手致命一击

일고(一考) 圏하타 想一想 xiǎngyīxiǎng; 考虑一下 kǎolǜ yīxià ¶~의 가치도 없

다 连考虑一下的价值也没有

일고-여덟 箴관 七八 qībā ¶~ 살 먹은 아이 七八岁的孩子

일곱 箴관 七 qī ¶~ 개의 빵 七个面包 / 둘에 다섯을 더하면 ~이다 二加五等于七

일곱-째 箴관 第七 dìqī ¶~ 사람 第七个人

일과(日課) 圏 每日功课 měirì gōngkè; 一天的工作 yītiānde gōngzuò; 一天的功课 yītiānde gōngkè; 日课 rìkè ¶~를 마치다 结束一天的工作 / 텔레비전 보는 것을 하루의 ~로 삼다 把看电视当成每日功课

일과-성(一過性) 圏 1 一时性的 yīshíxingde; 一阵风 yīzhènfēng ¶환경보호 운동이 ~에 그쳐서는 안 된다 搞环保运动不能一阵风 2 【醫】一过性 yīguòxìng

일과-표(日課表) 圏 作息时间表 zuòxī shíjiānbiǎo; 日课表 rìkèbiǎo ¶~를 작성하다 制订作息时间表

일관(一貫) 圏하타 一贯 yīguàn; 贯穿 guànchuān ¶정부의 ~된 외교 방침 政府的一贯外交方针 / 태도가 언제나 ~되다 态度始终一贯

일관-성(一貫性) 圏 一贯性 yīguànxìng ¶~ 있는 정책 具有一贯性的政策 / ~이 없다 没有一贯性

일괄(一括) 圏하타 汇总 huìzǒng; 总括 zǒngkuò; 一揽子 yīlǎnzi; 一律 yīlǜ; 成批 chéngpī ¶~ 보고 汇总报告 / ~ 건의 一揽子建议 / ~ 사퇴 一律辞退 / ~ 처리 成批处理

일괄-적(一括的) 관圏 总括的 zǒngkuòde; 一揽子的 yīlǎnzide ¶~ 처리 방식 一揽子的处理办法

일광(日光) 圏 = 햇빛 ¶~ 소독 阳光消毒 / ~ 요법 日光疗法 三[阳光疗法]

일광-욕(日光浴) 圏 日光浴 rìguāngyù; 阳光浴 yángguāngyù; 晒太阳 shàitàiyáng ¶백사장에서 ~을 즐기다 在沙滩享阳光浴

일교-차(日較差) 圏【地理】日较差 rìjiāochā; 温差 wēnchā ¶~가 크다 日较差很大

일구다 타 1 开 kāi; 垦 kěn; 开垦 kāikěn ¶땅을 ~ 开地 / 황무지를 ~ 开垦荒地 2 (田鼠 등) 翻地 fāndì; 挖土 wātǔ

일구-이언(一口二言) 圏하자 出尔反尔 chū'ěrfǎn'ěr; 一口两舌 yīkǒuliǎngshé ¶그는 ~할 사람이 아니다 他不是一口两舌之人

일국(一國) 圏 1 一国 yīguó ¶~의 군주 一国之君 2 全国 quánguó ¶명성이 ~에 자자하다 名声享誉全国

일군(一軍) 圏 1 全军 quánjūn 2 【體】

(체육比賽中) 甲級队 jiǎjíduì; 一线队 yīxiànduì ¶ ~ 투수 甲級队投手

일그러-뜨리다 他 弄瘪 nòngbiě; 弄 皱 nòngzhòu; 皱 zhòu; 弄歪 nòngwāi = 일그러트리다 ¶그는 미간을 일그 러뜨리며 담배를 깊이 빨아들였다 他 皱着眉头猛吸了一口烟

일그러-지다 自 瘪 biě; 皱 zhòu; 皱 zhòu

일그러-트리다 他 = 일그러뜨리다

일금(一金) 名 现金 xiànjīn ¶ ~ 오백 만 원을 영수함 兹收到现金五百万元 整

일급(一級) 名 **1** 一级 yījí; 五星级 wǔxīngjí ¶ ~ 공무원 一级公务员 / 도로 一级公路 / ~비밀 一级秘密 / 호텔 五星级酒店 **2**[體] 一级 yījí ¶바 둑 ~ 围棋一级

일기(一期) 名 **1** 一期 yīqī; 第一期 dìyīqī **2** 一生 yīshēng; 享年 xiǎngnián ¶그는 40세를 ~로 세상을 떠났다 他 去世了, 享年四十岁

일기(日記) 名 **1** 日记 rìjì ¶ ~를 쓰다 写日记 / 다른 사람의 ~를 훔쳐보다 偷看别人的日记 **2** = 일기장

일기(日氣) 名 = 날씨

일기-도(日氣圖) 名 [地理] 天气图 tiānqìtú

일기 예보(日氣豫報) [地理] 天气预 报 yùbào

일기-장(日記帳) 名 日记本 rìjìběn = 다이어리 2 · 일기(日記) 2

일-깨우다 他 唤醒 huànxǐng; 启发 qǐfā; 开导 kāidǎo; 提醒 tíxǐng ¶청소 년들에게 민족의식을 ~ 对青少年进 行民族意识开导

일:-껏 名 好不容易 hǎobùróngyì; 好 容易 hǎoróngyì; 难得 nándé ¶그는 ~ 마련한 좋은 기회를 놓쳤다 他错过了 难得的好机会

일:-꾼 名 **1** 劳力 láolì; 人手 rénshǒu ¶공사를 위해 ~을 구하다 为了施工 招劳力 / ~이 부족하다 人手不够 **2** 一把手 yībǎshou; 一把好手 yībǎhǎoshǒu ¶그는 정말 ~이다 他可真是一 把好手

일남(一男) 名 一男 yīnán ¶슬하에 ~ 삼녀를 두다 膝下有一男三女

일:-내다 自 闯祸 chuǎnghuò; 闹事 nàoshì ¶그는 일낼 사람이 아니다 他 不是个闹事的人

일녀(一女) 名 一女 yīnǚ ¶슬하에 삼 남 ~를 두다 膝下有三男一女

일년-근(一年根) 名 [植] 一年根 yīniángēn; 一年生根 yīniánshēnggēn

일년-생(一年生) 名 [植] = 한해살 이

일년생 식물(一年生植物) [植] 一年 生植物 yīniánshēng zhíwù

일념(一念) 名 一心 yīxīn; 一念 yīniàn; 一心一意 yīxīnyīyì; 专心 zhuānxīn ¶ ~으로 기도하다 专心祈祷 / 그는 성 공하겠다는 ~으로 열심히 일했다 他一 心为了成功而努力工作

일:다¹ 自 **1** 发生 fāshēng; 起 qǐ ¶바 람이 ~ 起风 / 먼지가 ~ 起灰尘 / 파 도가 ~ 起波涛 / 한바탕 風波가 ~ 发 生一场风波 / 논란이 ~ 发生争论 **2** (向上) 起 qǐ ¶거품이 ~ 起泡沫 / 보풀 이 ~ 起毛儿 **3** 旺 wàng; 吐射 tǔshè ¶불이 잘 ~ 火很旺

일:다² 他 **1** 淘 táo ¶쌀을 ~ 淘米 / 사 금을 ~ 淘金 **2** 簸 bǒ ¶곡식을 ~ 簸 谷

일단(一旦) 副 **1** 先 xiān ¶ ~ 일을 다 끝내고 나서 다시 얘기하자 先把事儿 做完再说 **2** 暂且 zànqiě; 权且 quánqiě; 姑且 gūqiě ¶ ~ 그의 의견을 들어 보자 暂且听听他的意见吧 **3** 一旦 yīdàn; 一 yī ¶ ~ 결정하고 나면 바꿀 수 없다 一旦决定了就不能改变

일단(一段) 名 **1** 一个台阶 yīge táijiē ¶ ~을 오르다 爬一个台阶 **2** 一个段落 yīge duànluò; 一段 yīduàn ¶ ~ 한 단락 ~ 一段故事 **3** (汽车의) 头挡 tóudǎng; 一闸 yīzhá ¶기어를 ~으로 바 꾸다 换头挡 **4**[體] (围棋、柔道等의) 初段 chūduàn; 一段 yīduàn ¶바둑 ~ 에 승단하다 晋升为围棋一段

일-단락(一段落) 名[하자] 一段落 yīduànluò; 截止 jiézhǐ ¶ ~을 짓다 告一 段落

일당(一黨) 名 同党 tóngdǎng; 团伙 tuánhuǒ ¶도둑과 그의 ~ 小偷和他的 同党 / 사기꾼 ~ 骗子团伙

일당(日當) 名 日工资 rìgōngzī; 日薪 rìxīn ¶ ~을 지불하다 支付日薪

일당 독재(一黨獨裁) [政] 一党独裁 yīdǎng dúcái; 一党专政 yīdǎng zhuānzhèng

일당백(一當百) 名 以一当百 yǐyīdāngbǎi; 孤胆 gūdǎn ¶ ~의 용감무쌍한 전 사 以一当百的英勇无双的战士

일대(一大) 冠 一大 yīdà ¶ ~ 혁신 一 大革新 / ~ 쾌거 一大壮举

일대(一代) 名 一代 yīdài; 一世 yīshì ¶ ~ 호걸 一代豪杰 / ~ 영웅 一世之 雄

일대(一帶) 名 一带 yīdài ¶이 ~는 치 안이 양호하다 这一带治安良好

일대-기(一代記) 名 生平传记 shēngpíng zhuànjì ¶이 ~는 매우 감동적이 다 这篇生平传记写得非常感人

일대일(一對一) 名 一对一 yīduìyī ¶ ~ 로 만나다 一对一见面 / ~로 교육을

실시하다 进行一对一教育

일도-양단(一刀兩斷) 명하자 一刀两断 yīdāoliǎngduàn

일독(一讀) 명하타 一读 yīdú; 读一下 dúyíxià; 读一读 dúyidú ¶~의 가치도 없는 책 没有读一下的价值

일동(一同) 명 全体 quántǐ; 全 quán ¶职员 ~ 全体职员 / 学生 ~ 全体学生 / ~ 차려! 全体立正!

일등(一等) 명 一等 yīděng; 一流 yīliú; 头等 tóuděng; 第一 dìyī ¶国民 一流国民 / 그는 이번 시험에서 ~을 차지했다 他在这次的考试中得了第一

일등-병(一等兵) 명 【軍】一等兵 yīděngbīng = 일병

일등-실(一等室) 명 头等舱 tóuděng-cāng = 일등칸

일등-칸(一等-) 명 = 일등실

일등-품(一等品) 명 一等品 yīděngpǐn; 头等货 tóuděnghuò

일란성 쌍둥이(一卵性雙-) 【生】同卵双胞胎 tóngluǎn shuāngbāotāi; 同卵双生 tóngluǎn shuāngshēng'ér; 同卵双生 tóngluǎn shuāngshēng; 同卵孪生 tóngluǎn luánshēng; 单卵孪生 dānluǎn luánshēng

일람(一覽) 명하타 1 一览 yīlǎn; 一阅 yīyuè; 浏览 liúlǎn ¶서류를 ~하다 浏览文件 2 一览 yīlǎn; 便览 biànlǎn ¶문화재 ~ 文化遗产一览

일람-표(一覽表) 명 一览表 yīlǎnbiǎo ¶교과목 ~ 课程一览表

일러두기 명 凡例 fánlì = 범례(凡例)

일러-두다 타 嘱咐 zhǔfù; 嘱托 zhǔtuō; 叮嘱 dīngzhǔ; 吩咐 fēnfù ¶엄마가 아이들에게 문을 잘 잠그라고 ~ 妈妈叮嘱孩子好好锁门

일러-바치다 타 告状 gàozhuàng; 告密 gàomì; 揭发 jiēfā; 打小报告 dǎ xiǎobàogào ¶누나는 내가 거짓말을 했다고 엄마에게 일러바쳤다 姐姐向妈妈告状说我说谎

일러스트(←illustration) 명 = 일러스트레이션

일러스트레이션(illustration) 명 插图 chātú; 图解 tújiě; 说明图 shuō-míngtú = 일러스트

일렁-거리다 자 晃动 huàngdòng; 摇动 yáodòng; 晃荡 huàngdàng; 晃来晃去 huàngláihuàngqù = 일렁대다 ¶돛단배가 ~ 帆船晃动着 **일렁-일렁** 부하자

일렁-이다 자 晃动 huàngdòng; 摇动 yáodòng; 摆动 bǎidòng; 晃荡 huàng-dang ¶나뭇가지가 바람에 ~ 树枝迎风摆动

일력(日曆) 명 日历 rìlì ¶~을 넘기다 翻日历

일련(一連) 명 一系列 yíxìliè; 一串 yìliánchuàn ¶~의 문제 一连串的问题

일련-번호(一連番號) 명 编号 biān-hào ¶수표의 ~ 支票的编号 / ~를 매기다 打编号 / ~ 순서에 따라 배열하다 按编号排列

일렬(一列) 명 一列 yīliè; 一排 yīpái; 一路 yīlù ¶~종대 一路纵队 / 횡대 一路横队 / ~로 서다 站成一排 / ~로 늘어서다 排成一列

일례(一例) 명 一例 yīlì; 一个例子 yīge lìzi ¶~를 들어 설명하다 举一个例子说明

일로 준 '이리로'의 略词

일로(一路) 명 1 道路 dàolù; 路 lù ¶성장 ~에 있는 회사 走上发展之路的公司 / 수출이 증가 ~를 걷다 走上出口增加的道路 2 一路 yīlù; 一直 yīzhí

일루(一壘) 명 【體】1 (棒球的) 一垒 yīlěi 2 = 일루수

일루-수(一壘手) 명 【體】一垒手 yī-lěishǒu = 일루2

일루-타(一壘打) 명 【體】一垒打 yī-lěidǎ = 단타(單打)

일류(一流) 명 一流 yīliú; 第一流 dì-yīliú ¶~ 대학 一流大学 / ~ 호텔 一流饭店 / ~ 기업 一流企业 / ~ 기술 一流的技术

일률(一律) 명 一律 yīlù; 一概 yīgài

일률-적(一律的) 관명 一律(的) yīlù-(de) ¶~으로 대하다 一律对待 / 요금이 ~으로 10% 올랐다 费用一律提高了一成

일리(一理) 명 道理 dàolǐ ¶그의 말에도 ~가 있다 他所说的也有道理

일말(一抹) 명 一点 yīdiǎn; 一抹 yī-mǒ; 一丝 yīsī ¶~의 희망 一丝希望 / 그는 이제 그녀에게 ~의 기대도 하지 않는다 他现在对她不存一点期待

일망-무제(一望無際) 명하형 一望无际 yīwàngwújì ¶~의 광야 一望无际的旷野

일망타진(一網打盡) 명하타 一网打尽 yīwǎngdǎjìn ¶범죄자들을 ~하다 把犯罪分子一网打尽

일맥-상통(一脈相通) 명하자 一脉相通 yīmàixiāngtōng

일면(一面) 명하타 1 一面 yīmiàn; 一个方面 yīge fāngmiàn; 一个侧面 yīge cèmiàn ¶사물의 ~만을 보고 판단해서는 안 된다 不能只看事物的一个方面就做出判断 2 见一面 jiànyīmiàn; 一次见面 yīcì jiànmiàn ¶나는 一면(一面)을 가진 적이 있다 我曾经见过她一面 3 第一版 dìyībǎn; 头版 tóubǎn ¶그 사건은 신문의 ~에 실렸다 那个事件登在报纸的头版上

일-면식(一面識) 图 一面之识 yīmiàn-zhíshí; 一面之交 yīmiànzhījiāo ¶나는 그와 ~이 있을 뿐이다 我和他不过是一面之交罢了

일명(一名) 图 又称 yòuchēng; 又叫 yòujiào; 别名 biémíng; 别称 biéchēng ¶숭례문은 ~ 남대문이라고도 한다 崇礼门又称南大门

일모-작(一毛作) 图 【農】单季 dānjì; 单作 dānzuò; 一年一收 yīnián yīshōu ¶~ 벼 单季农耕 dānjì nónggēng ¶~ 벼 单季稻

일목요연-하다(一目瞭然一) 图 一目了然 yīmùliǎorán ¶일목요연하게 정리된 설명서 整理得一目了然的说明书

일몰(日沒) 图回对 日落 rìluò; 日没 rìmò ¶~ 시간 日落时间

일무-소득(一無所得) 图 一无所得 yīwúsuǒdé; 一无所获 yīwúsuǒhuò

일무-소식(一無消息) 图 杳无音信 yǎowúyīnxìn; 渺无音信 miǎowúyīnxìn; 音信渺茫 yīnxìnmiǎománg ¶그는 집을 나간 이후로 ~이다 他离家以后音信渺茫

일문-일답(一問一答) 图回对 一问一答 yīwèn yìdá

일미(一味) 图 1 一味 yīwèi; 第一味 dìyīwèi; 美味 měiwèi ¶천하 ~ 天下美味 2 别有风味 biéyǒu fēngwèi ¶그것도 ~로군 那倒也别有风味

일박(一泊) 图回对 一宿 yīxiǔ; 一夜 yīyè; 住一宿 zhù yīxiǔ ¶~ 이 일 两天一宿 [两天一夜] / 우리는 여관에서 ~을 했다 我们在旅馆住了一宿

일반(一般) 图 1 一样 yīyàng; 相同 xiāngtóng; 一般 yībān ¶이러나저러나 죽기는 ~이다 横竖是死, 都一样 2 一般 yībān; 普通 pǔtōng ¶~ 가정 一般家庭 / ~ 교육 普通教育 / ~ 여권 普通护照 / 그의 이름을 ~ 사람들은 아직 모른다 他的名字一般人还不知道 3 一般人 yībānrén; 大众 dàzhòng; 大家 dàjiā ¶~에게 공개하다 向大众公开 4 普通 pǔtōng; 一般 yībān ¶~ 상식 一般常识

일반 명사(一般名辭) 图【語】一般名词 yībān míngcí; 普通名词 pǔtōng míngcí = 보통 명사

일반-미(一般米) 图 一般米 yībānmǐ

일반-석(一般席) 图 普通席 pǔtōngxí; 普通座位 pǔtōng zuòwèi

일반-성(一般性) 图 一般性 yībānxìng; 普通性 pǔtōngxìng

일반 은행(一般銀行) 图【經】普通银行 pǔtōng yínháng = 보통 은행

일반-인(一般人) 图 一般人 yībānrén; 普通人 pǔtōngrén ¶이 박물관은 ~에게도 개방한다 这个博物馆也向普通人开放

일반-적(一般的) 图图 一般 yībān; 普遍 pǔbiàn; 普通 pǔtōng; 通常 tōngcháng; 一般性 yībānxìng; 普遍性 pǔbiànxìng ¶~인 문제 一般性问题 / ~ 현상 普遍现象 / ~인 견해 普通的见解 / ~으로 여자가 남자보다 오래 산다 一般来说, 女人比男人长寿

일반-화(一般化) 图回对 一般化 yībānhuà; 普遍化 pǔbiànhuà; 普及 pǔjí; 推广 tuīguǎng ¶컴퓨터 사용이 ~되다 电脑的应用变得普及 / 선진 기술을 ~하다 推广先进技术

일발(一發) 图 (枪弹等的) 一发 yīfā ¶~ 포탄 一发炮弹

일방(一方) 图 单方面 dānfāngmiàn; 单方 dānfāng; 一方 yīfāng; 单边 dānbiān; 单向 dānxiàng; 片面 piànmiàn; 一边 yībiān; 一方面 yīfāngmiàn

일방-적(一方的) 图图 单方面(的) dānfāngmiàn(de); 片面(的) piànmiàn(de); 单面(的) dānmiàn(de); 单边(的) dānbiān(de); 一边倒(的) yībiāndǎo(de) ¶~인 요구 单方面的要求 / ~ 주장 单方面的主张 / ~인 태도 片面的态度 / ~인 경기 一边倒的比赛 / ~인 말 单方面的话 / ~으로 계약을 위반하다 单方面地违反合约

일방-통행(一方通行) 图 单向行驶 dānxiàng xíngshǐ; 单行 dānxíng; 单向交通 dānxiàng jiāotōng; 单向通行 dānxiàng tōngxíng ¶~ 표지판 单行标志牌 / 오늘부터 ~이 실시된다 这条路从今天起实行单向行驶

일방통행-로(一方通行路) 图 单行道 dānxíngdào; 单行路 dānxínglù; 单行线 dānxíngxiàn ¶여기는 ~이다 这是一条单行道

일백(一百) 囹图 = 백(百) ¶~ 살 노인 百岁老人

일벌(一蜂) 图【蟲】工蜂 gōngfēng

일벌-백계(一罰百戒) 图回对 惩一儆百 chéngyī jǐngbǎi; 惩一戒百 chéngyī jièbǎi; 惩一警百 chéngyī jǐngbǎi; 杀一儆百 shāyī jǐngbǎi; 杀一警百 shāyī jǐngbǎi; 以儆效尤 yǐjǐng xiàoyóu; 杀鸡给猴看 shājī gěihóu kàn

일변(一變) 图回对 一变 yībiàn; 全变 quánbiàn; 大变 dàbiàn ¶태도가 ~하다 态度一变 / 그의 모습이 ~하였다 他的样子全变了

일변-도(一邊倒) 图 一边倒 yībiāndǎo; 一面倒 yīmiàndǎo; 倾斜 qīngxié

일병(一兵) 图【軍】一等兵 yīděngbīng

일보(一步) 图 一步 yībù; 寸步 cùnbù ¶죽기 ~ 직전 离死亡就差一步

일보(日報) 图 1 日报道 rìbàodào; 每日报告 měirì bàogào 2【言】= 일간

신문

일-복(一福) 명 干活的福分 gànhuóde fúfen ¶~을 타고나다 天生有干活的福分

일본(日本) 명 【地】日本 Rìběn

일본 뇌염(日本腦炎) 【醫】日本脑炎 Rìběn nǎoyán; 流行性脑炎 liúxíngxìng nǎoyán

일본-어(日本語) 명 【語】日语 Rìyǔ; 日文 Rìwén; 日本话 Rìběnhuà = 일어 ¶~ 입문 교재 日语入门教材

일본-인(日本人) 명 日本人 Rìběnrén

일본-제(日本製) 명 = 일제(日製) ¶~ 전자 제품 日本产电子产品

일부(一部) 명 一部分 yībùfen; 某些 mǒuxiē; 部分 bùfen = 일부분 ¶~ 지역 一部分地区 / 수입의 ~를 저축하다 收入的一部分用来储蓄 / 사건의 ~가 사람들에게 알려지다 案件的一部分被人知晓

일부-다처(一夫多妻) 명 一夫多妻 yīfūduōqī

일부다처-제(一夫多妻制) 명 一夫多妻制 yīfūduōqīzhì; 多妻制 duōqīzhì = 다처제

일부러 부 1 特意 tèyì; 特地 tèdì ¶그는 너를 보러 ~ 왔다 他是特地来看你的 2 故意 gùyì; 有意 yǒuyì; 有心 yǒuxīn; 存心 cúnxīn ¶~ 그에게 져주다 故意输给他 / 그는 나를 모른 척했다 他是有意不理我的

일-부분(一部分) 명 = 일부 ¶신체의 ~ 身体的一部分 / 이것은 ~에 불과하다 这只是一部分罢了

일부-종사(一夫從事) 명하 从一而终 cóngyī'érzhōng; 一女不事二夫 yīnǚbùshì èrfū ¶그녀는 ~하지 못하고 후에 개가하였다 她没能从一而终, 后来改嫁了

일분-일초(一分一秒) 명 一分一秒 yīfēn yīmiǎo; 分秒 fēnmiǎo ¶~를 아끼다 珍惜一分一秒

일사(日射) 명 日射 rìshè; 日照 rìzhào

일사-병(日射病) 명 【醫】日射病 rìshèbìng; 中暑 zhòngshǔ; 伤暑 shāngshǔ

일사부재리(一事不再理) 명 【法】(已判决的案件) 不再受理 bùzài shòulǐ ¶~의 원칙에 위배되다 违背了不再受理的原则

일-사분기(一四分期) 명 第一季度 dìyī jìdù; 首季 shǒujì ¶~ 예산 第一季度预算

일사불란(一絲不亂) 명하 井井有条 jīngjǐngyǒutiáo; 有条不紊 yǒutiáobùwěn ¶~하게 명령을 수행하다 有条不紊地执行命令

일사-천리(一瀉千里) 명 一泻千里

yīxiè qiānlǐ ¶이야기가 ~로 전개되다 故事一泻千里地展开

일산(日産) 명 1 日产量 rìchǎnliàng; 日产 rìchǎn; 每日生产 měirì shēngchǎn ¶이 광산에서 캐내는 석탄의 ~은 5톤이다 这个矿山日产5吨煤炭 2 日本产 Rìběnchǎn ¶~ 자동차 日本产汽车

일산화-탄소(一酸化炭素) 명 【化】一氧化碳 yīyǎnghuàtàn ¶~ 중독 一氧化碳中毒

일-삼다 타 1 当事 (儿)干 dàngshì(r)gàn; 当成事 (儿)干 dàngchéng shì(r)gàn; 以…为业 yǐ…wéiyè ¶일삼아 할 것은 없고 시간 나는 대로 좀 봐 다오 不必当成事儿干, 有空时看看一下 2 干干 zhuāngān; 尽干 jìngàn; 专 zhuān

일상(日常) 명 日常 rìcháng; 平常 píngcháng; 日常生活 rìcháng shēnghuó ¶~용어 日常用语 / ~생활 日常生活 / ~화 日常化

일상다반-사(日常茶飯事) 명 = 다반사

일상-사(日常事) 명 常事 chángshì; 寻常事 xúnchángshì; 平常事 píngchángshì ¶야근은 이미 ~가 되었다 加班已经成了常事

일상-적(日常的) 관명 日常 rìcháng; 平常 píngcháng; 日常性 rìchángxìng ¶~일 일 平常之事 / ~인 업무 日常性工作 / 이 단어는 ~으로 많이 사용된다 这个词平常用得很多

일색(一色) 명 1 一色 yīsè ¶산이 초록 ~으로 변하다 山变成一色的草绿色 2 绝色 juésè 《指美女》 3 清一色 qīngyīsè ¶이과반은 온통 남학생 ~이다 理科班清一色是男生

일생(一生) 명 一生 yīshēng; 一辈子 yībèizi; 平生 píngshēng; 生平 shēngpíng; 终生 zhōngshēng; 毕生 bìshēng = 평생 ¶~ 동안 잊을 수 없는 추억 毕生难忘的回忆 / 할아버지는 ~을 고생만 하셨다 祖父一辈子没过过好日子 / 그녀는 ~을 독신으로 지냈다 她过了一辈子独身生活

일생-일대(一生一大) 명 一生中最重大的 yīshēngzhōng zuì zhòngdà de; 一生中最重要的 yīshēngzhōng zuì zhòngyàode ¶~의 실수 一生中最大的失误 / 그는 마침내 ~의 걸작을 완성했다 他终于完成了一生中最重要的杰作

일생-일대(一生一代) 명 一生一世 yīshēngyīshì; 一生 yīshēng ¶~의 기회 一生一世的机会

일생-토록(一生一) 부 = 평생토록 ¶그는 ~ 교육 사업에 힘을 쏟았다 他尽其一生致力于教育事业

일석(一夕) 명 一夕 yīxì; 一个晚上 yīge wănshang

일석이조(一石二鳥) 몡 一箭双雕 yī-jiàn shuāngdiāo; 一石二鸟 yīshí èrniǎo ¶~의 효과를 얻다 取得一箭双雕的效果

일선(一線) 몡 **1** 一条线 yītiáoxiàn **2** 第一线 dìyīxiàn; 最前线 zuìqiánxiàn = 제일선 ¶~ 기자 第一线记者 / ~ 교사 第一线教师 **3** 〔軍〕= 최전선2 ¶~에서 싸우는 군인 战斗在最前线的军人/~ 부대 最前线部队

일설(一說) 몡 一说 yīshuō; 一种说法 yīzhǒng shuōfǎ; 某一种说法 mǒu yīzhǒng shuōfǎ; 另一种说法 lìng yīzhǒng shuōfǎ ¶~에 의하면 출토된 이 문물은 신석기 시대의 것이라 한다 据另一种说法, 这个出土文物是新石器时代的东西

일성(一聲) 몡 一声 yīshēng ¶~을 지르다 喊了一声

일세(一世) 몡 **1** 一辈子 yībèizi; 一生 yīshēng; 一世 yīshì ¶~를 마치다 结束一生 **2** 一世 yīshì ¶~에 이름을 날리다 扬名一世 / ~를 풍미하다 风靡一世 **3** 一代 yīdài; 一代 yīdài ¶교민 ~ 第一代侨民

일-소 몡 役牛 yìniú; 耕牛 gēngniú

일소(一笑) 몡ᄒᆞ자타 **1** 一笑 yīxiào ¶~를 터뜨리다 粲然一笑 **2** 轻蔑地笑 qīngmiède xiào
일소에 부치다 🈯 一笑置之; 付之一笑; 一笑了之

일소(一掃) 몡ᄒᆞ타 一扫 yīsǎo; 一扫而光 yīsǎo'érguāng; 彻底清除 chèdǐ qīngchú ¶잔재 세력을 ~해 버리다 把残余势力一扫而光

일-손 몡 **1** (干活的) 手 shǒu; 工 gōng; 工作 gōngzuò; 活(儿) huó(r) ¶~을 멈추다 停下手 / ~을 돕다 帮工 **2** 手头 shǒutou 《办事的能力》 ¶~이 재빠르다 手头利落 **3** 人手 rénshǒu; 人工 réngōng; 做手 zuòshǒu; 劳力 láolì; 人力 rénlì = 손3 ¶~이 부족하다 人手不够 / ~을 구하다 找人手
일손(을) 놓다 🈯 停手
일손이 잡히다 🈯 干得顺手; 干得起劲

일수(日收) 몡 **1** = 일수입 **2** 印子钱 yìnzi; 印子钱 yìnziqián; 日利钱 rìlìqián; 拆息 chāixiqián ¶~를 쓰다 打印子 / ~를 놓다 放印子钱

일수(日數) 몡 日数 rìshù; 天数 tiānshù ¶출근 ~ 上班日数 / 수업 ~가 모자라다 上课日数不够 / 임신 ~를 계산해 보다 算一下怀孕天数

일수-놀이(日收一) 몡 放印子钱 fàng yìnzi; 放印子钱 fàng yìnziqián

일-수입(日收入) 몡 日收入 rìshōurù

일수-쟁이(日收一) 몡 放印子的 fàng yìnzide

일순(一巡) 몡ᄒᆞ자타 一巡 yīxún; 走一遍 zǒuyíbiàn; 转一圈 zhuànyīquān ¶타자가 ~하다 击球手转一圈

일순(一瞬) 몡 = 일순간

일순-간(一瞬間) 몡 一瞬间 yīshùnjiān; 一刹那 yīchànà; 一转眼 yīzhuǎnyǎn; 一眨眼 yīzhǎyǎn; 转眼间 zhuǎnyǎnjiān = 일순(一瞬) ¶~에 일어난 일 一瞬间发生的事 / 화려했던 도시가 ~ 페허로 변해 버렸다 繁华的城市一瞬就变成了一片废墟

일슷-돈(日收一) 몡 印子钱 yìnziqián; 印子钱 yìnzi ¶~을 갚다 还印子钱 / ~을 쓰다 打印子钱

일습(一襲) 몡 一套 yītào; 全套 quántào ¶세면도구 ~을 준비하다 准备一套洗漱用具

일승일패(一勝一敗) 몡 一胜一败 yīshèngyībài ¶~의 전적 一胜一败的战绩

일시(一時) 🈁 🈁 **1** = 한시 yī(一時)2 ¶나는 ~도 마음을 놓을 수 없었다 我一时也放不下心来了 **2** 同时 tóngshí; 同一时间 tóngyī shíjiān; 一同 yītóng; 一齐 yīqí; 一下子 yīxiàzi = 한때2 ¶~에 덤벼들다 同时扑过来 / 우리는 ~에 떠났다 我们在同一时间离开了 / 분위기가 ~에 변하다 气氛一下子变了 **2** 🈁 一时 yīshí; 临时 línshí; 暂时 zànshí; 暂 zàn = 한때 ¶~ 귀국 临时回国 / ~ 정지 暂停 / 연락이 ~ 두절되다 暂时断了联系

일시(日時) 몡 日期 rìqī; 时日 shírì ¶회의 ~ 开会日期

일시-불(一時拂) 몡 〔經〕 一次付清 yīcì fùqīng ¶물건 값을 ~로 지불하다 货款一次付清

일시-적(一時的) 🈁 一时(的) yīshí(de); 暂时(的) zànshí(de); 临时(的) línshí(de) ¶~인 증가 临时的增加 / ~인 느낌 一时的感觉 / 이것은 ~인 현상일 뿐이다 这只是暂时现象

일식(日本菜) 몡 日本菜 Rìběncài ¶~은 비교적 담백하다 日本菜比较清淡

일식(日蝕·日食) 몡ᄒᆞ자 〔天〕日食 rìshí

일식-집(日食一) 몡 日本餐厅 Rìběn cāntīng

일신(一身) 몡 一身 yīshēn; 个人 gèrén; 自身 zìshēn ¶~의 영달만을 꾀하다 只贪图自身的荣华 / ~에 관계되는 문제 与个人有关的问题

일신(一新) 몡ᄒᆞ자타 一新 yīxīn; 全新 quánxīn ¶도시의 면모가 ~하였다 城市的面貌焕然一新了

일신-상(一身上) 圀 个人(的) gèrén-
(de); 与己有关(的) yǔjǐyǒuguān(de) ¶
~의 문제 与己有关的问题 / ~의 이
유로 사직하다 由于个人的理由而辞职
了

일심(一心) 圀하타 1 一心 yìxīn; 同心
tóngxīn ¶~으로 단결하다 团结一心
2 专心 zhuānxīn; 一心 yìxīn; 一心一
意 yìxīnyìyì ¶~으로 기도하다 专心
祈祷

일심(一審) 圀【法】第一审 dìyīshěn;
初审 chūshěn = 제일심 ¶~에서 무죄
판결을 받다 第一审被判无罪

일심-동체(一心同體) 圀 同心同德
tóngxīntóngdé; 一条心 yìtiáoxīn; 同心
协力 tóngxīn xiélì; 一心一体 yìxīn
tóngtǐ ¶우리는 ~이다 我们是一条心

일쑤 圀튀 = 总是 zǒngshì; 总爱 zǒng'ài;
爱 ài; 经常 jīngcháng; 老 lǎo; 动不动
dòngbudòng; 动辄 dòngzhé ¶그는 차
만 탔다 하면 졸기 ~이다 他只要一坐
车就爱打磕睡

일야(日夜) 圀 = 밤낮⊟ ¶~로 잠만
자다 日夜睡觉

일약(一躍) 튀 一跃 yìyuè; 一下子 yī-
xiàzi ¶~ 대스타가 되다 一跃成为大
明星

일어(日語) 圀【語】= 일본어

일어-나다 囨 1 起身 qǐshēn; 站起
(来) zhànqǐ(lái); 起来 qǐlái; 起 qǐ ¶일
어나서 박수를 치다 站起来鼓掌 2 起
床 qǐchuáng; 起 qǐ; 起来 qǐlái ¶매일
아침 6시에 ~ 每天早晨六点起来 / 좀
일찍 일어나라 你早点起床 3 发生 fā-
shēng; 出现 chūxiàn; 发 fā; 出 chū;
爆发 bàofā ¶전쟁이 ~ 发生战争 / 혁
명이 ~ 爆发革命 4 兴起 xīngqǐ; 兴
旺 xīngwàng ¶회사가 ~ 公司兴旺 /
집안이 ~ 家道兴起 5 着 zháo; 起 qǐ
¶불이 ~ 着火 / 바람이 ~ 起风

일어-서다 囨 1 起来 qǐlái; 起身 qǐ-
shēn; 起立 qǐlì; 站起来 zhànqǐlái ¶의
자에서 일어서서 인사를 한다 从椅子
上站起来行礼 / 어른이 오면 자리에서
일어서야 한다 大人来了要从座位上
站起来 2 兴起 xīngqǐ; 兴旺 xīngwàng
¶나라가 ~ 国家兴旺 / 사업이 ~ 生
意兴旺起来 3 爬起来 páqǐlái; 奋起
fènqǐ ¶희망을 가지고 다시 ~ 满怀希
望地重新爬起来 / 힘차게 일어서서 저
항하다 奋起抵抗

일언(一言) 圀하타 一言 yìyán; 一句
话 yījù ¶~의 대구도 하지 않다 一言不
发

일언-반구(一言半句) 圀 一言半语 yī-
yánbànyǔ; 一言半句 yìyánbànjù; 一言
半辞 yìyánbàncí; 片言只语 piànyán-
zhīyǔ ¶~의 사과도 없다 连半句只言

的道歉也没有

일언지하(一言之下) 圀 一句话 yījù
huà; 一口 yìkǒu; 矢口 shǐkǒu ¶~에
거절하다 一口拒绝

일:-없다 혱 1 不必要 bùbìyào; 不要
bùyào; 不用 bùyòng; 用不着 yòngbu-
zháo; 没事儿 méishìr ¶너같이 일없는
사람은 일없으니, 돌아가라 这种
事用不着你这样的人, 回去吧 2 没关
系 méiguānxi; 还好 háihǎo ¶나는 일없
지만 네가 피곤하겠구나 我没关系, 你
大概累了吧

일:없-이 튀 平白无故地 píngbáiwú-
gùde; 没有理由地 méiyou lǐyóude; 没
有目的地 méiyou mùdìde; 平白 píng-
bái; 空 kōng; 白 bái ¶~ 거리를 배회
하다 没有目的地徘徊徘徊街头 / ~ 시
간만 허비하다 空度光阴

일엽-편주(一葉片舟) 圀 一叶扁舟 yī-
yèbiǎnzhōu; 一叶舟 yìyèzhōu ¶~가
물 위를 떠가다 一叶扁舟在水面上浮浮
摇曳

일요(日曜) 圀 周日 zhōurì; 星期日
xīngqīrì ¶~ 신문 周日报 / ~ 모임 星
期日聚会

일-요일(日曜日) 圀 星期日 xīngqīrì;
星期天 xīngqītiān; 周日 zhōurì; 礼拜
天 lǐbàitiān; 礼拜日 lǐbàirì ¶~은 집에
서 쉰다 星期天在家休息

일용(日用) 圀하타 日用 rìyòng ¶~ 잡
화 日用杂货 / ~할 양식 日用的粮食

일용(日傭) 圀 = 날품 ¶~ 인부 打短
工的人

일용-품(日用品) 圀 日用品 rìyòngpǐn
¶~ 가게 日用品商店

일원(一元) 圀 1 = 단원2(單元2)
【数】一元 yìyuán

일원(一員) 圀 一员 yìyuán; 一个成员
yíge chéngyuán; 一把手 yìbǎshǒu ¶그
는 우리 가족의 ~이다 他是我们家庭
的一员

일원(一圓) 圀 一带 yídài ¶경기도 ~
에 폭설이 내렸다 京畿道一带下了一
场大雪

일원-론(一元論) 圀【哲】一元论
yīyuánlùn

일원-화(一元化) 圀하자타 一元化 yī-
yuánhuà ¶체제의 ~ 体制的一元化 /
행정 기관이 ~하다 行政机关一元化

일월(一月) 圀 1 一月 yìyuè ¶~ 초 一
月初 2 = 정월

일월(日月) 圀 1 日月 rìyuè《太阳与月
亮》¶~의 운행 日月运转 2 日月 rì-
yuè《岁月》

일월성신(日月星辰) 圀 日月星辰 rì-
yuèxīngchén

일으키다 타 1 扶起 fúqǐ ¶태풍에 쓰
러진 나무를 일으켜 세우다 扶起被台

风刮倒的树木 / 누워 있는 환자를 ~
把躺倒的病人扶起来 **2** 初创 chū-
chuàng; 初建 chūjiàn; 创建 chuàng-
jiàn; 兴办 xīngbàn; 兴起 xīngqǐ ¶새로
운 사업을 ~ 创建新事业 / 새로운 학
문을 ~ 创建新学问 **3** 引起 yǐnqǐ; 导
致 dǎozhì; 造成 zàochéng ¶오해를 ~
造成误解 / 착각을 ~ 造成错觉 / 복통
을 ~ 引起腹痛 / 분쟁을 ~ 引起争
议 / 의견 충돌을 ~ 引起意见冲突 **4**
掀起 xiānqǐ; 挑起 tiǎoqǐ; 招惹 zhāorě;
惹 rě ¶거대한 풍랑을 ~ 掀起大风
浪 / 전쟁을 ~ 挑起战争 / 그는 자주
문제를 일으킨다 他经常惹事儿 **5** 振
兴 zhènxīng ¶경제를 ~ 振兴经济 / 혼
자 힘으로 쓰러진 가세를 ~ 以一人之
力振兴家门

일이(一二) 困 一二 yī'èr; 一两 yīliǎng
¶나는 ~ 개월 뒤에 이사할 계획이다
我打算在一两个月后搬家

일이-월(一二月) 圀 一二月 yī'èryuè ¶
내년 ~ 明年一二月

일익(一翼) 圀 **1** 一翼 yīyì; 重任 zhòng-
rèn ¶국방의 ~을 맡다 担负国防的重
任 **2** 一部分任务 yībùfen rènwù ¶건설
의 ~을 담당하다 担当建设的一部分
任务

일익(日益) 閏 日益 rìyì ¶현대 과학
기술이 ~ 발전하고 있다 现代科学技
术日益发展

일인(一人) 圀 一人 yīrén; 单人 dān-
rén ¶~ 시위 单人示威 / 독재 一人
独裁

일인-이역(一人二役) 圀 一身二职
yīshēn èrzhí; 身兼二职 shēnjiān èrzhí;
(一人) 扮两个角色 bàn liǎngge juésè;
(一个演员) 演两个角色 yǎn liǎngge
juésè

일인-자(一人者) 圀 头号人物 tóuhào
rénwù; 第一把手 dìyībǎshǒu; 第一人
dìyīrén ¶정계의 ~가 되다 成为政界
的头号人物

일인-칭(一人称) 圀 【語】第一人称
dìyī rénchēng = 제일 인칭

일인칭 소:설(一人称小說) 【文】第一
人称小说 dìyī rénchēng xiǎoshuō; 自叙
体小说 zìxùtǐ xiǎoshuō

일인칭 시:점(一人称視點) 【文】第一
人称视点 dìyī rénchēng shìdiǎn; 第一
人称视角 dìyī rénchēng shìjiǎo

일일(一日) 圀 一天 yītiān = 하루1 ¶~ 관광
一日游 / ~을 쉬다 放一天的假

일일(日日) 圀閏 = 매일 ¶~ 연속극
每日连续剧

일일-생활권(一日生活圈) 圀 一日生
活圈 yīrì shēnghuóquān

일일여삼추(一日如三秋) 圀閏 一日如
三秋 yīrì sānqiū; 一日如三秋 yīrì rú-

sānqiū

일일-이(————) 閏 一一(地) yīyī-
(de); 一个一个(地) yīgèyīge(de); 一五
一十 yīwǔyīshí(de) = 하나하나 ¶
~ 작별 인사를 하다 一告别 / 설
명하다 一五一十地说明 / ~ 간섭하다
一一干涉

일임(一任) 圀困 听凭 tīngpíng; 完
全委托 wánquán wěituō; 完全托付
wánquán tuōfù; 全由…决定 quányóu…
juédìng ¶어머니는 집안일을 큰며느리
에게 ~하셨다 母亲把家事完全托付
给大媳妇

일자[一字] 圀 **1** 一句话 yījùhuà; 短
文 duǎnwén ¶~ 서신 一句话的信 一
字 yīzì; 一点儿 yīdiǎnr ¶거기에 대
해서는 ~도 아는 바가 없다 对那里的
情况一点儿也不了解

일자[一字] 圀 一字形 yīzìxíng; 一字
yīzì = 일자형 ¶십여 개의 화분들이
베란다에 ~로 놓여 있다 十多个的花
盆在阳台上一字摆开

일자(日子·日字) 圀 = 날짜2 ¶시험
~ 考试日期 / 회의 ~ 会议日期 / ~를
정하다 定日子

일:-자리 圀 工作 gōngzuò; 工作岗位
gōngzuò gǎngwèi; 工作单位 gōngzuò
dānwèi; 饭碗(儿) fànwǎn(r); 职业 zhí-
yè = 직장(職場)2 ¶~을 찾다 找工
作 / ~가 부족하다 工作岗位不足 / 어
렵사리 ~를 구하다 好不容易找到个
饭碗儿

일자-무식(一字無識) 圀困 一字不
识 yīzìbùshí; 目不识丁 mùbùshídīng ¶
그는 제 이름도 못 쓰는 ~이다 他目
不识丁, 连自己的名字也不会写

일자-형(一字形) 圀 = 일자2 ¶~ 주
방 一字形厨房

일장(一場) 圀 一场 yīchǎng; 一阵 yī-
zhèn ¶~ 연설을 하다 做了一场演说

일장-기(日章旗) 圀 日章旗 rìzhāng-
qí; 太阳旗 tàiyángqí

일장일단(一長一短) 圀 一长一短 yī-
chángyīduǎn; 有长有短 yǒucháng yǒu-
duǎn; 有利有弊 yǒulì yǒubì; 各有利弊
gèyǒu lìbì; 各有长短 gèyǒu chángduǎn
¶~이 있어서 결정하기가 어렵다 各
有利弊, 难以决定

일장-춘몽(一場春夢) 圀 一场春梦
yīchǎng chūnmèng

일장-풍파(一場風波) 圀 一场风波
yīchǎng fēngbō ¶~를 일으키다 引起
一场风波

일전(一戰) 圀困 一战 yīzhàn; 一场
战斗 yīchǎng zhàndòu ¶최후의 ~ 最
后一战 / 적과 ~을 벌이다 和敌人展
开一场战斗

일전(一轉) 圀困 **1** 一转(儿) yīzhuàn-

(r); 转一圈 zhuànyīquān ¶지구가 ~하다 地球转一圈 **2** 转变 zhuǎnbiàn; 一变 yībiàn; 一转 yīzhuǎn ¶사태의 ~을 기대하다 期待事态的转变

일전(日前) 명 日前 rìqián; 前几天 qiánjītiān ¶~에 만난 사람 日前见到的人

일절(一切) 부 一概 yīgài; 完全 wánquán; 绝对 juéduì; 全然 quánrán ¶출입을 ~ 금하다 禁止出入 / 발길을 ~ 끊다 完全断绝来往

일점-혈육(一點血肉) ¶ 一个儿女 yīge érnǚ; 一个子女 yīge zǐnǚ

일정(一定) 명[형][하자] 一定 yīdìng; 固定 gùdìng; 指定 zhǐdìng ¶~한 방향 一定的方向 / ~ 직업 固定职业 / ~한 장소에 보관하다 保管在指定的场所 / ~ 온도를 유지하다 维持固定的温度

일정(日程) 명 **1** 日程 rìchéng ¶~이 꽉 차다 日程排满了 / 회의 ~을 정하다 安排会议日程 **2** 行程 xíngchéng; 路程 lùchéng ¶오늘 ~은 이 산을 넘는 것이다 今天的行程是翻越这座山

일정-량(一定量) 명 一定量 yīdìngliàng

일정-액(一定額) 명 定额 dìng'é ¶그는 봉급에서 매달 ~을 떼어 저축한다 他从工资中每月抽出定额用来储蓄

일정-표(日程表) 명 日程表 rìchéngbiǎo ¶~에 따라 움직이다 按照日程表活动

일제(一齊) 명 一齐 yīqí; 一同 yītóng; 一举 yījǔ ¶~ 점검 一同检查 / 검거 一举抓获 / ~ 사격 一齐射击

일제(日帝) 명[史] 日本帝国主义 Rìběn dìguó zhǔyì ¶~ 식민 통치 日本帝国主义殖民统治

일제(日製) 명 日本制造 Rìběn zhìzào; 日本产 Rìběnchǎn; 日本生产 Rìběn shēngchǎn = 일본제 ¶~ 핸드폰 日本产手机

일제 강:점기(日帝强占期) [史] 日帝强占期 Rìdì qiángzhànqī

일제 시대(日帝時代) [史] '일제 강점기'의 旧称

일제-히(一齊─) 부 一齐 yīqí; 一同 yītóng; 齐 qí ¶~ 환호하다 齐声欢呼 / ~ 박수를 치다 一齐鼓掌

일조(日照) 명 日照 rìzhào; 日光照射 rìguāng zhàoshè ¶~권 日照权 / ~량 日照量 / ~ 시간 日照时间 [=日照时数]

일조-일석(一朝一夕) 명 一朝一夕 yīzhāo yīxī; 短时间内 duǎn shíjiān nèi ¶이 문제는 ~에 해결할 수 있는 것이 아니다 这个问题不是一朝一夕解决的

일족(一族) 명 一族 yīzú; 同族 tóng-

zú; 全族 quánzú ¶~을 멸하다 诛灭全族

일종(一種) 명 **1** 一种 yīzhǒng ¶안개는 대기 현상의 ~이다 雾是大气现象的一种 **2** 某种 mǒuzhǒng; 一种 yīzhǒng ¶그는 ~의 모욕감을 느꼈다 他感到了某种污辱

일주(一周) 명[하자] 转⋯⋯一圈 zhuàn⋯⋯yīquān; 绕⋯⋯一匝 rào⋯⋯yīzā; 环 huán ¶세계 ~ 环球旅行 / 세계를 ~하다 绕世界一圈 / 자동차가 순환 도로를 ~하다 汽车在这个循环道上转一圈

일주-기(一周忌) 명 小祥 xiǎoxiáng; 周年祭日 zhōunián jìrì ¶~를 기념하다 纪念小祥

일주-년(一周年) 명 一周年 yīzhōunián ¶~ 개업 ~ 행사 开业一周年活动 / 결혼 ~을 기념하다 纪念结婚一周年

일-주일(一週日) 명 一星期 yīzhōu; 一(个)星期 yī(ge) xīngqī; 一个礼拜 yīge lǐbài ¶~을 쉬다 休息一周 / 나는 일본에서 ~ 동안 있었다 我在日本呆了一个星期 / 우리는 ~에 한 번씩 만난다 我们一个礼拜见一次面

일-중독(─中毒) 명 工作狂 gōngzuòkuáng

일지(日誌) 명 日志 rìzhì; 日记 rìjì ¶~를 적다 记日志 / 업무 ~ 工作日志

일직(日直) 명 **1** 值日 zhírì; 值班员 bān ¶~을 서다 值班 / 오늘 ~은 나다 今天值班的是我 **2** (上)白班 (shàng)báibān

일-직선(一直線) 명 直线 zhíxiàn ¶~을 긋다 划直线 / ~으로 걷다 走直线

일진(日辰) 명 日辰 rìchén; 日子 rìzi; 一日运气 yīrì yùnqì ¶~이 사납다 日辰不吉利 / 오늘은 ~이 좋다 今天日子好 / 오늘은 영 ~이 더럽군 今日运气好黑黝

일진일퇴(一進一退) 명[하자] 一进一退 yījìn yītuì ¶~의 접전을 벌이다 展开一进一退的交战

일찌감치 부 早点儿 zǎodiǎnr; 早些 zǎoxiē; 及早 jízǎo; 趁早 chènzǎo; 早早儿 zǎozǎor ¶~ 손을 떼다 趁早罢手 / ~ 자거라 早点儿睡吧 / 일은 ~ 오너라 要来, 明天早早儿来

일찍 부 = 일찍이1 ¶~ 출발하다 早点儿出发 / ~ 자고 ~ 일어나다 早睡早起 / 회의를 ~ 마치다 提早结束会议

일찍-이 부 **1** 早 zǎo; 早点儿 zǎodiǎnr; 提早 tízǎo; 早早儿 zǎozǎor = 일찍 ¶그는 내일 ~ 집을 나서려 한다 他明天要早早儿出门 **2** 以往 yǐwǎng; 曾 céng; 曾经 céngjīng ¶이것은 우리 나라 역사에 ~ 없었던 일이다 这是我国历史上未曾有过的事

일차(一次) 图 1 初次 chūcì; 第一次 dìyīcì; 初 chū ¶~ 시험 初试 2 根本 gēnběn; 初始 chūshǐ; 原始 yuánshǐ; 初级 chūjí; 第一 dìyī; 第一个 dìyīge ¶~ 자료 原始资料 / ~ 원인 第一个原因 / ~ 소비자 初级消费者 3 【数】一次 yīcì ¶~ 방정식 一次方程 / ~ 함수 一次函数

일차 산업(一次産業) 【經】第一产业 dìyī chǎnyè; 基本产业 jīběn chǎnyè; 初级产业 chūjí chǎnyè = 제일차 산업

일차 성징(一次性徵) 【動】第一性征 dìyī xìngzhēng

일차 에너지(一次energy) 【物】一次能源 yīcì néngyuán; 初级能源 chūjí néngyuán

일-차원(一次元) 【数】一维 yīwéi

일차−적인(一次的인) 园图 1 首要的(de) ¶~인 책임은 정부에 있다 首要责任在于政府 / 이번 사고의 ~인 원인 这次事故的首要原因

일착(一着) 图 1 第一个到达 dìyīge dàodá ¶달리기 경주에서 그가 ~으로 들어왔다 赛跑中他第一个到达终点 2 【碁】(棋步)一步 yībù; 一着 yīzhāo ¶후반전에서 잘못된 ~으로 형세가 불리해졌다 在下半局因走错一着棋, 形势变得不利

일처-다부(一妻多夫) 图 一妻多夫 yīqīduōfū

일처다부-제(一妻多夫制) 图 【社】一妻多夫制 yīqīduōfūzhì

일천(一千) 数图 = 천(千)

일천-하다(日淺하다) 图 (日子)浅 qiǎn; 刚开始不久 gāngkāishǐ bùjiǔ ¶역사가 ~ 历史浅 / 경험이 ~ 阅历浅 / 경력이 ~ 资历浅

일체(一切) □图 1 一切 yīqiè; 全部 quánbù; 所有 suǒyǒu; 整个 zhěngge ¶~의 책임은 내가 진다 一切责任由我承担 / 재산 ~를 학교에 기부하다 把全部的财产捐给学校 2 完全 wánquán; 全 quán 全部 gài; 全部 quánbù; 全 quán ¶일단 구입해 간 상품은 ~ 교환되지 않는다 货物出门, 概不退换

일체(一體) 图 一体 yītǐ

일체-감(一體感) 图 【哲】一体感 yītǐgǎn

일촉즉발(一觸卽發) 图 一触即发 yīchùjífā; 干柴烈火 gāncháilièhuǒ; 剑拔弩张 jiànbánǔzhāng ¶~의 위기 一触即发的危机 / ~의 초긴장 상태 一触即发的超紧张状态

일축(一蹴) 图하타 1 断然拒绝 duànrán jùjué; 一口否决 yīkǒu fǒujué; 顶回去 dǐnghuíqù ¶그들은 나의 제안을 ~해 버렸다 他们一口否决了我的提案 /

그의 말을 ~해 버리다 把他的话顶回去

일출(日出) 图하타 日出 rìchū ¶~ 시간 出日时间 / ~은 대략 몇 시에 시작됩니까? 日出大概几点开始?

일취-월장(日就月將) 图 日就月将 rìjiù yuèjiāng; 日益进步 rìyì jìnbù ¶성적이 ~하다 成绩日就月将

일층(一層) □ = 한층 ¶경계를 ~ 더 강화하다 进一步加强警戒

일치(一致) 图하타 一致 yīzhì ¶의견 ~ 意见一致 / 언행의 ~ 言行一致

일치-단결(一致團結) 图하타 团结一致 tuánjiéyīzhì

일침(一鍼) 图 严厉警告 yánlì jǐnggào; 当头棒喝 dāngtóu bànghè; 当头一棒 dāngtóu yībàng; 顶门一针 dǐngmén yīzhēn ¶~을 맞다 受到严厉警告 / ~을 가하다 给予严厉警告

일컫다 园 1 称为 chēngwéi; 叫做 jiàozuò; 称做 chēngzuò ¶사람들은 그 문화 대통령이라고 일컫는다 人们把他称为文化总统 2 誉为 yùwéi ¶예로부터 우리나라는 예의지국이라고 일컬어져 왔다 自古我国被誉为礼仪之邦

일탈(逸脫) 图하타 逸脱 yìtuō; 脱离 tuōlí; 离开 líkāi; 偏离 piānlí ¶지금의 논제에서 본래의 주제에서 ~한 것이다 现在的论题脱离了本来的主题

일-터 图 1 工作场所 gōngzuò chǎngsuǒ; 工作地 gōngzuòdì; 工地 gōngdì = 작업장 2 = 직장(職場) ¶각자의 ~에서 열심히 일하다 在各自的工作岗位上努力工作

일파(一派) 图 一派 yīpài ¶불교의 ~ 佛教的一派 / 독자적인 ~를 이루다 自成一派

일패도지(一敗塗地) 图하타 一败涂地 yībàitúdì ¶적은 ~하여 쫓겨 갔다 敌人被打得一败涂地, 落荒而逃

일편(一片) 图 一片 yīpiàn ¶~의 구름 一片云彩 / ~의 효심 一片孝心

일편-단심(一片丹心) 图 一片丹心 yīpiàndānxīn; 一寸丹心 yīcùndānxīn; 赤胆忠心 chìdǎnzhōngxīn; 一心一意 yīxīnyīyì ¶~으로 그 여자를 사랑하다 一心一意爱那女子

일-평생(一平生) 图 = 한평생 ¶그는 ~ 독신으로 지냈다 他独身过一辈子

일품(一品) 图 一品 yīpǐn; 一等 yīděng; 第一 dìyī; 绝佳 juéjiā ¶맛이 ~이다 味道绝佳

일품-요리(一品料理) 图 【料】1 单卖的菜 dānmàide cài; 按菜单点的菜 àncàidān diǎnde cài 2 上等菜 shàngděngcài

일필-휘지(一筆揮之) 图하타 一挥而就 yīhuī'érjiù; 一挥而成 yīhuī'érchéng ¶그는 ~로 시 한 편을 썼다 他一挥而

일하다   **706**

就, 写下了一首诗

일:-하다 困 工作 gōngzuò; 干活儿 gànhuór; 劳动 láodòng; 做工 zuògōng; 做事 zuòshì ¶열심히 ~ 努力工作 / 공장에서 일하는 사람 在工厂做工的人 / 일하지 않는 자는 먹지 말아야 한 不劳动者不得食

일행(一行) 图 一行 yīxíng ¶여행단 ~ 旅游团一行 / 우리 ~은 15명입니다 我们一行十五人

일호(一毫) 图 丝毫 sīháo; 毫 háo; 一丝一毫 yīsīyīháo ¶~의 차이도 없다 没有一丝一毫的差别

일화(逸話) 图 逸闻 yìwén; 逸事 yìshì; 逸话 yìhuà; 轶事 yìshì; 奇闻 qíwén; 趣闻 qùwén ¶알려지지 않은 ~를 공개하다 公开一段鲜为人知的逸事

일확-천금(一攫千金) 图하자 一攫千金 yījuéqiānjīn; 一获千金 yīhuòqiānjīn ¶~의 꿈 一攫千金的美梦

일환(一環) 图 一环 yīhuán; 一个 yīge; 环节 huánjié; 组成部分 zǔchéng bùfen ¶국토 개발의 ~으로 농촌을 개발하다 把开发农村作为国土开发的一个环节

일회-성(一回性) 图 一次性 yīcìxìng ¶~ 행사 一次性活动 / ~으로 끝나다 一次性就结束

일회-용(一回用) 图 一次性 yīcìxìng ¶~ 젓가락 一次性筷子 / ~ 종이컵 一次性纸杯 / ~ 주사기 一次性注射器

일회-용품(一回用品) 图 一次性用品 yīcìxìng yòngpǐn ¶~을 사용하다 使用一次性用品

일흔 㽔 七十 qīshí ¶~이 넘은 할머니 七十多岁的老奶奶 / 그는 ~까지 살았다 他活到了七十岁

일희일비(一喜一悲) 图하자 一悲一喜 yībēiyīxǐ; 有喜有悲 yǒuxǐyǒubēi; 悲喜交加 bēixǐjiāojiā

읽기 图 【教】阅读 yuèdú; 读 dú ¶아이에게 ~를 가르치다 教给孩子阅读

읽다 困 1 念 niàn; 读 dú ¶소리내어 ~ 出声念 / 큰 소리로 ~ 大声读 / 이 한자는 어떻게 읽습니까? 这个汉字怎么念? 2 看 kàn; 读 dú; 阅读 yuèdú ¶책을 ~ 看书 / 편지를 ~ 看信 / 잡지를 ~ 阅读杂志 3 琢磨 zuómo; 推想 tuīxiǎng; 推度 tuīduó; 猜度 cāiduó ¶상대방의 마음을 ~ 琢磨对方的心思 4 看出 kànchū ¶그의 얼굴에서는 아무 표정도 읽을 수가 없다 从他的脸上看不出任何表情

읽을-거리 图 读物 dúwù; 可读的 kědúde ¶다양한 ~ 多种多样的读物 / ~가 풍부하다 读物非常丰富

읽-히다 困 1 让…读 ràng…dú; 使…

读 shǐ…dú; 使…看 shǐ…kàn (《'읽다1' 的被动词》) ¶아이들에게 책을 ~ 让孩子들에게 책을 读书 2 被…读 bèi…dú; 被…看 bèi…kàn (《'읽다3'的被动词》) ¶그녀에게 내 마음이 다 읽힌 듯한 느낌이 들다 有一种好像被她读破心思的感觉

잃다 困 1 丢失 diūshī; 失掉 shīdiào; 丢 diū; 弄丢 nòngdiū ¶직장을 ~ 丢工作 / 공원에서 아이를 잃었다 在公园里丢失了孩子 / 버스에서 지갑을 잃었다 在公共汽车上钱包弄丢了 2 失 shīqù; 丧失 sàngshī ¶이성을 ~ 失去理智 / 기억을 ~ 丧失记忆 / 자신감을 ~ 丧失信心 / 일에 흥미를 ~ 对工作失去了兴趣 3 迷失 míshī; 迷 mí ¶길을 ~ 迷路 / 방향을 ~ 迷失方向 4 丧 sàng; 丧失 sàngshī; 失去 shīqù ¶목숨을 ~ 丧命 / 어려서 부모를 ~ 从小失去父母 5 (在赛马或赌博中) 输钱 shūqián ¶노름으로 돈을 ~ 赌博输钱

잃어-버리다 困 1 丢失 diūshī; 失掉 shīdiào; 丢 diū; 弄丢 nòngdiū; 丧失 sàngshī 2 迷失 míshī; 迷 mí

임 图 心上人 xīnshàngrén; 郎君 lángjūn; 情人 qíngrén ¶~을 그리다 思念情人 / ~을 기다리다 等待郎君

임도 보고 뽕도 딴다 속담 一举两得

임:-관(任官) 图 1 任官 rènguān; 拜官 bàiguān; 任命官职 rènmìng guānzhí; 任命为官 rènmìngwéiguān ¶그는 행정 고시에 합격하여 사무관으로 되었다 他通过行政考试, 被任命为事务官 2 【军】授予军衔 shòuyǔ jūnxián; 授衔 shòuxián ¶~식 授衔仪式

임:-균(淋菌, 痳菌) 图 淋菌 línjūn; 淋病双球菌 lìnbìng shuāngqiújūn

임:-금(賃金) 图 国君 guójūn; 君主 jūnzhǔ; 人君 rénjūn; 国王 guówáng; 人主 rénzhǔ = 군왕·왕자(王者) ¶나라의 ~이 되다 成了国家的君主

임:-금(賃金) 图 1 工资 gōngzī; 工钱 gōngqián; 报酬 bàochou; 薪水 xīnshui ¶~ 명세서 工资单 / ~ 체불 拖欠工资 / ~ 동결 工资冻结 / ~ 수준 工资水平 / ~ 체계 工资体系 / ~이 오르다 涨工资 2 【法】租赁金 zūlìnjīn

임:-금-님(賃金) 图 '임금'의 敬词

임:-기(任期) 图 任期 rènqī ¶대통령 ~ 总统任期 / ~를 마치다 任期结束

임기-응변(臨機應變) 图하자 随机应变 suíjī yìngbiàn; 见机行事 jiànjīxíngshì; 机变 jībiàn ¶~에 능하다 善于机变 / ~으로 위기를 넘기다 随机应变, 度过危机

임:-대(賃貸) 图하되 出租 chūzū; 租赁 zūlìn; 租 zū ¶~ 아파트 出租公寓 / ~ 기간 租赁期 / ~ 계약 租赁合同 / ~권

租赁权 =[出租权]/~인 出租人/주택을 ~하다 租赁房屋

임:대-료(賃貸料) 명 租金 zūjīn; 租费 zūfèi; 出租费 chūzūfèi; 租赁费 zūlìnfèi; 租钱 zūqián ¶~가 매우 비싸다 租金很贵 /~를 지불하다 支付租费

임:-대차(賃貸借) 명하타 [法] 租借 zūjiè; 租借合同 zūjiè hétong; 租约 zūyuē = 임대차 계약

임:-대차 계약(賃貸借契約) [法] = 임대차

임마누엘(히Immanuel) 명 [宗] 以马内利 Yǐmǎnèilì

임:-명(任命) 명하타 任命 rènmìng ¶~권 任命权/~장 任命状 =[任命书]/~을 받다 接受任命/그는 아들을 이사에 ~하였다 他任命自己的儿子为董事

임:-무(任務) 명 任务 rènwu ¶~를 맡다 接受任务/~를 완수하다 完成任务/그에게 ~를 하나 부여하다 给他一件任务/특별 ~를 띠다 身负着特别任务

임박-하다(臨迫一) 자 临近 línjìn; 迫近 pòjìn; 濒临 bīnlín; 临到 líndào; 在即 zàijí ¶약속한 날짜가 ~ 约定的日期迫近/졸업이 ~ 毕业在即/죽음이 ~ 濒临死亡

임:-부(姙婦) 명 孕妇 yùnfù; 妊妇 rènfù = 임신부 ¶이 약품은 ~에게 사용이 금지되어 있다 这药品对孕妇禁止使用

임:산-부(姙産婦) 명 孕产妇 yùnchǎnfù

임산 자원(林産資源) [農] 林业资源 línyè zīyuán

임상(臨床) 명하자 [醫] 1 临床 línchuáng ¶~ 실험 临床试验/~ 경험 临床经验/~ 효과 临床效果/~ 치료 临床治疗/~ 병리학 临床病理学 2 = 임상 의학

임상 의학(臨床醫學) [醫] 临床医学 línchuáng yīxué = 임상2

임석(臨席) 명하자 临席 línxí; 临场 línchǎng; 出席 chūxí; 到席 dàoxí ¶~ 경찰관 临场警官/주빈들이 자리에 ~하다 主客临席

임시(臨時) 명 临时 línshí; 暂时 zànshí ¶~ 반장 临时班长/~ 열차 临时列车/~ 국회 临时国会 =[不定期国会]/~ 정부 临时政府/~ 친구 집에서 지내다 暂住住朋友家/~ 거처를 마련하다 按排临时住处

임시-방편(臨時方便) 명 = 임시변통

임시-변통(臨時變通) 명하자 临时通融 línshí tōngróng; 临时凑和 línshí còuhe; 暂时将就 zànshí jiāngjiu = 임시방편

임시-적(臨時的) 관명 临时(的) línshí(de) ¶~ 조치 临时措施/~ 방법 临时的方法

임시-직(臨時職) 명 临时工 línshígōng; 短工 duǎngōng ¶~을 고용하다 雇用临时工

임:-신(姙娠) 명하자타 妊娠 rènshēn; 怀孕 huáiyùn; 怀胎 huáitāi; 身孕 shēnyùn; 有身子 yǒushēnzi; 有孕 yǒuyùn = 잉태1·회임 ¶~ 기간 妊娠期/~ 초기 妊娠初期 =[怀孕初期]/~ 증상 怀孕症状/~ 튼살 妊娠纹/~ 중독 妊娠中毒症/그녀는 ~ 5개월이 되었다 她怀孕五个月了 =[她有五个月的身孕了]

임:신-부(姙娠婦) 명 = 임부

임:신-선(姙娠線) 명 [醫] 妊娠线 rènshēnxiàn

임:신 중절(姙娠中絶) [醫] = 임신 중절 수술

임:신 중절 수술(姙娠中絶手術) [醫] 人工流产 réngōng liúchǎn; 堕胎 duòtāi; 打胎 dǎtāi; 人流 rénliú = 인공 유산·임신 중절

임야(林野) 명 林野 línyě

임업(林業) 명 林业 línyè ¶~ 시험장 林业试验场

임연수어(林延壽魚) 명 [魚] 多线鱼 duōxiànyú

임:-용(任用) 명하타 任用 rènyòng; 录用 lùyòng; 聘用 pìnyòng; 聘任 pìnrèn ¶~권 任用权/공무원 ~ 시험 公务员录用考试

임:-원(任員) 명 高级职员 gāojí zhíyuán; 负责人员 fùzé rényuán; 委员 wěiyuán = 역원 ¶~이 되다 成为高级职员/학생회 ~으로 선출되다 被选为学生会委员

임:-의(任意) 명 1 随意 suíyì; 任意 rènyì; 随便 suíbiàn ¶~로 선택하다 任意选择/~대로 돈을 쓰다 随意花钱 2 任意 rènyì ¶~의 장소 任意地方/~의 시간 任意时间/~ 규정 随意规定

임:-자(一者) 명 主人 zhǔrén; 主儿 zhǔr; 本主儿 běnzhǔr; 物主 wùzhǔ ¶이 물건은 ~가 없다 这东西没有主儿
임자(를) 만나다 명 适逢其主

임:-자[2] 대 你 nǐ ¶이번 일은 ~ 덕에 잘 되었네 托你的福这事很顺利/내가 너무 ~를 고생시켰네 我让你吃苦了

임:전(臨戰) 명하자 临战 línzhàn ¶~ 태세 临战状态/~ 준비를 하다 准备临战

임전-무퇴(臨戰無退) 명하자 临阵不退 línzhèn bùtuì; 临战无退 línzhàn wútuì

임종(臨終) 명하자 1 临终 línzhōng; 临死 línsǐ ¶할머니는 편안하게 ~을

하셨다 奶奶临终时非常安详 **2** 送终 sòngzhōng; 诀别 juébié ¶아버지의 ~을 지키지 못하다 没能为父亲送终

임:**지**(任地) 명 任职地 rènzhídì; 工作地 gōngzuòdì; 任所 rènsuǒ = 부임지 ¶~로 떠나다 奔赴工作地

임:**직**(任職) 명 任职 rènzhí 任职 rènzhí

임:**직원**(任職員) 명 高低职员 gāodī zhíyuán ¶창립 기념 행사에 모든 ~이 참석했다 所有高低职员都参加了纪念创立活动

임:**진**-**왜란**(壬辰倭亂) 명 【史】壬辰倭乱 rénchén wōluàn = 왜란2

임:**질**(淋疾・痲疾) 명【医】淋病 línbìng

임:**차**(賃借) 명 하타 租借 zūjiè; 租赁 zūlìn ¶~권 租借权 / ~료 租借费 = [租金] / ~인 租借人 = [借主]/은행 돈을 빌려 사무실을 ~하였다 向银行贷款租借了办公室

임:**파**(淋巴) 명【生】'림프'의 音译词

임:**파**-**선**(淋巴腺) 명【生】'림프선'의 音译词

임:**파**-**액**(淋巴液) 명【生】'림프액'의 音译词

임-**하다**(臨—) 짜 **1** 临 lín; 到 dào; 亲临 qīnlín; 莅临 lìlín; 莅 lì (到达某个地方) ¶현장에 임하여 참관하다 到现场参观 **2** 面临 miànlín; 面对 miànduì ¶전시에 ~ 面临战争 / 취업난 문제에 ~ 面临就业难的问题 **3** 面向 miànxiàng; 面朝 miàncháo; 临 lín ¶그 산은 대해를 임하고 있다 那座山面向大海 **4** 居高临下 jūgāo línxià; 对待 duìdài ¶아랫사람에게 임하는 태도 对待部下的态度 **5** 来临 láilín; 临在 línzài ¶성령이 ~ 圣灵来临

임해(臨海) 명 하자 临海 línhǎi; 沿海 yánhǎi; 滨海 bīnhǎi ¶~ 지역 沿海地区 / ~도시 滨海城市

입 명 **1** 口 kǒu; 嘴 zuǐ **2** = 입술 **3** 家口 jiākǒu; 人口 rénkǒu

입 밖에 내다 곤 说出口; 出口; 说出

입(을) 놀리다 곤 多嘴; 要嘴

입(을) 다물다 곤 住口; 住嘴; 闭口; 闭嘴; 绝口

입(을) 떼다 곤 开口; 开口说话

입(을) 막다 곤 堵嘴; 封嘴

입(을) 맞추다 곤 对口径; 统一口径

입(을) 모으다 곤 异口同声

입(을) 열다 곤 开口

입(이) 가볍다[싸다] 곤 嘴不牢; 嘴快; 口快; 嘴松

입만 살다 곤 会说不会做

입만 아프다 곤 白费口舌

입에 거미줄 치다 곤 穷得吃不上饭

입에 맞다 곤 适口; 合口; 可口

입에 발린[붙은] 소리 곤 言不由衷; 家道口摆亲, 口上热闹

입에 올리다 곤 成话柄

입에 침이 마르다 곤 赞不绝口

입에 풀칠하다 곤 糊嘴糊口

입이 무겁다 곤 沉默寡言; 嘴严; 嘴紧; 口紧; 嘴稳

입이 밭다[짧다] 곤 挑食; 偏食; 嘴尖

입-**가** 명 嘴边 zuǐbiān; 嘴角 zuǐjiǎo; 口角 kǒujiǎo ¶~에 미소를 띠다 嘴边泛起微笑

입-**가심** 명 하자 漱口 shùkǒu; 爽爽口 shuǎngshuǎngkǒu ¶껌을 씹어 ~하다 嚼个口香糖爽爽口

입각(立脚) 명자 立脚 lìjiǎo; 立足 lìzú; 依据 yījù; 依照 yīzhào ¶사실에 입각해서 말하다 依照事实说话 / 증거에 ~해서 판단을 내리다 依据证据做出判断

입-**간판**(立看板) 명 (靠在墙上或竖在路边的) 招牌 zhāopái; 立招牌 lìzhāopái ¶가게 앞에 ~이 서 있다 商店门口竖立着一个招牌

입건(立件) 명 하타 【法】立案 lì'àn; 成案 chéng'àn ¶폭력 혐의로 ~되다 以暴力嫌疑成案

입고(入庫) 명 하타 入库 rùkù; 进仓 jìncāng; 存仓 cúncāng ¶~량 入库量 / 化물이 모두 ~되었다 货物全部进仓了

입관(入棺) 명 하자 入棺 rùguān; 入殓 rùliàn; 装殓 zhuānglliàn ¶시신을 ~하다 将尸体装殓

입교(入校) 명 하자 入校 rùxiào; 入学 rùxué; 进入 jìnrù (进入士官、军官大学等的学校) ¶~식 入校仪式 / 사관학교에 ~하다 进入军官大学

입교(入教) 명 하자 **1**【宗】入教 rùjiào ¶~식 入教仪式 **2** 开始信教 kāishǐ xìnjiào

입구(入口) 명 入口 rùkǒu; 进口(儿) jìnkǒu(r); 门口 ménkǒu ¶동물원 ~에서 만나기로 약속하다 约好在动物园门口碰头

입국(入國) 명 하자 入境 rùjìng ¶~ 허가 入境许可 / ~ 수속을 하다 办理入境手续 / ~ 비자를 신청하다 申请入境签证

입국 사증(入國査證) 【法】= 사증

입궁(入宮) 명 하자 入宫 rùgōng; 进宫 jìngōng

입궐(入闕) 명 하자 入阙 rùquè; 进宫 jìngōng; 诣阙 yìquè

입금(入金) 명 하자타 入款 rùkuǎn; 进款 jìnkuǎn; 进账 jìnzhàng; 进钱 jìnqián; 存款 cúnkuǎn ¶~액 进款额 = [入账额] / 돈이 ~되었는지 확인해 봐라 确认一下进账了没有

입금 전표(入金傳票) 【經】收款传票 shōukuǎn chuánpiào; 收款票据 shōukuǎn piàojù = 입금표

입금-표(入金票) 〖經〗 = 입금 전표

입-김 〖명〗 **1** 气息 qìxī; 哈气 hāqì; 口气 kǒuqì; 气 qì 〖유리창에 ~을 불다 在窗户上哈气 / ~으로 손을 녹이다 哈气暖暖手 **2** (施加于别人的) 影响 力 yǐngxiǎnglì; 说情 shuōqíng 〖~을 넣다 暗中施加影响力 / ~이 세다 影响力很强 / 实力派의 ~이 작용하다 实力派人士的影响力起作用

입-내[1] 〖명〗 口技 kǒujì; 学舌 xuéshé; 声音模仿 shēngyīn mófǎng 〖사람의 ~를 낼 수 있는 앵무새 会学舌的鹦鹉

입-내[2] = 구취 〖~를 제거하다 除去口臭

입다 〖타〗 **1** 穿 chuān 〖교복을 ~ 穿校服 / 두꺼운 옷을 입고 있다 穿着厚厚的衣服 **2** 遭受 zāoshòu; 遭到 zāodào; 受到 shòudào; 受 shòu; 蒙受 méngshòu 〖손해를 ~ 遭受损失 / 은혜를 ~ 蒙受恩惠 / 부상을 ~ 受伤 / 타격을 ~ 遭到打击

입단(入團) 〖명하자〗 入团 rùtuán; 加入 jiārù; 参加 cānjiā 〖~式 入团仪式 = [入团仪式] / 보이 스카우트에 ~하다 参加童子军

입-단속(一團束) 〖명〗 要求保守秘密 yāoqiú bǎoshǒu mìmì

입-담 〖명〗 口才 kǒucái 〖그는 ~이 매우 좋다 他口才很好

입당(入黨) 〖명하자〗 入党 rùdǎng; 加入…党 jiārù…dǎng 〖~ 신청서 入党申请书 / 여당에 ~하다 加入执政党

입대(入隊) 〖명하자〗 〖軍〗 入伍 rùwǔ; 参军 cānjūn; 当兵 dāngbīng; 参加…军 cānjiā…jūn; 参加…队 cānjiā…duì; 入…军 rù…jūn; 入…队 rù…duì = 入营(入营) 〖그는 올 여름에 ~한다 他今年夏天参军 / 해병대에 ~하다 参加海军陆战队

입-덧 〖명〗 害喜 hàixǐ; 孕吐 yùntù; 恶阻 èzǔ; 喜病 xǐbìng 〖그녀는 요즘 ~을 한다 她最近害喜了 / ~이 매우 심하다 孕吐挺厉害

입덧(이) 나다 〖구〗 害喜

입도-선매(立稻先賣) 〖명하타〗 (稻子) 未收先卖 wèishōu xiānmài

입동(立冬) 〖명하타〗 立冬 lìdōng 《二十四节气之一》

입력(入力) 〖명하타〗 **1** 〖物〗 输入功率 shūrù gōnglǜ **2** 〖컴〗 输入 shūrù 〖패스워드를 ~하다 输入密码 / 문자 ~ 방법 文字输入法

입-막음 〖명하타〗 堵嘴 dǔzuǐ; 堵口 dǔkǒu; 封嘴 fēngzuǐ; 不让说出 bùràng shuōchū 〖목격자에게 ~으로 많은 돈을 주다 为了不让目击者说出事实, 给他很多钱

입-맛 〖명〗 **1** 胃口 wèikǒu; 食欲 shíyù; 口 kǒu = 구미(口味) 〖~이 좋다 胃口很好 / ~을 돋우다 增进食欲 / ~이 없다 没有胃口 / ~이 당기다 引起食欲 / ~이 돌다 有胃口 / ~이 떨어지다 倒胃口 **2** 喜好 xǐhào; 胃口 wèikǒu 〖개인의 ~대로 책을 고르다 按个人喜好挑书 / 이 선물은 그녀의 ~에 맞지 않을 것이다 这个礼物可能不对她胃口

입맛(을) 다시다 〖구〗 垂涎欲滴; 垂涎三尺 (难办或不满意时) 咂嘴

입맛대로 하다 〖구〗 为所欲为

입-맞춤 〖명하자〗 = 키스 〖달콤한 ~ 甜蜜的吻

입-매 〖명〗 嘴型 zuǐxíng; 口型 kǒuxíng; 嘴 zuǐ (指嘴的模样) 〖~가 곱다 嘴长得好看

입면(立面) 〖명〗 〖數〗 立面 lìmiàn; 竖面 shùmiàn

입면-도(立面圖) 〖명〗 〖數〗 立面图 lìmiàntú; 竖面图 shùmiàntú

입문(入門) 〖명하자〗 **1** 入门 rùmén; 进门 jìnmén; 进入 jìnrù 〖정계에 ~하다 进入政界 **2** 入门 rùmén = 입문어 〖语言学 ~ / 사진 ~ 摄影入门 **3** 拜老师 bàilǎoshī; 拜师 bàishī; 拜门 bàimén 〖그는 유명 화가의 문하에 ~하였다 他拜了一个著名画家为老师

입문-서(入門書) 〖명〗 入门书 rùménshū; 入门书籍 rùmén shūjí

입-바르다 〖형〗 心直口快 xīnzhíkǒukuài; 嘴直 zuǐzhí 〖입바른 소리를 하다가 쫓겨나다 因心直口快被撵出去

입-방아 〖명〗 嘴碎 zuǐsuì; 唠叨 láodao

입방아(를) 찧다 〖구〗 喋喋不休; 饶舌; 多嘴

입-방정 〖명〗 唠唠叨叨 láolaodāodāo 〖~ 좀 그만 떨어라 你就别唠唠叨叨了

입-버릇 〖명〗 口头禅 kǒutóuchán; 口头语 kǒutóuyǔ; 口癖 kǒupǐ 〖피곤하다는 말이 그녀의 ~이 되었다 "累死了"成了她的口头语了

입법(立法) 〖명하타〗 立法 lìfǎ 〖~권 立法权 / ~ 과정 立法程序 / ~ 회의 立法会议

입법 기관(立法機關) 〖法〗 立法机关 lìfǎ jīguān = 입법부

입법-부(立法府) 〖명〗 〖法〗 = 입법 기관

입법-화(立法化) 〖명하자타〗 立法化 lìfǎhuà

입-병(一病) 〖명〗 〖醫〗 口腔疾病 kǒuqiāng jíbìng; 口疾 kǒují 〖~에 걸리다 害口疾

입북(入北) 〖명하자〗 入北 rùběi; 进入北韩 jìnrù běihán 〖그는 중국을 경유하여 ~하였다 他经过中国进入北韩了

입사(入社) 〖명하자〗 进公司 jìn gōngsī

입사(入社) 入公司 rù gōngsī ¶~ 시험 进公司考试 =[招聘考试]/그는 이 회사에 ~ 한 후로 줄곧 열심히 일한다 他进这个公司以后一直努力地工作

입사(入射) 명하자 【物】入射 rùshè; 投射 tóushè = 투사(投射)2

입산(入山) 명하자 1 入山 rùshān; 进山 jìnshān ¶~ 금지 禁止入山/등산객들의 ~을 제한하다 限制登山游客进山 2【佛】出家 chūjiā

입산-수도(入山修道) 入山修道 rùshān xiūdào; 进山修道 jìnshān xiūdào

입상(入賞) 명하자 得奖 déjiǎng; 获奖 huòjiǎng; 中奖 zhòngjiǎng ¶~ 작품 获奖作品 / 소감 获奖感想

입상-자(入賞者) 명 得奖者 déjiǎngzhě; 获奖者 huòjiǎngzhě ¶~ 명단을 발표하다 发布获奖者名单

입석(立席) 명 立席 lìxí; 站席 zhànxí; 站票 zhànpiào ¶~ 관중 站票观众

입석-권(立席券) 명 站票 zhànpiào; 站席票 zhànxípiào

입선(入選) 명하자 入选 rùxuǎn ¶~작 入选作品 / 공모전에서 ~된 작품들 在大奖赛中入选的作品

입성(入城) 명 1 入城 rùchéng; 进城 jìnchéng ¶성문이 닫히기 전에 ~하다 在城门关闭之前进城 2 占领 zhànlǐng ¶공산군이 서울에 ~하다 共产军占领首尔

입소(入所) 명하자 入所 rùsuǒ; 进入 jìnrù ¶~자 入所者 =[进所者]/훈련소에 ~하다 进入训练所

입소-말 私语 sīyǔ; 悄悄话 qiāoqiāohuà ¶~을 하다 说悄悄话

입수(入手) 명하자 得手 déshǒu; 接到 jiēdào; 到手 dàoshǒu; 接获 jiēhuò; 收到 shōudào ¶소식을 ~하다 得到消息 /최근 ~된 정보 最新接获的情报

입수(入水) 명하자 入水 rùshuǐ; 进水中 jìnrù shuǐzhōng; 下水 xiàshuǐ ¶다이빙의 ~ 동작 跳水比赛的入水动作

입술 명 嘴唇 zuǐchún; 唇 口音 = 입2 ¶앵두 같은 ~ 樱桃似的嘴唇 / ~이 트다 嘴唇干裂了

입술에 침이나 바르다 속담 别胡说八道了

입술을 깨물다 ➡ 咬住嘴唇《表示气愤、痛苦、忍耐等感情》

입시(入試) 명 = 입학시험 入学试验 ¶~ 대학 = 人大学考试 =[高考]/ ~ 제도 高考制度 / ~ 위주의 교육 高考为主轴的教育

입신(入神) 명하자 出神入化 chūshénrùhuà; 入神 rùshén ¶~의 경지에 이르다 达到出神入化境界

입신(立身) 명하자 立身 lìshēn; 处身 chǔshēn

입신-양명(立身揚名) 명하자 立身扬名 lìshēnyángmíng ¶~의 꿈을 이루다 达到立身扬名的梦想

입신-출세(立身出世) 立身成名 lìshēnchéngmíng

입실(入室) 명하자 入室 rùshì; 进室 jìnwū; 进入 jìnrù ¶~ 금지 禁止入室

입-심 명 口舌 kǒushé; 口气 kǒuqì; 嘴皮 zuǐpí; 嘴皮子 zuǐpízi ¶그는 ~이 정말 대단하다 他嘴皮子真厉害

입-씨름 명하자 1 费口舌 fèikǒushé; 好说歹说 hǎoshuōdǎishuō = 말씨름2 = 말다툼 ¶그들은 만나기만 하면 ~한다 他们一见面就吵嘴

입-아귀 명 嘴角 zuǐjiǎo; 嘴丫子 zuǐyāzi; 口角 kǒujiǎo ¶~가 찢어지게 웃어 대다 笑得嘴角都裂了

입안(立案) 명하타 立案 lì'àn; 拟订 nǐdìng; 拟制 nǐzhì ¶~ 심사하다 立案审查 / 정책을 ~하다 拟定政策

입양(入養) 명하타 收养 shōuyǎng; 领养 lǐngyǎng; 抱养 bàoyǎng ¶~ 수속 收养手续 / 해외 ~ 海外领养 / 절차 收养程序 / 고아를 ~하다 收养孤儿

입양-아(入養兒) 명 领养儿 lǐngyǎng'ér ¶해외 ~ 海外领养儿

입영(入營) 명 【軍】= 입대 rù ~ 통지서 入伍通知书

입영(立泳) 명하자 = 선헤엄

입욕(入浴) 명하자 入浴 rùyù; 进澡堂 jìn zǎotáng ¶~제 入浴剂

입원(入院) 명하자 入院 rùyuàn; 住院 zhùyuàn; 住院医院 zhù yīyuàn ¶~비 住院费 / ~실 住院室 =[病房]/ ~ 手续 入院手续 =[住院手续]/ 환자 住院病人 / 치료 住院治疗 / 부상으로 1개월 ~했다 由于受伤住了一个月的院

입자(粒子) 명 1【物】粒子 lìzǐ 2 粒子 lìzǐ; 粒 lì ¶~가 매우 거칠다 粒子很粗

입장(入場) 명하자 入场 rùchǎng; 进场 jìnchǎng ¶~권 入场券 =[门票]/ ~료 入场费 =[门票钱][门票费]/ 미성년자 ~ 불가 未成年人不得入场

입장(立場) 명 立场 lìchǎng; 境地 jìngdì; 境况 jìngkuàng ¶난처한 ~에 처하다 处于尴尬的境地 / 그의 ~에서 생각해 보다 站在他的立场上想想

입적(入寂) 명하자 【佛】入寂 rùjì; 入灭 rùmiè = 열반2

입적(入籍) 명하자 入籍 rùjí; 报户口 bào hùkǒu; 转户口 zhuǎn hùkǒu; 迁入户籍 qiānrù hùjí ¶양자를 호적에 ~하다 把养子迁入户籍

입정 명 1 嘴 zuǐ; 口 kǒu 2 口癖 kǒupǐ

입정(이) 사납다 舌 **1** 好吃零食 **2** 嘴臭; 爱说脏话

입주(入住) 〔名〕〔자〕 入住 rùzhù; 住进 zhùjìn ¶~민 入住居民 / ~자 入住者 / 새 아파트에 ~하다 住进新公寓 / 아파트 ~를 신청하다 申请入住公寓 / 우리 단지는 ~한 지 벌써 2년이 되었다 我们小区已经入住两年了

입-주름 嘴角皱纹 zuǐjiǎo zhòuwén

입증(立證) 〔名〕〔타〕 证实 lìzhèng; 举证 jǔzhèng; 证明 zhèngmíng; 作证 zuòzhèng ¶자신의 결백을 ~하다 证明自己的清白

입지(立地) 〔名〕 **1** 立地 lìdì ¶~가 다르면 수목의 생장에 차이가 있다 树木生长就有差异 **2** 〔經〕 经济立地 jīngjì lìdì ¶열악한 ~ 조건 恶劣的经济立地条件

입-질 〔名〕〔하자〕 (钓鱼时) 碰鱼饵 pèng yúěr; 戏鱼饵 xì yúěr ¶물고기가 ~만 하고 물지는 않는다 鱼只是碰鱼饵而不咬

입찰(入札) 〔名〕〔하자〕 〔經〕 投标 tóubiāo; 招标 zhāobiāo; 出价 chūjià ¶~가 投标价 / ~서 投标书 / ~자 投标人 / ~ 공고 招标公告

입-천장(一天障) 〔生〕 口盖 kǒugài = 구개

입체(立體) 〔名〕〔數〕 立体 lìtǐ ¶~감 立体感 / ~ 모형 立体模型 / ~ 구조 立体结构 / ~ 영화 立体电影

입체 교차(立體交叉) 〔建〕 立体交叉 lìtǐ jiāochā; 立交 lìjiāo ¶~ 공사 立交工程

입체 교차로(立體交叉路) 〔建〕 立体交叉路 lìtǐ jiāochālù; 立交路 lìjiāolù

입체 음향(立體音響) 〔音〕 立体声 lìtǐshēng; 立体音响 lìtǐ yīnxiǎng

입체-적(立體的) 〔관〕〔名〕 **1** 立体(的) lìtǐ(de); ~(이) 立体的 lìtǐshì(de) ¶~ 표현 수법을 입체적 표现手法 **2** 多方面(的) duōfāngmiàn(de); 多层次(地) duōcéngcì(de) ¶~ 접근 多方面的接触 / ~으로 조사하다 多方面地调查

입추(立秋) 〔名〕 立秋 lìqiū (二十四节气之一)

입추(立錐) 〔名〕〔하자〕 立锥 lìzhuī ¶입추의 여지가 없다 무无立锥之地

입춘(立春) 〔名〕 立春 lìchūn (二十四节气之一) ¶~ 대길 立春大吉

입출(入出) 〔名〕 收支 shōuzhī ¶~ 명세 收支明细 / 내역 收支目目 / ~ 아뜰어지다 收支平衡

입-출고(入出庫) 〔名〕〔하자〕 入出库 rùchūkù ¶~ 기록 入出库记录

입출-금(入出金) 〔名〕 收支款 shōuzhīkuǎn; 取款存款 qǔkuǎn cúnkuǎn; 存取款 cúnqǔkuǎn ¶~이 자유로운 예금 存款自由的储蓄

입하(入荷) 〔名〕〔하자〕 进货 jìnhuò; 上货 shànghuò ¶신상품이 ~되다 新产品上货了

입하(立夏) 〔名〕 立夏 lìxià (二十四节气之一)

입학(入學) 〔名〕〔하자〕〔타〕 入学 rùxué; 上学 shàngxué; 进学 jìnxué ¶~금 入学费 / ~률 入学率 / ~식 入学典礼 / ~ 원서 入学申请书 / ~ 선물 入学礼物 / ~ 수속 入学手续 / 정원 入学定额 / 우리 딸은 올해 초등학교에 ~했다 我女儿今年上小学了

입학-생(入學生) 〔名〕 新生 xīnshēng ¶~을 모집하다 招收新生

입학-시험(入學試驗) 〔名〕 入学考试 rùxué kǎoshì = 입시 ¶대학 ~ 大学入学考试 / ~을 통과하다 通过入学考试

입항(入港) 〔名〕〔하자〕 入港 rùgǎng; 进港 jìngǎng ¶~료 入港费 / ~ 신고 入港申报

입헌(立憲) 〔名〕〔하자〕 立宪 lìxiàn ¶~국 立宪国家 / ~제 立宪制度 =[立宪制] / ~주의 立宪主义 / ~ 군주 立宪君主 / ~ 군주국 君主立宪国 / ~ 군주제 君主立宪制 / ~ 정치 立宪政治

입회(入會) 〔名〕〔하자〕 入会 rùhuì; 加入 jiārù ¶~ 자격 入会资格 / ~ 신청 入会申请 / ~비 入会费

입회(立會) 〔名〕〔하자〕 在场 zàichǎng; 到场 dàochǎng; 出席 chūxí ¶검사의 ~ 아래 현장 검증을 하다 检察官在场的情况下进行现场检验

입회-인(立會人) 〔名〕 〔法〕 见证人 jiànzhèngrén

입-후보(立候補) 〔名〕〔하자〕 当候选人 dāng hòuxuǎnrén; 参加竞选 cānjiā jìngxuǎn; 应选 yìngxuǎn ¶대통령 선거에 ~하다 参加总统竞选

입후보-자(立候補者) 〔名〕 候选人 hòuxuǎnrén; 应选人 yìngxuǎnrén ¶~ 명단 候选人名单

입-히다 〔타〕 **1** 给…穿 gěi…chuān; 让…穿 ràng…chuān ('입다1'的使动词) ¶엄마가 아이에게 옷을 ~ 妈妈给孩子穿上衣服 **2** 使…受(到) shǐ…shòu(dào) ('입다2'的使动词) ¶이번 사고는 인명과 재산에 막대한 손실을 입혔다 这次事故使人员和财产受到严重的损失 **3** 涂 tú; 抹 mǒ; 镀 dù; 铺 pū ¶색을 ~ 涂色 / 금을 ~ 镀金

잇 〔名〕 (被子或枕头的) 套(儿) tào(r); 套子 tàozi ¶이불~ 被套 / 베갯~ 枕套

잇:다 〔타〕 **1** (把两头) 接 jiē; 连接 liánjiē; 接上 jiēshàng; 衔接 xiánjiē ¶끊어진 곳을 다시 이어서 쓰다 把断的地方再接起来使用 / 이 다리는 섬과 육지를 이어 주는 역할을 한다 这座桥起着连接小岛和陆地的作用 **2** 接着 jiēzhe

¶네가 이 책을 다 보면 이어서 내가 보겠다 这本书, 你看完了我接着看 **3** 继承 jìchéng; 承继 chéngjì ¶가업을 ~ 继承家业 / 전통을 ~ 继承传统

잇:-달다 재 = 잇따르다 ¶잇달아 오다 接踵而来

잇:-달다 재 连绵 liánmián; 连 lián; 绵延 miányán; 交接 jiāojiē ¶이 길은 바다에 잇닿아 있다 这条路连到大海

잇:-대다 타 接着 jiē; 连 lián; 连接 liánjiē; 连结 liánjié ¶책상 두 개를 ~ 把两 张桌子接在一起

잇:-따르다 재 跟随 gēnsuí; 跟着 gēnzhe; 接连不断 jiēliánbùduàn; 接连 jiēlián; 接踵 jiēzhǒng ¶좋은 일이·잇달다 ¶좋은 일이 ~ 好事接连不断

잇-몸 명 【生】牙床 yáchuáng; 牙龈 yáyín; 齿龈 chǐyín; 牙根 yágēn = 치은 ¶~에서 피가 나다 牙龈出血 / ~이 아프다 牙根疼

잇-새 명 牙缝 yáfèng ¶고기가 ~에 끼었다 肉儿塞牙缝了

잇:-속(利−) 명 利益 lìyì; 自私自利 zìsīzìlì; 利己 lìjǐ ¶~만 밝히다 只顾得利

잇-자국 명 牙痕 yáhén; 牙印 yáyìn ¶반을 베어 먹은 사과에 선명하게 ~이 남았다 啃了一半的苹果上清楚地留着 牙印

있다 재타형 **1** 有 yǒu ¶기회가 ~ 有 机会 / 이 도자기에는 흠이 ~ 这陶瓷 上有个疤 **2** 在 zài ¶책이 책상 위에 ~ 书在桌子上 / 그는 집에 ~ 他在家 **3** 具有 jùyǒu; 带有 dàiyǒu ¶그는 어학 에 재능이 ~ 他具有语言天赋 **4** 有钱 yǒuqián ¶있는 집 아이 有钱人家的孩 子 5 处于 chǔyú; 处在 chǔzài ¶그는 지금 어려운 처지에 ~ 他现在处于困 境之中 / 공사는 마무리 단계에 ~ 工 程处于收尾阶段 **6** 发生 fāshēng; 出 现 chūxiàn ¶무슨 일이든 있을 수 있는 장소에 가야만 한다 无论发生什么事, 也要去约会地点 **7** 能 néng; 能够 nénggòu; 可以 kěyǐ ¶나는 무슨 일이 든 할 수 ~ 我什么事都能够干 / 내일 이면 다시 학교에 갈 수 ~ 明天可以 重新上学了 二보통 **1** 正 zhèng; 在 zài; 正在 zhèngzài (表示动作的持续) ¶책을 보고 ~ 正在看书 / 아이들이 놀고 ~ 孩子们在玩 **2** 着 zhe 《表示状 态的持续》¶문이 열려 ~ 门开着呢 / 침대에 누워 ~ 床上躺着呢

잉꼬(←일inko[鸚哥]) 명 【鸟】鹦哥 yīnggē

잉꼬-부부(←일inko[鸚哥]夫婦) 명 鸳鸯夫妻 yuānyang fūqī; 恩爱夫妻 ēn'ài fūqī

잉:-어 명 【魚】鲤鱼 lǐyú; 鲤 lǐ

잉:-여(剩餘) 명 剩余 shèngyú ¶~금 剩余钱 / ~ 물자 剩余物资 / ~ 농산물 剩余农产品 / ~ 가치 剩余价值 / ~ 생산물 剩余产品

잉잉 부하잣 哼呀 yīyā; 哼叽 hēngjī 《小孩哭声》¶아이가 낯선 사람을 만나 자 ~ 울기 시작했다 小孩看见生人就 哼哼叽叽地哭起来

잉잉-거리다 재 哼呀地哭 yīyāde kū; 哼哼唧唧地哭 hēnghēngjījīde kū = 잉 잉대다 ¶아이가 잉잉거리며 엄마를 조른다 孩子哼哼叽叽地哭着缠妈妈

잉카(Inca) 명 【史】印加 Yìnjiā ¶~ 문명 印加文明 / ~ 제국 印加帝国

잉크(ink) 명 墨水 mòshuǐ; 油墨 yóumò; 墨 mò ¶~병 墨水瓶

잉크젯 프린터(inkjet printer) 【컴】 喷墨打印机 pēnmò dǎyìnjī

잉:-태(孕胎) 명 하자타 **1** = 임신 **2** 孕育 yùnyù; 怀胎 huáizhe ¶그리움을 ~ 하다 怀着思念之情

잊다 타 **1** 忘 wàng; 忘记 wàngjì; 遗 忘 yíwàng; 忘却 wàngquè ¶서류를 가 지고 오는 것을 잊었다 忘了带文件 / 우산을 깜박 잊고 버스에 놓고 왔다 把伞忘在公共汽车里了 **2** 顾不得 gùbude; 顾不上 gùbushàng ¶그는 일이 바빠서 밥 먹는 것도 잊었다 他忙着工 作, 连饭也顾不上吃

잊어-버리다 타 忘 wàng; 忘掉 wàngdiào; 忘记 wàngjì ¶학교에서 배운 것 을 깡그리 잊어버렸다 把学校学的知 识全忘掉了 / 자신의 본분을 ~ 忘了 自己的本分

잊-히다 재 被忘记 bèiwàngjì; 被遗忘 bèiyíwàng; 忘 wàng; 忘掉 wàngdiào; 忘记 wàngjì (《'잊다'의 피동사》) ¶그녀 의 모습이 도무지 잊혀지지 않는다 怎 么也忘不了她的模样

잎 명 **1** 【植】叶子 yèzi; 叶(儿) yè(r) ¶ ~이 나다 叶子长出来 / ~이 시들다 叶子枯萎了 / ~이 무성하다 叶子茂盛 **2** 片 piàn ¶나뭇잎이 한 ~ 두 ~ 흩날 려 떨어지다 树叶一片一片地飘落

잎-꽂이 명 【農】插叶 chāyè

잎-담배 명 【植】叶烟 yèyān

잎-담배 명 叶子烟 yèziyān; 叶烟 yèyān

잎-맥 명 (一脉) 【植】叶脉 yèmài

잎-사귀 명 (宽阔的) 叶子 yèzi; 叶 (儿) yè(r) ¶배추~ 白菜叶

잎-새 명 '잎사귀'의 방언

잎-자루 명 叶柄 yèbǐng

잎-채소(一菜蔬) 명 叶菜类蔬菜 yècàilèi shūcài

자[1] 一몡 尺 chǐ; 尺子 chǐzi ¶~로 길이를 재다 用尺子量长度 二의몡 尺 chǐ 《长度单位》= 척(尺) ¶한 ~의 길이 一尺长度

자[2] 갑 喂 wèi; 来吧 láiba; 来 lái; 咳 hāi ¶~, 가자 喂, 走吧 / ~, 우리 노래 부르자 来, 咱们唱歌吧

자[3](字) 몡 字 zì; 表字 biǎozì

자[4](字) 몡 1 = 글자 2 字 zì; 字数 zìshù ¶200~ 원고지 二百字的稿纸

자(者) 의몡 者 zhě; 家伙 jiāhuo ¶일하지 않는 ~는 먹지도 마라 不劳动者不得食

-자(子) 접미 1 子 zǐ ¶미립~ 微粒子 / 중성~ 中子 2 子 zì 《古代特指有学问的男人》¶공~ 孔子 / 맹~ 孟子

-자(者) 접미 者 zhě; 家 jiā; 员 yuán; 人员 rényuán ¶기술~ 技术人员 / 편집~ 编辑人员

자가(自家) 몡 1 自家 zìjiā; 自宅 zìzhái; 自己家 zìjǐjiā 《自己的住宅》 2 自己 zìjǐ; 自我 zìwǒ ¶~ 운전 车主自己开车

자가-당착(自家撞着) 몡 自相矛盾 zìxiāng máodùn ¶논문의 관점은 앞뒤가 일치해야지 ~이 되어서는 안 된다 论文观点要前后一致, 不可自相矛盾

자가-용(自家用) 몡 自家车 zìjiāchē; 轿车 jiàochē; 自用汽车 zìyòng qìchē; 自用车 zìyòngchē; 自家汽车 zìjiā qìchē ¶~ 운전 驾驶轿车

자각(自覺) 몡하타 领悟 lǐngwù; 觉悟 juéwù; 自觉 zìjué; 认识 rènshi; 觉察 juéchá ¶~ 증상 自觉症状 / 잘못을 저질러 놓고 ~하지 못하다 犯了错误不自觉 / 문제의 심각성을 ~했다 觉悟到了问题的严重性

자간(字間) 몡 字距 zìjù; 行距 hángjù ¶~을 조절하다 调节字距 / ~을 넓히다 扩大行距

자갈 몡 小石子 xiǎoshízi; 卵石 luǎnshí; 砾石 lìshí; 鹅卵石 éluǎnshí ¶정원에 ~을 깔다 园子里铺小石子

자강불식(自强不息) 몡하타 自强不息 zìqiángbùxī

자개 몡 (加工过的) 贝片 bèipiàn; 螺钿 luódiàn; 螺甸 luódiàn ¶~ 박힌 옷장 嵌贝片的衣柜 / ~장 螺钿衣箱

자:객(刺客) 몡 刺客 cìkè ¶일본 ~ 日本刺客

자격(資格) 몡 1 资格 zīgé ¶~시험

资格考试 / ~ 정지 停止资格 / ~이 모자라다 不够资格 / 그는 회장이 될 ~이 없다 他没有资格当会长 2 资历 zīlì; 身份 shēnfen ¶회원 ~으로 회의에 참가하였다 以会员的身份参加了会议

자격-증(資格證) 몡 资格证书 zīgé-zhèngshū ¶~ 律师资格证书 / 교사 ~ 教师资格证书 / ~을 따다 取得资格证书

자격지심(自激之心) 몡 自责之心 zìzézhīxīn; 内疚 nèijiù; 自惭 zìcán; 愧疚之心 kuìjiùzhīxīn; 自惭形秽 zìcánxínghuì ¶그녀는 이 일로 많은 ~을 느꼈다 她为此事感到了十分内疚 / ~이 강하다 愧疚之心很重

자결(自決) 몡하자 1 自决 zìjué ¶민족 ~ 民族自决 2 自杀 zìshā; 自尽 zìjìn; 自颈 zìjǐng; 轻生 qīngshēng; 自刎 zìwěn ¶황제가 ~했다 皇帝自杀了 / 물에 빠져 ~하다 掉水自尽

자고-로(自古一) 뷔 = 자고이래로 ¶미인은 박명이다 自古红颜多薄命

자고이래-로(自古以來一) 뷔 自古 zìgǔ; 自古以来 zìgǔyǐlái; 一向 yīxiàng = 자고로 ¶~ 사람들은 달에 대해 끝없는 환상이 있어 왔다 自古以来, 人们对月亮有着无限的幻想

자괴(自愧) 몡 自愧 zìkuì

자괴(自壞) 몡하자 自然毁坏 zìrán huǐhuài; 自坏 zìhuài

자구(字句) 몡 字句 zìjù ¶~를 퇴고하다 推敲字句

자구(自救) 몡하자 自救 zìjiù ¶~책 自救方法 / ~ 의식 自救意识 / 단결하여 ~하다 团结自救

자국 몡 1 痕迹 hénjì; 踪迹 zōngjì; 迹象 jìxiàng ¶눈물 ~을 닦아내다 擦拭眼泪痕迹 2 疤痕 bāhén ¶불에 덴 ~ 烫伤疤痕 3 足迹 zújì; 脚印(儿) jiǎoyìn(r); 步趾 bù ¶~(이) 脚步脚印
자국(을) 밟다 굔 追踪; 跟踪
자국(이) 나다 굔 有痕迹

자국(自國) 몡 本国 běnguó ¶~민 本国人 / 그들은 모두 ~으로 돌아갔다 他们都回到本国了

자궁(子宮) 몡 生 子宫 zǐgōng ¶~내막염 子宫内膜炎 / ~암 子宫癌 / ~외 임신 子宫外孕 =[宫外孕][异位妊娠]

자그마치 뷔 (出乎意料地) 多 duō; 不

少 bùshǎo; 可真不少 kězhēnbùshǎo ¶ 오십만 원이라면 몰라도 ~ 이백만 원이야 五十万说得过去, 二百万可真

자그마-하다 倒 较小 jiàoxiǎo; 较矮 jiào'ǎi; 稍小 shāoxiǎo; 显小 xiǎnxiǎo; 微小 wēixiǎo; 矮 ǎi ¶키가 ~ 个子较矮

자그만치 團 '자그마치'의 착오

자그맣다 倒 '자그마하다'의 略語 ¶그는 몸집이 ~ 他身材较小

자:극(刺戟) 图허타 1 刺激 cìjī; 激励 jīlì; 鼓励 gǔlì; 促进 cùjìn ¶~적 발언 带有刺激的发言 / ~을 받다 受刺激 2 【生】刺激 cìjī; 刺戟 cìjī; 激刺 jīcì ¶피부 ~ 皮肤刺激

자:극(磁極) 图 【物】磁极 cíjí ¶지구의 ~ 地球磁极 / ~ 강도 磁极强度

자:극-제(刺戟劑) 图 刺激剂 cìjījì; 兴奋剂 xīngfènjì ¶~를 주사하다 注射兴奋剂 / 여행은 생활에 ~가 된다 旅行是生活的一种兴奋剂

자근-거리다 围 (轻轻地) 压 yā; 嚼 jiáo; 细嚼 xìjiáo = 자근대다 ¶자근거리며 씹고 천천히 삼키면 위에 좋다 细嚼慢咽, 对胃好 **자근-자근** 團허자타

자글-거리다 国 咕嘟咕嘟响 gūdūdūdū xiǎng = 자글대다 **자글-자글** 團자

자금(資金) 图 资金 zījīn ¶유동 ~ 流动资金 / ~난 资金荒 =[资金困难][资金短缺][资金来源困难] / ~을 募集 筹集资金

자금-거리다 国 牙碜 yáchen = 자금대다 **자금-자금** 團허자

자금-줄(資金—) 图 = 돈줄

자급(資給) 图허타 自给 zìjǐ; ~自足 自给自足 / 식량을 ~하다 粮食自给

자긍(自矜) 图허자타 自负 zìfù; 自豪 zìháo; 骄傲 jiāo'ào ¶~을 느끼다 感到骄傲

자기(自己) 目代 自己 zìjǐ; 自身 zìshēn; 己 jǐ; 自 zìwǒ ¶~만족 自我满足 =[自满][自满自足] / ~반성 自我反省 / ~모순 自我矛盾 =[自相矛盾] / ~비판 自我批判 =[自我检讨] / ~소개 自我介绍 / ~편 同伙 =[同伙] / ~ 암시 自我暗示 =[自我提醒] / ~중심 自我中心 / ~희생의 정신 自我牺牲精神 / ~의 힘 自己的力量 / ~스스로 하다 自己动手 / ~의 일은 ~가 해라 自己的事, 自己做 =[自己 zìjǐ

자기 배 부르면 남의 배 고픈 줄 모른다 國團 饱汉不知饿汉饥

자기 얼굴[낯]에 침 뱉기 國團 朝自己的脸上吐唾沫

자:기(瓷器·磁器) 图 瓷器 cíqì; 磁器 cíqì = 사기그릇

자:기(磁氣) 图 【物】磁性 cíxìng; 磁 cí ¶~장 磁场 =[磁界]

자:기 부상 열차(磁氣浮上列車) 【交】磁悬浮列车 cíxuánfúlièchē; 直列电机车 zhílièdiànjīchē

자기앞 수표(自己—手票) 【經】个人支票 gèrén zhīpiào; 本票 běnpiào; 银行支票 yínháng zhīpiào

자꾸[1] 團 总是 zǒngshì; 老是 lǎoshi; 不住地 bùzhùde; 不断地 bùduànde; 接连多次 jiēliánduōcì; 老 lǎo; 总 zǒng; 一个劲儿地 yīgejìnrde ¶~ 말을 안 듣다 老是不听话 / ~ 잔을 권하다 不住地举杯 / ~ 졸다 一个劲儿地打磕睡

자꾸[2] 图 '지폐'의 착오

자꾸-만 團 '자꾸'의 강조어

자꾸-자꾸 團 总是 zǒngshì; 老是 lǎoshi

자네 代 你 nǐ ¶用于平辈之间或对晚辈的称呼》 ¶~는 왜 이렇게 화를 내는가? 你哪儿来的这么大火儿?

자녀(子女) 图 子女 zǐnǚ; 儿女 érnǚ ¶~를 기르다 抚养子女

자다 国 1 睡 shuì; 睡觉 shuìjiào ¶일찍 자고 일찍 일어나다 早睡早起/11시에 ~ 11点睡觉 2 停 tíng; 平静 píngjìng; 静下来 jìngxiàlái; 停止 tíngzhǐ; 平静下来 píngjìngxiàlái ¶바람이 ~ 风停了 / 물결이 잔다 波浪静下来 3 (纸牌的某一牌) 压在底下 yāzàidǐxià ¶조커 두 장이 다 밑에 자는군 大小王都压在底下呢 4 (男女) 同房 tóngfáng; 做爱 zuò'ài

자다가 봉창 두드린다 國團 半夜喊天光

자나 깨나 團 总是; 时时; 老是

자당(慈堂) 图 令堂 lìngtáng; 令慈 língcí ¶~께서는 별고 없으시지요! 令堂大人好吧!

자동(自動) 图 1 自动 zìdòng ¶~门 自动门 / ~식 自动式 / ~화 自动化 / ~저울 自动磅秤 / 문이 ~으로 열리다 门自动开了 2 自然而然 zìrán'érrán ¶그 사람밖에 후보가 없어 ~으로 그가 회장이 됐다 候补只有他一个, 他自然而然地当选为会长

자동-계단(自動階段) 图 = 에스컬레이터

자-동사(自動詞) 图 【語】自动词 zìdòngcí; 不及物动词 bùjíwùdòngcí; 内动词 nèidòngcí

자동-차(自動車) 图 汽车 qìchē; 机动车 jīdòngchē ¶~ 전용 도로 机动车道 / ~ 운전 면허증 机动车驾驶证

자동-판매기(自動販賣機) 图 自动售货机 zìdòng shòuhuòjī; 无人售货机 wúrén shòuhuòjī; 自动贩卖器 zìdòng fànmàiqì; 自卖机 zìmàijī = 자판기

자두 명 李子 lǐzi

자두-나무 명 [植] 李子树 lǐzishù

자디-잘다 极小的 jíxiǎo ¶자디잔 모래 极小的沙子

자라 명 [動] 鳖 biē; 甲鱼 jiǎyú ¶~구이 鳖灸 ~처럼 늦게 걷다 像鳖一样走得慢

자라 보고 놀란 가슴 소댕[솥뚜껑] 보고 놀란다 속담 一朝被蛇咬, 十年怕井绳; 挨过蛇咬见鳝跑; 一日被蜂叮, 三日怕苍蝇; 一朝被蛇咬, 十年怕草绳

자라-나다 자 生长 shēngzhǎng; 成长 chéngzhǎng; 长出 zhǎngchū; 长大 zhǎngdà; 养成 yǎngchéng; 滋长 zīzhǎng ¶새순이 ~ 长出了新芽 / 장대하게 ~ 成长壮大 / 무럭무럭 ~ 茁壮成长

자라다 자 1 生长 shēngzhǎng; 成长 chéngzhǎng; 长大 zhǎngdà ¶그곳에는 추위를 견디는 작물이 자라고 那里生长着耐寒作物 2 发展 fāzhǎn; 壮大 zhuàngdà ¶세계 제일의 기업으로 ~ 发展到世界第一的企业 3 滋长 zīzhǎng ¶교만한 감정이 ~ 滋长骄傲的情绪

자라-목 명 1 鳖脖子 biēbózi; 短脖子 duǎnbózi 2 缩进去的脖子 suōjìnqùde bózi; 畏缩的脖子 wèisuōde bózi

자라목(이) 되다 권 收缩; 缩回去

자락 명 1 衣角 yījiǎo; 衣边 yībiān; 衣襟 yījīn ¶~을 잡다 抓住衣角 / 山脚 shānjiǎo; 山根 shāngēn

자랑 명하타 骄傲 jiāo'ào; 自豪 zìháo; 夸耀 kuāyào; 炫耀 xuànyào; 表现自己 biǎoxiàn zìjǐ ¶~거리 值得自豪的 = [值得骄傲的] / 우리 학교의 ~ 我们学校的骄傲 / 자신의 성적을 ~하다 夸耀自己的成绩

자랑 끝에 불붙는다 속담 骄必败

자랑-삼다 타 引以为荣 yǐnyǐzìróng; 引以为荣 yǐnyǐwéiróng

자랑-스럽다 형 觉得自豪 juéde zìháo; 引以为荣 yǐnyǐwéiróng; 值得骄傲 zhíde jiāo'ào **자랑스레** 부

자력(自力) 명 自力 zìlì ¶~으로 완성하다 自力完成

자료(資料) 명 资料 zīliào; 材料 cáiliào ¶연구 ~ 研究资料 / 통계 ~ 统计资料 / ~를 수집하다 搜集资料 / ~가 충분하지 않다 材料不充分

자루[1] 명 1 袋子 dàizi; 袋(儿) dài(r); 布袋 bùdài; 口袋 kǒudài ¶밀가루 ~ 面粉袋子 2 袋 dài ¶콩 한 ~ 一袋大豆

자루[2] 명 1 柄 bǐng; 把 bǎ; 把柄 bǎbǐng ¶칼의 ~ 刀柄 2 支 zhī; 把 bǎ; 杆 gǎn ¶연필 두 ~ 两支铅笔 / 총 세 ~ 三把枪 / 우산 한 ~ 一把伞

자르다 타 1 剪 jiǎn; 折断 zhéduàn; 切断 qiēduàn; 截断 jiéduàn; 剪断 jiǎnduàn; 砍断 kǎnduàn; 斩断 zhǎnduàn; 斩断 zhǎnduàn; 割断 gēduàn ¶머리를 짧게 ~ 把头发剪短一点 2 撤职 chèzhí; 解雇 jiěgù ¶직원을 ~ 解雇职员 3 拒绝 jùjué ¶무리한 요구를 ~ 拒绝无理要求

자르르 부형 1 滑溜溜 huáliūliū; 油光光 yóuguāngguāng; 光溜溜 liūliū; 光亮亮 guāngliàngliàng; 油光闪亮 yóuguāngshǎnliàng; 油亮 yóuliàng; 滋润 zīrùn; 光滑 guānghuá ¶윤기가 ~한 대리석 光滑的大理石 2 丝丝拉拉 sīsīlālā; 微酸痛 wēisuāntòng; 微酸麻 wēisuānmá; 麻酥酥 másūsū; 麻木 mámù; 酥麻 sūmá; 发木 fāmù ¶~한 느낌이 온몸에 퍼졌다 一种酥麻的感觉在我身上扩散

자리[1] 명 1 位置 wèizhi; 座位 zuòwèi; 席位 xíwèi; 地方 dìfang ¶그에게 ~두 개를 찾아 줄 것을 부탁했다 请他找两个位置 / 앉을 ~가 있다 有地方坐 / 영화 표가 다 팔려서 ~가 하나도 없다 电影票已经卖完, 一个座位也没有了 2 场合 chǎnghé; 场所 chǎngsuǒ; 机会 jīhuì 3 痕迹 hénjì; 印记 yìnjì 4 职务 zhíwù; 职位 zhíwèi; 地位 dìwèi ¶~가 높다 地位很高 5 [数] 位数 wèishù; 位 wèi; 位子 wèizi ¶소수점 아래 다섯째 ~ 小数点后五位

자리가 잡히다 권 1 上轨道 2 熟练 3 (生活) 安定

자리(를) 잡다 권 1 占有 2 扎根

자리[2] 명 1 座垫 zuòdiàn; 席子 xízi; 垫子 diànzi 2 이부자리 3 = 잠자리[1]

자리(를) 보다 권 铺被褥; 躺下欲睡

자리-다툼 명 抢位子 qiǎngwèizi; 地位之争 dìwèizhīzhēng; 争地位 zhēngdìwèi; 争权夺利 zhēngquándúlì ¶계속 ~을 하다 一向争权夺利

자린-고비 명 吝啬鬼 lìnsèguǐ

자립(自立) 명하자 自立 zìlì; 自主 zìzhǔ; 独立 dúlì ¶~성 自立性 / 경제 自立经济 / 부모를 떠나 ~하다 离开父母自立 / 아들이 취직을 했으니 ~할 수 있게 되었다 儿子有了工作, 可以自立了

자릿-세(一貰) 명 地盘租金 dìpán zūjīn; 铺位租金 pùwèi zūjīn

자릿-수(一數) 명 位数 wèishù; 位 wèi ¶전화번호 ~가 늘었다 电话号码位升位

자막(字幕) 명 字幕 zìmù

자만(自慢) 명하자타 自傲 zì'ào; 傲慢 àomàn ¶~심 傲慢之心 = [自负心][傲气]

자만(自滿) 명하자 自满 zìmǎn; 骄傲

自满 jiāoào zìmǎn ¶~하는 사람은 발전할 수가 없다 自满的人不能进步

자매(姉妹) 몝 **1** 姐妹 jiěmèi; 姊妹 zǐmèi **2** 姉妹 zǐmèi; 兄弟 xiōngdì; 联系 liánshǔ ¶~기관 姊妹机关 =[姊妹机构]/~ 도시 姊妹城市/~ 은행 联属银行/~ 학교 姊妹学校

자매-결연(姉妹結緣) 몝 **1** 拜为姐妹 bàigān jiěmèi **2** 姉妹 zǐmèi; 友好关系 yǒuhǎo guānxi ¶~ 부락 姊妹村

자멸(自滅) 몝하자 自灭 zìmiè; 自毁 zìhuǐ; 自取灭亡 zìqǔmièwáng; 不攻自破 bùgōngzìpò ¶~책 自取灭亡的计策/~을 초래하다 招致自灭

자멸(自蔑) 몝 自蔑 zìmiè; 蔑视自己 mièshì zìjǐ; 自我蔑视 zìwǒ mièshì

자명(自鳴) 몝하자 自鸣 zìmíng ¶~고 自鸣鼓 =[종 自鸣钟 =[闹钟]

자명-하다(自明─) 휑 不言自明 bùyánzìmíng; 不言而喻 bùyán'éryù

자모(字母) 몝語 字母 zìmǔ = 낱자 ¶~순 字母顺序

자모(慈母) 몝 慈母 címǔ

자못 문 很 hěn; 极其 jíqí; 非常 fēicháng; 颇为 pōwéi; 相当 xiāngdāng

자문(自問) 몝하자타 自问 zìwèn ¶~자답 自问自答

자:문(諮問) 몝하타 询问 xúnwèn; 咨询 zīxún; 征求意见 zhēngqiú yìjiàn ¶~ 기관 咨询机关 =[咨询机构]/~위원회 咨询委员会 =[咨询委员会]/~과 관련된 문제를 ~하다 咨询有关生产的问题

자물-쇠 몝 锁 suǒ; 锁头 suǒtou ¶그는 자전거에 ~를 채웠다 他把自行车锁上了

자박 문 沙沙地 shāshāde (脚步声) 모래톱을 걸으니, 발밑에서 ~ 소리가 난다 走在沙滩上，脚下沙沙地响

자박(自縛) 몝하자 自缚 zìfù; 自我束缚 zìwǒ shùfù

자:반 몝 咸鱼 xiányú; 蒸咸鱼 zhēngxiányú ¶~ 고등어 咸青花鱼

자발(自發) 몝하자 自发 zìfā; 自动 zìdòng; 主动 zhǔdòng ¶~적으로 남을 돕다 主动帮助别人

자백(自白) 몝하타자 供 gòng; 招 zhāo; 招供 zhāogòng; 自白 zìbái; 自招 zìzhāo; 交代 jiāodài; 供认 gòngrèn ¶범인은 이미 죄를 ~했다 犯人已将罪行招供了/한사코 ~하지 않다 拒不坦白

자본(資本) 몝 **1** 本钱 běnqián; 底子 dǐzi; 资本 zīběn; 老本 lǎoběn ¶~가 资本家 =[财主]/그런 걸 하려면 이 밑이 있어야 한다 那得本钱够才行 **2** 經 资本 zīběn; 股金 gǔjīn; 资金 zījīn ¶~금 资本金 =[资本][资金]/

~주의 资本主义

자부(自負) 몝하타 自负 zìfù; 自信 zìxìn; 自豪 zìháo ¶~심 自豪感 =[自信心]/총명하다고 ~하다 自负聪明

자부(慈父) 몝 慈父 cífù

자비(自卑) 몝 自卑 zìbēi ¶~심 自卑感

자비(自費) 몝 自费 zìfèi; 私费 sīfèi ¶~생 自费生/~ 유학 自费留学/그는 ~로 대학을 마쳤다 他自费读完了大学

자비(慈悲) 몝 慈悲 cíbēi ¶~심 慈悲心 =[慈善心][慈悲之心][慈心]/~를 베풀다 发慈悲

자비-롭다(慈悲─) 휑 慈善 císhàn; 慈悲 cíbēi ¶이 사기꾼은 자비로운 표정을 지어내며 거짓으로 사람을 돕는다 这个骗子装出一副慈善面孔, 假意助人 자비로이 문

자빠-뜨리다 타 使摔倒 shǐshuāidǎo; 打倒 dǎdǎo; 推倒 tuīdǎo ¶거의 나를 자빠뜨릴 뻔했다 几乎使我摔倒

자빠-지다 자 **1** 摔倒 shuāidào; 倾倒 qīngdào; 仰面倒 yǎngmiàndǎo; 栽倒 zāidǎo ¶얼음판에 ~ 摔倒在冰地上/잔디에 뒤로 벌렁 ~ 仰面倒在草地上 **2** '눕다'의 俗称 ¶그는 침대에 자빠져 자고 있다 他躺在床上睡着 ¶자빠져도 코가 깨진다 속담 人要倒霉, 喝凉水也塞牙

자산(資産) 몝經 资产 zīchǎn; 财产 cáichǎn = 자재(資材)1 ¶국유 ~ 国有资产/잉여 ~ 剩余资产

자산-가(資産家) 몝 富有者 fùyǒuzhě; 财东 cáidōng; 大财主 dàcáizhǔ

자살(自殺) 몝하자 自杀 zìshā; 自尽 zìjìn; 寻死 xúnsǐ; 凶死 xiōngsǐ ¶~ 방조죄 帮助自杀罪/~을 기도하다 企图自杀/물에 빠져 ~하다 溺水自尽

자살-골(自殺goal) 몝體 = 자책

자:상(刺傷) 몝 刺伤 cìshāng ¶~을 입다 被刺伤

자상-하다(仔詳─) 휑 **1** 仔细 zǐxì; 详细 xiángxì ¶선생님께서 자세히 가르쳐 주시다 老师教得很仔细 **2** 慈祥 cíxiáng; 祥和 xiánghé; 细心 xìxīn; 无微不至 wúwēibùzhì; 周到 zhōudào; 仔细 zǐxì ¶자상한 눈길 慈祥的目光/자상한 배려 无微不至的照顾/자상하게 손님을 대하다 周到待客 자상-히 문 ~설명하다 详细地介绍

자생(自生) 몝하자 自生 zìshēng; 自长 zìzhǎng; 自生自长 zìshēngzìzhǎng; 自然生长 zìrán shēngzhǎng; 自然形成 zìrán xíngchéng ¶~ 자멸 自生自灭/~ 식물 自生植物

자서-전(自敍傳) 몡【文】自传 zì-zhuàn; 自序 zìxù ¶~을 쓰다 写自传

자:석(磁石) 몡【物】磁铁 cítiě; 吸铁石 xītiěshí ¶영구 ~ 永久磁铁

자선(慈善) 몡하타 慈善 císhàn ¶~家 慈善家 =[善士]/~ 음악회 慈善音乐会/~ 단체 慈善机关/~을 베풀다 发慈善/~ 사업에 종사하다 从事慈善事业

자선-냄비(慈善─) 몡 慈善募捐盒 císhàn mùjuānhé; 慈善小锅 císhàn xiǎoguō ¶구세군의 ~ 救世军的慈善小锅

자성(自省) 몡하자 自省 zìxǐng; 自我反思 zìwǒ fǎnsī; 自我反省 zìwǒ fǎnxǐng

자:성(磁性) 몡【物】磁 cí; 磁性 cíxìng ¶~체 磁性材料/~을 띠다 带磁性

자세(姿勢) 몡 1 姿势 zīshì; 姿态 zītài; 体位 tǐwèi; 架势 jiàshì ¶~가 바르다 姿势正/~가 바르지 않다 姿势不正/뛰어갈 ~를 취하다 采取跑步姿势 2 态度 tàidù; 架子 jiàzi ¶능동적 ~로 일에 임하다 以主动的态度对待工作

자세-하다(仔細─·子細─) 훵 仔细 zǐxì; 详细 xiángxì; 细心 xìxīn; 周详 zhōuxiáng; 过细 guòxì ¶설명이 ~ 说明很详细/자세하게 살펴보다 细心察看 자세-히 뷘 ¶~ 보다 仔仔细细地看

자손(子孫) 몡 1 子孙 zǐsūn《儿子与孙子》¶~만대 子孙万代 =[子子孙孙] 2 = 후손 ¶그는 명문의 ~이다 他是名门的后代

자수(字數) 몡 字数 zìshù ¶300자 이내로 ~를 제한하다 字数限制在300字以内

자수(自手) 몡 1 自己的手 zìjǐde shǒu 2 自力 zìlì; 自己努力 zìjǐ nǔlì; 自己动手 zìjǐ dòngshǒu

자수(自首) 몡하자【法】自首 zìshǒu; 投首 tóushǒu; 投案 tóu'àn ¶경찰에 ~하다 向警方自首

자:수(刺繡) 몡하자 绣 xiù; 绣花 xiùhuā; 缂丝 kèsī; 刺绣 cìxiù ¶~를 배우다 学刺绣

자수-성가(自手成家) 몡하자 白手起家 báishǒuqǐjiā; 自力更生 zìlìgēngshēng; 自手起家 zìshǒuqǐjiā; 赤手成家 chìshǒuchéngjiā; 平地致富 píngdìzhìfù; 自力成业 zìlìchéngyè ¶그는 마침내 ~했다 他终于白手起家了/그는 제로에서 시작해 ~했다 他从零开始, 赤手成家

자:수-틀(刺繡─) 몡 = 수틀

자숙(自肅) 몡하자 自律 zìlǜ; 自重 zì-

zhòng ¶잘못을 뉘우치고 ~하다 悔过自律

자술-서(自述書) 몡 口供书 kǒugòng-shū; 自述书 zìshùshū

자습(自習) 몡하타 自修 zìxiū; 自习 zìxí; 自学 zìxué ¶영어 ~서 英语自修读本/고등학교 과정을 ~하다 自学高中课程

자승(自乘) 몡하타【數】= 제곱

자승-자박(自繩自縛) 몡하자 作茧自缚 zuòjiǎnzìfù; 作法自毙 zuòfǎzìbì; 自做自受 zìzuòzìshòu

자식(子息) ⼀몡 1 子息 zǐxī; 儿女 érnǚ; 子女 zǐnǚ; 孩子 háizi; 孩儿 hái'ér ¶~이 둘 있다 有两个孩子 2 小宝贝 xiǎobǎobèi; 小宝宝 xiǎobǎobao; 小鬼 xiǎoguǐ《宠爱小孩的称呼》¶귀여운 ~ 可爱的小宝贝 ⼆의맹 货 huò; 伙 huò; 东西 dōngxi; 崽子 gāozi; 货色 huòsè; 小家伙 xiǎojiāhuo; 家伙 jiāhuo; 小子 xiǎozi《对男性轻蔑》¶나쁜 ~ 坏小子

자신(自身) 몡 自己 zìjǐ; 本身 běnshēn; 自我 zìwǒ; 自身 zìshēn; 一己 yìjǐ; 自家 zìjiā; 身己 shēnjǐ ¶그 ~ 他自己/나~도 스스로를 믿을 수 없다 我自己也不相信自己了

자신(自信) 몡하타 信心 xìnxīn; 自信 zìxìn; 把握 bǎwò; 拿手 náshǒu ¶~감 自信心/나는 수영에 ~이 없다 我对游泳没有信心

자신만만-하다(自信滿滿─) 훵 满怀信心 mǎnhuái xìnxīn; 信心十足 xìnxīnshízú; 满有信心 mǎnyǒu xìnxīn; 自信 zìxìn; 充满信心 chōngmǎn xìnxīn; 自满 zìmǎn; 扬扬自得 yángyáng zìdé ¶~하지 마라 不要太满有信心/운동에 ~ 对运动信心十足 자신만만-히 뷘

자아(自我) 몡【哲】自我 zìwǒ; 自己 zìjǐ ¶~실현 自我实现/~의식 自我意识/~를 찾다 寻找自我

자아-내다 타 引 yǐn; 逗 dòu; 引发 yǐnfā; 触发 chùfā; 导发 dǎofā; 勾起 gōuqǐ; 激起 jīqǐ; 带来 dàilái; 挤出 jǐchū; 引起 yǐnqǐ; 引致 yǐnzhì; 惹起 rěqǐ; 掀起 xiānqǐ; 造出 zàochū; 招招 zhāozhī ¶심각한 결과를 ~ 引起严重后果/눈물을 ~ 勾起泪水/웃음을 ~ 招笑/흥미를 ~ 引发兴趣/걱정을 ~ 招人烦恼

자애-롭다(慈愛─) 훵 慈 cí; 仁 rén; 仁爱 rén'ài; 心善 xīnshàn; 慈爱 cí'ài; 仁慈 réncí; 慈祥 cíxiáng ¶자애로운 눈 慈祥的眼睛/어머니는 그에게 무척 ~ 妈妈对他很慈爱 자애로이 뷘

자양(滋養) 몡하타 滋养 zīyǎng; 营养 yíngyǎng ¶~분 滋养成分/~액 营养

液/～제 营养剂 =[补药]

자업-자득(自業自得) 圀[허자] 自作自
受 zìzuòzìshòu; 作法自毙 zuòfǎzìbì;
自食其果 zìshíqíguǒ; 自取其咎 zìqǔ-
qíjiù; 咎由自取 jiùyóuzìqǔ; 作茧自缚
zuòjiǎnzìfù; 玩伙自焚 wánhuǒzìfén ¶나
쁜 짓을 하는 모든 사람들은 반드시
～할 것이다 凡是策划作恶的人, 必将
自食其果

자연(自然) ㊀圀 自然 zìrán; 天然 tiān-
rán; 자연界 zìránjiè ¶대～ 大自然 ～
광 自然光/～물 自然物/～법칙 自然
规律 =[自然法则][因果律]/～ 보호
自然保护/～인 自然人/～재해 自然
灾害/～ 숭배 自然崇拜/～증가율
自然增加率/～ 현상 自然现象/～미
가 넘치다 充满着自然美/～ 경관을
훼손하다 破坏自然景观 ㊁凰 자연
히

자연-림(自然林) 圀 = 원시림

자연-사(自然死) 圀[허자] 自然死亡 zì-
rán sǐwáng; 自然死 zìránsǐ; 老死 lǎo-
sǐ; 寿终 shòuzhōng

자연-수(自然數) 圀 【数】 自然数 zì-
ránshù

자연-스럽다(自然一) 휑 自然 zìran ㊀
凰 不自然/자연스러운 현상 自然
的现状/표정이 ～ 神色自然/자연스
러운 태도로 말하다 用自然的态度说
话 자연스레 凰

자연-히(自然一) 凰 自然 zìrán; 自然
而然 zìrán'érrán; 自来管儿 zìláiguǎnr;
不由得 bùyóude ～ 자연㊁¶～ 알게
될 것이다 自然会知道的

자영(自營) 圀[허타] 自营 zìyíng ¶～농
自营农/～업 自营商

자오-선(子午線) 圀 【天】 子午线 zǐ-
wǔxiàn; 经线 jīngxiàn

자옥-이 凰 弥漫地 mímànde; 腾腾地
téngténgde; 蒙蒙地 méngméngde = 자
옥이

자옥-하다 휑 弥漫 mímàn; 腾腾 téng-
téng; 笼罩 lóngzhào; 弥漫 mímáng; 迷
漫 mímàn; 迷蒙 mímeng; 白蒙蒙的
báiméngméng(de) = 자옥하다 ¶연기
가 ～ 烟雾弥漫/산봉우리에서 자옥
한 안개가 피어오른다 山头上升腾起
白蒙蒙的雾气

자:외-선(紫外線) 圀 【物】 紫外线 zǐ-
wàixiàn; 紫外光 zǐwàiguāng; 黑光 hēi-
guāng = 유브이

자욱-이 凰 = 자옥이

자욱-하다 휑 = 자옥하다 ¶짙은 연
기와 사나운 불길이 전 교실에 ～ 浓
烟烈火弥漫了整个教室

자웅(雌雄) 圀 1 = 암수 ¶～ 동체 雌
雄同体 2 雌雄 cíxióng; 胜负 shèngfù;
胜败 shèngbài; 高下 gāoxià ¶～을 겨

루다 决一雌雄

자원(自願) 圀[허자타] 自愿 zìyuàn; 志
愿 zhìyuàn ¶～봉사자 志愿服务者/～
입대 自愿入伍/～하여 전직을 신
청하다 自愿申请调动工作

자원(資源) 圀 【經】 资源 zīyuán ¶지
하～ 地下资源/～을 개발하다 开发
资源/인적 ～이 풍부하다 人力资源
丰富

자위(自慰) 圀[허자] 1 自慰 zìwèi ¶마
음에～가 되다 心里感到自慰 2 = 수
음 ¶～ 행위 手淫行为

자위(自衛) 圀[허타] 自卫 zìwèi ¶～권
自卫权/～대 自卫队/～책 自卫对策

자유(自由) 圀 自由 zìyóu; 随便 suí-
biàn ¶～ 가격 自由价格/～ 결혼 自
由结婚 =[恋爱结婚]/～ 경쟁 自由
竞争/～권 自由权/～권리 =[自由权利]/～
무역 自由贸易/～방임주의 自由放任
主义/～ 연상 自由联想/～연애 自由
恋爱/～의사 自由意思/～ 의지 自由
意志/～주의 自由主义/～화 自由
化/언론의 ～를 박탈하다 剥夺言论
自由

자유-롭다(自由一) 휑 自由 zìyóu; 随
便 suíbiàn; 自在 zìzài; 超脱 chāotuō;
自由自在 zìyóuzìzài; 无拘无束 wújū-
wúshù ¶자유로운 분위기 无拘无束的
气氛/거취가 ～ 来去自由/자유롭게
생활하다 自由自在地生活 자유로이
凰 ¶물에서 ～ 헤엄치다 在水里自由
地游来游去

자유-자재(自由自在) 圀 自由自在 zì-
yóuzìzài; 随意 suíyì; 随便 suíbiàn; 自
如 zìrú; 随心所欲 suíxīnsuǒyù; 无拘
束 wújūshù ¶외국어를 ～로 구사하다
自如地讲外语

자유-투(自由投) 圀 【體】 罚球 fáqiú ¶
～를 던지다 投罚球

자유-형(自由型) 圀 【體】 1 (摔跤的)
自由式 zìyóushì 2 (游泳的) 自由泳
zìyóuyǒng; 爬泳 páyǒng

자율(自律) 圀 自律 zìlǜ ¶～권 自律
权/～적 自律的/～을 강화하다 加强
自律/～ 의식이 강하다 自律意识很
强

자율 신경(自律神經) 圀 【生】 自主神经 zì-
zhǔ shénjīng; 植物性神经 zhíwùxìng
shénjīng

자음(子音) 圀 【語】 辅音 fǔyīn; 子音
zǐyīn ¶～ 탈락 辅音脱落/～ 동화 辅
音同化

자음(字音) 圀 字音 zìyīn; 读音 dúyīn
= 음(音)1

자의(字義) 圀 字义 zìyì

자의(自意) 圀 自意 zìyì; 随意 suíyì;
自己的意思 zìjǐde yìsi; 自己的想法
zìjǐde xiǎngfǎ; 个人意见 gèrén yìjiàn;

~로 사직서를 내다 按自己的意思提
出辞呈

자의(恣意) 몡 恣意 zìyì; 恣心 zìxīn;
任意 rènyì; 随便 suíbiàn ¶~적인 행
动 恣意行动 / ~적 판단 恣意判断 /
~적으로 가격을 올리다 任意提高价
格

자의-성(恣意性) 몡 【語】任意性 rèn-
yìxìng

자인(自認) 몡하타 自己承认 zìjǐ chéng-
rèn; 自认 zìrèn ¶실수를 ~하다 自认
失误

자임(自任) 몡하자타 自命 zìmìng; 自
封 zìfēng ¶그는 비범한 사람이라 ~
한다 他自命不凡的人 / 스타임을 ~
하다 自封为明星

자자손손(子子孙孙) 몡 子子孙孙 zǐzǐ-
sūnsūn; 子孙万代 zǐsūnwàndài; 辈辈
儿 bèibèir ¶~ 生活해 오던 곳 子孙
孙续继生活的地方

자:자-하다(藉藉─) 톙 广为流传
guǎngwéiliúchuán; 纷纷 fēnfēn ¶그녀가
곧 结婚한다는 소문이 ~ 她就要结婚
的消息纷纷传开 **자:자-히** 믄

자작(自作) 몡하자타 自做 zìzuò; 自制
zìzhì; 自己做的 zìjǐ zuòde; 自造 zì-
zào; 自作 zìzuò ¶~곡 自作曲 / ~시
自作诗 2 自耕 zìgēng ¶~농 自耕农

자작(自酌) 몡하자 自饮 zìyǐn; 自
酌 zìzhēn; 自斟自酌 zìzhēnzìzhuó; 自
酌自饮 zìzhuózìyǐn

자작-극(自作劇) 몡 1 自己做的戏剧
zìjǐ zuòde xìjù 2 (为了欺骗别人的) 虚
伪事件 xūwěi shìjiàn

자잘-하다 톙 都显得小小 dōu xiǎnde
xiǎoxiǎo; 小小儿 xiǎoxiǎor; 小些 xiǎo-
xiē; 很小 hěnxiǎo; 细微 xìwēi; 零碎
língsuì ¶자잘한 변화 细微的变化 / 감
자가 ~ 马铃薯都个儿小

자장-가(─歌) 몡 催眠曲 cuīmiánqǔ;
催眠歌 cuīmiángē; 摇篮曲 yáolánqǔ;
摇篮歌 yáolángē ¶~를 부르다 唱催
眠曲

자장면(←중zhajiangmian[炸醬麵])
몡 炸酱面 zhájiàngmiàn = 짜장면

자장-자장 갑 睡吧睡吧 shuìba shuìba

자재(資材) 몡 材料 cáiliào; 资材 zī-
cái; 物料 wùliào ¶~ 관리 材料管理 /
金속 ~ 金属材料 / ~난 材料缺乏 =
[材料荒][材料困难] / ~를 구하기 어
렵다 资材难采集

자재(資財) 몡 1 = 자산 资产 2 资财 zīcái

자적(自適) 몡하자 自适 zìshì; 自若
zìruò ¶유유~ 自在 zìzai

자전(字典) 몡 字典 zìdiǎn = 옥편1

자전(自轉) 몡하자 【天】自转 zìzhuàn ¶
~축 自转轴 / ~ 주기 自转周期 / 지
구 ~ 地球自转

자전-거(自轉車) 몡 自行车 zìxíng-
chē; 脚踏车 jiǎotàchē; 脚车 jiǎochē ¶
车子 chēzi ¶~를 타다 骑自行车 / ~
타이어에 바람을 넣다 给自行车充气

자정(子正) 몡 零点 língdiǎn; 子夜 zǐ-
yè; 子时 zǐshí; 半夜 bànyè ¶~ 종소
리가 울리다 零点钟声敲响

자정(自淨) 몡하자타 自净 zìjìng; 自然
净化 zìrán jìnghuà ¶环境의 ~ 作用
环境的自净作用

자제(子弟) 몡 1 令郎 lìngláng 2 子弟
zǐdì; 少爷 shàoye; 贵子 guìzǐ ¶부잣
집 ~ 膏粱子弟

자제(自制) 몡하자타 克制 kèzhì; 自制
zìzhì; 自持 zìchí; 控制 kòngzhì; 克己
kèjǐ ¶~력 自制力 =[克制力][自控
力] / ~력을 잃다 失去克制力 / ~하기
어렵다 很难自制 / 자신을 ~할 수 없
다 无法克制自己 / ~하는 태도를 취
하다 采取克制的态度

자조(自照) 몡하자 自照 zìzhào; 自省
zìxǐng ¶~ 문학 自照文学

자조(自嘲) 몡하자 自我嘲讽 zìcháo ¶~적
인 냉소 自嘲的冷笑

자족(自足) 몡하자 1 自足 zìzú; 自我
满足 zìmǎn; 自己满足 zìjǐ mǎnyì ¶~
满足 zìjǐ mǎnzú ¶~감 自足感 / ~적
生活 自足的生活 2 自给自足 zìjǐzìzú
¶~적인 자연 经济 自给自足的自然
经济

자존(自存) 몡하자 1 自己的存在 zìjǐ-
de cúnzài 2 自己生存 zìjǐ shēngcún;
自我生存 zìwǒ shēngcún; 自我存在 zì-
wǒ cúnzài; 自存 zìcún ¶~권 自存权
=[自己生存权][独立生存权]

자존(自尊) 몡하자 自尊 zìzūn ¶~심
自尊心

자주(自主) 몡하타 自主 zìzhǔ ¶~국
自主国家 / ~권 自主权 =[自主权
利] / ~정신 自主精神 / ~적 해결 방
법 自主的解决方法 / ~独립을 실현하
다 实现了自主独立

자주 믄 常 cháng; 常常 chángcháng;
时常 shícháng; 时时 shíshí; 多次 duō-
cì; 经常 jīngcháng; 屡次 lǚcì; 接长
不短 jiēchángbùduǎn ¶~ 만나다 常见
面 / 그는 ~ 온다 他常常来 / ~병이
나다 经常生病 / 앞으로 ~ 우리 집에
놀러 오세요 希望你以后经常到我家
来玩儿

자:주-색(紫朱色) 몡 紫色 zǐsè; 紫红
色 zǐhóngsè

자중(自重) 몡하타 自重 zìzhòng; 慎重
shènzhòng; 持重 chízhòng; 矜持 jīnchí
¶말을 ~하다 言谈持重

자중지란(自中之亂) 몡 帮内之乱 bāng-
nèizhīluàn; 内争 nèizhēng; 内乱 nèi-
luàn

자:지 閱 阴茎 yīnjīng; 鸡巴 jība; 阳根 yánggēn; 鸟 diǎo

자지러―들다 자 (身体、声音) 瑟缩 sèsuō; 畏缩 wèisuō; 收缩 shōusuō; 蜷缩 quánsuō ¶그는 자지러들며 나를 훑어봤다 他瑟缩地打量着我

자지러―지다 자 1 瑟缩 sèsuō; 畏缩 wèisuō; 收缩 shōusuō; 蜷缩 quánsuō ¶놀라서 ~ 吓得畏缩 2 (声音) 节奏快게 감동적이다 jiézòukuài ér gǎnrén; 刺耳 cì'ěr; 凄厉 qīlì ¶자지러지는 자동차 경적 소리 刺耳的汽车喇叭声 / 자지러지는 소음을 내다 发出刺耳的噪音

자진(自進) 图하자 自愿 zìyuàn; 自动 zìdòng; 主动 zhǔdòng ¶~ 신고 自愿申报 / ~ 출마 自愿出马

자질(資質) 图 1 材 cái; 资 zī; 材料 cáiliào; 气质 qìzhì; 素质 sùzhì; 资质 zīzhì ¶문학적 ~ 文学素养 / 타고난 ~ 天资 / 그는 ~이 뛰어나다 他素质很好 2 水平 shuǐpíng; 能力 nénglì ¶업무 ~이 부족하면 缺乏业务能力

자질구레―하다 图 细碎 xìsuì; 细小 xìxiǎo; 鸡毛蒜皮 jīmáosuànpí; 零碎 língsuì; 琐细 suǒxì; 区区 qūqū; 琐碎 suǒsuì; 零七八碎 língqībāsuì; 零星 língxīng; 烦碎 fánsuì; 零零碎碎 línglingsuìsuì ¶자질구레한 일 零碎活儿

자찬(自讚) 图하자타 自吹 zìchuī; 自夸 zìkuā; 自叹 zìtàn ¶~할 만한 것이 없다 没有什么可自夸的

자책(自責) 图하자타 自责 zìzé; 内疚 nèijiù; 罪己 zuìjǐ ¶~감 内疚感 / 깊이 ~을 느끼다 深感内疚

자책―골(自責goal) 图 【體】 自杀球 zìshāqiú; 乌龙球 wūlóngqiú = 자살골 ¶그는 ~을 던졌다 他投了个自杀球

자처(自處) 图하자 自居 zìjū; 自封 zìfēng; 自命 zìmìng ¶학자로 ~하다 自命为学家 / 그는 이제껏 고관으로 ~한 적이 없다 他从不以高官自居

자천(自薦) 图하자타 自荐 zìjiàn; 毛遂自荐 máosuìzìjiàn ¶그는 ~하여 교장이 되었다 他自荐当了校长

자청(自請←自請goal) 图하자타 主动要求 zhǔdòng yāoqiú; 志愿 zhìyuàn; 自愿 zìyuàn ¶노래 부르기를 ~하다 主动要求唱歌

자체(字體) 图 字体 zìtǐ

자체(自體) 图 本身 běnshēn; 本体 běntǐ ¶방법 ~는 결코 나쁘지 않다 方法本身不坏

자초(自招) 图하자타 自招 zìzhāo; 自找 zìzhǎo; 自取 zìqǔ ¶번거로움을 ~하다 自找麻烦 / 실패를 ~하다 自招失败

자초지종(自初至終) 图 原委 yuánwěi;

从头到尾 cóngtóudàowěi; 自始至终 zìshǐzhìzhōng; 从头至尾 cóngtóuzhìwěi; 原原本本 yuányuánběnběn; 起根由头 qǐgēnyóutóu; 三七二十一 sānqīèrshíyī ¶~을 설명하다 说明原委

자축(自祝) 图하자타 自祝 zìzhù; 自庆 zìqìng; 自己庆贺 zìjǐ qìnghè ¶~연 自庆筵 / 그는 자신의 생일을 ~했다 他自庆他的生日

자취 图 痕迹 hénjì; 踪迹 zōngjì; 踪影 zōngyíng; 影踪 yǐngzōng; 迹象 jìxiàng; 印子 yìnzi; 形迹 xíngjì; 残迹 cánjì; 印迹 yìnjì; 行迹 xíngjì ¶~를 남기다 留下痕迹

자취를 감추다 판 无影无踪; 销声匿迹

자취(自炊) 图하자타 自己做饭吃 zìjǐ zuòfànchī; 自做自吃 zìzuòzìchī; 自炊 zìchuī ¶~생 自炊学生 / 회사 근처에서 ~하다 在公司附近自己做饭吃

자치(自治) 图 自治 zìzhì ¶~구 自治区 / ~국 自治国 / ~권 自治权 / ~회 自治会 / ~ 단체 自治团体 / 행정 自治行政 / ~ 활동 自治活动

자칫 분하자 险象 xiǎnxiàng; 稍微不慎 shāowēi bùshèn; 差一点儿 chàyìdiǎnr; 一不小心 yíbùxiǎoxīn ¶~ 잘못하면 실수한 稍微不慎就出差错; ~ 생명이 위험할 뻔했다 险些危及生命 2 稍微 shāowēi; 稍稍 shāoshāo; 稍 shāo; 稍为 shāowéi; 比较 bǐjiào ¶~ 큰 듯하다 稍微大了一点

자칭(自稱) 图하자타 自称 zìchēng ¶아동 문학 작가라 ~하다 自称儿童文学作家

자키(jockey) 图 1 骑手 qíshǒu; 职业赛马骑士 zhíyè sàimǎ qíshì 2 音乐节목播音员 yīnyuè jiémù bōyīnyuán

자타(自他) 图 自己与别人 zìjǐ yǔ biérén; 本人与他人 běnrén yǔ tārén

자태(姿態) 图 姿态 zītài; 姿容 zīróng; 丰姿 fēngzī; 风姿 fēngzī; 身段 shēnduàn; 体态 tǐtài ¶멋진 ~ 潇洒的姿容

자택(自宅) 图 自己的住宅 zìjǐ de zhùzhái; 本人的住宅 běnrén de zhùzhái; 自己家 zìjǐjiā

자퇴(自退) 图하자타 自动退出 zìdòng tuìchū; 自退 zìtuì; 自己退出 zìjǐ tuìchū ¶학교를 ~하다 从学校自动退出

자투리 图 1 布头(儿) bùtóu(r); 零头(儿) língtóu(r) ¶~천 零头儿衣料 2 边角料 biānjiǎoliào; 下脚料 xiàjiǎoliào

자판(字板) 图 【컴】 =키보드3 ¶컴퓨터 ~을 두드리다 敲电脑键盘

자판―기(自販機) 图 = 자동판매기 ¶커피 ~ 咖啡自卖机

자평(自評) 图하자타 自评 zìpíng

자폐―아(自閉兒) 图 自闭儿 zìbì'ér; 自

闭症儿童 zìbìzhèng értóng; 孤独症儿童 gūdúzhèng értóng

자폐-증(自閉症) 명【醫】自闭症 zìbìzhèng; 孤独症 gūdúzhèng

자포-자기(自暴自棄) 명하자 自暴自弃 zìbàozìqì; 破罐破摔 pòguànpòshuāi ¶~해서는 안 된다 不要自暴自弃

자폭(自爆) 명하자 (飞机、船、人身等) 自爆 zìbào; 自毁 zìhuǐ ¶미사일이 30초간 비행하더니 ~했다 导弹飞行至30秒时爆炸自毁

자필(自筆) 명하타 亲笔 qīnbǐ; 手迹 shǒujì; 自书 zìshū ¶~ 서명 亲笔签名 / 김 교수님의 ~ 金教授的手迹

자학(自虐) 명하자 自虐 zìnüè; 自我折磨 zìwǒ zhémo; 自残 zìcán ¶~ 행위 自虐行为

자해(自害) 명하타 自残 zìcán; 自伤 zìshāng ¶그는 ~를 한 번 한 적이 다 他有过一次自伤行为

자해(字解) 명하자 字解 zìjiě; 解字 jiězì

자행(恣行) 명하타 放纵 fàngzòng; 肆 fàngsì; 肆行 sìxíng; 恣意妄为 zìyìwàngwéi ¶학살을 ~하다 肆行屠杀

자형(字形) 명 字形 zìxíng

자형(姉兄) 명 = 매형

자혜-롭다(慈惠-) 형 慈惠 cíhuì; 慈恩 cí'ēn; 恩惠 ēnhuì ¶자혜로운 눈길 慈恩的目光 **자혜로이** 부

자화-상(自畵像) 명【美】自画像 zìhuàxiàng ¶~를 그리다 画自画像

자화-자찬(自畵自讚) 명하자타 自我陶醉 zìwǒtáozuì; 自吹自擂 zìchuīzìléi; 自卖自夸 zìmàizìkuā; 自我吹嘘 zìwǒchuīxū; 老王卖瓜 lǎowángmàiguā ¶~하기를 좋아하다 爱自吹自擂

자-회사(子會社) 명【經】子公司 zǐgōngsī; 分公司 fēngōngsī; 附属公司 fùshǔ gōngsī; 附属企业 fùshǔ qǐyè ¶국내에 10개의 ~를 갖고 있다 在国内外拥有十家子公司

자획(字畵) 명 笔画 bǐhuà

작(作) 명 作 zuò; 制造 zhìzào; 制作 zhìzuò; 著作 zhùzuò; 撰述 zhuānshù; 撰著 zhuānzhù ¶윤동주 ~ 尹东柱作

작가(作家) 명 作家 zuòjiā; 艺术创造者 yìshù chuàngzàozhě; 文人 wénrén ¶~가 되다 当作家 / ~적 양심을 지키다 守住作家的良心

작고(作故) 명하자 作古 zuògǔ; 离逝 líshì; 去世 qùshì ¶이 선생님은 이미 ~하셨습니다 李先生已经作古了

작곡(作曲) 명하타【音】作曲 zuòqǔ; 谱曲 pǔqǔ ¶~자 作曲者 / ~가 曲家

작년(昨年) 명 = 지난해 ¶나는 ~ 3월에 입학했다 我去年三月份刚入学

작년-도(昨年度) 명 去年 qùnián; 上年度 shàngniándù ¶~ 식량 총생산량 去年粮食总产

작:다 형 1 小 xiǎo; 低 dī; 细小 xìxiǎo ¶방이 ~ 房间很小 / 生活 范围가 ~ 生活圈子很小 / 나는 그보다 머리 하나가 ~ 我比他低一个头 2 矮 ǎi; 矮小 ǎixiǎo ¶몸집이 ~ 身材非常矮小 3 窄 zhǎi; 狭窄 xiázhǎi; 狭小 xiáxiǎo; 褊窄 biānzhǎi ¶도량이 ~ 胸怀褊窄 4 瘦 shòu ¶이 반바지는 허리 품이 너무 ~ 这条短裤腰身太瘦了

작은 고추가 더 맵다 속담 小椒更辣; 辣椒越小越辣; 人不可貌相, 海水不可斗量

작달막-하다 형 (个子) 矮 ǎi; 矮小 ǎixiǎo; 短小 duǎnxiǎo ¶아이 몸집이 ~ 孩子身体矮小

작당(作黨) 명하자 结党 jiédǎng; 结伙 jiéhuǒ ¶~하여 수업을 빼먹다 结党逃课 / ~하여 약탈하다 结伙抢劫

작대기 명 1 支棍 zhīgùn; 长竿 chánggān ¶지게를 ~로 받치다 用支棍支住背架 2 线 xiàn; 杠 gàng; 杠子 gàngzi ¶틀린 것을 ~로 표시하다 错的地方划道杠来表示

작동(作動) 명하자타 运转 yùnzhuàn; 起动 qǐdòng; 启动 qǐdòng; 发动 fādòng ¶기계가 ~하다 机器启动了 / ~을 멈추다 停止运转

작두 명 铡刀 zhádāo; 铡 zhá ¶풀을 ~질하다 铡草

작:디-작다 형 小小 xiǎoxiǎo; 微小 wēixiǎo ¶작디작은 금화 小小的金币

작렬(炸裂) 명하자 炸裂 zhàliè; 炸破 zhàpò; 爆炸 bàozhà ¶원자탄이 ~하다 原子弹爆炸

작명(作名) 명하타 取名 qǔmíng; 命名 mìngmíng; 起名(儿) qǐmíng(r); 定名 dìngmíng ¶~소 起名店 / 아들에게 ~해 주다 给儿子取名

작문(作文) 명하타 1 作文 zuòwén; 造句 zàojù 2【教】做文章 zuòwénzhāng; 作文 zuòwén; 写作 xiězuò ¶나의 ~ 제목은 '나의 봄'이다 我的作文题目是'我的春天'

작물(作物) 명 = 농작물

작별(作別) 명하자타 告辞 gàocí; 离别 líbié; 辞别 cíbié; 告别 gàobié; 分手 fēnshǒu; 送别 sòngbié ¶친구에게 ~을 고하다 告辞朋友 / 그는 엄마와 ~했다 他告别了妈妈

작부(酌婦) 명 陪酒女 péijiǔnǚ; 女招待 nǚzhāodài; 卖唉笑的 màixiàode

작사(作詞) 명하타 作词 zuòcí ¶~자 作词者 / 그가 ~한 신곡이 전국에 유행하다 他作词的新歌在全国流行

작살1 명 鱼叉子 yúchāzi; 鱼叉 yúchā;

작살² 어叉 yúchā: 大叉子 dàchāzi

작살² 몡 粉碎 fěnsuì; 破碎 pòsuì; 毁坏 huǐhuài ¶유리가 ~났다 玻璃破碎了/공공물을 ~내다 毁坏公物

작성(作成) 몡하타 做 zuò; 写 xiě; 稿稿 gǎogǎo; 开具 kāijù; 开 kāi; 制定 zhìdìng; 拟定 nǐdìng; 制订 zhìdìng; 草拟 cǎonǐ; 编制 biānzhì; 起草 qǐcǎo ¶~법 写法/~자 制订者 =[开具者]/초안을 ~하다 拟定草案/원고를 ~하다 写稿

작심(作心) 몡하자타 决心 juéxīn; 发心 fāxīn ¶금연을 ~하다 决心戒烟/다이어트를 ~하다 发心减肥

작심-삼일(作心三日) 몡 没常性 méichángxìng; 没有恒心 méiyǒu héngxīn

작아-지다 자 缩小 suōxiǎo; 减小 jiǎnxiǎo; 变小 biànxiǎo ¶면적이 ~ 面积缩小

작업(作業) 몡하자 劳动 láodòng; 工作 gōngzuò; 作业 zuòyè; 操作 cāozuò ¶~ 环境 工作环境 = 조건 工作条件/~대 工作台 =[操作台][作台]/~량 工作量/~반 作业班 =[作业组][作业小组]/~복 作业服 =[工作服][劳动服][工装]/~모 作业帽 =[工作帽][工帽]/~ 성과가 매우 뛰어나다 工作绩效卓越

작업-장(作業場) 몡 一일터 ¶~에 가다 上工地/~이 좁아서 일하기에 불편하다 因为工作场所小窄, 工作不方便

작열(灼熱) 몡하자 灼热 zhuórè; 火毒 huǒdú; 焦热 jiāorè ¶~하는 태양 灼热的太阳/온돌이 ~하다 火炕灼热了

작용(作用) 몡하자 作用 zuòyòng; 影响 yǐngxiǎng; 功能 gōngnéng ¶광합성 ~ 光合作用/~ 반작용의 법칙 作用与反作用定律/그것은 어떤 ~을 하나요? 那个起什么作用呢?

작위(作爲) 몡 做作 zuòzuò; 虚假 xūjiǎ ¶진실과 ~ 真实与虚假

작위(爵位) 몡 1 官位 guānwèi; 职位 zhíwèi 2 爵位 juéwèi

작은- 젭두 小 xiǎo; 老 lǎo; 二 èr ¶~딸 小女儿 =[二女儿]/~아들 小儿子 =[老儿子][二儿子]/~언니 小姐姐 =[二姐]/~오빠 小哥哥 =[二哥]/~동서 小婶娌/~사위 小女婿 =[二女婿]/~아가씨 小姑/~처남 小内弟/~형수 小嫂嫂 =[二嫂]

작은-달 몡 小月 xiǎoyuè

작은-댁(一宅) 몡 '작은집'의 敬词

작은-따옴표(一標) 몡 어 内引号 nèiyǐnhào; 单引号 dānyǐnhào

작은-마누라(一妻) 몡 妾 qiè; 小老婆 xiǎolǎopo

작은-방(一房) 몡 内房 nèifáng; 耳房

耳房 ěrfáng; 里屋 lǐwū

작은-북 몡 [音] 小鼓 xiǎogǔ

작은-아버지 몡 叔叔 shūshu; 叔父 shūfù; 胞叔 bāoshū = 숙부

작은-어머니 몡 1 叔母 shūmǔ; 婶母 shěnmǔ; 婶子 shěnzi; 婶娘 shěnniáng; 婶婶 shěnshen = 숙모 2 庶母 shùmǔ; 继母 jìmǔ

작은-집 몡 1 弟弟家 dìdijiā; 儿子家 érzijiā; 叔叔家 shūshujiā 2 妾家 qièjiā; 小老婆家 xiǎolǎopojiā

작은-창자 몡 [生] 小肠 xiǎocháng = 소장(小腸)

작자(作者) 몡 1 = 지은이 2 家伙 jiāhuo ¶이 ~는 정말 꼴도 보기 싫다 这家伙真可恶

작작¹ 뷔 少 shǎo; 少一点 shǎoyìdiǎn ¶술 좀 ~ 마셔 你少喝酒/허튼소리 ~ 해라 少说废话

작-작² 뷔하타 1 嚓嚓 cācā ¶슬리퍼를 ~ 끌다 嚓嚓地跐了拖鞋 2 嚓嚓 cācā; 刷刷 shuāshuā ¶신문을 ~ 찢어버리다 刷刷地撕了报纸

작전(作戰) 몡하자 1 策略 cèlüè; 措施 cuòshī; 方法 fāngfǎ ¶적당한 방법 / 모든 ~을 다 시도했다 什么方法都试过了 2 [军] 作战 zuòzhàn; 军事行动 jūnshì xíngdòng; 战略 zhànshù; 战策 zhàncè ¶~ 방침 作战方针/~ 계획 作战计划/~ 명령 作战命令/~ 지역 作战地区

작전 타임(作戰time) 몡 [體] (篮球、排球比赛中的)暂停 zàntíng

작정(作定) 몡하자타 决定 juédìng; 打算 dǎsuan; 准备 zhǔnbèi; 发狠 fāhěn ¶너는 몇 시에 출발할 ~이니? 你打算几点出发?/그는 나를 파견 보낼 ~이다 他决定派我去

작태(作態) 몡 1 作态 zuòtài 2 丑态 chǒutài; 看不上眼的行为 kànbushàngyǎnde xíngwéi ¶그의 ~가 보이다 看到他的丑态

작품(作品) 몡 作品 zuòpǐn ¶문학~ 文学作品/~집 作品集/~성 있는 소설 有作品性的小说

작황(作況) 몡 [農] 年成 niáncheng; 年景 niánjǐng; 收成 shōucheng ¶올해는 ~이 좋다 今年取得好收成

잔(盞) 몡 1 杯子 bēizi; 盅 zhōng; 盏 zhǎn; 杯 bēi 2 술잔 3 杯 bēi ¶커피 한 ~ 一杯咖啡

잔을 기울이다 困 喝酒 = 술잔을 기울이다

잔을 비우다 困 干杯 = 술잔을 비우다

잔-가시 몡 (植物或鱼的) 细刺 xìcì; 小刺 xiǎocì ¶이 생선은 ~가 많다 这种鱼细刺很多/손에 ~가 나다 扎剌

다 手上扎了一个小刺

잔-가지 〔명〕 细枝 xìzhī; 小枝 xiǎozhī

잔-걸음 〔명〕 **1** 转来转去 zhuànláizhuànqù; 走来走去 zǒuláizǒuqù ¶그는 ~ 치며 속으로 대사를 외우고 있다 他走来走去地背着台词 **2** 碎步 suìbù; 小步 xiǎobù ¶~으로 빨리 뛰다 小步快跑

잔고(殘高) 〔명〕 余额 yú'é; 结余 jiéyú; 下存 xiàcún; 余款 yúkuǎn ¶~가 많지 않다 余额不多 / ~가 5만원 남았다 下存5万元

잔금(殘金) 〔명〕 **1** 余款 yúkuǎn; 存项 cúnxiàng; 剩款 shèngkuǎn; 余额 yú'é = 잔돈(殘一) ¶~이 많지 않다 余款不多 **2** 尾欠 wěiqiàn ¶나는 ~이 아직 남아 있다 我还有点尾欠

잔-기침 〔명〕〔하자〕 (连声) 轻咳 qīngké ¶나도 모르게 ~을 한 번 했다 我不由自主地轻咳了一声

잔-꾀 〔명〕 花招 huāzhāo; 小计谋 xiǎojìmóu; 小聪明 xiǎocōngming; 小心眼儿 xiǎoxīnyǎnr; 手段 shǒuduàn ¶~를 부리다 耍小聪明

잔-달음 〔명〕 小跑步 xiǎopǎobù; 碎步跑 suìbùpǎo ¶나는 ~을 치며 방으로 들어왔다 我小跑步进屋了

잔당(殘黨) 〔명〕 余党 yúdǎng; 余孽 yúniè ¶~을 제거하다 消除余孽

잔-돈 〔명〕 零钱 língqián; 小钱 xiǎoqián; 不多的钱 bùduōde qián

잔-돈(殘一) 〔명〕 **1** = 잔금12 = 거스름돈

잔디 〔명〕〔植〕 草皮 cǎopí; 结缕草 jiélǚcǎo ¶~를 깎다 剪草皮

잔디-밭 〔명〕 草坪 cǎopíng; 草地 cǎodì ¶~에 들어가면 안 됩니다 不能进入草坪

잔뜩 〔부〕 **1** 满满地 mǎnmande; 满 mǎn; 很多地 hěnduōde ¶식탁에 요리를 ~차려 놓았다 满满地摆了一桌子的菜 / 컵에 ~ 부었다 倒满了一杯 **2** 狠狠地 hěnhěnde; 辱有 ¶욕하다 狠狠地骂 **3** 非常 fēicháng; 厉害 lìhai; 严重地 yánzhòngde ¶분노가 ~ 치밀다 非常愤怒 / 날씨가 ~ 흐렸다 天阴得很厉害

잔량(殘量) 〔명〕 残留量 cánliúliàng; 剩余量 shèngyúliàng ¶채소에 있는 农药 ~ 菜中农药残留量

잔루(殘壘) 〔명〕〔球术〕 残垒 cánlěi

잔류(殘留) 〔명〕〔하자〕 残留 cánliú; 残余 cányú ¶이 채소의 ~ 农药은 비교적 적다 这些菜中的残留农药较少

잔-말 〔명〕〔하자〕 废话 fèihuà; 啰唆 luōsuo; 闲话 xiánhuà; 唠叨 láodao ¶~ 마라 少说废话

잔-무늬 〔명〕 细纹 xìwén ¶~ 옷 细纹衣服

잔-물결 〔명〕 细波 xìbō; 鳞波 línbō ¶~이 일다 起鳞波

잔반(殘飯) 〔명〕 残羹剩饭 cángēngshèngfàn; 剩饭 shèngfàn

잔-병(一病) 〔명〕 常患的小病 chánghuànde xiǎobìng; 小病 xiǎobìng

잔병-치레(一病一) 〔명〕〔하자〕 常患小病 chánghuàn xiǎobìng; 小病不断 xiǎobìng bùduàn ¶어릴 적에 ~가 많았다 小时候小病不断的

잔-뼈 〔명〕 **1** 细骨 xìgǔ; 小骨头 xiǎogǔtou **2** 未成年之骨头 wèichéngrénzhīgǔtou

잔뼈가 굵어지다[굳다] 〔관〕 长大成人

잔-뿌리 〔명〕〔植〕 须根 xūgēn; 侧根 cègēn

잔상(殘像) 〔명〕〔生〕 残留影像 cánliúyǐngxiàng; 后像 hòuxiàng

잔-소리 〔명〕 啰唆 luōsuo; 闲话 xiánhuà; 唠叨 láodao; 啰嗦 luósuo; 数落 shǔluo ¶~ 좀 그만해! 别唠叨! / 언니한테 한바탕 ~를 들었다 被姐姐数落一顿

잔-손 〔명〕 零碎活儿 língsuìhuór; 零活儿 línghuór

잔-손질 〔명〕〔하타〕 勤动手 qíndòngshǒu; 费小功夫 fèixiǎogōngfu; 零碎活儿 língsuìhuór; 手脚 shǒujiǎo ¶~을 네 번 하다 费了四番手脚

잔-심부름 〔명〕 日常使唤 rìcháng shǐhuan; 小差事 xiǎochāishi; 使唤 shǐhuan; 差使 chāishi; 打杂儿 dǎzár ¶~꾼 打杂儿的 =[小跑]

잔악(殘惡) 〔명〕〔하〕 残忍 cánrěn; 残酷 cánkù; 无情 wúqíng ¶~한 행위 残忍的行为

잔액(殘額) 〔명〕 余额 yú'é; 余款 yúkuǎn; 剩额 shèng'é

잔업(殘業) 〔명〕 加点 jiādiǎn; 加班 jiābān; 加班工作 jiābān gōngzuò; 加点工作 jiādiǎn gōngzuò ¶~ 수당 加班补贴 =[加班费][加班工资][加班津贴] / 나는 매일 ~을 해야 한다 我每天都要加班

잔여(殘餘) 〔명〕 残余 cányú; 剩余 shèngyú

잔인(殘忍) 〔명〕〔하형〕 残忍 cánrěn; 残酷 cánkù; 无情 wúqíng; 凶毒 xiōngdú; 狠hěn; 辣 là ¶~성 残忍性 =[残酷性] / ~한 수단 凶毒的手段 / 넌 너무 ~해 你太狠心了

잔인-스럽다(殘忍一) 〔형〕 残忍 cánrěn; 残暴 cánbào; 狠毒 hěndú; 惨毒 cándú ¶잔인스럽게 짝이 없다 无比残忍 / 수법이 ~ 手法惨毒 **잔인스레** 〔부〕

잔-일 〔명〕 琐事 suǒshì; 鸡毛蒜皮的事 jīmáosuànpíde shì; 零碎活儿 línghuór; 细活儿 xìhuór

잔잔-하다 혱 **1** 安静 ānjìng; 宁静 níngjìng; 平静 píngjìng; 平息 píngxī ¶잔잔한 호수 平静的湖面 / 물결이 점점 잔잔해지다 风浪渐渐平息下来了 **2** 低沉 dīchén ¶잔잔한 말소리 低沉的声音 **3** 沉着 chénzhuó 잔잔-히 _兒

잔잔-하다(潺潺一) 혱 **1** 潺潺 chánchán; 淙淙 cóngcóng ¶잔잔한 시냇물 潺潺的小溪流 / 물이 잔잔히 흐르다 潺潺流水 **2** 沥沥 lìlì; 琤琤 chēngchēng; 琮琤 cóngchēng 잔잔-히 _兒 ¶비가 ∼ 내리기 시작했다 雨淅沥沥起来了

잔재(残滓) 몡 残余 cányú ¶봉건 ∼를 청산하다 消除封建时代的残余

잔-재주 몡 小技巧 xiǎojìqiǎo

잔존(残存) 몡하자 残存 páncún; 残留 cánliú ¶그 기억들은 아직 내 머리 속에 ∼하고 있다 那些回忆还残留在我的头脑里

잔-주름 몡 细皱纹 xìzhòuwén; 细细的皱纹 xìxìde zhòuwén ¶눈가에 ∼이 잡히다 眼角上有了细细的皱纹

잔챙이 몡 最小最差的 zuìxiǎo zuìchàde

잔치 몡하자 宴会 yànhuì; 酒席 jiǔxí ¶∼를 베풀다 摆酒席

잔치-날 몡 办喜事的日子 bànxǐshìde rìzi

잔칫-상(一床) 몡 宴桌 yànzhuō

잔-털 몡 毫毛 háomáo

잔학(残虐) 몡하형 残暴 cánbào ¶∼한 수단 残暴手段

잔해(残骸) 몡 残骸 cánhái ¶10구의 동물 ∼를 발견하였다 发现了10具动物残骸

잔향(残香) 몡 余香 yúxiāng

잔혹(残酷) 몡하형 残忍 cánrěn ¶∼한 방법으로 공격하다 以残忍手段杀害

잘 _兒 **1** 好好儿(地) hǎohāor(de); 好好(地) hǎohāo(de) ¶생일을 ∼ 쇠다 好好地过个生日 / ∼ 돌아와야 해요! 你好好儿地回来呀! **2** 善于 shànyú ¶그는 노래를 ∼ 부른다 他善于唱歌 **3** 好 hǎo ¶이 사진은 정말 ∼ 찍었다 这张照片拍得真好

잘 자랄 나무는 떡잎부터 안다[알아본다] 속담 人看从小, 马看蹄爪

잘되면 제 탓[복] 못 되면 조상[남] 탓 속담 好事都归孔大姐, 坏事全怪傻丫头

잘가닥 _{兒하자타} 啪嗒 pādā; 咣当 guāngdāng; 当啷 dānglāng; 叮当 dīngdāng ¶차 문이 ∼ 소리를 내며 바로 잠겼다 车门咣当一声就关上了

잘가닥-거리다 자타 (不住地) 啪嗒啪嗒 pādāpādā xiǎng = 잘가닥대다 잘가닥-잘가닥 _{兒하자타}

잘그락 몡 当啷 dānglāng; 叮当 dīngdāng

잘그락-거리다 자타 (不住地) 当啷 dānglāngdānglāng xiǎng; 叮叮当当 dīngdāngdīngdāng xiǎng = 잘그락대다 잘그락-잘그락 _{兒하자타}

잘그랑 _{兒하자타} 当啷 dānglāng; 叮当 dīngdāng; 丁零 dīnglíng ¶그는 자동판매기에 ∼ 소리를 내며 동전을 넣었다 他往自动售货机里当啷一声就投进钱币

잘그랑-거리다 자타 当啷当啷地响 dānglāngdānglāngde xiǎng; 叮当响 dīngdāng xiǎng = 잘그랑대다 잘그랑-잘그랑 _{兒하자타}

잘근-잘근 _兒 咯吱咯吱 gēzhīgēzhī

잘-나가다 자 连连获胜 liánlián huòshèng ¶우리 회사는 요즘 잘나간다 我们公司最近连连获胜

잘-나다 혱 **1** 了不起 liǎobuqǐ; 出类拔萃 chūlèibácuì ¶그 사람은 자기가 잘난 줄 알고 줄곧 목에 힘을 준다 他一向很高傲, 自以为了不起 **2** 英俊 yīngjùn; 漂亮 piàoliang; 长得帅 zhǎngde shuài; 潇洒 xiāosǎ ¶잘난 얼굴 英俊的脸

잘다 혱 小 xiǎo; 细 xì ¶빵을 잘게 썰어라 你把面包切成小块吧

잘-되다 자 **1** 好 hǎo; 成 chéng ¶그거 잘됐네, 그럼 내 통역 좀 해 줘 太好了, 那给我当翻译吧 **2** 成功 chénggōng; 升发 shēngfā; 有出息 yǒuchūxi; 巴高望上 bāgāowàngshàng; 发迹 fājì ¶어머니는 내가 잘되기를 바라신다 妈妈希望我能成功 **3** (反讽) 活该 huógāi ¶거 참 잘됐다, 누가 너더러 매일 나가 놀라고 했니! 你活该, 谁让你每天出去玩儿呢!

잘랑 몡하자타 丁零 dīnglíng; 当啷 dānglāng; 叮当 dīngdāng

잘랑-거리다 자타 丁零响 dīnglíng xiǎng; 当啷响 dānglāng xiǎng; 叮当响 dīngdāng xiǎng = 잘랑대다 잘랑-잘랑 _{兒하자타}

잘래-잘래 _兒 颤颤巍巍 chànchanwēiwēi; 摇来摇去 yáoláiyáoqù; 摆来摆去 bǎiláibǎiqù; 摇摇摆摆 yáoyáobǎibǎi; 一摇一摇 yīyáoyīyáo ¶고개를 ∼ 흔들다 摇摇头

잘록-하다 혱 (长形物体) 局部凹陷 júbù āoxiàn; 有些部分变小 yǒuxiē bùfēn biànxiǎo; 腰细 yāoxì; 纤细 xiānxì **잘록-이** 몡

잘리다 자 **1** 被截断 bèijiéduàn ('자르다'的被动词) **2** 被炒鱿鱼 bèichǎoyóuyú ('자르다'的被动词)

잘못 自동 错误 cuòwù; 错 cuò ¶∼을 인정하다 认错 目동 错 cuò ¶사람

~ 봤다 看错人了

잘못-되다 困 …不好了 ··buhǎole ¶이 정책이 잘못되면 손실이 많다 这个政策搞不好了，损失可就很大了

잘-빠지다 혱 杰出 jiéchū; 顺手 shùn ¶잘빠진 상품 杰出商品 / 그녀는 다리가 잘빠진 아가씨이다 她是个腿顺的小姐

잘-살다 困 过得好 guòde hǎo ¶생활이 하루가 다르게 잘살게 되었다 生活一天比一天过得好了

잘-생기다 혱 长得漂亮 zhǎngde piàoliang; 长得英俊 zhǎngde yīngjùn ¶새로 오신 선생님은 잘생기셨다 新来的老师长得很英俊

잘잘¹ 명 滚热 gǔnrè; 滚烫 gǔntàng; 发烫 fātàng; 炙热 zhìrè ¶~ 끓는 아랫목 滚烫的炕头

잘잘² 명 油光光 yóuguāngguāng; 油亮 yóuliàng/yóuliáng; 油腻腻 yóunìnì ¶~ 흐르는 닭구이 油光光的烤火鸡

잘잘³ 명 潺潺 chánchán ¶물이 ~ 흐르다 潺潺流水

잘잘-거리다 困 逛来逛去 guànglái-guàngqù = 잘잘대다 ¶인터넷 상을 잘잘거리며 누비다 在网上逛来逛去

잘-잘못 명 是非 shìfēi ¶~을 따지다 分清是非

잘-하다 目 1 好 hǎo; 乖 guāi ¶그는 나에게 잘한다 他对我好 2 干得好 gànde hǎo; 做得好 zuòde hǎo ¶일을 ~ 工作做得很好 3 善于 shànyú; 能耐 néngnài; 熟练 shúliàn; 很会 hěnhuì ¶축구를 ~ 善于踢足球 4 爱 ài; 喜欢 xǐhuan ¶그는 농담을 잘한다 他很爱开个玩笑

잘-해야 문 顶多 dǐngduō; 再好也不过是 zàihǎoyěbùguòshì ¶하루 더 욕먹으면 끝난다 顶多被骂个一两天就结束了

잠 명 睡眠 shuìmián; 觉 jiào; 睡觉 shuìjiào; 睡 shuì ¶~이 덜 깨다 还没睡醒 / ~이 부족하다 睡眠不足
　잠을 자야 꿈을 꾸지 속담 不睡觉，没有梦

잠-결 명 似醒非醒时 sìxǐngfēixǐng shí; 蒙眬中 ménglóngzhōng ¶나는 ~에 발자국 소리를 들었다 我蒙眬中听到了脚步声

잠그다¹ 目 闭 bì; 锁 suǒ; 关上 guānshang ¶문을 잠갔다 把门锁上了 / 수도꼭지를 ~ 关上水龙头

잠그다² 目 浸 jìn; 泡 pào; 浸泡 jìnpào ¶옷을 물속에 ~ 把衣服泡在水里

잠기다¹ 困 1 被锁 bèisuǒ (《'잠그다'의 被动词》) ¶문이 잠겼다 门被锁上 2 哑 yǎ ¶목이 잠겼다 嗓子都哑了

잠기다² 困 1 被浸泡 bèijìnpào (《'잠그다'의 被动词》) 2 陷入 xiànrù; 陶醉 táozuì ¶슬픔 속에 ~ 陷入悲哀之中

잠깐 문 暂时 zànshí; 一会儿 yīhuìr ¶~ 기다리세요 等一会儿

잠-꼬대 명[하자] 梦话 mènghuà ¶그는 잠자리에 들자마자 ~를 하기 시작했다 他上了铺，就开始说梦话了

잠-꾸러기 명 瞌睡虫 kēshuìchóng = 잠보

잠농(蚕農) 명[農] = 누에 농사

잠-들다 困 1 入睡 rùshuì; 睡着 shuìzháo ¶쿨쿨 ~ 昏昏入睡 2 永眠 yǒngmián; 安息 ānxī ¶땅속에 ~ 永眠在地下

잠룡(潜龍) 명 卧龙 wòlóng

잠망-경(潜望鏡) 명[物] 潜望镜 qiánwàngjìng

잠바(←jumper) 명 = 점퍼

잠-버릇 명 睡觉时的习惯 shuìjiàoshíde xíguàn; 睡相 shuìxiàng ¶~이 나쁘다 睡觉时的习惯不好

잠-보 명 = 잠꾸러기

잠복(潜伏) 명[하자] 埋伏 máifú ¶~근무 任务이 이미 며칠을 하였다 我们已经埋伏了好几天了

잠복-기(潜伏期) 명[醫] 潜伏期 qiánfúqī

잠수(潜水) 명[하자] 潜水 qiánshuǐ ¶~병 潜水病 / ~복 潜水服 / ~함 潜水艇 =[潜艇] / 우리 부대는 한 달간의 훈련을 순조롭게 마쳤다 我们部队为期一个月的潜水训练圆满结束了

잠:-시(暫時) 명 문 暂时 zànshí; 一会儿 yīhuìr ¶~ 영업을 정지하다 暂时停止营业

잠식(蚕食) 명[하다] 蚕食 cánshí ¶음료수 시장이 외국 상품에 ~당했다 冷饮市场被外国商品蚕食了

잠언(箴言) 명 箴言 zhēnyán

잠-옷 명 睡衣 shuìyī

잠입(潜入) 명[하자] 潜入 qiánrù ¶적진에 ~하다 潜入敌阵

잠-자다 困 睡觉 shuìjiào; 睡 shuì ¶그는 잠잘 때 항상 이를 간다 他睡觉时总是磨牙

잠-자리¹ 명[하자] 床铺 chuángpù; 被褥 bèirù = 자리¹3 ¶~를 개다 收拾床铺 / ~를 보다 铺开被褥

잠자리² 명[蟲] 蜻蜓 qīngtíng ¶~채 蜻蜓网

잠자-코 문 不声不响地 bùshēngbù-xiǎngde; 默默地 mòmòde; 沉默不语 chénmò ¶~ 앉아 있다 默默地坐着

잠잠-하다(潜潜—) 혱 1 平静 píngjìng; 安静 ānjìng ¶폭풍우가 오기 전에는 항상 ~ 暴风雨来临之前，总是平静的 2 不说话 bùshuōhuà 잠잠-히

잠재(潛在) 〖명〗〖하자〗 潜在 qiánzài ¶~의식 潜在意识 /~적 능력 潜在的能力

잠재-력(潛在力) 〖명〗 潜力 qiánlì ¶潜在力量 qiánzài lìliang ¶성장 ~ 成长潜力

잠-재우다 〖타〗 **1** 使睡觉 shǐshuìjiào (《'잠자다'의 사동사》) **2** 稳定 wěndìng ¶집값을 ~ 稳定住房价格

잠적(潛跡・潛迹) 〖명〗〖하자〗 潜踪 qiánzōng; 潜匿 qiánnì; 潜逃 qiántáo ¶회사가 망하고 사장은 ~하다 公司倒闭, 老板潜逃

잠정(暫定) 〖명〗〖하자〗 临时 línshí; 暂定 zàndìng ¶~ 결론 暂定结论

잠-투정 〖명〗〖하자〗 闹觉 nàojiào ¶우리 애는 어젯밤 또 ~을 했다 我孩子昨天晚上又闹觉了 /~이 너무 심하다 闹觉太厉害了

잡-것(雜一) 〖명〗 **1** 杂物 záwù **2** 杂种 zázhǒng ¶너 이 ~아! 你这个杂种!

잡곡(雜穀) 〖명〗 杂谷 zágǔ ¶~밥 杂谷饭

잡귀(雜鬼) 〖명〗 杂鬼 záguǐ

잡념(雜念) 〖명〗 胡思乱想 húsīluànxiǎng; 杂念 zániàn ¶~을 버리다 排除杂念

잡-놈(雜一) 〖명〗 浑蛋 húndàn; 混蛋 húndàn

잡다[1] 〖타〗 **1** 抓 zhuā; 握 wò ¶손을 ~ 握手 **2** 掌握 zhǎngwò ¶정권을 ~ 掌握政权 **3** 抵押 dǐyā ¶부동산을 담보로 ~ 以房产做抵押 **4** 定居 dìngjū ¶호텔을 ~ 定居点 **5** 捉住 zhuōzhù; 找到 zhǎodào; 挑 tiāo ¶단점을 ~ 挑缺点 / 단서를 ~ 找到线索 **6** 挽留 wǎnliú ¶가려는 손님을 ~ 挽留客人

잡다[2] 〖타〗 算 suàn; 估计 gūjì ¶여행 예산을 ~ 估计旅行预算

잡다[3] 〖타〗 **1** 屠杀 túshā; 宰 zǎi ¶돼지를 ~ 宰猪 **2** 诬陷 wūxiàn; 找麻儿 zhǎochár; 找茬儿 zhǎochár; 抓小辫子 zhuāxiǎobiànzi; 挑毛病 tiāomáobìng ¶사람 잡지 마라! 你别诬陷我! **3** 扑灭 pūmiè ¶잔불을 ~ 扑灭余火 **4** 安定 āndìng; 安静 ānjìng; 安心 ānxīn; 镇静 zhènjìng; 冷静 lěngjìng ¶어떻게 해도 마음을 잡을 수가 없다 心怎么也安定不下来

잡다[4] 〖타〗 **1** 弄直 nòngzhí; 纠正 jiūzhèng; 端正 duānzhèng; 洗心革面 xǐxīngémiàn ¶굽은 철사를 곧게 ~ 弯曲的钢丝弄直了 / 잘못된 말을 바로 ~ 纠正说错的话 **2** 扣 kòu; 弄 nòng ¶주름 두 개를 ~ 打两个褶

잡다-하다(雜多一) 〖형〗 杂乱 záluàn; 琐屑 suǒxiè ¶잡다한 일 琐屑事

잡담(雜談) 〖명〗〖하자〗 闲话 xiánhuà; 闲扯 xiánchě ¶그만 해라 闲话少说

잡동사니(雜一) 〖명〗 小零杂(儿) xiǎolíngzá(r) ¶이 ~들을 다 갖다 버려라 你把这些小零杂统统地扔掉吧

잡-말(雜一) 〖명〗〖하자〗 废话 fèihuà; 闲话 xiánhuà ¶~하지 마 少说废话

잡무(雜務) 〖명〗 杂务 záwù; 杂事 záshì ¶~에 시달리다 杂事缠身

잡부(雜夫) 〖명〗 杂工 zágōng ¶~로 하다 做杂工

잡-상인(雜商人) 〖명〗 小商贩 xiǎoshāngfàn; 小贩 xiǎofàn

잡서(雜書) 〖명〗 杂书 záshū

잡수다 〖타〗 用 yòng (《'먹다'의 경어》) ¶진지 잡수세요 请用餐

잡수-시다 〖타〗 '잡수다'의 경어

잡-스럽다(雜一) 〖형〗 下流 xiàliú; 卑贱 bēijiàn; 卑鄙 bēibǐ **잡스레** 〖부〗

잡식(雜食) 〖명〗 杂食 záshí ¶~성 杂食性 /~ 동물 杂食动物

잡아-가다 〖타〗 逮捕 dàibǔ; 抓走 zhuāzǒu ¶경찰이 그를 잡아갔다 警察把他抓走了

잡아-내다 〖타〗 揪出来 jiūchūlái ¶그가 바이러스를 잡아냈다 他把电脑病毒揪出来了

잡아-넣다 〖타〗 **1** 禁闭 jìnbì; 收禁 shōujìn; 监禁 jiānjìn; 拘 jū; 监押 jiānyā; 关进 guānjìn ¶그는 그 사기꾼들을 다 감옥에 잡아넣었다 他把那些骗子都关进监牢 **2** 关 guān; 装入 zhuāngrù

잡아-당기다 〖타〗 拉 lā; 拽 zhuài ¶옷소매를 ~ 拉衣袖

잡아-들이다 〖타〗 **1** 关 guān; 装入 zhuāngrù ¶우리에 ~ 关在笼子里 **2** 禁闭 jìnbì; 监禁 jiānjìn; 拘 jū; 监押 jiānyā; 收押 shōuyā; 关进 guānjìn

잡아-떼다 〖타〗 **1** 扯下来 chěxiàlái ¶벽 위의 광고를 ~ 把墙上的广告都扯下来 **2** 否认 fǒurèn ¶그는 모른다고 딱 잡아뗐다 他坚决否认"我不知道"

잡아-매다 〖타〗 **1** 拢住 lóngzhù; 捆绑 kǔnbǎng; 系上 jìshang ¶땔감을 장작을 ~ 用绳子把柴火拢住 / 그녀는 수건으로 머리를 잡아맸다 她用手绢把头发系上了 **2** 绑缚 bǎngfù; 拴住 shuānzhù ¶새끼로 양을 아빠가 꼭 잡아맸다 爸爸把小羊羔牢牢地拴住了

잡아-먹다 〖타〗 **1** 宰了吃 zǎile chī; 杀了吃 shāle chī ¶소를 ~ 杀了牛吃 **2** 折磨 zhémó; 挖苦 wāku ¶혼인은 정말 사람 잡아먹는 것이다 婚姻真是个折磨人的东西 **3** 消耗 xiāohào; 花 huā ¶시간을 많이 ~ 消耗很长时间

잡아-채다 〖타〗 揪 jiū; 拽 zhuài; 拉 lā ¶나는 힘껏 낚시대를 잡아챘다 我使劲拉起鱼竿了

잡아-타다 印 打 dǎ ¶택시를 ~ 打的

잡음(雜音) 명 1 噪音 zàoyīn ¶도로의 교통 ~을 해결하다 解决道路交通噪音 2 诽谤 fěibàng

잡-일(雜-) 명 杂事 záshì

잡종(雜種) 명 杂交 zájiāo; 杂种 zázhǒng ¶~개 杂交狗

잡지(雜誌) 명 杂志 zázhì ¶~ 정기 구독 杂志订阅

잡채(雜菜) 명 杂烩菜 záhuìcài

잡초(雜草) 명 杂草 zácǎo ¶~가 무성하다 杂草很茂盛

잡치다 印 1 弄坏 nònghuài; 搞坏 gǎohuài; 搞错 gǎocuò; 弄错 nòngcuò ¶일을 잡치지 마라 别把事情弄坏 2 扫兴 sǎoxìng; 败兴 bàixìng ¶신나서 왔다가 기분을 잡쳐서 돌아갔다 乘兴而来扫兴而归

잡탕(雜湯) 명 大杂烩 dàzáhuì; 乱七八糟的 luànqībāzāode

잡-티(雜-) 명 瑕疵 xiácī; 杂痕 záhén

잡화(雜貨) 명 杂货 záhuò ¶~상 杂货商

잡-히다¹ 자 被抓住 bèizhuāzhù; 被握住 bèiwòzhù ¶꼬리가 잡혔다 被抓住了尾巴

잡-히다² 印 1 定 dìng; 抓住 zhuāzhù ¶보증 기간이 2년으로 잡혔다 保证期间定为两年 2 被定 bèidìng ¶결혼 날짜가 잡혔다 被定了结婚日子

잡-히다³ 印 1 (动物)被捕获 bèibǔhuò; 被俘虏 bèifúlǔ ¶여우가 잡혔다 狐狸被捕获了 2 被找碴儿 bèizhǎochár; 被找茬儿 bèizhǎochár; 被挑小辫子 bèitiāoxiǎobiànzi; 被挑毛病 bèitiāomáobìng 3 扑灭 pūmiè ¶산불이 잡혔다 山火被扑灭了 4 安定 āndìng; 安静 ānjìng; 安心 ānxīn; 镇静 zhènjìng; 冷静 lěngjìng ¶이렇게 해야 비로소 마음이 잡힌다 这样才心安定下来

잡-히다⁴ 자 1 弄直 nòngzhí ¶구부러진 철사가 곧게 ~ 弯曲的铁丝弄直了 2 打 dǎ; 弄 nòng ¶바지 앞쪽에 주름이 두 줄 잡혀 있다 裤子前面打着两道褶

잡-히다⁵ 印 1 抵押 dǐyā; 典当 diǎndàng ¶시계를 저당 잡히고 돈을 빌리다 用手表做抵押来借点钱 2 使握住 shǐwòzhù

잣 명 松子(儿) sōngzǐ(r); 海松 hǎisōng ¶~가루 松子面 =[松子粉]/~기름 松子油

잣-나무 명 【植】松树 sōngshù; 果松 guǒsōng; 五叶松 wǔyèsōng; 海松 hǎisōng; 红松 hóngsōng; 油松 yóusōng

잣-대 명 1 尺子 chǐzi; 标尺 biāochǐ 2 标尺 biāochǐ; 标准 biāozhǔn ¶내 ~에

서 보면 按我的标准来看

장(長) 명 首长 shǒuzhǎng; 头 tóu ¶네가 우리의 ~ 你是我们的首长

장¹(場) 명 集市 jíshì; 集 jí; 市 shì; 市场 shìchǎng ¶고무신을 사러 ~에 가다 去集市买双胶鞋

장²(場) 명 地方 dìfang; 空间 kōngjiān ¶만남의 ~ 相见的地方

장³(場) 의명 【演】场 chǎng ¶1막 5~ 第一幕五场

장(腸) 명 【生】= 창자 ¶~염 肠炎 / ~운동 肠蠕动

장(醬) 명 1 = 간장(一醬) ¶~을 담그다 做酱油 2 酱 jiàng

장(臟) 명 【生】= 내장(內臟)

장(欌) 명 柜子 guìzi; 柜 guì; 架 jià; 笼 lóng ¶귀중품을 ~ 속에 숨겨 놓다 把贵重品藏在柜子里

장(張) 의명 张 zhāng; 块 kuài; 幅 fú ¶유리 한 ~ 一张玻璃 / 신문 한 ~ 一张报纸

-장(狀) 접미 证 zhèng; 片 piàn; 信 xìn ¶졸업~ 毕业证 / 연하~ 贺年片 / 감사~ 感谢信

-장(長) 접미 长 zhǎng ¶학교~ 校~ / 위원~ 委员长 / 공장~ 厂长 / 이사~ 董事长

-장(場) 접미 场 chǎng; 现场 xiànchǎng ¶야구~ 棒球场 / 수영~ 游泳场 / 공사~ 施工现场

장-가 명 娶妻 qǔqī; 娶 qǔ; 娶亲 qǔqīn; 娶媳妇儿 qǔxífur

장-가-가다 자 娶妻 qǔqī; 成亲 chéngqīn; 娶 qǔ; 娶亲 qǔqīn; 娶媳妇儿 qǔxífur = 장가들다

장-가-들다 자 = 장가가다

장-가-들이다 印 '장가들다'의 사동 词

장-가-보내다 印 给娶媳妇儿 gěiqǔxífur

장-갑(掌匣·掌甲) 명 手套 shǒutào ¶~을 끼다 带手套

장갑(裝甲) 명 (하다) 装甲 zhuāngjiǎ; 披甲 pījiǎ; 盔甲 kuījiǎ ¶~차 装甲战车 / ~부대 装甲部队

장-거리(長距離) 명 长距离 chángjùlí; 长途 chángtú; 长程 chángchéng; 远程 yuǎnchéng ¶~ 달리기 长距离赛跑 / ~전화 长途电话

장고(長考) 명 (하다) 长考 chángkǎo; 深思熟虑 shēnsīshúlǜ; 长时间的考虑 chángshíjiānde kǎolǜ ¶~ 끝에 악수를 두다 长考后走错棋

장:관(壯觀) 명 壮观 zhuàngguān; 伟观 wěiguān; 大观 dàguān ¶산이 온통 단풍으로 뒤덮인 것이 ~이다 满山红叶, 蔚为大观

장:관(長官) 명 【法】长官 zhǎngguān;

부장 bùzhǎng ¶법무부 ~ 法务部长官

장:교(將校) 图【軍】군인 jūnguān ; 将校 jiàngxiào ; 将领 jiànglǐng

장구(長鼓) 图【音】长鼓 chánggǔ ¶~채 长鼓槌儿

장구(裝具) 图 用具 yòngjù ; 工具 gōngjù ; 器具 qìjù ¶등산 ~ 登山用具

장군¹(將軍) 图【軍】将军 jiāngjūn = 장성(將星)

장군²(將軍) 图团【體】(象棋中的)将军 jiāngjūn ; 将 jiāng ¶~을 부르다 将军

장군 멍군 ☞棋逢对手 ; 棋鼓对手
장군(을) 받다 ☞ 应将

장기(長技) 图 特长 tècháng ; 特技 tèjì ; 拿手好戏 náshǒu hǎoxì ; 本领 běnlǐng ¶~를 자랑하다 炫耀特长 / 노래는 그의 ~이다 唱歌是他的特长

장기(長期) 图 = 장기간(長期) ~전 长期战争 =[持久战] / ~화 长期化 / ~ 투숙 长期住宿 ; 长时间 / 문제를 보다 以长期视角看问题

장:기(將棋·將碁) 图【體】象棋 xiàngqí ¶~판 象棋盘

장기(臟器) 图【生】脏器 zāngqì ; 内脏器官 nèizàng qìguān ¶~ 이식 脏器移植 / ~ 판매를 불허하다 不允许卖脏器

장:기간(長期間) 图 长期 chángqī ; 长时间 chángshíjiān ; 好久 hǎojiǔ ; 许久 xǔjiǔ = 장기(長期) ¶그는 미국에 ~ 체류하였다 他长期逗留在美国

장끼 图 = 수꿩

장난 图团 1 淘气 táoqì ; 玩耍 wánshuǎ ; 玩耍 wánshuǎ ; 顽皮 wánpí ; 调皮 tiáopí ¶물 ~ 玩水 / ~기 玩皮劲 =[淘气劲] / ~ 치다 闹着闹玩儿 2 恶作剧 èzuòjù ; 捣蛋 dǎodàn ; 戏弄 xìnòng ; 开玩笑 kāiwánxiào ¶~ 电话 恶作剧电话

장난-감 图 玩具 wánjù ; 玩意儿 wányìr = 완구 ¶~ 자동차 玩具汽车 / 난네 ~이 아니야 我不是你的玩具

장난-꾸러기 图 淘气鬼 táoqìguǐ ; 调皮鬼 tiáopíguǐ = 악동2

장:남(長男) 图 长子 zhǎngzǐ ; 大儿子 dà'érzi = 맏아들 ¶~으로 하여금 가업을 잇게 하다 让长子继承家业

장내(場內) 图 场内 chǎngnèi = 장중 ¶~가 떠들썩해지기 시작했다 场内热闹起来了

장:녀(長女) 图 = 맏딸

장:년(壯年) 图 壮年 zhuàngnián ; 壮汉 zhuànghàn ¶청년과 ~ 를 할 것 없이 모두 채용에 응시했다 不管青年还是壮年都来应聘的

장년(長年) 图 老人 lǎorén ; 年长者 niánzhǎngzhě

장:님 图 瞎子 xiāzi ; 盲人 mángrén

장님 문고리 잡기 [俗] 瞎猫碰上死耗子

장단(長短) 图【音】节奏 jiézòu ; 节拍 jiépāi
장단(을) 맞추다 ☞ 和谐 ; 协调
장단(을) 치다 ☞ 按节奏敲鼓
장단(이) 맞다 ☞ 一唱一和

장단(長短) 图 1 长短 chángduǎn ¶이 옷은 ~이 꼭 맞다 这件衣服长短正合适 2 = 장단점

장단-점(長短點) 图 优点和缺点 yōudiǎn hé quēdiǎn ; 长短 chángduǎn = 장단(長短)2 ¶~을 분간할 수 없다 分不清长短 / ~을 비교하다 比较优点和缺点

장-닭 图 公鸡 gōngjī ; 雄鸡 xióngjī

장:-담(壯談) 图团하타타 豪言壮语 háoyánzhuàngyǔ ; 保证 bǎozhèng ; 说大话 shuōdàhuà ; 夸口 kuākǒu ¶~은 할 수 없다 不能保证 / ~은 했지만 자신이 없다 说了大话却没有把握

장-대(長一) 图 1 长杆 chánggān ; 杆子 gānzi 2 = 바지랑대

장대-높이뛰기(長一) 图【體】撑杆跳 chēnggāntiào

장대-비(長一) 图 倾盆大雨 qīngpéndàyǔ ; 如注的大雨 rúzhùde dàyǔ

장:-대-하다(壯大一) 图 1 魁梧 kuíwú ; 壮健 zhuàngjiàn ¶몸이 장대한 노동자 身体魁梧的工人 2 (气概) 强大 qiángdà ; 壮大 zhuàngdà ; 轩昂 xuān'áng 장대-히 부

장대-하다(張大一) 图 宏伟 hóngwěi ¶장대한 계획 宏伟的计划

장:-도리 图 羊角锤 yángjiǎochuí ; 钉锤 dīngchuí

장:-독(醬-) 图 酱缸 jiànggāng ¶~대 酱缸台

장:-딴지 图 腿肚子 tuǐdùzi

장쨍 图 上策 shàngcè ; 第一 dìyī ; 最好的手段 zuìhǎode shǒuduàn ; 最好的方法 zuìhǎode fāngfǎ ¶도망가는 것이 ~이래 逃为上策

장래(將來) 图 1 将来 jiānglái ; 前途 qiántú ; 前景 qiánjǐng ; 未来 wèilái ¶~를 걱정하다 担心前途 2 前途 qiántú ; 展望 zhǎnwàng ; 远景 yuǎnjǐng = 전도(前途) ¶~가 밝다 前途无量

장래-성(將來性) 图 前景 qiánjǐng ; 前途 qiántú ; 出息 chūxi ; 有为 yǒuwéi ; 有门儿 yǒuménr ¶~이 있는 학생 有前途的学生 / ~이 풍부하다 富有前景

장:-려(奬勵) 图团하타 奖励 jiǎnglì ; 勉励 miǎnlì ; 激发 jīfā ; 鼓起 gǔqǐ ¶저축을 ~하다 奖励存钱 / ~상을 받았다 受到奖励奖

장:-렬-하다(壯烈一) 图 壮烈 zhuàngliè ¶장렬하게 전사하다 壮烈战死 장렬-히 부

장:례(葬禮) 圀 장례 zànglǐ; 장의 zàngyí; 빈의 bìnyí; 상례 sānglǐ ¶~비 葬礼费用 /~식장 葬礼场馆 =[葬礼堂] /~을 치르다 搞葬礼 =[举行葬礼] /~식에 참석하다 参加葬礼

장:로(長老) 圀 **1** 원로 yuánlǎo ¶학계의 ~ 学术界的元老 **2**〔宗〕长老 zhǎnglǎo《圣职的一个阶级》¶~교 长老老教

장:롱(欌籠) 圀 의류 yīguì; 의櫥 yīchú =농(籠)3

장르(프genre) 圀〔文〕체재 tǐcái; 类型 lèixíng; 양식 yàngshì; 风格 fēnggé; 流派 liúpài; 艺术的部门 yìshùde bùmén; 方式 fāngshì

장마 淫雨 yínyǔ; 霖雨 línyǔ; 阴雨 yīnyǔ ¶~철 淫雨季节 =[阴雨季节][雨季][梅天] /~가 들다 开始下阴雨

장마 전선(一前線)〔地理〕雨季前锋 yǔjì qiánfēng; 梅雨前锋 méiyǔ qiánfēng ¶~이 북상하다 梅雨前锋北上

장막(帳幕) 圀 帐篷 zhàngpéng; 帐幕 zhàngmù; 帷幕 wéimù

장만 圀하타 筹办 chóubàn; 购置 gòuzhì; 置办 zhìbàn; 筹备 chóubèi; 具备 jùbèi; 置备 zhìbèi ¶결혼 예물을 하다 筹办婚礼礼品 / 컴퓨터를 한 대 ~하다 置备一台电脑

장맛―비 梅雨 méiyǔ

장면(場面) 圀 景象 jǐngxiàng; 情景 qíngjǐng; 景况 jǐngkuàng; 场面 chǎngmiàn ¶~가 ~ 颓废的景象 /감동적인 ~ 让人感动的场面

장:모(丈母) 圀 丈母娘 zhàngmuniáng; 岳母 yuèmǔ; 丈母 zhàngmu

장문(長文) 圀 长篇 chángpiān ¶~의 편지 长篇信

장물(贓物) 圀〔法〕赃物 zāngwù; 贼赃 zéizāng; 赃货 zānghuò ¶~아비 销赃物的人

장물―죄(贓物罪) 圀〔法〕窝赃罪 wōzāngzuì; 销赃罪 xiāozāngzuì

장미(薔薇) 圀〔植〕玫瑰 méigui; 蔷薇 qiángwēi ¶~꽃 玫瑰花 =[蔷薇花]

장―바구니(場─) 圀 = 시장바구니

장발(長髮) 圀 长发 chángfà

장방―형(長方形) 圀〔數〕= 직사각형

장벽(障壁) 圀 **1** 障壁 zhàngbì; 墙 qiáng; 壁 bì ¶~을 쌓다 全墙 /벽~이 허물어졌다 拆毁了柏林墙 **2** 隔阂 géhé; 壁垒 bìlěi; 障碍 zhàng'ài; 阻 zǔ; 干扰 gānrǎo ¶무역 ~ 贸易壁垒 / 언어의 ~ 语言的隔阂 /우리 사이의 ~을 허물다 消除我们之间的障碍

장:병(將兵) 圀〔軍〕官兵 guānbīng;

指战员 zhǐzhànyuán; 将士 jiàngshì ¶국군 ~ 国军官兵

장:부(丈夫) 圀 **1** 성년 남자 chéngnián nánzǐ **2** = 대장부

장부(帳簿·賬簿) 圀하타 账簿 zhàngbù; 账本 zhàngběn ¶회계 ~ 会计账簿 /~에 기입하다 登记账簿

장비(裝備) 圀하타 장비 zhuāngbèi; 设비 shèbèi; 配비 pèibèi ¶군사 ~의 현대화 军事装备的现代化

장사 圀하자 생의 shēngyì; 매매 mǎimai; 경商 jīngshāng; 从商 cóngshāng ¶밑천 없는 ~ 没本钱的买卖 /~가 잘된다 生意红火

장:사(壯士) 圀 大力士 dàlìshì; 力士 lìshì; 壮士 zhuàngshì ¶백두 ~ 白头壮士 / 한라 ~ 汉拏壮士

장:사(葬事) 圀하타 葬礼 zànglǐ; 丧事 sāngshì; 治丧 zhìsāng ¶~ 지내다 举行葬礼 [办丧事]

장사―꾼 圀 贩子 fànzi; 买卖人 mǎimairén

장사―진(長蛇陣) 圀 长蛇阵 chángshézhèn; 长龙 chánglóng ¶~을 이루다 排成长蛇阵

장삼―이사(張三李四) 圀 张三李四 zhāngsānlìsì

장삿―속 圀 생의眼 shēngyìyǎn; 赚钱的算计 zhuànqiánde suànjì; 商人本色 shāngrén běnsè ¶~이 드러나다 露出商人本色 /그는 ~이 밝다 他是个生意眼

장서(藏書) 圀하자 藏书 cángshū ¶~를 대학에 기증하다 把藏书捐赠给大学

장:성(長成) 圀하자 成长 chéngzhǎng; 长大 zhǎngdà ¶아이들이 모두 ~해서 떠났다 孩子们都长大飞走了 /~한 아들이 부모를 모시다 长大成人的儿子赡养父母

장:성(將星) 圀〔軍〕= 장군[1]

장소(場所) 圀 场所 chǎngsuǒ; 地点 dìdiǎn; 场地 chǎngdì; 场合 chǎnghé; 去处 qùchù; 地方 dìfang ¶집합 ~ 集合地点 /~가 좁다 地方小

장:―손녀(長孫女) 圀 = 맏손녀

장수(商―) 圀 商人 shāngrén; 销售人员 shòurén; 买卖人 mǎimairén; 商贩 shāngfàn ¶채소 ~ 蔬菜商人 / 생선 ~ 鲜鱼商人

장:수(長壽) 圀하자 长寿 chángshòu; 老寿 lǎoshòu; 高寿 gāoshòu; 长命 chángmìng ¶~의 비결 长寿秘诀 /~를 누리다 享受长寿

장:수(將帥) 圀〔軍〕将帅 jiàngshuài

장승 圀 **1** 路标 lùbiāo; 里程碑 lǐchéngbēi《站在村口的守护村庄的木像》**2** 细高个儿 xìgāogèr; 细高挑儿 xìgāotiǎor

장-시간(長時間) 圀 长时间 chángshíjiān; 多时 duōshí

장식(裝飾) 圀ㅣ하타ㅣ 装饰 zhuāngshì; 布置 bùzhì; 修饰 xiūshì; 点缀 diǎnzhuì; 装点 zhuāngdiǎn ¶무대 ~ 舞台装饰 / ~물 装饰品 =[饰物] / 단상이 많은 꽃으로 ~되어 있다 台上点缀着许多花 / 크리스마스트리를 ~하다 装饰圣诞树

장신(長身) 圀 大个子 dàgèzi; 高个儿 gāogèr ¶~의 사나이 大个子男子 / 키가 2미터가 넘는 ~ 身高超过二米的大个子

장신-구(裝身具) 圀 首饰 shǒushì; 饰物 shìwù; 环佩 huánpèi ¶~로 치장하다 用首饰来打扮

장아찌 圀 酱菜 jiàngcài; 咸菜 xiáncài ¶오이 ~ 黄瓜酱菜 / 무 ~ 萝卜酱菜 / 매실 ~ 梅子酱菜

장-악(掌握) 圀ㅣ하타ㅣ 执掌 zhízhǎng; 掌握 zhǎngwò; 揽 lǎn; 把持 bǎchí ¶주도권을 ~하다 掌握主导权

장안(長安) 圀 首都 shǒudū; 京城 jīngchéng ¶~의 뜨거운 화제 京城热门话题

장애(障礙) 圀 阻力 zǔlì; 钉子 dīngzi; 障碍 zhàng'ài; 残疾 cánjí; 残废 cánfèi; 残障 cánzhàng ¶~물 障碍物 =[障碍] / ~인 残疾人 =[残障人] / 통신~ 通信障碍 / 위장 ~를 개선하다 改善胃肠障碍 / ~를 없애다 拆除障碍物

장어(長魚) 圀 [魚] 鳗鱼 mányú; 鳝鱼 shànyú; 鳗鲡 mànlí = 뱀장어

장엄(莊嚴) 圀ㅣ하형ㅣ히부ㅣ 庄严 zhuāngyán; 粗豪 cūháo; 豪壮 háozhuàng; 宏伟 hóngwěi; 庄重 zhuāngzhòng; 雄壮 xióngzhuàng ¶~한 의식 庄严的仪式

장외(場外) 圀 场外 chǎngwài ¶~ 홈런 场外全垒打 / ~ 경기 场外比赛

장:-원(壯元·狀元) 圀ㅣ하자ㅣ 状元 zhuàngyuán; 魁甲 kuíjiǎ ¶~ 급제 状元及第 =[壮占鳌头]

장:-유-유서(長幼有序) 圀 长幼有序 zhǎngyòuyǒuxù

장:-의-사(葬儀社) 圀 殡仪馆 bìnyíguǎn

장:인(丈人) 圀 岳父 yuèfù; 丈人 zhàngrén ¶외公 fùgōng

장인(匠人) 圀 名匠 míngjiàng; 匠人 jiàngrén; 工匠 gōngjiàng

장:-자(長子) 圀 = 맏아들 ¶~ 상속 长子继承 / 그는 ~이다 他是个长子

장작(長斫) 圀 木柴 mùchái; 劈柴 pǐchai; 柴火 cháihuǒ ¶~개비 劈柴棍 =[柴把] / ~더미 劈柴堆 / ~불 劈柴火

장장(長長) 圀 长长 chángcháng; 整整 zhěngzhěng ¶수술은 ~ 5시간 동안 진행되었다 手术整整进行了 5 个小时

장전(裝塡) 圀ㅣ하타ㅣ [軍] 装 zhuāng; 装入 zhuāngrù; 装进 zhuāngjìn ¶총알을 ~하다 装子弹

장점(長點) 圀 优点 yōudiǎn; 好处 hǎochu; 所长 suǒcháng; 长处 chángchu

장:-정(壯丁) 圀 壮丁 zhuàngdīng ¶병사들이 ~을 붙잡다 士兵抓壮丁

장조(長調) 圀 [音] 长调 chángdiào; 大调 dàdiào

장:-조림(醬—) 圀 红焖 hóngmèn; 酱牛肉 jiàngniúròu; 酱肉 jiàngròu

장족(長足) 圀 1 长腿 chángtuǐ 2 长足 chángzú; 进展快 jìnzhǎn kuài; 迅急 xùnjí ¶~의 발전 长足的进步

장-(場中) 圀 = 장내

장중-하다(莊重—) 圀 圀 庄重 zhuāngzhòng; 端庄 duānzhuāng; 隆重 lóngzhòng; 庄严 zhuāngyán; 雄伟 xióngwěi ¶장중한 개막식 隆重开幕式 **장중-히** 圀

장지(長指·將指) 圀 = 가운뎃손가락

장:-지(將指) 圀 = 엄지발가락

장:-지(葬地) 圀 葬地 zàngdì

장차(將次) 圀 将来 jiānglái; 将要 jiāngyào; 今后 jīnhòu; 从今以后 cóngjīnyǐhòu; 未来 wèilái; 以后 yǐhòu ¶平房将택은 ~ 아파트로 변할 것이다 平房将要变成公寓

장착(裝着) 圀ㅣ하타ㅣ 安装 ānzhuāng; 装zhuāng ¶체인이 ~된 자전거 安装车链的自行车

장치(裝置) 圀ㅣ하타ㅣ 1 装置 zhuāngzhì; 装备 zhuāngbèi; 设置 shèzhì; 设备 shèbèi; 装zhuāng; 安装 ānzhuāng ¶도청 ~ 盗听设备 / 안전 ~ 安全设备 / 폭탄을 ~하다 安装炸弹 2 制度 zhìdù; 规则 guīzé; 规矩 guīju; 规章 guīzhāng

장타(長打) 圀 [體] (棒球) 长打 chángdǎ

장탄(裝彈) 圀ㅣ하타ㅣ [軍] 装药 zhuāngyào; 装弹 zhuāngdàn; 子弹上膛 zǐdànshàngtáng ¶총알 3발을 ~하다 装三个子弹

장-터(場—) 圀 集市 jíshì; 市场 shìchǎng ¶~가 말이 아니게 붐비다 市场上拥挤不堪

장:-티푸스(腸typhus) 圀 [醫] 伤寒 shānghán; 肠伤寒 chángshānghán

장판(壯版) 圀 1 油纸炕 yóuzhǐkàng ¶~을 걷었다 揪起了油桌子 2 장판지 ¶~을 깔다 糊炕油纸

장판-지(壯版紙) 圀 炕油纸 kàngyóuzhǐ; 糊炕油纸 húkàngyóuzhǐ = 장판2

장편(長篇) 圀 [文] 长篇 chángpiān ¶~ 소설 长篇小说 / ~ TV 연속극 长篇电视连续剧

장:-풍(掌風) 圀 掌风 zhǎngfēng

장:-하다(壯-) 〔혱〕**1** 了不起 liǎoqǐ; 出色 chūsè; 卓越 zhuōyuè ¶대단히 장한 일 一件很了不起的事情 / 장한 공헌을 하다 做出卓越的贡献 **2** 高尚 gāoshàng; 善良 shànliáng; 令人佩服 lìngrén pèifú; 难能可贵 nánnéngkěguì; 自豪 zìháo ¶장하다고 느끼다 感到自豪 **장:-히** 〔뷔〕

장:학(奬學) 〔몡하다〕 奖学 jiǎngxué ¶~관 奖学官 / ~금 奖学金 / ~사 奖学士 / ~생으로 선발되다 选为奖学生

장화(長靴) 〔몡〕 长筒靴 chángtǒngxuē; 套靴 tàoxié; 靴 xuē; 靴子 xuēzi

장황-하다(張皇-) 〔혱〕 碎嘴子 suìzuǐzi; 啰嗦 luōsuō; 冗长 rǒngcháng; 絮絮叨叨 xùxùdāodāo ¶장황한 연설 冗长的演说 / 장황하게 신변의 소소한 일들을 말하다 絮絮叨叨地说些身边的琐事

잦다¹ 〔혱〕 **1** (水) 减少 jiǎnshǎo; 缩小 suōxiǎo ¶물이 잦아들었다 水减小了 **2** 平静 píngjìng; 安定 āndìng; 寂静 jìjìng; 默默无言 mòmòwúyán; 默不作声 mòbùzuòshēng ¶거센 파도가 점점 잦아 온다 汹涌的波涛渐渐寂静起来

잦다² 〔혱〕 频繁 pínfán; 频烦 pínfán; 紧密 jǐnmì; 勤 qín; 经常 jīngcháng ¶잦은 접촉 频繁接触 / 왕래가 ~ 交往频繁

잦아-들다 〔쟈〕 **1** 干涸 gānhé; 慢慢缩小 mànmàn suōxiǎo ¶우물이 잦아들었다 다 水井便干涸了 **2** 减弱 jiǎnruò; 安定 āndìng; 寂静 jìjìng; 安静 ānjìng ¶마침내 사람들을 잦아들게 했다 终于使大家安静下来

잦아-지다¹ 〔쟈〕 **1** 干涸 gānhé; 慢慢缩小 mànmàn suōxiǎo **2** 减弱 jiǎnruò

잦아-지다² 〔쟈〕 频繁 pínfán; 频烦 pínfán ¶대외적 교류가 나날이 ~ 对外交流日趋频繁

잦은-걸음 〔몡〕 碎步儿 suìbùr; 快步 kuàibù ¶~으로 걷다 走碎步儿

재¹ 〔몡〕 灰 huī; 灰烬 huījìn; 炉灰 lúhuī; 炉灰咋儿 lúhuīzhàr ¶난로 ~ 炉灰
재가 되다 〔관〕 什么都没有了

재² 〔몡〕 岭 lǐng; 山冈 shāngāng; 山岭 shānlǐng

재(齋) 〔몡〕 〔佛〕供 gòng; 供品 gòngpǐn ¶부모님 제사를 위해 ~를 준비하다 为了父母的祭祀，准备供品

재:-(再) 〔접두〕 再 zài; 再次 zàicì; 第二次 dì'èrcì; 重 chóng; 重新 chóngxīn ¶~교육 再教育 / ~검토 重新检查 | ~활용 再利用 / ~방송 重播 | ~배치 重新分配 / ~평가 重新估计 / ~확인 再次核实 / ~발견 重新发现 / ~분류 重新分类 / ~분배 重新分配 / ~조명 重新审查 / ~구성 重新构成

재:-(在) 〔접두〕 在 zài; 驻 zhù ¶~향 재향군회 在京同乡会

재:가(再嫁) 〔몡하다자〕 = 개가(改嫁)

재간(才幹) 〔몡〕 才干 cáigàn; 才能 cáinéng; 能耐 néngnai; 擅长 shàncháng; 手腕(儿) shǒuwàn(r) ¶~을 발휘하다 发挥才干

재:-간(再刊) 〔몡하다타〕 〔印〕 再刊 zàikān; 重刊 chóngkān; 再版 zàibǎn ¶~ 발행하다 再版发行

재갈 〔몡〕 嚼子 jiáozi; 笼嘴 lóngzuǐ; 马嚼子 mǎjiáozi ¶~을 물리다 带上笼嘴

재:개(再開) 〔몡하다타〕 重新召开 chóngxīn zhàokāi; 重新进行 chóngxīn jìnxíng ¶교섭을 ~하다 重开谈判

재:-개발(再開發) 〔몡하다타〕 重新开发 chóngxīn kāifā ¶~ 지역 重新开发地区 / 대규모 ~ 사업을 추진하다 将进行大规模的重新开发工程

재:-건(再建) 〔몡하다타〕 再建 zàijiàn; 重建 chóngjiàn; 重修 chóngxiū; 再造 zàizào; 改建 gǎijiàn ¶기차역 ~ 火车站改建

재:-검사(再檢査) 〔몡하다타〕 复检 fùjiǎn; 复查 fùchá ¶병세를 ~하다 复查病情 / ~를 하다 进行复查

재:-결합(再結合) 〔몡하다자〕 再结合 zàijiéhé; 重新结合 chóngxīn xiānglù; 复婚 fùhūn ¶가족 전체가 ~하였다 全家人重新相聚

재경(財經) 〔몡〕 财经 cáijīng ¶~ 위원회 财经委员会

재계(財界) 〔몡〕 财界 cáijiè; 工商界 gōngshāngjiè ¶~ 지도자 财界领导人

재:고(再考) 〔몡하다타〕 重新考虑 zàikǎolǜ; 重新考虑 chóngxīn kǎolǜ ¶~의 여지가 없다 没有重新考虑的余地

재:고(在庫) 〔몡〕 = 재고품

재:고-품(在庫品) 〔몡〕 库存 kùcún; 库存品 kùcúnpǐn; 店底 diàndǐ = 재고(在庫)

재:교(再校) 〔몡하다타〕 〔印〕 二校 èrjiào

재:-귀(再歸) 〔몡하다자〕 复归 fùguī; 回返 huífǎn; 重返 chóngfǎn; 回返 fǎnhuí ¶연어는 태어난 강으로 ~한다 鲑鱼返回出生的江

재:-귀 대:명사(再歸代名詞) 〔語〕 反身代词 fǎnshēn dàicí

재:-귀 동:사(再歸動詞) 〔語〕 反身动词 fǎnshēn dòngcí

재규어(jaguar) 〔몡〕 〔動〕 美洲豹 měizhōubào; 美洲虎 měizhōuhǔ

재기(才氣) 〔몡〕 才气 cáiqì; 灵气 língqì ¶~가 넘치다 才气横溢

재:기(再起) 〔몡하다자〕 再起 zàiqǐ; 东山再起 Dōngshānzàiqǐ ¶~불능 再起不能 / 저는 당신이 ~하기를 희망합니다

我希望你东山再起

재깍¹ [부][하][자][타] **1** 咔嚓 kāchā; 咔哒 kādā; 喀哒 kādā ¶~하고 나무문이 잠겼다 咔哒咔哒地锁上了木板门 **2** (钟表) 滴答 dīdā; 嘀嗒 dīdā

재깍² [부] 快速地 kuàisùde; 干脆地 gāncuìde; 顺利地 shùnlìde; 果断地 guǒduànde ¶~ 대답하다 快速地回答

재깍-거리다 [자][타] 咔咔哒哒地响 kākādādāde xiǎng; 嘀嗒嘀嗒地响 dīdādīdāde xiǎng = 재깍대다 **재깍-재깍** [부] [하][자][타] ¶이 자명종은 여전히 ~ 울리고 있다 这闹钟还滴滴答答地响

재난(災難) [명] 灾难 zāinàn; 灾祸 zāihuò; 灾患 zāihuàn; 不幸 bùxìng; 灾害 zāihài; 祸患 huòhuàn; 劫难 jiénàn; 祸殃 huòyāng; 灾 zāi; 厄 è; 患难 nàn; 患难 huànnàn; 劫 jié ¶불의의 ~ 不虞之祸 / ~을 당하다 遭受灾难

재능(才能) [명] 本事 běnshi; 本领 běnlǐng; 才能 cáinéng; 才华 cáihuá; 才力 cáilì; 才情 cáiqíng; 材 cái; 身手 shēnshǒu; 才干 cáigàn ¶잠재적 ~ 潜在才能 / ~을 펼치다 施展才能 / ~을 드러내다 才华显露出来

재:다¹ [자] 夸耀 kuāyào; 大模大样 dàmúdàyàng ¶잴 만한 일 值得夸耀的事

재:다² [타] **1** 量 liáng; 试 shì; 测 cè; 计量 jìliáng; 测探 cètàn ¶키를 ~ 量身高 **2** 打量 dǎliang; 衡量 héngliang; 估量 gūliang; 考虑 kǎolǜ

재:다³ [타] 堆积 duījī; 堆起来 duīqǐlái; 叠起来 diéqǐlái = 쟁이다 ¶고기를 산같이 재다 把肉堆积如山

재:다⁴ [형] **1** 敏捷 mǐnjié; 灵 líng ¶잰 걸음 敏捷的脚步 / 반응이 ~ 反应敏捷 **2** 快嘴快舌 kuàizuǐkuàishé

재단(財團) [명] [法] 财团 cáituán; 基金会 jījīnhuì ¶법인 재단法人 / 장학 ~ 奖学基金会

재단(裁斷) [명][하][타] = 마름질 ¶~사재 衣匠 / 수많은 조각으로 ~하다 裁剪成许多碎片

재덕-겸비(才德兼備) [명][하][타] 才德兼备 cáidéjiānbèi; 才全德备 cáiquándébèi ¶~한 학자 才德兼备的学者

재-떨이 烟灰缸 yānhuīgāng; 烟缸 yāngāng

재:래(在來) [명] 传统 chuántǒng; 固有 gùyǒu; 陈旧 chénjiù; 原有 yuányǒu; 老式 lǎoshì; 土 tǔ ¶~ 문화 固有文化 / ~ 시설 陈旧的设备 / ~종 土种

재:래-식(在來式) [명] 旧式 jiùshì; 老式 lǎoshì; 老样子 lǎoyàngzi; 传统 chuántǒng; 土 tǔ; 常规 chángguī ¶아파트 旧式公寓 / ~ 교육 旧式教育 / ~ 주방 传统厨房

재량(裁量) [명][하][타] 酌量 zhuóliáng; 斟

酌 zhēnzhuó ¶~권을 갖다 拥有酌量权

재력(財力) [명] 财力 cáilì; 资力 zìlì ¶막강한 ~이 있다 有雄厚的财力

재롱(才弄) [명] 逗笑儿 dòuxiàor; 逗逗 dòudòu ¶~둥이 逗人喜欢的孩子 / 강아지가 ~을 떨고 있다 小狗在逗笑儿

재료(材料) [명] **1** 材料 cáiliào; 材质 cáizhì; 物料 wùliào; 质料 zhìliào; 料 cái; 料(儿) liào(r) ¶건축 ~ 建筑材料 **2** 题材 tícái; 素材 sùcái ¶강의의 좋은 ~ 讲演的好素材

재:림(再臨) [명][하][자] [宗] 再次来临 zàicì láilín; 复活 fùhuó; 再临 zàilín ¶구세주의 ~ 救主再临

재목(材木) [명] **1** 材木 cáimù; 木料 mùliào; 木头 mùtou **2** 人才 réncái; 人材 réncái ¶국가가 급히 필요로 하는 ~ 国家急需的人材 / ~을 양성하다 培养人材

재무(財務) [명] 财务 cáiwù ¶~제표 财务报告

재물(財物) [명] 财物 cáiwù; 财产 cáichǎn ¶~을 모으다 存财

재미 [명] 趣 qù; 乐趣 lèqù; 趣味 qùwèi; 兴趣 xìngqù; 意思 yìsi; 味道 wèidao; 意味 yìwèi; 味(儿) wèi(r); 来头(儿) láitóu(r); 劲 jìn ¶더 ~가 있다 更有意思 / 갈수록 ~가 있다 越发来劲 / ~를 느끼다 感兴趣 **2** 收获 shōuhuò; 好结果 hǎojiéguǒ; 输入 shūrù ¶~가 쏠쏠한 장사 收获好的生意 **3** 情况 qíngkuàng ¶요즘 ~가 어떤가? 你最近情况怎么样?

재미-나다 [자] 带劲 dàijìn; 有劲 yǒujìn; 有意思 yǒuyìsi; 有趣 yǒuqù; 有兴致 yǒuxìngzhì ¶재미나는 만화 영화 有趣的卡通片

재미-없다 [형] **1** 没意思 méiyìsi; 没味(儿) méiwèi(r); 没趣(儿) méiqù(r); 干燥 gānzào ¶이 일은 정말 ~ 这番工作真没意思 **2** 没好结果 méihǎojiéguǒ; 有害 yǒuhài

재미-있다 [형] 有意思 yǒuyìsi; 有趣(儿) yǒuqù(r); 有劲(儿) yǒujìn(r); 入味(儿) rùwèi(r); 来劲(儿) láijìn(r); 来头(儿) láitóu(r) ¶할수록 ~ 越干越有劲 / 업무가 ~ 工作有劲头 / 이 영화는 참 ~ 这部电影真有意思

재:발(再發) [명][하][자] 再起 zàiqǐ; 复发 fùfā; 复犯 fùfàn ¶~ 환자 复发病人 / 심장병이 ~하다 心脏病复发

재:배(栽培) [명][하][타] 栽培 zāipéi; 种植 zhòngzhí; 培植 péizhí; 栽种 zāizhòng; 培育 péiyù ¶수경 ~ 水耕栽培 / 우수한 면화 품종을 ~해 내다 培育出一批棉花优良品种

재벌(財閥) [명] [經] 财阀 cáifá ¶~ 그

룹 財閥集團

재:범(再犯) 명하타 再犯 zàifàn; 复犯 fùfàn; 重犯 chóngfàn ¶과거의 잘못을 ~하다 重犯过去的错误

재봉(裁縫) 명하타 缝纫 féngrèn; 裁缝 cáiféng ¶~사 裁缝匠 =[裁缝] / ~ 기술 裁缝手艺

재봉-틀(裁縫─) 명 缝纫机 féngrènjī = 미싱

재-빠르다 형 快捷 kuàijié; 轻捷 qīngjié; 迅速 xùnsù; 神速 shénsù; 利落 lìluo; 利落 lìluo ¶동작이 ~ 手脚利落 / 재빠르게 현장에 가다 迅速赶到现场 **재빨리** 분

재산(財産) 명 财产 cáichǎn; 财富 cáifù; 资产 zīchǎn; 财 cái ¶기업 ~ 企业财产/ 법인 ~ 法人财产/ 무형 ~ 无形财产 / ~가 资产家 =[财主][财翁][富人] / ~권 财产权 =[产权][财权] / ~ 상속 财产继承

재:삼(再三) 분 再三 zàisān; 三番两次 sānfānliǎngcì; 几次三番 jǐcìsānfān; 再三再次 zàisānzàicì ¶~ 설득하다 再三劝说 / ~ 당부하다 再三叮咛

재색(才色) 명 才貌 cáimào ¶~을 겸비하다 才貌双全 =[才貌两佳][才貌俱全] / ~이 출중하다 才貌出众

재:생(再生) 명하자타 1 再生 zàishēng; 复生 fùshēng; 重生 chóngshēng; 复苏 fùsū; 修复 xiūfù; 复活 fùhuó ¶~의 길 重生之路 2 再生 zàishēng; 更生 gēngshēng ¶~고무 再生橡胶 / ~솜 更生棉 / ~에너지 再生能源 / ~지 更生纸 / ~품 再生品 3 再现 zàixiàn

재:선(再選) 명하자타 再度当选 zàidù dāngxuǎn; 两次当选 zàicì dāngxuǎn; 连选 liánxuǎn ¶총통으로 ~되다 再度当选总统

재:-선거(再選擧) 명하타 【法】重新选举 chóngxīn xuǎnjǔ; 改选 gǎixuǎn ¶~를 요구하다 要求重新选举

재:-소-자(在所者) 명 【法】在监者 zàijiānzhě; 在押犯 zàiyāfàn

재:-수(再修) 명하타 复读 fùdú ¶~생 复读生 / 올해 ~한 것은 결국 헛된 공부가 아니었다 这一年复读总算没白费

재수(財數) 명 运气 yùnqì; 幸运 xìngyùn; 手气 shǒuqì ¶~가 좋다 运气好/ ~가 좋지 않다 手气不佳 / ~를 시험해 보다 试试手气 [碰运气]

재수 없는 놈은 (뒤로) 자빠져도 코가 깨진다 속담 人倒霉, 喝凉水也塞牙

재수가 옴 붙었다[붙다] 속담 运败如长矫

수술 shǒushùshù

재스민(jasmine) 명 【植】茉莉 mòlì ¶~꽃 茉莉花 / ~차 茉莉花茶

재:-시험(再試驗) 명하타 1 重考 chóngkǎo; 复考 fùkǎo ¶시험지에 문제가 있어서 우리는 어쩔 수 없이 ~을 치렀다 因考试卷有问题, 我们不得不复考了 2 补考 bǔkǎo

재:심(再審) 명하타 【法】再审 zàishěn; 复核 fùhé; 重审 chóngshěn ¶~을 청구하다 请求再审 =[要求再审] / ~ 판결이 나다 作出再审判决

재:-심사(再審査) 명하타 重新审查 chóngxīn shěnchá; 再次审查 zàicì shěnchá; 复核 fùhé ¶이 결정을 ~하다 重新审查这一决定

재앙(災殃) 명 祸患 huòhuàn; 祸殃 huòyāng; 灾殃 zāiyāng; 灾祸 zāihuò ¶~을 당하다 遭受灾殃

재:야(在野) 명하자 在野 zàiyě ¶~ 인사 在野人士

재:-연(再演) 명하타 重演 chóngyǎn; 返场 fǎnchǎng; 搬演 bānyǎn ¶비극이 ~되는 것을 막다 以防悲剧重演

재:-외(在外) 명 在外 zàiwài; 海外 hǎiwài; 国外 guówài ¶~ 동포 海外同胞

재우다[1] 타 让…睡觉 ràng…shuìjiào (『자다』의 사동사) ¶아이를 제때 ~ 让宝宝按时睡觉

재우다[2] 타 浸 jìn; 腌 yān ¶소고기를 ~ 腌牛肉

재운(財運) 명 财运 cáiyùn; 财气 cáiqì ¶~이 형통하다 财运亨通 / ~이 도래할 것이다 将财运临门

재원(才媛) 명 才女 cáinǚ; 才媛 cáiyuán

재원(財源) 명 财源 cáiyuán ¶지방 ~ 地方财源

재:-위(在位) 명하자 在位 zàiwèi ¶~ 기간 在位期间

재:-임(在任) 명하자 任职 rènzhí; 在任 zàirèn; 在位 zàiwèi ¶~ 기간 在任期间

재자-가인(才子佳人) 명 才子佳人 cáizǐjiārén

재:-작년(再昨年) 명 前年 qiánnián = 전전년

재잘-거리다 자 喋喋 diédié; 刺刺不休 cìcìbùxiū; 絮叨 xùdao ¶재잘거리는 두 사람이 뒤에 있어 나는 정말 견디기 힘들다 喋喋不休的两个人在身后, 我实难忍受 **재잘-재잘** 분

재:적(在籍) 명하자 在编 zàibiān; 在册 zàicè ¶~생 在册生 / ~ 인원 在编人员

재정(財政) 명 【經】1 经济状况 jīngjì zhuàngkuàng ¶~ 상태가 좋지 않다 经济状况不佳 2 财政 cáizhèng ¶~ 수입 财政收入 / ~ 예산 财政预算

재주 명 1 本领 běnlǐng; 本事 běnshì;

재능 cáinéng; 功夫 gōngfu; 才干 cái
gàn; 手艺 shǒuyì ¶~껏 尽最大本领 /
~를 겨루다 比本事 2 计谋 jìmóu; 计
策 jìcè; 机灵 jīlíng; 着数 zhāoshù ¶여
러 가지 ~를 다하려 하다 要要尽种种
计谋

재주-꾼 명 能手 néngshǒu; 硬手(儿)
yìngshǒu(r)

재주-넘다 자 翻跟头 fāngentou

재-중(在中) 명 在内 zàinèi; 内有 nèi
yǒu ¶사진 ~ 照片在内

재즈(jazz) 명 【音】 爵士乐 juéshìyuè;
爵士 juéshì ¶~곡 爵士舞曲 / ~ 밴드
爵士乐队 / ~ 音乐회 爵士音乐会

재:직(在職) 명하자 任职 rènzhí; 在职
zàizhí ¶~ 노동자 비율 在职工人之比

재질(材質) 명 1 木料质量 mùliào zhì
liàng 2 材质 cáizhì; 质地 zhìdì ¶~이
견고하다 材质坚实 / ~이 우수하다
质地优良 / 서로 다른 ~을 사용하다
采用不同材质

재:차(再次) 명부 再次 zàicì; 再 zài;
再一次 zàiyícì; 再度 zàidù; 一而再地
yì'érzàide; 重 chóng; 重新 chóngxīn ¶
重又 chóngyòu ¶~ 증명하다 再次证
明

재:창(再唱) 명하타 再唱 zàichàng

재채기 명하자 喷嚏 pēntì; 嚏喷 tìpen
¶~하다 打喷嚏

재:천(在天) 명 1 在上天 zàishàngtiān;
在天空 zàitiānkōng ¶~의 영령이시여
在上天的英灵 2 由天 yóutiān; 在天
zàitiān ¶인명은 ~이다 人命在天

재:-천명(再闡明) 명하자타 再阐明
zàichǎnmíng ¶자신의 관점을 ~하다
再阐明自己的观点

재첩 명 【貝】 河蚬 héxiǎn

재:청(再請) 명하자타 1 再次请求 zài
cì qǐngqiú 2 赞同 zàntóng

재촉 명 催促 cuīcù; 督促 dūcù;
催逼 cuībī; 催迫 cuīpò ¶빨리 떠날 것
을 ~하다 催促快走

재치(才致) 명 灵机 língjī; 机巧 jiǎqiǎo;
心眼儿 xīnyǎnr; 灵巧 língqiǎo ¶정말
~ 있게 설명했다 解释得真机巧

재킷(jacket) 명 1 夹克 jiākè; 茄克 jiā
kè ¶가죽 ~ 皮夹克 / 청 ~ 牛仔夹克
2 套 tào; 套管 tàoguǎn; 护封 hùfēng

재:탕(再湯) 명하타 1 【韓醫】 二煎 èr
jiān; 再熬 zài'áo; 二和 èrhuò 2 炒冷饭
chǎolěngfàn

재:택-근무(在宅勤務) 명하타 在家办
公 zàijiā bàngōng

재-테크(財tech) 명 【經】 理财 lǐcái;
财物活动 cáiwù huódòng ¶법에 준하여
~하다 依法理财 / ~에 능하다 善于
理财

재:판(再版) 명하타 【印】 再版 zàibǎn;

重印 chóngyìn; 重版 chóngbǎn

재판(裁判) 명하타 1 裁断 cáiduàn 2
【法】 审判 shěnpàn; 审理 shěnlǐ; 裁判
cáipàn; 提审 tíshěn ¶~관 审判官 / ~
장 审判长

재-판매(再販賣) 명하타 倒卖 dǎo
mài ¶고가에 ~하다 高价倒卖

재판-소(裁判所) 명 【法】 1 裁判所
cáipànsuǒ 2 = 법원

재판-정(裁判廷) 명 【法】 = 법정(法
廷)

재:-편(再編) 명하타 = 재편성

재:-편성(再編成) 명하타 改组 gǎizǔ;
再整编 zàizhěngbiān; 再收编 zàishōu
biān = 재편 ¶권력의 ~ 权力的改组

재:-학(才學) 명 才学 cáixué ¶~을 겸
비하다 才学兼备

재:-학(在學) 명하자 上学 shàngxué;
在校 zàixiào ¶~생 在校生 / 슬하에 ~
중인 아이 두 명이 있다 膝下有两个
上学的孩子

재해(災害) 명 灾害 zāihài; 灾 zāi; 灾
祸 zāihuò; 灾难 zāinàn ¶~ 보상 灾害
补偿 / 자연 ~를 당하다 遭受自然灾
害 / ~가 빈번하다 灾祸频繁 / ~를 피
하다 避免灾难

재:-향 군인(在鄕軍人) 【軍】 退伍军人
tuìwǔ jūnrén

재:-현(再現) 명하자타 再现 zàixiàn; 重
现 chóngxiàn; 再出现 zàichūxiàn ¶예
술 형상을 생동감 있게 ~했다 生动地
再现了艺术形象

재:-혼(再婚) 명하자타 再婚 zàihūn; 二婚
èrhūn ¶~녀 再婚妇女

재화(財貨) 명 【經】 财货 cáihuò; 财物
cáiwù; 钱财 qiáncái; 财品 cáipǐn ¶~가
부족하다 缺少财货 / ~를 잘 보관하
다 保管好财物

재:활(再活) 명하자타 再生 zàishēng;
重生 chóngshēng; 复活 fùhuó ¶간세포
의 ~을 촉진시키다 促进肝细胞再生 /
역경 중에서 ~하다 在逆境中重生

재:회(再會) 명하자 再会 zàihuì; 重逢
chóngféng ¶오랫동안 헤어졌다가 ~하
다 久别重逢

잼(jam) 명 果酱 guǒjiàng; 果子酱 guǒ
zijiàng; 酱 jiàng ¶딸기~ 草莓果酱 / 빵
에 ~을 바르다 把果酱涂在面包上

잼버리(jamboree) 명 【社】 万国童子
军大会 wànguó tóngzǐjūn dàhuì; 强普
利 qiángpǔlì

잽(jab) 명 【體】 (拳击中) 刺拳 cìquán
¶왼손 ~이 여러 차례 상대를 맞추지
못했다 左手刺拳多次打不中对方

잽-싸다 쾌당 kuàidang; 麻利 máli;
快捷 kuàijié; 轻捷 qīngjié; 迅速 xùn
sù ¶일하는 것이 아주 ~ 办事非常快
当 / 잽싸게 만두를 쌌다 麻利地包起

댓―더미 圐 1 灰烬 huījìn 2 废墟 fèixū ¶도시가 전쟁의 ~로 변했다 都市化为战争的废墟

댓―밥(齋―) 圐 【佛】斋饭 zhāifàn; 祭品 jìpǐn; 供品 gòngpǐn

댓―빛 圐 灰色 huīsè; 灰 huī; 暗灰色 ànhuīsè ¶~ 하늘 灰色天空 / 짙은~ 深灰色 / 창밖이 온통 ~이다 窗外一片暗灰色

쟁그랑 圐 玎玲 dīnglíng; 当啷 dānglāng; 哐啷 kuānglāng; 啪嚓 pāchā

쟁그랑―거리다 瞫邐 玎玲玎玲响 dīnglíngdīnglíng xiǎng; 当啷当啷响 dānglāngdānglāng xiǎng; 哐啷哐啷响 kuānglāngkuānglāng xiǎng = 쟁그랑대다 쟁그랑-쟁그랑 圎閤邐

쟁기 圐 【農】犁 lí ¶~질 犁地

쟁론(爭論) 圐閤 争论 zhēnglùn; 争辩 zhēngbiàn ¶격렬한 ~ 激烈争论

쟁반(錚盤) 圐 盘子 pánzi; 盘(儿) pán(r); 托盘 tuōpán ¶요리 ~ 菜盘子 / ~을 받치고 들어오다 捧着托盘进来

쟁의(爭議) 圐閤邐 争议 zhēngyì; 纠纷 jiūfēn; 风潮 fēngcháo ¶~권 争议权 / ~를 일으키다 引起争议

쟁이다 邐 = 재다³

쟁쟁(錚錚) 圎閤 锵 qiāng; 玎玲 dīnglíng ¶갑자기 낙타 방울 소리가 ~ 울렸다 忽然传来玎玲几下驼铃声

쟁쟁―하다(琤琤―) 圙 1 脆响 cuìxiǎng; 响脆 xiǎngcuì; 清脆 qīngcuì; 嘹亮 liáoliàng 2 回响 huíxiǎng; 回荡 huídàng 쟁쟁-히 圎

쟁쟁―하다(錚錚―) 圙 响当当 xiǎngdāngdāng ¶쟁쟁한 기업가 响当当的企业家 / 쟁쟁한 배경 响当当的背景

쟁점(爭點) 圐 争端 zhēngduān; 争论焦点 zhēnglùn jiāodiǎn ¶주요 ~ 主要争端

쟁취(爭取) 圐閤邐 争取 zhēngqǔ; 夺取 duóqǔ ¶귀중한 시간을 ~하다 争取宝贵的时间 / 풍성한 성과를 ~하다 夺取丰硕成果

쟁탈(爭奪) 圐閤邐 争夺 zhēngduó; 争抢 zhēngqiǎng ¶~권 争夺战 / 독점적 지위를 ~하다 争夺垄断地位

저¹ 匚閤 1 我 wǒ; 愚 yú; 在下 zàixià; 区区 qūqū ¶~를 데리고 가 주세요 请您带我去 2 他自己 tā zìjǐ; 她自己 tā zìjǐ 匚閤 ~거 那个 / ~ 사람 那个人
¶저 먹자니 싫고 남[개]주자니 아깝다 囗逰 食之无味, 弃之可惜

저:² 囡 哎 āi; 嗯 ēn ¶~, 사실은 嗯, 其实

저:(著) 圐 著 zhù; 著作 zhùzuò

저:―(低) 閤邐 低 dī ¶~혈압 低血压 /~금리 低息 =[低利] /~소득 가정 低收入家庭 /~임금 低工资 /~자세 低姿势 /~층 低层 /~학년 低年级 =[低学年]

저:―가(低價) 圐 = 싼값 ¶최~ 最低价 /~ 판매 廉价出售

저―것 匚閤 1 那个 nàge; 那 nà ¶~은 우리 집이다 那是我家 2 那家伙 nàjiāhuo ¶~도 남자야? 那家伙也算个男人吗? 3 那孩子 nàháizi ¶~이 곧 학교에 간답니다 那孩子快上学了

저:격(狙擊) 圐閤邐 狙击 jūjī; 枪击 qiāngjī ¶~수 狙击兵 =[狙击手] /적을 ~하다 狙击敌人

저고리 圐 (韩服의) 短上衣 duǎnshàngyī; 袄 ǎo; 赤古里 chìgǔlǐ

저:금(貯金) 圐閤邐 存钱 cúnqián; 积蓄 jīxù; 储款 chǔkuǎn; 存银 cúnyín; 储金 chǔjīn; 储币 chǔbì ¶다년간 7만여 위안을 ~하였다 多年积蓄7万多元

저:금―통(貯金筒) 圐 储钱罐儿 chǔqiánguànr; 闷葫芦罐儿 mènhúluguànr

저:금―통장(貯金通帳) 圐 存单 cúndān; 存折 cúnzhé; 存款折 cúnkuǎnzhé; 存款单 cúnkuǎndān

저기 匚閤 那儿 nàr; 那里 nàlǐ; 那边 nàbiān ¶~나 보아라! 你去那儿吧!

저:―기압(低氣壓) 圐 1 【地理】低压 dīyā; 低气压 dīqìyā =저압 3 2 低沉 dīchén; 沉闷 chénmèn; 低落 dīluò; 不舒服 bùshūfu; 懊恼 àonǎo; 不愉快的 bùyúkuàide ¶오늘 사장님은 ~이다 今天老板很低沉

저:―까짓 园 那么点儿 nàmediǎnr; 那么样的 nàmeyàngde ¶~ 돈 那么点儿钱 /~ 것 마시고 취했어? 喝了那么点儿就醉了呀?

저―나마 圐 连那个 liánnàge

저―냥 圎 那样 nàyàng; 那么 nàme

저널(journal) 圐 报刊 bàokān; 杂志 zázhì; 定期刊物 dìngqī kānwù

저널리스트(journalist) 圐 记者 jìzhě; 新闻工作者 xīnwén gōngzuòzhě; 报人 bàorén; 报刊撰稿人 bàokān zhuàngǎorén

저널리즘(journalism) 圐 新闻工作 xīnwén gōngzuò; 报刊出版 bàokān chūbǎn

저녁 圐 1 晚上 wǎnshang; 晚 wǎn; 晚间 wǎnjiān ¶~나절 傍晚 /~내 一晚上 /~노을 晚霞 2 = 저녁밥

저녁―때 圐 1 傍晚时分 bàngwǎn shífēn; 晚间 wǎnjiān; 夕 xī; 向晚 xiàngwǎn ¶우리 마을에 가까이 갔을 때 이미 ~가 되었다 临近我们村子的时候, 已经晚时分了 2 吃晚饭의 때 chīwǎnfànde shíhou

저녁-밥 명 晩餐 wǎncān; 晩饭 wǎnfàn ＝ 저녁2

저:능-아(低能兒) 명 低能儿 dīnéng'ér; 弱智儿童 ruòzhì értóng

저-다지 부 那样 nàyàng; 那么 nàme ＝ 저리도 ¶저 사람은 왜 ～ 화를 낼까? 他干吗那么生气?

저:당(抵當) 명하자타 【法】 抵押 dǐyā; 典押 diǎnyā; 典当 diǎndàng ¶～권 抵押权[典当权] / 물 抵押品 / 시계를 ～으로 잡다 用手表作抵押 / 재산을 ～ 잡다 抵押财产

저-대로 부 就那样 jiùnàyàng ¶～ 두었다간 그는 자연스레 왕따 당할 거야 就那样放任的话, 他自然会孤立又没有市场的

저돌-적(豬突的) 관명 鲁莽 lǔmǎng; 冒失 màoshi; 胡来 húlái; 莽撞 mǎngzhuàng; 横冲直撞 héngchōngzhízhuàng ¶일하는 게 ～이다 办事鲁莽

저-따위 관대 那类 nàlèi; 那伙 nàhuǒ; 那种东西 nàzhǒng dōngxi ¶～ 녀석이 알기는 쥐뿔을 알아! 那伙人懂个屁呀!

저런¹ 감 嘞 hē; 啊 ā; 哎呀 āiyā; 天啊 tiān'a; 喔 wō ¶～, 너무 심하다 嘞, 好厉害

저런² 관 那样 nàyàng; 这样 zhèyàng ¶～ 사람은 절대 안 된다 这样人绝对不行

저렇다 형 那样 nàyàng; 那么 nàme ¶젊은 사람들은 다 ～ 年轻人都那样

저:력(底力) 명 潜力 qiánlì; 潜能 qiánnéng; 底气 dǐqì ¶시장의 ～ 市场潜力 / ～이 있다 具有潜力

저:렴-하다(低廉一) 형 廉价 liánjià; 低廉 dīlián; 便宜 piányi ¶저렴한 수입품 廉价进口品 / 판매 가격으로 ～ 售价低廉

저리 부 1 那样(儿) nàyàng(r) ¶왜 오는 게 항상 ～ 늦을까? 为什么总来的那么迟 2 往那边 wǎngnàbiān; 到那边 dàonàbiān; 往那儿 wǎngnàr; 到那儿 dàonàr ¶～로 가세요 往那边走

저리다 형 酥麻 sūmá; 麻木 mámù; 木麻 mùmá; 发木 fāmù; 麻酥酥(的) másūsū(de) ¶손까지 ～ 手都麻了

저리-도 부 ＝ 저다지

저리-하다 타 那么做 nàme zuò ¶모든 사람이 다 ～ 每个人都那么做 / 왜 저리하려는 것이냐? 为什么要那么做?

저릿-하다 형 有点麻 yǒudiǎn má ¶입술이 ～ 嘴唇有点麻 / 마음이 저릿한 것 같다 心好像有点麻

저-마다 부 各自 gèzì; 自己 zìjǐ; 个个 gègè ¶우리는 모두 ～의 생활이 있다 我们都有我们自己的生活

저만저만-하다 형 1 普通 pǔtōng; 一般的 yībānde ¶저만저만한 정도가 아닌 것 같다 看来不是一般的程度 2 就是那个样子 jiùshì nàge yàngzi ¶그 사람 수준은 ～ 人家的水平就是那个样子

저-만치 부명 ＝ 저만큼

저-만큼 부명 1 就那么程度 jiù nàme chéngdù 2 就那么远距离 jiù nàme yuǎnjùlí ‖ ＝ 저만치

저만-하다 형 差不多那么 chàbuduō nàme; 那样(儿) nàyàng(r) ¶저만한 키의 여학생 差不多那么高的女学生

저맘-때 명 那个时候 nàge shíhou ¶아이들은 ～에 다 말을 할 수 있다 小孩子到那个时候都会说话的

저:명-하다(著名一) 형 著名 zhùmíng; 驰名 chímíng; 知名 zhīmíng; 数得着 shǔdezháo ¶저명한 경제학자 著名经济学家 / 저명한 인물 数得着的人物 ＝[知名人士] / 중국 국내외에서 ～ 驰名中外

저물다 자 1 日暮 rìmù; 落黑(儿) luòhēi(r); 天黑 tiānhēi ¶날이 저물어서 돌아오다 日暮而归 / 날이 이미 저물었다 天已落黑 2 到年底 dàoniándǐ; 过去 guòqù ¶해가 저물 때까지 계속 기다리다 一直等到年底

저물-도록 부 到天黑 dàotiānhēi; 到日暮 dàorìmù ¶아침부터 ～ 걸었다 从早上走到天黑

저미다 타 切 qiē; 削 xuē; 批 pī; 割 gē ¶고기를 얇게 ～ 切肉片儿

저-버리다 타 负 fù; 亏负 kuīfù; 辜负 gūfù; 忘记 wàngjì ¶기대를 ～ 辜负期望 / 약속을 ～ 忘记诺言

저벅 부하자 噔噔 dēngdēng

저벅-거리다 자 咯噔咯噔响 gēdēnggēdēng xiǎng ＝ 저벅대다 ¶저벅거리는 군화 소리 噔噔咯噔响的军靴声 ‖ 저벅-저벅 부하자

저:-번(這番) 명 那回 nàhuí; 上一次 shàngyīcì ¶～보다 더욱 좋다 比上一次更好

저변(底邊) 명 底层 dǐcéng ¶사회 ～에 놓이다 处在社会的底层

저:-서(著書) 명 著书 zhùshū; 著作 zhùzuò ¶문화 관련 ～ 有关文化的著作 / 많은 ～를 남기다 留下许多著书

저:-속(低俗) 명하자 庸俗 yōngsú; 猥亵 wěixiè; 低俗 dīsú; 粗鄙 cūbǐ; 粗俗 cūsú ¶한 읽을거리 庸俗的读物 / ～하게 대답하다 猥亵地回答

저:속(低速) 명 低速 dīsù; 慢速 mànsù ¶～로 주행 慢速行驶

저:수-지(貯水池) 명 水库 shuǐkù; 蓄水池 xùshuǐchí; 水池 shuǐchí ¶～가 말랐다 蓄水池干了

저:술(著述) 명하타 著述 zhùshù; 撰

述 zhuànshù; 撰著 zhuànzhù; 纂述
zuǎnshù ¶～가 著述家 = [撰述家] /
역사서를 ～하다 撰寫史书

저승 圄 黄泉 huángquán; 冥府 míng-
fǔ; 阴间 yīnjiān; 泉下 quánxià; 地府
dìfǔ = 黄泉 ¶～길에 오르다 踏上黄
泉路

저:압(低壓) 圄 1 低压力 dīyālì; 低气
压 dīqìyā 2【電】低压 dīyā; 低电压
dīdiànyā ¶～ 전류 低压电流 /～ 전자
제품 低压电器 3【地理】= 저기압1

저:온(低溫) 圄 低温 dīwēn ¶～ 처리
低温处理

저울 秤 chèng ¶～눈 秤星 /～대
秤杆 /～추 秤锤 = [秤砣] /～판 秤盘
子 /전자～ 电子秤

저울-질 圄 1 过秤 guòchèng; 称
chēng 2 掂量 diānliáng; 比较 bǐjiào
¶자세하게 ～을 한번 하다 细致掂量一
番

저:음(低音) 圄 低音 dīyīn ＝ 낮은음

저:의(底意) 圄 用心 yòngxīn; 居心 jū-
xīn; 存心 cúnxīn; 内心 nèixīn; 底 dǐ;
作用 zuòyòng ¶또 다른 ～가 있다 还
别有用心 /그의 ～가 어디 있느냐 他
的居心何在

저-이 团 1 那个人 nàge rén; 那位
nàwèi ¶가 왜 저래? 那个人为什么是
这样? 2 我丈夫 wǒzhàngfu; 我爱人
wǒàirén

저:인-망(底引網) 圄【水】拖网 tuō-
wǎng; 底拖网 dǐtuōwǎng ¶～ 어선 拖
网渔轮 = [拖网船]

저-자(一者) 团 那个人 nàge rén ¶～
는 뭐하는 사람인가? 那个人是干什么
的?

저:자(著者) 圄 著者 zhùzhě; 著作人
zhùzuòrén

저:작(著作) 圄圐囲 著作 zhùzuò; 写
作 xiězuò; 撰著 zhuànzhù; 修撰 xiū-
zhuàn; 文章 wénzhāng ¶～자 著作者 /
～물 著作物 / 우수한 ～ 优秀著作

저:작-권(著作權) 圄【法】著作权 zhù-
zuòquán ¶～을 침해하다 侵害著作权

저잣-거리 圄 市井 shìjǐng; 闹市 nào-
shì

저:장(貯藏) 圄圐囲 储藏 chǔcáng; 储
备 chǔbèi; 储存 chǔcún; 贮藏 zhù-
cáng; 蓄藏 xùcáng; 藏储 cángchǔ; 贮
备 zhùbèi; 积存 jīcún; 存储 cúnchǔ;
存 cún; 储 chǔ; 贮 zhù; 蓄 xù; 屯
cáng; 囤聚 túnjù ¶양식 ～ 粮food储藏 /
～실 贮藏室

저-절로 囲 自然 zìrán; 自然而然 zì-
rán'érrán; 自行 zìxíng; 自动 zìdòng;
不由得 bùyóudé; 自己 zìjǐ; 自 zì; 自
由自主 bùyóuzìzhǔ ¶감기가 ～ 나았다
感冒自然而然地就好了 /그의 손이 ～

떨렸다 他的手不由自主地颤抖了

저:조(低調) 圄圐圀 1 低调 dīdiào 2
低落 dīluò; 消沉 xiāochén; 萎靡 dī-
cháo; 涩滞 sèzhì; 死气沉沉 sǐqìchén-
chén ¶사기 ～ 士气低落 3 低 dī; 不
高 bùgāo; 不好 bùhǎo ¶기록이 ～하다
纪录不好 / 시청률이 ～하다 收视率很
低

저:주(詛呪·咀呪) 圄圐囲 咒 zhòu;
诅咒 zǔzhòu; 咒骂 fàzhòu ¶침략자를
～하다 诅咒侵略者

저지(沮止) 圄圐囲 制止 zhìzhǐ; 阻拦
zǔlán; 拦 lán; 遮拦 zhēlán; 阻挡 zǔ-
dǎng; 拦挡 lándǎng; 阻止 zǔzhǐ; 阻断
zǔduàn; 阻碍 zǔài; 抵制 dǐzhì; 抵挡
dǐdǎng; 阻扰 zǔrǎo; 阻留 zǔliú; 遏止
èzhǐ; 截 jié; 截住 jiézhù; 阻截 zǔjié ¶
자금의 유출을 ～하다 阻止资金外流 /
모든 유혹을 ～할수 있다 能抵挡一切
诱惑

저:-지대(低地帶) 圄 洼地 wādì; 凹
地 āodì ¶물에 잠긴 ～ 渍涝的低洼地
区

저지레 圄圐囲 闯祸 chuǎnghuò; 惹祸
rěhuò

저지르다 囲 弄出来 nòngchūlái; 惹祸
rěhuò; 造成 zàochéng; 闯祸 chuǎng-
huò; 犯 fàn; 肇 zhào; 肇事 zhào ¶일 저
지르지 말게 不要惹祸 / 일을 잘 ～ 爱
闯祸

저:질(低質) 圄 低级 dījí; 劣质 lièzhì
¶～ 취미 低级趣味

저-쪽 团 那边 nàbiān; 那里 nàli; 那
儿 nàr; 彼 bǐ ¶옷을 ～에다 넣어라 把
衣服晾到那边去

저:촉(抵觸) 圄圐囲 触动 chùdòng; 触
犯 chùfàn; 违背 wéibèi; 违反 wéifǎn ¶
개인 이익에 ～되다 触动个人利益 /
법률에 ～되다 违背法律

저:축(貯蓄) 圄圐囲 储备 chǔbèi; 储存
chǔcún; 存钱 cúnqián; 积蓄 jīxù; 储
蓄 chǔxù; 贮存 zhùcún; 贮备 chǔbèi; 储
积 chǔjī; 积攒 jīzǎn; 积蓄 jīxù; 积贮
jīzhù ¶장기 ～ 长期贮存 /～ 예금 储
蓄存款

저:택(邸宅) 圄 1 王后的公馆 wáng-
hòude gōngguǎn 2 公馆 gōngguǎn; 宅
院 zháiyuàn; 寓邸 yùdì; 宅子 zháizi;
邸宅 dǐzhái

저:편(一便) 圄 1 那边 nàbiān ¶～에
있는 집 在那边的家 2 那派 nàpài ¶나
는 이편 ～ 나누는 것을 좋아하지 않
는다 我不喜欢分这派那派

저:하(低下) 圄圐圀 降低 jiàngdī; 降
落 jiàngluò; 下降 xiàjiàng ¶시력 ～ 视
力下降 / 판매량이 ～되었다 销售量下
降了

저:항(抵抗) 圄圐圀 1 抵抗 dǐkàng; 反

抗 fǎnkàng; 对抗 duìkàng; 抗拒 kàngjù; 抵挡 dǐdǎng; 较劲(儿) jiàojìn(r) ¶무장 ~ 武装反抗 / ~ 문학 抵抗文学 / ~운동 抵抗运动 / ~할 수 없다 不可抗拒 **2** 【物】阻抗 zǔkàng; 阻力 zǔlì **3** 【物】电阻 diànzǔ

저해(沮害) 圀 妨碍 fáng'ài; 阻碍 zǔ'ài; 作梗 zuògěng; 妨害 fánghài; 障碍 zhàng'ài ¶발전을 ~하다 阻碍发展

저희 떼 **1** 我们 wǒmen (《'우리'의 낮춤말) ¶~들은 모두 선생님의 학생입니다 我们都是老师您的学生 **2** 他们 tāmen; 那些人 nàxiē rén ¶~끼리 나갔다 他们自己出去了

적 圀 (以前) …的时候 …deshíhou ¶나 어릴 ~ 我小的时候

적(敵) 圀 仇人 chóurén; 仇家 chóujiā; 仇敌 chóudí; 冤头 yuāntóu; 冤家 yuānjiā ¶나는 나의 ~을 용서할 수 없다 我不能原谅我的仇人 **2** 敌 dí; 敌人 dírén; 对手 duìshǒu; 敌手 díshǒu ¶경쟁의 ~ 竞争对手

적개−심(敵愾心) 圀 敌忾 díkài; 仇恨 chóuhèn ¶공동의 적에게 ~을 불태우다 同仇敌忾

적격(適格) 圀勵 够格 gòugé; 合适 héshì; 合格 hégé; 胜任的 shèngrènde ¶~자 合适的人 / 부~ 不够格 / 매우 ~이다 满够格

적국(敵國) 圀 敌国 díguó; 仇方 chóufāng ¶~ 간첩 敌国间谍

적군(敵軍) 圀 **1** 敌军 díjūn ¶~을 와해시키다 瓦解敌军 **2** (竞赛的) 对方 duìfāng ¶~을 대파하다 大破对方

적극(積極) 圀 积极 jījí; 热心 rèxīn; 极力 jílì; 主动 zhǔdòng; 能动 néngdòng; 大力 dàlì ¶~성 积极性 / ~적 가하다 积极参加

적금(積金) 圀勵자即 **1** 积金 jījīn; 储备金 chǔbèijīn ¶~을 타다 领积金 **2** 【经】定期储蓄 dìngqī chǔxù; 零存整付存款 língcún zhěngfù cúnkuǎn

적기(適期) 圀 适时 shìshí; 正当时 zhèngdāngshí ¶~에 시합을 열다 适时地举办比赛

적기(敵機) 圀 敌机 díjī ¶~를 격추시키다 击落敌机 / ~가 공습하다 敌机空袭

적나라−하다(赤裸裸一) 휑 赤裸裸 chìluǒluǒ; 精赤 jīngchì; 赤条条 chìtiáotiáo ¶적나라한 욕망 赤裸裸的欲望 / 적나라하게 폭로하다 赤裸裸地暴露

적다[1] 圁 记 jì; 写 xiě; 录 lù; 记写 jìxiě; 记载 jìzǎi; 撰写 zhuànxiě; 记录 jìlù; 书写 shūxiě; 题 tí ¶공책에 ~ 记在本子上 / 자신의 느낌을 ~ 写下自己的感受

적:다[2] 휑 少 shǎo; 不多 bùduō ¶양이 너무 ~ 分量太少了

적당−량(適當量) 圀 适量 shìliàng = 적량

적당−하다(適當一) 휑 适当 shìdàng; 适宜 shìyí; 合适 héshì; 恰当 qiàdàng; 相当 xiāngdāng; 合宜 héyí; 相宜 xiāngyí; 妥帖 tuǒtiē ¶적당한 조건 适宜的条件 / 적당한 시기에 방문하다 在适当时候访问 / 너에게 참 ~ 跟你正合适 =[正过合宜] 적당−히 閉

적대(敵對) 圀勵 敌对 díduì; 作对 zuòduì ¶~ 관계 敌对关系 / ~국 敌对国家 / ~심 敌对心 / ~감을 드러내다 露出敌对感

적대−시(敵對視) 圀勵即 敌视 díshì; 仇视 chóushì ¶부자들을 ~하다 敌视富人 / 서로 ~하다 彼此仇视

적도(赤道) 圀 【地理】赤道 chìdào ¶~ 해류 赤道海流

적란−운(積亂雲) 圀 【地理】积雨云 jīyǔyún

적량(適量) 圀 = 적당량

적령(適齡) 圀 适龄 shìlíng; 及龄 jílíng ¶결혼 ~기 结婚适龄期

적립(積立) 圀勵即 积累 jīlěi; 积蓄 jīxù; 积存 jīcún; 攒 zǎn ¶~금 积累基金

적막(寂寞) 圀勵閉 寂寞 jìmò; 孤独 gūdú; 凄凉 qīliáng ¶~감 寂寞感 / ~함을 해소하다 排遣寂寞

적반하장(賊反荷杖) 圀 贼喊捉贼 zéihǎnzhuōzéi; 盗憎主人 dàozēngzhǔrén

적발(摘發) 圀勵即 揭发 jiēfā; 举发 jǔfā; 检举 jiǎnjǔ; 点穿 diǎnchuān; 点破 diǎnpò; 揪出来 jiūchūlái ¶타인의 범죄를 ~하다 揭发他人犯罪

적법(適法) 圀勵 适法 shìfǎ; 合法 héfǎ; 合规矩 héguīju ¶~성 适法性 / ~한 권익 合法权益 / ~한 경쟁 合法的竞争

적분(積分) 圀 【数】积分 jīfēn ¶~ 방정식 积分方程

적삼 圀 衫 shān; 衬衫 chènshān; 单褂 dānguà

적색(赤色) 圀 **1** 红色 hóngsè; 赤色 chìsè; 赤 chì; 红 hóng ¶~ 잉크 红色墨水 **2** 【社】红色 hóngsè 《象征共产主义的意色》 ¶~ 사상 红色思想 / ~ 테러 赤色恐怖

적선(積善) 圀勵자 积善 jīshàn; 积德 jīdé; 慈善 císhàn ¶~이 화를 면하게 해 준다 积善免灾

적설(積雪) 圀 积雪 jīxuě ¶~량 积雪量

적성(適性) 圀 性向 xìngxiàng; 适应性 shìyìngxìng; 适合性 shìhéxìng ¶성격 性格 / ~에 맞는 직

업을 선택하다 选择适合自己性格的
职业

적소(適所) 圀 合适的场所 héshìde chǎngsuǒ; 适当的地方 shìdàngde dìfang

적수(敵手) 圀 敌手 díshǒu; 对手 duìshǒu; 对头 duìtou ¶가장 강력한 ~ 最强的敌手

적수-공권(赤手空拳) 圀 赤手空拳 chìshǒukōngquán ¶~에서 억만장자가 되다 从赤手空拳到亿万富豪

적시(適時) 圀 及时 jíshí; 适时 shìshí ¶~에 해결하다 及时解决

적시다 囯 打湿 dǎshī; 润湿 rùnshī; 浸湿 jìnshī; 滋润 zīrùn; 濡湿 rúshī; 沁湿 qìnrùn; 弄湿 nòngshī; 沾 zhān; 湿 shī; 渍 zì ¶엄마의 눈물이 그의 어깨를 적셨다 妈妈的眼泪弄湿了他衣肩

적시-타(適時打) 圀 【體】(棒球) 适时安全打 shìshí ānquándǎ

적-신호(赤信號) 圀 1 [交] 红灯 hóngdēng; 红灯信号 hóngdēng xìnhào ¶~에 무단 횡단하다 闯红灯 2 红灯 hóngdēng; 危险信号 wēixiǎn xìnhào ¶건강에 ~가 커지다 发出健康危险信号

적-십자(赤十字) 圀 1 红十字 hóngshízì 2 [社] 红十字会

적십자-사(赤十字社) 圀 [社] 红十字会 Hóngshízìhuì ¶적십자2 ¶재난 지역 사람들을 구조하는 것은 ~의 중요한 업무이다 救灾救济工作是红十字会重要的业务

적:어도 囲 至少 zhìshǎo; 起码 qǐmǎ ¶건설 기간은 ~ 5년이 걸린다 建设周期至少要5年

적:어-지다 囮 减少 jiǎnshǎo; 变少 biànshǎo; 消损 xiāosǔn ¶수입이 ~ 收入减少

적역(適役) 圀 1 合适的角色 héshìde juésè; 适当的角色 shìdàngde juésè ¶~을 찾다 寻找一个合适的角色 2 = 적임자

적외-선(赤外線) 圀 [物] 红外线 hóngwàixiàn; 红外光 hóngwàiguāng; 赤外线

적운(積雲) 圀 [地理] 积云 jīyún; 云团 yúntuán; 云头 yúntóu = 뭉게구름

적응(適應) 圀闵囮 适应 shìyìng; 顺应 shùnyìng ¶~력 适应力 = [适应能力]/시대의 변화에 ~하다 顺应时代变化

적의(敵意) 圀 1 敌意 díyì ¶부부 사이에 ~가 생겼다 夫妻之间产生了敌意

2 歹心 dǎixīn; 歹意 dǎiyì ¶~가 생기다 起歹心

적임(適任) 圀 1 适合担任 shìhé dānrèn; 适任 shìrèn; 合适的工作 héshìde gōngzuò 2 = 적임자

적임-자(適任者) 圀 胜任的人 shèngrènde rén; 适当的人 shìdàngde rén; 妥员 tuǒyuán; 适任的人 shìrènde rén; 适宜者 shìyìzhě = 적역2·적임2 ¶~가 나타나다 出现适任的人 / 신속하게 ~를 파견하다 速派妥员

적자(赤字) 圀 赤字 chìzì; 亏损 kuīsǔn; 逆差 nìchā; 透支 tòuzhī ¶~ 기업 亏损企业 / 무역 ~ 贸易赤字

적자(嫡子) 圀 嫡子 dízǐ; 嫡嗣 dísì

적자-생존(適者生存) 圀 [生] 适者生存 shìzhě shēngcún

적:잖다 혱 不少 bùshǎo; 不乏 bùfá; 好些 hǎoxiē; 少不了 shǎobuliǎo ¶적잖은 사람들 不少人 / 동정심이 ~ 不乏同情心

적장(敵將) 圀 敌将 díjiàng

적재(積載) 圀闵囮 装载 zhuāngzài; 装货 zhuānghuò; 载 zài ¶~량 装载量 / ~ 장치 装货装置 / ~ 차량 装载车

적재-적소(適材適所) 圀 适才适所 shìcáishìsuǒ; 各得其所 gèdéqísuǒ ¶~에 배치하다 适才适所地配置

적재-함(積載函) 圀 车厢 chēxiāng; 货车箱 huòchēxiāng

적적-하다(寂寂—) 혱 寂寞 jìmò; 孤寂 gūjì; 孤孤单单 gūgūdāndān; 寂寂 jìjì; 冷解 lěngjiě; 孤苦伶仃 gūkǔlíngdīng ¶참기 힘든 적적함에 빠져들다 陷入难忍的寂寞 / 적적하게 살아가다 孤孤单单过日子 **적적-히** 囲

적절-하다(適切—) 혱 适当 shìdàng; 适合 shìhé; 适宜 shìyí; 适切 shìqiè; 恰当 qiàdàng; 妥当 tuǒdàng; 得当 dédàng; 切当 qièdàng; 切合 qièhé; 贴切 tiēqiè; 妥善 tuǒshàn; 得法 défǎ; 有方 yǒufāng ¶적절한 인물 适当的人物 / 적절하지 않은 언행 不恰当的言行 / 가격을 조정하다 适当调整价格 **적절-히** 囲

적정(適正) 圀闵혱 适度 shìdù; 合理 hélǐ ¶~ 규모 适度规模

적중(的中) 圀闵囮 射中 shèzhòng; 中 zhòng; 击中 jīzhòng; 命中 mìngzhòng; 准 zhǔn; 灵验 língyàn; 猜对 cāiduì; 猜着 cāizháo; 切中 qièzhòng ¶미사일이 시내의 호텔에 ~했다 导弹击中市内的饭店 / 예상이 ~했다 猜对了 / ~률을 높이다 提高命中率

적지(適地) 圀 适宜的地方 shìyíde dìfang ¶조건에 ~인 곳을 선택하다 选择条件适宜的地方

적지(敵地) 圀 敌区 díqū; 敌占区 dízhànqū: 敌方地盘 dífāng dìpán

적진(敵陣) 图 敌阵 dízhèn ¶~을 격파하다 攻破敌阵

적출(摘出) 图[하타] 1 揭发 jiēfā: 挑出 tiāochū ¶위선자의 실체를 ~하다 揭发假冒者的真面目 / 결함을 ~해 내다 挑出毛病 2 摘出 zhāichū: 摘除 zhāichú: 取出 qǔchū: 掏出 niēchū ¶내장을 ~하다 掏出内脏

적합(適合) 图[하] 合适 héshì: 适合 shìhé: 切合 qièhé: 适于 shìyú: 适宜 shìyí: 合宜 héyí: 宜于 yíyú: 相宜 xiāngyí ¶~성 合适性 / 초중고생에게 ~한 교재 适合中小学生教材 / 현실에 ~한 선택 切合实际的选择

적-혈구(赤血球) 图[生] 红血球 hóngxuèqiú: 赤血球 chìxuèqiú: 红细胞 hóngxìbāo

적화(赤化) 图[하자타] 【社】赤化 chìhuà ¶~ 선전 赤化宣传 / 공산당에 의해 ~되었다 被共产党赤化了

적-히다 图 被记 bèijì ¶이름이 칠판에 ~ 名字被记在黑板上

전(前) 目圄 1 以前 yǐqián: 前 qián ¶10일 ~에 十天以前 / 10년 ~에 10年前 2 以前 yǐqián: 先前 xiānqián: 从前 cóngqián: 以往 yǐwǎng: 既往 jìwǎng: 往日 wǎngrì: 往昔 wǎngxī: 先头 xiāntóu: 夙先 zǎoxiān ¶~에 했던 연구 以往的研究 / ~에 만난 적이 있다 以前见过面 目圄 1 前 qián (指以前的经历) ¶~ 장관 前长官 2 前 qián: 以前 yǐqián: 先前 xiānqián: 前头 qiántóu: 前方 qiánfāng ¶~ 학기 前学期

전:(煎) 图 煎饼 jiānbǐng: 煎的 jiānde ¶~을 부치다 煎煎饼

전(全) 图 全 quán: 全部 quánbù: 全世界 / ~ 인류 全人类

−전(展) 접미 展 zhǎn ¶미술~ 美术展

−전(殿) 접미 殿 diàn ¶대웅~ 大雄殿

−전(戦) 접미 战 zhàn: 赛 sài: 比赛 bǐsài ¶리그~ 联赛 / 토너먼트~ 淘汰赛

전:가(轉嫁) 图[하타] 转嫁 zhuǎnjià: 推卸 tuīxiè: 推委 tuīwěi: 委 wěi: 赖 lài: 贷 dài ¶부담을 소비자에게 ~하다 将负担转嫁到消费者身上

전각(全角) 图[印] 全角 quánjiǎo

전갈(全蠍) 图[動] 蝎 xiē: 蝎子 xiēzi ¶~자리 天蝎座

전갈(傳喝) 图[하타] 口信(儿) kǒuxìn(r): 带话(儿) dàihuà(r): 传达 chuándá: 通报 tōngbào: 捎话(儿) shāohuà(r) ¶다른 사람의 ~을 전하다 传递别人的口信

전:개(展開) 图[하자타] 1 展现 zhǎnxiàn: 展布 zhǎnbù ¶아름다운 풍경이 눈앞에 ~되다 美丽的风景展现在眼

前 2 开展 kāizhǎn: 展 zhǎn: 展开 zhǎnkāi: 进行 jìnxíng ¶비평을 ~하다 开展批评 / 토론을 ~하다 展开讨论

전:격(電撃) 图 闪电 shǎndiàn: 突然 tūrán: 意外 yìwài: 突兀 tūwù ¶~면직되다 突然被免职 / ~적으로 결혼하였다 闪电式地结了婚

전:결(專決) 图[하타] 专断 zhuānduàn: 独断 dúduàn ¶모든 안건을 그 혼자 ~하다 由他自己专断所有案件

전경(全景) 图 全景 quánjǐng ¶서울을 찍은 사진 拍首尔全景的照片

전경(前景) 图 前景 qiánjǐng

전:경(戰警) 图【法】'전투 경찰'의 略词

전:고(典故) 图 典故 diǎngù: 典 diǎn ¶원래 이것은 ~가 있다 原来这是有典故的

전곡(全曲) 图 全曲 quánqǔ: 整部曲子 zhěngbù qǔzi ¶~ 연주 全曲演奏

전-골 图 锅烧肉菜 guōshāoròucài: 荤杂烩 hūnzáhuì

전공(專攻) 图[하타] 1 专业 zhuānyè: 专攻 zhuāngōng: 主修 zhǔxiū: 攻读 gōngdú: 专门研究 zhuānmén yánjiū ¶~ 수업 主修课 / 영양학을 ~하다 专攻营养学 / 법률을 ~하다 攻读法律 2 = 전공과목

전공-과목(專攻科目) 图 专业课 zhuānyèkè: 专攻科目 zhuāngōng kèmù: 专修科目 zhuānxiū kēmù: 研究科目 yánjiū kēmù = 전공2 ¶반드시 ~을 제대로 공부해야 한다 一定学好专业课

전공-의(專攻醫) 图【醫】专科医生 zhuānkē yīshēng = 수련의

전과(前科) 图【法】前科 qiánkē: 前案 qián'àn: 案底 àndǐ ¶~ 삼범 前科三犯 / ~자 有前科者 =[老犯人] / ~가 있는 사람이 또 죄를 지었다 有前科的人又犯罪了

전:과(轉科) 图[하자] 转系 zhuǎnxì: 转院 zhuǎnyuàn: 转科 zhuǎnkē ¶~를 신청하다 申请转系

전관(前官) 图 前任 qiánrèn: 前任官员 qiánrèn guānyuán ¶~예우 前任礼待

전:광-석화(電光石火) 图 电光石火 diànguāngshíhuǒ: 呼息之间 hūxīzhījiān: 展眼之间 zhǎnyǎnzhījiān ¶~처럼 지나갔다 如电光石火一样地过去了

전:광-판(電光板) 图 灯光图文屏幕 dēngguāng túwén píngmù: 电光板 diàn guāngbǎn: 电动广告 diàndòng guǎnggào: 彩灯 cǎidēng: 电彩 diàncǎi ¶현대화된 ~ 现代化的电动广告

전교(全校) 图 全校 quánxiào ¶~생 全校学生

전:구(電球) 图 电灯泡(儿) diàndēngpào(r): 灯泡(儿) dēngpào(r) ¶~를 갈다

다 装灯泡儿 / ~를 갈다 换灯泡

전국(全國) 圀 全国 quánguó; 举国 jǔguó; 五湖四海 wǔhúsìhǎi ¶~구 全国选区

전권(全權) 圀 全权 quánquán; 一切权力 yīqiè quánlì ¶~을 부여하다 授予全权

전:근(轉勤) 圀하자 调任 diàorèn; 调转 diàozhuǎn; 调动 diàodòng; 改任 gǎirèn; 调 diào ¶새로운 근무처로 ~하다 调任新的岗位

전근대:적(前近代的) 괸圀 前近代性 qiánjìndàixìng; 前近代的 qiánjìndàide; 前现代性 qiánxiàndàixìng; 前现代的 qiánxiàndàide

전기(前期) 圀 **1** 前期 qiánqī **2** 前一时期 qiányìshíqī; 前届 qiánjiè; 上届 shàngjiè ¶~시합 上届比赛 / ~ 우승자 上届冠军

전기(傳記) 圀 传记 zhuànjì; 传 zhuàn ¶~위인 ― 伟人传记

전:기(電氣) 圀 圀 电气 diànqì; 电 diàn ¶~ 기구 电器 / ~난로 电炉 = [电暖器] / ~ 담요 电热毯 / ~료 电费 / ~밥솥 电锅

전기기~스탠드(電氣stand) 圀 台灯 táidēng = 스탠드3

전:깃~불(電氣―) 圀 电灯 diàndēng; 电灯光 diàndēngguāng; 电灯光 diàndēngguāng ¶~을 켜다 打开电灯 / ~을 끄다 关闭电灯

전:깃~줄(電氣―) 圀 = 전선(電線)

전~날(前―) 圀 **1** 前一天 qiányìtiān; 前日 qiánrì = 전일 **2** 以前 yǐqián; 从前 cóngqián; 过去 guòqù; 先前 xiānqián; 以往 yǐwǎng; 既往 jìwǎng; 往日 wǎngrì; 往昔 wǎngxī

전~남편(前男便) 圀 前夫 qiánfū

전년(前年) 圀 = 지난해 ¶지난해 물가상승폭이 ~보다 눈에 띄게 반락했다 物价上涨幅度比去年有明显回落

전념(專念) 圀하자 专精 zhuānjīng; 专注 zhuānzhù; 念念不忘 niànniànbùwàng; 下心 xiàxīn; 专心 zhuānxīn ¶업무에 ~하다 专心搞业务 / 学업에 ~하다 专精学业

전능(全能) 圀하图 全能 quánnéng; 万能 wànnéng; 无所不能 wúsuǒbùnéng ¶~하신 하나님 无所不能的上帝

전단(全段) 圀 通栏 tōnglán; 全段 quánduàn ¶~ 광고 通栏广告

전단(傳單) 圀 传单 chuándān ¶~을 배포하다 散发传单

전~달(前―) 圀 = 지난달 ¶~에서야 비로소 출시되었다 上个月才上市

전달(傳達) 圀하图 传达 chuándá; 转告 chuángào; 传知 chuánzhī; 传送 chuánsòng; 传递 chuándì; 转达 zhuǎn-

dá; 转告 zhuāngào; 交 jiāo ¶정보를 ~하다 传达信息 / 상황을 그에게 ~하다 把情况转告给他 / 서류를 그에게 ~하다 把文件传递给他

전담(全擔) 圀하图 全部担当 quánbù dāndāng; 全面负责 quánmiàn fùzé; 全部承担 quánbù chéngdān; 全部担当 quánbùdāndāng ¶그가 관련 업무를 ~하다 他把有关业务全部承担

전담(專擔) 圀하图 专务 zhuānwù; 专门负责 zhuānmén fùzé; 专人 zhuānrén ¶고객의 권익을 보호하는 일을 ~하다 专门负责保护顾客权益事宜

전답(田畓) 圀 = 논밭

전:당(殿堂) 圀 殿堂 diàntáng ¶예술의 ~ 艺术殿堂

전당 대:회(全黨大會) 【政】 全党大会 quándǎng dàhuì ¶~를 열다 举行全党大会

전:당~포(典當鋪) 圀 当铺 dàngpù; 典铺 diǎnpù ¶시계를 ~에 전당 잡히다 把手表去当铺抵押

전대(前代) 圀 前世 qiánshì; 前代 qiándài ¶~인의 업적 前代人的业绩

전대~미문(前代未聞) 圀 前所未闻 qiánsuǒwèiwén; 闻所未闻 wénsuǒwèiwén; 未曾有 wèicéngyǒu; 空前 kōngqián; 破天荒 pòtiānhuāng; 从来没有 cónglái méiyǒu ¶~의 사건이 발생하다 发生前所未闻的事件

전도(全圖) 圀 全图 quántú ¶대한민국 ~ 大韩民国全图

전도(前途) 圀 = 장래2 ¶~유망한 젊은이 前途有望的年轻人 / ~가 양양하다 前景远大

전도(傳道) 圀하图 【宗】 传道 chuándào; 传教 chuánjiào; 布道 bùdào ¶~사 传教士 / 각 지역을 다니며 ~하다 周游各城各乡传道

전도(傳導) 圀하图 【物】 传导 chuándǎo; 导电 dǎodiàn; 传 chuán

전도(顚倒) 圀하자图 **1** 摔倒 shuāidǎo; 跌跤 diējiāo; 跌倒 diēdǎo; 摔跤 shuāijiāo; 绊倒 bàndǎo **2** 颠倒 diāndǎo ¶본말이 ~되다 本末颠倒

전:동(電動) 圀하图 电动 diàndòng ¶~차 电动车

전:등(電燈) 圀 电灯 diàndēng; 灯头 dēngtóu; 荧光灯 yíngguāngdēng ¶~을 켜다 开电灯

전라(全裸) 圀 = 알몸1

전:락(轉落) 圀하자 沦落 lúnluò; 堕落 duòluò; 沦为 lúnwéi ¶이류로 ~하다 沦为二流

전:란(戰亂) 圀 战乱 zhànluàn ¶~이 끊이지 않다 战乱不停

전:람(展覽) 圀하图 展览 zhǎnlǎn; 观展 guānzhǎn; 汇展 huìzhǎn ¶~관 展

览馆 / ~회 展览会

전래(傳來) 图하자 1 传入 chuánrù ¶ 中国에서 日本으로 ~해 온 것 从中国 传入日本的 2 传来 chuánlái; 传下来 chuánxiàlái ¶세대를 거쳐 입에서 입으로 ~된 노래들 世代口头流传下来的那些歌

전:략(戰略) 图 1 【军】战略 zhànlüè; 战术 zhànshù; 战法 zhànfǎ; 策略 cèlüè; 战策 zhàncè ¶~을 짜다 编制战术 2 战略 zhànlüè; 策略 cèlüè; 计谋 jìmóu; 计略 jìlüè; 方略 fānglüè ¶외교 ~ 外交战略 / ~가 战略家 / ~ 산업 战略产业

전량(全量) 图 全量 quánliàng; 全部数量 quánbù shùliàng; 全部重量 quánbù zhòngliàng; 全部 quánbù ¶생산품을 ~을 수출하다 产品全量出口

전력(全力) 图 全力 quánlì; 一力 yīlì; 一心一意 yīxīnyíyì ¶~으로 지지하다 全力支持 / ~을 다하다 全力以赴

전력(前歷) 图 经历 jīnglì; 履历 lǚlì; 来历 láilì; 阅历 yuèlì ¶입원했던 ~을 숨기다 隐瞒住院经历 / 그의 ~은 비교적 화려하다 他的履历比较丰富

전력(專力) 图하자 专力 zhuānlì; 专心致志 zhuānxīnzhìzhì; 一心致力 yīxīnzhìlì ¶농업 발전에 ~하다 一心致力于发展农业

전:력(電力) 图 【物】电力 diànlì; 电功 diàngōng

전:력(戰力) 图 战斗力 zhàndòulì; 战力 zhànlì ¶공군의 ~ 수준 空军战斗力水平

전력-투구(全力投球) 图하자 1 【体】(棒球) 全力投球 quánlì tóuqiú 2 全力以赴 quánlìyǐfù; 竭尽全力 jiéjìn quánlì; 开足马力 kāizúmǎlì ¶기업은 생산에 ~해야 한다 企业要开足马力生产

전례(前例) 图 前例 qiánlì; 先例 xiānlì; 旧例 jiùlì; 成例 chénglì; 常规 chángguī; 老例 lǎolì; 向例 xiànglì; 例 lì; 惯例 guànlì ¶역사상 ~이 없는 변혁 史无前例的变革 / ~를 깨뜨리다 破例

전:류(電流) 图 【电】电流 diànliú

전:리-품(戰利品) 图 战利品 zhànlìpǐn

전립-선(前立腺) 图 【生】前列腺 qiánlièxiàn; 摄护腺 shèhùxiàn ¶~암 前列腺癌

전:말(顚末) 图 始末 shǐmò; 始终 shǐzhōng; 原委 yuánwěi; 一五一十 yīwǔyīshí; 本末 běnmò; 来龙去脉 láilóngqùmài ¶문제 발생의 ~ 问题发生的来龙去脉

전:망(展望) 图 1 展望 zhǎnwàng; 前瞻 qiánzhān; 眺望 tiàowàng; 瞭望 liàowàng; 瞻望 zhānwàng; 风景 fēngjǐng;

远景 yuǎnjǐng ¶~대 展望台 =[瞭望台] / 강가의 ~이 아주 훌륭하다 河边的风景特别好 2 展望 zhǎnwàng; 预测 yùcè; 预料 yùliào; 预计 yùjì; 瞻念 zhānniàn ¶미래를 ~하다 展望未来

전매(專賣) 图하타 专卖 zhuānmài; 专售 zhuānshòu; 专卖 zhuānxiāo; 官卖 guānmài ¶~청 专卖局 / ~품 专卖品 / ~권 专售权 =[专卖权] / ~특허 专卖许可

전면(全面) 图 1 全面 quánmiàn; 全盘 quánpán; 全般 quánbān; 通盘 tōngpán ¶~ 파업 全面罢工 / ~ 개편 全盘改组 2 整版 zhěngbǎn ¶~ 광고 整版广告

전면(前面) 图 1 = 앞면 2 = 앞쪽

전멸(全滅) 图하자 全灭 quánmiè; 全歼 quánjiān; 覆没 fùmò; 覆灭 fùmiè; 就歼 jiùjiān; 殄灭 tiǎnmiè ¶러시아 함대를 ~시키다 全灭俄国舰队

전모(全貌) 图 全貌 quánmào; 全豹 quánbào ¶이 사건의 ~를 이해하다 了解这件事情的全貌

전무(全無) 图 全无 quánwú; 毫无 háowú ¶소식이 ~하다 音信全无

전무(專務) 图 1 专任 zhuānrèn; 专门负责处理 zhuānmén fùzé chǔlǐ 2 【经】= 전무 이사

전무 이사(專務理事) 【经】专务董事 zhuānwù dǒngshì; 专务理事 zhuānwù lǐshì = 전무(專務)2

전무-후무(前無後無) 图하형 空前绝后 kōngqiánjuéhòu; 独一无二 dúyīwú'èr ¶~한 기적을 창조하다 创下空前绝后的奇迹

전문(全文) 图 全文 quánwén ¶조약의 ~ 条约的全文

전문(專門) 图하타 专业 zhuānyè; 专门 zhuānmén; 专攻 zhuāngōng; 专做 zhuānzuò ¶~의 전문의사 [专科医生] / ~ 지식 专门知识 =[专业知识] / ~직 专业职 / ~ 인재를 배양하다 培养专门人才

전문-가(專門家) 图 专家 zhuānjiā; 内行 nèiháng; 行家 hángjia; 老油子 lǎoyóuzi; 懂行 dǒngháng; 里手 lǐshǒu; 在行 zàiháng; 老把式 lǎobǎshì ¶컴퓨터 ~ 电脑专家

전문 대학(專門大學) 【教】专科学校 zhuānkē xuéxiào; 大专 dàzhuān ¶~생 大专生

전반(全般) 图 全般 quánbān; 通盘 tōngpán ¶~적으로 고려하다 通盘考虑

전반(前半) 图 上半 shàngbàn; 前半 qiánbàn ¶~기 前半期 / ~부 前半部 / 음악회의 ~이 끝났을 때가 되서야 그가 왔다 结束了音乐会的前半时, 他才

来了

전반-전(前半戰) 图 【體】 上半场 shàngbànchǎng ¶~에 양 팀은 0대0이었다 上半场双方踢成零比零

전방(前方) 图 1 = 앞쪽 ¶~ 500미터 前方500米／~을 향해 달려가다 向前方跑去 2 【軍】第一线 dìyīxiàn; 前线 qiánxiàn; 前方 qiánfāng; 先头 xiāntóu ¶~에서 지휘하다 指挥在第一线

전번(前番) 图 = 지난번

전:보(電報) 图[하자] 电报 diànbào; 电讯 diànxùn ¶~를 치다 打电报／~를 보내다 发电报／~를 받다 收电报

전복(全鰒) 图 【貝】 鲍 bào; 鲍鱼 bàoyú ¶~죽 鲍鱼粥／~을 양식하다 养鲍鱼／~을 잡다 捕捉鲍鱼

전:복(顚覆) 图[하자타] 1 打翻 dǎfān; 翻倒 fāndǎo; 掀翻 xiānfān; 翻覆 fānfù; 翻倒 fāndǎo ¶배를 ~시키다 打翻了船／뗏목이 ~될 뻔했다 木筏差点儿翻覆 2 推翻 tuīfān; 倾覆 qīngfù; 颠覆 diānfù ¶제국주의를 ~시키다 推翻帝国主义

전:봇-대(電報━) 图 1 电线杆 diànxiàngān; 电杆(子) diàngān(zi) ¶~가 즐비하게 늘어서 있다 电线杆林立 / ~전신주 ¶~에 부딪히다 撞到电线杆 2 大 高个子 dàgègèzǐ; 长条子 chángtiáozi

전:봇-줄(電報━) 图 电线 diànxiàn ¶참새가 ~에 앉아 있다 麻雀站在电线上

전부(全部) 图[부] 全都 quándōu; 全部 quánbù; 全数 quánshù; 一共 yīgòng; 一体 yītǐ; 一股脑儿 yīgǔnǎor; 通通 tōngtōng; 统统 tǒngtǒng; 一概 yīgài; 百分之百 bǎifēnzhībǎi ¶~ 다 봤다 全都看完了

전:분(澱粉) 图 = 녹말

전:사(戰士) 图 1 列兵 lièbīng; 战士 zhànshì 2 劳动者 láodòngzhě ¶산업 ~ 产业劳动者

전:사(戰死) 图[하자] 战死 zhànsǐ; 阵亡 zhènwáng; 战殁 zhànmò ¶~자 战死者

전:산(電算) 图 【컴】 = 컴퓨터 ¶~망 电算网 / 회계 ~화 会计电算化

전생(全生) 图 一生 yīshēng; 终身 zhōngshēn; 一辈子 yībèizi; 平生 píngshēng; 一世 yīshì ¶~을 홀아비 생활을 하다 打一辈子光棍

전생(前生) 图 【佛】 前世 qiánshì; 上辈子 shàngbèizi; 上一辈子 shàngyíbèizi; 宿世 sùshì ¶~의 인연 前世姻缘

전선(前線) 图 1 【軍】 前方 qiánfāng; 前线 qiánxiàn ¶~의 붕괴 前线瓦解 2 活动领域 huódòng lǐngyù 3 【地理】 前锋 qiánfēng; 锋面 fēngmiàn; 锋 fēng ¶장마 ~ 雨季前锋

전:선(電線) 图 电线 diànxiàn = 전깃줄

전설(傳說) 图 传说 chuánshuō ¶민간 ~ 民间传说 / 호랑이에 관한 ~ 关于老虎的传说

전성-기(全盛期) 图 全盛期 quánshèngqī; 全盛时期 quánshèng shíqī; 高峰时期 gāofēng shíqī; 鼎盛时期 dǐngshèng shíqī ¶나의 ~가 왔다 我的全盛期来了

전성-시대(全盛時代) 图 全盛时代 quánshèng shídài; 黄金时代 huángjīn shídài ¶우리들의 ~ 我们的黄金时代

전세(專貰) 图 包 bāo; 包租 bāozū ¶~기 包机 / 관광버스 한 대를 ~ 내다 包租一辆大客车

전세(傳貰) 图 1 【經】(不动产) 租借 zūjiè; 租赁 zūlìn; 租用 zūyòng 2 = 전세방

전세-방(傳貰房) 图 包房 bāofáng = 전세(傳貰)

전셋-돈(傳貰━) 图 押金 yājīn; 押租 yāzū ¶~을 받아 내다 收取押金

전셋-집(傳貰━) 图 出租房 chūzūfáng

전소(全燒) 图[하자] 烧光 shāoguāng; 全烧 quánshāo; 烧毁 shāohuǐ; 全烧掉 quánshāodiào ¶집 전체가 거의 ~되다 整个房子几乎被烧光

전속(全速) 图 = 전속력

전속(專屬) 图[하자] 专属 zhuānshǔ; 独属 dúshǔ ¶~가수 专属歌手

전-속력(全速力) 图 尽速力 jìnsùlì; 开足马力 kāizúmǎlì; 全速 quánsù = 전속(全速) ¶~으로 전진하다 全速前进

전:송(電送) 图[하자] 电传 diànchuán; 传输 chuánshū; 传真 chuánzhēn ¶서류를 ~하다 电传文件

전수(傳受) 图 接受 jiēshòu ¶비법을 ~받다 接受秘诀

전수(傳授) 图[하타] 传授 chuánshòu; 相传 xiāngchuán; 传 chuán ¶나에게 기술을 ~해 준 사부 传授给我技术的师傅

전:술(戰術) 图 1 【軍】 战术 zhànshù; 战略 zhànlüè; 战法 zhànfǎ; 兵法 bīngfǎ ¶군사 ~ 军事战法 2 战术 zhànshù; 战法 zhànfǎ; 策略 cèlüè; 斗争手段 dòuzhēng shǒuduàn ¶~가 战术/수비 ~ 防守战术/축구 ~ 足球战术

전승(全勝) 图[하자] 全胜 quánshèng ¶~을 거두다 大获全胜

전승(傳承) 图[하타] 继承 jìchéng; 承接 chéngjiē; 传承 chuánchéng; 师承 shīchéng ¶그는 조상 대대로 전해진 의술을 ~시켰다 他继承了祖传医术又加以改进

전:시(展示) 图[하타] 展览 zhǎnlǎn; 展示 zhǎnshì; 陈列 chénliè; 展示 zhǎnshì; 摆列 bǎiliè; 展出 zhǎnchū ¶~실 展厅/

~장 陈列场 / ~품 展览品 ＝[展览品][陈列品] / ~회 展览会 ＝[展示会] / 가구를 ~하다 展览家具

전:시(战时) 명 战时 zhànshí ¶~ 체제 战时体制

전신(全身) 명 ＝ 온몸 ¶~ 마취 全身麻醉 / ~ 운동 全身运动 / ~이 흠뻑 젖었다 全身被弄得湿淋淋的

전신(前身) 명 前身 qiánshēn ¶문화관광부의 ~은 문화 체육부이다 文化观光部的前身是文化体育部

전:신-주(电信柱) 명 ＝ 전봇대 1 ¶~를 세우다 竖电线杆

전심(专心) 명형 专心 zhuānxīn; 尽心 jìnxīn; 全心全意 quánxīnquányì; 一心一意 yīxīnyíyì; 克意 kèyì; 心心意意 xīnxīnyìyì ¶~으로 사람들을 위해 일하다 全心全意为人民服务

전심-전력(全心全力) 명 全心全力 quánxīnquánlì

전심-전력(专心专力) 명 专心专力 zhuānxīnzhuānlì; 尽心尽力 jìnxīnjìnlì; 竭尽全力 jiéjìnquánlì; 殚精竭虑 dānjīngjiélǜ ¶세계 평화를 위해 ~하다 为世界和平竭精全力

전압(电压) 명 [电] 电压 diànyā; 电位差 diànwèichā ¶~계 电压计 / ~이 불안정하다 电压不稳定 / 3500볼트의 ~이 발생하였다 产生了3500伏特的电压

전액(全额) 명 全数 quánshù; 总额 zǒng'é; 总额 quánbù; 全额 quán'é; 扫数 sǎoshù ¶이윤 ~ 利润总额 / ~ 배상 全额赔偿

전야(前夜) 명 昨夜 zuóyè; 前夜 qiányè; 前夕 qiánxī ¶개막 ~ 开幕的前夜 / 영화제 ~제 电影节前夜祭

전:어(钱鱼) 명 [鱼] 钱鱼 qiányú

전업(专业) 명 专业 zhuānyè ¶~ 주부 专业主妇

전:업(转业) 명하자 转业 zhuǎnyè; 改变经营 gǎibiàn jīngyíng; 改行 gǎiháng; 改业 gǎiyè ¶금융업으로 ~하다 改行到金融业

전역(全域) 명 全境 quánjìng ¶아시아 ~ 亚洲全域

전:역(转役) 명하자 (军队) 转役 zhuǎnyì ¶11월에 ~한다 将于11月转役

전:열(电热) 명 [物] 电热 diànrè ¶~기구 电热器具

전염(传染) 명하자 1 传染 chuánrǎn; 感染 gǎnrǎn; 染沾 rǎnzhān ¶~성 传染性 2 沾染 zhānrǎn; 熏染 xūnrǎn; 受影响 shòuyǐngxiǎng ¶나쁜 습관에 ~되다 沾染上不良习气

전염-병(传染病) 명 [医] 传染病 chuánrǎnbìng ＝ 염병 2 ¶~을 예방하다 预防传染病

전용(专用) 명하타 专用 zhuānyòng; 专有 zhuānyǒu ¶~차 专用汽车 / ~ 철도 专用铁道

전:우(战友) 명 战友 zhànyǒu ¶~애 战友之爱 ＝[战友之情]

전:운(战云) 명 战云 zhànyún ¶~이 가득하다 战云密布

전원(田园) 명 田园 tiányuán ¶~도시 田园城市 / ~주택 田园住宅

전원(全员) 명 全体 quántǐ; 全员 quányuán; 全体人员 quántǐ rényuán ¶~ 참여하다 全员参与

전:원(电源) 명 电源 diànyuán; 电力资源 diànlì zīyuán; 电力能源 diànlì néngyuán ¶~이 연결되다 接通电源

전월(前月) 명 ＝ 지난달

전유-물(专有物) 명 专有物 zhuānyǒuwù; 私有物 sīyǒuwù; 占有品 zhànyǒupǐn ¶이것은 네 ~이 아니다 这不是你的专有物

전:율(战栗) 명형자 战栗 zhànlì; 战抖 zhàndǒu; 冷战 lěngzhàn; 冷噤 lěngjìn ¶온몸이 ~하다 浑身战抖

전:이(转移) 명형자 1 转移 zhuǎnyí; 变位 biànwèi; 移转 yízhuǎn ¶기술 ~ 技术转移 2 [医] (肿瘤、病毒的) 转移 zhuǎnyí; 扩散 kuòsàn ¶암세포 ~를 억제하다 抑制癌细胞扩散

전인-미답(前人未踏) 명 前人未踏 qiánrénwèità ¶~의 영역을 개척하다 开拓前人未踏的领域

전일(前日) 명 ＝ 전날 1

전일-제(全日制) 명 全日制 quánrìzhì ¶~ 유치원 全日制幼儿园

전임(前任) 명 1 前任 qiánrèn ¶~ 법관 前任法官 2 前职 qiánzhí; 以前的职务 yǐqiánde zhíwù

전임(专任) 명하타 专任 zhuānrèn; 专职 zhuānzhí; 专差 zhuānchāi ¶~ 강사 专任讲师

전임-자(前任者) 명 前任 qiánrèn; 上任 shàngrèn; 上手儿 shàngshǒur; 前手 qiánshǒu

전:입(转入) 명하자 1 转入 zhuǎnrù; 转来 zhuǎnlái ¶매 학기마다 새로 ~한 학생이 있다 每个学期都有新转入的学生 2 迁入 qiānrù ¶새 거주지로 ~하다 迁入新居

전자(前者) 명 前者 qiánzhě

전:자(电子) 명 电子 diànzǐ ¶~게시판 电子公告板 / ~사전 电子词典 / ~ 상거래 电子商务 / ~시계 电子表 / ~오락 电子游戏 / ~ 화폐 电子货币

전:자-레인지(电子range) 명 [物] 微波炉 wēibōlú; 电子炉灶 diànzǐ lúzào; 电炉 diànlú; 电灶 diànzào; 电炉子 diànlúzi ¶~를 돌리다 启动微波炉

전:자 우편(電子郵便) 【컴】 전자메일 diànzǐ yóujiàn; 伊妹儿 yīmèir; 电邮 diànyóu = 메일·이메일 ¶~을 보내다 发送电子邮件 / ~을 받다 收到电子邮件

전작(前作) 圀 前作 qiánzuò

전:쟁(戰爭) 圀자 战争 zhànzhēng; 战事 zhànshì ¶~고아 战争孤儿 / ~이 나다 战争爆发

전:쟁-터(戰爭─) 圀 战场 zhànchǎng; 战地 zhàndì ¶~에 나가다 参加战场 / 비즈니스 시장은 ~와 같다 商场如战场

전적(全的) 관圀 完全 wánquán; 全部 quánbù ¶이건 ~으로 네 잘못이다 这完全是你的错 / ~으로 지지하다 完全支持

전적(前績) 圀 前绩 qiánjì; 前功 qiángōng

전:적(戰績) 圀 战绩 zhànjì ¶2승 1무 1패의 ~을 거뒀다 取得二胜一平一负的战绩

전:전(輾轉) 웹자围 转来转去 zhuānláizhuǎnqù; 东跑西窜 dōngpǎoxīcuàn ¶집을 떠난 이후 줄곧 몇몇 친구집을 ~했다 离开家后, 一直在几个朋友家转来转去

전전(前前) 日圀 很久以前 hěnjiǔ yǐqián; 从前 cóngqián; 早年 zǎonián ¶이 만화 영화는 ~의 것이다 这动画片是很久以前的 二围 前前 qiánqián ¶上上 shàngshàng ¶~주 上上星期

전:전긍긍(戰戰兢兢) 战战兢兢 zhànzhànjīngjīng; 战兢兢 zhànjīngjīng; 心惊胆战 xīnjīngdǎnzhàn; 胆战心惊 dǎnzhànxīnjīng ¶~하며 살아가다 战战兢兢地活着

전전−날(前前─) 圀 **1** 前两天 qiánliǎngtiān **2** = 그저께

전전−년(前前年) 圀 재작년

전:전−반측(輾轉反側) 圀웹자 辗转未眠 zhǎnzhuǎnwèimián; 辗转反侧 zhǎnzhuǎnfǎncè; 转侧 zhuǎncè ¶그는 침대에 누워 ~했다 他躺在床上, 辗转反侧

전제(前提) 圀하자 前提 qiántí ¶~ 조건 前提条件 =[先决条件] / 결혼을 ~로 교제하다 以结婚为前提交往

전제 정치(專制政治) 【政】 专制政治 zhuānzhì zhèngzhì

전조(前兆) 圀 = 징조 ¶지진의 ~ 地震前兆 / 시작하자마자 실패의 ~가 보였다 一开始就看出失败的前兆来

전조−등(前照燈) 圀 (火车、汽车等) 前灯 qiándēng; 车灯 chēdēng; 头灯 tóudēng = 헤드라이트 ¶오토바이 ~ 摩托车前灯

전:족(纏足) 圀 缠足 chánzú; 裹脚 guǒ-

jiǎo ¶~은 고대 중국의 악습이다 缠足乃中国古代陋习

전주(前奏) 圀 【音】 前奏 qiánzòu

전주(前週) 圀 = 지난주

전:주(轉注) 【語】 转注 zhuǎnzhù 《汉字六书之一》

전지(全紙) 圀 整张纸 zhěngzhāngzhǐ; 原大纸 yuándàzhǐ; 全开纸 quánkāizhǐ; 全张 quánzhāng; 满纸 mǎnzhǐ ¶~를 깔다 铺整张纸

전:지(剪枝·剪枝) 圀 【農】 = 가지치기

전:지(電池) 圀 【電】 电池 diànchí; 干电池 gāndiànchí ¶충전용 ~ 充电电池

전지−전능(全知全能) 圀웹围 全知全能 quánzhīquánnéng ¶~한 신 全知全能的神

전:지−훈련(轉地訓鍊) 圀 转地训练 zhuǎndì xùnliàn

전직(前職) 圀 前职 qiánzhí; 原职业 yuánzhíyè ¶그의 ~은 야구 선수이다 他的原职业是棒球选手

전진(前進) 圀 前进 qiánjìn; 进挺 jìnchèng; 上前 shàngqián; 赶前 gǎnqián; 往前走 wǎngqián zǒu ¶몇 걸음 ~하다 赶前几步

전집(全集) 圀 全集 quánjí; 合集 héjí ¶아동 문학 ~ 儿童文学全集

전:차(電車) 圀 电车 diànchē ¶~를 기다리다 等候电车

전:차(戰車) 圀 【軍】 坦克 tǎnkè; 装甲车 zhuāngjiǎchē = 탱크 ¶러시아군 ~가 포격을 시작했다 俄军坦克进行了炮击

전채(前菜) 圀 开胃菜 kāiwèicài; 冷盘 lěngpán

전처(前妻) 圀 前妻 qiánqī; 前房 qiánfáng; 前室 qiánshì; 前房妻子 qiánfáng qīzi ¶~소생의 자녀를 돌보다 照顾前妻所生的子女

전−천후(全天候) 圀 全天气 quántiānqì; 全天候 quántiānhòu ¶~ 헬기 全天候直升机 / ~ 서비스 全天候服务

전철(前轍) 圀 前辙 qiánchè; 履辙 lǚchè; 覆辙 fùchè; 复辙 fùchè ¶~을 밟다 重蹈履辙

전철(電鐵) 圀 【交】 地铁 dìtiě ¶~역 地铁站 / ~을 타고 등교하다 坐地铁上学

전체(全體) 圀 全体 quántǐ; 总体 zǒngtǐ; 整体 zhěngtǐ; 集体 jítǐ ¶~의식을 강화시키다 加强集体意识

전체−주의(全體主義) 圀 【社】 极权主义 jíquán zhǔyì; 全权主义 quánquán zhǔyì = 국가 극권주의 国家极权主义

전초−전(前哨戰) 圀 【軍】 前哨战 qiánshàozhàn ¶~은 이미 시작되었다 前哨战已经打响

전:**축**(電蓄) 圀 电唱机 diànchàngjī

전:**출**(轉出) 圀하자 1 迁出 qiānchū; 迁移 qiānyí ¶~ 증명서 迁出证明 2 工作调动 gōngzuò diàodòng; 调动工作 diàodòng gōngzuò

전통(傳統) 圀 传统 chuántǒng ¶~ 명절 传统节日 / ~문화 传统文化 / ~미 传统美

전:**투**(戰鬪) 圀하자 战斗 zhàndòu; 战役 zhànyì ¶~기 战斗机 =[歼击机] / ~력 战斗力 / ~적 태도 战斗的态度

전:**투경찰**(戰鬪警察) 【法】战斗警察 zhàndòu jǐngchá

전파(傳播) 圀하타 传播 chuánbō; 普及 pǔjí; 散布 sànbù ¶대중~ 媒체大众传播媒介 / 개인주의 사상을 적극적으로 ~하다 积极传播个人主义思想

전:**파**(電波) 圀【物】电波 diànbō

전:**파 탐지기**(電波探知機) 【物】= 레이더 ¶~로 추적하다 用雷达跟踪

전패(全敗) 圀하자 全败 quánbài; 完全失败 wánquán shībài; 彻底失败 chèdǐ shībài ¶22전 ~의 기록 22场全败的纪录

전편(全篇) 圀 全篇 quánpiān; 通篇 tōngpiān

전편(前篇) 圀 前篇 qiánpiān; 前集 qiánjí; 上集 shàngjí; 上篇 shàngpiān ¶~ 내용 줄거리 上集内容提要

전폐(全廢) 圀하타 全废 quánfèi; 俱废 jùfèi; 全部废除 quánbù fèichú; 全部撤销 quánbù chèxiāo ¶식음을 ~하다 饮食俱废 / 새로운 법을 ~시켰다 全部废除了新法

전폭(全幅) 圀 整个 zhěnggè; 全体 quántǐ; 全面 quánmiàn ¶~ 수용하다 全面接受

전폭-적(全幅的) 迌圀 完全 wánquán ¶~으로 지지하다 完全支持

전표(傳票) 圀 传票 chuánpiào; 凭单 píngdān

전-하(殿下) 圀【史】殿下 diànxià

전-하다(傳─) 타 1 传达 chuándá; 传递 chuándì; 捎 shāo; 传 chuán ¶물건을 ~ 捎东西 / 사랑을 ~ 传递一份爱心 2 相传 xiāngchuán; 流传 liúchuán 3 遗留 yíliú; 传给 chuángěi; 传授 chuánshòu ¶몇 년 동안 전해온 낡은 관습을 바꾸었다 改变了多年遗留下来的老习惯

전:**학**(轉學) 圀하자 转学 zhuǎnxué; 转校 zhuǎnxiào ¶~생 转校生 / ~ 수속을 마쳤다 办好了转学手续

전-해(前─) 圀 1 지난해 2 (某一年的) 前一年 qiányīnián; 上年 shàngnián ¶국내 생산 총액이 ~에 비해 10% 증가하였다 国内生产总值比上年增长了10%

전:**해-질**(電解質) 圀【物】电解质 diànjiězhì; 电解物 diànjiěwù

전:**향**(轉向) 圀하자 1 转向 zhuǎnxiàng ¶자동차의 ~ 시스템 汽车转向系统 2 转向 zhuǎnxiàng; 转变 zhuǎnbiàn; 变节 biànjié; 转折 zhuǎnzhé ¶농업 사회에서 공업 사회로 ~하다 由农业社会转向工业社会

전혀(全─) 圁 全然 quánrán; 完全 wánquán; 毫无 háowú; 根本 gēnběn; 全部 quánbù; 浑然 húnrán ¶~ 보이지 않는다 全然看不到的

전:**형**(典型) 圀 典型 diǎnxíng; 榜样 bǎngyàng; 楷模 kǎimó ¶시대적 ~ 时代的典型 / ~적인 가정주부 典型的家庭妇女

전:**형**(銓衡) 圀하타 招考 zhāokǎo; 择优录取 zéyōu lùqǔ; 选考 xuǎnkǎo; 遴选 línxuǎn ¶공개 ~을 거치다 经过公开招考

전:**화**(電話) 圀하자 1 电话 diànhuà ¶~국 电话局 / ~료 电话费 / ~번호 电话号码 =[电话号码] / ~번호부 电话号码簿 =[电话簿] / ~벨 电话铃 / ~를 받다 接电话 / ~를 걸다 打电话 / ~를 끊다 挂电话 2 电话机

전:**화-기**(電話機) 圀 电话机 diànhuàjī = 전화2 ¶버튼식 ~ 按键电话机 / 화상~ 视频电话机

전:**화위복**(轉禍爲福) 圀하자 转祸为福 zhuǎnhuòwéifú; 因祸为福 yīnhuòwéifú

전:**환**(轉換) 圀하자타 转换 zhuǎnhuàn; 转变 zhuǎnbiàn; 转化 zhuǎnhuà; 扭转 niǔzhuǎn; 变换 biànhuàn; 转移 zhuǎnyí; 转折 zhuǎnzhé ¶~점 转折点 / 기분을 ~하다 转换情绪 / 분위기를 ~하다 转换气氛

전횡(專橫) 圀하자 专横 zhuānhèng; 权横 quánhèng; 横行 héngxíng; 专横跋扈 zhuānhèngbáhù ¶자신의 특수한 신분을 믿고 ~을 휘두르다 凭借自己的特殊身份专横跋扈

전후(前後) 圀하자타 1 = 앞뒤 ¶~ 위치 前后位置 2 左右 zuǒyòu ¶40세 ~ 四十岁左右

절¹ 圀 寺庙 sìmiào; 庙宇 miàoyǔ; 寺院 sìyuàn; 佛刹 fóchà; 庙 miào = 사원(寺院) 2·사찰(寺刹)

절² 圀하자 行礼 xínglǐ; 拜 bài; 鞠躬 jūgōng; 磕头 kētóu; 叩头 kòutóu; 敬礼 jìnglǐ ¶손을 모으고 ~을 하다 作揖行礼

절(節) 圀 1 分句 fēnjù; 节 jié; 段 duàn 2【音】节 jié; 段 duàn ¶애국가 1~을 부르다 唱一节爱国歌

절감(切感) 圀하타 痛感 tònggǎn; 深感 shēngǎn ¶가정의 중요함을 ~하다

痛感家庭的重要

절감(節減) 〔명〕〔하타〕节减 jiéjiǎn; 节省 jiéshěng; 低落 dīluò; 减节 jiǎnjié ¶비용 ~ 费用节减

절개(切開) 〔명〕〔하타〕切开 qiēkāi; 剖开 pōukāi; 剖割 pōugē; 割 gē; 剖 pōu ¶가슴을 ~하였다 把胸腔给剖开了

절개(節槪·節介) 〔명〕气节 qìjié; 节操 jiécāo; 情操 qíngcāo ¶~를 지키다 保持气节

절경(絶景) 〔명〕绝景 juéjǐng; 佳境 jiājìng ¶한국의 ~ 韩国绝景 / 천하 ~ 天下绝景

절교(絶交) 〔명〕〔하자〕绝交 juéjiāo; 隔绝 géjué; 断交 duànjiāo; 割袍断义 gēpáoduànyì ¶나는 친구와 ~했다 我和我的朋友绝交了

절구 〔명〕臼 jiù; 石臼 shíjiù

절구-질 〔명〕〔하자〕舂 chōng; 捣碓 dǎoduì ¶쌀을 ~하다 舂米

절구-통 〔명〕1 臼 jiù; 石臼 shíjiù 2 胖墩儿 pàngdūnr

절굿-공이 〔명〕杵 chǔ

절규(絶叫) 〔명〕〔자타〕高喊 gāohǎn; 疾呼 jíhū; 呐喊 nàhǎn; 叫喊 jiàohǎn; 呼喊 hūhǎn ¶국가를 구하라고 ~하다 呐喊救国

절기(節气) 〔명〕节气 jiéqì; 节令 jiélìng; 时令 shíling; 节候 jiéhòu ¶~ 변화에 따라 건강 관리를 잘하는 随节气的变化做好保健养生

절:다[절] 〔자〕1 腌渍 yānzì; 腌入味儿 yānrùwèir; 进盐味 jìnyánwèi; 腌透 yāntòu ¶쉽게 절여지다 容易腌入味儿 2 渍透 zìtòu; 渍 zì ¶땀에 완전히 절었다 被汗浸透

절:다[절]² 〔자〕蹩 bié; 瘸 qué; 跛 bǒ; 长度不等 chángdù bùděng ¶강아지가 다리를 전다 小狗腿瘸了

절단(切斷·截斷) 〔명〕〔하타〕断 duàn; 截断 jiéduàn; 折断 zhéduàn; 切割 qiēgē; 切断 qiēduàn; 割断 gēduàn ¶막대기를 ~했다 将棍子折断了

절단-면(切斷面) 〔명〕切面 qiēmiàn; 断面 duànmiàn; 剖面 pōumiàn; 截面 jiémiàn

절대(絶對) 〔명〕绝对 juéduì ¶~ 권력 绝对权力 /~다수 绝对多数 /~ 진리 绝对真理 /~ 평가 绝对评价 〔부〕= 절대로 ¶~ 잊지 마라 千万不要忘记 / 너의 요구를 나는 ~ 받아들일 수 없다 你的要求,我绝对不能接受

절대-로(絶對一) 〔부〕绝对 juéduì; 千万 qiānwàn; 断然 duànrán; 决 jué = 절대㊁ ¶~ 안 돼! 绝对不行! / 내일은 ~ 늦지 마라 明天千万别迟到

절대-자(絶對者) 〔명〕〔哲〕绝对者 juéduìzhě

절대-치(絶對值) 〔명〕〔数〕= 절댓값

절댓-값(絶對一) 〔명〕〔数〕绝对值 juéduìzhí = 절대치

절도(節度) 〔명〕适度 shìdù; 节制 jiézhì; 分寸 fēncun ¶말을 함에 있어 ~가 있어야 한다 说话要注意分寸

절도(竊盜) 〔명〕〔하타〕盗窃 dàoqiè; 偷盗 tōudào; 偷窃 tōuqiè ¶~犯 盗窃犯 / ~를 하다 犯盗窃

절뚝-거리다 〔타〕蹩 bié; 跛脚 diǎnjiǎo; 一瘸一拐地走 yīquéyīguǎide zǒu; 一跛一跛地走 yībǒyībǒde zǒu; 一瘸一捌地走 yīquéyībāde zǒu = 절뚝대다 ¶절뚝거리며 차로 돌아오다 一瘸一拐地走回车上 **절뚝-절뚝** 〔부하타〕

절뚝발-이 〔명〕跛脚者 bǒjiǎozhě; 瘸子 quézi; 跛子 bǒzi

절레-절레 〔부〕摇来摇去地 yáolái-yáoqùde; 摆来摆去地 bǎilái bǎiqùde; 摇摇 yáoyáo; 摇摆摆 yáoyáoque ¶머리를 ~ 흔들다 一摇一摇地 yīyáoyīyáode《摇头的样子》

절로 〔부〕1 自然而然地 zìrán'érránde; 自行地 zìxíngde; 自动地 zìdòngde; 不由地 bùyóude; 不由自主地 bùyóuzìzhǔde ¶그의 손이 ~ 떨렸다 他的手不由自主地颤抖了 2 往那边 wǎngnàbiān; 到那边 dàonàbiān; 往那儿 wǎngnàr; 到那儿 dàonàr = 저리로 ¶~ 가다 往那边走

절룩-거리다 〔자〕瘸 qué; 跛脚 diǎnjiǎo = 절룩대다 **절룩-절룩** 〔부하타〕

절름-거리다 〔자〕瘸 qué; 跛脚 diǎnjiǎo = 절름대다 **절름-절름** 〔부하타〕

절름발-이 〔명〕瘸子 quézi; 瘸腿 quétuǐ; 跛子 bǒzi; 跛脚 bǒjiǎo; 拐子 guǎizi

절리(節理) 〔명〕〔地理〕(岩石的) 节理 jiélǐ

절망(絶望) 〔명〕〔하자〕绝望 juéwàng; 断念 duànniàn; 死心 sǐxīn ¶~적인 생활 绝望的生活 / ~에 빠지다 陷入绝望 / ~감을 느끼다 感受到绝望感

절묘-하다(絶妙一) 〔명〕绝妙 juémiào; 巧妙 qiǎomiào; 好妙 hǎomiào; 妙不可言 miàobùkěyán ¶절묘한 방법 绝妙方法

절박-감(切迫感) 〔명〕紧迫感 jǐnpògǎn; 迫切感 pòqiègǎn ¶강렬한 ~이 생겼다 产生了一种强烈的迫切感

절박-하다(切迫一) 〔명〕迫切 pòqiè; 急切 jíqiè; 紧迫 jǐnpò; 紧急 jǐnjí; 急迫 jípò; 急促 jícù; 匆促 cōngcù ¶시간이 ~ 时间匆促紧急 / 상황이 ~ 形势迫切

절반(折半) 〔명〕〔하타〕一半 yībàn; 对半 duìbàn; 半 bàn; 两半 liǎngbàn; 半截 bànjié = 반절(半折)

절벽(絶壁) 〔명〕绝壁 juébì; 峭壁 qiàobì; 懸崖 xuányán; 崖崖 yá

절상(切上)　**명하타**　**〔經〕**（货币）升值 shēngzhí ¶위안화 ~ 人民币升值

절세-가인(絕世佳人)　**명**　绝世佳人 juéshìjiārén; 绝代佳人 juédàijiārén ¶황진이는 조선 시대의 ~이다 黄真伊是朝鲜时代的绝代佳人

절실-하다(切實─)　**형 1** 强烈 qiángliè ¶절실한 그리움 强烈的思念 **2** 迫切 pòqiè; 急切 jíqiè; 切切 qièqiè; 切要 qièyào; 切身 qièshēn ¶절실한 요구 迫切要求 / 아주 절실해 보인다 显得十分迫切　**절실-히 <u>부</u>**

절약(節約)　**명하타**　节约 jiéyuē; 节省 jiéshěng; 减省 jiǎnshěng ¶근검 = 勤俭节约 / 경비를 ~하다 节约经费

절-이다　**타**　腌渍 yānzì; 渍 zì; 腌 yān; 酱 jiàng（《'절다'의 사동사》）¶배추를 ~ 腌渍白菜

절전(節電)　**명하자**　节电 jiédiàn; 节约用电 jiéyuēyòngdiàn ¶~ 설비 节电设备

절절-하다(切切─)　**형**　切切 qièqiè; 殷切 yīnqiè; 恳切 kěnqiè; 深切 shēnqiè; 诚恳 chéngkěn ¶절절한 도움을 구하다 恳切求助　**절절-히 <u>부</u>**

절정(絕頂)　**명 1** 山顶 shāndǐng; 顶峰 dǐngfēng; 山巅 shāndiān; 巅峰 diānfēng; 最高峰 zuìgāofēng; 极顶 jídǐng ¶~에 오르다 登上山顶 **2** 高潮 gāocháo; 顶点 dǐngdiǎn; 绝顶 juédǐng; 极点 jídiǎn; 高潮期 gāocháoqī = 정절2 ¶시합은 이미 ~에 이르렀다 大赛已经进入高潮 **3** 〔文〕扣子 kòuzi; 关子 guānzi; 顶点 dǐngdiǎn; 极点 jídiǎn; 高峰 gāofēng; 高潮点 gāocháodiǎn = 클라이맥스2

절제(切除)　**명하타**　切除 qièchú; 切掉 qiēdiào; 割除 gēchú; 打断 dǎduàn ¶위 ~ 수술 胃切除手术

절제(節制)　**명하타**　节制 jiézhì; 限制 xiànzhì; 抑制 yìzhì; 克制 kèzhì ¶욕망을 ~하다 节制欲望

절지-동물(節肢動物)　**명**　〔動〕节肢动物 jiézhī dòngwù

절차(節次)　**명**　次序 cìxù; 顺序 shùnxù; 程序 chéngxù; 手续 shǒuxù; 步骤 bùzhòu ¶~를 중시하다 讲顺序

절차-탁마(切磋琢磨)　**명하자**　切磋琢磨 qiēcuōzhuómó; 切磋研磨 qiēcuōyánmó; 切磋 qiēcuō; 琢磨 zhuómó ¶기예를 ~하다 切磋艺技

절체-절명(絕體絕命)　**명**　绝地 juédì; 绝处 juéchù; 水穷水尽 shuǐqióngshuǐjìn; 绝对绝命 juéduìjuémìng ¶~의 위기에서 살아나다 绝处逢生

절충(折衷)　**명하타**　折中 zhézhōng; 交

涉 jiāoshè; 调协 tiáoxié; 接洽 jiēqià 揉合 róuhé ¶~안을 받아들이다 采纳折中方案

절취(竊取)　**명하타**　窃取 qièqǔ; 偷盗 tōudào; 盗窃 dàoqiè ¶차량을 ~하다 窃取车辆

절치-부심(切齒腐心)　**명하자**　切齿腐心 qièchǐfǔxīn; 切齿扪心 qièchǐménxīn; 切齿痛心 qièchǐtòngxīn; 切齿痛恨 qièchǐtònghèn; 切齿愤恨 qièchǐfènhèn; 咬牙切齿 yǎoyáqièchǐ ¶밤낮으로 ~하다 日夜切齿腐心

절친-하다(切親─)　**형**　亲密无间 qīnmìwújiàn; 亲密 qīnmì; 至亲 zhìqīn ¶절친한 친구 亲密朋友　**절친-히 <u>부</u>**

절편　**명**　片糕 piàngāo; 切糕 qiēgāo

절하(切下)　**명하타**　**〔經〕**（货币）贬值 biǎnzhí ¶엔화에 대해 달러가 거의 11% ~되었다 美元对日元贬值近11%

절호(絕好)　**명**　绝好 juéhǎo; 极好 jíhǎo; 最好 zuìhǎo ¶~의 기회 绝好的机会

젊:다　**형 1** 年轻 niánqīng; 年少 niánshào ¶젊었을 때 年轻的时候 **2** 旺盛 wàngshèng; 壮旺 zhuàngwàng; 活生生 huóshēngshēng; 生气勃勃 shēngqìbóbó; 方刚 fānggāng; 方壮 fāngzhuàng ¶젊은 혈기 方壮的血气

젊은-이　**명**　年轻人 niánqīngrén; 青年人 qīngniánrén; 年轻的 niánqīngde; 后生 hòushēng

점(占)　**명**　卦 guà; 卜 bǔ; 占卜 zhānbǔ; 算卦 suànguà; 算命 suànmìng ¶~을 본 경험이 있다 有算命的经验

점(點)　**명 1** 点（儿）diǎn(r); 点子 diǎnzi ¶까만 ~ 黑点子 / ~선 点线 =〔虚线〕**2** 斑点 bāndiǎn **3** 地方 dìfang; 处 chù ¶좋은 ~ 好处 **4** 看好 kànhǎo; 选定 xuǎndìng ¶내가 이미 ~을 찍어 놓았다 我已经选定了 **5** 〔數〕点 diǎn **⑤명사** 1 分 fēn; 一百分 2 件 jiàn ¶옷 한 ~ 一件衣服 3 块 kuài; 片 piàn ¶회를 한 ~ 먹다 吃一块生鱼片

-점(店)　**접미**　商店 shāngdiàn; 店 diàn; 铺 pù ¶철물~ 铁物店 / 할인~ 廉价商店

점거(占據)　**명하타**　**1** 占据 zhànjù = 점령1 ¶우월한 지위를 ~하다 占据优势地位 **2** = 점령2

점검(點檢)　**명하타**　检查 jiǎnchá; 点验 diǎnyàn; 逐一检查 zhúyī jiǎnchá; 检点 jiǎndiǎn ¶들을 ~하다 查点 chádiǎn ¶안전 생산을 ~하다 检查安全生产

점괘(占卦)　**명**　〔民〕占卦 zhānguà; 卜卦 bǔguà

점도(粘度)　**명**　〔物〕黏度 niándù = 점

성도 ¶~가 크다 黏度高

점등(點灯) 명하자타 点灯 diǎndēng; 开灯 kāidēng ¶나는 ~하는 것을 잊었다 我忘记开灯了

점령(占領) 명하타 1 = 점거1 2 占领 zhànlǐng; 占据 zhànjù; 攻占 gōngzhàn; 霸占 bàzhàn; 陷没 xiànmò = 점거2 ¶수도를 ~하다 占领首都

점막(粘膜) 명 [生] 黏膜 niánmó

점멸(點滅) 명하자타 (灯) 明灭 míngmiè; 开和关 kāi hé guān

점보(jumbo) 명 巨型 jùxíng; 巨大 jùdà; 大规模 dàguīmó; 超大型 chāodàxíng ¶一 사이즈 超大型号

점성(粘性) 명 黏性 niánxìng ¶~이 강한 액체 黏性很强的液体

점성-도(粘性度) 명 [物] = 점도

점수(點數) 명 分值 fēnzhí; 得分 défēn; 评分 píngfēn; 学分 xuéfēn ¶시험 ~ 考试分数 / ~를 매기다 打分数

점:심(點心) 명 午饭 wǔfàn; 午餐 wǔcān; 中饭 zhōngfàn = 중식 ¶~시간 午饭时间 =[午饭时] / ~을 거르다 没吃午饭

점:심-나절(點心一) 명 中午时分 zhōngwǔ shífēn ¶눈 깜짝할 사이에 시간이 이미 ~을 지났다 时间转眼已过中午时分

점안-제(點眼劑) 명 [藥] 点眼药水 diǎnyǎn yàoshuǐ; 眼药水 yǎnyàoshuǐ

점액(粘液) 명 [生] 黏液 niányè ¶환자의 비강을 막고 있던 ~을 제거하다 清除堵塞在病儿鼻腔中的黏液

점:원(店員) 명 店员 diànyuán; 售货员 shòuhuòyuán ¶~을 고용하다 雇用店员

점유(占有) 명하타 占有 zhànyǒu; 据有 jùyǒu ¶~율 占有率 =[份额] / 토지를 ~하다 占有土地 / 중요한 위치를 ~하다 占有重要的位置

점:입-가경(漸入佳境) 명하자 渐入佳境 jiànrùjiājìng

점자(點字) 명 盲文 mángwén; 盲字 mángzì; 凸字 diànzì ¶~책 盲文书 / ~ 디스플레이 盲文显示器

점:잔(點一) 명 端庄 duānzhuāng; 斯文 sīwen; 持重 chízhòng; 文雅 wényǎ; 稳重 wěnzhòng ¶~을 빼다 摆出一副斯文的架子

점:잖다 형 1 稳重 wěnzhòng; 从容 cóngróng; 文雅 wényǎ; 端庄 duānzhuāng; 文静 wénjìng; 斯文 sīwen; 文质彬彬 wénzhìbīnbīn ¶점잖은 자세 端庄的姿势 / 그는 점잖게 말한다 他说得很文雅 2 高雅 gāoyǎ; 高尚 gāoshàng; 典雅 diǎnyǎ ¶그는 옷을 점잖게 입는다 他穿得高雅 **점:잖-이** 부

점:쟁이(占一) 명 占卦的人 zhānguàde rén; 算卦的人 suànguàde rén; 算命先生 suànmìng xiānsheng

점:주(店主) 명 店主 diànzhǔ; 店东 diàndōng

점:진-적(漸進的) 관 渐进的 jiànjìnde ¶~ 개혁 渐进的改革

점:차(漸次) 부 逐渐 zhújiàn; 渐渐 jiànjiàn; 稍稍 shāoshāo; 逐步 zhúbù; 越来越 yuèláiyuè ¶~적 발전 逐步式的发展 / ~ 가까이 다가오다 渐渐走近

점:진(漸進) 명자 渐渐 jiànjiàn; 逐渐 zhújiàn; 越来越 yuèláiyuè ¶인기가 ~ 올라가다 人气逐渐上升 / 날씨가 ~ 추워진다 天气越来越冷了

점:지 명하타 1 (神佛) 神赐 shéncì; 赐子 cìzǐ; 送子 sòngzǐ ¶~해 준 자식 神赐之子 2 预备 yùbèi ¶산신령님이 내게 ~해 주신 산삼 山神爷为我预备的山参

점:찍다(點一) 자 心中认定 xīnzhōng rèndìng; 看中 kànzhòng ¶나는 그녀를 나의 아내로 점찍었다 我心中认定她就是我的爱人

점:치다(占一) 타 1 算卦 suànguà; 占卜 zhānbǔ; 算命 suànmìng; 占卦 zhānguà 2 预测 yùcè ¶어느 편이 이길지 점치기 어렵다 哪方会获胜难以预测

점토(粘土) 명 [地理] 胶泥 jiāoní; 黏土 niántǔ

점퍼(jumper) 명 夹克 jiākè; 工作夹克 gōngzuò jiākè = 잠바 ¶레저용 ~ 休闲夹克

점:포(店鋪) 명 店铺 diànpù; 铺子 pùzi; 商店 shāngdiàn; 铺户 pùhù ¶~을 열고 장사를 하다 开店铺做生意

점프(jump) 명하자 1 跳跃 tiàoyuè 2 [體] 跳跃竞赛 tiàoyuè jìngsài

점프 볼(jump ball) 명 [體] (篮球) 跳投 tiàotóu; 争球 zhēngqiú; 跳球 tiàoqiú

점:-하다(占一) 타 占位 zhànwèi; 占据 zhànjù

점호(點呼) 명하타 点名 diǎnmíng ¶~를 시작하다 开始点名

점화(點火) 명하자타 点燃 diǎnrán; 点火 diǎnhuǒ; 点着 diǎnzháo; 点 diǎn ¶성화를 ~하다 点圣火

접객(接客) 명하자 迎宾 yíngbīn; 迎接客人 yíngjiē kèrén; 接客 jiēkè; 招待客人 zhāodài kèrén ¶~업 接客行业

접견(接見) 명하타 1 接见 jiējiàn; 会见 huìjiàn; 引见 yǐnjiàn ¶~을 요구하다 要求接见 2 [法] 探视 tànshì; 会见 huìjiàn; 会面 huìmiàn ¶변호사도 ~이 불허되다 律师都不被允许探视

접경(接境) 명하자 接境 jiējìng; 交界 jiāojiè; 界限 jièxiàn; 搭界 dājiè ¶북한과 중국의 ~ 지역 北韩和中国的接境

地区

접근(接近) 閔하자 接近 jiējìn; 靠近 kàojìn; 相近 xiāngjìn; 凑近 còujìn; 挨近 āijìn; 近迫 jìnpò; 迫近 pòjìn; 逼近 bījìn ¶～ 금지 禁止靠近 / 그에게 ～을 시도하다 试图接近他

접다 目 1 折 zhé; 折叠 zhédié ¶종이학 천 마리를 접었다 折叠了一千只纸鹤 2 合 hé; 收拢 shōulǒng ¶우산을 ～ 收拢雨伞 3 收回 shōuhuí; 保留 bǎoliú; 不提 bùtí ¶의견을 ～ 收回意见

접대(接待) 閔하자 招待 zhāodài; 接待 jiēdài; 应接 yìngjiē ¶～비 招待费 ＝[接待费] / 손님을 ～하다 接待客人

접대-부(接待婦) 閔 女招待 nǚzhāodài

접두-사(接頭辭) 閔【語】前缀 qiánzhuì; 词头 cítóu; 接头词 jiētóucí

접:때 閔閉 上次 shàngcì; 前次 qiáncì; 前不久 qiánbùjiǔ; 前几天 qiánjǐtiān ¶～ 그와 만난 적이 있다 前几天跟他见过面

접목(椄木・接木) 閔目 1 接轨 jiēguǐ; 嫁接 jiàjiē ¶동서양 문화를 ～하다 嫁接东西方文化 2【農】嫁接树木 jiàjiē shùmù; 嫁接的树木 jiàjiēde shùmù

접미-사(接尾辭) 閔【語】后缀 hòuzhuì; 词尾 cíwěi; 接尾词 jiēwěicí

접사(接寫) 閔目【演】(摄影的) 近摄 jìnshè; 特写 tèxiě ¶내 디지털 카메라는 ～ 기능이 있다 我的数码相机有近摄功能

접사(接辭) 閔【語】词缀 cízhuì

접선(接線) 閔하자 1【數】切线 qiēxiàn 2 接头 jiētóu; 接关系 jiēguānxi ¶간첩과 ～하다 跟间谍接头

접속(接續) 閔目目 连接 liánjiē; 联接 liánjiē; 连续 liánxù 2【컴】连接 liánjiē ¶인터넷에 ～하다 连接上网

접속-사(接續詞) 閔【語】连接语 liánjiē

접수(接受) 閔目目 接受 jiēshòu; 采纳 cǎinà; 受理 shòulǐ ¶～증 受理证明书 / ～처 [受理处] / 신청서를 ～하다 接受申请书

접시 閔 碟子 diézi; 碟(儿) dié(r) ¶～에 땅콩을 가득 담았다 一只碟子里装满了花生

접신(接神) 閔하자【民】着神 zháoshén; 着鬼 zháoguǐ; 神附身 shénfùshēn

접어-놓다 目 不管 bùguǎn; 无论 wúlùn ¶누가 옳고 누가 그른지는 접어놓고, 우리 앞으로 잘 지내자! 不管谁对谁错，我们以后好好儿过吧!

접어-들다 짜 1 (时间) 临近 línjìn; 接

近 jiējìn; 逼近 bījìn; 正值 zhèngzhí ¶장마철에 막 ～ 正值梅雨季节 2 进到 jìndào; 进入 jìnrù; 走进 zǒujìn; 踏上 tàshàng ¶산길로 ～ 走进山路

접영(蝶泳) 閔【體】蝶泳 diéyǒng

접-의자(一椅子) 閔 折叠椅 zhédiéyǐ; 折椅 zhéyǐ

접전(接戰) 閔하자 1 交战 jiāozhàn; 回合 huíhé ¶치열한 ～ 激烈的交战 2 难分胜负的战斗 nánfēn shèngfùde zhàndòu

접종(接種) 閔자目【醫】接种 jiēzhǒng ¶예방 ～ 预防接种

접지(接地) 閔하目【物】地线 dìxiàn; 接地 jiēdì

접-질리다 目 扭伤 niǔshāng; 扭筋 niǔjīn; 扭 niǔ; 崴 wǎi ¶다리를 ～ 脚部扭筋

접착(接着) 閔하자 附着 fùzhuó; 黏着 niánzhuó ¶～력 黏着力 / ～제 黏着剂

접촉(接觸) 閔하자目 1 接触 jiēchù; 相碰 xiāngpèng ¶～ 사고 接触交通事故 / 자동차와 ～하다 与一辆小汽车相碰 2 交道 jiāodào; 交友 jiāoyǒu; 见人 jiànrén ¶사람과 ～하는 것을 두려워하다 怕见人

접-하다(接一) 目자 1 连接 liánjiē; 相连 xiānglián; 邻接 línjiē; 接壤 jiērǎng; 接界 jiējiè ¶바닷가에 접해 있는 집 靠海边的房子 2 见 jiàn; 见到 jiàndào; 碰头 pèngtóu; 见面 jiànmiàn; 认识 rènshi; 交往 jiāowǎng ¶그를 ～ 见他 3 听到 tīngdào; 接到 jiēdào; 收到 shōudào; 获悉 huòxī ¶소식을 ～ 听到消息 4 接神 jiēshén

접합(接合) 閔하자 接合 jiēhé; 结合 jiéhé; 接上 jiēshàng ¶한데 ～하다 接合在一起

접-히다 짜 被折叠 bèizhédié (《'접다'의 피동》) ¶그는 접힌 곳을 펼쳤다 他把被折叠的地方打开

젓 閔 (鱼虾等加盐腌成的) 酱 jiàng; 海物酱 hǎiwùjiàng ¶새우～ 虾酱

젓-가락 閔 筷子 kuàizi; 箸 zhù ¶～통 箸笼子 / ～질 动筷子

젓-갈[1] 閔 酱 jiàng; 海物酱 hǎiwùjiàng; 海味酱 hǎiwèijiàng

젓-갈[2] 閔 '젓가락'의 략어

젓:다 目 1 搅 jiǎo; 搅动 jiǎodòng; 搅拌 jiǎobàn ¶커피를 ～ 搅拌咖啡 / 打 dǎ; 划 huá; 摇 yáo ¶노를 ～ 打桨 3 摇 yáo; 摇动 yáodòng ¶고개를 ～ 摇头 4 摆动 bǎidòng; 挥舞 huīwǔ; 挥动 huīdòng; 摇 yáo; 摇摆摆 yáoyáobǎibǎi ¶날개를 ～ 挥动翅膀

정:[1] 閔 凿子 záozi; 凿 záo; 錾子 zànzi ¶뾰족한 돌을 ～으로 평평하게 다듬다 一块尖石都用凿子凿平

정:² 眞 zhēn; 实在 shízài; 一定 yīdìng; 肯定 kěndìng ¶~ 먹고 싶으면 먹어라! 你真想吃, 就吃吧!

정(情) 心情 xīnqíng; 情 qíng; 感情 gǎnqíng; 情谊 qíngyì; 情意 qíngyì; 情思 qíngsī ¶부부간의 ~ 夫妻之间的感情 / 연민의 ~ 怜悯之情 / ~을 쏟다 钟情 [倾心] [钟爱]

-정(亭) 接尾 亭 tíng ¶팔각~ 八角亭

-정(錠) 接尾 锭 dìng; 丸 wán; 片 piàn ¶복합 비타민~ 复合维生素丸

정:가(定價) 名[하다] 定价 dìngjià; 价码 jiàmǎ; 净值 jìngzhí; 标价 biāojià; 原价 yuánjià ¶~를 공개하다 公开定价

정:각(正刻) 名 正 zhèng; 整 zhěng ¶저녁 12시 ~ 晚上12点整

정:각(定刻) 名 准时 zhǔnshí; 准点 zhǔndiǎn; 正点 zhèngdiǎn; 定时 dìngshí ¶~에 출발하다 定时出发

정갈-하다 形 干净 gānjìng; 洁净 jiéjìng; 清洁 qīngjié; 整洁 zhěngjié ¶정갈한 요리 整洁的菜 / 일을 정갈하게 처리하다 做事干利落 **정갈-히** 副

정감(情感) 名 情感 qínggǎn; 感情 gǎnqíng ¶~ 있는 사람 有情感的人

정강이 名 胫 jìng; 小腿前侧 xiǎotuǐqiáncè; 迎面骨 yíngmiàngǔ

정거(停車) 名[하다자타] 停车 ¶~장 停车站 [车站] / 이 열차는 어느 역에서 ~합니까? 这趟列车会在哪些车站停车?

정:격(正格) 名 正确格式 zhèngquè géshì; 标准规格 biāozhǔn guīgé

정결(淨潔) 名[하다][히부] 净洁 jìngjié; 洁净 jiéjìng; 清洁 qīngjié; 整洁 zhěngjié ¶방을 ~하게 청소하다 把屋子打扫干净

정-겹다(情一) 形 多情 duōqíng; 深情 shēnqíng; 情深 qíngshēn ¶정겨운 장면 深情的镜头 / 너의 목소리가 이처럼 정겹구나! 你的声音如此多情啊!

정경(政經) 名 政治和经济 zhèngzhì hé jīngjì; 政经 zhèngjīng ¶~ 분리의 원칙 政经分离原则

정계(政界) 名 政治界 ¶~를 떠나다 离开政治界

정:곡(正鵠) 名 1 正鹄 zhènggǔ; 鹄的 gǔdì; 靶心 bǎxīn ¶~을 맞히다 射中靶心 2 核心 héxīn; 要害 yàohài ¶~을 찌르다 切中要害

정관(精管) 名【生】精管 jīngguǎn; 输精管 shūjīngguǎn ¶~ 수술 输精管手术

정교-하다(精巧一) 形 精巧 jīngqiǎo; 精致 jīngzhì; 精美 jīngměi; 精细 jīng-

xì; 细巧 xìqiǎo; 工巧 gōngqiǎo; 精妙 jīngmiào ¶정교하게 만들다 做得精致 **정교-히** 副

정국(政局) 名 政局 zhèngjú; 世局 shìjú

정권(政權) 名 政权 zhèngquán ¶중앙~ 中央政权 / ~을 잡고 있다 握着政权

정:규(正規) 名 正轨 zhèngguǐ; 正规 zhèngguī ¶~ 교육 正规教育

정:극(正劇) 名【演】正剧 zhèngjù

정글(jungle) 名 = 밀림

정글-짐(jungle gym) 名 攀登架 pāndēngjià; 并格木 bìnggémù

정:기(定期) 名 定期 dìngqī ¶~ 예금 定期存款 / ~ 간행물 定期刊行 =[期刊] [定期刊物] / ~ 국회 定期国会 / ~ 총회 定期总会 / ~ 휴업 定期停业

정기(精氣) 名 1 (民族的) 精神 jīngshén; 神志 shénzhì; 精力 jīnglì 2 生气 shēngqì; 灵气 língqì; 元气 yuánqì 3 (事物的) 精气 jīngqì ¶산과 물의 ~를 받다 接受山和水的精气

정:기-적(定期的) 冠名 定期的(的) dìngqī(de) ¶~으로 건강 검진을 하다 定期进行健康检查

정-나미(情一) 名 情 qíng; 情意 qíngyì; 感情 gǎnqíng ¶그에게 ~가 떨어졌다 对他没有了情意

정낭(精囊) 名【生】精囊 jīngnáng; 精胞 jīngbāo

정년(停年) 名 退休年龄 tuìxiū niánlíng; 退职年龄 tuìzhí niánlíng ¶법정 ~ 法定退休年龄 / ~이 되다 到退休年龄

정년-퇴직(停年退職) 名[하다자] 退老 tuìlǎo; 退休 tuìxiū

정녕(丁寧·叮嚀) 副[하다形] 一定 yīdìng; 的确 díquè; 果真 guǒzhēn; 肯定 kěndìng; 分明 fēnmíng = 정녕히 ¶그를 ~ 모른단 말인가? 你真的不认识他吗?

정녕-히(丁寧一) 副 = 정녕

정담(情談) 名 1 贴心话 tiějīnhuà; 热情的话 rèqíngde huà; 亲切的话 qīnqiède huà 2 情话 qínghuà; 真心话 zhēnxīnhuà ¶~을 몇 마디 말하다 说上几句贴心话

정:답(正答) 名 正答 zhèngdá; 正确答案 zhèngquè dá'àn; 正确回答 zhèngquè huídá ¶~은 하나밖에 없다 正确答案只有一个

정-답다(情一) 形 亲密 qīnmì; 亲切 qīnqiè; 多情 duōqíng; 和睦 hémù; 深情 shēnqíng; 含情 hánqíng ¶정답게 바라보다 亲切地凝视 / 정답게 대화를 나누다 多情地交谈

정당(政黨) 【政】 정당 zhèngdǎng; 党 dǎng = 당(黨) ¶~ 대표 zhèngdǎng dàibiǎo

정:당-방위(正當防衛) 정당 방위 zhèngdàng fángwèi; 자아 방위 zìwǒ fángwèi

정:당-성(正當性) 정 정당성 zhèngdàngxìng; 합법성 héfǎxìng ¶~을 지니다 具有正当性

정:당-하다(正當─) 정 정당 zhèngdàng; 妥당 tuǒdàng; 적당 qiàdàng; 切당 qièdàng; 适당 shìdàng ¶정당하지 않다 不正当 **정:당-히** 정

정:도(正道) 정 정도 zhèngdào; 정로 zhènglù; 公道 gōngdào; 正途 zhèngtú ¶~를 걷다 走上正道

정도(程度) 정 1 정도 chéngdù ¶오염 ~ 污染程度 2 左右 zuǒyòu; 上下 shàngxià; 大约 dàyuē ¶20분 ~ 20分钟左右 / 백 명 ~ 大约一百名

정독(精讀) 정하타 정독 jīngdú; 细读 xìdú ¶그는 책 한 권을 진지하게 ~했다 他认真精读了一本书

정:돈(整頓) 정하타 정돈 zhèngdùn; 整理 zhěnglǐ; 整饬 zhěngchì ¶~된 책상 整理好的桌子

정-들다(情─) 재 有了感情 yǒule gǎnqíng; 产生感情 chǎnshēng gǎnqíng; 钟情 zhōngqíng; 心爱 xīn'ài; 爱上 àishàng ¶너와 정들었다 跟你有了感情了

정-떨어지다(情─) 재 伤感情 shānggǎnqíng; 恶心 ěxin; 生厌 shēngyàn ¶네가 지금 하는 말은 정말 정떨어진다 你现在说话真让人生厌

정략(政略) 정 政治谋略 zhèngzhì móulüè; 政治策略 zhèngzhì cèlüè; 政略 zhènglüè

정략-결혼(政略結婚) 정 策略婚 cèlüèhūn; 政治通婚 zhèngzhì tōnghūn; 政治婚姻 zhèngzhì hūnyīn ¶귀족 사이에 ~을 하다 搞豪族之间的政治通婚

정:량(定量) 정 定量 dìngliàng; 分量 gōngliàng; 净重 jìngzhòng; 工作量 gōngzuòliàng; 定额 dìng'é ¶~을 먹이다 定量饲喂

정력(精力) 정 1 精力 jīnglì; 气脉 qìmài ¶~적인 예술가 精力充沛的艺术家 / ~이 왕성하다 精力旺盛 2 男人性能力 nánrén xìngnénglì

정련(精鍊) 정하타 1 千锤百炼 qiānchuíbǎiliàn 2 【工】 精炼 jīngliàn; 精治 jīngyě; 炼矿 liànkuàng ¶~을 거친 금괴 经过精炼的金块

정:렬(整列) 정하자타 排队 páiduì; 排列 páiliè; 整队 zhěngduì

정류-소(停留所) 정 정류장
정류-장(停留場) 정 车站 chēzhàn; 停车站 tíngchēzhàn = 정류소

정:리(整理) 정하타 整理 zhěnglǐ; 整顿 zhěngdùn; 收拾 shōushi; 整饬 zhěngchì ¶방을 ~하다 整理房间 / 짐을 ~하다 收拾行李

정:립(定立) 정하타 定立 dìnglì; 建立 jiànlì; 决定 juédìng; 决心 juéxīn; 打定 dǎdìng ¶가치관을 ~하다 建立价值观 / 인생 목표를 ~하다 定立人生目标

정:립(鼎立) 정 鼎立 dǐnglì; 鼎足 dǐngzú; 三分鼎足 sānfēndǐngzú ¶삼국 ~ 三国鼎立

정:-말(正─) 一정 真话 zhēnhuà; 实话 shíhuà; 的的 zhēnde; 事实 shìshí; 真实 zhēnshí ¶그게 ~이냐? 那是真的吗? 二부 = 정말로

정:말-로(正─) 부 真的 zhēnde; 果真 guǒzhēn; 实在 shízài; 确实 quèshí; 好好 hǎohǎo; 怪 guài; 简直 jiǎnzhí; 真是 zhēnshi = 정말 ¶나는 ~ 참을 수 없다 我真的受不了

정맥(靜脈) 정 【生】 静脉 jìngmài ¶~ 주사 静脉注射

정:면(正面) 정 1 对面 duìmiàn; 迎面 yíngmiàn ¶~에서 한 아가씨가 걸어왔다 对面走过来一个姑娘 2 前面 qiánmiàn 3 正面 zhèngmiàn; 劈头 pītóu; 劈面 pīmiàn; 直接 zhíjiē ¶다른 사람의 의견을 ~으로 반대하다 正面反对别人的意见

정:면-충돌(正面衝突) 정하자 1 碰撞 pèngzhuàng; 正面相撞 zhèngmiàn xiāngzhuàng ¶작은 승합차와 큰 화물차가 ~했다 一辆小客车与一辆大货车正面相撞 2 正面冲突 zhèngmiàn chōngtū; 抓破脸 zhuāpòliǎn; 顶牛儿 dǐngniúr ¶그와 ~하지 마라 别跟他顶牛儿

정:문(正門) 정 正门 zhèngmén; 大门 dàmén; 前门 qiánmén ¶~으로 들어가다 从正门走进去

정문-일침(頂門一鍼) 정 顶门一针 dǐngményīzhēn; 当头一棒 dāngtóuyībàng; 当头棒喝 dāngtóubànghè ¶~을 놓다 作顶门一针

정물(靜物) 정 静物 jìngwù ¶~화 静物画

정미(精米) 정하타 碾米 niǎnmǐ; 舂米 chōngmǐ; 擦米 cāmǐ ¶~소 碾米厂 = [磨房]/[碓房]

정밀(精密) 정하형부 精密 jīngmì; 精致 jīngzhì; 细密 xìmì; 精细 jīngxì ¶~ 분석 精密分析 / ~ 조사 精密调查

정박(碇泊·渟泊) 정하자타 停泊 tíngbó; 停靠 tíngkào; 下碇 xiàdìng; 锚泊 máobó; 泊船 bóchuán ¶부두에 ~하다 停泊在码头

정:-반대(正反對) 정 正相反 zhèngxiāngfǎn; 恰恰相反 qiàqià xiāngfǎn; 完

全相反 wánquán xiāngfǎn ¶~의 결론을 얻다 得到完全相反的结论

정: ‒반합(正合) 똉 【哲】正反合 zhèngfǎnhé; 正立 zhènglì; 反立和综合 fǎnlì hé zōnghé

정벌(征伐) 똉〔하타〕征伐 zhēngfá; 征讨 zhēngtǎo; 讨伐 tǎofá ¶오랑캐를 ~하다 征伐夷狄

정변(政變) 똉 政变 zhèngbiàn ¶~을 일으키다 发动政变

정보(情報) 똉 消息 xiāoxi; 信息 xìnxī; 声气 shēngqì; 资料 zīliào; 情报 qíngbào ¶교통 ~ 交通消息 / 가격 ~ 사이트 价格信息网 / 군사 ~ 军事情报 / ~ 산업 信息产业 / ~원 情报员 / ~화 사회 信息化社会

정:복(正服) 똉 =제복

정복(征服) 똉〔하타〕1 征服 zhēngfú; 攻克 gōngkè; 制伏 zhìfú ¶아시아 ~ 征服亚洲 2 征服 zhēngfú; 克服 kèfú; 耐受 nàishòu ¶우주 ~ 征服宇宙 3 掌握 zhǎngwò ¶10대 암을 ~하다 掌握十大癌症

정부(政府) 똉 【法】政府 zhèngfǔ

정부-미(政府米) 똉 国产米 guóchǎnmǐ; 政府储备粮 zhèngfǔ chǔbèiliáng; 政府储备米 zhèngfǔ chǔbèimǐ

정분(情分) 똉 情分 qíngfèn; 情谊 qíngyì; 感情 gǎnqíng; 交情 jiāoqíng ¶~을 나누다 交情谊

정분-나다(情分—) 쟈 相爱 xiāng'ài; 相好 xiānghǎo

정-붙이다(情—) 쟈 托心 tuōxīn

정:비(整備) 똉〔하타〕1 整顿 zhěngdùn; 整理 zhěnglǐ; 整备 zhěngbèi ¶기업 체제를 ~하다 整备企业体制 2 整修 zhěngxiū; 维修 wéixiū; 修整 xiūzhěng; 修理 xiūlǐ; 保修 bǎoxiū ¶자동차 ~ 汽车维修 / ~사 维修技师 =[修理工] / [修理工] / 거리를 ~하다 整修街道

정:‒비례(正比例) 똉〔하쟈〕【數】正比例 zhèngbǐlì; 正比 zhèngbǐ; 成正比 chéngzhèngbǐ

정:사(正史) 똉 正史 zhèngshǐ ¶이 이야기는 ~에 기록되어 있지 않다 这个故事没有在正史中记载

정사(政事) 똉 政事 zhèngshì; 治国 zhìguó; 政务 zhèngwù ¶~에 참여하다 参与政事

정사(情事) 똉 1 恋爱 liàn'ài 2 做爱 zuò'ài; 房事 fángshì; 性交 xìngjiāo; 性爱 xìng'ài

정:‒사각형(正四角形) 똉 【數】正方形 zhèngfāngxíng; 正四边形 zhèngsìbiānxíng

정:‒사원(正社員) 똉 正工 zhènggōng; 正式职员 zhèngshì zhíyuán; 正式工 zhèngshìgōng ¶~을 모집하다 聘

用正式职员

정산(精算) 똉〔하타〕细账 xìzhàng; 精算 jīngsuàn ¶세금 ~ 细账税费

정:‒삼각형(正三角形) 똉 【數】正三角形 zhèngsānjiǎoxíng; 等边三角形 děngbiānsānjiǎoxíng

정:상(正常) 똉 正常 zhèngcháng; 正态 zhèngtài; 常态 chángtài; 常规 chángguī ¶국교 ~화 邦交正常化 / ~을 회복하다 恢复正态 / 태아의 발육이 ~이다 胎儿的发育很正常

정상(頂上) 똉 1 山顶 shāndǐng; 山头 shāntóu; 山巅 shāndiān; 峰巅 fēngdiān; 顶峰 dǐngfēng ¶설악산 ~에 도달하다 到达雪岳山山顶 2 최상 zuìshàng; 顶上 dǐngshàng; 头等 tóuděng; 超等 chāoděng; 最高峰 zuìgāofēng; 尖峰 jiānfēng; 高潮 gāocháo; 最高点 zuìgāodiǎn; 至高点 zhìgāodiǎn ¶가요계의 ~에 오르다 登上歌坛高潮 / 세계의 ~에 서다 站在世界的最高点 3 首脑 shǒunǎo

정상(情狀) 똉 情况 qíngkuàng; 状况 zhuàngkuàng; 情景 qíngjǐng; 景况 jǐngkuàng ¶사건의 ~을 조사하다 对案件情况进行调查 / ~을 참작하다 根据情况酌情的处理

정상-급(頂上級) 똉 第一流 dìyīliú; 超等 chāoděng; 最优等 zuìyōuděng; 超一流 chāoyīliú; 最高级 zuìgāojí ¶국내 ~ 제품 国内最优等的产品

정:상-아(正常兒) 똉 正常儿 zhèngchángér; 正常儿童 zhèngcháng értóng

정상 회담(頂上會談) 똉〔政〕首脑会谈 shǒunǎo huìtán = 수뇌 会谈

정:색(正色) 똉〔하타〕正色 zhèngsè; 正经 zhèngjīng; 板脸 bǎnliǎn; 一本正经 yīběnzhèngjīng; 严肃 yánsù ¶그는 ~하고 사절했다 他正色谢绝 / 그가 ~을 하며 나에게 말했다 他正经地对我说

정서(情緒) 똉 情绪 qíngxù; 情调 qíngdiào; 情操 qíngcāo; 感情 gǎnqíng; 情致 qíngzhì; 情感 qínggǎn ¶~ 불안 情绪不定 / ~ 장애 情绪障碍 / 비관적 ~ 悲观的情绪

정:석(定石) 똉 定式 dìngshì; 正宗 zhèngzōng; 固定方式 gùdìng fāngshì; 惯例 guànlì; 老规矩 lǎoguījù ¶~대로 해결하다 依定式解决

정선(精選) 똉〔하타〕精选 jīngxuǎn; 挑选 tiāoxuǎn; 百里挑一 bǎilǐtiāoyī ¶~된 작품 精选的作品

정:설(定說) 똉 定说 dìngshuō; 定论 dìnglùn; 成说 chéngshuō ¶~을 뒤집다 推翻定说

정성(精誠) 똉 精心 jīngxīn; 赤诚 chìchéng; 赤心 chìxīn; 诚心 chéngxīn; 真诚 zhēnchéng; 殷勤 yīnqín; 心意 xīnyì ¶~을 다하다 竭尽诚心 / ~을 표시하다 表达心意

정성-껏(精誠—) 閉 精心 jīngxīn; 尽心 jìnxīn ¶아이를 ~ 보살피다 精心照顾孩子

정성-스럽다(精誠—) 톙 诚心 chéng-xīn; 真诚 zhēnchéng; 朴实 pǔshí; 殷勤 yīnqín; 诚心诚意 chéngxīnchéngyì; 精心 jīngxīn ¶정성스럽게 어머니를 봉양하다 诚心诚意地侍奉母亲 **정성스레** 閉

정세(政勢) 閉 政治形势 zhèngzhì xíng-shì; 政局 zhèngjú ¶~가 안정되다 政局恢复安定

정세(情勢) 閉 情势 qíngshì; 形势 xíng-shì; 局势 júshì; 风头 fēngtou; 风头 fēngshì; 情形 qíngxíng; 势头 shìtóu; 情况 qíngkuàng; 情状 qíngzhuàng; 形势 xíngshì ¶국제 ~ 国际形势

정수(淨水) 閉[하다] 净水 jìngshuǐ; 滤水 lǜshuǐ ¶~기 净水器 =[滤水器] / ~한 맑은 물 经过滤水的清水

정수(精髓) 閉 精髓 jīngsuǐ; 精华 jīng-huá; 精英 jīngyīng ¶한국 문화의 ~ 韩国文化的精华

정수(整數) 閉[數] 整数 zhěngshù

정수리(頂—) 閉 头顶 tóudǐng; 脑顶 nǎodǐng; 顶门 dǐngmén; 囟门 xìnmén; 囟脑门儿 xìnnǎoménr = 꼭대기2 ¶할아버지가 손자의 ~를 가볍게 쓰다듬는다 爷爷轻轻地抚摸孙子的头顶

정숙(貞淑) 閉[하다][히부] 娴淑 xiánshū; 娴静 xiánjìng; 贤德 xiándé; 贤惠 xián-huì ¶~한 며느리 一个贤惠的媳妇

정숙(靜肅) 閉[하다][히부] 肃静 sùjìng; 安静 ānjìng; 静肃 jìngsù; 沉静 chén-jìng ¶그는 ~하게 앉아 있다 他沉静地端坐着

정ː시(定時) 閉 定时 dìngshí; 准时 zhǔnshí; 按时 ànshí; 准点 zhǔndiǎn ¶~에 출근하다 准时上班

정ː식(正式) 閉 正式 zhèngshì; 正规 zhèngguī; 正经 zhèngjing ¶~ 절차 正式程序 / ~으로 가입하다 正式加入

정식(定食) 閉 定食 dìngshí; 套餐 tào-cān; 套菜 tàocài; 客饭 kèfàn ¶비교적 저렴한 ~ 比较便宜的定食

정신(精神) 閉 1 精神 jīngshén; 心神 xīnshén; 心灵 xīnlíng; 神思 shénsī; 心气(儿) xīnqì(r); 心眼儿 xīnyǎnr; 心绪 xīnxù; 心情 xīnqíng ¶~병 精神病 = [神经病] / ~병원 精神病院 / ~착란 精神错乱 / 육체와 ~ 肉体与精神 **2** 精神 jīngshén; 神志 shénzhì ¶~력 精神力 [毅力] / ~을 가다듬다 振作精神 / ~을 못 차리다 神志不清 **3** 精神

精神 jīngshén; 思想 sīxiǎng; 气息 qìxī ¶시대 ~ 时代精神 / 민주주의 ~ 民主主义精神

정신(을) **차리다** 쥐 1 振作精神; 提神 ¶정신을 차릴 수 없다 提不起精神 **2** 清醒; 觉悟; 觉醒

정신(이) **들다** 쥐 1 清醒; 苏醒; 回神 ¶오래도록 정신이 들지 않다 久久不能回神 **2** 变得理智; 振作精神

정신(이) **빠지다** 쥐 失神; 不清醒; 掉魂; 神不守舍; 忘神; 发呆; 糊里糊涂; 稀里糊涂

정신(이) **사납다** 쥐 不清醒; 没精神

정신(이) **팔리다** 쥐 不务正业; 疯头疯脑; 迷恋

정신-과(精神科) 閉[醫] = 신경 정신과

정신 안정제(精神安靜劑) [藥] 安定药 āndìngyào; 精神安定药 jīngshén āndìngyào; 安神药 ānshényào = 신경안정제·안정제

정신-없다(精神—) 톙 1 弄糊涂了 nònghútule; 没有精神 méiyǒu jīngshén **2** 忙不过来 mángbùguòlái; 忙着 máng-zhe jīngshén **정신없-이** 閉 ¶~ 인터넷을 하다 忙着上网

정신 연령(精神年齡) [心] 心理年龄 xīnlǐ niánlíng; 智力年龄 zhìlì niánlíng; 智龄 zhìlíng

정ː실(正室) 閉 正室 zhèngshì; 正妻 zhèngqī; 本妻 běnqī; 元配 yuánpèi ¶~ 부인 正室妻子

정ː액(定額) 閉 定额 dìng'é; 限额 xiàn'é; 定数 dìngshù; 额数 éshù ¶~제를 실행하다 实行定额制

정액(精液) 閉 1 [生] 精液 jīngyè 2 纯液 chúnyè

정ː액-권(定額券) 閉[交] = 정액 승차권

정ː액 승차권(定額乘車券) [交] 定额票 dìng'épiào = 정액권 ¶지하철 ~ 地铁定额票

정연-하다(井然—) 톙 井然 jǐngrán; 有条不紊 yǒutiáobùwěn; 秩然 zhìrán ¶질서가 ~ 井然有序 **정연-히** 閉

정열(情熱) 閉 热情 rèqíng; 热忱 rè-chén; 激情 jīqíng; 劲头 jìntóu; 底气 dǐqì; 热烈 rèliè ¶~을 쏟다 倾注激情

정예(精銳) 閉[하다] 1 精锐 jīngruì ¶~ 부대 精锐部队 **2** 精英 jīngyīng ¶소수의 ~ 少数精英

정ː오(正午) 閉 正午 zhèngwǔ; 中午 zhōngwǔ; 晌午 shǎngwu; 午间 wǔjiān ¶~의 태양 晌午的阳光

정ː오(正誤) 閉[하다][타] 勘误 kānwù; 正误 zhèngwù ¶~표 正误表 = [勘误表][刊误表]

정욕(情慾) 閉 情欲 qíngyù; 性欲 xìngyù; 색욕 sèyù; 욕화 yùhuǒ; 淫心 yín-xīn ¶~을 채우다 满足情欲

정:(定員) 圄 定员 dìngyuán; 定额 dìng'é; 名额 míng'é; 员额 yuán'é ¶~을 넘다 超过定员 / ~을 줄이다 减少员额

정원(庭園) 圄 庭院 tíngyuàn; 院落 yuànluò; 院子 yuànzi; 庭园 tíngyuán; 家院 jiāyuàn ¶~을 거닐다 漫步庭园

정월(正月) 圄 正月 zhèngyuè; 元月 yuányuè; 一月 yīyuè; 初月 chūyuè = 一月(一月)2 ¶~ 초하루 正月初一 / ~ 15일은 대보름날이다 正月十五是元宵节

정유(精油) 圄閄 炼油 liànyóu; 精制石油 jīngzhì shíyóu ¶~ 공장 炼油厂

정육—점(精肉店) 圄 精肉店 jīngròudiàn; 瘦肉店 shòuròudiàn; 肉店 ròudiàn; 肉铺 ròupù ¶~을 열다 开肉铺

정의(正義) 圄 正义 zhèngyì; 公道 gōngdào ¶~의 感 ~감[正气] ¶~를 위해 분신쇄골하다 为公道粉身碎骨

정:의(定義) 圄閄 定义 dìngyì ¶~를 내리다 下定义

정의(情誼) 圄 情谊 qíngyì; 人情 rénqíng; 情爱 qíng'ài = 의(誼) ¶~를 맺다 结情谊

정:의—롭다(正義一) 閇 正义 zhèngyì; 直 zhí ¶정의로운 기개 有正义之气
정:의로이 閈

정인(情人) 圄 情人 qíngrén; 恋人 liànrén; 情侣 qínglǚ; 爱侣 àilǚ ¶~을 버리다 抛弃情人

정자(正字) 圄 1 正字 zhèngzì; 工整的字 gōngzhěngde zì ¶~로 또박또박 쓰다 一笔一画写好正字 2 楷书 kǎishū; 真书 zhēnshū; 楷体 kǎitǐ; 标准汉字 biāozhǔn hànzì

정자(亭子) 圄 亭子 tíngzi

정자(精子) 圄閛 精子 jīngzǐ; 精虫 jīngchóng ¶~은행 精子库

정작 閇 要紧的 yàojǐnde; 紧要的 jǐn-yàode; 的 zhēnde; 真正的 zhēn-zhèngde; 实际上 shíjìshang ¶그는 ~기회를 만나도 잡지 못한다 他真的碰到机会, 却抓不住机会

정저—와(井底蛙) 圄 井底之蛙 jǐngdǐ-zhīwā

정—적(靜的) 迢圄 静态的(的) jìngtài(de) ¶~인 화면 静态画面

정적(靜寂) 圄閄閈 寂静 jìjìng; 孤寂 gūjì; 沉寂 chénjì; 静寂 jìngjì ¶~을 깨뜨리다 打破沉寂

정전(停電) 圄閄 停电 tíngdiàn; 断

电 duàndiàn ¶~ 사고가 발생하다 发生停电事故

정—전기(靜電氣) 圄『物』静电 jìngdiàn

정절(貞節) 圄 贞节 zhēnjié; 贞操 zhēn-cāo ¶~을 더럽히다 沾污贞节 / ~을 빼앗다 夺走贞操 / ~을 지키다 严守贞操

정점(頂點) 圄 1 顶点 dǐngdiǎn; 尖端 jiānduān; 尖顶 jiāndǐng ¶에베레스트산은 지구의 ~이다 珠穆朗玛峰是地球上顶点 2 = 절정2『분위기가 ~에 이르다 气氛达到了高潮

정정(訂正) 圄閄 更正 gēngzhèng; 修正 xiūzhèng; 订正 dìngzhèng; 校正 jiàozhèng; 改正 gǎizhèng ¶잘못을 ~하다 订正错误

정:정당당—하다(正正堂堂一) 閇 堂堂正正 tángtáng; 堂堂正正 tángtángzhèng-zhèng; 正大光明 zhèngdàguāngmíng; 光明正大 guāngmíngzhèngdà; 光明磊落 guāngmínglěiluò ¶정정당당하게 능력에 의지해 일을 하다 堂堂正正地凭真本事办事 **정:정당당—히** 閈

정정—하다(亭亭一) 閇 (老人身体) 健壮 jiànzhuàng; 健朗 jiànlang; 硬朗 yìnglang; 清健 qīngjiàn ¶칠순 노인의 건강이 ~ 칠旬老人身体健壮 / 노인이 여전히 정정하게 밭에서 일을 한다 老汉还硬硬朗朗地在田里干活 **정정—**

정제(精製) 圄閄 精制 jīngzhì; 炼制 liànzhì; 提炼 tíliàn; 提制 tízhì; 提纯 tíchún; 精炼 jīngliàn ¶~당 精制糖 = [精白糖]

정제(錠劑) 圄『藥』丸药 wányào; 药丸 yàowán; 片剂 piànjì; 药片 yàopiàn; 锭剂 dìngjì; 丸药 wányào; 丸剂 wánjì = 알약1 ¶1～3알을 복용하다 服三片药丸

정조(貞操) 圄 贞操 zhēncāo; 贞节 zhēnjié; 节操 jiécāo ¶~를 중시하다 看重贞操

정—종(正宗) 圄 (日本) 清酒 qīngjiǔ = 청주

정:좌(正坐) 圄閄 正座 zhèngzuò; 端坐 duānzuò; 正襟危坐 zhèngjīnwēi-zuò; 危坐 wēizuò ¶~하고 움직이지 않다 端坐不动

정:중—하다(鄭重一) 閇 庄严 zhuāng-yán; 严肃 yánsù; 庄重 zhuāngzhòng; 郑重 zhèngzhòng; 恭谨 gōngjǐn; 端庄 duānzhuāng ¶그는 매우 ~ 他非常恭谨
정:중—히 閈

정지(停止) 圄閄迢 停 tíng; 停止 tíngzhǐ; 终止 zhōngzhǐ; 停顿 tíngdùn; 停歇 tíngxiē; 停息 tíngxī; 休止 xiūzhǐ; 止息 zhǐxī; 止 zhǐ ¶운행을 ~하다 停

止运行

정:직(正直) 명 형 타 부 正直 zhèngzhí; 老实 lǎoshi; 梗直 gěngzhí; 率真 shuàizhēn; 直性 zhíxìng; 端直 duānzhí ¶~한 사람 正直的人

정진(精进) 명 자 精进 jīngjìn; 专心 zhuānxīn; 专注 zhuānzhù; 专心致志 zhuānxīnzhìzhì; 专心一致 zhuānxīnyīzhì; 努力上进 nǔlìshàngjìn ¶쉬지 않고 ~하다 精进不息 / 학업에 ~하다 专心学习

정차(停车) 명 하 자 타 停车 tíngchē = 정거 ¶오랜 시간 ~하다 停车好长时间

정:착(定着) 명 하 자 定居 dìngjū; 落户 luòhù ¶너는 어디에 ~하고 싶니? 你要定居在哪里?

정:찰(定札) 명 价签 jiàqiān; 价格标签 jiàgé biāoqiān; 价码标签 jiàmǎ biāoqiān; 价目记号 jiàmù jìhào; 规范标签 guīfàn biāoqiān ¶~ 판매 价签出售 = [明码售货]

정찰(侦察) 명 하 타 【军】 侦察 zhēnchá; 探查 tànchá; 探查 tànchá ¶~기 侦察机 / 간첩을 파견해 상대를 ~하다 派遣间谍侦察对方

정책(政策) 명 政策 zhèngcè ¶대외 개방을 실행하는 实行对外开放政策

정:처(定处) 명 定处 dìngchù; 定所 dìngsuǒ; 固定住处 gùdìng zhùchù ¶~ 없이 사방을 떠돌다 没有定处, 四处游离

정:체(正體) 명 原形 yuánxíng; 真相 zhēnxiàng; 真情 zhēnqíng; 真面目 zhēnmiànmù; 本来面像 běnxiàng; 真正身分 zhēnzhèng shēnfèn; 本来面目 běnláimiànmù ¶~불명 真相不明 = [身分不明] / ~를 파악할 수 없다 辨不清真面目 / 사기꾼의 ~를 폭로하다 揭发骗子手的真面目

정체(停滞) 명 하 자 타 停滞 tíngzhì; 停积 tíngdūn; 呆滞 dāizhì; 阻滞 zǔzhì; 凝滞 níngzhì; 梗滞 gěngzhì; 僵滞 jiāngzhì ¶교통 ~ 交通停滞

정:체-성(体性) 명 认同意识 rèntóng yìshí; 本体性 běntǐxìng ¶민족 ~ 民族认同意识

정초(正初) 명 岁初 suìchū; 年初 niánchū; 正月初 zhēngyuèchū

정취(情趣) 명 情趣 qíngqù; 情韵 qíngyùn; 风趣 fēngqù; 情味 qíngwèi; 情致 qíngzhì; 况味 yìwèi; 意境 yìjìng ¶심미적 ~ 审美情趣

정치(政治) 명 자 타 政治 zhèngzhì ¶~가 政治家 =[政治活动家] / ~권력 政治权力 =[政权] / ~이념 政治观念 / ~자금 政治资金

정치-계(政治界) 명 政治界 zhèngzhì-jiè; 政坛 zhèngtán; 政界 zhèngjiè = 정계 ¶~ 인사 政界人士

정:탐(侦探) 명 하 타 = 탐정 ¶~ 활동 侦探活动 / 다른 사람의 사생활을 ~하다 刺探别人生活的隐私

정:통(正统) 명 1 正统 zhèngtǒng; 正则 zhèngzé; 正宗 zhèngzōng ¶~ 한국 요리 正宗韩国料理 / ~적인 유가 관념 正统儒家观点 2 必准 bìzhǔn; 准确 zhǔnquè; 正确 zhèngquè; 真确 zhēnquè ¶목표를 ~으로 맞추다 准确击中目标

정통(精通) 명 하 타 精通 jīngtōng; 熟悉 shúxī; 晓通 tōngxiǎo ¶업무 지식에 ~한 사업가 精通业务知识的企业家

정:평(定评) 명 定评 dìngpíng; 定论 dìnglùn ¶~이 있다 有定评

정표(情表) 명 하 타 表示情谊 biǎoshì qíngyì; 礼品 lǐpǐn ¶반지를 ~로 삼다 戒指作为礼品

정:품(正品) 명 正品 zhèngpǐn; 正版 zhèngbǎn; 正牌 zhèngpái ¶~과 모조품의 판별 正牌冒牌货的辨别

정:-하다(定一) 타 1 定 dìng; 决定 juédìng; 确定 quèdìng ¶약속 장소를 식당으로 ~ 把约会的地点定在餐厅 2 规定 guīdìng; 指定 zhǐdìng; 制定 zhìdìng; 选定 xuǎndìng; 选择 xuǎnzé ¶법률이 정한 기한 法律规定的期限 3 下定决心 xiàdìngjuéxīn; 立志 lìzhì; 打定 dǎdìng ¶수술을 받기로 마음을 ~ 下定决心接受手术

정학(停学) 명 하 타 【教】 停学 tíngxué ¶~ 처분을 받다 受到停学处分

정:형(定型) 명 定型 dìngxíng ¶역할의 ~을 깨뜨리다 打破角色的定型

정:형-외과(整形外科) 명 【医】 整形外科 zhěngxíng wàikē; 矫形外科 jiǎoxíng wàikē ¶~ 의사 矫形外科医生

정:혼(定婚) 명 하 타 订婚 dìnghūn; 订亲 dìngqīn; 定婚 dìnghūn

정화(净化) 명 하 타 纯洁化 chúnjiéhuà; 净化 jìnghuà; 纯化 chúnhuà ¶~ 설비 净化设备 / 환경을 ~하다 纯化环境

정화(精華·菁華) 명 精华 jīnghuá; 菁华 jīnghuá; 精髓 jīngsuǐ; 精英 jīngyīng ¶전통 문화의 ~ 传统文化的精华

정화-수(井華水) 명 【民】 (清晨汲来的) 净井水 jìngjǐngshuǐ ¶~를 떠놓고 기도하다 打着净井水祝告

정화-조(净化槽) 명 净化槽 jìnghuàcáo; 净化水槽 jìnghuà shuǐcáo; 化粪池 huàfènchí

정:확(正确) 명 하 형 부 正确 zhèngquè; 真确 zhēnquè; 准zhǔn; 准确 zhǔnquè ¶~한 복용 방법 正确用药方法

정확(精确) 명 하 형 부 精确 jīngquè

¶원인을 ~히 분석하다 精确分析原因

정황(情况) 圈 情况 qíngkuàng; 情形 qíngxíng; 情状 qíngzhuàng; 场面 chǎngmiàn; 形景 xíngjǐng ¶~을 상세하게 설명하다 详细说明情况

젖 圈 1 乳 rǔ; 奶 nǎi; 乳汁 rǔzhī = 乳液 ¶~병 奶瓶 =[哺乳器]/아기에게 ~을 먹이다 给婴儿喂乳 2 = 유방

젖-가슴 圈 乳房 rǔfáng; 胸部 xiōngbù = 가슴4

젖-꼭지 圈 1 奶头 nǎitóu; 奶嘴 nǎizuǐ; 乳头 rǔtóu = 유두1 ¶엄마의 ~를 물고 있다 含着母亲的乳头 2 橡皮奶头 xiàngpí nǎitóu; 奶嘴子 nǎizuǐzi; 奶嘴 nǎizuǐ ¶젖병과 ~를 깨끗이 씻고 끓여 소독한 후 사용하다 将奶瓶和橡皮奶头洗净者沸消毒后使用

젖-내 圈 奶味儿 nǎiwèir; 乳臭 rǔxiù; 乳气 rǔqì = 유취

젖내(가) 나다 圉 带乳臭; 乳臭未干; 口尚乳臭

젖-니 圈 乳齿 rǔchǐ; 暂齿 zànchǐ; 奶牙 nǎiyá = 배냇니·유치(乳齿)

젖다[갗] 困 1 打湿 dǎshī; 浞 zhuó; 浸 jìn; 淋 lín; 发湿 fāshī; 渗 shèn; 浸湿 jìnshī; 淋湿 línshī; 润泽 rùnzé; 湿润 shīrùn ¶눈물에 젖은 베갯잇 被泪水打湿的枕巾/그의 눈이 조금 젖었다 他的眼微有些发湿 2 成性 chéngxìng; 习惯 xíguàn; 成癖 chéngpǐ ¶술에 젖어 산 아버지 嗜酒成癖的父亲 3 惯了 guànle; 熟习 shú ¶빠른 리듬의 유행가가 귀에 젖었다 听惯了快节奏的流行音乐 4 沉溺 chénnì; 沉浸 chénjìn ¶슬픔에 ~ 沉湎于悲哀

젖다² 囯 向后倾 xiànghòu qīng; 后仰 hòuyǎng

젖-당(一糖) 圈【化】乳糖 rǔtáng = 락토오스·유당

젖-뜨리다 囯 用力后仰 yònglì hòuqīng; 使…后倾 shǐ…hòuqīng; 使…后仰 shǐ…hòuyǎng = 젖트리다 ¶상체를 ~ 用力使上体成后倾

젖-먹이 圈 奶孩儿 nǎiháir; 婴儿 yīng'ér; 乳儿 rǔ'ér; 奶婴 rǔyīng; 奶娃 nǎiwá = 유아·유아(乳儿) ¶~를 키우다 养一个奶孩儿

젖-산(一酸) 圈【化】乳酸 rǔsuān = 유산(乳酸)

젖-샘 圈【生】乳腺 rǔxiàn = 유선(乳腺)

젖-소 圈 奶牛 nǎiniú; 乳牛 rǔniú

젖-히다 囯 1 向后倾 xiànghòu qīng; 后仰 hòuyǎng (『젖다¹』의 사동사) ¶몸을 ~ 身体向后倾 2 推开 tuīkāi; 掀开 xiānkāi; 撩 liāo; 撩起 liāoqǐ ¶치마를 ~ 撩起裙子

제:(祭) 圈 = 제사 ¶~를 올리다 献祭

제(剂) [의명]【韩医】剂 jì ¶약 한 ~ 一剂药

제 団 1 我 wǒ ¶~가 소개하겠습니다 我来介绍一下 2 自己 zìjǐ ¶그가 ~ 인생을 살도록 해라 让他过自己的生活

제 꾀에 (제가) 넘어간다 叠目 弄巧成拙; 聪明反被聪明误

제 논에 물 대기 叠目 肥水不流别人田

제 버릇 개 줄까 叠目 蛇入竹筒, 曲形犹在

제가 제 무덤을 판다 叠目 搬起石头打自己的脚

제 눈에 안경 卫 情人眼里出西施; 看中了是爱物

제-(第) 囯尾 第 dì ¶~일 과 第一课

-제(制) 囯尾 制 zhì ¶가부장~ 家长制

-제(祭) 囯尾 祭 jì ¶기우~ 祈雨祭

-제(制) 囯尾 制 zhì; 造 zào; 产 chǎn ¶한국~ 韩国产/외국~ 外国制 = [外国造]

-제(剂) 囯尾 剂 jì ¶소화~ 消化剂/진통~ 镇痛剂

제-각각(一各各) 圈圉 各各 gègè; 各自 gèzì ¶성격이 ~이다 性格各都不一样

제-각기(一各其) 圈圉 各自 gèzì; 分头 fēntóu; 分别 fēnbié ¶~ 각자의 길을 가다 各自走各自的路

제-값 圈 妥实价格 tuǒshí jiàgé

제거(除去) 圈[他] 清除 qīngchú; 消除 xiāochú; 勾除 gōuchú; 排除 páichú; 除去 chúqù; 去掉 qùdiào ¶바이러스를 ~하다 清除病毒

제-격(一格) 圈 够格(儿) gòugé(r); 够味儿 gòuwèir; 像样子 xiàngyàngzi; 得体 détǐ; 恰如其分 qiàrúqífèn; 恰到好处 qiàdàohǎochù ¶이렇게 놀아야 ~이다 这样玩才够味儿

제고(提高) 圈[他] 提高 tígāo; 拔高 bágāo ¶생산 수준을 ~시키다 提高生产水平

제-고장 圈 = 본고장

제곱 圈[他]【数】自乘 zìchéng; 平方 píngfāng; 乘方 chéngfāng; 乘幂 chéngmì = 자승 ¶~미터 平方米 / ~킬로미터 平方公里

제공(提供) 圈[他] 提供 tígōng; 供给 gōnggěi ¶숙식을 ~하다 提供食宿

제:과(製菓) 圈[自] 做饼干 zuòbǐnggān; 做糕点 zuògāodiǎn

제:과-점(製菓店) 圈 面包店 miànbāodiàn; 糕点店 gāodiǎndiàn; 蛋糕店 dàngāodiàn; 面包房 miànbāofáng

제:구(制球) 圈【體】(棒球) 控球 kòngqiú = 컨트롤2 ¶~력 控球力

제-구실 명하자 本分 běnfēn; 分内事 fēnnèishì; 自己的作用 zìjǐde zuòyòng; 自己的事 zìjǐde shì ¶자신의 직분 안에서 ~을 다하다 在自己职份内全力尽己的事

제:국(帝國) 명 帝国 dìguó ¶대영 ~ 大英帝国 / 로마 ~ 罗马帝国 / ~주의 帝国主义

제군(諸君) 대 诸君 zhūjūn; 诸位 zhūwèi; 各位 gèwèi

제기(-)하자 毽子 jiànzi; 毽(儿) jiàn(r) ¶~를 차다 踢毽子

제:기(祭器) 명 祭器 jìqì

제기(提起) 명하타 1 提出 tíchū; 提议 tíyì; 建议 jiànyì; 提交 tíjiāo ¶의문을 ~하다 提出疑问 2 提起 tíqǐ; 诉辞 sùcí; 打官司 dǎguānsī ¶기소를 ~하다 提起公诉 / 赔偿 请求를 ~하다 提起赔偿请求

제기랄 캄 他妈的 tāmāde; 我的天 wǒdetiān; 糟糕 zāogāo ¶~, 우리上天 앉어 他妈的, 我们上当了

제-까짓 관 那种货色 nàzhǒng huòsè; 不像样的东西 bùxiàngyàngde dōngxi ¶~게 감히 나를 화나게 하다니 那种 货色敢说我生气

제-깟 관 '제까짓'의 略词

제날 명 = 제날짜

제-날짜 명 按时 ànshí; 届时 jièshí; 按日期 ànrìqī; 如期 rúqī = 제날 ¶매월 ~에 월급을 받다 每月按日期拿到薪水

제:-단(祭壇) 명 祭坛 jìtán; 坛 tán

제:-달 명 按月 ànyuè; 到月 dàoyuè

제대(除隊) 명하자타 退伍 tuìwǔ; 退役 tuìyì; 复员 fùyuán; 转业 zhuǎnyè ¶무리의 군인이 곧 ~할 것이다 一批军人就要退伍了

제-대로 부 1 符合标准地 fúhé biāozhǔnde; 合乎要求地 héhū yāoqiúde ¶모든 일을 ~ 처리하다 把所有事情符合标准地处理了 2 跟劲 gēnjìn; 得意 déyì; 满意 mǎnyì; 圆满 yuánmǎn ¶~ 먹었다 吃得很满意 3 顺利 shùnlì; 妥善 tuǒshàn; 妥当 tuǒdàng; 稳妥 wěntuǒ ¶~ 해결하다 得到妥善的解决 4 原状 yuánzhuàng; 原形态 yuánxíngtài ¶~ 돌려놓다 恢复原状

제:-도(制度) 명 制度 zhìdù; 制 zhì ¶교육 ~ 教育制度 / ~권 制度圈 / ~ 되어 가다 走向制度化

제:-도(製圖) 명하자타 制图 zhìtú; 绘图 huìtú; 作图 zuòtú ¶~기 制图器 = [绘图器] / ~용 연필 制图用铅笔

제도(諸島) 명 群岛 qúndǎo; 诸岛 zhūdǎo; 各岛 gèdǎo; 岛屿 dǎoyǔ

제:-동(制動) 명하자 制动 zhìdòng; 止动 zhǐdòng; 刹车 shāchē; 煞车 shāchē ¶~ 거리 制动距离 =[刹车距离] / 제동을 걸다 ⊃ 掣肘

제:-동-기(製動機) 명 [機] = 브레이크1

제-때 명 及时 jíshí; 按时 ànshí; 准时 zhǔnshí; 适时 shìshí; 按期 ànqī ¶문제가 ~ 해결되다 问题及时解决 / 매일 ~ 출퇴근을 하다 每天按时上下班

제:-련(製鍊) 명하타 冶炼 yěliàn; 熔炼 róngliàn ¶~소 冶炼厂

제:-례(祭禮) 명 祭礼 jìlǐ ¶~를 지내다 举行祭礼

제로(zero) 명 1 = 영(零) ¶매번 수학 성적이 ~에 가깝다 每次数学成绩总是离零分没多远 2 零分 língfēn; 毫无 háowú; 完全没有 wánquán méiyǒu ¶훈련 성과가 ~이다 训练成果是零分 / 반응이 ~이다 毫无反应

제-맛 명 真味 zhēnwèi; 真味道 zhēnwèidao ¶~이 아니다 不是真味 / ~을 느끼다 品尝到真味道

제-멋 명 自己的美丽 zìjǐde měilì; 自己满足 zìjǐ mǎnzú ¶~에 살다 过得自己满足

제멋-대로 부 任意 rènyì; 随便 suíbiàn; 随随便便 suísuíbiànbiàn; 擅自 shànzì; 恣意 zìyì; 任恣 rènzì; 任性 rènxìng; 狂放 kuángfàng; 随心所欲 suíxīnsuǒyù; 散漫 sǎnmàn ¶~인 여자아이 任性的女孩 / ~ 지껄이다 随便弄嘴

제-명(-命) 명 天年 tiānnián; 自己的寿命 zìjǐde shòumìng; 生来的命 shēngláide mìng; 命中注定 mìngzhōngzhùdìng ¶~을 다하다 活到天年

제명(除名) 명하자타 除名 chúmíng; 开除 kāichú ¶진작에 그를 ~ 시켰어야 했어 早就应该开除他了

제목(題目) 명 题目 tímù; 标题 biāotí ¶논문 ~ 论文题目 / ~을 붙이다 起题目 / 신문 ~이 사람들을 자극하다 新闻标题要刺激人们

제:-문(祭文) 명 祭文 jìwén; 祝文 zhùwén; 祝词 zhùcí

제:-물(祭物) 명 1 (东西或畜生) 祭品 jìpǐn ¶~을 바치다 献上祭品 2 牺牲品 xīshēngpǐn ¶당파 싸움의 ~이 되다 成了党派之争的牺牲品

제반(諸般) 명관 诸般 zhūbān; 各种 gèzhǒng; 各项 gèxiàng; 一切 yīqiè; 诸项 zhūxiàng; 多般 duōbān; 所有 suǒyǒu; 百般 bǎibān ¶~ 문제에 직면하다 面临诸般问题

제:-발 부 千万 qiānwàn; 一定 yīdìng; 务必 wùbì; 求你 qiúnǐ ¶~ 살려 다오

요! 千万救命啊! / ~ 저를 풀어 주세요 求你放开我

제방(堤防) 몡 堤 dī; 堤坝 dībà; 堰坝 yàndī; 堤防 dīfáng; 堤堰 dīyàn; 水坝 shuǐbà ¶~을 쌓다 筑堤防

제법 몡[튀] 够好 gòuhǎo; 颇能 pōnéng; 很 hěn; 够 gòu; 相当 xiāngdāng; 颇为 pōwéi; 像样 xiàngyàng ¶이번 여름은 ~ 덥다 这个夏天真是够热的

제보(提報) 몡[재타] 提供信息 tígōng xìnxī

제:복(制服) 몡 制服 zhìfú = 유니폼 1·정복(正服) ¶출근할 때는 ~을 입어야 한다 上班要穿制服

제:본(製本) 몡[하타] 装订 zhuāngdìng; 钉书 dìngshū; 订书 dìngshū = 제책(製冊) ¶~이 아주 깔끔하게 되었다 装订得很整齐

제:부(弟夫) 몡 妹夫 mèifu

제:분(製粉) 몡[하타] 制粉 zhìfěn; 磨成粉末 móchéng fěnmò; 磨制面粉 mózhì miànfěn; 磨面 mòmiàn; 磨粉 mòfěn ¶~ 공장 制粉厂

제비[1] 몡 签(儿) qiān(r); 签子 qiānzi; 阄 jiū; 筹 chóu ¶~뽑기 抽签 =[抓阄儿]

제:비[2] 몡[鳥] 燕子 yànzi

제:빙(製氷) 몡[하자] 制冰 zhìbīng ¶~ 공장 制冰厂 / ~기 制冰机

제:사(祭祀) 몡[재타] 祭礼 jìlǐ; 祭祀 jìsì; 奠祭 diànjì = 제(祭) ¶~ 용품 祭祀用品 / 조상에게 ~하다 祭祀祖先

제:사-상(祭祀床) 몡 供案 gòng'àn; 祭桌 jìzhuō; 供桌 gòngzhuō ¶~을 차리다 摆祭桌

제:삼-자(第三者) 몡 局外人 júwàirén; 没事人 méishìrén; 外人 wàirén; 第三者 dìsānzhě = 삼자1 ¶~는 논쟁에 끼어들지 마라 第三者不要参与到争论中

제:삿-날(祭祀—) 몡 祭日 jìrì ¶오늘은 할아버지 ~이다 今天是爷爷的祭日

제:삿-밥(祭祀—) 몡 1 上供的饭 shànggòngde fàn; 祭品 jìpǐn; 供品 gòngpǐn 2 祭祀后吃的饭 jìsì hòu chīde fàn = 젯밥

제설(除雪) 몡[하자] 除雪 chúxuě; 打雪 dǎxuě; 铲雪 chǎnxuě ¶~ 작업 除雪工作 / ~기 打雪器 / ~차 除雪车

제소(提訴) 몡[하타] [法] 申诉 shēnsù; 控诉 kòngsù; 起诉 qǐsù; 提出诉讼 tíchū sòngsòng; 提诉 tísù; 提起诉讼 tíqǐ sòngsòng ¶법원에 ~하다 向法院提起诉讼

제:수(弟嫂) 몡 弟妇 dìfù; 弟媳 dìxí; 弟妹 dìmèi

제:수(祭需) 몡 供品 gòngpǐn; 供物

gòngwù; 祭品 jìpǐn; 祭祀物品 jìsì wùpǐn ¶~를 준비해 신에게 제사 지내다 设办供物以祀神

제스처(gesture) 몡 姿态 zītài; 表态 biǎotài; 手势 shǒushì; 姿势 zīshì; 动作 dòngzuò; 表情 biǎoqíng; 身态 shēntài; 身姿 shēnzī; 态度 tàidù ¶다소곳한 ~를 취하다 摆动窈窕的身姿

제습(除濕) 몡[하자] 除湿 chúshī; 去湿 qùshī ¶~기 除湿机

제시(提示) 몡[하자] 1 提示 tíshì; 提出 tíchū; 展示 zhǎnshì; 举 jǔ ¶의견을 ~하다 提出意见 2 提示 tíshì; 出示 chūshì; 呈示 chéngshì ¶신분증을 ~하다 提示身份证

제-시간(—時間) 몡 按时 ànshí; 规定时间 guīdìng shíjiān ¶~에 완성했다 按时完成了

제-아무리 튀 无论如何 wúlùn rúhé; 不管怎样 bùguǎn zěnyàng; 就是 jiùshì; 多么 duōme; 怎么 zěnme ¶~ 힘들어도 눈썹을 찌푸린 적이 없다 无论多么的难受也没被过一下眉

제안(提案) 몡[하재타] 提案 tí'àn; 倡议 chàngyì; 建议 jiànyì ¶~을 받아들이다 接受提案 / 운동회를 한번 하자고 ~하다 倡议举行一次运动会

제:압(制壓) 몡[하자] 压制 yāzhì; 抑制 yìzhì; 制伏 zhìfú; 控制 kòngzhì; 抵制 dǐzhì ¶다른 사람을 ~하다 压制别人 / 공격을 ~하다 控制打击

제야(除夜) 몡 年夜 niányè; 除夜 chúyè; 除夕 chúxī; 三十晚上 sānshí wǎnshang ¶~의 종소리 年夜的钟声

제:약(制約) 몡[하타] 制约 zhìyuē; 限制 xiànzhì; 约束 yuēshù; 规约 guīyuē; 裁制 cáizhì ¶신분의 ~을 깨뜨리다 打破身份制

제:약(製藥) 몡[하자] 制药 zhìyào ¶~ 회사 制药公司 / 선진적인 ~ 기술을 받아들이다 引进先进制药技术

제:어(制御) 몡[하타] 1 控制 kòngzhì; 支配 zhīpèi ¶상대를 ~하다 控制对方 2 按捺 ànnà; 稳住 wěnzhù; 按住 ànzhù; 遏止 èzhǐ; 抑制 yìzhì ¶나는 호기심을 ~할 수 없다 我按捺不住好奇心 3 操纵 cāozòng; 制御 zhìyù; 控制 kòngzhì ¶~ 장치 制御装置 =[控制装置]

제:왕(帝王) 몡 帝王 dìwáng

제:왕 절개 수술(帝王切开手術) [醫] 剖腹产手术 pōufùchǎn shǒushù; 剖腹产 pōufùchǎn

제외(除外) 몡[하타] 除外 chúwài; 除去 chúqù; 除了 chúle; 例外 lìwài ¶나를 ~하고 除了我

제:위(帝位) 몡 帝位 dìwèi; 王位 wángwèi ¶~에 오르다 登上帝位 / ~를 계

승하다 继承帝位

제육(—肉) 阅 猪肉 zhūròu ¶~볶음 炒猪肉

제의(提議) 阅[하]자타] 提议 tíyì; 建议 jiànyì; 提出 tíchū; 倡议 chàngyì ¶휴식을 ~하다 提议休息

제:일(第一) 阅 ⊟阅 第一 dìyī; 上上 shàngshàng; —绝 yìjué ¶네가 ~이다 你是第一 ⊟튀 最zuì; 顶dǐng; 最为 zuìwéi ¶내가 ~ 좋아하는 노래 我最喜欢的歌

제:일-가다(第——) 쟤 第一 dìyī; —绝 yìjué; 首屈一指 shǒuqūyìzhǐ ¶전세계에서 ~ 全球首屈一指

제:일-선(第一線) 阅 = 일선2

제:일-심(第一審) 阅[法] = 일심(一審)

제:일 인칭(第一人稱) 【語】= 일인칭

제:일차 산:업(第一次産業) 【經】= 일차 산업

제:자(弟子) 阅 弟子 dìzǐ; 学生 xuésheng; 门下 ménxià; 徒弟 túdì; 门徒 méntú; 门生 ménshēng = 도제 ¶그는 나의 ~이다 他是我的学生 / ~로 삼다 当徒弟

제—자리 阅 1 原地 yuándì; 原位 yuánwèi; 原处 yuánchù ¶~에 놓다 放在原地 2 正位 zhèngwèi; 原来职务 yuánlái zhíwù ¶~를 지키다 维护原来职务

제자리-걸음 阅 【體】1 踏步 tàbù; 原地踏步 yuándì tàbù 2 停滞不前 tíngzhìbùqián; 没有进展 méiyǒu jìnzhǎn; 毫无起色 háowú qǐsè = 답보 ¶금년 생산력 성장이 ~이다 今年生产力增长停滞不前

제:작(製作) 阅[하]타] 制作 zhìzuò; 制造 zhìzào; 绘制 huìzhì ¶~비 制作费 =[制作成本] / ~진 制作团 =[制作人员] / 만화를 ~하다 制作动画(画面)

제:재(製裁) 阅[하]타] 1 【法】(在法律上) 制裁 zhìcái; 裁制 cáizhì ¶북한에 경제 ~를 실시하다 对朝鲜实施经济制裁 2 (在道德上) 限制 xiànzhì; 禁止 jìnzhǐ

제재(題材) 阅 题材 tícái; 材料 cáiliào

제:전(祭典) 阅 庆典 qìngdiǎn; 盛会 shènghuì; 庆祝典礼 qìngzhù diǎnlǐ; 大典 dàdiǎn; 节 jié ¶국제 음악 ~ 国际音乐盛会

제:정(制定) 阅[하]타] 制定 zhìdìng; 制订 zhìdìng; 订出 dìngchū ¶법률을 ~하다 制定法律

제-정신(—精神) 阅 常态 chángtài; 自己的头脑 zìjǐde tóunǎo; 自己的精神 zìjǐde jīngshén; 神志正常 shénzhì zhèngcháng; 头脑清醒 tóunǎo qīngxǐng ¶~을 잃다 失去常态 / 나는 ~이 아닌 것같다 我觉得自己的头脑都不是自己的

제:조(製造) 阅[하]타] 制造 zhìzào; 制作 zhìzuò; 打造 dǎzào ¶~업 制造业 / 핵무기를 ~하다 制造核武器

제:지(制止) 阅[하]타] 制止 zhìzhǐ; 克制 kèzhì; 抑制 yìzhì; 阻止 zǔzhǐ; 禁止 jìnzhǐ; 阻拦 zǔlán ¶폭력을 ~하다 制止暴力

제:지(製紙) 阅[하]자타] 造纸 zàozhǐ; 纸 zhǐzhǐ ¶~ 공장 制纸厂 / ~ 기술 造纸技术

제-집 阅 自家 zìjiā; 自己家 zìjǐjiā; 自己的家 zìjǐde jiā ¶~ 같은 느낌이 전혀 없다 根本没有一点自己家的感觉 / ~로 돌아갔다 回自家去了

제-짝 阅 (一双中的) 一个 yīgè; 一只 yìzhī

제창(齊唱) 阅[하]타] 1 同声呼喊 tóngshēng hūhǎn 2 【音】齐唱 qíchàng ¶애국가를 ~하다 齐唱爱国歌

제:책(製册) 阅 = 제본

제:철 阅 当季 dāngjì; 时令 shílìng; 时宜 shíyí; 节令 jiélìng; 季儿 jìr = 철3 ¶~ 과일 当季水果

제:철(製鐵) 阅[하]자] 【工】炼铁 liàntiě; 冶铁 yětiě ¶~소 炼铁厂 =[钢铁厂]

제초(除草) 阅[하]타] 除草 chúcǎo; 耘田 yúntián; 锄草 chúcǎo ¶~제 除草剂

제출(提出) 阅[하]타] 提出 tíchū; 提交 tíjiāo ¶사표를 ~하다 提交辞呈

제치다 타 1 拿开 nákāi ¶머리카락을 ~ 把头发拿开 2 超过 chāoguò; 过guò ¶많은 사람을 ~ 超过很多人 / 컴퓨터가 사람 머리를 ~ 电脑超过人脑 3 搁置 gēzhì; 撇开 piēkāi; 摆在一边 liǎozàiyībiān ¶집안일을 제쳐 두고 신경 쓰지 않다 撇开家事不管 / 많은 문제가 제쳐졌다 许多问题被搁置起来

제:패(制覇) 阅[하]타] 1 称霸 chēngbà; 独霸 dúbà ¶세계 ~ 独霸世界 2 (比赛) 获胜 huòshèng; 夺冠 duóguàn; 夺魁 duókuí; 优胜 yōushèng; 摘冠 zhāiguān

제풀-에 튀 顺势 shùnshì; 自动 zìdòng; 自己 zìjǐ; 自个儿 zìgèr ¶~ 넘어지다 顺势倒了 / 그는 ~ 지쳐 쓰러질 때까지 계속 울었다 他一直哭, 哭到自己累倒了

제:품(製品) 阅[하]타] 制品 zhìpǐn; 产品 chǎnpǐn; 成品 chéngpǐn

제—하다(除—) 阅 减 jiǎn; 减去 jiǎnqù; 抵扣 dǐkòu; 扣除 kòuchú ¶월급에서 ~ 从工资中扣除

제:한(制限) 阅[하]타] 限制 xiànzhì; 限 xiàn; 控制 kòngzhì; 框 kuàng ¶~ 속도 限速 / 물가 상승을 엄격하게 ~하다 严格控制物价上涨

제휴(提携) 阅[하]타] 携手 xiéshǒu; 连手 liánshǒu; 挂钩 guàgōu; 提携 tíxié; 牵

助 hùzhù ¶～ 합작하다 携手合作

제-힘 【명】 自己的力量 zìjǐde lìliang; 自力 zìlì ¶～으로 문제를 해결하다 依靠自己的力量解决问题

젠:장 【감】 他妈的 tāmāde; 他娘的 tāniángde; 该死的 gāisǐde

젠체-하다 【형】 装样子 zhuāngyàngzi; 装模作样 zhuāngmúzuòyàng; 自命不凡 zìmìngbùfán; 怏然自足 yàngránzìzú; 自以为了不起 zìyǐwéi liǎobuqǐ; 逞英雄 chéngyīngxióng

젤: 【부】 '제일'의 略词 ¶～ 잘하는 운동 最擅长的运动

젤리(jelly) 【명】 果冻 guǒdòng; 肉冻 ròudòng

젯:-밥(祭一) 【명】 = 제사밥

조 【명】 【植】 小米 xiǎomǐ; 粟 sù; 谷子 gǔzi

조(组) 【명】 组 zǔ; 班 bān ¶～원 组员 ~ 장 组长 / ～를 나누다 分组

조(兆) 【수관】 兆 zhào; 万亿 wànyì

조:-(助) 【접두】 助 zhù; 副 fù ¶～감독 副导演 / ～교수 助教授

조각 【명】 1 碎片 suìpiàn; 片子 piànzi; 碎块 suìkuài; 岔 chà; 瓣 bàn; 瓣儿 pòpiànr; 断片 duànpiàn ¶유리 ~ 玻璃碎片 / 헝겊 ~ 碎块布料 2 条 tiáo; 块 kuài; 片 piàn ¶빵 한 ~을 남기다 留下一块面包

조각(彫刻·雕刻) 【명】【하타】【美】 雕刻 diāokè; 雕琢 diāozhuó; 雕塑 diāosù ¶～가 雕刻家

조각-나다 【자】 破碎 pòsuì ¶작은 파편으로 ~ 破碎成细小的碎片

조각-내다 【자】 破碎 pòsuì ¶작은 덩어리로 ~ 破碎成小块

조각-조각 【명】【부】 一片一片 yīpiànyīpiàn; 一块一块 yīkuàiyīkuài; 支离破碎 zhīlípòsuì ¶옷이 ~ 찢어졌다 衣服被撕成一片一片 / ～ 부수다 一块一块地破碎

조간(朝刊) 【명】 = 조간신문

조간-신문(朝刊新聞) 【명】 早报 zǎobào; 晨报 chénbào = 조간

조강지처(糟糠之妻) 【명】 糟糠之妻 zāokāngzhīqī

조개(貝) 【명】 贝 bèi; 蛤蜊 géli; 蛤蚌 gébàng ¶～껍데기 贝壳

조건(條件) 【명】 1 条件 tiáojiàn; 状况 zhuàngkuàng ¶신체 ~ 身体条件 2 条件 tiáojiàn; 标准 biāozhǔn ¶결혼 ~ 结婚条件

조곤-조곤 【명】【하형】【형】【부】 殷勤和耐性地 yīnqín hé nàixìngde ¶～ 따져 묻다 殷勤和耐性地究诘

조공(朝貢) 【명】【하자】【史】 朝贡 cháogòng ¶사신을 파견해 ～하다 遣使朝贡

조:-교(助教) 【명】 1 【教】 助教 zhùjiào;

教辅人员 jiàofǔ rényuán ¶～를 채용하다 招聘教辅人员 2 【军】 教官助手 jiàoguān zhùshǒu

조국(祖國) 【명】 祖国 zǔguó; 母国 mǔguó ¶～ 통일 祖国统一

조그마-하다 【형】 1 小小的 xiǎoxiǎode; 半点儿 bàndiǎnr; 很小 hěnxiǎo; 矮小 ǎixiǎo; 半星儿 bànxīngr ¶몸이 ~ 身材矮小 2 小小的 xiǎoxiǎode; 不严重 bùyánzhòng; 不厉害 bùlìhai ¶조그마한 사고 小小的事故

조그맣다 【형】 '조그마하다'의 略词

조금 【명】 1 少量 shǎoliàng; 一点 yīdiǎn; 一些 yīxiē; 一二 yī'èr ¶～밖에 없다 只有少量 / 一会儿 yīhuìr; 稍顷 shāoqǐng; 暂时 zànshí; 片刻 piànkè ¶～만 쉬다 休息一会儿 / 기다렸다가 등了 稍顷 【부】 1 一些儿 yīdiǎnr; 一些 yīxiē; 稍微 shāowēi; 略微 lüèwēi; 稍稍 shāoshāo; 有点儿 yǒudiǎnr ¶가격이 ~ 오르다 价格稍稍上涨 2 一会儿 yīhuìr; 一下 yīxià; 稍稍 shāoshāo ¶～ 쉬고 싶다 想休息一下

조금-씩 【부】 一点一点地 yīdiǎnyīdiǎnde; 稍稍地 shāoshāode; 少少地 shǎoshǎode; 一点一滴地 yīdiǎnyīdīde ¶～ 바꾸다 一点一点地改变 / ～ 이해하다 一点一滴地了解

조:-급-하다(早急一) 【형】 紧急 jǐnjí; 很急 hěnjí; 仓皇 cānghuáng **조:-급-히** 【부】

조급-하다(躁急一) 【형】 躁急 zàojí; 急躁 jízào; 着急 zháojí; 烦躁 fánzào; 毛躁 máozao ¶성격이 지나치게 ~ 性情太躁急 **조급-히** 【부】

조기 【명】【魚】 黄鱼 huángyú; 黄花鱼 huánghuāyú

조:-기(弔旗) 【명】 1 半旗 bànqí; 吊旗 diàoqí = 반기(半旗) ¶～를 게양하다 升吊旗 2 黑边吊旗 hēibiān diàoqí

조:-기(早期) 【명】 早期 zǎoqī; 早日 zǎorì; 初期 chūqī ¶암은 ~ 발견이 매우 중요하다 癌症的早期发现很重要

조강(jogging) 【명】 慢跑 mànpǎo

조끼(←일chokki) 【명】 坎肩 kǎnjiān; 背心 bèixīn ¶방탄 ~ 防弹背心

조난(遭難) 【명】 遭难 zāonàn; 遇险 yùxiǎn; 遇难 yùnàn; 被难 bèinàn ¶～자 遇难者 / ～을 당하다 遇到遭难

조달(調達) 【명】【하자타】 (资金·物资等)调拨 diàobō; 办置 bànzhì; 筹措 chóucuò ¶자금을 ～하다 调拨资金 / 각종 긴급 물자를 ～하다 办置各种急需物资

조:-도(照度) 【명】【物】 = 조명도

조:-력(助力) 【명】【하형타】 帮忙 bāngmáng; 协助 xiézhù; 助力 zhùlì; 帮助 bāngzhù ¶너에게 ~을 구할 일이 있다 有件事要请你帮忙

조련(調鍊·調練) 명하타 1 【軍】操练 cāoliàn; 训练 xùnliàn; 教练 jiàoliàn ¶군사를 ~하다 操练人马 2 驯 xùn; 驯养 xùnyǎng; 驯兽 xùnshòu ¶~사 驯兽员 / 동물을 ~하다 驯养动物

조령모개(朝令暮改) 명하자 朝令夕改 zhāolìngxīgǎi

조례(條例) 명 【法】条例 tiáolì; 条规 tiáoguī; 规定 guīdìng; 规则 guīzé; 例条 lìtiáo; 例章 lìzhāng ¶이 ~ 규정에 의하면 据该条例规定

조례(朝禮) 명하타 朝礼 zhāolǐ; 早会 zǎohuì; 早礼 zǎolǐ; 朝会 zhāohuì

조롱(嘲弄) 명하타 嘲弄 cháonòng; 嘲笑 cháoxiào; 作弄 zuònòng; 捉弄 zhuōnòng; 挖苦 wāku; 讥笑 jīxiào; 耍弄 shuǎnòng; 逗弄 dòunong ¶다른 사람의 단점을 ~하다 嘲弄别人缺点

조:루(早漏) 명 【醫】早泄 zǎoxiè / ~증 早泄症 / ~를 치료하다 治疗早泄

조류(鳥類) 명 鸟类 niǎolèi; 飞禽 fēiqín

조류(潮流) 명 1 潮流 cháoliú; 海潮运动 hǎicháo yùndòng 2 潮流 cháoliú; 趋势 qūshì; 趋向 qūxiàng ¶시대적 ~ 时代的潮流

조르다 타 卡 qiǎ; 扪 qiá; 捆紧 kǔnjǐn; 勒紧 lēijǐn ¶목을 ~ 卡脖子 / 허리띠를 ~ 勒紧腰带

조르다[2] 타자 催促 cuīcù; 督促 dūcù; 催逼 cuībī; 催迫 cuīpò; 催讨 cuītǎo ¶빨리 가자고 ~ 催促快去

조르르[1] 명하위 1 苏噜噜 sūlūlū; 出溜 chūliù; 一溜烟 yīliùyàn; 小步快跑 xiǎobùkuàipǎo 《往前快跑》¶~ 달려 나가다 一溜烟跑出去 2 潺潺 chánchán; 咕噜 gūlū; 簌簌 sùsù; 淅沥 xīlì; 扑簌簌 pūsùsù ¶~ 물 흐르는 소리 潺潺流水声 / 눈물이 ~ 泪水扑簌簌流下来 3 骨碌碌 gūlūlū; 骨碌碌 gūlūgūlū; 哧溜 chīliù 《滑下去, 滚下去》¶~ 굴러가다 骨碌碌地滚下去

조르르[2] 부하위 成排地 chéngpáide; 成串地 chéngchuànde ¶이가 입안에 ~ 나 있다 牙齿长成排地长在嘴里 / 야자수가 길 양쪽에 ~ 서 있다 椰树成排地挺立在马路两旁

조리(條理) 명 条理 tiáolǐ; 理路 lǐlù; 脉络 màiluò; 头绪 tóuxù; 伦次 lúncì; 理儿 lǐ ¶말에 ~ 없다 说话没有条理

조리(調理) 명하타 1 调养 tiáoyǎng; 调治 tiáozhì; 调理 tiáolǐ; 护理 hùlǐ ¶산후 ~ 产后护理 /몸을 잘 해야 한다 要好好调养身体 2 做菜 zuòcài; 烹饪 pēngrèn; 烹调 pēngtiáo ¶~법 烹饪法 / ~사 烹饪师

조리개 명 【演】光圈 guāngquān ¶~

를 맞추다 调节光圈

조립(組立) 명하타 装配 zhuāngpèi; 组装 zǔzhuāng; 配套 pèitào; 攒 cuán ¶~한 자동차 装配出的汽车

조마-조마 부하위 心急 xīnjí; 发虚 fāxū; 提心吊胆 tíxīndiàodǎn; 忐忑不安 tǎntèbù'ān ¶마음이 ~하다 心情忐忑不安

조:-만-간(早晚間) 부 早晚 zǎowǎn; 迟早 chízǎo; 即将 jíjiāng; 不久就会 bùjiùjiùhuì ¶~을 것이다 早晚会来

조망(眺望) 명하타 眺望 tiàowàng; 鸟瞰 niǎokàn; 放远 fàngyuǎn ¶남산 타워에 올라서 서울을 ~하다 上到南山塔, 眺望首尔

조:-명(照明) 명하타 1 照明 zhàomíng; 灯光 dēngguāng ¶~ 시설 照明设备 / ~이 꺼져 있다 灯光亮了 2 【演】舞台灯光 wǔtái dēngguāng; 舞台照明 wǔtái zhàomíng 3 察看 chákàn; 探看 tànkàn; 审察 shěncá ¶역사의 진실을 ~하다 察看历史的真相

조:-명-도(照明度) 명 【物】照度 zhàodù; 光照度 guāngzhàodù; 照明度 zhàomíngdù = 조도 【실내 ~를 높이다 增加室内照明度

조모(祖母) 명 祖母 zǔmǔ; 奶奶 nǎinai = 할머니1

조목(條目) 명 条项 tiáo; 条目 tiáomù; 项目 xiàngmù; 条款 tiáokuǎn; 款目 kuǎnmù = 항목

조목-조목(條目條目) 부 一条一条 yītiáoyītiáo; 条条 tiáotiáo; 逐条 zhútiáo ¶~ 보다 一条一条地看

조무래기 명 1 零碎 língsuì; 零杂 língzá; 杂碎 zásuì; 零头(儿) língtou(r) 2 小孩 xiǎohái; 小家伙 xiǎojiāhuo; 小孩子家 xiǎoháizijia ¶~들이 함께 즐겁게 놀다 小家伙们在一起玩得可开心

조:-문(弔文) 명 悼词 dàocí; 悼辞 dàocí ¶~을 읽다 念悼辞

조:-문(弔問) 명하타 吊丧 diàosāng; 吊唁 diàoyàn; 探丧 tànsàng = 문상 ¶~객 吊丧者 / ~을 가다 去吊丧 / ~을 받다 接受吊唁

조물-조물 부하위 《轻轻地》揉 róu; 摸 mō; 揉捏 róuniē; 揉搓 róucuō; 摆弄 bǎinòng; 搓弄 cuōnòng; 摸弄 mōnòng ¶손 관절을 가볍게 ~하다 轻轻揉搓手部的关节

조:물-주(造物主) 명 造物主 zàowùzhǔ

조미-료(調味料) 명 调味品 tiáowèipǐn; 调味料 tiáowèiliào; 调料 tiáoliào; 作料 zuòliao; 味精 wèijīng ¶~를 넣다 放调味料

조밀-하다(稠密—) 형 稠 chóu; 稠密 chóumì; 浓密 nóngmì; 密集 mìjí; 密密

麻麻 mīmámáfú ¶인구가 조밀한 지역
人口稠密区 조밀-히 **틧**

조바심 **명**하자 急躁 jízào; 煎心 jiān-
xīn; 焦心 jiāozhuó ¶~을 억누를 수 없
다 按捺不住焦灼

조반(朝飯) **명** = 아침밥

조부(祖父) **명** = 할아버지1

조-부모(祖父母) **명** 祖父母 zǔfùmǔ;
爷奶 yénǎi

조사(助詞) **명** 【語】助词 zhùcí

조:-사(照射) **명**하자타 **1** 照射 zhào-
shè; 辐射 fúzhào; 照光 zhàoguāng; 照
耀 zhàoyào ¶태양의 ~ 太阳的照射 **2**
放射 fàngshè; 辐射 fúshè ¶~ 치료 放
射治疗

조사(調査) **명**하타 调查 diàochá; 审查
shěnkàn; 审察 shěnchá; 探明 tànmíng;
检查 jiǎnchá; 了解 liàojiě; 验看 yàn-
kàn ¶~단 调查団 / 상황을 ~하다 审
察情况 / 사고 원인을 철저히 ~하다 하다
彻底调查事故原因

조:-산(早産) **명**하타 早产 zǎochǎn ¶~
아 早产儿

조삼모사(朝三暮四) **명** 朝三暮四 zhāo-
sānmùsì

조상(祖上) **명** 祖上 zǔshàng; 祖先 zǔ-
xiān; 祖宗 zǔzong; 老祖宗 lǎozǔzong;
上代 shàngdài; 上辈 shàngbèi; 先人
xiānrén ¶~이 전해준 유산 祖上传下
来的遗产

조서(調書) **명** 调查记录 diàochá jìlù;
调查报告 diàochá bàogào

조석(朝夕) **명** 朝夕 zhāoxī; 朝暮 zhāo-
mù; 晨夕 chénxī = 아침저녁 ¶부모님
께 ~으로 문안을 드리다 向父母朝夕
请安

조:-선(造船) **명**하타 造船 zàochuán ¶
~ 공업 造船工业

조선(朝鮮) **명** 【史】朝鲜 Cháoxiān

조선-족(朝鮮族) **명** 朝鲜族 Cháo-
xiānzú ¶옌볜 ~ 자치구 延边朝鲜族自
治州

조:-성(造成) **명**하타 **1** 造成 zàochéng;
营造 yíngzào; 制造 zhìzào ¶삼림을
~하다 制造森林 **2** 造成 zàochéng; 产
生 chǎnshēng; 形成 xíngchéng; 引起
yǐnqǐ ¶공포 분위기를 ~하다 造成恐
怖气氛 / 여론을 ~하다 引起舆论

조세(租稅) **명** 【法】税款 shuìkuǎn; 税
金 shuìjīn; 税收 shuìshōu = 세(稅)·
세금 ¶~ 부담이 증가하다 税款负担
增加

조세-법(租稅法) **명** 【法】= 세법

조소(彫塑) **명** 【美】塑像 sùxiàng;
塑造 sùzào; 雕塑 diāosù

조소(嘲笑) **명**하타 = 비웃음 ¶형제들
의 ~를 받다 受到兄弟们的冷笑

조:-속-하다(早速一) **형** 早日 zǎorì; 尽

早 jìnzǎo; 尽快 jìnkuài; 快速 kuàisù;
早早 zǎozǎo 조:-속-히 **틧** ¶~ 끝내다
早日结束

조:-수(助手) **명** 助手 zhùshǒu; 帮手
bāngshou; 副手 fùshǒu; 下手 xiàshǒu;
手臂 shǒubì ¶나는 그의 ~를 맡았다
我担任他的助手

조:-숙(早熟) **명**하자 早熟 zǎoshú ¶
성적 ~ 性早熟 /~한 소녀 早熟少女

조식(朝食) **명** = 아침밥

조신-하다(操身一) **형** 正经 zhèng-
jing; 淑静 shūjìng; 文静 wénjìng; 驯良
xùnliáng; 小心谨慎 xiǎoxīn jǐnshèn ¶말
과 행동이 ~ 言语行动小心谨慎

조:-실-부모(早失父母) **명**하자 幼年早
丧父母 yòunián zǎosàng fùmǔ; 幼年丧
父母 yòunián sàng fùmǔ

조:-심(操心) **명**하타자타헤**틧** 小心 xiǎo-
xīn; 当心 dāngxīn; 留心 liúxīn; 注意
zhùyì; 留神 liúshén; 谨慎 jǐnshèn; 小
心翼翼 xiǎoxīnyìyì ¶감기 ~해라 当心
感冒 / 계단을 내려올 때는 반드시 ~
해야 한다 下楼梯一定要小心

조:-심-스럽다(操心一) **형** 小心 xiǎo-
xīn; 谨慎 jǐnshèn; 注意 zhùyì; 小心翼
翼 xiǎoxīnyìyì 조:-심-스레 **틧** ¶~ 상자
를 열다 小心翼翼地打开箱子

조:-심-조:심(操心·操心) **명**하자타헤**틧**
小心地 xiǎoxīnde; 谨慎地 jǐnshènde;
注意地 zhùyìde; 小心翼翼地 xiǎoxīn-
yìyìde ¶~ 그에게 다가가다 小心翼翼
地向他靠近

조아리다 **명**하타 磕头 kētóu; 叩头 kòutóu;
顿首 dùnshǒu; 垂首 chuíshǒu ¶머리를
조아리고 잘못을 인정하다 叩头认错

조약(條約) **명** 条约 tiáoyuē; 约款 yuē-
kuǎn; 公约 gōngyuē; 规约 guīyuē ¶平
和 우호 ~ 和平友好条约

조:-언(助言) **명**하자타 参谋 cānmóu;
指教 zhǐjiào ¶저에게 ~을 좀 해 주세
요 请你给我参谋

조:-연(助演) **명** 【演】配角(儿) pèijué(r)
¶비록 ~이지만 연기가 훌륭하다 尽
管是配角, 却演得有声有色

조:-예(造詣) **명** 造诣 zàoyì ¶미술에
~가 있다 对美术有造诣

조용-조용 **틧**헤**텧** 静悄悄地 jìng-
qiāoqiāode; 静静地 jìngjìngde; 悄悄地
qiāoqiāode; 轻轻地 qīngqīngde ¶~ 말
하다 轻轻地说 /~ 문을 열고 들어가
다 悄悄地开门进去

조용-하다 **형** **1** 寂默 jìmò; 死寂 sǐjì;
悄寂 qiàojì; 凝寂 níngjì; 悄然 qiǎorán;
沉静 chénjìng ¶조용한 밤 死寂的夜
晚 / 아무 소리 없이 ~ 寂默无声 **2** 文
静 wénjìng; 从容 cóngróng; 肃静 sù-
jìng; 娴静 xiánjìng ¶그녀의 성격은 우
아하고 ~ 她性格文雅娴静 **3** 平

píngjìng; 安静 ānjìng ¶조용한 학습 환
경 安静的学习环境 4 幽静 yōujìng;
悠闲 yōuxián; 冷落 lěngluò; 清闲 qīng-
xián; 消闲 xiāoxián ¶조용한 교외의 공
원 悠闲的郊野公园 5 悄悄 qiāoqiāo;
隐秘 yǐnmì; 暗自 ànzì 조용-히 튀 ¶
~ 문제를 해결하다 悄悄地解决问题

조우 遭遇 **명** 遇到 yùdào; 遇上 yùshàng; 遭遇 zāoyù; 遭逢 zāoféng; 遇到 yùdào; 碰上 pèngshàng; 碰见 pèngjiàn; 不期 而遇 bùqī'éryù ¶옛 친구를 ~하다 遇 见老朋友

조율 调律 **명하타** 1 调节 tiáojié; 定 弦 dìngxián; 调音 tiáoyīn ¶기타 ~ 吉 他定弦 2 调节 tiáojié; 调整 tiáozhěng; 调解 tiáojiě ¶자신의 마음을 잘 ~하다 调整好自己的心态

조:의 弔意 **명** 吊唁 diàoyàn; 吊丧 diàosāng ¶~를 표하다 表示吊丧

조:의-금 弔慰金 **명** 吊慰金 diàowèi-jīn; 奠仪 diànyí; 丧礼钱 sānglǐqián ¶~을 보내다 送去奠仪

조인 调印 **명하자** 1 签字 qiānzì; 盖章 gàizhāng; 签订 qiāndìng ¶계약서에 ~하다 签订合同 2 【法】签字 qiānzì; 签署 qiānshǔ; 签订 qiāndìng ¶양국 상호 불가침 조약에 ~하다 签 订两国互不侵犯条约

조:작 造作 **명** 捏造 niēzào; 编造 biānzào; 伪造 wěizào ¶~극 捏造剧 / 사실을 ~하다 伪造事实

조작 操作 **명하타** 操作 cāozuò; 操纵 cāozòng; 驾驶 jiàshǐ ¶컴퓨터로 가전 제품을 ~하다 用电脑操纵家电

조잡-하다 粗雜- **혱** 粗劣 cūliè; 毛 糙 máocāo; 粗拉 cūlā; 粗糙 cūcāo; 潦 草 liáocǎo; 劣质 lièzhì ¶조잡한 상품 粗糙产品 / 포장이 ~ 包装粗劣

조:장 助長 **명하타** (把坏事) 助长 zhù-zhǎng; 鼓动 gǔdòng; 扇动 shāndòng; 煽动 shāndòng; 煽惑 shānhuò; 调弄 tiáonòng; 调拨 tiáobō; 唆弄 suōnòng ¶범죄를 ~하다 扇动犯罪 / 소비 심리 를 ~하다 助长消费心理

조절 调節 **명하타** 调节 tiáojié; 调剂 tiáojì; 理顺 lǐshùn; 调整 tiáozhěng ¶온 도를 ~하다 调节温度 / 물가를 ~하다 调整物价

조정 朝廷 **명** 朝廷 cháotíng; 朝堂 cháotáng ¶~ 중신 朝廷重臣

조정 调停 **명하타** 调停 tiáotíng; 调解 tiáojiě ¶분쟁을 ~하다 调解纠纷

조정 调整 **명하타** 调整 tiáozhěng ¶生 产 ~하다 ~하다 调整生产结构

조제 调劑 **명하타** 【药】配药 pèiyào; 调剂 tiáojì; 合剂 héjì; 配方 pèifāng ¶ 약품을 ~하다 调制药品

조:조-할인 早朝割引 **명하타** (入场 券等) 上午折价 shàngwǔ zhéjià; 早场 打折 zǎochǎng dǎzhé

조종 操縱 **명하타** 操纵 cāozòng; 驾 驶 jiàshǐ; 驾驭 jiàyù; 驾御 jiàyù ¶비행기 를 ~하다 操纵飞机 2 摆布 bǎibù; 操纵 cāozòng ¶그가 뒤에서 모든 것을 ~하였다 他在幕后操纵了一切

조종-사 操縱士 **명** 飞行员 fēixíng-yuán; 飞机驾驶员 fēijī jiàshǐyuán = 파 일럿1·항공사1

조:준 照準 **명하타** 照准 zhàozhǔn; 瞄准 miáozhǔn ¶목표물을 ~하다 瞄 准目标

조직 组織 **명하타** 1 组织 zǔzhī; 组成 zǔchéng; 组建 zǔjiàn; 系统 xìtǒng ¶政 府 ~ 政府组织 / ~력 组织力 / ~하다 犯罪 有组织的犯罪 / ~화 组织化 2 【生】组织 zǔzhī ¶神经 ~ 神经组织

조짐 兆朕 **명** 先兆 xiānzhào; 征候 zhēnghòu; 征兆 zhēngzhào; 预兆 yù-zhào; 兆头 zhàotou; 前兆 qiánzhào ¶ ~이 나타나다 出现先兆

조차 조 连···也 lián···yě; 连···都 lián···dōu ¶자신이 했던 말~ 잊어버 렸다 连自己说过的话也忘记了 / 울 기운 ~ 없다 连哭的力气都没有

조찬 朝餐 **명** 早餐 zǎocān; 早饭 zǎo-fàn

조촐-하다 **혱** 质朴 zhìpǔ; 朴素 pǔsù; 俭朴 jiǎnpǔ; 简练 jiǎnliàn; 简约 jiǎnyuē ¶조촐한 점심 朴素的午餐 / 세간이 모 두 ~ 家具都很俭朴 조촐-히 튀

조치 措置 **명하타** 措置 cuòzhì; 措施 cuòshī; 办法 bànfǎ; 处置 chǔzhì; 处 理 chǔlǐ; 措手 cuòshǒu ¶긴급 ~ 紧急 措置

조카 **명** 侄子 zhízi; 侄(儿) zhí(r); 侄 女(儿) zhínǚ(r)

조커 (joker) **명** 【體】夏客 jiákè; 大鬼 dàguǐ; 百搭牌 bǎidāpái

조:타-수 操舵手 **명** = 키잡이

조:퇴 早退 **명하자** 早退 zǎotuì ¶마 음대로 ~하다 随意早退

조판 组版 **명** 【印】排版 páibǎn; 拼版 pīnbǎn; 组版 zǔbǎn ¶온라인 ~ 으로 인쇄를 대체하다 用在线排版取 代印刷

조합 组合 **명하타** 1 【社】工会 gōng-huì; 行会 hánghuì; 组合 zǔhé ¶노동 ~ 劳动组合 2 组合 zǔhé ¶여러 방면 의 힘을 ~하다 把各方面的力量组合 起来

조항 條項 **명** 条目 tiáomù; 条款 tiáo-kuǎn; 款项 kuǎnxiàng; 款 kuǎn ¶법률 ~ 法律条款

조:형 造形 **명하자** 造形 zàoxíng; 造 型 zàoxíng; 塑造 sùzào ¶동상을 ~하 다 塑造铜像

조-화(造花) 图 造花 zàohuā; 人造花 rénzàohuā; 假花 jiǎhuā

조화(調和) 图하자타 调和 tiáohe; 协调 xiétiáo; 和谐 héxié; 配合 pèihe; 相配 xiāngpèi ¶～되기 어렵다 难以调和

조화-롭다(調和—) 圈 调和 tiáohe; 谐调 xiétiáo; 和谐 héxié ¶조화롭게 살 活得和谐 조화로이 閅

조회(朝會) 图 朝会 zhāohuì; 早会 zǎohuì ¶～에 참가하다 参加早会

조-회(照會) 图하타 查询 cháxún; 询问 xúnwèn; 讯问 xùnwèn; 探听 tàntīng ¶사건의 경위를 ～하다 询问案情

족-발(足—) 图 猪爪尖儿 zhūzhuǎjiānr; 猪蹄 zhūtí ¶훈제 ～ 熏制猪蹄 / ～을 썰다 切猪蹄

족보(族譜) 图 族谱 zúpǔ; 家谱 jiāpǔ

족속(族屬) 图 族类 zúlèi; 同族 tóngzú; 一族 yìzú; 一帮 yìbāng; 一伙 yìhuǒ; 族属 zúshǔ ¶염치를 모르는 ～ 寡廉鲜耻的族类

족쇄(足鎖) 图 [史] 脚镣 jiǎoliào; 绊子 bànzi; 镣 liào ¶사형수에게 ～를 채우다 给死刑犯戴上脚镣 2 约束 yuēshù; 拘束 jūshù; 束缚 shùfù; 锁链 suǒliàn; 限制 xiànzhì; 羁绊 jībàn ¶전통 체제의 ～ 传统体制的束缚

족적(足跡·足迹) 图 = 발자취 ¶～을 남기다 留下痕迹

족제비 图 [動] 黄鼠狼 huángshǔláng; 黄鼬 huángyòu; 黄狼 huángláng

족집게 图 镊子 nièzi; 镊 niè ¶～로 눈썹을 뽑아내다 用镊子镊掉眉毛

족치다 图 逼供 bīgòng; 折磨 zhémo ¶범인을 ～ 折磨犯人

족-하다(足—) 圈 足够 zúgòu; 够 gòu; 满足 mǎnzú; 足 zú; 充分 chōngfēn; 充足 chōngzú; 余裕 yúyú ¶시간이 때문에 很充分 족-히 閅

존경(尊敬) 图하타 尊敬 zūnjìng; 敬重 jìngzhòng; 敬仰 jìngyǎng; 恭敬 gōngjìng; 敬 jìng; 尊 zūn ¶내가 가장 ～하는 사람 我最敬仰的人 / ～을 받다 受到尊敬

존귀(尊貴) 图하圈 尊贵 zūnguì; 显贵 xiǎnguì; 宝贵 bǎoguì; 高贵 gāoguì ¶～한 손님을 맞이하다 迎接尊贵的客人

존대(尊待) 图하타 以尊敬相待 yǐzūnjìng xiāngdài; 用敬语相待 yòngjìngyǔ xiāngdài; 尊敬 zūnjìng; 恭敬 gōngjìng ¶아버지에게 ～하여 말하다 对父亲恭敬地说

존대-어(尊待語) 图 【語】 = 높임말 ¶윗사람에게 말할 때는 ～을 사용해야 한다 对长辈说话要用敬语

존득-거리다 困 黏黏 niánnián; 艮 gěn; 筋道 jīndao ¶존득거리는

국수 筋道的面条 존득-존득 閅하圈

존속(存續) 图하자 存续 cúnxù ¶그의 이름은 수백 년 동안 ～할 것이다 他的名字将数百年保存续下去

존엄(尊嚴) 图하圈하閅 尊严 zūnyán ¶국가의 주권과 ～을 보호하다 维护国家的主权和尊严

존재(存在) 图하자 1 存在 cúnzài; 在 zài ¶우리에게는 아직 약간의 문제가 ～한다 我们还存在一些问题 2 存在 cúnzài ¶독보적인 ～ 独一无二的存在

존중(尊重) 图하타하閅 尊重 zūnzhòng; 崇尚 chóngshàng; 看得起 kàndeqǐ ¶남의 의견을 ～하다 尊重别人的意见

존칭-어(尊稱語) 图 【語】 = 높임말

존폐(存廢) 图 存废 cúnfèi ¶사형의 ～에 대한 논쟁 关于死刑存废的争论

존함(尊銜) 图 大名 dàmíng; 大号 dàhào; 尊姓大名 zūnxìngdàmíng ¶～은 오래전에 들었습니다 久闻大名

졸개(卒—) 图 走卒 zǒuzú; 喽罗 lóuluo; 打手 dǎshǒu; 狗腿子 gǒutuǐzi; 马前卒 mǎqiánzú; 爪牙 zhǎoyá ¶이 사람은 그 수하의 ～에 불과하다 这人只是他手下的一名走卒

졸깃-졸깃 閅하圈 黏韧 niánrèn; 柔韧 róurèn; 筋力 jīnlì; 艮艮 gěngěn; 筋道 jīndao; 耐嚼 nàijiáo ¶면을 더 ～하게 하려면 어떻게 하지요? 为了让面更筋道, 怎么办?

졸깃-하다 圈 筋道 jīndao; 耐嚼 nàijiáo; 黏韧 niánrèn; 柔韧 róurèn; 筋力 jīnlì; 艮艮 gěngěn; 韧韧 rènrèn ¶졸깃한 오징어포 耐嚼的鱿鱼丝

졸:다¹ 困 打盹儿 dǎdǔnr; 瞌睡 kēshuì; 打瞌睡 dǎkēshuì ¶소파에 앉아 ～ 坐在沙发上打盹儿

졸:다² 困 熬干 áogān; 煮干 zhǔgān; 煮浓 zhǔnóng; 减少 jiǎnshǎo; 熬煎 áojiān ¶졸아버린 매운탕 熬干的辣鱼汤 / 통 안의 물이 거의 다 졸았다 桶里的水快煮干了 2 畏缩 wèisuō

졸도(卒倒) 图하자 昏倒 hūndǎo; 昏厥 hūnjué; 晕倒 yūndǎo; 晕厥 yūnjué; 晕过去 yūnguòqù ¶과로로 ～하다 过劳昏闷

졸라-매다 타 勒紧 lēijǐn; 摽 biào; 煞紧 shājǐn; 捆紧 kǔnjǐn; 扎紧 zhājǐn ¶허리띠를 ～ 勒紧腰带 / 끈으로 ～ 用绳子捆紧

졸래-졸래 閅하자 冒冒失失地 màomaoshīshīde; 轻轻浮浮地 qīngqīngfúfúde; 轻浮地 qīngfúde ¶～ 그를 따르다 冒冒失失地跟从他

졸렬-하다(拙劣—) 圈 拙劣 zhuōliè; 抽 zhuō; 庸劣 yōngliè ¶졸렬한 수단 拙劣手段 / 졸렬한 습성 庸劣习性

럴-히 用

졸:리다¹ 困 困 kùn; 发困 fākùn; 瞌睡 kēshuì; 犯困 fànkùn; 昏昏欲睡 hūnhūnyùshuì ¶그는 졸릴 때면 나가서 하늘의 별을 본다 他发困的时候, 出去看一看天上的星

졸리다² 被捆紧 bèikǔnjǐn; 被缠 bèichán; 被勒 bèilēi (『조르다』的被动词)

졸망-졸망 用하 大大小小地 dàdaxiǎoxiǎode (小巧的东西聚在一块儿的样子)¶ ~ 소쿠리에 담겨 있는 참외 大大小小地装在笸箩里的甜瓜

졸병(卒兵) 图 小卒 xiǎozú; 兵卒 bīngzú; 小兵 xiǎobīng; 士卒 shìzú

졸부(猝富) 图 暴发户 bàofāhù; 벼락부자 ¶순식간에 ~가 되었다 转眼之间成了暴发户

졸아-들다 困 1 收缩 shōusuō; 抽抽儿 chōuchour; 缩 suō; 缩小 suōxiǎo; 抽缩 chōusuō ¶빨아서 졸아든 스웨터 洗完缩小的毛衣 2 畏缩 wèisuō

졸아-붙다 困 煮干 zhǔgān; 熬干 áogān; 干涸 gānhé ¶김치찌개가 졸아붙었다 泡菜汤都煮干了

졸업(卒業) 图하 1 毕业 bìyè ¶~식 毕业典礼 / ~장 毕业证书 =[文凭] / 대학을 ~하다 大学毕业 2 通晓 tōngxiǎo; 熟知 shúzhī; 精通 jīngtōng; 通达 tōngdá; 掌握 zhǎngwò ¶3살 때 한글을 ~했다 3岁通晓韩文

졸:음 图 困 kùnjìn; 睡意 shuìyì; 困意 kùnyì; 睡魔 shuìmó ¶또 ~이 몰려왔다 困劲儿又上来了

졸:음-운전(—運轉) 图 开车时瞌睡 kāichē dǎkēshuì

졸-이다 困 1 熬 áo (『졸다²1』的使动词)¶간장을 ~ 熬酱油 2 费心 fèixīn; 焦心 jiāoxīn; 揪心 jiūxīn; 着急 zháojí; 熬煎 áojiān ¶몇 년 이후의 일 때문에 마음을 졸일 필요가 있는가? 何必为好多年以后的事去焦心?

졸작(拙作) 图 1 拙劣的作品 zhuōliède zuòpǐn 2 拙作 zhuōzuò; 拙著 zhuōzhù

졸전(拙戰) 图 拙战 zhuōzhàn; 笨拙的争斗 bènzhuōde zhēngdòu

졸졸 用 1 潺潺 chánchán; 泠泠 línglíng; 淙淙 cóngcóng; 琤琤 cóngchēng; 哗哗 huāhuā ¶맑은 물이 ~ 논으로 흘러 내려가다 清澈的水潺潺流入稻田 2 尾随 wěisuí; 步步紧随 bùbùjǐnsuí; 紧紧 jǐnjǐn ¶엄마를 ~ 따라 다니다 紧紧跟着妈妈

졸지(猝地) 图 忽然 hūrán; 猝然 cùrán; 突然 tūrán; 突然间 tūránjiān; 一瞬间 yīshùnjiān; 猛然间 měngránjiān ¶~에 희망이 실망으로 변했다 一瞬间, 希望变为失望

좀¹ 图 1 【虫】蠹 dù; 蠹虫 dùchóng; 蛀 zhù; 蛀虫 zhùchóng 2 蠹虫 dùchóng; 蛀虫 zhùchóng (比喻暗中危害正义事业的人或事物)

좀² 用 '조금'的略切 ¶~ 쉬다 稍微休息 2 一下 yīxià ¶이것 ~ 맛보세요 你尝一下这个 3 多 duō; 多么 duōme; 何其 héqí; 何等 héděng ¶~ 좋으냐! 多么好啊!

좀-도둑 图 小偷(儿) xiǎotōu(r)

좀-먹다 困 1 蛀 zhù 蛀蚀 zhùshí; 蠹 dù; 虫蛀 chóngzhù; 蠹蚀 dùshí ¶옷감을 좀먹었다 毛毯被虫蛀了 2 侵害 qīnhài; 腐蚀 fǔshí; 蛀蚀 zhùshí ¶국가를 ~ 蛀蚀国家

좀-생이 图 小心眼儿的人 xiǎoxīnyǎnr de rén; 小肚鸡肠的人 xiǎodùjīchángde rén

좀-스럽다 围 1 小 xiǎo; 细小 xìxiǎo; 琐碎 suǒsuì 2 抠搜 kōusou; 小气 xiǎoqi; 死抠 sǐkōu; 心心眼儿 xiǎoxīnyǎnr; 小手小脚 xiǎoshǒuxiǎojiǎo; 小肚鸡肠 xiǎodùjīcháng ¶여전히 이런 돈을 문제 삼다니 정말 ~ 还在乎这点钱, 真小气 좀스레

좀:-처럼 用 轻易 qīngyì; 容易 róngyì; 总 zǒng; 怎么也 zěnmeyě = 좀체 ¶~ 말하기 어렵다 不轻易说出来 / ~ 잊을 수 없다 怎么也忘不了

좀:-체 用 = 좀처럼

좀-팽이 图 1 个 矮心窄的人 gè'ǎixīnzhǎide rén 2 零碎 língsuì; 微不足道的东西 wēibùzúdàode dōngxi

좁다 围 1 窄 zhǎi; 狭窄 xiázhǎi; 窄狭 zhǎixiá; 小 xiǎo; 狭隘 xiá'ài; 浅 qiǎn; 局促 júcù; 狭小 xiáxiǎo ¶좁은 방 狭窄的房间 2 编窄 biǎnzhǎi; 短 qiǎnduǎn; 狭隘 xiá'ài; 心窄 xīnzhǎi ¶좁은 시각을 바꾸다 改变狭隘的看法

좁-다랗다 围 非常狭窄 fēicháng xiázhǎi

좁쌀 图 1 小米 xiǎomǐ; 小米子 xiǎomǐzi; 粥米 zhōumǐ; 粟子 sùzi 2 小小的 xiǎoxiǎode; 小里小气的 xiǎolǐxiǎoqìde ¶~ 영감 小里小气的人

좁-히다 他 '좁다'的使动词 1 弄窄 nòngzhǎi ¶인도를 ~ 使人行道弄窄 2 缩小 suōxiǎo; 缩短 suōduǎn; 减少 jiǎnshǎo; 紧缩 jǐnsuō ¶선진국과의 차이를 ~ 缩小与发达国家的差距

종: 图 仆 pú; 奴仆 núpú; 听差 tīngchāi; 奴才 núcái

종(種) 图 种 zhǒng ¶서너 ~ 三四种

종(鐘) 图 钟 zhōng; 铃 líng; 响铃 xiǎnglíng ¶~소리 钟声

-종(種) 图切 种 zhǒng ¶재래~ 土种

종가(宗家) 图 = 종갓집

종갓-집(宗家—) 图 长房 zhǎngfáng;

嫡长子家门 dízhǎngzǐ jiāmén = 종가 ¶~ 맏며느리 长房的大媳妇

종강(終講) 명자타 最后一讲 zuìhòu yìjiǎng; 停课 tíngkè

종결(終結) 명하타 终结 zhōngjié; 了局 liǎojú; 结束 jiéshù; 完结 wánjié ¶전쟁을 ~짓다 终结战争 / 마침내 내전이 ~되었다 最终结束内战

종교(宗教) 명 [宗] 宗教 zōngjiào; 教 jiào ¶~계 宗教界 / ~인 宗教徒 = [宗教人]

종국(終局) 명 结局 jiéjú; 归结 guījié; 末尾 mòwěi; 最后 zuìhòu ¶~에는 그가 기회를 잡았다 最后他找一个机会

종:기(腫氣) 명 疮 chuāng; 脓肿 nóngchuāng ¶~가 나다 形成脓肿

종량-제(從量制) 명 从量制 cóngliàngzhì ¶쓰레기 ~를 실시하다 实施垃圾从量制

종료(終了) 명하자타 终了 zhōngliǎo; 结束 jiéshù; 完成 wánchéng; 完了 wánliǎo ¶작업이 ~되었다 作业结束

종류(種類) 명 种类 zhǒnglèi; 种 zhǒng

종말(終末) 명 终结 zhōngjié; 终尾 zhōngwěi; 最后 zuìhòu; 下场 xiàchǎng; 结局 jiéjú ¶세계 ~에 관한 예언 关于世界终结之预言

종:목(種目) 명 项目 xiàngmù

종무(終務) 명 1 完成工作 wánchéng gōngzuò 2 终务 zhōngwù ¶~식 终务式

종사(從事) 명하자 从事 cóngshì ¶교육에 ~하다 从事教育工作

종속(從屬) 명하자 从属 cóngshǔ; 附属 fùshǔ; 主从 zhǔcóng ¶경제적 ~ 关系 经济上的从属 / ~관계 主从关系

종속-국(從屬國) 명 [政] 从属国 cóngshǔguó; 附属国 fùshǔguó; 属国 shǔguó = 속국

종손(宗孫) 명 长子 zhǎngzǐ

종식(終熄) 명하자 告终 gàozhōng; 终止 zhōngzhǐ; 解决 jiějué ¶국제 분쟁이 ~되었다 国际纠纷告终

종신(終身) 명하자 1 终身 zhōngshēn; 一生 yìshēng; 毕生 bìshēng ¶~ 보험 终身保险

종:아리 명 小腿 xiǎotuǐ ¶~를 맞다 小腿挨揍 / ~를 치다 打小腿

종알-거리다 자타 (小声地) 喃喃自语 nánnánzìyǔ; 嘟哝 dūnong; 嘟咕 dūgu; 嘟囔 dūnang; 叽叽咕咕 jījīgūgū; 叨叨 dāodao; 哇啦哇啦 wālāwālā; 嘟嘟囔囔 dūdunāngnāng = 종알대다 ¶입은 무언가 종알거리고 있다 嘴里还在喃喃自语

종:양(腫瘍) 명 [醫] 肿瘤 zhǒngliú

종업-원(從業員) 명 服务员 fúwùyuán; 从业人员 cóngyè rényuán; 工作人员 gōngzuò rényuán; 职工 zhígōng; 职员 zhíyuán

종영(終映) 명하자타 终映 zhōngyìng; 结束放映 jiéshù fàngyìng ¶올해 가장 인기 있었던 영화가 18일에 ~한다 今年最热门的电影18号要终映

종용(慫慂) 명하타 怂恿 sǒngyǒng; 鼓动 gǔdòng; 劝告 quàngào

종이 명 纸 zhǐ ¶~컵 纸杯

종이 한 장(의) 차이 구 间隙甚小; 差异甚小

종일(終日) 명부 = 온종일 ¶~ 비가 왔다 终日下了雨

종자(種子) 명 种子 zhǒngzǐ; 种 zhǒng

종-잡다 타 抓头绪 zhuātóuxù; 摸出头绪 mōchū tóuxù; 猜测 cāicè; 弄清楚 nòngqīngchu ¶종잡을 수 없는 말 弄不清楚的话

종적(蹤跡·踪迹) 명 踪迹 zōngjì; 行迹 xíngjì; 行踪 xíngzōng; 痕迹 hénjì; 下落 xiàluò ¶~을 남기다 留下痕迹 / ~이 묘연하다 踪迹渺然

종전(從前) 명 从前 cóngqián; 以前 yǐqián ¶그는 ~보다 쾌활하다 他比从前快活

종점(終點) 명 1 (火车、公共汽车等) 终点 zhōngdiǎn; 终点站 zhōngdiǎnzhàn ¶본 열차의 ~입니다 是本次列车终点站 2 最后 zuìhòu; 终点 zhōngdiǎn ¶근대사의 기점과 ~ 现代史的起点和终点

종족(種族) 명 种族 zhǒngzú

종:종(種種) 일부 种种 zhǒngzhǒng 일부 = 가끔

종종-거리다 자 碎步急走 suìbùjízǒu; 走小步 zǒuxiǎobù = 종종대다

종종-걸음 명 碎步儿 suìbùr; 快步疾步 kuàibùjíbù; 急促的碎步 jícùde suìbù ¶~을 치다 碎步儿走

종지 명 小碗 xiǎowǎn ¶양념장 ~ 酱油小碗

종지-부(終止符) 명 [語] = 마침표 ¶종지부(를) 찍다 구 = 마침표를 찍다

종파(宗派) 명 宗派 zōngpài; 教派 jiàopài

종합(綜合) 명하타 综合 zōnghé ¶~병원 综合医院 / 이 몇 가지 이야기를 ~하면 把这几种故事综合起来

종횡-무진(縱橫無盡) 명 纵横 zònghéng; 自由自在 zìyóuzìzài

좇다 타 1 追随 zhuīsuí; 跟随 gēnsuí ¶시선이 그녀를 ~ 视线跟随她 2 服从 fúcóng; 顺从 shùncóng; 遵循 zūnxún ¶원칙을 ~ 遵循原则 / 부모의 뜻을 ~ 服从父母的意志 3 从众 cóngzhòng 4 追求 zhuīqiú ¶명예를 ~ 追求名誉

좋·다 혱 **1** 高兴 gāoxìng; 欢喜 huān-
xǐ; 愉快 yúkuài ¶기분이 ~ 心情愉
快/좋아 죽겠다 高兴死了 **2** 美 měi;
美丽 měilì; 漂亮 piàoliang; 美好 měi-
hǎo ¶풍경이 정말 ~ 风景真美 **3** 好
hǎo; 行 xíng; 美 měi; 优秀 yōuxiù; 优
良 yōuliáng; 了不起 liǎobuqǐ; 出色
chūsè; 卓越 zhuōyuè; 出众 chūzhòng;
超人 chāorén ¶그는 매우 좋은 기억력
을 지녔다 他有超人的记忆力 /가문이
좋지 않다 家世不好 /입담이 ~ 口才
出众 **4** 智慧 zhìhuì; 机智 jīzhì; 聪慧
cōnghuì; 聪明 cōngmíng ¶그는 머리가
정말 ~ 他脑子真聪明 **5** 有效 yǒu-
xiào; 有功效 yǒugōngxiào; 良 liáng ¶건
강에 ~ 对健康有效 **6** 正 zhèng; 正经
zhèngjing; 善良 shànliáng; 良善 liáng-
shàn; 和善 héshàn ¶가정 좋은 사람이
很正经的人 /성격이 아주 ~ 性格很
善良 **7** 不错 bùcuò; 没关系 méiguān-
xi; 不要紧 bùyàojǐn; 不在乎 bùzàihu;
行 xíng ¶당신은 이제 가도 ~ 你现在
回去也行 **8** 适当 shìdàng; 合适 hé-
shì; 恰当 qiàdàng; 恰好 qiàhǎo ¶길이
가 딱 ~ 长短正合适 **9** 喜事 xǐshì; 庆
幸 qìngxìng ¶좋은 날 喜事日 **10** 和睦
hémù; 亲近 qīnjìn; 亲密 qīnmì ¶우리
는 좋게 잘 지냈다 我们过得很亲密
11 喜欢 xǐhuan; 看中 kànzhòng ¶나는
그가 ~ 我喜欢他 **12** 不知廉耻 bùzhī-
liánchǐ ¶그는 염치가 ~ 他不知廉耻
13 真行 zhēnxíng; 真够瞧的 zhēngòu-
qiáode; 活该 huógāi (反语) ¶꼴~ 活
该 **14** 容易 róngyì; 轻易 qīngyì; 不难
bùnán; 好 hǎo ¶이 책은 읽기 ~ 这书
读起来好看

좋은 일에 마가 끼다 俗语 好事多磨

좋·아-하다 타 **1** 爱好 àihào; 喜欢
xǐhuan ¶나는 등산을 아주 좋아한다
我很喜欢爬山 **2** 看中 kànzhòng; 喜欢
上 xǐhuanshàng; 爱上 àishàng ¶그는
그가 좋아하는 아가씨를 만났다 他碰
见他爱上的小姐

좌: 座(左) 명 = 왼쪽

좌:담-회 (座談會) 명 座谈会 zuòtán-
huì ¶~를 개최하다 举行座谈会

좌:-변기 (坐便器) 명 = 양변기

좌:-불안석 (坐不安席) 명하자 坐不安
席 zuòbù'ānxí; 坐立不安 zuòlìbù'ān;
坐卧不安 zuòwòbù'ān

좌:-석 (座席) 명 坐位 zuòwèi; 座位 zuò-
wèi; 席位 xíwèi; 坐席 zuòxí ¶지하철
에 사람이 많아 ~이 없다 地铁上人较
多, 没有坐位

좌:-우 (左右) 명하타 **1** 左右 zuǒyòu;
左和右 zuǒ hé yòu; 左侧和右侧 zuǒcè

hé yòucè **2** 左右 zuǒyòu; 摆布 bǎibu;
操纵 cāozòng; 把持 bǎchí ¶자신의 운
명을 ~하다 把持自己的命运

좌:-간 (左右間) 부 反正 fǎnzhèng;
不管怎样 bùguǎn zěnyàng; 无论如何
wúlùn rúhé = 좌우지간

좌:-우-명 (座右銘) 명 座右铭 zuòyòu-
míng

좌:-우-지간 (左右之間) 부 = 좌우간

좌:-익 (左翼) 명 **1** 左翼 zuǒyì **2** 左翼
zuǒyì; 左派 zuǒpài ¶~단체 左翼团体

좌:-익-수 (左翼手) 명 體 (棒球) 左
场手 zuǒchǎngshǒu

좌:-절 (挫折) 명하자 **1** 挫折 cuòzhé ¶
~감 挫折感 **2** 失败 shībài; 成为泡影
chéngwéi pàoyǐng; 化为泡影 huàwéi
pàoyǐng ¶모든 계획이 다 ~되었다 所
有计划都成为泡影

좌:-지우지 (左之右之) 명하타 左之右
之 zuǒzhīyòuzhī; 左右之 zuǒyòuzhī;
左右 zuǒyòu; 任意摆布 rènyì bǎibu; 操
纵 cāozòng; 把持 bǎchí ¶사장이 회사
를 ~하다 董事长把持公司 / 환경에
~되다 被环境任意摆布

좌:-천 (左遷) 명하자 左迁 zuǒqiān; 降
职 jiàngzhí ¶~당하다 被降职了

좌:-초 (坐礁) 명하자 **1** 搁浅 gēqiǎn; 触
礁 chùjiāo ¶배가 ~되었다 船搁浅了
2 困境 kùnjìng; 窘境 jiǒngjìng; 难处
nánchù; 搁浅 gēqiǎn; 触礁 chùjiāo ¶개
혁이 ~되었다 改革遇到困境

좌:-충우돌 (左衝右突) 명하자 左冲右
突 zuǒchōngyòutū

좌:-측 (左側) 명 = 왼쪽

좌:-파 (左派) 명 左派 zuǒpài; 激进派
jījìnpài

좌:-판 (坐板) 명 摊点 tāndiǎn; 售货摊
shòuhuòtān

좌:-표 (座標) 명 數 坐标 zuòbiāo; 座
标 zuòbiāo

좌:-회전 (左回轉) 명하자타 左转 zuǒ-
zhuǎn; 往左拐 wǎngzuǒ guǎi; 向左转
xiàngzuǒ zhuǎn; 左转弯 zuǒzhuǎnwān
¶골목에서 나와 ~ 하다 走出马路
往左拐

좌: 부 一下子 yīxiàzi; 广泛地 guǎng-
fànde ¶추악한 소문이 멀리까지 ~ 퍼
지다 秽闻一下子远扬

죄: (罪) 명 罪 zuì; 罪过 zuìguo; 罪恶
zuì'è ¶~와 벌 罪与罚 /~의식 罪意
识 ¶~를 짓다 开罪

죄:-다¹ 자타 **1** 紧 jǐn; 勒紧 lēijǐn; 拉
紧 lājǐn; 扎紧 zājǐn; 拧紧 nǐngjǐn ¶바
지가 조금 죄다 裤子有点儿 /나사를
~ 拧紧螺丝 **2** 揪 jiū ¶가슴을 ~ 揪心

죄:-다² 부 全 quán; 都 dōu; 统统
tǒngtǒng; 全部 quánbù; 完全 wánquán
¶~ 먹어 버렸다 都吃光了 /~ 잡아

들이다 统统抓起来

죄: **명**(罪名) 名 罪名 zuìmíng

죄: **목**(罪目) 名 罪名 zuìmíng ¶무슨 ~으로 그를 체포했느냐? 根据什么罪名把他抓起来?

죄: **상**(罪状) 名 罪状 zuìzhuàng ¶~을 폭로하다 揭发罪状

죄: **송-스럽다**(罪悚—) 形 对不起 duìbuqǐ; 抱歉 bàoqiàn; 过意不去 guòyìbùqù 죄:송스레 副

죄: **송-하다**(罪悚—) 形 对不起 duìbuqǐ; 抱歉 bàoqiàn; 过意不去 guòyìbùqù 죄:송-히 副

죄: **수**(罪囚) 名 囚犯 qiúfàn; 囚徒 qiútú

죄: **수-복**(罪囚服) 名 = 수의(囚衣)

죄: **-스럽다**(罪—) 形 心里难过 xīnli nánguò; 抱歉 bàoqiàn; 过意不去 guòyìbùqù; 不过意 bùguòyì 죄:스레 副

죄: **악**(罪恶) 名 罪恶 zuì'è ¶~시하다 视为罪恶

죄: **인**(罪人) 名 罪人 zuìrén

죄: **질**(罪质) 名 犯罪性质 fànzuì xìngzhì ¶~이 극도로 무거운 범죄 행위 犯罪性质极其恶劣的犯罪行为

죄: **-짓다**(罪—) 自 开罪 kāizuì; 做罪 行 zuò zuìxíng

죄: **책-감**(罪责感) 名 罪责 zuìzé

주[1](主) 一名 主 zhǔ; 主人 zhǔrén 二冠 主要 zhǔyào; 基本 jīběn 三冠 主要 zhǔyào; 重要 zhòngyào

주[2](主) 名 [宗] 主 zhǔ; 上帝 shàngdì

주(株) 名 [经] 1 = 주식(株式) 2 股 gǔ ¶일만 ~의 주식 一万股股票

주(周) 名[의명] = 주일(周日) ¶이번 ~ 这个星期 / 4~ 四周

주: (注·注) 名 注 zhù; 注文 zhùwén; 注脚 zhùjiǎo; 注释 zhùshì; 注解 zhùjiě ¶~를 달다 附注

-주(主) 名 主 zhǔ ¶차~ 车主 / 공장~ 厂主 / 고용~ 雇主

주가(株价) 名 [经] 股价 gǔjià ¶~ 지수 股价指数 / ~가 폭락했다 股价暴跌 / 주식 시장의 ~가 큰 폭으로 상승하다 股票市场股价大幅度上升

주간(昼间) 名 白天 báitiān; 昼 zhòu; 昼间 zhòujiān; 白日 báirì

주간(周刊) 名[하다] 1 周刊 zhōukān 2 [言] = 주간지

주간(周间) 名 周间 zhōujiān; 一周时间 yìzhōu shíjiān; 一星期时间 yìxīngqí shíjiān; 七天时间 qītiān shíjiān ¶~ 계획 周间计划

주간-지(周刊誌) 名 [言] 周刊 zhōukān; 周刊杂志 zhōukān zázhì = 주간 (周刊)2

주객(主客) 名 主客 zhǔkè; 客主 kèzhǔ; 宾主 bīnzhǔ ¶~전도 反客为主

= 〔喧宾夺主〕

주: 거(住居) 名[하자] 居住 jūzhù; 居 jū; 住 zhù; 宅 zhùzhái = 거주(居住) ¶~지 住住地 / ~ 침입죄 侵入住宅罪 / ~ 환경 居住环境

주걱 名 勺子 sháozi; 勺儿 sháor; 舀 子 yǎozi = 밥주걱

주걱-턱 名 撅下巴 juēxiàba

주검 名 = 송장

주견(主见) 名 主见 zhǔjiàn; 主意 zhǔyì; 主 zhǔ ¶~이 없다 没有主见 / 젊은이는 ~이 있어야 한다 青年需要有主见

주경-야독(昼耕夜读) 名[하다] 昼耕夜读 zhòugēngyèdú

주고-받다 自 交 jiāo; 交往 jiāowǎng; 往来 wǎnglái; 交换 jiāohuàn; 授受 shòushòu ¶말을 ~ 交谈 / 농담을 ~ 交玩笑 / 술잔을 ~ 交换酒杯

주관(主管) 名[하다] 主管 zhǔguǎn ¶~부서 主管部门 / 국가가 ~하는 사업 由国家主管的工作

주관(主观) 名 主观 zhǔguān; 己意 jǐyì; 主见 zhǔjiàn; 见解 jiànjiě

주권(主权) 名 [法] 主权 zhǔquán ¶국가 主权国

주근-깨 名 雀斑 quèbān

주글-주글 副[하다] 皱瘪瘪 zhòubiěbiě; 皱皱巴巴 zhòuzhòubābā; 皱巴巴 zhòubābā; 抽抽儿 chōuchour

주기(周忌·週忌) 名 周忌 zhōujì; 周年忌日 zhōunián jìrì

주기(周期) 名 周期 zhōuqī ¶~성 周期性 / ~율 周期率 / 지구 공전 ~ 地球公转周期

주꾸미 名 [鱼] 短蛸 duǎnxiāo

주년(周年·週年) 의명 周年 zhōunián ¶결혼 25 ~ 结婚25周年

주: 눅 名 退缩 tuìsuō; 畏缩 wèisuō

주다 他 1 给 gěi; 授予 shòuyǔ; 予以 yǔyǐ; 送给 sònggěi ¶장학금을 ~ 授予奖学金 / 아이에게 용돈을 ~ 给孩子零用钱 2 (目光、动作等) 向 xiàng; 投向 tóuxiàng ¶사람들이 나에게 눈길을 주었다 人们的目光投向了我 3 (心情、情等) 给 gěi; 交 jiāo; 予以 yǔyǐ; 敞开 chǎngkāi; 投入 tóurù ¶나는 너에게 내 마음을 주었다 我给你我的心 加上 jiāshàng; 用 yòng ¶젖 먹던 힘까지 다 ~ 把吃奶的力气都用出来

주당(酒党) 名 酒徒 jiǔtú; 海量 hǎiliàng; 酒鬼 jiǔguǐ

주도(主导) 名[하다] 主导 zhǔdǎo; 主管 zhǔguǎn ¶~권 主导权 / ~ 세력 势力 / ~적 역할을 하다 发挥主导作用

주도면밀-하다(周到绵密—) 形 周到严密 zhōudàoyánmì; 细致周到 xìzhìzhōudào; 周到 zhōudào **주도면밀-히** 릴

주동(主動) 명하타 主动 zhǔdòng; 主宰 zhǔzǎi; 主导 zhǔdǎo ¶~자 主动者 / 시위를 ~하다 主动游行

주-되다(主一) 자 主要 zhǔyào; 为主 wéizhǔ ¶주된 목적 主要目的

주:둔(駐屯) 명하타 (軍) 驻 zhù; 驻扎 zhùzhá; 驻屯 zhùtún; 屯驻 túnzhù ¶미군이 한국에 ~하고 있다 美军驻屯在韩国

주동아리 명 = 주둥이1

주둥이 명 1 嘴巴 zuǐba = 주둥아리 2 喙 huì

주둥이가 가볍다[싸다] 굔 嘴快; 嘴松

주량(酒量) 명 酒量 jiǔliáng

주렁-주렁 붠하타 一嘟噜一嘟噜 yīdūlūyīdūlū; 累累 léiléi; 一簇簇 yīcùcù; 一挂挂 yīguàguà; 一连串地 yīliánchuànde; 很多 hěnduō ¶한 포도 一嘟噜一嘟噜的葡萄

주력(主力) 명 主力 zhǔlì ¶~ 선수 主力选手

주:력(注力) 명 致力 zhìlì; 致力于 zhìlìyú ¶신약 개발에 ~하다 致力开发新药

주례(主禮) 명하타 证婚 zhènghūn; 主婚人 zhǔhūnrén; 主婚 zhǔhūn ¶~사 证婚词 / 그의 결혼식에 김 선생님께서 ~를 하셨다 他的婚礼就由金老师当证婚人

주례(를) 서다 굔 当证婚人

주-로(主一) 붠 主要地 zhǔyàode; 主要 zhǔyào; 为主 wéizhǔ

주룩-주룩 붠하타 1 哗哗啦啦 huālālāhuālā; 哗哗 huāhuā; 淅淅沥沥 xīxilìlì ¶비가 ~ 내리다 哗哗地下雨

주류(主流) 명 主流 zhǔliú

주류(酒類) 명 酒类 jiǔlèi

주르르 붠하타 1 很快地 hěnkuàide; 一溜烟 yīliūyān ¶~ 달려 나가다 很快地跑过去 2 潺潺 chánchán; 咕噜咕噜 gūlū; 簌簌 sùsù; 淅淅 xīxī; 扑簌簌 pūsùsù ¶눈물이 또 ~ 흘러 내리다 眼泪又潺潺而下 3 骨碌碌 gūlūlū; 哧溜 chīliū ¶산비탈에서 곧장 ~ 굴러 내려오다 骨碌碌从陡坡上直滚下来 4 成行 chénghang ¶많은 사람들이 극장 앞에 ~ 서 있다 很多人成行排在电影院前

주름 명 皱折 zhòuzhé; 皱纹(儿) zhòuwén(r); 褶子 zhězi; 褶(儿) zhě(r); 皱 zhòu ¶치마 百褶裙 / 피부에 ~이 지다 皮肤皱折 / 옷의 ~을 방지하다 避免衣服皱折

주름-살 명 皱纹 zhòuwén; 皱褶 zhězhòu

주름-잡다 타 统管 tǒngguǎn; 控制

kòngzhì

주말(週末) 명 周末 zhōumò; 双休日 shuāngxiūrì ¶즐거운 ~ 되세요! 周末快乐!

주머니 명 1 荷包 hébāo; 囊 náng; 口袋(儿) kǒudai(r); 袋子 dàizi 2 衣袋 yīdài; 衣兜 yīdōu; 口袋(儿) kǒudai(r) = 호주머니

주머니가 가볍다 굔 钱少

주머니를 털다 굔 1 倾囊 2 抢劫

주먹 명 1 拳头 quántou ¶~으로 치다 打一拳头 / ~을 쥐다 握紧拳头 2 暴力 bàolì; 暴徒 bàotú; 黑帮 hēibāng ¶~을 쓰다 使用暴力 3 握 wò ¶사탕한 ~ 一握之糖

주먹-구구(一九九) 명 大概的估计 dàgàide gūjì; 粗略估计 cūlüè gūjì; 大致估算 dàzhì gūsuàn

주먹-다짐 명하자 拳打 quándǎ

주먹-밥 명 饭团 fàntuán

주모(主謀) 명하타 主谋 zhǔmóu ¶반란 ~ 叛乱主谋 / ~자 主谋

주:목(注目) 명하타 注目 zhùmù; 关注 guānzhù; 注视 zhùshì ¶~ 받는 사건 引人注目的事件 / ~을 끌다 引起关注

주무르다 타 1 揉 róu; 揉捏 róuniē; 揉搓 róucuo; 揉弄 róunòng; 搓 cuō; 按摩 ànmó ¶팔뚝을 ~ 揉弄双臂 2 摆布 bǎibu; 操纵 cāozòng; 掌握 zhǎngkòng ¶시장 가격을 ~ 操纵市场价格

주무시다 타 就寝 jiùqǐn; 睡觉 shuìjiào

주:문(呪文) 명 (民) 咒文 zhòuwén

주:문(注文) 명하타 1 订 dìng; 订购 dìnggòu; 订货 dìnghuò ¶컴퓨터 ~ 电脑订购 2 要求 yāoqiú; 托付 tuōfù; 委托 wěituō ¶~을 거절하다 谢绝委托

주물럭-거리다 타 (反復) 揉 róu; 摸 mō; 揉捏 róuniē; 揉搓 róucuo; 摆弄 bǎinòng = 주물럭대다 ¶두 발을 ~ 揉搓两脚 주물럭-주물럭 붠하타

주:민(住民) 명 居民 jūmín ¶~ 등록 번호 居民登记号码 / ~ 등록증 居民证

주방(廚房) 명 厨房 chúfáng

주방-장(廚房長) 명 厨师 chúshī; 厨司 chúsī; 大师傅 dàshīfu

주변(週邊) 명 1 直周 zhíxíng; 直星 zhíxíng 2 直周者 zhízhōuzhě

주범(主犯) 명 主犯 zhǔfàn ¶환경 오염의 ~ 环境污染的主犯

주벽(酒癖) 명 = 술버릇

주:변 명하타 灵活性 línghuóxìng; 变通性 biàntōngxìng ¶~이 없다 缺乏变通性

주변(周邊) 명 周围 zhōuwéi; 周边 zhōubiān ¶~ 환경 周围环境

주부(主婦) 명 家庭妇女 jiātíng fùnǚ

家庭主妇 jiātíng zhǔfù; 主妇 zhǔfù = 가정주부

주:사(注射) 명 [하타] 【醫】注射 zhùshè; 针 zhēn ¶～기 注射器 / ～를 놓다 打针

주사(酒邪) 명 酒癖 jiǔpǐ; 酒疯 jiǔfēng ¶～를 부리다 撒酒疯

주사위 명 骰子 tóuzi; 色子 shǎizi ¶～를 던지다 掷色子

주사위는 던져졌다 [속담] 箭已离弦; 已成定局了; 生米已成熟饭了

주색(酒色) 명 酒色 jiǔsè ¶～에 빠지다 沉溺于酒色 / ～을 밝히다 贪恋酒色

주석(主席) 명 主席 zhǔxí ¶国家 ～ 国家主席

주:석(註釋) 명 [하타] 注释 zhùshì; 注解 zhùjiě ¶～을 덧붙이다 加上注释

주선(周旋) 명 [하타] 撮合 cuōhe; 拉线 lāxiàn; 斡旋 wòxuán ¶그가 나에게 면담을 ～해 주었다 他给我拉线面商

주섬-주섬 부[하타] 一个个地 yīgègè-de; 一把把地 yībǎbǎde; 一一地 yīyīyī地 ¶～ 옷을 챙기기 시작하다 一把把地收拾起衣服来

주:소(住所) 명 住址 zhùzhǐ; 居址 jūzhǐ; 地址 dìzhǐ; 住所 zhùsuǒ; 住处 zhùchù ¶～록 住址录 =[通信录]

주스(juice) 명 果汁 guǒzhī; 汁 zhī ¶레몬～ 柠檬汁

주:시(注視) 명 [하타] 注视 zhùshì; 凝视 níngshì; 瞄 miáo ¶전방을 ～하다 注视前方

주식(主食) 명 主食 zhǔshí ¶～비 主食费

주식(株式) 명 【經】股 gǔ; 股份 gǔfèn; 股票 gǔpiào = 주(株)～ ¶～ 거래 股票交易 =[股票买卖]/ ～ 시장 股市 =[股票市场/证券市场]/ ～ 투자 参股 /～ 회사 股份公司 =[株式会社]/股份有限公司]/ ～을 발행하다 发行股票

주심(主審) 명 [體] 主裁判 zhǔcáipàn

주안-상(酒案床) 명 = 술상

주안-점(主眼點) 명 主要目标 zhǔyào mùbiāo; 重点 zhòngdiǎn ¶～을 두다 注重点 =[着重点/看要点]

주야(晝夜) 명 1 = 밤낮⊟ 2 一个劲儿 yīgejìnr

주어(主語) 명 【語】主语 zhǔyǔ

주어-지다 자 具备 jùbèi; 完备 wánbèi; 具有 jùyǒu; 被赋予 bèifùyǔ ¶새로운 사명이 ～ 被赋予一种新的使命

주역(主役) 명 1 主角(儿) zhǔjué(r) 2 【演】主角(儿) zhǔjué(r)

주연(主演) 명 [하자] 【演】主演 zhǔyǎn; 主角 zhǔjué

주옥-같다(珠玉―) 형 如珠玉 rú-

zhūyù; 宝贵 bǎoguì; 贵重 guìzhòng; 尊贵 zūnguì; 漂亮 piàoliang; 姣美 jiāoměi; 秀丽 xiùlì ¶주옥같은 글 如珠玉一般文章 주옥같이-이 부

주요(主要) 명 [형] 主要 zhǔyào; 重要 zhòngyào ¶～ 원인 主要原因 / ～ 상품 主要商品

주워-듣다 타 胡乱听 húluàntīng; 无意听到 wúyìtīngdào; 耳闻 ěrwén ¶주워들은 소문 胡乱听传言

주위(周圍) 명 周围 zhōuwéi; 四周 sìzhōu; 四围 sìwéi ¶～ 환경 周围环境

주유(注油) 명 [하자] (给车辆) 加油 jiāyóu ¶～소 加油站 =[供油站]

주의(主義) 명 主义 zhǔyì ¶민족～ 民族主义 / 민주～ 民主主义

주:의(注意) 명 [하자타] 1 注意 zhùyì; 关心 guānxīn; 讲究 jiǎngjiū; 留意 liúyì; 留心 liúxīn ¶～력 注意力 / ～을 기울이다 有注意 / ～ 깊게 강의를 듣다 留心听讲 2 警告 jǐnggào; 警示 jǐngshì; 提醒 tíxǐng ¶사람들에게 ～를 주다 向人们发出警告

주인(主人) 명 1 主人 zhǔrén; 物主 wùzhǔ ¶物의 ～을 찾을 수 없다 找不到东西的主人 2 主人 zhǔrén; 东道 dōngdào ¶～ 역할을 하다 做东道 3 主人 zhǔrén; 老板 lǎobǎn ¶오늘부터 그가 바로 너의 ～이다 从今天起他就是你的老板

주인-공(主人公) 명 1 中心人物 zhōngxīn rénwù 2 主人公 zhǔréngōng; 主人翁 zhǔrénwēng; 主角 zhǔjué ¶영화의 ～ 影片的主人公

주일(主日) 명 【宗】主日 zhǔrì ¶～ 학교 主日学校

주일(週日) 명 [의명] 星期 xīngqí; 礼拜 lǐbài; 周 zhōu = 주(週) ¶삼 ～ 三个星期

주임(主任) 명 主任 zhǔrèn ¶학교의 교무 ～ 学校的教务主任

주:입(注入) 명 [하타] 1 注入 zhùrù ¶약물을 ～하다 注入药物 2 【教】灌输 guànshū; 灌注 guànzhù ¶～ 교육 灌输式教育 =[注入式教育]/填鸭式教育]/교육 내용을 아이들에게 ～시키다 把教育内容灌输给孩子们

주자(走者) 명 1 跑的人 pǎode rén; 奔跑者 bēnpǎozhě 2 【體】跑垒员 pǎolěiyuán

주장(主張) 명 [하타] 主张 zhǔzhāng; 意见 yìjiàn ¶아이도 자신의 ～이 있다 孩子也有自己的主张

주장(主將) 명 [體] 队长 duìzhǎng ¶농구부 ～ 篮球队长

주재(主宰) 명 [하타] 主宰 zhǔzǎi; 主持 zhǔchí; 掌管 zhǎngguǎn ¶회의를 ～하다 主持会议

주:재(駐在) 명하자 주재 zhù; 留駐 liú-zhù; 駐外 zhùwài ¶~원 駐在員 =[派駐人]지 / 미국 ~ 기자 駐美記者

주저(躊躇) 명하자타 躊躇 chóuchú; 犹豫 yóuyù; 迟疑 chíyí; 疑疑 yóuyí; 踟蹰 chíchú ¶~하여 감히 해보지 못하다 躊躇不敢去尝试

주저리-주저리 閉 滔滔 tāotāo ¶~ 끊임없이 말하다 滔滔不绝地说

주저-앉다 재 1 坐蹲 zuòdūn; 就地瘫坐 jiùdì tānzuò; 一屁股坐在地下 yípìgu zuòzàidìxià ¶주저앉아 통곡하다 就地瘫坐大哭 2 塌陷 tāxiàn; 塌 tā; 塌下 tāxià ¶길이 ~ 道路塌陷 / 신발 뒤축이 주저앉았다 鞋后跟被踩塌了 3 打退堂鼓 dǎtuìtánggǔ; 半途而止 bàntú'érzhǐ; 畏缩不前 wèisuōbùqián; 抛弃 pāoqì; 放弃 fàngqì ¶네가 주저앉은 이유는 너의 능력이 부족하기 때문이다 你之所以半途而止，这是因为你的力量还不够

주전(主戰) 명하자 正选 zhèngxuǎn; 主力 zhǔlì ¶경기에 참가할 ~ 명단을 확정하다 确定参赛正选名单

주전-자(酒煎子) 명 壶 hú

주절-거리다 재타 唠叨 láodao; 絮叨 xùdao; 叨唠 dāolao = 주절대다 주절-주절 명하자타

주점(酒店) 명 = 술집

주접-떨다 재 贪婪 tānlán

주접-스럽다 혱 1 馋 chán; 嘴馋 zuǐchán; 贪馋 tānchán ¶주접스럽게 먹다 嘴馋偷吃 2 贪婪 tānlán 주접스레 閉

주:정(酒酊) 명하자 酒疯 jiǔfēng; 酗酒 xùjiǔ ¶~을 부리다 发酒疯 =[撒酒疯]

주:정-뱅이(酒酊一) 명 醉鬼 zuìguǐ; 醉汉 zuìhàn; 酒鬼 jiǔguǐ = 술주정뱅이

주제 명 很差的处境 hěnchàde chǔjìng; 很低的水平 hěndīde shuǐpíng; 样子 yàngzi ¶내 ~에 뭘 할 수 있겠어? 我这个样子能作什么呢?

주제(主題) 명 主题 zhǔtí; 本题 běntí; 正题 zhèngtí ¶~곡 主题曲 / ~에서 벗어나다 偏离主题

주제-넘다 혱 不自量力 bùzìliànglì; 妄自尊大 wàngzìzūndà; 螳臂当车 tángbìdāngchē; 不自量 bùzìliàng; 自不量力 zìbùliànglì

주종(主從) 명 主从 zhǔcóng; 主次 zhǔcì ¶~ 관계 主从关系

주주(株主) 명【經】股主 gǔzhǔ; 股东 gǔdōng ¶~ 총회 股东年会 =[股东大会]

주:차(駐車) 명하자 停放车辆 tíngfàng chēliàng; 停车 tíngchē ¶~장 停车场 / ~비 停车收费

주창(主唱) 명하타 倡首 chàngshǒu; 主张 zhǔzhāng; 倡导 chàngdǎo; 带头主张 dàitóu zhǔzhāng; 带头提倡 dàitóu tíchàng ¶社会 개혁을 ~하다 倡首社会改革

주책 명 (毫无主见的) 盲动 mángdòng; 变卦 biànguà; 变心 biànxīn; 肆意乱来 sìyìluànlái ¶사람들이 ~ 부리는 것을 봐줄 수 없다 不能允许人们肆意乱来的

주책-없다 혱 不成体统 bùchéngtǐtǒng; 肆意乱来 sìyìluànlái; 不知分寸 bùzhīfēncun; 无主见 wúzhǔjiàn; 欠考虑 qiànkǎolǜ ¶주책없고 무례한 남자 一个不知分寸的无礼的男人 주책없-이 閉

주체 명하타 处置 chǔzhì; 处理 chǔlǐ; 操办 cāobàn ¶그는 ~할 수 없을 정도로 돈이 많다 他有太多的钱，不知怎么处置

주제(를) 못하다 ↦ 累赘棘手; 冗繁难办

주체(主體) 명 主体 zhǔtǐ; 主动 zhǔdòng ¶국가의 ~ 国家的主体 / ~성 主体性

주최(主催) 명하타 主持 zhǔchí; 主办 zhǔbàn ¶~자 主持人 =[主办者][主办者] / 월드컵을 ~하다 主办世界杯足球赛

주축(主軸) 명 脊梁 jǐliang

주춤-거리다 재타 踌躇 chóuchú; 犹豫不决 yóuyùbùjué; 迟迟疑疑 chíchíyíyí; 犹豫 yóuyù; 犹疑 yóuyí = 주춤대다 ¶나는 조금도 주춤거리지 않고 그 소설을 샀다 我毫不踌躇地买下那本小说 주춤-주춤 閉

주춧-돌 명【建】础石 chǔshí; 奠基石 diànjīshí; 基础 jīchǔ = 모퉁잇돌1·초석(礎石)1

주치-의(主治醫) 명 主治大夫 zhǔzhì dàifu; 主治医师 zhǔzhì yīshī; 主治医生 zhǔzhì yīshēng ¶~의 지시를 따르다 听从主治医师的吩咐

주:택(住宅) 명 住宅 zhùzhái; 住房 zhùfáng

주파(走破) 명하타 跑完 pǎowán ¶그녀는 42.195km 전 코스를 ~했다 她跑完42.195公里全程

주파-수(周波數) 명【物】频率 pínlǜ; 频数 pínshù

주:판(籌板·珠板) 명 = 수판

주판(을) 놓다 ↦ = 수판(을) 놓다

주:판-알(籌板一) 명 = 수판알

주행(走行) 명하타 行驶 xíngshǐ; 运行 yùnxíng ¶~ 거리 行驶距离 / 고속으로 ~하다 以高速行驶

주행-성(晝行性) 명【動】昼行性 zhòuxíngxìng

주홍-색(朱紅色) 图 朱红色 zhūhóng-sè

주황-색(朱黃色) 图 朱黄色 zhūhuáng-sè

주효(奏效) 图[하자] 奏效 zòuxiào; 有效 yǒuxiào; 奏功 zòugōng; 见效 jiànxiào

죽 团 1 一条线地 yītiáoxiàn de; 成行地 chénghángde; 成排地 chéngpáide; 一溜地 yīliūde; 整齐地 zhěngqíde; 齐刷刷地 qíshuāshuāde; 连串地 liánchuànde ¶복폭으로 ~ 늘어서다 向北成行地排列 2 一口气 yīkǒuqì; 一下子 yīxiàzi; 流畅地 liúchàngde; 连续地 liánxùde ¶스무 가지의 요리 이름을 ~ 읊어대다 一口气地说出二十样菜名 3 环 huán ¶사방을 ~ 둘러보다 环视四周 4 一口气 yīkǒuqì; 一下子 yīxiàzi ¶(물을) ~ 들이켜다 一口气地把凉水喝下去 5 一直 yīzhí; 连续地 liánxùde ¶~ 해결되지 않았다 一直没有解决

죽(粥) 图 粥 zhōu; 稀粥 xīzhōu; 稀饭 xīfàn

죽 쑤어 개 좋은 일 하였다 속담 为人作嫁

죽도 밥도 안 되다 ⇨ 非驴非马; 四不像

죽을 쑤다 ⇨ 功败垂成

죽이 되든 밥이 되든 ⇨ 不管三七二十一; 不管怎样; 不管是什么; 无论如何

죽기-살기 图 拼命 pīnmìng; 挣命 zhèngmìng; 死命 sǐmìng; 舍命 shěmìng; 没命 méimìng ¶~로 하다 没命地干

죽는-소리 图[하자] 叫苦 jiàokǔ ¶그는 줄곧 ~를 한다 他叫苦不迭

죽다 ㊀재 1 死 sǐ; 亡 wáng; 故 gù; 殁 mò; 死亡 sǐwáng ¶두 사람이 죽고 많은 사람이 다쳤다 死亡两人，受伤多人 / 그는 무슨 병으로 죽었니? 他是生什么病死的? 2 拼命 pīnmìng; 没命 méimìng ¶죽도록 拼命地 拼命工作 3 丧 sàng; 泄 xiè; 无力 wúlì; 沮丧 jǔsàng; 畏缩 wèisuō; 颓萎 tuíwěi; 没生气 méishēngqì ¶풀이 ~ 泄气 /기가 ~ 丧气 ㊂[보輔] 死 sǐ ¶배고파서 죽겠다 饿死了

죽고 못 살다 ⇨ 太喜欢

죽기 살기로 ⇨ 拼死拼活

죽으나 사나 1 不论如何 2 遍于无奈

죽을 똥을 싸다 ⇨ 千辛万苦

죽마고우(竹馬故友) 图 竹马之交 zhúmǎzhījiāo; 总角之交 zǒngjiǎozhījiāo; 青梅竹马 qīngméizhúmǎ

죽어-나다 재 苦累 kǔlèi; 艰苦 jiānkǔ; 累人 lèirén

죽염(竹鹽) 图[藥] 竹盐 zhúyán

죽음 图 死 sǐ; 终 zhōng; 死亡 sǐwáng = 사(死) ¶최소 6인이 ~을 당했다 造成至少6人死亡 / ~을 면하다 避免死亡

죽-이다 圄 1 杀 shā; 弄死 nòngsǐ; 杀头 shātóu; 砍脑袋 kǎnnǎodài; 杀死 shāsǐ ('죽다㊀1'的使动词) ¶쏘아 ~ 射杀 / 잡아 ~ 捕杀 / 사람을 ~ 杀死人 / 때려 ~ 打杀死 2 沮丧 jǔsàng; 畏缩 wèisuō; 颓萎 tuíwěi; 没生气 méishēngqì ('죽다㊀3'的被动词) ¶그의 기를 ~ 使他感到沮丧 3 (呼吸声、脚步声等) 压抑 yāzhì; 削弱 xiāoruò ¶숨소리를 ~ 压制呼吸声

죽-치다 재 蛰居 zhéjū; 闷在家里 mēnzàijiālǐ ¶매일 집에서 죽치고 있다 天天闷在家里

준-결승(準決勝) 图[體] = 준결승전

준-결승전(準決勝戰) 图[體] 半决赛 bànjuésài; 复赛 fùsài = 준결승

준-말(準-) 图[語] 略词 lüècí = 약어1

준-법-정신(遵法精神) 图 遵法精神 zūnfǎ jīngshén; 守法精神 shǒufǎ jīngshén

준-비(準備) 图[하타] 准备 zhǔnbèi; 筹备 chóubèi; 预备 yùbèi ¶~물 准备物品 = [预备物品] / 취업을 ~하다 预备就业

준-비 운-동(準備運動) 图[體] 热身运动 rèshēn yùndòng; 准备运动 zhǔnbèi yùndòng = 워밍업

준-수(遵守) 图[하타] 遵守 zūnshǒu ¶법을 ~하다 遵守法律

준-수-하다(俊秀-) 图 帅 shuài; 俊秀 jùnxiù; 优秀 yōuxiù; 英俊 yīngjùn ¶준수한 젊은이 俊秀的青年

준-엄-하다(峻嚴-) 图 严峻 yánjùn; 严格 yángé; 严厉 yánlì; 严正 yánzhèng; 庄严 zhuāngyán ¶준엄한 시련 严峻考验 / 국제 정치 상황이 매우 ~ 国际政治形势十分严峻 **준-엄-히** 团

준-우승(準優勝) 图[하자] 亚军 yàjūn; 第二名 dì'èrmíng ¶~을 차지하다 获得亚军

준-하다(準-) 재 准 zhǔn; 以…为准 yǐ…wéizhǔn; 按照 ànzhào; 为准 wéizhǔn; 依据 yījù; 根据 gēnjù; 依照 yīzhào ¶규정에 준하여 처리하다 按照规定处理

줄 图 1 绳子 shéngzi; 绳(儿) shéng(r) ¶~넘기 跳绳 / ~로 말을 묶다 用绳子拴马 2 条纹 tiáowén; 纹路(儿) wénlu(r) ¶무늬 넥타이 条纹领带 3 队 duì; 行 háng; 列 liè ¶~을 서다 排队 4 排 pái; 行 háng; 列 liè = 행(行) ¶끝에서 세 번째 ~을 읽어라 你读倒数第三行 5 (社会) 关系 guānxi; 门路

ménlù ¶그는 ~을 서는 일에 아주 반감을 지니고 있다 他对找关系这样的事情很反感

줄(을) 타다 团 找关系; 靠关系

줄거리 圐 情节 qíngjié; 梗概 gěnggài ¶소설의 ~ 小说的情节

줄곧 里 一直 yīzhí; 一向 yīxiàng; 一个劲儿 yīgèjìnr; 接连不断地 jiēliánbùduànde; 不停地 bùtíngde ¶몇 년 동안 그의 영화는 ~ 사람들의 주목을 끌었다 近年来他的电影一直十分引人注目

줄기 圐 1【植】梗(儿) gěng(r); 茎 jīng; 干 gàn ¶옥수수 ~ 玉米茎 2 (水) 流 liú ¶강~ 河流 3 (山) 脉 mài 4 条 tiáo; 股 gǔ; 支 zhī; 道 dào ¶문틈 사이로 가느다란 몇 ~ 빛이 새어 나왔다 从那扇门缝里挤出细细的几条灯光

줄:다 困 1 缩小 suōxiǎo; 缩短 suōduǎn; 减少 jiǎnshǎo; 降低 jiàngdī ¶차이가 ~ 缩小差距 / 면적이 끊임없이 ~ 面积不断缩小 2 (生活) 窘困 jiǒngkùn

줄-다리기 圐하장 【民】拔河 báhé ¶~ 경기 拔河比赛

줄어-들다 困 变小 biànxiǎo; 变少 biànshǎo; 减少 jiǎnshǎo; 缩小 suōxiǎo; 减轻 jiǎnqīng; 下降 xiàjiàng; 消减 xiāojiǎn ¶경지 면적이 날로 ~ 耕地面积日益减少

줄-이다 团 缩小 suōxiǎo; 缩短 suōduǎn; 减小 jiǎnxiǎo; 裁减 cáijiǎn; 减少 jiǎnshǎo; 缩减 suōjiǎn (《 '줄다'의 사동사) ¶지출을 ~ 缩减开支

줄임-표(一標) 圐 【語】省略号 shěnglüèhào; 删节号 shānjiéhào = 말줄임표 · 생략표

줄-자 圐 卷尺 juǎnchǐ; 软尺 ruǎnchǐ

줄줄 里 1 刷刷地 shuàshuàde; 哗哗地 huāhuāde; 簌簌 sùsù ¶수돗물이 ~ 흐르다 自来水哗哗流淌 / 눈물이 ~ 아래로 흐르다 眼泪簌簌往下流 2 流畅地 liúchàngde ¶~ 외우다 流畅地背 3 到处遗落 dàochù yíluò ¶복도에 쓰레기가 ~ 흘려 있다 走廊之中到处遗落着垃圾

줄줄-이 里 1 一条条 yītiáotiáo; 一串 yīchuànchuàn; 一排排 yīpáipái; 一行行 yīhángháng ¶그 소설은 ~ 어머니에 대한 그리움을 드러내고 있다 那本小说的一行行都表达了对母亲的怀念 2 成排 chéngpái; 成行 chéngháng ¶기러기가 ~ 날다 雁阵成行 3 不断地 bùduànde; 连绵不断 liánmiánde ¶사람들이 ~ 이 사이트를 방문한다 人们不断地访问这个网站

줄-짓다 困 1 排队 páiduì; 站队 zhànduì; 列队 lièduì; 成行 chéngháng; 成

排 chéngpái ¶새로 지은 집들이 줄지어 늘어서 있다 新建房屋成行排列 2 不断 bùduàn; 陆续 lùxù; 不绝 bùjué; 连绵 liánmián ¶새로운 성원이 줄지어 가입한다 新的成员陆续加入

줄-표(一標) 圐 【語】破折号 pòzhéhào

줄행랑-치다 困 逃之夭夭 táozhīyāoyāo

줌 렌즈(zoom lens) 【演】变焦距镜头 biànjiāojù jìngtóu

줍:다 团 1 拾 shí; 拾取 shíqǔ; 捡 jiǎn; 拣 jiǎn; 捡拾 jiǎnshí ¶돈을 ~ 捡钱 / 땔감을 ~ 拾取柴草 2 捡回 jiǎnhuí; 抱孩子 bàoháizi ¶기차에서 아이 하나를 주워 왔다 从列车上捡回一个婴儿 3 乱取 luànqǔ ¶이것저것 주워 먹다 乱取吃几个东西

줏-대(主一) 圐 主心骨 zhǔxīngǔ; 主见 zhǔjiàn; 主意 zhǔyì ¶~가 없으면 성공할 수 없다 没有主心骨, 就不可能成功

중 圐 【佛】僧 sēng; 和尚 héshang ¶중이 제 머리를 못 깎는다 속담 自己的刀削不了自己的把

중(中) 圐 ➊圐 中等 zhōngděng; 中级 zhōngjí; 中流 zhōngliú ¶그의 성적은 ~이다 他的成绩是中级 2 中号 zhōnghào ➋의圐 1 里 IT; 中 zhōng ¶공기 ~에 떠다니는 냄새 从空气里飘来的气味 2 中 zhōng; 正在…当中 zài…dāngzhōng ¶회의 ~ 会议中 3 当中 dāngzhōng ¶그들 ~에 몇 사람 他们当中有些人 / 꽃 ~의 꽃 中之花 4 以内 yǐnèi; 到…之前 dào…zhīqián; 在…之前 zài…zhīqián ¶내일 ~으로 이 일을 완성해야 한다 得在明天之前完成这件事

중간(中間) 圐 1 中间 zhōngjiān; 中间儿 zhōngjiānr; 之间 zhījiān; 当间 dāngjiān 2 中途 zhōngtú; 正当中 zhèngdāngzhōng ¶강의 ~ 讲课当中 3 正中 zhèngzhōng; 中部 zhōngbù; 正中间 zhèngzhōngjiān; 正当中 zhèngdāngzhōng ¶교실의 ~ 위치에 앉다 坐在教室的正中间

중간-고사(中間考查) 圐 【教】期中考试 qīzhōng kǎoshì; 期中考查 qīzhōng kǎochá

중개(仲介) 圐동장 从中介绍 cóngzhōng jièshào; 中介 zhōngjiè ¶~료 中介费 = [介绍费]

중견(中堅) 圐 中坚 zhōngjiān; 骨干 gǔgàn; 主力 zhǔlì ¶그는 이미 회사의 ~이 되었다 他已经成为公司的中坚

중견-수(中堅手) 圐 【體】(棒球)中场手 zhōngchǎngshǒu; 中外野手 zhōngwàiyěshǒu

중계(中繼) 몡하타 1 中继 zhōngjì ¶~소 中继站 2 【言】= 중계방송 ¶~차 转播车

중계-방송(中繼放送) 몡하타 【言】转播 zhuǎnbō = 중계2

중고(中古) 몡 旧货 jiùhuò; 半旧货 bànjiùhuò; 二手货 èrshǒuhuò ¶~차 旧货车=[二手车]

중고-생(中高生) 몡 中学生 zhōng-xuéshēng

중-공업(重工業) 몡 【工】重工业 zhònggōngyè

중구-난방(衆口難防) 몡 众口难防 zhòngkǒunánfáng

중국(中國) 몡【地】中国 Zhōngguó ¶~인 中国人 / ~집 中国餐厅 / ~ 요리 中国菜

중국-어(中國語) 몡 【語】汉语 Hànyǔ; 中文 Zhōngwén; 中国语 Zhōngguóyǔ; 中国话 Zhōngguóhuà = 중어

중-금속(重金屬) 몡【化】重金属 zhòngjīnshǔ ¶~ 오염 重金属污染

중급(中級) 몡 中级 zhōngjí; 中等 zhōngděng ¶~ 시험에 참가하다 参加中级考试

중기(中期) 몡 中期 zhōngqī; 中叶 zhōngyè ¶90년대 ~ 90年代中期

중-남미(中南美) 몡 【地】= 라틴 아메리카

중년(中年) 몡 中年 zhōngnián ¶~ 여성 中年妇女

중-노동(重勞動) 몡 重活儿 zhònghuór

중단(中斷) 몡하타 中断 zhōngduàn; 中止 zhōngzhǐ; 截断 jiéduàn; 停断 tíngduàn ¶원조를 ~하다 中止援助

중-대(重大) 몡하형 重大 zhòngdà; 重要 zhòngyào; 严重 yánzhòng; 严重 yánzhòng ¶~사 重大事件 / ~한 의미를 지니고 있다 有着重大的意义

중도(中途) 몡 中途 zhōngtú; 半途 bàntú; 半路儿(儿) bànlù(r); 半道儿 bàndào; 中道 zhōngdào ¶~에 포기하다 中途而废 / ~에 퇴장하다 中途退场

중도(中道) 몡 中道 zhōngdào; 中庸之道 zhōngyōngzhīdào ¶~를 걷다 走中道

중도-금(中途金) 몡 中期付的款 zhōngqī fùde kuǎn

중독(中毒) 몡 中毒 zhòngdú; 癖 pǐ; 瘾 yǐn; 成瘾 chéngyǐn ¶연탄 가스 ~ 煤气中毒 / 알콜 ~ 酒精中毒

중등(中等) 몡 中等 zhōngděng; 中级 zhōngjí; 中路(儿) zhōnglù(r) ¶~학교 中学校 = [中学] / ~교육 中等教育 / ~ 수준 中级水平

중략(中略) 몡하타 中略 zhōnglüè; 中省略 zhōngjiān shěnglüè

중량(重量) 몡 = 무게1

중력(重力) 몡 【物】重力 zhònglì

중류(中流) 몡 1 中流 zhōngliú; 中游 zhōngyóu ¶한강 ~ 汉江中流 2 中等 zhōngděng; 中级 zhōngjí; 中流生活 水平 zhōngliú shēnghuó shuǐpíng ¶~ 생활 수준 中等生活水平 / ~층 中流阶层

중립(中立) 몡 中立 zhōnglì; 中道 zhōngdào; 中庸之道 zhōngyōngzhīdào ¶정치적 ~을 유지하다 保持政治中立

중매(中媒) 몡 说媒 shuōméi; 做媒 zuòméi; 保媒 bǎoméi; 说亲 shuōqīn ¶많은 사람들이 ~를 했지만 모두 이루어지지 않았다 有许多人来做媒, 但都没有成功

중매는 잘하면 술이 석 잔이고 못하면 뺨이 세 대라 속담 媒人做得好, 两边有吃; 做得不好, 两边受遭

중매(를) 들다 관 说亲; 保媒

중매-결혼(仲媒結婚) 몡 介绍结婚 jièshào jiéhūn

중문(中文) 몡 中文 Zhōngwén = 자막을 넣다 配以中文字幕

중반(中盤) 몡 1 (围棋、比赛、选举 战等) 中盘 zhōngpán; 中局 zhōngjú ¶국면이 ~에 접어들다 布局到中盘阶段 2 中间阶段 zhōngjiān jiēduàn; 中期 zhōngqī ¶80년대 ~ 八十年代中期

중병(重病) 몡 重病 zhòngbìng; 危病 wēibìng ¶~에 걸리다 得重病

중복(中伏) 몡 中伏 zhōngfú; 二伏 èrfú

중:복(重複) 몡하타 重复 chóngfù; 重叠 chóngdié ¶~을 피하다 避免重复

중부(中部) 몡 中部 zhōngbù ¶~ 지역 中部地区

중산-층(中産層) 몡 【社】中产阶级 zhōngchǎn jiējí

중상(中上) 몡 中上 zhōngshàng ¶우리 집은 ~ 수준이다 我家是个中上等水平

중:상(重傷) 몡하자 重伤 zhòngshāng; 重创 zhòngchuāng ¶~을 입다 受重伤

중생(衆生) 몡 【佛】众生 zhòngshēng

중성(中性) 몡 1 中性 zhōngxìng; 中间的 zhōngjiānde 2 【化】中性 zhōngxìng

중세(中世) 몡 【史】中世纪 zhōngshìjì; 中世 zhōngshì

중소-기업(中小企業) 몡 【經】中小企业 zhōngxiǎo qǐyè

중순(中旬) 몡 中旬 zhōngxún; 月中 yuèzhōng

중:시(重視) 몡하타 重视 zhòngshì; 赏识 shǎngshí; 注重 zhùzhòng; 看重 kànzhòng ¶과학 기술을 ~하다 重视科技

중식(中食) 몡 = 점심

중심(中心) 몡 1 中心 zhōngxīn; 中央 zhōngyāng; 中间 zhōngjiān ¶~에 서다

站在中心 2 中心 zhōngxīn; 핵심 héxīn; 기간 jīgàn; 골간 gǔgàn; 내핵 nèihé ¶~ 사상 中心思想 / ~지 中心地区 / ~인물 中心人物[主要人物][台柱子] 3 주견 zhǔjiàn; 주심골(儿) zhǔxīngǔ(r) ¶젊은이는 ~이 있어야 한다 青年需要有主见

중심-가(中心街) 閉 闹市区 nàoshìqū; 商业中心 shāngyè zhōngxīn; 大街 dàjiē; 闹区 nàoqū

중:-압(重壓) 閉 重压 zhòngyā; 巨大压力 jùdà yālì ¶~감 重压感 / ~을 견딜 수 없다 受不了重压

중앙(中央) 閉 1 中央 zhōngyāng; 中心 zhōngxīn; 中间 zhōngjiān; 正中 zhèngzhōng 2 中枢 zhōngshū; 中央 zhōngyāng ¶~ 도서관 中央图书馆 / ~ 정부 中央政府

중앙-선(中央線) 閉 1 中心线 zhōngxīnxiàn; 中央线 zhōngyāngxiàn ¶~을 넘다 越中心线 2 [體] = 하프 라인 3 [交] 道路中心线 dàolù zhōngxīnxiàn

중앙 처:리 장치(中央處理裝置) 【컴】 中央处理器 zhōngyāng chǔlǐqì = 시피유

중어(中語) 閉 [語] = 중국어

중얼-거리다 재타 自言自语 zìyánzìyǔ; 念念有词 niànniànyǒucí; 嘟嚷 dūnang = 중얼대다 ¶그는 고개를 흔들며 중얼거렸다 他摇着头, 自言自语道 **중얼-중얼** 閉재타

중:-역(重役) 閉 重责 zhòngzé; 要职 yàozhí; 重要职责 zhòngyào zhízé ¶~을 맡다 担任要责

중엽(中葉) 閉 中叶 zhōngyè; 中期 zhōngqī ¶19세기~ 19世纪中叶

중요(重要) 閉형閉형 重要 zhòngyào; 要紧 yàojǐn; 紧要 jǐnyào ¶~성 重要性 / 이것은 매우 ~한 것이다 这是非常要重的

중용(中庸) 閉 1 不偏不倚 bùpiānbùyǐ 2 【哲】 中庸 zhōngyōng; 中道 zhōngdào

중이(中耳) 閉 [生] 中耳 zhōng'ěr

중재(仲裁) 閉타 仲裁 zhòngcái; 排解 páijiě; 调停 tiáojìng; 调停 tiáotíng; 说和 shuōhe; 劝解 quànjiě ¶분규를 ~하다 排解纠纷

중절-모(中折帽) 閉 礼帽 lǐmào

중점(中點) 閉 1 [数] = 이등분점 2 [語] = 가운뎃점

중:-점(重點) 閉 重点 zhòngdiǎn ¶경제를 외교의 ~으로 삼다 把经济作为外交的重点

중졸(中卒) 閉 初中毕业 chūzhōng bìyè

중:-증(重症) 閉 重症 zhòngzhèng; 重病 zhòngbìng ¶~ 환자 重症患者

중지(中止) 閉타 停止 tíngzhǐ; 中止 zhōngzhǐ; 中断 zhōngduàn; 休止 xiūzhǐ; 罢休 bàxiū ¶지원을 ~하다 中止援助

중지(中指) 閉 = 가운뎃손가락

중:-징계(重懲戒) 閉 从重惩戒 cóngzhòng chéngjiè; 从重处罚 cóngzhòng chǔfá ¶법률에 의거하여 ~를 내리다 依法从重处罚

중:-창(重唱) 閉형閉 [音] 重唱 chóngchàng

중:-책(重責) 閉형閉타 1 重担 zhòngdàn; 重任 zhòngrèn; 重负 zhòngfù ¶~을 承担重任 2 重责 zhòngzé; 严厉责备 yánlì zébèi ¶그의 죄를 ~하다 严厉责备他的罪

중:-첩(重疊) 閉형閉타 重叠 chóngdié; 重复 chóngfù; 重重 chóngchóng; 叠加 diéjiā

중추(中樞) 閉 1 中枢 zhōngshū; 枢纽 shūniǔ ¶서울은 교통의 ~이다 首尔是交通中枢 2 【生】 中枢神经 zhōngshū shénjīng = 중추 신경

중추 신경(中樞神經) 【生】 = 중추2

중추-절(仲秋節) 閉 中秋 Zhōngqiū; 中秋节 Zhōngqiūjié

중:-탕(重湯) 閉형閉타 (将盛有食物的器皿放入沸水中) 加热 jiārè

중:-태(重態) 閉 病危 bìngwēi; 危重 wēizhòng ¶~에 빠지다 进入病危状态

중-턱(中-) 閉 1 (山等) 中腰 zhōngyāo; 山腰 shānyāo; 半山腰 bànshānyāo ¶산~에 오르다 爬到半山腰 2 (时间或事情的) 中部 zhōngbù; 一半 yíbàn ¶9월도 이미 ~을 넘었다 九月也已经过了一半

중퇴(中退) 閉형閉타 [教] 中途退学 zhōngtú tuìxué ¶그는 학비를 낼 수 없어서 어쩔 수 없이 ~하였다 他因交不起学费而不得不中途退学

중편 소:설(中篇小說) 【文】 中篇小说 zhōngpiān xiǎoshuō

중풍(中風) 閉 [韓醫] 中风 zhòngfēng; 卒中 cùzhòng; 瘫痪 tānhuàn; 风瘫 fēngtān ¶~에 걸리다 患中风

중-학교(中學校) 閉 [教] 初中 chūzhōng; 初级中学 chūjí zhōngxué

중학-생(中學生) 閉 初中生 chūzhōngshēng; 初中学生 chūzhōng xuéshēng

중:-형(重刑) 閉 重刑 zhòngxíng ¶~을 선고받다 被判重刑 / ~에 처하다 处以重刑

중형-차(中型車) 閉 【交】 中型车 zhōngxíngchē

중화(中華) 閉 中华 Zhōnghuá; 中国 Zhōngguó ¶~ 사상 中华思想 / ~ 요리 中国料理 = [中国菜]

중:-환자(重患者) 閉 重病号 zhòngbìnghào; 重病患者 zhòngbìng huànzhě; 重症者 zhònghuànzhě ¶~를 병원

쥐¹ 圀 【韓醫】痙攣 jìngluán; 抽筋 chōujīn ¶손발에 ~가 나다 手足痙攣

쥐² 圀 【動】老鼠 lǎoshǔ; 耗子 hàozi; 家鼠 jiāshǔ

쥐 뜯어먹은 것 같다 속當 表面上有 凹凸不平的难看痕迹

쥐 죽은 듯 ☞ 鸦雀无声; 死寂

쥐도 새도 모르게 ☞ 神不知, 鬼不觉

쥐-구멍 圀 1 鼠窟 shǔkū; 老鼠洞 lǎoshǔdòng 2 (比喩) 小地方 xiǎodìfang; 避難的地方 bìnìde dìfang

쥐구멍에도 볕 들 날 있다 속當 日子上树叶儿长长; 瓦片也有翻身日

쥐-꼬리 圀 极少 jíshǎo; 微不足道 wēibùzúdào ¶ 秋毫之末 qiūháozhīmò ¶ ~만 한 월급 极少的薪水

쥐:다 囤 1 抓住 zhuāwò; 握 wò; 执 zhí; 捏 niē; 攥 zuàn; 抓住 zhuāzhù; 握住 wòzhù; 揪住 jiūzhù; 抓紧 zhuājǐn; 握紧 wòjǐn ¶주먹을 ~ 捏拳头 2 (权力 等) 掌握 zhǎngwò; 执掌 zhízhǎng; 主持 zhǔchí ¶权力을 ~ 掌握权力 3 (证据 등) 找到 zhǎodào; 获得 huòdé; 获取 huòqǔ ¶중요한 증거를 ~ 获取重要证据

쥐고 흔들다 ☞ 任意摆布; 随心所欲 = 쥐었다 폈다 하다

쥐었다 폈다 하다 ☞ = 쥐고 흔들다

쥐:락-펴락 囝匝라 随意支配 suíyì zhīpèi; 任意使唤 rènyì shǐhuan; 任意摆布 rènyì bǎibù; 操纵 cāozòng; 玩弄 wánnòng ¶그들은 농노를 자신들의 사유 재산으로 여겨 ~한다 他们把农奴当作自己的私有财产随意支配

쥐방울만-하다 휑 小巧玲珑 xiǎoqiǎolínglóng

쥐-뿔 圀 微不足道 wēibùzúdào; 微乎其微 wēihūqíwēi; 屁 pì

쥐뿔도 모르다 ☞ 一无所知; 屁也不懂

쥐뿔도 없다 ☞ 一无所有; 屁都没有

쥐어-뜯다 囤 1 扯 chě; 撕 sī; 撕扯 sīchě ¶옷을 ~ 撕扯衣服 2 乱拧 luànníng; 乱掐 luànqiā; 揪心 jiūxīn; 绞痛 jiǎotòng; 撕扯 sīchě; 揪 jiū; 拧 níng; 掐 qiā ¶가슴에 사무치는 고통이 그녀의 마음을 쥐어뜯고 있다 一阵钻心的疼痛撕扯着她的心

쥐어-박다 囤 敲打 ōudǎ; 揍 zòu; 拳打 quándǎ; 捶打 chuídǎ; 敲打 qiāodǎ ¶그는 힘껏 아들의 머리를 쥐어박았다 他用力敲打儿子的头

쥐어-짜다 囤 挤 jǐ; 榨 zhà; 挤干儿 jǐgānr; 绞 jiǎo; 挤出来 jǐchūlái ¶빤 옷을 ~ 挤干儿洗好的衣服 2 纠缠 jiūchán; 蘑菇 mógu; 追讨 zhuītǎo ¶채무자를 ~ 追讨债务者 3 勉强流泪 miǎnqiáng liúlèi ¶여자아이가 눈물을 쥐어짜고 있다 女孩勉强地流泪 4 想 出 xiǎngchū; 挤出来 jǐchūlái; 绞尽脑 汁 jiǎojìnnǎozhī; 苦思冥想 kǔsīmíngxiǎng; 凝想 níngxiǎng ¶좋은 아이디어를 ~ 想出好主意

쥐-이다 囩 被抓住 bèizhuāzhù; 被握住 bèiwòzhù; 被攥住 bèizuànzhù (《'쥐다1'의 被动词》) ¶내 손에 칼이 한 자루 쥐어 있다 我的手被握住一把刀 2 被管 bèiguǎn; 被摆布 bèibǎibu; 被控制 bèikòngzhì (《'쥐다2'의 被动词》) ¶아내에게 그렇게 쥐어 있지 마라! 不要被太太管太多!

쥐-포 (一脯) 圀 干烤皮鱼 gànxiàngpíyú

즈음 의질 时候 shíhou; 大约 dàyuē; 左右 zuǒyòu ¶밥 먹을 ~ 吃饭的时候

즉각 (即刻) 圀囝 立刻 lìkè; 马上 mǎshàng; 立刻 lìkè; 立即 lìjí ¶ ~ 사람들의 관심을 끌다 即刻引起人们的关注

즉답 (即答) 圀라 立刻回答 lìkè huídá; 即席回答 jíxí huídá; 当场回答 dāngchǎng huídá ¶~을 회피하다 回避即席回答

즉사 (即死) 圀라 当场死掉 dāngchǎng sǐdiào; 当即死亡 dāngjí sǐwáng; 当场死亡 dāngchǎng sǐwáng = 직사 ¶차 사고가 발생하여 친구가 ~했다 发生车祸, 朋友当场死掉

즉석 (即席) 圀 即席 jíxí; 当场 dāngchǎng; 就场 jiùchǎng; 就地 jiùdì ¶~에서 실험하다 当场实验

즉석-식품 (即席食品) 圀 方便食品 fāngbiàn shípǐn; 现成食品 xiànchéng shípǐn; 即食食品 jíshí shípǐn; 快餐 kuàicān = 인스턴트식품

즉시 (即時) 圀 即时 jíshí; 即刻 jíkè; 立刻 lìkè; 立时 lìshí; 当即 dāngjí; 马上 mǎshàng; 立即 lìjí ¶ ~ 대답하다 即时回答

즉위 (即位) 圀라 即位 jíwèi; 登极 dēngjí ¶ 20살에 ~하였다 皇帝二十岁即位

즉흥 (即興) 圀 即兴 jíxīng ¶ ~ 연주 即兴演奏 / ~곡 即兴曲

즐거움 圀 乐趣 lèqù; 乐事 lèshì ¶~을 더하여 增添乐趣

즐거워-하다 囤 高兴 gāoxìng; 喜欢 xǐhuan ¶젊은이가 이 말을 듣고 매우 ~ 青年听到这句话非常高兴

즐겁다 휑 欢喜 huānxǐ; 愉快 yúkuài; 欢愉 huānyú; 欢乐 huānlè ¶마음이 결코 즐겁지 않다 心情并不愉快

즐기다 囤 1 享受 xiǎngshòu; 愉快度 过 yúkuài dùguò ¶청춘을 ~ 享受青春 2 爱 ài; 爱好 àihào; 喜爱 xǐ'ài; 喜欢 xǐhuan; 喜闻乐见 xǐwénlèjiàn ¶즐겨 듣

는 노래 喜闻乐见的歌曲

즐비-하다(櫛比-) 〔혱〕 栉比 zhìbǐ; 林立 línlì; 鳞次栉比 líncìzhìbǐ ¶고층 빌딩이 ~ 高楼林立

즙(汁) 〔몡〕 汁液 zhīyè; 汁(儿) zhī(r) = 액즙 ¶~을 짜다 绞汁液 / ~을 내다 挤汁液

증가(增加) 〔혱자타〕 增 zēng; 长 zhǎng; 增加 zēngjiā; 增多 zēngduō; 增大 zēngdà ¶30% ~하다 增加30% / 해외 여행객이 날로 ~하다 海外旅客日益增多

증감(增減) 〔몡혱자타〕 增减 zēngjiǎn; 消长 xiāozhǎng ¶수입의 ~ 收入的增减

증거(證據) 〔몡〕 证据 zhèngjù; 左证 zuǒzhèng; 佐证 zuǒzhèng; 凭据 píngjù; 依据 yījù; 凭证 píngzhèng ¶~ 불충분 证据不足 / ~를 내놓아라! 拿证据来!

증거-물(證據物) 〔몡〕 证据 zhèngjù; 证物 zhèngwù

증권(證券) 〔몡〕 股票 gǔpiào; 股权 gǔquán; 股份 gǔfèn

증기(蒸氣·烝氣) 〔몡〕 1 【物】 蒸气 zhēngqì 2 = 수증기 ¶물이 끓을 때 뚜껑 위로 ~가 나온다 水开时, 盖子上出现水蒸气

증대(增大) 〔몡혱자타〕 增大 zēngdà; 增多 zēngduō; 增加 zēngjiā; 扩大 kuòdà; 增长 zēngzhǎng ¶수입의 ~ 收入增大

증류(蒸溜·烝溜) 〔몡혱타〕 【物】 蒸馏 zhēngliú ¶~수 蒸馏水

증명(證明) 〔몡혱타〕 印证 yìnzhèng; 证明 zhèngmíng; 证实 zhèngshí; 作证 zuòzhèng; 说明 shuōmíng ¶술의 유해성을 ~하다 证明酒的危害性

증명-사진(證明寫眞) 〔몡〕 报名照 bàomíngzhào

증명-서(證明書) 〔몡〕 证明 zhèngmíng; 证明书 zhèngmíngshū; 证书 zhèngshū; 证件 zhèngjiàn ¶성적 ~ 成绩证明书

증발(蒸發·烝發) 〔몡혱자타〕 1 【物】 蒸 zhēng; 蒸发 zhēngfā ¶수분 ~ 水分蒸发 2 失踪 shīzōng; 无影无踪 wúyǐngwúzōng; 蒸发 zhēngfā; 散失 sànshī ¶그들은 ~된 여기자를 함께 찾았다 他们共同寻找一个失踪的女记者

증상(症狀) 〔몡〕 = 증세 ¶~에 따라 치료를 하다 根据症候进行治疗

증서(證書) 〔몡〕 【法】 证书 zhèngshū; 凭单 píngdān; 字据 zìjù; 文凭 wénpíng; 证明 zhèngmíng; 执照 zhízhào; 单据 dānjù

증설(增設) 〔몡혱타〕 增建 zēngjiàn; 增设 zēngshè; 添设 tiānshè ¶관광객 서비스 센터를 ~하다 增设游客服务中心

증세(症勢) 〔몡〕 症候 zhènghòu; 病情 bìngqíng; 症状 zhèngzhuàng; 病象 bìngxiàng ¶증상 症状 ¶질병의 ~ 疾病的

증손(曾孫) 〔몡〕 = 증손자

증손-녀(曾孫女) 〔몡〕 曾孙女 zēngsūnnǚ; 重孙女 chóngsūnnǚ

증손-자(曾孫子) 〔몡〕 曾孙 zēngsūn; 重孙 chóngsūn = 증손

증식(增殖) 〔몡혱자타〕 1 增殖 zēngzhí; 增加 zēngjiā; 增多 zēngduō; 增长 zēngzhǎng ¶재산이 ~ 财富增殖 2 【生】 增殖 zēngzhí; 繁殖 fánzhí; 增生 zēngshēng ¶바이러스의 ~ 病毒的繁殖

증언(證言) 〔몡혱타〕 1 证言 zhèngyán; 做证 zuòzhèng ¶역사의 ~ 历史的证言 / 그들에게 ~하도록 하다 让他们来做证 2 【法】 证言 zhèngyán; 证人的陈述 zhèngrénde chénshù; 证词 zhèngcí ¶증인이 법원에 출석해 ~하다 证人出庭陈述证言

증여(贈與) 〔몡혱타〕 赠 zèng; 赠与 zèngyǔ; 赠予 zèngyǔ; 赠送 zèngsòng; 赠给 zènggěi ¶~세 赠与税 / 피아노 한 대를 학교에 ~하다 把一台钢琴赠与学校

증오(憎惡) 〔몡혱타〕 憎恨 zēnghèn; 憎恶 zēngwù; 嫌恶 xiánwù; 怨恨 yuànhèn; 恨 hèn; 仇恨 chóuhèn; 憎 zēng; 嫌 xián ¶전쟁을 ~하다 憎恨战争 / ~심이 생기다 生憎恶心

증원(增員) 〔몡혱타〕 增加人员 zēngjiā rényuán; 增员 zēngyuán; 加人 jiārén ¶매년 20%를 ~하다 每年增员20%

증인(證人) 〔몡〕 1 证人 zhèngrén 2 【法】 证人 zhèngren; 证人 zhèngmíngrén ¶~이 법정에 출두해 증언하다 证人出庭作证 3 【法】 = 보증인 ¶집 담보 대출을 받을 때 ~이 있어야 한다 办房贷一定要找保证人

증정(贈呈) 〔몡혱타〕 赠送 zèngsòng; 呈献 chéngxiàn ¶무료 ~ 免费赠送

증조-모(曾祖母) 〔몡〕 = 증조할머니

증조-부(曾祖父) 〔몡〕 = 증조할아버지

증조-할머니(曾祖-) 〔몡〕 曾祖母 zēngzǔmǔ = 증조모

증조-할아버지(曾祖-) 〔몡〕 曾祖父 zēngzǔfù = 증조부

증진(增進) 〔몡혱자타〕 增进 zēngjìn; 增强 zēngqiáng ¶양국의 우호 관계를 ~하다 增进两国的友好关系

증축(增築) 〔몡혱타〕 增建 zēngjiàn; 扩建 kuòjiàn; 添盖 tiāngài ¶기념관을 ~하다 扩建纪念馆

증편(增便) 〔몡혱타〕 (飞机、船舶、车辆) 增加班次 zēngjiā bāncì ¶버스 ~ 公交车增加班次

증폭(增幅) 〔몡혱자타〕 放大 fàngdà; 长大 zhǎngdà ¶효과를 ~시키다 放大效果

증폭-기(增幅器) 〔몡〕 【物】 扩音器 kuòyīnqì; 放大器 fàngdàqì = 앰프

증표(證票) 명 信物 xìnwù; 凭单 píng-
dān; 单据 dānjù ¶사랑의 ～ 爱情信物

증후(證候) 명 征候 zhēnghòu ¶～가
나타나다 出现征候

증후-군(症候群) 명 【醫】综合症状
zōnghé zhèngzhuàng; 综合症 zōnghé-
zhèng; 症候群 zhènghòuqún ¶만성 피
로 ～ 慢性疲劳综合症 / 시험 ～ 考试
综合征

지가(地價) 명 地价 dìjià; 地皮价 dìpí-
jià; 土地价格 tǔdì jiàgé; 土地价值 tǔdì
jiàzhí ¶도시의 ～는 여전히 상승세를
유지할 것이다 城市地价仍将保持上
升势头

지각(知覺) 명하타 1 醒悟 xǐngwù; 领
会 lǐnghuì; 觉悟 juéwù ¶나는 영원한
것은 아무 것도 없음을 비로소 ～했다
我才醒悟了，没有什么东西是永恒的
2 【心】知觉 zhījué; 认识能力 rènshi
nénglì; 辨别事理的能力 biànbié shìlǐde
nénglì

지각(遲刻) 명하타 迟到 chídào; 晚到
wǎndào; 来迟 láichí ¶또 ～했다 又迟
到了

지갑(紙匣) 명 钱包(儿) qiánbāo(r) ¶흔
쾌히 ～을 열다 高兴地打开钱包

지게 명 背架 bèijià ¶～를 지다 背背架

지겹다 형 厌烦 yànfán; 厌腻 yànnì;
厌倦 yànjuàn; 絮烦 xùfán ¶지겨운 표
정 厌烦表情 / 나는 이 음식이 이미 지
겨워졌다 我这种菜已经厌腻了

지경(地境) 의명 境地 jìngdì; 地步 dì-
bù; 状况 zhuàngkuàng; 景况 jǐng-
kuàng; 情形 qíngxing; 境遇 jìngyù ¶진
퇴양난의 ～에 처하다 处在进退两难
境地 / 너는 어떻게 이～에 이르렀니?
你怎么走到这个地步?

지구(地區) 명 地区 dìqū; 地带 dìdài;
区域 qūyù; 区 qū ¶아시아 태평양 ～
亚太地区 / 상업 ～ 商业区

지구(地球) 명 【地理】地球 dìqiú ¶～ 과
학 地球科学 / ～촌 地球村 [世界村]

지구-력(持久力) 명 持久力 chíjiǔlì;
耐力 nàilì ¶～을 기르다 培养持久力

지구-본(地球─) 명 = 지구의

지구-의(地球儀) 명 地球仪 dìqiúyí =
지구본

지그시 부 1 轻轻地 qīngqīngde; 悄悄
地 qiāoqiāode ¶～ 눈을 감다 悄悄地
闭上眼 / 상대방의 손을 ～ 잡고 있다
轻轻地握着对方的手 2 耐心地 nàixīn-
de; 忍耐下去地 rěnnàixiàqùde; 强忍地
qiǎngrěnde ¶～ 화를 억누르다 耐心地
按捺怒气

지그재그(zigzag) 명 = 갈之字形 ¶
～로 걷다 走之字形

지극-하다(至極─) 형 真挚 zhēnzhì;
真诚 zhēnchéng; 至诚 zhìchéng; 诚恳

chéngkěn; 无微不至 wúwēibùzhì ¶지극
한 효성이 하늘을 감동시켰다 至诚孝
顺感天动地 **지극-히** 부

지근-거리다 자 (头) 一揪一揪地痛
yījiūyījiūde tòng; 跳着疼 tiàozhe téng =
지근대다 **지근-지근** 부하타자

지글-거리다 자 沸腾 fèiténg; 咕嘟咕
嘟 gūdūgūdū《液体沸腾》= 지글대다
¶두부 몇 조각을 지글거리는 냄비 속
에 넣었다 把几颗豆腐倒进沸腾的锅
里 지글-대다 = 지글-거리다 부하타

지금(只今) 부 现在 xiànzài; 此时 cǐ-
shí; 目前 mùqián; 如今 rújīn; 当今
dāngjīn; 时下 shíxià; 眼下 yǎnxià; 现
时 xiànshí; 这会儿 zhèhuìr ¶～까지
到目前为止 / ～ 해야할 일이 아주 많
다 现在要做的事很多

지금-껏(只今─) 부 从来 cónglái; 至
今 zhìjīn; 历来 lìlái; 向来 xiànglái; 直
到现在 zhídàoxiànzài; 到现在 dàoxiàn-
zài ¶～ 본 적이 없다 从来没见过

지급(支給) 명하타 支付 zhīfù; 付给 fù-
gěi ¶그들에게 구제금을 ～하였다 付
给他们救济金

지긋-지긋 명하타 讨厌 tǎoyàn; 烦人
fánrén; 腻烦 nìfán; 厌烦 yànfán ¶～한
비 令人厌烦的下雨天

지긋-하다[1] 형 讨厌 tǎoyàn; 烦人 fán-
rén; 腻烦 nìfán; 厌烦 yànfán

지긋-하다[2] 형 1 够岁数儿 gòusuì-
shùr; 年纪较大而稳重 niánjì jiàodà ér
wēnzhòng; 年纪较大 niánjì jiàodà; 上
了年纪 shàngle niánjì ¶나이가 지긋한
남자 年纪较大的男子 2 耐心 nàixīn;
有恒 yǒuhéng; 持重 chízhòng; 稳重
wēnzhòng ¶지긋하게 앉아 있다 耐心
地坐着

지기(知己) 명 = 지기지우

지기지우(知己之友) 명 知己之友 zhī-
jǐzhīyǒu; 知心朋友 zhīxīnpéngyou; 知
己 zhījǐ; 知交 zhījiāo; 知音 zhīyīn; 相
知 xiāngzhī = 지기

지껄-이다 자 高声说 gāoshēngshuō;
饶舌 ráoshé; 多言 duōyán; 叨唠 dāo-
lao; 喧哗 xuānhuá; 喋喋不休 diédiébù-
xiū; 多嘴多舌 duōzuǐduōshé ¶욕설을
～ 高声说脏话

지끈-거리다 자 (头) 酸痛 suāntòng;
酸疼 suānténg = 지끈대다 ¶머리가
지끈거리고 피곤하다 头酸痛, 疲劳 지
끈-지끈 부하타

지나-가다[1]자 1 (时间) 过去 guò-
qù; 过 guò; 飞逝 fēishì ¶지나간 일 过
去的事情 / 삼십 년의 시간이 이미 지
나갔다 三十年的时间已经飞逝了 2 不
당回事儿 bùdānghuíshìr 3 没有 의미
méiyou yìyì; 没有特别的意思 méiyou
tèbiéde yìsi ¶지나가는 말일 뿐이다 没

有意义的话而己 □자타 **1** 走过(去) zǒuguò(qù) ¶그가 지나간 길 他 走过的 道路 **2** 经过(去) jīngguò(qù); 通过(去) tōngguò(qù); 穿过(去) chuānguò(qù); 穿越(去) chuānyuè(qù); 行经(去) xíngjīng(qù) ¶기차가 대전을 ~ 火车行经 大田 / 종로를 지나가면 광화문이 나온다 经过钟路就到光化门口 **3** 闪过 shǎnguò ¶머리를 스쳐 지나가는 생각 脑海闪过的念头

지나다 □자 **1** (时间) 过去 guòqù / 过 guò ¶지난 일 过去的事情 = [往事] / 이미 한 시간이 지났다 已经过去一个小时了 **2** 越限 yuèxiàn; 过限 guòxiàn ¶규정된 기한이 ~ 超过规定限期 □타 **1** 经过 jīngguò; 通过 tōngguò; 路过 lùguò; 走过 zǒuguò ¶나는 As她面前走过了 **2** 放过 fàngguò; 忽视 hūshì; 轻视 qīngshì ¶그냥 지나갈 수 없는 일 不能忽视的事情

지나치다 □자 **1** 走过 zǒuguò; 路过 lùguò ¶종로 거리를 ~ 路过钟路大街 **2** 放过 fàngguò; 忽视 hūshì ¶가정 폭력의 심각성을 지나치지 마라 不要忽视家庭暴力的严重性 □형 **1** 过度 guòdù; 过分 guòfèn; 过劲儿 guòjìnr; 过于 guòyú; 超过 chāoguò; 超越 chāoyuè ¶농담이 ~ 开玩笑过分了

지난-날 명 过去 guòqù; 往日 wǎngrì; 昔日 xīrì; 往昔 wǎngxī; 以往 yǐwǎng

지난-달 명 上月 shàngyuè; 上个月 shànggè yuè; 前一个月 qiányīge yuè = 전달(前一)·전월

지난-밤 명 昨天晚上 zuótiān wǎnshang; 昨晚 zuówǎn; 昨夜 zuóyè = 간밤

지난-번(一番) 명 上一次 shàngyīcì; 上次 shàngcì; 上回 shànghuí; 上趟 shàngtàng ¶那回 nàhuí = 먼젓번·전번

지난-주(一週) 명 上星期 shàngxīngqī; 上周 shàngzhōu = 전주(前週)

지난-해 명 去年 qùnián; 上年 shàngnián = 작년·전년·전해1

지:내다 타 **1** 过日子 guòrìzi; 度日 dùrì; 生活 shēnghuó; 活命 huómíng; 过活(儿) guòhuó(r) ¶잘 ~ 好好过日子 / 너 어떻게 지내고 있니? 你在怎么生活? **2** 相处 xiāngchǔ; 交往 jiāowǎng; 交接 jiāojiē; 结交 jiéjiāo; 打交道 dǎjiāodao; 相交 xiāngjiāo; 结识 jiéshí ¶그와 친구로 지내다 和他结交为朋友 □자 **1** 当 dāng; 干 gàn; 从事 cóngshì; 经历 jīnglì; 阅历 yuèlì ¶변호사를 지낸 적이 있다 从事律师职业 **2** 举行 jǔxíng; 办 bàn ¶장례를 ~ 办丧事 = [发送] / 차례를 ~ 举行祭祀 **3** 度过 dùguò; 过 guò ¶신혼 밤을 ~

过新婚之夜 / 그와 성탄절을 ~ 跟他一起过圣诞节

지네 명 【动】 蜈蚣 wúgōng

지느러미 명 鳍 qí; 鱼鳍 yúqí ¶꼬리 ~ 尾鳍

지능(知能) 명 智能 zhìnéng; 智力 zhìlì ¶~ 검사 智力测验 / 발달 智能发展 / ~이 높다 智力很高

지능 지수(知能指數) 【敎】 智力商数 zhìlì shāngshù; 智商 zhìshāng = 아이큐

지니다 타 **1** 带 dài; 携 xié; 携带 xiédài; 持有 chíyǒu; 藏 cáng; 有 yǒu ¶몸에 ~ 随身携带 **2** 具有 jùyǒu; 拥有 yōngyǒu; 赋有 fùyǒu ¶독특한 매력을 ~ 具有独特的吸引力 **3** 保存 bǎocún; 保持 bǎochí ¶전통 문화를 지니고 있다 保存着传统文化 **4** 铭记 míngjì; 牢记 láojì ¶어머니의 유언을 마음속에 ~ 把母亲的遗嘱牢记心中 **5** 承担 chéngdān; 担任 dānrèn; 担负 dānfù ¶역사적 사명을 ~ 承担历史使命 / 중대한 임무를 ~ 担负重大的任务

지다[1] 자 **1** (日、月) 落 luò; 归 guī ¶해가 졌다 太阳落了 **2** (花、叶) 凋谢 diāoxiè; 萎落 wěiluò; 萎谢 wěixiè; 凋萎 diāowěi; 败谢 bàixiè ¶꽃이 졌다 花儿凋谢了 **3** 除掉 chúdiào ¶때를 지웠다 除掉污垢

지다[2] 자 **1** 输 shū; 败 bài; 告负 gàofù; 打输 dǎshū ¶첫 경기에서 졌다 第一场比赛输了 **2** 败诉 bàisù; 告倒 gàodǎo ¶소송에 ~ 诉讼败诉

지다[3] 자 **1** 背阴(儿) bèiyīn(r) ¶그늘 진 곳 背阴的地方 **2** 结仇 jiéchóu ¶그와 원수를 졌다 跟他结仇了 **3** 生 shēng; 有 yǒu; 产生 chǎnshēng; 发生 shēngchū ¶얼룩이 졌다 有了污迹 **4** 下 xià ¶霖雨 xiàyǔ ¶소나기가 ~

지다[4] 타 **1** 背对 bēiduì; 背靠 bēikào ¶나무를 지고 바람을 쐬다 背靠大树乘凉 / 태양을 ~ 背对阳光 **2** 背 bēi; 驮 tuó; 负 fù ¶배낭을 ~ 背背包 **3** 欠 qiàn; 负 fù ¶빚을 ~ 负债 **4** (责任·任务) 担负 dānfù; 承当 chéngdāng; 承担 chéngdān ¶책임을 ~ 承担责任

지당-하다(至當-) 형 得当 dédàng; 妥当 tuǒdàng; 恰当 qiàdàng; 在理 zàilǐ; 理所当然 lǐsuǒdāngrán ¶너의 의견이 ~ 你的意见是妥当的 지당(至当)

지대-하다(至大-) 형 至大 zhìdà; 极大 jídà; 最大 zuìdà; 莫大 mòdà ¶지대한 영향을 받다 受极大影响

지덕체(智德體) 명 【敎】 智德体 zhìdétǐ ¶~를 기르다 培养智德体

지도(地圖) 명 【地理】 地图 dìtú ¶~책 地图集

지도(指導) 명하타 指导 zhǐdǎo;

yǐndǎo; 指引 zhǐyǐn; 领导 lǐngdǎo ¶~자 领导者 =[领导][领导人]/~력 领导力 /~서 指导书 /~층 领导层 /교수 指导教授 /기술 ~을 하다 进行技术指导 /청소년을 ~하다 引导青少年

지독-하다(至毒─) 〖형〗 厉害 lìhai; 毒辣 dúlà ¶～ 凶 xiōng; 凶毒 xiōngdú; 严厉 yánlì; 狠毒 hěndú; 极其恶毒 jíqí èdú; 极为严重 jíwéi yánzhòng; 极其厉害 jíqí lìhai ¶배가 지독하게 아프다 肚子疼得厉害 / 너 왜 이렇게 지독하니? 你为什么这般狠毒? **지독-히** 〖부〗

지동-설(地動─) 〖명〗〖天〗 地动说 dìdòngshuō; 日心说 rìxīnshuō

지디피(GDP) 〖명〗〖經〗= 国内总生产

지란지교(芝蘭之交) 〖명〗 芝兰之交 zhīlánzhījiāo

지랄 〖명〗〖하자〗 发狂 fākuáng; 发疯 fāfēng; 撒野 sāyě

지략(智略) 〖명〗 智谋 zhìmóu; 谋略 móulüè; 智略 zhìlüè; 才略 cáilüè ¶지도자가 지녀야 할 ～을 지니고 있다 具有些领导应有的智略

지-렁이 〖명〗〖動〗 蚯蚓 qiūyǐn; 地龙 dìlóng

지렁이도 밟으면[다치면 / 디디면] 꿈틀한다 〖속담〗 是人都有三分火

지례 〖부〗 先 xiān; 事先 shìxiān; 事前 shìqián; 提早 tízǎo; 提前 tíqián; 预先 yùxiān; 在先 zàixiān ¶～ 겁을 먹다 提前感到恐惧

지레-짐작(─斟酌) 〖명〗〖하다〗 事先猜 shìxiāncāi; 事先猜测 shìxiān cāicè; 事先揣测 shìxiān chuǎicè; 估计 gūjì; 揣测 chuǎicè; 臆测 yìcè; 推测 tuīcè ¶멋대로 ～하지 마라 不要妄加揣测

지-렛대 〖명〗 撬棍 qiàogùn; 杠杆 gànggǎn; 撬棒 qiàobàng; 撬杆 qiàogān; 撬杠 qiàogàng; = 레버

지령(指令) 〖명〗〖하다〗 指令 zhǐlìng; 命令 mìnglìng ¶～에 따르다 听从指令 /～을 내리다 发命令

지로(giro) 〖명〗〖經〗 直接转账 zhíjiē zhuǎnzhàng ¶～로 요금을 내다 用直接转账的方式付款

지론(持論) 〖명〗 一贯的主张 yīguànde zhǔzhāng; 坚持的理论 jiānchíde lǐlùn; 所持主张 suǒchízhǔzhāng; 所持观点 suǒchíguāndiǎn; 一贯的观点 yīguànde guāndiǎn

지뢰(地雷) 〖명〗〖軍〗 地雷 dìléi ¶～밭 地雷阵 =[地雷场][雷场]/～가 폭발하다 爆炸地雷

지루-하다 〖형〗 漫长 màncháng; 冗长 rǒngcháng; 厌烦 yànfán; 无聊 wúliáo; 闷倦 mènjuàn ¶이 강의는 정말 ～ 这个演讲真漫长

지류(支流) 〖명〗 1 支流 zhīliú; 汊子 chàzi; 水汊 shuǐchà; 岔流 chàliú ¶청계천은 한강의 ～라고 할 수 있다 清溪川即可算是汉江的支流 2 = 분파

지르다 〖타〗 叫 jiào; 喊叫 hǎnjiào; 叫嚷 jiàorǎng; 咆哮 páoxiào; 高呼 gāohū; 呼喊 hūhǎn ¶크게 소리를 ～ 大声喊叫

지름 〖명〗〖數〗 径 jìng; 圆径 yuánjìng; 直径 zhíjìng

지름-길 〖명〗 近路 jìnlù; 抄道(儿) chāodào(r); 捷径 jiéjìng; 便道 biàndào; 便路 biànlù; 近道 jìndào = 첩경 ¶성공의 ～ 成功的捷径 /～을 질러가다 抄近路

지리(地理) 〖명〗 1 地理 dìlǐ ¶～학 地理学 /～ 환경 地理环境 /두 나라는 ～적으로 거리가 멀다 两国地理上相距遥远 2 [民] = 풍수지리

지리다[1] 〖타〗 (屎或尿憋不住때) 遗尿 yíniào; 遗屎 yíshǐ; 撒出一点 sāchūyìdiǎn ¶흥분하여 오줌을 ～ 激动得撒出一点尿

지리다[2] 〖형〗 臊 sāo

지린-내 〖명〗 臊气 sāoqì ¶～가 나다 闻到一股臊味

지망(志望) 〖명〗〖하자타〗 志愿 zhìyuàn; 愿望 yuànwàng; 希望 xīwàng ¶가수 ～생 歌手志愿生

지면(地面) 〖명〗 = 땅바닥1 ¶～을 고르다 平整地面

지면(紙面) 〖명〗 版面 bǎnmiàn ¶～을 할애하여 정부를 비판하다 拿出版面来批判政府

지명(地名) 〖명〗 地名 dìmíng ¶～을 짓다 起地名

지명(知名) 〖명〗〖형〗 知名 zhīmíng; 有名 yǒumíng ¶～도 知名度

지명(指名) 〖명〗〖하다타〗 指名 zhǐmíng; 点名 diǎnmíng; 提名 tímíng ¶후계자로 ～되다 被指名为继承人

지명 수배(指名手配) 〖法〗 通缉 tōngjī ¶경찰에 ～된 용의자 被警方通缉的嫌疑人

지명 타:자(指名打者) 〖體〗 指定打手 zhǐdìng dǎshǒu

지목(指目) 〖명〗〖하다타〗 指 zhǐ; 指定 zhǐdìng; 指名 zhǐmíng ¶살인범으로 ～되다 被指为杀人犯

지문(指紋) 〖명〗 指纹 zhǐwén; 指印(儿) zhǐyìn(r); 螺纹 luówén; 罗纹 luówén ¶～을 찍다 按指纹 /～을 채취하다 取指纹

지반(地盤) 〖명〗 1 地表 dìbiǎo; 地面 dìmiàn; 地皮(儿) dìpí(r); 地上 dìshàng ¶～이 단단하다 地面牢固坚硬 /～이 내려앉다 地表坍塌 2 = 토대 3 基础 jīchǔ; 地盘 dìpán; 基地 jīdì; 根据地 gēnjùdì ¶～을 다지다 打基础

지방(地方) 명 **1** 地方 dìfang; 地区 dìqū ¶동부 ~ 东部地区 / ~색 地方特色 =[乡土特色] / 너는 어느 ~ 사람이냐? 你是什么地方人? **2** 地方 dìfāng ¶~ 자치 地方自治 / ~의 치안 상황 地方社会治安状况

지방(脂肪) 명 『生』 脂肪 zhīfáng; 脂 zhī; 油脂 yóuzhī; 脂膏 zhīgāo; 膏脂 gāozhī ¶~간 脂肪肝 / ~ 세포 脂肪细胞 / ~층 脂肪层 / ~을 분해하다 分解脂肪

지배(支配) 명하타 **1** 统治 tǒngzhì; 治理 zhìlǐ ¶~층 统治层 =[统治阶级] **2** 支配 zhīpèi; 控制 kòngzhì; 掌握 zhǎngwò; 主宰 zhǔzǎi ¶스스로가 자신의 운명을 ~하다 自己掌握自己的命运

지배-인(支配人) 명 『法』 经理 jīnglǐ

지병(持病) 명 痼疾 gùjí; 顽疾 wánjí; 老病 lǎobìng; 旧病 jiùbìng; 宿疾 sùjí ¶치료하기 어려운 ~ 难以治愈的痼疾

지부(支部) 명 支部 zhībù

지분(持分) 명 份 fèn; 份额 fèn'é ¶나의 ~이 없다 没有我的份

지불(支拂) 명하타 开 kāi; 支 zhī; 付 fù; 支付 zhīfù; 付出 fùchū; 开支 kāizhī; 付给 fùgěi ¶~ 수단 支付手段 / 큰 대가를 ~하다 付出了很大代价

지붕 명 屋顶 wūdǐng; 房顶 fángdǐng; 顶子 dǐngzi ¶~을 수리하다 维修屋顶

지사(支社) 명 分社 fēnshè; 分公司 fēngōngsī; 分行 fēnháng; 分理处 fēnlǐchù ¶상하이에 ~를 설립하다 在上海设立分社

지사(志士) 명 志士 zhìshì ¶애국 ~ 爱国志士

지사(指事) 명 『語』 指事 zhǐshì 《汉字六书之一》

지사-제(止瀉劑) 명 『藥』 止泻剂 zhǐxièjì; 止泻药 zhǐxièyào = 설사약

지상(地上) 명 **1** 地上 dìshàng; 地面 dìmiàn; 地皮(儿) dìpí(r); 地 dì ¶~파 地波 **2** 人世 rénshì; 世上 shìshàng; 人间 rénjiān; 天下 tiānxià ¶~ 낙원 人间乐园

지-새우다 타 熬夜 áoyè; 通宵 tōngxiāo; 通宵达旦 tōngxiāodádàn ¶밤을 지새우는 것은 건강에 해를 끼친다 熬夜会对身体造成损害

지성(至誠) 명하형 至诚 zhìchéng; 真诚 zhēnchéng ¶~으로 돌보다 一片至诚地照顾

지성이면 감천 속담 至诚感天

지성(知性) 명 知性 zhīxìng; 理性 lǐxìng; 理智 lǐzhì ¶~인 知性人 / 훌륭한 ~을 지니다 具有良好的知性

지세(地勢) 명 = 지형

지속(持續) 명하자타 持续 chíxù; 继续 jìxù; 坚持 jiānchí ¶~성 持续性 / ~적으로 발전하다 持续发展 / 한 시간 동안 ~되었다 持续了一个小时

지시(指示) 명하타 **1** 指 zhǐ; 指示 zhǐshì ¶~ 대명사 指示代词 / 나침판이 ~하는 방향 指南针所指的方向 **2** 指示 zhǐshì; 支使 zhīshi; 训示 xùnshì; 指拨 zhǐbō ¶~를 따르다 遵照指示 / 그녀에게 얼음을 가져오라고 ~하다 支使她拿些冰块来

지식(知識) 명 知识 zhīshi; 学识 xuéshí; 见识 jiànshi; 学问 xuéwen ¶기초 ~ 基础知识 / ~수준 知识水平 / ~인 知识人 =[知识分子] / ~을 구하다 求知识

지압(指壓) 명하타 按摩 ànmó; 指压 zhǐyā; 推拿 tuīná

지양(止揚) 명하타 扬弃 yángqì ¶불합리한 모든 규정을 ~하다 扬弃一切不合理的规矩

지어-내다 타 做出来 zuòchūlái; 造出来 zàochūlái; 编 biān; 生造 shēngzào; 编造 biānzào; 捏造 niēzào; 假装 jiǎzhuāng ¶헛소리를 ~ 捏造谰言

지엔피(GNP) 명 『經』 = 국민 총생산

지역(地域) 명 地域 dìyù; 地区 dìqū; 区域 qūyù; 地带 dìdài; 区 qū ¶낙후된 ~을 개발하다 开发落后地区

지연(地緣) 명 地缘 dìyuán ¶밀접한 ~ 관계 密切的地缘关系

지연(遲延) 명하타 迟延 chíyán; 推迟 tuīchí; 拖延 tuōyán; 延迟 yánchí; 耽搁 dānge; 迁延 qiānyán; 延搁 yángē ¶고의로 ~시키다 故意拖延

지엽(枝葉) 명 **1** 枝叶 zhīyè **2** 枝节 zhījié; 末节 mòjié; 小节 xiǎojié ¶약간의 ~적인 문제를 해결해야 한다 一些枝节问题需要解决

지옥(地獄) 명 地狱 dìyù ¶~에 떨어지다 下地狱 / ~ 같은 입학시험 可谓地狱般的入学考试

지온(地溫) 명 地温 dìwēn

지용-성(脂溶性) 명 『化』 脂溶性 zhīróngxìng ¶~ 비타민 脂溶性维生素

지우-개 명 **1** 擦子 cāzi; 擦儿 cār ¶칠판~ 黑板擦儿 **2** = 고무지우개

지우다[1] 타 抹 mǒ; 擦 cā; 销 xiāo; 消 xiāo; 擦除 cāchú; 去掉 qùdiào; 洗掉 xǐdiào; 删掉 shāndiào; 勾销 gōuxiāo ¶옷의 때를 ~ 洗掉衣服污渍 / 벽의 낙서를 ~ 擦除墙上乱写乱画的

지-우다[2] 타 搞掉 gǎodiào; 使中断 shǐzhōngduàn; 使断 shǐduàn ¶아이를 ~ 把孩子搞掉

지-우다[3] 타 使背负 shǐbēifù; 让…担 ràng…dān; 让…肩 ràng…jiān; 让…背 ràng…bēi; 让…负 ràng…fù; 让…担负 ràng…dānfù ¶그에게 쌀가마니를 ~ 让他背米袋子 / 그에게 책임을 ~ 让

他担起责任

지원(支援) 명하타 支援 zhīyuán；援助 yuánzhù；应援 yìngyuán；帮助 bāng-zhù ¶~의 손을 뺀다 伸出援助之手／开发 도상국 ~을 ~하다 支援发展中国家

지원(志願) 명하타 志愿 zhìyuàn；报名 bàomíng ¶~서 志愿书／~자 志愿者／중문과 ~ 현황 中文系报名情况／많은 사람이 이 활동에 참가하기를 ~했다 很多人志愿参加了这一活动

지위(地位) 명 地位 dìwèi；位置 wèizhì ¶주동적 ~를 차지하다 争取主动地位

지은-이 명 作者 zuòzhě；笔者 bǐzhě；著者 zhùzhě；著作人 zhùzuòrén = 작자1

지인(知人) 명 熟人 shúrén ¶~의 소개로 취직하다 通过熟人介绍找到工作

지장(支障) 명 障碍 zhàng'ài；妨碍 fáng'ài；碍事 àishì；阻碍 zǔ'ài；挂碍 guà'ài ¶~을 받다 遇到阻碍

지장(指章) 명 指印 zhǐyìn；手印 shǒuyìn；手模 shǒumó = 무인(拇印)・손도장 ¶~을 찍다 盖手印

지저귀다 통 哨 shào；唧唧喳喳地叫 jījízhāzhāde jiào ¶작은 새 두 마리가 지저귀기 시작했다 两只小鸟唧唧喳喳地叫了起来

지저분-하다 형 1 杂乱 záluàn；乱七八糟 luànqībāzāo；肮脏 āngzàng；污浊 wūzhuó；杂乱无章 záluànwúzhāng ¶지저분한 몸 肮脏的身体／상품이 지저분하게 쌓여 있다 商品堆得乱七八糟 2 卑鄙 bēibǐ；秽乱 huìluàn ¶지저분한 행위를 비난하다 谴责卑鄙行为 **지저분-히** 부

지적(指摘) 명하타 1 指明 zhǐmíng；指出 zhǐchū；指点 zhǐdiǎn ¶방향을 ~하다 指明方向 2 指摘 zhǐzhāi；指责 zhǐzé；批评 pīpíng ¶잘못을 ~하다 指摘错误

지적(知的) 관명 知识(的) zhīshí(de)；理性(的) lǐxìng(de)；智慧(的) zhìhuì(de)；智力(的) zhìlì(de) ¶~ 수준 智力水平／~ 재산권 知识产权

지점(支店) 명 支店 zhīdiàn；分店 fēndiàn；分公司 fēngōngsī；支行 zhīháng；分号 fēnhào ¶~은 부산에 있다 分店位于釜山

지점(地點) 명 地点 dìdiǎn ¶지정한 ~에 도달하다 到达指定地点

지조(志操) 명 气节 qìjié；情操 qíngcāo ¶~를 지키다 坚守气节

지주(支柱) 명 支柱 zhīzhù；依托 yītuō ¶정신적 ~ 精神上的支柱

지주(地主) 명 地主 dìzhǔ = 영주(領主)1

지지 명 脏 zāng ¶이것은 ~니까 만지

지 마 这很脏，不要摸摸

지지(支持) 명하타 1 支撑 zhīcheng；顶住 dǐngzhù ¶서까래가 지붕을 ~하다 椽子顶住屋顶 2 支持 zhīchí；拥护 yōnghù；赞扬 zànzhù；撑腰 chēngyāo ¶~자 支持者／~를 호소하다 呼吁支持／나는 너의 생각을 ~한다 我支持你的想法

지지(地支) 명 【民】地支 dìzhī

지-지난 관 上上 shàngshàng ¶~ 토요일 上上星期六

지지다 타 1 熬 áo ¶생선을 ~ 熬鱼 2 煎 jiān ¶빈대떡을 ~ 煎煎饼 3 烙 lào；烫 tàng；熨 yùn ¶烫 shāo ¶다림질 옷을 버려서 熨烫燒了的衣服扔掉吧 4 沙疗 shāliáo；热疗 rèliáo

지지고 볶다 관 1 折磨 zhémó；纠缠 jiūchán；折腾 zhēteng 2 烫发 tàngfà ¶머리를 지지고 볶은 여자 一个烫发的女人

지지리 부 非常 fēicháng；简直 jiǎnzhí；真 zhēn；太 tài ¶~도 못나다 非常没出息

지지-배배 부 叽叽 jījī；叽叽喳喳 jījīzhāzhā；呢喃 nínán；啾啾唧唧 jiūjiuqījī (鸟鸣声) ¶참새가 ~ 울기 시작했다 小麻雀又开始叽叽喳喳地叫了起来

지지부진(遲遲不進) 명하자 迟迟不前 chíchíbùqián ¶사업 확장이 ~하다 推广工作迟迟不前

지진(地震) 명 【地理】地震 dìzhèn ¶~계 地震表＝[地震仪]／~대 地震带／~파 地震波／~이 발생하다 发生地震

지질(地質) 명 【地理】地质 dìzhì；土质 tǔzhì ¶~ 구조 地质结构／~학 地质学

지질-하다 형 庸俗 yōngsú；简陋 jiǎnlòu；寒微 hánwēi；微不足道 wēibùzúdào ¶인품이 ~ 人品庸俗／지질하게 살다 居住简陋 **지질-히** 부

지참(持參) 명하타 携带 xiédài；随身 suíshēn；带 dài ¶펜과 노트를 ~하다 携带笔和本子

지척(咫尺) 명 咫尺 zhǐchǐ ¶~에 있다 近在咫尺

지천(至賤) 명하형 多的是 duōdeshì；有的是 yǒudeshì；丰富 fēngfù；富裕 fùyù；随处可见 suíchùkějiàn ¶온 땅에 낙엽이 ~이다 有的是满地的落叶

지천명(知天命) 명하자 1 知道天命 zhīdào tiānmìng 2 五十岁 wǔshísuì

지체(地體) 명 门第 méndì；门阀 ménfá；出身 chūshēn；社会地位 shèhuì dìwèi ¶~가 높고 낮음에 따라 관리를 선발한다 根据门阀高下来选官

지체(肢體) 명 肢体 zhītǐ；四肢和躯干 sìzhī hé qūgàn ¶~부자유아 肢体残疾儿童

지체(遲滯) 명하타 拖延 tuōyán；耽搁

dānge; 迟延 chíyán; 耽误 dānwu; 迟滞 chízhì; 延迟 yánchí; 延缓 yánhuǎn; 延搁 yángē ¶더 이상 ~할 시간이 없다 没有时间再拖延了

지출(支出) 명하타 支出 zhīchū; 支付 zhīfù; 开支 kāizhī; 开销 kāixiāo ¶3천 위안을 ~하다 开支三千元

지층(地層) 명 『地理』 地层 dìcéng

지:치다 자 累 lèi; 累乏 lèifá; 疲劳 píláo; 疲倦 píjuàn; 疲惫 píbèi; 疲乏 pífá; 劳累 láolèi; 劳乏 láofá; 乏累 fálèi ¶모두들 지쳤다 大家都疲倦了

지침(指針) 명 **1** 指针 zhǐzhēn; 指南针 zhǐnánzhēn ¶혈압계 ~ 血压计指针 **2** 方针 fāngzhēn; 指南 zhǐnán ¶행동 ~ 行动指南

지칭(指稱) 명하타 指称 zhǐchēng; 称呼 chēnghu ¶신세대로 ~되는 젊은이 指称新世代的年轻人

지켜-보다 타 观察 guānchá; 注视 zhùshì; 照看 zhàokàn; 照顾 zhàogù ¶자세히 ~ 仔细观察

지키다 타 **1** 守卫 shǒuwèi; 坚守 jiānshǒu; 保卫 bǎowèi; 看守 kānshǒu; 守护 shǒuhù; 卫护 wèihù; 保护 bǎohù ¶국가의 안전을 ~ 保卫国家安全 **2** 监视 jiānshì; 看守 kānshǒu; 看管 kānguǎn; 注视 zhùshì ¶죄인의 행동을 ~ 注视囚犯的行动 / 경찰이 거리를 ~ 警察监视街道 **3** 保持 bǎochí; 坚持 jiānchí; 维持 wéichí ¶침묵을 ~ 保持沉默 / 자신의 꿈을 ~ 坚持自己的梦想 **4** 遵守 zūnshǒu ¶법률을 ~ 遵守法律

지탄(指彈) 명하타 谴责 qiǎnzé; 指斥 zhǐchì; 指责 zhǐzé; 斥责 chìzé ¶~을 받다 受到指责

지탱(支撐) 명하타 支撑 zhīcheng; 撑持 chēngchí; 支持 zhīchí ¶두 팔로 온몸을 ~하다 用双手臂支撑全身 / 그녀가 어려운 가정을 ~하고 있다 她撑持着一个苦难的家庭

지팡이 명 杖 zhàng; 手杖 shǒuzhàng; 拐杖 guǎizhàng; 拐棍 guǎigùn

지퍼(zipper) 명 拉链 lāliàn; 拉锁 lāsuǒ ¶~를 열다 拉开拉锁

지평(地平) 명 **1** 大地平面 dàdì píngmiàn **2** 可能 kěnéng; 可能性 kěnéngxìng; 展望 zhǎnwàng; 前瞻 qiánzhān ¶한국 영화의 새 ~을 열다 带来对韩国电影的新展望

지평-면(地平面) 명 『地理』 地平面 dìpíngmiàn

지평-선(地平線) 명 地平线 dìpíngxiàn; 天际线 tiānjìxiàn

지폐(紙幣) 명 纸币 zhǐbì; 钞票 chāopiào; 软币 ruǎnbì; 票子 piàozi

지표(地表) 명 地表 dìbiǎo; 地面 dìmiàn; 地皮(儿) dìpí(r) = 지표면

지표(指標) 명 指标 zhǐbiāo; 标志 biāozhì; 标识 biāozhì; 方向标 fāngxiàngbiāo ¶~를 세우다 设立指标

지표-면(地表面) 명 = 지표(地表)

지푸라기 명 芥草 jiècǎo; 草刺儿 cǎocìr; 稻草屑 dàocǎoxiè; 草芥 cǎojiè; 草屑 cǎoxiè

지프(jeep) 명 吉普车 jípǔchē; 吉普卡 jípǔkǎ; 越野车 yuèyěchē = 지프차

지프-차(jeep車) 명 = 지프

지피다 타 生火 shēnghuǒ; 烧火 shāohuǒ; 点燃 diǎnrán ¶불을 지펴 차를 끓이다 烧火煮茶

지피에스(GPS)[Global Positioning System] 명 『信』 全球定位系统 quánqiú dìngwèi xìtǒng

지피지기(知彼知己) 명하자 知己知彼 zhījǐzhībǐ ¶~면 백전백승이다 知己知彼, 百战不殆

지하(地下) 명 **1** 地下 dìxià; 地里 dìli ¶~도 地下道路 =[地下通道][地道] / ~상가 地下商场 =[地下商业街] / ~수 地下水 / ~실 地下室 / ~자원 地下资源 =[矿藏] / ~층 地下层 **2** 地下 dìxià; 非法 fēifǎ ¶~ 조직 地下组织

지하-철(地下鐵) 명 『交』 地铁 dìtiě; 地下铁道 dìxià tiědào ¶~역 地铁站

지향(志向) 명하타 志向 zhìxiàng; 志愿 zhìyuàn; 向往 xiàngwǎng ¶복지 국가를 ~하다 向往国家福利

지혈(止血) 명하자타 止血 zhǐxuè ¶~제 止血剂 / ~을 위해 상처에 붕대를 감다 为了止血, 用绷带缠伤口

지형(地形) 명 地形 dìxíng; 地貌 dìmào; 地势 dìshì = 지세 ¶~이 험하다 地形险要

지혜(智慧 · 知慧) 명 智慧 zhìhuì; 知慧 zhīhuì; 慧心 huìxīn; 心眼儿 xīnyǎnr; 心灵 xīnlíng ¶~를 짜내다 想出智慧

지혜-롭다(智慧—) 형 聪明 cōngming; 智慧 zhìhuì; 机智 jīzhì; 伶俐 língli; 智 zhì ¶지혜로운 사람 聪明的人 / 지혜롭게 처리하다 聪明地解决 **지혜로이** 부

지휘(指揮 · 指麾) 명하타 **1** 指挥 zhǐhuī ¶~관 指挥官 / ~봉 指挥棒 / 사령관의 ~에 따라 적진으로 돌격하다 按司令的指挥向敌阵突击 **2** 『音』 指挥 zhǐhuī ¶~자 指挥 / 교향악단을 ~하다 指挥交响乐团

직각(直角) 명 『數』 直角 zhíjiǎo ¶~삼각형 直角三角形 =[直三角形][勾股形] / ~자 直角尺

직감(直感) 명하타 直觉 zhíjué; 直感 zhígǎn ¶날카로운 ~ 敏锐的直觉

직-거래(直去來) 명하타 『經』 直销 zhíxiāo; 直接交易 zhíjiē jiāoyì; 直接贸易 zhíjiē màoyì; 当场买卖 dāngchǎng

mǎimài

직격-탄(直擊彈) 图 直射弹 zhíshèdàn ¶~을 맞았다 中了直射弹

직계(直系) 图 1 嫡系 díxì; 嫡派 dí-pài; 直系 zhíxì ¶~ 가족 直系亲属 2 嫡系 díxì

직관(直觀) 图하타 【哲】直观 zhíguān

직구(直球) 图 【體】(棒球) 直球 zhíqiú

직권(職權) 图 职权 zhíquán; 事权 shì-quán; 职务权限 zhíwù quánxiàn ¶~ 남용 滥用职权 =[擅权] / ~을 행사하다 行使职权

직급(職級) 图 职级 zhíjí

직녀(織女) 图 织女 zhīnǚ

직녀-성(織女星) 图 【天】织女星 zhī-nǚxīng; 织女 zhīnǚ

직렬(直列) 图 【電】= 直列连结

직렬-연결(直列連結) 图 【電】串联 chuànliàn; 级联 jílián = 直列

직립(直立) 图하자 直立 zhílì ¶~ 동물 直立动物 / ~ 보행 直立行走 / ~원인 直立猿人

직매-장(直賣場) 图 自售商店 zìshòu shāngdiàn

직면(直面) 图하자타 面对 miànduì; 面临 miànlín; 面向 miànxiàng; 当前 dāngqián; 当头 dāngtóu ¶좌절에 ~하다 面对挫折

직무(職務) 图 职务 zhíwù; 职守 zhí-shǒu; 任 rèn; 职责 zhí ¶~를 수행하다 执行职务

직물(織物) 图 纺织品 fǎngzhīpǐn; 织物 zhīwù; 织品 zhīpǐn; 布匹 bùpǐ; 布类 bùlèi

직방(直放) 图 立竿见影 lìgānjiànyǐng; 立刻见效 lìkè jiànxiào ¶코막힘을 ~으로 없앨 수 있다 能立竿见影地消除鼻塞

직분(職分) 图 1 职分 zhífèn ¶교사의 ~을 다하다 尽教师的职分 2 本分 běnfèn ¶각자 ~을 지키다 各守本分

직불 카드(直拂card) 【經】支付卡 zhīfùkǎ

직사(直死) 图하자 = 즉사

직-사각형(直四角形) 图 【數】矩形 jǔxíng; 长方形 chángfāngxíng; 长方形 chángfāng; 直四角边形 zhísìjiǎobiān-xíng; 直角四边形 zhíjiǎosìbiānxíng = 장방형

직사-광선(直射光線) 图 正照 zhèng-zhào; 直射光 zhíshèguāng

직선(直線) 图 直线 zhíxiàn ¶~ 비행 直线飞行

직선-적(直線的) 冠图 直说地 zhí-

shuōde; 直话直说地 zhíhuàzhíshuōde; 直率地 zhíshuàide ¶~으로 비평하다 直话直说地批评 / ~으로 분노를 표현하다 直率地表现愤怒

직성(直星) 图 性格 xìnggé; 性情 xìng-qíng; 脾气 píqí

직성(이) 풀리다 🖫 满足; 放心; 安心; 甘心 ¶얼마나 오래 해야 직성이 풀리겠니? 要做多久你才满足?

직속(直屬) 图 直属 zhíshǔ; 隶属 lìshǔ ¶~ 기관 直属机构

직속-상관(直屬上官) 图 顶头上司 dǐngtóu shàngsi

직-수입(直輸入) 图하타 直接进口 zhí-jiē jìnkǒu ¶해외에서 ~한 의상 从国外直接进口的衣裳

직-수출(直輸出) 图하타 直接出口 zhí-jiē chūkǒu; 直接输出 zhíjiē shūchū

직시(直視) 图하타 1 凝视 níngshì ¶전방을 ~하다 凝视前方 2 正视 zhèng-shì; 直面 zhímiàn ¶현실을 ~하다 正视现实

직언(直言) 图하타 直言 zhíyán; 直说 zhíshuō; 直话 zhíhuà ¶거리낌없이 ~하다 直言不讳

직업(職業) 图 职业 zhíyè; 行业 háng-yè; 工作 gōngzuò; 生业 shēngyè; 饭碗 fànwǎn ¶~병 职业病 =[工作病] / 인기 있는 ~ 热门行业

직역(直譯) 图하타 直译 zhíyì ¶~의 방법으로 번역하다 用直译的方法来翻译

직영(直營) 图하타 直销 zhíxiāo; 直接经营 zhíjiē jīngyíng ¶~점 直销店

직원(職員) 图 职员 zhíyuán ¶은행 ~ 银行职员

직위(職位) 图 职位 zhíwèi; 职分 zhí-fèn ¶~가 낮다 职位低

직유(直喻) 图 【文】= 직유법

직유-법(直喻法) 图 【文】直喻法 zhí-yùfǎ = 직유

직인(職印) 图 公章 gōngzhāng; 单位印章 dānwèi yìnzhāng; 官职印章 guān-zhí yìnzhāng ¶~을 찍다 印公章

직장(直腸) 图 【生】= 곧은창자

직장(職場) 图 工作岗位 gōngzuò gǎngwèi; 工作单位 gōngzuò dānwèi; 车间 chējiān = 일터2 ¶~에서 돌아오다 从工作岗位上回来 2 = 일자리

직장-인(職場人) 图 上班人 shàng-bānrén; 上班族 shàngbānzú; 职业人 zhíyèrén

직전(直前) 图 就要…的时候 jiùyào…de shíhou; 之前 zhīqián ¶해가 뜨기 ~ 当太阳出来之前

직접(直接) ☐图 直接 zhíjiē; 径直 jìng-zhí ¶~ 선거 直接选举 / 화재 발생의 ~ 원인 火灾发生的直接原因 / ~적인

관계가 없다 没有直接的关系 ⊟ 早 亲自 qīnzì; 亲手 qīnshǒu ¶~로 요리를 하다 亲手做菜

직종(職種) 몡 职别 zhíbié

직진(直進) 몡하자 一直走 yīzhízǒu; 一直前进 yīzhí qiánjìn; 立即前往 lìjí qiánwǎng ¶다음 신호등까지 ~하다 一直前进到下一个红绿灯处

직책(職責) 몡 职责 zhízé ¶~을 다하다 尽到职责

직통(直通) 몡하자 **1** 直通 zhítōng; 直接 zhíjiē ¶~ 전화를 개설하다 开设直通电话 ~으로 전화하다 直接打电话给总统 **2** 立时生效 lìshí shēngxiào; 立即见效 lìjí jiànxiào ¶먹으면 ~인 약 吃就立即见效的药 **3** 直通 zhítōng; 直达 zhídá ¶서울에서 목포까지의 ~열차를 개통하다 开通了首尔至木浦的直通列车

직판-장(直販場) 몡 直销场 zhíxiāochǎng

직함(職銜) 몡 官衔 guānxián; 职衔 zhíxián; 头衔 tóuxián; 名衔 míngxián ¶~이 높지 않다 职衔不高

직항(直航) 몡하자 直航 zhíháng ¶싱가포르로 ~하다 直航新加坡

직행(直行) 몡하자 直达 zhídá; 直到 zhídào; 直至 zhízhì ¶~버스 直达公共汽车 ~ 급행 열차 直达快车 / 서울에서 기차를 타고 부산으로 ~하다 从首尔坐火车直达釜山

직후(直後) 몡 刚…之后 gāng…zhīhòu; 之后不久 zhīhòubùjiǔ; 后脚 hòujiǎo ¶헤어진 ~ 刚分手之后 / 결혼식을 올린 ~ 举行婚礼之后不久

진:(津) 몡 黏液 niányè

진(을) 빼다 ⊟ 泄气; 困乏; 筋疲力尽

진(이) 빠지다[떨어지다] ⊟ 精疲力尽; 心灰意冷

진(陣) 몡 〔軍〕阵 zhèn; 军阵 jūnzhèn; 阵地 zhèndì = 진영1 ¶~을 벌이다 摆阵 [布阵]

진(을) 치다 ⊟ 占位 ¶매일 아침 일찍 일어나 앞줄에 앉아 진을 친다 天天早早起来占位坐第一排

진-(津) 졉투 深 shēn ¶~보라 深青紫色 / ~분홍 深粉红色

-진(陳) 졉미 队 duì; 队伍 duìwu; 阵 zhèn ¶의료~ 医疗队伍 / 장사~ 长蛇阵

진가(眞價) 몡 真实价值 zhēnshí jiàzhí

진:-갑(進甲) 몡 进甲 jìnjiǎ《六十二岁寿辰》

진공(眞空) 몡 〔物〕真空 zhēnkōng ¶~포장 真空包装 / ~ 상태 真空状态 / 청소기 真空吸尘器

진-국(津一) 몡 卤 lǔ; 原汤 yuántāng

진-국(眞一) 몡 真实 zhēnshí; 老实 lǎoshi; 真实人 zhēnshírén; 老实人 lǎoshirén ¶그는 정말 ~이다 他是个老实人

진:-군(進軍) 몡하자 进军 jìnjūn; 进兵 jìnbīng; 出兵 chūbīng ¶적진을 향해 ~하다 朝敌阵进军

진귀-하다(珍一) 톙 珍贵 zhēnguì; 可贵 kěguì ¶진귀한 경험을 얻다 得到珍贵的经验

진:-급(進級) 몡하자 升级 shēngjí; 升班 shēngbān; 晋级 jìnjí; 晋升 jìnshēng; 提级 tíjí ¶2학년으로 ~했다 升级到二年级了

진기-하다(珍奇一) 톙 珍奇 zhēnqí; 珍异 zhēnyì ¶진기한 동물 珍奇动物

진노(瞋怒 · 嗔怒) 몡하자 震怒 zhènnù; 大怒 dànù; 嗔怒 chēnnù; 恼怒 nǎonù ¶그를 ~하게 하다 令他恼怒

진눈깨비 몡 雨雪 yǔxuě; 雨夹雪 yǔjiāxuě ¶산간 지역에 ~가 내리겠습니다 山间地区将有雨夹雪

진:-단(診斷) 몡하자 〔醫〕诊断 zhěnduàn; 诊病 zhěnbìng; 脉案 màiàn ¶~서 诊断书 / 병을 ~하다 对疾病作出诊断

진달래 몡 〔植〕杜鹃花 dùjuānhuā; 映山红 yìngshānhóng; 满山红 mǎnshānhóng; 金达莱 jīndálái = 두견화 · 진달래꽃 ¶온 산에 ~가 만발하다 满山开杜鹃花

진달래-꽃 몡 〔植〕= 진달래

진담(眞談) 몡하자 真言 zhēnyán; 真话 zhēnhuà; 实话 shíhuà; 正话 zhènghuà ¶~을 털어놓다 说穿真言

진:-도(進度) 몡 进度 jìndù; 进程 jìnchéng ¶~가 느리다 进度缓慢

진:-도(震度) 몡 〔地理〕震级 zhènjí ¶~7의 지진이 발생했다 发生了震级7级的地震

진돗-개(珍島一) 몡 〔動〕珍岛狗 zhēndǎogǒu ¶~는 용감하고 두려움을 모르는 것으로 유명하다 珍岛狗以勇敢、无畏出名

진:-동(振動) 몡하자 **1** 振动 zhèndòng; 振荡 zhèndàng; 摆动 bǎidòng ¶물체의 ~으로 생겨난다 音是由物体的振动产生的 **2** (气味) 强 qiáng ¶악취가 ~한다 恶臭真强

진:-동(震動) 몡자타 震 zhèn; 震动 zhèndòng; 震荡 zhèndàng; 震撼 zhènhàn ¶지진으로 인해 땅이 ~하기 시작했다 因地震, 大地开始震动

진드기 몡 〔蟲〕蜱 pí; 壁虱 bìshī

진득-거리다 자 **1** 黏糊糊的 niánhūhūde; 发黏 fānián; 黏糊 niánhú **2** 柔韧 róurèn; 坚韧 jiānrèn; 有韧性 yǒurènxìng ‖ = 진득대다 · 진득-진득

진득-하다 톙 稳重 wěnzhòng; 沉着 chénzhuó; 持重 chízhòng; 沉着稳重 chénzhuó wěnzhòng ¶진득하게 좀 앉아 있어라 沉着稳重地坐一坐

진딧-물 몡 [虫] 蚜 yá; 蚜虫 yáchóng; 木虱 mùshī; 腻虫 nìchóng

진-땀(津—) 몡 大汗 dàhàn ¶줄곧 —이 흐르다 一直流大汗

진땀(을) 빼다[뽑다/흘리다] ⬄ 冒大汗

진-로(進路) 몡 前进道路 qiánjìn dàolù; 进路 jìnlù; 去路 qùlù; 来路 láilù ¶—를 막다 阻挡前进道路

진-료(診療) 몡하타 [医] 诊疗 zhěnliáo; 诊治 zhěnzhì; 门诊 ménzhěn ¶—센터 诊治中心 / —소 诊所 =[진료소]

진-루(進壘) 몡하자 [體] (棒球) 进垒 jìnlěi

진리(真理) 몡 真理 zhēnlǐ; 真谛 zhēndì; 至理 zhìlǐ; 真实 zhēnshí; 真相 zhēnxiàng ¶—를 추구하다 追求真理

진맥(診脈) 몡하타 [医] 诊脉 zhěnmài; 脉诊 màizhěn; 按脉 ànmài; 切脉 qièmài; 号脉 hàomài

진-면목(眞面目) 몡 真面目 zhēnmiànmù; 本色 běnsè; 原形 yuánxíng; 原貌 yuánmào; 真相 真实 shíxiāng ¶—을 드러내다 显出真面目

진:물(津—) 몡 脓水 nóngshuǐ; 脓汁 nóngzhī ¶—이 나오다 出脓水

진미(珍味) 몡 美味 měiwèi ¶—를 맛보다 品尝美味

진배-없다 톙 等于 děngyú; 一样 yíyàng; 不亚于 búyàyú; 不次于 búcìyú ¶진품과 ~ 不亚于真货 진배없-이 튀

진범(眞犯) 몡 真凶 zhēnxiōng ¶—을 잡았다 抓住真凶了

진:보(進步) 몡하자 进步 jìnbù; 前进 qiánjìn; 向上 xiàngshàng; 上进 shàngjìn ¶~사상 进步思想 / —주의 进步主义

진본(眞本) 몡 真本 zhēnběn; 原本 yuánběn; 原件 yuánjiàn

진부-하다(陳腐—) 톙 陈腐 chénfǔ; 陈旧 chénjiù; 迂腐 yūfǔ; 老朽 lǎoxiǔ; 古老 gǔlǎo; 古板 gǔbǎn; 酸腐 suānfǔ ¶진부한 개념 古老的概念

진-분수(眞分數) 몡 [数] 真分数 zhēnfēnshù

진상(眞相) 몡 真相 zhēnxiàng; 真情 zhēnqíng; 实际情况 shíjì qíngkuàng; 真面目 zhēnmiànmù; —이 드러나다 暴露真相

진:상(進上) 몡하타 进贡 jìngòng; 进献 jìnxiàn ¶~品 进贡物品 / 보배를 —하다 进贡宝贝

진솔-하다(眞率—) 톙 真率 zhēnshuài; 真诚 zhēnchéng; 直率 zhíshuài; 坦率 tǎnshuài ¶진솔하게 의견을 교환했다 率率地交换了意见 진솔-히 튀

진수(眞髓) 몡 精髓 jīngsuǐ; 精华 jīnghuá; 真髓 zhēnsuǐ ¶인류 사상의 ~ 人类思想的精髓 / 문학의 ~를 느끼다 体会文学的精华

진수-성찬(珍羞盛饌) 몡 山珍海味 shānzhēnhǎiwèi; 珍馐盛馔 zhēnxiū shèngzhuàn; 丰餐美食 fēngcānměishí; 大酒大肉 dàjiǔdàròu; 鸡鸭鱼肉 jīyāyúròu ¶—을 내오다 上珍馐盛馔

진:술(陳述) 몡하자타 1 陈述 chénshù; 申述 shēnshù; 陈情 chénqíng; 称述 chēngshù; 述说 shùshuō ¶자신의 의견을 ~하다 陈述自己的意见 2 [法] 供词 gòngcí ¶警察측은 이미 관련자에 대한 ~을 기록했다 警方已对有关人员录了供词

진:술-서(陳述書) 몡 [法] 供状 gòngzhuàng

진실(眞實) 몡하톙부 真实 zhēnshí; 实情 shíqíng; 真相 zhēnxiàng; 忠实 zhōngshí ¶~한 사람 真实的人

진실-로(眞實—) 튀 真实 zhēnshí; 真心 zhēnxīn; 真正 zhēnzhèng; 真的 zhēnde; 的确 díquè; 实在 shízài; 着实 zhuóshí; 真格的 zhēngéde ¶~성 真实性 =[可信性] / ~ 깨닫다 真正了解 / ~ 이해하다 真实地了解

진심(眞心) 몡 真心 zhēnxīn; 真情 zhēnqíng; 诚意 chéngyì; 诚心 chéngxīn; 本意 běnyì; 衷心 zhōngxīn; 实心 shíxīn; 诚心诚意 chéngxīnchéngyì; 心腹 xīnfù; 赤心 chìxīn ¶~으로 희망한다 衷心希望

진:압(鎭壓) 몡하타 镇压 zhènyā; 平息 píngxī; 平定 píngdìng; 抑制 yìzhì; 按捺 ànnà ¶~군 镇压军 / ~봉 镇压棍子

진-앙(震央) 몡 [地理] 震中 zhènzhōng

진액(津液) 몡 津液 jīnyè; 汁液 zhīyè

진-열(陳列) 몡하타 陈列 chénliè; 放 chénfàng; 摆列 bǎiliè; 摆设 bǎishè; 陈设 chénshè ¶~대 陈列台 =[展台][展柜] / ~장 陈列柜 =[橱窗] 陈列 여 종의 도서가 ~되어 있다 陈列近百种的图书

진영(陣營) 몡 1 [军] 阵地 zhèndì; 军营 jūnyíng = 진(陣) 2 阵营 zhènyíng; 壁垒 bìlěi; 营垒 yínglěi ¶보수 ~ 保守阵营

진:원(震源) 몡 1 [地理] 震源 zhènyuán = 진원지1 ¶지진의 ~ 地震的震源 2 事件原因 shìjiàn yuányīn

진:원-지(震源地) 몡 1 [地理] = 진원1 2 发源地 fāyuándì ¶혁명의 ~ 革

命의 발원지

진위(眞僞) 图 진위 zhēnwěi; 진가
zhēnjià ¶화폐의 ~를 판별하다 辨别
货币的真伪

진의(眞意) 图 진의 zhēnyì; 본의 běnyì;
진정의도 zhēnzhèng yìtú ¶를 찾다
探索真意

진:―일보(進―步) 图하자 진일보 jìnyī-
bù; 更上一层楼 gèngshàngyīcénglóu ¶
~ 발전했다 进一步发展

진:―입(進入) 图하자 충입 chōngjìn; 진
입 jìnrù; 走上 zǒushàng ¶적진으로 ~
하다 冲进敌阵 / 선진국 대열에 ~하
다 进入发达国家行列

진:―작(振作) 图하자 진작 zhènzuò;
振奋 zhènfèn; 振兴 zhènxīng ¶사기를
~시키다 振作士气

진:―작(振作) 图 일찍 zǎo; 及早 jízǎo; 趁早 chèn-
zǎo; 早一点 zǎoyīdiǎn = 진즉 ¶사실
~ 이렇게 했어야 했는데 其实早该这
么做了

진저리 图 1 冷嘛 lěngjìn; 寒噤 hán-
jìn; 寒战 hánzhàn; 冷战 lěngzhan ¶~
를 치다 打冷噤 2 腻人 nìrén; 讨厌
tǎoyàn; 厌倦 yànjuàn ¶~가 나서 도망
치고만 싶다 厌倦了只想逃离

진:―전(進展) 图하자 진전 jìnzhǎn; 发
展 fāzhǎn; 进步 jìnbù; 进程 jìnchéng;
演进 yǎnjìn ¶일에 상당한 ~이 있다
工作很有进步

진:―정(鎮靜) 图하자 定 dìng; 镇定 zhèn-
dìng; 镇静 zhènjìng; 稳住 wěnzhù; 平
服 píngfú; 安定 āndìng ¶~제 镇静
剂 / 마음을 ~시키다 镇定一下情绪

진정(眞正) 图 진정 zhēnzhèng; 的确
díquè; 实在 shízài ¶~ 안 되나요?
真的不可能吗? / ~ 기쁘다 实在高兴

진정―하다(眞正―) 图 真 zhēn; 真正
zhēnzhèng ¶진정한 친구 真正的朋友

진주(眞珠・珍珠) 图 珍珠 zhēnzhū; 真
珠 zhēnzhū; 珠宝 zhūbǎo; 珠子 zhūzi
¶~ 목걸이 珍珠项链

진:―중―하다(鎭重―) 图 稳重 wěn-
zhòng; 持重 chízhòng; 郑重 zhèng-
zhòng ¶진중한 태도를 취하다 采取持
重的态度 **진:―중―히** 图

진:―즉(趁即) 图 = 진작

진:―지 图 '밥'의 敬词

진지(陣地) 图 阵地 zhèndì ¶~를 구
축하다 构筑阵地

진지―하다(眞摯―) 图 真挚 zhēnzhì;
真诚 zhēnchéng; 认真 rènzhēn; 真切
zhēnqiè; 恳切 kěnqiè; 一本正经 yīběn-
zhèngjīng ¶진지한 감정 真挚的感情 /
진지하게 고려하다 认真考虑 / 태도가
~ 态度很真诚

진짜(眞―) 一图 진짜 zhēnde; 真货
zhēnhuò; 真品 zhēnpǐn ¶~야 가짜야?

是真的假的? 三图 = 진짜로

진짜―로(眞―) 图 진짜 zhēnde; 果真
guǒzhēn; 真正 zhēnzhèng; 确实 què-
shí; 实在 shízài; 的确 díquè = 진짜로
三 ¶~ 실현되었다 真的实现了 / ~
유감이다 实在遗憾

진:―찰(診察) 图하자 【醫】 진찰 zhěn;
진찰하다 zhēnchá; 诊视 zhěnshì; 门诊 mén-
zhěn; 看病 kànbìng ¶~실 诊室 / 의사
가 환자를 ~하는 시간이 지나치게 짧
다 医师为患者诊察的时间太短

진:―척(進陟) 图하자 진전 jìnxíng; 进
行 jìnxíng; 演进 yǎnjìn ¶우리 관계는
~되지 않았다 我们关系没有进展

진:―출(進出) 图하자 등장 dēngshàng;
登场 dēngchǎng; 走上 zǒushàng; 步入
bùrù; 进入 jìnrù; 走进 zǒujìn ¶현재 여
성의 사회 ~에 따라 평등 의식도 중
가하고 있다 现在随着妇女走上社会,
平等意识也增强

진:―취(進取) 图하자 진취 jìnqǔ ¶~적
정신 进取精神 / ~성이 강하다 进取
性很强

진탕(―宕) 图 饱 bǎo; 足 zú; 大 dà;
尽量 jǐnliàng; 充分 chōngfèn; 充足
chōngzú ¶~ 먹고 ~ 마시다 吃足喝
饱 = [肥吃海喝][湖吃海喝][大吃大
喝] / ~ 놀아 보자 尽量玩吧

진통(陣痛) 图 阵痛 zhèn-
tòng = 산통(産痛) ¶산모는 평균 180
여 차례의 ~을 느낀다 每个产妇平均
有180次阵痛 2 困难 kùnnan; 枝节
zhījié; 阵痛 zhèntòng; 煎熬 jiān'áo; 痛
苦 tòngkǔ ¶~을 겪다 经历阵痛

진:―통(鎭痛) 图하자 【醫】 진통 zhèntòng; 止
痛 zhǐtòng ¶~제 镇痛剂 =[止痛药]

진:―퇴―양난(進退兩難) 图 진퇴양란
jìntuìliǎngnán; 进退维谷 jìntuìwéigǔ;
左右为难 zuǒyòuwéinán; 跋前疐后 bá-
qiánzhìhòu; 不上不下 bùshàngbùxià;
不尴不尬 bùgānbùgà; 山穷水尽 shān-
qióngshuǐjìn ¶~의 상황에 빠졌다 陷
入了进退维谷的情况

진품(眞品) 图 真品 zhēnpǐn; 真货 zhēn-
huò; 原件 yuánjiàn

진―풍경(珍風景) 图 奇景 qíjǐng; 胜景
shèngjǐng; 绝景 juéjǐng ¶이 ~은 마치
한 폭의 유화 같다 这些奇景, 似一幅
油画

진―하다(津―) 图 1 (液体等) 浓
yàn ¶이 커피는 너무 ~ 这咖啡太
酽了 2 (颜色) 深 shēn; 暗 àn; 老 lǎo
¶진한 녹색 老绿 / 색이 너무 ~ 颜色
太深了 3 (气味) 冲 chōng; 浓 nóng;
浓烈 nóngliè ¶향기가 ~ 香气浓烈 4
(感情程度) 浓 nóng; 深 shēn ¶진한
감동 深深的感动

진:―학(進學) 图하자 입학 rùxué; 进学

jìnxué; 上学 shàngxué; 升学 shēng-
xué; 入学 shēnrù ¶~률 升学率

진ː행(進行) 图하자타 进行 jìnxíng; 展
开 zhǎnkāi ¶실험을 ~하다 进行试验

진ː행ː자(進行者) 图 主持人 zhǔchí-
rén; 司仪 sīyí ¶텔레비전 프로그램 ~
电视节目主持人

진ː화(進化) 图하자 1 〖生〗进化 jìn-
huà; 演化 yǎnhuà ¶~론 进化论 / 인류
의 ~ 과정을 연구하다 研究人类的进
化过程 2 发达 fādá; 发展 fāzhǎn ¶언
어의 기원과 ~ 语言起源与发展

진ː화(鎮火) 图하자타 1 镇火 zhènhuǒ;
消火 xiāohuǒ; 救火 jiùhuǒ; 灭火 miè-
huǒ; 熄灭 xīmiè ¶물통을 들어 불을
~하다 拎起水桶救火 2 消沉 xiāo-
chén; 平息 píngxí ¶소문이 결국 ~되
었다 传闻终得平息

진ː흙(黃土) 图 黄土 huángtǔ ¶~으로 마
사지하다 用黄土按摩 2 泥 ní; 泥土
nítǔ ¶아이들은 ~ 장난하기를 좋아한
다 孩子们爱玩泥土

진흙ː탕 图 泥潭 nítán; 泥坑 níkēng;
泥泞 nínìng; 泥浆 níjiāng; 烂泥 lànní
¶비만 오면 ~이 된다 一下雨就是泥
坑

진ː흥(振興) 图하자타 振兴 zhènxīng;
振起 zhènqǐ ¶공업을 ~하다 振兴工
业

질(質) 图 1 质 zhì; 质量 zhìliàng; 品质
pǐnzhì; 质地 zhìdì ¶수업의 ~을 높이
다 提高教学质量 / ~이 떨어지는 제
품 质量低劣 2 本质 běnzhì; 本性 běn-
xìng ¶이 아이는 ~이 나쁘다 这孩子本性
不好

질(腔) 图 〖生〗膣 zhì; 阴道 yīndào

질겁ː하다(窒怯─) 困 大吃一惊 dà-
chīyìjīng; 惊恐 jīngkǒng; 吃惊 chījīng;
震恐 zhènkǒng ¶진단 결과에 ~ 诊断
结果令人吃惊

질겅ː거리다 困 咬嚼 yáojiáo; 咀来嚼
去 jiáoláijiáoqù = 질겅대다 ¶껌을 질
겅거리며 씹다 咬嚼着口香糖 **질겅ː질**
겅 图하다

질기다 廖 1 结实 jiēshí; 耐用 nài-
yòng; 耐久 nàijiǔ ¶이 신발은 매우 ~
这双鞋很结实 2 皮 pí; 老 lǎo; 硬
yìng ¶소고기가 너무 ~ 牛肉
太老了 3 〈壽〉长 cháng ¶사람 목숨이
~ 人的寿命很长 4 耐性 nàixìng; 没
完了了 méiwánliǎo; ~구劲儿 yīgè-
jìnr; 有韧劲儿 yǒurènjìnr; 顽固 wánggù
¶옆의 어린아이가 질기게 울고 있다
旁의의 一个小孩儿一个劲儿地哭闹着

질끈 图 紧紧地 jǐnjǐnde; 使劲地 shǐ-
jìnde; 牢实地 láoshíde ¶내 손이 밧줄
에 ~ 묶여 있다 我的手绳子紧紧地
绑住

질녀(姪女) 图 侄女 zhínǚ

질다 廖 1 稀 xī; 软 ruǎn ¶밥이 ~ 饭
软 2 泞 nìng; 泥泞 nínìng ¶비가 와서
길이 ~ 下了雨, 路很泞

질량(質量) 图 〖物〗质量 zhìliàng ¶~
보존의 법칙 质量守恒定律

질러ː가다 困타 抄近路 chāojìnlù; 抄
近儿 chāojìnr; 走捷径去 zǒujiéjìngqù;
抄近道去 chāojìndàoqù; 抄道 chāodào
¶기찻길로 ~ 抄近路走上铁路

질리다 困 1 腻人 nìrén; 腻 nì; 腻味
nìrén; 腻透了 nìtòule; 厌倦 yànjuàn ¶
매일 단조롭게 한 곡만 듣다보니 조금
질렸다 天天单调地听一只曲子, 心里
还有些腻烦 2 苍白 cāngbái; 发青 fā-
qīng ¶하얗게 질려 온몸을 떨다 脸色
苍白, 浑身颤料

질문(質問) 图하자타 问 wèn; 提问 tí-
wèn; 发问 fāwèn; 询问 xúnwèn; 问难
wènnàn; 问事 wènshì ¶기자의 ~에
답하다 回答记者的提问

질박ː하다(質樸─) 廖 质朴 zhìpǔ; 俭
朴 jiǎnpǔ; 淳朴 chúnpǔ; 平实 píngshí;
粗朴 cūpǔ; 朴素 pǔsù; 朴质 pǔzhì; 无
华 wúhuá ¶질박한 언어 平实的语言
질박ː히 图

질병(疾病) 图 疾病 jíbìng; 疾患 jí-
huàn; 症候 zhènghòu; 病症 bìngzhèng
= 질환 ¶~을 예방하다 预防疾病

질색(窒塞) 图하자 讨厌 tǎoyàn; 厌恶
yànwù; 嫌 xián ¶나는 정치가 딱 ~이
야 我最讨厌政治

질서(秩序) 图 秩序 zhìxù; 伦次 lúncì;
条理 tiáolǐ ¶~를 지키다 维护秩序

질서정연ː하다(秩序整然─) 廖 整饬
zhěngchì; 秩序井然 zhìxùjǐngrán; 井井
有条 jīngjǐngyǒutiáo ¶질서정연하게 차
에 오르다 秩序井然地上车

질소(窒素) 图 〖化〗氮 dàn

질식(窒息) 图하자 窒息 zhìxī ¶~사 窒
息而死 / 열차 안이 비좁아 거의 ~할
것 같다 列车上挤得几乎让人窒息

질의(質疑) 图하자타 质疑 zhìyí; 质询
zhìxún; 质问 zhìwèn ¶~응답 质疑应
疑 =[答疑] / ~를 받다 接受质询

질ː적(質的) 图图 本质上 běnzhìshàng;
质的 zhìde; 质量上 zhìliàngshàng ¶~
변화와 양적 변화 质的变化和量的变
化

질주(疾走) 图하자 奔驰 bēnchí; 奔跑
bēnpǎo; 飞奔 fēibēn; 疾驰 jíchí; 快跑
kuàipǎo ¶신나게 ~하다 欢快地奔驰

질질 图 1 拖拖拉拉地 tuōtuōlālāde ¶
냄새나고 찢어진 옷을 입고서 ~
끌며 거리를 걷다 穿着那件又臭又
破的衣服, 拖拖拉拉地在街上走着 2
油光光(地) yóuguāngguāng(de); 油亮
油亮(地) yóuliàngyóuliàng(de); 油光腻

(地) yóunìnì(de) ¶기름기 ～ 흐르는 살찐 얼굴 油光光的胖脸 3 一滴一滴地 yīdīyīdīde; 不断流出 búduànliúchū; 簌簌 sùsù ¶눈물을 ～ 흘리다 眼泪簌簌地流下来 4 拖拉 tuōlā; 蹭蹭 cèng; 拖延 tuōyán; 蘑菇 mógu; 拖磨 tuōmó ¶그는 일을 할 때 ～질 않는다 他办事从不拖拉/빨리 좀 해, ～ 끌지 말고 快点儿, 别蹭了 5 顺从(地) shùncóng(de); 盲目(地) mángmù(de); 没有主见(地) méiyǒu zhǔjiàn(de) ¶～ 끌려다니다 没有主见被牵着走

질책(叱責) 명하타 叱责 chìzé; 责备 zébèi; 谴责 qiǎnzé; 斥责 chìzé; 斥骂 chìmà ¶～ 받다 受到叱责

질척-거리다 자 泥泞 nínìng; 湿润 shīrùn; 潮湿 cháoshī = 질척대다 **질척-질척** 부하자통

질척-하다 혱 泥泞 nínìng; 潮湿 cháoshī ¶질척한 길 泥泞的道路

질타(叱咤) 명하타 叱责 chìzé ¶밖에서 ～ 소리가 들렸다 外边响起了叱咤声

질투(嫉妬·嫉妒) 명하타 嫉妒 jídù; 妒忌 dùjì; 猜忌 cāijì; 妒忌 dùjì; 妒恨 dùhèn; 羡妒 xiàndù; 红眼 hóngyǎn = 강샘·투기(妬忌) ¶～심 嫉妒心 =[妒忌心] / 다른 사람의 재능을 ～하다 嫉妒别人的才子

질퍽-거리다 자 泥泞 nínìng; 稀烂 xīlàn = 질퍽대다 **질퍽-질퍽** 부하자통

질퍽-하다 혱 泥泞 nínìng; 稀烂 xīlàn; 밀가루를 질퍽하게 이기다 把面粉和得很稀 **질퍽-히** 부

질환(疾患) 명 = 질병 ¶～을 앓다 患疾病

짊어-지다 타 1 背 bēi ¶가방을 ～ 背着书包 2 负 fù; 担负 dānfù; 承担 chéngdān ¶책임을 ～ 担负责任/부담을 ～ 承担负担

짐 명 1 担 dàn; 担子 dànzi; 货物 huòwù; 行包 xíngbāo; 行李 xínglì ¶～을 싸다 打行李 2 担子 dànzi; 责任 zérèn ¶일과 가사라는 이중의 ～ 工作和家务的双重担子 3 负担 fùdàn; 累赘 léizhui ¶～을 덜다 减轻负担

짐을 벗다 구 解脱责任

짐을 싸다 구 1 作罢 2 搬家

짐-꾼 명 挑夫 tiāofu; 脚夫 jiǎofu; 脚力 jiǎolì; 脚行 jiǎoháng; 行李搬运夫 xínglibānyùnfū; 搬运工 bānyùnggōng ¶너 나 대신 짐을 들었다 脚夫替我挑着行李

짐승 명 1 兽 shòu; 畜 chù; 禽兽 qínshòu; 畜牲 chùshēng; 牲口 shēngkou; 野兽 yěshòu ¶～을 사냥하다 猎禽兽/～만도 못하다 禽兽不如 2 残忍野蛮的人 cánrěnyěmánde rén

짐작(斟酌) 명하타 摸 mō; 估计 gūjì; 估量 gūliáng; 预料 yùliào; 推测 tuīcè; 估摸 gūmo ¶～하기 어렵다 难以估计

짐짓 명 故意 gùyì; 假装 jiǎzhuāng; 假意 jiǎyì; 故作 gùzuò ¶～ 모른 체하다 假装不懂

짐-칸 명 货舱 huòcāng; 行李车 xínglichē = 화물칸

집 명 1 房 fáng; 屋 wū; 房子 fángzi; 房屋 fángwū ¶～값 房价/～을 짓다 盖房子/～을 세놓다 出租房子 2 窝 wō; 巢 cháo ¶까치～ 喜鹊窝/벌～ 蜂窝 3 鞘 qiào; 匣 xiá; 盒 hé; 套 tào ¶칼～에 넣다 插入刀鞘/권총～ 手枪套 4 (围棋) 眼 yǎn; 目 mù ¶세～를 이기다 胜三目 5 家 jiā; 家庭 jiātíng ¶처자식도 ～도 없다 没有妻子, 没有家庭 6 户 hù; 家 jiā ¶죽을 파는 가게가 두～ 있다 有两家卖粥的小店

집 떠나면 고생이다 속담 离家一里, 不如厨里

집도 절도 없다 속담 无家可归

집에서 새는 바가지는 들에 가도 샌다 속담 本性难改

-집(集) 접미 集 jí ¶시～ 诗集

집-게 명 钳子 qiánzi; 夹子 jiázi; 镊子 nièzi; 卡子 qiǎzi; 夹剪 jiājiǎn ¶빨래 ～ 衣服夹子

집게-손가락 명 食指 shízhǐ = 검지·식지·인지(人指) ¶엄지손가락과 ～으로 원을 만들다 用大拇指和食指做成一个圆圈

집결(集結) 명하자타 集合 jíhé; 集结 jíjié; 集聚 jíjù ¶회의실에 ～하다 集合在会议室

집계(集計) 명하타 总计 zǒngjì; 合计 héjì; 共计 gòngjì ¶사상자가 70만 명으로 ～되었다 总计伤亡70万多人

집권(執權) 명 = 당권 ¶～당 执政党 / ～ 이후 처음으로 미국을 방문하다 执政以来首次访美

집권(集權) 명 集权 jíquán ¶중앙～제 中央集权制

집념(執念) 명하자 信念 xìnniàn; 执着 zhízhuó; 执意 zhíyì; 固执 gùzhí ¶꿋꿋한 정치적 ～을 가지고 있다 具有坚定的政治信念

집다 타 1 抓 zhuā; 握 wò; 捏 niē ¶집자마자 바로 부서지다 一捏即碎 jiǎn; 拾 shí ¶고개를 숙여 종이를 집어 들었다 低头把纸捡了出来 3 钳 qián; 夹 jiā ¶젓가락으로 반찬을 ～ 用筷子夹菜 4 指名 zhǐmíng ¶잘 모르면서 집어 말하지 마시오 知道得不确实, 就不要指名

집단(集團) 명 集体 jítǐ; 集团 jítuán; 团体 tuántǐ; 团伙 tuánhuǒ; 帮 bāng

~행동 集团行动

집-대성(集大成) 〖명〗〖하타〗 集大成 jídàchéng; 总其大成 zǒngqídàchéng ¶史学研究的集大成

집-들이 〖명〗〖하자〗 乔迁宴 qiáoqiānyàn; 搬家宴 bānjiāyàn; 温居 wēnjū; 设乔迁宴 qíngkè ¶~에 무슨 선물을 해야 좋나요? 搬家宴送什么礼物好呢?

집무(執務) 〖명〗〖하자〗 工作 gōngzuò; 办公 bàngōng ¶~시간 工作时间

집-문서(一文書) 〖명〗 房契 fángqì; 红契 hóngqì; 土地房产所有证 tǔdì fángchǎn suǒyǒuzhèng; 房产证 fángchǎnzhèng

집배-원(集配員) 〖信〗 = 우편집배원

집-사람 〖명〗 家里的 jiālide; 屋里的 wūlide; 老婆 lǎopó; 内人 nèirén

집성-촌(集姓村) 〖명〗 集姓村 jíxìngcūn ¶~을 형성하다 形成集姓村

집-세(一貰) 〖명〗 房租 fángzū ¶~를 내다 支付房租

집시(Gypsy) 〖명〗 吉卜赛人 Jíbǔsàirén; 茨冈人 Cígāngrén ¶~처럼 도처를 유랑하다 像吉卜赛人到处流浪

집안 〖명〗 家 jiā; 家庭 jiātíng; 家里 jiāli; 家门 jiāmén = 가내 ¶~ 형편 家里情况 / ~ 분위기가 안 좋다 家里气氛不好

집안-싸움 〖명〗 **1** 自家人吵架 zìjiārén chǎojià; 自己人打架 zìjǐrén dǎjià; 家庭纠纷 jiātíng jiūfēn; 窝里斗 wōlǐdòu ¶~이 살인을 초래하다 家庭纠纷导致杀人 **2** 内战 nèizhàn; 内讧 nèihòng; 同室操戈 tóngshìcāogē ¶당의 ~ 党的内讧

집안-일 〖명〗 **1** 家务 jiāwù; 家事 jiāshì; 家务劳动 jiāwù láodòng ¶~을 하다 搞家务 **2** 家里的事情 jiālide shìqing

집약(集約) 〖명〗〖하타〗 概括 gàikuò ¶이 병의 원인은 다음 두 가지로 ~할 수 있다 这病成的原因可以概括为以下两点

집어-내다 〖타〗 **1** 抠出来 jiūchūlái; 夹出来 jiāchūlái; 掏出来 tāochūlái; 拿出来 náchūlái ¶가방 속에서 책한 권을 ~ 从书包里拿出来一本书 **2** 指出来 zhíchūlái; 查出来 chá chūlái; 指出 zhǐchū; 点出 zhídiǎn; 提示 tíshì ¶그의 잘못을 집어내 말하다 把他的错误指出来说

집어-넣다 〖타〗 放进 fàngjìn; 送进 sòngjìn; 插入 chārù ¶반찬을 냉장고에 ~ 把菜放进冰箱 / 그를 정신 병원에 ~ 将他送进精神病院

집어-던지다 〖타〗 拚弃 pīnqì; 放弃 fàngqì; 抛弃 pāoqì; 抛开 pāokāi ¶일관된 원칙을 ~ 放弃一贯的原则

집어-삼키다 〖타〗 **1** 吞掉 tūndiào ¶한

입에 알약 10개를 ~ 一口吞掉十颗药丸 **2** 吞并 tūnbìng; 侵吞 qīntūn ¶다른 사람의 돈을 ~ 吞并别人的钱

집어-치우다 〖타〗 放弃 fàngqì; 丢掉 diūdiào; 抛弃 pāoqì; 丢弃 diūqì; 作罢 zuòbà; 扔下 rēngxià; 收起 shōuqǐ ¶学业을 ~ 放弃学业 / 쓸데없는 말은 집어치워라! 收起闲话!

집요-하다(執拗一) 〖형〗 执拗 zhíniù; 顽固 wángù; 执意 zhíyì; 执着 zhuózhuó; 固执 gùzhí ¶성격이 ~ 脾气执拗 / 집요하게 요구하다 执意要求

집적-거리다 〖자타〗 挑逗 tiǎodòu; 纠缠 jiūchán; 撩逗 liáodòu; 招惹 zhāorě = 집적대다 ¶여자를 ~ 挑逗女人 집적-**집적** 〖부〗〖하자타〗

집적 회로(集積回路) 〖컴〗 集成电路 jíchéng diànlù = 아이시[2]

집-주인(一主人) 〖명〗 **1** 户主 hùzhǔ; 当家人 dāngjiārén; 当家的 dāngjiāde **2** 房东 fángdōng; 房主 fángzhǔ

집중(集中) 〖명〗〖하자타〗 集中 jízhōng ¶력 集中力 / ~ 호우 暴雨集中 =[局部地区暴雨] / 사람들의 시선이 내 얼굴에 ~되었다 大家的视线集中在我的脸上

집-집 〖명〗 家家 jiājiā; 每家 měijiā; 家家户户 jiājiāhùhù; 各家各户 gèjiāgèhù; 挨门 āimén; 挨门挨户 āiménāihù

집착(執着) 〖명〗〖하자타〗 执着 zhízhuó; 执著 zhízhuó ¶과거의 일에 ~하다 执着过去的事

집필(執筆) 〖명〗〖하타〗 编写 biānxiě; 执笔 zhíbǐ; 写作 xiězuò ¶영어 교재를 ~하다 编写英语教材

집하(集荷) 〖명〗〖하자〗 集货 jíhuò; 聚集货物 jùjí huòwù; 集中货物 jízhōng huòwù

집합(集合) 〖명〗〖하자〗 集合 jíhé; 集聚 jíjù; 合拢 hé**lǒng**; 聚合 jùhé; 聚会 huìjù

집행(執行) 〖명〗〖하타〗 **1** 进行 jìnxíng; 实行 shíxíng ¶각종 사업을 ~하다 进行各种事业 **2** 〖法〗 执行 zhíxíng; 施行 shīxíng ¶~ 유예 缓期执行 =[缓刑 / 사형을 ~하다 执行死刑

집회(集會) 〖명〗〖하자〗 集会 jíhuì; 聚会 jùhuì ¶~를 열다 召开聚会

집-히다 〖자〗 **1** 被抓 bèizhuā; 被捏 bèiniē 《'집다1'의 被动词》 **2** 被拾 bèijiǎn; 被拾 bèishí 《'집다2'의 被动词》

짓 〖명〗 勾当 gòudàng ¶나쁜 ~을 하다 搞勾当

짓-궂다 〖형〗 令人不耐 lìngrén bùnài; 令人厌烦 lìngrén yànfán; 烦人 fánrén; 讨人厌 tǎorényàn ¶짓궂은 질문을 하다 提出令人厌烦的问题

짓-누르다 〖타〗 **1** 用力乱压 yònglì luànyā; 狠压 hěnyā **2** (心里上) 压抑 yāyì; 压制 yāzhì; 钳制 qiánzhì; 抑制 yìzhì;

按捺 ànnà; 控制 kòngzhì ¶욕망을 ~
压抑欲望 / 언론의 자유를 ~ 钳制言
论自由

짓:다 〔타〕 1 做 zuò; 煮 zhǔ; 烧 shāo ¶
밥을 ~ 做饭 2 (表情) 露出 lòuchū;
显出 xiǎnchū; 做出 zuòchū ¶웃음을
~ 露出笑容 / 울상을 ~ 显出要哭的
样子 3 写 xiě; 作 zuò; 写作 xiězuò; 编
biān ¶글을 ~ 写文章 / 시를 ~ 作诗
4 下 xià; 作 zuò ¶결론을 ~ 下结论 5
盖 gài; 建盖 jiàngài; 修建 xiūjiàn; 修
盖 xiūgài; 建造 jiànzào; 构造 gòuzào ¶
아파트를 ~ 建盖公寓 6 种 zhòng; 耕
种 gēngzhòng ¶벼농사를 ~ 种稻作 7
犯 fàn ¶죄를 ~ 犯罪 8 起 qǐ; 命
mìng ¶이름을 ~ 起名 9 结 jié; 排
pái; 列 liè ¶무리를 ~ 结队 10 配 pèi;
抓 zhuā ¶짝을 ~ 配对 zàojiàn; 凑成 ~ 配药

짓-무르다 〔자〕 1 烂 làn ¶채소가 짓물
렀다 蔬菜烂了 2 溃烂 kuìlàn; 腐烂
fǔlàn ¶피부가 ~ 皮肤溃烂

짓-밟다 〔타〕 1 乱踩 luàncǎi; 践踏 jiàn-
tà ¶잔디를 함부로 짓밟지 마시오 请
勿践踏草坪 2 蹂躏 róulìn; 糟蹋 zāo-
tà; 糟践 zāojiàn; 摧残 cuīcán; 践踏
jiàntà ¶인권을 ~ 践踏人权

짓-밟히다 〔자〕 '짓밟다'의 被动词

징[1] 鞋钉 xiédīng; 马掌 mǎzhǎng;
马蹄铁 mǎtítiě; 马掌钉 mǎzhǎngdīng

징[2] 〔音〕锣 luó; 征 zhēng

징검-다리 〔명〕 垫脚石 diànjiǎoshí ¶두
사람의 ~가 되다 当两个人的垫脚石

징계(懲戒) 〔명〕〔하타〕惩戒 chéngjiè ¶~
를 내리다 予以惩戒

징그럽다 〔형〕 狰狞 zhēngníng; 厌恶
yànwù; 恶心 ěxin; 肉麻 ròumá; 令人
厌恶 lìngrényànwù; 令人恶心 lìngrén
ěxin ¶징그러운 벌레 令人肉麻的小虫
子 ¶뱀은 정말 ~ 蛇真恶心

징글-징글 〔부〕〔하〕 可憎 kězēng; 肉麻
ròumá; 恶心 ěxin ¶내 머릿속에서 그
의 모습이 갈수록 ~하다 在我的脑海
里他的面目越来越可憎

징발(徵發) 〔명〕〔하타〕 征发 zhēngfā; 征调
zhēngdiào ¶남자가 부족해 여자도 ~
하다 男人不够, 连女子也~

징벌(懲罰) 〔명〕〔하타〕 惩罚 chéngfá; 惩戒
chéngjiè; 惩办 chéngbàn; 惩治 chéng-
zhì ¶법에 따라 ~하다 依法予以惩
罚 / 엄하게 ~ 严加惩办

징병(徵兵) 〔명〕〔하자〕〔法〕征兵 zhēng-
bīng ¶우리 마을의 건장한 남자들은
이미 ~되었다 我们村的强壮男子们
被征兵

징수(徵收) 〔명〕〔하타〕 征 zhēng; 征收
zhēngshōu; 敛 liǎn; 征取 zhēngqǔ ¶세
금을 ~하다 征取税款

징역(懲役) 〔명〕〔法〕 徒刑 túxíng; 徒罪

túzuì ¶무기 ~ 无期徒刑 / 유기 ~ 有
期徒刑

징역-살이(懲役一) 〔명〕〔하자〕 坐牢 zuò-
láo; 坐监 zuòjiān; 坐狱 zuòyù ¶그는
지금도 ~하고 있다 他现在也在坐狱

징용(徵用) 〔명〕〔하타〕〔法〕 征调 zhēng-
diào ¶전쟁 발발 때 ~되어 입대했다
战争爆发时被征调入伍了

징조(徵兆) 〔명〕 兆 zhào; 征兆 zhēng-
zhào; 预兆 yùzhào; 兆头 zhàotou; 征
候 zhēnghòu; 前兆 qiánzhào; 先兆
xiānzhào = 전조 ¶불길한 ~ 不祥的
预兆

징집(徵集) 〔명〕〔하타〕 征兵 zhēngbīng ¶
육군이 인터넷을 통해 ~하다 陆军通
过互联网征兵

징징-거리다 〔자〕 发牢骚 fā láosao; 发
脾气 fā píqi; 蘑菇 mógu = 징징대다 ¶
징징거리지 마 别发牢骚

징크스(jinx) 〔명〕 1 不祥 bùxiáng; 倒霉
dǎoméi; 晦气 huìqì 2 背运 bèiyùn; 厄
运 èyùn ¶우수한 운동선수도 ~에서
벗어나기 어렵다 优秀的运动员也难
逃厄运

징표(徵標) 〔명〕 标志 biāozhì; 表征
biāozhēng

징후(徵候) 〔명〕 征候 zhēnghòu; 征兆
zhēngzhào; 征象 zhēngxiàng; 兆头
zhàotou ¶말기 위암의 ~ 晚期胃癌的
征候 / 비가 내릴 ~ 有雨的征兆

짖다 〔자〕 (狗) 叫 jiào; 啸 xiào; 吠 fèi;
咬 yǎo ¶멀리서 멍멍 하고 개가 짖는
소리가 들려왔다 远处传来汪汪的狗
叫声

짙다 〔형〕 1 (色彩) 浓 nóng; 深 shēn;
厚 hòu; 浓密 nóngmì; 浓厚 nónghòu;
凝重 níngzhòng; 浓重 nóngzhòng; 浓
烈 nóngliè; 深沉 shēnchén ¶옷 색깔이
너무 ~ 衣服颜色太深 2 (雾、烟) 浓
nóng; 大 dà; 浓漫 míngmàn; 浓厚 nóng-
zhào; 浓厚 nónghòu ¶새벽안개가 ~
晨雾弥漫 3 茂盛 màoshèng; 密茂
mìmào ¶초목이 ~ 草木茂盛 4 (毛)
浓重 nóngzhòng ¶눈썹이 ~ 眉毛浓重

짙-푸르다 〔형〕 深蓝 shēnlán; 深绿
shēnlǜ; 湛蓝 zhànlán; 叠翠 diécuì; 绿
油油 lǜyóuyóu; 葱翠 cōngcuì; 葱绿
cōnglǜ; 青葱 qīngcōng ¶짙푸른 하늘
湛蓝的天空

짚 〔명〕 1 谷草 gǔcǎo; 秸 jiē; 秸秆 jiē-
gǎn 2 = 볏짚

짚다 〔타〕 1 拄 zhǔ; 扶 fú ¶지팡이를 ~
拄拐杖 2 (脉) 摸 mō; 诊 zhěn; 号 hào
¶이마를 짚어 보니 열이 좀 났다 摸了
摸额头, 觉得有点儿发烧 3 指明 zhǐ-
míng; 指出 zhǐchū ¶우리에게 나아갈
방향을 짚어 주다 为我们指明前进的
方向 4 推算 tuīsuàn; 估计 gūjì; 猜测

cāicè; 估算 gūsuàn ¶잘못 짚었다 估计错了 / 대강의 연대를 짚어 냈다 推算出了大致的年代

짚고 넘어가다 辨明是非; 搞清楚

짚-신 草鞋 cǎoxié

짚신도 제짝이 있다 俗语 每个男人都有自己的女人

짚이다 고 估计到 gūjìdào; 料到 liàodào; 想到 xiǎngdào; 估摸 gūmo ¶마음속에 짚이는 데가 있다 料到心里不妙

짜-내다 고 1 榨 zhà; 榨取 zhàqǔ; 挤 jǐ; 拧 níng ¶우유를 ~ 榨油 / 우유를 ~ 挤牛奶 2 想出 xiǎngchū; 绞尽脑汁 jiǎojìnnǎozhī ¶좋은 아이디어를 ~ 想出好主意 3 压榨 yāzhà; 榨取 zhàqǔ; 搜刮 sōuguā ¶백성의 피땀을 ~ 搜刮百姓的血汗

짜다¹ 타 1 (家具等) 做 zuò; 打 dǎ; 制作 zhìzuò ¶탁자를 ~ 做桌子 / 가구를 ~ 打家具 2 组织 zǔzhī; 搭 dā; 编 biān ¶조를 ~ 编组 3 榨取 zhàqǔ; 挤 jǐ; 拧 níng ¶고름을 ~ 把脓挤出来 4 挤 jǐ; 绞 jiǎo; 费心思 fèixīnsī; 用尽 yòngjìn ¶온갖 머리를 다 ~ 用尽脑筋 5 编织 biānzhī ¶털옷을 ~ 编织毛衣 6 流泪 liúlèi; 哭 kū ¶종일 눈물을 ~ 整天流泪

짜다² 형 1 咸 xián ¶짠 맛 咸味 2 吝啬 lìnsè; 薄幸 kèbó ¶그가 자신에게 쓰는 돈은 결코 짜지 않다 他自己身上花钱并不吝啬

짜릿-하다 형 惊心动魄 jīngxīndòngpò ¶짜릿함을 느끼다 觉得惊心动魄

짜-이다 자 1 '짜다'의 피동사 2 (结构) 处理 chǔlǐ ¶극의 스토리가 아주 세련되게 짜였다 剧情处理得很洗练

짜임 명 结构 jiégòu; 组织 zǔzhī; 构造 gòuzào; 架构 jiàgòu; 格局 géjú; 条理 tiáolǐ ¶소설의 ~ 小说的结构 / ~새가 있다 有条理

짜장면 (←중zhajiangmian[炸醬麵]) = 자장면

짜증 명 怒气 nùqì; 小脾气 xiǎopíqi; 厌烦 yànfán; 反感 fǎngǎn; 肝火 gānhuǒ ¶~을 내다 发怒气 [动肝火]

짜증-스럽다 형 腻烦 nìfan; 气人 qìrén; 腻味 nìwei ¶사실은 피곤한 게 아니라 ~ 实际上不是疲倦, 而是腻烦

짜증스레 부

짝¹ 명 1 (一双中的) 只 zhī ¶양말 한 ~ 一只袜子 2 伴(儿) bàn(r); 对子 duìzi; 对头 duìtou; 同伴 tóngbàn ¶~와 ~이 되다 跟他做伴儿 3 偶 ǒu; 对 duì; 对头(儿) duìtou(r); 侣 lǚ; 伴侣 bànlǚ; 对 duì ¶나는 마침내 마음에 쏙 드는 ~을 찾았다 我终于找到了称心如意的伴侣 4 非常 fēicháng; 极了 jíle ¶반갑기 ~ 없다 高兴极了

짝 잃은 기러기 俗语 (孤孤单单的) 鳏夫或寡妇 = 짝 잃은 원앙
짝 잃은 원앙 俗语 = 짝 잃은 기러기

짝² 의명 1 处所 chùsuǒ; 地方 dìfang; 用处 yòngchu ¶아무 ~에도 소용없다 没有任何用处 2 样子 yàngzi; 体统 tǐtǒng ¶그게 무슨 ~이야 那成什么样子

짝³ 의명 1 箱 xiāng; 件 jiàn ¶짐 한 ~ 一件行李 2 (牛、猪等的排骨) 块 kuài ¶소갈비 한 ~ 一块牛排

짝⁴ 타 1 大开 dàkāi; 裂开 lièkāi; 张开 zhāngkāi ¶입을 ~ 벌리다 张开嘴巴 2 紧紧 jǐnjǐn ¶젖은 옷이 몸에 ~ 달라붙다 湿透的衣服紧紧贴在身上

짝⁵ 부 哧 chī; 刺啦 cīlā ¶~ 하고 편지를 찢었다 哧的一声撕下一封信

짝⁶ 부 (消息) 一瞬间喧传 yīshùnjiān xuānchuán

짝-꿍 명 1 同桌 tóngzhuō; 同伴(儿) tóngbàn(r) ¶초등학교 ~ 小学同桌 2 挚友 zhìyǒu

짝-사랑 명 单相思 dānxiāngsī; 单恋 dānliàn; 一头儿热 yītóurrè; 暗恋 ànliàn ¶여학생을 ~하다 单恋一女孩

짝-수(一數) 명 双数 shuāngshù; 偶数 ǒushù = 우수(偶数)

짝숫-날(一數一) 명 偶日 ǒurì

짝-짓기 명하자 1 配对 pèiduì; 套配 tàopèi; 结对子 jiéduìzi; 成双 chéngshuāng; 就伴 jiùbàn; 做伴 zuòbàn 2 交配 jiāopèi; 交配 jiāopèi

짝-짝¹ 부하타 吧唧 bājī ¶입맛을 ~ 다시다 吧唧嘴

짝-짝² 부 黏糊糊地 niánhūhúde; 紧紧地 jǐnjǐnde ¶땀 때문에 손에 ~ 달라붙다 因为汗水黏糊糊地粘在了手上 2 刺啦 cīlā; 嚓嚓 cācā ¶~ 종이를 찢다 刺啦一声撕纸

짝-짝³ 부하타 啪啪 pāpā; 劈里啪啦 pīlipālā; 劈啪 pīpā; 噼啪 pīpā; 呱唧 guājī ¶~ 손뼉을 치다 啪啪拍手

짝짝-이 명 不成双的 bùchéngshuāngde; 不成对的 bùchéngduìde; 不是一双的 bùshìyīshuāngde; 不是一副的 bùshìyīfùde ¶~ 양말 不成双的袜子

짠-돌이 명 吝啬鬼 lìnsèguǐ; 守财奴 shǒucáinú; 瓷公鸡 cígōngjī; 铁公鸡 tiěgōngjī

짠-지 명 咸菜 xiáncài

짠:-하다 형 不痛快 bùtòngkuài; 不是味儿 bùshìwèir; 不是滋味儿 bùshì zīwèir ¶마음이 ~ 心里不是滋味儿

짤랑 부하자타 当啷 dānglāng; 叮当 dīngdāng; 丁零 dīnglíng; 丁零当郎 dīnglíngdāngláng

짤랑-거리다 자타 当啷当啷响 dānglāngdānglāng xiǎng ¶叮当叮当响 dīng-dāngdīngdāng xiǎng ¶叮零当啷响 dīng-lingdānglāng xiǎng = 짤랑대다 **짤랑-짤랑** [부]하[자]타]

짤막-하다 [형] 稍短 shāoduǎn; 短短 duǎnduǎn; 很短 hěnduǎn ¶짤막한 산문을 짓다 操一个稍短的散文 / 짤막하게 대답하다 短短地回答

짧다 [형] **1** 短 duǎn ¶아주 짧은 머리 好短的头发 / 짧은 시간 很短的时间 **2** 暂 zàn; 短暂 duǎnzàn; 短促 duǎncù ¶짧은 휴식 短暂的休息 **3** (想法等) 短浅 duǎnqiǎn; 浅薄 qiǎnbó; 粗浅 cūqiǎn; 肤浅 fūqiǎn ¶생각이 ～ 想法短浅 **4** 尖 jiān; 挑 tiāo ¶입이 ～ 挑吃挑喝

짧아-지다 [자] 变短 biànduǎn; 缩短 suōduǎn

짬 [명] 空闲 kòngxián; 闲空(儿) xián-kòng(r); 工夫 gōngfu; 暇 xiá; 闲工夫 xiángōngfu; 空当 kòngdāng; 空隙 kòngxì ¶책을 볼 ～이 없다 没有闲工夫看书

짬뽕(←일champon) [명]하[자] **1** 混酒 hùnjiǔ; 喝混合酒 hē hùnhéjiǔ ¶술을 ～해서 마시다 喝混酒 **2** 混合 hùnhé; 混淆 hùnxiáo; 混杂 hùnzá; 翻搅 fānjiǎo ¶광고와 뉴스가 ～되는 현상이 있다 存在着广告与新闻混杂的现象 **3** 炒麻面 chǎomámiàn; 杂拌面 zábànmiàn; 海鲜卤面 hǎixiānlǔmiàn

짬짬-이 [부] 有空就 yǒukòngjiù; 抽空 chōukòng; 一有空 yìyǒukòng ¶～에게 노래를 불러주다 一有空就对着女儿唱歌

짭짤-하다 [형] **1** 稍咸 shāoxián; 咸丝丝 xiánsīsī; 咸浸浸 xiánjìnjìn ¶맛이 ～ 口味稍咸 **2** 值得 zhídé; 有价值 yǒu jiàzhí; 充实 chōngshí ¶수입이 ～ 收入有价值 **짭짤-이** [부]

짱구 [명] 南北头 nánběitóu

짱짱-하다 [형] **1** 刚健 gāngjiàn; 结实 jiēshi; 硬朗 yìnglang ¶노인의 장수 비결 硬朗老人的长寿秘诀

째깍-거리다 [자][타] 滴答 dīdá; 滴答滴答响 dīdádīdá xiǎng = 째깍대다 ¶째깍거리는 시계 소리 滴答滴答的钟表声 **째깍-째깍** [부]하[자]타]

째:다 [타] 撕 sī; 撕破 sīpò; 撕开 sī-kāi; 割 gē; 剜 huō; 剔 tī; 撕扯 sīchě ¶상처를 ～ 撕开伤口

째려-보다 [타] 乜斜 miēxié; 斜视 xié-shì ¶고개를 돌려 ～ 扭头乜斜一眼

짹-짹 [부] 喳喳 zhāzhā; 喳喳声 zhāzhā-zhī; 叽叽喳喳 jījizhāzhā (鸟叫声)

짹짹-거리다 [자] 喳喳叫 zhāzhā jiào; 叽叽叫 jījī jiào; 吱吱叫 zhīzhī jiào; 叽叽喳喳叫 jījizhāzhā jiào = 짹짹대다

쨍 [부]하[형] (阳光) 暴晒 bàoshài; 火辣辣 huǒlàlà; 毒辣辣 dúlàlà ¶태양이 ～ 내리쬐다 太阳火辣辣地照射

쨍그랑 [부]하[형] 当啷当啷 dānglāng; 当啷啷 dānglānglāng; 啪嚓 pāchā ¶금속이 부딪히는 ～ 소리를 들었다 听见一阵金属碰撞的当啷啷声

쨍그랑-거리다 [자][타] 当啷当啷地响 dānglangdānglāngde xiǎng = 쨍그랑대다 **쨍그랑-쨍그랑** [부]하[자]타]

쩌렁쩌렁-하다 [형] 洪亮 hóngliàng; 宏亮 hóngliàng; 轰然 hōngrán ¶목소리가 ～ 声音洪亮

쩔뚝-거리다 [자] 跛脚 bǒjiǎo; 跛行 bǒxíng; 一瘸一拐走 yìquéyìguǎide zǒu = 쩔뚝대다 **쩔뚝-쩔뚝** [부]하[타]

쩔뚝발-이 [명] 跛子 bǒzi; 瘸子 quézi

쩔쩔-매다 [자] 手足无措 shǒuzúwúcuò; 惊惶失措 jīnghuángshīcuò; 惊慌失措 jīnghuāngshīcuò; 一筹莫展 yìchóumòzhǎn ¶경험이 없어 ～ 毫无经验, 手足无措

쩝쩝-거리다 [타] **1** 舔嘴 tiǎnzuǐ; 舐唇 shìchún; 吧嗒嘴儿 bādazuǐr ¶쩝쩝거리며 침을 삼키다 舐唇咽唾 **2** 啧啧唾嘴 zézézāzuǐ; 吧嗒嘴 bādazuǐ ¶밥 먹을 때 쩝쩝거리지 마라 吃饭的时候, 别吧嗒吧嗒的 ‖ = 쩝쩝대다

쩨쩨-하다 [형] 吝啬 lìnsè; 小气 xiǎoqi; 小里小气 xiǎolǐxiǎoqì; 小手小脚 xiǎoshǒuxiǎojiǎo; 小心眼儿 xiǎoxīnyǎnr ¶쩨쩨한 남자 小气的男人

쪼가리 [명] 片(儿) piàn(r); 块(儿) kuài(r) ¶비누 ～ 肥皂片儿 / 사탕 ～ 糖块儿

쪼개다 [타] **1** 切 qiē; 劈 pī; 分 fēn; 切开 qiēkāi; 剖开 pōukāi; 划开 huákāi; 劈开 pīkāi; 掰开 bāikāi; 分开 fēnkāi; 割开 gēkāi; 破碎 pòsuì; 裂开 lièkāi ¶사과를 두 조각으로 ～ 把苹果切成两片 / 큰 도끼로 나무를 ～ 用大斧子劈开树木 **2** 节省 jiéshěng; 分配 fēnpèi; 安排 ānpái ¶시간을 ～ 节省时间

쪼개-지다 [자] 被掰开 bèibāikāi; 被切开 bèiqiēkāi; 被分开 bèifēnkāi ¶젓가락이 ～ 筷子被掰开

쪼그라-지다 [자] **1** 干瘪 gānbiě; 蔫巴 niānba; 萎蔫 wěiniān; 瘪 biě; 收缩 shōusuō; 萎缩 wěisuō **2** (因减肥) 皱巴巴 zhòubābā; 枯皱 kūzhòu; 皱瘪 zhòubiěbiě ¶할머니의 쪼그라진 손 奶奶枯皱的手

쪼:다 [타] 啄 zhuó; 琢 zhuó ¶새가 먹이를 ～ 小鸟啄一下饲料 / 돌을 쪼아 옥을 만들다 琢石成玉

쪼들리다 [자] 受煎熬 shòu jiān'áo; 熬煎 áojiān; 受折磨 shòu zhémó; 受逼迫

shòu bīpò; 受苦 shòukǔ; 受罪 shòuzuì ¶이 한평생 조들려 왔다 这辈子都在 受煎熬

쪼르르 〔튄하튄〕 **1** 苏噜噜 sūlūlū; 一溜 烟 yīliūyān; 小步快跑 xiǎobùkuàipǎo; 碎步疾走 suìbùjízǒu; 疾步 jíbù ¶두 아 이가 엄마를 향해 ~ 달려왔다 两个孩 子向妈妈小步快跑着跑过来 **2** 潺潺 chánchán; 咕噜 gūlū; 簌簌 sùsù; 哗哗 huāhuā; 扑簌簌 pūsùsù ¶흐르는 물 潺潺流水 / 눈물이 ~ 흐를 타고 흐르 다 泪水扑簌簌滚落面颊 **3** 哧溜 chīliū; 嘶溜 chīliū ¶미끄럼틀 위에서 ~하고 아래로 미끄러지다 从滑梯上哧溜滑下 滑 **4** 紧跟 jǐngēn; 紧紧地跟随 jǐnjǐnde gēnsuí; 一个挨一个地 yīgè āi yīgède ¶ 수캐가 암캐의 뒤를 ~ 따르다 公狗紧 紧地跟随在母狗的身后

쪽[1] 〔똉〕 髻 jì; 髮髻 fàjì ¶머리를 올려 ~을 지다 头结发髻

쪽[2] 〔똉〕 页 yè; 面 miàn; 篇页 piānyè ¶페이지 7~15 一十五页

쪽[3] 〔똉〕〔의똉〕 片(儿) piàn(r); 块(儿) kuài(r); 瓣(儿) bàn(r) ¶두 ~으로 자르 다 切成两片

쪽[4] 〔똉〕 **1** 面 miàn; 方向 fāngxiàng; 边 biān ¶잠을 잘 때 머리를 어느 ~으로 두어야 좋지요? 睡觉时头应该朝向哪 个方向好呢? **2** 方面 fāngmiàn; 家 jiā; 头 tóu; 方面 fāngmiàn ¶나는 이 ~에 대 한 지식이 없다 我没有关于这方面的 知识 / 이긴 ~이 서브를 넣을 贏方发 球

쪽[5] 〔똉〕 '얼굴'의 俗称

쪽을 못 쓰다 〔굄〕 **1** 不敢出大气 **2** (因着迷而) 止步不前

쪽[6] 〔똉〕 **1** 多 duō ¶살이 ~ 빠지다 减 肥减肥多 **2** 叭 bā; 吧 bo ¶~ 하는 뽀 뽀 소리 啪一声的亲亲声

쪽-문(一門) 〔똉〕 便门 biànmén; 小门 xiǎomén; 单扇门 dānshànmén

쪽-박 〔똉〕 小瓢 xiǎopiáo; 瓢(儿) piáo(r) **쪽박(을) 차다** 蹲桥头乞; 抱瓢; 行乞; 抱沙锅

쪽-빛 〔똉〕 = 남빛

쪽-수(一數) 〔똉〕 = 면수

쪽-지(一紙) 〔똉〕 纸条 zhǐtiáo; 条子 tiáozi; 字条(儿) zìtiáo(r); 便条(儿) biàntiáo(r); 柬帖 jiǎntiě; 字帖儿 zìtiěr ¶~를 남겨 놓았다 留下纸条

쪽-팔리다 〔됨〕 丢脸 diūliǎn; 丢人 diū- rén; 丢面子 diū miànzi

쫀득-거리다 〔됨〕 黏 nián; 韧 rèn; 良 筋道 liáng jīndao; 有韧劲 yǒu rènjìn = 쫀득대다 ¶떡이 ~ 年糕有韧劲 **쫀득- 쫀득** 〔튄하튄자튄〕

쫄깃-하다 〔閒〕 筋道 jīndao; 耐嚼 nài- jiáo; 柔韧 róurèn; 筋力 jīnlì; 良 良 gēn-

gēn; 韧韧 rènrèn ¶먹으니 쫄깃하고 맛있다 吃起来筋力可口

쫄딱 〔튄〕 全部 quánbù; 一切 yīqiè; 彻 底地 chèdǐde; 所有 suǒyǒu; 完全 wán- quán; 干干净净地 gānganjìngjìngde; 净尽 jìngjìn ¶내 장사가 ~ 망했다 我 的生意彻底地完蛋了

쫄래-쫄래 〔튄하튄〕 冒冒失失地 mào- maoshīshīde; 轻轻浮浮地 qīngqingfúfú- de; 轻浮地 qīngfúde; 不稳重地 bùwěn- zhòngde ¶~ 걸어갔다 冒冒失失地走 过去

쫄쫄 〔튄〕 饥肠辘辘的 jīchánglùlùde ¶계 속 ~ 굶다 一直饥肠辘辘

쫑긋 〔튄〕 直直(地) zhízhí(de); 翘翘(地) qiáoqiáo(de) (竖耳貌) ¶두 귀를 ~ 세 우고 있다 两耳直直竖着

쫑알-거리다 〔됨〕 喃喃自语 nánnán- zìyǔ; 唧哝 dūnong; 嘀咕 dígu; 嘟囔 dūnang; 叽叽咕咕 jījigūgū; 叨叨 dāo- dao; 哇啦哇啦 wālawālā; 嘟哝哝哝 dū- dunāngnāng = 쫑알대다 **쫑알-쫑알** 〔튄하튄자튄〕

쫓겨-나다 〔자〕 被撵出去 bèiniǎnchūqù; 被赶走 bèigǎnzǒu; 被逐出去 bèizhúchūqù ¶ 그는 아무 잘못 없는데 왜 쫓아나겠 어? 他并没有什么错, 为什么会被撵 出去?

쫓-기다 〔자〕 **1** '쫓다1'의 被动词 **2** 被 迫 bèipò; 被…所逼 bèi…suǒbī; 迫于 pòyú; 被…赶 bèi…gǎn; 被驱使 bèiqūshǐ ¶일에 ~ 被工作 / 시간에 ~ 被时间赶 **3** 恐怕 kǒngpà; 害怕 hàipà; 恐惧 kǒngjù; 畏惧 wèijù

쫓다 〔탄〕 逐 zhú; 追逐 zhuīzhú; 驱逐 qūzhú; 打跑 gǎnpǎo; 撵走 niǎnzǒu; 赶 走 gǎnzǒu; 赶出去 gǎnchūqù; 驱除 qūchú; 轰赶 hōnggǎn; 驱除 qūchú; 赶 出 gǎnchū; 打散 dǎsàn ¶파리를 ~ 走苍蝇 **2** 追 zhuī; 紧跟 jǐngēn; 紧随 jǐnsuí; 追逐 zhuīzhú; 追随 zhuīsuí; 追 赶 zhuīgǎn ¶시대 조류를 ~ 紧跟潮流 **3** 赶走 gǎnzǒu; 打退 dǎtuì ¶추위를 ~ 赶走寒冷 / 내 머릿속의 잡념을 ~ 打退我脑中的杂念

쫓아-가다 〔자탄〕 跟随 gēnsuí; 紧跟 jǐn- gēn; 追赶 gǎnzhuī; 追上 zhuīshàng; 追赶 zhuīgǎn; 跟着 gēnzhe; 追随 zhuīsuí; 紧跟随 jǐnsuí; 尾随 wěisuí; 追 逐 zhuīzhú ¶선두를 ~ 追上第一 / 나 는 급히 걸어 그를 쫓아갔다 我紧走几 步, 追上他

쫓아-내다 〔탄〕 **1** 驱逐 qūzhú; 赶走 gǎnzǒu; 赶跑 gǎnpǎo ¶건달을 ~ 驱逐 流氓 **2** 开除 kāichú ¶커닝한 학생을 ~ 开除作弊学生

쫓아-다니다 〔자탄〕 随从 suícóng; 尾 随 wěisuí; 紧跟 jǐngēn; 紧随 jǐnsuí;

追逐 zhuīzhú; 追上 zhuīshàng ¶줄곧 그를 ~ 一直随着他

쫓아-오다 [자타] 1 紧跟来 jǐngēnlái; 追来 zhuīlái; 跟着 gēnzhe; 跟随 gēnsuí 2 赶来 gǎnlái; 跑来 pǎolái; 赶紧跑 gǎnjǐnpǎo

쫙 [부자] 广泛地 guǎngfànde; 到处 dàochù 《流传甚广貌》¶경찰이 ~ 깔렸다 到处都是警察

쬐-다 [타] 照耀 zhàoyào; 照射 zhàoshè; 投射 tóushè; 晒 曝 bào [사]햇빛이 산 위에 ~ 阳光照耀在山上 [자]曝晒 bàoshài; 晾 liàng; 晒 shài; 烤 烤 kǎohǎo; 烘 烘 hōng ¶태양 아래서 햇볕을 ~ 在阳光下曝晒 / 우리는 모닥불을 둘러 온기를 쬐었다 我们都围在篝火边烤火取暖

쭈그러-지다 [자] 1 干瘪 gānbiě; 蔫巴 niānbā; 蔫 蔫 wěiniān; 瘪 别 biě; 收缩 shōusuō; 萎缩 wěisuō ¶쭈그러진 모자 干瘪的帽子 2 产生绉纹 chǎnshēng zhòuwén

쭈그리다 [타] 1 弄瘪 nòngbiě; 弄皱 nòngzhòu; 压缩 yāsuō 2 蹲 dūn; 蜷曲 quánqū; 缩 suō; 蜷缩 quánsuō; 蹲伏 dūnfú ¶쭈그리고 앉다 蹲坐

쭈글-쭈글 [부형] 皱瘪瘪 zhòubiěbiě; 皱巴巴 zhòuzhoubābā; 皱巴巴 zhòubāba; 抽抽 chōuchou ¶~한 얼굴 皱瘪瘪的脸

쭈뼛-거리다 [자] 《因害羞》踌躇 chóuchú; 羞答答地 xiūdádàde; 羞羞答答地 xiūxiudādàde; 扭扭捏捏地 niǔniuniēniēde ¶그는 쭈뼛거리며 나를 보고 말했다 他羞羞答答地看着我说说

쭈뼛-하다 [형] 尖尖的 jiānjiānde; 耸立 sǒnglì; 高耸 gāosǒng ¶쭈뼛한 코 高耸的鼻子 2 [자] 发毛 fāmáo; 毛骨悚然 máogǔsǒngrán; 怵生生 qièshēngshēng ¶나는 병원에 들어서면 쭈뼛해지는 느낌을 받는다 我一进医院就有毛骨悚然的感觉

쭉 [부] 1 笔直 bǐzhí; 一直 yīzhí ¶~뻗은 도로 笔直的道路 2 成排成行(地) chéngpáichénghháng(de); 成排(地) chéngpái(de); 一溜儿(地) yīliùr(de); 整齐(地) zhěngqí(de); 齐刷刷(地) qíshuāshuā(de); 连串(地) liánchuàn(de) ¶각종 과일나무가 ~ 늘어서 있다 各种果树成排成行 3 带劲地 dàijìnde; 有力地 yǒulìde ¶~ 쓰다 带劲地写 /~ 긋다 有力地一划 4 一口气(地) yīkǒuqì(de); 流畅地 liúchàngde; 连续地 liánxùde; 一股劲儿地 yīgǔjìnrde ¶물 세 잔을 ~ 들이켰다 一口气喝了三杯水 5 环 huán ¶고개를 들어 모두를 ~ 둘러보았다 抬起头来环视着大家 6 大

方地 dàfāngde; 顺畅地 shùnchàngde ¶시구를 ~ 암송하다 很顺畅地背出诗句 7 一下 yīxià; 一发 yīfā ¶커버를 ~ 벗기다 一发剥掉外皮 8 总 zǒng; 一直 yīzhí; 一向 yīxiàng; 向来 xiànglái; 一股劲儿 yīgǔjìnr; 一个劲儿 yīgèjìnr ¶그는 요 이틀 동안 ~ 침대에 누워 있었다 他在这两天一直躺在床上

-쯤 [접미] 左右 zuǒyòu; 前后 qiánhòu ¶3월~ 3月份左右

쯧-쯧 [감] 咋咋 zézé; 唧 jī; 啧啧 zézé 《咂嘴声》

찌 = 낚시찌

찌개 [명] 汤 tāng ¶김치~ 泡菜汤

찌그러-뜨리다 [타] 1 压坏 yāhuài; 踩坏 cǎihuài; 弄瘪 nòngbiě; 弄歪 nòngwāi; 弄塌 nòngtā; 搞坏 gǎohuài; 压瘪 yābiě; 压缩 yāsuō ¶우유캔을 찌그러뜨렸다 牛奶包压瘪了 2 挤眼 jǐyǎn ‖ = 찌그러트리다

찌그러-지다 [자] 压瘪 yābiě; 弄瘪 nòngbiě; 压缩 yāsuō; 七扭八歪 qībāwāi; 收缩 shōusuō ¶어제 사준 장난감이 또 찌그러졌다 昨天给买的玩具又给弄瘪了

찌그리다 [타] 1 压坏 yāhuài; 踩坏 cǎihuài; 弄瘪 nòngbiě; 弄歪 nòngwāi; 弄塌 nòngtā; 搞坏 gǎohuài; 压瘪 yābiě; 压缩 yāsuō; 眯缝 mīfeng; 皱脸 zhòuliǎn; 皱 zhòu ¶나는 눈을 찌그리고 하늘을 바라보았다 我眯缝着小眼望着天

찌꺼기 [명] 沉淀物 chéndiànwù; 渣滓 zhāzǐ; 滤渣 lǜzhā; 沉渣 chénzhā; 糟粕 zāopò; 残渣 cánzhā ¶음식물 ~ 食物渣滓

찌다¹ [자] 发胖 fāpàng; 长肉 zhǎngròu; 长胖 zhǎngpàng; 上膘 shàngbiāo ¶초콜릿을 먹으면 살이 찔까요? 吃巧克力是否会发胖?

찌다² [자] 炎热 yánrè; 闷热 mēnrè; 炎炎 yányán ¶푹푹 찌는 여름 炎热夏季 / 찌는 날씨 闷热的天气 [타] 蒸 zhēng ¶생선을 ~ 蒸鱼

찌들다 [자] 1 沤坏 òuhuài; 浸渍 jìnzì; 渍满 zìmǎn; 埋汰 máitai; 渍了油泥 jìnle yóuní; 满是油泥 mǎnshì yóuní ¶때에 찌든 옷 被汗水沤坏的衣服 2 受折磨 shòuzhémó; 经受 jīngshòu; 备尝辛苦 bèichángxīnkǔ ¶고통에 ~ 受病痛的折磨

찌르다 [타] 1 刺 cì; 捅 tǒng; 刺戳 cìchuō; 戳 chuō; 扎 zhā; 挑 tiǎo; 攘 nǎng; 插 chā ¶주사기를 그의 엉덩이에 ~ 把针扎在他的屁股上 2 插 chā; 掖 yē; 扎 zhārù ¶손을 진흙 속에 깊이 ~ 把手深深扎入泥土 3 告诉 gàosu; 告状 gàozhuàng; 告发 gàofā;

密告 mìgào; 密报 mìbào; 告密 gàomì; 举报 jǔbào ¶암포상을 파출소에 찔렀다 把贩子告发到派出所 4 刺 cì; 触痛 chùtòng; 中 zhòng ¶정곡을 ~ 中肯 5 扑 pū; 刺激 cìjī; 激刺 jīcì; 激发 jīfā ¶코를 찌르는 냄새 刺激鼻了的气味

찔러도 피 한 방울 안 나겠다 속담 1 天衣无缝, 周到严密 2 冷酷无情

찌릿-하다 형 麻辣酥 másūsū; 刺痛 cìtòng; 酸痛 suāntòng; 刺激性的 cìjīxìngde ¶찌릿한 느낌 一种麻酥酥的感觉 / 온몸이 ~ 全身酸痛 찌릿-찌릿 부하형

찌뿌둥-하다 형 1 不适 bùshì; 不舒服 bùshūfu; 浑身发软 húnshēnfāruǎn ¶감기에 걸려 삭신이 ~ 感冒了, 浑身发软 2 (天气) 阴暗 yīn'àn; 阴森 yīnsēn; 阴沉 yīnchén; 阴沉沉 yīnchénchén ¶하늘이 ~ 天空阴沉

찌-우다 타 '찌다' 의 사동사

찌푸리다 자 1 劈 pī; 砍 kǎn; 叉 chā ¶나무를 ~ 砍木材 2 检 jiǎn ¶표를 ~ 检票

찍다[2] 타 1 沾 zhān; 蘸 zhàn ¶간장을 ~ 蘸酱油 2 印 yìn; 烙 lào; 盖 gài; 打 dǎ; 印刷 yìnshuā; 刷印 shuāyìn; 刷 shuā ¶도장을 ~ 打图章 [盖印] 3 定 dìng; 指定 zhǐdìng; 指名 zhǐmíng; 指目 zhǐmù ¶그녀를 내 신붓감으로 찍었다 定她为我的新娘 4 照 zhào; 摄取 shèqǔ; 拍 pāi; 拍摄 pāishè ¶사진을 ~ 拍照 / 영화를 ~ 拍摄电影 5 投票 tóupiào ¶저를 찍어주시길 희망합니다 希望给我投票

찍-소리 명 吭声 kēngshēng; 吭气 kēngqì ¶~도 못하다 不敢吭声

찍-히다[1] 타 '찍다[1]' 의 피동사
찍-히다[2] 타 '찍다[2]' 의 피동사

찐득-거리다 자 黏黏的 niánniánde; 黏糊糊的 niánhúhúde; 发黏 fānián; 黏稠 niánhu; 黏巴巴 niánbābā; 黏巴 niánba = 찐득대다 찐득-찐득 부하형

찐-만두[-饅頭] 명 蒸饺 zhēngjiǎo
찐-빵 명 馒头 mántou; 包子 bāozi

찔끔 부하자타 1 一点一点地 yīdiǎnyīdiǎnde; 哩哩啦啦地 līlīlālāde (液体从容器中一点点溢出貌) ¶구멍으로 ~ 새다 从小孔里一点一点地漏下来 2 扑簌 pūsù; 扑簌簌 pūsùsù (流凡滴泪)

交付 jiāofù ¶몰래 돈을 그에게 ~ 偷偷地把钱递给他

찔리다 자타 1 被刺 bèicì; 被扎 bèizhā; 被插 bèichā; 被戳 bèichuō; 扎刺 zhācì ('찌르다[1]' 의 피동사) ¶생선을 먹을 때 가시에 목이 찔렸다 吃鱼时, 嗓子里扎刺了 2 内愧 nèikuì; 负疚 fùjiù; 问心有愧 wènxīnyǒukuì; 受谴责 shòuqiǎnzé ('찌르다[4]' 의 피동사) ¶양심에 ~ 受良心谴责

찜 명 1 炖食 dùnshí; 炖肉 dùnròu; 炖菜 dùncài 2 蒸 zhēng; 炖 dùn ¶갈비~ 炖排骨

찜-질 하자타 热敷 rèfū; 热罨 rèyǎn; 沙疗 shāliáo; 冷敷 lěngfū

찜찜-하다 형 歉然 qiànrán; 内疚 nèijiù; 难为情 nánwéiqíng; 过意不去 guòyìbùqù; 歉仄 qiànzè; 心里不踏实 xīnlǐ bùtāshi ¶찜찜한 생각이 들다 感到难为情

찜-통 명 蒸锅 zhēngguō; 笼屉 lóngtì; 蒸笼 zhēnglóng

찜통-더위 명 蒸笼般的 zhēnglóngbānde; 闷热 mēnrè; 炎热 yánrè; 火烧火燎 huǒshāohuǒliáo ¶이 도시는 낮에 ~이다 这个城市的白天是如蒸笼般的热

찜-하다 형 (把东西或人) 往心里去 wǎngxīnlǐ qù; 主张是自己的 zhǔzhāng shì zìjǐde ¶내가 먼저 그를 찜했다 我先把它往心里去

찝쩍-거리다 자타 1 (工作) 乱开始 luànkāishǐ; 轻率地开始 qīngshuàide kāishǐ; 冒冒失失地开始 màomàoshīshīde kāishǐ ¶대학 졸업 후에 많은 일을 찝쩍거렸다 大学毕业以后, 冒冒失失地开始了很多工作 2 捣蛋 dǎodàn ∥ = 찝쩍대다 찝쩍-찝쩍 부하자타

찝찝-하다 형 放心不下 fàngxīnbùxià; 犯疑 fànyí; 有顾虑 yǒugùlǜ; 不爽快 bùshuǎngkuai; 不称心 bùchènxīn; 不慰 bùkuàiwèi ¶마음이 ~ 心情不爽快

찡그리다 타 皱 zhòu; 皱眉 zhòuméi; 给脸子瞧 gěiliǎnzi qiáo ¶찡그린 모습 皱眉的样子

찢-기다 자 被撕 bèisī; 被扯 bèichě ('찢다' 의 피동사) ¶경기 중에 상대에게 바지가 찢겼다 比赛中被对手撕破裤子 타 使撕 shǐsī; 使扯 shǐchě ('찢다' 의 사동사)

찢다 타 撕 sī; 撕破 sīpò; 撕开 sīkāi; 撕毁 sīhuǐ; 扯 chě; 撕扯 sīchě ¶편지를 ~ 撕开信

찢어-지다 자 破 pò; 裂 liè; 破裂 pòliè ¶바지가 찢어졌다 裤子破裂了

찧다 타 1 捣 dǎo; 舂 chōng; 杵 chǔ ¶방아를 ~ 捣碓臼 2 摔 shuāi; 砸 zá ¶발을 ~ 砸脚

ㅊ

차(次) 의명 次 cì; 届 jiè; 度 dù; 轮 lún ¶제일 ~ 세계 대전 第一次世界大战

차(車) 명 1 车 chē; 汽车 qìchē ¶~를 타다 乘车 / ~를 몰다 开车 / ~를 세우다 停车 / ~를 갈아타다 换车 2 [體](象棋中的) 车 jū

차(差) 명 差 chā; 差别 chābié; 差距 chājù; 差数 chāshù; 差异 chāyì ¶10과 3의 ~는 7이다 十和三的差数是7 / 지역 ~가 크다 地区差异很大

차(茶) 명 茶 chá; 茶叶 cháyè; 茗 míng ¶~를 마시다 喝茶 / ~를 따르다 倒茶

차감(差減) 명[하타] 扣除 kòuchú; 扣掉 kòudiào; 减除 jiǎnchú ¶소득세의 ~ 항목 所得税的扣除项目 / 관리비 ~ 扣除管理费

차갑다 형 1 凉 liáng; 冷 lěng ¶차가운 밥 冷饭 / 날씨가 ~ 天气凉 2 冷冰冰的 lěngbīngbīngde; 冷淡 lěngdàn; 无情 wúqíng ¶차가운 태도 冷淡的态度 / 표정이 ~ 表情冷淡

차고(車庫) 명 车库 chēkù; 车棚 chēpéng

차곡-차곡 부[하형][히부] 1 整齐地 zhěngqíde; 一点点地 yīdiǎndiǎnde ¶벽돌을 ~ 쌓다 把砖头整齐地垒好 / 마일리지를 ~ 모으다 积积分一点点地积累 2 = 차근차근 ¶일을 ~ 해 나가다 把工作打理得有头有绪

차관(次官) 명 帮办 bāngbàn; 次长 cìzhǎng; 副部长 fùbùzhǎng

차:관(借款) 명[하타] 贷款 dàikuǎn; 借债 jièzhài ¶단기 ~ 短期贷款 / 현금 ~ 现金贷款 / 외국에서 10억 달러를 ~했다 从外国贷了一亿美金的款

차관(茶罐) 명 茶壶 cháhú; 水壶 shuǐhú

차:광(遮光) 명[하자] 避光 bìguāng; 遮光 zhēguāng ¶~막 遮光幕 / ~ 장치 遮光装置

차근-차근 부[히형][히부] 一丝不苟 yīsībùgǒu; 有条有理 yǒutiáoyǒulǐ; 有板有眼 yǒubǎnyǒuyǎn; 有头有绪 yǒutóuyǒuxù ¶~ 차곡차곡 ¶~ 말하다 说话有板有眼 / ~ 따라하다 一丝不苟地跟着做

차근-하다 형 认真 rènzhēn; 详细 xiángxì; 仔细 zǐxì ¶차근하게 알려주다 认真地告诉 **차근-히** 부 ¶~ 대답하다 仔细地回答

차기(次期) 명 下次 xiàcì; 下回 xiàhuí; 下届 xiàjiè; 下期 xiàqī ¶~ 공연 안내 下期表演简介 / ~ 휴가 下次休假 / ~ 대선 下届大选

차남(次男) 명 次子 cìzǐ; 次男 cìnán; 二儿子 èr'érzi; 老二 lǎo'èr

차내(車內) 명 车厢内 chēxiāngnèi; 车内 chēnèi ¶~ 광고물 车厢内广告 / 공기가 답답하다 车厢内空气很闷

차녀(次女) 명 次女 cìnǚ; 二女儿 èrnǚ'ér

차다¹ 자 1 充满 chōngmǎn; 满 mǎn ¶활기 ~ 充满活力 / 마음속에 증오감이 ~ 内心充满仇恨 / 정원이 ~ 满员 2 达到 dádào; 到 dào ¶빗물이 무릎까지 ~ 雨水到膝盖 3 足 zú; 够 gòu ¶달이 ~ 足月

차다² 타 1 踹 chuài; 踢 tī ¶공을 ~ 踢球 2 咂 zā ¶입을 ~ 咂嘴 3 甩 shuǎi ¶그녀는 남자 친구를 차 버렸다 她把男朋友给甩了

차다³ 타 戴 dài; 佩带 pèidài; 挎 kuà ¶시계를 ~ 戴手表 / 안전벨트를 ~ 佩带安全带

차다⁴ 형 1 冷 lěng ¶날씨가 ~ 天气很冷 2 冷淡 lěngdàn; 冷酷 lěngkù; 冷漠 lěngmò; 无情 wúqíng ¶그의 태도가 아주 ~ 他的态度很冷淡 3 凉 liáng ¶물이 차졌다 水凉了

차:단(遮斷) 명[하타] 1 断绝 duànjué; 隔断 géduàn; 隔绝 géjué ¶왕래 관계를 ~하다 断绝来往关系 2 挡 dǎng; 抵挡 dǐdǎng; 堵截 dǔjié; 防 fáng; 拦住 lánzhù; 遮 zhē; 遮断 zhēduàn; 遮盖 zhēgài ¶통로를 ~하다 拦住通道

차:단-기(遮斷器) 명 断路器 duànlùqì; 挡道木 lándàomù ¶진공 ~ 真空断路器 / 고압 ~ 高压断路器

차:단-기(遮斷機) 명 1 拦道木 lándàomù ¶철도 건널목 ~ 铁路挡道木 2 路障 lùzhàng ¶~를 설치하여 행인의 통행을 막다 设置路障禁止行人通过

차도(車道) 명 = 찻길

차도(差度·瘥度) 명 好转 hǎozhuǎn; 见轻 jiànqīng; 有起色 yǒuqǐsè ¶병세에 ~가 있다 病情有起色

차-돌 명 1 [鑛] = 석영 2 结实的人 jiēshide rén ¶그는 말하는 거나 일하는 거나 ~같이 야무진 사람이다 他说话办事像白石一样是个结实的人

차돌-박이 圐 牛头顶上的肉

차등(差等) 圐 差别 chābié; 级差 jíchā

차디-차다 圐 很冷 hěnlěng ¶차디찬 얼음물 很冷的冰水

차라리 凰 倒不如 dàobùrú; 干脆 gāncuì; 莫如 mòrú; 宁可 nìngkě; 宁肯 nìngkěn; 毋宁 wúníng; 宁愿 nìngyuàn ¶일찌감치 그에게 말하는 것이 ~ 낫다 莫如趁早和他说了好

차량(車輛) 圐 **1** 车辆 chēliàng; 车 车 ¶~을 갈다 换车轮

차려-입다 㐄 打扮 dǎban; 穿 chuān ¶옷을 잘 ~ 穿上好衣服

차:력(借力) 圐㐄厈 借力 jièlì ¶~술 借力术 / ~사 借力士

차렵-이불 圐 棉被 miánbèi

차렷 凪 立正 lìzhèng

차례 圐 **1** 次序 cìxù; 顺序 shùnxù ¶~가 뒤바뀌다 次序颠倒 / ~에 따라 안 배하다 按次序安排 **2** 回 huí ¶여러 ~ 반복하다 多次反复

차례(茶禮) 圐 祭礼 jìlǐ ¶~를 지내다 举行祭礼

차례-차례 凰 一个一个地 yīgèyīgède; 挨次 āicì; 依次 yīcì ¶~ 들어가다 依次进去

차로(車路) 圐 = 찻길

차륜(車輪) 圐 = 차바퀴

차리다 㐄 **1** 张罗 zhāngluo; 准备 zhǔnbèi; 摆设 bǎi; 摆 bǎi ¶반찬을 많이 ~ 做很多菜 / 잔칫상을 ~ 摆席 **2** 抖擞 dǒusǒu; 强打 qiángdǎ; 振作 zhènzuò ¶정신을 ~ 振作起精神 **3** 客气 kèqi; 注意 zhùyì; 注重 zhùzhòng; 计 jiàng ¶예절을 ~ 注意礼节 / 체면을 ~ 讲体面 **4** 猜到 cāidào; 看出 kànchū 눈치를 ~ 看出苗头 / 谋杀 móuxún; 寻门路 xúnménlù ¶살길을 차리기 시 작하다 开始谋寻生存道路 **6** 开办 kāibàn; 支 zhī ¶노점을 ~ 支摊子 **7** 图 tú ¶욕심을 ~ 图私利 **8**(便宜) 占 zhàn ¶실속을 ~ 占便宜

차림 圐 穿戴 chuāndài; 打扮 dǎban 衣着 yīzhuó; 装束 zhuāngshù ¶군복 ~ 军人打扮

차림-새 圐 穿戴 chuāndài; 穿着 chuānzhuó

차림-표(一表) 圐 菜单 càidān; 菜谱 càipǔ

차마 凰 不堪 bùkān; 不忍 bùrěn ¶~ 눈 뜨고 볼 수 없다 不忍看 =[不堪入目]

차-멀미(車一) 圐㐄厈 晕车 yùnchē ¶~가 나다 晕车

차:명(借名) 圐㐄厈 借名 jièmíng; 冒名 màomíng ¶~계좌 借名户头

차-바퀴(車一) 圐 车轮 chēlún = 차 륜 ¶~를 갈다 换车轮

차반(茶盤) 圐 茶盘 chápán

차별(差別) 圐㐄厈 差别 chābié; 歧视 qíshì ¶~ 대우 差别待遇 / ~화 差别 化 / ~를 받다 遭受歧视 / 인종 ~을 반대하다 反对种族歧视

차분-차분 凰厈厈 有条有理 yǒutiáoyǒulǐ; 有条不紊 yǒutiáobùwěn ¶~일하다 有条不紊地进行工作

차분-하다 圐 文静 wénjìng; 平静 píngjìng ¶차분한 성미 文静的性格 차분-히 凰

차비(車費) 圐 车费 chēfèi; 车钱 chēqián; 车脚钱 chējiǎoqián; 车资 chēzī; 车马货 chēmǎhuò = 찻삯 ¶~를 내다 交车费

차석(次席) 圐 次位 cìwèi; 第二席位 dì'èr xíwèi ¶~을 차지하다 居于次位

차선(車線) 圐 车道线 chēdàoxiàn; 行车线 xíngchēxiàn ¶~을 긋다 划行车线 / ~을 변경하다 变换车道线

차선-책(次善策) 圐 次善 cìshàn; 后策 hòucè; 较善 jiàoshàn ¶~을 마련하다 准备后策

차-세대(次世代) 圐 下一代 xiàyīdài ¶~ 인공 합성 기술 下一代人工合成技术

차압(差押) 圐㐄厈 【法】 查封 cháfēng; 发封 fāfēng; 扣留 kòuliú; 扣押 kòuyā ¶재물을 ~하다 扣押财物

차액(差額) 圐 差额 chā'é; 差价 chājià

차양(遮陽) 圐 **1** 【建】 遮阳 zhēyáng **2** = 챙 ¶~이 달린 모자 有帽舌的帽子

차-오르다 㐄 上涨 shàngzhǎng ¶냇물이 허리까지 차올랐다 沟水水位上涨达到我的腰部

차·용(借用) 圐㐄厈 借用 jièyòng ¶학교 기자재를 ~하다 借用学校的器材

차-용-증(借用證) 圐 【經】 借条 jiètiáo

차원(次元) 圐 **1** 角度 jiǎodù; 立场 lìchǎng; 水平 shuǐpíng; 起点 qǐdiǎn ¶~이 다른 의견 立场不同的意见 **2** 【物】 量纲 liànggāng; 因次 yīncì ¶~ 분석 因次分析 **3** 【數】 维 wéi ¶3~ 三维

차이(差異) 圐 差距 chājù; 差异 chāyì; 出入 chūrù; 差别 chābié ¶~점 差异点 / 조금도 ~가 없다 毫无差别

차이나타운(Chinatown) 圐 唐人街 Tángrénjiē

차-이다 㐄 **1**(用脚) 被踢 bèitī ¶허리를 ~ 腰被踢了 **2**(男女之间) 被 bèishuǎi ¶그는 그 여자한테 차였다 他被那个女人甩了

차익(差益) 圐 抵销利益 dǐxiāo lìyì ¶~금 抵销利益金

차일(遮日) 圐 遮日幕 zhērìmù ¶~을

치다 放下遮日幕

차일-피일(此日彼日) 图하지 一天拖一天 yītiān tuō yītiān; 一拖再拖 yītuō-zàituō; 今日复明日 jīnrì fù míngrì ¶회의를 ~ 미루다 会议一拖再拖

차:입(借入) 图하타 借入 jièrù ¶외화를 ~하다 借入外币

차장(次長) 图 副部长 fùbùzhǎng

차장(車掌) 图 列车长 lièchēzhǎng; 车长 chēzhǎng; 车掌 chēzhǎng

차점(次點) 图 次高点 cìgāodiǎn

차-조 图【植】黏谷子 niánɡǔzi; 糯谷 nuòɡǔ

차종(車種) 图 车种 chēzhǒng

차주(車主) 图 车主 chēzhǔ

차지 图하타 占 zhàn; 占领 zhànlǐng; 据 zhànjù; 归为己有 guīwéijǐyǒu ¶우세를 ~하다 占优势 / 많은 지역을 ~하다 占据大块的盘

차-지다 閿 1 黏 nián ¶밥이 ~ 饭发黏 2 胆大心细 dǎndàxīnxì ¶성미가 차진 사람 胆大心细的人

차질(蹉跌) 图하자 1 失脚跌倒 shījiǎo-diēdǎo; 失足跌倒 shīzúdiēdǎo 2 事与愿违 shìyǔyuànwéi; 差错 chācuò; 差池 chāchí ¶~이 생기다 事与愿违

차차(次次) 團 1 渐渐 jiànjiàn; 一阵比一阵 yīzhèn bǐ yīzhèn = 차츰 ¶총소리가 ~ 잦아지다 枪声一阵比一阵紧起来 2 慢慢地 mànmande; 以后 yǐhòu ¶그 문제는 ~ 이야기합시다 那个问题以后慢慢地谈吧

차창(車窓) 图 车窗 chēchuāng ¶~을 열다 打开车窗

차체(車體) 图 车体 chētǐ; 车身 chēshēn ¶~가 크게 부서졌다 车体都被大大地破坏了

차축(車軸) 图 车轴 chēzhóu; 轮轴 lúnzhóu

차출(差出) 图하타 选拔 xuǎnbá; 选出 xuǎnchū ¶공무원을 ~하다 选拔公务员

차츰 團 = 차차1

차트(chart) 图 1 海图 hǎitú 2 一览表 yīlǎnbiǎo; 图表 túbiǎo ¶공정 ~ 工程图表

차편(車便) 图 趁车来往之便 ¶~에 짐을 부치다 趁车来往之便把行李寄去

차표(車票) 图 车票 chēpiào = 승차권 ¶~를 끊다 买车票

차후(此後) 图 以后 yǐhòu; 此后 cǐhòu; 之后 zhīhòu ¶~에 다시 이야기합시다 以后再谈吧

착[1] 團 1 紧紧地 jǐnjǐnde ¶새 양복이 몸에 ~ 붙다 新作的西服紧紧地合身 2 恰恰 qiàqià ¶요리가 내 입맛에 ~ 맞다 菜恰恰投合我的口味

착[2] 團 1 安详地 ānxiángde ¶~ 앉아 있다 安详地坐着 2 弯弯 wānwān ¶버드나무 가지가 ~ 늘어졌다 柳枝弯弯垂下来 3 软搭搭 ruǎndādā ¶그 소식을 듣자마자 그는 몸이 ~ 쳐졌다 一听那消息他就身体软搭搭的

착[3] 團 应机立断 yìngjīlìduàn ¶마을 사람들은 모두 ~ 돈을 내놓았다 村民们都应机立断地捐款

착각(錯覺) 图하자타 错觉 cuòjué; 想错 xiǎngcuò; 看错 kàncuò ¶~을 일으키다 引起错觉

착공(着工) 图하타 开工 kāigōng; 动工 dònggōng ¶~식 开工典礼 / 새 공장을 ~하다 开工新工厂

착란(錯亂) 图하타 错乱 cuòluàn ¶정신 ~ 神经错乱

착륙(着陸) 图하자 降落 jiàngluò; 着陆 zhuólù ¶~지 着陆地点 / ~점 着陆点 ¶헬리콥터가 ~했다 直升机降落了

착복(着服) 图하타 侵吞 qīntūn; 私吞 sītūn ¶공금을 ~하다 私吞公款

착상(着床) 图【生】着床 zhuóchuáng

착상(着想) 图하타 构思 gòusī ¶~이 참신하다 构思新颖

착색(着色) 图하타 染色 rǎnsè; 着色 zhuósè ¶~된 옷감 染色的布

착석(着席) 图하자 落席 luòxí; 落座 luòzuò; 入座 rùzuò; 入坐 rùzuò; 就位 jiùwèi ¶사회자 왼쪽에 ~하다 在主持人左侧落座

착수(着手) 图하자타 动手 dòngshǒu; 开始 kāishǐ; 入手 rùshǒu; 着手 zhuóshǒu ¶새로운 연구 사업에 ~하다 开始新的研究工作

착수-금(着手金) 图 定钱 dìngqián; 定金 dìngjīn; 预付款 yùfùkuǎn; 预付 yùfù

착시(錯視) 图하자【心】错视 cuòshì ¶~ 효과 错视效果

착신(着信) 图하자【信】来函 láihán; 来信 láixìn ¶~했음을 알리다 表示收到来信

착실-하다(着實—) 閿 1 诚实 chéngshí; 敦实 dūnshi; 真实 zhēnshí; 认真 rènzhēn; 踏实 tāshi; 忠厚 zhōnghòu ¶착실한 사람 诚实的人 / 착실하게 공부하다 认真学习 2 足有 zúyǒu; 足足 zúzú ¶산길 20리를 착실하게 걸어와서야 나루터를 찾을 수 있었다 足足走了二十里山路才找到了渡口 **착실-히** 團 ¶그는 ~ 일한다 他认真地劳动

착안(着眼) 图하자 考虑 kǎolǜ; 注目 zhùmù; 着眼 zhuóyǎn ¶눈의 구조에 ~하다 着眼眼睛的构造

착암(鑿巖) 图 凿岩 záoyán ¶~기 凿岩机 / ~선 凿岩船

찬오(錯誤) 명[하타] 착오 cuòwù; 讹误 éwù; 谬误 miùwù ¶~가 생기다 犯错误

착용(着用) 명[하타] 穿 chuān; 携带 xiédài ¶~감 穿的感觉 / 안전띠를 ~하다 携带安全带

착유(搾乳) 명[하자] [農] 挤奶 jǐnǎi; 挤乳 jǐrǔ ¶~기 挤奶机

착유(搾油) 명[하자] 榨油 zhàyóu ¶~기 榨油机

착의(着衣) 명[하자] 穿上 chuānshàng ¶나는 비옷을 ~했다 我穿上了雨衣

착잡-하다(錯雜-) 톙 错杂 cuòzá; 错综复杂 cuòzōngfùzá; 交错 jiāocuò; 心乱如麻 xīnluànrúmá; 杂乱 záluàn; 纵横交错 zònghéngjiāocuò ¶마음이 ~ 心里杂乱 **착잡-히** 튀

착지(着地) 명[하자] 着地 zhuódì; 자세 着地姿势 / ~점 着地点

착착¹ 튀 1 紧紧地 jǐnjǐnde ¶젖은 바짓가랑이가 다리에 ~ 들러붙는다 湿漉漉的裤腿紧紧地贴在腿上 2 ~ (口味) 投合 tóuhé ¶요리가 입맛에 ~ 맞는다 菜投合口味 3 乖乖地 guāiguāide; 顺从地 shùncóngde ¶~ 고개를 끄덕이다 顺从地点头

착착² 튀 1 (态度) 泰然自若 tàiránzìruò; 安详 ānxiáng 2 弯弯 wānwān; 弯曲 wānqū〈垂下的样子〉¶늘어진 버들가지 弯弯垂下的柳树枝

착착³ 튀 整整齐齐 zhěngzhengqíqí〈折叠的样子〉¶이불을 ~ 개다 把被子叠得很整整齐齐

착착(着着) 튀 1 挺身而出 tǐngshēn'érchū ¶위기의 순간에 ~ 나서다 为难时刻挺身而出 2 按部就班 ànbùjiùbān; 稳扎稳打 wěnzhāwěndǎ; 有条不紊 yǒutiáobùwěn ¶일은 ~ 진행되고 있다 事情正在有条不紊的进行着 3 整整齐齐 zhěngzhengqíqíde ¶그는 ~ 글씨를 썼다 他写字写得很整整齐齐

착취(搾取) 명[하타] 剥削 bōxuē; 盘剥 pánbō; 搜刮 sōuguā; 压榨 yāzhà; 榨取 zhàqǔ ¶경제적 ~ 经济的榨取 / 가난한 사람을 ~하다 剥削穷人

착-하다 톙 善良 shànliáng; 和善 héshàn; 乖 guāi ¶착한 아이 乖孩子 / 마음씨가 매우 ~ 心地很善良

착화(着火) 명[하자] 点火 diǎnhuǒ; 着火 zháohuǒ ¶~열 着火热 / ~점 着火点 / ~온도 着火温度 / ~하여 타기 시작하다 着火开始燃烧

찬:(饌) 명 = 반찬

찬: 명 赞歌 zàngē

찬:-거리(饌-) 명 = 반찬거리 ¶~를 마련하다 买做菜的料

찬:-그릇(饌-) 명 (盛菜的) 餐具 cānjù

찬-기(-氣) 명 寒气 hánqì; 凉气 liángqì; 冷气 lěngqì

찬-김 명 凉气 liángqì

찬:-하다(燦爛-·粲爛-) 톙 灿烂 cànlàn ¶찬란한 문화유산 灿烂文化遗产 / 태양이 ~ 阳光灿烂 **찬**:-란-히 튀

찬-물 명 冷水 lěngshuǐ; 凉水 liángshuǐ; 冰水 bīngshuǐ = 냉수 **찬물을 끼얹다** 포 泼冷水

찬:-미(讚美) 명[하타] 颂歌 sònggē; 赞美 zànměi ¶~가 赞美歌 / ~하다 赞美上帝

찬-바람 명 冷风 lěngfēng ¶~이 불다 刮冷风

찬:-반(贊反) 명 赞反 zànfǎn ¶~양론 赞反分裂 / 토론 赞反讨论

찬-밥 명 1 凉饭 liángfàn 2 剩饭 shèngfàn 3 冷饭 lěngfàn 《比喻受不到别人关心的人》¶ 신세 冷饭身世

찬-방(-房) 명 = 냉방2

찬-비 명 寒雨 hányǔ; 冷雨 lěngyǔ

찬:-사(讚辭) 명 称赞 chēngzàn; 歌颂 gēsòng; 赞词 zàncí; 赞语 zànyǔ ¶~를 보내다 表示称赞

찬성(贊成) 명[하자타] 赞成 zànchéng; 赞同 zàntóng; 赞许 zànxǔ ¶~표 赞成票 / ~을 표시하다 表示赞成 / ~하다 赞成一个建议

찬:-송(讚頌) 명[하타] 1 赞颂 zànsòng; 赞扬 zànyáng ¶그의 미덕을 ~하다 赞扬他的美德 2 歌颂 gēsòng; 赞颂 zànsòng ¶~가 赞颂歌 / 하나님을 ~하다 赞颂上帝

찬스(chance) 명 机会 jīhuì; 可能性 kěnéngxìng; 运气 yùnqì; 时机 shíjī ¶~를 잡다 抓住时机

찬:-양(讚揚) 명 歌颂 gēsòng; 叹赞 tànzàn; 赞美 zànměi; 赞赏 zànshǎng; 赞扬 zànyáng ¶그의 업적을 ~하다 赞扬他的业绩

찬:-양-대(讚揚隊) 명 [宗] = 성가대

찬:-연-하다(燦然-) 톙 1 缤纷 bīnfēn; 灿烂 cànlàn; 灿然 cànrán; 璀璨 cuǐcàn; 辉煌 huīhuáng ¶찬연한 햇살 灿烂的阳光 / 오색 ~ 五彩缤纷 2 灿烂 cànlàn; 灿烂辉煌 cànlànhuīhuáng; 辉煌 huīhuáng ¶찬연한 전통문화 灿烂辉煌的传统文化 **찬**:-연-히 튀 ¶~ 빛나는 업적 灿烂辉煌的业绩

찬:-장(饌欌) 명 碗橱 wǎnchú; 碗柜 wǎnguì; 碗架 wǎnjià

찬:-조(贊助) 명[하타] 捐赠 juānzèng; 协助 xiézhù; 赞助 zànzhù ¶특정 후보를 ~하다 协助特定候选人

찬:-조-금(贊助金) 명 捐款 juānkuǎn

찬찬-하다¹ 톙 沉着 chénzhuó; 过细 guòxì; 慎密 shènmì; 细心 xìxīn; 细仔 xìzǐ; 周密 zhōumì; 仔细 zǐxì ¶그녀는

아주 ~ 她很细仔 /그는 일하는 것이 ~ 他做工作做得很周密 **찬찬-히** [부] ¶~ 관찰하다 仔细观察

찬:찬-하다² [형] (动作、态度) 缓慢 huǎnmàn; 慢慢 mànmàn; 悄悄 qiāoqiāo; 仔细 zǐxì ¶찬찬한 말씨 缓慢的口气 **찬:찬-히** [부] ¶~ 저쪽에서 걸어 오다 缓慢的步子从那边走过来

찬:찬-하다(燦燦一) [형] 灿烂 cànlàn; 璀璨 cuǐcàn; 耀眼 yàoyǎn ¶막 떠오른 태양이 바다를 찬찬하게 비춘다 刚出来的太阳把海照得很耀眼 **찬:찬-히** [부]

찬탄(讚歎 · 贊嘆) [명][하][자][타] 赞叹 zàntàn ¶그 아이의 영민함에 ~해 마지 않다 那个孩子真聪明, 让人赞叹不已

찬-탈(篡奪) [명][하][타] 篡夺 cuànduó ¶왕위를 ~하다 篡夺王位

찬합(饌盒) [명] 提盒 tíhé

찰- [접두] 糯 nuò; 黏 nián ¶~밥 糯米饭 /~떡 黏糕

찰-거머리 [명] 1 水蛭 shuǐzhì 2 水蛭 shuǐzhì《比喻死缠烂打的人》¶너 왜 날마다 ~같이 나한테 달라붙니? 你为什么每天像水蛭一样死缠烂打揪着?

찰과-상(擦過傷) [명] 擦伤 cāshāng; 擦상

찰그랑 [부][하][자][타] 当啷 dānglāng ¶열쇠가 ~ 땅에 떨어졌다 钥匙当啷一声掉在地上

찰그랑-거리다 [자][타] 当啷响 dānglāng xiǎng ¶문밖에서 찰그랑거리는 소리가 났다 从门外边传来了当啷响的声音 **찰그랑-찰그랑** [부][하][자][타]

찰-기(一氣) [명] 黏 nián; 黏性 niánxìng ¶~있는 햅쌀밥 很黏的新黏米饭

찰나(刹那) [명] 1 刹那 chànà; 顷刻 qǐngkè; 霎时 shàshí; 瞬间 shùnjiān ¶위급한 ~ 危险的一刹那 2 【佛】刹那 chànà

찰나-적(刹那的) [관] 刹那的 chànà(de) ¶~ 순간 刹那之间

찰-떡 [명] 糯米糕 nuòmǐgāo; 黏糕 nián-gāo

찰떡-궁합(一宫合) [명] 天作之合 tiānzuòzhīhé; 相配的姻缘 xiāngpèide yīnyuán

찰랑 [부][하][자][타] 1 潋滟 liànyàn ¶~한 호수 潋滟的湖水 2 当啷 dānglāng ¶동전을 저금통 속에 넣자 ~ 소리가 났다 把硬币投进储钱罐里, 就发出了当啷的响声

찰랑-거리다 [자][타] 1 潋滟响 liànyàn xiǎng ¶찰랑거리며 흐르는 샘 潋滟响流泉 2 当啷当啷响 dānglangdāng-lāngde xiǎng ¶돼지 저금통 속에 동전이 찰랑거렸다 在猪形攒钱罐里的硬

币当啷当啷地响了几声 ‖ = 찰랑대다 **찰랑-찰랑** [부][하][자][타]

찰랑-하다 [형] 满荡荡 mǎndàngdàng; 盈满 yíngmǎn ¶술잔에 술이 ~ 在酒杯里盈满了酒

찰-밥 [명] 糯米饭 nuòmǐfàn

찰방 [부][하][자][타] 扑通 pūtōng ¶물속에 ~ 뛰어들다 扑通地跳进去

찰방-거리다 [자][타] 扑通扑通响 pūtōng-pūtōng xiǎng = 찰방대다 ¶아기가 목욕탕 속에서 ~ 小孩儿在浴池里扑通扑通响 **찰방-찰방** [부][하][자][타]

찰-벼 [명] 糯稻 nuòdào

찰상(擦傷) [명] = 찰과상

찰찰 [부] 满满 mǎnmǎn; 淙淙 cóngcóng; 溢满 yìmǎn ¶그는 술잔이 ~ 넘게 술을 부어 놓았다 他把酒满满地斟在酒杯里

찰카닥 [부][하][자][타] 咔嗒 kādā ¶창문을 ~ 닫았다 咔嗒一声把窗户关上了

찰카닥-거리다 [자][타] 咔嗒咔嗒响 kādākādāde xiǎng = 찰카닥대다 ¶어디에서 찰카닥거리는 소리가 났다 从小车里发出了咔嗒咔嗒地响声 **찰카닥-찰카닥** [부][하][자][타]

찰카당 [부][하][자][타] 咔嗒 kādā ¶쇠붙이가 ~ 소리를 내다 铁片发出咔嗒地响

찰카당-거리다 [자][타] 咔嗒咔嗒地响 kādākādāde xiǎng = 찰카당대다 ¶저금통 속에서 찰카당거리는 동전 소리 在攒钱罐里咔嗒咔嗒地响的硬币声

찰칵 [부][하][자][타] '찰카닥'의 략어

찰칵-거리다 [자][타] '찰카닥거리다'의 략어 = 찰칵대다 **찰칵-찰칵** [부][하][자][타]

찰-흙 [명] 黏土 niántǔ

참 ㈀[명] 真 zhēn ㈁[부] 참으로 ¶너는 ~ 예쁘다 她真漂亮 ㈂[감] 对了 duìle; 对呀 duìya; 是啊 shìa; 真的 zhēnde

참가(參加) [명][하][자] 参加 cānjiā; 参与 cānyù; 加入 jiārù ¶~국 参加国 /~권 参加权 /~자 参加者/경기에 ~하다 参加比赛

참-게 [명] 【动】河蟹 héxiè; 毛蟹 máoxiè; 螃蟹 pángxiè; 清水蟹 qīngshuǐ-xiè

참견(參見) [명][하][자][타] 1 干涉 gānshè; 干预 gānyù; 管闲事 guǎnxiánshì; 过问 guòwèn ¶쓸데없이 ~하지 마라 多管闲事 2 = 참관 ¶궁을 ~하다 参观宫

참고(參考) [명][하][타] 参考 cānkǎo ¶~란 参考栏 /~서 参考书 /~인 参考人 /~자료 参考资料 /~문헌 参考文献 /~하다 做参考

참관(參觀) [명][하][자][타] 参观 cānguān; 观摩 guānmó ¶~ 参观2 /~인 参观人 /~수업 观摩教学

참극(慘劇) 〖명〗 1 〖演〗 비극 bēijù 2 비참한 사건 bēicǎn shìjiàn; 참안 cǎn'àn; 참극 cǎnjù ¶~이 벌어지다 发生惨剧

참-기름 〖명〗 芝麻油 zhīmáyóu; 香油 xiāngyóu = 향유(香油)

참-깨 〖명〗 〖植〗 芝麻 zhīma; 胡麻 húmá ¶~죽 芝麻粥

참-나무 〖명〗 〖植〗 = 상수리나무

참:다 〖타〗 1 忍 rěn; 忍受 rěnshòu; 忍耐 rěnnài; 忍住 rěnzhù ¶아픔을 ~ 忍受痛苦 / 치밀어 오르는 화를 억지로 ~ 强忍怒火 2 等待 děngdài ¶며칠만 더 참아 주세요 请再等待几天

참-다랑어(~魚) 〖명〗 〖魚〗 金枪鱼 jīnqiāngyú = 다랑어·참치

참:다-못하다 〖타〗 忍不住 rěnbuzhù; 忍受不了 rěnshòubuliǎo ¶나는 참다못해 한마디 했다 我忍不住地说了一句话

참담(慘憺·慘澹) 〖명〗〖하〗〖형〗 〖부〗 悲惨 bēicǎn; 惨淡 cǎndàn; 凄凉 qīliáng ¶인생 참담의 人生 惨淡的人生 참담-히 〖부〗 ¶그의 희망은 ~ 무너졌다 他的希望崩溃得很悲惨

참-답다 〖형〗 认真 rènzhēn; 真正 zhēnzhèng; 真挚 zhēnzhì ¶참다운 사람 认真的人 / 친구들과 참답게 사귀다 跟朋友们真挚地交流

참-되다 〖형〗 真实 zhēnshí; 真正 zhēnzhèng ¶참된 용기 真正的勇气 / 그는 사람이 ~ 他为人挺实在

참되-이 〖부〗 诚实地 chéngshíde; 真实地 zhēnshíde ¶~ 살다 诚实地生活

참-뜻 〖명〗 真意 zhēnyì; 实质 shízhì; 真正的意思 zhēnzhèngde yìsi

참-말 〖명〗 实话 shíhuà; 真话 zhēnhuà ¶~을 하다 说真话 〖부〗 = 참말로

참말-로 〖부〗 真的 zhēnde; 真实的 zhēnshíde = 참말〖명〗 ¶그가 ~ 퇴직했어? 他真的退休了?

참모(參謀) 〖명〗〖하〗〖자〗 参谋 cānmóu ¶~부 参谋部 / ~장 参谋长 / ~ 장교 参谋将校

참-모습 〖명〗 本色 běnsè; 真面目 zhēnmiànmù; 真面貌 zhēnmiànmào

참배(參拜) 〖명〗〖하〗〖자〗〖타〗 参拜 cānbài ¶~자 参拜者 / 신사를 ~하다 参拜神社

참변(慘變) 〖명〗 惨变 cǎnbiàn ¶~을 당하다 遇到惨变

참-빗 〖명〗 篦子 bìzi

참사(慘事) 〖명〗 悲惨事件 bēicǎn shìjiàn; 惨案 cǎn'àn; 惨剧 cǎnjù ¶~를 빚어내다 制造惨案

참-사람 〖명〗 诚实的人 chéngshíde rén; 老实人 lǎoshírén; 真正的人 zhēnzhèngde rén

참-살(斬殺) 〖명〗〖하〗〖타〗 斩杀 zhǎnshā ¶무고한 사람들을 ~하다 斩杀无辜的人们

참살(慘殺) 〖명〗〖타〗 残杀 cánshā; 惨杀 cǎnshā; 屠杀 túshā ¶토비들한테 ~되다 被土匪残杀的

참상(慘狀) 〖명〗 惨状 cǎnzhuàng ¶말로 표현하기 어려운 难以言说的惨状

참-새 〖명〗 〖鳥〗 麻雀 máquè; 家雀儿 jiāqiǎor

참석(參席) 〖명〗〖하〗〖자〗 参加 cānjiā; 出席 chūxí; 赏光 shǎngguāng; 赏脸 shǎngliǎn ¶~자 参加者 / 무도회에 ~하다 出席舞会

참선(參禪) 〖명〗 〖佛〗 参禅 cānchán

참-수(斬首) 〖명〗〖하〗〖타〗 砍头 kǎntóu; 斩首 zhǎnshǒu ¶살인범이 ~되다 杀人犯被斩首

참-숯(~) 〖명〗 (用栎树等烧成的) 上等木炭 shàngděng mùtàn; 优质炭 yōuzhìtàn

참-신-하다(斬新-·嶄新-) 〖형〗 崭新 zhǎnxīn; 新颖 xīnyǐng ¶참신한 모습 崭新的面貌 / 구상이 매우 ~ 构思很新

참여(參與) 〖명〗〖하〗〖자〗 参与 cānyù ¶~ 의식 参与意识 / 세미나에 ~하다 参与研讨会

참-외 〖명〗 〖植〗 甜瓜 tiánguā

참-으로 〖부〗 的确 díquè; 果然 guǒrán; 确实 quèshí; 真的 zhēnde; 实在 shízài; 真 zhēn ¶~ 그렇구나! 的确是这样! / 그 작가는 ~ 노련하다 那位作家的确在行

참을-성(-性) 〖명〗 耐心 nàixīn; 耐性 nàixìng; 忍耐性 rěnnàixìng ¶~을 기르다 养成耐性 / 나는 ~이 없다 我没有耐性了

참작(參酌) 〖명〗〖하〗〖타〗 参考 cānkǎo; 参酌 cānzhuó; 考虑 kǎolǜ; 斟酌 zhēnzhuó ¶각국의 법률을 ~하다 参酌各国法律

참전(參戰) 〖명〗〖하〗〖자〗 参战 cānzhàn ¶~국 参战国

참정(參政) 〖명〗〖하〗〖자〗 参政 cānzhèng; 参与政治 cānyù zhèngzhì ¶~권 参政权 / ~의 권리를 누리다 享受参与政治的权利

참조(參照) 〖명〗〖하〗〖타〗 参考 cānkǎo; 参照 cānzhào ¶사전 ~ 词典参照 / 문헌을 ~하다 参照文献

참-조개 〖명〗 〖貝〗 = 바지락

참-조기 〖명〗 〖魚〗 黄花鱼 huánghuāyú

참치 〖명〗 〖魚〗 = 참다랑어

참패(慘敗) 〖명〗〖하〗〖자〗 惨败 cǎnbài; 落花流水 luòhuāliúshuǐ; 一败涂地 yībàitúdì ¶~자 惨败者 / ~를 당하다 遭到惨败

참:-하다 〖형〗 1 纯真 chúnzhēn; 文静

804

wénjìng; 수기 xiùqi ¶처녀가 ~ 姑娘
好秀气 2 好 hǎo; 漂亮 piàoliang; 清
秀 qīngxiù ¶참하게 생긴 얼굴 清秀的
脸庞儿

참:형(斬刑) 명(하타) 斩刑 zhǎnxíng =
참수형 ¶~을 당하다 遭到斩刑

참형(惨刑) 명(하타) 酷刑 kùxíng; 严刑 yán-
xíng ¶~을 받다 受到酷刑

참호(塹壕·塹濠) 명 1 [軍] 堑壕 qiàn-
háo 2 壕 háo = 호(壕)

참혹(惨酷) 명(하다)(형) 悲惨 bēicǎn;
惨 cǎn; 残酷 cánkù ¶~한 징벌 残酷
的惩罚 / ~한 생활 悲惨的生活 / ~히
희생된 영혼을 기리나 纪念悲惨地牺牲
性的魂灵

참화(惨祸) 명 惨祸 cǎnhuò; 浩劫 hào-
jié ¶전쟁의 가혹한 ~를 겪다 经受过
严重的战争浩劫

참회(忏悔) 명(하다) 忏悔 chànhuǐ ¶~
문 忏悔文 / ~록 忏悔录 / 자신의 죄를
~하다 忏悔自己的罪行

찹쌀(一) 명 江米 jiāngmǐ; 糯米 nuòmǐ ¶
~가루 糯米粉 / ~고추장 糯米辣酱 /
~떡 糯米糕 / ~엿 糯米糖

찻-간(車間) 명 车厢 chēxiāng

찻-값(茶一) 명 茶费 cháfèi; 茶价 chá-
jià; 茶钱 cháqián; 茶资 cházī

찻-길(車一) 명 车道 chēdào; 轨道
guǐdào; 车行道 chēxíngdào = 차도·
차로

찻-물(茶一) 명 茶水 cháshuǐ

찻-삯(茶一) 명 = 차비 ¶~을 지불하
다 付车费

찻-숟가락(茶一) 명 茶匙 cháchí =
티스푼

찻-술갈(茶一) 명 '찻숟가락'의 略词

찻-잎(茶一) 명 茶叶 cháyè

찻-잔(茶盏) 명 茶杯 chábēi; 茶碗 chá-
wǎn; 茶盏 cházhǎn

찻-주전자(茶酒煎子) 명 茶壶 cháhú

찻-집(茶一) 명 茶馆 cháguǎn

창 명 1 鞋底 xiédǐ ¶~을 갈다 换鞋底
2 垫鞋 xiédiàn ¶~을 갈다 垫鞋垫

창:(唱) 명(하다)(자) [音] 唱高音 chàng-
gāoyīn 《民俗音乐清唱之一》

창(窗) 명 = 창문 ¶유리~ 玻璃窗

창(槍) 명 标枪 biāoqiāng《一种武器》
¶~을 던지다 掷标枪

-창(廠) 접미) 库 kù《军队的仓库》¶
병기~ 兵器库 / ~군수~ 军需库

창-가(窗一) 명 窗边 chuāngbiān ¶~
에 기대서서 靠着窗边站

창:간(創刊) 명(하타) 创刊 chuàngkān ¶
~호 创刊号 / 잡지가 ~되다 杂志创
刊

창:건(創建) 명(하타) 成立 chénglì; 创
建 chuàngjiàn; 缔造 dìzào; 建立 jiànlì
¶~자 创建者 / 협회를 ~하다 建立

창고(倉庫) 명 仓库 cāngkù; 栈 zhàn;
栈房 zhànfáng ¶~지기 受仓库的人 /
지하 ~ 地下仓库 / 군용 ~ 军用仓库

창공(蒼空) 명 = 창천 ¶광활한 ~ 广
阔的晴空

창구(窗口) 명 窗口 chuāngkǒu ¶매표
~ 售票窗口

창궐(猖獗) 명(하자) 猖獗 chāngjué ¶급
성 전염병이 ~하다 瘟疫猖獗

창극(唱劇) 명 [演] 唱剧 chàngjù

창기(娼妓) 명 娼妓 chāngjì

창녀(娼女) 명 卖淫妇 màiyínfù; 卖春
女 màichūnnǚ; 娼妇 chāngfù

창:단(創團) 명(하타) 建团 jiàntuán ¶가
무단을 ~하다 建团歌舞团

창:당(創黨) 명(하자타) 成立党 chénglì-
dǎng; 创建党 chuàngjiàndǎng; 建党
jiàndǎng ¶정견이 같은 사람들과 ~했
다 跟政见一样的人一起建党了

창-대(槍一) 명 矛杆 máogǎn; 枪杆
qiānggǎn

창-던지기(槍一) 명(하자) [體] 投标枪
tóubiāoqiāng; 标枪 biāoqiāng = 투창

창:도(唱道·倡道) 명(하타) 倡导 chàng-
dǎo; 提倡 tíchàng ¶언론의 자유를 ~
하다 倡导新闻的自由

창:립(創立) 명(하타) 创立 chuànglì; 建
立 jiànlì ¶~식 创立仪式 / ~자 创立
者

창문(窗門) 명 窗 chuāng; 窗户 chuāng-
hu; 窗子 chuāngzi = 창(窗) ¶~턱 窗
台 / ~를 窗框 / 열다 打开窗户 /
~을 닫다 关窗户

창백-하다(蒼白一) 형 惨白 cǎnbái; 苍
白 cāngbái; 发青 fāqīng; 煞白 shàbái
¶창백한 얼굴 苍白的脸 **창백-히** 부

창:법(唱法) 명 唱法 chàngfǎ

창사(創社) 명(하자) 建立公司 jiànlì
gōngsī ¶~ 기념 행사 建立公司纪念
典礼

창-살(窗一) 명 窗格子 chuānggézi;
窗棂 chuānglíng

창상(創傷) 명 创伤 chuāngshāng; 伤
口 shāngkǒu ¶심각한 ~ 严重的创伤 /
흉부의 ~ 胸部创伤

창:설(創設) 명(하타) 创办 chuàngbàn;
创立 chuànglì; 建立 jiànlì; 新设 xīn-
shè ¶~자 创立者 / 과학 연구 기구를
~하다 创立一个科学研究机构

창성(昌盛) 명(하자) 昌盛 chāngshèng ¶
자손이 ~하다 昌盛子孙

창:시(創始) 명(하타) 创始 chuàngshǐ;
建立 jiànlì; 首创 shǒuchuàng ¶새
창시人 / 새로운 문학 유파를 ~했다
创始了一个新的文学流派

창:안(創案) 명(하타) 创造发明 chuàng-
zào fāmíng; 创议 chuàngyì; 首倡 shǒu-

chàng; 제안 tí'àn ¶~자 创造发明者 / 새로운 사업을 ~하다 创议新事业

창·업(創業) 〔명〕创业 chuàngyè; 建立 jiànlì ¶~자 投资 创业投资 / 创业者 / 회사를 ~하다 建立公司

창연-하다(蒼然一) 〔형〕 1 碧蓝 bìlán; 蔚蓝 wèilán ¶창연한 하늘 蔚蓝的天空 2 苍苍 cāngcāng ¶모색이 ~ 暮色苍苍 3 古色古香 gǔsègǔxiāng ¶유구한 창연한 경치 古迹古色古香的风景 **창연-히** 〔부〕

창-유리(窓琉璃) 〔명〕 窗玻璃 chuāngbōli ¶~를 닦다 擦窗玻璃

창:의(創意) 〔명〕创意 chuàngyì; 创意 chuàngyì ¶~력 创意力 / ~성 创意性 ¶~가 결여된 연설 缺乏创见的演讲

창:의-적(創意的) 〔관/명〕创意(的) chuàngyì(de)

창자 〔명〕 〔生〕肠子 chángzi = 장(腸)

창:작(創作) 〔명/하타〕创造 chuàngzào; 创作 chuàngzuò ¶~극 创作剧 / ~력 创作力 / ~물 创作物

창:작-품(創作品) 〔명〕 (文学艺术的) 作品 zuòpǐn ¶~을 발표하다 发表作品

창제(創製·創制) 〔명/하타〕创造 chuàngzào; 创制 chuàngzhì ¶~자 创造者 / 한글을 ~하다 创制韩文

창:조(創造) 〔명/하타〕创举 chuàngjǔ; 创造 chuàngzào; 独创 dúchuàng; 首创 shǒuchuàng ¶~력 创造力 / ~성 创造性 / ~자 创造者 / 하나님이 세상을 ~했다 上帝创造了天地

창:졸(倉卒) 〔명/형〕仓猝 cāngcù; 仓促 cāngcù; 匆忙 cōngmáng; 匆卒 cōngzú; 突然 tūrán ¶~하게 결정하면 안 된다 不该仓促下结论 / ~히 뛰어나가다 仓猝地跑出去

창:졸-간(倉卒間) 〔명〕仓猝之间 cāngcùzhījiān; 突然 tūrán ¶~에 당한 일 仓猝之间碰上的事情

창창-하다(蒼蒼一) 〔형〕 1 碧蓝 bìlán; 蔚蓝 wèilán ¶창창한 바다 碧蓝的海水 / 창창한 하늘 蔚蓝地天空 2 远大 yuǎndà ¶앞길이 창창한 청년들 前途远大的青年们 3 昏暗 hūn'àn; 昏沉 hūnchén ¶창창한 황혼 昏沉的暮色 **창-창-히** 〔부〕

창천(蒼天) 〔명〕 苍天 cāngtiān; 青天 qīngtiān; 晴空 qíngkōng = 창공

창:출(創出) 〔명/하자타〕创造 chuàngzào; 创制 chuàngzhì ¶이것은 그가 ~해 낸 방법이다 这是他创出来的方法

창-칼(窓一) 〔명〕小刀 xiǎodāo

창-턱(窓一) 〔명〕 〔建〕窗台 chuāngtái

창-틀(窓一) 〔명〕 〔建〕窗架 chuāngjià

창-틈(窓一) 〔명〕 窗隙 chuāngxì ¶~으로 엿보다 从窗隙里偷看

창포(菖蒲) 〔명〕 〔植〕菖蒲 chāngpú; 蒲 pú ¶~로 머리를 감다 用菖蒲洗头发

창피(猖披) 〔명/하형〕丢丑 diūchǒu; 丢脸 diūliǎn; 寒碜 hánchen ¶~를 당하다 丢脸 / 부모에게 ~를 주다 给父母亲丢脸

창피-스럽다(猖披一) 〔형〕惭愧 cánkuì; 丢脸 diūliǎn; 寒碜 hánchen; 难为情 nánwéiqíng ¶그는 창피스러워서 얼굴을 붉혔다 他难为情红了脸 **창피스레** 〔부〕

창호(窓戶) 〔명〕 〔建〕窗户 chuānghu ¶~지 窗户纸

찾다 〔타〕 1 找 zhǎo ¶일자리를 ~ 找事做 / 원인을 ~ 找原因 2 谋求 móuqiú; 探究 tànjiū; 探求 tànqiú; 寻找 xúnzhǎo; 挖掘 wājué; 追寻 zhuīxún ¶인생의 의미를 ~ 追寻人生的意义 / 좋은 방도를 ~ 谋求好的办法 3 取 qǔ; 提 tí ¶저금을 ~ 取存款 / 맡겼던 짐을 ~ 提寄存的行李 4 访问 fǎngwèn; 来访 láifǎng; 探访 tàn ¶옛 친구를 ~ 探访朋友 5 讲究 jiǎngjiū ¶사사로운 이익만 ~ 只贪私利 / 체면을 ~ 讲究面子 6 恢复 huīfù; 回 huí ¶자신감을 ~ 恢复信心

찾아-가다 〔타〕 1 访 fǎng; 去见 qùjiàn; 去找 qùzhǎo ¶친구를 ~ 去找朋友 2 取 qǔ; 提 tí ¶맡겼던 짐을 ~ 提走寄存的行李

찾아-내다 〔타〕 查到 chádào; 发掘 fājué; 搜到 sōudào; 探到 tàndào; 找到 zhǎodào ¶보물을 ~ 探到宝藏 / 범인을 ~ 搜到犯人

찾아-다니다 〔타〕 到处寻找 dàochù xúnzhǎo ¶고양이 주인을 ~ 到处寻找猫主人

찾아보-기 〔명〕 = 색인

찾아-보다 〔타〕 1 找到某人并见面 ¶고향을 떠나기 전에 나는 친구를 찾아보았다 离开故乡以前, 我找到朋友并见了他一面 2 查查 cháchá; 查一查 cháyichá ¶모르는 단어가 있거든 사전을 찾아봐야 한다 有不懂的生词, 得查一查词典

찾아-오다 〔자타〕 1 来找 láizhǎo; 找来 zhǎolái ¶옛날 여자 친구가 또 나를 찾아왔다 以前的女朋友又来找我了 2 取来 qǔlái; 提来 tílái ¶우체국에서 소포를 ~ 到邮局取来包裹 3 回来 huílái ¶여명이 ~ 黎明回来

채¹ 〔명〕辕 yuán ¶수레의 ~ 车辕

채² 〔명〕 1 채찍 2 木棍 mùgùn; 枝条 zhītiáo ¶~로 때리다 用木棍击打 3 槌 chuí; 拍子 pāizi ¶북~ 鼓槌 / 탁구~ 乒乓球拍子

채:³ 〔명〕 (菜的) 丝 sī ¶고추~ 辣椒丝 / ~를 썰다 切丝

채⁴ 〔의명〕 1 幢 zhuàng; 栋 dòng ¶건물 한 ~ 一幢楼 / 집 한 ~ 一栋房子 2 台 tái ¶장롱 네 ~ 四台衣柜 / 마차 한 ~ 一台马车 3 条 tiáo ¶이불 두 ~ 两条被子 4 束 shù ¶인삼 세 ~ 三束人参

채⁵ 〔부〕 还没 háiméi; 还未 háiwèi; 尚未 shàngwèi ¶~ 해결되지 않은 문제 尚未解决的问题 / ~ 완성되지 않다 还未完成

채:광(採光) 〔명〕〔하〕〔자〕 采光 cǎiguāng ¶~창 采光窗 / ~이 좋다 采光好

채굉(採鑛) 〔명〕〔하〕〔자〕〔鑛〕 采矿 cǎikuàng ¶~공 采矿工 / ~층 采矿层

채:굴(採掘) 〔명〕〔하〕〔타〕 采掘 cǎijué; 开采 kāicǎi ¶석유 ~ 石油开采 / 광산 ~ 矿山开采

채:권(債券) 〔명〕〔經〕 债券 zhàiquàn ¶~ 시장 债券市场

채:권(債權) 〔명〕〔法〕 债权 zhàiquán ¶~국 债权国 / ~자 债权人 / ~ 담보 债权担保

채:근(採根) 〔명〕〔하〕〔자〕〔타〕 1 采根 cǎigēn 2 溯源 sùyuán; 追根 zhuīgēn; 追溯 zhuīsù ¶민족 문화의 원류를 거슬러 올라가 ~하다 追溯民族文化的源流 3 催促 cuīcù; 督促 dūcù ¶돈을 갚으라고 ~하다 催促付款

채널(channel) 〔명〕 1 渠道 qúdào; 通道 tōngdào ¶외교 ~ 外交通道 / 정보 ~ 信息通道 2 〔信〕 频道 píndào; 信道 xìndào ¶텔레비전 ~을 조정하다 调整电视的频道 / ~을 돌리다 换频道

채다¹ 〔동〕 '차이다'의 약어

채다² 〔동〕 1 拉 lā; 拽 zhuài ¶선원들은 모두 힘껏 로프를 챘다 水手们都用力拽住绳子 2 抢 qiǎng; 抢 qiǎng ¶매가 비둘기를 챘다 老鹰抓走一只鸽子 / 옆 사람 손에서 물건을 ~ 从旁人手中抢东西

채다³ 〔타〕 猜出 cāichū; 看出 kànchū ¶눈치를 ~ 猜出眼色

채:도(彩度) 〔명〕〔美〕 彩度 cǎidù

채:록(採錄) 〔명〕〔하〕〔자〕〔타〕 采记 cǎijì; 采录 cǎilù ¶~한 자료 采录资料 / 전설을 ~하다 采录传说

채:마(菜麻) 〔명〕 1 蔬菜 shūcài 2 = 채마밭

채:마-밭(菜麻─) 〔명〕 菜地 càidì; 菜园 càiyuán; 菜园子 càiyuánzi = 채마2

채:무(債務) 〔명〕〔法〕 债务 zhàiwù ¶~국 债务国 / 보증 债务担保 / ~불이행 不履行债务 =〔违反债务〕 / 이행 履行债务 / ~자 债务人

채:변(採便) 〔명〕〔하〕〔자〕 (为了检查) 采便 cǎibiàn

채비 〔명〕〔자〕〔타〕 筹备 chóubèi; 准备 zhǔnbèi ¶그들은 휴일을 보낼 ~로 바쁘다 他们正忙于筹备去度假

채:산(採算) 〔명〕 1 合账 hézhàng; 核算 hésuàn; 上算 shàngsuàn ¶~이 맞지 않다 不合账 2 定价 dìngjià ¶판매가를 ~하다 定价售价

채:색(彩色) 〔명〕〔하〕〔자〕〔타〕 1 彩色 cǎisè 2 着色 zhuósè

채:석(採石) 〔명〕〔하〕〔자〕 采石 cǎishí ¶~장 采石场

채:소(菜蔬) 〔명〕 蔬菜 shūcài; 菜 cài = 남새 ¶~를 심다 种蔬菜 / ~를 다듬다 采青菜

채:소-밭(菜蔬─) 〔명〕 蔬菜田 shūcàitián = 남새밭

채:송-화(菜松花) 〔명〕〔植〕 半支莲 bànzhīlián; 草杜鹃 cǎodùjuān

채:식(菜食) 〔명〕〔하〕〔자〕 素食 sùshí ¶~가 素食家 / ~주의 素食主义 / ~주의자 素食主义者

채:신 '처신'의 鄙辞

채:신-머리 '처신'의 俗称

채:용(採用) 〔명〕〔하〕〔타〕 采用 cǎiyòng; 雇用 gùyòng; 录用 lùyòng ¶~시험 录用考试 / 회사원으로 ~되다 录用为公司职员 / 신기술을 ~하다 采用新技术

채우다¹ 〔타〕 1 锁上 suǒshàng; 扣上 kòushàng ¶문을 ~ 把门锁上 / 벨트를 ~ 扣上带子 / 단추를 ~ 扣上钮扣

채우다² 〔타〕 镇 zhèn ¶얼음에 채운 소다수 冰镇汽水

채우다³ 〔타〕 1 补充 bǔchōng ¶양식을 ~ 补充粮食 2 凑足 còuzú; 装满 zhuāngmǎn ¶주머니에 물건을 ~ 把袋子装满东西 3 满足 mǎnzú ¶욕망을 ~ 满足欲望 4 满期 mǎnqī ¶임대차 계약 기간을 ~ 租赁满期

채우다⁴ 〔타〕 戴 dài ¶손목시계를 ~ 戴手表 / 수갑을 ~ 戴手铐

채:점(採點) 〔명〕〔하〕〔타〕 打分 dǎfēn; 评分 píngfēn; 评卷 píngjuàn ¶답안지를 ~하다 给考卷打分

채:집(採集) 〔명〕〔하〕〔타〕 采集 cǎijí; 收集 shōují ¶식물을 ~하다 采集植物

채찍 〔명〕 鞭子 biānzi; 鞭 biān = 채²¹ ¶~으로 때리다 拿鞭子抽打 / ~을 휘두르다 挥鞭子

채찍-질 〔명〕〔하〕〔자〕〔타〕 1 鞭打 biāndǎ 2 鞭策 biāncè ¶그는 항상 자신을 ~하며 사업을 발전시킨다 他时常鞭策自己, 发展事业

채:취(採取) 〔명〕〔하〕〔타〕 1 采掘 cǎijué; 挖掘 wājué ¶석유 ~ 石油开采 / 광물을 ~하다 采掘矿 2 采取 cǎiqǔ ¶지문을 ~하다 采取指纹

채:-칼 〔명〕 礤床儿 cǎchuángr

채:탄(採炭) 〔명〕〔하〕〔자〕〔鑛〕 采煤 cǎiméi

¶~공 采煤工 / ~기 采煤机 / ~량 采煤量 / ~장 采煤场

채:탄(採炭) 【명하타】 采选 cǎixuǎn; 采取 cǎiqǔ; 采用 cǎiyòng; 选择 xuǎnzé ¶건의가 ~되었다 提议被采纳了 / 새로운 의견을 ~하다 采纳新意见

채팅(chatting) 【명】 网上聊天儿 wǎngshàng liáotiān(r); 聊天(儿) liáotiān(r) ¶친구와 ~하다 网上与朋友聊天

채:혈(採血) 【명하자】 【医】抽血 chōuxuè

책(册) 【명】 **1** 书 shū; 书本 shūběn; 书籍 shūjí = 图书(圖書) · 서적 · 서책 ¶~ 한 권 一本书 / ~을 읽다 看书 **2** 本子 běnzi; 簿册 bùcè; 册 cè; 册子 cèzi

책-가방 【명】 书包 shūbāo ¶~을 메다 背书包

책-갈피(册―) 【명】 书页间 shūyèjiān; 书里 shūlǐ

책-꽂이 【명】 书架 shūjià ¶책을 ~에 꽂다 把书放到书架里

책략(策略) 【명】 策略 cèlüè; 计策 jìcè; 谋略 móulüè ¶~을 생각해 내다 想出计策

책력(册曆) 【명】 历书 lìshū

책망(責望) 【명】 责备 zébèi; 指责 zhǐzé ¶~을 면하다 免除责备 / ~을 받다 受到责备

책명(册名) 【명】 书名 shūmíng = 서명(書名)

책무(責務) 【명】 职务 zhíwù ¶~를 다하다 胜任职务

책문(責問) 【명하자타】 责问 zéwèn; 质问 zhìwèn ¶가혹한 ~ 苛刻的质问 / 다른 사람을 ~하다 责问某人

책-받침(册―) 【명】 写字垫板 xiězì diànbǎn

책방(册房) 【명】 = 서점

책-벌레(册―) 【명】 书虫 shūchóng; 书迷 shūmí

책봉(册封) 【명하타】 【史】册封 cèfēng ¶~식 册封仪

책상(册床) 【명】 书桌 shūzhuō; 写字台 xiězìtái; 办公桌 bàngōngzhuō

책상-다리(册床―) 【명하자】 踟趺 jiāfū ¶~를 하고 앉다 盘腿跌坐

책상-머리(册床―) 【명】 案头 àntóu

책상-보(册床褓) 【명】 台布 táibù; 桌布 zhuōbù

책임(責任) 【명】 责任 zérèn; 任务 rènwu ¶~감 责任感 / ~자 责任者 / ~을 피하다 逃避责任

책임-지다(責任―) 【타】 承担责任 chéngdān zérèn; 承当 chéngdāng; 承担 chéngdān ¶그 일은 그가 책임지기로 했다 那件事情由他承担责任

책자(册子) 【명】 册子 cèzi; 书 shū

책장(册張) 【명】 书页 shūyè ¶~을 넘기다 翻书页

책장(册欌) 【명】 书橱 shūchú; 书柜 shūguì; 书架 shūjià

책정(策定) 【명하타】 确定 quèdìng ¶예산을 ~하다 确定预算

책-하다(責―) 【타】 责备 zébèi; 指责 zhǐzé ¶누군가를 ~ 责备某人

챔피언(champion) 【명】 冠军 guànjūn = 우승자

챙: 檐(儿) yán(r); 帽舌 màoshé = 차양2 ¶모자~ 帽檐儿

챙기다 【타】 **1** 准备 zhǔnbèi; 收拾 shōushi ¶짐을 ~ 准备行李 / 그릇들을 ~ 收拾餐具 **2** 抽取 chōuqǔ ¶한 몫 ~ 抽取一份

처(妻) 【명】 = 아내

처:(處) 【명】 处 chù 《行政机构之一》 ¶교무~ 教务处 / 학생~ 学生处

처가(妻家) 【명】 妻子家 qīzijiā; 岳母家 yuèmǔjiā = 처갓집

처가-살이(妻家―) 【명하자】 从妻居 cóngqījū; 倒插门 dàochāmén

처갓-집(妻家―) 【명】 = 처가

처결(處決) 【명하타】 处理 chǔlǐ; 处决 chǔjué ¶사건을 ~하다 处理事件

처남(妻男) 【명】 男子 jiùzi; 舅 jiù; 内兄 nèixiōng; 内弟 nèidì ¶손위 ~ 大男子

처남-댁(妻男―) 【명】 舅嫂 jiùsǎo

처-넣다 【타】 乱放 luànfàng ¶옷가지를 옷장 안에 ~ 把衣服乱放在衣柜里

처:녀(處女) 【명】 **1** 处女 chǔnǚ; 姑娘 gūniang; 闺女 guīnǚ **2** 首次 shǒucì; 处女 chǔnǚ ¶~ 공연 首次演出 / ~비행 首次飞行 / ~작 处女作 **3** = 숫처녀

처:녀-막(處女膜) 【명】 【生】处女膜 chǔnǚmó

처:단(處斷) 【명하타】 惩办 chéngbàn; 处决 chǔjué; 处治 chǔzhì ¶매국노를 ~하다 处决卖国贼

처량-하다(凄凉―) 凄凉 qīliáng; 凄切 qīqiè; 凄婉 qīwǎn ¶처량한 모습 凄凉的样子 / 처량한 신세 凄凉的身世

처량-히(凄凉―) 【부】 = 웃다 凄切地笑

처:리(處理) 【명하타】 办理 bànlǐ; 处理 chǔlǐ; 料理 liàolǐ ¶~법 处理法 / ~장 处理场 / 화학 ~ 化学处理 / 자기의 일을 타당하게 ~하다 把自己的事情料理妥当

처마 【명】 【建】房檐 fángyán; 廊檐 lángyán; 屋檐 wūyán

처-먹다 【타】 **1** 大吃 dàchī ¶계걸스럽게 ~ 狼吞虎咽地大吃 **2** '먹다'의 俗称

처-박다 【타】 **1** 钉 dìng ¶말뚝을 ~ 钉木桩 **2** 低垂 dīchuí ¶머리를 ~ 低垂

머 3 乱放 luànfàng; 乱摆 luànbǎi ¶장롱 속에 옷을 ~ 在衣箱里乱放衣服 4 埋没 máimò ¶인재를 처박아 두다 埋没人才

처:방(處方) 圀 1 处方 chǔfāng; 方子 fāngzi; 药方(儿) yàofāng(r) ¶~을 내다 开处方 2 方案 fāng'àn ¶사업을 개진하기 위한 좋은 ~ 改进工作的好方案 3 = 처방전

처:방-전(處方箋) 圀 【醫】 药方(儿) yàofāng(r); 方子 fāngzi = 처방3

처:벌(處罰) 圀[하타] 处罚 chǔfá; 处分 chǔfēn ¶~을 받다 遭受处罚

처:분(處分) 圀[하타] 1 处理 chǔlǐ ¶자재를 ~하다 处理材料 2 处分 chǔfēn ¶~ 명령 处分令 / 행정 ~ 行政处分

처:사(處事) 圀[하자] 办事 bànshì; 处事 chǔshì ¶공정한 ~ 办事公正

처:서(處暑) 圀 处暑 chǔshǔ 《二十四节气之一》

처:세(處世) 圀[하자] 处世 chǔshì ¶~술 处世术 / ~의 재능 处世的才能 / ~에 능하다 善于处世

처:소(處所) 圀 定处 dìngchù; 住处 zhùchù ¶~를 정하다 定住处

처:신(處身) 圀 处身 chǔshēn ¶~이 바르다 处身端正

처:연-하다(悽然—) 閔 凄怆 qīchuàng; 凄然 qīrán; 凄婉 qīwǎn ¶처연한 가을 바람 凄然的秋风 **처:연-히** 閈 어머니는 ~ 웃었다 妈妈凄然一笑

처:우(處遇) 圀[하타] 待遇 dàiyù; 相待 xiāngdài ¶동등한 ~ 同等待遇

처음 圀 初 chū; 第一次 dìyīcì; 开头 kāitóu; 起始 qǐshǐ; 起始 qǐtóu; 首次 shǒucì ¶~ 보는 물건 第一次看到的东西 / ~부터 끝까지 从开头到最后 / ~ 위치로 돌아오다 回到起始位置

처자(妻子) 圀 妻儿 qī'ér; 妻子 qīzǐ = 처자식

처-자식(妻子息) 圀 = 처자

처:장(處長) 圀 处长 chùzhǎng

처절(凄切) 圀[하여][하부] 凄凉 qīliáng; 凄切 qīqiè; 悲凉 bēiliáng ¶올음소리가 ~하다 哭声凄厉

처:절(悽絶) 圀[하여][하부] 凄惨 qīcǎn; 不忍心看 bùrěnxīnkàn; 惨不忍睹 cǎnbùrěndǔ ¶~한 지진 현장 凄惨的地震现场

처제(妻弟) 圀 小姨子 xiǎoyízi

처-조카(妻—) 圀 内侄 nèizhí

처:지(處地) 圀 处境 chǔjìng; 境地 jìngdì; 立场 lìchǎng ¶서로의 ~가 다르다 彼此的处境不同 / ~가 막하다 境地难堪

처:—지다 재 1 低垂 dīchuí; 耷拉 dā-la ¶처진 수양버들 가지 低垂的杨柳 /

어깨가 ~ 肩膀耷拉下来 2 沉 chén ¶기분이 ~ 心情沉下去 3 褴褛 lánlǚ; 磨破 mópò ¶옷이 ~ 衣服磨破了 4 掉 diào; 落后 luòhòu ¶행군에서 뒤로 ~ 在行军的队中掉了队

처:참-하다(悽慘—) 閔 凄惨 qīcǎn; 凄苦 qīkǔ ¶처참한 모습 凄惨的样子 **처:참-히** 閈 그의 계획은 ~ 실패했다 他的计谋凄惨地失败了

처첩(妻妾) 圀 妻妾 qīqiè

처:치(處置) 圀[하타] 1 处理 chǔlǐ; 处置 chǔzhì ¶응급 ~ 应急处置 / 일을 ~하다 处理事情 2 干掉 gàndiào; 除掉 chúdiào; 消除 xiāochú ¶적을 ~하다 干掉敌人

처:—하다(處—) 재타 1 处在 chǔzài; 所处 suǒchù; 处于 chǔyú ¶혼란한 상태에 ~ 处在混乱状态 / 곤란에 ~ 处于困境 2 处罚 chǔfá; 判处 pànchǔ ¶사형에 ~ 判处死刑

처형(妻兄) 圀 大姨子 dàyízi

처:형(處刑) 圀[하타] 1 处刑 chǔxíng 2 处死 chǔsǐ ¶~을 선고받다 被判处死刑

척1 의[하보동] 装 zhuāng; 装做 zhuāngzuò = 체2 ¶모르면서 아는 ~하다 不懂装懂

척2 閈 紧贴 jǐntiē ¶젖은 셔츠가 몸에 ~ 달라붙다 湿村衫紧贴在他身上

척3 閈 1 立刻 lìkè; 马上 mǎshàng ¶~ 대답하다 马上答复 2 一看 yīkàn ¶~ 보고 그림이 진품이라는 것을 알다 一看就知道画是真品

척(尺) 의[尺 chǐ = 자曰 ¶5~ 五尺

척(隻) 의[艘 sōu; 只 zhī ¶배 두 ~ 两只船

척도(尺度) 圀 1 尺度 chǐdù 2 标准 biāozhǔn; 准绳 zhǔnshéng ¶수질 ~ 水质标准 / 판매량의 행동의 ~를 삼다 销售量为他行动的准绳

척박-하다(瘠薄—) 閔 瘠薄 jíbó; 贫瘠 pínjí; 硗薄 qiāobó; 硗硗 qiāojí; 瘦 shòu ¶척박한 땅 贫瘠的土地

척수(脊髓) 圀 【生】 脊髓 jǐsuí = 등골1,2 ¶~염 脊髓炎

척연1 閈 1 从容不迫 cóngróngbùpò; 坦然自若 tǎnránzìruò ¶~ 대답하다 从容不迫地回答 2 麻利 máli; 顺利 shùnlì; 顺顺当当 shùnshùndāng ¶일이 ~ 풀리다 工作进行得很顺利

척척2 閈 1 紧贴地 jǐntiēde; 紧紧 jǐnkào ¶젖은 옷이 몸에 ~ 들러붙다 湿衣服紧紧地贴在身上 2 湿口 shīkǒu

척척-박사(—博士) 圀 百科博士 bǎikē bóshì; 活词典 huócídiǎn

척척-하다 閔 冰凉 bīngliáng; 湿漉漉 shīlùlù ¶비에 젖은 옷이 몸에 붙어~ 淋湿的衣服在身上冰凉冰凉的

척추(脊椎) 圀【生】척추 jǐzhuī; 척량
골 jǐliánggǔ; 척주 jǐzhù ¶~동물 脊椎
动物 / ~염 脊椎炎

천: 布 bù; 布匹 bùpǐ; 布料 bùliào
¶~을 짜다 织布

천(千) 㑆관 千 qiān; 一千 yìqiān =
일천 ¶~ 마리 학 一千只鹤 / ~ 원 一
千块韩币

천:거(薦擧) 圀하타 荐举 jiànjǔ; 推荐
tuījiàn ¶적임자를 ~하다 推荐合适的
人

천고(千古) 圀 千古 qiāngǔ ¶~의 수
수께끼 千古奇闻

천고마비(天高馬肥) 圀 秋高气爽 qiū-
gāoqìshuǎng

천공(天空) 圀 天空 tiānkōng

천공(穿孔) 圀하자타 1 穿孔 chuān-
kǒng; 穿凿 záoyán; 凿眼 záoyǎn ¶~
기 穿孔机 2【醫】穿孔 chuānkǒng

천구(天球) 圀【天】天球 tiānqiú

천국(天國) 圀 1 天国 tiānguó 2 乐园
lèyuán 3【宗】天国 tiānguó; 天堂
tiāntáng = 천당·하늘나라

천군만마(千軍萬馬) 圀 千军万马
qiānjūnwànmǎ

천금(千金) 圀 1 万贯财宝 wànguàn
cáibǎo 2 千金 qiānjīn; 珍贵 zhēnguì ¶
~ 같은 말 珍贵的话

천기(天機) 圀 天机 tiānjī ¶~를 누설
하다 漏泄天机

천년(千年) 圀 千年 qiānnián; 千载
qiānzǎi; 千秋万代 qiānqiūwàndài

천당(天堂) 圀【宗】= 천국3

천:대(賤待) 圀하타 蔑视 mièshì; 欺
凌 qīlíng; 歧视 qíshì ¶~를 받다 受
到歧视

천도(天道) 圀 天道 tiāndào ¶~교 天
道教

천:도(遷都) 圀하자 迁都 qiāndū

천도복숭아(天桃一) 圀【植】油桃
yóutáo

천둥圀하자 雷 léi = 우레 ¶~이 치
다 打雷

천둥-소리(一) 圀 雷声 léishēng = 뇌
성·우렛소리

천륜(天倫) 圀 天伦 tiānlún

천리(天理) 圀 天理 tiānlǐ

천리마(千里馬) 圀 千里驹 qiānlǐjū

천리-안(千里眼) 圀 千里眼 qiānlǐyǎn
¶~을 가지다 有千里眼

천막(天幕) 圀 营帐 yíngzhàng; 帐篷
zhàngmù; 帐篷 zhàngpéng ¶~촌 帐篷
村 / ~을 치다 搭帐篷

천만(千萬) 一㑆관 一千万 yìqiānwàn;
천만(千萬) 圀 许多 xǔduō

천만-에(千萬一) 집 不客气 bùkèqi;
不谢 bùxiè; 好说 hǎoshuō

천명(天命) 圀 1 寿数 shòushu; 天年
tiānnián; 天寿 tiānshòu = 천수 ¶~을
다하다 天年已满 2 天命 tiānmìng; 真
命 zhēnmìng ¶~을 따르다 听天命

천:명(闡明) 圀하타 阐明 chǎnmíng;
阐述 chǎnshù ¶의견을 ~하다 阐明意
见

천문(天文) 圀【天】天文 tiānwén ¶~
대 天文台 / ~학 天文学 / ~학자 天文
学家 / ~에 정통하다 精通天文

천:민(賤民) 圀 贱民 jiànmín; 下层人
民 xiàcéng rénmín

천:박(淺薄) 圀하형 贱 jiàn; 低贱 dī-
jiàn; 俗气 súqi; 浅薄 qiānbó ¶~하게
웃다 笑得很贱

천방-지축(天方地軸) 圀부 1 冒冒失
失 màomaoshīshī; 慌慌忙忙 huāng-
huangmángmáng = 달려나가다 慌慌
忙忙跑了出 2 惊慌失措 jīnghuāng-
shīcuò = 도망가다 惊慌失措地逃跑

천벌(天罰) 圀 天罚 tiānfá; 天诛 tiān-
zhū ¶~을 받다 遭天罚

천부(天賦) 圀 天赋 tiānfù; 天资 tiānzī
¶~의 능력 天赋的能力

천부-적(天賦的) 圀관 天赋(的) tiānfù-
(de); 天资(的) tiānzī(de) ¶~ 재능이
있다 有天赋的才能

천사(天使) 圀【宗】天使 tiānshǐ

천상(天常) 부 '천생目'의 착오

천상(天上) 圀 天上 tiānshàng

천생(天生) 一圀 天生 tiānshēng; 天性
tiānxìng ¶~배필 天生一对 / ~연분 天
生有缘 目부 1 天生 tiānshēng; 生来
shēnglái; 生平 shēngpíng ¶그는 ~ 선
생님이다 他是天生老师 2 不得不 bù-
débù; 除非 chúfēi; 该着 gāizhe ¶~ 네
가 해야 할 일이다 除非你, 没有人会
做这件事儿

천성(天性) 圀 天性 tiānxìng; 天性
tiānxìng ¶~이 착하다 天性善良

천수(天壽) 圀 = 천명(天命)1 ¶~를
다 누리다 尽其天年

천:시(賤視) 圀하타 鄙视 bǐshì; 轻视
qīngshì ¶근로자를 ~하다 轻视工人

천:식(喘息) 圀【醫】喘病 chuānbìng;
气喘 qìchuǎn

천신-만고(千辛萬苦) 圀하자 千辛万
苦 qiānxīnwànkǔ ¶~ 끝에 성공을 이
루었다 历尽千辛万苦取得成功

천심(天心) 圀 1 天意 tiānyì ¶~을 어
기다 违背天意 2 天性 tiānxìng ¶~이
착하다 天性善良

천애(天涯) 圀 1 天涯 tiānyá ¶~까지
따라가다 跟随到天涯 2 举目无亲 jǔ-

mùwùqīn ¶~의 고아 举目无亲的孤儿

천양지차(天壤之差) 명 不可同日而语 bùkětóngrì'éryǔ; 天差地别 tiānchàdìbié; 天地之别 tiāndìzhībié; 天壤之别 tiānrǎngzhībié; 霄壤之别 xiāorǎngzhībié; 云泥之间 yúnnízhījiān ¶두 사람의 실력이 ~이다 两个人的能力不可同日而语

천연(天然) 명 天然 tiānrán; 自然 zìrán ¶~고무 天然橡胶 / ~가스 天然气 / ~기념물 天然纪念物 / ~색소 天然色素 / ~ 비료 天然肥料 / ~ 섬유 天然纤维 / ~자원 天然资源

천연덕ー스럽다(天然一) 형 若无其事 ruòwújìshì; 泰然自若 tàiránzìruò; 恬然 tiánrán = 천연스럽다 ¶거짓말을 천연덕스럽게 하다 说起谎话来泰然自若 **천연덕스레** 부 ¶~ 행동하다 若无其事地

천연ー두(天然痘) 명 [醫] 天花 tiānhuā ¶~에 걸리다 出天花

천연ー색(天然色) 명 天然色 tiānránsè; 彩色 cǎisè

천연ー스럽다(天然一) 형 = 천연덕스럽다 **천연스레** 부

천왕ー성(天王星) 명 [天] 天王星 tiānwángxīng

천운(天運) 명 1 天命 tiānmìng; 天运 tiānyùn ¶~이 다하다 天命已尽 2 万幸 wànxìng ¶幸运 xìngyùn ¶사고를 당해도 상처를 입지 않은 것은 정말 ~이야 遇到事故却没有受伤, 真是幸运啊

천ː인(賤人) 명 贱人 jiànrén

천인ー공노(天人共怒) 명하자 令人发指 lìngrénfàzhǐ; 人怨天怒 rényuàntiānnù; 天怒人怨 tiānnùrényuàn ¶~할 만행 令人发指的野蛮行径

천일ー기도(千日祈禱) 명하자 千日祈祷 qiānrì qídǎo

천일ー염(千日鹽) 명 日盐 tiānrìyán

천자(天子) 명 皇帝 huángdì; 天子 tiānzǐ = 천황2

천자ー문(千字文) 명 [書] 千字文 qiānzìwén ¶~을 읽다 读千字文

천장(天障) 명 [建] 1 顶棚 dǐngpéng; 天棚 tiānpéng 2 天花板 tiānhuābǎn

천재(天才) 명 天才 tiāncái ¶~성 天才性 / ~ 과학자 天才科学家

천재(天災) 명 天灾 tiānzāi ¶~를 입다 遭遇天灾

천재ー지변(天災地變) 명 天灾 tiānzāi; 自然灾害 zìrán zāihài ¶~을 당하다 遭遇自然灾害

천적(天敵) 명 [動] 天敌 tiāndí ¶고양이는 쥐의 ~이다 猫是鼠的天敌

천정(天井) 명 [建] '천장'의 착오

천주(天主) 명 1 [宗] 天主 tiānzhǔ ¶~학 天主学 2 [佛] 上帝 shàngdì

천주ー교(天主教) 명 [宗] = 가톨릭교

천주교ー도(天主教徒) 명 [宗] = 가톨릭교도

천지(天地) 명 1 天地 tiāndì = 건곤1 ¶~신명 天地神明 / ~가 진동하다 震撼天地 2 世界 shìjiè; 天地 tiāndì ¶~에서 가장 유명한 학자 世界上最有名的学者 3 都 dōu; 净 jìng; 满 mǎn ¶이 산은 소나무 ~다 这座山上净是松树

천지ー간(天地間) 명 世界上 shìjièshàng; 天地间 tiāndìjiān

천지ー개벽(天地開闢) 명하자 1 开天辟地 kāitiānpìdì 2 天翻地覆 tiānfāndìfù; 翻天复地 fāntiānfùdì

천직(天職) 명 天职 tiānzhí ¶경찰이 그의 ~이다 警察是他的天职

천진(天眞) 명 天真 tiānzhēn ¶~한 어린아이 天真的小孩子

천진ー난만(天眞爛漫) 명형 天真烂漫 tiānzhēnlànmàn ¶아이들은 정말 ~하다 孩子们真是天真烂漫

천차만별(千差萬別) 명하형 千差万别 qiānchàwànbié ¶학생들의 시험 성적이 ~이다 学生们的考试成绩是千差万别的

천ː천ー하다 형 迟缓 chíhuǎn; 缓慢 huǎnmàn; 慢慢 mànmàn; 慢腾腾 mànténgténg; 慢吞吞 màntūntūn; 慢悠悠 mànyōuyōu; 冉冉 rǎnrǎn; 徐徐 xúxú ¶천천한 걸음 迟缓的步伐 / 천천한 동작 缓慢的动作 **천ː천ー히** 부 ¶~ 일어나다 慢慢站起来

천체(天體) 명 [天] 天体 tiāntǐ ¶~ 망원경 天体望远镜 / ~ 물리학 天体物理学

천추(千秋) 명 千秋 qiānqiū ¶~의 한 千秋的恨 / ~만대 千秋万代

천치(天癡·天痴) 명 白痴 báichī; 傻瓜 shǎguā; 傻子 shǎzi

천칭(天秤) 명 天平 tiānpíng; 天秤 tiānchèng

천태만상(千態萬象) 명 气象万千 qìxiàngwànqiān; 千姿百态 qiānzībǎitài

천편ー일률(千篇一律) 명 千篇一律 qiānpiānyílǜ ¶~이 되어서는 안 된다 报告会不要搞得千篇一律

천편일률ー적(千篇一律的) 관명 千篇一律的 qiānpiānyílǜde ¶~인 방법 千篇一律的方法

천하(天下) 명 天下 tiānxià; 全世界 quánshìjiè; 宇宙 tiānyǔ ¶~무적 天下无敌 / ~제일 天下第一 / ~태평 天下太平 / ~를 다스리다 经纶天下

천ː하다(賤一) 형 1 卑贱 bēijiàn; 下贱 xiàjiàn; 下流 xiàliú ¶천한 가문 下贱家门 2 难看 nánkàn; 俗气 súqì ¶천실이 ~ 表现俗气

천하-장사(天下壯士) 명 无敌大力士 wúdí dàlìshì

천(淺海) 명 浅海 qiǎnhǎi ¶~ 양식 浅海养殖

천행(天幸) 명 万幸 wànxìng; 幸好 xìnghǎo; 天幸 tiānxìng

천혜(天惠) 명 天惠 tiānhuì; 天然 tiānrán ¶~의 땅 天然之国 /~의 관광 자원 天惠的观光资源

천황(天皇) 명 1 = 옥황상제 2 = 천 자(天子) 3 (日本的) 天皇 tiānhuáng

철¹ 명 1 = 계절 ¶~에 따라 피는 꽃 随季节开的花 2 时节 shíjié; 期 qī; 季 jì ¶밭 갈 ~ 插种期 / 벼 베기 ~ 水稻收割期 3 = 제철 ¶~ 지난 옷 过季儿的衣服

철² 명 懂事 dǒngshì ¶~이 들지 않다 不懂事

철(鐵) 명 1【化】铁 tiě 2 = 철사

-철(綴) 접미 装订 zhuāngdìng ¶서류 ~ 装订好的文件 / 신문 ~ 装订好的报纸

철갑(鐵甲) 명 1 铁甲 tiějiǎ ¶~선 铁甲船 /~차 铁甲车 2 甲胄 jiǎzhòu; 盔甲 kuījiǎ; 铁甲 tiějiǎ

철갑-모(鐵甲帽) 명【軍】= 철모

철갑-상어(鐵甲一) 명【魚】中华鲟 zhōnghuáxún

철강(鐵鋼) 명【工】= 강철 ¶~업 钢铁业 /~재 钢铁材

철거(撤去) 명하타 撤离 chèlí; 撤退 chètuì; 撤走 chèzǒu; 拆除 chāichú = 철회2 ¶오래된 집을 모두 ~할 계획이다 计划把老房子全部拆除

철거덕 부 叮当 dīngdāng; 哐kuāng; 咔嗒 kādā; 咔哒 kādā《硬物撞击声》¶그릇이 가마에 ~ 부딪치다 碗哐的一声掉在了锅上 / 칼이 땅에 ~ 부딪치다 菜刀哐的一声掉在了地上

철거덕-거리다 자타 叮当叮当地响 dīngdāngdīngdāngde xiǎng; 哐当地响 kuāngkuāngde xiǎng; 咔嗒咔嗒地响 kādākādāde xiǎng; 咔哒咔哒地响 kādākādāde xiǎng = 철거덕대다 ¶오래된 계단을 밟아서 ~ 脚步踩在年久失修的楼梯上发出咔嗒咔嗒地响 철거덕-거리다 부자타

철거덩 부자타 哐 kuāng; 哐当 kuāngdāng《金属碰撞声》¶철판이 땅에 ~하고 떨어지다 铁板轰隆哐的一声掉在地上

철거덩-거리다 자타 哐当地响 kuāngdāng地响 kuāngkuāngde xiǎng; 哐当哐当地响 dāngkuāngdāngde xiǎng = 철거덩대다 ¶열쇠 뭉치로 ~ 一串钥匙发出哐当哐当地响 철거덩-철거덩 부자타

철거-민(撤去民) 명 拆迁移民 chāiqiān yímín

철골(鐵骨) 명 1 铁骨 tiěgǔ《坚硬的骨骼》2【建】钢骨 gānggǔ; 钢筋 gāngjīn

철공(鐵工) 명 铁工 tiěgōng; 铁匠 tiějiang ¶~소 铁工厂

철광(鐵鑛) 명【鑛】1 = 철광석 2 铁矿 tiěkuàng

철-광석(鐵鑛石) 명【鑛】铁矿石 tiěkuàngshí = 철광1

철교(鐵橋) 명 1 铁桥 tiěqiáo 2【交】铁路桥 tiělùqiáo

철군(撤軍) 명하자 撤军 chèjūn; 撤兵 chèbīng = 철병 ¶전선에서 ~하다 从前线撤军

철권(鐵拳) 명 铁拳 tiěquán ¶~통치 铁拳统治 /~을 휘두르다 抢铁拳

철궤(鐵軌) 명 铁轨 tiěguǐ

철궤(鐵櫃) 명 铁柜 tiěguì

철그렁 부자타 叮当 dīngdāng《낮잠을 잘 때 ~ 소리에 깨었다 睡午觉时被哐当叮当叮当的响声吵醒了

철그렁-거리다 자타 叮当叮当地响 dīngdāngdīngdāngde xiǎng = 철그렁대다 ¶철문이 ~ 门叮叮当当地响 철그렁-철그렁 부자타

철근(鐵筋) 명【建】钢筋 gāngjīn; 钢骨 gānggǔ ¶~ 콘크리트 钢筋混凝土 / 건축 钢筋建筑

철기(鐵器) 명 铁器 tiěqì ¶~ 시대 铁器时代 /~를 쓰다 使用铁器

철-길(鐵一) 명 = 철도

철도(鐵道) 명 铁道 tiědào; 铁路 tiělù = 레일2·철길·철로 ¶~ 운송 铁路运输 /~청 铁道厅

철도-역(鐵道驛) 명 = 역(驛)

철두-철미(徹頭徹尾) 부자타 彻头彻尾 chètóuchèwěi; 完全 wánquán ¶국가의 정책을 ~하게 실시하다 完全落实国家的政策

철-들다(撤一) 자 懂事 dǒngshì; 明事理 míngshìlǐ ¶그 나이가 되면 철들어야 한다 到了那个年纪, 该懂事了

철-딱서니 명 懂事 dǒngshì; 明事理 míngshìlǐ ¶~가 없다 不懂事

철렁 부자타 1 哗啦 huālā《水冲击声》¶욕조의 물이 ~ 넘치다 浴缸里的水哗啦往外溢 2 怦怦 pēngpēng《心跳》¶그 소식을 듣고 가슴이 ~했다 听到那个消息, 心怦怦地跳了起来 3 当啷 dānglāng《金属碰撞声》¶자물쇠가 ~ 锁子发出当啷声

철렁-거리다 자타 1 荡漾 dàngyàng ¶물결이 철렁거리는 호수 물 微波荡漾的湖水 2 咯噔 gēdēng《心跳》¶가슴이 철렁거리며 내려앉다 他的心咯噔一下 3 当啷当啷地响 dānglāngdānglāngde xiǎng《金属碰撞声》¶열쇠 뭉치가 ~ 钥匙串当当啷啷地响 ‖ = 철렁대다 철렁-철렁 부자타

철렁-하다 〔형〕 **1** 满溢 mǎnyì ¶물 항아리에 물이 ~ 水缸里的水满溢了 **2** 咯噔 gēdēng 《心跳》¶가슴이 ~ 心里咯噔一下 **3** 当啷当啷地响 dāngláng-dānglángde xiǎng 《金属碰撞声》¶놋그릇이 ~ 铜碗当啷当啷地响

철로(鐵路) 〔명〕 = 철도

철리(哲理) 〔명〕 哲理 zhélǐ ¶우주의 ~ 宇宙的哲理

철망 〔명〕 **1** 铁丝网 tiěsīwǎng **2** = 철조망

철면(凸面) 〔명〕 凸面 tūmiàn

철-면피(鐵面皮) 〔명〕〔형〕 厚颜无耻 hòuyánwúchǐ; 厚脸皮 hòuliǎnpí; 脸皮厚 liǎnpíhòu; 恬不知耻 tiánbùzhīchǐ ¶~ 한 녀석 厚颜无耻的家伙

철모(鐵帽) 〔명〕 钢盔 gāngkuī = 철갑모 ¶~를 쓰다 戴着钢盔

철-모르다 〔자〕 不懂事 bùdǒngshì ¶철 모르는 아이들 不懂事的孩子们

철문(鐵門) 〔명〕 = 쇠문

철물(鐵物) 〔명〕 铁器 tiěqì; 五金 wǔjīn ¶~ 공장 五金工厂 / ~점 五金店 = 〔五金行〕

철버덕 〔부〕〔하자타〕 哗啦 huālā ¶아이가 ~ 수면을 때렸다 孩子哗啦一声用手掌打了水面

철버덕-거리다 〔자타〕 哗啦哗啦 huālā-huālā = 철버덕대다 ¶철버덕거리며 손바닥으로 물을 치다 用手掌哗啦哗啦啦地拍水 **철버덕-철버덕** 〔부하자타〕

철버덩 〔부〕〔하자타〕 扑通 pūtōng ¶무르익은 감이 ~ 물에 떨어졌다 熟透的柿子扑通一声掉进水里

철버덩-거리다 〔자타〕 扑通扑通 pūtōng-pūtōng = 철버덩대다 ¶아이들이 수영장에서 철버덩거리며 논다 孩子们在游泳池里扑通扑通地用脚玩水 **철버덩-철버덩** 〔부하자타〕

철벅 〔부〕〔하자타〕 '철버덕'의 略词

철벅-거리다 〔자타〕 '철버덕거리다'의 略词 = 철벅대다 **철벅-철벅** 〔부하자타〕

철벙 〔부〕〔하자타〕 '철버덩'의 略词

철벙-거리다 〔자타〕 '철버덩거리다'의 略词 = 철벙대다 **철벙-철벙** 〔부하자타〕

철벽(鐵壁) 〔명〕 铁壁 tiěbì; 铜墙铁壁 tóngqiángtiěbì

철병(撤兵) 〔명〕〔하자〕 = 철군

철봉(鐵棒) 〔명〕〔體〕 单杠 dāngàng ¶~ 운동 单杠运动

철-부지(-不知) 〔명〕 不懂事的 bùdǒngshìde

철분(鐵分) 〔명〕 铁质 tiězhì; 铁分 tiěfēn ¶~제 铁分片

철사(鐵絲) 〔명〕 铁丝 tiěsī = 철(鐵)2 ¶~를 곧게 펴다 把铁丝拉直 / ~를 구부리다 铁丝弯角

철삭(鐵索) 〔명〕 铁索 tiěsuǒ

철-새 〔명〕〔鳥〕候鸟 hòuniǎo

철석(鐵石) 〔명〕 铁石 tiěshí

철석-같다(鐵石─) 〔형〕 铁石般 tiěshíbān; 钢铁般 gāngtiěbān ¶철석같은 신념 钢铁般的信念 / 철석같은 마음 铁石心肠

철석같-이 〔부〕 ~ 굳은 의지 钢铁般坚强的意志

철수(撤收) 〔명〕〔하자타〕 撤回 chèhuí; 收回 shōuhuí; 撤退 chètuì; 撤走 chèzǒu ¶명령을 ~하다 撤回命令 / 군대를 ~ 하다 撤回军队

철써덕 〔부〕〔하자타〕 **1** 啪 pā 《水冲击声》¶바닷물이 ~ 바위에 부딪치다 海浪啪的一声拍打在岩石上 **2** 扑通 pūtōng 《碰撞声》¶아이가 ~ 넘어졌다 孩子扑通一声摔倒了

철써덕-거리다 〔자타〕 **1** 啪啪 pāpā 《바다의 파도가 철써덕거리며 때린다 大海的波涛啪啪地撞击着 **2** 扑通 pūtōng ¶깃대가 철써덕거리며 물속으로 넘어졌다 旗杆扑通一声掉在水里 = 철써덕대다 **철써덕-철써덕** 〔부하자타〕

철썩 〔부〕〔하자타〕 '철써덕'의 略词

철썩-거리다 〔자타〕 '철써덕거리다'의 略词 = 철썩대다 **철썩-철썩** 〔부하자타〕

철야(徹夜) 〔명〕〔하자〕 = 밤샘 ¶~ 작업 通宵作业 / ~ 조사 彻夜调查

철-없다 〔형〕 不懂事 bùdǒngshì; 不晓事 bùxiǎoshì ¶철없는 아이 不懂事的孩子 / 철없는 행동을 하다 做出不懂事的行为 **철없-이** 〔부〕 ~ 말하다 不懂事地说话

철옹-성(鐵甕城) 〔명〕 固若金汤 gùruòjīntāng; 金城汤池 jīnchéngtāngchí; 铜墙铁壁 tóngqiángtiěbì ¶~ 같은 방어 固若金汤的防御

철인(哲人) 〔명〕 哲人 zhérén

철인(鐵人) 〔명〕 铁人 tiěrén

철자(綴字) 〔명〕〔語〕拼写 pīnxiě; 缀字 zhuìzì ¶~법 拼写法

철재(鐵材) 〔명〕 铁材 tiěcái; 钢材 gāngcái

철저(徹底) 〔명〕〔하〕〔부〕 彻底 chèdǐ; 彻头彻尾 chètóuchèwěi ¶~한 사람 彻底的人 / ~히 조사하다 彻底清查

철제(鐵製) 〔명〕 铁制 tiě zhì ¶~의자 铁椅 / ~품 铁制品 / ~기구 铁制工具

철조-망(鐵條網) 〔명〕 铁蒺藜 tiějílí; 铁丝网 tiěsīwǎng = 철망2

철쭉 〔명〕〔植〕大字杜鹃 dàzìdùjuān

철창(鐵窓) 〔명〕 **1** 铁窗 tiěchuāng **2** 铁窗 tiěchuāng; 监狱 jiānyù ¶~생활 铁窗生活

철창(鐵槍) 〔명〕 铁矛 tiěmáo; 铁枪 tiěqiāng

철책(鐵柵) 〔명〕 铁栅 tiězhà ¶~을 둘러치고 행인이 들어오지 못하게 하다 铁

栅网围起来，不让行人进入

철천지원수(徹天之怨讐) 圆 不共戴天之仇 bùgòngdàitiānzhīchóu; 死对头 sǐduìtou; 死冤家 sǐyuānjia

철철 圏 1 哗哗哗啦啦 huālāhuālā〈液体不断流淌貌〉¶피가 ~ 흐르다 鲜血哗哗哗啦啦地流 2 满满 mǎnmǎn ¶인정이 ~ 넘치는 사람 有同情心满满的人

철철-이 圏 每个季节 měigè jìjié ¶어머니는 ~ 갈아입을 옷을 다 준비해 놓으셨다 妈妈把每个季节穿的衣服全都准备好了

철칙(鐵則) 圆 铁则 tiězé ¶~을 엄격히 지키다 严格遵守铁则

철커덕 圏하자타 咔嚓 kāchā〈硬物碰撞声〉¶자물쇠를 ~ 채우다 咔嚓一声上了锁

철커덕-거리다 자타 咔嚓咔嚓 kāchā-kāchā = 철커덕대다 ¶낡은 차에서 철커덕거리는 소리가 난다 旧车发出咔嚓咔嚓的声音 **철커덕-철커덕** 圏하자타

철커덩 圏하자타 哐 kuāng〈金属碰撞声〉¶철문이 ~ 닫혔다 铁门哐的一声关上了

철커덩-거리다 자타 哐哐 kuāngkuāng〈金属碰撞声〉= 철커덩대다 ¶누군가 밖에서 자물쇠를 철커덩거리는 소리가 난다 谁在门外硬铁锁发出动哐哐的声音 **철커덩-철커덩** 圏하자타

철컥 圏하자타 '철커덕'의 略词
철컥-거리다 자타 '철커덕거리다'의 略词 = 철컥대다 ¶철컥~철컥 圏하자타

철탑(鐵塔) 圆 铁塔 tiětǎ
철통(鐵桶) 圆 铁桶 tiětǒng
철통-같다(鐵桶-) 圏 固若金汤 gùruòjīntāng; 毫无漏洞 háowú lòudòng; 铜墙铁壁 tóngqiángtiěbì ¶철통같은 방어 铜墙铁壁般的防御 **철통같-이** 圏

철판(鐵板) 圆 钢板 gāngbǎn; 铁板 tiěbǎn

철퍼덕 圏하자타 扑腾 pūtēng ¶그 남학생이 ~ 진흙을 튀겼다 那个男学生扑腾扑腾溅起泥浆

철퍼덕-거리다 圏 扑腾扑腾 pūtēng-pūtēng = 철퍼덕대다 ¶진창을 밟아 철퍼덕거리다 踩着泥水发出扑腾扑腾的声音 **철퍼덕-철퍼덕** 圏하자타

철폐(撤廢) 圆하타 撤销 chèxiāo; 废除 fèichú; 取消 qǔxiāo ¶규정의 ~ 规定的撤销 / 불합리한 법률이 ~되다 不合理的法律被废除

철-하다(綴-) 타 订 dìng; 装订 zhuāngdìng ¶신문을 월별로 ~ 把报纸按月装订起来

철학(哲學) 圆 哲学 zhéxué ¶고전 ~ 古典哲学 / ~ 자 哲学家 / ~사 哲学史 / ~자 哲学者

철회(撤回) 圆하타 1 撤回 chèhuí; 撤

销 chèxiāo; 取消 qǔxiāo; 收回 shōuhuí ¶명령을 ~하다 取消命令 / 제안을 ~하다 撤回提案 2 = 철거

첨: '처음'의 略词

첨가(添加) 圆하타 添加 tiānjiā; 补充 bǔchōng; 添 tiān ¶~제 添加剂 / ~물 添加物 / 논문에 관련 내용을 ~하였다 在论文里添加了相关内容

첨단(尖端) 圆 尖端 jiānduān ¶~ 기술 尖端技术 / ~ 분야 尖端领域 / ~ 산업 尖端产业 / ~화 尖端化 / 시대의 ~을 걷다 走在时代尖端

첨벙 圏하자타 噗通 pūtōng; 扑通 pūtōng ¶감이 물에 ~ 떨어졌다 柿子噗通一声掉进水里

첨벙-거리다 자타 噗通噗通响 pūtōng-pūtōng xiǎng; 扑通扑通响 pūtōngpūtōng xiǎng = 첨벙대다 ¶냇물을 첨벙거리며 건너오다 噗通噗通响地趟过小溪来 **첨벙-첨벙** 圏하자타

첨부(添附) 圆하타 附 fù; 附加 fùjiā; 补充 bǔchōng ¶참고서에는 그림까지 ~되어 있다 参考书里还附有图片

첨삭(添削) 圆하타 删改 shāngǎi; 修改 xiūgǎi; 增删 zēngshān ¶요구에 따라 관련 내용을 ~되었다 根据要求，相关的内容被删改了

첨예-하다(尖銳-) 圆 1 尖锐 jiānruì; 尖利 jiānlì; 锐利 ruìlì ¶칼날을 아주 첨예하게 갈다 把刀刃磨得非常尖锐 2 尖锐 jiānruì; 激烈 jīliè ¶첨예한 모순 尖锐的矛盾

첨탑(尖塔) 圆 尖塔 jiāntǎ

첩(妾) 一圆 妾 qiè; 小老婆 xiǎolǎopo; 偏房 piānfáng; 二房 èrfáng; 姨太太 yítàitai ¶~을 들이다 纳妾 二圆 妾身 qièshēn

첩(貼) 의圆 贴 tiē ¶한약 한 ~ 一贴韩药

-첩(帖) 젭미 帖 tiè ¶글씨~ 字帖 / 그림~ 画帖

첩경(捷徑) 圆 = 지름길

첩보(諜報) 圆하타 谍报 diébào ¶~기관 谍报机关 / ~망 谍报网 / ~전 谍报战 / ~활동 谍报活动 / ~원 谍报员

첩자(諜者) 圆 = 간첩

첩첩(疊疊) 圏 重重 chóngchóng; 茂密 màomì; 层叠 céngdié; 重叠 chóngdié; 层层 céngcéng ¶~한 운무 层层的云雾 / 산이 ~하다 层峦层叠

첫 관 第一 dìyī; 首次 shǒucì; 头 tóu; 初 chū ¶~ 공연 首次演出

첫-걸음 圆 第一步 dìyíbù

첫-날 圆 第一天 dìyītiān

첫날-밤 圆 初夜 chūyè = 초야(初夜)

첫-눈¹ 圆 一眼 yīyǎn; 一见 yījiàn ¶~에 간파하다 一眼看出 / ~에 반하다

一见钟情

첫-눈² 몡 初雪 chūxuě

첫-돌 몡 周年 zhōunián; 周岁 zhōu-suì

첫-마디 몡 第一句 dìyījù

첫-발 몡 第一步 dìyībù

첫-사랑 몡 初恋 chūliàn

첫-인상(一印象) 몡 初次印象 chūcì yìnxiàng; 第一印象 dìyī yìnxiàng ¶~이 좋다 第一印象很好

첫-째 一囝 第一 dìyī; 头号 tóuhào 二몡 1 首先 shǒuxiān; 首要 shǒuyào; 最 zuì 2 = 맏이1

첫-차(一車) 몡 头班车 tóubānchē

청(請) 몡 请 qǐng; 请求 qǐngqiú; 托 tuō ¶~을 거절하다 拒绝请求

청각(聽覺) 몡〔生〕听觉 tīngjué ¶~기관 听觉器官

청강(聽講) 몡하타 听讲 tīngjiǎng

청강-생(聽講生) 몡〔敎〕旁听生 páng-tīngshēng

청-개구리(靑一) 몡〔動〕青蛙 qīngwā

청결(淸潔) 몡하형 刨부 清洁 qīngjié; 洁净 jiéjìng ¶~한 환경 清洁的环境 / 사무 공간이 아주 ~하다 办公室间很清洁 / 피부를 ~히 하다 洁净皮肤

청-교도(淸敎徒) 몡〔宗〕清教徒 qīng-jiàotú ¶~주의 清教徒主义 / ~ 혁명 清教徒革命

청구(請求) 몡하타 请求 qǐngqiú; 申请 shēnqǐng; 要求 yāoqiú ¶~권 请求权 / ~서 请求书 / ~인 请求人 / 손해 배상을 ~하다 请求损害赔偿

청국-장(淸麴醬) 몡 清曲酱 qīngqū-jiàng〔韩国传统菜料之一〕¶~찌개 清曲酱汤

청군(靑軍) 몡 青军 qīngjūn; 青队 qīng-duì

청기(靑旗) 몡 青旗 qīngqí

청-기와(靑一) 몡 青瓦 qīngwǎ = 청와

청년(靑年) 몡 青年 qīngnián ¶~기 青年时期 / ~단 青年团 / ~층 青年层 / ~회 青年会

청동(靑銅) 몡〔化〕青铜 qīngtóng ¶~ 거울 青铜镜

청동-기(靑銅器) 몡〔化〕青铜器 qīng-tóngqì ¶~ 시대 青铜器时代

청둥-오리 몡〔鳥〕绿头鸭 lǜtóuyā = 물오리

청량-음료(淸凉飮料) 몡 清凉饮料 qīngliáng yǐnliào

청량-하다(淸亮一) 형 清亮 qīngliàng; 清脆 qīngcuì ¶목소리가 ~ 嗓音清脆
청량-히 뷘

청량-하다(淸爽一) 형 清凉 qīngliàng; 清爽 qīngshuǎng ¶청명한 날씨 清凉的天气 **청량-히** 뷘

청력(聽力) 몡 听力 tīnglì ¶~ 검사 听力检查

청렴(淸廉) 몡형 清廉 qīnglián; 廉洁 lián ¶~한 관리 清廉的官员 / ~결하다 廉洁

청록(靑綠) 몡 碧绿 bìlǜ; 青绿 qīnglǜ ¶~색 青绿色

청룡(靑龍) 몡〔民〕青龙 qīnglóng

청명-하다(淸明一) 형 1 晴朗 qíng-lǎng ¶청명한 날씨 晴朗的天气 2 清脆 qīngcuì; 清亮 qīngliàng ¶清明的音色 清亮的嗓音 / 울음소리가 ~ 哭声清脆 3 鲜明 xiānmíng; 清楚 qīngchu ¶청명한 윤곽 清楚的外形

청문-회(聽聞會) 몡〔政〕听证会 tīng-zhènghuì ¶~를 열다 召开听证会 / ~에 참가하다 参加听证会

청-바지(靑一) 몡 牛仔裤 niúzǎikù ¶~를 입다 穿牛仔裤

청부(請負) 몡하타 包工 bāogōng; 承包 chéngbāo; 承揽 chénglǎn ¶~업 包工业 / 프로젝트를 ~하다 承包项目

청빈(淸貧) 몡하형 刨부 清贫 qīngpín; 清苦 qīngkǔ ¶~한 생활 清贫的生活

청사(靑史) 몡 青史 qīngshǐ; 史书 shǐshū ¶~에 길이 이름을 남기다 名垂青史

청사(廳舍) 몡 办公楼 bàngōnglóu; 大楼 dàlóu; 大厦 dàshà ¶종합 ~ 综合大厦

청-사진(靑寫眞) 몡 1〔演〕蓝图 lán-tú; 图纸 túzhǐ 2 蓝图 lántú ¶韩国 经济 前望的 ~ 韩国经济前景的蓝图

청산(靑山) 몡 青山 qīngshān

청산(淸算) 몡하타 1 付清 fùqīng; 结账 jiézhàng; 清算 qīngsuàn; 清账 qīngzhàng; 算账 suànzhàng ¶관련 비용은 모두 ~되었다 相关的费用全部付清 2 清除 qīngchú; 肃清 sùqīng; 消灭 xiāomiè ¶낡은 제도를 ~ 对旧制度的肃清

청산-가리(靑酸加里) 몡 氰化钾 qíng-huàjiǎ

청산-유수(靑山流水) 몡 口若悬河 kǒu-ruòxuánhé; 滔滔不绝 tāotāobùjué

청상(靑孀) 몡 = 청상과부

청상-과부(靑孀寡婦) 몡 年轻寡妇 niánqīng guǎfu; 年轻孀妇 niánqīng shuāngfu = 청상

청색(靑色) 몡 = 파란색

청설-모(靑一毛) 몡〔動〕灰松鼠 huī-sōngshǔ

청소(淸掃) 몡하타 打扫 dǎsǎo; 扫除 sǎochú; 清扫 qīngsǎo = 소제 ¶~부 打扫夫 =[清洁工] / ~차 清扫车 / 방을 ~하다 打扫房间

청소-기(淸掃機) 몡 吸尘器 xīchénqì ¶진공 ~ 真空吸尘器

청-소년(靑少年) 圄 청소년 qīngshào-nián

청-솔(靑一) 圄 창송 cāngsōng; 청송 qīngsōng = 청솔 ¶~가지 青松枝

청송(靑松) 圄 = 청솔

청수(淸水) 圄 청수 qīngshuǐ

청수-하다(淸秀一) 圈 청수 qīngxiù; 秀丽 xiùlì ¶청수한 용모 清秀的容貌 / 청수한 경치 秀丽的风景

청순(淸純) 圄圈 纯洁 chúnjié; 清纯 qīngchún ¶~한 얼굴 清纯的面子

청순-가련(淸純可憐) 圈 清纯可爱 qīngchún kě'ài ¶~한 여자 清纯可爱的女孩

청승 圄 悲苦 bēikǔ; 可怜 kělián; 凄惨 qīcǎn; 凄楚 qīchǔ; 凄切 qīqiè ¶~을 떨다 凄惨

청승-맞다 圈 悲苦 bēikǔ; 可怜 kělián; 凄惨 qīcǎn; 凄楚 qīchǔ; 凄切 qīqiè ¶청승맞은 울음소리 凄惨的哭声

청-신경(聽神經) 圄 [醫] 听觉神经 tīngjué shénjīng

청-신호(靑信號) 圄 1 [交] 绿灯 lǜdēng 2 前途顺利 qiántú shùnlì

청-실(靑一) 圄 蓝线 lánxiàn

청심-환(淸心丸) 圄 [韓醫] 1 清心丸 qīngxīnwán 2 = 우황청심환

청아-하다(淸雅一) 圈 清脆 qīngcuì; 清雅 qīngyǎ; 优雅 yōuyǎ ¶청아한 목소리 清脆的嗓音

청약(請約) 圄圈 [法] 承买 chéngmǎi; 承购 chénggòu; 订购 dìnggòu; 认购 rèngòu ¶~률 订购率 / ~시 认购书 / 주택을 ~하다 认购住宅

청어(靑魚) 圄 [魚] 鲱鱼 fēiyú

청와(靑瓦) 圄 = 청기와

청-요리(淸料理) 圄 '중화요리'의 别称 ¶~집 中国菜馆 / ~를 시키다 点中国菜

청운(靑雲) 圄 青云 qīngyún ¶~에 뜻을 두다 立志于青云

청원(請願) 圄圈자타 1 申请 shēnqǐng; 要求 yāoqiú ¶~을 받아들이다 接受要求 2 [法] 请愿 qǐngyuàn ¶~권 请愿权 / ~서 请愿书 / ~ 경찰 请愿警察 / 학생들이 정부 관계자에게 ~하다 学生们向政府负责人请愿

청음(淸音) 圄 1 清音 qīngyīn 2 [語] = 무성음

청자(靑瓷·靑磁) 圄 [手工] 青瓷 qīngcí

청장(廳長) 圄 [法] 厅长 tīngzhǎng ¶국세~ 国税厅长

청-장년(靑壯年) 圄 青壮年 qīngzhuàngnián

청정(淸淨) 圄圈부 干净 gānjìng; 清净 jiéjìng; 清净 qīngjìng ¶~수역 洁净水域 / ~작업 清净作业 / 시냇물이 ~하다 溪水清净

청주(淸酒) 圄 = 정종

청중(聽衆) 圄 听众 tīngzhòng ¶~석 听众席 / ~들의 평가 听众们的评价

청진(聽診) 圄圈타 [醫] 听诊 tīngzhěn ¶~기 听诊器 / 의사가 ~하다 医生听诊

청천(靑天) 圄 青天 qīngtiān

청천(晴天) 圄 晴天 qíngtiān ¶~벽력 晴天霹雳

청첩(請牒) 圄 = 청첩장

청첩-장(請牒狀) 圄 请柬 qǐngjiǎn; 请帖 qǐngtiě = 청첩 ¶~을 보내다 发送请帖

청춘(靑春) 圄 青春 qīngchūn ¶~ 시절 青春时期 / ~ 남녀 青春男女

청출어람(靑出於藍) 圄 青出于蓝 qīngchūyúlán

청취(聽取) 圄圈타 收听 shōutīng; 听取 tīngqǔ ¶~율 收听率 / 라디오를 ~하다 收听收音机 / 남의 의견을 ~하다 听取别人的意见

청취-자(聽取者) 圄 听众 tīngzhòng

청-치마(靑一) 圄 青仔裙 niúzǐqún

청탁(請託) 圄圈자타 请托 qīngtuō; 委托 wěituō ¶~을 받다 接受请托 / 원고를 ~하다 请托原稿

청-포도(靑葡萄) 圄 [植] 青葡萄 qīngpútao

청풍(淸風) 圄 清风 qīngfēng ¶~명월 清风明月

청-하다(請一) 圄타 1 请求 qǐngqiú; 求 qiú; 要求 yāoqiú; 要 yào ¶만남을 ~ 要求见面 / 도움을 ~ 请求帮助 2 聘请 pìnqǐng; 邀请 yāoqǐng; 请 qǐng ¶생일 파티에 친구들을 ~ 邀请朋友们参加生日晚会 3 想 xiǎng ¶잠을 ~ 想睡觉

청혼(請婚) 圄圈자 求婚 qiúhūn ¶~을 받다 被求婚 / ~을 거절하다 拒绝求婚

체[1] 圄 筛子 shāizi ¶밀가루를 ~에 한번 치다 把面粉用筛子筛一遍

체[2] 의명圈보동 = 척[1] ¶알면서도 모르는 ~ 하다 明明知道却装做不知

체감(體感) 圄圈타 感应 gǎnyìng; 体验 tǐyàn ¶~ 온도 体感温度 / 현장의 분위기를 ~하다 体验现场的气氛

체격(體格) 圄 体格 tǐgé ¶건장한 ~ 强壮的体格 / 왜소한 ~ 偏瘦的体格

체결(締結) 圄圈타 缔结 dìjié; 订立 dìnglì; 签订 qiāndìng ¶계약을 ~하다 签订合同 / 협력 조약을 ~하다 签订合作协议

체계(體系) 圄 体系 tǐxì; 体制 tǐzhì; 系统 xìtǒng ¶교육 ~ 教育体制 / 서비스 ~ 服务系统 / ~성 系统性 / ~적 系统的 / ~화 体系化 / ~가 없다 不成体制

체구(體軀) 圄 = 몸집 ¶~가 크다 身

材高大

체급(體級) 명【體】体重分级 tǐzhòng fēnjí

체기(滯氣) 명 食滞 shízhì

체납(滯納) 명[하타] 拖欠 tuōqiàn；滞纳 zhìnà ¶～금 滞纳金 / ～액 滞纳金额 / ～자 拖欠者 / 근로자의 임금을 ～하다 拖欠工人工资

체내(體內) 명 体内 tǐnèi ¶～ 기생 体内寄生 / ～ 수정 体内受精

체념(諦念) 명[하타] 断念 duànniàn；死心 sǐxīn；想开 xiǎngkāi ¶나는 그에 대해 이미 ～하였다 我已经对他死心了

체득(體得) 명[하타] 1 体会 tǐhuì；体味 tǐwèi ¶관련 기술을 ～하다 体会相关技术 2 领会 lǐnghuì ¶성현의 말씀을 ～하다 领会圣贤的话语

체력(體力) 명 体力 tǐlì ¶～단련 锻炼体力 / ～장 体力场 / ～검사 体力检查 / ～이 있다 没有体力

체류(滯留) 명[하자] 逗留 dòuliú；滞留 zhìliú ＝ 체재(滯在) ¶미국에 ～하다 滞留在美国

체리(cherry) 명【植】＝ 버찌

체면(體面) 명 面子 miànzi；体面 tǐmiàn ¶～을 세우다 顾全体面 / ～이 없다 丢面子 / ～을 차리다 讲面子

체면-치레(體面一) 명[하자] ＝ 면치레 ¶～로 하는 말 装门面的话

체벌(體罰) 명[하타] 体罚 tǐfá ¶～을 받다 受到体罚

체불(滯拂) 명[하타] 拖欠 tuōqiàn；滞纳 zhìnà ¶～금 拖欠金 / ～ 임금 拖欠工资 / 임금이 ～되다 工资被拖欠

체-세포(體細胞) 명【生】体细胞 tǐxībāo

체스(chess) 명【體】国际象棋 guójì xiàngqí

체신(遞信) 명 邮递 yóudì；邮电 yóudiàn；邮政 yóuzhèng ¶～ 업무 邮政业务 / ～부 邮政部

체액(體液) 명【生】体液 tǐyè

체언(體言) 명【語】体词 tící

체온(體溫) 명 体温 tǐwēn ¶～계 体温计 / ～ 조절 体温调节 / ～이 높다 体温高 / ～이 낮다 体温低

체외(體外) 명 体外 tǐwài ¶～ 수정 体外受精 / ～ 순환 体外循环

체육(體育) 명 体育 tǐyù ¶～계 体育界 / ～관 体育馆 / ～ 대회 体育大会 / ～ 수업 体育课

체육-복(體育服) 명 运动服 yùndòngfú ＝ 운동복

체인(chain) 명 1 ＝ 쇠사슬 2 (下大雪时把车辆防止滑倒的) 锁链 suǒliàn 3 (自行车的) 车链子 chēliànzi；链条 liàntiáo 4 连锁商店 liánsuǒ shāngdiàn；连锁 liánsuǒ ¶～점 连锁店

체재(滯在) 명[하자] ＝ 체류

체재(體裁) 명 体裁 tǐcái；体式 tǐshì ＝ 제제1

체적(體積) 명【数】＝ 부피

체제(體制) 명 1 ＝ 체재(體裁) 2 体系 tǐxì；体制 tǐzhì；制度 zhìdù ¶조직～ 组织体制 / 사상 ～ 思想体系 ¶정치～ 政治体制 3【生】体系 tǐxì

체조(體操) 명[하자]【體】体操 tǐcāo；操 cāo ¶～ 경기 体操比赛

체중(體重) 명 ＝ 몸무게 ¶～계 体重秤 / ～을 측정하다 测体重 / ～을 줄이다 减少体重

체증(滯症) 명 1【韓醫】积食 jīshí；停食 tíngshí 2 交通堵塞 jiāotōng dǔsè ¶교통 ～을 빚다 引起了交通堵塞

제-질 명[하자] 过筛 guòshāi ¶모래를 ～하다 沙子过筛

체질(體質) 명 1 体质 tǐzhì ¶～을 개선하다 改善体质 / ～이 허약하다 体质虚弱 2 性质 xìngzhì；特点 tèdiǎn ¶우리 ～에 맞지 않는 외국 사상 对我们性质不合适的外国思想

체취(體臭) 명 1 体臭 tǐchòu ¶심한 ～ 强烈的体臭 / ～를 제거하다 除体臭

체크(check) 명[하타] 1 打钩 dǎgōu 2 ＝ 물표 3 方格 fānggé；方格图案 fānggé tú'àn；格子 gézi ¶～무늬 格子纹

체크아웃(check-out) 명 (在旅馆) 退房手续 tuìfáng shǒuxù

체크인(check-in) 명 1 (在旅馆) 报到 bàodào；登记 dēngjì 2 (在飞机) 登机手续 dēngjī shǒuxù

체통(體統) 명 体面 tǐmiàn；体统 tǐtǒng ¶～을 지키다 保持体面 / ～이 있다 有体面 / ～을 버리다 丢掉体统

체포(逮捕) 명[하타]【法】逮捕 dàibǔ；捉拿 zhuōná ¶～령 逮捕令 / 용의자를 ～하다 捉拿嫌疑犯

체-하다(滯一) 자 积食 jīshí；伤食 shāngshí；停食 tíngshí；滞食 zhìshí；没消化好 méixiāohuàhǎo ＝ 얹히다3 ¶너무 많이 먹어서 체했다 吃得太多, 伤食了

체험(體驗) 명[하타] 体验 tǐyàn ¶～담 体验谈 / ～자 体验者 / 농촌 생활을 ～하다 体验农村生活

체형(體形) 명 体形 tǐxíng ¶표준 ～ 标准体形 / ～을 유지하다 保持体形

체형(體型) 명 体型 tǐxíng ¶비만형 肥胖体型 / ～에 맞는 옷을 입다 穿和体型相符的衣服

첼로(이cello) 명【音】大提琴 dàtíqín

첼리스트(cellist) 명 大提琴手 dàtíqínshǒu；大提琴演奏者 dàtíqín yǎnzòuzhě

첫-바퀴 명 筛体 shāitǐ

쳐-내다 팀 打扫 dǎsǎo; 清扫 qīng-sǎo; 掏 tāo ¶화장실을 ~ 清扫厕所

쳐:다-보다 팀 1 仰视 yǎngshì; 仰望 yǎngwàng ¶먼 곳을 ~ 仰望远方 / 별 하늘을 ~ 仰视星空 2 凝视 níngshì; 注视 zhùshì ¶앞을 ~ 凝视前方 / 개 미를 ~ 注视蚂蚁 3 依赖 yīlài; 依附 yīfù ¶남편만 ~ 只依赖丈夫

쳐:-들다 팀 举 jǔ; 昂起 ángqǐ; 撑起 chēngqǐ; 举起 jǔqǐ; 抬起 táiqǐ ¶손을 ~ 举手 / 무거운 돌을 ~ 抬起重重的 石头 / 부끄러움에 고개를 쳐들지 못하 다 因为害羞, 抬不起头来

쳐-들어가다 팀 打进去 dǎjìnqù; 攻 进去 gōngjìnqù; 进攻 jìngōng ¶적진 으로 ~ 进攻敌营

쳐-들어오다 팀 打进来 dǎjìnlái; 攻 进来 gōngjìnlái; 进犯 jìnfàn; 侵犯 qīnfàn; 侵入 qīnrù ¶수만의 군사가 쳐들어오고 있다 数万军队攻进来

쳐-부수다 팀 摧毁 cuīhuǐ; 打败 dǎ-bài; 打垮 dǎkuǎ; 击败 jībài; 击溃 jīkuì ¶침략자를 ~ 击溃侵略者

쳐-주다 팀 1 换算 huànsuàn; 折合 zhéhé ¶그 골동품을 가격을 제대로 쳐줄 수 없다 那个古董无法折算价格 2 认定 rèndìng ¶일인자로 ~ 认定能手

초 몡 蜡烛 làzhú; 洋蜡 yánglà ¶~를 켜다 点蜡烛

초〔初〕의명 初 chū ¶20세기 ~ 二十 世纪初 / 이번 달 ~ 这个月初 / 연 ~ 年初

초〔秒〕의명 秒 miǎo ¶3시 30분 50~ 三点三十分五十秒 / 30~ 안에 출발 하겠다 三十秒内出发

초〔醋〕몡 = 식초

초가〔草家〕몡 草屋 cǎowū; 茅草屋 máocǎowū; 茅屋 máowū = 초가집 · 초옥

초-가을〔初一〕몡 初秋 chūqiū; 孟秋 mèngqiū

초가-집〔草家一〕몡 = 초가

초-간장〔醋一醬〕몡 酱油醋 jiàngyóu-cù = 초장〔醋醬〕1

초-겨울〔初一〕몡 初冬 chūdōng; 孟 冬 mèngdōng

초경〔初經〕몡 初潮 chūcháo

초고〔草稿〕몡 草底儿 cǎodǐr; 草稿 cǎogǎo; 初稿 chūgǎo; 底稿 dǐgǎo ¶~를 작성하다 打草稿 / ~를 수정하 다 修改初稿

초-고속〔超高速〕몡 超高速 chāogāo-sù ¶~ 네트워크 超高速网络 / ~ 인 터넷 시대 超高速因特网时代 / ~ 다 운로드 超高速下载

초-고추장〔醋一醬〕몡 糖醋辣椒酱 tángcù làjiāojiàng = 초장〔醋醬〕2

초-고층〔超高層〕몡 超高层 chāogāo-

céng ¶~ 건물 超高层建筑 / ~ 빌딩 超高层大楼

초과〔超過〕[하타] 超 chāo; 超出 chāochū; 超额 chāo'é; 超过 chāoguò ¶~ 근무 超时工作 / ~량 超量 / ~ 생 산 超产 / ~액 超额 / ~ 이윤 超额利 润 / ~분을 ~했다 超过 超额了

초교〔初校〕몡〔印〕初校 chūjiào

초급〔初級〕몡 初级 chūjí ¶~ 중국어 初级汉语 / ~반 初级班

초기〔初期〕몡 初期 chūqī; 早期 zǎoqī ¶임신 ~ 怀孕初期 / ~ 증상 初期症 状 / ~ 작품 初期作品

초년〔初年〕몡 1 年轻时期 niánqīng shíqī 2 初年 chūnián ¶신혼 ~ 시절 新婚初年时期

초년-병〔初年兵〕몡 新兵 xīnbīng ¶~ 훈련 新兵训练

초년-생〔初年生〕몡 生手 shēngshǒu; 新手 xīnshǒu ¶막 사회에 뛰어든 ~ 刚步入社会的生手

초-능력〔超能力〕몡〔心〕超能力 chāo-nénglì ¶~을 발휘하다 发挥超能力

초단〔初段〕몡 1 第一阶段 dìyī jiēduàn 2 [[围棋]] 初段 chūduàn

초대〔代代〕몡 第一任 dìyīrèn; 首任 shǒurèn ¶~ 시장 第一任市长 / ~ 주 석 首任主席

초대〔招待〕[하타] 招待 zhāodài; 邀 请 yāoqǐng ¶~권 招待券 / ~석 招待 席 / ~연 招待宴会 / ~장 邀请函 / ~ 전 招待展 / 친구를 집으로 ~하다 招 待朋友来家作客

초-대형〔超大型〕몡 超大型 chāodà-xíng; 超级大型 chāojí dàxíng; 顶级大 型 dǐngjí dàxíng ¶백화점 超级大型 百货商场 / ~ 선박 超级大型船舶 / ~ 오페라 超大型歌剧

초두〔初頭〕몡 1 初头 chūtóu ¶새해~ 新年初头 / 21세기 ~ 二十一世纪初头 2 开头 kāitóu ¶~ 부분 开头部分

초등〔初等〕몡 初等 chūděng ¶~ 교육 初等教育

초등-학교〔初等學校〕몡〔教〕小学 xiǎoxué

초등-학생〔初等學生〕몡 小学生 xiǎo-xuéshēng

초라-하다 혱 寒酸 hánsuān; 困窘 kùnjiǒng; 寒碜 hánchen; 穷困 qióng-kùn ¶초라한 집 寒酸的家 / 행색이 ~ 样子困窘 / 실적이 ~ 业绩寒碜 초라-히 🕀

초래〔招來〕[하타] 惹起 rěqǐ; 引起 yǐn-qǐ; 引致 yǐnzhì; 造成 zàochéng; 招来 zhāolái; 招来 zhāolái ¶손실을 ~하다 造成损失 / 심각한 문제를 ~하다 引 起严重的问题

초로〔初老〕몡 初老期 chūlǎoqī

초록(抄錄) 〔명〕〔하타〕 抄录 chāolù; 抄写 chāoxiě ¶강연 내용을 ～하다 抄录演讲内容

초록(草綠) 〔명〕 1 = 초록색 2 = 초록빛

초록-빛(草綠—) 〔명〕 草绿色 cǎolùsè = 초록색

초록-색(草綠色) 〔명〕 草绿色 cǎolùsè = 초록1

초롱 〔명〕 灯笼 dēnglóng ¶～불 灯笼火 / ～을 켜다 点灯笼 / ～을 들다 提灯笼

초롱-초롱 〔부〕 晶莹 jīngyíng; 闪闪 shǎnshǎn; 灼灼 shǎnshǎnzhuó-zhuó; 灼灼 zhuózhuó ¶아이의 눈이 ～빛나다 孩子的眼睛晶莹地发光

초롱초롱-하다 〔형〕 亮晶晶 liàngjīngjīng; 闪闪 shǎnshǎn; 有神 yǒushén; 灼灼地闪光 zhuózhuóde shǎnguāng ¶초롱초롱한 눈 亮晶晶的眼睛 / 눈이 ～ 眼睛有神 **초롱초롱-히** 〔부〕 엄마를 바라보는 아기 闪闪望着妈妈的孩子

초립(草笠) 〔명〕 草笠 cǎolì; 草帽 cǎomào

초막(草幕) 〔명〕 草棚 cǎopéng; 草篷 cǎopéng; 草舍 cǎoshè

초-만원(超滿員) 〔명〕 摩肩接踵 mójiānjiēzhǒng; 肩摩踵接 jiānmózhǒngjiē ¶～ 열차 摩肩接踵的列车 / 이 차는 이미 ～이다 这辆车上的人已经肩摩踵接了

초면(初面) 〔명〕 初会 chūhuì; 初见 chūjiàn ¶나와 그는 ～이다 我和他初会

초목(草木) 〔명〕 草木 cǎomù ¶～이 무성하다 草木繁茂

초미(焦眉) 〔명〕 紧急问题 jǐnjí wèntí; 燃眉之急 ránméizhījí ¶～ 문제 燃眉之急的问题 / ～의 큰일 燃眉之急的大事

초-미립자(超微粒子) 〔명〕〔物〕 超微粒子 chāowēilìzǐ

초-바늘(秒—) 〔명〕 = 초침

초반(初盤) 〔명〕 第一盘 dìyīpán; 首盘 shǒupán ¶～이 중요하다 首盘的胜负很重要 / ～에는 거래가 부진했다 首盘交易无进展

초-밥(醋—) 〔명〕 寿司 shòusī

초-벌(初—) 〔명〕 初次 chūcì; 第一回 dìyīhuí; 头遍 tóubiàn ¶～ 번역 初次翻译 / ～ 지도 初次指导

초범(初犯) 〔명〕 初犯 chūfàn

초병(哨兵) 〔명〕 哨兵 shàobīng ¶～이 보초를 서다 哨兵站岗

초보(初步) 〔명〕 初步 chūbù ¶～ 단계 初步阶段 / ～ 수준 初步水平 / ～ 지식 初步的知识

초보-자(初步者) 〔명〕 生手 shēngshǒu; 新手 xīnshǒu

초복(初伏) 〔명〕 初伏 chūfú; 头伏 tóufú

초본(抄本) 〔명〕 抄本 chāoběn; 手抄本 shǒuchāoběn ¶성경 ～ 圣经抄本

초-봄(初—) 〔명〕 初春 chūchūn; 开春 kāichūn; 孟春 mèngchūn; 早春 zǎochūn

초빙(招聘) 〔명〕〔하타〕 聘请 pìnqǐng; 招聘 zhāopìn ¶전문가를 ～하다 招聘专家

초산(初産) 〔명〕〔하자〕 初产 chūchǎn; 生头一胎 shēngtóuyītāi; 头产 tóuchǎn ¶～의 산모 初产的产妇

초산(醋酸) 〔명〕〔化〕 = 아세트산 ¶～ 铅醋酸铅 / ～연 醋酸铅

초상(初喪) 〔명〕 初丧 chūsāng; 丧事 sāngshì ¶～을 치르다 办丧事

초상(肖像) 〔명〕 画像 huàxiàng; 肖像 xiàoxiàng ¶인물 ～ 人物肖像 / ～권 肖像权 / ～화 肖像画

초상-집(初喪—) 〔명〕 丧家 sāngjiā

초생-달(初生—) 〔명〕 '초승달'의 잘못

초서(草書) 〔명〕〔藝〕 草书 cǎoshū; 草体 cǎotǐ = 흘림

초석(礁石) 〔명〕 = 암초 ¶산호 ～ 珊瑚礁石 / 거대한 ～ 巨大的礁石 / ～ 해안 暗礁海岸

초석(礎石) 〔명〕 1〔建〕 = 주춧돌 2 奠基石 diànjīshí; 根基 gēnjī; 基础 jīchǔ; 基石 jīshí ¶～을 다지다 打基础

초성(初聲) 〔명〕〔語〕 初声 chūshēng

초소(哨所) 〔명〕 岗哨 gǎngshào; 哨所 shàosuǒ ¶해안 ～ 海岸哨所 / 경비 ～ 警戒哨所

초-소형(超小型) 〔명〕 超小型 chāoxiǎoxíng; 超迷你型 chāomínǐxíng ¶～ 카메라 超迷你型相机

초속(秒速) 〔명〕 秒速 miǎosù

초순(初旬) 〔명〕 = 상순

초승-달(初—) 〔명〕 上弦月 shàngxián-yuè; 新月 xīnyuè ¶～이 하늘에 떠 있다 一轮新月挂在空中

초식(草食) 〔명〕 草食 cǎoshí; 食草 shícǎo ¶～ 공룡 食草恐龙 / ～ 동물 草食动物 / ～성 草食性也

초심(初心) 〔명〕 1 最初的想法 zuìchūde xiǎngfǎ 2 = 초심자

초심-자(初心者) 〔명〕 生手 shēngshǒu; 新手 xīnshǒu

초안(草案) 〔명〕 草案 cǎo'àn; 初步计划 chūbù jìhuà ¶～을 작성하다 拟定草案

초야(初夜) 〔명〕 = 첫날밤

초야(草野) 〔명〕 草野 cǎoyě; 穷乡僻壤 qióngxiāngpìrǎng ¶～에 묻혀 살다 埋没于草野

초-여름(初—) 〔명〕 初夏 chūxià; 孟夏 mèngxià

초연(硝煙) 〔명〕 硝烟 xiāoyān ¶전쟁터에 ～이 자욱하다 战场上硝烟弥漫

초연-하다(超然—) 〔형〕 超然 chāorán; 超

脱 chāotuō; 置身事外 zhìshēnshìwài ¶
초연한 삶 超脱的生活 초연-히 튀

초옥(草屋) 명 = 초가

초원(草原) 명 草原 cǎoyuán ¶끝없이
넓은 ~ 辽阔的草原

초월(超越) 명하타 超出 chāochū; 超
越 chāoyuè ¶디지털 시대를 ~하다
超越数码时代 / 자신의 능력을 ~
超出自己的能力

초유(初乳) 명 [生] 初乳 chūrǔ

초-음속(超音速) 명 [物] 超音速 chāo-
yīnsù ¶~ 전투기 超音速战斗机

초-음파(超音波) 명 [物] 超声波 chāo-
shēngbō; 超音波 chāoyīnbō ¶~ 세척
기 超音波清洗机

초-이레(初一) 명 '초이렛날'의 略词

초-이렛날(初一) 명 初七 chūqī =
이레2·초이렛날3

초인(超人) 명 超人 chāorén

초인-종(招人鍾) 명 门铃 ménlíng ¶
~이 울렸다 门铃响了 / ~을 누르다
按门铃 / ~을 설치하다 安装门铃

초임(初任) 명 初任 chūrèn ¶~ 교사
初任教师

초입(初入) 명하자 1 入口 rùkǒu ¶극
장의 ~에는 많은 사람이 모였다 剧
场的入口集聚了很多人 2 初次 chūcì;
开头 kāitóu ¶장마 ~ 雨季开头 3 第一
次进入 dìyīcì jìnrù

초-자연(超自然) 명 超自然 chāozìrán
¶~론 超自然论 / ~적 超自然的 / ~
현상 超自然现象

초장(初場) 명 1 [集市的] 开市 kāishì
2 开端 kāiduān; 开初 kāichū; 开始
kāishǐ; 开头 kāitóu; 起初 qǐchū ¶~부
터 일이 꼬인다 刚开始事情就不顺利

초장(醋醬) 명 1 = 초간장 2 = 초고
추장

초-저녁(初一) 명 1 傍晚 bàngwǎn; 初夜 chūyè; 黃昏 huánghūn ¶~의 경
치가 아름답다 傍晚的景色很美 2 开
端 kāiduān; 开始 kāishǐ; 开头 kāitóu;
起初 qǐchū ¶~부터 잘 처리했어야 되
는데 刚开始的时候就应该好好处理

초-절임(醋一) 명 醋腌 cùyān ¶오이
~ 醋腌黃瓜

초점(焦點) 명 1 焦点 jiāodiǎn ¶사건
의 ~ 事件的焦点 / 문제의 ~을 흐리
다 把问题的焦点弄模糊了 2 [物] 焦
点 jiāodiǎn ¶~ 거리 焦点距离 / ~이
맞다 焦点对头

초조(焦燥) 명하형 튀투 烦躁 fánzào;
焦急 jiāojí; 焦灼 jiāozhuó ¶~한 얼굴
烦躁的脸色 / 마음이 ~하다 心情烦
躁 / ~히 결과를 기다리다 焦急地等
待结果

초-주검(初一) 명 半死 bànsǐ; 半死不
活 bànsǐbùhuó ¶맞아서 ~에 이르렀다

被打了个半死不活

초지(初志) 명 初心 chūxīn; 初意 chū-
yì; 初志 chūzhì; 初衷 chūzhōng ¶~일
관 初志一贯 / ~를 잊지 않다 不忘初
衷

초지(草地) 명 草地 cǎodì

초진(初診) 명하타 初诊 chūzhěn ¶~
환자 初诊病人 / ~ 결과 初诊结果

초짜(初一) 명 生手 shēngshǒu; 新手
xīnshǒu

초창(草創) 명하타 草创 cǎochuàng; 初
创 chūchuàng ¶~기 草创时期 / ~에
온갖 어려움과 고생을 겪다 历尽草创
的艰辛

초청(招請) 명하타 聘请 pìnqǐng; 请
请 qǐng; 邀请 yāoqǐng; 招请 zhāoqǐng ¶
~장 邀请信 / ~을 받다 接受邀请 / 변
호사를 ~하다 聘请律师

초췌-하다(憔悴一·顦顇一) 형 枯悴
kūcuì; 憔悴 qiáocuì ¶초췌한 얼굴 憔
悴的面色 / 행색이 ~ 形貌枯悴

초침(秒針) 명 秒针 miǎozhēn ¶초바
늘 ¶~이 멈췄다 秒针停了

초콜릿(chocolate) 명 巧克力 qiǎokè-
lì; 巧克力 qiǎogǔlì; 朱古力 zhūgǔlì
¶케이크 巧克力蛋糕

초크(chalk) 명 1 [手工] 划粉 huàfěn
2 [體] 巧克粉 qiǎokèfěn

초탈(超脫) 명하자타 超脱 chāotuō ¶
삶과 죽음을 ~하다 超脱生死

초토(焦土) 명 1 焦土 jiāotǔ ¶마을이
~가 되었다 村子被炸成了焦
土 2 灰烬 huījìn

초토-화(焦土化) 명하자타 焦土化 jiāo-
tǔhuà ¶생태계가 ~될 위기에 처했다
生态系处于焦土化的危机之中

초-특급(超特級) 명 超特级 chāotèjí ¶
~ 태풍 超特级台风 / ~ 지진 超特级
地震

초-파리(醋一) 명 [蟲] 果蝇 guǒyíng

초판(初版) 명 1 初场 chūchǎng; 初期
chūqī; 第一场 dìyīchǎng ¶~ 경기 第
一场比赛 / 작업 초판操作

초판(初版) 명 [印] 初版 chūbǎn = 원
판(原版)2 ¶~본 初版本

초-하루(初一) 명 = 초하룻날

초-하룻날(初一) 명 (农历) 初一
chūyī = 초하루

초행(初行) 명하자 1 初行 chūxíng ¶
~이라 낯선 곳이 두렵다 初行, 很怕
陌生的地方 2 = 초행길

초행-길(初行一) 명 初次走的路 chū-
cì zǒude lù = 초행2

초혼(初婚) 명하자 初婚 chūhūn

촉(鏃) 명 笔尖 bǐjiān; 尖 jiān ¶만년필
~ 钢笔尖

촉각(觸角) 명 [動] = 더듬이

촉각(觸覺) 명 [生] 触感 chùgǎn; 触

觉 chùjué = 촉감2 ¶～이 예민하다
触觉敏感

촉감(觸感) 圐 1 = 감촉 ¶손에 만져지는 ～이 좋다 摸在手里的感觉很好 2 『生』= 촉각(觸覺)

촉구(促求) 圐하타 催 cuī; 催促 cuīcù; 促使 cùshǐ ¶국제 협력을 ～하다 促使进行国际合作

촉망(屬望·囑望) 圐하자 期望 qīwàng; 希望 xīwàng; 瞩望 zhǔwàng ¶～ 받는 감독 有希望的导演 / 꿈이 이루어지기를 ～하다 期望梦想成真

촉매(觸媒) 圐『化』触媒 chùméi; 催化剂 cuīhuàjì ¶～ 반응 催化反应 / ～ 작용 催化作用

촉박(促迫) 圐하영 仓促 cāngcù; 紧迫 jǐnpò ¶시간이 ～하다 时间紧迫

촉발(觸發) 圐하자 1 触发 chùfā ¶사건을 ～하다 触发事件 2 引爆 yǐnbào ¶～ 장치 引爆装置

촉새 圐 1 『鳥』灰头鹀 huītóuwú 2 轻佻的人 qīngtiāode rén

촉수(觸手) 圐하타 1 『動』触手 chùshǒu ¶불가사리의 ～ 海星的触手 2 着手 zhuóshǒu

촉수(觸鬚) 圐『虫』触角 chùjiǎo; 触须 chùxū

촉진(促進) 圐하타 促进 cùjìn; 加速 jiāsù ¶경제 성장을 ～시키다 促进经济生长

촉촉-하다 圐 潮湿 cháoshī; 发潮 fācháo; 湿润 shīrùn; 湿漉漉 shīlùlù ¶눈이 ～ 眼睛湿润了 / 땅이 ～ 土地湿漉漉的 촉촉-이 圎

촌(寸) 圐의영 1 寸 cùn ¶그와 나는 8 ～이다 他和我是八寸 2 寸 cùn ¶길이 5～ 长度五寸

촌(村) 圐 村 cūn; 农村 nóngcūn; 乡村 xiāngcūn; 乡下 xiāngxia

촌:**각**(寸刻) 圐 = 촌음

촌:**-구석**(村一) 圐 1 村旮旯儿 cūngālár; 乡僻村 xiāngpìcūn; 乡曲 xiāngqū = 시골구석 2 '촌(村)'의 郫称

촌:**극**(寸劇) 圐 1 『演』独幕剧 dúmùjù; 小戏(儿) xiǎoxì(r) 2 闹剧 nàojù ¶한바탕의 ～로 마침내 끝나다 一场闹剧终于结束了

촌:**-놈**(村一) 圐 1 村夫 cūnfū; 土包子 tǔbāozi; 乡下人 xiāngxiàrén 2 村夫俗子 cūnfúsúzǐ

촌:**-뜨기**(村一) 圐 村夫 cūnfū; 土包子 tǔbāozi; 乡巴佬儿 xiāngbālǎor; 乡下人 xiāngxiàrén

촌:**락**(村落) 圐 村落 cūnluò; 村庄 cūnzhuāng

촌:**부**(村夫) 圐 村夫 cūnfū

촌:**부**(村婦) 圐 村妇 cūnfù

촌:**-사람**(村一) 圐 1 乡下人 xiāngxià-

rén 2 粗人 cūrén

촌:**수**(寸數) 圐 辈分 bèifen; 辈数 bèishù ¶그녀의 ～는 나보다 낮다 她的辈分比我小

촌:**-스럽다**(村一) 圎 土里土气 tǔlǐtǔqì ¶옷을 촌스럽게 입었다 衣服穿得很土气 / 외모가 ～ 外表看上去有些土里土气 촌·스레 圎

촌:**음**(寸陰) 圐 片刻 piànkè; 寸阴 cùnyīn; 寸刻 cùnkè = 촌각 ¶～도 떨어지지 않는다 寸刻不离

촌:**장**(村長) 圐 村长 cūnzhǎng

촌:**지**(寸志) 圐 1 寸心 cùnxīn 2 贿赂 huìlù

촌:**-티**(村一) 圐 土里土气 tǔlǐtǔqì; 土气 tǔqì = 시골티 ¶～ 나는 스타일 土里土气的打扮

촌:**평**(寸評) 圐하타 短评 duǎnpíng ¶시사 ～ 时事短评

촐랑-거리다 圐 1 咣啷咣啷 guānglāngguānglāng; 晃荡 huàngdàng ¶병의 물이 ～ 瓶里的水晃荡 2 淘气 táoqì; 轻浮 qīngfú; 调皮 tiáopí ¶언행이 위선적이고 촐랑거린다 言行虚伪轻浮 ‖ 촐랑대다 촐랑-촐랑 圎

촐랑-이 圐 轻浮者 qīngfúzhě; 淘气鬼 táoqìguǐ

촐싹-거리다 圐자타 1 吊儿郎当 diào'érlángdāng; 大大咧咧 dàdàliēliē ¶남자가 그렇게 촐싹거려서 어디에 쓰겠니? 男人这么吊儿郎当, 有什么用的? 2 不平静 bùpíngjìng; 激动 jīdòng ¶촐싹거리는 심정 激动的心情 / 마음이 ～ 心里很不平静 ‖ 촐싹대다 촐싹-촐싹 圎

촘촘-하다 圎 密 mì; 密致 mìzhì; 细密 xìmì ¶올이 매우 ～ 线条儿很密 촘촘-히 圎 ¶매우 ～ 짜다 编织得很密

촛:**-농**(一膿) 圐 烛泪 zhúlèi; 蜡泪 làlèi ¶～이 흘러내리다 烛泪流下

촛:**-대**(一臺) 圐 蜡台 làtái; 烛台 zhútái

촛:**-불** 圐 烛火 zhúhuǒ; 烛光 zhúguāng

총(銃) 圐 枪 qiāng; 枪械 qiāngxiè ¶～ 支 qiāngzhī ¶～ 한 자루 一枝枪

총(總) 圐관 共 gòng; 一共 yīgòng; 总共 zǒnggòng ¶～ 열 사람이다 总共十个人 / ～ 얼마예요? 共多少钱? / 너희들은 ～ 몇 명이니? 你们一共有多少

총:**-각**(總角) 圐 1 小伙子 xiǎohuǒzi; 总角 zǒngjiǎo 2 = 숫총각

총:**-각-김치**(總角一) 圐 小萝卜泡菜 xiǎoluóbo pàocài

총:**-각-무**(總角一) 圐 『植』小萝卜 xiǎoluóbo

총:**-감독**(總監督) 圐 总监督 zǒngjiāndū

총검(銃劍) 圐 1 刀和枪 dāo hé qiāng;

刀枪 dāoqiāng; 枪刺 qiāngcì = 총칼
2 武力 wǔlì

총검-술(銃劍術) 圆【軍】刺枪法 cìqiāngfǎ

총격(銃擊) 圆하타 枪击 qiāngjī ¶~사건 枪击事件 / ~을 받다 遭枪击

총격-전(銃擊戰) 圆 枪战 qiāngzhàn

총-결산(總決算) 圆1 了结 liǎojié ¶격정거리를 ~하다 了结了心事 **2**【經】总决算 zǒngjuésuàn

총-계(總計) 圆 总计 zǒngjì ¶~를 내다 拿出总计

총-괄(總括) 圆하타 总括 zǒngkuò; 综合 zōnghé; 总结 zǒngjié ~ 평가 综合平价 / 의견을 ~하다 总结意见

총구(銃口) 圆 枪口 qiāngkǒu; 枪眼 qiāngyǎn

총기(銃器) 圆 枪械 qiāngxiè; 枪支 qiāngzhī

총기(聰氣) 圆1 聪颖 cōngyǐng; 灵气 língqì ¶~ 있는 여자아이 聪颖的小姑娘 **2** 好记性 hǎojìxìng ¶~ 있는 사람 好记性的人

총-대(銃一) 圆 枪杆(儿) qiānggǎn(r); 枪杆子 qiānggǎnzi

총독(總督) 圆 总督 zǒngdū ¶~부 总督府

총-동원(總動員) 圆하타 总动员 zǒngdòngyuán

총-량(總量) 圆 总量 zǒngliàng

총-력(總力) 圆 全力 quánlì; 一切力量 yīqiè lìliàng ¶~을 다하다 尽全力

총-론(總論) 圆1 总论 zǒnglùn **2** 前言 qiányán; 绪论 xùlùn; 序论 xùlùn

총-리(總理) 圆하타 1 总管 zǒngguǎn; 总理 zǒnglǐ **2**【法】总理 zǒnglǐ = 국무총리

총명(聰明) 圆하옝 聪明 cōngmíng ¶~한 아이 聪明的孩子 / 그녀는 매우 ~하다 她很聪明

총-무(總務) 圆 总务 zǒngwù ¶~과 总务科 / ~부 总务处

총-반격(總反擊) 圆하타 总反攻 zǒngfǎngōng; 总反击 zǒngfǎnjī ¶~을 시작하다 开始总反击

총-부리(銃一) 圆 枪口 qiāngkǒu; 枪眼 qiāngyǎn

총:-사령(總司令) 圆【軍】= 总司令관

총:-사령관(總司令官) 圆【軍】总司令官 zǒngsīlìngguān = 총사령

총살(銃殺) 圆하타 枪杀 qiāngshā ¶~당하다 被枪杀

총상(銃傷) 圆 枪伤 qiāngshāng ¶~치료하다 治疗枪伤

총-선(總選) 圆【法】总选 zǒngxuǎn; 总选举 zǒngxuǎnjǔ

총성(銃聲) 圆 = 총소리

총-소리(銃一) 圆 枪声 qiāngshēng = 총성

총:-수(總帥) 圆 统帅 tǒngshuài

총:-수(總數) 圆 总数 zǒngshù

총-아(寵兒) 圆 宠儿 chǒng'ér

총-알(銃一) 圆 枪弹 qiāngdàn; 枪子儿 qiāngzǐr; 枪支弹药 qiāngzhī dànyào; 子弹 zǐdàn = 총탄

총알-받이(銃一) 圆 炮灰 pàohuī

총:애(寵愛) 圆하타 宠爱 chǒng'ài; 宠幸 chǒngxìng ¶선생님이 ~하는 학생 老师宠爱的学生 / ~를 얻다 赢得宠爱

총:-액(總額) 圆 总额 zǒng'é

총:-영사(總領事) 圆【法】总领事 zǒnglǐngshì

총:-장(總長) 圆1 会长 zǒngzhǎng **2**【教】(综合大学的) 校长 xiàozhǎng

총:-재(總裁) 圆 总裁 zǒngcái ¶회사의 ~ 公司的总裁 / ~의 결정 总裁的决定

총:-점(總點) 圆 总分 zǒngfēn

총:-질(銃一) 圆하타 打枪 dǎqiāng; 放枪 fàngqiāng; 射击 shèjī

총채 圆 掸子 dǎnzi

총:책(總責) 圆 = 총책임자

총:-책임(總責任) 圆 总责任 zǒngzérèn ¶이번 과실의 ~은 제가 지겠습니다 这次过失的总责任由我自己负责

총:-책임자(總責任者) 圆 总负责人 zǒngfùzérén = 총책

총총 閈하옝ㅣ회옝ㅣ 璀璨 cuǐcàn ¶~ 빛나는 별 璀璨的星星

총총(悤悤) 閈하옝ㅣ회옝ㅣ 匆匆 cōngcōng; 匆忙 cōngmáng ¶이만 ~ 붓을 놓겠습니다 到这里，匆匆下笔

총총-거리다 困 匆匆忙忙 cōngcōng-mángmáng; 急急忙忙 jíjímángmáng = 총총대다 ¶그는 골목길로 총총거리며 걸어갔다 他匆匆忙忙走进胡同里

총총-걸음 圆 疾步 jíbù; 快步 kuàibù ¶~으로 걷다 快步行走

총총-들이(蔥蔥一) 閈 满满地 mǎnmǎnde; 茂密地 màomìde; 密密麻麻地 mìmìmámáde ¶하늘에 별이 ~ 박혀 있다 天空密密麻麻地镶嵌着星星

총총-하다 옝 璀璨 cuǐcàn ¶총총한 별들 璀璨的星空 **총총-히** 閈 ¶밤하늘의 별이 ~ 빛난다 夜晚天空的星星很璀璨

총총-하다(悤悤一) 困 匆匆 cōngcōng; 匆忙 cōngmáng ¶그는 편지 한 장 쓸 겨를도 없이 총총하게 가버렸다 他匆忙地走了，连寫一封信的时间也没有 **총총-히** 閈 ¶그는 ~ 떠났다 他匆匆地离开了

총총-하다(蔥蔥一) 옝 茂密 màomì; 郁郁葱葱 yùyùcōngcōng ¶총총한 삼림 郁郁葱葱的树林 **총총-히** 閈 ¶잡초가

물풀처럼 ～ 자라다 杂草像水草一样生长得很茂密

총총-하다(叢叢―) 형 密密麻麻 mì-mámá ¶젓가락이 총총하게 쌓여 있다 筷子密密麻麻地堆在一起 **총총-히** 부 ¶밭에 채소가 ～ 자란다 地里的蔬菜长得密密麻麻

총:칙(總則) 명 总则 zŏngzé

총:칭(總稱) 명 하타 泛称 fànchēng; 统称 tŏngchēng; 总称 zŏngchēng ¶수생 식물의 ～ 水生植物的总称

총-칼(銃―) 명 枪剑1

총탄(銃彈) 명 = 총알

총:통(總統) 명 하타 1 总管 zŏngguăn 2 总统 zŏngtŏng

총:판(總販) 명 하타 1 专卖 zhuānmài; 专销 zhuānxiāo 2 专卖商场 zhuānmài shāngchăng; 专销商店 zhuānxiāo shāngdiàn

총:평(總評) 명 总评 zŏngpíng

총포(銃砲) 명 1 枪 qiāng 2 【军】枪支和火炮 qiāngzhī hé huŏpào

총:합(總合) 명 하타 一共 yīgòng; 总和 zŏnghé; 总计 zŏngjì ¶성적 ～ 成绩总和

총:회(總會) 명 全会 quánhuì; 总会 zŏnghuì

총:획(總畵) 명 总笔画数 zŏngbĭhuàshù

촬영(撮影) 명 하타 摄影 shèyíng ¶기념 ～ 纪念摄影 / 야외 ～ 野外摄影 / ～가 摄影家 / ～ 감독 摄影导演 / ～실 摄影室

촬영-기(撮影機) 명 摄影机 shèyĭngjī = 카메라2

최:강(最强) 명 最强 zuìqiáng

최:고(最高) 명 1 最高 zuìgāo ¶～가 最高价 / ～액 最高额 / ～ 온도 最高温度 2 最好 zuìhăo ¶～ 성적 最好成绩 / ～ 상태 最好状态

최:-고급(最高級) 명 最高级 zuìgāojí; 最上等 zuìshàngdĕng

최:-고봉(最高峰) 명 最高峰 zuìgāofēng; 顶峰 dĭngfēng

최:-고조(最高潮) 명 顶峰 dĭngfēng; 最高潮 zuìgāocháo

최:근(最近) 명 最近 zuìjìn ¶～의 일 最近的事情

최:단(最短) 명 하타 最短 zuìduăn ¶～ 거리 最短距离 / ～ 시간 最短时间

최:대(最大) 명 하타 부 最大 zuìdà ¶～ 흡수량 最大吸收量 / ～ 수출액 最大出口额 / ～치 最大值

최:대-한(最大限) 명 = 최대한도

최:대-한도(最大限度) 명 最大限度 zuìdà xiàndù = 최대한 ¶～에 달하다 达到了最大限度

최루-탄(催淚彈) 명 催泪弹 cuīlèidàn

최면(催眠) 명 催眠 cuīmián ¶～술 催眠术 / ～ 요법 催眠疗法

최면-제(催眠劑) 명 【药】= 수면제

최:상(最上) 명 最高 zuìgāo; 最优 zuìyōu ¶～급 最上级 = [最高级]

최:선(最善) 명 1 最好 zuìhăo ¶～의 방법 最好的办法 =[最上策] 2 最大努力 zuìdà nŭlì; 竭诚 jiéchéng ¶～을 다해 서비스하겠습니다 竭诚为您服务

최:소(最少) 명 1 最少 zuìshăo ¶～와 최다 最少和最多 2 最年轻 zuì-niánqīng; 最少 zuìshăo

최:소(最小) 명 1 最小 zuìxiăo ¶～와 최대 最小和最大

최:신(最新) 명 最新 zuìxīn ¶～ 유행 스타일 最新流行时尚

최:악(最惡) 명 最劣 zuìliè; 最坏 zuìhuài ¶～의 상황 最坏的情况 / ～의 환경 最恶劣的环境

최:-우수(最優秀) 명 最优秀 zuìyōuxiù; 最佳 zuìjiā ¶～ 선수 最优秀选手

최:저(最低) 명 하타 最低 zuìdī ¶～가 价 =[最廉价] / ～ 기온 最低气温 / 생활비 最低生活费 / ～ 임금 最低工资

최:적(最適) 명 하타 最合适 zuìhéshì; 最适当 zuìshìdàng; 最适合 zuìshìhé ¶～의 시기 最适当的时期

최:-전방(最前方) 명 【军】= 최전선

최:-전선(最前線) 명 【军】前线 qiánxiàn; 最前线 zuìqiánxiàn = 일선3·최전방

최:종(最終) 명 最后 zuìhòu; 最末 zuìmò; 最终 zuìzhōng ¶～ 결과 最终结果 / ～ 발표 最后发表

최:초(最初) 명 最初 zuìchū

최:하(最下) 명 最低 zuìdī; 最下 zuìxià ¶～ 등급 最低等级

최:혜-국(最惠國) 명 【法】惠最国 zuìhuìguó ¶～ 대우 最惠国待遇

최:후(最後) 명 最后 zuìhòu; 最末 zuìmò ¶～통첩 最后通牒 / ～의 만찬 最后的晚餐

추(錘) 명 1 秤锤 chèngchuí; 秤砣 chèngtuó 2 钟摆 zhōngbăi

추가(追加) 명 하타 追加 zhuījiā ¶예산을 ～하다 追加预算

추격(追擊) 명 하타 追打 zhuīdă; 追击 zhuījī ¶소매치기를 ～했다 追打了逃离的小偷儿

추계(秋季) 명 秋季 qiūjì; 秋天 qiūtiān ¶～ 운동회 秋季运动会

추구(追求) 명 하타 追求 zhuīqiú ¶완벽함을 ～하다 追求完美 / 이상을 ～하다 追求理想

추궁(追窮) 명 하타 追究 zhuījiū; 追查 zhuīchá; 追问 zhuīwèn ¶책임을 ～하

다 追究责任

추기-경(樞機卿) 명 〖宗〗 红衣主教 hóngyīzhǔjiào

추녀(醜女) 명 丑女 chǒunǚ

추다 타 跳 tiào ¶춤을 ~ 跳舞 tiàowǔ

추대(推戴) 명하타 推举 tuījǔ; 拥戴 yōngdài ¶유능한 사람을 우리의 반장으로 ~해야 한다 应该把能干的人推举成我们的班长

추돌(追突) 명하자타 追尾 zhuīwěi ¶~ 사고 追尾事故

추락(墜落) 명하자타 1 跌落 diēluò; 坠落 zhuìluò ¶~사 坠落死亡 / 비행기가 바다로 ~하였다 飞机坠落到海里 2 下降 xiàjiàng ¶권위가 ~하다 权威下降

추레-하다 형 寒酸 hánsuān; 穷酸 qióngsuān ¶추레한 스타일 寒酸的打扮

추론(推論) 명하타 推论 tuīlùn ¶고대 유물을 통해 고대인들의 삶을 ~하다 通过古代遗物而推论古代人的生活方式

추리(推理) 명하타 1 推理 tuīlǐ ¶~력 推理能力 / ~ 소설 推理小说 / 사건 현장의 증거를 통해 사건 정황을 ~하다 通过事件现场的证据而推理事件情况 2 〖論〗 推理 tuīlǐ ¶귀납 ~ 归纳推理

추리닝(←training) 명 运动服 yùndòngfú

추리다 타 挑出 tiāochū; 挑选 tiāoxuǎn; 选择 xuǎnzé; 摘出 zhāichū ¶적합한 방법을 ~ 选择适合的方法

추모(追慕) 명하타 追慕 zhuīmù ¶돌아가신 분을 ~하다 追慕死者

추방(追放) 명하타 1 驱除 qūchú ¶부패를 ~하다 驱除腐败 2 〖法〗 驱逐出境 qūzhúchūjìng

추산(推算) 명하자타 估计 gūjì; 估算 gūsuàn; 推测 tuīcè ¶산불의 피해액이 수천억 원으로 ~되었다 山火的损失额估计几千亿元

추상-적(抽象的) 관명 抽象的 chōuxiàngde ¶~이고 난해한 논조 抽象的、艰涩的论调

추상-화(抽象畵) 명 〖美〗 抽象画 chōuxiànghuà

추석(秋夕) 명 中秋节 Zhōngqiūjié = 한가위 ¶음력 팔월 십오일은 ~이다 阴历八月十五日是中秋节

추세(趨勢) 명 趋势 qūshì ¶세계적 ~ 世界的趋势

추수(秋收) 명하자타 〖農〗 秋收 qiūshōu = 가을걷이 ¶~ 감사절 秋收感恩节

추스르다 타 1 往上提 wǎngshàng tí ¶치마를 ~ 把裙子往上提 2 收拾 shōushí ¶감정을 ~ 收拾感情

추신(追伸 · 追申) 명하타 又及 yòují

~을 덧붙이다 附加又及

추앙(推仰) 명하타 推崇 tuīchóng; 推重 tuīzhòng ¶대중의 ~을 받다 受到大众的推崇

추어(鰍魚 · 鰌魚) 명 〖魚〗 = 미꾸라지1

추억(追憶) 명하타 回忆 huíyì; 追忆 zhuīyì ¶첫사랑을 ~하다 回忆初恋

추월(追越) 명하타 超车 chāochē ¶~ 금지 禁止超车

추위 명 寒寒 hánhán; 冷 lěng ¶~를 타다 怕冷

추잡-하다(醜雜—) 형 〔言行〕 丑陋 chǒulòu; 卑鄙 bēibǐ ¶추잡한 짓 丑陋的行径

추적(追跡) 명하타 1 跟踪 gēnzōng; 追踪 zhuīzōng ¶~자 追踪者 / 범인을 ~하다 跟踪犯人 2 追寻 zhuīxún ¶행방을 ~하다 追寻下落

추정(推定) 명하타 推定 tuīdìng

추종(追從) 명하타 1 尾随 wěisuí; 跟随 zhuīsuí 2 随波逐流 suíbōzhúliú

추진(推進) 명하타 促进 cùjìn; 前进 qiánjìn; 推动 tuīdòng; 推进 tuījìn ¶중점 · 사항 重点推进事项 / 과감한 개혁을 ~하다 推动果断的改革政策

추천(推薦) 명하타 举荐 jǔjiàn; 推荐 tuījiàn; 推举 tuījǔ ¶~ 도서 推荐图书 / ~서 推荐书 / 친구에게 ~ 하다 给朋友推荐

추첨(抽籤) 명하타 抽签 chōuqiān ¶~으로 결정하다 以抽签决定

추출(抽出) 명하타 抽出 chōuchū; 提取 tíqǔ ¶샘플을 ~하다 抽出样品

추측(推測) 명하타 推测 tuīcè; 推想 tuīxiǎng

추켜-세우다 1 竖立 shùlì; 竖起 shùqǐ ¶기를 ~ 把旗子竖起来 / 눈썹을 모두 ~하다 眉毛都竖起来了 2 '치켜세우다2'의 잘못

추켜-올리다 타 拔起 báqǐ; 举起 jǔqǐ; 提起 tíqǐ ¶양손을 ~ 举起两只手

추태(醜態) 명 丑态 chǒutài; 丑相 chǒuxiàng

추파(秋波) 명 秋波 qiūbō ¶~를 던지다 暗送秋波

추풍(秋風) 명 = 가을바람

추-하다(醜—) 형 丑行 chǒuxíng; 丑陋 chǒulòu

추행(醜行) 명하타 1 丑行 chǒuxíng 2 强奸 qiángjiān ¶어떤 주정꾼이 전철 안에서 여자를 ~했다 有个酒鬼在地铁上耍酒疯女人

추후(追後) 명 后 hòu; 以后 yǐhòu; 过后 guòhòu; 事后 shìhòu; 随后 suíhòu = 후(後)2 ¶~에야 비로소 알다 过后才知道 / ~에 다시 그를 찾아가 과后你再去找他

축 图 下垂 xiàchuí; 低垂 dīchuí ¶무력하게 ~ 늘어진 팔 无力下垂的手臂 / 버드나무 가지들이 수면 위에 ~ 늘어져 있다 一些柳枝低垂在水面上

축가(祝歌) 图 祝贺的歌儿 zhùhède gēr ¶~를 부르다 歌唱着祝贺的歌儿

축구(蹴球) 图 [體] 足球 zúqiú ¶~ 경기 足球比赛 / ~장 足球场

축구-공(蹴球一) 图 [體] 足球 zúqiú ¶~을 차다 踢足球 / ~이 네트 안으로 들어갔다 足球进网了

축-나다(縮一) 困 1 减少 jiǎnshǎo; 缺了 quēle; 缺少 quēshǎo; 少了 shǎole 2 消瘦 xiāoshòu

축배(祝杯) 图 祝酒 zhùjiǔ ¶승리를 기념하며 ~를 들다 为了纪念胜利祝酒

축복(祝福) 图하타 祝福 zhùfú ¶친구들의 ~ 속에서 결혼식을 올렸다 在朋友们的祝福里举行了婚礼

축사(祝辭) 图하자 贺词 hècí; 祝词 zhùcí; 祝辞 zhùcí ¶대통령의 새해 ~ 总统的新年贺词

축사(畜舍) 图 牲口棚 shēngkǒupéng

축산-업(畜産業) 图 畜牧业 xùmùyè; 养畜业 yǎngxùyè ¶~에 종사하다 从事畜牧业

축소(縮小) 图하타 缩减 suōjiǎn; 缩小 suōxiǎo ¶면적을 ~하다 缩减面积

축약(縮約) 图하타 缩略 suōlüè ¶이야기 줄거리를 ~하다 缩略故事情节

축이다 타 弄湿 nòngshī; 润 rùn ¶목을 ~ 润嗓子

축적(蓄積) 图하자타 积累 jīlěi; 积蓄 jīxù; 蓄积 xùjī ¶자금 ~ 资金积累 / 경험을 ~하다 积累经验

축제(祝祭) 图 庆典 qìngdiǎn ¶~를 열다 举行庆典

축조(築造) 图하타 建造 jiànzào; 修筑 xiūzhù; 筑造 zhùzào ¶성벽을 ~하다 筑造城墙

축축-하다 혱 潮湿 cháoshī; 湿漉漉 shīlùlù ¶축축한 공기 潮湿的空气

축하(祝賀) 图하타 道贺 dàohè; 庆贺 qìnghè; 祝贺 zhùhè ¶승진을 ~하다 祝贺晋升 / 생일을 ~하다 庆贺生日

춘계(春季) 图 春季 chūnjì; 春期 chūnqī

춘곤-증(春困症) 图 春困 chūnkùn

춘추(春秋) 图 1 春秋 chūnqiū 2 春秋 chūnqiū《对老年年纪的尊称》¶춘부장께선 ~가 어떻게 되셨나? 令尊的春秋多少?

춘풍(春風) 图 = 봄바람

춘하추동(春夏秋冬) 图 春夏秋冬 chūnxiàqiūdōng ¶이곳은 ~ 사계절이 뚜렷하다 这个地方春夏秋冬四季都很分明

출가(出家) 图하자 [佛] 出家 chūjiā ¶그는 깨달음을 얻고자 하는 뜻을 품고

출가(出嫁) 图하자 出嫁 chūjià ¶이씨의 둘째 딸이 ~했다 老李家的二女儿昨天出嫁了

출강(出講) 图하자 出讲课 chūjiǎngkè ¶지방으로 ~하다 到外地出讲课

출격(出擊) 图하자 出击 chūjī ¶~ 명령을 받다 接到出击命令

출결(出缺) 图 1 出席和缺席 chūxí hé quēxí 2 出勤和缺勤 chūqín hé quēqín

출고(出庫) 图하타 1 提货 tíhuò 2 上市 shàngshì ¶~ 가격 上市价格

출구(出口) 图 出口 chūkǒu ¶~는 오른쪽입니다 出口在右边

출국(出國) 图하자 出国 chūguó; 出境 chūjìng ¶~ 수속 出境手续

출근(出勤) 图하자 出勤 chūqín; 上班 shàngbān ¶전철을 타고 ~하다 坐地铁上班

출금(出金) 图하자타 取款 qǔkuǎn ¶현금 인출기에서 5백 위안을 ~했다 从自动取款机取款了五百块

출납(出納) 图하타 出纳 chūnà ¶~원 出纳员

출동(出動) 图하자 出动 chūdòng

출두(出頭) 图하자 出面 chūmiàn; 出头 chūtóu ¶그가 ~하여 그 일을 해결하였다 他出面解决了那件事情

출렁-거리다 困 1 荡漾 dàngyàng ¶푸른 물결 출렁거리는 바다 碧波荡漾的大海 2 心潮澎湃 xīncháopéngpài ¶그녀는 그를 보자마자 가슴이 출렁거렸다 她一看他就心潮澎湃 ‖ = 출렁 출렁-출렁 [부][의성]

출력(出力) 图하타 [컴] 输出 shūchū

출루(出壘) 图하자 [體] (棒球) 出垒 chūlěi

출마(出馬) 图하자 出马 chūmǎ ¶그는 이번 국회 의원 선거에 ~했다 他出马了这次国会会员选举

출몰(出沒) 图하자 出没 chūmò ¶왜적의 ~ 倭敌的出没 / 저곳은 자주 귀신이 ~한다 那个地方经常有鬼魂出没

출발(出發) 图하자 1 出发 chūfā ¶~지점 出发地点 / 오후 6시에 ~한다 下午六点出发 2 起步 qǐbù; 开始 kāishǐ ¶새로운 인생의 ~ 新鲜的人生的起步

출연(出演) 图하자 外出拍照 wàichū pāizhào

출산(出産) 图하타 = 해산(解産) ¶~의 기쁨 出产的欢喜

출산 휴가(出産休暇) [法] 产假 chǎnjià

출생(出生) 图하자 出生 chūshēng ¶~의 신비 出生的神秘 / ~ 신고 出生登记 = [出生申报]

출석(出席) 명하자 出席 chūxí ¶회의
에 ~하다 出席会议

출세(出世) 명하자 出世 chūshì 《出仕
做官, 立身成名》

출소(出所) 명 出狱 chūyù

출시(出市) 명하타 上市 shàngshì ¶
신제품이 ~되다 新商品上市

출신(出身) 명 出身 chūshēn ¶프롤레
타리아 ~ 无产阶级出身 / 양반 ~ 两
班出身 / 그는 노동자 ~이다 他的出
身是工人

출연(出演) 명하자 1 扮演 bànyǎn; 表
演 biǎoyǎn; 演出 yǎnchū; 出演 chū-
yǎn; 出场 chūchǎng ¶~자 表演者 =
[演出者] / 우표 出场费 =[片酬] / 우
정·友情出演 / 영화에 ~하다 出演
电影

출입(出入) 명하자타 出入 chūrù; 进
出 jìnchū ¶~구 出入口 / 국 出入
境 / ~이 잦다 出入频繁 / 이 문으로
~하다 从这个门出入

출장(出張) 명하자 出差 chūchāi ¶지
방으로 ~을 가다 出差去地方

출전(出典) 명 出典 chūdiǎn; 出处 chū-
chù

출전(出戰) 명하자 出战 chūzhàn; 上
阵 shàngzhèn ¶이번 월드컵에 ~하다
出战此次世界杯赛

출제(出題) 명하자 出题 chūtí; 命题
mìngtí ¶시험 대강의 범위 안에서 ~
하다 在考试大纲的范围内出题 / 10개
문제를 ~하였다 出了十道题

출중-하다(出衆—) 형 出众 chūzhòng;
与众不同 yǔzhòngbùtóng ¶출중한 인
물 出众的人物 **출중-히** 부

출처(出處) 명 出处 chūchù; 来源 lái-
yuán ¶전고의 ~ 典故的出处 / ~를
밝히다 标明出处

출출-하다 형 饿 è ¶배가 출출하니
뭘 좀 먹자 肚子饿, 吃东西吧

출토(出土) 명하자타 出土 chūtǔ ¶~
品 出土品 / 수많은 도자기가 ~되었
다 出土了大量的陶瓷

출·퇴근(出退勤) 명하자 上下班 shàng-
xiàbān; 上班和下班 shàngbān hé xià-
bān ¶러시아워 上班下班尖峰 / 지하
철을 타고 ~하다 乘坐地铁上下班

출판(出版) 명하타 出版 chūbǎn ¶~
사 出版社 / 그림책을 ~하다 出版画
册

출품(出品) 명하자타 展出产品 zhǎn-
chū chǎnpǐn; 展出作品 zhǎnchū zuòpǐn
¶전시장에 ~하다 在展厅里展出作品

출하(出荷) 명하타 出货 chūhuò; 发
货 fāhuò ¶~ 가격 发货价格

출항(出航) 명하자 出航 chūháng ¶배
가 항구에서 ~하다 船只从港口出航 /
비행기가 ~하다 飞机出航了

출현(出現) 명하자 出现 chūxiàn ¶영
웅의 ~ 英雄的出现

출혈(出血) 명하자 1 出血 chūxuè; 流
血 liúxuè ¶내~ 内出血 2 亏本 kuī-
běn; 赔本 péiběn; 损失 sǔnshī ¶
판매 亏本出售 / 자본이 더 이상 ~되
는 것을 막아야 한다 要阻挡资本更加
的损失

춤 명 舞 wǔ; 舞蹈 wǔdǎo ¶~을 추다
跳舞

춤-곡(一曲) 명 〖音〗 舞曲 wǔqǔ =
舞曲·舞蹈曲

춤-추다 자 跳舞 tiàowǔ ¶노래를 부
르며 ~ 边唱歌边跳舞

춥다 형 冷 lěng; 寒冷 hánlěng ¶날씨
가 매우 ~ 天气很冷

충격(衝擊) 명 1 冲击力 chōngjīlì 2 (精
神上) 冲动 chōngdòng; 打击 dǎjī; 震
动 zhèndòng ¶~을 받다 受到冲击 /
~을 주다 给予打击

충격-적(衝擊的) 관형 令人震惊 lìng-
rénzhènjīng; 激动人心 jīdòngrénxīn ¶
~인 소식 激动人心的消息 / ~인 사
건 令人震惊的事件

충고(忠告) 명하자타 劝 quàn; 劝告
quàngào; 劝诫 quànjiè; 忠告 zhōng-
gào; 忠言 zhōngyán ¶~를 받다 接受
忠告 / 그가 열심히 공부하도록 ~하다
劝告他好好学习

충당(充當) 명하타 补充 bǔchōng; 充
chōng ¶이 돈을 여비로 ~하다 这钱
补充旅费

충돌(衝突) 명하자 1 碰 pèng; 撞
zhuàng; 碰撞 pèngzhuàng ¶두 대의 자
동차가 서로 ~하다 两辆汽车彼此碰
撞 2 冲突 chōngtū ¶의견 ~ 意见冲突

충동(衝動) 명하타 冲动 chōngdòng;
感触 gǎnchù; 激动 jīdòng ¶~구매 冲
动购买 / ~을 느끼다 感到激动

충만(充滿) 명하자형부 充满 chōng
mǎn; 满怀 mǎnhuái ¶사랑이 ~하다
充满爱意

충분-조건(充分條件) 명 〖論〗 充分条
件 chōngfèn tiáojiàn

충분-하다(充分—) 형 充分 chōngfèn;
充足 chōngzú; 十足 shízú; 足够 zúgòu
¶세 시간이면 ~ 三个小时就足够 **충
분-히** 부 ~ 이해하다 充分理解

충성(忠誠) 명하자 忠诚 zhōngchéng;
诚心诚意 chéngxīnchéngyì; 尽心尽力
jìnxīnjìnlì ¶충성된 마음 忠诚的心灵
=[忠心] / 국가에 ~하다 对国家忠诚

충성-스럽다(忠誠—) 형 忠诚 zhōng-
chéng; 诚心诚意 chéngxīnchéngyì; 尽
心尽力 jìnxīnjìnlì ¶충성스러운 신하
忠诚的臣下 **충성스레** 부

충신(忠臣) 명 忠臣 zhōngchén ¶~열
사 忠臣烈士

충실(充實) 명하형히부 充实 chōngshí ¶내용이 ~하다 内容充实

충실(忠實) 명하형히부 忠实 zhōngshí ¶가정에 ~하다 忠实于家庭 / ~히 모시다 忠实地侍奉

충언(忠言) 명하자타 忠言 zhōngyán ¶~은 귀에 거슬린다 忠言逆耳

충원(充員) 명 补充人员 bǔchōng rényuán

충전(充電) 명하자타 1 『物』充电 chōngdiàn ¶~기 充电器 / 휴대폰이 ~되었다 手机充电完了 2 充电 chōngdiàn ¶많이 쉬고 몸을 ~해야 한다 要多休息给身体充电

충전(充塡) 명 1 充填 chōngtián; 填补 tiánbǔ; 填充 tiánchōng; 装填 zhuāngtián ¶수소를 ~하다 填充氢气 2 充 chōng ¶교통 카드를 ~하다 充公交卡

충족(充足) 명하타형히부 1 充足 chōngzú; 满足 mǎnzú ¶욕구가 ~되다 满足欲求 / 생활의 수요를 ~하다 满足生活需要 2 富裕 fùyù; 富足 fùzú ¶~한 생활 富足的生活

충직(忠直) 명하형 忠直 zhōngzhí ¶주인에게 ~한 하인 对主人忠直的仆人

충치(蟲齒) 명 蛀齿 zhùchǐ; 龋齿 qǔchǐ

췌:**장**(膵臟) 명 『生』胰 yí; 胰腺 yíxiàn; 胰脏 yízàng ¶~암 胰腺癌 / ~액 胰液 / ~염 胰腺炎

취:**객**(醉客) 명 醉鬼 zuìguǐ; 酒客 jiǔkè

취:**급**(取扱) 명하타 1 办理 bànlǐ; 处理 chǔlǐ; 管理 guǎnlǐ ¶문제의 ~ 问题的处理 / 이 회사는 위생 용품을 ~한다 这家公司管理卫生用品 2 对待 duìdài; 看待 kàndài ¶역적으로 ~하다 当叛徒看待

취:**기**(醉氣) 명 酒气 jiǔqì; 醉气 zuìqì ¶애주가의 ~ 酒仙的醉气

취:**득**(取得) 명하타 获得 huòdé; 取得 qǔdé ¶운전 면허증을 ~하다 取得驾驶执照

취:**득**-**세**(取得稅) 명 『法』购置税 gòuzhìshuì

취:**미**(趣味) 명 爱好 àihào; 趣味 qùwèi; 兴趣 xìngqù ¶내 ~는 등산이다 我的爱好是爬山

취:**사**(炊事) 명하자 炊事 chuīshì; 做饭 zuòfàn ¶~도구 炊事用具 / ~병 炊事兵

취:**사**(取捨) 명하타 取舍 qǔshě ¶~선택 取舍选择

취:**소**(取消) 명하타 撤销 chèxiāo; 取消 qǔxiāo ¶공연이 ~되다 演出被取消 / 주문을 ~하다 取消订单 / 계약을 ~하다 撤销合同

취:**약**(脆弱) 명하형 脆弱 cuìruò; 软弱 ruǎnruò ¶~점을 보완하다 完善脆弱点

취:**업**(就業) 명하자 = 취직 ¶~률 就业率 / ~할 만한 자리를 찾다 寻找可以就业的岗位

취:**임**(就任) 명하자 到职 dàozhí; 就职 jiùzhí; 就任 jiùrèn ¶~식 就职典礼=[就职仪式] / ~ 연설 就职演讲 / 새로 ~한 부장 新就职的部长

취:**재**(取材) 명하타 采访 cǎifǎng ¶~기자 采访记者 / 관심이 있는 문제에 대하여 ~하다 就关心的问题进行采访

취:**조**(取調) 명하타 拷问 kǎowèn; 审问 shěnwèn; 审讯 shěnxùn ¶용의자를 ~하다 审问嫌疑人

취:**지**(趣旨) 명 主旨 zhǔzhǐ; 宗旨 zōngzhǐ ¶글의 ~ 文章的宗旨

취:**직**(就職) 명하자 就业 jiùyè = 취업 ¶~난 就业难

취:**침**(就寢) 명하자 就寝 jiùqǐn; 入睡 rùshuì ¶일찍 ~하다 早早就寝

취:**하**(取下) 명하타 取消 qǔxiāo; 撤销 chèxiāo ¶소송을 ~ 하다 撤消诉讼

취:**-하다**(取一) 타 采用 cǎiyòng; 采取 cǎiqǔ; 取 qǔ; 取得 qǔdé ¶좋은 성적을 ~ 取得好成绩 / 효과적인 방법을 ~ 采用高效的方法 / 적극적인 태도를 ~ 采取积极的态度

취:**-하다**(醉一) 자 1 陶醉 táozuì; 醉 zuì ¶술에 ~ 喝醉酒 / 사랑에 ~ 陶醉在爱情之中 2 迷住 mízhù; 入迷 rùmí; 入神 rùshén ¶책에 ~ 看书看入了迷 / 음악에 ~ 听音乐听得入了迷

취:**학**(就學) 명하자 就学 jiùxué; 入学 rùxué; 上学 shàngxué ¶~ 연령이 된 어린이들이 모두 ~하다 达到入学年龄孩子全部上学

취:**합**(聚合) 명하타 聚合 jùhé ¶재료를 ~하다 聚合材料

취:**향**(趣向) 명 情趣 qíngqù; 志趣 zhìqù ¶~이 같다 情趣相同

측(側) 의명 侧 cè; 方 fāng ¶우리 ~ 我方

측량(測量) 명하타 测 cè; 测量 cèliáng; 丈量 zhàngliáng ¶~기 测量仪 / 산의 높이를 ~하다 测量山的高度

측면(側面) 명 1 = 옆면 ¶~ 촬영 侧面摄影 / ~에서 공격하다 从侧面打击 2 一面 yīmiàn; 方面 fāngmiàn; 角度 jiǎodù ¶소극적 ~ 消极的一面 / 여러 ~으로 생각하다 从几个角度考虑

측은(惻隱) 명하형히부 不忍之心 bùrěnzhīxīn; 恻隐 cèyǐn; 怜悯 liánmǐn; 同情 tóngqíng ¶~한 생각이 들다 生恻隐之情 / ~히 지켜보다 怜悯地注视

측은지심(惻隱之心) 명 恻隐之心 cè

yǐnzhīxīn ¶사람의 ~을 불러일으키다 激起别人的恻隐之心

측정(測定) 〔명〕〔하타〕测定 cèdìng; 测量 cèliàng ¶~값 测量值 / 강의 폭을 ~하다 测定江河的宽度 / 혈압을 ~하다 测量血压

층(層) 〔명〕 1 层 céng ¶대기~ 大气层 / 이 건물은 15~이다 这座楼有十五层 2 = 계층 〔명〕상~ 上层

층계(層階) 〔명〕 阶梯 jiētī; 楼梯 lóutī ¶~를 내려오다 走下楼梯

층-지다(層─) 〔자〕 1 参差不齐 cēncībùqí 2 有差别 yǒuchābié

층층-이(層層─) 〔부〕 1 层层 céngcéng; 每层 měicéng ¶~ 다 전등불이 환하다 每层楼都灯火辉煌 2 一叠一叠 yīdiéyīdié ¶옷장 안에는 반드시 갠 옷들이 ~ 쌓여 있다 衣柜里放着一叠一叠的衣服

치 〔의명〕 份 fèn ¶이틀 ~ 两天的份

치고-받다 〔자〕 互殴 hùōu ¶그녀가 남편과 ~ 她和丈夫互殴 / 친구들끼리 치고받고 싸우다 朋友之间相互殴打

치골(恥骨) 〔명〕〔生〕耻骨 chǐgǔ

치과(齒科) 〔명〕〔醫〕牙科 yákē

치과-의(齒科醫) 〔명〕牙科医生 yákē yīshēng ¶牙医 yáyī ¶~에게 진료를 받다 得到牙科医生的诊治

치국(治國) 〔명〕〔하자〕治国 zhìguó

치근덕-거리다 〔자타〕 纠缠 jiūchán = 치근덕대다 ¶그 아이는 항상 어머니에게 치근덕거린 다 那个孩子总是纠缠着妈妈

치다¹ 〔자〕 1 (雨、雪、风、霜) 刮 guā; 卷 juǎn; 下 xià ¶빗발이 ~ 下大雨 / 눈보라가 ~ 刮大风雪 2 荡 dàng; 翻滚 fāngǔn ¶물결이 ~ 波浪翻滚 3 打 dǎ ¶천둥이 ~ 打雷

치다² 〔타〕 1 抽打 chōudǎ; 打 dǎ; 揍 zòu ¶볼기를 ~ 打屁股 / 절떡을 ~ 打糯米糕 2 击 jī; 擂 léi; 拍 pāi; 敲 qiāo; 敲打 qiāodǎ; 弹 tán; 鼓 gǔ ¶피아노를 ~ 弹钢琴 / 북을 ~ 敲鼓 / 손뼉을 ~ 鼓掌 ¶천둥이 ~; 攻打 gōngdǎ; 击 jī; 讨伐 tǎofá ¶적을 ~ 打击敌人 4 打 dǎ ¶탁구를 ~ 打乒乓球 5 (通讯) 打 dǎ; 拍 pāi ¶전보를 ~ 拍电报 6 甩动 shāndòng; 摇 yáo ¶꼬리를 ~ 摇尾巴 7 过 guò; 沙 shà; 筛 shāi ¶모래를 ~ 筛沙子 8 割 gē; 砍 kǎn ¶풀을 ~ 割草 / 목을 ~ 砍脖子 9 撒 sǎ; 上 shàng; 施 shī ¶물을 ~ 撒水 / 기계에 기름을 ~ 给机器上油 10 放 fàng; 搁 gē ¶식초를 ~ 放酱油 / 식초를 ~ 放醋 11 钉 dìng ¶못을 ~ 钉钉子 12 画 huà ¶줄을 ~ 画线 13 估价 gūjià; 计算 jìsuàn; 算 suàn ¶하루에 10페이지씩 읽는다고 쳐도 열흘이면 다 읽을

수 있다 就算一天读十页，十天也能读完 14 凡是 fánshì; 无论 wúlùn ¶우리 학교 학생치고 그를 모르는 사람이 없다 凡是我们学校的学生，没有不认识他的 15 算 suàn; 占 zhān ¶점을 ~ 占卜 16 骗 piàn ¶그가 친구에게 사기를 ~ 他给朋友骗了 17 考 kǎo ¶시험을 ~ 考试

치다³ 〔타〕 1 挂 guà ¶문발을 ~ 挂门帘 2 放 fàng; 撒 sǎ ¶그물을 ~ 撒网 3 搭 dā; 搭盖 dāgài; 张搭 zhāngdā; 支 zhī ¶천막을 ~ 搭帐篷 4 砌 qì ¶울타리를 ~ 砌围墙 5 布치 bùxià; 摆开 bǎikāi ¶경비진을 ~ 布下警戒网 6 拉上 lāshàng; 牵上 qiānshàng ¶철망을 ~ 拉上铁丝网 7 结 jié ¶거미줄을 ~ 结蜘蛛网 8 缠 chán; 打 dǎ; 围 wéi ¶병풍을 ~ 围屏风

치다⁴ 〔타〕 繁殖 fánzhí; 生 shēng; 孵 fū ¶새끼를 ~ 生崽子 / 가지를 ~ 生枝

치다⁵ 〔타〕 撞 zhuàng ¶차가 사람을 ~ 汽车撞人

치료(治療) 〔명〕〔하타〕治疗 zhìliáo; 治 zhì; 疗 liáo ¶~효과 疗效 / ~법 治疗法 / 질병을 ~하다 治疗疾病

치루다 〔타〕 '치르다'의 错误

치르다 〔타〕 1 付 fù; 付出 fùchū; 交付 jiāofù ¶밥값을 ~ 支付饭费 2 考 kǎo ¶시험을 ~ 考试 3 办 bàn; 治 zhì ¶상을 ~ 治丧 / 일을 ~ 办事

치마 〔명〕 裙子 qúnzi; 裙 qún ¶주름~ 百褶裙 / 나는 입다 穿裙子

치매(癡呆) 〔명〕〔하형〕〔醫〕痴呆 chīdāi; 痴呆症 chīdāizhèng ¶노인성 ~ 老年性痴呆 / 환자 痴呆症患者

치-명(致命) 〔명〕〔하자〕致命 zhìmìng ¶~타 致命打 / ~상 致命伤

치-명-적(致命的) 〔관명〕致命的(的) zhìmìng(de) ¶~인 오류 致命的错误

치밀-하다(致密) 〔형〕精细 jīngxì; 细致 xìzhì; 周密 zhōumì ¶치밀한 분석 细致的分析 **치밀-히** 〔부〕 ¶~ 연구한 후 계획을 짜다 经过周密研究后制定计划

치부(恥部) 〔명〕可耻的事情 kěchǐde shìqíng; 羞耻的部分 xiūchǐde bùfen ¶그것은 그에게 ~이다 这对他来说是可耻的事情

치-부(置簿) 〔명〕〔하자타〕 1 记帐 jìzhàng ¶장부를 만들어 ~하다 立帐簿记帐 2 认为 rènwéi ¶사람들은 그를 겁쟁이로 ~한다 人们认为他是胆小鬼

치사-량(致死量) 〔명〕〔藥〕致死量 zhìsǐliàng

치사-하다(恥事─) 〔형〕肮脏 āngzang; 卑鄙 bēibǐ; 卑劣 bēiliè; 不要脸 bùyàoliǎn; 厚脸皮 hòuliǎnpí; 可耻 kěchǐ;

下流 xiàliú ¶그 여자는 극도로 치사했다 那个女人不要脸到了极点

치석(齒石) 명 【醫】齿垢 chǐgòu; 齿石 chǐshí; 牙垢 yágòu; 牙石 yáshí

치-솟다 재 **1** 冲上 chōngshàng; 往上冒 wǎngshàngmào; 蹿 zuān ¶불꽃이 하늘까지 ~ 火焰蹿到空中 / 파도가 높이 ~ 波浪蹿得老高 **2** 涌 yǒng ¶분노가 ~ 怒气涌了上来

치수(一數) 명 长短 chángduǎn; 尺码(儿) chǐmǎ(r); 尺寸 chǐcun; 寸 cùn ¶~를 재다 量尺寸

치아(齒牙) 명 牙齿 yáchǐ ¶~ 마모증 牙齿磨耗症 / ~의 교합 牙齿咬合

치안(治安) 명 治安 zhì'ān ¶~을 유지하다 维持治安

치약(齒藥) 명 牙膏 yágāo ¶~을 짜다 挤牙膏

치어-걸(cheer girl) 명 女拉拉队员 nǚlālāduìyuán

치어-리더(cheer leader) 명 拉拉队长 lālāduìzhǎng

치열(熾烈) 명하형 炽烈 chìliè; 激烈 jīliè ¶~한 전투 激烈的战斗 / 경쟁이 ~하다 竞争激烈

치욕(恥辱) 명 耻辱 chǐrǔ; 羞耻 xiūchǐ ¶그녀를 ~스럽게 한 일 一件令她羞耻的事 / ~에 휩싸이다 蒙受耻辱

치우다 타 **1** 放 fàng; 搁 gē; 搬 bān ¶화장품을 서랍으로 ~ 把化妆品放进抽屉里 **2** 收拾 shōushi; 整顿 zhěngdùn ¶방을 ~ 收拾房间 / 책상을 ~ 收拾书桌

치우-치다 재 偏 piān; 倾斜 qīngxié; 偏重 piānzhòng ¶왼쪽으로 ~ 朝左侧倾斜 / 한쪽으로 ~ 偏重一面

치유(治癒) 명하타 痊愈 quányù; 治愈 zhìyù ¶상처를 ~하다 痊愈伤口

치은(齒齦) 명 【生】 = 잇몸

치-이다¹ 재 被纠缠 bèijiūchán; 缠缠 chán ¶잡다한 일에 ～ 琐事缠身 / 이상한 남자에 ～ 被奇怪的男人纠缠

치-이다² 재 被碾 bèiniǎn; 被撞 bèizhuàng (‘치다⁵'의 被动词) ¶자동차에 ~ 被车撞了

치장(治粧) 명하타 打扮 dǎban; 化装 huàzhuāng; 装扮 zhuāngbàn; 妆点 zhuāngdiǎn; 装饰 zhuāngshì; 收拾 zhuāngshi ¶예쁘게 ~하다 打扮得漂漂亮亮

치ː중(置重) 명하재 侧重 cèzhòng ¶형식에 ~하다 侧重于形式

치즈(cheese) 명 干酪 gānlào; 乳酪 rǔlào ¶~를 빵에 바르다 把乳酪抹在面包上

치질(痔疾) 명 【醫】 痔疮 zhìchuāng

치켜-뜨다 타 瞪 dèng ¶눈을 ~ 瞪

眼

치켜-세우다 타 **1** 竖起来 shùqǐlái ¶코트의 깃을 ~ 把外套的领子竖起来 **2** 夸奖 kuājiǎng

치킨(chicken) 명 = 닭튀김

치통(齒痛) 명 【醫】齿痛 chǐtòng; 齿疼 chǐténg; 牙疼 yáténg; 牙痛 yátòng ¶이앓이

치:환(置換) 명하타 【數】代换 dàihuàn; 代入 dàirù; 置换 zhìhuàn ¶숫자를 ~하다 置换数字

칙칙-폭폭 🐟 (火车)空空咣咣 kōngkōngguāngguāng ¶기차가 ~ 전진하다 火车空空咣咣地前进

칙칙-하다 형 灰暗 fā'àn; 黑暗 hēi'àn ¶칙칙한 색깔 发暗的颜色

친-(親) 접두 **1** 亲 qīn ¶~부모 亲生父母 / ~형제 亲兄弟 / ~언니 亲姐姐 / ~형 亲哥哥 / ~남매 亲姐弟 = [亲兄妹] **2** 亲 qīn ¶~할아버지 亲爷爷 / ~삼촌 亲叔叔 **3** 亲 qīn; 亲自 qīnzì ¶~필 亲笔 / ~서 亲笔信

친구(親舊) 명 **1** 好友 hǎoyǒu; 朋友 péngyou ¶오랜 ~ 老朋友 / 친한 ~ 亲密的朋友 **2** 亲伙 jiāhuo

친구 따라[친해] 강남 간다 속담 跟风随大流

친근-하다(親近一) 형 亲近 qīnjìn; 亲密 qīnmì **친근-히** 🐟 ~ 지내다 过得很亲密

친모(親母) 명 = 친어머니

친목(親睦) 명하형 和睦 hémù; 亲睦 qīnmù ¶~을 도모하다 谋求亲睦

친밀(親密) 명하형 亲近 qīnjìn; 亲密 qīnmì ¶~한 관계 亲密的关系 / 그들은 아주 ~하다 他们非常亲密 / ~감이 생기다 萌生亲密感

친부(親父) 명 = 친아버지

친분(親分) 명 交情 jiāoqing; 友谊 yǒuyì ¶~을 맺다 结交情 = [结交] / ~이 두텁다 交情深厚

친선(親善) 명하형 亲善 qīnshàn; 友好 yǒuhǎo; 友谊 yǒuyì ¶~ 경기 友谊赛 / ~을 도모하다 谋求友好

친속(親屬) 명 = 친족1

친숙(親熟) 명하형 亲密 qīnmì; 熟识 shúshí ¶~한 사이 亲密关系

친-아버지(親一) 명 生父 shēngfù = 생부·친부

친애(親愛) 명하형 亲爱 qīn'ài ¶~하는 친구 여러분! 亲爱的朋友们!

친-어머니(親一) 명 生母 shēngmǔ = 생모·친모

친일-파(親日派) 명 亲日派 qīnrìpài ¶~를 처단하다 处决亲日派

친자(親子) 명 = 친자식

친-자식(親子息) 명 亲生儿女 qīnshēng érnǚ; 亲子女 qīnzǐnǚ = 친자

친절(親切) 〔명〕〔하형〕〔히부〕 亲切 qīnqiè; 殷勤 yīnqín ¶그녀는 ~하다 她为人亲切 / 손님을 ~하게 대한다 对待客人极殷勤

친정(親庭) 〔명〕 娘家 niángjiā ¶~ 식구 娘家人 / ~에 가다 走娘家

친족(親族) 〔명〕 **1** 亲族 qīnzú = 亲속 **2** 〔法〕 亲属 qīnshǔ ¶직계 ~ 直系亲属 / 방계 ~ 旁系亲属

친척(親戚) 〔명〕 亲戚 qīnqi

친친 〔부〕 紧紧 jǐnjǐn; 牢牢 láoláo 《缠绕的样子》 칭칭 ¶붕대로 상처를 ~ 동여매다 用细带紧紧地把伤口包扎起来

친-하다(親—) 〔형〕 亲近 qīnjìn; 亲密 qīnmì ¶친한 친구 亲密的朋友 / 그들 둘은 매우 ~ 他们两人很亲密

친히(親—) 〔부〕 亲 몸소 ¶~ 가르치다 亲自教导

칠(七) 〔수관〕 七 qī; 第七 dìqī ¶~ 개월 七个月 / ~ 년 七年 / ~ 미터 七米

칠(漆) 〔명〕〔하타〕 **1** 옻칠 漆 qī; 漆 shàng; 涂 tú; 刷 shuā ¶도료를 ~하다 刷涂料 / 예쁘게 ~을 하다 刷得很漂亮

칠순(七旬) 〔명〕 七十岁 qīshísuì; 七旬 qīxún ¶~ 잔치 七旬宴会 / ~이 된 늙은이 已经七十岁的老人

칠십(七十) 〔수관〕 七十 qīshí

칠월(七月) 〔명〕 七月 qīyuè

칠전팔기(七顚八起) 〔명〕〔하자〕 七颠八起 qīdiānbāqǐ; 百折不挠 bǎizhébùnáo

칠칠-맞다 〔형〕 利落 lìluo; 利索 lìsuo ¶행동거지가 칠칠맞지 못하다 举止不利落

칠판(漆板) 〔명〕 黑板 hēibǎn = 흑판 ¶~지우개 黑板擦子 / 분필로 ~에 글자를 쓰다 用粉笔在黑板上写字

칠흑(漆黑) 〔명〕 漆黑 qīhēi; 漆黑一团 qīhēiyītuán ¶~ 같은 어둠 漆黑一团的黑暗

침 〔명〕〔生〕 唾液 tuòyè; 口水 kǒushuǐ; 唾沫 tuòmo = 타액 ¶~을 뱉다 吐唾液

침 발린 말 〔숙담〕 甜言蜜语; 花言巧语

침(을) 삼키다〔흘리다〕 〔구〕 垂涎三尺; 馋涎欲滴

침이 마르다 〔구〕 赞不绝口

침(針) 〔명〕 **1** 바늘 2 ¶침 2 ¶〔植〕 = 가시4

침(鍼) 〔명〕〔韓醫〕 (针灸用的)针 zhēn ¶~을 놓다 打针

침(侵攻) 〔명〕〔하타〕 侵略攻击 qīnlüè; 入侵 rùqīn ¶적들의 ~ 敌人的入侵 / 남의 나라를 ~하다 入侵别人的国家

침:구(寢具) 〔명〕 寝具 qīnjù ¶일인용

침:대(寢臺) 〔명〕 床 chuáng ¶일인용 ~ 单人床 / ~ 시트 床单 / ~ 하나를 사다 买一张床

침:략(侵略) 〔명〕〔하타〕 侵犯 qīnfàn; 侵略 qīnlüè; 侵吞 qīntūn ¶다른 나라의 수도를 ~하다 侵略别国的首都

침몰(沈沒) 〔명〕〔하자〕 沉没 chénmò; 没没 tūnmò; 陷没 xiànmò; 淹没 yānmò ¶어선이 바다에 ~하다 渔船沉没在大海里

침묵(沈默) 〔명〕〔하자〕 不做声 bùzuòshēng; 沉默 chénmò; 静默 jìngmò; 吞声 tūnshēng; 哑默 yǎmò ¶~시위 沉默示威 / 그는 ~했다 他沉默不语

침:범(侵犯) 〔명〕〔하타〕 侵犯 qīnfàn ¶이웃 나라를 ~하다 侵犯邻国 / 사생활을 ~하다 侵犯私人生活

침-샘 〔명〕〔生〕 唾液腺 tuòyèxiàn

침:수(浸水) 〔명〕 浸水 jìnshuǐ; 水涝 shuǐlào ¶~지 浸水地 / 집이 ~되다 房子浸水

침:식(浸蝕) 〔명〕〔하자〕〔地理〕 浸蚀 jìnshí ¶빙하 ~ 冰河浸蚀

침:식(侵蝕) 〔명〕〔하타〕 侵蚀 qīnshí ¶외래문화가 전통문화를 ~하다 外来文化侵蚀传统文化

침:실(寢室) 〔명〕 寝室 qīnshì; 卧房 wòfáng; 卧室 wòshì = 동방(洞房)1

침울-하다(沈鬱—) 〔형〕 忧郁 yōuyù ¶마음이 ~ 心情忧郁 **침울-히** 〔부〕 ~ 대답하다 忧郁地回答

침:입(侵入) 〔명〕〔자타〕 窜犯 cuànfàn; 侵入 qīnrù; 入侵 rùqīn ¶세균 ~ 细菌侵入 / 다른 나라의 영토를 ~하다 侵入别国的领土

침전(沈澱) 〔명〕〔하자〕 沉淀 chéndiàn ¶물에 있는 모래가 ~하다 沉淀水里的砂子

침착[1](沈着) 〔명〕〔하형〕〔히부〕 安静 ānjìng; 安稳 ānwěn; 沉着 chénwěn; 沉着 chénzhuó; 从容 cóngróng; 慢条斯理 màntiáosīlǐ; 镇定 zhèndìng; 镇静 zhènjìng ¶표정이 ~하다 表情沉着 ¶~하게 행동하다 举止沉着

침착[2](沈着) 〔명〕〔하자〕〔醫〕 (色素)沉着 chénzhuó ¶색소가 ~하다 色素沉着

침체(沈滯) 〔명〕〔하자〕 呆滞 dāizhì; 停滞 tíngzhì ¶~기 停滞期 / 경제의 ~ 经济的停滞 / 교통이 ~되다 交通停滞

침침-하다(沈沈—) 〔형〕 **1** 暗 àn; 阴沉 yīnchén; 昏暗 hūn'àn ¶방 안이 ~ 房间里昏暗 **2** (眼睛) 模糊 móhu ¶눈이 ~ 眼睛模糊

침:탈(侵奪) 〔명〕〔하타〕 掠夺 lüèduó; 侵夺 qīnduó ¶남의 재물을 ~하다 掠夺别人的财物

침통(沈痛) 〔명〕〔하형〕〔히부〕 沉痛 chéntòng ¶~한 마음 沉痛的心情

침:투(浸透) 〔명〕 浸透 jìntòu; 渗透

shèntòu ¶~ 작전 渗透作战 / 물에 ~
된 수건 被水浸透的毛巾

침팬지(chimpanzee) 뗑 【動】黑猩
猩 hēixīngxing

침:해(侵害) 뗑하타 侵犯 qīnfàn; 侵
害 qīnhài ¶인권을 ~하다 侵犯人权

칩거(蟄居) 뗑하자 蟄居 zhéjū ¶~ 생
활 蟄居生活 / 산에서 ~하다 蟄居山
中

칫-솔(齒一) 뗑 牙刷 yáshuā ¶자동
~ 自動牙刷

칫솔-질(齒一) 뗑하자 刷牙 shuāyá ¶
칫솔로 ~을 하다 用牙刷刷牙

칭송(稱頌) 뗑하타 称颂 chēngsòng;
称赞 chēngzàn; 颂扬 sòngyáng; 誉
yù; 赞颂 zànsòng; 赞扬 zànyáng ¶~

이 자자하다 称赞不绝 / 그의 용감함
을 ~하다 赞扬他的勇敢

칭얼-거리다 짜 (小孩) 哭闹 kūnào
= 칭얼대다 ¶사탕을 사달라고 ~ 哭
闹着要买糖

칭찬(稱讚) 뗑하타 称赞 chēngzàn ¶선
생님은 그가 열심히 공부한다고 ~하
셨다 老师称赞他认真学习

칭칭 틧 = 친친 ¶~ 묶다 绑得牢牢
的

칭-하다(稱一) 타 称 chēng; 称为
chēngwéi; 叫做 jiàozuò ¶황제로 ~ 称
帝

칭호(稱號) 뗑 称号 chēnghào ¶그는
영웅 ~를 받았다 他获得了英雄的称
号

카나리아(canaria) 뗑 【鳥】金丝雀 jīnsīquè

카네이션(carnation) 뗑 【植】康乃馨 kāngnǎixīn

카누(canoe) 뗑 划艇 huátǐng; 皮划艇 píhuátǐng; 独木舟 dúmùzhōu

카니발(carnival) 뗑 【宗】狂欢节 kuánghuānjié

카드(card) 뗑 1 卡片 kǎpiàn; 卡 卡 ¶ 생일 ~ 生日卡 / 크리스마스 ~ 圣诞 卡 / ~를 보내다 送卡片 2 卡 kǎ ¶ 진 찰 ~ 病历卡 / 신용 ~ 信用卡 / ~를 긁다 刷卡 3 纸牌 zhǐpái; 扑克牌 pū-kèpái ¶ ~놀이를 하다 玩扑克牌

카드뮴(cadmium) 뗑 【化】镉 gé

카디건(cardigan) 뗑 开襟衫 kāijīn-shān

카랑-카랑〔부〕〔형〕(声音) 响亮 xiǎng-liàng; 清脆 qīngcuì ¶목소리가 ~하다 声音很清脆

카레(←curry) 뗑 1 咖喱 gālí ¶~ 가루 咖喱粉 2 = 카레라이스

카레-라이스(←curried rice) 뗑 咖 喱饭 gālífàn = 카레2

카로틴(carotin) 뗑 【化】胡萝卜素 hú-luóbosù

카르텔(독Kartell) 뗑 【經】卡特尔 kǎ-tè'ěr; 企业联合 qǐyè liánhé

카리스마(charisma) 뗑 【社】领袖魅 力 lǐngxiù mèilì; 超凡魅力 chāofàn mèi-lì; 感召力 gǎnzhàolì ¶~가 있는 정치 가 有超凡魅力的政治家

카메라(camera) 뗑 1 【演】= 사진 기 2 = 촬영기

카메라맨(cameraman) 뗑 1 摄影师 shèyǐngshī 2 摄影记者 shèyǐng jìzhě

카메라 앵글(camera angle) 뗑 摄 影角度 shèyǐng jiǎodù; 相机角度 xiàng-jī jiǎodù

카메오(라cameo) 뗑 【演】客串 kè-chuàn; 串演 chuànyǎn

카멜레온(chameleon) 뗑 【動】变色 龙 biànsèlóng; 避役 bìyì

카바레(프cabaret) 뗑 卡巴莱 kǎbālái

카본(carbon) 뗑 【化】碳 tàn

카세트(cassette) 뗑 1 盒式磁带录音 机 héshì cídài lùyīnjī 2 = 카세트테이프

카세트-테이프(cassette tape) 뗑 盒 式磁带 héshì cídài = 카세트2

카-센터(car+center) 뗑 汽车修理厂 qìchē xiūlǐchǎng

카스텔라(프castella) 뗑 长崎蛋糕 chángqí dàngāo

카스트(caste) 뗑 【社】种姓制度 zhǒngxìng zhìdù

카약(kayak) 뗑 【體】皮船 píchuán; 皮艇 pítǐng

카오스(그chaos) 뗑 【哲】混沌 hùn-dùn; 混乱 hùnluàn ¶~ 이론 混沌理论

카우보이(cowboy) 뗑 牛仔 niúzǎi ¶ ~모자 牛仔帽

카운슬러(counselor) 뗑 = 상담원

카운슬링(counseling) 뗑 咨询 zī-xún; 商谈 shāngtán

카운터(counter) 뗑 柜台 guìtái; 账 台 zhàngtái

카운트다운(countdown) 뗑 1 倒计 数 dàojìshù; 倒读数 dàodúshù; 倒数 dàoshù 2 倒计时 dàojìshí

카지노(이casino) 뗑 赌场 dǔchǎng; 卡西诺赌场 kǎxīnuò dǔchǎng

카카오(에cacao) 뗑 【植】可可豆 kěkědòu; 可可 kěkě ¶~나무 可可树

카키-색(khaki色) 뗑 卡其 kǎqí; 卡 其色 kǎqísè

카탈로그(catalog) 뗑 目录 mùlù; 目 录册 mùlùcè; 目录簿 mùlùbù

카툰(cartoon) 뗑 卡通 kǎtōng; 卡通 画 kǎtōnghuà; 漫画 mànhuà

카트(cart) 뗑 手推车 shǒutuīchē

카페(프café) 뗑 咖啡厅 kāfēitīng; 咖 啡馆 kāfēiguǎn; 茶馆 cháguǎn

카페인(caffeine) 뗑 【化】咖啡因 kā-fēiyīn; 咖啡碱 kāfēijiǎn; 茶素 chásù

카페테리아(에cafeteria) 뗑 自助餐厅 zìzhù cāntīng

카펫(carpet) 뗑 〔手工〕= 융단 ¶~ 을 깔다 铺地毯

카-폰(car phone) 뗑 汽车电话 qì-chē diànhuà

카-풀(car pool) 뗑 【交】汽车共享 qì-chē gòngxiǎng; 汽车合用组织 qìchē hé-yòng zǔzhī

카피(copy) 뗑〔하〕 1 = 복사(複寫) 2 广告文案 guǎnggào wén'àn; 广告文字 guǎnggào wénzì

카피라이터(copywriter) 뗑 撰稿人 zhuàngǎorén; 广告文编写人 guǎnggào-wén biānxiěrén

칵테일(cocktail) 뗑 鸡尾酒 jīwěijiǔ ¶ ~파티 鸡尾酒会

칸 명 1 空间 kōngjiān 2 空格 kōnggé; 格子 gézi = 박스 3 间 jiān ¶침실 세 ~ 三间卧室

칸나(canna) 명 [植] 美人蕉 měirénjiāo; 昙华 tánhuá

칸-막이(하건) 명 隔间 géjiān; 隔断 géduàn; 隔板 gébǎn; 隔扇 géshàn

칸타타(이cantata) 명 [音] 清唱剧 qīngchàngjù; 康塔塔 kāngtǎtǎ; 大合唱 dàhéchàng

칼 명 dāo 1 ~ 자국 刀痕 = [刀疤][刀伤疤] ¶~ 한 자루 一把刀 ¶~을 갈다 磨刀 ¶~로 베다 用刀割 ¶~로 썰다 用刀切
　칼로 물베기 속담 利刀切水不断
　칼(을) 맞다 군 挨刀; 遇刺

칼 명 [史] 枷 jiā ¶~을 씌우다 带上枷

칼-국수 명 刀切面 dāoqiēmiàn; 切面 qiēmiàn

칼-날 명 刀口 dāokǒu; 刀刃 dāorèn ¶~이 무뎌지다 刀口钝了

칼-등 명 刀背 dāobèi

칼라(collar) 명 衣领 yīlǐng; 领(儿) lǐng(r); 领子 lǐngzi

칼럼(column) 명 专栏 zhuānlán; 时评 shípíng

칼럼니스트(columnist) 명 专栏作家 zhuānlán zuòjiā

칼로리(calorie) 一의명 [物] 卡路里 kǎlùlǐ ¶백 ~ 一百卡路里 二명 = 열량

칼륨(독Kalium) 명 [化] 钾 jiǎ

칼-바람 명 刺骨寒风 cìgǔ hánfēng

칼-부림 하건 명 挥刀 huīdāo; 耍刀 shuǎdāo

칼슘(calcium) 명 [化] 钙 gài

칼-자루 명 刀把儿 dāobǎr; 刀把子 dāobǎzi; 剑把 jiànbǎ; 剑柄 jiànbǐng; 刀柄 dāobǐng
　칼자루(를) 잡다[쥐다] 군 执牛耳

칼-잡이 명 1 操刀者 cāodāozhě; 剑客 jiànkè 2 屠夫 túfū

칼-질 명하건 使刀 shǐdāo; 操刀 cāodāo

칼-집 명 鞘 qiào; 刀鞘 dāoqiào; 剑鞘 jiànqiào ¶칼을 ~에 꽂다 把刀插入刀鞘

칼칼-하다 형 1 渴 kě ¶나는 목이 칼칼함을 느꼈다 我感到口渴 2 辣 là; 呛嗓子 qiàngsǎngzi

캄캄-하다(하건) 형 1 漆黑 qīhēi 2 全然不知 quánrán bùzhī

캐:-내다 건 1 挖 wā; 掘 jué; 开采 kāicǎi; 采 cǎi ¶암석을 ~ 开采岩石 2 追究 zhuīwèn; 寻根问底 xúngēnwèndǐ; 寻根究底 xúngēnjiūdǐ; 盘问 pánwèn; 盘诘 pánjié

캐:다 건 1 挖 wā; 掘 jué ¶나물을 ~

캐디(caddie) 명 [體] 球童 qiútóng

캐러멜(caramel) 명 焦糖 jiāotáng; 卡拉梅尔奶糖 kǎlāméi'ěr nǎitáng

캐럴(carol) 명 圣诞颂歌 shèngdàn sònggē; 圣诞歌 shèngdàngē

캐럿(carat) 명 1 克拉 kèlā 2 开 kāi

캐리커처(caricature) 명 讽刺漫画 fěngcì mànhuà; 讽刺画 fěngcìhuà

캐릭터(character) 명 1 (小说、戏剧里的) 人物 rénwù; 性格 xìnggé; 特征 tèzhēng; 角色 juésè ¶ 묘사 人物描写 / 전형적인 ~ 典型人物 2 (漫画、电影等的) 角色 juésè; 动漫角色 dòngmàn juésè; 漫画角色 mànhuà juésè ¶만화 ~ 漫画角色 / ~ 디자인 动漫角色设计

캐:-묻다 건 追问 zhuīwèn; 寻根问底 xúngēnwèndǐ; 寻根究底 xúngēnjiūdǐ; 盘问 pánwèn; 盘诘 pánjié

캐미솔(camisole) 명 妇女贴身背心 fùnǚ tiēshēn bèixīn

캐비닛(cabinet) 명 文件柜 wénjiànguì

캐스터(caster) 명 广播员 guǎngbōyuán; 员 yuán ¶기상 ~ 天气预报员 / 뉴스 ~ 新闻广播员

캐스터네츠(castanets) 명 [音] 响板 xiǎngbǎn

캐스팅(casting) 명하건 [演] 角色分配 juésè fēnpèi

캐시미어(cashmere) 명 开司米 kāisīmǐ; 山羊绒 shānyángróng

캐주얼(casual) 명 休闲服 xiūxiánfú; 轻便服装 qīngbiàn fúzhuāng ——하건 형 便 biàn; 轻便 qīngbiàn; 非正式 fēizhèngshì ¶캐주얼한 옷 轻便的衣服

캐주얼-슈즈(casual shoes) 명 休闲鞋 xiūxiánxié

캐주얼-웨어(casual wear) 명 休闲服 xiūxiánfú; 休闲服装 xiūxián fúzhuāng; 便装 biànzhuāng

캑 무 喀 kā (喀出梗塞物的声音) ¶목에 걸린 사탕을 ~ 하고 내뱉었다 把卡在喉咙里的糖喀的一声吐了出来

캑캑-거리다 잔 发出喀喀声 fāchū kākāshēng = 캑캑대다 ¶개가 목에 무엇이 걸렸는지 캑캑거린다 狗喉咙被什么卡住了, 发出喀喀声

캔(can) 명 1 罐头 guàntou; 听 tīng ¶~ 커피 听咖啡 2 听 tīng ¶맥주 세 ~ 三听啤酒

캔디(candy) 명 = 사탕1

캔버스(canvas) 명 [美] 帆布 fānbù; 油画布 yóuhuàbù

캠퍼스(campus) 명 校园 xiàoyuán ¶대학 ~ 大学校园 / ~ 커플 校园情侣

캠페인(campaign) 명 (政治或社会的) 活动 huódòng; 运动 yùndòng ¶

정 보 호 ~ 环保运动

캠프(camp) 명 营 yíng; 野营 yěyíng; 宿营 sùyíng ¶~에 참가하다 参加野营

캠프파이어(campfire) 명 营火 yínghuǒ; 营火会 yínghuǒhuì

캠핑(camping) 명하자 野营 yěyíng; 露营生活 lùyíng shēnghuó ¶~카 露营车 =[房车] / ~을 가다 去野营

캡슐(capsule) 명 胶囊 jiāonáng

캥거루(kangaroo) 명 【动】袋鼠 dàishǔ

커녕 조 不用说 bùyòngshuō; 别说 biéshuō; 甭说 béngshuō ¶바께서 전화는 ~ 메일 한 통 보내지 못했다 太忙了, 不用说电话, 连一封邮件也没发

커닝(cunning) 명하자 作弊 zuòbì; 考试作弊 kǎoshì zuòbì ¶~ 페이퍼 考试作弊纸 =[小抄儿]

커:-다랗다 형 大 dà; 很大 hěndà; 巨大 jùdà ¶커다란 손실 巨大的损失 / 몸집이 ~ 身子很大 / 눈을 커다랗게 뜨다 瞪着大眼睛

커리큘럼(curriculum) 명 【教】= 교과 과정

커뮤니케이션(communication) 명 交流 jiāoliú; 交往 jiāowǎng; 沟通 gōutōng

커미션(commission) 명 佣金 yòngjīn; 手续费 shǒuxùfèi; 代办费 dàibànfèi

커버(cover) 명 罩子 zhàozi; 套子 tàozi; 外皮 wàipí; 套(儿) huà ¶ 씌우다 盖罩子 ——하다 타 弥补 míbǔ; 覆盖 fùgài

커브(curve) 명 1 曲线 qūxiàn; 拐弯(儿) guǎiwān(r); 拐角 guǎijiǎo 2 【体】(棒球) 曲线球 qūxiànqiú

커서(cursor) 명 【컴】光标 guāngbiāo

커-지다 자 变大 biàndà; 大起来 dàqǐlái; 增大 zēngdà; 扩大 kuòdà; 严重 yánzhòng ¶세력이 ~ 势力扩大 / 문제가 점점 커졌다 问题越来越严重了

커튼 명 '커튼'의 틀린말 错误

커트(cut) 명하자 1 剪 jiǎn; 割 gē 2 剪发 jiǎnfà 3 短发 duǎnfà

커트-라인(cut+line) 명 及格线 jígéxiàn

커튼(curtain) 명 窗帘(儿) chuānglián(r); 帘子 liánzi; 门帘 ménlián; 窗幔 chuāngmàn ¶~을 열다 拉开窗帘 / ~을 치다 拉上窗帘

커틀릿(cutlet) 명 炸肉排 zhárùupái

커플(couple) 명 情侣 qínglǚ; 一对 yíduì; 对 duì ¶~ 반지 对戒 / ~ 시계 对表

커피(coffee) 명 咖啡 kāfēi ¶아이스~ 冰咖啡 / ~색 咖啡色 / ~숍 咖啡厅 /

~포트 咖啡壶 / 잔 咖啡杯 / ~를 마시다 喝咖啡 / ~를 끓이다 煮咖啡 / ~를 타다 沏咖啡

컨디션(condition) 명 身体状况 shēntǐ zhuàngkuàng; 健康状况 jiànkāng zhuàngkuàng ¶~을 조절하다 调节身体状况

컨베이어(conveyor) 명 【机】传送装置 chuánsòng zhuāngzhì; 传送带 chuánsòngdài; 输送带 shūsòngdài

컨설턴트(consultant) 명 【经】顾问 gùwèn; 咨询 zīxún

컨설팅(consulting) 명 【经】咨询 zīxún ¶~ 회사 咨询公司

컨테이너(container) 명 集装箱 jízhuāngxiāng; 货柜 huòguì ¶~ 트럭 集装箱卡车

컨트롤(control) 명하자 1 控制 kòngzhì; 支配 zhīpèi ¶사람을 ~하다 支配某人 / 감정을 ~하지 못하다 控制不住感情 2 【体】= 제구

컬러(color) 명 1 彩色 cǎisè; 颜色 yánsè ¶~ 사진 彩色照片 / ~텔레비전 彩色电视机 =[彩电] / ~ 필름 彩色胶卷 / ~복사기 彩色复印机 2 特色 tèsè; 色彩 sècǎi ¶예술적 ~ 艺术特色

컬러-하다(colorful—) 형 1 多彩 duōcǎi ¶컬러풀한 옷 多彩的衣服

컬컬-하다 형 1 渴 kě ¶목이 좀 컬컬해서 맥주나 한 잔 했으면 좋겠다 口有点儿渴, 来杯啤酒就好了 2 沙哑 shāyǎ; 粗声粗气 cūshēngcūqì ¶컬컬한 목소리 沙哑的声音

컴맹(←computer盲) 명 电脑盲 diànnǎománg

컴백(comeback) 명하자 重返 chóngfǎn; 回归 huíguī

컴컴-하다 형 1 黑 hēi; 黑洞洞 hēidòngdòng; 黑乎乎 hēihūhū; 黑漆漆 hēiqīqī; 幽暗 yōu'àn; 漆黑 qīhēi ¶컴컴한 밤길 黑乎乎的夜路 2 阴险 yīnxiǎn; 心黑 xīnhēi

컴퍼스(compass) 명 1 圆规 yuánguī; 两脚规 liǎngjiǎoguī 2 = 보폭

컴퓨터(computer) 명 【컴】电脑 diànnǎo; 计算机 jìsuànjī; 电算 diànsuàn = 전산 ¶~ 게임 电脑游戏 / ~ 그래픽스 电脑制图 / ~ 바이러스 电脑病毒 / ~를 켜다 启动电脑 / ~ 한 대를 사다 买一台电脑

컴퓨터 단:층 촬영(computer断层摄影) 명 计算机体层摄影 jìsuànjī tǐcéng shèyǐng; CT摄影 CT shèyǐng = 시티 촬영

컵(cup) 명 1 杯子 bēizi; 杯 bēi ¶우유를 ~에 따르다 把牛奶倒进杯子 2 杯 bēi ¶콜라를 한 ~ 마시다 喝一杯可乐

컷(cut) 명 1 【演】场面 chǎngmiàn 2 【印】插图 chātú 명 1 【演】停拍

tíngpāi
케라틴(keratin) 명 【化】 角蛋白 jiǎodànbái; 角朊 jiǎoruǎn
케이블(cable) 명 【電】 电缆 diànlǎn; 钢丝绳 gāngsīshéng; 缆绳 lǎnshéng; 缆索 lǎnsuǒ
케이블 방송(cable放送) 【信】 = 유선 방송
케이블-카(cable car) 명 【交】 缆车 lǎnchē; 电缆车 diànlǎnchē ¶~를 타다 坐缆车
케이블 티브이(cable TV) 【言】 有线电视 yǒuxiàn diànshì
케이스¹(case) 명 盒 hé; 匣 xiá; 箱子 xiāngzi; 套 tào ¶담배 ~ 烟盒 / 핸드폰 ~ 手机套
케이스²(case) 명 情况 qíngkuàng; 境遇 jìngyù; 事例 shìlì; 场合 chǎnghé ¶~에 따라서 방안을 세우다 根据情况制订方案
케이오(KO) 명하자 【體】 = 녹아웃 ¶~ 승 击倒获胜
케이크(cake) 명 蛋糕 dàngāo ¶생일 ~ 生日蛋糕 / 칼로 ~를 자르다 拿刀切蛋糕
케익 명 '케이크' 的错误
케일(kale) 명 【植】 羽衣甘蓝 yǔyīgānlán
케첩(ketchup) 명 番茄酱 fānqiéjiàng; 西红柿酱 xīhóngshìjiàng ¶~을 뿌리다 放番茄酱
케케-묵다 형 陈旧 chénjiù; 陈腐 chénfǔ; 陈朽 chénxiǔ ¶케케묵은 이야기 陈腐的故事
케톤(ketone) 명 【化】 酮 tóng
켕기다 자 1 绷紧 bēngjǐn ¶줄이 ~ 绳子绷紧了 2 心虚 xīnxū; 害怕 hàipà ¶커닝할 때 뒤가 ~ 作弊的时候心虚
켜 명 叠 dié; 层 céng ¶낙엽이 여러 ~로 쌓였다 落叶堆积了好几层
켜다¹ 타 1 点 diǎn; 开 kāi ¶촛불을 ~ 点蜡烛 / 성냥불을 ~ 点火柴 / 등불을 ~ 开灯 2 开 kāi; 打开 dǎkāi ¶라디오를 ~ 开收音机 / 컴퓨터를 ~ 开电脑
켜다² 타 1 锯 jù ¶톱으로 나무를 ~ 用锯锯木头 2 拉 lā ¶바이올린을 ~ 拉小提琴
켜다³ 타 伸 shēn ¶기지개를 ~ 伸懒腰
켤레 의명 双 shuāng ¶구두 한 ~ 一双皮鞋 / 양말 두 ~ 两双袜子
코¹ 명 1 鼻子 bízi; 鼻 bí ¶매부리~ 鹰勾鼻 / 납작~ 塌鼻梁 / ~가 막히다 鼻子不通 / ~를 후비다 挖鼻子 2 = 콧물 ¶~를 흘리다 流鼻涕 / ~를 풀다 擤鼻涕 3 鼾 hān; 呼噜 hūlu ¶~를 골다 打呼噜 =[打鼾] 4 (鞋、袜的) 尖儿 jiānr; 尖头 jiāntóu ¶고무신의 ~ 胶鞋尖头 / 버선~ 布袜尖儿
코² 명 1 网目 wǎngmù; 网眼 wǎngyǎn 2 (打毛衣等时) 针 zhēn ¶몇 ~를 빠뜨렸다 漏了几针
코에 걸면 코걸이 귀에 걸면 귀걸이 속담 嘴巴两张皮, 咋说咋有理; 嘴巴两胡皮, 反正能使唤
코 묻은 돈 구 孩子们的小钱
코가 꿰이다 구 听人穿鼻; 被抓把柄
코가 납작해지다 구 威信扫地; 丢尽面子
코가 높다 구 趾高气扬; 摆架子
코가 비뚤어지게[비뚤어지도록] 구 一醉方休
코-감기(―感氣) 명 【醫】 鼻子感冒 bízi gǎnmào = 콧물감기
코-끝 명 鼻尖 bíjiān; 鼻端 bíduān; 鼻准 bízhǔn
코끼리 명 【動】 大象 dàxiàng
코냑(←프cognac) 명 干邑 gānyì; 干邑白兰地 gānyì báilándì; 科涅克白兰地 kēnièkè báilándì
코너(corner) 명 1 角(儿) jiǎo(r); 角落 jiǎoluò; 拐角(儿) guǎijiǎo(r); 边角 biānjiǎo ¶~를 돌다 绕拐角 2 专柜 zhuānguì ¶아동복 ~ 儿童专柜 / 스포츠용품 ~ 体育用品专柜 3 【體】 角 jiǎo
코너-킥(corner kick) 명 【體】 角球 jiǎoqiú
코드(chord) 명 【음】 1 = 화음 2 和弦 héxián
코드(code) 명 【컴】 代号 dàihào; 代码 dàimǎ
코드(cord) 명 【電】 软线 ruǎnxiàn
코디(←coordination) 명 = 코디네이션
코디네이션(coordination) 명 (化妆、服装、首饰等的) 搭配 dāpèi; 服饰搭配 fúshì dāpèi = 코디
코디네이터(coordinator) 명 服装搭配师 fúzhuāng dāpèishī; 服饰搭配师 fúshì dāpèishī; 搭配师 dāpèishī
코-딱지 명 鼻屎 bíshǐ; 鼻垢 bígòu ¶~를 파내다 挖出鼻屎
코뚜레 명 = 쇠코뚜레
코란(Koran) 명 【宗】 可兰经 kělánjīng
코러스(chorus) 명 1 【音】 = 합창 2 = 합창단 3 = 합창대 4 齐声 qíshēng
코로나(corona) 명 1 【天】 日冕 rìmiǎn 2 【物】 电晕 diànyūn
코르덴(←corded velvetee) 명 灯芯绒 dēngxīnróng; 条绒 tiáoróng ¶~ 바지 灯芯绒裤
코르셋(corset) 명 紧身胸衣 jǐnshēn xiōngyī; 紧身褡 jǐnshēndā
코르크(cork) 명 1 软木 ruǎnmù; 木栓 mùshuān ¶~ 마개 软木塞 2 软木塞 ruǎnmùsāi
코-맹맹이 명 齆鼻儿 wèngbír; 齆鼻

子 wèngbízi

코미디(comedy) 图 1【演】= 희극1 ¶~ 영화 喜剧电影 =[喜剧片]/~한 연기 滑稽表演 2 = 희극2

코미디언(comedian) 图【演】= 희극 배우

코믹(comic) 图[하타] 喜剧(的) xǐjù(de); 滑稽(的) huájī(de)

코-바늘 图 钩针(儿) gōuzhēn(r); 勾针 gōuzhēn ¶~뜨기 钩针编织/~로 모자를 뜨다 用钩针钩帽子

코발트(cobalt) 图【化】钴 gǔ ¶~그 린 钴绿/~블루 钴蓝

코브라(cobra) 图【動】眼镜蛇 yǎnjìngshé

코-빼기 图 '코'의 속칭
  코빼기도 못 보다 团 连个人影都没有

코-뼈 图【生】鼻骨 bígǔ

코뿔-소 图【動】犀牛 xīniú = 무소

코사인(cosine) 图【數】余弦 yúxián

코스(course) 图 1 路线 lùxiàn ¶산책 ~ 散步路线/등산 ~ 登山路线/여행 ~ 旅行路线 2 一道菜 yīdàocài; 套餐 tàocān 3 课程 kèchéng ¶한국어 연수 ~ 韩国语研修课程 4【體】跑道 pǎodào ¶운동선수들이 ~를 따라 열심히 달리고 있다 运动员们沿着跑道奋力奔跑

코스닥(KOSDAQ) 图【經】高斯达克 Gāosīdákè

코스모스(cosmos) 图【植】波斯菊 bōsījú

코알라(koala) 图【動】树袋熊 shùdàixióng; 考拉 kǎolā; 树熊 shùxióng

코-앞 图 1 眼皮底下 yǎnpí dǐxia; 眼底下 yǎndǐxia; 眼前 yǎnqián; 眼皮底下 yǎnpízi dǐxia ¶사장님 ~에서 컴퓨터 게임을 하다 在老板眼皮底下玩电脑游戏 2 咫尺 zhǐchǐ; 眼前 yǎnqián ¶대선이 ~에 다가왔다 大选近在咫尺

코요테(coyote) 图【動】郊狼 jiāoláng

코-웃음 图 冷笑 lěngxiào; 嗤笑 chīxiào
  코웃음(을) 치다 团 嗤之以鼻

코일(coil) 图【電】线圈(儿) xiànquān(r); 绕组 ràozǔ; 线包 xiànbāo

코-주부 图 大鼻子 dàbízi

코치(coach) 图[하타] 1 教练 jiàoliàn; 训练 xùnliàn; 指导 zhǐdǎo 2【體】教练 jiàoliàn ¶농구 ~ 篮球教练

코칭-스태프(coaching staff) 图【體】教练组 jiàoliànzǔ; 教练阵营 jiàoliàn zhènyíng

코카인(cocaine) 图【化】可卡因 kěkǎyīn; 古柯碱 gǔkējiǎn

코코넛(coconut) 图【植】椰子 yēzi

코코아(cocoa) 图 1 可可粉 kěkěfěn 2 可可茶 kěkěchá

코코-야자(coco椰子) 图【植】椰子树 yēzishù = 야자나무2

코크스(cokes) 图【鑛】焦炭 jiāotàn; 焦 jiāo

코-털 图 鼻毛 bímáo ¶~을 뽑다 拔鼻毛

코트(coat) 图 大衣 dàyī; 外套 wàitào; 风衣 fēngyī ¶반~ 短大衣

코트(court) 图【體】球场 qiúchǎng

코팅(coating) 图[하타] 涂层 túcéng; 压膜 yāmó; 贴胶 tiējiāo ¶~막 涂层膜/~기 涂层机/~ 처리 涂层处理/~된 사진 被压膜的照片

코-피 图 鼻血 bíxuè; 鼻红 bíhóng ¶~가 나다 出鼻血

코-흘리개 图 1 鼻涕鬼 bítiguǐ 2 毛孩子 máoháizi

콕 图 一下 yīxià ¶바늘로 ~ 찌르다 用针刺了一下

콘(cone) 图 锥形蛋卷 zhuīxíng dànjuǎn; 蛋卷 dànjuǎn ¶아이스크림 ~ 蛋卷冰淇淋

콘도(condo) 图 = 콘도미니엄

콘도르(에condor) 图【鳥】秃鹰 tūyīng

콘도미니엄(condominium) 图 度假公寓 dùjià gōngyù = 콘도

콘돔(condom) 图 避孕套 bìyùntào; 保险套 bǎoxiǎntào; 阴茎套 yīnjīngtào

콘서트(concert) 图 1 = 음악회 2 演唱会 yǎnchànghuì; 演奏会 yǎnzòuhuì

콘서트-홀(concert hall) 图 = 음악당

콘센트(←concentic plug) 图【電】插座 chāzuò = 플러그 소켓 ¶플러그를 ~에 끼우다 把插头插进插座

콘크리트(concrete) 图【建】混凝土 hùnníngtǔ ¶철근 ~ 钢筋混凝土/~ 공사 混凝土工程/~ 믹서 混凝土搅拌机/~ 구조 混凝土结构

콘크리트 못(concrete—) 【工】水泥钉 shuǐníding; 钢钉 gāngding

콘택트-렌즈(contact lens) 图【醫】隐形眼镜 yǐnxíng yǎnjìng; 接触镜 jiēchùjìng = 렌즈2 ¶~를 끼다 戴隐形眼镜

콘테스트(contest) 图 比赛 bǐsài; 竞赛 jìngsài; 比赛会 bǐsàihuì; 竞争 jìngzhēng ¶요리 ~ 烹饪比赛

콘트라베이스(contrabass) 图【音】低音提琴 dīyīn tíqín = 더블 베이스

콘-플레이크(cornflakes) 图 玉米片 yùmǐpiàn

콜-걸(call girl) 图 应召妓女 yīngzhào jìnǚ; 应召女郎 yīngzhào nǚláng

콜드 게임(called game) 图【體】有效比赛 yǒuxiào bǐsài

콜드-크림(cold cream) 图【化】冷霜 lěngshuāng; 冷膏 lěnggāo

콜드-파마(←cold permanent) 몡
冷烫 lěngtàng

콜라(cola) 몡 可乐 kělè ¶코카 ~ 可
口可乐/펩시 ~ 百事可乐/~를 마시
다 喝可乐

콜라겐(collagen) 몡 【生】胶原蛋白
jiāoyuándànbái

콜라주(프collage) 몡 拼贴艺术 pīntiē
yìshù; 拼贴画 pīntiēhuà

콜레라(cholera) 몡 【醫】霍乱 huò-
luàn ¶~균 霍乱菌

콜레스테롤(cholesterol) 몡 【化】胆
固醇 dǎngùchún ¶~ 수치 胆固醇值/
~을 낮추다 降低胆固醇

콜로세움(라Colosseum) 몡 【古】
원형 경기장

콜록(coll. 吭吭 kēngkēng; 喀儿喀儿 kār-
kār

콜록-거리다 자타 吭吭地咳嗽 kēng-
kēngde késou = 콜록대다 **콜록-콜록**
부하자타

콜론(colon) 몡 【語】冒号 màohào =
쌍점

콜타르(coal-tar) 몡 【化】焦油 jiāo-
yóu; 煤焦油 méijiāoyóu = 타르2

콜-택시(call taxi) 몡 应召的士 yīng-
zhào dīshì

콤마(comma) 몡 【語】= 반점2(半點)

콤바인(combine) 몡 【農】康拜因
kāngbàiyīn; 谷物联合收割机 gǔwù lián-
hé shōugējī

콤비(←combination) 몡 **1** 配角(儿)
pèijué(r); 搭档 dādàng **2** 组合服装 zǔ-
hé fúzhuāng

콤팩트(compact) 몡 (有镜) 粉盒 fěn-
hé

콤팩트-디스크(compact disk) 몡
【物】激光唱片 jīguāng chàngpiàn; 光
盘 guāngpán = 시디1

콤플렉스(complex) 몡 【心】自卑感
zìbēigǎn; 自卑心理 zìbēi xīnlǐ; 自卑情
绪 zìbēi qíngxù

콧-구멍 몡 鼻孔 bíkǒng ¶~을 후비
다 抠鼻孔/~에서 코피가 나다 从鼻
孔里出鼻血

콧-기름 몡 鼻子油 bíziyóu

콧-김 몡 鼻息 bíxī

콧-날 몡 鼻梁(儿) bíliáng(r) ¶오똑 솟은 ~ 挺拔的鼻梁儿
bíliángzi

콧-노래 몡 哼歌 hēnggē; 哼唱 hēng-
chàng; 哼小调 hēngxiǎodiào; 哼小曲
hēngxiǎoqǔ ¶~를 흥얼거리다 哼小调

콧-대 몡 鼻梁(儿) bíliáng(r); 鼻梁子
bíliángzi

콧-등 몡 鼻梁(儿) bíliáng(r); 鼻梁子
bíliángzi

콧-물 몡 鼻涕 bítì = 코1,2 ¶~을 흘
리다 流鼻涕

콧물-감기(一感氣) 몡 【醫】= 코감기

콧-방귀 몡 呸 pēi
콧방귀를 뀌다 ⇨ 嗤之以鼻

콧-방울 몡 鼻翅儿 bíchìr; 鼻翼 bíyì

콧-소리 몡 = 비음 ¶노래를 부를 때
자꾸 ~가 난다 唱歌的时候总是有鼻
音

콧-수염 몡 髭 zī; 髭胡 zīhú; 小胡子
xiǎohúzi ¶~을 깎다 刮髭胡/~을 기
르다 留小胡子

콧-잔등 몡 鼻梁(儿) bíliáng(r); 鼻洼
bíwā

콩 몡 【植】豆子 dòuzi; 豆(儿) dòu(r)
콩 심은 데 콩 나고 팥 심은 데 팥
난다 즉담 种豆得豆, 种瓜得瓜; 种
李不得桃, 种瓜不得豆
콩으로 메주를 쑨다 하여도 곧이듣지
않는다 즉담 说豆饼是黄豆做的也不
信

콩 부 通 tōng《小东西掉在硬地板上撞
击的声音》

콩-가루 몡 **1** 豆面(儿) dòumiàn(r); 黄
豆粉 huángdòufěn **2** 破灭 pòmiè; 搞砸
gǎozá

콩-고물 몡 豆面(儿) dòumiàn(r) ¶~
을 묻힌 찰떡 蘸豆面儿的黏糕

콩-국 몡 豆浆 dòujiāng; 豆汁(儿) dòu-
zhī(r)

콩-국수 몡 豆浆面(儿) dòujiāngmiàn(r)

콩-기름 몡 豆油 dòuyóu; 大豆油 dà-
dòuyóu ¶~을 짜다 榨豆油

콩-깍지 몡 豆荚皮 dòujiápí; 豆皮儿
dòupír

콩-깻묵 몡 豆饼 dòubǐng

콩-꼬투리 몡 豆荚 dòujiá

콩-나물 몡 豆芽(儿) dòuyá(r); 豆芽菜
dòuyácài ¶~국 黄豆芽 huángdòuyá ¶~국
芽儿汤/~시루 豆芽盆/~을 무치
다 拌豆芽菜

콩닥-거리다 부 **1** 咚咚 dōngdōng
《小重物掉在地板上的样子》**2** 怦怦
pēngpēng tiào ¶가슴이 ~ 心怦怦跳
‖ = 콩닥대다 **콩닥-콩닥** 부하자타

콩-대 몡 豆秸 dòujiē; 豆萁 dòuqí

콩-떡 몡 豆糕 dòugāo; 豆面儿糕 dòu-
miànrgāo

콩-밥 몡 豆饭 dòufàn; 大豆饭 dàdòu-
fàn
콩밥(을) 먹다 ⇨ 坐牢
콩밥(을) 먹이다 ⇨ 使坐牢; 让坐牢

콩-밭 몡 豆子地 dòuzǐdì; 地地 dòudì
¶~에 농약을 뿌리다 给豆子地喷洒
农药

콩-비지 몡 豆腐渣 dòufuzhā

콩-알 몡 豆粒 dòulì; 豆子 dòuzi

콩-자반 몡 酱黄豆 jiànghuángdòu =

콩장

콩-장 몡 = 콩자반

콩-콩 뮈 1 咚咚 dōngdōng 《连续击鼓发出的声音》 2 怦怦 pēngpēng

콩콩-거리다 자타 1 咚咚响 dōngdōng xiǎng 2 怦怦跳 pēngpēng tiào ∥ = 콩콩대다

콩쿠르(프concours) 몡 竞赛 jìngsài; 比赛 bǐsài; 表演会 biǎoyǎnhuì ¶피아노 ~ 钢琴比赛 / 무용 ~ 舞蹈竞赛

콩트(프conte) 몡 [文] 微型小说 wēixíng xiǎoshuō

콩팥 [生] 肾脏 shènzàng; 肾 shèn; 腰子 yāozi = 신장(肾脏) ¶~의 기능이 떨어지다 肾脏功能下降

콱 뮈 1 咣 guāng; 一下子 yīxiàzi 《形容用力碰撞或刺扎貌》 ¶기둥에 ~ 부딪치다 咣地撞到柱子上 / 그는 문을 ~ 닫아 버렸다 他咣地一声关上了门 2 完全 wánquán; 紧 jǐn; 紧紧 jǐnjǐn ¶출구가 ~ 막혔다 出口完全被堵住了 3 哗 huā 《猛地翻过来或倒出貌》 ¶물을 ~ 쏟아 버렸다 水哗地倒出来了

콱콱 뮈 哗哗 huāhuā; 哗啦哗啦 huālāhuālā; 轰轰 hōnghōng; 汩汩 gǔgǔ ¶약수가 땅에서 ~ 솟아 나오다 矿泉水从地里哗哗地冒出来 / 피가 ~ 나오다 血汩汩外流

쾅 뮈 1 咣 kuāng; 砰 pēng; 咕噔 gūdēng; 嘎啦 gālā; 哪啷 bānglāng ¶문을 ~ 닫았다 咣地一声关上了门 / ~ 하고 5층에서 떨어졌다 砰地一声从五楼掉下来了 / 2층 폭탄이 ~ 하고 터졌다 轰地一声, 炸弹爆炸了

쾅-쾅 뮈 1 砰砰 pēngpēng 2 隆隆 lónglóng; 轰隆 hōnglóng ¶멀리서 계속 ~ 하는 소리가 들리다 从远处不断传来隆隆的声音

쾅쾅-거리다 자타 1 砰砰响 pēngpēng xiǎng; 砰砰作声 pēngpēng zuòshēng 2 隆隆响 lónglóng xiǎng; 隆隆作声 lónglóng zuòshēng ∥ = 쾅쾅대다

쾌감(快感) 몡 快感 kuàigǎn; 快意 kuàiyì; 快心 kuàixīn ¶~을 느끼다 感受到快感

쾌거(快举) 몡 壮举 zhuàngjǔ; 快事 kuàishì ¶우승의 ~를 이뤘다 实现了优胜这一壮举

쾌-남아(快男儿) 몡 快男 kuàinán; 好汉 hǎohàn

쾌락(快乐) 몡하몡 快乐 kuàilè; 享乐 xiǎnglè ¶~주의자 快乐主义者 / 정신적 ~ 精神快乐 / 개인의 ~을 추구하다 追求个人享乐

쾌속(快速) 몡하몡 快速 kuàisù; 高速度 gāosùdù ¶~ 냉각 快速冷却 / ~ 질주 快速疾走 / ~선 快速船

쾌속-정(快速艇) 몡 快艇 kuàitǐng

쾌유(快癒) 몡하자 痊愈 quányù; 全愈 quányù ¶조속한 ~를 빕니다 祝你早日痊愈

쾌재(快哉) 몡 快哉 kuàizāi; 称快 chēngkuài ¶속으로 ~를 부르다 心中称快

쾌적-하다(快適—) 혱 舒适 shūshì; 痛快 tòngkuai; 舒服 shūfu; 爽快 shuǎngkuài; 爽畅 shuǎngchàng; 快适 kuàishì ¶쾌적한 주거 환경을 조성하다 创造舒适的居住环境

쾌조(快調) 몡 顺利 shùnlì; 顺手 shùnshǒu ¶~의 4연승 顺利的四连胜

쾌차(快差) 몡하자 痊愈 quányù; 全愈 quányù ¶그는 아직 ~하지 않았다 他还没有痊愈

쾌청-하다(快晴—) 혱 晴朗 qínglǎng; 晴明 qíngmíng; 爽朗 shuǎnglǎng; 响晴 xiǎngqíng ¶쾌청한 하늘 响晴的天空 / 날씨가 ~ 天气晴朗

쾌활-하다(快活—) 혱 快活 kuàihuo; 开朗 kāilǎng; 愉快 yúkuài; 明快 míngkuài; 明朗 míngláng ¶쾌활한 성격 开朗的性格 **쾌활-히** 뮈

쾨쾨-하다 혱 臭 chòu; 有馊味 yǒusōuwèi ¶쾨쾨한 냄새가 코를 찌르다 臭味刺鼻

쿠데타(프coup d'État) 몡 古迭达 gǔdiédá; 政变 zhèngbiàn; 武装政变 wǔzhuāng zhèngbiàn ¶~가 일어나다 发生政变

쿠션(cushion) 몡 坐垫(儿) zuòdiàn(r); 靠垫 kàodiàn; 椅垫 yǐdiàn; 垫子 diànzi ¶자동차 ~ 汽车靠垫 / 소파 ~ 沙发坐垫儿

쿠키(cookie) 몡 曲奇 qūqí; 曲奇饼 qūqíbǐng; 曲奇饼干 qūqíbǐnggān; 甜饼干 tiánbǐnggān; 小甜饼 xiǎotiánbǐng ¶~를 굽다 烘烤曲奇

쿠폰(coupon) 몡 联券 liánquàn; 礼票 lǐpiào; 赠券 piàoquàn; 联票 liánpiào; 赠券 zèngquàn ¶할인 ~ 打折券

쿡 뮈 噗 pū; 一下 yīxià; 用力 yònglì; 捅 tǒng ¶칼로 ~ 찌르다 用刀刺了一下

쿨쿨 뮈 呼呼 hūhū; 呼噜呼噜 hūlūhūlū ¶~ 자다 呼呼地睡

쿵 뮈 1 咕咚 gūdōng; 咕噔 gūdēng; 嘭 pēng; 扑腾 pūténg 《重物掉到地上的声音》 ¶아이가 ~ 하고 나무에서 떨어졌다 孩子扑腾一声从树上掉下来 / ~ 하고 길가에 있는 나무가 쓰러졌다 嘭一声巨响, 路边的大树倒了 2 轰 hōng 轰隆 소리가 ~ 하고 울리다 从远处传来轰的炮弹声

쿵쾅 뮈하몡 1 轰隆 hōnglóng 《炮声爆炸声》 2 咚咚 dōngdōng 《鼓声》 3 咕咚 gūdōng; 咕噔 gūdēng 《重物碰撞声》 4

蹬蹬 dēngdēng 《跺脚声》

쿵쾅-거리다 [자타] **1** 轰隆轰隆 hōng-
lōnghōnglōng **2** 咚咚 dōngdōng **3** 咕咚
gūdōng; 砰 pēng; 扑腾 pūtēng; 咯噔
gēdēng 《重物碰撞声》 **4** 蹬蹬 dēng-
dēng 《跺脚声》 ‖ = 쿵쾅대다 **쿵쾅-쿵
쾅** [부어자타]

쿵-쿵 [부] **1** 咕咚咕咚 gūdōnggūdōng;
咕噔咕噔 gūdēnggūdēng 《硬地板上掉
重物的声音》 **2** 咚咚 dōngdōng 《鼓声》

쿵쿵-거리다 [자타] **1** 咕咚咕咚 gūdōnggūdōng **2** 咚
咚 dōngdōng ‖ = 쿵쿵대다

쿵후(←중gongfu[功夫]) [명] [體] 功
夫 gōngfu

쿼터(quarter) [의명] [體] 四分之一 sì-
fēnzhīyī; 一刻 yīkè

퀭-하다 [형] 凹陷 āoxiàn; 陷进 xiàn-
jìn; 凹下 āoxià ¶며칠 아팠더니 눈이
다 퀭해졌다 病了几天, 眼睛都凹陷下
去了

퀴즈(quiz) [명] 猜谜 cāimí; 谜语 míyǔ;
竞猜 jìngcāi; 智力竞赛 zhìlì jìngsài ¶
~ 쇼 智力竞赛节目

퀴퀴-하다 [형] 臭 chòu; 有馊味 yǒu
sōuwèi; 臭烘烘(的) chòuhōnghōng(de);
臭乎乎(的) chòuhūhū(de) ¶방 안에서
퀴퀴한 냄새가 난다 房间里有一股臭
乎乎的的味儿

큐(cue) [명] **1** [言] 提示 tíshì; 暗示
ànshì; 示意 shìyì; 信号 xìnhào **2** [體]
(台球的) 球杆 qiúgān

큐피드(Cupid) [명] [文] 丘比特 Qiū-
bǐtè; 爱神 àishén

크-기 [명] 大小 dàxiǎo; 个头儿 gètóur;
个儿 gèr ¶~가 딱 맞다 大小正合 / ~
를 조절하다 调节大小

크나-크다 [형] 巨大 jùdà; 非常大 fēi-
cháng dà ¶크나큰 고통 巨大的痛苦 /
크나큰 기회 巨大的机会

크다 [형] **1** (大小) 大 dà; 高 gāo ¶눈
이 큰 아이 大眼睛的孩子 / 키가 매우
~ 个子很高 / 글씨를 좀 크게 쓰거라
字写得大一点 **2** 巨大 jùdà; 大 dà; 浩
大 hàodà; 壮大 zhuàngdà ¶큰 부자 大
富翁 / 규모가 ~ 规模浩大 / 도량이 ~
度量很大 **3** 严重 yánzhòng; 重大
zhòngdà; 重 zhòng ¶문제가 커졌다 问
题严重了 / 부담이 ~ 负担很重 **4** (声
音) 大 dà; 高 gāo ¶목소리가 ~ 嗓音
高 **5** 肥 féi; 肥大 féidà; 大 dà ¶바지
가 ~ 裤子很肥 **6** 深 shēn ¶그는 나에
대한 오해가 너무 ~ 他对我的误解太
深了 / 많이 ~ 长大 chéng-
zhǎng ¶아이가 몇 년 동안 많이 컸다
孩子在几年间长大了许多

크라프트-지(kraft纸) [명] 牛皮纸 niú-
pízhǐ

크래커(cracker) [명] 薄脆饼干 báocuì-
bǐnggān; 薄脆饼 báocuìbǐng; 咸饼干
xiánbǐnggān

크레용(프crayon) [명] [美] 蜡笔 làbǐ;
蜡棒 làbàng ¶~화 蜡笔画 / ~으로 그
림을 그리다 用蜡笔画画

크레이프(crepe) [명] 绉纱 zhòushā; 绉
绸 zhòuchóu

크레인(crane) [機] = 기중기

크레파스(←일kurepasu) [명] [美] 蜡
笔 làbǐ; 蜡棒 làbàng

크로스바(crossbar) [명] [體] 横杆
hénggān; 横木 héngmù ¶~를 넘다 越
过横杆

크로스-컨트리(cross-country) [명]
[體] 越野赛 yuèyěsài; 越野 yuèyě

크로케(프croquet) [명] [體] 槌球
chuíqiú

크로켓(프croquette) [명] 炸丸子 zhá-
wánzi; 炸肉丸 zháròuwán; 炸肉饼 zhá-
ròubǐng

크로키(프croquis) [명] [美] 速写 sù-
xiě; 速写画 sùxiěhuà

크롬(독Chrom) [명] [化] 铬 gè; 克罗
米 kèluómǐ ¶~강 铬钢

크루저(cruiser) [명] 巡洋舰 xúnyáng-
jiàn

크루즈 미사일(cruise missile) [軍]
巡航导弹 xúnháng dǎodàn; 巡航飞弹
xúnháng fēidàn = 순항 미사일

크리스마스(Christmas) [명] [宗] =
성탄절 ¶메리 ~ 圣诞快乐! / ~ 선물
圣诞礼物 / ~ 음악 圣诞音乐

크리스마스-이브(Christmas Eve)
[명] 平安夜 píng'ānyè; 圣诞前夜 shèng-
dàn qiányè; 圣诞节前夕 shèngdànjié
qiánxī

크리스마스-카드(Christmas card)
[명] 圣诞贺卡 shèngdàn hèkǎ; 圣诞卡
shèngdànkǎ; 圣诞节贺卡 shèngdànjié
hèkǎ

크리스마스 캐럴(Christmas carol)
[음] 圣诞颂歌 shèngdàn sònggē; 圣诞
节颂歌 shèngdànjié sònggē

크리스마스-트리(Christmas tree)
[명] 圣诞树 shèngdànshù

크리스천(Christian) [명] = 기독교인

크리스털(crystal) [명] **1** [鑛] = 수정
(水晶) **2** [工] = 크리스털 글라스

크리스털 글라스(crystal glass) [工]
水晶玻璃 shuǐjīng bōli = 크리스털

크리켓(cricket) [명] [體] 板球 bǎnqiú

크릴(krill) [명] [動] 磷虾 línxiā

크림(cream) [명] **1** 奶油 nǎiyóu; 乳脂
rǔzhī; 乳油 rǔyóu = 유지(乳脂)1 ¶
~빵 奶油面包 / ~소스 奶油沙司 / ~
수프 奶油稀汤 / ~치즈 奶油奶酪 =
[奶油干酪] **2** 面霜 miànshuāng; =

shuang ¶~을 바르다 抹面霜

큰-기침 圐 [하자] 大声咳嗽 dàshēng késou

큰-길 圐 大路 dàlù; 马路 mǎlù; 公路 gōnglù; 大道 dàdào ¶~가 大路边의 ~을 따라가면 학교가 보인다 沿着这条大路走就能看到学校

큰-누나 圐 大姐 dàjiě

큰-달 圐 大月 dàyuè; 大建 dàjiàn; 大尽 dàjìn

큰-댁(一宅) 圐 **1** '큰집'의 敬词 **2** 正妻 zhèngqī; 正室 zhèngshì

큰-돈 圐 大笔钱 dàbǐqián; 大财 dàcái ¶~을 벌었다 赚了一大笔钱 / ~을 썼다 花了一大笔钱

큰-따님 圐 大女儿 dànǚ'ér

큰따옴-표(一標) 圐 【語】双引号 shuāngyǐnhào

큰-딸 圐 = 맏딸 ¶~은 책임감이 강하다 大女儿责任心强

큰-마누라 圐 大老婆 dàlǎopo

큰-마음 圐 痛下决心 tòngxiàjuéxīn; 最大的决心 zuìdàde juéxīn; 大志 dàzhì ¶이 일은 ~을 먹지 않으면 하기가 쉽지 않다 做这件事, 不痛下决心的话, 不那么容易

큰-맘 圐 '큰마음'의 略词

큰-며느리 圐 = 맏며느리

큰-못 圐 【建】大钉子 dàdìngzi

큰-물 圐 大水 dàshuǐ; 洪水 hóngshuǐ = 홍수1 ¶~이 지다 发大水

큰-북 圐 【音】大鼓 dàgǔ

큰-불 圐 大火 dàhuǒ ¶~을 놓다 放大火 / ~이 나다 起大火

큰-비 圐 大雨 dàyǔ ¶~가 내렸다 下了大雨

큰-사람 圐 大人物 dàrénwù; 大器 dàqì; 大才 dàcái ¶~이 되다 成为大人物 / 자식을 ~으로 키우다 把孩子培养成大器

큰-사위 圐 = 맏사위

큰-살림 圐 [하자] 大家庭生活 dàjiātíng shēnghuó

큰-삼촌(一三寸) 圐 大叔 dàshū

큰-상(一床) 圐 大桌菜 dàzhuōcài ¶~을 차리다 摆一大桌菜

큰-소리 圐 **1** 大声 dàshēng **2** 大话 dàhuà; 牛皮 niúpí; 牛 niú ¶종일 일은 안 하고 ~만 치다 整天不干实事, 只说大话

큰소리-치다 困 说大话 shuō dàhuà; 吹牛 chuīniú; 吹牛皮 chuī niúpí; 放大炮 fàng dàpào; 夸海口 kuā hǎikǒu; 大吹法螺 dàchuī fǎluó ¶큰소리치기 좋아하는 사람 爱吹牛的人

큰-손 圐 【經】大手 dàshǒu; 大款爷 dàkuǎnyé; 投机商 tóujīshāng

큰-손녀(一孫女) 圐 = 맏손녀

큰-손자(一孫子) 圐 = 맏손자

큰-아들 圐 = 맏아들

큰-아버지 圐 伯父 bófù; 伯伯 bóbo; 大伯子 dàbóizi; 大伯 dàbó; 大爷 dàye = 백부

큰-아이 圐 老大 lǎodà; 大孩子 dàháizi

큰-어머니 圐 伯母 bómǔ; 大妈 dàmā; 大娘 dàniáng; 大伯娘 dàbóniáng = 백모

큰-언니 圐 大姐 dàjiě

큰-오빠 圐 大哥 dàgē

큰-일[1] 圐 大事 dàshì; 大事情 dàshìqing ¶~을 하려면 작은 일부터 시작해야 한다 要想成大事, 必须从小事做起 **2** 糟 zāo; 糟糕 zāogāo; 不得了 bùdéliǎo ¶~ 났다! 糟了!

큰-일[2] 圐 大事 dàshì; 喜事 xǐshì ¶~을 치르다 办大事

큰-절 圐 [하자] 大礼 dàlǐ ¶부모님께 ~을 올리다 向父母行大礼

큰-집 圐 **1** 大房 dàfáng; 伯父家 bófùjiā ¶~에서 자라다 在伯父家长大 **2** 长房 chángfáng

큰코-다치다 困 吃大亏 chī dàkuī; 大惹其祸 dàrěqíhuò

큰-형(一兄) 圐 = 맏형

큰-형수(一兄嫂) 圐 大嫂 dàsǎo

클라리넷(clarinet) 圐 【音】单簧管 dānhuángguǎn; 黑管 hēiguǎn; 克拉管 kèlāguǎn ¶~을 불다 吹单簧管

클라이맥스(climax) 圐 **1** 顶点 dǐngdiǎn; 最高峰 zuìgāofēng; 高潮 gāocháo ¶~에 이르다 达到顶点 **2** 【文】 = 절정3

클래식(classic) 圐 【音】 = 고전 음악 ¶~ 감상 古典音乐欣赏

클랙슨(klaxon) 圐 警笛 jǐngdí; 喇叭 lǎba ¶시끄러운 ~ 소리 刺耳的警笛声 / ~이 길게 울리다 警笛长鸣

클러치(clutch) 圐 【機】**1** 离合器 líhéqì **2** 클러치 페달을 밟다 踩离合器踏板

클러치 페달(clutch pedal) 圐 【機】离合器踏板 líhéqì tàbǎn = 클러치2

클럽(club) 圐 **1** 俱乐部 jùlèbù ¶스포츠 ~ 运动俱乐部 / 독서 ~ 读书俱乐部 **2** 【體】 = 골프채

클레임(claim) 圐 【經】索赔 suǒpéi ¶~을 제기하다 要求索赔

클렌징(cleansing) 圐 清洁 qīngjié ¶~ 크림 清洁霜

클로렐라(chlorella) 圐 【植】小球藻 xiǎoqiúzǎo; 绿藻 lǜzǎo

클로버(clover) 圐 **1** 【植】 = 토끼풀 **2** 【體】草花 cǎohuā

클로즈업(close-up) 圐 [하타] 【演】特写 tèxiě; 特写镜头 tèxiě jìngtóu ¶인물의 얼굴을 ~하다 人物脸部特写

ㅋ

클론(clone) 【生】克隆 kèlóng

클리닉(clinic) 〖명〗 诊所 zhěnsuǒ; 门诊室 ménzhěnshì; 门诊 ménzhēn ¶비만~ 肥胖门诊

클릭(click) 〖하타〗〖컴〗 单击 dānjī ¶마우스로 ~하다 用鼠标单击

클립(clip) 〖명〗 曲别针 qūbiézhēn; 回形针 huíxíngzhēn; 별针 biézhēn

큼지막-하다 〖형〗 极大 jídà; 很大 hěndà ¶큼지막한 간판이 눈에 들어오다 一个极大的牌子映入眼帘

큼직-하다 〖형〗 极大 jídà; 很大 hěndà; 粗大 cūdà ¶큼직한 해바라기 꽃 极大的向日葵

큼직 큼직 〖부형〗 大块大块 dàkuài-dàkuài ¶무를 ~하게 썰다 把萝卜切成大块大块的

쿵쿵 〖명하타〗 吭吭 kēngkēng; 呼哧呼哧 hūchīhūchī ¶콧소리를 ~ 내다 鼻子吭吭的

쿵쿵-거리다 〖명〗 吭吭 kēngkēng; 呼哧呼哧 hūchīhūchī ¶코를 자꾸~ 鼻子总是呼哧呼哧的

키¹ 〖명〗 个子 gèzi; 个儿 gèr; 身高 shēngāo; 身长 shēncháng = 신장(身長) ¶~가 크다 个子高; 个儿高 身高矮小/~를 재다 量身高/~가 많이 자랐다 个儿长高了许多

¶키 크고 싱겁지 않은 사람 없다 〖속담〗 十个高大, 十个俗气

키² 〖명〗 簸箕 bòji ¶~로 쌀을 까부르다 用簸箕簸大米

키³ 〖명〗 舵 duò; 艄 shāo ¶~를 잡다 掌舵

키(key) 〖명〗 1 = 열쇠1 2 关键 guānjiàn ¶그가 이 문제의 ~를 쥐고 있다 他抓住了这个问题的关键 3 键盘 jiànpán

키-꺽다리 〖명〗 = 키다리

키-다리 〖명〗 高个子 gāogèzi; 高个儿 gāogèr; 细高挑儿 xìgāotiǎor = 꺽다리 · 키꺽다리

키득 〖부명자〗 扑哧 pūchī; 哧哧 chīchī ¶참다못해 ~ 웃었다 忍不住扑哧一声笑了

키득-거리다 〖자〗 扑哧 pūchī; 哧哧 chīchī = 키득거리다 ▶키득-키득

키보드(keyboard) 〖명〗 1 = 건반 2 〖音〗电子琴 diànzǐqín 3 〖컴〗键盘 jiànpán = 자판

키-순(一順) 〖명〗 按个子高矮 àngèzi gǎo'ǎi; 按个儿 àngèzi; 按高矮顺序 àn gǎo'ǎi shùnxù ¶~으로 자리를 배정하다 按个子排座位

키스(kiss) 〖명하자〗 吻 wěn; 接吻 jiēwěn; 亲嘴 qīnzuǐ; 亲 qīn = 입맞춤 ¶~ 신 接吻镜头 / 이별의 ~ 离别吻 / 그녀의 볼에 ~를 했다 在她的脸上吻了一下

키우다 〖타〗 抚养 fǔyǎng; 养 yǎng; 培养 péiyǎng; 培育 péiyù; 哺育 bǔyù; 养殖 yǎngzhí ('크다三'의 使动词) ¶아이를 ~ 抚养孩子 / 고양이를 ~ 养猫

키 워드(key word) 〖컴〗关键字 guānjiànzì; 关键词 guānjiàncí ¶~를 입력하다 输入关键字 / ~를 검색하다 检索关键词 / ~를 사용하다 使用关键词

키위(kiwi) 〖명〗 猕猴桃 míhóutáo; 奇异果 qíyìguǒ

키-잡이 〖명〗 舵手 duòshǒu; 掌舵 zhǎng-duò = 조타수

키-질 〖명하자타〗 簸簸箕 bǒ bòji

키친-타월(kitchen towel) 〖명〗 厨房纸 chúfángzhǐ; 厨房纸巾 chúfáng zhǐjīn

키-포인트(key+point) 〖명〗 要点 yàodiǎn; 重点 zhòngdiǎn; 着眼点 zhuó-yǎndiǎn; 要领 yàolǐng ¶문장의 ~를 파악하다 掌握文章的要点

키-홀더(keyholder) 〖명〗 钥匙扣 yào-shikòu

킥(kick) 〖명하자타〗〖體〗踢 tī; 踢球 tīqiú

킥복싱(kickboxing) 〖명〗〖體〗自由搏击 zìyóu bójī

킥-킥 〖부명자〗 嗤嗤 chīchī

킥킥-거리다 〖자〗 嗤嗤地笑 chīchīde xiào = 킥킥대다

킬러(killer) 〖명〗 杀手 shāshǒu; 杀人者 shārénzhě; 凶手 xiōngshǒu

킬로(kilo) 〖의명〗 1 = 킬로그램 ¶한 달에 10~을 빼다 一个月减十公斤 2 = 킬로미터 ¶30~을 걷다 走三十公里路

킬로그램(kilogram) 〖의명〗 公斤 gōngjīn; 千克 qiānkè = 킬로1

킬로리터(kiloliter) 〖의명〗 千升 qiānshēng ¶물 10~ 十千升水

킬로미터(kilometer) 〖의명〗 公里 gōnglǐ; 千米 qiānmǐ = 킬로2

킬로바이트(kilobyte) 〖의명〗〖컴〗千字节 qiānzìjié

킬로볼트(kilovolt) 〖의명〗〖物〗千伏特 qiānfútè

킬로암페어(kiloampere) 〖의명〗〖物〗千安培 qiān'ānpéi

킬로와트(kilowatt) 〖의명〗〖物〗千瓦 qiānwǎ

킬로칼로리(kilocalorie) 〖의명〗千卡 qiānkǎ; 大卡 dàkǎ

킬로헤르츠(kilohertz) 〖의명〗〖物〗千赫 qiānhè

킹-사이즈(king-size) 〖명〗超大型 chāodàxíng; 超大号 chāodàhào ¶~ 침대 超大型床

킹-코브라(king cobra) 〖명〗〖動〗眼镜王蛇 yǎnjìngwángshé

ㅋ

Ｅ

타(他) 一명 他人 tārén; 人家 rénjiā
二관 别的 biéde ¶～ 지역 别的地区

타(打) 의명 打 dá ¶연필 한 ～ 一打
铅笔 / 맥주 반 ～ 半打啤酒

타:개(打開) 打开 dǎkāi; 克服
kèfú ¶경제 불황을 ～하다 打开经济萧
条

타:개-책(打開策) 명 活路 huólù

타:격(打擊) 명하타 1 打击 dǎjī; 捶打
chuídǎ ¶머리를 ～하다 打击头部 2
打击 dǎjī; 冲击 chōngjī ¶적에게 치명
적인 ～을 가하다 给敌人以致命的打
击 3 【體】(棒球) 打击 dǎjī; 击球 jīqiú

타:결(妥結) 명하타 妥协 tuǒxié; 妥
协 tuǒ ¶일은 이미 잘 ～되었다 事情已经
商量妥了

타계(他界) 명하자 1 别的世界 biéde
shìjiè 2 去世 qùshì; 逝世 shìshì; 死亡
sǐwáng; 过世 guòshì; 死 sǐ ¶아버지가
작년에 ～하셨다 父亲去年去世了

타고-나다 타 生来 shēnglái; 生就
shēngjiù; 天赋 tiānfù; 天生 tiānshēng ¶
타고난 성격 生来的性情 / 고운 목소
리를 ～ 天生好听的声音

타:구(打球) 명하자【體】打球 dǎqiú

타국(他國) 명 他国 tāguó; 别国 bié-
guó; 异国 yìguó ¶그는 아버지를 따라
～으로 갔다 他随父亲迁往异国

타깃(target) 명 标的 biāodì; 目标 mù-
biāo; 靶子 bǎzi ¶그를 ～으로 삼다
把他们作为靶子

타다[1] 자 1 烧 shāo; 燃烧 ránshāo ¶나
무토막이 활활 ～ 木头块烧了 2 焦 jiāo; 烟
hú ¶빵이 탔다 面包烤煳了 3 晒黑
shàihēi ¶피부가 햇볕에 탔다 皮肤晒
黑了 4 焦急 jiāojí; 焦灼 jiāozhuó ¶속
이 ～ 内心焦灼 5 枯萎 kūwěi ¶보리싹
이 탔다 麦苗枯萎了

타다[2] 一자타 乘 chéng; 骑 qí; 坐 zuò;
蹬 dèng; 搭 dā ¶차를 ～ 乘车 / 배를
～ 坐船 二타 1 攀 pān; 攀登 pāndēng
¶높은 산을 ～ 攀登高峰 2 趁 chèn;
乘 chéng ¶기회를 ～ 乘机会 3 溜冰
liūbīng; 滑冰 huábīng ¶스케이트를 ～
滑冰

타다[3] 타 冲 chōng; 对 duì; 放 fàng ¶
국에 소금을 조금 탔다 汤里搁点儿
盐 / 녹차를 ～ 泡绿茶

타다[4] 타 领 lǐng; 得 dé; 得到 dédào ¶
장학금을 ～ 领奖学金

타다[5] 타 1 分 fēn; 开 kāi ¶가르마를
～ 分头发 2 开 kāi; 剖开 pōukāi ¶박
을 ～ 开葫芦

타다[6] 타 弹 tán; 拉 lā ¶가야금을 ～
弹伽倻琴

타다[7] 一자타 爱 ài ¶때를 잘 ～ 爱脏
污 二타 1 犯 fàn ¶옻을 ～ 犯漆 2 怕
pà ¶부끄럼을 ～ 怕羞 3 怕 pà ¶추위
를 ～ 怕冷

타닥-거리다 자타 1 轻轻地掸 qīng-
qīngde dǎn ¶담요를 ～하며 먼지를 털다
轻轻地掸去灰尘 2 (疲乏时) 一拖一拖
地走 yītuōyītuōde zǒu ¶타닥거리며 집
을 향해 걷다 一拖一拖地往家走 ‖ =
타닥대다 **타닥-타닥** 부하자타

타-당-성(妥當性) 명 妥当性 tuǒdàng-
xìng; 恰当性 qiàdàngxìng

타-당-하다(妥當一) 형 妥当 tuǒdàng;
恰当 qiàdàng; 适当 shìdàng; 得当
dédàng ¶그 의견은 ～ 那个意见妥当

타:도(打倒) 명하타 打倒 dǎdǎo ¶매국
노를 ～하다 打倒卖国贼

타-동사(他動詞) 명【語】及物动词 jí-
wù dòngcí; 他动词 tādòngcí

타:락(墮落) 명하자 堕落 duòluò; 流于
下道 liúyú xiàdào ¶청소년을 ～시키
는 유혹이 많다 使青少年堕落的诱惑
很多

타래 명 1 绞 jiǎo; 绺 liǔ; 辫子 biànzi;
团 tuán ¶실～ 线团 / 마늘 ～ 蒜辫子
2 绞 jiǎo; 绺 liǔ; 辫子 biànzi; 团
tuán ¶실 한 ～ 一绺儿丝线

타력(他力) 명 他力 tālì; 外力 wàilì

타:력(打力) 명【體】打击力 dǎjīlì

타:령 명 1 念叨 niàndao ¶그는 늘 돈
～이다 他经常念叨钱 2【音】打令谣
dǎlìngyáo; 打令 dǎlìng ¶아리랑~ 阿
里郎打令

타르(tar) 명【化】1 焦油 jiāoyóu; 沥
青油 tāhēiyóu 2 = 콜타르

타-민족(他民族) 명 外族 wàizú; 别的
民族 biéde mínzú

타:박 명하타 说三道四 shuōsāndàosì;
指责 zhǐzé; 斥责 chìzé; 怪 guài; 赖
lài; 指斥 zhǐchì ¶～을 받다 受怪 /
～을 놓다 说三道四

타박-거리다 자 轻轻地走路 qīngqīng-
de zǒulù; 一拖一拖地走路 yītuōyītuōde
zǒulù = 타박대다 ¶타박거리며 길을
걷다 一拖一拖地走路 **타박-타박**
부하자 ¶그 아가씨는 지친 걸음으로 ～

걸어갔다 那个小姐以精疲的步伐一拖一拖地走路

타:박-상(打撲傷) 圐挫傷 cuòshāng; 殴伤 ōushāng; 撞伤 zhuàngshāng; 碰伤 pèngshāng ¶전신에 ～을 입다 全身撞伤

타사(他社) 圐别的公司 biéde gōngsī

타:산(打算) 圐하타 打算 dǎsuàn; 估计 gūjì; 算计 suànjì; 盘算 pánsuàn ¶～이 빠르다 算计得很精

타:산-적(打算的) 圐 善于打算 shànyú dǎsuàn ¶그는 언제나 ～이다 他总是善于打算

타산지석(他山之石) 圐 他山之石 tāshānzhīshí ¶～으로 삼다 他山之石, 可以为错

타살(他殺) 圐하타 他杀 tāshā ¶～의 흔적이 있다 有他杀的痕迹

타:성(惰性) 圐 惰性 duòxìng ¶～적惰性的 / ～에 젖다 处于惰性 / ～을 극복하다 克服惰性 / ～을 버리다 抛弃惰性

타:-수(打數) 圐[體] 击球数 jīqiúshù

타:-악기(打樂器) 圐[音] 打击乐器 dǎjī yuèqì; 敲击乐器 qiāojī yuèqì

타-액(睡液) 圐[生] 침

타-오르다 囨 1 燃烧 ránshāo ¶마른 장작이 ～ 干柴燃烧起来 2 焦急 jiāojí; 焦灼 zhuózhuó ¶그는 하루 종일 애가 타올랐다 他整天焦灼了

타올 圐 '타월'의 잘못

타:-원(楕圓) 圐[數] 椭圆 tuǒyuán ¶～형 椭圆形

타월(towel) 圐 毛巾 máojīn

타율(他律) 圐 他律 tālǜ

타:-율(打率) 圐[體] 击球率 jīqiúlǜ

타의(他意) 圐 1 别的意思 biéde yìsi; 他意 tāyì ¶그가 한 말은 ～가 없다 他说的没有他意 2 别人的意志 biérende yìzhì ¶～에 의해 사직하다 以别人的意志为辞职了

타이(tie) 圐 = 넥타이

타-이르다 囤 告诫 gàojiè; 劝劝 quàn; 劝说 quànshuō; 劝导 quàndǎo; 规劝 guīquàn; 开导 kāidǎo = 이르다²2 ¶차근차근 ～ 谆谆告诫

타이머(timer) 圐 定时器 dìngshíqì; 计时器 jìshíqì

타이밍(timing) 圐 时机 shíjī; 定时 dìngshí; 时候 shíhou ¶～이 안 좋다 不是时候 / ～이 좋다 时机合适

타이어(tire) 圐 轮胎 lúntāi; 车胎 chētāi; 轮带 lúndài; 外胎 wàitāi ¶～에 공기를 넣다 给轮胎打气 / ～ 바람이 새다 车胎漏气

타이트-스커트(tight skirt) 圐 紧身裙 jǐnshēnqún

타이트-하다(tight—) 圀 1 紧 jǐn; 瘦

shòu ¶이 옷은 너무 ～ 这件衣服太瘦了 2 严格 yángé ¶훈련이 ～ 训练很严格

타이틀(title) 圐 1 标题 biāotí; 题目 tímù ¶뉴스 ～ 新闻标题 2 [體] = 선수권 ¶～전 锦标赛 / ～을 획득하다 获得锦标 3 [演] 字幕 zìmù

타이프(type) 圐 = 타자기

타이핑(typing) 圐하타 打字 dǎzì

타인(他人) 圐 他人 tārén; 别人 biéren; 别人家 biérénjiā; 人家 rénjiā

타일(tile) 圐[建] 磁砖 cízhuān; 瓷砖 cízhuān; 花砖 huāzhuān ¶～을 깔다 铺瓷砖

타임(time) 圐[體] 1 时间 shíjiān ¶～을 재다 计时间 2 = 타임아웃 ¶감독이 ～을 요구하다 教练要求暂停

타임-머신(time machine) 圐 时间机器 shíjiān jīqì; 时光机器 shíguāng jīqì

타임아웃(time-out) 圐[體] 暂停 zàntíng = 타임2

타임-캡슐(time capsule) 圐 时间囊 shíjiānnáng; 时间舱 shíjiāncāng

타입(type) 圐 类型 lèixíng; 样儿 yàngr; 姿态 zītài; 式样 shìyàng

타:-자(打字) 圐 打字 dǎzì ¶그는 ～를 매우 빠르게 친다 他打字打得很快

타:-자(打者) 圐[體] 击球员 jīqiúyuán; 击球手 jīqiúshǒu

타:-자-기(打字機) 圐 打字机 dǎzìjī = 타이프

타:자-수(打字手) 圐 打字员 dǎzìyuán

타:작(打作) 圐하타 [農] 打场 dǎcháng ¶우리는 ～하느라 바빴다 我们忙着打场

타:전(打電) 圐하타 打电报 dǎ diànbào; 拍电报 pāi diànbào ¶아버지에게 ～하다 打电报给家父

타:점(打點) 圐[體] 得分 défēn

타:-조(駝鳥) 圐[鳥] 鸵鸟 tuóniǎo

타:-종(打鐘) 圐하囨 敲钟 qiāozhōng; 打钟 dǎzhōng

타지(他地) 圐 外地 wàidì; 别的地方 biéde dìfang

타지다 囨 绽开 zhànkāi ¶옷소매가 ～ 衣袖绽开了

타:진(打診) 圐하타 1 [醫] 叩诊 kòuzhěn ¶～기 叩诊机 / 흉부를 ～하다 叩诊胸部 2 探听 tàntīng; 试探 shìtàn ¶상대방의 의향을 ～하다 探听对方的意向

타:-진(打盡) 圐하타 全部抓住 quánbù zhuāzhù; 打尽 dǎjìn ¶살아남은 적들을 일망～하다 把残余的敌人一网打尽

타:-파(打破) 圐 打破 dǎpò; 破除

pòchú; 除破 chúpò ¶관례를 ~하다 打
破惯例 / 미신을 ~하다 破除迷信

타향(他乡) 몡 他乡 tāxiāng; 异乡 yì-
xiāng; 外乡 wàixiāng

타향-살이(他乡—) 몡 客居 kèjū; 流
落他乡 liúluò tāxiāng

타협(妥協) 몡하타 妥协 tuǒxié; 和
解 héjié; 迁就 qiānjiù; 调和 tiáohé ¶~
안 妥协方案 / ~점 妥协点 / 그와는 ~
의 여지가 전혀 없다 跟他毫无妥协的
余地

탁 뭐 1 啪 pā; 吧嗒 bādā; 咔 kā; 啪
嚓 pāchā; 啪嗒 pādā; 啪啦 pāla ¶책
상을 ~ 치다 啪的一声拍桌子 2 突然
tūrán; 猛然 měngrán ¶실이 ~ 풀리다
突然没劲儿了 3 呸 pēi ¶침을 ~ 뱉다
呸的一声吐出口水 4 豁然 huòrán; 豁
亮 huòliàng ¶사방이 ~ 트이다 四处
豁然开朗

탁견(卓見) 몡 高见 gāojiàn; 卓见
zhuójiàn ¶그의 제안은 정말 ~이다 他
的提案真是卓见

탁구(卓球) 몡[體] 乒乓球 pīngpāng-
qiú ¶~공 乒乓球 / ~대 乒乓球台 / ~
채 乒乓球拍 / ~장 乒乓球场 / ~를 치
다 打乒乓球

탁발(托鉢) 몡하자 [佛] 托钵 tuōbō;
化缘 huàyuán ¶~승 化缘和尚

탁본(拓本) 몡 拓本 tàběn; 拓印
tàyìn; 拓片 tàpiàn ¶그는 ~을 몇 장
떴다 他做了几张拓片

탁상(卓上) 몡 桌上 zhuōshàng; 台式
táishì; 台 tái; 桌 zhuō ¶~달력 台式
历 / ~시계 桌钟 =[座钟] / ~일기 台
式日历

탁상-공론(卓上空論) 몡 纸上谈兵 zhǐ-
shàng tánbīng; 纸上空谈 zhǐshàng
kōngtán

탁송(託送) 몡하타 托运 tuōyùn ¶~ 수속
托运手续 / ~수화물 托运行李 / ~화
物 托运货物 / ~회사 托运公司 / 화물
을 ~하다 托运行李

탁아(托兒) 몡 托儿 tuō'ér ¶~소 托儿所

탁월-하다(卓越—) 혱 卓越 zhuóyuè;
卓然 zhuórán; 卓绝 zhuójué; 杰出
jiéchū ¶탁월한 재능 卓越的才能

탁자(卓子) 몡 桌子 zhuōzi; 桌儿 zhuōr

탁주(濁酒) 몡 = 막걸리

탁-탁 뭐하자 1 啪啪 pāpā ¶손뼉
을 ~ 치다 啪啪鼓掌 2 闷闷 mēn-
mēnde ¶숨이 ~ 막히다 闷闷地透不
过来 3 呸呸 pēipēi ¶침을 ~ 뱉다
呸呸吐出唾沫

탁-하다(濁—) 혱 1 (水、空气) 混浊
hùnzhuó; 污浊 wūzhuó; 浑浊 húnzhuó
¶공기가 ~ 空气混浊 2 (声音、颜色)
混浊 hùnzhuó; 粗 cū ¶색이 ~ 色泽
混浊

탄:(炭) 몡 【鑛】 1 = 석탄 2 = 연탄

탄:(彈) 몡 弹 dàn

탄-가루(炭—) 몡 煤末子 méimòzi

탄-갱(炭坑) 몡 【鑛】 煤坑 méikēng; 煤
井 méijǐng; 矿井 kuàngjǐng

탄-광(炭鑛) 몡 【鑛】 煤矿 méikuàng
= 석탄광 ¶~촌 煤矿村 / ~을 개발
하다 开采煤矿

탄-내 몡 焦味儿 jiāowèir; 糊味儿
húwèir; 焦糊味儿 jiāohúwèir ¶부엌에
서 ~가 나다 厨房里有焦味儿

탄-도(彈道) 몡 【軍】 弹道 dàndào ¶
미사일 弹道导弹

탄-두(彈頭) 몡 弹头 dàntóu ¶핵~ 核
弹头

탄-띠(彈—) 몡 【軍】 弹带 dàndài

탄-력(彈力) 몡 1 弹力 tánlì; 弹性 tán-
xìng ¶그가 ~을 잃었다 失去弹力를
了 弹力 2 反应 fǎnyìng; 机动灵活 jī-
dòng línghuó ¶~ 있는 성격 反应很快
的性格 3 [物] 弹力 tánlì

탄력-성(彈力性) 몡 [物] 弹性 tán-
xìng ¶이 공은 ~이 좋다 这个球弹性
优良

탄:로(綻露) 몡하타 败露 bàilù; 暴露
bàolù; 被发现 bèi fāxiàn; 露马脚 lòu
mǎjiǎo ¶비밀이 ~ 났다 秘密败露了

탄:복(歎服 · 嘆服) 몡하자타 佩服 pèi-
fú; 叹服 tànfú; 钦佩 qīnpèi; 钦敬 qīn-
jìng; 钦服 qīnfú; 敬佩 jìngpèi ¶그의
행동에 ~했다 对他的行为感到钦服

탄사(歎辭 · 嘆辭) 몡 感叹的话 gǎntàn-
de huà

탄-산(炭酸) 몡 [化] 碳酸 tànsuān ¶~
음료 碳酸饮料

탄-산-가스(炭酸gas) 몡 [化] = 이
산화탄소

탄-산-수(炭酸水) 몡 [化] 碳酸水 tàn-
suānshuǐ; 苏打水 sūdáshuǐ = 소다수

탄:생(誕生) 몡하자타 诞生 dànshēng
¶~석 诞生石 / ~일 诞生日 / ~지 诞生
生地 / 신흥 공업 도시가 ~하다 诞生
新兴工业城市

탄-성(彈性) 몡 [物] 弹性 tánxìng

탄:성(歎聲 · 嘆聲) 몡 1 叹息声 tànxī-
shēng 2 感叹声 gǎntànshēng; 赞叹声
zàntànshēng ¶~을 지르다 发出赞叹
声

탄-소(炭素) 몡 [化] 碳 tàn; 碳素 tànsù

탄-수화물(炭水化物) 몡 [生] 碳水
化合物 tànshuǐhuàhéwù

탄:식(歎息 · 嘆息) 몡하자타 叹息 tàn-
xī; 叹气 tànqì ¶하늘을 쳐다보고 ~하
다 仰天叹息

탄:신(誕辰) 몡 诞辰 dànchén

탄-알(彈—) 몡 [軍] 弹儿 dànr; 弹
子 dànzǐ; 子弹 zǐdàn; 弹丸 dànwán =
탄환1

탄:압(彈壓) 명[하자] 弹压 tányā; 镇压 zhènyā; 高压 gāoyā ¶정부의 ～에 저항하다 对政府的弹压抗拒

탄:약(彈藥) 명 弹药 dànyào ¶～고 弹药库 /～통 弹药筒

탄:원(歎願) 명[하자동] 请愿 qǐngyuàn; 哀求 āiqiú; 祈求 qíqiú ¶～서 请愿书 / 그의 구명을 ～하다 为求他的性命进行请愿

탄:전(炭田) 명 【鑛】 煤田 méitián; 炭田 tàntián ¶～을 탐사하다 勘探煤田

탄젠트(tangent) 명 【數】正切 zhèngqiē

탄:창(彈倉) 명 【軍】 弹仓 dàncāng; 弹匣 dànxiá; 弹槽 dàncáo; 弹盘 dànpán ¶～을 갈다 转盘枪弹匣

탄:탄-대로(坦坦大路) 명 平坦大道 píngtǎn dàdào; 康庄大道 kāngzhuāng dàdào; 坦坦大路 tǎntǎn dàlù

탄탄-하다[1] 형 1 结实 jiēshi ¶그는 어려서부터 탄탄하게 생겼다 他从小长得很结实 2 牢固 láogù; 坚固 jiāngù; 健壮 jiànzhuàng; 硬朗 yìnglang ¶집을 지을 때는 반드시 기초를 탄탄하게 해야 한다 盖房子时, 地基一定要打得牢固 **탄탄-히**[1] 부

탄:탄-하다[2](坦坦—) 형 1 平坦 píngtǎn; 平坦宽广 píngtǎnkuānguǎng ¶지세가 ～ 地势平坦 2 顺畅 shùnchàng ¶그의 인생길은 ～ 他的人生道路很顺畅 **탄:탄-히**[2] 부

탄:피(彈皮) 명 【軍】弹壳 dànké

탄:핵(彈劾) 명[하타] 【法】弹劾 tánhé ¶대통령을 ～하다 弹劾总统

탄:화(炭化) 명[하자][化] 碳化 tànhuà; 碳 갈기~물 碳化物

탄:환(彈丸) 명 1 弹丸 2 炮弹 pàodàn

탄:흔(彈痕) 명 弹痕 dànhén ¶도처에 ～이 있다 到处都是弹痕

탈: 명 1 假面具 jiǎmiànjù; 假面 jiǎmiàn = 가면·마스크1 ¶～을 쓰다 带假面具 ¶양의 ～을 쓴 늑대 带羊假面的狼

탈:(頉) 명 1 事故 shìgù; 事儿 shìr; 变故 biàngù; 问题 wèntí ¶별 ～ 없을 거다 不会出事儿 2 病 bìng ¶비위생적인 음식을 먹으면 ～이 나기 쉽다 吃不卫生的东西容易生病 3 毛病 máobìng; 缺点 quēdiǎn ¶그는 성질이 급한 것이 ～이다 他的毛病是性急

탈-것 명 交通工具 jiāotōng gōngjù; 代步 dàibù

탈곡(脫穀) 명[하타] 脱稿 tuōgǎo ¶원고의 ～ 稿件的脱稿

탈곡(脫穀) 명[하자] 1 脱粒 tuōlì; 脱谷 tuōgǔ ¶～기 脱谷机 2 舂 chōng; 舂谷 chōnggǔ

탈골(脫骨) 명[하자] 【醫】= 탈구 ¶그의 왼쪽 어깨가 ～되었다 他的右肩脱臼了

탈구(脫臼) 명[하자] 【醫】脱臼 tuōjiù; 脱位 tuōwèi = 탈골

탈당(脫黨) 명[하자동] 脱党 tuōdǎng; 退党 tuìdǎng ¶대통령이 ～을 선언했다 总统宣布脱党了

탈락(脫落) 명[하자동] 落榜 luòbǎng; 落选 luòxuǎn; 淘汰 táotài ¶예선에서 ～하다 在预选中落选

탈렌트 명 '탤런트'의 잘못

탈루(脫漏) 명[하자동] 遗漏 yílòu; 脱落 tuōluò; 漏 lòu ¶세금을 ～하다 漏税

탈모(脫毛) 명[하자] 脱毛 tuōmáo; 脱发 tuōfà ¶～증 脱发症

탈모(脫帽) 명[하자] 脱帽 tuōmào; 摘帽 子 zhāi màozi ¶실내에서는 ～해야 한다 屋子里得脱帽

탈:-바가지 명 假面具 jiǎmiànjù ¶～를 쓰다 戴假面具

탈:-바꿈 명[하자] 变 biàn; 蜕变 tuìbiàn; 变样 biànyàng ¶현대적인 도시로 ～하다 变样一个现代化城市

탈색(脫色) 명[하자] 1 脱色 tuōsè ¶～가공 脱色加工 / ～제 脱色剂 2 退色 tuìshǎi; 掉色 diàoshǎi; 脱色 tuōsè; 落色 làoshǎi; 走色 zǒushǎi ¶옷이 ～되었다 衣服被掉色了

탈선(脫線) 명[하자] 1 脱轨 tuōguǐ ¶열차가 ～되었다 火车脱轨了 2 出轨 chūguǐ; 越轨 yuèguǐ ¶청소년의 ～행위 青少年出轨的行为

탈세(脫稅) 명[하자타] 【法】偷税 tōushuì; 漏税 lòushuì; 逃税 táoshuì; 漏捐 lòujuān ¶～액 偷税额 / ～자 偷税人

탈수(脫水) 명[하자] 脱水 tuōshuǐ ¶～기 脱水机

탈수-증(脫水症) 명 【醫】脱水症 tuōshuǐzhèng; 脱水症状 tuōshuǐ zhèngzhuàng; 失水症 shīshuǐzhèng

탈영(脫營) 명[하자] 逃出兵营 táochū bīngyíng; 开小差 kāi xiǎochāi ¶군인 한 명이 총기를 휴대하고 ～했다 一个军人带着枪逃出兵营了

탈영-병(脫營兵) 명 【軍】逃兵 táobīng; 逃军 táojūn

탈옥(脫獄) 명[하자타] 越狱 yuèyù; 逃狱 táoyù; 逃监 táojiān ¶～수 越狱犯 / 그가 또 ～했다 他又越狱了

탈의(脫衣) 명[하자] 脱衣 tuōyī; 更衣 gēngyī

탈의-실(脫衣室) 명 更衣室 gēngyīshì

탈자(脫字) 명 漏字 lòuzì; 缺字 quēzì ¶이 글에는 ～가 많다 这篇文章漏字很多

탈장(脫腸) 명 [하자] [醫] 疝气 shànqì; 小肠串气 xiǎocháng chuànqì; 赫尔尼亚 hè'ěrníyà

탈주(脫走) 명[하자] 逃走 táozǒu; 逃跑 táopǎo ¶～자 逃走者 / 그는 틈을 봐서 ～했다 他乘隙逃跑了

탈지(脫脂) 명 脱脂 tuōzhī ¶～분유 脂粉奶 / ～유 脱脂奶

탈지-면(脫脂綿) 명 [醫] 脱脂棉 tuō-zhīmián = 소독면·약솜

탈진(脫盡) 명[하자] 精疲力竭 jīngpílì-jié; 筋疲力尽 jīnpílìjìn; 精疲力尽 jīngpílìjìn ¶～ 상태에 빠지다 陷入精疲力竭的状态

탈출(脫出) 명[하자타] 逃脱 táotuō; 脱逃 tuōtáo; 逃出 táochū ¶그가 ～ 他脱逃了

탈출-구(脫出口) 명 太平门 tàipíng-mén; 逃生门 táoshēngmén

탈-춤 명 【藝】假面舞 jiǎmiànwǔ ¶～을 추다 跳假面舞

탈취(脫臭) 명[하자] 除臭 chúchòu ¶～제 除臭剂

탈취(奪取) 명[하타] 夺取 duóqǔ; 抢夺 qiǎngduó; 掠夺 lüèduó ¶다른 사람의 재산을 ～하다 夺取他人财产

탈탈 图 1 轻轻地掸 qīngqīngde dǎn ¶그녀는 이부자리의 먼지를 ～ 털었다 她把被子上的灰尘轻轻地掸掉 2 全部翻出来 quánbù fānchūlai ¶그는 지갑의 돈을 ～ 털었다 他把钱包的钱全部都出来了 4 哐啷哐啷 kuānglāngkuāng-lāng; 咣咚咣咚 jīdōnggūdōng ¶자동차가 ～ 소리를 내며 가다 汽车哐咚咣啷哐啷地过去了

탈탈-거리다 자타 1 拖着沉重的步伐 tuōzhe chénzhòngde bùfá ¶탈탈거리며 작업장에서 돌아왔다 拖着沉重的步伐从工地回来了 2 哐啷哐啷 kuānglāng-kuānglāng; 咣咚咣咚 jīdōnggūdōng; 哐咚咚咚 jīdōnggūdōng ¶삼륜차 하나가 탈탈거리며 지나갔다 一辆三轮车哐咚咚咚地过去了 ‖ = 탈탈대다

탈퇴(脫退) 명[하자] 脱离 tuōlí; 退出 tuì-chū ¶노조를 ～하다 脱离工会

탈피(脫皮) 명[하자타] 1 [動] 蜕皮 tuì-pí ¶뱀이 ～하다 蛇蜕皮了 2 摆脱 bǎ ituō; 打破 dǎpò ¶구태로부터 ～하다 打破旧框框

탈환(奪還) 명[하타] 夺回 duóhuí; 夺还 duóhuán ¶진지를 ～하다 夺回阵地

탐(貪) 명 贪心 tānxīn ¶～이 나다 起贪心

탐관(貪官) 명 贪官 tānguān

탐관-오리(貪官汚吏) 명 贪官污吏 tān-guānwūlì; 赃官 zāngguān

탐구(探究) 명[하타] 探究 tànjiū; 探求 tànqiú; 研究 yánjiū; 钻研 zuānyán;

索 tànsuǒ; 探讨 tàntǎo ¶원인을 ～하다 探究原因 / 진리를 ～하다 探求真理

탐구-심(探究心) 명 钻劲儿 zuānjìnr ¶～이 강하다 他钻劲儿大

탐-나다(貪―) 자 贪 tān; 起贪心 qǐ tānxīn; 眼馋 yǎnchán; 眼热 yǎnrè; 眼红 yǎnhóng; 垂涎 chuíxián ¶탐나는 물건 让人眼红的东西

탐-내다(貪―) 타 贪求 tānqiú; 贪图 tāntú; 贪 tān; 图 tú ¶재물을 ～ 贪图财物

탐닉(耽溺) 명[하자] 耽于 dānyú; 沉溺 chénnì ¶주색에 ～하다 耽于酒色

탐독(耽讀) 명[하타] 1 耽读 dāndú ¶～했다 他整天耽读小说 2 好读 hàodú; 爱读 àidú

탐문(探問) 명[하타] 探问 tànwèn; 寻问 xúnwèn ¶그의 상황을 ～하다 探问他的情况

탐방(探訪) 명[하타] 1 探询 tànxún 2 探访 tànfǎng; 采访 cǎifǎng ¶～기 探访记 / 기사 采访报道 / 기자 采访记者 / 미개 사회의 생활을 ～하다 探访未开化社会的生活

탐사(探査) 명[하타] 勘探 kāntàn; 探测 tànkān ¶～단 勘探团 / ～대 勘探队 / 지질을 ～하다 勘探地质

탐색(探索) 명[하타] 探索 tànsuǒ; 探看 tànkàn; 试探 shìtàn ¶레이더로 고기떼를 ～하다 用雷达探索鱼群

탐색-전(探索戰) 명 刺探战 cìtànzhàn

탐-스럽다(貪―) 형 可爱 kě'ài; 讨人喜欢 tǎorén xǐhuan ¶과일이 탐스럽게 달렸다 结果结得讨人喜欢 탐스레 图

탐욕(貪慾) 명 贪婪 tānlán; 贪欲 tānyù

탐욕-스럽다(貪慾―) 형 贪婪 tānlán; 贪欲 tānyù ¶그는 탐욕스러운 눈빛으로 看了她 他以贪婪的眼神看了她 탐욕스레 图

탐정(探偵) 명[하타] 侦探 zhēntàn = 정탐 ¶～소설 侦探小说

탐조(探照) 명[하타] 探照 tànzhào

탐조-등(探照燈) 명 探照灯 tànzhào-dēng = 서치라이트

탐지(探知) 명[하타] 探测 tàncè; 探知 tànzhī; 探明 tànmíng; 探索 tànsuǒ; 探 tàn ¶～견 嗅索犬 / ～기 探索机 / 음모를 ～하다 探明阴谋

탐탁-스럽다 형 令人满意 lìngrén mǎn-yì; 令人喜爱 lìngrén xǐ'ài; 称心如意 chènxīnrúyì ¶그는 그 일이 ～ 他觉得那个工作令人满意 탐탁스레 图

탐탁-하다 형 令人满意 lìngrén mǎn-yì; 令人喜爱 lìngrén xǐ'ài; 称心如意 chènxīnrúyì 탐탁-히 图

탐험(探險) 명[하타] 探险 tànxiǎn ¶～가

탐험가(探險家) 〜대 探險隊 〜소설 探險小说 /아프리카를 〜하다 到非洲去探险

탑(塔) 명 塔 tǎ ¶기념 〜 纪念塔

탑승(搭乘) 명[자] 搭乘 dāchéng; 登机 dēngjī; 上 shàng ¶수속 登机手续 /비행기에 〜하다 搭乘飞机

탑승-객(搭乘客) 명 乘客 chéngkè

탑승-권(搭乘券) 명 机票 jīpiào; 搭乘票 dāchéngpiào

탑재(搭載) 명[타] 搭载 dāzài; 装载 zhuāngzài; 装上 zhuāngshàng ¶비행선은 무기를 〜할 수 있다 飞船能搭载武器

탓 명[하자] 1 (产生否定现象的)原因 yuányīn; 因为 yīnwèi ¶머리가 어지러운 것은 열이 나는 〜이다 头晕是因为发烧 2 责怪 zéguài; 怪 guài; 埋怨 máiyuàn; 责备 zébèi ¶이 일은 그를 〜하지 마라 这件事, 别责怪他

탕[1] 의명 趟 tàng ¶이 차는 하루에 세 〜 뛴다 这辆车一天跑三趟

탕[2] 부 砰 pēng; 哐 kuāng; 啪 pā; 吧 bā ¶〜〜〜 세 발을 쐈다 吧吧吧打了三枪

탕:[1](湯) 명 1 (祭祀时用的)汤 tāng 2 '국'의 敬词

탕:[2](湯) 명 1 塘 táng; 浴池 yùchí 澡堂 zǎotáng

-탕(湯) 접[미] 1 汤 tāng ¶계란〜 蛋花汤 2 汤药 tāngyào; 汤 tāng ¶십전대보 〜 十全大补汤药

탕:-감(蕩減) 명[하타] 豁免 huòmiǎn ¶농민들이 소작료의 〜을 요구하다 农民要求豁免地租

탕수-육(糖水肉) 명 糖醋肉 tángcùròu

탕:-아(蕩兒) 명 浪子 làngzǐ = 탕자

탕:-약(湯藥) 명[韓醫] 汤药 tāngyào; 汤剂 tāngjì = 탕제

탕:-자(蕩子) 명 = 탕아

탕:-제(湯劑) 명 = 탕약

탕:-진(蕩盡) 명[하타] 挥霍 huīhuò; 挥霍干净 huīhuò gānjìng ¶많은 유산을 모두 〜했다 挥霍干净了很多的遗产

탕-탕 부[하자타] 砰砰 pēngpēng; 劈里啪啦 pīlipālā; 轰轰 hōnghōng ¶〜 문 두드리는 소리 砰砰的敲门声

탕탕-거리다 자[타] 砰砰 pēngpēng; 劈里啪啦 pīlipālā; 轰轰 hōnghōng = 탕탕대다 ¶탕탕거리는 폭죽 소리가 끊임없이 일어나다 劈里啪啦的鞭炮声就此起彼伏

태(胎) 명[生] 胎 tāi

태:(態) 명 1 = 맵시 2 样子 yàngzi; 姿态 zītài; 体态 tǐtài; 形 xíng ¶그녀는 〜가 아름답다 她姿态很漂亮

태고(太古) 명 太古 tàigǔ; 远古 yuǎngǔ; 上古 shànggǔ

태교(胎教) 명[하자] 胎教 tāijiào

태권(跆拳) 명 = 태권도

태권-도(跆拳道) 명[體] 跆拳道 táiquándào = 태권

태극(太極) 명 太极 tàijí

태극-권(太極拳) 명[體] 太极拳 tàijíquán

태극-기(太極旗) 명 太极旗 Tàijíqí

태기(胎氣) 명 胎气 tāiqì ¶〜가 있다 有了胎气

태내(胎內) 명 胎腹 tāifù; 胎内 tāinèi ¶〜에 있는 아이 在胎内的孩子

태:도(態度) 명 态度 tàidù; 架子 jiàzi; 姿态 zītài; 作风 zuòfēng ¶학습 〜 学习态度 /그는 〜가 아주 의젓하다 他态度很大方

태동(胎動) 명[하자] 1 [醫] 胎动 tāidòng ¶아이의 〜을 느꼈다 感觉到了孩子的胎动 2 胎动 tāidòng; 抬头 táitóu; 酝酿 yùnniàng ¶신시대의 〜 新时代的胎动

태만(怠慢) 명[하형][히부] 懒惰 lǎnduò; 怠慢 dàiduò; 怠慢 dàimàn ¶내 남편은 너무 〜하다 我爱人很怠慢

태몽(胎夢) 명 胎梦 tāimèng ¶〜을 꾸다 做胎梦

태반(太半) 명 大半 dàbàn; 一大半儿 yīdàbànr; 过半 guòbàn; 多半 duōbàn; 强半 qiángbàn ¶우리 반 학생은 〜이 지방에서 왔다 我们班学生多半是从地方来的

태반(胎盤) 명[生] 胎盘 tāipán

태-부족(太不足) 명[하형] 太不够 tài bùgòu; 十分不足 shífēn bùzú; 太不足 tài bùzú; 很不够 hěn bùgòu ¶지금 있는 목재로만 창고를 짓자면 〜이다 只用现有的木材要盖仓库, 那太不够了

태산(泰山) 명 1 高山 gāoshān 2 万分 wànfēn; 重重 chóngchóng; 多如牛毛 duōrúniúmáo ¶할 일이 〜이다 要做的事多如牛毛

태생(胎生) 명 1 生 shēng; 出生 chūshēng ¶〜지 出生地 /그는 농촌 〜이다 他出生于农村 2 [動] 胎生 tāishēng ¶〜동물 胎生动物

태세(態勢) 명 态势 tàishì; 气势 qìshì ¶물 샐 틈 없는 경계 〜 水泄不通的警戒态势

태아(胎兒) 명[生] 胎儿 tāi'ér

태양(太陽) 명[天] 太阳 tàiyáng; 阳 yáng ¶〜계 太阳系 /〜광 太阳光 /열 太阳能 /〜열 太阳热 太阳热

태양-력(太陽曆) 명[天] 太阳历 tàiyánglì; 阳历 yánglì = 양력

태어-나다 자 生 shēng; 出生 chūshēng; 诞生 dànshēng ¶너는 몇 년도에 태어났니? 你是哪年出生的? /나는 베이징에서 태어났다 我生于北京

태업(怠業) 명[하자] 1 [社] 怠工 dàigōng ¶노동자들이 ~ 행위를 하다 工人们展开怠工行动 **2** 磨洋工 móyánggōng; 怠业 dàiyè

태연(泰然) 〖혱〗泰然 tàirán; 坦然 tǎnrán; 从容 cóngróng; 镇静 zhènjìng ¶표정이 ~하다 神情泰然

태연-스럽다(泰然一) 〖혱〗泰然 tàirán; 坦然 tǎnrán; 从容 cóngróng ¶태연스러운 표정 泰然的表情 **태연스레** 〖ᄇ〗

태연-자약(泰然自若) 〖명〗〖하형〗泰然自若 tàiránzìruò; 坦然自若 tǎnránzìruò ¶태도가 ~하다 态度泰然自若

태엽(胎葉) 〖명〗发条 fātiáo; 弦 xián ¶~을 감다 上弦

태우다¹ 〖타〗**1** 烧 shāo ¶편지를 ~ 烧信 **2** (皮肤) 晒 shài ¶바닷가에서 피부를 ~ 在沙滩晒皮肤 **3** 焦急 jiāojí; 焦心 jiāoxīn ¶부모님 속을 ~ 让父母焦急 **4** 煳 hú; 焦 jiāo ¶밥을 ~ 饭这煳了

태우다² 〖타〗**1** 上 shàng; 搭 dā; 载 zài ¶손님을 ~ 搭客 **2** 搭 dā; 驮 tuó ¶말에 이 사람을 ~ 马驮着人

태음-력(太陰曆) 〖명〗〖天〗太阴历 tàiyīnlì; 阴历 yīnlì; 农历 nónglì; 夏历 xiàlì = 음력

태자(太子) 〖명〗〖史〗**1** = 왕태자 **2** = 황태자

태중(胎中) 〖명〗孕期 yùnqī

태초(太初) 〖명〗太初 tàichū

태클(tackle) 〖명〗〖하자타〗〖體〗抢截球 qiǎngjiéqiú; 铲球 chǎnqiú

태평(太平・泰平) 〖명〗〖하형〗〖부〗**1** 太平 tàipíng; 平安 píng'ān ¶~성대 太平盛世 / ~을 누리다 享受太平 **2** 不愁 bùchóu ¶그는 大学에 떨어졌어도 ~이다 他没考上大学也不愁

태평-양(太平洋) 〖명〗〖地〗太平洋 Tàipíngyáng

태풍(颱風) 〖명〗〖地理〗台风 táifēng ¶~의 경로 台风路径 / ~의 눈 台风眼

택배(宅配) 〖명〗宅配 zháipèi; 送货上门 sònghuò shàngménfù

택시(taxi) 〖명〗出租汽车 chūzū qìchē; 的士 díshì; 计程车 jìchéngchē; 出租车 chūzūchē

택일(擇一) 〖명〗〖하자〗选择一个 xuǎnzé yīgè; 取一 qǔyī ¶양자~ 二者取一

택일(擇日) 〖명〗〖하타〗〖民〗择吉 zéjí

택지(宅地) 〖명〗地皮 dìpí; 宅基 zháijī ¶~를 공급하다 供给地皮

택-하다(擇一) 〖타〗选 xuǎn; 挑 tiāo; 选择 xuǎnzé; 挑选 tiāoxuǎn ¶가장 빠른 길을 ~ 选择捷径

탤런트(talent) 〖명〗(电视剧) 演员 yǎnyuán

탬버린(tambourine) 〖명〗〖音〗铃鼓 línggǔ; 手鼓 shǒugǔ

탭 댄스(tap dance) 〖藝〗踢踏舞 tītàwǔ

탯-줄(胎一) 〖명〗〖生〗脐带 qídài ¶~을 자르다 剪断脐带

탱고(tango) 〖명〗〖藝〗探戈 tàngē; 探戈舞 tàngēwǔ

탱자(枳) 〖명〗〖植〗臭桔 chòujié; 枸橘 gōujú; 枳 zhǐ ¶~나무 臭桔

탱크(tank) 〖명〗**1** 桶 tǒng; 罐 guàn; 槽 cáo **2** 〖軍〗= 전차(戰車)

탱탱〖부형〗〖하형〗**1** 鼓鼓 gǔgǔ; 饱满 bǎomǎn ¶배가 ~하다 肚子胀鼓鼓的 **2** 有弹力 yǒu tánlì ¶피부가 ~하다 皮肤有弹力

터¹ 〖명〗**1** 地基 dìjī; 地方 dìfang ¶~를 닦다 打地基 **2** 基础 jīchǔ **3** 地方 dìfang; 场所 chǎngsuǒ; 场 chǎng; 地 dì; 处 chù ¶빨래~ 洗衣处 / 놀이~ 游乐场

터² 〖의명〗**1** 要 yào; 打算 dǎsuan ¶나는 오늘부터 연습을 시작할 ~이다 我打算今天开始练习 **2** 关系 guānxì; 情况 qíngkuàng ¶그들은 서로 잘 아는 ~이다 他们互相熟识的关系

터널(tunnel) 〖명〗隧道 suìdào; 坑道 kēngdào

터-놓다 〖타〗**1** 打开 dǎkāi; 敞开 chǎngkāi; 扒开 bākāi; 解开 jiěkāi ¶대문을 ~ 打开大门 **2** 解除 jiěchú; 解禁 jiějìn; 开放 kāifàng ¶금지령을 ~ 解除禁令 **3** 开诚布公 kāichéngbùgōng; 开诚相见 kāichéngxiāngjiàn; 肝胆相照 gāndǎnxiāngzhào; 敞开 chǎngkāi ¶나와 그녀는 터놓고 지내는 친구 사이다 我和她是肝胆相照的朋友

터덜-거리다 〖자타〗**1** 拖着疲乏的腿走 tuōzhe pífáde tuǐ zǒu ¶그는 한밤중에야 터덜거리며 집으로 걸어 돌아왔다 他半夜才拖着疲乏的腿走回家来了 **2** 发出敲击破器皿的声音 ¶哐啷哐啷 kuānglāngkuānglāng; 唧叮咕咚 jīdīng gūdōng; 唧咚咕咚 jīdōng gūdōng ‖ ~ 터덜대다 터덜-터덜 〖부형부자〗

터-득(攄得) 〖명〗〖하타〗体会 tǐhuì; 领会 lǐnghuì; 领悟 lǐngwù; 悟出 wùchū ¶결을 스스로 ~하다 自觉地领悟诀窍

터:-뜨리다 〖타〗**1** 弄破 nòngpò; 裂开 lièkāi; 爆破 bàopò ¶풍선을 ~ 把气球弄破 **2** 放声 fàngshēng ¶그는 폭소를 터뜨렸다 放声大笑了 **3** 发泄 fāxiè ¶그는 듣자마자 불만을 터뜨렸다 他一听就发泄不满了

터럭 〖명〗**1** 毛发 máofà **2** 一毛 yīmáo; 毫发 háofà

터무니 〖명〗根据 gēnjù; 理由 lǐyóu

터무니-없다 〖혱〗荒唐 huāngtáng; 荒谬 huāngmiù; 荒诞 huāngdàn ¶터무니없는 거짓말 荒唐的谎话 **터무니없-이** 〖부〗

터미널(terminal) 명 终点 zhōngdiǎn; 终点站 zhōngdiǎnzhàn; 总站 zǒngzhàn

터벅-거리다 자 一拖一拖地走 yītuō-yītuōde zǒu; 踢达 tīdá = 터벅대다 ¶그는 맨발로 터벅거리며 걷기 시작했다 他踢达踢达地踱起步来 **터벅-터벅** 부[하][자]

터부(taboo) 명 禁忌 jìnjì; 忌讳 jìhuì

터부룩-하다 형 蓬蓬 péngpéng; 蓬松 péngsōng; 乱蓬蓬 luànpéngpéng ¶터부룩한 머리 乱蓬蓬的头发 **터부룩-이** 부

터빈(turbine) 명 〖機〗涡轮机 wōlúnjī; 透平机 tòupíngjī

터울 명 差 chà; 相差 xiāngchà ¶우리 삼형제는 모두 3살 ～이다 我们三兄弟相差都三岁

터전 명 1 地基 dìjī; 基座 jīzuò ¶터를 닦다 打地基 2 基地 jīdì; 根基 gēnjī; 根据地 gēnjùdì ¶생활의 ～ 生活的根据地

터줏-대감(―主大監) 명 老资格 lǎozīgé = 土地爷 tǔdìyé

터:지다 자 1 裂 liè; 裂开 lièkāi ¶입술이 ～ 嘴唇裂开了 2 破 pò; 开 kāi; 裂缝 lièxiàn; 绽线 zhànxiàn ¶바짓가랑이가 ～ 裤脚开线 3 (战争·问题) 发生 fāshēng; 爆发 bàofā ¶전쟁이 ～ 战争爆发 / 问题가 ～ 发生问题 4 爆炸 bàozhà; 爆裂 bàoliè ¶가스통이 ～ 煤气罐爆炸 5 暴露 bàolù; 泄露 xièlù; 泄漏 xièlòu ¶비밀이 ～ 秘密暴露 6 挨打 áidǎ; 挨揍 áizòu ¶터지지 않으면 욕먹으니, 이거 못살겠네! 不挨打就挨骂, 这日子怎么过! 7 (笑·哭) 放声 fàngshēng; 爆发 bàofā ¶웃음이 ～ 笑声爆发出来 哄起来 hōngqǐlái ¶웃음이 ～ 发出笑声 8 流 liú; 涌 yǒng; 涌出 yǒngchū ¶코피가 ～ 鼻血涌出来

턱¹ 명 1 下巴 xiàba; 下巴颏(儿) xiàbakē(r) ¶～을 괴다 托着下巴 〖生〗 颌 hé; 下颌 xiàhé ¶～관절 下颌关节

턱² 명 坎儿 kǎnr ¶앞에 ～이 있어 前面有一道土坎儿

턱³ 명 请客 qǐngkè ¶오늘 내가 너희들에게 ～낼게 今天我请你们客

턱⁴ 의명 理由 lǐyóu; 原因 yuányīn ¶그가 그렇게 할 ～이 없다 他没有理由做那样的

턱⁵ 부 1 完全 wánquán ¶마음을 ～ 놓다 完全放心 2 泰然自若地 tàirán-zìruòde ¶그는 사람들 앞에 나서서 노래를 불렀다 他泰然自若地在群众面前唱歌 3 一下子 yīxiàzi ¶그는 ～ 내 뒤 목덜미를 ～ 잡았다 他一下子握住了我的后颈 4 被堵塞貌 ¶숨이 ～ 막히다 喘不过气来 5 软不拉唧地 ruǎnbùlājīde ¶방바닥에 ～ 쓰러지다 软不

拉唧地倒在地板上 6 突然 tūrán ¶진이 ～ 멎었다 引擎突然停了

턱-걸이 명[하]자 1 〖體〗引体向上 yǐntǐ xiàngshàng; 悬垂 xuánchuí 2 好不容易 hǎobùróngyì ¶그는 ～로 대학에 들어갔다 他好不容易才考上了大学

턱-밑 명 眼前 yǎnqián; 眼皮底下 yǎnpí dǐxià; 鼻子底下 bízi dǐxià; 近处 jìnchù ¶～에서 생긴 일도 그는 모른다 眼皮底下发生的事他都不知道

턱-받이 명 围嘴儿 wéizuǐr; 口水兜 kǒushuǐdōu

턱-뼈 명 〖醫〗颌骨 hégǔ; 颏骨 kēgǔ

턱-수염(―鬚髯) 명 下巴胡子 xiàba húzi

턱시도(tuxedo) 명 晚礼服 wǎnlǐfú; 无尾礼服 wúwěilǐfú; 塔士多 tǎshìduō

턱-없다 형 1 毫无根据 háowúgēnjù; 荒谬 huāngmiù; 荒诞 huāngdàn; 荒唐 huāngtáng ¶턱없는 소리 荒谬的话 2 过分 guòfèn ¶턱없는 생활 过分的生活 **턱없-이** 부

턱-지다 자 有坎儿 yǒukǎnr

턱-턱 부[하][자타] 1 爽爽快快地 shuǎngshuǎngkuàikuàide; 痛痛快快地 tòngtongkuàikuàide ¶일을 ～ 해내다 痛痛快快地办事 2 喘吁吁 chuǎnxūxū ¶숨이 ～ 막히는 날씨 气喘吁吁的天气

털 명 1 毛 máo; 毛发 máofà ¶털이 나다 长出毛 2 ～ 털실

털-가죽 명 毛皮 máopí; 皮张 pízhāng = 毛皮

털-갈이 명[하][자] 换毛 huànmáo; 脱毛 tuōmáo

털-게 명 〖動〗猬蟹 wèixiè

털-구멍 명 毛孔 máokǒng = 毛孔

털-끝 명 1 毛尖 máojiān 2 丝毫 sīháo; 秋毫 qiūháo; 一丁点儿 yīdīngdiǎnr ¶그는 ～만큼의 동정심도 없다 他连一丁点儿的同情心也没有

털:다 타 1 掸 dǎn; 拂 fú; 抖搂 dǒulou ¶먼지를 ～ 掸尘土 2 倾 qīng; 抖搂 dǒulou; 罄 qìng ¶있는 돈을 모두 주식을 사다 罄其所有买股票 抢 qiǎng; 夺 duó; 抢夺 qiǎngduó; 抢劫 qiǎngjié ¶도둑놈이 집 안의 물건을 모두 털어 갔다 小偷把家里的东西全抢走了

털-리다 자타 抢夺 qiǎngduó; 抢劫 qiǎngjié ¶그는 소매치기에게 지갑을 털렸다 他把钱包被小偷抢夺了

털-모자(―帽子) 명 1 皮帽子 pímàozi; 毛皮帽 máopímào 2 毛线帽子 máoxiàn màozi

털-목도리 명 1 毛皮围巾 máopí wéijīn 2 毛线围巾 máoxiàn wéijīn; 围围巾 máoweíjīn ¶～를 두르다 围围围巾

털버덕 부[하][자타] 1 吧哒 bādā ¶

가 물에 ~ 떨어졌다 箱子吧哒一声掉在水里 **2** 扑通 pūtōng ¶길가에 ~ 주저앉다 扑通就随便坐在路边

털-보 图 毛人 máorén

털-복숭이 图 毛茸茸的 máoróngróngde

털-신 图 毛皮鞋 máopíxié

털-실 图 毛线 máoxiàn; 绒线 róngxiàn ¶ ~로 스웨터를 짜다 用毛线织毛衣

털썩 图하자 **1** 扑腾 pūténg ¶그는 땅바닥에 ~ 주저앉았다 他扑腾一屁股坐在地上 **2** 哗啦 huālā ¶ ~하고 담벽이 무너졌다 哗啦一声, 墙倒了

털어-놓다 国티 **1** 开诚布公 kāichéng bùgōng; 开怀畅谈 kāihuáichàngtán; 和盘托出 hépántuōchū; 吐露 tùlù; 倾诉 qīngsù ¶자기의 생각을 몽땅 ~ 把自己的想法和盘托出 **2** 全部拿出 quánbù náchū; 倾 qīng ¶동전을 ~ 全部拿出铜钱

털-옷 图 毛皮衣 máopíyī; 毛衣 máoyī

털털-하다 國 **1** 随和 suíhe; 随便 suíbiàn; 豪爽 háoshuǎng ¶그는 성격이 ~ 他性格很随和 **2** 普通 pǔtōngde; 一般的 yìbānde ¶이 물건은 품질이 ~ 这个东西质量很普通的 **털털-히** 图

텀벙 图하자타 扑通 pūtōng; 噗通 pūtōng ¶ ~ 강물에 빠졌다 噗通地一声掉在河里了

텀벙-거리다 困티 扑通 pūtōng; 噗通 pūtōng = 텀벙대다 ¶텀벙거리며 바다로 뛰어들다 扑通一声跳下海 **텀벙-텀벙** 图하자타

텀블링(tumbling) 图 = 공중제비

텁수룩-하다 國 蓬松 péngsōng; 毛茸 máoróng; 乱蓬蓬 luànpéngpéng; 又长又密 yòuchángyòumì ¶수염이 ~ 胡子长得又长又密 **텁수룩-이** 图

텁텁-하다 國 **1** 发涩 fāsè; 扎嘴 zhāzuǐ; 不爽口 bùshuǎngkǒu ¶감이 ~ 柿子发涩 **2** 发涩 fāsè ¶눈이 ~ 眼珠儿发涩 **3** 随便 suíbiàn ¶그는 성격이 ~ 他性格很随便

텃-밭 图 宅旁地 zháipángdì; 屋旁地后的地 wūpángzháihòude dì ¶ ~을 가꾸다 耕屋旁宅后的地

텃-새 图 [鳥] 留鸟 liúniǎo

텃-세(-勢) 图하자 欺生 qīshēng ¶ ~가 심하다 欺生很严重

텅 图 空 kōng; 空空 kōngkōng; 空荡荡 kōngdàngdàng ¶방이 ~ 비어 있다 屋子空荡荡的

텅스텐(tungsten) 图 [化] 钨 wū

텅-텅 图 空 kōng; 空空 kōngkōng; 空荡荡 kōngdàngdàng ¶ ~ 비어 있는 버스 空荡荡的巴士

테 图 **1** 箍 gū ¶금 ~ 金箍 **2** 边 biān ¶검은 ~를 두른 모자 镶上黑边的帽子

3 框(儿) kuàng(r) ¶안경 ~ 眼镜框儿

테너(tenor) 图 [音] **1** 男高音 nángāoyīn; 男高音歌手 nángāoyīn gēshǒu **2** 次中音 cìzhōngyīn

테니스(tennis) 图 [體] 网球 wǎngqiú ¶ ~공 网球 / ~ 라켓 网球拍子 / ~장 网球场

테두리 图 **1** 箍 gū; 边 biān ¶쇠테로 ~를 단단히 두르다 用铁条箍住了 **2** 范围 fànwéi; 界限 jièxiàn ¶문제의 ~ 안에서 토론합시다 在问题的范围之内讨论吧

테라스(terrace) 图 [建] 露台 lùtái; 平台 píngtái; 阳台 yángtái

테러(terror) 图 **1** 恐怖 kǒngbù; 惊骇 jīnghài; 恐怖行动 kǒngbù xíngdòng ¶ ~단 恐怖集团 **2** [政] = 테러리즘

테러리스트(terrorist) 图 恐怖分子 kǒngbù fènzǐ; 恐怖主义者 kǒngbù zhǔyìzhě

테러리즘(terrorism) 图 [政] 恐怖主义 kǒngbù zhǔyì = 테러리즘

테마(독Thema) 图 [文] 主题 zhǔtí; 题目 tímù; 题 tí ¶ ~ 뮤직 主题音乐 / ~ 소설 主题小说 / ~송 主题歌 ¶이 작품의 ~는 청춘이다 这个作品的主题是青春

테스트(test) 图하타 试验 shìyàn; 检查 jiǎnchá; 测验 cèyàn ¶엔진의 성능을 ~하다 测验引擎的性能

테이블(table) 图 桌子 zhuōzi; 桌 zhuō

테이프(tape) 图 **1** 带子 dàizi; 彩带 cǎidài; 布带 bùdài; 线带 xiàndài **2** 胶布 jiāobù; 胶带 jiāodài ¶셀로판 ~ 透明胶带 **3** 磁带 cídài; 胶带 jiāodài ¶새로 나온 ~ 新版磁带

테크닉(technic) 图 技巧 jìqiǎo; 技术 jìshù; 手法 shǒufǎ

텍스트(text) 图 **1** 原文 yuánwén; 正文 zhèngwén; 课文 kèwén **2** [語] 课本 kèběn; 文本 wénběn

텐트(tent) 图 帐篷 zhàngpeng; 帐幕 zhàngmù ¶ ~를 치다 搭帐篷

텔레마케팅(telemarketing) 图 [經] 电话销售 diànhuà xiāoshòu; 电话营销 diànhuà yíngxiāo

텔레비전(television) 图 电视 diànshì; 电视机 diànshìjī ¶ ~을 보다 看电视

텔레파시(telepathy) 图 [心] 心灵感应 xīnlíng gǎnyìng; 通灵 tōnglíng; 传心术 chuánxīnshù

템포(tempo) 图 **1** 速度 sùdù **2** [音] 节奏 jiézòu; 进行速度 jìnxíng sùdù; 节拍 jiépāi

토굴(土窟) 图 = 땅굴2

토기(土器) 图 陶器 táoqì ¶ ~를 굽다 烧陶器 / ~를 만들다 制陶器

토기-장이(土器一) 圏 土匠 tǔjiàng; 陶匠 táojiàng

토끼 圏【動】兔子 tùzi; 兔 tù

토끼-풀【植】三叶草 sānyècǎo; 车轴草 chēyóucǎo; 苜蓿 mùxu = 클로버1

토너(toner) 圏【컴】墨粉 mòfěn; 碳粉 tànfěn

토너먼트(tournament) 圏【體】淘汰赛 táotàisài; 落选赛 luòxuǎnsài; 擂台赛 lèitáisài

토네이도(tornado) 圏【地理】龙卷风 lóngjuǎnfēng; 陆龙卷 lùlóngjuǎn; 大旋风 dàxuànfēng

토닥-거리다 唐 梆梆敲打 bāngbāngqiāodǎ; 啪啪拍 pāpāpāi = 토닥대다 ¶그가 나의 등을 토닥거리며 말했다 他啪啪拍着我的背说 **토닥-토닥** 圃(咦唐)

토-담(土一) 圏 土墙 tǔqiáng

토담-집(土一) 圏【建】土房子 tǔfángzi

토대(土臺) 圏 地基 dìjī; 基础 jīchǔ; 地盘 dìpán; 底子 dǐzi; 根基 gēnjī = 지반2 ¶이 집은 ~가 단단하다 这房子根基很牢靠

토라지다 困 闹别扭 nào bièniu; 不高兴 bùgāoxìng ¶토라진 표정 不高兴的神情

토란(土卵) 圏【植】芋 yù; 芋艿 yùnǎi; 芋头 yùtou ¶~국 芋芳汤

토-로(吐露) 圏唐唐 吐露 tǔlù; 抒发 shūfā; 表露 biǎolù; 倾吐 qīngtǔ; 倾诉 qīngsù ¶흥분되는 마음을 ~하다 吐露出兴奋的心情

토-론(討論) 圏唐唐 讨论 tǎolùn ¶~장 讨论场 / ~회 讨论会 / 열렬한 ~을 전개하다 展开热烈的讨论

토마토(tomato) 圏【植】西红柿 xīhóngshì; 番茄 fānqié ¶~소스 番茄沙司 / ~주스 番茄汁 / ~케첩 番茄酱

토막 圏 1 片段 piànduàn; 部分 bùfen; 一段 yīduàn ¶생애의 한 ~ 生平的一部分 2 块 kuài; 段子 duànzi ¶나무 세 ~ 三段木头 / 글 한 ~ 一段文章 3 块 kuài ¶고기 한 ~ 一块肉

토막-토막 圃 一块一块 yīkuàiyīkuài ¶고등어를 ~ 자르다 把青花鱼切成一块一块的

토목(土木) 圏【建】土木 tǔmù = 공사 土木工程

토-박이(土一) 圏 = 본토박이 ¶그는 이곳 ~이다 他是这儿土生土长的

토벌(討伐) 圏唐唐 讨伐 tǎofá; 征伐 zhēngfá; 剿 jiǎo ¶반군을 ~하다 讨伐叛军

토사(土沙·土砂) 圏 沙土 shātǔ

토-사(吐瀉) 圏唐唐 吐泻 tùxiè ¶~곽란 吐泻霍乱 / ~가 나다 生吐泻

토사구팽(兔死狗烹) 圏 兔死狗烹 tùsǐgǒupēng

토산-물(土産物) 圏 土产 tǔchǎn; 土产品 tǔchǎnpǐn

토산-품(土産品) 圏 土产 tǔchǎn; 土产品 tǔchǎnpǐn

토성(土星) 圏【天】土星 tǔxīng

토성(土城) 圏 土城 tǔchéng ¶~을 쌓다 筑土城

토속(土俗) 圏 土俗 tǔsú ¶~ 음식 土俗食物

토스(toss) 圏唐唐 圏【體】二传 èrchuán; 垫二传 diàn'èrchuán

토스터(toaster) 圏 烤面包机 kǎomiànbāojī

토스트(toast) 圏 烤面包 kǎomiànbāo; 土司 tǔsī

토시 圏 1 (防寒) 手笼 shǒulóng 2 (工作) 套袖 tàoxiù ¶~를 끼고 있다 戴着套袖

토실-토실 圃(咦唐) 圆实 yuánshí; 胖乎乎 pànghūhū ¶~한 얼굴 圆实的脸盘

토양(土壤) 圏 土壤 tǔrǎng ¶~이 비옥하다 土壤肥沃

토-요일(土曜日) 圏 星期六 xīngqīliù; 礼拜六 lǐbàiliù; 周六 zhōuliù

토우(土偶) 圏 土偶 tǔǒu

토-의(討議) 圏唐唐 商量 shāngliang; 商议 shāngyì; 讨论 tǎolùn; 研究 yánjiū ¶진지하게 ~하다 认真地讨论 / 회의를 열어 ~하다 开会研究

토익(TOEIC) 圏 托业 tuōyè

토인(土人) 圏 1 土人 tǔrén; 土著 tǔzhù 2 野蛮人 yěmánrén

토장(土醬) 圏 = 된장1

토종(土種) 圏 当地种 dāngdìzhǒng

토종-닭(土種一) 圏 当地鸡 dāngdìjī

토지(土地) 圏 土地 tǔdì ¶척박한 ~ 贫瘠的土地

토질(土質) 圏 土质 tǔzhì; 土性 tǔxìng

토착(土着) 圏唐唐 土著 tǔzhù ¶~민 土著民 / ~화 土著化

토크 쇼(talk show) 【言】访谈节目 fǎngtán jiémù; 脱口秀 tuōkǒuxiù

토플(TOEFL) 圏 托福 tuōfú

토픽(topic) 圏 1 = 화제1 2 = 이야깃거리 ¶해외 ~ 海外话题

토-하다(吐一) 唐唐 1 吐 tù; 呕 ǒu; 呕吐 ǒutù = 게우다 ¶국수를 다 토했다 把面条全都吐出来了 2 吐 tǔ (长出来或露出来) ¶누에가 실을 토하기 시작했다 蚕开始吐丝了 3 吐 tǔ; 吐露 tǔlù; 吐话 tǔhuà ¶울분을 ~ 吐一口不平之气 / 진실을 토해내다 吐露真情

토-혈(吐血) 圏唐唐【醫】吐血 tùxiè

토호(土豪) 圏 土豪 tǔháo

톡 圃 1 突 tū ¶~ 불거진 금붕어 눈

突出来的金鱼眼 **2** 啪 pā ¶어깨를 ~
치다 啪一声拍了肩膀 **3** 劈啪 pīpā ¶
콩이 ~ 튀다 豆子劈啪地爆裂 **4** 叭 bā
¶활줄이 ~ 끊어지다 叭一声弓弦断了
5 冷淡 lěngdàn ¶한 마디 ~ 쏘다 冷
淡地顶了一句 **6** 刺激 cìjī ¶~ 쏘는
맛 刺激的味道

톡톡-하다 廖 **1** 结实 jiēshi; 厚厚 hòu-
hòu ¶톡톡한 천 结实的布 **2** 浓 nóng
¶고기 국물이 ~ 肉汤很浓 **3** 好好地
hǎohǎode; 丰盛地 fēngshèngde ¶상을
톡톡하게 차리다 丰盛地准备饭菜
4 狠狠地 hěnhěnde ¶톡톡하게 욕하다
狠狠地骂 **톡톡-히** 튀

톤(ton) 의명 **1** 吨 dūn 容积吨 róng-
jīdūn; 装载吨 zhuāngzàidūn

톤(tone) 명 **1** 音调 yīndiào; 音色 yīn-
sè ¶그는 독특한 ~을 가지고 있다 他
具有独特的音色 **2** 【美】色调 sèdiào **3**
【音】乐音 yuèyīn

톨 의명 颗 kē; 粒 lì ¶밤 세 ~ 三颗
栗子

톨게이트(tollgate) 명 收费站 shōufèi-
zhàn; 收费卡门 shōufèikǎmén

톱 명 锯 jù; 锯子 jùzi ¶전기~ 电锯 /
~으로 자르다 用锯切割

톱(top) 명 **1** 首位 shǒuwèi; 首席
shǒuxí; 第一 dìyī; 最高 zuìgāo ¶우리
반에서는 그가 성적이 ~이다 我们班
里他成绩最高 **2** = 머리기사 ¶~뉴스
头条新闻息

톱-날 명 锯齿 jùchǐ; 锯牙 jùyá
톱-니 명 **1** 锯齿 jùchǐ; 锯牙 jùyá **2**
【植】锯齿 jùchǐ

톱니-바퀴 명 齿轮 chǐlún; 牙轮 yálún
= 기어1

톱-밥 명 锯末 jùmòr; 锯屑 jùxiè

톱-스타(top star) 명 最佳明星 zuìjiā
míngxīng; 最佳演员 zuìjiā yǎnyuán

톱-질 명[하자] 拉锯 lājù ¶나무
토막을 ~하다 锯木头

톳[1] 명【植】羊栖菜 yángqīcài
톳[2] 의명 把 bǎ; 束 shù ¶김 세 ~을
사다 买了三把紫菜

통[1] 명 **1** 桩儿 zhuāngr; 心儿 xīnr ¶~
이 큰 배추 桩儿大的白菜 **2** 颗 kē ¶배
추 세 ~ 三颗白菜

통[2] 명 **1** 筒儿 tǒngr; 腿儿 tuǐr ¶소매
~이 좁다 袖筒儿窄 **2** (腰和腿) 粗细
cūxì **3** 度量 dùliàng; 胆量 dǎnliàng
¶~이 크다 他胆量大

통[3] 명 因为 yīnwèi ¶장마 ~에 물난
리를 겪다 因为梅雨, 受水灾

통[4] 튀 根本 gēnběn; 完全 wánquán;
一点(儿) yīdiǎn(r) ¶모르겠단 根本
不知道

통(桶) 명 **1** 桶 tǒng; 槽 cáo; 筒 tǒng ¶
물~ 水桶 **2** 桶 tǒng ¶석유 한 ~ 一

桶石油

통(通) 의명 **1** 封 fēng ¶편지 한 ~ 一
封信 **2** 份 fèn; 张 zhāng; 纸 zhǐ ¶계
약서 두 ~ 两份合同 **3** 次 cì ¶전화가
몇 ~ 왔었다 来过几次电话

통- 접두 整 zhěng ¶~마늘 整蒜
-통(通) 접미 通 tōng; 行家 hángjiā ¶
중국~ 中国通

통-감(痛感) 명[하타] 痛感 tònggǎn ¶노
력이 아직 부족함을 ~하다 痛感努力
还不够

통-계(统计) 명 统计 tǒngjì ¶~ 자료
统计资料 / ~ 조사 统计调查 / ~청 统
计机关 / ~학 统计学 / 생산량을 ~ 내
다 统计产量

통고(通告) 명[하자타] 通知 tōngzhī; 通
告 tōnggào ¶~장 通知单 / 조약의 파
기를 상대국에게 ~하다 通知对方废
除条约

통-곡(痛哭 · 恸哭) 명[하자] 痛哭 tòng-
kū; 恸哭 tòngkū; 号啕 háotáo ¶대성~
하다 号啕痛哭 / 흐느껴 울며 ~하다
大声恸哭

통과(通过) 명[하자타] **1** 通过 tōngguò;
经过 jīngguò; 穿过 chuānguò ¶열차가
터널을 ~하다 火车通过隧道 **2** 通过
tōngguò ¶필기시험에 ~하다 通过笔
试 **3** 通过 tōngguò ¶법안이 의회에서
~되다 法案在议会通过了

통관(通关) 명[하자] 【法】报关 bàoguān;
结关 jiéguān; 通关 tōngguān ¶~ 신고
서 报关单 / ~ 절차를 밟다 办报关手
续

통근(通勤) 명[하자] 上班 shàngbān ¶지
하철로 ~하다 利用地铁上班

통금(通禁) 명 = 통행금지

통기(通气) 명[하자] 通风 tōngfēng = 통풍

통기-구(通气口) 명 通风口 tōngfēng-
kǒu; 通气孔 tōngqìkǒng

통-기타(筒guitar) 명 筒吉他 tǒngjítā

통-깨 명 整粒芝麻 zhěnglìzhīma

통-나무 명 原木 yuánmù ¶~집 原木
房子

통념(通念) 명 一般概念 yībān gàiniàn
¶사회 ~을 깨다 打破社会的一般概念

통달(通达) 명[하자타] 精通 jīngtōng; 贯
通 guàntōng ¶여러 언어에 ~하다 精
通多种语言

통-닭 명 整鸡 zhěngjī; 全鸡 quánjī

통독(通读) 명[하타] 通读 tōngdú ¶원고
를 한번 ~했다 把原稿通读了一遍

통-렬-하다(痛烈) 廖 尖锐 jiānruì; 激
烈 jīliè; 猛烈 měngliè; 严厉 yánlì ¶통
렬한 비판을 제기하다 提出尖锐的批
评 / 그는 나를 통렬하게 비난했다
猛烈地抨击我 **통-렬-히** 튀

통로(通路) 명 **1** 通道 tōngdào; 通路
tōnglù; 走道 zǒudào ¶l 철로는 동서

를 횡단하는 ~가 되었다 这条铁路成了横贯东西的一条通道 **2** 途经 tújīng; 通路 tōnglù ¶실업 문제를 해결하는 ~는 많다 解决失业问题的途径很多

통보(通報) 〖명〗〖타〗 통보 tōngbào; 通知 tōngzhī; 报告 bàogào ¶~하다 发出通报 / 일의 상황을 상세하게 ~하다 详细地报告工作情况

통사(通史) 〖명〗 通史 tōngshǐ ¶중국 ~ 中国通史

통-사정(通事情) 〖하자〗 恳求 kěnqiú; 恳请 kěnqǐng; 哀告 āigào; 说情 shuōqíng ¶여러 번 ~하다 再三恳求

통산(通算) 〖명〗〖타〗 总计 zǒngjì; 共计 gòngjì ¶~ 세 번의 우승을 차지했다 总计取得了三回冠军

통상(通商) 〖명〗〖자〗 通商 tōngshāng ¶~조약 通商条约 / ~협정 通商协定 / 주변 국가와 ~하다 与周围国家通商

통상(通常) 〖부〗 通常 tōngcháng; 平常 píngcháng ¶그는 아침 6시에 일어난다 通常他早上6点起床

통-성명(通姓名) 〖명〗〖자〗 互通姓名 hùtōng xìngmíng; 互相认识 hùxiāng rènshi ¶서로 ~이나 합시다 互相认识一下吧

통속(通俗) 〖명〗 通俗 tōngsú ¶~극 通俗剧 / ~ 소설 通俗小说 / ~적 通俗的

통:솔(統率) 〖명〗〖타〗 统率 tǒngshuài; 指挥 zhǐhuī ¶~력 指挥能力 / 군대를 ~하다 统率军队

통:수-권(統帥權) 〖명〗〖法〗指挥权 zhǐhuīquán

통신(通信) 〖명〗〖하자〗 **1** 通信 tōngxìn ¶서로 ~하다 互相通信 **2** 通信 tōngxìn; 通讯 tōngxùn ¶~기 通讯机器 / 통신망 tōngxìnwǎng / ~병 通讯兵 / ~사 通讯社 / ~원 通信员 / ~이 두절되다 通信杜绝 **3** 通讯 tōngxùn ¶그는 신문에 ~을 발표했다 他在报纸上发表了那篇通讯

통역(通譯) 〖명〗〖자타〗 **1** 译 yì; 口译 kǒuyì ¶우리들은 프랑스 어를 모르기에 선생님이 우리를 위하여 ~해 주셨다 我们不懂法语, 老师为我们翻译 **2** 翻译 fānyì ¶그녀는 내 ~이다 她是我的翻译

통역-관(通譯官) 〖명〗 翻译 fānyì; 译员 yìyuán

통용(通用) 〖명〗〖하자타〗 通用 tōngyòng; 通行 tōngxíng ¶~어 通用语 / ~ 화폐 通用货币 / 영어는 많은 국가에서 ~된다 英语在很多国家通行

통운(通運) 〖명〗 运输 yùnshū ¶~ 회사 运输公司

통-으로 〖부〗 整个儿地 zhěnggèrde; 囫囵 húlún ¶~ 삼키다 整个儿地吞下去

통:일(統一) 〖명〗〖타〗 **1** 统一 tǒngyī /

국가 统一国家 **2** 统一 tǒngyī; 一致 yīzhì ¶~성 统一性 / 의견의 ~ 意见的统一 **3** 〖哲〗统一 tǒngyī

통장(通帳) 〖명〗 **1** 存折 cúnzhé; 折子 zhézi ¶저금~ 存款折子 **2** 〖經〗购买证 gòumǎizhèng

통-제(統制) 〖명〗〖타〗 统制 tǒngzhì; 管制 guǎnzhì ¶~권 控制权 / ~력 控制能力 / 물가를 ~하다 统制物价 / 감정을 ~하다 控制感情

통-조림(桶─) 〖명〗 罐头 guàntou ¶~통 罐装盒儿 / 과일 ~ 水果罐头

통-증(痛症) 〖명〗 疼痛 téngtòng; 痛症 tòngzhèng ¶~이 심하다 痛症很重

통지(通知) 〖명〗〖타〗 通知 tōngzhī; 知会 zhīhuì; 知照 zhīzhào; 通告 tōnggào ¶~서 通知书 / 구두로 ~하다 口头通知

통-지표(通知表) 〖명〗〖教〗成绩单 chéngjìdān

통-째 〖명〗 囫囵 húlún; 整个儿 zhěnggèr; 全部 quánbù ¶삼키다 囫囵着吞下去

통-찰(洞察) 〖명〗〖타〗 洞察 dòngchá ¶~력 洞察力 / 모든 것을 ~하는 눈빛 洞察一切的目光

통첩(通牒) 〖명〗 通牒 tōngdié ¶최후~을 보내다 递交最后通牒

통-치(統治) 〖명〗〖타〗 统治 tǒngzhì; 治理 zhìlǐ ¶~ 계급 统治阶级 / ~자 统治者 / ~권 统治权 / ~ 기관 统治机关 / 국가를 ~하다 治理国家

통칭(通稱) 〖명〗 通称 tōngchēng; 泛称 fànchēng

통:칭(統稱) 〖명〗〖타〗 统称 tǒngchēng ¶양식은 곡물과 콩류 그리고 고구마 종류의 ~이다 粮食是谷物豆类和薯类的统称

통-쾌(痛快) 〖명〗 痛快 tòngkuài ¶정말 ~하다 实在痛快 **통:쾌-히** 〖부〗

통:-탄(痛歎·痛嘆) 〖명〗〖타〗 痛叹 tòngtàn ¶이 일은 참으로 ~할 일이다 这件事真是values痛叹

통통 〖부〗〖하〗 胖乎乎 pànghūhū ¶발이 ~ 부었다 脚子胖乎乎肿起来

통통-배 〖명〗 摩托船 mótuōchuán; 小汽船 xiǎoqìchuán

통-어 〖부〗 一共 yīgòng; 总共 zǒnggòng; 统共 tǒnggòng; 一股脑儿 yīgūnǎor; 全部 quánbù ¶~ 얼마입니까 一共多少钱? / 이 공장에는 ~ 300명의 노동자가 있다 这个工厂总共有300名工人

통:-폐합(統廢合) 〖명〗〖하타〗 裁并 cáibìng ¶분리된 기구를 ~하다 裁并分支机构

통풍(通風) 〖명〗〖자〗 通风 tōngfēng; 通气 tōngqì; 透风 tòufēng; 透气 tòuqì ¶~

기 ¶~구 通风孔 / ~기 通风器 / ~설
비 通风设备 / ~창 通风窗

통-하다(通一) [자н] **1** 通 tōng; 打通
dǎtōng ¶전화가 ~ 电话打通 **2** 相通
xiāngtōng; 沟通 gōutōng; 疏通 shūtōng
¶서로의 의사가 ~ 沟通彼此的思想 **3**
通往 tōngwǎng; 通向 tōngxiàng; 通
tōng ¶이 도로는 베이징으로 통한다
这条公路通往北京 **4** 通过 tōngguò;
经过 jīngguò ¶국제 서점을 통해 잡지
를 몇 권 주문했다 通过国际书店订几
份杂志 **5** 精通 jīngtōng ¶그는 경제에
~ 他精通经济 **6** 通 tōng; 通顺 tōng-
shùn ¶이 글은 문장이 통하지 않는다
这篇文章写得不通 **7** 连接 liánjiē; 接
通 jiētōng ¶이 다리는 양안의 몇몇 주
요 도로를 통하게 한다 这座大桥连接
两岸的几条要道

통학(通学) [명] 走读 zǒudú; 通学
tōngxué ¶~생 走读生 / 그는 걸어서
~한다 他走路通学

통-합(统合) [명] 合并 hébìng; 归
并 guībìng ¶두 대학이 ~되었다 两所
大学合并了

통행(通行) [명] 通行 tōngxíng;
往来 wǎnglái ¶~료 通行费 / ~증 通
行证 / 우측~ 靠右边行走 ¶이 길은 공
사중이라 ~할 수 없다 这条街在修
路，不能通行

통행-금지(通行禁止) [명] 禁止通行 jìn-
zhǐ tōngxíng = 통금

통행-인(通行人) [명] 行人 xíngrén

통화(通货) [경] 通货 tōnghuò ¶~
량 通货量 / ~안정 通货稳定

통화(通话) [一명하자] 通话 tōnghuà ¶
~량 通话量 / 큰형님과 ~했다 跟大
哥通话了 [二의명] 通话 tōnghuà ¶한
~는 3분이다 一次通话三分钟

통화-료(通话料) [명] 电话费 diànhuàfèi

퇴:-각(退却) [명하자] 1 退却 tuìquè;
撤退 chètuì ¶안전하게 ~하다 安全退
却 **2** 退还 tuìhuán ¶뇌물을 그들에게
~하다 把贿物退还给他们

퇴:-거(退去) [명] 1 迁移住址 qiānyí
zhùzhǐ; 搬家 bānjiā ¶~ 명령 搬家令
2 迁移户口 qiānyí hùkǒu ¶~ 신고 迁
移户口呈报

퇴고(推敲) [명하자] 推敲 tuīqiāo; 推排
tuīpái ¶~를 거듭하다 反复推敲

퇴:-교(退校) [명하자] = 퇴학

퇴:-근(退勤) [명] 下班 xiàbān ¶그
는 오후 6시에 ~한다 他下午六点下
班

퇴:근-길(退勤一) [명] 下班的路 xià-
bānde lù

퇴:-로(退路) [명하자] 退路 tuìlù ¶적의
~를 끊다 截断敌人的退路

퇴:-물(退物) [명] 1 被退出来的人 bèi

tuìchūláide rén **2** 被退回的东西 bèi tuì-
huíde dōngxi

퇴비(堆肥) [농] 堆肥 duīféi; 土粪
tǔfèn

퇴:-사(退社) [명하자] 1 下班 xiàbān 2
退职 tuìzhí; 撂下 gēxià ¶일신상의 이
유로 ~하다 由于个人的情况从公司
退了职

퇴:-색(退色·褪色) [명하자] 退色 tuì-
shǎi; 褪色 tuìshǎi; 掉色 diàoshǎi; 捎
色 shāoshǎi; 走颜色 zǒu yánsè

퇴:-실(退室) [명] 退房 tuìfáng

퇴:-역(退役) [명] 退伍 tuìwǔ; 退役
tuìyì ¶~군인 退伍军人

퇴:-원(退院) [명] 出院 chūyuàn ¶
그는 내일 ~한다 他明天出院

퇴:-위(退位) [명] 退位 tuìwèi ¶고종
황제는 작년에 ~하였다 高宗皇帝去
年退位了

퇴:-임(退任) [명] 退任 tuìrèn; 退休
tuìxiū

퇴:-장(退场) [명하자] 1 退场 tuìchǎng;
退出 tuìchū; 退席 tuìxí ¶회의장에서
~하다 退出会场 **2** 退场 tuìchǎng; 下
场 xiàchǎng; 下台 xiàtái ¶남자 주인공
이 ~하다 男主角退场

퇴적(堆积) [명하자] 1 堆积 duījī; 积
累 jīlěi ¶~물 堆积物 / ~층 堆积层 /
강바닥에 토사가 ~되다 泥沙堆积在
河底 **2** [지리] = 퇴적 작용

퇴적 작용(堆积作用) [지리] 沉积作用
chénjī zuòyòng; 冲击作用 chōngjī zuò-
yòng = 퇴적2

퇴:-직(退职) [명하자] 退职 tuìzhí; 退
休 tuìxiū; 下岗 xiàgǎng ¶~금 退休
金 / 정년~ 到龄退职 / ~연금 退休年
金

퇴:-진(退阵) [명하자] 1 退阵 tuìzhèn;
撤退 chètuì **2** 下台 xiàtái ¶정계 ~을
요구하다 要求政界下台

퇴:-짜(退字) [명] 拒绝 jùjué ¶~ 놓다
拒绝 / ~ 맞다 遭拒绝

퇴:-출(退出) [명하자] 1 退出 tuìchū ¶
회의장에서 ~하다 退出会场 2 [경]
退出 tuìchū ¶부실 기업은 ~해야 한
다 要退出不良企业

퇴:-치(退治) [명하자] 扫除 sǎochú; 消
除 xiāochú; 消灭 xiāomiè; 扑灭 pūmiè
¶쥐를 ~하다 扑灭老鼠

퇴폐(颓废) [명] 1 衰颓 shuāituí; 衰
飒 shuāisà; 衰败 shuāibài; 衰退 shuāi-
tuì ¶경제가 ~하다 经济衰退 / 정신이
~하다 精神衰败 **2** 颓废 tuífèi; 颓败
tuíbài ¶~문학 颓废文学 / ~적 颓废
的 / ~주의 颓废主义

퇴:-학(退学) [명하자] 退学 tuìxué; 出校

chūxiào; 开除 kāichú = 퇴교 ¶~ 처분
을 받다 受到退学处分

퇴:화(退化) 图 退化 tuìhuà ¶날
개가 ~했다 翅膀退化

툇:-마루(退一) 图 廊台 lángtái

투(套) 의명 1 口气 kǒuqì; 口吻 kǒu-
wén; 话口 huàkǒu ¶말하는 ~ 口气 2
样子 yàngzi; 方式 fāngshì; 一套 yītào;
格式 géshì ¶편지 ~로 쓴 글 用书信
的方式写的文章

투견(鬪犬) 图 斗狗 dòugǒu; 斗犬
dòuquǎn = 개싸움

투고(投稿) 图하타 投稿 tóugǎo ¶~란
投稿栏

투과(透過) 图하자 透过 tòuguò ¶~성
透过性 / ~율 透过率 / 햇빛이 유리창
을 ~하였다 阳光透过窗玻璃

투구 图 盔 kuī; 胄 zhòu ¶갑옷과 ~
甲胄

투구(投球) 图하자 【體】 投球 tóuqiú ¶
일루에 ~하다 向一垒投球

투기(投棄) 图하타 扔掉 rēngdiào; 抛弃
pāoqì; 抛开 pāokāi ¶쓰레기를 ~하다
扔掉垃圾

투기(投機) 图하자 投机 tóujī ¶~성
投机性 / ~심 投机心 / ~업자 投机业
者 / 이 사람은 전문적으로 ~를 일삼
는다 这个人专门会搞投机

투기(妬忌) 图하자 = 질투 ¶~가 생기
다 起了嫉妒心

투기-꾼(投機一) 图 炒家 chǎojiā

투덜-거리다 图 嘟哝 dūnong; 嘟囔
dūnang = 투덜대다 ¶그는 혼자 거기
에서 종일 투덜거렸다 他独自在那儿
嘟囔了半天 **투덜-투덜** 图

투망(投網) 图하자 撒网 sāwǎng ¶~
으로 고기를 잡다 用撒网捕鱼

투매(投賣) 图하타 【經】 倾销 qīng-
xiāo; 抛售 pāoshòu ¶물건을 매입하여
지방에서 ~하다 购进货物来向地方抛
售

투명(透明) 图하형 1 透明 tòumíng; 透
光 tòuguāng ¶~도 透明度 / ~체 透明
体 / ~한 유리 透明的玻璃 2 透明 tòu-
míng ¶이 회사는 ~하다 这家公司很
透明

투박-하다 형 1 粗 cū; 粗笨 cūbèn;
粗重 cūzhòng ¶투박한 손 粗手 2 粗
cū; 粗暴 cūbào; 粗鲁 cūlǔ ¶그의 성격
은 매우 ~ 他的性情粗鲁暴戾

투병(鬪病) 图하자 抗病 kàngbìng ¶
~ 생활 抗病生活

투사(投射) 图하타 1 投射 tóushè 2
【物】 = 입사(入射) ¶~ 광선 投射光
线 / ~율 投射率

투사(鬪士) 图 战士 zhànshì ¶독립운
동 ~ 独立运动战士

투서(投書) 图하자 1 匿名信 nìmíng-

xìn; 黑信 hēixìn ¶~함 匿名信箱 /
를 쓰다 写匿名信 2 投稿 tóugǎo ¶출
판사에 ~하다 向出版社投稿

투수(投手) 图【體】 投手 tóushǒu

투숙(投宿) 图하자 投宿 tóusù ¶하룻
밤 ~하다 投宿一个晚上

투시(透視) 图하타 1 透视 tòushì ¶
【心】 透视 tòushì ¶~력 透视力 3
【醫】 透视 tòushì

투신(投身) 图하자 1 投身 tóushēn; 献
身 xiànshēn ¶교육 사업에 ~하다 献
身教育事业 2 投身; 跳 tiào ¶빌딩에
서 ~하여 자살하다 跳楼自杀了

투약(投藥) 图하자 下药 xiàyào; 配药
pèiyào; 投药 tóuyào ¶환자에게 ~하다
给患者下药

투영(投影) 图 1 投影 tóuyǐng 2 【數】
射影 shèyǐng 3 投影 tóuyǐng

투옥(投獄) 图하타 入狱 rùyù; 监禁
jiānjìn; 下狱 xiàyù ¶범인을 ~하다 把
犯人监禁起来

투우(鬪牛) 图하자 斗牛 dòuniú ¶~사
斗牛士 / ~장 斗牛场

투입(投入) 图하타 1 投 tóu; 装 zhuāng;
掷 zhì ¶동전을 ~하다 投硬币 / 상자
에 ~하다 装在箱子里 2 投入 tóurù ¶
인력을 ~하다 投入人力 / 자금을 ~
하다 投入资金

투자(投資) 图하자 投资 tóuzī ¶~율
投资率 / ~자 投资者 / 그는 학교 설립
에 ~하려고 한다 他打算投资办一所
学校

투쟁(鬪爭) 图하자 斗争 dòuzhēng; 争
斗 zhēngdòu; 战斗 zhàndòu ¶~심 斗
争精神 / 적과 우리 쌍방은 격렬하게
~했다 敌我双方斗争得很激烈

투정 图하자타 耍赖 shuǎlài; 赖磨子
làimózi; 挑 tiāo; 挑剔 tiāojiǎn ¶~을 부
리다 要赖

투지(鬪志) 图 斗志 dòuzhì

투창(投槍) 图하자 【體】 = 창던지기

투척(投擲) 图하타 投掷 tóuzhì; 投 tóu
¶수류탄을 ~하다 投手榴弹

투철-하다(透徹一) 형 透彻 tòuchè;
彻底 chèdǐ ¶그는 각종 가능성에 대하
여 투철한 분석을 했다 他对各种可能
性作了透彻的分析 **투철-히** 图

투-포환(投砲丸) 图 【體】 = 포환던지
기

투표(投票) 图하자 投票 tóupiào ¶~권
投票权 / ~소 投票站 / ~율 投票率 /
~자 投票者 / ~함 投票箱 / 당신은 누
구에게 ~할 겁니까? 你投谁的票?

투피스(two-piece) 图 女式两件套
nǚshì liǎngjiàntào; 套裙 tàoqún

투하(投下) 图하타 1 投 tóu; 投掷 tóu-
zhì ¶폭탄을 ~하다 投掷炸弹 2 投入 tóurù ¶
자금을 ~하다 投入资金

투합(投合) 图하자 投合 tóuhé; 相投 xiāngtóu ¶의기~ 意气投合

투항(投降) 图 投降 tóuxiáng; 降服 xiángfú ¶적에게 ~하다 投降敌人

투혼(鬪魂) 图 斗志 dòuzhì ¶불굴의 ~을 발휘하다 发挥不屈的斗志

툭 图 1 啪 pā ¶~ 하며 끊어지다 啪 的一声断了 2 气鼓鼓地 qìgǔgùde ¶그 에게 한마디 ~ 쏘아주다 气鼓鼓地顶 他一句 3 拍 pāi ¶그의 어깨를 ~ 치 다 轻轻一拍他的肩膀 4 突出 tūchū ¶눈이 ~ 튀어나온 남자 眼睛突出的男 子汉

툭-하면 图 动不动 dòngbudòng; 一动 yídòng ¶~ 화를 낸다 动不动就生气

툴툴-거리다 图 嘟囔 dūnang; 咕哝 gūnong = 툴툴대다 ¶그는 일이 뜻대 로 되지 않는다고 툴툴거린다 他因为 事不顺心而嘟囔

퉁 图 顶 dǐng; 碰 pèng; 拒绝 jùjué ¶ ~을 맞다 碰了顶子

퉁명-스럽다 图 倔强 juè; 干倔 gānjuè; 生硬 shēngyìng; 不和气 bùhéqì ¶태도 가 너무 ~ 态度太生硬 **퉁명스레** 图

퉁소 图【音】洞箫 dòngxiāo

퉁퉁 图하자 1 胖乎乎 pànghūhū ¶~한 얼굴 胖乎乎的脸 2 肿泡泡 zhǒngpàopào ¶눈이 ~ 붓다 眼睛肿得泡泡的

퉤 图 呸 pēi ¶가래를 ~ 뱉다 呸 的一声吐痰

튀각 图 油炸 yóuzhá

튀기다[1] 图 1 溅 jiàn; 澎 pēng; 飞溅 fēijiàn ¶물방울이 ~ 水珠飞溅 2 拨 bō = 튕기다2 ¶주판알을 ~ 拨算盘珠儿 3 弹 tán ¶손가락으로 가볍게 ~ 用手 指轻轻弹起

튀기다[2] 图 炸 zhá ¶만두를 ~ 炸油 饺子 2 膨 péng ¶옥수수를 ~ 膨玉米

튀김 图 炸 zhá; 油炸食品 yóuzháde

튀다 图 1 暴 bào; 迸 bèng ¶불꽃이 사방으로 ~ 火星儿乱迸 2 溅 jiàn; 飞 溅 fēijiàn ¶침이 ~ 唾沫飞溅 3 弹 tán ¶공이 잘 튄다 球弹得好 4 逃走 táozǒu; 逃跑 táopǎo ¶도둑이 튀었다 小 偷逃跑了

튀-밥 图 1 米花 mǐhuā 2 炸米饭 zhámǐfàn

튀어-나오다 图 1 突出 tūchū; 凸出 tūchū; 隆起 lóngqǐ ¶이마가 ~ 额头突 出 2 跳出来 tiàochūlái ¶사람이 불쑥 ~ 一个人突然跳出来

튕기다 图图 1 弹 tán; 跳 tiào ¶구슬 을 ~ 弹球儿 2 = 튀기다[1]

튜브(tube) 图 1 管 guǎn; 筒 tǒng ¶ (包装牙膏의) 软管 ruǎnguǎn 3 内胎 nèitāi 4 救生圈 jiùshēngquān

튤립(tulip) 图【植】郁金香 yùjīnxiāng

트다 图 1 龟 jūn; 皲 jūn; 皴 cūn ¶

손 ~ 龟手 2 发 fā; 萌 méng ¶싹이 ~ 发芽 3 亮 liàng; 发白 fābái ¶동이 ~ 天亮了

트라이앵글(triangle) 图【音】三角铁 sānjiǎotiě

트랙터(tractor) 图 1 拖拉机 tuōlājī; 牵引车 qiānyǐnchē 2【航】牵引式飞机 qiānyǐnshì fēijī

트럭(truck) 图 运货汽车 yùnhuò qìchē; 卡车 kǎchē; 载货汽车 zàihuò qìchē; 载重汽车 zàizhòng qìchē

트럼펫(trumpet) 图【音】小号 xiǎohào

트럼프(trump) 图 扑克 pūkè; 扑克牌 pūkèpái ¶~ 놀이를 하다 玩儿扑克

트렁크(trunk) 图 1 皮箱 píxiāng; 大 衣箱 dàyīxiāng 2 (汽车) 行李箱 xínglǐxiāng

트레이너(trainer) 图 1 教练 jiàoliàn ¶그는 우리의 ~이다 他是我们的教练 2 驯兽师 xúnshòushī ¶그는 호랑이를 잘 다루는 ~이다 他是一个善于驯虎 的驯兽师

트레이닝(training) 图 训练 xùnliàn; 练习 liànxí; 锻炼 duànliàn; 运动 yùndòng ¶군사 ~ 军事训练 / 업무 ~ 业 务训练 / ~복 训练服

트로피(trophy) 图 奖杯 jiǎngbēi; 优 胜杯 yōushèngbēi

트리오(trio) 图【音】1 三重奏 sānchóngzòu; 三重唱 sānchóngchàng 2 三 人组 sānrénzǔ

트-림 图하자 饱嗝儿 bǎogér; 嗝儿 gér ¶~을 하다 打饱嗝儿

트-이다 图 1 开阔 kāikuò; 开通 kāitōng ¶시야가 탁~ 眼界豁然开朗 / 물 길이 ~ 河道开通 2 开阔 kāikuò; 开 豁 kāihuò; 开朗 kāilǎng; 开明 kāimíng ¶그는 생각이 트인 사람이다 他是一个思想开阔的人 3 转 zhuǎn; 走 zǒu ¶운이 ~ 转运

트집 图 碴儿 chár ¶~을 잡다 抓碴儿

특가(特價) 图 特价 tèjià

특강(特講) 图하자 专题课 zhuāntíkè ¶오늘 학교에 ~이 있다 今天学校里有 一个专题课

특권(特權) 图 特权 tèquán ¶~ 계급 特权阶级 / ~층 特权阶层 / ~을 누리 다 享有特权

특근(特勤) 图하자 加班 jiābān; 加点 jiādiǎn ¶~ 수당 加班费 / ~을 하다 加班加点

특급(特急) 图 特快 tèkuài ¶~ 열차 特快列车 =[特别快车][特快]

특급(特級) 图 特级 tèjí ¶~ 호텔 特 级酒店

특기(特技) 图 特技 tèjì; 专长 zhuān

cháng; 특장 tècháng; 절활儿 juéhuór; 절기 juéjì ¶그의 ~는 무엇이지요? 他 的专长是什么?

특기(特記) 명하자 값어치 기록되어 내려오다 zhíde jìlù xiàláide ¶~ 사항 값어치 기록되어 내려오다 来的事项

특단(特段) 명 특별 tèbié ¶~의 조치를 취하다 采取特别的措施

특대(特大) 명 특대 tèdà

특등(特等) 명 특등 tèděng ¶~실 특등舱 /~품 特等品 /~상 特等奖

특례(特例) 명 특례 tèlì

특례―법(特例法) 명 [法] = 특별법

특명(特命) 명 1 특令 tèmìng ¶~을 내리다 下特令 2 임명 rènmìng ¶각부 장관을 ~하다 任命各部部长

특무(特務) 명 특务 tèwù

특별(特別) 명하형부 특별 tèbié; 특지 tèzhì; 특의 tèyì; 전정 zhuānchéng; 전문 zhuānmén ¶~한 서비스 特别的服务 /그의 목소리는 아주 ~하다 他的声音很特别

특별―나다(特別―) = 유별나다

특별―법(特別法) 명 [法] 特别法 tèbiéfǎ = 특례법

특별―석(特別席) 명 专席 zhuānxí; 包厢 bāoxiāng; 雅座 yǎzuò = 특석

특보(特報) 명하타 특별 报道 tèbié bàodào

특사(特使) 명 특사 tèshǐ; 专使 zhuānshǐ ¶외국에 ~를 파견하다 向外国派遣特使

특사(特赦) 명하타 [法] 特赦 tèshè

특산(特産) 명 特産 tèchǎn ¶~물 特产

특상(特賞) 명 특별奖 tèbiéjiǎng; 特奖 tèjiǎng ¶~을 받다 得特别奖

특색(特色) 명 특色 tèsè; 特点 tèdiǎn ¶민족 ~ 民族特色 /~이 하나도 없다 毫无特点

특석(特席) 명 = 특별석

특선(特選) 명 1 精选 jīngxuǎn ¶자동차 용품 ~ 汽车用品精选 2 特选 tèxuǎn ¶~된 작품 特选作品

특설(特設) 명하타 特设 tèshè ¶~ 무대 特设舞台

특성(特性) 명 特性 tèxìng; 特点 tèdiǎn; 特征 tèzhēng

특수(特殊) 명하형 特殊 tèshū; 特别 tèbié ¶~ 문자 特殊文字 /~성 特殊性 /~ 학교 特殊学校 /상황이 비교적 ~하다 情况比较特殊

특수(特需) 명 特需 tèxū ¶설날 ~ 春节的特需

특실(特室) 명 特等室 tèděngshì

특약(特約) 명 特约 tèyuē ¶외국회사와 ~ 계약을 맺다 和外国公司订特约合同

특용(特用) 명하타 特殊用途 tèshūyòngtú; 特用 tèyòng ¶~ 작물 特用作物

특유(特有) 명하형 特有 tèyǒu ¶민족 ~의 전통 民族特有的传统

특이(特異) 명하형 1 특异 tèyì; 特别 tèbié; 特别 tèbié ¶~성 特异性 /~점 特异点 /작가의 표현 수법이 매우 ~하다 作者的表现手法相当特异 2 특이 tèyì; 突出 tūchū; 优秀 yōuxiù ¶그는 ~한 재능을 지녔다 他具有特异的才能

특전(特典) 명 1 특별한 恩典 tèbiéde ēndiǎn; 优待 yōudài; 优遇 yōuyù ¶~을 입다 蒙受特别的恩典 2 특별한 仪式 tèbiéde yíshì 3 특별한 규칙 tèbiéde guīzé

특정(特定) 명하형 特定 tèdìng ¶~인 特定人 /~한 위치 特定的位置 /~ 환경 特定的环境

특제(特製) 명하타 特制 tèzhì ¶~품 特制品

특종(特種) 명 1 特种 tèzhǒng ¶~ 공예품 特种工艺品 2 = 특종 기사

특종 기사(特種記事) 명 [言] 특迅 tèxùn; 独家新闻 dújiā xīnwén = 특종2

특진(特診) 명하자 특诊 tèzhěn

특집(特輯) 명하타 特集 tèjí; 专辑 zhuānkān; 特辑 tèjí; 特刊 tèkān

특집―호(特輯號) 명 专号 zhuānhào; 特刊 tèkān

특징(特徵) 명 特征 tèzhēng; 特点 tèdiǎn; 特色 tèsè ¶~짓다 规定特征 /이런 배의 ~은 수분이 많다는 것이다 这种梨的特点是水分多

특출―하다(特出―) 형 特出 tèchū; 出众 chūzhòng; 超群 chāoqún; 超卓 chāozhuó; 卓越 zhuóyuè ¶무예가 ~ 武艺超群

특파(特派) 명하타 特派 tèpài ¶현지에 기자를 ~하다 特派记者前往该地

특허(特許) 명하타 1 特许 tèxǔ 2 [法] 专利权 zhuānlì; 专利权 zhuānlìquán; ~권 专利权 /~증 专利证 /~품 专利品 /신제품의 ~를 얻다 取得新制品的专利

특혜(特惠) 명 优惠 yōuhuì; 特惠 tèhuì ¶~를 주다 给予优惠

특효(特效) 명 특效 tèxiào ¶~약 特效药

특―히(特―) 부 특히 tèbié; 尤其 yóuqí ¶올해는 ~ 춥다 今年特别冷

튼실―하다(―實―) 형 结实 jiēshi; 壮实 zhuàngshi ¶그의 아들은 정말 튼실하게 자랐다 他的儿子长得真结实

튼튼―하다 형 1 结实 jiēshi; 壮实 zhuàngshi; 健壮 jiànzhuàng; 健康 jiànkāng; 强健 qiángjiàn ¶몸과 마음이 ~ 体魄强健 2 坚固 jiāngù; 结实 jiēshí; 坚实 jiānshí ¶안경테가 매우 ~ 眼镜架结实得多 **튼튼-히** 뮈

틀 몡 1 模型 móxíng ¶~을 짜다 做模型 2 框 kuàng; 边框 biānkuàng; 架子 jiàzi ¶문 ~ 门框 / 골격의 ~ 骨头架子 3 框框(儿) kuàngkuàng(r); 框子 kuàngzi ¶낡은 ~의 제한을 깨다 打破老框框的限制 4 架子 jiàzi ¶~이 잡히다 有架子 5 机 jī; 机器 jīqī ¶베~ 纸布机

틀-니 몡 假牙 jiǎyá; 托牙 tuōyá ¶~를 끼우다 装假牙

틀다 타 1 扭 niǔ; 转 zhuǎn; 拧 níng ¶몸을 ~ 扭身子 2 弹 tán ¶솜을 ~ 弹棉花 3 打开 dǎkāi ¶텔레비전을 ~ 打开电视 4 挽 wǎn ¶상투를 ~ 挽髻 5 盘 pán ¶뱀이 똬리를 틀고 있다 蛇盘做一堆

틀리다 자 1 错 cuò; 不对 búduì; 错误 cuòwù; 差 chà ¶틀린 글자 错字 / 너의 의견은 틀렸다 你的意见不对了 2 不能 bùnéng; 不行 bùxíng ¶오늘은 집에 가기 틀렸다 今天不能回家 3 坏 huài ¶심사가 ~ 心眼儿坏

틀림-없다 准确 zhǔnquè; 没错 méicuò; 肯定 kěndìng ¶내 추측은 정말 ~ 我的估计准确极了 / 이 말은 조금도 ~ 这话一点也没错

틀림없-이 뮈 准 zhǔn; 必 bì; 必定 bìdìng; 一定 yídìng; 准定 zhǔndìng; 肯定 kěndìng; 无疑 wúyí ¶행복한 날은 ~ 올 것이다 幸福的日子必定会到来 / 이 일은 ~ 그가 한 것이다 这事无疑是他干的

틀어-넣다 타 拧进 níngjìn ¶나사못을 ~ 把螺丝钉拧进去

틀어-막다 타 塞 sāi; 堵 dǔ; 塞住 sāizhù; 堵住 dǔzhù ¶코를 ~ 塞鼻孔

틀어-박다 타 塞 sāi; 塞进 sāijìn

틀어-박히다 자 闷 mēn; 呆 dāi; 杜门 dùmén ¶집에만 틀어박혀 있다 闷在家里

틀어-잡다 타 紧握 jǐnwò; 狼抓 lángzhuā ¶총을 ~ 紧握枪杆了

틀어-쥐다 타 握 wò; 握有 wòyǒu; 掌握 zhǎngwò ¶그는 돈을 틀어쥐고 있다 他握有资本

틀어-지다 자 1 翘 qiáo; 弯曲 wānqū ¶표지가 ~ 书皮翘起来了 2 别扭 bièniu ¶마음이 ~ 心里别扭 3 坏了 huàile; 完了 wánle; 糟了 zāole ¶사이가 ~ 关系坏了 / 일이 ~ 事情糟了

틈 一몡 1 缝(儿) fèng(r); 缝隙 fèngxì; 隙 xì; 裂缝 lièfèng; 裂隙 lièxì; 空隙 kòngxì ¶문 ~ 门缝儿 / ~이 생기다 裂开缝儿 2 隙 xì; 缝 fèng ¶공장장은 노동자와 ~이 있다 厂长和工人有隙 3 隙 xì; 缝 fèng ¶~을 노리다 乘隙 / 만 있으면 끼어들다 见缝插针 二몡 = 겨를

틈-새 몡 小裂缝 xiǎolièfèng; 缝(儿) fèng(r)

틈-타다 타 趁 chèn; 乘 chéng ¶적이 방심한 때를 틈타서 공격하다 趁敌人不备急袭

틈틈-이 뮈 1 一有空 yī yǒukòng; 一有工夫 yī yǒu gōngfu ¶~ 악기를 배우다 一有空就学习乐器 2 每个缝隙 měigè fèngxì ¶~ 흙으로 바르다 用泥糊住每个缝隙

티[1] 몡 1 尘土 chéntǔ; 尘埃 chén'āi ¶눈에 ~가 들어가다 眼睛里进了尘土 2 瑕 xiá; 瑕疵 xiácī; 毛病 máobìng ¶옥의 ~ 玉石的瑕疵 / ~ 없이 맑고 깨끗하다 毫无瑕疵地纯洁

티[2] 몡 气 qì; 色 sè ¶아이~ 孩子气 / 얼굴에 기뻐하는 ~가 가득하다 喜色满面

티격-태격 뮈하자 争吵 zhēngchǎo; 吵闹 chǎonào; 吵嘴 chǎozuǐ; 争嘴 zhēngzuǐ ¶부부가 ~하다 夫妻吵架

티끌 몡 1 尘 chén; 尘埃 chén'āi; 灰尘 huīchén = 분진 ¶~ 하나 묻지 않다 一尘不染 2 丝毫 sīháo ¶~만큼도 차이가 없다 丝毫不差

티셔츠(T-shirts) 몡 T恤 Txù; T恤衫 Txùshān

티스푼(teaspoon) 몡 = 찻숟가락

티켓(ticket) 몡 1 票 piào; 券 quàn 2 证明书 zhèngmíngshū; 许可证 xǔkězhèng

팀(team) 몡 小组 xiǎozǔ; 团体 tuántǐ; 队 duì; 团队 tuánduì ¶국가 대표 ~ 国家代表队

팀워크(teamwork) 몡 团员精神 tuánduì jīngshén; 全队配合 quánduì pèihé

팁(tip) 몡 小费 xiǎofèi; 小账 xiǎozhàng

ㅍ

파 똉 【植】 葱 cōng ¶~ 한 뿌리 一根葱

파(派) 똉 1 派 pài; 派系 pàixì ¶여러 ~로 나뉘다 分成几派 2 = 파계(派系)

파(이fa) 똉 【音】发 fā

―파(波) 젭미 波 bō ¶전자~ 电磁波 / 충격~ 冲击波

파:격(破格) 똉하자 破格 pògé; 破例 pòlì ¶~적 破格的 / ~ 조건 破格条件

파견(派遣) 똉하타 派遣 pàiqiǎn ¶~국 派遣国 / ~군 派遣军 / ~단 派遣团 / 조사단을 ~하다 派遣考察团

파:경(破鏡) 똉 1 破镜子 pò jìngzi 2 残月 cányuè 3 离婚 líhūn; 分手 fēnshǒu ¶그들 부부는 ~을 맞았다 他们夫妻离婚了

파계(派系) 똉 派系 pàixì = 파(派)2

파:계(破戒) 똉하자 【佛】破戒 pòjiè ¶~승 破戒僧

파고―들다 쟈타 1 钻进去 zuānjìnqù ¶쥐가 짚더미 속으로 ~ 老鼠钻进草堆里去 2 渗透 shèntòu ¶향기가 가슴을 ~ 香味渗透肺腑 3 进入 jìnrù ¶외국 시장에 ~ 进入国外市场 4 追查 zhuīchá; 钻研 zuānyán ¶진상을 ~ 追查真相 / 钻研 zuānyán ¶진상을 ~ 追查真相 5 钻进怀里 zuānjìn huáilǐ ¶젖 먹이가 엄마 품에 ~ 婴儿钻进妈妈怀里

파:괴(破壞) 똉하타 破坏 pòhuài ¶~력 破坏力 /~자 破坏者 / 환경 ~ 环境破坏 / 사회 질서를 ~하다 破坏社会秩序

파:국(破局) 똉하자 崩溃 bēngkuì; 破产的局面 pòchǎnde júmiàn ¶~을 맞다 濒临崩溃 /~에 처하다 处于破产的局面

파급(波及) 똉하타 波及 bōjí; 牵涉 qiānshè; 遍及 biànjí; 传播 chuánbō ¶~ 효과 波及效果 / 金融危机波及全世界에 ~되었다 金融危机波及全世界

파:기(破棄) 똉하타 1 废弃 fèiqì ¶묵은 서류를 ~하다 废弃旧文件 2 废除 fèichú; 取消 qǔxiāo ¶동맹을 ~하다 取消同盟 3 【法】撤消 chèxiāo ¶원심을 ~하다 撤消原审

파―김치 똉 淹葱咸菜 yāncōng xiáncài

파김치(가) 되다 고 精力尽; 力尽精疲

파―내다 타 掏出 tāochū; 挖出 wāchū; 开采 kāicǎi ¶귀지를 ~ 掏出耳垢 / 석

탄을 ~ 开采煤矿

파노라마(panorama) 똉 1 全景 quánjǐng; 全景画 quánjǐnghuà; 幻景画 huànjǐnghuà ¶~ 사진기 全景照相机 2 活动画景 huódòng huàjǐng; 回转画面 huízhuǎnhuà ¶한 폭의 ~가 그녀의 눈 앞에 펼쳐졌다 一幅回转画面在她眼前展示出来

파다 타 1 挖 wā; 掘 jué; 刨 páo ¶구덩이를 ~ 挖坑 2 探索 tànsuǒ ¶사건의 진상을 ~ 探索事情的真相 3 刻 kè ¶도장을 ~ 刻印章 4 钻研 zuānyán; 专心 zhuānxīn ¶공부를 ~ 专心学习 5 挖 wā; 剪 jiǎn ¶목둘레선을 깊이 ~ 剪深衣领 6 吸 xī; 吮 shǔn ¶아기가 젖을 ~ 小孩儿吮乳

파다―하다(播多―) 혱 传开 chuánkāi; 传遍 chuánbiàn ¶소문이 ~ 消息传开

파다―히 뮈

파닥―거리다 쟈타 1 扑噜扑噜 pūlupūlu 《小鸟振翅声貌》¶새가 날개를 ~ 鸟扑噜扑噜翅膀 2 扑腾扑腾 pūtengpūteng 《鱼跃声貌》¶ ~ 파닥대다 **파닥―** **파닥** 뮈하자타

파닥―이다 쟈타 1 (小鸟) 扑噜扑噜 pūlupūlu 《작은 새 한 마리가 날개를 ~ 一只小鸟在扑噜扑噜翅膀 2 (小鱼) 扑腾扑腾 pūtengpūteng

파도(波濤) 똉 1 波浪 bōlàng; 波涛 bōtāo; 浪潮 làngcháo ¶~가 거세다 波涛汹涌 2 波浪 bōlàng; 浪潮 làngcháo 《指巨大的社会现象》¶개혁의 ~가 거세게 일다 改革浪潮起高涨

파도―치다(波濤―) 쟈 1 翻起波涛 fānqǐ bōtāo ¶고요한 연못에 ~ 静静的水塘中翻起波涛 2 波涛涌起 qǐ bōtāo 《比喻社会运动或社会现象》¶개혁의 물결이 ~ 改革浪潮起波涛

파도―타기(波濤―) 똉 冲浪运动 chōnglàng yùndòng; 滑波涛 huáláng ~ 거세게 일다 改革浪潮此起彼伏

파동(波動) 똉 1 水波 shuǐbō 2 动荡 dòngdàng; 风波 fēngbō ¶석유 ~ 石油风波 / 정치~ 政治动荡 3 【物】震动 zhèndòng ¶매질 속에서의 전파과정에 주기성이 있는 변화 在介质中的传播过程中指具有周期性的变化

파라다이스(paradise) 똉 理想乡 lǐxiǎngxiāng; 乐园 lèyuán

파라솔(ㅍparasol) 똉 阳伞 yángsǎn

파:락―호(破落戶) 똉 破落户 pòluòhù

파란(波瀾) 똉 1 = 파랑(波浪) 2 风波 fēngbō; 波澜 bōlán ¶학계에 ~이 일다

学术界掀起波澜

파란-만장(波瀾万丈) 몡[하몡] 波澜起伏 bōlán qǐfú; 波涛汹涌 bōtāo xiōngyǒng ¶그는 ~한 일생을 살았다 他度过波澜起伏的一生

파란-색(一色) 몡 蓝色 lánsè = 청색

파랑 몡 蓝色 lánsè

파랑(波浪) 몡 波浪 bōlàng; 波澜 bōlán = 파란1 ¶달빛 아래 비단처럼 반짝이는 ~ 月下丝绸般闪光的波浪

파랑-새 몡【鳥】青鸟 qīngniǎo

파-랗다 혱 绿 lǜ; 蓝 lán ¶파란 하늘 蓝天

파래 몡【植】海青菜 hǎiqīngcài; 莼菜 chúncài

파-래지다 자 发青 fāqīng ¶추워서 얼굴이 ~ 冻得面孔发青

파-렴치(破廉恥) 혱 无耻 wúchǐ; 恬不知耻 tiánbùzhīchǐ ¶~한 无耻之徒 / ~ 행위 无耻的行为

파-렴치-범(破廉恥犯) 몡【法】1 不道德犯罪 bùdàodé fànzuì; 不道德罪犯 bùdàodé zuìfàn 2 犯不道德犯罪的人 fànbùdàodé fànzuìde rén

파르르 톈[하몡] 1 咕嘟咕嘟 gūdūgūdū《沸腾貌》¶국이 ~ 끓기 시작한다 汤咕嘟咕嘟地开了 2 勃然 bórán ¶엄마가 ~ 성을 낸다 妈妈勃然大怒 3 微微地 wēiwēide ¶촛불이 ~ 떨리다 蜡烛微微地颤动

파르스름-하다 혱 浅绿 qiǎnlǜ; 浅蓝 qiǎnlán; 淡绿 dànlǜ; 淡蓝 dànlán = 파르스름하다 ¶파르스름한 새싹 浅绿的新芽

파릇-파릇 톈[하몡] 青葱葱 qīngcōngcōng; 绿葱葱 lǜcōngcōng ¶새싹이 ~ 돋아나다 冒出青葱葱地嫩芽

파릇-하다 혱 = 파르스름하다

파-리 몡【蟲】1 苍蝇 cāngying; 蝇 yíng; 蝇子 yíngzi ¶똥~ 粪蝇 / ~채 蝇拍子 2 家蝇 jiāyíng

파리-하다 혱 瘦削 shòuxuē ¶파리한 얼굴 瘦削的脸

파-마(←permanent) 몡[하몡] 烫发 tàngfā

파-먹다 타 1 挖着吃 wāzhe chī ¶호미로 감자를 ~ 用蓐锄挖着吃 2 蛀食 zhùshí ¶벌레가 호박을 ~ 虫子蛀食南瓜 3 光吃 guāngchī; 不劳而食 bùláo'érshí ¶그는 일하지 않고 파먹기만 바란다 他只想不劳而食

파:면(罷免) 몡[하몡] 罢免 bàmiǎn; 免职 miǎnzhí; 罢職 bàchù ¶회장 직무에서 ~시키다 罢免总经理职务

파:멸(破滅) 몡[자몡] 破灭 pòmiè; 衰败 shuāibài; 灭亡 mièwáng ¶적군의 ~ 敌军的灭亡

파문(波紋) 몡 1 水纹 shuǐwén; 波纹 bōwén; 波浪 bōlàng ¶수면에 ~이 일었다 水面起了波纹 2 波状花纹 bōzhuàng huāwén 3 反响 fǎnxiǎng; 影响 yǐngxiǎng ¶이 일로 인해 전 세계의 반향을 일으켰다 这件事引起了全世界的反响

파-묻다 타 1 掩埋 yānmái; 埋藏 máicáng ¶땅속에 수많은 문화재를 파묻었다 在地下埋藏了许多的文物 2 隐藏 yǐncáng ¶비밀을 ~ 隐藏秘密

파벌(派閥) 몡 派系 pàixì; 派别 pàibié ¶~ 싸움 派系纠葛

파별(派別) 몡[하몡] 派别 pàibié; 分派 fēnpài ¶~을 나누지 않다 不分派别

파병(派兵) 몡 派兵 pàibīng

파-뿌리 몡 葱胡子 cōnghúzi《比喻白发》¶검은 머리가 ~가 되다 黑头发变成葱胡子

파:산(破産) 몡 破产 pòchǎn ¶그는 ~ 직전이다 他快要破产了

파:상(破傷) 몡[하몡] 破伤 pòshāng ¶~풍 破伤风 / ~을 입다 被破伤

파생(派生) 몡[하몡] 派生 pàishēng ¶~어 派生词 / ~적 派生的 / 본의에서 많은 의미가 ~되다 由本义派生出很多意义

파:손(破損) 몡[하몡] 破损 pòsǔn; 损坏 sǔnhuài ¶~된 탁자 破损的桌子

파수(把守) 몡[하몡] 1 把守 bǎshǒu; 看守 kānshǒu ¶요새를 ~하다 把守关隘 2 = 파수꾼

파수-꾼(把守一) 몡 看守 kānshǒu = 파수2

파스텔(pastel) 몡【美】彩色蜡笔 cǎisè làbǐ

파슬리(parsley) 몡【植】欧芹 ōuqín; 荷兰芹 hélánqín

파시스트(fascist) 몡 法西斯主义者 fǎxīsī zhǔyìzhě

파시즘(fascism) 몡 法西斯主义 fǎxīsī zhǔyì

파악(把握) 몡[하몡] 认识 rènshi; 了解 liǎojiě; 领会 lǐnghuì ¶상황을 ~하다 了解情况

파:업(罷業) 몡[하자]【社】罢工 bàgōng ¶~에 참여하다 参加罢工

파:열(破裂) 몡[자몡] 破裂 pòliè; 分裂 fēnliè ¶내장 ~ 内脏破裂 / ~음 破裂音

파우더(powder) 몡 1 粉末 fěnmò 2 化妆粉 huàzhuāngfěn ¶~를 바르다 擦化妆粉

파운데이션(foundation) 몡 粉底霜 fěndǐshuāng

파운드(pound) 의명 1 英镑 yīngbàng《英国的货币单位》2 磅 bàng《重量单位》

파울(foul) 몡【體】犯规 fànguī

파워(power) 몡 力量 lìliang; 权力

ㅍ

quánlì

파이(pie) 명 排 pái; 馅饼 xiànbǐng ¶호박 ~ 南瓜排

파이팅(fighting) 갑 加油 jiāyóu

파이프(pipe) 명 1 管 guǎn; 导管 dǎoguǎn; 钢管 gāngguǎn ¶~를 설치하다 安装钢管 2 烟斗 yāndǒu ¶그는 담배 ~를 가볍게 빨았다 他经常地弹着香烟烟斗

파인애플(pineapple) 명 【植】菠萝 bōluó; 凤梨 fènglí ¶~ 주스 菠萝汁

파ː일(file) 명 文件夹 wénjiànjiā = 서류철

파일럿(pilot) 명 1 驾驶员 jiàshǐyuán; 飞行员 fēixíngyuán = 조종사 2 引航员 yǐnhángyuán

파자마(pajamas) 명 1 睡衣 shuìyī; 睡衣裤 shuìyīkù 2 宽松裤 kuānsōngkù 《印度人穿的宽松的裤子》

파장(波长) 명 1 【物】波长 bōcháng 2 引起注意 yǐnqǐ zhùyì; 轰动 hōngdòng ¶그 문제는 큰 ~을 불러 일으켰다 那件事引起了很大的注意

파ː장(罷場) 명하자 1 收盘 shōupán; 收市 shōushì ¶거래소가 ~하다 交易场所收盘 2 考场关闭 kǎocháng guānbì

파ː전(―煎) 명 葱肉煎饼 cōngròu jiānbǐng; 葱饼 cōngbǐng

파종(播種) 명하타 【農】播种 bōzhòng; 种植 zhòngzhí ¶~기 播种机

파ː죽음 명 半死不活 bànsǐbùhuó ¶그는 하루 종일 여기저기 뛰어다니느라 ~이 되었다 他整天跑来跑去, 累得半死不活

파ː죽지세(破竹之勢) 명 势如破竹 shìrúpòzhú

파ː지(破紙) 명 废纸 fèizhǐ

파ː직(罷職) 명하타 撤职 chèzhí; 免职 miǎnzhí ¶~공고 撤职公告 / ~명단 撤职名单 / ~통지 免职通知

파ː찰ː음(破擦音) 명【語】塞擦音 sècāyīn

파출ː부(派出婦) 명 钟点家政妇 zhōngdiǎn jiāzhèngfù; 计日杂女佣 jìrì dázá nǚyòng

파출ː소(派出所) 명 1 派出机构 pàichū jīgòu 2【法】派出所 pàichūsuǒ

파충ː류(爬蟲類) 명 爬虫类 páchónglèi

파카(parka) 명 派克大衣 pàikè dàyī; 风雪大衣 fēngxuě dàyī

파트(part) 명 1 部分 bùfen; 要素 yàosù ¶중요 ~ 重要的部分 / 기본 ~ 基本要素 2【音】声部 shēngbù 3【音】= 악장

파트너(partner) 명 1 伙伴 huǒbàn; 同伙 tónghuǒ; 同伴 tóngbàn ¶~를 찾다 寻找同伴 2 配偶 pèi'ǒu

파티(party) 명 宴会 yànhuì; 社会集会 shèhuì jíhuì; 晚会 wǎnhuì ¶생일 ~ 生日宴会 / ~에 참가하다 参加宴会

파ː편(破片) 명 破片 pòpiàn; 碎片 suìpiàn ¶유리 ~ 玻璃破片

파ː-하다(罷―) 자타 结束 jiéshù; 完成 wánchéng ¶회의가 이미 파했다 会议已经结束了

파ː-헤치다 타 1 扒开 pákāi; 挖开 wākāi ¶손으로 땅굴을 ~ 用手把地洞扒开 2 揭开 jiēkāi ¶드디어 비밀을 파헤쳤다 终于揭开了秘密

파ː-혼(破婚) 명하자타 退亲 tuìqīn; 解除婚约 jiěchú hūnyuē; 退婚 tuìhūn

팍 부 1 用力 yònglì ¶~ 찌르다 用力刺 2 有气无力地 yǒuqìwúlìde

팍팍 부 1 用力地 yònglìde ¶가슴을 ~ 찌르다 用力地刺到胸部 2 无力地 (倒下) wúlìde ¶땅에 ~ 넘어지다 无力地跌倒在地 3 深深地陷进去 shēnshēn xiànjìnqù ¶걸을수록 진흙에 ~ 빠지다 越走越深深地陷进泥土去

팍팍-하다 형 1 (腿) 沉重 chénzhòng ¶발걸음이 ~ 步伐沉重 2 (食品) 发面难嚥; 发渣 fāzhā ¶감자가 ~ 马铃薯很发面

판 一 명 场 chǎng; 局面 júmiàn; 场面 chǎngmiàn; 场合 chǎnghé; 场所 chǎngsuǒ ¶난장~ 乱场 ¶局 jú ¶이~사~ 死局 2 局 jú; 盘 pán ¶바둑 한 ~ 一局围棋

판(板) 一 명 1 널빤지 2 盘 pán ¶바둑~ 围棋盘 3【印】= 판(版) 4 = 음반 二의명 盘 pán 《30个鸡蛋为一盘》¶계란 한 ~ 一盘鸡蛋

판(版) 명【印】版面 bǎnmiàn = 판(板)3 ¶초 ~ 第一版 / 개정 ~ 修订版

판(瓣) 명 1【植】= 꽃잎 2【生】= 판막 3【機】活门 huómén

―판(版·判) 접미 片 piàn kāiběn 《纸张尺寸规格》¶대형 ~ 大型开本 / 타블로이드~ 四开本

판-가름 명하타 判断 pànduàn; 明辨 míngbiàn

판각(板刻) 명하타【印】刻板 kèbǎn; 雕版 diāobǎn

판각-본(板刻本) 명【印】板刻本 bǎnkèběn; 雕版本 diāobǎnběn; 刻本 kèběn = 각판(刻板)·목판(木版)·판본

판결(判決) 명하타【法】判决 pànjué; 裁决 cáijué ¶~문 判决书 / ~을 기다리다 等待判决

판권(版權) 명 1【法】版权 bǎnquán ¶~은 원작자가 가진다 版权归原作者所有 2【印】= 판권장

판권-장(版權張) 명【印】版权页 bǎnquányè = 판권2

판다(panda) 명【動】熊猫 xióngmāo

판단(判斷) 〔명〕〔하타〕 判断 pànduàn ¶~력 判断力 / 네 ~이 옳다 你的判断对

판도(版圖) 〔명〕 **1** 版图 bǎntú ¶~를 넓히다 扩大版图 **2** 势力范围 shìlì fànwéi ¶정계의 ~가 크게 달라졌다 政界的势力范围发生了极大的变动

판독(判讀) 〔명〕〔하타〕 判读 pàndú; 解读 jiědú ¶위성 영상 ~ 卫星图像判读

판-돈 〔명〕 赌注 dǔzhù; 赌资 dǔzī

판례(判例) 〔명〕〔法〕 判例 pànlì; 案例 ànlì ¶~법 判例法

판로(販路) 〔명〕 销路 xiāolù ¶~를 뚫다 撕开了销路

판막(瓣膜) 〔명〕〔生〕 瓣膜 bànmó = 瓣(瓣)

판매(販賣) 〔명〕〔하타〕 贩卖 fànmài; 销售 xiāoshòu ¶~가 销售价格 / ~량 销售量 / 채소를 ~하다 贩卖蔬菜

판매-액(販賣額) 〔명〕 销售额 xiāoshòu'é = 매상(賣上)2 · 매상고 · 매상액

판매-원(販賣員) 〔명〕 售货员 shòuhuò-yuán

판명(判明) 〔명〕〔하타〕 判明 pànmíng; 辨明 biànmíng ¶진상을 ~하다 判明真相

판-박이(版─) 〔명〕 **1** 毫无变化 háowú biànhuà; 死板 sǐbǎn ¶~직원은 창의력이 부족하다 死板员工缺乏创意 **2** 一模一样 yīmó yīyàng ¶이 아이는 할아버지와 ~이다 这孩子和他爷爷一模一样 **3** 印刷 yìnshuā; 印刷品 yìnshuāpǐn ¶잡지를 ~하다 印刷杂志

판별(判別) 〔명〕〔하타〕 判别 pànbié; 辨别 biànbié; 鉴别 jiànbié ¶적합한 ~규칙을 세우다 建立一个合适的判别规则

판본(版本 · 板本) 〔명〕〔印〕 = 판각본

판사(判事) 〔명〕〔法〕 推事 tuīshì; 审判官 shěnpànguān; 法官 fǎguān

판-세(─勢) 〔명〕 局势 júshì; 局面 júmiàn

판-소리 〔명〕〔音〕 说唱 shuōchàng; 清唱 qīngchàng

판이-하다(判異─) 〔형〕 迥异 jiǒngyì; 截然不同 jiéránbùtóng ¶판이한 성격 截然不同的性格

판자(板子) 〔명〕 = 널빤지

판자-때기(板子─) 〔명〕 '판자'의 俗称

판자-촌(板子村) 〔명〕 棚户区 pénghùqū

판잣-집(板子─) 〔명〕 木板房 mùbǎnfáng; 棚户 pénghù

판촉(販促) 〔명〕 促销 cùxiāo ¶~물 促销物 / ~활동 促销活动

판-치다 〔자〕 霸道 bàdao ¶곳곳에서 ~ 到处横行霸道

판판-하다 〔형〕 平坦 píngtǎn ¶판판한 도로 平坦的道路 **판판-히** 〔부〕

판화(版畫) 〔명〕〔美〕 版画 bǎnhuà

팔(八) 〔수관〕 八 bā

팔(八) 〔명〕〔生〕 手臂 shǒubì; 胳膊 gēbo

팔각(八角) 〔명〕 八角 bājiǎo ¶~정 八角亭 / ~형 八角形

팔-걸이 〔명〕 **1** (椅子) 扶手 fúshou ¶의자 옆의 ~ 椅子两边的扶手 **2**〔體〕(摔跤) 手靶腿 shǒubǎtuǐ

팔-꿈치 〔명〕〔生〕 胳膊肘 gēbozhǒu

팔다 〔타〕 **1** 卖 mài; 出售 chūshòu; 出卖 chūmài ¶각종 물건을 ~ 卖各种东西 **2** (注意力) 分散 fēnsàn; 溜号 liūhào ¶정신을 판 데 ~ 精神分散 **3** 毁坏 huǐhuài ¶남의 이름을 ~ 毁坏别人的名誉 **4** (粮) 买 mǎi ¶밥을 하려고 쌀을 팔아오다 买大米回来做饭

팔-다리 〔명〕 胳膊腿 gēbotuǐ; 四肢 sìzhī ¶~에 힘이 없다 四肢没有力气

팔도(八道) 〔명〕 八道 bādào ¶~강산 八道江山

팔-등신(八等身) 〔명〕 八头身 bātóushēn; 八等身 bāděngshēn; 标准身材 biāozhǔn shēncái ¶~ 미녀 八头身美女

팔딱 〔부〕〔자타〕 一蹦 yībèng; 一跳 yītiào ¶팔짝 놀라 ~ 吓了一跳

팔딱-거리다 〔자타〕 **1** 直蹦 zhíbèng; 直跳 zhítiào ¶그녀의 가슴이 ~ 她的心直跳 **2** 蹦蹦跳跳 bèngbengtiàotiào ¶온종일 하루종일 팔딱거리다 这孩子 整天蹦蹦跳跳的 **3** 进进出出 jìn-jìnchūchū ¶끊임없이 ~ 不断地进进出出 ¶~ 轻易生气 qīngyì shēngqì ‖ 팔딱대다 팔딱-팔딱 〔부〕〔자타〕

팔뚝 〔명〕 小臂 xiǎobì; 小胳膊 xiǎogēbo

팔랑-개비 〔명〕 **1** 风车 fēngchē; 风轮 fēnglún = 바람개비 · 풍차2 **2** 轻浮的人 qīngfúde rén ¶~와 사귀지 마라 别跟轻浮的人交往

팔레트(ㅍpalette) 〔명〕〔美〕 调色板 tiáosèbǎn

팔-리다 〔자〕 **1** 被卖 bèimài ¶자전거가 ~ 自行车被卖掉了 **2** 沉溺 chénnì ¶술과 여자에 정신이 ~ 沉溺于酒色

팔-목 〔명〕 手腕 shǒuwàn

팔방-미인(八方美人) 〔명〕 **1** 绝色佳人 juésè jiārén ¶그녀는 ~이라 할 정도로 她称得上绝色佳人 **2** 全才 quáncái; 八斗才 bādǒucái ¶그녀는 뭐든지 할 수 있는 ~이다 她是什么都会的全才

팔-베개(八─) 〔명〕 枕胳膊 zhěn gēbo ¶~를 베다 枕胳膊

팔-불출(八不出) 〔명〕 饭囊衣架 fàn-nángyījià; 酒囊饭袋 jiǔnángfàndài; 笨瓜 bènguā; 傻瓜 shǎguā; 愚人 yúrén; 蠢材 chǔncái ¶그는 ~이다 他是个蠢材

팔순(八旬) 〔명〕 八旬 bāxún ¶~ 노인 八旬老人

팔-심 〔명〕 臂力 bìlì ¶그는 ~이 아주 세다 他臂力很大

팔십(八十) 〔수관〕 八十 bāshí ¶그는 올

〔π〕

팔씨름

862

해 ～세이다 他今年八十岁

팔-씨름 〖명〗〖하자〗 掰腕子 bāi wànzi

팔아-먹다 〖타〗 1 卖掉 màidiào; 出卖 chūmài ¶집을 ～ 把房子卖掉 2 (注意力)不集中 bùjízhòng; (精力)分散 fēnsàn ¶정신을 판 데 ～ 注意力不集中 3 (粮食)买 mǎi ¶콩을 ～ 买大豆吃

팔월(八月) 〖명〗八月 bāyuè

팔자(八字) 〖명〗八字 bāzì; 命运 mìngyùn ¶사람－는 아무도 모른다 一个人的命运谁都不知道

팔자-걸음(八字一) 〖명〗八字步 bāzìbù

팔짝 〖부〗〖하자〗 一下子 yīxiàzi ¶아이가 공중으로 ～ 뛰어올랐다 孩子一下子跳到空中

팔짝-거리다 〖자〗 1 忽开忽闭的 hūkāihúbìde 2 一蹦一蹦的 yíbèngyíbèngde ‖ = 팔짝대다 〖팔짝-팔짝〗 〖부〗〖하자타〗

팔짱 〖명〗 1 袖手 xiùshǒu 2 抱臂 bàobì

팔찌 〖명〗 手镯 shǒuzhuó

팔촌(八寸) 〖명〗 堂房表伯兄弟 tángfáng shūbó xiōngdì

팔팔 〖부〗 1 噗噗地 pūpūde; 咕嘟咕嘟地 gūdūgūdūde ¶물이 ～ 끓고 있다 水噗噗地开着 2 滚烫地 gǔntàngde; 滚烫滚烫地 gǔntànggǔntàngde ¶～ 끓는 청춘 滚烫滚烫的青春 3 扑棱扑棱(地) pūlēngpūlēng(de) ¶～ 뛰는 신선한 생선 扑棱扑棱直跳的新鲜的鱼

팔팔-하다 〖형〗 1 活泼 huópo; 朝气勃勃 zhāoqìbóbó ¶팔팔한 젊은이 朝气勃勃的小伙子 2 急躁 jízào ¶그는 성미가 아주 ～ 他性格很急躁

팝송(pop song) 〖명〗〖音〗 欧美流行歌曲 ōuměi liúxíng gēqǔ; 欧美歌曲 ōuměi gēqǔ

팝콘(popcorn) 〖명〗 爆玉米花 bàoyùmǐhuā

팡 〖부〗 砰 pēng; 轰 hōng ¶풍선이 ～ 하고 터졌다 气球砰地爆炸了

팥 〖명〗 小豆 xiǎodòu ¶～ 떡 小豆糕 / ～알 小豆粒 / ～죽 小豆粥

패:(败) 〖명〗〖의명〗〖하자〗 打败 dǎbài; 失败 shībài

패[1](牌) 〖명〗 1 牌 pái; 牌子 páizi; 标牌 biāopái ¶문－를 떼다 掉门牌 2 (纸牌的) 点数 diǎnshù

패[2](牌) 〖명〗 团伙 tuánhuǒ; 群体 qúntǐ; 帮派 bāngpài ¶～를 짜다 结成团伙

패:가(败家) 〖명〗〖하자〗 倾家荡产 qīngjiādàngchǎn; 家破 jiāpò ¶～망신 家破人亡

패-거리(牌一) 〖명〗 一伙 yīhuǒ; 一党 yīdǎng

패:권(霸權) 〖명〗 霸权 bàquán ¶～을 두고 다투다 争夺霸权

패:기(霸气) 〖명〗 霸气 bàqì ¶～가 부족하다 缺乏霸气

패널(panel) 〖명〗 1 〖建〗 壁板 bìbǎn 2 〖美〗 油画板 yóuhuàbǎn; 板面油画 bǎnmiànyóuhuà 3 〖法〗 陪审员 péishěnyuán

패:다[1](穗) 〖자〗 抽 chōu; (穗)出 chū ¶벼에서 이삭이 패어 나왔다 水稻抽出稻穗来了

패:다[2] 〖타〗 猛打 měngdǎ; 殴打 ōudǎ ¶이유 없이 다른 사람을 ～ 无故殴打他人

패:다[3] 〖타〗 砍 kǎn ¶장작을 ～ 砍柴

패대기-치다 〖타〗 大摔大扔 dàshuāi dàrēng ¶책상 위의 물건을 ～ 把桌子上的东西大摔大扔

패랭이-꽃 〖명〗〖植〗 石竹 shízhú; 天菊 tiānjú

패러다임(paradigm) 〖명〗 范式 fànshì

패러독스(paradox) 〖명〗〖論〗 = 역설 (逆設)2

패러디(parody) 〖명〗〖하자〗〖文〗 诙谐模仿 huīxié mófǎng 2 诙谐模仿作品 huīxié mófǎng zuòpǐn

패:륜(悖倫) 〖명〗〖하자〗 悖伦 bèilún; 乱伦 luànlún ¶～아 乱伦者

패:망(败亡) 〖명〗〖하자〗 败亡 bàiwáng ¶전 왕조의 ～ 원인 前朝败亡的原因

패:물(佩物) 〖명〗 佩物 pèiwù; 佩饰 pèishì

패:배(败北) 〖명〗〖하자〗 1 败北 bàiběi; 失败 shībài ¶～자 失败者 / ～주의 失败主义 / 이번 전투에서 우리는 철저하게 ～했다 这场战斗中我们彻底败北了 2 = 패주

패:색(败色) 〖명〗 败势 bàishì; 败北的迹象 bàiběide jìxiàng ¶～이 짙다 败势已定

패션(fashion) 〖명〗 1 (新的)样式 yàngshì; 样子 yàngzi ¶독특한 ～ 独特的款式 2 流行 liúxíng; 时兴 shíxìng; 时髦 shímáo ¶새로운 ～ 新的时髦

패션-모델(fashion model) 〖명〗 时装模特儿 shízhuāng mótèr = 모델3

패션-쇼(fashion show) 〖명〗 时装表演 shízhuāng biǎoyǎn

패:소(败訴) 〖명〗〖하자〗〖法〗 败诉 bàisù ¶법원이 법에 의거해 ～를 판결하다 法院依法判决败诉

패스(pass) 〖명〗〖하자타〗 1 通过 tōngguò; 合格 hégé; 及格 jígé ¶입학시험을 ～하다 通过了入学考试 2 通行证 tōngxíngzhèng 3 乘车票 chéngchēpiào; 票 piào ¶무료 ～ 免费乘车票 / 지하철 월 정기 ～ 地铁月票 4 = 여권(旅券)1 〖體〗 传球 chuánqiú ¶～가 비교적 정확하다 传球准确性较高

패스워드(password) 〖명〗〖컴〗 密码

mìmǎ = 암호

패스트-푸드(fast food) 명 快餐 kuài-cān; 快餐食品 kuàicān shípǐn ¶ ~점 快餐店

패스포트(passport) 명 1 护照 hù-zhào; 派司 pàisī = 여권(旅券) 2 通行证 tōngxíngzhèng

패-자:쟁(牌一) 명 群架 qúnjià; 派别斗争 pàibié dòuzhēng ¶그들은 ~을 했다 他们搞了派别斗争

패:자(敗者) 명 败者 bàizhě

패:자(霸者) 명 1 霸王 bàwáng; 王者 wángzhě; 称霸 chēngbà ¶춘추시대의 ~ 春秋时代的霸王 2 无敌者 wúdízhě ¶씨름판의 ~ 斗场的无敌者

패:잔(敗殘) 명 残 cán; 残余 cán-yú ¶~병 残兵

패:전(敗戰) 명하자 战败 zhànbài ¶국 战败国

패:주(敗走) 명하자 溃逃 kuìtáo = 패배2 ¶적군이 모두 ~했다 敌军都溃逃了

패:지(敗紙) 명 废纸 fèizhǐ; 破纸 pòzhǐ ¶~를 줍다 捡废纸

패키지(package) 명 1 包裹 bāoguǒ 2 打包 dǎbāo; 包装 bāozhuāng

패턴(pattern) 명 1 型 xíng; 模型 móxíng ¶소비 ~ 消费模型 2 模范 mófàn; 榜样 bǎngyàng 3 花样 huāyàng; 图案 tú'àn ¶유행 ~ 流行图案

팩(pack) 명 1 箱 xiāng; 袋 dài; 包装容器 bāozhuāng róngqì ¶비닐 ~ 塑料袋 2 (美容) 护肤霜 hùfūshuāng; 香脂 xiāngzhī

팩스(fax) 명[信] = 팩시밀리

팩시밀리(facsimile) 명[信] 传真机 chuánzhēnjī = 팩스

팬(fan) 명 1 电扇 diànshàn ¶~이 멈췄다 电扇停了 2 (体育、文艺等的) 迷 mí ¶오늘은 축구~들이 많이 왔다 今天来了很多球迷

팬-레터(fan letter) 명 影迷来信 yǐngmí láixìn; 球迷来信 qiúmí láixìn

팬지(pansy) 명【植】三色紫罗兰 sānsè zǐluólán

팬티(←panties) 명 内裤 nèikù; 裤衩(儿) kùchǎ(r) ¶삼각~ 三角内裤

팬티-스타킹(←panty stocking) 명 连袜裤 liánwàkù; 连裤袜 liánkùwà

팸플릿(pamphlet) 명 1 小册子 xiǎo-cèzi 2 小论文 xiǎolùnwén

팻-말(牌一) 명 标志牌 biāozhìpái; 木牌 mùpái

팽 명 滴溜溜 dīliūliū ¶풍차가 ~ 하고 한번 돌다 风车滴溜溜地一转 2 一 涨 yīzhàng; 天旋地转地 tiānxuándì-zhuànde ¶내 친구가 ~ 하고 땅에 넘어졌다 我的朋友天旋地转地倒在了地

팽개-치다 타 扔 rēng; 抛 pāo ¶옷을 침대 위에 ~ 把衣服扔在床上

팽그르르 부하자 1 滴溜溜 dīliūliū ¶팽이가 ~ 돌다 陀螺滴溜溜地转 2 发晕 fāyūn; 眩晕 xuànyūn ¶머리가 갑자기 ~ 돌다 头突然发晕

팽배(澎湃 · 彭湃) 명하자 澎湃 péng-pài; 高涨 gāozhǎng ¶열정이 ~하다 热情高涨

팽이 명 陀螺 tuóluó ¶~를 치다 抽陀螺

팽창(膨脹) 명하자 1 (数量、势力、范围) 膨胀 péngzhàng ¶통화 ~ 通货膨胀 / 인구 ~ 人口膨胀 2 (体积) 膨胀 péngzhàng ¶금속은 열을 받으면 ~한다 金属受了热就会膨胀

팽팽-하다 형 1 紧 jǐn; 绷绷 zēng-bēng ¶활시위가 아주 ~ 弓弦多绷绷 2 不相上下 bùxiāngshàngxià; 旗鼓相当 qígǔxiāngdāng ¶팽팽한 경기 旗鼓相当的比赛 3 (牌气) 乖戾 guāilì 4 紧张 jǐnzhāng ¶팽팽한 분위기 紧张的气氛 **팽팽-히** 부

팽팽-하다(膨膨—) 형 富有弹性 fùyǒu tánxìng ¶얼굴 피부가 ~ 面部皮肤富有弹性

퍼-내다 타 舀出 yǎochū; 淘出 táochū ¶웅덩이의 물을 ~ 舀出坑水

퍼덕-거리다 자타 1 扑棱 pūlēng; 扑棱棱 pūlenglēng ¶참새가 퍼덕거리며 날아오르다 麻雀扑棱地飞起来 2 拨剌 bōlà ¶물고기가 퍼덕거리며 물을 박차고 뛰어오르다 鲜鱼拨剌地拍水欢游 = 퍼덕대다 **퍼덕-퍼덕** 부하자타

퍼덕-이다 자타 1 扑棱 pūlēng ¶까치가 날개를 ~ 喜鹊扑棱着翅膀 2 拨剌 bōlà ¶물고기가 퍼덕이며 뛰다 鱼拨剌跳动

퍼:-뜨리다 타 传播 chuánbō; 传布 chuánbù; 散布 sànbù; 扩散 kuòsàn = 퍼트리다 ¶정보를 ~ 散布信息 / 소문을 ~ 散布风闻

퍼뜩 부하자 1 忽然 hūrán; 突然 tū-rán; 一下子 yīxiàzi ¶아이 생각이 ~ 나다 突然想起孩子 2 忽然 hūrán; 突然 tūrán ¶허허벌판에 ~ 불빛이 나타났다 无边平原里突然出现了一点火光 3 忽然 hūrán; 突然 tūrán ¶그는 ~ 정신을 차렸다 他突然回神了

퍼뜩-퍼뜩 부하자 忽然 hūrán; 突然 tūrán ¶재작년 일이 ~ 생각났다 忽然想起前年的事

퍼렇다 형 深蓝 shēnlán; 深绿 shēnlǜ; 发青 fāqīng ¶퍼런 혹 发青的大包

퍼레이드(parade) 명 行列 hángliè;

队列 duìliè; 游行 yóuxíng ¶축하 ~ 祝贺队列

퍼레―지다 丞 变蓝 biànlán; 变绿 biànlǜ; 变青 biànqīng ¶입술이 ~ 变青嘴唇

퍼―먹다 타 1 舀吃 yǎochī; 舀来吃 yǎoláichī ¶숟가락으로 ~ 用勺子舀来吃 2 大吃 dàchī; 狼吞虎咽 lángtūnhǔyàn ¶그는 게 눈 감추듯 밥을 다 퍼먹었다 他狼吞虎咽地吃完饭了

퍼―붓다 丞타 1 (大雨) 倾盆 qīngpén; 倾泻 qīngxiè; (大雪) 纷纷 fēnfēn ¶하루 종일 비가 ~ 整天大雨倾盆 2 浇 jiāo; 泼 pō; 倾倒 qīngdào ¶물을 ~ 泼水 3 (大骂) 破口 pòkǒu; (指责) 横加 héngjiā ¶그는 아주 화가 나서 우리에게 욕을 퍼부었다 他很生气, 向我们破口大骂了 2 猛烈射击 měngliè shèjī ¶기관총을 맹렬히 ~ 机枪向猛烈射击

퍼석―하다 혱 酥脆 sūcuì; 松脆 sōngcuì ¶땅콩이 매우 ~ 花生米很松脆

퍼센트(percent) 의명 百分率 bǎifēnlǜ; 百分比 bǎifēnbǐ = 프로(←네 procent) ¶60~ 百分率六十

퍼센티지(percentage) 명 百分率 bǎifēnlǜ = 백분율

퍼즐(puzzle) 명 难题 nántí; 迷 mí; 猜迷 cāimí; 智力游戏 zhìlì yóuxì; 测智游戏 cèzhì yóuxì

퍼―지다 丞 1 宽大 kuāndà; 宽阔 kuānkuò ¶바짓가랑이가 ~ 裤腿宽大 2 扩展 kuòzhǎn; 扩散 kuòsàn; 传播 chuánbō; 流布 liúbù; 蔓延 mànyán ¶불길이 사방으로 ~ 火势向四面扩展 3 增多 zēngduō; 发展 fāzhǎn; 繁盛 fánshèng ¶신종업이 무한히 ~ 新业务无限繁盛 4 烂熟 lànshú; 发胀 fāzhàng ¶떡국을 너무 끓어 ~ 粘糕汤煮得烂熟

퍼지르다 丞 1 随便 suíbiàn; 随便伸开腿坐 shēnkāi tuǐzuò ¶구석에 퍼질러 앉다 伸开腿坐在一个角落里 2 破口 pòkǒu; 横加 héngjiā ¶욕설을 ~ 破口大骂

퍼:―트리다 타 = 퍼뜨리다

퍽[1] 부 1 扑地 pūde ¶~ 한 대 치다 扑地一打 2 瘫软地 tānruǎnde ¶그는 ~ 쓰러졌다 他瘫软地倒下了 3 咕咽地 gūjīde ¶진흙 구덩이에 ~ 빠지다 咕咽地陷进泥坑

퍽[2] 부 很 hěn; 颇为 pōwéi; 相当 xiāngdāng ¶이 옷은 너에게 ~ 잘 어울린다 这件衣服很适合你

퍽―퍽 부 1 扑地 pūde ¶그의 옷을 ~ 털다 扑地掸他的衣服 2 瘫软地 tānruǎnde ¶그의 몸이 ~ 넘어지다 他的身躯瘫软地倒下 3 咕咽地 gūjīde ¶발이 진흙 속에 ~ 빠지다 脚咕咽地陷干

泥地里

퍽퍽―하다 혱 1 松散 sōngsǎn; 酥软 sūruǎn ¶국수가 매우 ~ 面条很松软 2 乏力 fálì ¶온 몸이 ~ 全身乏力

펀드(fund) 명 〖經〗资金 zījīn; 基金 jījīn ¶~ 매니저 基金经理 / ~ 정보 资金信息 / 투자 ~ 投资基金

펄 명 = 개펄

펄떡 부丞타 1 扑棱 pūleng ¶물고기가 ~ 뛰어오르다 鱼扑棱跳起来 2 怦怦直跳 pēngpēngzhítiào

펄떡―거리다 丞타 1 扑棱 pūleng ¶방금 잡힌 큰 물고기가 ~ 刚被抓的大鱼扑棱 2 (气得) 团团转 tuántuánzhuàn 3 出出进进 chūchūjìnjìn ¶고급 승용차가 ~ 高档次的轿车出出进进 4 怦怦直跳 pēngpēngzhítiào ¶가슴이 ~ 心怦怦直跳 ‖ = 펄떡대다 **펄떡―펄떡** 부丞타

펄떡―이다 丞타 1 扑棱 pūleng 2 (气得) 团团转 tuántuánzhuàn 3 出出进进 chūchūjìnjìn 4 怦怦直跳 pēngpēngzhítiào

펄럭―거리다 丞타 飘扬 piāoyáng; 飘舞 piāowǔ; 飘荡 piāodàng ¶오성홍기가 바람에 ~ 五星红旗迎风飘扬 **펄럭―펄럭** 부丞타

펄럭―이다 丞타 飘扬 piāoyáng; 飘舞 piāowǔ; 飘荡 piāodàng ¶만국기가 바람에 ~ 万国旗迎风飘荡

펄쩍 부丞타 1 哗啦 huālā 《开门声》¶문을 ~ 열다 哗啦地把门开开 2 腾地一下 téngde yīxià; 哗啦一下 huālā yīxià 《관중을》~ 일어나다 观众儿腾地一下站起来 3 忽然 hūrán ¶나는 정신이 ~ 들었다 我忽然清醒雕

펄쩍―거리다 丞타 1 哗啦 huālā 《开门声》 2 一蹦一蹦地跳 yībèngyībèngde tiào ‖ = 펄쩍대다 **펄쩍―펄쩍** 부丞타

펄펄 부 1 滚烫地 gǔntàngde ¶국이 ~ 끓기 시작하다 汤滚烫地烧开来 2 呼啦呼啦 hūlāhūlā ¶국기가 바람에 ~ 国旗被风飘得呼呼地扬

펄펄―하다 혱 1 急躁 jízào; 急霍霍的 jíhuòhuòde ¶내 성격은 아주 ~ 我的性格很急躁 2 朝气蓬勃 zhāoqìpéngbó; 生气勃勃 shēngqì bóbó ¶기운이 펄펄한 젊은이 朝气蓬勃的青年人

펄프(pulp) 명 〖化〗纸浆 zhǐjiāng

펌프(pump) 명 1 水泵 shuǐbèng 2 〖物〗唧筒泵 jītǒngbèng

펑 부 怦 pēng 《炸裂声》¶~ 하고 유리가 깨졌다 怦的一声, 玻璃碎了

펑크(←puncture) 명 1 (车胎) 爆裂 bàoliè ¶운전 중에 타이어가 ~나다 开车中车胎爆裂了 2 失场 shīchǎng ¶방송에 ~를 내다 失场广播

펑퍼짐―하다 혱 又圆又宽 yòuyuányòukuān

yòukuān; 平缓 pínghuǎn ¶평퍼짐한 언덕 平缓的陵丘 / 그녀는 몸매가 ~ 她身态又圆又宽

펑-펑 톡허(자타) **1** 哗哗 huāhuā ¶~쏟아지는 물 哗哗喷出的水 **2** (雪) 纷纷 fēnfēn; (水) 哗哗 huāhuā ¶큰 눈이 ~ 내리고 있다 大雪纷纷下着 **3** (钱财) 挥霍 huīhuò ¶재산을 ~ 쓰다 挥霍钱财

페널티 (penalty) 몡 罚分 fáfēn

페널티 골 (penalty goal) [몡] [體] **1** (足球) 点球罚中 diǎnqiú fázhòng **2** (橄榄球) 罚球得分 fáqiú défēn

페달 (pedal) 몡 (缝纫机、钢琴等的) 踏板 tàbǎn; (自行车的) 脚蹬 jiǎodēng

페미니즘 (feminism) 몡 [社] 女权主义 nǚquán zhǔyì; 男女平等主义 nánnǚ píngděng zhǔyì

페스트 (pest) 몡 [醫] 鼠疫 shǔyì; 瘟疫 wēnyì; 黑死病 hēisǐbìng = 흑사병

페스티벌 (festival) 몡 节日 jiérì; 喜庆日 xǐqìngrì

페이 (pay) 몡 工资 gōngzī; 薪水 xīnshui; 报酬 bàochou

페이스 (pace) 몡 [體] 步调 bùtiáo; 步速 bùsù; 步度 bùdù ¶~를 유지하다 保持步调 / ~를 조절하다 调整步调

페이지 (page) 몡 页 yè = 쪽

페인트 (paint) 몡 [化] 油漆 yóuqī; 涂料 túliào ¶무독성 ~ 无毒油漆

펜 (pen) 몡 **1** 笔 bǐ; 钢笔 gāngbǐ **2** = 펜촉 **3** 写作活动 xiězuò huódòng ¶그는 이미 ~을 놓았다 他已停写作活动

펜-대 (pen—) 몡 笔杆 bǐgān

펜던트 (pendant) 몡 垂饰 chuíshì ¶목에는 ~를 걸다 颈上挂着一个垂饰

펜싱 (fencing) 몡 [體] 击剑 jījiàn

펜촉 (pen鏃) 몡 笔尖 bǐjiān = 펜2

펜치 (=pinchers) 몡 [工] 钳子 qiánzi; 铁钳 tiěqián

펜팔 (pen pal) 몡 笔友 bǐyǒu; 通信朋友 tōngxìn péngyou

펠리컨 (pelican) 몡 [鳥] 伽蓝鸟 gālánniǎo

펭귄 (penguin) 몡 [鳥] 企鹅 qǐé

펴-내다 (—) 톡 发行 fāxíng; 发刊 fākān ¶산문집을 ~ 发行散文集 **2** 伸展 shēnzhǎn; 展开 zhǎnkāi ¶이 두루마리 그림을 펴내어 보자 把这轴画儿展开看看

펴낸-이 몡 发行人 fāxíngrén

펴다 톡 **1** 铺开 pūkāi; 打开 dǎkāi; 展平 zhǎnpíng ¶날개를 ~ 展开翅膀 **2** 弄平 nòngpíng ¶젖은 책을 ~ 把湿了的书弄平 **3** 伸直 shēnzhí; 弄直 nòngzhí ¶두 다리를 앞으로 ~ 两腿向前伸直 **4** 舒展 shūzhǎn; 舒张 shūzhāng ¶근육과 피부를 ~ 舒展

肌肤 **5** 扩大 kuòdà; 扩充 kuòchōng ¶세력을 ~ 扩充势力 **6** 施行 shīxíng; 推行 tuīxíng ¶국민을 위한 정책을 ~ 施行为民政策

펴-지다 짜 **1** 展平 zhǎnpíng; 打开 dǎkāi; 展开 zhǎnkāi ¶이 책이 자동으로 펴졌다 这本书自动打开了 **2** 好转 hǎozhuǎn ¶그들은 최근 살림이 조금 펴졌다 他们的生活最近有点好转了

편 (便) 一몡 方 fāng; 帮 bāng; 派 pài; 边 biān; 方面 fāngmiàn ¶~를 가르다 分派 分派 二의몡 **1** 方向 fāngxiàng; 面 miàn; 边 biān ¶맞은 ~ 对面 **2** (利用车、船、飞机等) 乘便 chéngbiàn; 乘机 chéngjī; 借机 jièjī; 就便 jiùbiàn; 乘 chéng ¶동생이 가는 ~에 보냈다 乘妹妹前往之便捎去了 **3** 算是 suànshì ¶~는 착한 ~이다 他算是善良

편 (篇) 의몡 **1** 篇 piān ¶글 한 ~ 一篇文章 / 제1~ 第一篇 **2** 首 shǒu ¶시 한 ~ 一首诗

편견 (偏見) 몡 偏见 piānjiàn ¶~을 가지다 存偏见 / ~을 버리다 消除偏见

편곡 (編曲) 몡 [音] 编曲 biānqǔ

편년 (編年) 몡 编年 biānnián ¶~사 编年史 / ~체 编年体

편도 (片道) 몡 **1** 单程 dānchéng ¶~비행기 표 单程机票 **2** 单方面 dānfāngmiàn

편도-선 (扁桃腺) 몡 [生] 扁桃腺 biāntáoxiàn; 扁桃体 biāntáotǐ

편두-통 (偏頭痛) 몡 [醫] 偏头痛 piāntóutòng; 偏脑疼 piānnǎoténg

편-들다 (便—) 톡 偏袒 piāntǎn; 祖护 hùhù ¶학생을 ~ 偏祖学生

편람 (便覽) 몡 便览 biànlǎn; 手册 shǒucè ¶논문 ~ 论文便览 / ~도 便览图

편력 (遍歷) 몡 [하타] **1** 遍踏 biàntà; 周游 zhōuyóu ¶세계를 ~하다 周游世界 **2** 阅历丰富 yuèlì fēngfù; 无不经历 wúbùjīnglì ¶남성 ~ 男性交往阅历丰富

편리 (便利) 몡 [하형] 便利 biànlì; 方便 fāngbiàn ¶교통이 ~하다 交通方便

편린 (片鱗) 몡 片断 piànduàn; 一斑 yībān ¶기억 속 ~ 记忆中片断

편-먹다 (便—) 톡 成为一伙 chéngwéi yīhuǒ ¶몇 사람이 편먹고 함께 놀다 几个人成为一伙, 一起玩

편모 (偏母) 몡 寡母 guǎmǔ

편모-슬하 (偏母膝下) 몡 寡母膝下 guǎmǔ xīxià; 侍奉寡母 shìfèng guǎmǔ ¶~에서 컸다 在寡母膝下长大

편백 (偏柏) 몡 [植] 偏柏 biānbǎi = 노송나무

편법 (便法) 몡 简便方法 jiǎnbiàn fāngfǎ; 捷径 jiéjìng

편벽-하다 (偏僻—) 혱 **1** 偏向 piānxiàng; 偏心 piānxīn; 不公正 bùgōngzhèng ¶교사는 어떤 학생만을 편벽해서는 안 된다 老师不能偏向某个学生 2 偏僻 piānpì ¶편벽한 마을 偏僻的乡村

편성(編成) [명][하타] 1 组编 zǔbiān；编制 biānzhì；编造 biānzào ¶예산을 ~하다 编造预算 2 编排 biānpái；编纂 biānzuǎn ¶광고 ~ 广告编排

편수(編修) [명][하타] 编修 biānxiū；编辑 biānjí ¶그림을 ~하다 编修图片

편승(便乘) [명][하자] 1 搭乘 dāchéng ¶여동생이 운전하는 차에 ~하다 搭乘妹妹驾驶的车辆 2 顺应 shùnyìng ¶시류에 ~하다 顺应时代潮流

편식(偏食) [명][하타] 偏食 piānshí；挑食 tiāoshí ¶아이가 ~하다 孩子吃饭挑食

편안(便安) [명][하형][부] 舒服 shūfu；舒适 shūshì ¶나는 이곳에서 아주~히 지낸다 我在这里住得很舒服

편애(偏愛) [명][하타] 偏爱 piān'ài ¶남자아이만 ~하다 偏爱男孩

편육(片肉) [명] 肉片 ròupiàn

편의(便宜) [명] 便宜 biànyí；便利 biànlì；方便 fāngbiàn ¶그들에게 ~를 봐주다 给他们便宜

편의-점(便宜店) [명] 方便商店 fāngbiàn shāngdiàn；便利商店 biànlì shāngdiàn

편입(編入) [명][하자타] 1 插编 chābiān 2 编入 biānrù；插班 chābān ¶~생 插班生

편자 [명] 1 马掌 mǎzhǎng；马蹄铁 mǎtítiě = 철제(鐵蹄) 2 网巾带子 wǎngjīn dàizi

편자(編者) [명] 编者 biānzhě

편저(編著) [명][하타] 编著 biānzhù

편제(編制) [명][하타] 编制 biānzhì ¶조직의 ~ 组织的编制 / ~표 编制表

편주(片舟·扁舟) [명] 扁舟 biānzhōu；小舟 xiǎozhōu

편중(偏重) [명] 偏重 piānzhòng；侧重 cèzhòng ¶한 과목에만 ~하다 偏重一门课

편지(便紙·片紙) [명] 信 xìn；书信 shūxìn；信函 xìnhán；书简 shūjiǎn；书札 shūzhá；书信 shūxìn；书牍 shūdú = 서간·서신·서찰·서한 ¶~지 信纸 / ~ 한 통을 받다 收到一封书信

편직(編織) [명][手工] 编织 biānzhī ¶~물 编织物

편집(編輯) [명][하타] 编辑 biānjí；剪辑 jiǎnjí；剪接 jiǎnjiē ¶~국 编辑局 / ~부 编辑部 / ~원 编辑人员 / ~자 编辑人 / 사진 ~ 图片编辑

편집-장(編輯長) [명] 主编 zhǔbiān；主笔 zhǔbǐ；总编辑 zǒngbiānjí

편차(偏差) [명][數] 偏差 piānchā

편찬(編纂) [명][하타] 编纂 biānzuǎn ¶

위원회 编纂委员会 / 역사서 ~ 编纂历史读本编纂

편-찮다(便一) [형] 1 不舒适 bùshūshì；不舒服 bùshūfu ¶마음이 ~ 心里不舒服 2 (身体) 不适 bùshì；生病 shēngbìng；病痛 bìngtòng ¶선생님께서 편찮으시다 老师生病了

편파(偏頗) [명][하형] 偏颇 piānpō；不公正 bùgōngzhèng；不公平 bùgōngpíng；偏向 piānxiàng ¶~성 偏颇性 / ~적 偏颇的 / ~ 보도 偏颇报道

편평-하다(扁平一) [형] 平坦 píngtǎn；扁平 biǎnpíng ¶엉덩이가 아주 ~ 臀部扁平 **편평-히** [부]

편-하다(便一) [형] 1 舒服 shūfu；舒坦 shūtan ¶그녀와 함께 있으면 마음이 아주 ~ 跟她在一起，我觉得挺舒服 2 便利 biànlì；方便 fāngbiàn ¶이렇게 하면 훨씬 ~ 这样就方便多了

편향(偏向) [명][하자] 偏向 piānxiàng；偏差 piānchā ¶서구 문화에 ~되다 偏向于西方文化

편협(偏狭·褊狭) [명][하형] 狭隘 xiá'ài；度量小 dùliàng xiǎo ¶속이 좁고 ~하다 心胸狭窄度量小

펼치다 [타] 1 打开 dǎkāi；翻开 fānkāi；铺开 pūkāi；展开 zhǎnkāi ¶신문을 ~/이불을 ~ 铺开报纸 2 开展 kāizhǎn；展现 zhǎnxiàn；实现 shíxiàn ¶꿈을 ~ 实现梦想 / 투쟁을 ~ 开展斗争

폄·**훼**(貶毁) [명][하타] 诋毁 dǐhuǐ；诽谤 fěibàng ¶동료를 ~하다 诋毁同行

평(坪) [의명] 坪 píng ¶토지 백 ~ 土地一百坪

평·(評) [명][하타] 评定 píngdìng；评价 píngjià；评论 pínglùn ¶이 상품에 대한 사람들의 ~이 좋다 人们对这个商品的评价很好

평가(評價) [명][하타] 评价 píngjià；评定 píngdìng；估价 gūjià ¶신용 ~ 信用评价 / 정확한 ~가 필요하다 需要正确的估价

평각(平角) [명][數] 平角 píngjiǎo

평균(平均) [명] 1 平均 píngjūn；~값 平均值 / ~ 기온 平均气温 / ~ 수명 平均寿命 / ~ 연령 平均年龄 / 수확된 토란이 ~ 4kg 이상이다 收获的芋头每个平均公斤以上 2 [數] 平均值 píngjūnzhí = 평균2

평균-대(平均臺) [명][體] 平台 píngtái；平衡木 pínghéngmù = 평형대

평균-치(平均値) [명][數] = 평균2

평년(平年) [명] 1 平年 píngnián；一般年景 yībān niánjǐng 2 [天] (历法上的) 平年 píngnián ¶~과 윤년 平年和闰年

평년-작(平年作) [명][農] 平年收成

píngnián shōucheng = 평작1 ¶~에 속
하다 属平年收成

평등(平等) 명하타 平等 píngděng ¶~
권 平等权 / ~ 조약 平等条约

평-론(評論) 명하타 评论 pínglùn ¶~
가 评论家 / ~계 评论界 / ~집 评论
集 / 学术 思想 을 科学的으로 ~하다
科学地评论学术思想

평면(平面) 명 1 平面 píngmiàn ¶~
도 平面图 2 【数】平面 píngmiàn

평민(平民) 명 平民 píngmín; 庶民
shùmín; 百姓 bǎixìng; 黎民 límín

평-방(平方) 명 平方 píngfāng

평범-하다(平凡—) 형 平凡 píngfán;
平常 píngcháng; 平淡 píngdàn; 平庸
píngyōng; 凡庸 fányōng ¶평범한 내용
平淡的内容 / 外貌가 ~ 外貌平凡 **평
범-히** 부

평복(平服) 명 = 평상복

평상(平床·平牀) 명 平板床 píngbǎn-
chuáng ¶그는 ~에 누워 책을 보고 있
다 他在平板床上躺着看书

평상(平常) 명부 = 평상시

평상-복(平常服) 명 便服 biànfú; 休闲
服 xiūxiánfú = 평복

평상-시(平常時) 명 平常 píngcháng;
平时 píngshí; 平素 píngsù = 상시·
평상 / 평소 · 평시 · 평일 ¶그는 ~
말을 잘 하지 않는다 他平时不爱
说话

평생(平生) 명 = 일생 ¶~ 변치 않음
一生不变 / ~ 모르다 一辈子都不知
道 / ~ 참회하다 终生忏悔

평생-토록(平生—) 명 终身 zhōng-
shēn; 一辈子 yībèizi; 终生 zhōngshēng
= 일생토록 ¶~ 후회하다 终身后悔

평서-문(平敍文) 명 【語】陈述句 chén-
shùjù = 서술문

평서-형(平敍形) 명 【語】叙述形
xùshùxíng

평소(平素) 명 = 평상시

평시(平時) 명 = 평상시

평안(平安) 명하타형 平安 píng'ān;
无恙 wúyàng ¶마음의 ~을 잃다 心理
失平安 / 집안이 ~하다 全家平安

평야(平野) 명 平原 píngyě; 平原 píng-
yuán

평온(平穩) 명하형히부 平稳 píngwěn;
平静 píngjìng; 宁静 níngjìng ¶~한 날
들을 유지하려고 노
력하다 努力保持平静

평원(平原) 명 平原 píngyuán; 原野
yuányě

평-의(評議) 명하타 评议 píngyì ¶~
원 评议员 / ~회 评议会 / ~를 하다
进行评议

평이-하다(平易—) 명 平易 píngyì;

容易 róngyì; 通俗 tōngsú ¶시험 문제
가 ~ 考试问题平易

평일(平日) 명 = 평상시

평작(平作) 명 【農】1 = 평년작 2 无
垄耕作 wúlǒng gēngzuò

평-점(評點) 명 1 着重点 zhuózhòng-
diǎn 2 评分 píngfēn ¶이번 학기 ~은
4.0이다 本学期的评分是4.0 3 评定
物价 píngdìng wùjià

평-정(平定) 명하타 平定 píngdìng; 平
息 píngxī ¶내부 반란을 ~하다 平息
内部叛乱

평-정(評定) 명하타 评定 píngdìng; 鉴
定 jiàndìng ¶성능을 ~하다 评定性能

평지(平地) 명 平地 píngdì

평탄(平坦) 명하형히부 1 平坦 píng-
tǎn ¶~한 도로 平坦的道路 2 坦然
tǎnrán; 平静 píngjìng ¶마음의 ~을 잃
다 心灵失平静 3 顺利 shùnlì ¶업무
과정이 ~하다 业务过程顺利

평-판(評判) 명하타 1 评论 pínglùn;
评价 píngjià; 评价 píngpàn ¶정확한
~ 正确的评论 2 声价 shēngjià; 声闻
shēngwén ¶그에 대한 ~이 그다지 좋
지 않다 人们对他的声价不太好

평평-하다(平平—) 형 1 平坦 píngtǎn
¶바닥이 ~ 地板平坦 2 平凡 píngfán;
平平常常 píngpíngchángcháng ¶얼굴
이 ~ 面子平平常常 **평평-히** 부

평행(平行) 명하자 1 平行 píngxíng ¶
하늘과 땅의 ~ 天和地的平行 2 【数】
平行 píngxíng

평행-봉(平行棒) 명 【體】双杠 shuāng-
gàng

평행-선(平行線) 명 1 【数】平行线
píngxíngxiàn = 평행 직선 2 平行线
píngxíngxiàn ¶우리의 사랑은 ~이다
我们的爱情是一条平行线

평행 직선(平行直線) 【数】= 평행선1

평형(平衡) 명 1 平衡 pínghéng;
均衡 jūnhéng ¶수입과 지출의 ~ 收支
平衡 2 【物】(力系的) 平衡 pínghéng

평형대(平衡臺) 명 【體】= 평균대

평화(平和) 명하형 1 和平 hépíng ¶지
구의 ~ 地球的和平 和睦 hémù; 安
宁 ānníng ¶가정 ~ 家庭和睦

평화-롭다(平和—) 형 和平 hépíng;
和睦 hémù ¶평화로운 마을 和平的村
庄 **평화로이** 부

폐(肺) 명 【生】肺 fèi; 肺脏 fèizàng =
허파

폐(弊) 명 1 = 폐단 2 麻烦 máfan;
打扰 dǎorǎo ¶너에게 ~ 끼치고 싶
않다 我不想麻烦你

폐-가(廢家) 명하자 1 废屋 fèiwū; 废
宅 fèizhái ¶사람이 살지 않는 ~ 一个
没人住的废屋 2 绝户 juéhù; 绝后 jué-
hòu; 断后 duànhòu; 绝门 juémén ¶그

녀는 ~한 부인이다 她是个绝户老奶

폐: **간**(廢刊) 명 하타 停刊 tíngkān ¶다
음 주 월요일부터 ~한다 从下个星期
一起停刊

폐: **강**(廢講) 명 하자 停讲 tíngjiǎng; 停
课 tíngkè ¶~ 통지를 하다 发出停课
通知

폐: **-결핵**(肺結核) 명 【醫】肺结核 fèi-
jiéhé

폐: **경**(閉經) 명 【醫】闭经 bìjīng ¶~
기 闭经期

폐: **관**(閉館) 명 하타 闭馆 bìguǎn; 封馆
fēngguǎn ¶도서관이 ~되다 图书馆闭
馆

폐: **광**(廢鑛) 명 하타 1 停止开矿 tíng-
zhǐ kāikuàng 2 废矿 fèikuàng

폐: **교**(廢校) 명 하타 1 停止办学 tíngzhǐ
bànxué; 关闭学校 guānbì xuéxiào; 停
办学校 tíngbàn xuéxiào ¶~ 조치를 내
리다 下停办学校措施

폐: **기**(廢棄) 명 하타 1 废弃 fèiqì ¶~
물 废弃物 2 처분 废弃处理 2 废除
fèichú ¶조약을 ~하다 废除条约

폐: **단**(弊端) 명 弊端 bìduān; 弊病 bì-
bìng; 诡病 guǐbìng = 폐(弊)1 ¶시험
의 ~ 考试的弊端 / 전자 상거래의 ~
电子商务的弊端

폐: **렴**(肺炎) 명 【醫】肺炎 fèiyán

폐막(閉幕) 명 하자 闭幕 bìmù ¶영
화제를 ~하다 电影节闭幕

폐: **물**(廢物) 명 废物 fèiwù; 废品 fèi-
pǐn ¶~을 처리하다 处置废物

폐: **병**(肺病) 명 【醫】肺病 fèibìng 2
肺结核 fèijiéhé

폐: **부**(肺腑) 명 1 肺腑 fèifǔ; 内心 nèi-
xīn ¶그의 말이 나의 ~를 찌른다 他的
话沁人我的肺腑 2 【生】肺脏 fèi-
zàng = 허파

폐: **사**(斃死) 명 하자 毙命 bìmìng; 死
亡 sǐwáng ¶수십 마리의 가축이 ~했
다 死亡了许多家畜

폐: **쇄**(閉鎖) 명 하타 闭锁 bìsuǒ; 关闭
guānbì; 封闭 fēngbì ¶출입구를 ~하
다 关闭出入口

폐: **습**(弊習) 명 1 陋习 lòuxí 2 陋俗
lòusú; 坏风气 huàifēngqì; 歪风 wāifēng

폐: **암**(肺癌) 명 【醫】肺癌 fèi'ái

폐: **업**(廢業) 명 하자타 停业 tíngyè ¶식
당을 ~하다 停业食堂

폐: **인**(廢人) 명 废人 fèirén; 残废人
cánfèirén 2 被遗弃的人 bèi yíqìde rén

폐: **장**(閉場) 명 하자타 (会场、剧场等
处) 清场 qīngchǎng; 关门 guānmén ¶
~ 시간 关门时间

폐: **점**(閉店) 명 하자타 1 闭店 bìdiàn 2
停业 tíngyè

폐: **지**(廢止) 명 하타 废止 fèizhǐ; 废除
fèichú ¶관련 법규를 ~하다 废止有关

폐: **지**(廢紙) 명 废纸 fèizhǐ

폐: **차**(廢車) 명 하타 废车 fèichē ¶~장
废车场

폐: **품**(廢品) 명 废品 fèipǐn

폐: **-하다**(廢-) 타 1 废止 fèizhǐ; 废
除 fèichú ¶관련 법규를 ~ 废止有关
法规 2 停止 tíngzhǐ; 废止 fèizhǐ ¶학
업을 ~ 停止学业 3 废弃 fèiqì ¶폐해
진 토지를 신도시로 바꾸다 一片被废
弃的土地将变成新城 4 废黜 fèichù ¶
国왕을 ~ 废黜国王

폐: **해**(弊害) 명 弊害 bìhài; 弊病 bì-
bìng ¶제도의 ~ 制度的弊病

폐: **허**(廢墟) 명 废墟 fèixū ¶정원이 ~
로 변하다 园林变成废墟

폐: **-활량**(肺活量) 명 【醫】肺活量 fèi-
huóliàng

폐: **회**(閉會) 명 하자타 闭会 bìhuì; 散会
sànhuì ¶~사 闭会词 / ~를 선포하다
宣布散会

폐회로 텔레비전(閉回路television)
【電】闭路电视 bìlù diànshì = 시시 티
브이

포(包) 명 부대(负袋)

포(砲) 명 【軍】大炮(大炮)

포(脯) 명 肉干 ròugān; 脯 fǔ

포개다 명 摞 luò; 叠 dié ¶옷을 ~ 把
衣服摞起来

포격(砲擊) 명 하타 炮击 pàojī ¶적의
진지를 ~하다 敌人阵地炮击

포: **경**(包莖) 명 【生】包茎 bāojīng ¶~
수술 包茎手术

포경(捕鯨) 명 = 고래잡이

포경-선(捕鯨船) 명 捕鲸船 bǔjīng-
chuán = 고래잡이배

포고(布告·佈告) 명 하타 1 布告 bù-
gào ¶학생 모집 ~ 招生布告 2 宣告
xuāngào; 公布 gōngbù ¶올림픽 조직
위원会는 입장权 가격을 ~했다 奥组
委公布了门票价格

포: **괄**(包括) 명 하타 包括 bāokuò; 总括
zǒngkuò ¶상술한 내용을 ~하다 包括
上述的内容

포: **교**(布教) 명 하타 传教 chuánjiào ¶
~ 활동 传教活动

포구(浦口) 명 浦口 pǔkǒu; 入海口 rù-
hǎikǒu

포구(砲口) 명 = 포문(砲門)

포근-하다 명 1 포근한 담요 柔软的毯子 2 温
和 wēnhé; 温暖 wēnnuǎn ¶포근한 날
씨 温暖的天气 3 温馨 wēnxīn; 安宁
ānníng ¶포근한 집 温馨的家 포근-히
부 어머니가 나를 ~ 안아주셨다 妈
妈温和地包我一下

포기 명 根 gēn; 棵 kē ¶풀 한 ~ 없다
一根草也没有

포:기(抛棄) 〔명〕〔하타〕 1 抛弃 pāoqì；作罢 zuòbà ¶진학을 ~하다 作罢升学 2 放弃 fàngqì ¶양육권을 ~하다 放弃养育权

포대(包袋) 〔명〕= 부대(負袋)

포대(砲臺) 〔명〕〔軍〕炮台 pàotái

포대기(襁褓) 〔명〕襁褓 qiǎngbǎo = 강보 ¶아이가 ~에 싸여 있다 孩子裹在襁褓中

포도(葡萄) 〔명〕〔植〕葡萄 pútáo ¶~나무 葡萄藤 / ~주 葡萄酒

포동-포동 〔부〕胖乎乎 pànghūhū ¶~한 작은 손 胖乎乎的小手

포럼(forum) 〔명〕公开讨论 gōngkāi tǎolùn；付诸讨论 fùzhū tǎolùn

포:로(捕虜) 〔명〕俘虏 fúlǔ

포르노(porno) 〔명〕色情作品 sèqíng zuòpǐn；色情描写 sèqíng miáoxiě

포르르 〔부[본]〕1 沙沙 shāshā ¶낙엽이 ~거리다 落叶沙沙响 2 扑棱扑棱 pūlengpūleng ¶작은 새가 ~ 날다 小鸟扑棱扑棱地飞 3 潺潺 chánchán ¶물 흐르는 소리를 들었다 听见潺潺流水的声音

포:만(飽滿) 〔명〕〔하형〕饱满 bǎomǎn；胀满 zhàngmǎn ¶~감 饱满感 / ~을 느끼다 感到饱满

포말(泡沫) 〔명〕= 물거품1

포맷(format) 〔명〕1 开本 kāiběn；版式 bǎnshì 2 〔컴〕初始化 chūshǐhuà；格式化 géshìhuà

포목(布木) 〔명〕布匹 bùpǐ；麻布与棉布 mábù yǔ miánbù

포문(砲門) 〔명〕炮口 pàokǒu = 포구(砲口)

포물-선(抛物線) 〔명〕〔數〕抛物线 pāowùxiàn

포:박(捕縛) 〔명〕〔하타〕捕缚 bǔfù ¶범인을 ~하다 捕缚犯人

포병(砲兵) 〔명〕〔軍〕炮兵 pàobīng

포:복(抱腹) 〔명〕= 포복절도

포복(匍匐) 〔명〕〔하자〕匍匐 púfú ¶~ 자세를 유지하다 保持着匍匐的姿态

포:복-절도(抱腹絕倒) 〔명〕捧腹大笑 pěngfùdàxiào；捧腹弯腰 pěngfùwānyāo = 포복(抱腹) ¶사람을 ~하게 하는 유머 让人捧腹大笑的幽默

포:부(抱負) 〔명〕抱负 bàofù ¶인생의 ~ 人生的抱负

포상(褒賞) 〔명〕〔하타〕褒奖 bāojiǎng ¶~을 받난 대 得到褒奖

포:섭(包攝) 〔명〕〔하타〕1 包摄 bāoshè；包容 bāoróng；吸收 xīshōu ¶적군들을 ~하다 吸收敌人 2 〔論〕包含 bāohán；从属 cóngshǔ ¶고래는 ~포유동물에 ~된다 鲸从属于哺乳动物

포성(砲聲) 〔명〕炮声 pàoshēng

포:수(捕手) 〔명〕〔體〕(棒球的) 接球手 jiēqiúshǒu；接球员 jiēqiúyuán

포:수(獵手) 〔명〕1 猎手 lièshǒu；猎人 lièrén 2 火枪手 huǒqiāngshǒu

포스터(poster) 〔명〕广告画 guǎnggàohuà；宣传画 xuānchuánhuà；传单 chuándān；海报 hǎibào ¶영화 ~ 电影海报

포:승(捕繩) 〔명〕警绳 jǐngshéng

포:식(飽食) 〔명〕〔하타〕饱食 bǎoshí ¶한 끼 ~하다 饱食了一顿

포신(砲身) 〔명〕炮身 pàoshēn

포:악(暴惡) 〔명〕残暴 cánbào；暴虐 bàonüè；酷虐 kùnüè ¶~한 영웅 残暴的英雄

포:악-스럽다(暴惡─) 〔형〕残暴 cánbào；暴虐 bàonüè；酷虐 kùnüè ¶포악스러운 행태 暴虐的行为 포:악스레 〔부〕

포:옹(抱擁) 〔명〕〔하타〕拥抱 yōngbào ¶이별의 ~ 分手的拥抱

포:용(包容) 〔명〕〔하타〕包容 bāoróng；容纳 róngnà；包涵 bāohán；宽容 kuānróng ¶~력 包容能力 / ~성 包涵性 / 모성애는 모든 것을 ~할 수 있다 母爱可以包容一切

포:위(包圍) 〔명〕〔하타〕包围 bāowéi ¶~망 包围网 / 도시를 ~하다 包围城市

포:유(哺乳) 〔명〕〔하타〕哺乳 bǔrǔ ¶~期 哺乳期 / ~류 哺乳类

포:육(哺育) 〔명〕〔하타〕哺育 bǔyù ¶~ 과정 哺育过程

포인트(point) 〔一명〕1 要点 yàodiǎn；关键 guānjiàn 2 〔體〕分 fēn；得分 défēn 3 〔交〕转辙器 zhuǎnchéqì 〔二명〕〔印〕点 diǎn；磅 bàng

포자(胞子) 〔명〕〔植〕= 홀씨

포장(包裝) 〔명〕〔하타〕包装 bāozhuāng；包裹 bāoguǒ ¶~지 包装纸 / 선물을 ~하다 包装礼物

포장(鋪裝) 〔명〕〔하타〕铺修 pūxiū；铺路 pùlù；装 pūzhuāng ¶~도로 铺装道路 / 길을 ~하다 铺装路

포장(褒章) 〔명〕〔法〕褒章 bāozhāng ¶~을 수여하다 授予褒章

포장-마차(布帳馬車) 〔명〕1 帐篷马车 zhàngpéng mǎchē 2 流动餐饮车 liúdòng cānyǐnchē

포:졸(捕卒) 〔명〕〔史〕捕役 bǔyì；捕快 bǔkuài

포즈(pose) 〔명〕姿势 zīshì；姿态 zītài ¶우아한 ~ 幽雅的姿态 / ~를 취하다 摆姿势

포지션(position) 〔명〕1 〔體〕地位 dìwèi；职务 zhíwù；处境 chǔjìng ¶중요한 ~ 重要的地位 2 〔音〕和弦位置 héxián wèizhì 3 〔音〕(弦乐) 把位 bǎwèi

포:착(捕捉) 〔명〕〔하타〕捕捉 bǔzhuō；抓住 zhuāzhù；把握 bǎwò ¶유리한 기회를 ~하다 抓住有利机会

포커(poker) 〔명〕〔體〕扑克 pūkè；扑克

포크(fork) 〖명〗叉子 chāzi; 餐叉 cān-chā; 肉叉 ròuchā

포크 댄스(folk dance) 〖體〗传统舞蹈 chuántǒng wǔdǎo; 民间舞蹈 mínjiān wǔdǎo

포크 송(folk song) 〖音〗民歌 míngē; 民谣 mínyáo

포탄(砲彈) 〖명〗炮弹 pàodàn ¶~을 발사하다 发射炮弹

포·탈(逋脫) 〖명하타〗1 潜逃 qiántáo; 逃脱 táotuō ¶파산 신청 후 돈을 가지고 ~하다 申请破产后携款潜逃 2 逃税 táoshuì ¶교묘한 세금 ~ 방법 巧妙的逃税方法

포플러(poplar) 〖명〗〖植〗= 미루나무

포·학(暴虐) 〖명〗暴虐 bàonüè; 残暴 cánbào ¶~한 행위 暴虐的行为

포·학-무도(暴虐無道) 〖명하형〗暴虐无道 bàonüèwúdào; 残暴无道 cánbàowúdào ¶~한 왕 暴虐无道的王

포함(包含) 〖명하자타〗包含 bāohán; 包括 bāokuò ¶그를 ~해 모두 다섯 명이다 一共五个人

포화(砲火) 〖명〗1 炮火 pàohuǒ 2 火力 huǒlì

포·화(飽和) 〖명〗1 饱和 bǎohé ¶영화 시장은 이미 ~되었다 电影市场已饱和 2 〖物〗饱和 bǎohé ¶지방 饱和 脂肪

포환(砲丸) 〖명〗炮弹 pàodàn 2 〖體〗铅球 qiānqiú

포환-던지기(砲丸─) 〖명〗〖體〗掷铅球 zhìqiānqiú = 투포환

포·획(捕獲) 〖명하타〗1 捕获 bǔhuò ¶야생 동물을 ~해서는 안 된다 不能捕获野生动物 2 俘房 fúlǔ; 抓获 zhuāhuò ¶적군을 ~하다 俘房敌军

포효(咆哮) 〖명하자〗咆哮 páoxiāo ¶천지가 ~하다 天地咆哮 / 호랑이가 ~하다 老虎咆哮

폭 〖부〗1 熟熟地 shúshúde ¶~ 잠들었다 熟熟地睡着了 2 有力地 yǒulìde ¶바늘로 ~ 찌르다 用针有力地扎 3 严严实实 yányánshíshí ¶자신을 ~ 싸다 把自己裹得严严实实的 4 透 tòu; 烂 làn ¶~ 삶은 닭 炖烂的鸡 5 深深地 shēnshēnde ¶돌이 아래로 ~ 가라앉다 石头深深地沉下去 6 无力地 wúlìde ¶~ 한下子 yīxiàzi ¶그는 정신을 잃고 ~ 쓰러졌다 他一下子晕倒了 7 多의 많다 ¶밥을 ~ 퍼주다 多盛饭 8 团团 tuántuán ¶수증기가 ~ 일어나다 蒸气团团上升

폭(幅) 〖명〗1 = 너비 ¶이 방은 ~이 아주 넓다 这间房间宽度很大 2 交际面 jiāojìmiàn; 影响面 yǐngxiǎngmiàn ¶~

는 ~이 넓은 교제를 한다 他交际面很广 3 幅 fú ¶그림 한 ~ 一幅画

폭격(爆擊) 〖명하타〗轰炸 hōngzhà ¶~기 轰炸机 / 무차별 ~ 无区别轰炸

폭군(暴君) 〖명〗暴君 bàojūn

폭-넓다(幅─) 〖형〗广泛 guǎngfàn; 广 guǎng ¶폭넓은 협력을 유지하고 있다 保持着广泛的合作

폭도(暴徒) 〖명〗暴徒 bàotú; 歹徒 dǎitú

폭동(暴動) 〖명하자〗暴动 bàodòng ¶무장 ~ 武装暴动 / ~을 야기하다 引起暴动 / ~을 진압하다 镇压暴动

폭등(暴騰) 〖명하자〗(物价)暴涨 bàozhǎng; 猛涨 měngzhǎng ¶밀가루 값이 ~하다 小麦粉价暴涨

폭락(暴落) 〖명하자〗(物价)暴跌 bàodiē; 暴落 bàoluò ¶주가가 ~하다 股票暴跌

폭력(暴力) 〖명〗暴力 bàolì ¶~단 暴力集团

폭로(暴露) 〖명하자타〗暴露 bàolù; 揭露 jiēlù ¶다른 사람의 비밀을 ~하다 暴露别人的隐私

폭리(暴利) 〖명〗暴利 bàolì ¶~를 얻다 得到暴利 / ~를 남기다 剩下暴利

폭발(爆發) 〖명하자〗1 爆发 bàofā ¶화가 ~하다 怒气爆发 2 暴发 bàofā; 突发 tūfā ¶내란이 ~하다 暴发内乱

폭발(爆發) 〖명하자〗爆发 bàofā; 爆炸 bàozhà ¶~물 爆炸物 / 화산이 ~ 火山爆发 / 노트북 컴퓨터가 ~하다 笔记本电脑爆炸

폭삭 〖부〗1 瘫软地 tānruǎnde; 无力地 wúlìde ¶이 소식을 듣고 그녀는 ~ 주저앉아 버렸다 听到这个消息,她坐下了 2 透顶 tòudǐng; 不像样子 bùxiàngyàngzi ¶몇 년 동안 못 본 사이에 그는 ~ 늙었다 几年没见,他老得不像样子了 3 完全 wánquán; 全都 quándōu ¶그는 ~ 망했다 他完全破产了 4 一下子 yīxiàzi ¶유리잔이 ~ 깨지다 玻璃杯一下子碎了

폭설(暴雪) 〖명〗暴雪 bàoxuě

폭소(爆笑) 〖명하자〗大笑 dàxiào; 放声大笑 fàngshēngdàxiào ¶그의 우스갯소리를 듣고 그들은 모두 ~를 터뜨렸다 听了他的笑话,他们都放声大笑了

폭식(暴食) 〖명하자타〗暴食 bàoshí ¶~증 暴食症

폭신-폭신(의) 〖부형〗柔韧 róurèn; 软绵绵(的) ruǎnmiánmián(de) ¶~한 소파 柔韧的沙发

폭신-하다 〖형〗柔韧 róurèn; 柔软而有弹性 róuruǎn ér yǒutánxìng ¶감촉이 ~ 手感柔软而有弹性 폭신-히 〖부〗

폭약(爆藥) 〖명〗〖化〗炸药 zhàyào

폭언(暴言) 〖명하자〗粗暴的话 cūbàodehuà

폭염(暴炎) 명 酷暑 kùshǔ

폭우(暴雨) 명 暴雨 bàoyǔ

폭음(暴飮) 명하자타 暴飮 bàoyǐn

폭정(暴政) 명 暴政 bàozhèng

폭주(暴走) 통하자 飞驰 fēichí; 奔驰 bēnchí ¶오토바이의 ～ 摩托车的飞驰

폭주-족(暴走族) 명 暴走族 bàozǒuzú

폭죽(爆竹) 명 爆竹 bàozhú; 鞭炮 biānpào ¶～을 터뜨리다 放鞭炮

폭탄(爆彈) 명 【軍】炸弹 zhàdàn; 爆炸弹 bàozhàdàn ¶一 하나가 터졌다 一颗炸弹爆炸了

폭탄-선언(爆彈宣言) 명 爆炸性宣言 bàozhàxìng xuānyán; 炸弹宣言 zhàdàn xuānyán

폭탄-주(爆彈酒) 명 炸弹酒 zhàdànjiǔ

폭파(爆破) 명하타 爆破 bàopò ¶빌딩을 ～하다 爆破大楼

폭포(瀑布) 명 =폭포수

폭포-수(瀑布水) 명 瀑布 pùbù = 폭포

폭-폭 부 1 一下一下地 yīxiàyīxiàde ¶젓가락으로 두부를 ～ 찌르다 用筷子一下一下地扎豆腐 2 烂熟 lànshú ¶감자를 ～ 삶다 把土豆煮得烂熟 3 一陷一陷하다 yīxiàn yīxiànde ¶해변에서 ～ 빠지며 걷다 在海边一陷一陷地走 4 满满히 mǎnmǎnde ¶가장 좋아하는 과일을 크림에 ～ 올렸다 把最爱的水果满满地堆上奶油的表面 5 纷纷扬扬地 fēnfēnyángyángde ¶아름다운 눈꽃이 ～ 날리다 美丽的雪花纷纷扬扬地飘落

폭풍(暴風) 명 暴风 bàofēng ¶～우 暴风雨 / ～이 몰아치다 暴风怒吹

폭행(暴行) 명 1 暴行 bàoxíng ¶～을 가하다 施加暴行 2 强奸 qiángjiān; 强奸 qiángjiān

폴더(folder) 명 【컴】文件夹 wénjiànjiā

폴싹 부하자 1 (烟尘) 暴扬地 bàoyángde; 团团地 tuántuánde ¶먼지를 ～ 날리며 집을 부수다 尘土暴扬地拆房子 2 无力地 wúlìde ¶～ 주저앉아 无力地坐下 3 (늙어) 厉害 lìhai

폴싹-거리다 자 1 (烟尘) 团团升起 tuántuán shēngqǐ ¶青烟团团升起 2 无力地 wúlìde ‖ = 폴싹대다 **폴싹-폴싹** 부하자

폴짝 부하자타 1 忽地 hūdì ¶～ 문을 열다 忽地开门 2 嗖的一下 sōude yīxià ¶담을 ～ 뛰어넘다 嗖的一下跳过墙

폴짝-거리다 자타 1 忽地 hūdì 2 嗖的一下 sōude yīxià ¶메뚜기가 폴짝거리며 날다 蚱蜢嗖的一下飞 ‖ = 폴짝대다 **폴짝-폴짝** 부하자타

폴폴 부 1 纷纷扬扬地 fēnfēnyángyángde ¶먼지가 ～ 날리다 灰尘纷纷扬扬

퐁당 부 扑通 pūtōng; 噗通 pūtōng; 咕咚 gūdōng ¶돌멩이가 ～ 물에 빠졌다 石头扑通掉进河里

퐁-퐁 부하자타 1 咕嘟 gūdū (液体从小孔中外流声) ¶폐수가 ～ 뿜어져 나왔다 臭水咕嘟地向外冒 2 嘣嘣 bēngbēng; 嘭嘭 pēngpēng (发动机声) ¶옆에 있는 차가 ～ 소리를 내다 旁边的汽车嘣嘣响

표(表) 명 1 表 biǎo; 表格 biǎogé ¶～를 작성하다 填表 2 表 biǎo; 表文 biǎowén ¶표문 3 표적(表迹)

표(票) 一명 1 票 piào ¶～를 사다 买票 2 票 piào ¶～를 얻기 위해 공약을 남발하다 为了得到票, 乱放公约 二의명 票 piào ¶백 ～를 얻다 获得一百票

표(標) 명하타 1 字迹 zìjì ¶이것은 당신이 예전에 써 놓은 ～이다 这是你以前写的字迹 2 标记 biāojì; 记号 jìhào ¶기억하기 쉽게 ～를 해두다 为了容易记住, 做个标记 3 特征 tèzhēng; 特点 tèdiǎn ¶～가 많이 나다 特征很明显 4 =표지(標紙)

표결(表決) 명하타 表决 biǎojué ¶～권 决权 / 그들은 곧바로 ～에 들어가기로 결정했다 他们决定直接进行表决

표결(票決) 명하타 投票决定 tóupiào juédìng ¶그가 제출한 안건을 ～에 부치다 把他提出的案件投票决定

표고 명 【植】香菇 xiānggū = 표고버섯

표고-버섯 명 【植】= 표고

표구(表具) 명하타 装裱 zhuāngbiǎo; 裱褙 biǎobèi ¶～사 装裱师 / ～점 装裱店 / ～를 하다 装裱

표기(表記) 명하타 1 (在表面做) 标记 biāojì; 标志 biāozhì ¶～된 주소로 이전하다 迁移到标记的地址 2 (对文字的) 注音 zhùyīn; 标音 biāoyīn ¶～를 전환하다 ¶로마자로 ～하다 用罗马字转写

표기(標記) 명하타 标记 biāojì ¶빨간 펜으로 ～하다 用红笔加标记

표독-스럽다(慓毒一) 형 凶狠 xiōnghěn; 狠毒 hěndú ¶그녀는 아주 ～ 她很凶狠 **표독스레** 부

표류(漂流) 명하자 漂流 piāoliú ¶～기 漂流记 / ～선 漂流船

표리부동(表裏不同) 명하자 表里不一 biǎolǐbùyī; 表里不同 biǎolǐbùtóng ¶사람일은 ～해서는 안 된다 做人不能表里不一

표면(表面) 명 表面 biǎomiàn; 外表 wàibiǎo; 外部 wàibù ¶～적 外表上 / ～화

표면화/~에 나타나다 出现在表面上

표명(表明) 圄퇴타 表明 biǎomíng; 表白 biǎobái ¶반대 의사를 ~하다 表明反对意见

표문(表文) 圄 = 표(表)2

표방(標榜) 圄퇴타 1 标榜 biāobǎng ¶남녀평등을 ~하다 标榜男女平等 2 褒扬 bāoyáng

표백(漂白) 圄퇴타 漂白 piǎobái ¶~분 漂白粉/~제 漂白剂/셔츠를 ~하다 漂白衬衫

표－범(豹一) 圄 【動】 豹 bào

표본(標本) 圄 1 榜样 bǎngyàng ¶尺子 chǐzi ¶벤처 기업의 ~이 되다 成了风险企业的榜样 2 【生】标本 biāoběn ¶곤충 ~ 昆虫标本 3 【數】标本 biāoběn; 样品 yàngpǐn ¶임상 ~ 调查 临床标本检验

표본－실(標本室) 圄 标本室 biāoběnshì; 样品室 yàngpǐnshì

표본 추출(標本抽出) 圄 【數】 = 샘플링

표상(表象) 圄 1 榜样 bǎngyàng ¶학생들의 ~이 되다 成了学生们的榜样 2 象征 xiàngzhēng ¶한민족의 ~ 韩民族的象征 3 【心】表象 biǎoxiàng ¶기억 ~ 记忆表象/상상 ~ 想象表象

표시(表示) 圄퇴타 表示 biǎoshì; 表达 biǎodá ¶표현 biǎoxiàn; 表明 biǎomíng ¶불만을 ~하다 表示不满

표시(標示) 圄퇴타 标示 biāoshì; 标明 biāomíng; 标出 biāochū ¶원산지 ~ 产地标示/횡단보도를 ~하다 标出人行横道线

표식(表式) 圄 标记 biāojì; 记号 jìhào; 符号 fúhào ¶기업 ~ 企业标记

표어(標語) 圄 标语 biāoyǔ ¶안전 ~ 安全标语/기업 문화 ~ 企业文化标语

표음(表音) 圄퇴자 【語】表音 biǎoyīn ¶~ 문자 表音文字

표의(表意) 圄퇴자 【語】表意 biǎoyì ¶~ 문자 表意文字

표적(表迹) 圄 痕迹 hénjì; 形迹 xíngjì = 표(表)3

표적(標的) 圄 标的 biāodì; 目标 mùbiāo; 靶子 bǎzi ¶~가 되다/다른 사람의 ~이 되다 给别人当靶子

표절(剽竊) 圄퇴타 剽窃 piáoqiè; 抄袭 chāoxí ¶해외 논문을 ~하다 剽窃国外论文

표정(表情) 圄 表情 biǎoqíng; 神情 shénqíng ¶만족스러운 ~ 满足的神情

표제(標題·表題) 圄 1 书名 shūmíng ¶~를 정하다 定下书名 2 题目 tímù; 标题 biāotí ¶논문의 ~ 论文的题目

표제－어(標題語) 圄 1 标题语 biāotíyǔ ¶뉴스 ~ 新闻标题语 2 【語】 (工具书) 词条 cítiáo ¶~ 목록 词条目录

표주－박(瓢一) 圄 小瓢 xiǎopiáo

표준(標準) 圄 1 标准 biāozhǔn ¶~시 标准时/~화 标准化/~에 부합하다 符合标准 2 平均 píngjūn ¶몸무게가 ~에 못 미치다 体重不够平均

표준－말(標準一) 圄 【語】 = 표준어

표준어(標準語) 圄 标准语 biāozhǔnyǔ; 规范语 guīfànyǔ = 표준말

표지(表紙) 圄 1 封皮 fēngpí; 封面 fēngmiàn = 책두껑 ¶~ 디자인 封面设计 2 书签 shūqiān

표지(表紙) 圄 字据 zìjù = 표(標)4

표지(標識) 圄 标志 biāozhì; 标识 biāozhì ¶통행금지 ~ 禁止通行标志/~등 标志灯/~판 标识牌

표창(表彰) 圄퇴타 表彰 biǎozhāng; 表扬 biǎoyáng ¶~을 받다 受到表扬

표창(鏢槍) 圄 镖枪 biāoqiāng ¶~을 던지다 射镖枪

표창－장(表彰狀) 圄 奖状 jiǎngzhuàng

표출(表出) 圄퇴타 表露 biāolù; 流露 liúlù; 现出 xiànchū ¶성숙한 매력을 ~하다 流露出成熟的魅力

표층(表層) 圄 表层 biǎocéng; 外层 wàicéng

표피(表皮) 圄 1 【動】表皮 biǎopí; 皮层 pícéng 2 【植】皮 pí; 壳 ké

표－하다(表一) 퇴 表示 biǎoshì; 表达 biǎodá; 致以 zhìyǐ ¶미국 정부는 한국에 대해 분명한 지지를 표했다 美国政府向韩国表示明确支持

표－하다(標一) 퇴 做标记 zuò biāojì; 做记号 zuò jìhào ¶펜으로 ~ 拿笔做记

표현(表現) 圄퇴타 表示 biǎoshì; 表达 biǎodá; 表现 biǎoxiàn ¶~력 表现力/자신의 감정을 ~하다 表达自己的感情

푯－대(標一) 圄 标杆 biāogān; 标柱 biāozhù ¶나무 위에 ~를 세우다 树上搭着一根标杆

푯－말(標一) 圄 标桩 biāozhuāng ¶~을 설치하다 设置标桩

푸 囝 噗 pū ¶~ 하고 내뱉다 噗的一声吐出来

푸근－하다 圄 1 柔软 róuruǎn; 柔暖 róurǎn ¶푸근한 스웨터 柔软的毛衣 2 和暖 hénuǎn; 温暖 wēnnuǎn ¶오늘 날씨가 아주 ~ 今天天气很温暖 3 温馨 wēnxīn; 安宁 ānníng ¶푸근한 가정 温馨的家庭 **푸근－히** 囝

푸념 圄퇴자퇴타 牢骚 láosāo; 埋怨 máiyuàn ¶쉬지 않고 ~을 늘어놓다 不停地发牢骚

푸다 퇴 1 舀 yǎo; 盛 shèng ¶국을 ~ 舀汤 2 汲 jí ¶아침에 물을 푸러 가다 早上去汲水

푸－대접(一待接) 圄퇴타 冷落 lěngluò; 急慢 dàimàn = 냉대(冷待) · 박대 1¶외지인을 ~하다 冷落外地人

푸드덕 〈부〉〈하〉〈자〉〈타〉 扑棱 pūleng; 扑腾 pūteng; 扑蹬 pūdeng; 扑楞楞 pūlenglèng ¶새들이 날개를 ~거리며 날아갔다 一些鸟扑棱着翅膀飞过去

푸드덕-거리다 〈자〉〈타〉 直扑腾 zhípūleng = 푸드덕대다 ¶날개를 몇 차례 ~ 翅膀直扑棱几下 **푸드덕-푸드덕** 〈부〉〈하〉〈자〉〈타〉

푸들(poodle) 〈명〉【动】鬈毛狮子狗 quánmáo shīzigǒu

푸딩(pudding) 〈명〉布丁 bùdīng

푸르다 〈형〉1 绿 lǜ; 蓝 lán; 青 qīng ¶푸른 바다 蓝色的海水 2 正盛 zhèngshèng ¶ 有锐气 yǒuruìqì ¶서슬이 ~ 气势正盛

푸르뎅뎅-하다 〈형〉灰蓝 huīlán; 灰绿 huīlǜ; 灰青 huīqīng ¶푸르뎅뎅한 얼굴 灰蓝脸

푸르디-푸르다 〈형〉蓝尉蔚 lánwèiwèi; 深绿 shēnlǜ; 深蓝 shēnlán; 湛蓝 zhànlán ¶푸르디푸른 하늘에 구름 한 점 없다 蓝尉蔚的天上没有一丝白云

푸르스름-하다 〈형〉淡绿 dànlǜ; 淡蓝 dànlán; 淡青 dànqīng ¶푸르스름한 얼굴 淡青的面子

푸르죽죽-하다 〈형〉发青 fāqīng ¶안색이 ~ 脸色有点儿发青

푸릇-푸릇 〈명〉青青 qīngqīng; 绿绿 lǜlǜ; 蓝蓝 lánlán ¶~한 초원 青青的草原

푸석-푸석 〈부〉〈하〉 1 疏松 shūsōng; 松软 sōngruǎn; 松脆 sōngcuì ¶나는 ~한 비스킷을 좋아한다 我喜欢疏松的饼干 2 浮肿 fúzhǒng; 发癥 fāxū ¶너 얼굴이 왜 이렇게 ~하니? 你的脸怎么这么浮肿?

푸석-하다 〈형〉1 疏松 shūsōng; 松软 sōngruǎn; 松脆 sōngcuì ¶이 빵은 아주 ~ 这个饼干很疏松 2 浮肿 fúzhǒng; 发癥 fāxū ¶그는 병으로 오래 입원해서 얼굴이 부어졌다 他得病住院了很久, 脸也浮肿了

푸성귀 〈명〉蔬菜 shūcài

푸시시 〈부〉〈하〉〈자〉 = 부스스

푸줏-간(一間) 〈명〉肉铺 ròupù; 肉店 ròudiàn

푸지다 〈형〉多 duō; 丰盛 fēngshèng ¶음식을 푸지게 준비하다 准备了丰盛的菜

푸짐-하다 〈형〉充足 chōngzú; 丰盛 fēngshèng ¶음식이 아주 ~ 饭菜很丰盛

푹 〈부〉1 酣 hān; 熟 shú; 深 shēn ¶세 시간을 ~ 자다 酣睡三小时 2 使劲地 shǐjìnde; 用力的 yònglìde ¶칼로 ~ 르다 用刀使劲地扎 3 严实 yánshí ¶

~ 덮지 않은 맨홀 뚜껑을 찼다 踩到一个盖得不严实的井盖 4 烂 làn; 熟 shú ¶닭고기를 ~ 삶다 把鸡肉煮得烂熟 5 深深地 shēnshēnde ¶발이 ~ 빠졌다 脚深深地陷入雪坑里 6 瘫软地 tānruǎnde; 无力地 wúlìde ¶그가 ~ 쓰러졌다 他无力地摔倒了 7 多 duō ¶죽을 ~ 떠 주다 给多舀粥 8 低 dī; 低低 dīdī ¶고개를 ~ 숙이다 头低得很低

푹석 〈부〉〈하〉 1 无力地 wúlìde; 瘫软地 tānruǎnde ¶오래된 집이 ~ 내려앉았다 旧屋无力地倒塌了 2 疏松 shūsōng; 松散 sōngsàn ¶뼈가 ~하다 骨质疏松

푹신-푹신 〈부〉〈하〉 松软 sōngruǎn; 柔软 róuruǎn; 软绵绵 ruǎnmiánmián ¶~한 소파 软绵绵的沙发

푹신-하다 〈형〉松软 sōngruǎn; 柔软 róuruǎn; 柔和 róuhé; 绵软 miánruǎn ¶이 카펫은 매우 ~ 这种毛毡特别松软

푹-푹 〈부〉1 扑哧扑哧地 pūchīpūchīde ¶젓가락으로 감자를 ~ 찌르다 用筷子扑哧扑哧地捅土豆 2 深深地 shēnshēnde ¶눈구덩이에 발이 ~ 빠졌다 脚深深地陷入雪坑里 3 纷纷地 fēnfēnde ¶눈이 ~ 내리다 雪纷纷地飘落 4 闷热 mēnrè ¶~ 찌는 여름 闷热的夏天

푼 〈의명〉1 分 fēn 〈货币单位〉¶나는 지금 돈이 한 ~도 없다 我现在一分钱也没有 2 分 fēn 〈重量单位〉¶한 돈 일 ~짜리 인삼을 샀다 我买了一钱一分人参 3 分 fēn 〈长度单位〉¶세 치한 ~ 三寸一分 4 分 fēn 〈百分比单位〉¶1할 3~의 이율 一成三分的利率

푼-돈 〈명〉零钱 língqián; 小钱 xiǎoqián

푼-수(一數) 〈명〉蠢货 chǔnhuò; 傻瓜 shǎguā

푼-푼-이 〈부〉一分一分地 yīfēnyīfēnde ¶~ 모으다 一分一分地攒起来

풀[1] 〈명〉〈하〉 糨糊 jiànghu; 糨子 jiàngzi ¶생쌀을 끓여 ~을 쑤다 生米煮成糨糊

풀[2] 〈명〉草 cǎo ¶~을 베다 割草

풀[3] 〈명〉活力 huólì; 气势 qìshì; 朝气 zhāoqì ¶~이 죽다 没有活力

풀-기(一氣) 〈명〉1 糨性 jiàngxìng; 黏性 niánxìng ¶~를 제거하다 去掉糨性 2 气势 qìshì; 朝气 zhāoqì; 活力 huólì; 锐气 ruìqì ¶요즘 우리 아들이 ~가 없다 最近我儿子没有朝气

풀다 〈타〉1 解开 jiěkāi; 打开 dǎkāi ¶선물 보따리를 ~ 打开红封包 2 消除

ㅍ

xiāochú; 雪洗 xuěxǐ ¶긴장을 ~ 消除
紧张 3 成就 chéngjiù; 了却 liǎoquè ¶
죽기 전에 소원을 ~ 在死前了却心愿
4 解 jiě; 解开 jiěkāi ¶난제를 ~
难题 5 解除 jiěchú ¶봉쇄를 ~ 解除封
锁 6 派出 pàichū; 出动 chūdòng; 放出
去 fàngchūqù ¶사람을 ~ 把人员放出
去 7 擤 xīng ¶힝컷 코를 ~ 用力擤鼻
涕 8 解释 jiěshì; 解答 jiědá ¶학술 용
어를 ~ 解释学术用语 9 掺入 chānrù;
化 huà; 泡 pào ¶국에 소금을 ~ 汤里
掺入食盐 10 开垦 kāikěn ¶농지를 ~
开垦农田

풀-독(-毒) 圀 草毒 cǎodú ¶다리에
~이 오르다 腿生了草毒

풀-리다 困 1 解开 jiěkāi; 打开 dǎkāi
¶짐이 다 풀렸다 行李都解开了 2 消
除 xiāochú; 解消 jiěxiāo ¶의혹이 풀렸
다 消除了疑惑 3 和缓 héhuǎn; 缓解
huǎnjiě ¶3월이 되자 날이 ~ 到了三
月, 天气和暖起来 4 解除 jiěchú ¶금
지령이 ~ 解除禁止令 5 解决 jiějué ¶
어려운 문제가 드디어 풀렸다 难题终
于解决了 6 溶解 róngjiě; 掺和 chān-
huo; 化解 huàjiě ¶설탕이 물에 ~ 糖
掺和在水中 7 失神 shīshén ¶그는 눈
이 풀렸다 他眼睛失神了

풀무 圀 风箱 fēngxiāng ¶~질 拉风箱
풀-벌레 圀 草虫 cǎochóng
풀-빛 圀 = 풀색
풀-색 圀 草绿色 cǎolǜsè = 풀빛
풀-숲 圀 草丛 cǎocóng
풀풀 圎 飞飞扬扬地 fēifēiyáng-
yángde; 团团地 tuántuánde ¶먼지가
~ 날렸다 尘土飞飞扬扬地飘起了
풀풀-거리다 困 (烟、灰) 团团升起
tuántuán shēngqǐ ¶풀썩대며 ~ 스모그
가 ~ 烟雾团团升起 **풀썩-풀썩** 圎
하자

풀어-내다 囻 1 解开 jiěkāi; 破开 pò-
kāi ¶얽힌 실타래를 ~ 解开乱蓬蓬的
绞纱 2 解决 jiějué ¶풀기 어려운 수학
문제를 ~ 解决难以解答的数学问题
풀어-놓다 囻 派遣 pàiqiǎn; 出动 chū-
dòng ¶해상 자위대를 ~ 派遣海上自
卫队

풀어-지다 困 1 散开 sànkāi; 被解开
bèijiěkāi ¶어려운 문제가 의외로 쉽게
풀어졌다 难题居然容易地被解开了 2
解消 jiěxiāo; 消除 xiāochú ¶규제가
~ 解消管制 3 松弛 sōngchí;
懈怠 xièdài ¶피부 근육이 풀어졌다 皮
肤的肌肉松弛了 4 (天气) 暖和 nuǎn-
huo; 变暖 biànnuǎn ¶날씨가 점점 ~
天气渐渐暖和起来 5 泡开 pàokāi; 溶
解 róngjiě ¶찻잎이 천천히 ~ 茶叶慢
慢泡开 6 失神 shīshén ¶그는 눈이 풀
어졌다 他眼睛失神了

풀이 圀하자 1 解释 jiěshì; 说明 shuō-
míng; 注释 zhùshì; 诠释 quánshì ¶단
어 의미에 대한 ~ 对词义的说明 2
해설 jiěshuō

풀-잎 圀 草叶 cǎoyè
풀잎-피리 圀 草笛 cǎodí = 풀피리
풀-장(pool場) 圀 = 수영장
풀-칠(-漆) 圀 1 抹糨糊 mǒ jiàng-
hu 2 糊口 húkǒu ¶지금은 입에 ~만
할 수 있으면 좋겠다 现在只要能糊
口, 就好了
풀-코스(full course) 圀 1 盛餐
chéngcān 2 全程马拉松 quánchéng
mǎlāsōng

풀풀 圎 1 轻轻地 qīngqīngde ¶산등성
이에 ~ 오르다 轻轻地登上山冈 2 滚
滚地 gǔngǔnde ¶물이 ~ 끓다 水滚滚
地开 3 纷纷扬扬地 fēnfēnyángyángde
¶하늘에서 눈이 ~ 내리기 시작했다
天上纷纷扬扬地下起了雪
풀-피리 圀 = 풀잎피리

품[1] 圀 胸膛 xiōngtáng ¶이 옷은 ~이
넓다 这件上衣的胸围不宽 2 怀抱
huáibào; 怀中 huáizhōng ¶아이가 엄마
의 ~에 안기다 孩子投进妈妈的怀中

품[2] 圀 工夫 gōngfu; 工 gōng ¶이 일은
열흘의 ~이 들고 나서야 완성되었다
这件事用了十天的工夫才完成了

-품 졈回 品 pǐn ¶필수 ~ 必需品 /
화장 ~ 化妆品
품:격(品格) 圀 1 品格 pǐngé; 品德
pǐndé ¶고상한 ~ 高尚的品格 2 品位
pǐnwèi ¶~이 높은 사람 品位高的人士
품:귀(品貴) 圀하圎 短货 duǎnhuò; 缺
货 quēhuò ¶~ 현상 短货现象
품:다 囻 1 带着 dàizhe; 携带 xiédài ¶
작은 칼을 ~ 携带小刀 2 怀有 huái-
yǒu; 抱有 bàoyǒu; 含有 hányǒu ¶딴마
음을 ~ 怀有异心 3 抱 bào; 搂 lóu ¶
어머니가 아이를 ~ 妈妈抱小孩 4 孵
fū ¶닭이 알을 ~ 母鸡孵卵
품:명(品名) 圀 品名 pǐnmíng
품:목(品目) 圀 品目 pǐnmù
품:사(品詞) 圀 [語] 词类 cílèi
품-삯 圀 工钱 gōngqián
품:성(品性) 圀 品性 pǐnxìng ¶고결한
~ 高尚的品性
품:성(稟性) 圀 禀性 bǐngxìng ¶솔직
한 ~성 直率的禀性
품-속 圀 怀里 huáilǐ; 怀中 huáizhōng
¶~ = 회중(懷中)1 ¶엄마의 ~ 妈妈的怀
里
품-앗이 圀困 换工 huàngōng
품:위(品位) 圀 品格 pǐngé; 品德 pǐn-
dé ¶~가 높다 品格高
품:절(品切) 圀하圎 脱销 tuōxiāo ¶물
건이 모두 ~되다 东西全部脱销
품:종(品種) 圀 品种 pǐnzhǒng ¶불량

~ 不良品种

품질(品質) 명 品质 pǐnzhì; 质量 zhìliàng ¶이 상품은 ~이 아주 좋다 这个商品的质量很不错

품-팔이 명하자 打短工 dǎ duǎngōng; 卖小工 mài xiǎogōng ¶~해서 돈을 벌다 打短工赚钱

품팔이-꾼 명 短工 duǎngōng; 零工 línggōng

품:평(品評) 명하타 品评 pǐnpíng ¶~회 品评会 / ~을 진행하다 进行品评

품:행(品行) 명 品行 pǐnxíng

풋- 접두 1 未熟的 wèishúde; 青 qīng ¶~고추 青辣椒 / ~과일 青果 / ~사과 青苹果 2 生疏的 shēngshūde; 未熟练的 wèishúliànde ¶~솜씨 未熟练的手艺

풋-내 명 1 青菜味 qīngcàiwèi ¶유채기름의 ~를 제거하다 去菜油中的青菜味 2 幼稚 yòuzhì; 雅气 yǎqì ¶~나는 견해 幼稚的观点

풋-내기 명 新手 xīnshǒu; 生手 shēngshǒu

풋볼(football) 명 【體】1 足球 zúqiú ¶~시합 足球比赛 2 럭비 풋볼

풋-사랑 명 不深的爱情 bùshēnde àiqíng

풋-콩 명 毛豆 máodòu

풋풋-하다 형 新鲜 xīnxiān; 清新 qīngxīn ¶풋풋한 느낌 新鲜的感觉

풍 튀 1 砰 pēng ¶~ 하고 터지다 砰地一声爆了 2 扑通 pūtōng ¶돌멩이가 ~ 하고 물에 빠지다 石头扑通一声掉进河里

풍(風) 명 【韓醫】风 fēng ¶그는 ~에 걸렸다 他中风了

-풍(風) 접미 风潮 fēngcháo; 样子 yàngzi ¶복고~ 复古风潮

풍격(風格) 명 风格 fēnggé; 风采 fēngcǎi; 品格 pǐngé

풍경(風景) 명 = 경치 ¶아름다운 ~ 优美的风景 2 【美】= 풍경화

풍경(風磬) 명 风磬 fēngqìng; 风铃 fēnglíng

풍경-화(風景畫) 명 【美】风景画 jǐnghuà = 풍경(風景)2

풍광(風光) 명 = 경치

풍금(風琴) 명 【音】风琴 fēngqín ¶~을 치다 弹风琴

풍기(風紀) 명 风纪 fēngjì ¶~ 수칙 风纪守则 / ~ 문란죄 风纪紊乱罪

풍기다 자타 1 散发 sànfā ¶좋은 냄새를 ~ 散发着香气 2 洋溢 yángyì ¶성탄 분위기를 ~ 洋溢着圣诞气氛 3 扬 yáng; 簸 bǒ ¶콩을 풍기는 데 두 사람이 필요하다 扬豆需要两个人

풍년(豐年) 명 丰收 fēngshōu; 丰年 fēngnián

풍덩 튀 扑通 pūtōng ¶오리 한 마리가 강으로 ~ 뛰어들었다 一只鸭子扑通跳进小河里

풍덩-거리다 자타 扑通扑通地响 pūtōngpūtōngde xiǎng = 풍덩대다 ¶아이들이 풍덩거리며 개울을 건넜다 孩子们渡过小溪扑通扑通地响 **풍덩-풍덩** 튀하자

풍뎅이 명 【蟲】金龟子 jīnguīzǐ; 丽金龟 lìjīnguī

풍랑(風浪) 명 风浪 fēnglàng

풍력(風力) 명 1 风力 fēnglì; 风能 fēngnéng ¶~계 风力计 / ~ 발전 风力发电 / ~을 이용하다 利用风力 2 (人의) 感化力 gǎnhuàlì; 威力 wēilì

풍로(風爐) 명 火炉 huǒlú; 炉子 lúzi; 风炉 fēnglú = 곤로

풍류(風流) 명 风流 fēngliú; 风雅 fēngyǎ ¶~를 즐기다 喜好风流

풍만-하다(豐滿一) 형 1 丰足 fēngzú; 丰富 fēngfù ¶풍만한 관광 자원 丰富的观光资源 2 丰满 fēngmǎn ¶풍만한 엉덩이 丰满的臀部

풍모(風貌) 명 风貌 fēngmào; 风度 fēngdù ¶~ 당당한 ~ 堂堂的风貌

풍문(風聞) 명 风闻 fēngwén; 风传 fēngchuán; 传闻 chuánwén; 谣言 yáoyán; 风声 fēngshēng = 풍설 ¶~이 나돌다 风闻传开

풍물(風物) 명 1 = 경치 2 风物 fēngwù; 景物 jǐngwù 3 【音】民族乐器 mínzú yuèqì

풍물-패(風物牌) 명 农乐队 nóngyuèduì

풍미(風味) 명 1 风味 fēngwèi ¶베이징 ~ 北京风味 2 风致 fēngzhì ¶상하이 ~ 味가 ~가 있고 애교스럽다 上海女人是风致的、娇柔的

풍미(風靡) 명하타 风靡 fēngmǐ ¶전세계를 ~하다 风靡全球

풍미-하다(豐美一) 형 丰满美丽 fēngmǎn měilì; 丰艳 fēngyàn ¶풍미한 여인을 바라보다 看着丰满美丽的女人

풍부-하다(豐富一) 형 丰富 fēngfù; 富有 fùyǒu ¶그는 경험이 ~ 他经验很丰富 **풍부-히** 튀

풍비-박산(風飛雹散) 명하자 支离破碎 zhīlí pòsuì; 风流云散 fēngliú yúnsàn ¶가정이 ~ 나다 家庭支离破碎了

풍상(風霜) 명 1 风和霜 fēng hé shuāng 2 风霜 fēngshuāng ¶~을 겪다 饱经风霜

풍선(風扇) 명 风扇 fēngshàn

풍선(風船) 명하타 1 기구(氣球) ¶고무풍선 ~을 불다 吹气球

풍설(風說) 명 = 풍문

풍성-하다(豐盛一) 형 丰盛 fēngshèng; 富裕 fùyù ¶풍성한 점심 식사 丰盛的午餐 **풍성-히** 튀

풍속(風俗) 團 1 风俗 fēngsú ¶～이 다르다 风俗不同 2 风尚 fēngshàng; 风气 fēngqì ¶시대의 ~을 설명하다 阐释时代的风尚

풍속(風速) 團 风速 fēngsù ¶～계 风速计

풍속-도(風俗圖) 團 【美】风俗画 fēngsúhuà = 풍속화

풍속-화(風俗畫) 團 【美】= 풍속도

풍수(風水) 團 【民】1 风水 fēngshui ¶～를 보다 看风水 2 形家 xíngjiā; 大风水 dàfēngshui; 风水先生 fēngshui xiānsheng

풍수-설(風水說) 團 【民】1 风水说 fēngshuishuō 2 = 풍수지리

풍수-지리(風水地理) 團 【民】风水地理 fēngshui dìlǐ = 지리2·풍수설2·풍수지리설

풍수-지리설(風水地理說) 團 【民】= 풍수지리

풍습(風習) 團 风习 fēngxí; 风尚 fēngshàng

풍식(風蝕) 團 【地理】= 풍식 작용

풍식 작용(風蝕作用) 【地理】风蚀作用 fēngshí = 풍식

풍악(風樂) 團 【音】民乐 mínyuè

풍압(風壓) 團 【物】风压 fēngyā ¶～계 风压表

풍요(豐饒) 團[하] 丰裕 fēngyù; 富裕 fùyù; 丰饶 fēngráo; 富足 fùzú ¶～한 생활 수준 富裕的生活水平

풍요-롭다(豐饒—) 嗯 丰饶 fēngráo; 富足 fùzú ¶풍요로운 시간을 보내다 度过富足的时间

풍우(風雨) 團 风雨 fēngyǔ = 비바람

풍운(風雲) 團 1 风云 fēngyún 2 时机 shíjī; 机遇 jīyù ¶～을 기다리다 等待时机 3 风云 fēngyún ¶난세의 ~ 乱世风云

풍운-아(風雲兒) 團 风云人物 fēngyún rénwù

풍월(風月) 團[하] 1 清风明月 qīngfēng míngyuè ¶～을 즐기다 享受清风明月 2 吟风弄月 yínfēng nòngyuè ¶～하며 천하를 주유하다 吟风弄月行天下 3 散学的知识 sǎnxuéde zhīshi ¶이것은 ～에 지나지 않는다 这只是散学的知识

풍자(諷刺) 團[하] 讽刺 fěngcì ¶～극 讽刺剧 /～소설 讽刺小说 /～적 讽刺的 /～와 유머 讽刺与幽默 /정책의 불합리를 ～하다 讽刺政策的不合理

풍전-등화(風前燈火) 團 ¶그의 목숨은 ～와 같다 他的生命犹如风中之烛

풍조(風潮) 團 潮流 cháoliú; 风气 fēngqì ¶시대의 ～에 역행하다 抗拒时代潮流

풍족-하다(豐足—) 嗯 丰足 fēngzú; 丰饶 fēngráo; 富足 fùzú ¶풍족한 생활을 추구하다 追求丰足的生活

풍진(風塵) 團 1 风尘 fēngchén 2 世俗 shìsú; 尘世 fēngchén ¶～을 겪다 经历世俗 3 战尘 zhànchén

풍차(風車) 團 1 风车 fēngchē 2 = 팔랑개비1

풍채(風采) 團 风采 fēngcǎi; 丰采 fēngcǎi ¶그는 ～가 좋다 他风采不凡

풍취(風趣) 團 1 景致 jǐngzhì ¶영미문화가 농후한 ~ 英美文化浓厚的景致 2 = 풍치(風致)

풍치(風致) 團 风致 fēngzhì = 풍취2 ¶호반의 ～를 즐기다 玩赏湖边的风致

풍치(風齒) 團[韓醫] 风火牙 fēnghuǒyá

풍토(風土) 團 1 风土 fēngtǔ; 水土 shuǐtǔ ¶～병 风土病 / 중국의 ~ 中国的风土 2 风情 fēngqíng; 世态 shìtài ¶정치 ~ 政治风情 / 업계 ~ 行业风情

풍파(風波) 團 1 风波 fēngbō; 波澜 bōlán ¶～가 거세졌다 风浪大起来 2 风浪 fēnglàng; 风波 fēngbō ¶집안에 ～가 끊이지 않다 家庭里老起风波

풍향(風向) 團 【地理】风向 fēngxiàng ¶～계 风向器

풍화(風化) 團[하] 【地理】= 풍화 작용

풍화 작용(風化作用) 【地理】风化作用 fēnghuà zuòyòng = 풍화

퓨마(puma) 團 【動】美洲狮 měizhōushī

퓨즈(fuse) 團 【電】保险丝 bǎoxiǎnsī ¶～가 끊어졌다 保险丝烧断

프라이(fry) 團[하] 油煎 yóujiān; 油炸 yóuzhá

프라이버시(privacy) 團 隐私 yǐnsī; 私生活 sīshēnghuó

프라이팬(frypan) 團 油煎锅 yóujiānguō; 平底锅 píngdǐguō

프랑(franc) 團 法郎 fǎláng

프랜차이즈(franchise) 團 【經】特权 tèquán; 专卖权 zhuānmàiquán; 营业权 yíngyèquán

프러포즈(propose) 團[하자타] 1 提议 tíyì; 建议 jiànyì; 提出 tíchū 2 求婚 qiúhūn ¶자신이 좋아하는 여자에게 ～하다 向自己喜欢的女孩子求婚

프런트(front) 團 (宾馆의) 前台 qiántái; 总服务台 zǒngfúwùtái

프로(←네 procent) 團意 = 퍼센트

프로(←professional) 團 职业的 zhíyè(de); 专业的 zhuānyè(de); 专家 zhuānjiā = 프로페셔널 ¶그는 ～ 바둑기사이다 他是职业围棋手

프로그래머(programmer) 團 【컴】程

프로그래밍(programming) 몡 【컴】
편제 프로그램 biānzhì chéngxù; 프로그램 설계
chéngxù shèjì

프로그램(program) 몡 **1** 절목 jiémù
¶이번 주 TV ~ 예고 běn zhōu diànshì jiémù yù
gào **2** 절목단 jiémùdān ¶음악회 ~ 절
월회 절목단 yīnyuèhuì ~ jiémùdān **3** 【컴】 절차 chéngxù ¶~
개발 절차 개발

프로덕션(production) 몡【演】 섭제
shèzhì; 제편 zhìpiàn; 제편공장 zhìpiàn-
chǎng

프로듀서(producer) 몡【演】 제작자
zhìzuòzhě; 제편인 zhìpiànrén; 연출인
yǎnchūrén

프로 야구(←professional野球) 【體】=
직봉 zhíbàng; 직업봉구 zhíyè bàngqiú

프로젝트(project) 몡 **1** 계획 jìhuà;
방안 fāng'àn ¶자원 개발 ~ 자원개발
계획 **2** 연구과제 yánjiū kètí ¶지도 교
수와 토론한 뒤에 ~을 확정하다 和指
导老师讨论后确定研究课题

프로판(propane) 몡【化】 병완 bǐng-
wán ¶~가스 丙烷瓦斯

프로페셔널(professional) 몡 = 프
로²

프로펠러(propeller) 몡 (비기·륜선
上的) 추진기 tuījìnqì; 라선장 luóxuán-
jiāng

프로포즈 몡 ‘프러포즈’의 착오

프로필(profile) 몡 **1** (頭部的) 측면상
cèmiànxiàng; 측면검 cèliǎn; 방검 páng-
liǎn; 방영아 pángyīngr ¶~ 사진 측면
조편 **2** 전략 zhuànlüè; 간개 jiǎnjiè; 간
력 jiǎnlì; 인물간개 rénwù jiǎnjiè ¶인물
~ 人物传略

프롤레타리아(프prolétariat) 몡【社】
무산자 wúchǎnzhě; 로동자 láodòngzhě

프롤로그(prologue) 몡 **1**【文】 서
시 **2**【演】 서막 xùmù; 개장백 kāichǎng-
bái

프리랜서(free-lancer) 몡 자유공작
인 zìyóu gōngzuòrén

프리미엄(premium) 몡【經】 **1** 부가
관 fùjiākuǎn; 가가 jiājià; 승수 shēng-
shuǐ; 첩수 tiēshuǐ **2** 수속비 shǒuxùfèi;
보수 bàochou; 용금 yōngjīn; 일가
yìjià

프리즘(prism) 몡【物】 릉경 léngjìng

프린터(printer) 몡 **1** 타인기 打印机
dǎyìnjī ¶레이저 ~ 激光打印机 / 컬러
~ 彩色打印机 **2**【印】 인쇄기 yìn-
shuājī = 인쇄기

프린트(print) 몡하타 **1** 인쇄 yìnshuā
¶회의 결정 사항을 ~하다 印刷会议
决定事项 **2** 랍염 làrǎn **3**【演】 고편
kǎobèi; 정편 zhèngpiàn

플라스크(flask) 몡【化】 소병 shāo-

평; 장경파리병 chángjǐng bōlipíng

플라스틱(plastic) 몡【化】 가소성물
질 kěsùxìng wùzhì; 소료 sùliào; 합성
수지 héchéng shùzhī

플라타너스(platanus) 몡【植】 현령
목 xuánlíngmù

플래시(flash) 몡 **1** = 손전등 **2**【演】
섬광등 shǎnguāngdēng **3** 주목 zhùmù;
주시 zhùshì ¶~를 받다 受到注目

플랫(flat) 몡【音】 = 내림표

플랫폼(platform) 몡 참태 zhàntái; 월
태 yuètái

플러그(plug) 몡하타 **1** 삽두 chātóu;
삽소 chāxiāo **2**【機】 점화전 diǎnhuǒ-
shuān

플러그 소켓(plug socket) 【電】 =
콘센트

플러스(plus) 몡 **1**【數】 = 더하기 ¶1
~ 1은 2이다 一加一等于二 **2** 잉여
shèngyú; 유익 yǒuyì ¶단체 생활 경험
의 ~는 나에게 ~가 되었다 团体生活的经
验对我是有益的 **3**【物】 = 양극(陽極)
4【數】 = 덧셈 부호 **5**【數】 = 양(陽)2
6【數】 = 양호(陽號) **7**【醫】 양 yáng;
정 zhèng; 양성 yángxìng ¶~ 반응 陽
性反应

피 몡【生】 혈 xuè; 혈액 xuèyè = 혈
액 ¶상처에서 ~가 나다 伤口出血

피: -(被) 접두 피 bèi; 수 shòu ¶~선
거권 被选举权

피겨 스케이팅(figure skating) 【體】
화양활빙 huāyàng huábīng

피: -격(被擊) 몡하자 피격 bèijī; 피습
bèixí ¶미국 대사관이 어제 ~당
했다 美国大使馆昨天被袭击了

피: -고(被告) 몡【法】 피고 bèigào; 피
고인 bèigàorén ¶~인 被告人 / 형사
사건의 ~ 刑事案件的被告

피-고름 몡【醫】 농혈 nóngxuè

피-곤(疲困) 몡하형 피권 píjuàn; 피
피 pífá; 피로 píláo; 루 lèi; 피 pí; 핍 fá ¶
~을 풀다 消疲倦

피곤-상접(皮骨相接) 몡하자 피포골
píbāogǔ; 수골린순 shòugǔlínxún; 골수
여채 gǔshòurúchái ¶병이 들어 ~하다
病得疲骨相接

피: -난(避難) 몡하자 피난 bìnàn ¶~길
피난중 / ~살이 피난생활 / ~지 피난
지 避难地

피: -난-민(避難民) 몡 난민 nànmín; 도
난백성 táonàn bǎixìng

피날레(이finale) 몡 **1**【演】 최후일장
zuìhòu yīchǎng; 종장 zhōngchǎng **2**
【音】 종곡 zhōngqǔ

피-눈물 몡 혈루 xuèlèi = 혈루 ¶~을
흘리다 流血泪

피다 통 **1** 개 kāi ¶꽃이 ~ 开花 **2** 출
락 chūluò; 출도 chūtiao; 발육 fāyù ¶

그녀는 몰라볼 정도로 얼굴이 피었다 她出落得我差点儿认不出来了 **3** 燃烧 ránshāo ¶불이 ～ 火燃烧起来了 **4** 长 zhǎng ¶곰팡이가 ～ 火燃烧起来了 **4** 长 zhuǎn ¶형편이 피기 시작하다 情况开始好转

피-동(被動) **명 1** 被动 bèidòng; 协从 xiécóng **2** 〖語〗被动 bèidòng ¶～사 被动词 / ～형 被动形

피둥-피둥 튀(하튀) **1** 胖乎乎 pànghūhū ¶딸아이가 ～ 살찌다 女儿长得胖乎乎的 **2** 不听话地 bùtīnghuàde ¶이 애는 말도 안 듣고 ～ 놀 생각만 한다 这个孩子不听话总是想玩

피-딱지 명 血痂 xuèjiā

피-땀 명 **1** 血和汗 xuè hé hàn **2** 血汗 xuèhàn; 心血 xīnxuè ¶흘려 번 돈 血汗钱

피-똥 명 血便 xuèbiàn = 혈변

피라미 명 〖魚〗 小鲤鱼 xiǎolǐyú; 桃花鱼 táohuāyú

피라미드(pyramid) 명 金字塔 jīnzìtǎ

피:-란(避亂) 명(하자) 避乱 bìluàn; 逃难 táonàn ¶많은 사람이 이곳으로 ～했다 到这里避乱的人很多

피:-랍(被拉) 명 被…劫持 bèi…jiéchí; 被…绑架 bèi…bǎngjià ¶오늘 아침 네 명의 여성이 테러분자에게 ～ 되었다 今天早上四名女人被恐怖分子劫持了

피력(披瀝) 명(하타) 发表 fābiǎo; 披沥 pīlì; 公开 gōngkāi ¶자신의 의견을 ～ 하다 发表自己的意见

피로(疲勞) 명(하자) 疲劳 píláo; 疲倦 píjuàn ¶만성的 ～ 慢性疲劳 / ～감 疲劳感 / ～를 풀다 消除疲劳

피로-연(披露宴) 명 宴会 yànhuì; 喜筵 xǐyán; 喜宴 xǐyàn

피: -뢰-침(避雷針) 명 〖物〗避雷针 bìléizhēn

피륙 명 布匹 bùpǐ

피:-리(-) 명 〖音〗笛子 dízi

피마자(萆麻子) 명 〖植〗 **1** 蓖麻 bìmá = 아주까리 **2** 蓖麻子 bìmázǐ ¶～유 蓖麻子油

피망(프piment) 명 〖植〗 青椒 qīngjiāo; 西班牙辣椒 Xībānyá làjiāo

피-맺히다 자 彻骨 chègǔ ¶피맺힌 괴로움 彻骨的痛苦

피-멍 명 淤血 yūxuè; 血茧 xuèjiǎn ¶든 손 带着血茧的手

피-바다 명 血泊 xuèpō; 血海 xuèhǎi

피-범벅 명 血肉模糊 xuèròu móhu ¶그는 ～이 되도록 맞았다 他被打得血肉模糊

피:-보험자(被保險者) 명 〖法〗被保险人 bèibǎoxiǎnrén

피:-복(被服) 명 被服 bèifú; 服装 fúzhuāng ¶～을 지급하다 发给服装

피:-복(被覆) 명(하타) 被覆 bèifù ¶～ 처리 被覆处理

피부(皮膚) 명 〖生〗皮肤 pífū ¶～과 皮肤科 / ～병 皮肤病 / ～암 皮肤癌

피부-색(皮膚色) 명 肤色 fūsè

피-붙이 명 血肉 xuèròu; 亲骨肉 qīngǔròu ¶～를 찾다 找寻亲骨肉

피비린-내 명 血腥味儿 xuèxīngwèir ¶～를 맡다 闻到血腥味儿

피:-사-체(被寫體) 명 拍摄对象 pāishè duìxiàng; 被照射体 bèizhàoshètǐ

피:-살(被殺) 명 被杀害 bèishāhài; 被杀 bèishā ¶～자 被杀者 / 대통령이 어젯밤 ～되었다 总统昨天晚上被杀害了

피상-적(皮相的) 관명 表面 biǎomiàn; 外表 wàibiǎo; 肤浅 fūqiǎn; 皮毛 pímáo; 皮相 píxiàng ¶～으로 알고 있다 略知皮毛

피:-서(避暑) 명(하자) 避暑 bìshǔ ¶～객 避暑客 / ～지 避暑地 / 여름엔 많은 사람들이 ～ 를 간다 夏天很多人都去避暑

피:-소(被訴) 명(하자) 〖法〗被起诉 bèiqǐsù; 被告 bèigào ¶잡지사가 ～되다 杂志社被起诉

피:-수식어(被修飾語) 명 〖語〗被修饰语 bèixiūshìyǔ

피스톤(piston) 명 **1** 〖機〗活塞 huósāi ¶자동차 ～ 汽车活塞 **2** 〖音〗(铜管乐器上的) 活塞阀键 huósāi fájiàn

피:-습(被襲) 명(하자) 被袭击 bèixíjī ¶～당한 우주 비행사 被袭击的宇航员

피식 명(하자) 嗤 chī ¶～ 웃다 嗤笑

피:-신(避身) 명(하자) 躲 duǒ; 避身 bìshēn; 躲避 duǒbì ¶～처 避身所 / 안전지대로 ～하다 躲到安全地带去

피아노(piano) 명 〖音〗钢琴 gāngqín ¶～를 치다 弹钢琴

피아니스트(pianist) 명 〖音〗钢琴家 gāngqínjiā; 钢琴演奏者 gāngqín yǎnzòuzhě

피앙세(프fiancé) 명 未婚夫 wèihūnfū

피어-나다 자 **1** 开始； 长出 gāngchū ¶개나리꽃이 ～ 开迎春花 **2** (火) 着起来 zháoqilai; 烧旺 shāowàng ¶불이 모락모락 ～ 火一缕一缕地着起来 **3** 舒服 shūfú; 复苏 fùsū ¶그가 마침내 혼미에서 피어났다 他终于从昏迷中苏醒过来 **4** 好转 hǎozhuǎn; 好起来 hǎoqilai ¶집안 살림이 점차 ～ 家里的生活渐渐好起来

피어-오르다 자 **1** 升腾 shēngténg; 升飞 shēngfēi ¶불꽃이 ～ 火焰升腾 **2** 缭绕 liáorào

피에로(프pierrot) 명 〖演〗丑角 chǒujiāo; 小丑 xiǎochǒu

피우다 〔它〕 1 生 shēng; 点 diǎn ¶불을
~ 点火 2 抽 chōu; 吸 xī ¶담배를
~ 吸烟 3 闹 nào; 引起 yǐnqǐ ¶소란을
~ 引起骚乱 4 散发 sànfā ¶썩은 내를
~ 散发臭味儿

피: **의:-자**(被疑者) 〔名〕 〔法〕 嫌疑人
xiányírén

피:-임(避妊) 〔名하자〕 〔醫〕 避孕 bìyùn
¶~약 避孕药

피자(이pizza) 〔名〕 〔藥〕 比萨饼 bǐsà-
bǐng; 匹萨饼 pǐsàbǐng; 意大利馅饼
Yìdàlì xiànbǐng

피장-파장 〔名〕 彼此彼此 bǐcǐbǐcǐ; 半斤
八两 bànjīnbāliǎng; 不上不下 bùshàng-
bùxià; 不相上下 bùxiāngshàngxià; 差
不多 chàbuduō ¶외모로 말하자면 그
녀들은 ~이다 从外貌上来说, 她们还
不相上下的

피:-조물(被造物) 〔名〕 被造物 bèizàowù
피:-죽(-粥) 〔名〕 稗子粥 bàizizhōu
피지(皮脂) 〔名〕 〔生〕 皮脂 pízhī
피:-지배 계급(被支配階級) 〔社〕 被
统治阶级 bèitǒngzhì jiējí

피:-차(彼此) 〔名〕 彼此 bǐcǐ ¶그들은 ~
깊이 신뢰한다 他们彼此深信

피:-차-간(彼此間) 〔名〕 彼此间 bǐcǐjiān;
相互间 xiānghùjiān

피:-차-일반(彼此一般) 〔名〕 彼此一样
bǐcǐ yīyàng; 彼此彼此 bǐcǐbǐcǐ ¶우리
모두 ~다 我们都彼此一样

피치(pitch) 〔名〕 1 工作效率 gōngzuò
xiàolǜ ¶일의 ~를 올리다 提高工作效
率 2 〔體〕 投球 tóuqiú 3 〔化〕 沥青
lìqīng; 柏油 bǎiyóu ¶~를 칠하다 = 아스팔트 ¶~를
깔다 铺沥青

피크(peak) 〔名〕 顶点 dǐngdiǎn; 顶峰
dǐngfēng; 高峰 gāofēng ¶원유 가격이
이미 ~에 달했다 原油的价格已达到
顶峰

피클(pickle) 〔名〕 酸菜 suāncài; 酸黄瓜
suānhuánggguā; 泡黄瓜 pàohuánggguā

피-투성이(-成-) 〔名〕 浑身是血 húnshēnshì xuě
¶그는 온몸이 ~로 길가에 누워 있었
다 他浑身是血躺在路边

피폐(疲弊) 〔名하자〕 疲惫 píbèi; 衰竭
shuāijié; 疲弱 píruò; 衰落 shuāiluò ¶
심신이 ~하다 身心疲惫 / 날로 ~해
지다 日趋衰落

피폭(被爆) 〔名하자〕 被炸 bèizhá ¶외
국 대사관이 ~되다 外国大使馆被炸

피하(皮下) 〔名〕 〔生〕 皮下 píxià ¶~ 지
방 皮下脂肪

피:-하다 〔它〕 1 避 bì; 躲避 duǒbì ¶엄
마의 추궁을 ~ 躲避妈妈的询问 2 避
bì; 躲避 duǒbì; 逃避 táobì; 避开 bìkāi
¶내 눈을 ~ 逃避我的眼睛 3 避 bì;
躲避 duǒbì ¶비를 ~ 避雨 4 躲避

duǒbì; 避免 bìmiǎn; 避开 bìkāi ¶지
실로 몸을 ~ 躲避在地下室

피:해(被害) 〔名하자〕 被害 bèihài; 受害
shòuhài; 受损 shòusǔn; 损失 sǔnshī ¶
~액 被害额 / ~자 被害人 / ~를 입다
受到损失

피혁(皮革) 〔名〕 皮革 pígé

픽 〔부〕 1 无力地 wúlìde ¶그는 ~ 주저
앉았다 他无力地坐下来了 2 噗哧 pū-
chī; 扑哧 pūchī ¶그는 ~ 한 번 웃고
는 떠났다 他噗哧一笑就走了 3 扑哧
pūchī; 噗哧 pūchī ¶바람에 ~ 새어 나
오다 风扑地地漏出来 4 啪 pā ¶새끼
줄이 ~ 소리를 내며 끊어졌다 麻索啪
的一声断了

픽션(fiction) 〔名〕 〔文〕 虚构 xūgòu =
허구2

핀(pin) 〔名〕 1 针 zhēn; 大头针 dàtóu-
zhēn 2 〔體〕 (保龄球) 球柱 qiúzhù 3
〔體〕 (高尔夫球) 标号旗杆 biāohàoqí-
gān

핀셋(프pincette) 〔名〕 小钳子 xiǎoqián-
zi; 镊子 nièzi

핀잔 〔名하타〕 面责 miànzé; 面讽 miàn-
fěng; 呲儿 cīr ¶줄곧 할아버지의 ~을
받다 一直当着爷爷的面讽

필(匹) 〔의명〕 匹 pǐ; 头 tóu ¶말 한 ~
一匹马

필(疋) 〔의명〕 匹 pǐ; 疋 yǎ ¶명주 두 ~
两匹绸子

필경(畢竟) 〔부〕 终于 zhōngyú; 终究
zhōngjiū; 终归 zhōngguī ¶그날은 ~
온다 那一天终究来临

필기(筆記) 〔名하타〕 笔记 bǐjì ¶~장 笔记
本

필기-구(筆記具) 〔名〕 = 필기도구
필기-도구(筆記道具) 〔名〕 书写用具
shūxiě yòngjù = 필기구

필기-시험(筆記試驗) 〔名〕 笔试 bǐshì

필기-체(筆記體) 〔名〕 书写体 shūxiětǐ;
手写体 shǒuxiětǐ

필답(筆答) 〔名〕 笔答 bǐdá ¶질문에
~하다 有问笔答

필독(必讀) 〔名하타〕 必读 bìdú ¶~서
必读书

필두(筆頭) 〔名〕 1 笔头 bǐtóu; 笔尖 bǐ-
jiān 2 首 shǒu; 负责人 fùzérén; 主持
者 zhǔchízhě ¶그를 ~로 많은 과학자
들이 밤낮으로 연구하고 있다 以他为
首的很多科学家日以继夜地进行研究

필력(筆力) 〔名〕 1 笔力 bǐlì = 필체2
写文章的能力 xiě wénzhāngde nénglì
¶그는 ~이 좋다 他写文章的能力很
强

필로폰(Philophon) 〔名〕 〔藥〕 脱氧麻
黄碱 tuōyǎng máhuángjiǎn = 히로뽕

필름(film) 〔名〕 1 胶卷 jiāojuǎn; 软片
ruǎnpiàn ¶카메라에 ~을 넣다 照相机

里装胶卷 **2** 底片 dǐpiàn **3** 电影 diàn-yǐng

필명(筆名) 圓 **1** 笔名 bǐmíng ¶내은 똥보이다 我的笔名是胖子 **2** 文笔的名声 wénbǐde míngshēng ¶그는 외부에서 ~이 여전히 좋다 他文笔的名声在外面还是好的

필법(筆法) 圓 笔法 bǐfǎ

필사(必死) 圓하자 拼死 pīnsǐ; 拼命 pīnmìng ¶~의 다이어트 拼死减肥

필사(筆寫) 圓하자 抄写 chāoxiě; 手抄 shǒuchāo ¶~본 手抄本 / ~체 手抄体

필사-적(必死的) 관圓 拼命 pīnmìng; 死命 sǐmìng ¶~으로 숨쉬는 물고기 拼命呼吸的鱼

필생(畢生) 圓 毕生 bìshēng; 一辈子 yībèizi; 终生 zhōngshēng ¶~의 원수 毕生仇敌 / ~의 대사업 毕生的大事业

필세(筆勢) 圓 = 필력1

필수(必修) 圓 必修 bìxiū ¶~과목 必修科目

필수(必須) 圓 必须 bìxū; 必要 bìyào; 必备 bìbèi ¶~조건 必备条件

필수(必需) 圓 必需 bìxū ¶~품 必需品

필순(筆順) 圓 笔顺 bǐshùn ¶한자의 ~ 汉字的笔顺

필승(必勝) 圓하자 必胜 bìshèng ¶~을 다짐하다 决心一定要必胜

필시(必是) 图 必然 bìrán; 必定 bìdìng ¶~ 그에게 많은 단점이 있을 것이다 一定是他有许多缺点

필연(必然) 一圓하형 必然 bìrán ¶~성 必然性 / 우연 중의 ~ 偶然中的必然 二图 必然 bìrán; 必定 bìdìng; 一定 yīdìng ¶이것은 ~ 현실에 적합하지 않다 这必然是不切实际的

필연-적(必然的) 관圓 必然(的) bìrán-(de) ¶~ 결과 必然的结果

필요(必要) 圓하형 必要 bìyào; 需要 xūyào ¶~ 물품 必要物品 / ~성 必要性

필자(筆者) 圓 笔者 bǐzhě; 作者 zuòzhě

필적(匹敵) 圓하자 匹敌 pǐdí ¶~할 수가 없다 无法匹敌

필적(筆跡) 圓 笔迹 bǐjì; 字迹 zìjì

필체(筆體) 圓 = 서체

필치(筆致) 圓 笔致 bǐzhì; 笔锋 bǐfēng; 笔触 bǐchù; 笔调 bǐdiào ¶예리

한 ~ 锋利的笔调

필터(filter) 圓 **1** 过滤器 guòlùqì ¶공기 ~ 空气过滤器 **2** 滤光器 lùguāngqì; 滤色器 lùsèqì **3** 过滤嘴 guòlùzuǐ ¶~담배 过滤嘴香烟

필통(筆筒) 圓 笔筒 bǐtǒng; 笔盒 bǐhé

필-히(必~) 图 必须 bìxū; 必定 bìdìng; 必定 bìdìng ¶귀중품은 ~ 휴대하세요 请必须携带贵重品

핍박(逼迫) 圓하자 **1** 急迫 jípò; 危急 wēijí; 紧逼 jǐnbī ¶회사의 재정 상황이 ~해지다 公司的财政情况很危急 **2** 逼迫 bīpò; 强迫 qiǎngpò ¶~을 받다 受逼迫

핏-기(一氣) 圓 血色 xuèsè ¶~가 없다 有血色

핏-대 圓 青筋 qīngjīn ¶~를 올리며 크게 화내다 青筋暴起, 大发脾气

핏-덩어리 圓 **1** 血块 xuèkuài **2** 新生婴儿 xīnshēngyīng'ér ¶~를 버리다 抛弃新生婴儿

핏-발 圓 血丝 xuèsī ¶~이 서다 带血丝

핏-빛 圓 血色 xuèsè; 血红 xuèhóng

핏-자국 圓 血迹 xuèjì ¶셔츠에 ~이 있다 衬衫上有血迹

핏-줄 圓 **1** 〔生〕血管 xuèguǎn = 혈관 **2** 血缘 xuèyuán; 血统 xuètǒng = 혈통 ¶같은 ~ 同一血统

핑¹ 图 **1** 快速地转 kuàisùde zhuàn ¶그가 내 손을 잡아 당기고는 몸을 돌렸다 他拉起我的手, 快速地转了个身 **2** 突然眩晕 tūrán xuànyùn ¶머리가 ~ 돌다 头突然眩晕 **3** 滴溜溜 dīliūliū ¶눈물이 눈가에서 ~ 돌다 泪珠在眼眶中滴溜溜地打转

핑² 图 嗖 sōu ¶총알이 머리 위를 ~ 날아가다 子弹嗖地从头上飞过

핑계 圓하자 借口 jièkǒu; 托辞 tuōcí; 推脱 tuītuō ¶~를 찾다 找借口

핑그르르 图 **1** 滴溜溜 dīliūliūde ¶눈가에 눈물이 ~ 돌다 泪珠在眼眶中滴溜溜地转 **2** 晕晕忽忽地 yūnyūnhūhūde ¶며칠 잠을 못 잤더니 머리가 ~ 돈다 因为几天没睡, 头晕晕忽忽地转

핑글-핑글 图 咕噜咕噜地 gūlūgūlūde ¶팽이가 ~ 돌다 陀螺咕噜咕噜地转

핑크(pink) 圓 粉红色 fěnhóngsè

핑-핑 图 **1** 轱辘轱辘 gūlūgūlū ¶물통이 ~ 굴러가다 水桶轱辘轱辘地转 **2** 嗖嗖地 sōusōude ¶총알이 ~ 그의 곁을 날아가다 子弹嗖嗖地从他的身边飞过

ㅎ

하[1] 부 哈 hā ¶추워서 ~ 하고 손에 입김을 불다 冷得往手心里哈气

하[2] 감 嗬 hē; 咳 hāi ¶~, 이 젊은이 정말 대단하군! 嗬, 这小伙子真了不起!

하:(下) 명 **1** 下 xià; 下边 xiàbian **2** 下等 xiàděng; 下 xià; 次 cì

-하(下) 접미 下 xià; 之下 zhīxià ¶지도~ 指导下 / 원칙~ 原则下

하:강(下降) 명하자 下降 xiàjiàng; 降低 jiàngdī; 降落 jiàngluò = 강하1 ¶~ 기류 下降气流 / ~ 비행 下降飞行 / 온도가 ~하다 温度降低

하:객(賀客) 명 贺客 hèkè

하:계(下界) 명 下界 xiàjiè; 人间 rénjiān

하:계(夏季) 명 = 하기 ¶~훈련 夏季训练

하고 조 **1** 和 hé; 跟 gēn; 与 yǔ《表示联合关系》¶형~ 누나는 놀러 갔어요 哥哥和姐姐都出去玩了 **2** 和 hé《引进共同行动的对象》¶나는 지금까지 그녀~ 연극을 본 적이 없다 我从来没和她一起看过戏 **3** 和 hé; 跟 gēn; 与 yǔ《引进比较的对象》¶너의 생각은 우리들~ 아주 다르다 你的想法和我们很不相同

하고-많다 형 非常多 fēichángduō; 很多很多 hěnduōhěnduō; 众多 zhòngduō ¶하고많은 사람 众多人 / 하고많은 문제 很多很多问题

하:관(下顴) 명 下巴 xiàba

하:교(下校) 명하자 下学 xiàxué; 放学 fàngxué ¶학생들이 ~한 뒤라 학교는 매우 조용해졌다 学生放学了, 学校安静多了

하:굣-길(下校—) 명 下学路 xiàxuélù; 放学路 fàngxuélù; 下学回家路 xiàxuéhuíjiālù

하구(河口) 명 河口 hékǒu; 江口 jiāngkǒu

하:권(下卷) 명 下卷 xiàjuàn; 下册 xiàcè

하:극상(下剋上) 명하자 下斗上 xiàdòushàng; 下陵上替 xiàlíngshàngtì; 晚辈居上 wǎnbèijūshàng; 以下反上 yǐxiàfǎnshàng

하:급(下級) 명 下级 xiàjí; 下等 xiàděng ¶~ 관청 下级官厅 / ~반 下级班

하:급-생(下級生) 명 低年级学生 dīniánjí xuéshēng; 低班生 dībānshēng

하:급-자(下級者) 명 下级 xiàjí; 下属 xiàshǔ

하:기(夏期) 명 夏季 xiàjì = 하계(夏季) ¶~ 휴가 夏季假日 / ~ 휴업 夏季停业

하나 一수 一 yī ¶~, 둘, 셋 一, 二, 三 / ~ 더하기 넷은 다섯이다 一加四等于五 二명 **1** 唯一 wéiyī; 唯独 wéidú; 单一 dānyī ¶그는 나의 ~밖에 없는 친구이다 他是我唯一的朋友 **2** 一心 yīxīn ¶~로 단결하다 团结一心 **3** 之一 zhīyī ¶이것은 그의 작품 중의 ~이다 这是他的作品之一 **4** 一点 yīdiǎn ¶~도 모르겠다 一点也不知道

하나-같다 형 都 dōu; 一样 yīyàng; 一致 yīzhì; 一色 yīsè **하나같-이** 부

하나-님 명【宗】上帝 shàngdì = 신(神)2

하나-하나 명부 = 일일이 ¶~ 원문과 대조하다 一一对照原文

하:녀(下女) 명 下女 xiànǚ; 女佣 nǚyōng; 女仆 nǚpú

하느-님 명【宗】**1** 上帝 shàngdì; 上天 shàngtiān; 老天爷 lǎotiānyé **2** 天主 tiānzhǔ; 上帝 shàngdì

하느작-거리다 자 轻轻摆动 qīngqīng bǎidòng = 하느작대다 ¶버드나무가 바람에 ~ 杨柳梢迎风轻轻摆动 **하느작-하느작** 부하자

하늘 명 **1** 天 tiān; 天空 tiānkōng; 苍穹 cāngqióng ¶푸른 ~ 蓝天 / ~땅 天地 / ~빛 天色 **2** 老天 lǎotiān ¶~은 스스로 돕는 자를 돕는다 老天不负有心人 **3**【宗】天国 tiānguó

하늘-가 명 天际 tiānjì; 天边 tiānbiān

하늘-거리다 자타 轻轻摆动 qīngqīng bǎidòng = 하늘대다 ¶커튼이 ~ 帘子轻轻摆动 **하늘-하늘** 부하자타

하늘-나라 명【宗】= 천국3

하늘-소 명【蟲】天牛 tiānniú

하늘하늘-하다 형 柔软 róuruǎn; 软绵绵 ruǎnmiánmián ¶하늘하늘한 비단 柔软的绸缎

하늬 명 = 하늬바람

하늬-바람 명 西风 xīfēng = 하늬

하다 一타 **1** 做 zuò; 作 zuò; 干 gàn; 进行 jìnxíng ¶숙제를 ~ 做作业 / 일을 ~ 干活 / 토론을 ~ 进行讨论 **2** 做 zuò; 打 dǎ ¶밥을 ~ 做饭 / 나무를 ~ 打柴 **3** 带 dài ¶웃는 얼굴을 ~ 带着

笑容 **4** 抽烟 chōuyān; 喝酒 hējiǔ ¶동료와 술을 ~ 和同事喝酒喝酒 **5** 戴 dài ¶목걸이를 ~ 戴项链 **6** 当 dāng ¶그는 학급에서 반장을 하고 있다 他在班级里当班长 **7** 值 zhí ¶이 가죽 구두는 한 켤레에 오십 위안 한다 这双皮鞋值五十块钱 **8** 用在time后, 表示到达一定的时间 ¶내년 3월쯤 도착할 생각이다 明年三月左右, 我准备去中国 **9** 提到 tídáo; 要说 yàoshuō; 说到 shuōdào ¶그 일을 꺼내기만 하면 그는 재미있어 한다 一提到那件事他就觉得好笑 **10** 说 shuō ¶그도 우리의 의견이 아주 좋다고 한다 他也说我们的意见很好 ||**[보동] 1** 让 ràng; 使 shǐ ¶청소를 하게 ~ 叫人打扫 **2** 用于 '-면'、'-으면' 等的形式后, 表示愿望 ¶그를 좀 만났으면 한다 要是见到他就好了 **3** 用于 '-어야' 等的形式后, 表示当为性、必要性 ¶성공하려면 노력해야 한다 想成功就得努力 **4** 用于 '-려' 的形式后, 表示意图、欲望 ¶밥을 안 먹으려 한다 不肯吃饭 **5** 用于 '-기도' 的形式后, 表示强调 ¶예쁘기도 ~ 还挺好看的

하다못해 nàpà; 至少 zhìshǎo; 实在不行 shízài bùxíng ¶~ 밤을 새우더라도 이 숙제를 마쳐야 한다 哪怕一夜不睡, 也要把这些作业做完

하·단(下段) **⑲1**(文章) 下段 xiàduàn ¶신문의 하단 = 报纸的下段 xiàcéng; 下端 xiàduān ¶책꽂이의 ~ 书架的下层

하·달(下達) **⑲[하자타]** 下达 xiàdá ¶명령을 ~하다 下达命令

하·대(下待) **⑲** 慢待 màndài; 怠慢 dàimàn ¶~를 받다 受到怠慢

하도 ⑨ 很 hěn; 太 tài; 极 jí; 非常 fēicháng ¶말이 ~ 빨라서 잘 듣지 못했다 说得太快, 没听清楚

하드 디스크(hard disk) **【컴】** 硬盘 yìngpán; 硬磁盘 yìngcípán

하드보드(hardboard) **⑲** 硬纸板 yìngzhǐbǎn; 硬纤维板 yìngxiānwéibǎn

하드웨어(hardware) **⑲【컴】** 硬件 yìngjiàn

하·등(下等) **⑲** 下等 xiàděng; 次等 cìděng; 低等 dīděng ¶~ 动物 低等动物 / ~ 식물 低等植物

하등(何等) **⑨** 任何 rènhé; 一点 yìdiǎn ¶이렇게 할 ~의 이유도 없다 没有任何理由这样做

하·락(下落) **⑲[하자]** 下跌 xiàdiē; 下降 xiàjiàng; 降低 jiàngdī ¶주가 ~ 股市下跌 / 물가 ~ 物价下跌 / ~세 下降趋势 / 제조 원가가 ~하다 制造成本下降

하·례(賀禮) **⑲[하자타]** 贺礼 hèlǐ ¶신년 ~ 新年贺礼

하루 ⑲1 一天 yìtiān; 一日 yìrì = 일일(一日) ¶~는 24시간이다 一天是二十四小时 **2** 整天 zhěngtiān; 终日 zhōngrì ¶~ 종일 바쁘다 整天忙碌 有一天 yǒuyìtiān; 某一天 mǒuyìtiān ¶~는 동료가 갑자기 찾아왔다 有一天, 同事突然找来

하루-건너 ⑨ 隔日 gérì = 하루걸러 ¶~ 한 번 가다 隔日去一次

하루-걸러 ⑨ = 하루건너

하루-빨리 ⑨ 早日 zǎorì; 尽快 jìnkuài; 尽早 jìnzǎo = 하루속히 ¶~ 건강을 되찾으시기를 기원합니다 望早日康复

하루-살이 ⑲1【虫】 蜉蝣 fúyóu **2** 过一天算一天 guòyìtiān suànyìtiān; 得过且过 déguòqiěguò ¶절대로 ~ 삶을 살지 마라 千万不要过一天算一天

하루-속히 ⑨ = 하루빨리

하루-아침 ⑲1 一旦 yídàn; 一朝 yìzhāo ¶很快 hěnkuài = 에 망하다 一朝覆亡

하루-치 ⑲ 一日的份额 yírì de fèn'é ¶~를 배급 탔다 领到一日的份额

하루-하루 ⑲⑨ 一天天 yìtiāntiān; 天天 tiāntiān; 日日 rìrì; 一天比一天 yìtiān bǐ yìtiān ¶병세가 ~ 호전되다 病情一天天地好转

하룻-강아지 ⑲1 初生小狗 chūshēng xiǎogǒu **2** 新手 xīnshǒu ¶속당 ~ 범 무서운 줄 모른다 [속담] 初生牛犊不怕虎

하룻-밤 ⑲1 一夜 yíyè; 一晚 yīwǎn ¶~을 묵었다 住一夜 **2** 某天晚上 mǒutiān wǎnshang

하·류(下流) **⑲1** 下游 xiàyóu; 下流 xiàliú **2** 下层 xiàcéng ¶~사회 下层社会 / ~층 下层阶级

하류(河流) **⑲** 河流 héliú

하·릴-없다 ⑱1 束手无策 shùshǒu-wúcè; 无可奈何 wúkěnàihé **2** 肯定 kěndìng; 没错 méicuò ¶하·릴없이-이 **⑨** 지갑을 도둑맞았어 그는 ~ 멍하니 있었나 钱包被人偷走了, 他束手无策地愣在那儿

하마(河馬) **⑲【动】** 河马 hémǎ

하마터면 ⑨ 差点儿 chàdiǎnr; 差一点儿 chàyìdiǎnr; 险些 xiǎnxiē ¶~ 넘어질 뻔했다 差一点儿摔倒了

하·명(下命) **⑲[하자타] 1** 尊命 zūnmìng ¶~을 받들다 听从尊命 **2** 下令 xiàlìng ¶범인을 체포를 ~하다 下令逮捕罪犯

하모니(harmony) **⑲【音】** 和声 héshēng = 화성(和声)

하모니카(harmonica) **⑲【音】** 口琴 kǒuqín ¶~를 불다 吹口琴

하물며 뭔 何況 hékuàng ¶제 나라의 말도 제대로 배우려면 많은 노력이 필요한데 → 외국어를 배우는 데 있어서랴? 学好本国语言尚且要花很大力气, 何况学外语呢?

하:반기(下半期) 명 下半期 xiàbànqī

하:반부(下半部) 명 下半部 xiàbànbù

하:반신(下半身) 명 下半身 xiàbànshēn

하:복(下腹) 명 = 아랫배 ¶~부 下腹部

하:복(夏服) 명 夏服 xiàfú; 夏装 xiàzhuāng; 夏衣 xiàyī = 여름옷 ¶~을 입고 등교하다 穿夏衣上学

하:부(下部) 명 1 下部 xiàbù; 下面的部分 xiàmiànde bùfen 2 下属 xiàshǔ; 下级 xiàjí ¶~ 조직 下级组织

하:사(下士) 명 『軍』下士 xiàshì

하:사(下賜) 명하타 下賜 xiàcì; 赐予 cìyǔ ¶공신에게 말 한 필을 ~하다 向功臣下赐一匹马

하:사-관(下士官) 명 『軍』士官 shìguān

하:산(下山) 명하자 下山 xiàshān ¶시에 길을 잃다 下山时迷路了

하:선(下船) 명 下船 xiàchuán

하소연 명하타 诉苦 sùkǔ; 诉说 sùshuō ¶~할 데가 없다 无处诉苦 / 고충을 ~하다 诉说苦衷

하:수(下水) 명 下水 xiàshuǐ; 脏水 zāngshuǐ; 污水 wūshuǐ ¶~구 下水沟 / 처리장 污水处理厂 / 생활 ~ 生活污水

하수(河水) 명 河水 héshuǐ; 江水 jiāngshuǐ

하:수-관(下水管) 명 = 수채통

하:수-도(下水道) 명 下水道 xiàshuǐdào = 수도2

하:수-인(下手人) 명 1 凶手 xiōngshǒu 2 帮凶 bāngxiōng; 走狗 zǒugǒu ¶~ 노릇을 하다 当帮凶

하:수-통(下水筒) 명 = 수채통

하:숙(下宿) 명 寄居 jìjū; 寄宿 jìsù ¶~방 寄宿房 / ~비 寄宿费 / ~생 寄宿生 / ~집 寄宿处

하:순(下旬) 명 下旬 xiàxún ¶이번 달 ~ 本月下旬

하:악(下顎) 명 『生』= 아래턱

하:악-골(下顎骨) 명 『生』= 아래턱뼈

하안(河岸) 명 河岸 hé'àn; 江岸 jiāng'àn ¶~ 단구 河岸段丘

하:야(下野) 명하자 下野 xiàyě; 下台 xiàtái ¶국민의 요구로 대통령이 ~했다 国民的要求下, 总统下台了

하얀-색(─色) 명 白色 báisè

하양 명 1 白色 báisè; 白色的 báisède 2 白色颜料 báisè yánliào

하:얗다 형 白 bái; 雪白 xuěbái ¶하얀 치아 雪白的牙齿 / 하얀 눈 白雪

하:얘-지다 자 变白 biànbái; 发白 fābái ¶며칠 앓더니 얼굴이 하얘졌다 病了几天, 脸都变白了

하여-간(何如間) 뭔 无论如何 wúlùn rúhé; 反正 fǎnzhèng = 여하간 ¶~ 사실은 어디까지나 사실이다 无论如何, 事实总是事实

하여-금 뭔 令 lìng; 使 shǐ; 使得 shǐde; 让 ràng ¶이 생각은 그로 ~ 모든 어려움을 잊게 해주었다 这个想法使得他忘记一切困难

하여-튼(何如─) 뭔 = 아무튼

하역(荷役) 명하타 装卸 zhuāngxiè ¶~부 装卸工人 / ~ 작업 装卸工作 / 화물을 ~하다 装卸货物

하염-없다 형 1 茫然 mángrán; 呆呆的 dāidāide ¶하염없는 눈빛 茫然的眼神 2 止不住的 zhǐbuzhùde ¶하염없는 눈물 止不住的眼泪 ¶먼 산을 ~ 바라보다 茫然地望着远山

하:옥(下獄) 명하타 下狱 xiàyù; 送进监狱 sòngjìn jiānyù ¶죄인들을 모두 ~시키다 让罪人们都下狱了

하와(Hawwāh) 명 『宗』夏娃 Xiàwá

하원(下院) 명 『政』下院 xiàyuàn; 下议院 xiàyìyuàn; 众议院 zhòngyìyuàn

하:위(下位) 명 下位 xiàwèi; 下级 xiàjí; 下等 xiàděng ¶~ 개념 下位概念 / ~권 下位圈 / ~직 下级

하의(下衣) 명 = 아래옷

하이넥(←high necked collar) 명 高领口(衣服) gāolǐngkǒu (yīfu)

하이-라이스(←일hayasi 영rice) 명 牛肉烩饭 niúròu huìfàn

하이라이트(highlight) 명 1 强光 qiángguāng 2 精彩场面 jīngcǎi chǎngmiàn ¶축구 경기의 ~를 방영하다 播放足球比赛的精彩场面

하이에나(hyena) 명 『動』鬣狗 liègǒu; 袋狼 dàiláng

하이킹(hiking) 명하자 远足 yuǎnzú; 步行 bùxíng; 徒步旅行 túbù lǚxíng

하이픈(hyphen) 명 『語』连字符 liánzìfú = 붙임표

하이-힐(←high heeled shoes) 명 (女式) 高跟鞋 gāogēnxié = 힐

하:인(下人) 명 仆人 púrén; 下人 xiàrén; 用人 yòngrén

하자(瑕疵) 명 瑕疵 xiácī; 缺点 quēdiǎn ¶~가 있다 有瑕疵

하잘것-없다 형 微不足道 wēibùzúdào; 不足挂齿 bùzúguàchǐ ¶하잘것없는 일 不足挂齿的小事 **하잘것없-이** 뭔

하중(荷重) 명 1 (货物的) 重量 zhòngliàng 2 『物』荷重 hèzhòng; 负荷 fùhè;

荷载 hèzài: 承重 chéngzhòng ¶허용
~ 容许荷载

하:지(下肢) 〖生〗下肢 xiàzhī

하:지(夏至) 〖명〗夏至 xiàzhì

하지만 〖부〗可是 kěshì; 但是 dànshì;
然而 rán'ér; 但 dàn; 可 kě; 却 què ¶
그는 여러 차례 실패했지만 심사하지
않는다 他虽然失败了很多次，
然而并不灰心

하:직(下直) 〖명하타〗 1 辞别 cíbié;
拜别 bàibié; 告别 gàobié ¶그는 아버
지께 ~을 고하고 떠났다 他向父亲告
别后就动身了 2 辞世 císhì; 去世 qù-
shì

하:질(下質) 〖명〗次等 cìděng; 次品 cì-
pǐn; 次货 cìhuò

하:차(下車) 〖명〗下车 xiàchē ¶승객이
~하다 乘客下车

하찮다 〖형〗无关紧要 wúguān jǐnyào; 鸡
毛蒜皮 jīmáosuànpí; 微不足道 wēibù-
zúdào; 不足轻重 bùzúqīngzhòng; 不值
一提 bùzhíyītí ¶하찮은 일에 마음을
쓰다 用心于无关紧要的事 **하찮이** 〖부〗

하천(河川) 〖명〗河川 héchuān; 河 hé ¶
~이 범람하다 河川泛滥

하청(下請) 〖명하타〗〖法〗转包 zhuǎn-
bāo ¶법에 의거해 ~을 맡다 依法采
取转包

하:체(下體) 〖명〗下体 xiàtǐ; 下身 xià-
shēn

하:층(下層) 〖명〗 1 = 아래층 2 下层
xiàcéng; 低层 dīcéng ¶~ 계급 下层阶
级

하치-장(荷置場) 〖명〗 1 货场 huòchǎng;
货仓 huòcāng 2 场 chǎng ¶쓰레기 ~
垃圾场

하키(hockey) 〖명〗〖體〗 1 曲棍球 qū-
gùnqiú 2 = 아이스하키

하트(heart) 〖명〗红心 hóngxīn

하:편(下篇) 〖명〗下篇 xiàpiān

하품 〖명하자〗哈欠 hāqian ¶~을 하다
打哈欠

하프(harp) 〖명〗〖音〗竖琴 shùqín

하프 라인(half line) 〖體〗中线 zhōng-
xiàn = 중앙선2

하프 타임(half time) 〖體〗中场休息
zhōngchǎng xiūxi

하:필(何必) 〖부〗何必 hébì ¶~이면 이
렇게 극단적인 방법으로 항의를 할게
뭐람 何必用这种极端的方法以示抗议
呢

하하 〖부하자〗哈哈 hāhā ¶그는 ~ 웃
으면서 말했다 他勾哈地笑着说

하:한(下限) 〖명〗下限 xiàxiàn ¶~선 下
限线

하:행(下行) 〖명하자〗下去 xiàqù; 下行
xiàxíng ¶~선 下行线 / ~ 열차 下行
列车

하:향(下向) 〖명하자〗 1 向下 xiàngxià;
下降 xiàjiàng ¶~ 조정 下降调整 2 衰
落 shuāiluò; 衰退 shuāituì ¶전통 산업
경제가 ~되고 있다 传统产业经济
走向衰落 3 (물가) 下跌 xiàdiē ¶통화
수축이 나타날 때, 물가는 ~된다 当
出现通货紧缩时, 物价下跌

하:혈(下血) 〖명하자〗下血 xiàxuè; 子宫
出血 zǐgōng chūxuè; 崩症 bēngzhèng;
血崩 xuèbēng

학(鶴) 〖명〗〖鳥〗鹤 hè = 두루미

-학(學) 〖접미〗学 xué; 学科 xuékē ¶경
제~ 经济学 / 물리~ 物理学

학계(學界) 〖명〗学术界 xuéshùjiè; 学术界 xué-
shùjiè ¶정계와 ~ 政界和学界

학과(學科) 〖명〗〖教〗学 xué; 学科 xuékē;
专业 zhuānyè ¶~ 과정 学科课程

학과(學課) 〖명〗〖教〗课程 kèchéng

학과-목(學科目) 〖명〗〖教〗课 kè; 科目
kēmù; 教学科目 jiàoxué kēmù

학교(學校) 〖명〗学校 xuéxiào; 学
院 xuéyuàn; 学 xué; 校 xiào = 학원
(學院)1 ¶~ 급식 学校提供饮食 / ~
장 校长 / ~를 세우다 建立学校 / ~를
다니다 上学

학구(學究) 〖명〗 1 (학문) 深研 shēnyán;
学习 xuéxí; 好学 hàoxué ¶~열 学习
热 / ~파 好学派 2 学究 xuéjiū; 书呆
子 shūdāizi

학군(學群) 〖명〗〖教〗学区 xuéqū; 学群
xuéqún

학급(學級) 〖명〗〖教〗班 bān; 班级 bānjí
¶~ 담임 班主任 / ~ 문고 班级文库 /
~을 편성하다 编班

학기(學期) 〖명〗〖教〗学期 xuéqī

학기말 고사(學期末考査) 〖명〗 = 학
기말 시험

학기말 시험(學期末試驗) 〖教〗期末考
试 qīmò kǎoshì; 大考 dàkǎo = 학기
말 고사

학내(學內) 〖명〗学校内部 xuéxiào nèibù

학년(學年) 〖명〗〖教〗 1 学年 xuénián ¶
~제 学年制 / ~은 두 개의 학기로
나뉘어 있다 一学年分成两个学期
2 年级 niánjí ¶오 ~ 삼 반 五年级三
班 / 그녀는 대학교 3~ 학생이다 他是
大学三年级学生

학년말 고사(學年末考査) 〖教〗 = 학
년말 시험

학년말 시험(學年末試驗) 〖教〗学年
末考试 xuéniánmò kǎoshì = 학년말
고사

학당(學堂) 〖명〗 1 = 글방 2 〖史〗学堂
xuétáng; 学校 xuéxiào

학대(虐待) 〖명하타〗虐待 nüèdài ¶그들
은 잔인한 ~를 받았다 他们遭到了残
忍的虐待

학도(學徒) 〖명〗 1 = 학생 ¶청년 ~ 青

年学徒/～병 学生兵 **2** 学徒 xuétú

학력(學力) 圆 学力 xuélì ¶～ 검사 学力测验/～을 평가하다 平价学力

학력(學歷) 圆 学历 xuélì ¶～이 높다 学历很高

학령(學齡) 圆 【教】 **1** 学龄 xuélíng ¶～ 아동 学龄儿童 **2** 学龄期 xuélíngqī

학명(學名) 圆 学名 xuémíng ¶식물의 ～ 植物的学名

학문(學問) 圆[하자] 学问 xuéwen ¶～ 을 갈고 닦다 切磋学问/～이 깊다 学问渊博

학번(學番) 圆 **1** 学号 xuéhào ¶～에 따라 출석을 부르다 按学号点名 **2** 级 jí ¶그는 중문과 94 ～이다 他是中文系94级

학벌(學閥) 圆 **1** 母校的地位 mǔxiàode dìwèi ¶～이 좋다 母校的地位很高 **2** 学阀 xuéfá; 学派 xuépài ¶～의 폐단을 제거하다 消除学阀弊端

학보(學報) 圆 学报 xuébào ¶～를 발행하다 发行学报

학부(學部) 圆 **1** (大学的) 学院 xué- yuàn; 系 xì ¶외국어 ～ 外文系 **2** 学部 xuébù

학-부모(學父母) 圆 家长 jiāzhǎng ¶～회 家长会

학-부형(學父兄) 圆 家长 jiāzhǎng

학비(學費) 圆 学费 xuéfèi = 学资金 ¶～를 내다 交学费

학사(學士) 圆 【教】 学士 xuéshì ¶～ 논문 学士论文/～모 学士帽/～ 学위 学士学位

학사(學事) 圆 【教】 教务 jiàowù

학살(虐殺) 圆[하타] 虐杀 nüèshā; 屠杀 túshā; 惨杀 cǎnshā; 残杀 cánshā ¶～ 자 屠杀者/유태인을 잔인무도 ～하다 残忍地虐杀犹太人

학생(學生) 圆[하타] 学生 xuésheng; 生 shēng; 学徒 xuétú ¶～ 회 学生会 = 学도1 ¶～과 学生科/～복 学生服/ ～ 운동 学生运动/～증 学生证/～회 学生会

학설(學說) 圆 学说 xuéshuō ¶자신의 ～을 세우다 建立自己的学说

학수-고대(鶴首苦待) 圆[하타] 翘首望 qiáoshǒuqíwàng; 翘首以待 qiáoshǒuyǐ- dài; 鹤望 hèwàng; 翘企 qiáoqǐ; 翘盼 qiáopàn; 翘望 qiáowàng; 翘待 qiáodài ¶승리를 ～하다 翘首企望胜利

학술(學術) 圆 学术 xuéshù ¶～계 学 术界/～어 学术语/～원 学术院/～ 지 学术杂志/～회의 学术会议/～논 문 学术论文

료를 찾다 搜寻学习资料

학식(學識) 圆 学识 xuéshí ¶～이 넓 다 学识渊博

학업(學業) 圆 学业 xuéyè ¶순조롭게 ～을 마치다 顺利完成学业

학연(學緣) 圆 学缘 xuéyuán ¶～과 지 연 学缘和地缘

학예(學藝) 圆 学艺 xuéyì ¶～회 学艺 会

학용-품(學用品) 圆 文具 wénjù; 学用 品 xuéyòngpǐn; 学习用品 xuéxí yòng- pǐn

학우(學友) 圆 学友 xuéyǒu; 校友 xiào- yǒu; 同学 tóngxué; 同窗 tóngchuāng ¶～회 学友会

학원(學院) 圆 【教】 **1** = 学교 **2** 补习 班 bǔxíbān; 培训学校 péixùn xuéxiào ¶ 영어 ～ 英语补习班

학원(學園) 圆 【教】 **1** 学园 xuéyuán; 学校 xuéxiào **2** 校园 xiàoyuán

학위(學位) 圆 【教】 学位 xuéwèi ¶～ 论문 学位论文/～을 따다 获得学位

학자(學者) 圆 学者 xuézhě ¶저명한 ～ 著名学者

학자-금(學資金) 圆 = 학비

학장(學長) 圆 学长 xuézhǎng; 院长 yuànzhǎng

학적(學籍) 圆 【教】 学籍 xuéjí

학적-부(學籍簿) 圆 【教】 = 生活 기 록부

학점(學點) 圆 【教】 学分 xuéfēn ¶～ 제 学分制/～을 따다 得到学分

학정(虐政) 圆 虐政 nüèzhèng; 苛政 kēzhèng; 暴政 bàozhèng ¶국왕의 ～은 농민 봉기를 불러일으켰다 国王的虐 政导致了农民起义

학제(學制) 圆 【教】 学制 xuézhì ¶4년 ～ 四年学制

학질(瘧疾) 圆 【醫】 = 말라리아

학질-모기(瘧疾—) 圆 【蟲】 疟蚊 nüè- wén

학창(學窓) 圆 学校 xuéxiào ¶～ 생활 学校生活/～ 시절 学生时代

학칙(學則) 圆 校规 xiàoguī; 学章 xué- zhāng ¶～을 위반하다 违反校规

학통(學統) 圆 学统 xuétǒng ¶～을 이 어받다 继承学统

학파(學派) 圆 学派 xuépài

학풍(學風) 圆 **1** 学风 xuéfēng ¶자유 스러운 ～을 조성하다 营造自由的学 风 **2** 校风 xiàofēng ¶～이 엄하다 校风 严谨

학회(學會) 圆 学会 xuéhuì

한 큰 **1** — yī ¶～ 학기 一学期/～ 달 一个月/～ 사람 一个人 **2** 大约 dàyuē ¶～ 2천 명 大约两千名/～ 석 달 걸 린다 大约需要三个月 **3** 某 mǒu; 有一 yǒuyī; 有一个 yǒuyīgè ¶～ 기자의 보

도에 의하면 据某记者报道

한:(恨) 圐恨 hèn; 怨恨 yuànhèn ¶천추의 ~ 成千古恨 / 이 뼈에 사무치다 恨入骨髓 / 마음속에 ~을 품다 心怀怨恨

한:(限) 圐限 xiàn; 限度 xiàndù ¶글자 수는 600자에 ~한다 限字600字 **2** 限 xiàn ¶슬프기가 ~이 없다 伤心得无限 **3** 宁肯…也 nìngkěn…yě ¶죽는 ~이 있어도 끝까지 싸우다 宁肯死仁也战斗到底

한-〔接頭〕**1** 大 dà ¶~길 大路 **2** 盛 shèng; 正 zhèng ¶~여름 盛夏 / ~낮 正午 / ~복판 正中 **3** 一 yī; 同 tóng ¶~마음 同心 / ~패 一伙

한-가득〔接頭〕满 mǎn ¶잔에 ~ 맥주를 따랐다 杯子上倒满了啤酒

한-가락 圐**1** 一곡 yīshǒu; 一曲 yīqǔ ¶노래를 ~ 뽑다 唱一首歌 **2** 两手子 liǎngxiàzi; 两手 liǎngshǒu; 一手 yīshǒu ¶~을 하다 两下子

한가-롭다(閑暇—) 혭闲 xián; 悠闲 yōuxián; 闲暇 xiánxiá ¶퇴직한 후의 생활이 ~ 退休后的日子悠闲 **한가로이** 男

한-가운데 圐 正中 zhèngzhōng; 正中间 zhèngzhōngjiān; 当中 dāngzhōng; 中心 zhōngxīn; 中央 zhōngyāng ¶~에 위치하다 位于正中

한-가위 = 추석

한가-하다(閑暇—) 혭 闲 xián; 空闲 kòngxián; 清闲 qīngxián; 悠闲 yōuxián; 闲暇 xiánxiá ¶한가한 시간을 보내다 过着闲工夫 **한가-히** 男

한갓 男 只 zhī; 只是 zhīshì; 只不过 是 zhǐbùguòshì; 仅仅 是 jǐnjǐnshì ¶그는 ~ 이름 없는 선수에 불과하다 他只不过是一位不知名的选手

한갓-지다 혭 安闲 ānxián; 清闲 qīngxián; 清静 qīngjìng; 安静 ānjìng; 闲适 xiánshì; 背静 bèijìng ¶한갓지고 자유로운 곳 安闲自在的地方

한-걸음 圐 一步 yībù; 一下子 yīxiàzi; 一口气 yīkǒuqì ¶~에 집으로 달려가다 一口气跑到家

한-겨울 圐 严冬 yándōng; 盛冬 shèngdōng

한결 男 更 gèng; 更加 gèngjiā; 更进一步 gèngjìnyībù ¶~ 예뻐 보인다 显得更加漂亮

한결-같다(一) 혭**1** 始终如一 shǐzhōngrúyī; 始终不渝 shǐzhōngbùyú; 始终一贯 shǐzhōngyīguàn ¶한결같은 태도 始终不渝的态度 **2** 一致 yīzhì ¶의견이 ~ 意见一致 **한결같-이** 男 ¶모든 사람이 ~ 반대하다 大家一致反对

한:-계(限界) 圐 限 xiàn; 界限 jièxiàn; 界限 xiànjiè; 限度 xiàndù; 界线 jiè-

xiàn; 边际 biānjì ¶~선 界线 / ~성 界限性 / ~가 모호하다 界限模糊 / 능력의 ~를 알다 认识能力的界限

한-고비 圐 关 guān; 关头 guāntóu; 紧要关头 jǐnyào guāntóu; 关键时刻 guānjiàn shíkè ¶~를 넘기다 度过难关

한-구석 圐 一角 yījiǎo; 角落 jiǎoluò ¶탁자의 ~에 연하장이 놓여 있다 在桌子的一角, 放着一张的贺卡

한:국(韓國) 圐〔地〕韓国 Hánguó; 大韩民国 Dàhánmínguó = 대한민국 ¶~계 韩国血统 / ~사 韩国史 / ~산 国产 / ~인 韩国人

한:국-어(韓國語) 圐〔語〕韩国语 Hánguóyǔ; 韩语 Hányǔ

한:국 전:쟁(韓國戰爭)〔史〕= 육이오 전쟁

한:-군데 圐 一处 yīchù; 一处地方 yīchù dìfang; 一个地方 yīge dìfang ¶모두들 ~에 모여 있다 大家聚在一处

한글 圐 韩国文字 Hánguó wénzì; 韩文 Hánwén ¶~날 韩国文字节

한기(寒氣) 圐**1** 寒意 hányì; 寒气 hánqì ¶한겨울의 ~가 몸에 사무치다 深冬寒意逼人 **2** 发冷 fālěng ¶온몸에 ~가 들다 感到浑身发冷

한-길[1] 圐 大路 dàlù; 大街 dàjiē; 公路 gōnglù

한-길[2] 圐 一条路 yītiáolù

한꺼번-에 男 一下子 yīxiàzi; 一块儿 yīkuàir; 一起 yīqǐ; 一举 yījǔ; 同时 tóngshí ¶일이 ~ 닥치다 事情凑到一块儿

한-껏 男 尽量 jǐnliàng; 尽情 jǐnqíng; 尽力 jǐnlì; 尽兴 jìnkènéng ¶~예쁘게 화장하다 尽量打扮得漂漂亮亮的

한-끝 圐 一头 yītóu; 一端 yīduān

한-나절 圐 半天 bàntiān = 반일(半日) ¶~이 걸려서야 집에 도착할 수 있었다 花半天的时间才能到家

한-날 圐 同一天 tóngyītiān; 同日 tóngrì

한날-한시(一時) 圐 同时同时 tóngrì-tóngshí ¶우리는 ~에 태어났다 我们是同日同时出生的

한-낮 圐 中午 zhōngwǔ; 正午 zhèngwǔ

한낱 핀 只不过是 zhǐbùguòshì; 只是 zhǐshì; 仅仅是 jǐnjǐnshì ¶그것은 ~ 빙산의 일각에 불과하다 那只不过是冰山一角而已

한-눈 圐**1** 一看 yīkàn; 一见 yījiàn; 一眼 yīyǎn ¶~에 반하다 一见钟情 **2** 一览 yīlǎn ¶~에 다 보다 一览无余

한:눈-팔다 困 心不在焉 xīnbùzàiyān ¶그는 수업할 때 늘 한눈판다 他上课的时候常常心不在焉

한-달음 图 一口气 yīkǒuqì; 一气儿 yīqìr ¶그는 ~에 달려 집으로 돌아갔다 他一口气跑回了家

한담(閑談) 图하죠 闲谈 xiántán; 闲话 xiánhuà; 闲扯 xiánchě; 闲聊 xiánliáo ¶~을 하다 说闲话

한대(寒帶) 图 [地理] 寒带 hándài ¶~ 기후 寒带气候 /~림 寒带林

한-더위 图 盛暑 shèngshǔ; 酷热 kùrè; 酷暑 kùshǔ; 炎署 yánshǔ; 炎热 yánrè

한-데[1] 图 一处 yīchù; 一处地方 yīchù dìfang; 一个地方 yīgè dìfang ¶~에 모이다 聚在一处

한:-데[2] 图 露天 lùtiān; 外边 wàibian; 野外 yěwài = 노천·바깥2·밖4 ¶~에서 식사하다 餐在露天

한데[3] 目 但是 dànshì; 可是 kěshì; 然而 rán'ér; 但 dàn; 可 kě ¶너를 사랑해도 된다, ~ 너무 사랑하지는 마라 你可以爱我, 但是不要太爱我

한:-도(限度) 图 限: 限 xiàn; 限度 xiàndù ¶최대~ 最大限度 / 최저~ 最低限度 /~액 限额 /~를 초과하다 超过限度

한-동갑(一同甲) 图 = 동갑1

한-동네 图 同村 tóngcūn

한-동안 图 一时 yīshí; 一度 yīdù; 一阵 yīzhèn ¶~ 유행하다 流行一时

한-두 冠 两个 liǎngge; 一两个 yīliǎng ge ¶~ 달 一两月 /~ 시간 两个小时

한-둘 囝 一两个 yīliǎnggè ¶문제가 뜻밖에 ~이 아니다 问题竟然不是一个

한들-거리다 困团 摇摆晃晃 yáoyáohuàng huàng = 한들대다 ¶풀꽃이 ~ 草花摇摇晃晃 图 한들-한들

한-때 图图 1 一度 yīdù; 一时 yīshí ¶~의 욕심 一时贪心 2 = 일시(一時) ⊟目 图 一阵⊟

한랭(寒冷) 图图하줄 寒冷 hánlěng; 冷 lěng ¶~대 寒冷地带 /~ 전선 冷锋

한:-량(限量) 图 限 xiàn; 限量 xiànliàng

한량-없다(限量-) 图 无限 wúxiàn; 无量 wúliàng; 无比 wúbǐ ¶그는 사장이 되어 기뻐하기 ~ 他当老板喜喜悦悦无比 **한량없-이** 目 ¶사랑이란 ~ 용서하고 받아들이는 것이다 爱是无限地宽容和接纳

한류(寒流) 图 [地理] 寒流 hánliú

한-마디 图 一句 yījù; 一句话 yījùhuà; 一言 yīyán; 一语 yīyǔ ¶~로 말하자면 一言以蔽之

한-마을 图 同村 tóngcūn

한-마음 图 同心 tóngxīn; 一心 yīxīn; 齐心 qíxīn ¶모두가 ~이 되다 同心同德

한-목소리 图 齐声 qíshēng; 异口同声 yìkǒutóngshēng; 众口一词 zhòngkǒuyīcí ¶~로 칭찬하다 齐声称赞

한-몫 图 一份儿 yīfènr; 一把 yībǎ; 一股 yīgǔ ¶~ 잡다 捞一把

한-문(漢文) 图 汉文 Hànwén ¶~체 汉文文体 /~학 汉文文学 /~을 배우다 学习汉文

한물(蔬菜、鱼等) 图 旺季 wàngjì

한물-가다 困 1 过旺季 guò wàngjì ¶사과는 이미 한물갔다 苹果已经过了旺季 2 过时 guòshí ¶그것은 이미 한물간 기술이다 那已经是过时的技术

한:-민족(韓民族) 图 韩民族 Hánmínzú

한-밑천 图 一大笔钱 yīdàbǐqián; 一笔老本 yībǐlǎoběn; 大本钱 dàběnqián ¶~ 잡다 捞得一大笔钱

한-바탕 图目 一阵 yīzhèn; 一场 yīcháng; 一通 yītōng; 一气 yīqì ¶울다 哭一阵 / 비가 ~ 내렸다 下了一阵雨

한:-반도(韓半島) 图 韩半岛 Hánbàndǎo; 朝鲜半岛 Cháoxiān bàndǎo

한-발 图 一步 yībù ¶상대보다 ~ 앞서다 比对手领先一步

한-발(旱魃) 图 旱魃 hànbá; 干旱 gànhàn ¶여름과 가을 사이에 ~이 심하다 夏秋之间, 旱魃为虐

한-밤 图 = 한밤중

한-밤중(-中) 图 午夜 wǔyè; 深夜 shēnyè; 午夜 wǔyè; 子夜 zǐyè; 半夜三更 bànyèsāngēng; 深更半夜 shēngēngbànyè = 반야(半夜)·야밤중·오밤중

한-방(一房) 图 1 同一房间 tóngyī fángjiān ¶나는 그와 ~에서 기거한다 我跟他住在同一房间 2 满屋子 mǎnwūzi ¶향기가 ~ 가득하다 满屋子都是香

한방(韓方) 图 [韓醫] 1 中医 Hányī; 中医学 zhōngyīxué 2 韩医处方 Hányī chǔfāng; 中医处方 zhōngyī chǔfāng

한:-방-약(韓方藥) 图 [韓醫] = 한약

한:-방-의(韓方醫) 图 [韓醫] = 한의사

한-배 图 1 同窝 tóngwō ¶~의 새끼 돼지 同窝仔猪 2 同胎 tóngtāi ¶성격이 아주 다른 ~의 형제 一对性格迥异的同胞兄弟

한-번(一番) 图 1 一次 yīcì; 一回 yīhuí ¶~ 해보다 试一次 2 一旦 yīdàn ¶~ 파괴되면 회복하기 어렵다 一旦破坏很难恢复 3 有一次 yǒu yīcì; 有时间 yǒushíjiān ¶언제 ~ 놀러 오세요 有时间一次来玩吧

한:-복(韓服) 图 韩服 Hánfú

한:-복판 图 中心 zhōngxīn; 正中 zhèngzhōng; 正中央 zhèngzhōngyāng; 正中间 zhèngzhōngjiān

한:-사-코(限死一) 目 偏要 piānyào;

死 sǐ; 拼命 pīnmìng; 非得 fēiděi; 极力 jílì; 矢口 shǐkǒu; 执意 zhíyì ¶～ 반대하다 极力反对／～ 아니라고 잡아떼다 矢口否认

한산-하다(閑散一) 휑 1 冷清 lěngqīng; 清淡 qīngdàn; 冷落 lěngluò ¶거래가 ～ 交易冷落 2 幽静 yōujìng; 僻静 pìjìng; 冷清 lěngqīng; 冷静 lěngjìng; 背景 bèijǐng ¶한산한 공원 幽静的公园 **한산-히** 閂

한-세상(一世上) 휑 1 一生 yīshēng; 一辈子 yībèizi ¶～ 뜻을 이루지 못했다 一生坎坷 2 好日子 hǎorìzi ¶열심히 일하면 ～은 반드시 올 것이다 努力工作, 好日子一定会来到

한센-병(Hansen病) 휑 〖醫〗 '나병' 의 別称

한솥-밥 휑 一锅饭 yīguōfàn ¶～을 먹다 吃一锅饭

한-순간(一瞬間) 휑 一瞬 yīshùn; 一转眼 yīzhuǎnyǎn; 一展眼 yīzhǎnyǎn ¶～에 십 년이 지나갔다 一转眼, 十年过去

한-술 휑 一勺 yīsháo; 一点点 yīdiǎndiǎn
한술 더 뜨다 閂 更厉害; 反倒; 反而

한-숨[1] 휑 1 一口气 yīkǒuqì ¶～ 돌리다 松一口气 2 一会儿 yīhuìr ¶～ 자다 睡一会儿

한-숨[2] 휑 叹气 tànqì; 叹息 tànxī ¶길게 ～ 쉬었다 长叹了一口气
한숨-에 閂 一口气 yīkǒuqì ¶전부 마시다 一口气饮尽

한숨-짓다 屄 叹气 tànqì; 叹息 tànxī; 嗟叹 jiētàn ¶그는 늘 우거지상으로 한숨짓는다 他经常愁眉苦脸, 唉声叹气

한:-스럽다(恨一) 휑 抱恨 bàohèn; 抱怨 bàoyuàn; 怀恨 huáihèn; 埋怨 mányuàn ¶자신의 세심하지 못함을 한스러워하다 埋怨自己的粗心

한-시(一時) 휑 1 同时 tóngshí 2 一时 yīshí; 一刻 yīkè; 片刻 piànkè = 일시(一時)¶1 ～도 늦출 수 없다 一时不等一时
한시가 급하다 屄 刻不容缓; 紧急

한:-시(漢詩) 휑 〖文〗 1 汉文诗 Hànwénshī 2 汉诗 Hànshī

한-시름 휑 一桩心事 yīzhuāng xīnshì ¶마침내 ～ 놓았다 终于一桩心事了

한시-바삐(一時一) 閂 尽快 jǐnkuài; 尽早 jǐnzǎo ¶～ 결정을 내려야만 한다 一定要尽快做出决定

한식(寒食) 휑 寒食 hánshí
한:-식(韓食) 휑 韩食 Hánshí; 韩国饮食 Hánguó yǐnshí; 韩国菜 Hánguócài

한심-스럽다(寒心一) 휑 寒心 hánxīn; 寒碜 hánchen; 可怜 kělián ¶한심스러울 정도로 천박하다 浅薄得令人

可怜 한심스레 閂

한심-하다(寒心一) 휑 寒心 hánxīn; 寒碜 hánchen; 可怜 kělián ¶뜻밖에 이런 결말이라니 정말 ～ 居然如此这般结局, 真令人寒心

한:-약(韓藥) 휑 〖韓醫〗 韩药 hányào; 中药 zhōngyào ¶～방 中药房
한:-약-재(韓藥材) 휑 〖韓醫〗 韩药材 hányàocái; 中药材 zhōngyàocái

한:-없다(限一) 휑 无限 wúxiàn; 无穷 wúqióng; 无边 wúbiān; 无际 wújì; 无已 wúyǐ; 无止境 wúzhǐjìng ¶이 업종의 발전 잠재력은 ～ 这种行业的发展潜力无限 **한:없이** 閂

한-여름 휑 盛夏 shèngxià
한-옆 휑 一边 yībiān; 一旁 yīpáng ¶그는 ～에 앉아 신문을 본다 他坐在一边看报纸

한-옥(韓屋) 휑 韩式房屋 Hánshì fángwū

한:-우(韓牛) 휑 〖動〗 韩牛 hánniú

한:-의(韓醫) 휑 1 韩医 hányī; 中医 zhōngyī 2 = 한의사
한:-의사(韓醫師) 휑 〖韓醫〗 韩医 hányī; 韩医大夫 hányī dàifu; 韩医生 hányīshēng; 中医 zhōngyī; 中医大夫 zhōngyī dàifu; 中医生 zhōngyīshēng = 한방의・한의2
한:-의원(韓醫院) 휑 〖韓醫〗 韩医院 hányīyuàn
한:-의학(韓醫學) 휑 〖韓醫〗 韩医学 hányīxué

한:-인(韓人) 휑 韩国人 Hánguórén
한-입 휑 1 一张嘴 yīzhāng zuǐ 2 一口 yīkǒu ¶～에 다 먹다 一口吃完了
한:-자(漢字) 휑 汉字 Hànzì ¶～어 汉字词

한-자리 휑 1 同席 tóngxí; 同桌 tóngzhuō; 同座 tóngzuò ¶회장 부부는 ～에 앉아 있다 会长夫妇坐在同席 2 官 guān ¶～ 하다 做官

한-잔(一盞) 휑 〖하자〗 一杯 yībēi; 杯 bēi ¶우리 술이나 ～할까? 咱们喝杯酒不好?

한-잠 휑 一觉 yījiào ¶～ 자다 睡一觉
한:-재(旱災) 휑 旱灾 hànzāi

한적-하다(閑寂一) 휑 闲寂 xiánjì; 清闲 qīngxián; 萧闲 xiāoxián ¶한적한 교외 开阔宽的郊外 **한적히** 閂

한:-정(限定) 휑 〖하타〗 限定 xiàndìng; 限制 xiànzhì ¶～판 限定版／～ 금액을 초과하다 超过限定金额

한-주먹 휑 一拳 yīquán ¶머리를 ～ 맞았다 头部挨了一拳

한-줄기 휑〖하자〗 1 一阵 yīzhèn; 一场 yīcháng ¶어제 ～ 비가 내렸다 昨天下了一场雨 2 一个系统 yīge xìtǒng

한:증-막(汗蒸幕) 뗑 桑拿房 sāngná-fáng; 桑拿浴室 sāngná yùshì

한:지(韓紙) 뗑 韩纸 hánzhǐ

한직(閑職) 뗑 **1** 闲职 xiánzhí ¶좌천되어 ~의 근무지로 보내지다 遭王迁而被调到闲职的岗位上 **2** 冷凳 lěngbǎndèng ¶~에 있다 坐冷板凳

한-집 뗑 **1** 同一家 tóngyíjiā ¶~에 살다 住在同一家 **2** = 한집안1 **3** = 한집안2

한-집안 뗑 **1** 一家 yìjiā = 일가1·한집 **2** ~ 식구 一家人 **2**(本家亲戚) 一家人 yìjiārén = 한집3 ¶설 설 때~이 한곳에 모인다 过年就是一家人团圆

한-쪽 뗑 一边 yìbiān; 一方 yìfāng; 一头 yìtóu = 한편2 ¶~에 서 있다 站在一边

한-차례 뗑 一场 yìcháng; 一阵 yízhèn; 一圈 yìquān; 一转 yìzhuǎn; 一轮 yìlún ¶비가 ~ 내리다 下一场雨 / ~ 둘러보자 逛一圈

한-참 뗑 半天 bàntiān; 大半天 dàbàntiān; 老半天 lǎobàntiān; 好一会儿 hǎoyíhuìr ¶~ 기다렸다 等了半天 / 두들 ~ 웃었다 大家笑了老半天

한창 一뗑 盛 shèng, 旺 wàng; 旺盛 wàngshèng ¶꽃이 ~이다 花盛开 / 인기가 ~이다 人气颇为旺盛 二뜃 正 zhèng; 正在 zhèngzài ¶그들이 지금 ~ 회의를 하고 있는 중이다 他们现在正开会呢

한창-때 뗑 当年 dāngnián; 正盛 zhèngshèng; 血气方刚 xuèqìfānggāng

한-철 뗑 旺季 wàngjì ¶지금은 조기가 ~이다 现在是黄花鱼的旺季

한-층(一層) 뜃 更加 gèngjiā; 更为 gèngwéi; 进一步 jìnyíbù = 일층 ¶경쟁은 ~ 더 격렬해질 것이다 竞争将更加激烈 / 형의 병세는 ~ 더 악화되었다 哥哥的病情进一步恶化了

한-칼 뗑 一刀 yìdāo ¶~에 베어 버리다 一刀割下

한:-탄(恨歎·恨嘆) 뗑하타 叹叹 tàn; 叹息 tànxī; 叹气 tànqì; 嗟叹 jiētàn ¶길게 ~하다 唉声叹气

한-턱 뗑하타 请客 qǐngkè

한턱-내다 짜 请客 qǐngkè ¶상금을 받고, 동료들이 나에게 한턱내라고 떠들어댔다 奖金发下来, 有些同事吵着让我请客

한테 죄 用于体词后, 表示对象 ¶이것은 형~ 보낼 선물이다 这是送哥哥的礼物

한테-로 죄 用于体词后, 表示方向 ¶집에서 나~ 몇 벌의 옷을 붙여왔다 家里给我寄来几件衣服

한테-서 죄 用于体词后, 表示出处

선생님~ 책 한 권을 빌렸다 从老师那儿借了一本参考书

한-통속 뗑 一伙 yìhuǒ; 一帮 yìbāng; 同伙 tónghuǒ ¶시민에게 붙잡힌 두 남자는 도둑과 ~이다 被市民抓住的两男人是小偷的同伙

한-패 뗑 一伙 yìhuǒ; 同伙 tónghuǒ; 一帮 yìbāng; 一派 yìpài ¶사실상 그들은 모두 ~이다 其实他们都是一伙儿的

한-편(一便) 一뗑 **1** 一伙 yìhuǒ; 同伙 tónghuǒ; 一帮 yìbāng; 一派 yìpài ¶너 역시 우리 ~이다 他也是和我们一伙的 **2** = 한쪽 **3** 一面 yìmiàn; 一边 yìbiān ¶~으로는 매우 고맙고, ~으로는 매우 부담스럽다 一面很感谢, 一面负担 二뜃 另一方面 lìngyìfāngmiàn

한-평생(一平生) 뗑 一生 yìshēng; 平生 píngshēng; 一辈子 yíbèizi = 일평생 ¶그는 조국의 미래를 위하여 노력했다 他为祖国的前途奋斗了一生

한:-평생(限平生) 뜃 终生 zhōngshēng; 终身 zhōngshēn; 一辈子 yíbèizi; 至死 zhìsǐ = 필생 ¶~ 뜻을 이루지 못하다 终生不得志

한-풀 뗑(激昂의) 气势 qìshì; 势头 shìtóu ¶~이 꺾이다 气势低落

한:-패(恨~) 뗑하타 解恨 jiěhèn; 解仇 jiěchóu; 雪恨 xuěhèn

한:-하다(限~) 짜 限 xiàn; 限定 xiàndìng; 限制 xiànzhì; 限于 xiànyú ¶일정한 범위 내에 ~ 限制在一定的范围之内

한해-살이 뗑 植 一年生 yìniánshēng = 일년생 ¶~풀 一年生植物

할(割) 의뗑 成 chéng ¶우리 팀의 평균 타격률은 3~ 1푼 4리이다 我们队的平均击打率三成一四

할거(割據) 뗑하자 割据 gējù ¶군웅의 ~ 국면이 형성되다 形成群雄割据的局面

할당(割當) 뗑하타 分配 fēnpèi; 分担 fēndān; 分摊 fēntān; 摊派 tānpài ¶~량 分配量 / ~액 分配额 / ~제 分配制 ¶~하다 分担任务

할딱-거리다 짜타 **1** 气喘吁吁 qìchuǎnxūxū ¶할딱거리며 뛰어오다 气喘吁吁地跑过来 **2**(鞋) 松 sōng ‖ = 할딱대다 할딱-대다 뭍하자타

할딱-이다 짜타 **1** 气喘吁吁 qìchuǎnxūxū ¶그는 할딱이며 3층으로 달려갔다 他气喘吁吁跑到三楼 **2**(鞋) 松 sōng

할렐루야(히hallelujah) 图【宗】哈
利路亚 hālìlùyà

할로겐(독Halogen) 图【化】卤 lǔ; 卤
素 lǔsù ¶~전구 卤素灯泡

할리우드(Hollywood) 图【地】好莱
坞 Hǎoláiwù

할망구 图 老太婆 lǎotàipó; 老婆子
lǎopózi

할머니 图 1 祖母 zǔmǔ; 奶奶 nǎinai =
조모 2 奶奶 nǎinai; 老奶奶 lǎonǎinai;
老大娘 lǎodàniáng; 老太太 lǎotàitai

할머-님 图 '할머니'의 敬称

할멈 图 1 老太婆 lǎotàipó; 老妪 lǎo-
yù; 老媪 lǎoǎo 2 老婆子 lǎopózi

할미 图 1 '할멈1'의 敬称 2 奶奶 nǎi-
nai 《对孙子、孙女的奶奶的自称》

할미-꽃 图【植】白头翁 báitóuwēng

할미-새 图【鸟】鹡鸰 jílíng

할복(割腹) 图하자 剖腹 pōufù ¶~자
살 剖腹自杀

할부(割賦) 图하타 分期付款 fēnqī fù-
kuǎn; 分期支付 fēnqī zhīfù; 摊付 tānfù
¶~금 摊付款 / ~판매 分期付款销售

할아버-님 图 '할아버지'의 敬词

할아버지 图 1 祖父 zǔfù; 爷爷 yéye
= 조부 2 爷爷 yéye; 老爷爷 lǎoyéye;
老大爷 lǎodàyé; 老太爷 lǎotàiyé

할아범 图 1 老头子 lǎotóuzi 2 老奴
lǎonú

할아비 图 1 '할아범1'의 鄙称 2 爷爷
yéye 《对孙子、孙女的爷爷的自称》

할애(割愛) 图하타 割爱 gē'ài; 抽出
chōuchū; 舍得 shěde ¶시간을 ~하다
抽出时间

할인(割引) 图하타 1 折扣 zhékòu; 打
折 dǎzhé; 打折扣 dǎzhékòu; 折价 zhé-
jià; 减价 jiǎnjià; 降价 jiàngjià ¶~율
折扣率 / ~점 折扣商店 / 현금이면 ~
해 준다 要是现钱, 打折扣 2【經】~율
어음 할인

할증(割增) 图하타 加价 jiājià; 提价 tí-
jià; 附加 fùjiā ¶~료 附加费 / 야간에는
1,9el分이 ~된다 夜间加价1,1元

할퀴다 타 挠破 náopò; 抓破 zhuāpò
¶나는 그의 얼굴을 할퀴었다 他脸被
我抓破了 2 横扫 héngsǎo; 席卷 xí-
juǎn ¶태풍이 섬을 ~ 台风横扫过岛

핥다 타 1 舐 shì; 舔 tiǎn ¶혀를 내밀
어 여기저기 ~ 吐舌头伸出东蘸西舔
/ (水线、视线等) 掠过 lüèguò

함(函) 图 1 箱子 xiāngzi; 盒子 hézi ¶
책을 ~에 넣었다 把书装在一只箱子
里 2 彩礼箱 cǎilǐxiāng ¶오늘은 ~을
보내는 날이다 今天是送彩礼箱的日
子

함구(緘口) 图하자 缄口 jiānkǒu; 结口
jiékǒu ¶그는 어제 일에 대해 ~하고
있다 对昨天的事他缄口

함구-령(緘口令) 图 缄口令 jiānkǒu-
lìng ¶~를 내리다 下缄口令

함께 图 一起 yìqǐ; 一块儿 yīkuàir; 一
同 yìtóng; 一道 yídào; 共 gòng; 共同
gòngtóng ¶우리는 어려서부터 ~ 자랐
다 我们从小一起长大

함: 대(艦隊) 图【軍】舰队 jiànduì

함: 락(陷落) 图하자 1 陷 xiàn; 陷落
xiànluò; 陷没 xiànmò 2 陷落 xiànluò;
陷没 xiànmò; 失陷 shīxiàn ¶영토의 대
부분이 ~되었다 领土大片陷落

함량(含量) 图 含量 hánliàng ¶중금속
~ 重金属含量

함: 몰(陷沒) 图하자 1 沉陷 chénxiàn;
下沉 xiàchén; 陷没 xiànmò ¶지면이
~되기 시작하다 地面开始下沉 2 (因
灾难) 灭亡 mièwáng

함박 图 1 = 함지박 2 = 함박꽃

함박-꽃 图 芍药花 sháoyàohuā = 함
박2

함박-눈 图 鹅毛大雪 émáo dàxuě

함부로 图 随便 suíbiàn; 随意 suíyì; 胡
hú; 乱 luàn; 胡乱 húluàn; 轻意 qīng-
yì; 冒然地 màoránde; 贸然地 màorán-
de = 말하다 随便说

함석 图【工】白铁 báitiě; 洋铁 yángtiě;
马口铁 mǎkǒutiě; 镀锌铁 dùxīntiě ¶~
지붕 白铁屋顶 / ~집 白铁屋顶房 / ~
판 白铁皮

함: 선(艦船) 图 舰船 jiànchuán

함: 성(喊聲) 图 喊声 hǎnshēng ¶~을
지르다 叫喊声

함: 수(函數) 图【數】函数 hánshù ¶~
관계 函数关系 / ~ 방정식 函数方程
式 / ~표 函数表

함양(涵養) 图하타 涵养 hányǎng; 培
养 péiyǎng; 修养 xiūyǎng ¶도덕심을
~하다 涵养道德 / 애국심을 ~하다
培养爱国心

함유(含有) 图하타 含 hán; 含有 hán-
yǒu ¶~량 含量 / 담배에 ~된 니코틴
香烟中含有的尼古丁 / 풍부한 단백질
을 ~하다 含有丰富的蛋白质

함자(衔字) 图 尊姓大名 zūnxìngdà-
míng; 大号 dàhào ¶선생님의 ~는 어
떻게 되십니까? 请问先生尊大名?

함: 장(艦長) 图 舰长 jiànzhǎng

함: 정(陷穽) 图 陷阱 xiànjǐng; 罗网
luówǎng; 圈套 quāntào ¶~을 만들다
制造陷阱 / ~에 빠뜨리다 陷入罗网

함: 정(艦艇) 图【軍】舰艇 jiàntǐng

함지 图 1 独木盆 dúmùpén 2 = 함지
박

함지-박 图 木盆 mùpén = 함박1·
함지2

함초롬-하다 图 整齐美观 zhěngqí-
měiguān; 湿漉漉 shīlùlù ¶그녀의 모습
이 ~ 她的影子湿漉漉的 **함초롬-히**

함축(含蓄) **명하타 1** 包含 bāohán **2** 含蓄 hánxù; 蕴含 yùnhán ¶~미 含蓄美 / ~성 含蓄性 / 진실성을 ~하다 含蓄真实性

함흥-차사(咸興使) **명** 泥牛入海 ní-niúrùhǎi; 杳如黄鹤 yǎorúhuánghè

합(合) **명 〔數〕** 合 hé; 合数 héshù

합(盒) **명** 盒 hé

합격(合格) **명하자 1** 及格 jígé; 合格 hégé; 考上 kǎoshàng; 考中 kǎozhòng ¶~률 合格率 / ~선 合格线 / ~자 合格者 / ~품 合格品 / 시험에 ~하다 考试에 及格 **2** 合格 hégé ¶이 제품의 품질은 모두 ~이다 这批产品质量都合格

합계(合計) **명하타** 合计 héjì; 共计 gòngjì; 总共 zǒnggòng ¶두 항목의 ~는 20이다 两项合计20

합공(合攻) **명하타** 合攻 hégōng ¶두 형제가 손을 잡고 ~하다 两个兄弟联手合攻

합금(合金) **명하자 〔化〕** 合金 héjīn ¶~강 合金钢 / ~철 合金铁

합기-도(合氣道) **명 〔體〕** 合气道 héqìdào

합당(合黨) **명하자** 合党 hédǎng ¶~을 선포하다 宣布合党

합당-하다(合當一) **형** 适当 shìdàng; 合适 héshì; 恰当 qiàdàng; 妥当 tuǒdàng ¶합당한 시기 恰当的时机 **합당-히 부**

합동(合同) **명하자 1** 联合 liánhé; 联席 liánxí ¶~ 작전 联合作战 **2 〔數〕** 全等 quánděng; 重叠 chóngdié

합류(合流) **명하자** 合流 héliú; 汇合 huìhé; 会合 huìhé; 汇流 huìliú ¶여기가 한류와 난류의 ~지점이다 这里是寒流与暖流的合流点

합리(合理) **명하형** 合理 héli ¶~성 合理性 / ~적 合理的 / ~화 合理化

합리-적(合理的) **관형** 合理(的) hélǐ(de) ¶~인 선택을 하다 作出合理的选择

합리-주의(合理主義) **명 〔哲〕** 理性主义 lǐxìngzhǔyì

합반(合班) **명하자** 合班 hébān; 并班 bìngbān ¶두 반이 ~하여 수업하다 两个班合班上课

합방(合邦) **명하자타** 合邦 hébāng; 国家合并 guójiā hébìng

합법(合法) **명하형** 合法 héfǎ ¶~성 合法性 / ~적 合法的 / ~화 合法化 / ~투쟁 合法斗争

합병(合兵) **명하타** 合兵 hébīng

합병(合倂) **명하자타** 合并 hébìng; 兼并 ¶이 두 기업은 ~되었다 这两家企业合并了

합병-증(合倂症) **명 〔醫〕** 并发症 bìngfāzhèng; 合并症 hébìngzhèng; 副疾

합본[1](合本) **명하자 〔經〕** = 합자

합본[2](合本) **명하자타 〔印〕 1** 合订 hédìng ¶~하여 合订出版 **2** 合订本 hédìngběn; 合订册 hédìngcè

합산(合算) **명하타** 合算 hésuàn; 合计 héjì ¶각 항목의 지출을 ~하다 把各项支出合计

합석(合席) **명하자** 同席 tóngxí; 同桌 tóngzhuō ¶~하여 식사하다 同桌共食

합선(合線) **명 〔電〕 (电线)** 短路 duǎnlù ¶전선의 ~으로 화재가 나다 因电线短路引起火灾

합성(合成) **명하자타 1** 合成 héchéng ¶~법 合成法 / ~사진 合成照片 / ~어 合成词 **2 〔化〕** 合成 héchéng ¶~고무 合成橡胶 / ~섬유 合成纤维 / ~세제 合成洗涤剂 / ~수지 合成树脂 / ~피혁 合成皮革 / ~염료 合成染料

합세(合勢) **명하자** 合力 hélì; 协力 xiélì; 联合 hélián

합숙(合宿) **명하자 1** 集体住宿 jítǐ zhùsù **2** 集体生活 jítǐ shēnghuó ¶학교의 ~에 적응하다 适应学校的集体生活

합숙-소(合宿所) **명** 集体宿舍 jítǐ sùshè

합승(合乘) **명하자타** 合乘 héchéng = 승합 ¶승객들이 택시에 ~하다 乘客合乘一辆出租车

합심(合心) **명하자** 齐心 qíxīn; 一条心 yītiáoxīn; 同心 tóngxīn; 同心同德 tóngxīntóngdé; 同心合意 tóngxīnhéyì ¶상하가 ~하여 노력하다 上下齐心努力

합의(合意) **명하자 1** 同意 tóngyì; 合意 héyì; 意见一致 yìjiàn yīzhì ¶~에 이르다 达成合意 **2** 合意 héyì

합의(合議) **명하자 1** 协商 xiéshāng; 协议 xiéyì; 合议 héyì ¶~의 결과가 만족스럽다 协议的结果令人满意 **2 〔法〕** 合议 héyì; 协议 xiéyì

합의-점(合意點) **명** 一致的观点 yīzhìde guāndiǎn ¶쌍방이 ~에 도달하지 못하다 双方无法达成一致的观点

합일(合一) **명하자** 合一 héyī

합자(合資) **명하자 〔經〕** 合资 hézī = 합본 ¶~회사 合资公司 / ~경영 合资经营

합작(合作) **명하자** 合作 hézuò; 协作 xiézuò ¶~품 合作作品 / 아주 성공적으로 ~하다 合作得极为成功

합장(合掌) **명하자 〔佛〕** 合掌 hézhǎng; 双手合十 shuāngshǒu héshí; 合十 héshí ¶~하며 절하다 合掌鞠躬

합장(合葬) **명하자타** 合葬 hézàng ¶할아버지와 할머니는 함께 ~되셨다 爷爷和奶奶是合葬在一起的

합주(合奏) **명하자타 〔音〕** 合奏 hézòu ¶~곡 合奏曲 / ~단 合奏团 / 기악 ~

器乐合奏 / 아버지와 아들이 함께 ~하다 父子俩在一起合奏

합죽-이 명 瘪嘴子 biězuǐzi

합죽-하다 혱 瘪嘴 biězuǐ

합창(合唱) 명하타 1【音】合唱 héchàng = 코러스1 ¶~곡 合唱曲 2 合唱 héchàng ¶선생님이 선창한 후에 우리가 ~한다 先由老师领唱, 然后我们合唱

합창-단(合唱團) 명 合唱团 héchàngtuán = 코러스2

합창-대(合唱隊) 명 合唱队 héchàngduì = 코러스3

합체(合體) 명하자타 1 合体 hétǐ; 合一 héyī ¶두 로봇이 ~하다 两个机器人合体 2 同心合意 tóngxīnhéyì; 同心同德 tóngxīntóngdé

합치(合致) 명하자 一致 yīzhì ¶전문가와 권위 있는 매체의 ~된 호평을 받았다 得到了专家、权威媒体的一致好评

합-치다(合─) 자타 合 hé; 协 xié; 同 tóng; 合并 hébìng; 加 jiā ¶힘을 ~ 合力 / 모두가 마음을 ~ 同心同德 / 두 회사를 ~ 两个公司合并

합판(合板) 명 = 베니어합판

합-하다(合─) 자 1 合 hé; 合并 hébìng ¶남은 음식을 한 그릇에 ~ 把剩下的饭菜合并到一个碗里 2 合 hé; 符合 fúhé ¶규격에 합하지 않는 생산품 不合规格的产品

핫-뉴스(hot news) 명 热门消息 rèmén xiāoxi; 热门新闻 rèmén xīnwén; 最新消息 zuìxīn xiāoxi

핫도그(hot dog) 명 热狗 règǒu

핫라인(hot line) 명 热线 rèxiàn; 直通电话 zhítōng diànhuà

핫-바지 명 1 棉裤 miánkù 2 乡下人 xiāngxiàrén; 愚人 yúrén ¶제발 나를 ~로 만들지 마라 千万别把我当成乡下人

핫-케이크(hot cake) 명 烤饼 kǎobǐng; 薄煎饼 báojiānbǐng

핫-팬츠(hot pants) 명 热裤 rèkù; 超短裤 chāoduǎnkù

항(項) 명 1 项 xiàng ¶회의에서는 2개 ~의 결의를 토론했다 会议讨论了两项决议 2 = 사항 3【数】项 xiàng

항-(抗) 접투 抗 kàng ¶~균 抗菌 / ~암제 抗癌药物

-항(港) 접미 港 gǎng ¶무역~ 贸易港

항(巷) 명 巷 xiàng; 小巷 xiǎoxiàng ¶~에 떠도는 소문 小巷传闻

항거(抗拒) 명하자 抗拒 kàngjù; 抵抗 dǐkàng ¶독재 정권에 ~하다 抵抗独裁政权

항고(抗告) 명하자타【法】上诉 shàng-

sù; 抗告 kànggào ¶~심 上诉审

항:공(航空) 명하자 航空 hángkōng ¶~권 航空券 / ~법 航空法 / ~사 航空公司 / ~ 사진 航空摄影 / ~ 연료 航空燃料

항:공-기(航空機) 명 飞机 fēijī

항:공-사(航空士) 명 1 = 조종사 2 领航员 lǐnghángyuán

항:공 우편(航空郵便)【信】航空邮政 hángkōng yóuzhèng; 航空邮件 hángkōng yóujiàn; 航空信 hángkōngxìn; 空信件 hángkōng xìnjiàn = 항공편1

항:구(港口) 명 港口 gǎngkǒu ¶~ 도시 港口城市

항구-하다(恒久─) 혱 恒久 héngjiǔ; 持久 chíjiǔ; 永久 yǒngjiǔ ¶항구한 사실 恒久的事实

항:균(抗菌) 명 抗菌 kàngjùn ¶~성 抗菌性 / ~ 작용 抗菌作用

항등-식(恒等式)【数】恒等式 héngděngshì

항렬(行列) 명 辈 bèi; 辈分 bèifen; 辈行 bèiháng; 辈数儿 bèishùr ¶같은 ~ 同辈 / ~을 따지다 论辈分

항례(恒例) 명 = 상례(常例)

항:로(航路) 명 1 (船) 航路 hánglù; 航线 hángxiàn; 航道 hángdào 2 (飞机) 航线 hángxiàn ¶~ 정기 定期航路 2 (飞机) 航线 hángxiàn; 航线 hángxiàn ¶국제 ~ 国际航路 / ~를 이탈하다 脱离了航线

항:만(港灣) 명 港湾 gǎngwān

항:명(抗命) 명하자 抗命 kàngmìng ¶~죄 抗命罪

항:목(項目) 명 项目 xiàngmù; 条 tiáo; 条目 tiáomù; 条款 tiáokuǎn; 款目 kuǎnmù = 조목 ¶중요한 ~ 重要的项目

항문(肛門) 명【生】肛门 gāngmén; 粪门 fènmén

항:변(抗卞) 명하타 = 항의

항변(抗辯) 명하자 1 抗辩 kàngbiàn ¶끝까지 ~하다 抗辩到底 2【法】抗辩 kàngbiàn ¶제기된 민사 소송에 대해 ~하다 对提起的民事诉讼进行抗辩

항복(降伏·降服) 명하자타 降服 xiángfú; 降伏 xiángfú; 投降 tóuxiáng; 归服 guīfú ¶적에게 ~하다 向敌人投降

항:상(恒常) 부 老 lǎo; 总 zǒng; 老是 lǎoshì; 总是 zǒngshì; 常 cháng; 常常 chángcháng; 经常 jīngcháng; 时时 shíshí; 时常 shícháng ¶~ 칭찬을 받다 常受表扬 / 그는 ~ 늦는다 他老是迟到

항:생-제(抗生劑) 명【藥】抗生素 kàngshēngsù

항성(恒星) 명【天】恒星 héngxīng ¶~계 恒星系 / ~년 恒星年 / ~시 恒星

时 / ~ 주기 恒星周期

항:소(抗訴) 명하자 【法】上诉 shàngsù ¶~권 上诉权 / ~심 上诉审 / ~인 上诉人 / ~장 上诉状 / ~를 기각하다 驳回上诉

항:속(航速) 명 航速 hángsù ¶최고 ~은 30노트에 달한다 最高航速达30节

항:속(航績) 명 续航 xùháng ¶~력 续航力 / ~ 시간 续航时间

항수(恒數) 명 【數】常数 chángshù

항시(恒時) 명 = 상시1 □부 老 lǎo; 总 zǒng; 老是 lǎoshì; 总是 zǒngshì; 常 cháng; 常常 chángcháng; 经常 jīngcháng; 时时 shíshí; 时常 shícháng ¶그는 ~ 지각이다 他时常迟到

항심(恒心) 명 恒心 héngxīn

항아리(缸—) 명 缸 gāng

항:암(抗癌) 명 抗癌 kàng'ái ¶~제 抗癌剂 / ~ 치료 抗癌治疗

항온(恒溫) 명 = 상온1

항온 동물(恒溫動物) 【動】= 온혈 동물

항:원(抗原 · 抗元) 명 【生】抗原 kàngyuán

항:의(抗議) 명하자 抗议 kàngyì ¶~변(抗辯) ¶판결에 ~하다 向裁判抗议

항:일(抗日) 명하자 抗日 kàngrì ¶~ 전쟁 抗日战争 / ~ 운동에 투신하다 投身抗日活动

항:쟁(抗爭) 명하자 抗争 kàngzhēng ¶~을 벌이다 进行抗争

항:전(抗戰) 명하자 抗战 kàngzhàn ¶ ~ 의지를 고무하다 鼓舞抗战意志

항:진(航進) 명하자 航进 hángjìn; 航往 hángwǎng ¶배가 일정한 항로를 따라 ~하다 船沿着一定的航线航进

항:체(抗體) 명 【生】抗体 kàngtǐ = 면역체

항:해(航海) 명하타 航海 hánghǎi ¶~력 航海历 / ~술 航海技术 / ~ 일지 航海日记 / ~표 航海表

항:해-사(航海士) 명 领航员 lǐnghángyuán; 领航 lǐngháng

항:행(航行) 명하타 航行 hángxíng ¶안전 항속으로 ~하다 以安全航速航行

해 □명 1 日 rì; 太阳 tàiyáng ¶~가 뜨다 日出 / ~가 지다 日落 2 年 nián; 岁 suì ¶~가 바뀌다 年过去 3 日 rì; 白天 báitiān; 白昼 báizhòu ¶여름에는 ~가 길다 夏季白天长 □의명 年 nián ¶올~ 그는 50세이다 今年他50岁了

해:(害) 명하타 害 hài; 祸害 huòhài; 伤害 shānghài; 伤害 shānghài ¶흡연은 몸에 ~가 된다 吸烟对身体有害

해:(解) 명 1 【數】解 jiě 2 【數】解答 jiědá; 答案 dá'àn 3 【文】解 jiě ¶~를 달다 注解

해:갈(解渴) 명하자 1 解渴 jiěkě ¶~한 잔 마시면 ~이 된다 喝一杯水能解渴 2 缓解旱情 huǎnjiě hànqíng ¶이번 비는 ~에 확실한 도움이 되었다 这次降雨对缓解旱情有一定帮助

해:결(解決) 명하타 解决 jiějué ¶~사 解决士 / ~책 解决办法 / 분쟁을 ~하다 解决纠纷

해:고(解雇) 명하타 【社】解雇 jiěgù; 解聘 jiěpìn; 辞退 cítuì; 开除 kāichú; 炒鱿鱼 chǎo yóuyú ¶직원을 ~하다 解雇职员

해골(骸骨) 명 1 骸 hái; 骨骼 gǔgé 2 骸骨 háigǔ; 骷髅 kūlóu

해골—바가지(骸骨—) 명 骷髅 kūlóu

해괴망측—하다(駭怪罔測—) 형 稀奇古怪 xīqíguàiguài; 怪诞不经 guàidànbùjīng; 离奇古怪 líqíqǔguài; 古里古怪 gǔlǐgǔguài ¶해괴망측한 이야기 稀奇古怪的故事 **해괴망측—히** 부

해괴—하다(駭怪—) 형 骇怪 hàiguài; 怪异 guàiyì; 离奇 líqí; 古怪 gǔguài ¶생각이 좀 ~ 想法离奇一点 **해괴—히** 부

해:구(海狗) 명 【動】海狗 hǎigǒu = 물개

해:군(海軍) 명 【軍】海军 hǎijūn ¶~기지 海军基地 / ~력 海军实力 / ~ 함선 海军舰船 / ~ 부대 海军部队

해:군-복(海軍服) 명 海军服 hǎijūnfú = 세일러복1

해금(奚琴) 명 【音】奚琴 xīqín

해꼬지 명 '해코지'의 잘못

해:난(海難) 명 海难 hǎinàn ¶~ 구조 海难救助 / ~ 사고를 당하다 遭遇海难事故

해:-내다 타 1 战胜 zhànshèng 2 做到 zuòdào; 做出 zuòchū; 完成 wánchéng ¶그들은 회사를 위해 큰일을 해 냈다 他们为公司做出大功劳

해:녀(海女) 명 海女 hǎinǚ

해:님 명 太阳 tàiyáng

해:달(海獺) 명 【動】海獭 hǎità

해:답(解答) 명하자타 解答 jiědá; 答案 dá'àn ¶~란 解答栏 / ~서 解答书 / ~지 解答纸 / ~집 解答集 ¶문제의 ~ 问题的答案

해당(該當) 명하자 1 适合 shìhé; 符合 fúhé; 相应 xiāngyìng; 恰当 qiàdàng ¶~되는 답을 찾다 找到恰当的答案 2 该 gāi; 有关 yǒuguān ¶기업 该企业 / ~ 기관 有关机关 / ~자 有关人员

해:-당화(海棠花) 명 【植】海棠 hǎitáng

해:독(害毒) 명 毒害 dúhài = 독(毒)4 ¶불량스러운 인터넷 게임이 청소년에게 ~을 끼쳤다 不良网游毒害了青少年

해:독(解毒) 图团团 解毒 jiědú ¶~제 解毒剂 / ~ 作用을 가지고 있다 具有解毒作用

해:독(解讀) 图団团 1 释读 shìdú 2 解读 jiědú ; 释义 shìyì ¶~기 解读器 / 암호를 ~하다 解读暗号

해~돋이 图 日出 rìchū

해:동(解凍) 图团团 解冻 jiědòng ; 化冻 huàdòng ¶냉동된 고기를 ~하다 冷藏的肉类解冻

해로(海路) 图 海路 hǎilù

해로(偕老) 图团团 偕老 xiélǎo ¶백년 ~하길 기원합니다 祝愿白头偕老

해:-롭다(害一) 图 有害 yǒuhài ¶흡연은 건강에 ~ 吸烟有害健康 해:로이 图

해롱-거리다 函 调皮 tiáopí ; 顽皮 wánpí ; 轻浮 qīngfú = 해롱대다 ¶술에 취해 그는 해롱거리며 웃었다 喝醉了酒, 他调皮地笑起来 해롱-해롱 图函函

해:류(海流) 图 [地理] 海流 hǎiliú

해:리(海里) 国國 海里 hǎilǐ ¶바다에서의 거리는 90~이다 海上距离90海里

해:마(海馬) 图 [动] 海马 hǎimǎ

해-마다 图 每年 měinián ; 年年 niánnián ¶수입이 ~ 올라가다 收入年年提高

해-맑다 图 白净 báijìng ; 白皙 báixī ¶해맑은 얼굴 白净的脸庞

해머(hammer) 图 锤 chuí ; 铁锤 tiěchuí

해:면(海綿) 图 [动] 1 海绵动物 hǎimián dòngwù 2 海绵 hǎimián

해:명(解明) 图团团 阐明 chǎnmíng ; 讲明 jiǎngmíng ; 解释 jiěshì ; 弄清 nòngqīng ¶납득할 만한 ~을 듣지 못하다 未得到令人信服的阐明

해:몽(解夢) 图团团 解梦 jiěmèng ; 圆梦 yuánmèng ; 详梦 xiángmèng ¶점쟁이를 찾아가 ~하다 找算命先生解梦

해-묵다 函 陈 chén ; 陈年 chénnián ¶해묵은 식량 陈粮 / 해묵은 술 陈年老酒 / 해묵은 감정 陈年感情

해:물(海物) 图 = 해산물

해-바라기 图 [植] 向日葵 xiàngrìkuí ; 葵花 kuíhuā

해박-하다(該博一) 图 该博 gāibó ; 赅博 gāibó ; 渊博 yuānbó ¶广博 guǎngbó ¶학문이 ~ 学问该博 해박-히 图

해:발(海拔) 图 海拔 hǎibá ¶~ 고도 海拔高度 / ~ 500미터 정도의 산 海拔500米左右的山

해:방(解放) 图团团 解放 jiěfàng ¶~감 解放感 / ~구 解放区 / ~ 전쟁 解放战争 / ~ 운동 解放运动 / 힘든 사무에서 ~되다 从繁重的事务中解放出来

해:법(解法) 图 解法 jiěfǎ ¶정확한 ~을 찾아내다 找出正确的解法

해:변(海邊) 图 = 바닷가

해:병(海兵) 图 [军] 1 海军战士 hǎijūn zhànshì ; 海军士兵 hǎijūn shìbīng 2 海军陆战队士兵 hǎijūn lùzhànduì shìbīng

해:병-대(海兵隊) 图 [军] 海军陆战队 hǎijūn lùzhànduì

해:부(解剖) 图团团 [生] 解剖 jiěpōu = 해체3 ¶~도 解剖图 / ~ 표본 解剖标本 / ~학 解剖学 / 동물을 ~하다 解剖动物 / 시체를 ~하여 사인을 규명하다 解剖尸体, 查明死因 2 剖析 pōuxī ¶사회 현상을 ~하다 剖析社会现象 / 사건을 ~하다 剖析案件

해:빙(解氷) 图团团 1 解冻 jiědòng ; 融化 rónghuà ¶강이 ~하기 시작했다 江开始解冻了 2 (国际紧张局势) 解冻 jiědòng ; 缓和 huǎnhé ¶양국의 긴장된 형세는 ~되었다 两国的紧张局势有所缓和

해:산(解産) 图团团 分娩 fēnmiǎn ; 生产 shēngchǎn ; 临盆 línpén ; 产子 ; 生孩子 shēng háizi = 출산 ¶~달 分娩月 / 아이를 ~하다 生产孩子

해:산(解散) 图团团团 1 散 sàn ; 解散 jiěsàn ¶대열을 ~하다 散队 2 解散 jiěsàn ¶대통령이 국회를 ~했다 总统解散了议会

해:산-물(海産物) 图 海产 hǎichǎn ; 海产品 hǎichǎnpǐn ; 海物 hǎiwù ; 海味 hǎiwèi = 해물

해:삼(海蔘) 图 [动] 海参 hǎishēn

해:상(海上) 图 海上 hǎishàng ¶~ 무역 海上贸易 / ~ 운송 海上运输

해:상 경찰(海上警察) [法] = 수상경찰

해:상-도(解像度) 图 [電] 清晰度 qīngxīdù ; 解析度 jiěxīdù ; 解像度 jiěxiàngdù ; 分辨率 fēnbiànlǜ

해서(楷書) 图 [藝] 楷书 kǎishū

해석(解釋) 图团团团 解释 jiěshì ¶단어의 뜻을 ~하다 解释词义 / 원인을 과학적으로 ~하다 科学地解释原因

해:설(解說) 图团团 解说 jiěshuō ; 讲解 jiǎngjiě ¶뉴스 ~ 新闻解说 / ~자 解说员 / ~이 아주 자세하다 讲解特别仔细

해:소(解消) 图团团 解消 jiěxiāo ; 解除 jiěchú ; 消除 xiāochú ¶오해가 마침내 ~되었다 误解终于解消了 / 스트레스를 ~하다 消除压力

해:수(海水) 图 海水 hǎishuǐ = 바닷물 ¶~면 海水面 / ~욕 海水浴 / ~욕장 海水浴场

해-시계(一時計) 图 [天] 日晷 rìguǐ

日規 rìguī

해:신(海神) 图 海神 hǎishén

해쓱-하다 톙 苍白 cāngbái ¶얼굴이 ~ 脸色苍白

해:악(害惡) 图 罪恶 zuì'è

해:안(海岸) 图 海岸 hǎi'àn; 海滨 hǎibīn ¶~선 海岸线

해:약(解約) 图하타 解约 jiěyuē; 退约 tuìyuē ¶~ 신청을 하다 递交解约申请

해:양(海洋) 图 海洋 hǎiyáng ¶~ 경찰대 海洋警察队 / ~ 기상대 海洋气象台 / ~학 海洋学 / ~공원 海洋公园 / 풍부한 ~ 자원 丰富的海洋资源

해:역(海域) 图 海域 hǎiyù

해연(海燕) 图 1 【動】海盘车 hǎipánchē 2 【鳥】海燕 hǎiyàn

해:열(解熱) 图하자 解热 jiěrè; 退烧 tuìshāo; 退热 tuìrè ¶~제 解热剂 / 진통제 解热镇痛药 / 이 약은 ~에 매우 도움이 된다 这药对于退烧很有帮助

해오라기 图【鳥】夜鹭 yèlù

해:왕-성(海王星) 图【天】海王星 hǎiwángxīng

해:외(海外) 图 海外 hǎiwài ¶~ 방송 海外广播 / ~ 시장 海外市场 / ~ 여행 海外旅行 / ~ 동포 海外同胞 / ~유학 海外留学

해:외 무:역(海外貿易) 【經】= 외국무역

해:운(海運) 图【交】海运 hǎiyùn; 海上运输 hǎishàng yùnshū ¶~업 海运业

해:이(解弛) 图 松懈 sōngxiè; 松弛 sōngchí; 松散 sōngsǎn; 懈弛 xièchí; 涣散 huànsàn ¶기강이 ~해지다 纪律松弛

해:일(海溢) 图하자【地理】海溢 hǎiyì; 海啸 hǎixiào ¶~을 일으키다 引起大海啸

해:임(解任) 图하타 解职 jiězhí; 解聘 jiěpìn; 解除 jiěchú; 免职 miǎnzhí; 撤职 chèzhí; 罢官 bàguān; 卸任 xièrèn ¶~ 发 解职令 / 오늘 그는 ~되었다 今他遭到解职

해:장(←解酲) 图하자 解醒 jiěchéng; 解酒 jiějiǔ; 醒酒 xǐngjiǔ ¶~국 解醒汤 / ~술 解醒酒

해:저(海底) 图 海底 hǎidǐ ¶~ 광물 海底矿物 / ~ 터널 海底隧道 / ~ 세계 海底世界 / ~ 케이블 海底电缆

해:적(海賊) 图 海贼 hǎizéi; 海盗 hǎidào ¶~선 海盗船 / ~이 출몰하다 海盗出没

해:적-판(海賊版) 图 盗版 dàobǎn

해:전(海戰) 图【軍】海战 hǎizhàn ¶~을 벌이다 展开海战

해:제(解除) 图하타 1 解除 jiěchú; 免职 miǎnzhí ¶직무를 ~하다 解除职位 2

解除 jiěchú ¶계엄령이 ~되었다 进行了解除戒严令 3 【法】解除 jiěchú ¶노동 계약을 ~하다 解除劳动合同

해:조(海藻) 图【植】海藻 hǎizǎo; 海草 hǎicǎo

해:-지다 타 磨破 mópò; 穿破 chuānpò ¶구두가 ~ 鞋磨破了

해:직(解職) 图하타 解职 jiězhí; 解聘 jiěpìn; 免职 miǎnzhí ¶~ 통지서 解职通知书 / ~ 처분을 내리다 给予免职处分

해:체(解體) 图하자타 1 (단체·조직 등) 解体 jiětǐ; 解散 jiěsàn ¶~에 직면하다 面临解体 2 解体 jiětǐ; 拆开 chāikāi; 拆卸 chāixiè ¶컴퓨터를 ~하다 拆开电脑 3 【生】= 해부1

해:초(海草) 图【植】海草 hǎicǎo; 海藻 hǎizǎo

해:충(害蟲) 图 害虫 hàichóng

해:-치다(害-) 타 1 伤 shāng; 危害 wēihài; 损害 sǔnhài ¶건강을 ~ 危害身体健康 / 주민의 이익을 ~ 损害居民利益 2 伤害 shānghài; 杀害 shāhài; 害 hài; 伤 shāng ¶사람을 ~ 害人

해:-치우다(害-) 타 1 做完 zuòwán; 干完 gànwán ¶미뤄두었던 일을 ~ 把耽误的事情做完 2 除掉 chúdiào; 杀掉 shādiào; 干掉 gàndiào ¶적을 ~ 干掉敌人

해커(hacker) 图【컴】黑客 hēikè

해:-코지(害-) 图하자타 害人的行为 hàirénde xíngwéi ¶그것은 소인배가 ~ 하는 것과 똑같다 这跟小人害人的行为一模一样

해:탈(解脫) 图하자타 1 解脱 jiětuō; 摆脱 bǎituō 2 【佛】解脱 jiětuō; 涅槃 nièpán ¶번뇌에서 ~하다 解脱烦恼

해:파리 图【動】海蜇 hǎizhé; 水母 shuǐmǔ

해:풍(海風) 图 = 바닷바람

해프닝(happening) 图 偶发事件 ǒufā shìjiàn

해피 엔드(happy end) 【藝】美满结局 měimǎn jiéjú

해:-하다(害-) 톙 害 hài; 伤 shāng; 伤害 shānghài; 危害 wēihài ¶사람을 ~ 害人 / 사회의 치안을 ~ 危害社会治安

해학(諧謔) 图 谐谑 xiéxuè; 诙谐 huīxié; 滑稽 huájī; 幽默 yōumò ¶~ 谐谑谑剧 / ~ 소설 谐谑小说 / ~적 诙谐的

해:협(海峽) 图【地理】海峡 hǎixiá

해:후(邂逅) 图하자 邂逅 xièhòu ¶길을 걷다가 뜻밖에 옛 친구와 ~ 走在大街上不期而然与老朋友邂逅

핵(核) 图 1 (事物의) 核 hé; 核心 héxīn 2 【軍】= 핵무기 ¶~폭탄 核炸弹 3 【物】= 원자핵 ¶~ 실험 核实验 /

~연료 核燃料 /~폐기물 核废弃物 **4** 〖生〗核 hé = 细胞核 **5** (核果中心的) 核 hé **6** 〖地理〗核 hé; 地球核 dìqiúhé

핵-가족(核家族) 〖명〗 小家庭 xiǎojiātíng; 核心家庭 héxīn jiātíng = 소가족

핵-무기(核武器) 〖명〗 〖軍〗核武器 héwǔqì; 核 hé = 핵2

핵심(核心) 〖명〗 核心 héxīn; 中心 zhōngxīn; 要害 yàohài; 骨干 gǔgàn ¶문제의 ~을 찌르다 打中问题的要害

핸드백(hand bag) 〖명〗 (女用) 手提包 shǒutíbāo

핸드볼(handball) 〖명〗 〖體〗手球 shǒuqiú

핸드 브레이크(hand brake) 〖機〗手制动杆 shǒuzhìdònggǎn; 手刹车 shǒushāchē; 手闸 shǒuzhá

핸드-크림(hand cream) 〖명〗 护手霜 hùshǒushuāng

핸드-폰(hand+phone) 〖명〗 〖信〗 = 휴대 전화

핸들(handle) 〖명〗 **1** (汽车) 驾驶盘 jiàshǐpán; 方向盘 fāngxiàngpán ¶~을 조종하다 操纵驾驶盘 **2** (自行车) 车把 chēbǎ; 把手 bǎshǒu; 拉手 lāshǒu ¶~을 잡다 握车把

핸디캡(handicap) 〖명〗 **1** 〖體〗(让步赛中对强者施加的) 障碍 zhàng'ài **2** 不利条件 bùlì tiáojiàn ¶~을 극복하다 克服不利条件

핸섬-하다(handsome—) 〖형〗 帅 shuài; 英俊 yīngjùn; 漂亮 piàoliang; 萧洒 xiāosǎ ¶핸섬한 남자 英俊的男人

핼쑥-하다 〖형〗 憔悴 qiáocuì; 瘦弱 shòuruò; 苍白 cāngbái ¶그의 얼굴은 아주 핼쑥해 보인다 他的脸显得很苍白

햄(ham) 〖명〗 火腿 huǒtuǐ

햄버거(hamburger) 〖명〗 汉堡包 hànbǎobāo

햄스터(hamster) 〖명〗 〖動〗仓鼠 cāngshǔ

햅쌀 〖명〗 新米 xīnmǐ ¶~밥 新米饭

햇- 〖접두〗 新 xīn ¶~곡식 新谷

햇-과일 〖명〗 新下来的水果 xīnxiàláide shuǐguǒ

햇-무리 〖명〗 日晕 rìyùn

햇-병아리 〖명〗 **1** (刚孵化的) 小鸡 xiǎojī; 雏鸡 chújī **2** 雏儿 chúr; 生手 shēngshǒu; 新手 xīnshǒu ¶그는 이전의 ~가 아니라 他不是以前的雏儿了

햇-볕 〖명〗 阳光 yángguāng; 太阳 tàiyáng = 볕

햇-빛 〖명〗 阳 yáng; 阳光 yángguāng; 日光 rìguāng; 太阳 tàiyáng = 일광

햇-살 〖명〗 阳光 yángguāng; 太阳光线 tàiyáng guāngxiàn

햇-수(—数) 〖명〗 年头儿 niántóur; 年数

niánshù; 年份 niánfèn = 연수(年数) ¶내가 서울에 온 것은 ~로 벌써 4년이다 我来首尔已经有四个年头儿了

행(行) 〖명〗 行 háng; 字行 zìháng ¶~을 바꾸다 另起一行

-행(行) 〖접미〗 开往 kāiwǎng; 到 dào; 至 zhì ¶서울~ 고속버스 开往首尔的高速大巴

행각(行脚) 〖명〗〖하자〗 **1** 〖佛〗行脚 xíngjiǎo; 云游 yúnyóu **2** 流窜 liúcuàn; (四处) 游走 (sìchù) yóuzǒu ¶애정 / 사기 ~을 벌이다 游走爱情 / 사기 ~을 일삼아 到处流窜行骗

행간(行間) 〖명〗 **1** 行距 hángjù ¶~을 넓히다 扩大行距 **2** 言外之意 yánwàizhīyì; 字里行间 zìlǐhángjiān ¶~의 뜻을 파악하다 掌握字里行间的意思

행군(行軍) 〖명〗〖하자〗 行军 xíngjūn ¶야간 ~ 夜行军

행글라이더(hang-glider) 〖명〗 悬挂式滑翔机 xuánguàshì huáxiángjī

행글라이딩(hang-gliding) 〖명〗 〖體〗悬挂式滑翔运动 xuánguàshì huáxiáng yùndòng

행동(行動) 〖명〗〖하자〗 行动 xíngdòng; 行为 xíngwéi; 举动 jǔdòng ¶~거지 行为举止 / ~대 行动队 / ~반경 行动半径 / ~지침 行动指南 / ~이 느리다 行动缓慢

행락(行樂) 〖명〗〖하자〗 行乐 xínglè; 游乐 yóulè; 娱乐 yúlè ¶~철 娱乐季节

행락-객(行樂客) 〖명〗 游客 yóukè; 游人 yóurén

행랑(行廊) 〖명〗 门房 ménfáng; 下房 xiàfáng ¶~방 门房

행랑-살이(行廊—) 〖명〗〖하자〗 当奴仆 dāng núpú; 当用人 dāng yòngren; 当下人 dāng xiàrén

행랑-아범(行廊—) 〖명〗 老男仆 lǎonánpú; 老用人 lǎoyòngren

행랑-어멈(行廊—) 〖명〗 老女仆 lǎonǚpú; 老女佣 lǎonǚyòng; 老妈子 lǎomāzi

행랑-채(行廊—) 〖명〗 下屋 xiàwū

행려(行旅) 〖명〗〖하자〗 行旅 xínglǚ; 游子 yóuzi; 旅客 lǚkè ¶~병자 行旅病人

행렬(行列) 〖명〗〖하자〗 **1** 行列 hángliè; 队伍 duìwǔ ¶군인들이 ~이 지나가다 军人队伍走过去了 **2** 〖數〗行列 hángliè; 矩阵 jǔzhèn

행로(行路) 〖명〗 **1** 道路 dàolù; 大道 dàdào ¶~에 버려진 아이 被遗弃在道路的儿童 **2** 行程 xíngchéng; 旅程 lǚchéng; 历程 lìchéng ¶험난한 인생 ~ 艰难的人生旅程

행방(行方) 〖명〗 去向 qùxiàng; 下落 xiàluò; 踪迹 zōngjì ¶~불명 下落不明 / ~이 묘연하다 下落不明 / ~을 감추다 隐藏踪迹

행보(行步) 명하자 **1** 步子 bùzi; 步伐 bùfá; 脚步 jiǎobù; 步行 bùxíng ¶~를 맞추다 调整步伐 **2** (行进的) 路 lù ¶ 작가로서 그의 ~는 순탄한 편이었다 他的作家之路算是平坦顺利的 **3** 行商 xíngshāng

행·복(幸福) 명하형 幸福 xìngfú ¶~감 幸福感 / ~을 빌다 祝福幸福 / ~을 누리다 享受幸福

행사(行事) 명하자 典礼 diǎnlǐ; 活动 huódòng; 工作 gōngzuò ¶~에 참여하다 参加活动

행사(行使) 명하타 行使 xíngshǐ; 动用 dòngyòng ¶권력 / 行使权力 / 묵비권을 ~하다 行使缄默权

행상(行商) 명 **1** = 도붓장사 ¶~을 다니다 流动贩卖 **2** = 도붓장수

행상-인(行商人) 명 = 도붓장수

행색(行色) 명 行色 xíngsè; 行装 xíng-zhuāng; 穿戴 chuāndài; 着装 zhuó-zhuāng; 衣着 yīzhuó ¶~이 남루하다 衣着寒酸

행선-지(行先地) 명 目的地 mùdìdì ¶~를 정하다 定下目的地

행성(行星) 명 『天』 行星 xíngxīng = 혹성

행세(行世) 명하자 **1** 处世 chǔshì; 做人 zuòrén; 为人 wéirén **2** 自居 zìjū; 自封 zìfēng; 假冒 jiǎmào; 假充 jiǎchōng; 冒充 màochōng ¶작가 ~를 하다 自封为作家

행세(行勢) 명 有权有势 yǒuquán-yǒushì; 耍权势 shuǎquánshì; 作威作福 zuòwēizuòfú

행수(行數) 명 行数 hángshù ¶~를 줄이다 减少行数

행실(行實) 명 品行 pǐnxíng; 操行 cāo-xíng ¶~이 나쁜 처녀 品行不端的姑娘

행·여(幸—) 부 或许 huòxǔ; 也许 yě-xǔ; 兴许 xīngxǔ ¶~ 남이 볼까 두렵다 或害怕别人看到

행·여-나(幸—) 부 '행여'의 강조말

행·운(幸運) 명 幸运 xìngyùn; 好运 hǎoyùn; 运气 yùnqì; 福分 fúfen; 福气 fúqì ¶~아 幸运儿 / ~을 빌다 祈求好运

행위(行爲) 명 行为 xíngwéi; 行动 xíng-dòng; 行径 xíngjìng; 所做所为 suǒzuò-suǒwéi ¶범죄 ~ 犯罪行为 / ~ 규범 行为规范 / 자신이 한 ~에 책임을 지다 为自己的所做所为负责

행인(行人) 명 行人 xíngrén ¶~에게 길을 묻다 向行人问路

행장(行裝) 명 行装 xíngzhuāng; 行李 xíngli ¶~을 꾸리다 整理行装

행적(行跡·行蹟·行績) 명 **1** 业绩 yèjì; 事迹 shìjì ¶고귀한 ~ 高贵业绩

2 行迹 xíngjì; 行踪 xíngzōng; 轨迹 guǐjì ¶~이 묘연하다 杳无行踪

행정(行政) 명 **1** 行政 xíngzhèng; ~관 行政官员 / ~구역 行政区域 / ~권 行政权 / ~기관 行政机关 / ~법 行政法 / ~부 行政府 / ~ 소송 行政诉讼 / ~단위 行政单位 **2** 『軍』 军务 jūnwù; 军事管理 jūnshì guǎnlǐ

행주 명 抹布 mābù; 擦布 cābù; 擦桌布 cāzhuōbù ¶~로 식탁을 훔치다 用抹布擦饭桌

행주-치마 명 围裙 wéiqún ¶~를 두르다 系上围裙

행진(行進) 명하자 **1** 游行 yóuxíng; 行进 xíngjìn; 进行 jìnxíng ¶~곡 进行曲 / 구호를 외치며 ~하다 喊着口号行进 **2** 连续进行 liánxù jìnxíng; 持续出现 chíxù chūxiàn ¶무역 흑자 ~이 계속되다 持续出现贸易赤字

행차(行次) 명하자 出行 chūxíng; 驾到 jiàdào; 驾临 jiàlín ¶어떤 분의 ~인가? 是哪位大驾出行?

행태(行態) 명 行为 xíngwéi ¶그릇된 음주 ~ 不好的饮酒行为

행패(行悖) 명 撒野 sāyě; 撒泼 sāpō; 耍赖 shuǎlài; 耍流氓 shuǎli-máng; 耍野蛮 shuǎyěmán ¶남에게 ~를 부리다 对人撒野

행-하다(行—) 타 做 zuò; 搞 gǎo; 办 bàn; 举行 jǔxíng; 施行 shīxíng; 实行 shíxíng; 实践 shíjiàn; 举办 jǔbàn ¶업무를 ~ 搞业务 / 의식을 ~ 举行仪式

향:(向) 명 (房屋等的) 面向 miànxiàng; 朝向 cháoxiàng

향(香) 명 **1** = 향기 **2** 香 xiāng ¶~을 피우다 烧香

향긋-하다 형 清香 qīngxiāng; 馨香 xīnxiāng ¶향긋한 냄새가 난다 有一股清香味儿 **향긋-이** 부

향기(香氣) 명 香 xiāng; 香气 xiāngqì; 香味(儿) xiāngwèi(r); 气味 qìwèi = 향(香)**1** 은은한 ~ 隐隐的香气 / ~를 맡다 闻香气

향기-롭다(香氣—) 형 芬芳 fēnfāng; 芳香 fāngxiāng; 馨香 xīnxiāng ¶향기로운 꽃 芬芳的花朵 **향기로이** 부

향-나무(香—) 명 『植』 圆柏 yuánbǎi; 桧柏 guìbǎi; 刺柏 cìbǎi

향낭(香囊) 명 香囊 xiāngnáng; 香袋 xiāngdài

향-내(香—) 명 香味 xiāngwèi; 香气 xiāngqì ¶~가 방 안에 가득하다 房间里充满香气

향:년(享年) 명 享年 xiǎngnián ¶~ 90세로 별세하다 告别人世, 享年九十岁

향:락(享樂) 명하타 娱乐 yúlè; 享乐 xiānglè ¶~ 산업 娱乐业 / ~에 빠지다 沉溺于享乐中

향로(香爐) 圀 향로 xiānglú ¶~에 향을 피우다 在香炉里烧香

향료(香料) 圀 香料 xiāngliào

향리(鄕里) 圀 乡里 xiānglǐ; 故乡 gùxiāng; 故乡 gùxiāng

향:방(向方) 圀 去向 qùxiàng; 方向 fāngxiàng; 去处 qùchù; 走向 zǒuxiàng; 趋向 qūxiàng ¶여론의 ~을 가늠하다 揣测舆论的走向

향:배(向背) 圀 向背 xiàngbèi; 背向 bèixiàng ¶민심의 ~를 지켜보다 关注民心向背

향-불(香一) 圀 香火 xiānghuǒ

향:상(向上) 圀하자 向上 xiàngshàng; 长进 zhǎngjìn; 上进 shàngjìn; 提高 tígāo; 进步 jìnbù; 进取 jìnqǔ ¶성적이 ~되다 成绩有长进 / 생활 수준을 ~시키다 提高生活水平

향:수(享受) 圀하타 1 享受 xiǎngshòu; 享福 xiǎngfú ¶자유를 ~하다 享受自由 2 鉴赏 jiànshǎng; 欣赏 xīnshǎng; 玩赏 wánshǎng

향수(香水) 圀 香水 xiāngshuǐ ¶~를 뿌리다 洒香水

향수(鄕愁) 圀 乡愁 xiāngchóu; 思乡 sīxiāng; 乡思 xiāngsī ¶~병 思乡病 / ~에 젖다 沉浸在乡愁中

향신-료(香辛料) 圀 香辛料 xiāngxīnliào; 香辣作料 xiānglàzuóliào

향연(香煙) 圀 1 香烟 xiāngyān 2 香烟 xiāngyān; 纸烟 zhǐyān

향:연(饗宴) 圀 宴会 yànhuì; 筵席 yánxí ¶~을 베풀다 设宴会

향유(享有) 圀하타 享有 xiǎngyǒu; 拥有 yōngyǒu ¶自由 shòuyǒng; 享受 xiǎngshòu ¶문화생활을 ~하다 享受文化生活

향유(香油) 圀 1 = 참기름 2 (化妆) 香水 xiāngshuǐ; 香精 xiāngjīng

향응(饗應) 圀하타 款待 kuǎndài ¶~을 베풀다 设宴款待

향촌(鄕村) 圀 乡村 xiāngcūn; 乡里 xiānglǐ

향취(香臭) 圀 香味(儿) xiāngwèi(r); 香气 xiāngqì

향토(鄕土) 圀 乡土 xiāngtǔ; 乡村 xiāngcūn; 乡里 xiānglǐ; 乡间 xiāngjiān; 地方 dìfāng ¶~ 문학 乡土文学 / ~색 乡土特色 / ~ 음식 乡村菜肴

향:-하다(向一) 圀 타 1 朝 cháo; 往 wǎng; 向 xiàng; 朝着 cháozhe; 望着 wàngzhe; 向着 xiàngzhe; 朝向 cháoxiàng ¶남쪽을 향해 걸어가다 朝南走 / 빛나는 미래를 향하여 전진하다 朝着灿烂的未来前进 2 前往 qiánwǎng; 前去 qiánqù ¶대표단은 이미 제네바를 향해 출발했다 代表团已动身

前往日内瓦 3 对 duì; 望 wàng; 给 gěi; 跟 gēn; 照 zhào ¶그는 나를 향해 웃었다 他对我笑了一笑

향:후(向後) 圀 往后 wǎnghòu; 此后 cǐhòu; 今后 jīnhòu; 以后 yǐhòu ¶~ 대책을 논의하다 讨论以后的对策

허 呂 嘿 hēi; 咳 hāi ¶~、큰일 났구나! 嗨, 出大事了!

허(虛) 圀 = 허점

허가(許可) 圀하타 许可 xǔkě; 准许 zhǔnxǔ; 允许 yǔnxǔ; 批准 pīzhǔn ¶~장 许可证 / 영업 ~ 经营许可 / ~를 받다 获得允许

허겁-지겁 呂하자 慌慌张张 huānghuangzhāngzhāng; 慌忙 huāngmáng; 慌忙急促 huāngmángjícù; 手忙脚乱 shǒumángjiǎoluàn; 惊慌失措 jīnghuāngshīcuò ¶ 달려나가다 慌忙急促地跑过去 / ~ 옷을 챙겨 입다 手忙脚乱地穿上衣服

허공(虛空) 圀 空中 kōngzhōng; 虚空 xūkōng ¶~ 속으로 사라지다 消失在空中

허구(虛構) 圀하타 1 虚构 xūgòu; 虚拟 xūnǐ; 编造 biānzào; 子虚乌有 zǐxūwūyǒu ¶~성 虚构性 / ~적 虚构的 / 소문은 ~로 밝혀졌다 传闻被证实为子虚乌有 2〔文〕虚构 xūgòu = 픽션

허구-하다(許久一) 圀 许久 xǔjiǔ; 长久 chángjiǔ ¶허구한 세월 长久的岁月

허기(虛飢) 圀 饥饿感 jīèxǎn; 饿 è; 饥 jī ¶~증 饥饿感 / ~를 느끼다 感到饥饿

허기-지다(虛飢一) 圀 1 饥饿 jīè; 饥肠辘辘 jīchánglùlù ¶허기진 배를 채우다 填充饥饿的肚子 2 如饥似渴 rújīsìkě; 渴望 kěwàng; 渴求 kěqiú ¶공부에 허기진 사람 对学习如饥似渴的人

허깨비 圀 1 幻影 huànyǐng; 虚幻 xūhuàn; 幻觉 huànjué = 헛것 2 ¶~가 보이다 呈现幻影

허니문(honeymoon) 圀 1 = 밀월 2 = 신혼여행

허다-하다(許多一) 圀 许多 xǔduō; 很多 hěnduō; 无数 wúshù; 多得很 duōdehěn ¶불황으로 도산한 기업이 ~ 因不景气倒闭的工厂多得很 **허다-히** 呂

허덕-거리다 圀 1 气喘吁吁 qìchuǎnxūxū ¶허덕거리며 气喘吁吁地跑过와 2 挣扎 zhēngzhá; 折腾 zhēteng ¶기아선상에서 ~ 在饥饿线上挣扎 ¶ = 허덕대다 허덕-허덕 呂하자

허덕-이다 圀 1 气喘吁吁 qìchuǎnxūxū ¶숨이 차서 허덕이며 산 정상에 오르다 气喘吁吁地登上山顶 2 挣扎 zhēngzhá; 折腾 zhēteng; 受苦 shòukǔ; 受困 shòukùn ¶가난에 ~ 在贫困

中挣扎

허둥-거리다 [자] 慌张 huāngzhāng; 慌 huāng; 慌神儿 huāngshénr; 慌忙 huāngmáng = 허둥대다 ¶허둥거리는 발걸음 慌张的脚步 **허둥-허둥** [부(자)]

허둥-지둥 [부(하자)] 慌慌张张 huāng-huāngzhāngzhāng; 急急忙忙 jíjímáng-máng; 惊慌失措 jīnghuāngshīcuò; 手忙脚乱 shǒumángjiǎoluàn ¶~ 달아나다 慌张张张地逃跑

허드레 [명] 零杂(儿) língzá(r)

허드렛-일 [명] 杂活儿 záhuór; 下手活儿 xiàshǒuhuór; 杂工 zágōng

허락(許諾) [명](하타) 允许 yǔnxǔ; 准许 zhǔnxǔ; 应许 yīngxǔ; 答应 dāying ¶~을 구하다 请求准许 / 외출을 ~하다 允许外出

허랑방탕-하다(虛浪放蕩—) [형] 虚浮放荡 xūfú fàngdàng; 放荡形骸 fàng-dàng xínghái ¶허랑방탕한 생활 虚浮放荡的生活 **허랑방탕-히** [부]

허례(虛禮) [명] 虚礼 xūlǐ; 虚体面 xūtǐmiàn; 虚面子 xūmiànzi; 假客气 jiǎkèqi ¶~식 虚礼矫饰 / ~만 차리는 사람 只会假客气的人

허름-하다 [형] 1 破旧 pòjiù; 褴褛 lánlǚ ¶허름한 술집 破旧的酒吧 2 便宜 piányi; 不值钱 bùzhíqián; 一文不值 yī-wénbùzhí ¶허름한 양복 不值钱的西服

허리 [명] 腰 yāo; 腰眼(儿) yāobǎn(r) ¶~둘레 腰围 / ~띠 腰带 / ~뼈 腰骨 / ~춤 腰间 / ~가 쑤시다 腰酸 / ~를 펴다 伸腰 / ~를 굽혀 인사하다 弯腰行礼

허리케인(hurricane) [명] [地理] 飓风 jùfēng; 狂风 kuángfēng

허망(虛妄) [명] 1 虚妄 xūwàng; 荒谬 huāngmiù; 荒诞无稽 huāngdànwújī ¶~한 말 荒诞无稽的话 2 空虚 kōngxū; 虚无缥缈 xūwú piāomiǎo ¶세월의 ~을 깨닫다 领会岁月的虚无

허무(虛無) [명](하형] 1 虚无 xūwú; 空虚 kōngxū; 虚无缥缈 xūwú piāomiǎo ¶~감 虚无感 / ~주의 虚无主义 / ~한 인생 虚无缥缈的人生 / 삶에 대한 ~를 느끼다 觉得人生虚无缥缈 2 莫名其妙 mòmíngqímiào; 荒唐 huāngtáng ¶경기에서 ~하게 지다 比赛莫名其妙地输了

허무맹랑-하다(虛無孟浪—) [형] 荒诞 huāngdàn; 荒诞无稽 huāngdànwújī; 虚谬绝伦 xūmiùjuélún; 虚无缥缈 xūwú piāomiǎo ¶그림으로 된 zìxūwúyǒu 허무맹랑한 이야기 荒诞的故事

허물¹ [명] 1 (피부의) 表皮 biǎopí; 浮皮 fúpí; 皮 pí ¶~이 벗겨지다 脱皮 2 蜕 tuì; 皮 pí ¶뱀의 ~ 蛇蜕 / 매미의

~ 蝉蜕

허물² [명] 1 失误 shīwù; 过失 guòshī; 过错 guòcuò ¶남의 ~을 덮어 주다 掩盖别人的过错 huàbìng

허물다 [타] 拆 chāi; 拆除 chāichú; 拆毁 chāihuǐ; 破坏 pòhuài ¶벽을 ~ 拆墙

허물어-뜨리다 [타] 拆掉 chāidiào; 拆除 chāichú; 拆毁 huǐdiào; 毁掉 huǐdiào ¶집을 ~ 把房子拆毁

허물어-지다 [자] 塌 tā; 塌下去 tāxiàqu; 倒下去 dǎoxiàqu; 倒塌 dǎotā; 坍塌 tāntā = 허물어트리다 ¶토담이 비에 ~ 土墙被雨淋塌了

허물-없다 [형] 没有隔阂 méiyǒu géhé; 亲密无间 qīnmìwújiàn; 融洽 róngqià; 融洽无间 róngqià wújiàn; 毫不见外 háobù jiànwài ¶허물없는 친구 亲密无间的好友 **허물-없이** [부] ¶이웃과 ~ 지내다 和邻里相处很融洽

허밍(humming) [명] [音] 哼哼 hēng; 哼唱 hēngchàng

허벅-다리 [명] 大腿 dàtuǐ

허벅-살 [명] 大腿肌肉 dàtuǐ jīròu

허벅지 [명] 大腿 dàtuǐ

허비(虛費) [명](하타) 白费 báifèi; 浪费 làngfèi; 虚费 xūfèi ¶시간을 ~하다 浪费时间 / 쓸데없는 일에 돈만 ~했다 尽把钱浪费在没用的事上

허사(虛事) [명] 落空 luòkōng; 泡汤 pàotāng; 泡影 pàoyǐng; 白费 báifèi; 徒劳 túláo ¶모든 일이 ~가 되었다 所有的事都泡汤了

허사(虛辭) [명] 1 [語] 虚词 xūcí 2 假话 jiǎhuà

허상(虛像) [명] 虚像 xūxiàng; 假象 jiǎxiàng ¶~에 사로잡히다 沉迷于假象中

허세(虛勢) [명] 架子 jiàzi; 虚架子 xūjiàzi; 虚假威势 xūjiǎwēishì ¶~를 부리다 摆虚架子

허송(虛送) [명](하타) 虚度 xūdù; 白过 báiguò ¶술과 노름으로 세월을 ~하다 终日饮酒赌博, 虚度岁月

허송-세월(虛送歲月) [명](하자) 虚度光阴 xūdù guāngyīn; 虚度时光 xūdù shíguāng; 旷日废时 kuàngrìfèishí ¶~을 보내다 虚度光阴

허수(虛數) [명] [數] 虚数 xūshù

허수-아비 [명] 1 稻草人 dàocǎorén; 草人 cǎorén ¶논두렁의 ~ 田埂上的稻草人 2 木偶 mùǒu; 傀儡 kuǐlěi ¶~ 정권 傀儡政权

허술-하다 [형] 1 破旧 pòjiù; 褴褛 lánlǚ; 寒伧 hánchen ¶허술한 옷차림 衣裳褴褛 2 不周到 bùzhōudào; 不细致 bùxìzhì; 松松垮垮 sōngsongkuǎkuǎ ¶손님 대접이 ~ 招待客人不周到 3 松懈 sōngxiè; 粗粗拉拉 cūcūlālā; 粗枝大

잎 cūzhī dàyè; 마구마구 虎虎 mǎmahūhū 이 지역은 경비가 ~ 这个地区警备松懈 **허술-히** 튀

허스키(husky) **몡**헝찌 沙哑 shāyǎ; 嘶哑 sīyǎ ¶~한 목소리의 가수 声音沙哑的歌手

허식(虚飾) **몡**헝찌 虚饰 xūshì; 矫饰 jiǎoshì; 粉饰 fěnshì ¶~을 버리다 抛弃虚伪粉饰

허실(虚實) **몡 1** 虚实 xūshí ¶상대의 ~을 파악하다 摸清对手的虚实 **2** 真伪 zhēnwěi; 真假 zhēnjiǎ ¶~이 드러나다 露出真假

허심(虚心) **몡**헝찌자쿠헝튀 坦率 tǎnshuài; 直率 zhíshuài ¶속마음을 ~하게 털어놓다 把心思坦率地说出来

허심-탄회(虚心坦懷) **몡**헝찌 虚心坦怀 xūxīntǎnhuái; 胸怀坦荡 xiōnghuáitǎndàng; 开诚布公 kāichéngbùgōng ¶~한 대화 开诚布公的谈话

허약(虚弱) **몡**헝찌튀 虚弱 xūruò; 脆弱 cuìruò; 单薄 dānbó; 孱弱 chánruò ¶~체질 虚弱的体质 / 그 아이는 몸이 ~하다 那个孩子身体屡弱

허여-멀겋다 **튀 1** 白皙 báixī; 白净 báijìng ¶허여멀건 속살을 드러내다 露出白净的肌肤 **2** 稀 xī ¶허여멀건 죽 稀粥

허여-멀쑥하다 **튀** 清秀白皙 qīngxiù báixī ¶허여멀쑥한 얼굴 清秀白皙的脸 **허여멀쑥-히** 튀

허영(虚榮) **몡** 虚荣 xūróng ¶~심 虚荣心 / ~에 들뜬 여자 好虚荣的女人

허:-옇다 **튀 1** 发白 fābái; 花白 huābái; 雪白 xuěbái; 皑皑 ái'ái ¶얼굴이 ~ 胡须花白 **2** 许许多多 xǔxuōduōduō; 数不清 shǔbuqīng ¶동네 사람들이 허옇게 몰려나와 소리를 질렀다 许许多多的村里人都纷涌过来高喊

허:-예지다 **자** 变白 biànbái; 发白 fābái ¶나이가 들어 머리가 ~ 年纪大了, 头发变白

허욕(虚慾) **몡** 贪心 tānxīn; 馋心 chánxīn ¶~을 부리다 馋心大动

허용(許容) **몡**헝찌 **1** 容许 róngxǔ; 许可 xǔkě; 容忍 róngrěn; 容受 róngshòu; 允许 yǔnxǔ ¶~량 容许量 / 이 건물에서는 흡연이 ~되지 않는다 这幢楼里不允许吸烟 **2**[體] 让 ràng ¶한 골을 ~하다 让了一个球

허우대 **몡** (魁梧的)身材 shēncái; 身架儿 shēnjiàr; 身子骨儿 shēnzigǔr; 体躯 tǐqū ¶~가 좋다 身材魁梧

허우적-거리다 **자튀** 挣扎 zhēngzhá; 乱扑腾 luàn pūteng = 허우적대다 ¶물에 빠져 ~ 掉进水里乱扑腾 **허우적-허우적** 튀자튀

허울 **몡** 外表 wàibiǎo; 外貌 wàimào; 外观 wàiguān; 表面 biǎomiàn ¶~좋다 그럴듯하다 外表像那么回事

허위(虚僞) **몡** 虚假 xūjiǎ; 虚伪 xūwěi ¶~ 진단서 虚假诊断书 / ~ 증언 虚假证明

허장-성세(虚張聲勢) **몡** 虚张声势 xūzhāngshēngshì; 装腔作势 zhuāngqiāngzuòshì; 弄势 nòngshì ¶~로 적을 속이다 虚张声势骗敌人

허전-하다 **튀 1** 空虚 kōngxū; 空落落 kōngluòluò; 空荡荡 kōngdàngdàng; 若有所失 ruòyǒusuǒshī ¶마음이 ~ 心里空落落的 **2** 松松垮垮 sōngsōngkuǎkuǎ **허전-히** 튀

허점(虚點) **몡** 空子 kòngzi; 弱点 ruòdiǎn; 薄弱环节 bóruòhuánjié; 可乘之隙 kěchéngzhīxì = 허(虚)점 ¶~을 노리다 钻空子 / ~이 드러나다 暴露出弱点

허탈(虚脫) **몡**헝찌튀 虚脱 xūtuō; 无力 wúlì; 怅然 chàngrán; 怅怅 chóuchàng ¶~한 기분 虚脱的心情 / ~하게 웃다 无力地笑

허탕 **몡**헝찌자쿠 徒劳 túláo; 落空 luòkōng; 一无所得 yīwúsuǒdé; 白费劲儿 báifèijìnr ¶~을 치다 一无所得

허투루 **튀** 虚套子 xūtàozi; 虚套 xūtào; 随便 suíbiàn; 马马虎虎 mǎmahūhū; 胡乱 húluàn; 心不在焉 xīnbùzàiyān ¶~ 말하다 随便说话 / 그의 말이 ~ 들리지 않는다 他的话听上去不像虚套子

허튼 **관** 胡 hú; 废话 fèi ¶~소리 废话 líndǎo; 无赖 wúlài; 鲁莽 lǔmǎng; 粗鲁 cūlǔ ¶늄 无赖家伙

허파 **몡**[生] 肺 fèi; 肺脏 fèizàng = 폐(肺) · 폐부2 ¶~ 꽈리 肺泡

허풍(虚風) **몡** 虚夸 xūkuā; 吹嘘 chuīxū; 吹牛 chuīniú; 吹牛皮 chuīniúpí; 夸口 kuākǒu ¶~쟁이 吹牛大王 / ~을 떨다 吹牛

허-하다(許-) **타** 许可 xǔkě; 允许 yǔnxǔ; 许诺 xǔnuò ¶외국인 노동자들에게 입국을 ~ 允许外籍劳工入境

허-하다(虚-) **몡 1** 虚弱 xūruò; 屡弱 chánruò ¶몸이 ~ 身体虚弱 **2** 空 kōng ¶밥을 굶어 배 속이 ~ 没吃饭, 肚子空空的 **3** 空虚 kōngxū ¶마음이 ~ 心里空虚

허허1 **튀**헝찌 (笑声) 呵呵 hēhē; 哈哈 hāhā ¶~하고 크게 웃다 呵呵大笑

허허2 **튀** 咳 hāi; 唉 ài; 哎 āi ¶~呀呀呀 ¶~아 안달난 啊呀, 不得了了

허허-벌판 **몡** 茫茫原野 mángmángyuányè; 无边平原 wúbiānpíngyuán; 无际野原 wújì yěyuán

허허실실(虚虚實實) **몡** 虚虚实实 xūxushíshí; 真真假假 zhēnzhēnjiǎjiǎ

허황-되다(虚荒─) 휑 荒谬 huāngmiù; 荒唐 huāngtáng ¶허황된 말 荒谬的言词／想法很荒唐

허황-하다(虚荒─) 휑 荒唐 huāngtáng; 荒谬 huāngmiù; 荒诞无稽 huāngdànwújī ¶허황한 꿈 荒唐的梦想 **허황-히** 튀

헉 튀[하자] 嗬 hē; 咳 hāi ¶~ 소리를 지르며 쓰러지다 发出咳的一声倒下了

헉-헉 튀[하자타] 哼哧 hēngchī; 呼哧 hūchī; 吭哧 kēngchi ¶~ 숨을 몰아쉬다 呼哧呼哧地喘气

헉헉-거리다 자타 哼哧哼哧 hēngchīhēngchī; 吭哧吭哧 kēngchikēngchi; 呼哧呼哧 hūchīhūchī = 헉헉대다 ¶숨을 헉헉거리며 산을 오르다 呼哧呼哧地爬上山

헌 관 旧 jiù; 陈旧 chénjiù; 破旧 pòjiù; 破烂 pòlàn ¶~ 옷 旧衣服

헌-금(献金) 명[하자] 捐款 juānkuǎn; 捐钱 juānqián; 捐献 juānxiàn; 赠款 zèngkuǎn ¶~을 내다 捐款

헌-납(献納) 명[하자] 捐献 juānxiàn; 献 xiàn; 献捐 xiànjuān; 捐献 juānxiàn ¶평생 모은 재산을 국가에 ~하다 把一生的积蓄都捐献给国家

헌-법(憲法) 명【法】宪法 xiànfǎ ¶~ 기관 宪法机关／~ 소원 宪法诉愿／~ 재판소 宪法裁判所

헌-병(憲兵) 명【軍】宪兵 xiànbīng

헌-신(献身) 명[하자] 献身 xiànshēn; 投身 tóushēn; 忘我 wàngwǒ ¶사회봉사 활동에 ~하다 投身于社会公益活动

헌-신짝(─) 명 破鞋 pòxié; 旧鞋 jiùxié; 敝屣 bìxǐ

헌신짝 버리듯 곤 弃之如敝屣

헌-장(憲章) 명 宪章 xiànzhāng ¶국제연합 ~ 国际联合宪章

헌-정(憲政) 명【政】宪政 xiànzhèng; 立宪政治 lìxiàn zhèngzhì

헌-책(─冊) 명 旧书 jiùshū; 二手书 èrshǒushū ¶~방 旧书店

헌칠-하다 휑 颀长 qícháng; 修长 xiūcháng; 魁梧帅气 kuíwúshuàiqì ¶키가 헌칠한 청년 身材颀长的青年 **헌칠-히** 튀

헌-혈(献血) 명[하자] 献血 xiànxuè ¶~자 献血人／~ 증 献血证／~ 운동에 동참하다 参加献血运动

헌-화(献花) 명[하자] 献花 xiànhuā ¶고인의 영전에 ~하다 在故人灵前献花

헐-값(─) 명 廉价 liánjià; 贱价 jiànjià; 低价 dījià ¶~에 사들이다 廉价购买／~에 팔다 低价出售

헐겁다 휑 松 sōng; 松动 sōngdòng; 不紧 bùjǐn ¶줄이 헐겁게 묶이다 绳子捆得不紧

헐:다¹ 자 1 溃烂 kuìyáng; 溃烂 kuìlàn; 烂 làn ¶입안이 ~ 嘴里溃烂 2 破旧 pòjiù; 陈旧 chénjiù; 老旧 lǎojiù ¶천막이 너무 헐었다 那布棚太破旧了

헐:다² 자 1 拆 chāi; 拆毁 chāihuǐ ¶집을 ~ 拆房子 2 破开 pòkāi; 开始用 kāishǐyòng; 动用 dòngyòng ¶백만 원짜리 수표를 ~ 开始用百万元的支票 3 毁谤 huǐbàng; 诽谤 fěibàng; 诋毁 dǐhuǐ

헐떡-거리다 자타 1 喘气 chuǎnqì; 气喘嘘嘘 qìchuǎnxūxū; 气喘吁吁 qìchuǎnxūxū; 呼哧 hūchī ¶헐떡거리며 뒤쫓아가다 气喘吁吁地追赶 2 (鞋等) 松 sōng; 松动 sōngdòng ‖ = 헐떡대다 **헐떡-헐떡** 튀[자타]

헐떡-이다 자 1 气喘 qìchuǎn; 气喘吁吁 qìchuǎnxūxū ¶그는 숨을 헐떡였다 他气喘吁吁的 2 (鞋等) 松动 sōngdòng; 松动 sōngdòng

헐-뜯다 타 诋毁 dǐhuǐ; 中伤 zhòngshāng; 诽谤 fěibàng; 贬低 biǎndī ¶뒤에서 남을 ~ 背后中伤他人

헐렁-거리다 자 1 松动 sōngdòng; 松 sōng; 肥大 féidà ¶모자가 커서 좀 헐렁거린다 帽子大, 戴在头上松松的 2 (言行) 轻浮 qīngfú; 浪荡 làngdàng; 浮漂 fúpiāo ‖ = 헐렁대다 **헐렁-헐렁** 튀[자타] ¶~한 옷을 걸치다 穿着肥大的衣服

헐렁-하다 휑 1 松 sōng; 肥 féi; 大 dà; 不紧 bùjǐn; 宽松 kuānsōng; 宽大 kuāndà; 肥大 féidà ¶옷이 ~ 衣服肥肥的 2 轻浮 qīngfú; 浪荡 làngdàng ¶헐렁한 말투로 말하다 用轻浮的口气说 **헐렁-히** 튀

헐레-벌떡 튀[하타] 气喘吁吁地 qìchuǎnxūxūde; 上气不接下气地 shàngqì bùjiē xiàqìde; 呼哧呼哧地 hēngchīhēngchīde ¶~ 뛰어가다 气喘吁吁地跑

헐-리다 자 被拆掉 bèichāidiào; 被拆毁 bèichāihuǐ ¶집이 ~ 房子被拆毁

헐-벗다 [一]자 衣着褴褛 yīzhuó lánlǚ; 穿不暖 chuānbùnuǎn ¶헐벗고 굶주리는 백성 吃不饱穿不暖的老百姓 [二]타 光秃秃 guāngtūtū ¶산과 들이 ~ 山野光秃秃的

험:-난-하다(险难─) 휑 1 艰难 jiānnán; 艰险 jiānxiǎn ¶험난한 세상 艰难的世道 2 险阻 xiǎnzǔ; 险峻 xiǎnjùn ¶험난한 산길 险峻的山路

험:-담(险談) 명[하자] 诽谤 fěibàng; 诋毁 dǐhuǐ ¶~을 늘어놓다 进行诽谤

험:-상-궂다(险状─) 휑 凶恶 xiōng'è; 狰狞 zhēngníng ¶생김새가 아주 ~ 长相很凶恶

험:-상-스럽다(險狀─) 〔形〕凶恶 xiōng'è; 狰狞 zhēngníng ¶험상스러운 눈 凶恶的眼睛 **험:-상스레** 〔副〕

험:-악-하다(險惡─) 〔形〕1 凶险 xiōngxiǎn; 险恶 xiǎn'è; 凶狠 xiōnghěn ¶분위기가 갑자기 험악스러워졌다 气氛突然变得凶险 **험:-악스레** 〔副〕

험:-악-하다(險惡─) 〔形〕1 (山势、天气、道路等) 险恶 xiǎn'è; 恶劣 èliè; 险峻 xiǎnjùn ¶산세가 ～ 山势险峻 2 (气氛、形势、局面等) 恶劣 èliè; 险恶 xiǎn'è; 凶险 xiōngxiǎn ¶분위기가 ～ 气氛很恶劣 3 (人心、性格、态度、面目等) 残暴 cánbào; 凶狠 xiōnghěn ¶험악한 얼굴 凶恶的面目

험:-준-하다(險峻─) 〔形〕险峻 xiǎnjùn; 陡峻 dǒujùn; 陡峭 dǒuqiào ¶험준한 암벽을 기어오르다 攀登陡峭的岩壁

험:-하다(險─) 〔形〕1 险峻 xiǎnjùn; 险要 xiǎnyào; 崎岖 qíqū ¶지형이 ～ 地势崎岖 2 凶险 xiōngxiǎn; 险恶 xiǎn'è; 恶劣 èliè ¶험한 날씨 恶劣的天气 3 凶 xiōng; 凶险 xiōngxiǎn; 可怕 kěpà ¶인상이 험한 사나이 面目凶狠的男子 4 粗鲁 cūlǔ; 鲁莽 lǔmǎng; 莽撞 mǎngzhuàng ¶말씨가 ～ 说话粗鲁/차를 험하게 몰다 莽撞地开车 5 寒酸 hánsuān; 粗劣 cūliè ¶험한 음식 粗劣的饭食/험한 차림새 寒酸的衣着 6 悽惨 qīcǎn ¶험한 꼴을 당하다 遭遇凄惨 7 艰难 jiānnán; 艰巨 jiānjù; 粗 cū; 粗重 cūzhòng ¶험한 농삿일 粗重的农活 **험:-히** 〔副〕

헛- 〔접두〕白 bái; 虚 xū; 空 kōng ¶걸음 白跑 / ～수고 白辛苦 / ～살다 白活 / 나이를 ～먹다 空长年纪

헛-간(─間) 〔名〕堆房 duīfang; 库房 kùfáng

헛-갈리다 〔自〕= 헷갈리다

헛-걸음 〔名〕〔하자〕白跑 báipǎo; 白走 báizǒu; 冤枉路 yuānwanglù ¶～ 치다 走冤枉路

헛-것 〔名〕1 = 헛일 2 = 허깨비

헛-고생(─苦生) 〔名〕〔하자〕白辛苦 báixīnkǔ; 白费劲 báifèijìn; 白受累 báishòulèi; 徒劳无益 túláo wúyì

헛구역-질(─嘔逆─) 〔名〕〔하자〕干吐 gāntù; 干呕 gān'ǒu

헛-기침 〔名〕〔하자〕干咳 gānké; 干咳嗽 gānkésou; 假咳 jiǎsòu ¶～으로 목청을 가다듬다 干咳嗽一声来清清嗓子

헛-다리 〔名〕拍马屁拍到马蹄子上 pāi mǎpì pāidào mǎtízishang ¶～를 짚다 拍马屁拍到马蹄子上

헛-돈 〔名〕冤枉钱 yuānwangqián

헛-돌다 〔自〕空转 kōngzhuàn; 空跑 kōngpǎo ¶진창에서 바퀴가 ～ 轮子在泥泞中打滑空转

헛-되다 〔形〕1 白 bái; 白费 báifèi; 无用 wúyòng; 空 kōng ¶헛된 일 白劳劲的事 2 虚妄 xūwàng; 荒唐 huāngtáng; 荒诞 huāngdàn ¶헛된 꿈 荒诞的梦 헛되이 白白 ¶～ 시간을 보내다 白白地耗费时间

헛-디디다 〔他〕失足 shīzú; 踏空 cǎikōng; 失脚 shījiǎo ¶발을 헛디뎌 물에 빠지다 失足落水

헛물-켜다 〔自〕终归徒劳 zhōngguī túláo; 白费劲儿 báifèijìnr

헛-발 〔名〕踏空 tàkōng; 失足 shīzú; 失脚 shījiǎo ¶～을 디디다 一脚踩空

헛발-질 〔名〕〔하자〕踢不中 tībùzhòng

헛-배 〔名〕(发胀的) 肚子 dùzi ¶～가 부르다 消化不好, 肚子发胀

헛-소리 〔名〕〔하자〕1 (无意识状态下说的) 胡话 húhuà; 谵语 zhānyǔ ¶～를 하다 讲谵语 2 空话 kōnghuà; 大话 dàhuà; 胡言乱语 húyánluànyǔ ¶～를 늘어놓다 空话连篇

헛-소문 〔名〕谣言 yáoyán; 谣传 yáochuán; 风闻 fēngwén; 风言风语 fēngyánfēngyǔ ¶～을 퍼뜨리다 散布谣言

헛-손질 〔名〕〔하자〕1 (神志不清时) 手乱动 shǒuluàndòng ¶꿈을 꾸는지 아이가 허공 중에 ～을 했다 孩子好像在做梦, 手在空中乱动 2 失手 shīshǒu; 手没推儿 shǒuméizhǔnr ¶상대편 선수는 힘이 빠졌는지 ～이 잦다 对手好像没劲了, 频频失手

헛-수고 〔名〕〔하자〕白辛苦 báixīnkǔ; 白费劲 báifèijìn; 徒劳 túláo

헛-스윙(─swing) 〔名〕〔体〕挥棒落空 huībàng luòkōng

헛-웃음 〔名〕1 干笑 gānxiào; 假笑 jiǎxiào ¶그는 어색한 ～을 지었다 他干笑了一下, 显得很不自然 2 (无奈的) 笑 xiào ¶그는 그 소식을 듣고서 ～만 지었다 听到那个消息, 他只是干笑

헛-일 〔名〕〔하자〕徒劳 túláo; 白干 báigàn; 泡影 pàoyǐng ¶～은 헛것1 ¶모든 노력이 ～로 돌아가다 一切努力都化为泡影

헛-짚다 〔他〕1 失脚 shījiǎo; 踩空 cǎikōng ¶발을 헛짚어 넘어질 뻔했다 一脚踩空, 差点儿跌倒 2 看错 kàncuò; 认错 rèncuò; 估计错 gūjìcuò ¶나는 그를 범인으로 헛짚고 있었다 我把他看成了罪犯

헛헛-하다 〔形〕1 (觉得) 腹中空虚 fùzhōng kōngxū ¶속이 ～ 感到腹中空虚 2 (觉得) 空虚 kōngxū; 惆怅 chóuchàng ¶오늘은 괜스레 마음이 헛헛하면서 일

이 손에 잡히지 않는다 今天心里莫名地惆怅, 做不好事儿 헛헛-이 [甼

헝 졉 [명] 布块 bùkuài; 布片 bùpiàn; 碎布 suìbù

헝클다 [타] 弄乱 nòngluàn; 搅乱 jiǎohun; 搅乱 jiǎoluàn; 使纠结 shǐjiūjié; 使绕上 shǐràoshang; 使纷乱 shǐfēnluàn ¶실을 헝클어 놓다 把线弄乱一团

헝클어-뜨리다 [타] 弄乱 nòngluàn; 搅混 jiǎohun = 헝클어트리다 ¶아이가 털실을 헝클어뜨렸다 孩子把毛线弄乱了

헝클어-지다 [자] 乱 luàn; 搞乱 gǎoluàn; 蓬乱 péngluàn; 纷乱 fēnluàn; 纠结 jiūjié; 绕上 ràoshang ¶일이 ~ 事情乱套了 / 마음이 ~ 思绪纷乱 / 실이 ~ 线纠结在一起

헤[1] 캠 咧嘴(笑) liězuǐ(xiào) ¶입을 벌리고 웃다 咧嘴笑了

헤[2] 캡 嘻 hài ¶~, 이 일을 어쩐다? 嘻, 这怎么办呢?

헤-다 [타] 挣扎 zhēngzhá; 挣脱 zhēngtuō ¶우리 회사는 경제 쇠퇴기에서 헤어 나오고 있다 我公司在挣扎着走出经济衰退期

헤드라이트(headlight) [명] 전조등

헤드라인(headline) [명] (报刊的) 标题 biāotí; 头版头条新闻 tóubǎn tóutiáo xīnwén

헤드폰(headphone) [명] (头戴式) 耳机 ěrjī

헤딩(heading) [명] [體] (足球的) 头球 tóuqiú; 顶球 dǐngqiú ¶~슛 头球射门 / ~으로 패스하다 用顶球传球

헤로인(heroine) [명] [藥] 海洛因 hǎiluòyīn; 白面儿 báimiànr; 白粉 báifěn ¶~ 중독 海洛因中毒

헤르츠(Hertz) [의명] [物] 赫兹 hèzī; 赫 hè

헤매다 [자타] 1 徘徊 páihuái; 流落 liúluò; 流浪 liúláng ¶낯선 거리를 ~ 流落陌生街头 2 挣扎 zhēngzhá; 濒临 bīn ¶환자가 사경을 ~ 病人一刻挣死

헤모글로빈(hemoglobin) [명] [生] 血红蛋白 xuèhóng dànbái; 血红素 xuèhóngsù; 血色素 xuèsèsù = 혈색소

헤-벌리다 [타] 张开 zhāngkāi ¶입을 헤벌리고 웃다 张开着嘴笑

헤-벌어지다 [자] 咧开 liěkāi ¶좋아서 입이 ~ 高兴得咧开了

헤벌쭉 [甼][명] (口, 嘴) 咧着 liězhe; 张着 zhāngzhe; 合不拢 hébùlóng ¶칭찬을 듣자 그의 입은 ~ 벌어졌다 听到赞美之词, 他咧开了嘴

헤비-급(heavy級) [명] [體] 重量级 zhòngliàngjí

헤비-메탈(heavy metal) [명] [音] 重金属音乐 zhòngjīnshǔ yīnyuè

헤:아리다 [타] 1 数 shǔ; 计 jì ¶수가 헤아릴 수 없이 많다 不可胜数 2 猜测 cāicè; 揣摸 chuāimo; 揣摩 chuāimó; 揣测 chuāicè ¶상대방의 심중을 ~ 揣摩对方的心思 3 理解 lǐjiě; 谅解 liàngjiě; 体谅 tǐliàng; 估量 gūliáng; 酌量 zhuóliáng ¶남의 고충을 ~ 体谅别人的苦衷

헤어-나다 [자타] 解脱 jiětuō; 摆脱 bǎituō; 挣脱 zhēngtuō ¶가난에서 ~ 摆脱贫困

헤어-드라이어(hair dryer) [명] 吹风机 chuīfēngjī; 电吹风 diànchuīfēng

헤어브러시(hairbrush) [명] 发刷 fàshuā

헤어스타일(hairstyle) [명] 发型 fàxíng; 发式 fàshì; 头型 tóuxíng

헤어-스프레이(hair spray) [명] 喷发定型剂 pēnfàdìngxíngjì; 发胶 fàjiāo

헤어-지다 [자] 1 离开 líkāi; 分手 fēnshǒu; 分开 fēnkāi; 分别 fēnbié; 离别 líbié ¶그녀와 ~ 和她分手了 2 裂 liè; 皲裂 jūnliè ¶추위에 입술이 ~ 冻得嘴唇裂开了

헤엄 [명][하자] 游泳 yóuyǒng; 游水 yóushuǐ ¶그는 ~을 잘 친다 他游泳游得很好

헤엄-치다 [자] 游泳 yóuyǒng; 游水 yóushuǐ ¶수영장에서 ~ 在游泳池里游泳

헤집다 [타] 扒 bā; 刨 páo; 扒拉 bāla; 拨开 bōkāi ¶그는 구경꾼들을 헤집고 안으로 비집고 들어갔다 他拨开看热闹的人群, 自己挤了进去

헤치다 [타] 1 扒开 bākāi; 拨开 bōkāi; 挖开 wākāi; 破 pò; 冲 chōng ¶무덤을 ~ 挖开坟墓 / 배가 물살을 헤쳐 나아가다 船破浪而行 2 散开 sǎnkāi; 解散 jiěsàn; 拆开 chāikāi ¶사람들을 헤쳐서 보내다 解散人群 3 解开 jiěkāi; 敞开 chǎngkāi ¶가슴을 풀어 ~ 把胸口敞开 4 克服 kèfú; 战胜 zhànshèng ¶온갖 고난을 ~ 克服一切困难

헤:프다 [형] 1 不禁用 bùjīnyòng; 不耐用 bùnàiyòng; 不经用 bùjīngyòng; 费 fèi ¶무른 비누는 ~ 松软的肥皂不耐用 2 手松 shǒusōng; 大手大脚 dàshǒudàjiǎo ¶돈을 헤프게 쓰다 花钱大手大脚 3 (嘴) 不严 bùyán; 快 kuài; 碎 suì ¶입이 헤픈 사람 嘴不严的人

헤:피 [甼] 一切困难

헤-헤 [甼][자] 嘿嘿 hēihēi; 嘻嘻 xīxī ¶~ 웃다 嘻嘻地笑

헤헤-거리다 [자] 直嘿嘿笑 zhí hēihēi xiào = 헤헤대다

헥타르(hectare) [의명] 公顷 gōngqǐng

헬-기(←helicopter機) [명] = 헬리콥터

헬렐레 [명][하자] (因酒醉而) 跟跄跄 tiē tiē

liángliángqiàngqiàngde; 东倒西歪地 dōngdǎoxīwāide ¶그는 술을 마시고 ～ 하며 정신을 차리지 못하고 있다 他喝了酒 就东倒西歪地不醒人事

헬륨(helium) 몡 【化】 氦 hài

헬리콥터(helicopter) 몡 直升机 zhíshēngjī; 直升飞机 zhíshēng fēijī = 헬기 ¶～를 조종하다 操作直升机

헬멧(helmet) 몡 安全帽 ānquánmào; 防护帽 fánghùmào ¶～을 벗다 脱掉安全帽 / ～을 쓰다 戴安全帽

헬스-클럽(health club) 몡 健身房 jiànshēnfáng

헷-갈리다 쟈 混淆 hùnxiáo; 错乱 cuòluàn; 分不清 fēnbùqīng; 弄糊涂 nònghútu; 搞乱 gǎoluàn = 헛갈리다 ¶그의 말은 나를 헷갈리게 했다 他的话把我弄糊涂了

헹-가래 몡 (把人) 抛到空中 pāodào kōngzhōng

헹구다 타 **1** 涮 shuàn; 冲洗 chōngxǐ; 涮洗 shuànxǐ; 漂洗 piǎoxǐ ¶빨래를 깨끗이 ～把衣物漂洗干净 **2** 漱 shù ¶입을 ～ 漱口

혀 몡 舌 shé; 舌头 shétou ¶～로 핥다 用舌头添 / ～를 내밀다 伸出舌头

혀-끝 몡 舌尖 shéjiān; 舌端 shéduān ¶～소리 舌尖音 / ～으로 맛을 보다 用舌尖品味

혀-뿌리 몡 舌根 shégēn ¶～소리 舌根音

혁대(革帶) 몡 皮带 pídài; 皮腰带 píyāodài ¶～를 끄르다 松开皮腰带

혁명(革命) 몡하타 革命 gémìng; 变革 biàngé ¶산업 ～ 工业革命 / ～가 革命家 / ～적 革命的 / ～을 일으키다 闹革命

혁신(革新) 몡하타 革新 géxīn; 改革 gǎigé ¶기술 ～ 技术革新 / ～안 革新方案 / ～적 革新的 / ～주의 革新主义

혁혁-하다(赫赫~) 혱 赫赫 hèhè; 显赫 xiǎnhè ¶혁혁한 공적 赫赫功绩 / 혁혁한 전과를 올리다 立下显赫战功 **혁혁-히** 円

현(現) 관 现 xiàn; 现在 xiànzài ¶～ 정권 现政权 / ～ 상태 现状态

현(絃) 몡 【音】 弦 xián

현: **격**(懸隔) 몡혱하早 悬殊 xuánshū; 显著 xiǎnzhù ¶～한 차이 悬殊的差别

현: **관**(玄關) 몡 门口 ménkǒu; 家门口 jiāménkǒu; 门廊 ménláng; 门道 méndào ¶～에서 손님을 맞다 在门口迎接客人 / ～에 들어서다 走进门廊

현: **관-문**(玄關門) 몡 房子大门 fángzi dàmén; 大门 dàmén

현: **금**(現金) 몡 【經】 现金 xiànjīn; 现款 xiànkuǎn; 现钞 xiànchāo ¶～가 现金交易价 / ～ 인출 카드 现金卡

현: **금** 인출기(現金引出機) 【經】 自动提款机 zìdòng tíkuǎnjī = 시디²

현: **기**(眩氣) 몡 晕眩 yūnxuàn = 어지럼

현: **기-증**(眩氣症) 몡 发晕 fāyūn; 晕头晕脑 yūntóuyūnnǎo; 头晕 tóuyūn; 眩晕 xuànyùn; 头晕眼花 tóuyūnyǎnhuā = 어지럼증

현답(賢答) 몡 贤答 xiándá ¶우문우답 贤答愚问贤答

현: **대**(現代) 몡 现代 xiàndài ¶～ 무용 现代舞 / ～ 문학 现代文学 / ～ 문명 现代文明 / ～식 现代式 / ～인 现代人 / ～적 现代化的 / ～ 의학 现代医学 / ～ 여성 现代女性 / ～화 现代化

현: **란**(絢爛) 몡혱하早 绚烂 xuànlàn; 绚丽 xuànlì; 绚丽多彩 xuànlìduōcǎi; 灿烂 cànlàn ¶～한 무대 의상 绚丽多彩的舞台服装

현명(賢明) 몡혱하早 贤明 xiánmíng; 英明 yīngmíng; 明智 míngzhì ¶～한 지도자 英明的领导者 / ～하게 대처하다 明智地应付

현모-양처(賢母良妻) 贤妻良母 xiánqī liángmǔ

현무-암(玄武巖) 몡 【鑛】 玄武岩 xuánwǔyán

현: **물**(現物) 몡 【經】 = 실물² ¶～ 거래 现货交易

현미(玄米) 몡 糙米 cāomǐ ¶～밥 糙米饭

현: **미-경**(顯微鏡) 몡 【物】 显微镜 xiǎnwēijìng

현: **상**(現狀) 몡 现状 xiànzhuàng; 现况 xiànkuàng ¶～ 유지 维持现状 / ～을 파악하다 掌握现况

현: **상**(現象) 몡 现象 xiànxiàng ¶열대야 ～ 热带夜现象 / 피부 노화 ～ 皮肤老化现象

현: **상**(現像) 몡하타 【演】 (照片) 洗 xǐ; 冲洗 chōngxǐ; 显影 xiǎnyǐng ¶필름을 ～하다 洗胶卷

현: **상**(懸賞) 몡하타 悬赏 xuánshǎng ¶～금 悬赏金 / ～ 수배를 하다 悬赏缉拿

현: **세**(現世) 몡 现世 xiànshì

현손(玄孫) 몡 玄孙 xuánsūn ¶～녀 玄孙女 / ～부 玄孙妇

현: **수-막**(懸垂幕) 몡 横幅 héngfú; 宣传条幅 xuānchuán tiáofú

현: **-시대**(現時代) 몡 现时代 xiànshídài; 当今 dāngjīn

현: **-시점**(現時點) 몡 此时 cǐshí; 此刻 cǐkè; 目前 xiànshí

현: **실**(現實) 몡 现实 xiànshí ¶～성 现实性 / ～주의 现实主义 / ～화 现实化 / ～을 직시하다 直面现实 / 그는 ～에 만족하다 他满足于现实

현:실-적(現實的) 괜떼 현실(的) xiàn- shí(de); 현실성(的) xiànshíxìng(de) ¶ ~인 문제 现实性问题

현악(絃樂) 똉 【音】 弦乐 xiányuè ¶~ 기 弦乐器 / ~ 삼중주 弦乐三重奏

현:안(懸案) 똉 悬案 xuán'àn

현:역(現役) 똉 1【軍】 现役 xiànyì ¶ ~ 군인 现役军人 / ~으로 입대하다 现役入伍 2 현실 xiànzhí, 재직 zàizhí ¶ ~ 배우 现职演员

현인(賢人) 똉 贤人 xiánrén; 贤者 xián- zhě; 贤才 xiáncái = 현자

현자(賢者) 똉 = 현인

현장(現場) 똉 1 现场 xiànchǎng ¶사 건 ~ 条件现场 2 工地 gōngdì ¶建设 ~ 建筑工地 3 现场 xiànchǎng; 当地 dāngdì = 실지2 ¶유적 발굴 ~ 遗 址发掘现场

현:재(現在) 똉뿐 现在 xiànzài; 目前 mùqián; 如今 rújīn ¶~ 완료 现在完 成 / ~ 진행 现在进行 / 그는 ~ 병원 에 입원해 있다 他现在在医院住院

현:저-하다(顯著-) 휑 显著 xiǎnzhù; 明显 míngxiǎn ¶변화가 ~ 变化显著 현:저-히 뿐 人口가 ~ 증가하다 人 口明显增加

현:존(現存) 똉휑짜 现存 xiàncún; 现 有 xiànyǒu ¶~하는 인물 现有人物

현:주-소(現住所) 똉 1 现住址 xiàn- zhùzhǐ; 现住所 xiànzhùsuǒ ¶지원서에 ~를 기입하다 在志愿表上填写现住 所 2 现状 xiànzhuàng; 现况 xiànkuàng ¶남북 관계의 ~ 南北关系的现状

현:지(現地) 똉 1 当地 dāngdì; 实地 shídì ¶~인 当地人 / ~ 시간 当地时 间 / ~에 적응하다 适应当地生活 2 现场 xiànchǎng ¶~ 답사 现场调查 / ~ 르포 现场报道

현:지 촬영(現地撮影) 【演】 现场拍摄 xiànchǎng pāishè; 外景拍摄 wàijǐng pāi- shè = 로케·로케이션·야외 촬영

현:직(現職) 똉 现职 xiànzhí; 现任 xiànrèn; 在职 zàizhí ¶~ 경찰 在职警 察

현:찰(現札) 똉 现金 xiànjīn; 现钞 xiànchāo ¶~로 계산하다 用现金结账

현:판(懸板) 똉 扁额 biǎn'é ¶~을 달 다 挂扁额

현:품(現品) 똉 现货 xiànhuò

현학(衒學) 똉 炫学 xuànxué; 炫弄学 问 xuànnòng xuéwèn; 炫耀学识 xuàn- yào xuéshí ¶~자 炫学者 / ~적 炫耀 学识的

현:행(現行) 똉휑짜 现行 xiànxíng ¶ 범 现行犯 / ~법 现行法律 / 수입 관세 를 ~대로 유지하다 维持现行的进口 关税

현:혹(眩惑) 똉휑타 眩惑 xuànhuò; 迷

혹 míhuò; 迷住 mízhù ¶미사여구로 사람의 마음을 ~하다 以美词丽句迷 住人心

현:황(現況) 똉 现况 xiànkuàng; 现状 xiànzhuàng ¶ ~ 보고 现况报告 / 수해 복구 ~ 水灾区的复原现状

혈(穴) 똉 1【民】 穴 xué 2【韓醫】 穴 xué; 穴位 xuéwèi; 经穴 jīngxué; 穴道 xuédào

혈관(血管) 똉 【生】 血管 xuèguǎn = 핏줄1 ¶~계 血管系统 / ~ 주사 血管 注射

혈기(血氣) 똉 血气 xuèqì; 精力 jīnglì ¶~가 왕성하다 血气方刚

혈뇨(血尿) 똉 【醫】 尿血 niàoxiě

혈당(血糖) 똉 【醫】 血糖 xuètáng ¶ ~ 검사 血糖检查

혈루(血淚) 똉 = 피눈물

혈류(血流) 똉 = 血流 xuèliú

혈맥(血脈) 똉 1 = 혈통 2 【生】 血脉 xuèmài = 맥5

혈맹(血盟) 똉 血盟 xuèméng; 歃 血为盟 shàxuèwéiméng ¶~ 관계 血盟 关系 / ~을 맺다 结下血盟

혈병(血餅) 똉 = 피떡

혈색(血色) 똉 血色 xuèsè; 气色 qìsè; 脸色 liǎnsè ¶~이 좋다 气色好

혈색-소(血色素) 똉 【生】 = 헤모글로 빈

혈서(血書) 똉 血书 xuèshū ¶~를 쓰 다 写血书

혈세(血稅) 똉 血汗钱 xuèhàn qián; 血汗税钱 xuèhàn shuì- qián

혈소판(血小板) 똉 【生】 血小板 xuè- xiǎobǎn

혈안(血眼) 똉 眼红 yǎnhóng; 急眼 jíyǎn; 拼命 pīnmìng

혈압(血壓) 똉 【生】 血压 xuèyā ¶~계 血压计 / ~을 재다 量血压 / ~이 조금 높다 血压高一点儿

혈액(血液) 똉 血液 xuèyè = 피 ¶~ 검사 血液检查 / ~ 순환 血液循 环

혈액-형(血液型) 똉 【生】 血型 xuè- xíng

혈연(血緣) 똉 血缘 xuèyuán; 亲缘 qīnyuán ¶~관계 血缘关系 / ~과 지연 血缘和地缘

혈우-병(血友病) 똉 【醫】 血友病 xuè- yǒubìng

혈육(血肉) 똉 血肉 xuèròu; 骨肉 gǔ- ròu; 亲骨肉 qīngǔròu; 亲生骨肉 qīn- shēng gǔròu ¶~ 관계 血肉关系 / ~의 정 骨肉之情 / 슬하에 일점 ~도 없다 膝下没有自己的骨肉

혈장(血漿) 똉 【生】 血浆 xuèjiāng

혈전(血戰) 똉휑짜 血战 xuèzhàn ¶~ 을 벌이다 展开血战

혈족(血族) 명 血族 xuèzú; 血亲 xuè- qīn; 亲族 qīnzú; 亲人 qīnrén ¶헤어졌 던 ~을 다시 만나다 分离的亲人重逢

혈청(血清) 명 【生】血清 xuèqīng ¶~ 검사 血清检查 / ~ 요법 血清疗法

혈통(血統) 명 血统 xuètǒng; 系谱 xì- pǔ = 핏줄2·혈맥1

혈투(血鬪) 명 血斗 xuèdòu; 血战 xuèzhàn; 死战 sǐzhàn; 搏斗 bódòu ¶~를 벌이다 展开搏斗

혈혈−단신(孑孑單身) 명 孑然一身 jié- rányìshēn; 茕茕孑立 qióngqióngjiélì; 孤 身一人 gūshēnyìrén ¶그는 전쟁 때 으 로 월남했다 战争时他孤身一人为 奔南韩

혈흔(血痕) 명 血痕 xuèhén; 血迹 xuè- jì ¶~을 지우다 擦去血迹 / ~이 남다 血迹残留

혐오(嫌惡) 명하타 嫌恶 xiánwù; 厌恶 yànwù; 憎恶 zēngwù; 憎恨 zēnghèn ¶~ 감 嫌恶感 / 나는 전쟁을 ~한다 我 憎恨战争

혐의(嫌疑) 명하자타 【法】嫌疑 xiányí ¶~자 嫌疑犯 / ~를 받다 遭到嫌疑

협객(俠客) 명 侠客 xiákè; 武侠 wǔxiá

협곡(峽谷) 명 峡谷 xiágǔ

협공(挾攻) 명하타 夹攻 jiāgōng; 夹击 jiājī ¶~ 작전 夹攻作战

협궤(狹軌) 명 【交】窄轨 zhǎiguǐ; 狭 轨 xiáguǐ ¶~ 열차 窄轨列车

협동(協同) 명하자 协同 xiétóng; 协力 xiélì; 协作 xiézuò; 联合 liánhé ¶~심 协作精神 / 작전 协同作战 / ~적 共 同的 / ~ 작업 联合作业

협력(協力) 명하자 协力 xiélì; 协作 xiézuò; 协助 xiézhù; 协同 xiétóng; 协助 bāngzhù; 合作 hézuò ¶상호 ~ 相互协作 / ~을 요청하다 邀请合作

협박(脅迫) 명하타 胁迫 xiépò; 威迫 wēipò; 威胁 wēixié; 威逼 wēibī; 恐吓 kǒnghè ¶~장 威胁信 / ~을 당하다 受 到威胁

협상(協商) 명하자 协商 xiéshāng; 磋 商 cuōshāng ¶임금 ~ 协商薪资 / ~ 을 벌이다 进行协商

협소−하다(狹小−) 형 狭小 xiáxiǎo; 窄小 zhǎixiǎo; 狭窄 xiázhǎi ¶집이 매 우 ~ 家很狭小

협심−증(狹心症) 명 【醫】心绞痛 xīn- jiǎotòng; 狭心症 xiáxīnzhèng

협약(協約) 명하타 协约 xiéyuē; 协定 xiédìng ¶~을 맺다 缔结约约

협연(協演) 명하자 【音】合演 héyǎn; 协演 xiéyǎn; 协奏 xiézòu ¶관현악단과 의 ~ 与管弦乐团的协奏

협의(協議) 명하타 协议 xiéyì; 协商 xiéshāng; 商议 shāngyì; 商谈 shāng- tán; 洽谈 qiàtán ¶~안 协议案 / ~를

거쳐서 결정하다 经过协商决定

협의(狹義) 명 狭义 xiáyì ¶~로 해석 하다 狭义的解释

협잡(挾雜) 명하타 欺骗 qīpiàn; 诈骗 zhàpiàn; 敲诈 qiāozhà; 欺诈 qīzhà ¶ ~꾼 诈骗犯 / ~배 诈骗团伙 / ~질 诈 骗

협정(協定) 명하타 1 协定 xiédìng; 协 议 xiéyì; 公约 gōngyuē; 合议 héyì ¶休 战 ~ 停战协定 / ~ 가격 协定价格 / ~ 무역 协定贸易 / ~을 체결하다 签 定协定 2 协商决定 xiéshāng juédìng

협조(協助) 명하자타 协助 xiézhù; 帮 助 bāngzhù; 合作 hézuò ¶~를 요청하 다 请求协助

협조(協調) 명하자타 协调 xiétiáo; ~ 적 协调的 / 노사의 ~ 劳使协调

협주(協奏) 명하타 【音】协奏 xiézòu ¶이 ~곡 协奏曲

협찬(協贊) 명하타 赞助 zànzhù ¶이번 공연은 방송사의 ~으로 진행되었다 这次演出是在电视台的赞助下举办的

협회(協會) 명 协会 xiéhuì ¶작가 ~ 作家协会

혓−바늘 명 舌乳头 shérǔtóu ¶~이 돋 다 长舌乳头

혓−바닥 명 1 舌面 shémiàn ¶~을 데 었다 烫了舌面 2 舌头 shétou ¶~을 내밀다 把舌头伸出来

형(兄) 一명 哥 gē; 哥哥 gēge; 兄 xiōng; 兄长 xiōngzhǎng 二의명 老兄 lǎoxiōng; 大哥 dàgē 이의 ~, 한 가지 부탁이 있소 老兄, 我有一事相求

−형(刑) 명 【法】= 刑罚

−형(形) 접미 形 xíng ¶계란~ 蛋形 / 삼각~ 三角形

−형(型) 접미 型 xíng; 式样 shìyàng; 样式 yàngshì; 款式 kuǎnshì ¶최신~ 最新式样 / 기본~ 基本型

형광(螢光) 명 1 萤光 yíngguāng = 반 딧불1 2 【物】荧光 yíngguāng ¶~등 荧光灯 / ~ 물质 荧光物质

형구(刑具) 명 刑具 xíngjù

형국(形局) 명 形势 xíngshì; 局面 jú- miàn; 局势 júshì ¶~이 우리에게 불리 하다 形势对我们不利

형기(刑期) 명 【法】刑期 xíngqī ¶~를 마치고 출소하다 服刑期满出狱

형−님(兄−) 명 哥 gē; 哥哥 gēge; 兄长 xiōngzhǎng 二 嫂子 sǎozi

형량(刑量) 명 刑量 xíngliàng

형벌(刑罰) 명하타 【法】刑罚 xíngfá; 惩办 chéngbàn = 형(刑) ¶죄인에게 ~을 내리다 对犯人处以刑罚

형법(刑法) 명 【法】刑法 xíngfǎ; 刑律 xínglǜ

형부(兄夫) 명 姐夫 jiěfū

형사(刑事) 명 1 【法】刑事 xíngshì

~ 사건 刑事案件 / ~ 재판 刑事裁判 **2** 刑警 xíngjǐng; 刑事警察 xíngshì jǐngchá; 便衣警察 biànyī jǐngchá ¶ 기동대 刑事机动队

형상(形狀) 명 形状 xíngzhuàng; 形态 xíngtài ¶기괴한 ~ 怪异的形状

형상(形象·形像) 명 **1** 形象 xíngxiàng ¶ ~ 화 形象化 **2** 形容 xíngróng; 描写 miáoxiě; 刻画 kèhuà

형색(形色) 명 **1** 衣着 yīzhuó; 穿戴 chuāndài; 穿着 chuānzhuó ¶ 초라한 ~ 의 나그네 衣着破旧的旅人 **2** 脸色 liǎnsè ¶ ~이 초췌해 보이다 脸色显得很憔悴

형성(形成) 명하타 形成 xíngchéng ¶ 인격 ~ 人格的形成 / 가치관을 ~ 하다 形成价值观

형성(形聲) 명 【語】 形声 xíngshēng 《汉字六书之一》 ¶ ~ 문자 形声字

형세(形勢) 명 **1** 生活状况 shēnghuó zhuàngkuàng; 生活情况 shēnghuó qíngkuàng ¶ ~가 차츰 나아지다 生活状况慢慢好起来 **2** 形势 xíngshì; 情势 qíngshì; 局势 júshì ¶ ~가 불리하다 形势大为不利

형수(兄嫂) 명 嫂子 sǎozi

형식(形式) 명 形式 xíngshì ¶ ~론 形式论 / ~미 形式美 / ~적 形式上 / ~주의 形式主义 / ~화 形式化 ¶ ~을 따지다 讲究形式 / ~에 얽매이다 拘泥于形式

형식(型式) 명 型 xíng; 型式 xíngshì ¶ 앞바퀴 구동 ~ 前轮驱动型式

형언(形言) 명 形容 xíngróng; 言状 yánzhuàng ¶ 말로 ~ 하기 어렵다 难以用语言形容

형용(形容) 명하타 形容 xíngróng ¶ ~ 구 形容句 / ~사 形容词 ¶ ~하기 어렵다 难以形容

형이상(形而上) 명 【哲】 形而上 xíng'érshàng ¶ ~학 形而上学 / ~학적 形而上学的

형이하(形而下) 명 【哲】 形而下 xíng'érxià ¶ ~학 形而下学 / ~학적 形而下学的

형장(刑杖) 명 刑杖 xíngzhàng

형장(刑場) 명 【法】 刑场 xíngchǎng = 사형장

형적(形迹·形跡) 명 形迹 xíngjì; 痕迹 hénjì; 踪影 zōngyǐng; 踪迹 zōngjì ¶ ~을 감추다 隐藏踪迹

형제(兄弟) 명 兄弟 xiōngdì ¶ ~자매 兄弟姐妹

형질(形質) 명 【生】 形质 xíngzhì ¶ 우량 ~ 优良形质 / ~이 우수하다 形质优良

형체(形體) 명 形体 xíngtǐ; 外形 wàixíng; 形态 xíngtài ¶ 일정한 ~가 없다 没有固定的形态

형태(形態) 명 形态 xíngtài; 形式 xíngshì ¶ ~론 形态论 / 전투 ~를 갖추다 形成战斗形态

형태-소(形態素) 명 【語】 词素 cìsù; 形态素 xíngtàisù

형통(亨通) 명하자 亨通 hēngtōng; 顺利 shùnlì; 如意 rúyì ¶ 만사가 ~ 하기를 바랍니다 祝万事如意

형판(型板) 명 【工】 型板 xíngbǎn

형편(形便) 명 **1** 情形 qíngxing; 情况 qíngkuàng; 形势 xíngshì ¶ 어떻게 되어 지는 ~을 봐서 정하자 如何办理, 到时候看情况再说 **2** 生活 shēnghuó; 家道 jiādào; 家境 jiājìng ¶ ~이 어렵다 家境很困难

형편-없다(形便一) 톙 不像样 bùxiàngyàng; 不像话 bùxiànghuà; 差劲 chàjìn; 糟糕 zāogāo ¶ 사람 됨됨이가 ~ 为人太不像样 / 그녀의 요리 솜씨는 정말 ~ 她的厨艺真是糟糕了 **형편 없-이** 뿐 不像样地; 不像话地

형평(衡平) 명 公平 gōngpíng; 平衡 pínghéng; 均衡 jūnhéng; 衡平 héngpíng ¶ ~성 公平性 / ~에 어긋난 처사 不公平地处事

형형색색(形形色色) 명 形形色色 xíngxíngsèsè; 各种各样 gèzhǒnggèyàng; 五花八门 wǔhuābāmén ¶ ~의 옷차림 各种各样的穿戴

혜:성(彗星) 명 **1** 【天】 彗星 huìxīng; 扫帚星 sàozhouxīng **2** 彗星 huìxīng; 新星 xīnxīng ¶ 음악계의 ~ 音乐界的新星

혜:안(慧眼) 명 慧眼 huìyǎn

혜:택(惠澤) 명 惠泽 huìzé; 恩泽 ēnzé; 恩惠 ēnhuì; 优惠 yōuhuì; 实惠 shíhuì; 沾光 zhānguāng; 受好处 shòu hǎochu ¶ 자연의 ~ 自然的恩惠 / ~을 주다 给予优惠

호¹ 뿐 哈 hā ¶입김을 ~ 불다 哈地呵气

호² 감 嗬 hē ¶ ~, 그것 대단하군요! 嗬, 真了不起!

호:(戶) 의명 户 hù; 家 jiā ¶50~ 가량 되는 마을 约有五十户的村子

호(弧) 명 【數】 弧 hú; 弧线 húxiàn

호(湖) 명 湖 hú ¶영랑~ 永郎湖

호:¹(號) 명 **1** 号 hào; 别号 biéhào ¶ ~를 짓다 起号 / ~를 부르다 称别号 **2** 闻名 wénmíng; 出名 chūmíng; 名气 yǒumíng ¶ ~가 나다 闻名于世

호:²(號) 의명 **1** 号 hào; 室 shì ¶1~ 차 一号车 **2** (刊物의) 期 qī ¶이번 ~ 这一期 **3** (印刷铅字의) 号 hào ¶6

활자 五号铅字 **4** (画布的) 号 hào ¶큰 ~의 유화 大号油画

호(壕) 圀 = 참호2

호(濠) 圀 濠沟 háogōu; 护城河 hùchénghé

호-(好) 접두 好 hǎo ¶~경기 好景气 / ~시절 好时节

-호(號) 접미 号 hào 《指飞机、船、火车等的称号》¶새마을~ 新村号 / 무궁화~ 木槿花号

호:가(呼價) 圀 要价 yàojià ¶천만 원을 ~하는 모피 코트 一件要价一千元韩币的毛皮大衣

호:각(号角) 圀 哨子 shàozi ¶~을 불다 吹哨子

호:감(好感) 圀 好感 hǎogǎn ¶~을 사다 产生好感 / 서로 ~을 갖다 互有好感

호강 하자 享福 xiǎngfú; 享清福 xiǎngqīngfú; 安逸 ānyì; 养尊处优 yǎngzūnchǔyōu ¶~을 누리다 享清福 / ~하며 자라다 养尊处优中长大

호강-스럽다 혱 豪华 háohuá; 荣华 rónghuá; 安逸 ānyì; 富裕 fùyù; 养尊处优 yǎngzūnchǔyōu ¶호강스러운 생활 养尊处优的生活 **호강스레** 튀

호객(呼客) 圀하자 叫客 jiàokè; 拉客 lākè ¶~ 행위 拉客行为

호걸(豪傑) 圀 豪杰 háojié; 好汉 hǎohàn

호:-경기(好景氣) 圀【經】好景气 hǎojǐng; 很景气 jǐngqì; 繁荣 fánróng = 호황2 ¶근래에 드문 ~ 近来少有的好景

호:구(戶口) 圀 户口 hùkǒu ¶~를 조사하다 调查户口

호:구(虎口) 圀 1 虎口 hǔkǒu ¶~를 벗어나다 脱离虎口 2 傻瓜 shǎguā ¶넌 날 ~로 아니? 你把我当傻瓜？

호구(糊口·餬口) 圀하자 糊口 húkǒu; 勉强度日 miǎnqiǎng dùrì ¶그 월급으로는 우리 네 식구 ~도 어렵다 那点工资，我们家四口都难以糊口

호구지계(糊口之計) 圀 = 호구지책

호구지책(糊口之策) 圀 糊口之策 húkǒuzhīcè; 谋生之道 móushēngzhīdào = 호구지계 · 호구책 ¶~을 강구하다 寻找糊口之策

호:국(護國) 圀 护国 hùguó; 卫国 wèiguó ¶~ 영령 护国英灵 / ~불교 护国佛教

호:기(好時期) 圀 好时期 hǎoshíqī; 佳期 jiāqī = 호시기

호:기(好機) 圀 好机会 hǎojīhuì; 良机 liángjī = 호기회 ¶~를 잡다 抓住好机会

호기(浩氣) 圀 浩然 hàorán; 浩然

气 hàoránzhīqì = 호연지기

호기(豪氣) 圀 1 豪气 háoqì; 豪情 háoqíng; 豪爽 háoshuǎng ¶~를 떨치다 豪情奔放 2 傲气 àoqì; 骄傲 jiāo'ào ¶~를 부리다 傲气十足

호기-롭다(豪氣) 혱 1 豪放 háofàng; 豪迈 háomài; 豪爽 háoshuǎng ¶호기롭게 생긴 청년 生性豪爽的青年 2 傲慢 àomàn; 傲气 àoqì ¶호기롭게 술집으로 들어가다 他傲慢地走进酒店 **호기로이** 튀

호:기-심(好奇心) 圀 好奇心 hàoqíxīn ¶~이 많다 好奇心强 / ~을 유발하다 引起好奇心

호:-기회(好機會) 圀 = 호기(好機)

호:남(好男) 圀 好男 hǎonán

호도(糊塗) 圀하타 掩盖 yǎngài; 隐瞒 yǐnmán; 掩饰 yǎnshì ¶현실을 ~하다 掩盖事实

호되다 혱 厉害 lìhai; 严厉 yánlì; 狠狠 hěnhěn; 猛烈 měngliè ¶호되게 꾸짖다 严厉斥责

호두(胡桃) 圀 核桃 hétao; 胡桃 hútáo ¶~과자 核桃饼干 / ~나무 核桃树 / ~엿 核桃仁饴糖 / ~를 깨먹다 砸核桃吃

호들갑 圀 轻浮 qīngfú; 胡闹 húnào; 轻举妄动 qīngjǔwàngdòng ¶~을 떨다 胡闹

호들갑-스럽다 혱 轻浮 qīngfú ¶옆집 여자는 호들갑스럽기 그지없다 隔壁家的女人轻浮得很 **호들갑스레** 튀

호-떡(胡-) 圀 烧饼 shāobing; 糖烧饼 tángshāobing

호떡-집(胡-) 圀 烧饼铺 shāobingpù; 糖烧饼铺 tángshāobingpù

호락-호락 圀하타 好对付 hǎoduìfu; 好欺负 hǎoqifu; 轻易 qīngyì; 容易 róngyì; 简单 jiǎndān ¶~하지 않은 상대 不好对付的对手

호:-랑-나비(虎狼-) 圀【蟲】凤蝶 fèngdié; 金凤蝶 jīnfèngdié = 호접

호:-랑이(虎狼-) 圀【動】虎 hǔ; 老虎 lǎohǔ; 범

호:령(號令) 圀하타 1 命令 mìnglìng; 号令 hàolìng ¶천하를 ~ 号令天下 2 斥责 chìzé; 怒斥 nùchì; 呵斥 hēchì ¶노기 띤 음성으로 부하들을 ~하다 怒气冲冲地呵斥手下 3 口令 kǒulìng

호롱 圀 煤油灯壶 méiyóu dēnghú

호롱-불 圀 油灯 yóudēng; 煤油灯 méiyóudēng

호루라기 圀 哨子 shàozi = 휘슬

호르몬(Hormone) 圀【生】荷尔蒙 hé'ěrméng; 激素 jīsù

호른(독Horn) 圀【音】法国号 fǎguóhào; 圆号 yuánhào

호리다 태 1 迷惑 míhuò; 迷住 mízhù; 诱惑 yòuhuò ¶남자를 ~ 诱惑男人 2 诱骗 yòupiàn; 勾引 gōuyǐn; 拐骗 guǎi ¶남을 호려서 이익을 얻다 勾引别人谋取利益

호리-병(一瓶) 명 葫芦瓶 húlúpíng

호리병-박(一瓶) 명【植】葫芦 húlu

호리-하다 형 细长 xìcháng; 细条 xìtiao; 苗条 miáotiao ¶몸매가 ~ 身材细长

호리-호리 뮈형 细长 xìcháng; 清瘦 qīngshòu; 细挑 xìtiao ¶~한 몸매 清瘦的身材

호명(呼名) 명하타 呼名 hūmíng; 点名 diǎnmíng; 叫名 jiàomíng ¶~을 하면 크게 대답하세요 点名时请大声回答

호모(라homo) 명 (男) 同性恋 tóngxìngliàn; 同性恋者 tóngxìngliànzhě

호미 명 锄 chú; 锄头 chútou; 铁锄 tiěchú

호ː-밀(胡一) 명【植】黑麦 hēimài

호ː박 명【植】南瓜 nánguā ¶~꽃 南瓜花 / ~씨 南瓜子 / ~엿 南瓜饴糖 / ~죽 南瓜粥

호ː박(琥珀) 명【礦】琥珀 hǔpò

호반(湖畔) 명 = 호숫가 ¶~의 도시 湖滨城市

호방-하다(豪放—) 형 豪放 háofàng ¶호방한 기상 豪放的气象 / 호방하게 웃다 豪放地大笑 **호방-히** 뮈

호ː별(戶別) 명 按户 ànhù; 挨门 āimén; 挨户 āihù; 挨家 āijiā ¶~ 방문 挨家拜访

호ː봉(號俸) 명 级别工资 jíbié gōngzī; 定岗年薪 dìnggǎng niánxīn ¶~이 꽤 높다 级别工资较高

호사(好事) 명 1 好事 hǎoshì ¶~다마 好事多魔 2 好事 hàoshì ¶~가 好事者

호사(豪奢) 명하자 豪奢 háoshē; 奢侈 shēchǐ; 奢华 shēhuá ¶분수에 넘치는 ~를 부리다 过分地豪华奢侈

호사-스럽다(豪奢—) 형 豪奢 háoshē; 豪华奢侈 háohuá shēchǐ; 豪华 háohuá; 华丽 huálì ¶호사스러운 생활 豪华奢侈的生活 / 호사스럽게 차려 입다 穿着豪华奢侈 **호사스레** 뮈

호ː상(好喪) 명 喜丧 xǐsāng; 天年丧 tiānniánsāng; 寿终丧 shòuzhōngsāng

호ː색(好色) 명자 好色 hàosè

호ː색-한(好色漢) 명 = 색한1

호소(呼訴) 명하자타 呼吁 hūyù; 陈诉 chénsù; 诉苦 sùkǔ; 诉冤 sùyuān ¶~문 呼吁文 / 억울한 사정을 ~하다 陈诉冤情

호ː소(號召) 명 号召 hàozhào; 呼吁 hūyù ¶단결을 ~하다 呼吁团结

호ː소-력(呼訴力) 명 号召力 hàozhàolì

호ː송(護送) 명하타 1 护送 hùsòng ¶~원 护送员 / ~차 护送车 / 금괴를 ~하다 护送金块 2 押送 yāsòng ¶~되어 법정으로 간 피의자 被押送上法庭的嫌疑人

호ː수(戶數) 명 户数 hùshù

호수(湖水) 명【地理】湖 hú; 湖水 húshuǐ; 湖泊 húpō

호ː수(號數) 명 1 号 hào; 号数 hàoshù; 号码 hàomǎ ¶~를 확인하다 认号码 2 [美] 尺寸 chǐcùn

호숫-가(湖水一) 명 湖畔 húpàn; 湖滨 húbīn; 湖边 húbiān = 호반

호스(hose) 명 胶皮管 jiāopíguǎn; 塑料管 sùliàoguǎn; 软管 ruǎnguǎn; 水管 shuǐguǎn

호스티스(hostess) 명 女招待员 nǚzhāodàiyuán; 女招待 nǚzhāodài

호스피스(hospice) 명【醫】临终关怀 línzhōng guānhuái; 善终服务 shànzhōng fúwù; 临终关怀护士 línzhōng guānhuái hùshi

호ː-시기(好時期) 명 好时期 hǎoshíqī; 好时节 hǎoshíjié = 호기(好期)

호ː-시절(好時節) 명 好时期 hǎoshíqī; 好时节 hǎoshíjié; 好时光 hǎoshíguāng

호ː시-탐탐(虎視眈眈) 명하타 虎视眈眈 hǔshìdāndān ¶~기회를 노리다 对机会虎视眈眈

호ː신(護身) 명하자 护身 hùshēn; 防身 fángshēn ¶~술 护身术 / ~용 护身用 / ~을 위해 유도를 배우다 为防身学习柔道

호언-장담(豪言壯談) 명하자 豪言壮语 háoyánzhuàngyǔ; 豪语 háoyǔ

호ː-연지기(浩然之氣) 명 浩然之气 hàorànzhīqì = 호기(浩氣)

호ː-하다(浩然—) 형 浩然 hàorán; 浩瀚 hàohàn ¶호연한 기상 浩然的气象 **호ː연-히** 뮈

호ː외(號外) 명 号外 hàowài; 号外刊 hàowàikān ¶~를 발행하다 发行号外刊

호우(豪雨) 명 豪雨 háoyǔ; 大雨 dàyǔ ¶~ 경보 豪雨警报 / ~ 주의보 豪雨注意报

호ː위(護衛) 명하타 护卫 hùwèi; 警卫 jǐngwèi; 保卫 bǎowèi ¶~대 护卫队 / ~병 护卫兵 / ~ 차량이 뒤따르다 警卫车辆紧随其后

호응(呼應) 명하자 1 响应 xiǎngyìng; 照应 zhàoyìng; 回应 huíyìng; 回响 huíxiǎng ¶수많은 사람들의 ~을 얻다 获得广大人民的响应 2【語】呼应 hūyìng

호ː의(好意) 명 好意 hǎoyì; 善意 shànyì; 好心 hǎoxīn ¶~적 好意的 / 남의 ~를 저버리다 辜负人家的好意

호:의-호:식(好衣好食) 명하자 好衣好食 hǎoyīhǎoshí; 甘衣好食 gānyīhǎoshí; 锦衣玉食 jǐnyīyùshí

호:인(好人) 명 好人 hǎorén

호:적(戶籍) 명 户籍 hùjí; 户口 hùkǒu ¶~ 등본 户籍誊本 /~부 户籍簿 /~에 올리다 编入户口 /~을 말소하다 销户口 /~을 옮기다 迁户口

호:전(好轉) 명하자 好转 hǎozhuǎn; 见好 jiànhǎo ¶병세가 ~되다 病情好转

호:전-적(好戰的) 관형 好战(的) hàozhàn(de); 好战性(的) hàozhànxìng(de) ¶~인 태도 好战态度

호접(胡蝶·蝴蝶) 명 【虫】 = 호랑나비

호젓-하다 형 1 寂静 jìjìng; 肃静 sùjìng; 僻静 pìjìng ¶호젓한 산길 僻静的山路 2 孤寂 gūjì; 孤单 gūdān ¶호젓한 나날 孤单的日子 호젓-이 부

호:조(好調) 명 好形势 hǎoxíngshì; 好势头 hǎoshìtou; 顺利 shùnlì; 顺当 shùndang ¶경기가 ~를 보이다 经济出现好势头

호:주(戶主) 명 【法】户主 hùzhǔ; 当家的 dāngjiàde ¶일가지장 一家之长 yījiāzhīzhǎng

호-주머니(胡—) 명 = 주머니2

호출(呼出) 명하타 传呼 chuánhū; 召唤 zhàohuàn; 呼叫 hūjiào; 呼出 hūchū; 传唤 chuánhuàn; 叫出 jiàochū ¶과장을 ~하다 呼叫课长

호치키스(Hotchkiss) 명 订书机 dìngshūjī

호칭(呼稱) 명하타 称呼 chēnghu; 称号 chēnghào ¶국왕을 황제로 ~하다 称呼国王为皇帝

호쾌-하다(豪快—) 형 豪爽 háoshuǎng; 豪放 háofàng ¶호쾌한 웃음 豪爽的笑容 호쾌-히 부

호탕-하다(豪宕—) 형 豪放 háofàng; 豪爽 háoshuǎng; 爽朗 shuǎnglǎng ¶호탕한 기질 豪放的气质 / 성격이 ~ 性格豪爽

호텔(hotel) 명 宾馆 bīnguǎn; 饭店 fàndiàn; 酒店 jiǔdiàn

호통 명하자타 大声斥责 dàshēng chìzé; 呵斥 hēchì; 责备 zébèi; 斥责 chìzé ¶화가 나서 아들에게 ~을 치다 生气得大声斥责儿子

호:평(好評) 명 好评 hǎopíng; 称许 chēngxǔ ¶비평가들의 ~을 받다 深受评委好评

호프(독Hof) 명 1 扎啤 zhāpí; 生啤酒 shēngpíjiǔ; 鲜啤酒 xiānpíjiǔ 2 啤酒屋 píjiǔwū; 啤酒店 píjiǔdiàn

호:피(虎皮) 명 虎皮 hǔpí

호형-호제(呼兄呼弟) 명하자 称兄道弟 chēngxiōngdàodì ¶나는 그와 ~하는

사이이다 我跟他是称兄道弟的关系

호:혜(互惠) 명 互惠 hùhuì; 互利 hùlì ¶~ 조약 互惠条约 /~ 평등 平等互惠

호-호1 부하타 呼呼 hūhū ¶추워서 손을 ~ 불다 很冷, 呼呼地哈着手

호-호2 부하자 嘿嘿 hēihēi; 嘻嘻 xīxī ¶~ 웃다 嘻嘻地笑

호호-백발(皓皓白髮) 명 皓皓白发 hàohàobáifà; 白发苍苍 báifàcāngcāng ¶~ 노인 白发苍苍的老人

호화(豪華) 명 豪华 háohuá ¶~ 별장 豪华别墅 / ~ 사치 풍조 豪华奢侈的风潮

호화-롭다(豪華—) 형 豪华 háohuá ¶호화로운 저택 豪华住宅 호화로이 부

호화-스럽다(豪華—) 형 豪华 háohuá 호화스레 부

호화찬란-하다(豪華燦爛—) 형 豪华 háohuá; 华丽 huálì ¶호화찬란하게 꾸며 놓은 호텔 装饰华丽的宾馆

호:환(互換) 명하타 互换 hùhuàn; 互换性 hùhuànxìng ¶이 기기는 타 회사 제품과 ~이 가능하다 这部机器可以和其他公司的产品互换

호:황(好況) 명 1 高涨 gāozhǎng; 旺市 wàngshì; 好景 hǎojǐng ¶경기가 ~을 누리다 景气高涨 2 【經】= 호경기

호흡(呼吸) 명하자 1 呼吸 hūxī; 吸息 xī ¶~기 呼吸器官 /~ 곤란 呼吸困难 /~ 운동 呼吸运动 / ~ 조절 调整呼吸 2 步调 bùdiào; 合拍 hépāi ¶~이 잘 맞다 彼此很合拍

혹 명 1 瘤 liú; 瘤子 liúzi; 赘瘤 zhuìliú ¶목에 커다란 ~이 있다 脖子上有一个大瘤子 2 鼓包 gǔbāo; 包 bāo; 肿块 zhǒngkuài ¶머리를 부딪혀 ~이 생겼다 撞得头上起了个大包 3 累赘 léizhuì; 负担 fùdān; 包袱 bāofu ¶전과 기록이 평생 ~처럼 붙어 다닌다 犯罪前科的记录就像包袱一样伴随一生 4 隆肉 lóngròu ¶등에 ~이 하나인 낙타 背上有一隆肉的骆驼

혹(或) 부 1 = 혹시 2 = 간혹

혹독-하다(酷毒—) 형 酷毒 kùdú; 严酷 yánkù; 毒辣 dúlà; 残酷 cánkù; 狠毒 hěndú ¶혹독한 현실 严酷的现实 / 혹독하게 야단을 치다 狠毒地批评 혹독-히 부

혹사(酷使) 명하타 驱使 qūshǐ; 驱遣 qūqiǎn; 过度用 guòdù yòng ¶눈을 ~하다 过度用眼睛

혹서(酷暑) 명 酷暑 kùshǔ; 酷热 kùrè

혹성(惑星) 명 【天】= 행성

혹세(惑世) 명 惑世 huòshì; 乱世 luànshì ¶~무민 惑世诬民

혹시(或是) 부 1 万一 wànyī; 如果 rúguǒ; 若是 ruòshì; 要是 yàoshi; 就是 jiùshì ¶~ 일이 잘 안되더라도 너무

실망하지 마라 万一事情不顺利, 也不要太失望 **2** 或许 huòxǔ; 或是 huòshì; 或者 huòzhě; 也许 yěxǔ; 说不定 shuōbuding; 没准儿 méizhǔnr; 不一定 bù·yīdìng ¶∼ 내일 떠나게 될지도 모르겠습니다 没准儿明天就走 ‖ = **혹**(或)¹·**혹여**·**혹자**⊟

혹시-나(或是-) 强 '혹시'의 강조어
혹심-하다(酷甚-) 厖 酷甚 kùshèn; 极甚 jíshèn; 极度 jídù; 极为 jíwéi; 严重 yánzhòng ¶ 심한 가뭄 피해 严重旱灾 **혹심-히** 图

혹여(或如) 图 = 혹시
혹여나(或如-) 图 '혹여'의 강조어
혹은(或-) 图 或者; 或者 huòzhě ¶ 내일 ∼ 모레 올 것입니다 明天或者后天来

혹자(或者) ⊟图 **1** 有人 yǒurén; 有的 yǒude rén ¶∼는 말하기를 有的人说 ⊟图 = 혹시

혹평(酷評) 图[하타] 酷评 kùpíng; 苛评 kēpíng; 严厉批评 yánlì pīpíng ¶ 평론가의 ∼를 받다 遭到评论家的严厉批评

혹-하다(惑-) 困 沉迷 chénmí; 迷惑 míhuò; 着迷 zháomí ¶ 그는 노름에 혹해서 전 재산을 날렸다 他沉迷在赌博中, 把全部财产挥霍一空

혹한(酷寒) 图 严寒 yánhán; 严寒 yánhán ¶∼을 견디다 忍受严寒

혼(魂) 图 灵魂 línghún; 魂魄 húnpò; 精神 jīngshén
혼(이) 나가다 ⇨ 失魂落魄

혼기(婚期) 图 婚龄 hūnlíng; 婚期 hūnqī ¶∼를 놓친 처녀 错过婚期的姑娘

혼-나다(魂-) 困 **1** 要命 yàomìng; 够呛 gòuqiàng; 吃苦头 chīkǔtou; 受罪 shòuzuì ¶ 무서워서 혼났다 害怕得要命 **2** 挨骂 áimà; 挨整 áizhěng; 受责备 shòuzébèi; 挨批评 áipīpíng ¶ 선생님께 혼났다 挨老师骂了

혼-내다(魂-) 困 教训 jiàoxùn; 整治 zhěngzhì; 骂 mà; 责备 zébèi; 批评 pīpíng ¶ 선생님은 소란 피우는 아이를 혼냈다 老师把捣乱的孩子教训了一顿

혼담(婚談) 图 议论婚事 yìlùn hūnshì; 谈婚论嫁 tánhūnlùnjià; 提亲 tíqīn; 提亲事 tí qīnshì ¶∼이 오가다 进行谈论嫁

혼돈(混沌·渾沌) 图[하] 混沌 hùndùn; 混乱 hùnluàn ¶∼에 빠지다 陷于混沌状态

혼동(混同) 图[타] 混同 hùntóng; 混淆 hùnxiáo ¶∼하기 쉬운 상표 容易引起混淆的商标

혼란(混亂) 图[하] 混乱 hùnluàn; 错乱 cuòluàn; 杂乱 záluàn; 纷扰 fēnrǎo ¶∼기 混乱期/∼한 틈을 타서 물건

을 훔치다 趁混乱之际偷卖东西

혼:란-스럽다(混亂-) 厖 混乱 hùnluàn; 混杂 hùnzá; 杂乱 záluàn ¶ 혼란스러운 거리의 간판들 杂乱无序的街头招牌 **혼:란스레** 图

혼란-하다(昏亂-) 厖 昏乱 hūnluàn; 昏头昏脑 hūntóuhūnnǎo; 昏聩 hūnkuì; 混乱 hùnluàn ¶ 정신이 ∼ 神志昏聩

혼령(魂靈) 图 = 영혼1

혼례(婚禮) 图 = 结婚式 ¶∼복 婚礼服/∼을 올리다 举行婚礼

혼례-식(婚禮式) 图 = 结婚式

혼미(昏迷) 图[하형] 昏迷 hūnmí; 迷糊 míhu; 昏愦 hūnkuì; 神志不清 shénzhìbùqīng; 混沌不明 hùndùnbùmíng ¶ 정신이 ∼하다 神志不清

혼:방(混紡) 图[하타] 混纺 hùnfǎng ¶∼ 직물 混纺织物

혼백(魂魄) 图 = 넋1 ¶∼을 위로하다 告慰灵魂

혼비(婚費) 图 婚事费用 hūnshì fèiyong; 结婚费用 jiéhūn fèiyong = 혼수(婚需)2

혼비백산(魂飛魄散) 图[하자] 魂飞魄散 húnfēipòsàn; 惊魂魄飞 pòsànhúnfēi; 魂魄落魄 shīhúnluòpò ¶∼하여 달아나다 失魂落魄地逃走

혼사(婚事) 图 婚事 hūnshì; 喜事 xǐshì

혼삿-길(婚事-) 图 婚事 hūnshì; 婚嫁之路 hūnjiàzhīlù ¶∼이 막히다 婚嫁之路堵了

혼:선(混線) 图[하자] **1** 串线 chuànxiàn; 串话 chuànhuà ¶ 요즘 전화가 자주 된다 最近打电话经常串线 **2** 混乱 hùnluàn; 混杂 hùnzá; 茫无头绪 mángwútóuxù ¶ 일이 ∼이 되어 茫无头绪

혼:성(混成) 图[하자타] 混合 hùnhé; 混成 hùnchéng; 合成 héchéng ¶∼팀 混合队

혼:성(混聲) 图 【音】 混声 hùnshēng ¶∼ 합창 混声合唱

혼수(昏睡) 图 **1** 昏睡 hūnshuì **2** 【醫】 昏迷 hūnmí ¶∼상태 昏迷状态

혼수(婚需) 图 嫁妆 jiàzhuang = 혼수품 ¶∼를 장만하다 准备嫁妆 **2** = 혼비

혼수-품(婚需品) 图 = 혼수(婚需)1

혼:숙(婚宿) 图[하자] (男女) 合住 hézhù; 混住 hùnzhù

혼:식(混食) 图 (五谷杂粮) 混食 hùnshí; 杂食 záshí ¶∼을 장려하다 提倡混食杂粮

혼:신(渾身) 图 = 온몸 ¶∼의 힘을 쏟다 使尽浑身之力

혼약(婚約) 图[하자] 婚约 hūnyuē; 定婚 dìnghūn ¶∼을 맺다 定婚约

혼:연(渾然) 图[하형] 浑然 húnrán ¶∼일체 浑然一体/∼일치 浑然一致

혼:욕(混浴) 명하자 (男女) 混浴 hùnyù

혼:용(混用) 명하타 混用 hùnyòng ¶한 글과 한자를 ~하다 韩文和汉字混用

혼인(婚姻) 명하자 婚姻 hūnyīn; 结婚 jiéhūn; 嫁娶 jiàqǔ ¶~ 신고 结婚登记 / ~식 婚姻誓约

혼자 男 单独 dāndú; 独自 dúzì; 一个人 yīge rén ¶~ 집을 지키다 独自看家 / 나 ~ 여행을 가다 我一个人去旅行

혼자-되다 자 丧偶 sàng'ǒu; 守寡 shǒuguǎ ¶어머니는 젊어서 혼자되어 자식들만 바라보며 사셨다 母亲早年守寡, 一心指望儿女成才

혼:잡(混雜) 명하자 拥挤 yōngjǐ; 挨挤 āijǐ; 混乱 hùnluàn; 混杂 hùnzá ¶교통 ~ 交通拥挤 / 출퇴근 시간에 ~하다 上下班高峰期混乱

혼:잡-스럽다(混雜—) 톙 拥挤 yōngjǐ; 挨挤 āijǐ; 混乱 hùnluàn ¶버스 터미널은 귀성객으로 혼잡스러웠다 汽车站挤满了归乡的旅客, 一片混乱 혼:잡스레 튐

혼잣-말 명하자 自言自语 zìyánzìyǔ; 喃喃自语 nánnányǔ; 独白 dúbái

혼전(婚前) 명 婚前 hūnqián ¶~ 동거 婚前同居

혼:전(混戰) 명하자 混战 hùnzhàn ¶두 팀이 ~을 벌이다 两个队进行混战

혼절(昏絕) 명하자 晕倒 yūndǎo; 昏厥 hūnjué; 晕厥 yūnjué ¶아들의 사고 소식을 듣자 어머니는 ~하셨다 听到儿子出事的消息, 母亲一下子就晕倒了

혼쭐—나다 자 要命 yàomìng; 够呛 gòuqiàng; 吃苦头 chīkǔtou; 受罪 shòuzuì

혼쭐—내다 타 教训 jiàoxùn; 整治 zhěngzhì; 骂人 mà; 责备 zébèi; 批评 pīpíng

혼처(婚處) 명 结婚对象 jiéhūn duìxiàng ¶마땅한 ~가 생겼다 有了合适的结婚对象

혼:탁(混濁) 명하톙 1 混浊 hùnzhuó; 浑浊 húnzhuó ¶강물이 매우 ~한 河水很混浊 2 混乱 hùnluàn; 昏乱 hūnluàn ¶~한 사회 混乱社会

혼:합(混合) 명하자 混杂 hùnzá; 混合 hùnhé; 搅合 jiǎohé; 交融 jiāoróng; 夹杂 jiāzá ¶~물 混合物 / ~ 복식 混合双打 / ~액 混合液 / 고르게 서로 ~하다 均匀地混合

혼:혈(混血) 명하자 1 混血 hùnxuè 2 = 혼혈아

혼:혈-아(混血兒) 명 混血儿 hùnxuè'ér = 혼혈2

홀(hall) 명 大厅 dàtīng; 礼堂 lǐtáng; 会堂 huìtáng

홀— 접두 单 dān; 单身 dānshēn; 独 dú ¶~몸 单身 / ~어머니 单身母亲

홀가분—하다 톙 1 轻松 qīngsōng; 轻爽 qīngshuǎng; 轻便 qīngbiàn; 松心 sōngxīn; 轻快 qīngkuài ¶홀가분한 기분 轻松的心情 / 问题가 해결되어 마음이 ~ 问题解决了, 心里轻爽 2 好对付 hǎoduìfu; 不在话下 bùzàihuàxià 홀가분-히 튐 ¶가족이 없던 그는 ~ 외국으로 떠날 수 있었다 他没有家, 可以轻轻松松地前往外国

홀대(忽待) 명하타 怠慢 dàimàn; 慢待 màndài; 冷待 lěngdài; 待理不理 dàilǐbùlǐ ¶고객을 ~하다 怠慢顾客

홀딱 튐 1 一下子 yīxiàzi; 完全 wánquán ¶여자에게 ~ 반하다 被女人完全给迷住了 2 光 guāng; 光光 guāngguāng; 光秃秃 guāngtūtū; 光溜溜 guāngliūliū; 精光 jīngguāng ¶옷을 ~ 벗고 목욕하다 脱光衣服洗澡 / 그는 노름으로 돈을 ~ 날렸다 他赌博, 把钱都输得光光的 3 大翻 dàfān ¶옷장을 ~ 뒤집다 大翻衣柜

홀랑 튐 1 光 guāng; 光光 guāngguāng; 秃秃 tūtū; 精光 jīngguāng; 光溜溜 guāngliūliū ¶쉬하고 ~ 머리가 ~ 벗어지다 头发秃得精光 / 바람에 모자가 ~ 벗겨지다 帽子被风刮走了 2 完全 wánquán; 光 guāng ¶노름으로 전 재산을 ~ 날려 버렸다 把全部财产都输光了

홀로 튐 单独 dāndú; 独自 dúzì; 孑然 jiérán ¶~ 외롭게 살아가는 노인 独自一人孤独地生活的老人

홀로그램(hologram) 명 【物】 全息图 quánxītú

홀리다 자 被诱惑 bèiyòuhuò; 被迷惑 bèi míhuò ¶마치 홀린 사람처럼 그곳에 멍청하게 서 있다 像是被迷惑了的人一样傻傻地站在那儿

홀-몸 명 独身 dúshēn; 单身 dānshēn; 孤身 gūshēn = 단신(單身)1

홀-소리 명 【語】 = 모음

홀-수(—數) 명 【數】 单数 dānshù; 奇数 jīshù = 기수(奇數)

홀-씨 명 【植】 孢子 bāozǐ; 胞子 bāozǐ = 포자

홀-아비 명 鳏夫 guānfū

홀-어미 명 单身母亲 dānshēn mǔqīn

홀연(忽然) 명하톙 튐하 忽然 hūrán; 突然 tūrán ¶~ 종적을 감추다 突然隐藏踪迹

홀인원(hole in one) 명 【體】 一杆进洞 yīgān jìndòng

홀짝 튐 1 一口气 yīkǒuqì ¶술을 ~ 마셔 버리다 一口气把酒喝完 2 一下子 yīxiàzi ¶도랑을 ~ 뛰어 건너다 一下子跃过水沟 3 吭哧地 kēngchīde ¶코를 ~ 들이마시며 鼻子吭哧地抽气

홀짝—거리다 자피 1 一口一口地

yīkǒuyīkǒude hē ¶물만 ~ 只是一口一口地喝水 **2** (把鼻涕) 不停地抽 bùtíng-de chōu ¶코를 ~ 不停地抽鼻涕 ¶ = 홀짝대다 홀짝-홀짝 團[하자타]

홀쭉-이 團 瘦子 shòuzi

홀쭉-하다 圈 **1** 瘦 shòu; 细瘦 xìshòu ¶홀쭉한 얼굴 瘦脸 shòuliǎn **2** 瘪 biě; 干瘪 gānbiě ¶한 끼 굶었더니 배가 홀쭉해졌다 饿了一顿饭, 肚子瘪瘪的 홀쭉-히 團

홀쭉-홀쭉 團[하다] 瘦瘦 shòushòu; 瘦不拉叽 shòubùlājī ¶아이들이 제대로 먹지 못해 ~하다 孩子们没有好好吃上东西, 都瘦瘦的

홀홀 團 **1** 翩翩 piānpiān ¶나비가 ~ 날아간다 蝴蝶翩翩地飞去 **2** 呼呼 hūhū ¶뜨거운 국물을 ~ 불며 마신다 呼呼地吹热汤喝 **3** 咕噜咕噜 gūlūgūlū ¶그는 더운 차를 ~ 들이마셨다 他咕噜咕噜地把热茶喝了下去 **4** 呼呼地 hūhūde ¶씨앗을 ~ 뿌리다 呼呼地撒播种子 suíbiànbiàn **5** 随便便 suíbiànbiàn ¶옷을 ~ 벗어젖히다 随随便便地脱下衣服 **6** 轻轻地 qīngqīngde ¶옷에 묻은 눈을 ~ 털다 轻轻地掸掉衣服上的雪

홈 團 槽 cáo; 槽子 cáozi ¶나무를 ~을 파다 在木头上挖槽子

홈(home) 團[體] 홈 베이스

홈 게임(home game) 團 主场比赛 zhǔchǎng bǐsài 홈경기

홈-경기(home競技) 團 [體] = 홈게임

홈-구장(home球場) 團[體] = 홈그라운드

홈-그라운드(home ground) 團[體] 主场 zhǔchǎng = 홈구장

홈런(home run) 團[體] 本全打 běnlěidǎ; 全垒打 quánlěidǎ ¶~을 날리다 击出本垒打

홈 베이스(home base) 團[體] 本垒 běnlěi = 홈(home)

홈 쇼핑(home shopping) 團[經] 家庭购物 jiātíng gòuwù

홈-통(一桶) 團 **1** 引水筒 yǐnshuǐtǒng; 檐沟 yánggōu; 水落管 shuǐluòguǎn; 雨水管 yǔshuǐguǎn **2** 凹槽 āocáo

홈 팀(home team) 團[體] 主场队 zhǔchǎngduì; 东道主队 dōngdàozhǔduì

홈페이지(homepage) 團[컴] 主页 zhǔyè; 首页 shǒuyè

홉 團[의명] 合 gě ¶두 ~들이 소주 二合的烧酒

홍-당무(紅唐─) 團 **1** [植] = 당근 **2** 大红脸 dàhóngliǎn ¶칭찬을 듣자 그녀의 얼굴은 금방 ~가 되어 버렸다 听到表扬, 她的脸顿时变成了大红脸

홍두깨 團 **1** 卷衣棒 juǎnyībàng; 棒槌 bàngchui **2** 牛臀尖肉 niútúnjiānròu **3** (漏耕的) 地垄 dìlǒng

홍등(紅燈) 團 红灯 hóngdēng ¶~가 红灯街

홍보(弘報) 團[하타] 宣传 xuānchuán; 介绍 jièshào ¶~ 활동 宣传活动 / 관광 명소를 해외에 ~하다 向国外介绍旅游胜地

홍삼(紅蔘) 團[韓醫] 红参 hóngshēn ¶~차 红参茶

홍상(紅裳) 團 红裙 hóngqún

홍색(紅色) 團 红色 hóngsè

홍수(洪水) 團 **1** = 큰물 ¶~가 나다 发大水 **2** 洪流 hóngliú ¶정보의 ~ 信息洪流

홍시(紅柿) 團 软柿子 ruǎnshìzi; 熟柿shúshì

홍-실(紅─) 團 红线 hóngxiàn

홍안(紅顏) 團 红颜 hóngyán ¶~의 미소년 红颜美少年

홍어(洪魚) 團[魚] 斑鳐 bānyáo

홍역(紅疫) 團[醫] 麻疹 mázhěn; 疹子 zhěnzi ¶~을 앓다 患麻疹

홍옥[1](紅玉) 團[植] 红玉苹果 hóngyù píngguǒ

홍옥[2](紅玉) 團[鑛] = 루비

홍익(弘益) 團[하다] **1** 大益 dàyì; 大利 dàlì **2** 广益 guǎngyì; 弘益 hóngyì; 补益 bǔyì ¶~인간의 이념 弘益人间的理念

홍-일점(紅一點) 團 万绿丛中一点红 wànlǜcóngzhōng yìdiǎnhóng ¶그녀는 우리 과의 ~이다 她是我们系唯一的女生 / 所谓万绿丛中一点红

홍조(紅潮) 團 **1** 红潮 hóngcháo; 红晕 hóngyùn; 潮红 cháohóng ¶얼굴에 ~를 띠다 脸上泛起了红晕 **2** 海潮 hǎicháo

홍조(紅藻) 團[植] = 홍조류

홍조-류(紅藻類) 團[植] 红藻类 hóngzǎolèi = 홍조(紅藻)

홍차(紅茶) 團 红茶 hóngchá

홍채(虹彩) 團[生] 虹膜 hóngmó

홍학(紅鶴) 團[鳥] = 플라밍고

홍합(紅蛤) 團[貝] 红蛤 hónggé; 贻贝 yíbèi

홑- [접두] 单 dān ¶~바지 单裤 / ~이불 单被 / ~치마 单裙子

홑-문장(─文章) 團[語] = 단문(單文)

홑-소리 團[語] = 단음(單音)

홑-수(─數) 團[語] = 단수(單數)2

홑-청 團 被套 bèitào; 面儿 ~을 벗겨 빨다 把被套拆下来洗

화:(火) 團 火 huǒ; 怒 nù; 气 qì; 火气 huǒqì; 怒气 nùqì; 脾气 píqí ¶~를 내다 发火 / ~를 풀다 消气

화:(禍) 몡 화 huò; 재앙 huòyāng; 재해 huòhài; 재화 zāihuò ¶~를 입다 受祸 / ~를 피하다 避免祸害

-화(化) 접미하자타 化 huà ¶자동~ 自动化 / 국유~ 国有化 / 현대~ 现代化

-화(畫) 접미 画 huà ¶풍경~ 风景画 / 서양~ 西洋画

-화(靴) 접미 靴 xuē; 鞋 xié ¶실내~ 室内鞋 / 등산~ 登山鞋

화:가(畫家) 몡 画家 huàjiā

화강-암(花崗巖) 몡 【地理】 花岗岩 huāgāngyán

화:공(畫工) 몡 画工 huàgōng; 画匠 huàjiàng

화관(花冠) 몡 1 【植】 = 꽃부리 2 花冠 huāguān = 화관족두리

화관-족두리(花冠一) 몡 = 화관2

화교(華僑) 몡 华侨 huáqiáo

화:구(火口) 몡 1 灶门 zàomén; 灶孔 zàokǒng 2 火口 huǒkǒu; 火嘴 huǒzuǐ; 喷口 pēnkǒu 3 【地理】 火口 huǒkǒu; 喷火口 pēnhuǒkǒu

화:구(畫具) 몡 画具 huàjù

화:근(禍根) 몡 祸患 huòhuàn; 祸胎 huòtāi; 祸因 huòyīn; 孽根 nièngēn ¶~을 남기다 留下祸根 / ~을 제거하다 铲除祸根

화:급(火急) 몡하형 부어 火急 huǒjí ¶상황이 아주 ~하다 情况万分火急

화:기(火氣) 몡 1 火势 huǒshì; 烟火 yānhuǒ; 火焰 huǒyàn = 불기운 ¶~는 갈수록 세졌다 火势越来越大 2 郁火 yùhuǒ; 心火 xīnhuǒ ¶그것은 ~를 가시게 하는 효능이 있다 它有散郁火的功用 3 火 huǒ; 火气 huǒqì; 怒火 nùqì

화:기(火器) 몡 【軍】 火器 huǒqì = 화병(火兵)1 2 火盆 huǒpén

화기(和氣) 몡 1 和畅 héchàng; 和煦 héxù 2 和气 héqi ¶쌍방의 ~가 깨졌다 伤了双方的和气

화기애애-하다(和氣靄靄一) 형 和洽 héqià; 和谐 héxié; 和悦 héyuè; 和气 héqi ¶화기애애한 분위기 和蔼气氛 héǎiqìfēn; 和蔼可亲 hé'ǎikěqīn; 蔼然可亲 ǎiránkěqīn ¶분위기가 아주 ~ 气氛十分和谐

화끈 부어형 1 火辣辣 huǒlàlà; 热烘烘 rèhōnghōng; 热辣辣 rèlàlà ¶그는 갑자기 얼굴이 ~함을 느꼈다 他顿时感到脸上发热辣辣的 2 激动 jīdòng; 激热 jīrè; 热烈 rèliè; 火辣辣 huǒlàlà ¶~한 배우 火辣辣的演员

화끈-거리다 재 火辣辣 huǒlàlà; 热烘烘 rèhōnghōng; 热辣辣 rèlàlà; 发烫 fātàng = 화끈대다 ¶볼이 ~ 脸颊发烫 화끈-화끈 부어자

화:-나다(火一) 재 发火 fāhuǒ; 发怒 fānù; 生气 shēngqì; 发脾气 fā píqì ¶

그의 행동이 그녀를 화나게 하였다 他的举动让她发火了

화:-내다(火一) 재 发火 fāhuǒ; 发怒 fānù; 生气 shēngqì; 发脾气 fā píqì ¶그는 걸핏하면 화낸다 他动不动就发火

화냥-년 몡 淫妇 yínfù; 荡妇 dàngfù; 婊子 biǎozi; 养汉的 yǎnghànde; 偷情女 tōuqíngnǚ

화:-농(化膿) 몡하자 【醫】 化脓 huànóng ¶~균 化脓菌

화단(花壇) 몡 花坛 huātán

화:단(畫壇) 몡 画坛 huàtán; 美术界 měishùjiè

화답(和答) 몡하자 和答 hédá

화대(花代) 몡 1 赏钱 shǎngqián 2 嫖娼费用 piáochāng fèiyong; 嫖妓费用 piáojì fèiyong ¶~를 지불하다 支付嫖娼费用

화:-덕(火一) 몡 1 大火炉 dàhuǒlú 2 炉台 lútái

화두(話頭) 몡 话头 huàtóu

화들짝 부어자 猛然 měngrán; 一跳 yītiào ¶~ 놀라다 猛然一惊

화랑(花郞) 몡 【史】 花郎 huāláng ¶~ 道 花郎道

화:랑(畫廊) 몡 画廊 huàláng

화려-하다(華麗一) 형 1 华丽 huálì; 华美 huáměi ¶옷차림이 ~ 衣着华丽 2 华丽 huálì ¶화려한 공격의 선을 나타내다 以华丽的进攻闻名 **화려-히** 부

화:력(火力) 몡 1 火力 huǒlì ¶~ 발전소 火力发电厂 2 【軍】 火力 huǒlì ¶항공모함의 ~이 강력하다 航母作火力强大

화:로(火爐) 몡 火炉 huǒlú; 火盆 huǒpén

화:롯-가(火爐一) 몡 炉边 lúbiān; 炉旁 lúpáng = 노변(爐邊)

화류-계(花柳界) 몡 花柳界 huāliǔjiè; 花国 huāguó

화:-마(火魔) 몡 火魔 huǒmó ¶~와 싸우다 与火魔展开战斗

화:-면(畫面) 몡 画面 huàmiàn; 屏幕 píngmù ¶~이 선명하다 画面清晰

화목(和睦) 몡하형 和睦 hémù ¶~한 가정 和睦的家庭

화문(花紋) 몡 = 꽃무늬

화문-석(花紋席) 몡 花席 huāxí

화:물(貨物) 몡 【經】 货物 huòwù; 货 huò ¶~선 货轮 / ~ 열차 运货列车 / ~차 货车

화:방(畫房) 몡 1 = 화실 2 画店 huàdiàn

화법(畫法) 몡 画法 huàfǎ

화법(話法) 몡 【語】 引用法 yǐnyòngfǎ

화:병(火兵) 몡 【軍】 1 = 화기(火器)1 2 火器军 huǒqìjūn

화:병(火病) 몡 【韓醫】 = 울화병

화·보(畫報) 명 画报 huàbào

화·복(禍福) 명 祸福 huòfú

화분(花盆) 명 花盆 huāpén

화분(花粉) 명 【植】 = 꽃가루

화사첨족(畫蛇添足) 명 画蛇添足 huà-shétiānzú = 사족(蛇足)

화사-하다(華奢—) 혱 花哨 huāshao; 鲜艳 xiānyàn; 绚丽 xuànlì ¶색상이 화사한 옷 颜色鲜艳的衣服

화·산(火山) 명 【地理】 火山 huǒshān ¶~재 火山灰 / ~ 활동 火山作用 / ~이 분출하다 火山喷发

화살 명 箭 jiàn; 矢 shǐ = 살²4 ¶~대 箭杆 / ~촉 箭镞 / ~을 쏘다 射箭

화살-표(—標) 명 箭头 jiàntóu; 箭头符号 jiàntóu fúhào

화·삽(火鍤) 명 = 부삽

화·상(火傷) 명 火伤 huǒshāng; 烧伤 shāoshāng; 烫伤 tàngshāng ¶~을 입다 烫火伤

화·상(畫像) 명 1 画像 huàxiàng 2 脸 liǎn 3 小子 xiǎozi; 家伙 jiāhuo ¶너 이 ~아, 어떻게 한 거야? 你这小子，怎么搞的? 4 画面图像 huàmiàn túxiàng

화색(和色) 명 和颜悦色 héyányuèsè ¶얼굴에 ~이 돌다 脸上和颜悦色

화·석(化石) 명 【地理】 化石 huàshí ¶공룡 ~ 恐龙化石 / ~ 연료 化石燃料

화·석(火石) 명 = 부싯돌

화·—선지(畫宣紙) 명 画宣纸 huàxuānzhǐ

화·성(火星) 명 【天】 火星 huǒxīng

화성(和聲) 명 【音】 和声 héshēng = 하모니 ¶~법 和声法

화·성-암(火成巖) 명 【地理】 火成岩 huǒchéngyán

화·소(畫素) 명 【電】 画素 huàsù; 像素 xiàngsù ¶300만 ~의 사진기 三百万画素相机

화수분 명 聚宝盆 jùbǎopén

화술(話術) 명 = 말재주

화·신(化身) 명하자 1 【佛】 化身 huà-shēn 2 化身 huàshēn ¶그녀는 미의 ~이다 她是美的化身

화·실(畫室) 명 画室 huàshì = 화방1

화씨(華氏) 명 【物】 华氏 huáshì ¶~ 온도계 华氏温度计 / ~ 90도 华氏90度

화·약(火藥) 명 火药 huǒyào ¶~고 火药库

화엄-경(華嚴經) 명 【佛】 华严经 huáyánjīng

화엄-종(華嚴宗) 명 【佛】 华严宗 huáyánzōng

화·염(火焰) 명 火焰 huǒyàn ¶~ 방사기 火焰喷射器 / ~병 火焰瓶 / ~이 뿜어 나오다 冒出火焰

화-요일(火曜日) 명 星期二 xīngqī'èr;

礼拜二 lǐbài'èr; 周二 zhōu'èr

화원(花園) 명 1 花园 huāyuán 2 花店 huādiàn

화음(和音) 명 【音】 和音 héyīn = 코드(chord)1

화·인(火因) 명 火因 huǒyīn ¶~은 조사중이다 火因正在调查中

화장(化粧) 명하다 化妆 huàzhuāng; 打扮 dǎban ¶~기 化妆痕迹 / ~대 化妆台 / ~품 化妆品 / ~을 고치다 修整化妆

화·장(火葬) 명하타 火葬 huǒzàng ¶~터 火葬场

화장-비누(化粧—) 명 = 세숫비누

화장-실(化粧室) 명 洗手间 xǐshǒujiān; 卫生间 wèishēngjiān

화장-지(化粧紙) 명 卫生纸 wèishēngzhǐ; 手纸 shǒuzhǐ

화·재(火災) 명 火灾 huǒzāi ¶~가 발생하다 发生火灾

화·적(火賊) 명 = 불한당1

화·전(火田) 명 【農】 火田 huǒtián ¶~민 火田民 / ~을 일구다 开火田

화전(花煎) 명 花煎饼 huājiānbǐng

화제(話題) 명 1 题目 tímù; 论题 lùntí = 토픽1 2 = 이야깃거리 ¶~를 바꾸다 转变话题

화젯-거리(話題—) 명 话题 huàtí ¶유행하는 ~ 流行的话题

화·질(畫質) 명 画质 huàzhì ¶섬세한 ~ 细腻的画质

화·집(畫集) 명 = 화첩1

화창-하다(和暢—) 혱 和畅 héchàng; 晴和 qínghé ¶날씨가 맑고 ~ 天气晴好和畅 화창-히 분

화·첩(畫帖) 명 1 画帖 huàtiè; 画谱 huàpǔ; 画册 huàcè 2 = 화집 2 图本画本 túhuàběn

화초(花草) 명 花草 huācǎo; 花卉 huā-huì = 화훼1

화초-밭(花草—) 명 花圃 huāpǔ; 花坛 huātán

화촉(華燭) 명 1 蜡烛 làzhú 2 花烛 huāzhú 3 婚礼 hūnlǐ

화친(和親) 명하자 1 和亲 héqīn; 友好相处 yǒuhǎo xiāngchǔ 2 (国家之间) 和亲 héqīn; 友好 yǒuhǎo ¶~정책 和亲政策 实行和亲政策

화·통(火—) 명 = 울화통

화투(花鬪) 명 纸牌 zhǐpái ¶~를 치다 玩纸牌

화판(花瓣) 명 【植】 = 꽃잎

화평(和平) 명하타분 1 心安 xīn'ān 2 和平 hépíng

화·폐(貨幣) 명 【經】 货币 huòbì = 금전(金錢)2

화포(花砲) 圐 花炮 huāpào ¶~를 쏘다 放花炮

화·폭(畫幅) 圐 画幅 huàfú ¶벽에 작은 ~이 걸려 있다 墙上挂着小画幅

화·-풀이(火一) 圐한자 出气 chūqì; 泄气 xièqì; 解气 jiěqì; 撒气 sāqì ¶그는 늘 나에게 ~한다 他经常拿我出气

화·풍(畫風) 圐 画风 huàfēng ¶~이 특이하다 画风别体

화·필(畫筆) 圐 画笔 huàbǐ

화·-하다 圀 火辣辣 huǒlàlà; 麻辣 málà

화·-하다(化一) 재 化 huà; 化为 huàwéi; 变为 biànwéi ¶위험한 것이 안전한 것으로 ~ 化险为夷 ¶얼음이 모두 물로 화했다 冰都化成水了

화·학(化學) 圐【化】化学 huàxué ¶~공업 化学工业 / ~ 무기 化学武器 / 반응 化学反应 / ~비료 化学肥料 / ~섬유 化学纤维 / ~자 化学家 / ~조미료 化学调味料

화·학 기호(化學記號) 【化】= 원소 기호

화·학 원소(化學元素) 【化】= 원소2

화·합(化合) 圐한자【化】化合 huàhé ¶~물 化合物

화·합(和合) 圐한자 和合 héhé; 和谐 héxié

화해(和解) 圐한자 和解 héjiě; 和好 héhǎo ¶부부가 ~하다 夫妻和解

화·형(火刑) 圐 火刑 huǒxíng; 焚刑 fénxíng

화·환(花環) 圐 花环 huāhuán; 花圈 huāquān

화훼(花卉) 圐 1 = 화초 2【美】花卉 huāhuì

확 㖊 猛 měng; 猛然 měngrán; 突然 tūrán; 霍地 huòdì; 一下子 yīxiàzi ¶고개를 ~ 돌리다 猛一回头 / 바람이 ~불었다 突然吹起了风

확고-부동(確固不動) 圐한자휑 确定不移 quèdìngbùyí; 坚定不移 jiāndìngbùyí; 确凿不移 quèzáobùyí ¶~한 입장 确定不移的立场

확고-하다(確固一) 휑 坚定 jiāndìng; 确定 quèdìng; 确凿 quèzáo; 切实 quèqiè; 坚决 jiānjué ¶의지가 아주 ~ 意志坚定得很 **확고-히** 㖊

확답(確答) 圐한자 确切的回答 quèqiède huídá ¶~을 얻지 못했다 没有得到一个确切的回答

확대(擴大) 圐한자 1 扩大 kuòdà; 扩展 kuòzhǎn; 扩张 kuòzhāng ¶세력을 ~하다 扩大势力

확대-경(擴大鏡) 圐【物】放大镜 fàngdàjìng

확률(確率) 圐【數】概率 gàilǜ; 几率 jīlǜ; 或然率 huòránlǜ

확립(確立) 圐한자 确立 quèlì ¶새로운

법률 제도를 ~하다 确立新法律制度

확보(確保) 圐한자 1 确保 quèbǎo《确实地保证》¶안전을 ~하다 确保安全 2 确保 quèbǎo《确实地保持》¶용지를 ~하다 确保用地

확산(擴散) 圐한자 1 扩散 kuòsàn ¶핵무기의 ~ 을 방지하다 防止核武器扩散 2【建】扩散 kuòsàn

확성-기(擴聲器) 圐 扩音器 kuòyīnqì; 扩音机 kuòyīnjī = 스피커

확신(確信) 圐한자 确信 quèxìn; 坚信 jiānxìn ¶나는 이 일이 그가 한 것이 아니라고 ~한다 我确信这件事不是他干的

확실-성(確實性) 圐 确实性 quèshíxìng; 确凿性 quèzáoxìng; 确切性 quèqièxìng

확실-시(確實視) 圐한타 认定 rèndìng ¶이 일은 그가 한 것이 ~된다 认定这件事是他干的

확실-하다(確實一) 휑 确实 quèshí; 确凿 quèzáo; 切实 qièshí; 确切 quèqiè ¶확실한 증거 确实的证据 **확실-히** 㖊

확연-하다(確然一) 휑 确然 quèrán; 确实 quèshí; 确凿 quèzáo; 确切 quèqiè ¶확연한 사실 确然的事实 **확연-히** 㖊

확인(確認) 圐한타 1 确认 quèrèn; 证实 zhèngshí ¶신분을 ~하다 确认身份 2【法】确认 quèrèn ¶법정은 그들의 범죄 사실을 ~했다 法庭确认了他们的犯罪事实

확장(擴張) 圐한타 扩张 kuòzhāng; 扩大 kuòdà; 扩充 kuòchōng ¶세력을 ~하다 扩张势力

확정(確定) 圐한타 确定 quèdìng; 定局 dìngjú ¶~적 确定的 / 출발 시간이 아직 ~되지 않았다 出发时间还没确定

확증(確證) 圐한자타 确证 quèzhèng; 确凿 quèzuò; 明证 míngzhèng ¶충분한 ~을 얻지 못하다 不能得到充分的确证

확충(擴充) 圐한타 扩充 kuòchōng ¶군비를 ~하다 扩充军备

확-확 㖊 1 (风) 一阵阵 yīzhènzhèn; 一股股 yīgǔgǔ ¶얼굴에 바람이 ~불어댔다 一阵阵风刮在脸上 2 (火焰) 熊熊地 xióngxióngde ¶횃불의 불꽃이 ~ 타고 있다 火炬上的火焰熊熊地燃烧着 一股股 yīgǔgǔ ¶나는 오른쪽 얼굴이 ~ 달아오름를 느꼈다 我觉得右边的脸庞一阵阵地发烫

환(丸) 圐【韓醫】1 = 환약 2 丸 wán; 粒 lì; 颗 kē

환(換) 圐【經】1 汇 huì; 汇兑 huìduì ¶외국~ 外国汇兑 2 = 환전2

환·각(幻覺) 圐한자타【心】幻觉 huàn-

옷은 맞지 않아요, ~해 줄 수 있나요? 이 件衣服不合适, 可不可以退钱

환·산(換算) 명하타 折 zhé; 折合 zhé-hé; 折算 zhésuàn ¶이 달러는 중국 돈 얼마로 ~합니까? 1美元折合多少人民币?

환·상(幻想) 명하타 幻想 huànxiǎng ¶~곡 幻想曲 /~적 幻想的 /~주의 幻想主义 /~에 빠지다 耽于幻想

환생(還生) 명하자 复生 fùshēng; 复活 fùhuó ¶사람이 죽으면 ~할 수 없는 것이다 人死了不能复生

환성(喚聲) 명 喊叫声 hǎnjiàoshēng

환성(歡聲) 명 欢声 huānshēng; 欢呼声 huānhūshēng ¶~으로 떠들썩하다 欢声鼎沸

환송(還送) 명하타 送还 sònghuán = 반송(返送)·회송

환송(歡送) 명하타 欢送 huānsòng ¶~연 欢送宴 /~회 欢送会 /손님을 ~하다 欢送客人

환수(還收) 명하타 回收 huíshōu; 回 收 shōuhuí ¶전부 ~했다 全部回收了

환·승(換乘) 명하자 换乘 huànchéng; 中转 zhōngzhuǎn ¶~역 换乘站 /지하철로 ~하다 换乘地铁

환·–시장(換市場) 명 [經] = 외국환시장

환심(歡心) 명 欢心 huānxīn ¶~을 사다 讨欢心

환약(丸藥) 명 [韓醫] 丸药 wányào; 丸剂 wánjì; 锭剂 dìngjì; 药丸 yàowán = 알약2·환(丸)·환제

환·–어음(換–) 명 [經] 汇票 huìpiào

환·영(幻影) 명 1 幻影 huànyǐng; 幻象 huànxiàng ¶~에 시달려 잠을 잘 수 없다 被幻影所困扰无法睡眠 2 [心] 幻象 huànxiàng; 幻影 huànyǐng; 幻觉 huànjué 3 幻想 huànxiǎng

환영(歡迎) 명하타 欢迎 huānyíng ¶~회 欢迎会 / 열렬한 ~을 받았다 受到热烈的欢迎

환원(還元) 명하자타 1 还原 huán-yuán; 复原 fùyuán ¶이윤을 사회에 ~하다 把利润还原于社会 2 [化] 还原 huányuán 3 [宗] 还原 huányuán; 死亡 sǐwáng

환·율(換率) 명 [經] 汇率 huìlǜ; 汇价 huìjià; 兑换率 duìhuànlǜ

환·자(患者) 명 患者 huànzhě; 病人 bìngrén ¶~를 돌보다 照顾患者

환·장(換腸) 명하자 发疯 fāfēng ¶~하겠네! 要发疯了!

환·전(換錢) 명하타 [經] 1 汇款 huì-kuǎn 2 换 huàn; 换钱 huànqián; 兑换 duìhuàn; 汇兑 huìduì = 환(換)2 ¶달러를 중국 돈으로 ~하다 用美元换人

---

jué ¶~ 증상 幻觉症状 / ~제 幻觉剂 / ~이 일어나다 出现幻觉

환·갑(還甲) 명 花甲 huājiǎ; 六十大寿 liùshí dàshòu; 六十周岁 liùshí zhōusuì = 회갑

환·갑–잔치(還甲—) 명 花甲宴 huā-jiǎyàn = 회갑연

환경(環境) 명 1 环境 huánjìng ¶~오염 环境污染 / ~ 호르몬 环境激素 /~을 보호하다 保护环境 2 环境 huán-jìng ¶周围的情况和条件》¶학습 ~ 学习环境 / 작업 ~ 工作环境

환경–미화원(環境美化員) 명 环卫工人 huánwèi gōngrén

환·골–탈태(換骨奪胎) 명하자 换骨夺胎 huàngǔduótài

환관(宦官) 명 [史] = 내시

환·군(還軍) 명하자 回师 huíshī = 회군

환궁(還宮) 명하자 回銮 huíluán; 还宫 huángōng

환급(還給) 명하타 还给 huángěi; 退还 tuìhuán; 回扣 huíkòu ¶돈을 나에게 ~해 주세요 把钱还给我吧

환급–금(還給金) 명 还付款 huánfù-kuǎn

환·기(喚起) 명하타 唤起 huànqǐ ¶주의를 ~시키다 唤起注意

환·기(換氣) 명하자 换气 huànqì; 通风 tōngfēng; 透风 tòufēng ¶창을 열어 ~하다 开窗换气

환·난(患難) 명 患难 huànnàn ¶~을 극복하다 克服患难

환담(歡談) 명하자 畅谈 chàngtán ¶그들은 저녁때까지 ~을 나눴다 他们畅谈到晚上

환대(歡待) 명하타 款待 kuǎndài; 款接 kuǎnjiē; 热情接待 rèqíng jiēdài; 热情招待 rèqíng zhāodài ¶어젯밤 동료의 집에서 정성 어린 ~를 받았다 昨晚在同事家受到热情款待

환등(幻燈) 명 幻灯机 huàndēngjī ¶~기 幻灯机

환락(歡樂) 명하자 欢乐 huānlè ¶~속으로 들어가다 置身于欢乐之中

환락–가(歡樂街) 명 娱乐街 yúlèjiē

환·매(換買) 명하타 易货 yìhuò

환·매(還買) 명하타 回购 huígòu; 返购 fǎngòu ¶~를 일삼다 频回购

환·매(還賣) 명하타 回销 huíxiāo; 返销 fǎnxiāo ¶제품을 국제 시장에 ~했다 将产品回销国际市场

환·멸(幻滅) 명하자 幻灭 huànmiè ¶~감 幻灭感 /~을 느끼다 感到幻灭

환·부(患部) 명 患处 huànchù = 환처 ¶~에 바르다 涂抹患处

환·불(還拂) 명하타 退 tuì; 退还 tuì-huán; 退款 tuìkuǎn ¶付还 fùhuán ¶이

민폐

환:절-기(換節期) 명 换季期 huànjì-qī; 季节之交 jìjiézhījiāo ¶~에는 감기를 조심해야 한다 换季期要注意预防感冒

환제(丸劑) 명 【韓醫】= 환약

환:청(幻聽) 명 【心】幻听 huàntīng ¶~에 시달리다 被幻听折磨

환·풍-기(換風機) 명 排气扇 páiqì-shān; 抽烟机 chōuyānjī; 换气扇 huàn-qìshàn

환:-하다 형 1 亮 liàng; 明亮 míngliàng; 开朗 kāilǎng ¶실내가 아주 ~ 室内格外明亮 2 广阔 guǎngkuò; 宽广 kuānguǎng; 宽广 kuānkuò ¶시야가 ~ 视野宽广 3 明显 míngxiǎn ¶환한 흔적을 남기다 留下明显的痕迹 4 (长相) 漂亮 piàoliang; 秀气 xiùqi; 娟秀 juānxiù ¶아주 환하게 생겼다 长得十分漂亮 5 开朗 kāilǎng; 明朗 míngláng ¶안색이 평소보다 더욱 ~ 神色比平常还开朗 6 (稍辣) 爽口 shuǎngkǒu ¶간식이 아주 환한데 박하 맛이다 小吃很爽口, 是薄荷味的 7 光明 guāngmíng ¶앞날이 ~ 前途光明

환호(歡呼) 명하자 欢呼 huānhū ¶~성 欢呼声 / 큰 소리로 ~하다 大声欢呼

환희(歡喜) 명하자 欢喜 huānxǐ; 欢娱 huānyú ¶~의 눈물을 흘리다 流出欢喜的泪水

활 명 1 弓 gōng 2 绷弓子 bēnggōngzi 3 【音】 乐器弓 yuèqìgōng

활강(滑降) 명하자 滑降 huájiàng; 下滑 xiàhuá

활개 명 1 (伸开的) 翅膀 chìbǎng 2 (伸开的) 胳臂 gēbei; 胳膊 gēbo

활극(活劇) 명 【演】武剧 wǔjù; 武戏 wǔxì; 打斗片 dǎdòupiàn

활기(活氣) 명 活气 huóqì; 活力 huólì; 生机 shēngjī; 生气 shēngqi; 朝气 zhāoqì ¶이 학생들은 ~가 있다 这些学生们都很有活力 / 문단은 다시 한 줄기 ~를 되찾았다 文坛又恢复了一派生机

활기-차다(活氣) 형 生气勃勃 shēng-qìbóbó; 朝气勃勃 zhāoqìbóbó; 朝气蓬勃 zhāoqìpéngbó; 活跃 huóyuè ¶그는 활기차고 젊은이이다 他是个朝气蓬勃的年轻人

활달-하다(豁達一) 형 豁达 huòdá ¶천성이 ~ 天性豁达

활동(活動) 명하자 1 活动 huódòng; 行动 xíngdòng ¶천천히 ~하다 轻微地活动 2 活动 huódòng ¶~가 活动家 / 체육 ~ 体育活动 / 장내에는 시위나 정치 ~을 할 수 없다 场内不能进行示威或政治活动 3 活动 huódòng ¶이것은 그의 대뇌가 ~을 시작했음을 표시한다 这表示他的大脑开始活

动起来

활동-력(活動力) 명 活动力 huódòng-lì; 活动能力 huódòng nénglì

활동-적(活動的) 명 活跃 huóyuè-de; 有活力的 yǒuhuólìde ¶~인 소녀 有活力的少女

활력(活力) 명 活力 huólì; 生机 shēngjī ¶~소 活力素 / ~이 넘치다 生机盎然

활로(活路) 명 活路 huólù; 生路 shēnglù ¶역경에서 ~를 찾다 从逆境中找活路

활발-하다(活潑一) 형 1 活泼 huópo; 活跃 huóyuè ¶이 아이는 정말 ~ 这孩子真活泼 2 活跃 huóyuè ¶상담은 활발하게 진행되고 있다 商谈正在活跃地进行着

활보(闊步) 명하자 阔步 kuòbù ¶앞을 향하여 ~하다 阔步向前

활석(滑石) 명 【鑛】滑石 huáshí

활성(活性) 명 【化】活性 huóxìng ¶~탄 活性炭

활성-화(活性化) 명하자타 1 促进 cùjìn; 推动 tuīdòng ¶사회의 발전을 ~시키다 把社会的发展推动起来 2 【化】活化 huóhuà; 活性化 huóxìnghuà; 激活 jīhuó

활시위 명 弓弦 gōngxián = 시위 ¶~를 당기다 拉弓弦

활-쏘기 명 射箭 shèjiàn

활약(活躍) 명하자 活跃 huóyuè ¶그는 줄곧 탁구계에서 ~하고 있다 他一直活跃在乒乓球上

활어(活魚) 명 活鱼 huóyú; 活鲜鱼 huóxiānyú; 鲜鱼 xiānyú

활엽(闊葉) 명 【植】阔叶 kuòyè ¶~수 阔叶树

활용(活用) 명하자 1 活用 huóyòng; 运用 yùnyòng; 应用 yìngyòng; 利用 lì-yòng ¶이 방법이 가장 보편적으로 되고 있다 这种方法应用得最为普遍 2 【語】活用 huóyòng ¶일본어 동사 ~ 日语动词活用

활자(活字) 명 【印】活字 huózì; 铅字 qiānzì ¶~본 活字本 / ~체 活字体 / 는 주조하는 铸活字

활주(滑走) 명하자 滑行 huáxíng; 滑跑 huápǎo ¶비행기가 활주로에서 ~하기 시작하다 飞机开始在跑道滑行

활주-로(滑走路) 명 跑道 pǎodào

활-집 명 弓袋 gōngdài; 弓衣 gōngyī

활-짝 부 1 (门) 大 dà; 敞 chǎng ¶문을 ~ 열다 大开门 2 豁然 huòrán ¶기차가 ~ 트인 벌판으로 진입하다 火车进入豁然开阔的平原 3 (翅膀) 大 dà ¶날개를 ~ 펼치다 把翅膀大大张开 4 (花) 盛 shèng ¶국화가 ~ 피었다 菊花盛开了 5 (天气) 豁然 huòrán ¶음철

한 하늘이 ~ 트이다 阴沉的天空豁然开朗 **6** (脸) 满 mǎn; 敞 chǎng ¶~ 웃다 满面笑容
활판(活版) 명 〖印〗 活版 huóbǎn; 活字版 huózìbǎn
활-화산(活火山) 명 〖地理〗 活火山 huóhuǒshān
활활 부 **1** (火焰) 熊熊 xióngxióng ¶~ 타오르는 성화 熊熊燃烧的圣火 **2** 哗哗地 huāhuāde ¶부채를 ~ 부치고 있다 哗哗地扇着扇子 **3** 翩翩 piānpiān ¶나비가 ~ 날다 蝴蝶翩翩飞翔 **4** (脱衣) 利索地 lìsuode ¶그는 몸에 걸친 옷을 ~ 벗어 버렸다 他把身上的衣服利索地脱下来 **5** (脸) 一阵阵 yīzhènzhèn; 一股股 yīgǔgǔ ¶얼굴이 ~ 달아오르다 脸一阵阵地发红
활황(活况) 명 **1** (生气勃勃的) 情况 qíngkuàng **2** 好况 hǎokuàng; 好景 hǎojǐng; 牛市 niúshì ¶증시의 ~ 股市好况
홧:-김(火—) 명 气头上 qìtóushang ¶~에 사람을 치다 气头上把人揍了
황 명 蹩脚 biéjiǎo ¶그의 영어 수준은 정말 ~이다 他英语水平真蹩脚
황갈-색(黃褐色) 명 黄褐色 huánghèsè
황-고집(黃固執) 명 老顽固 lǎowángù; 死顽固 sǐwángù; 死固执 sǐgùzhí; 固执不通 gùzhí bùtōng ¶사람은 좋은데, 약간 ~이다 为人不错, 有点固执不通
황공-하다(惶恐—) 형 惶恐 huángkǒng; 惶悚 huángsǒng ¶황제의 칙령을 받드니 황공하여 어찌해야 할지 모르겠습니다 奉皇敕惶恐罔措 **황공-히** 부
황구(黃狗) 명 = 누렁이
황국(皇國) 명 王国 wángguó; 帝国 dìguó
황궁(皇宮) 명 皇宫 huánggōng
황금(黃金) 명 **1** 黄金 huángjīn; 金子 jīnzi **2** 金钱 jīnqián; 钱财 qiáncái ¶~ 만능주의 金钱万能主义 / ~이 만능은 아니다 金钱不是万能的 **3** 黄金 huángjīn 《比喻宝贵》 ¶~기 黄金时期 / 이런 ~ 같은 기회를 당신은 잡았습니까? 这样黄金般的机会, 你抓住了吗?
황금-빛(黃金—) 명 金色 jīnsè; 金光 jīnguāng
황급-하다(遑急—) 형 遑急 huángjí; 遑遽 huángjù; 慌速 huāngsù; 急不可待 jíbùkědài ¶황급한 표정이 바로 풀어지다 一脸遑急的神情顿时松弛了 **황급-히** 부 ¶~ 배에서 내리다 慌速下船
황녀(皇女) 명 皇女 huángnǚ; 公主 gōngzhǔ
황달(黃疸) 명 〖韓醫〗 黄疸 huángdǎn
황당무계-하다(荒唐無稽—) 형 荒诞无稽 huāngdàn wújī; 荒诞不经 huāngdàn bùjīng ¶황당무계한 소문 荒诞不经的传闻
황당-하다(荒唐—) 형 荒唐 huāngtáng; 荒诞 huāngdàn ¶황당한 행동 荒唐的举动 / 이 헛소문들은 정말 너무 ~ 这些谣言实在荒唐透了
황도(黃桃) 명 〖植〗 黄桃 huángtáo
황도(黃道) 명 〖天〗 黄道 huángdào
황동(黃銅) 명 〖工〗 = 놋쇠
황량-하다(荒凉—) 형 荒凉 huāngliáng ¶황량한 땅 荒凉的土地
황막-하다(荒漠—) 형 荒漠 huāngmò ¶황막한 사막 지대 荒漠的戈壁 / 대지가 ~ 大地荒漠
황망(慌忙) 명하형히부 慌忙 huāngmáng ¶~하게 뒤로 물러서다 慌忙地往后退
황무-지(荒蕪地) 명 荒地 huāngdì
황사(黃沙·黃砂) 명 〖地理〗 黄砂 huángshā; 黄沙 huángshā; 沙尘暴 shāchénbào
황산(黃酸) 명 〖化〗 硫酸 liúsuān
황:-새 명 〖鳥〗 鹳 guàn
황색(黃色) 명 黄色 huángsè
황성(皇城) 명 皇城 huángchéng; 京都 jīngdū; 帝都 dìdū
황-소 명 黄牛 huángniú
황소-개구리 명 〖動〗 牛蛙 niúwā
황소-고집(—固執) 명 = 쇠고집 ¶~을 부리다 发牛脾气
황송-하다(惶悚—) 형 惶悚 huángsǒng; 惶恐 huángkǒng ¶황송해서 어찌해야 할지 모르겠다 使我惶悚不知所措
황야(荒野) 명 荒野 huāngyě; 荒原 huāngyuán
황위(皇位) 명 皇位 huángwèi ¶~에 오르다 登上皇位
황-인종(黃人種) 명 黄色人种 huángsè rénzhǒng; 黄种人 huángzhǒngrén; 黄种 huángzhǒng
황제(皇帝) 명 皇帝 huángdì
황족(皇族) 명 皇族 huángzú
황천(黃泉) 명 黄泉 huángquán = 저승 ¶~객 黄泉客 / ~길 黄泉路
황-태자(皇太子) 명 〖史〗 皇太子 huángtàizǐ = 태자2
황태자-비(皇太子妃) 명 皇太子妃 huángtàizǐfēi
황토(黃土) 명 黄土 huángtǔ
황폐(荒廢) 명하자 **1** 荒废 huāngfèi; 荒芜 huāngwú ¶황폐한 논밭 荒废的田地 **2** 荒废 huāngfèi; 荒芜 huāngwú ¶~한 생활 荒废的生活
황폐-화(荒廢化) 명하자타 荒废 huāng-

fèi; 荒芜 huāngwú ¶～된 토지 荒废的
土地 /～된 시대 荒废的时代

황혼(黄昏) 몡 黄昏 huánghūn ¶～기
黄昏期 /～이 다가오다 黄昏来临

황홀(恍惚·慌惚) 명형[하다][하]부 1 恍惚
huānghū; 迷人 mírén; 入胜 rùshèng ¶
～한 광경 恍惚的光景 2 恍惚 huāng-
hū; 入迷 rùmí; 着迷 zháomí ¶～감 恍
惚感 /～경 恍惚境 / 나는 ～한 세계
속으로 빠져들었다 我陷入了一种恍惚
的世界里

황후(皇后) 명 皇后 huánghòu

홰¹ 몡 1 (鸟、鸡等) 栖木 qīmù ¶동
틀 무렵 새벽닭이 ～에서 소리내어 울
다 破晓的晨鸡在栖木上啼鸣 2 = 횃
대 ᆖ몡 遍 biàn 《公鸡叫的次数》
닭이 세 ～ 울었다 鸡叫三遍了

홰² 몡 火把 huǒbǎ; 火炬 huǒjù ¶마을
사람들이 ～에 불을 붙여 그를 찾았다
村民们点起火把寻找他

홰-치다 짜 扑翅 pāichì; 拍翅 pāichì ¶
닭이 홰치며 날다 鸡扑翅而飞

확 부 1 敏捷地 mǐnjiéde; 迅速地 xùn-
sùde; 利落地 lìluòde ¶그녀는 몸을 ~
돌려 딸의 손을 잡았다 她敏捷地转身
抓着女儿的手 2 霍地 huòdì; 猛然
měngrán; 一下子 yīxiàzi ¶문을 ~ 열
다 霍地打开门 3 猛力 měnglì ¶돌을
~ 던지다 使劲投掷石块 4 呼地 hūdè
¶사나운 바람이 ~ 불어왔다 一阵很
猛的风呼地刮过来

확-확 부 1 敏捷地 mǐnjiéde; 迅速地
xùnsùde; 利落地 lìluode ¶쓰레기를 길
가로 ~ 쓸다 把垃圾利落地扫到路边
2 霍地 huòdì; 猛然 měngrán; 一下子
yīxiàzi 3 猛力 měnglì ¶떠온 물을 ~
뿌리다 把打来的水有猛力浇下去 4
呼地 hūde

횃-대 몡 衣架 yījià = 회¹ᆖ2

횃-불 몡 火把 huǒbǎ; 火炬 huǒjù; 炬
火 jùhuǒ

횅댕그렁-하다 형 空荡荡 kōngdāng-
dāng; 空落落 kōngluòluò = 횅하다3 ¶
집 안이 ~ 屋子里空落落的

횅-하다 형 1 精通 jīngtōng、通达 tōng-
dá; 通晓 tōngxiǎo ¶지리에 ~ 通晓地
理 2 通畅 tōngchàng; 畅通 chàngtōng
¶도로가 ~ 道路通畅 3 = 횅댕그렁
하다

회:(會) 명[하자] 会 huì; 团体 tuántǐ;
组织 zǔzhī ¶～를 만들다 成立组织

회:(膾) 몡 生鱼片 shēngyúpiàn ¶참치
~ 金枪鱼生鱼片 ——회하 타

회(回) 몡[수] 回 huí; 届 jiè; 局 jú; 次
cì ¶제23～ 정기 학술 대회 第二十三
回定期学术大会 / 제32～ 졸업식 第
三十二届毕业典礼

-회(會) 젭미 会 huì ¶환영～ 欢迎

회갈-색(灰褐色) 몡 灰褐色 huīhèsè

회갑(回甲) 몡 = 환갑

회갑-연(回甲宴) 몡 = 환갑잔치

회:개(悔改) 몡[하타] 悔改 huǐgǎi ¶～
의 눈물 悔改的眼泪 / 신 앞에서 ～하
다 在神面前悔改

회:견(會見) 몡[하자타] 会见 huìjiàn; 会
晤 huìwù ¶～을 가지다 举行会见

회:계(會計) 몡[하다] 1 会计 kuàijì; 核
算 hésuàn ¶～사 会计师 /～장부 会
计账册 /～학 会计学 / 재무 ～ 财务会
计 /그가 ～ 업무를 책임지고 있다 他
负责会计工作 2 支付 zhīfù ¶～를 치
르다 加以支付 3 出纳 chūnà 4 会计
制度 kuàijì zhìdù

회고(回顧) 몡[하타] 回顾 huígù; 回首
huíshǒu; 回想 huíxiǎng; 回忆 huíyì ¶
～록 回忆录 / 어린 시절을 ～하다 回
顾童年

회:관(會館) 몡 馆 guǎn; 会馆 huìguǎn;
礼堂 lǐtáng = 회당

회교(回教) 몡 【宗】 回教 huíjiào = 이
슬람교 ¶～국 回教国家 /～도 回教徒

회군(回軍) 몡 回军

회귀(回歸) 몡[하자] 回归 huíguī; 返回
fǎnhuí ¶～년 回归年 /～선 回归线 /
～성 回归本能 / 새를 자연으로 ～시
키다 让鸟回归自然

회:기(會期) 몡 会期 huìqī; 会议期间
huìyì qījiān

회:담(會談) 몡[하자] 会谈 huìtán ¶～
이 순조롭게 진행되다 会谈进行得顺
利

회답(回答) 몡[하자] 回答 huídá = 답²
¶선생님의 질문에 ～하다 回答老师的
提问

회:당(會堂) 몡 = 회관

회:동(會同) 몡[하타] 会同 huìtóng ¶쌍
방이 규정된 기일에 따라 ～하여 처리
한다 由双方依规定的日期会同办理

회람(回覽) 몡[하타] 传阅 chuányuè ¶～
판 传阅板

회랑(回廊·廻廊) 몡 【建】 1 长房子
chángfángzi 2 回廊 huíláng

회로(回路) 몡 1 回路 huílù; 归路 guī-
lù 2 【物】电路 diànlù

회-백색(灰白色) 몡 灰白色 huībáisè

회벽(灰壁) 몡[하자] 石灰墙 shíhuīqiáng

회:보(會報) 몡 会报 huìbào

회복(回復·恢復) 몡[하타] 复原 fùyuán;
恢复 huīfù ¶～기 恢复期 / 건강을 ～
하다 恢复健康

회부(回附) 몡[하타] 提交 tíjiāo; 交付
jiāofù ¶재판에 ～하여 심사 평가하다
提交裁判审评

회:비(會費) 몡 会费 huìfèi ¶～를 납
부하다 缴纳会费

회:**사**(會社) 图【經】公司 gōngsī ¶무역 ~ 贸易公司 / ~원 公司职员 / ~를 경영하다 经营一家公司

회상(回想) 图动他 回想 huíxiǎng；回顾 huígù；回忆 huíyì；回味 huíwèi ¶지난 일을 ~하다 回想往事

회색(灰色) 图 灰色 huīsè

회생(回生) 图 = 소생(蘇生)

회선(回線) 图【電】电话线路 diànhuà xiànlù ¶~을 늘리다 增加电话线路

회송(回送) 图动他 = 환송(還送)

회수(回收) 图动他 回收 huíshōu ¶자금을 ~하다 回收资金

회수-권(回數券) 图 回数票 huíshùpiào；联票 liánpiào

회:**식**(會食) 图动自 聚餐 jùcān；会餐 huìcān ¶회의 후에 ~이 있다 会后有聚餐

회신(回信) 图动自他 回信 huíxìn；复回 fùhuí；复函 fùhán；回电 huídiàn ¶오늘 마침내 그의 ~을 받았다 今天终于收到他的回信

회:**심**(會心) 图 会心 huìxīn；得意 déyì ¶~작 会心之作 / ~의 미소를 짓다 露出会心的微笑

회오리 图 回旋 huíxuán；盘旋 pánxuán

회오리-바람 图【地理】旋风 xuànfēng；龙卷风 lóngjuǎnfēng = 선풍

회오리-치다 图 1 (风) 起旋风 qǐxuànfēng 2 (感情、气势 等) 振奋 zhènfèn ¶竞争 중에 感受振奋의 격정을 느끼다 在竞争中感受振奋的激情

회:**원**(會員) 图 会员 huìyuán ¶~국 会员国 / ~증 会员证

회유(回遊) 图动自 回游 huíyóu ¶해양 생물의 ~ 통로 海洋生物的回游通道

회유(懷柔) 图动他 怀柔 huáiróu；전술 怀柔战术

회:**의**(會意) 图【語】会意 huìyì (汉字六书之一)

회:**의**(會議) 图动自 会议 huì；会议 huìyì ¶~록 会议记录 / ~실 会议室 / ~를 열다 开会

회의(懷疑) 图动他 1 怀疑 huáiyí ¶~를 품다 抱怀疑 2【哲】怀疑 huáiyí

회임(懷妊·懷姙) 图动自 = 임신

회:**자**(膾炙) 图动自 脍炙人口 kuàizhìrénkǒu ¶그는 사람들 사이에 많이 ~되는 가곡을 창작했다 他创作出不少脍炙人口的歌曲

회:**장**(會長) 图 1 会长 huìzhǎng ¶협회 ~ 协会会长 2 董事长 dǒngshìzhǎng ¶이사회 회의는 ~이 소집하고 주재한다 董事会会议由董事长召集和主持

회:**장**(會場) 图 会场 huìchǎng

회전(回轉·廻轉) 图动自他 1 绕着旋转 ràozhe zhuàn 2 转 zhuàn；回转 huízhuǎn；旋转 xuánzhuǎn ¶~목마 回转木马 / ~문 旋转门 / ~속도 转速 / ~의자 转椅 / ~초밥집 回转寿司店 / 달이 지구를 돌며 ~하다 月亮绕着地球转 3 (资金) 周转 zhōuzhuǎn ¶현금의 회수는 자금의 ~을 빠르게 했다 现金的回收加快了资金的周转

회중(懷中) 图 1 = 품속 2 = 마음속

회중-시계(懷中時計) 图 怀表 huáibiǎo

회중-전등(懷中電燈) 图 = 손전등

회진(回診) 图动他 查病房 chá bìngfáng；病房回诊 bìngfáng huízhěn ¶의사가 와서 ~하다 医生来查病房

회첩(回帖·回貼) 图 回信 huíxìn

회청-색(灰靑色) 图 灰青色 huīqīngsè

회초리 图 戒尺 jièchǐ；枝条鞭子 zhītiáo biānzi ¶~로 손바닥을 때리다 用戒尺打手心

회춘(回春) 图动自 回春 huíchūn；返老还童 fǎnlǎohuántóng

회충(蛔蟲) 图【蟲】蛔虫 huíchóng ¶~약 蛔虫药

회:**-치다**(膾一) 图他 切生鱼片 qiēshēngyúpiàn ¶회치는 기술을 배우다 学习切生鱼片的技巧

회:**칙**(會則) 图 会则 huìzé；会章 huìzhāng

회포(懷抱) 图 心情 xīnqíng；心怀 xīnhuái；心意 xīnyì ¶~를 풀다 解除心情

회피(回避) 图动他 回避 huíbì；躲避 duǒbì ¶우리는 이 일의 책임을 ~해서는 안 된다 我们不能回避这件事的责任

회한(回翰) 图 = 답장

회:**한**(悔恨) 图动他 悔恨 huǐhèn ¶~의 눈물을 흘리다 流下悔恨的泪水

회:**합**(會合) 图动自 聚会 jùhuì；聚会 huìjù ¶여기는 우리가 ~하는 곳이다 这里是我们会集的地方 2【化】缔合 dìhé

회항(回航·廻航) 图动自他 1 巡回航行 xúnhuí hángxíng 2 回航 huíháng；归航 guīháng；返航 fǎnháng ¶본국으로 ~하다 向本国返航

회화(會話) 图动自 会话 huìhuà；对话 duìhuà ¶~체 会话体 / 영어 ~ 英语会话 / ~를 배우다 学习日常会话

회:**화**(繪畵) 图【美】绘画 huìhuà

획 图 霍地 huòdì；猛地 měngde；倏地 shūdì；突然 tūrán ¶그는 몸을 ~ 돌리더니 성큼 걸어갔다 他霍地转身，向前面走去

획(劃) 图 笔 bǐ；笔画 bǐhuà ¶이 글자는 4~이다 这个字有四笔

획기-적(劃期的) 冠图 划时代的 huàshídàidè ¶이것은 ~인 사건이다 这是划时代的事件

획득(獲得) 명하타 获得 huòdé; 得到 dédào; 取得 qǔdé ¶우승을 ~했다 获得冠军

획수(畫數) 명 笔画数 bǐhuàshù ¶한자의 ~ 汉字的笔画数

획순(畫順) 명 笔顺 bǐshùn ¶한자의 ~ 汉字的笔顺

획일-적(劃一的) 관형 1 划一的 huàyīde ¶~인 사고 划一的思考 2 整齐的 zhěngqíde

획일-주의(劃一主義) 명 划一主义 huàyī zhǔyì

획일-하다(劃一──) 형 1 划一 huàyī 2 整齐 zhěngqí

획책(劃策) 명하타 策划 cèhuà; 划策 huàcè ¶반란을 ~하다 策划叛乱

횟수(回數) 명 回数 huíshù; 次数 cìshù ¶출석한 ~ 出席的次数

횟-집(膾──) 명 生鱼片店 shēngyúpiàndiàn

횡(橫) = 가로□

횡격-막(橫膈膜·橫隔膜) 명 【生】 横膈膜héngémó

횡단(橫斷) 명하타 1 横断 héngduàn; 横切 héngqiè ¶~면 横断面 2 横过 héngguò; 横穿 héngchuān; 横渡 héngdù; 横贯 héngguàn; 横越 héngyuè ¶도로를 ~하다 横过马路

횡단-보도(橫斷步道) 명 人行横道 rénxínghéngdào

횡대(橫隊) 명 横队 héngduì ¶이열 ~ 二列横队

횡도(橫道) 명 1 横道 héngdào = 횡로 2 错路 cuòlù

횡령(橫領) 명하타 非法占有 fēifǎ zhànyǒu; 私吞 sītūn; 贪污 tānwū ¶공금 ~ 贪污公款

횡로(橫路) 명 = 횡도1

횡문(橫文) 명 1 横文 héngwén 2 横向文字

횡문(橫紋) 명 = 가로무늬

횡사(橫死) 명하자 横死 hèngsǐ; 死于非命 sǐyúfēimìng ¶객지에서 ~하다 横死他乡

횡서(橫書) 명 = 가로쓰기

횡선(橫線) 명 = 가로줄

횡설수설(橫說竪說) 명하자 乱说 luànshuō; 胡说八道 húshuōbādào; 胡言乱语 húyánluànyǔ; 信口雌黄 xìnkǒucíhuáng; 语无伦次 yǔwúlúncì ¶~하지 마라 不要乱说

횡재(橫財) 명하자 横财 hèngcái; 洋财 yángcái ¶크게 ~를 하다 大发横财

횡포(橫暴) 명형용 横暴 hèngbào; 粗

暴 cūbào; 蛮横 mánhèng ¶~를 부리다 蛮横无理

횡행(橫行) 명하자 1 横行 héngxíng; 侧行 cèxíng 2 横行霸道 héngxíngbàdào; 恣意妄为 zìyìwàngwéi ¶폭력이 ~하는 불법 시위 暴力横行霸道的非法示威

효(孝) 명 孝 xiào; 孝顺 xiàoshùn; 孝敬 xiàojìng

효-과(效果) 명 效果 xiàoguǒ; 效力 xiàolì; 效应 xiàoyìng; 作用 zuòyòng ¶치료 ~ 治疗效果 / 음 ~ 效果音响 ¶~를 거두다 获得效果

효-과-적(效果的) 관형 有效的 yǒuxiàode; 有成效的 yǒuchéngxiàode ¶~인 방법 有效的方法

효-녀(孝女) 명 孝女 xiàonǚ

효-능(效能) 명 效 xiào; 效能 xiàonéng; 效力 xiàolì; 功效 gōngxiào ¶~이 있다 有效

효-도(孝道) 명하자 孝 xiào; 孝道 xiàodào; 孝敬 xiàojìng; 孝顺 xiàoshùn ¶부모에게 ~하다 孝敬父母

효-력(效力) 명 效力 xiàolì; 效果 xiàoguǒ; 功效 gōngxiào; 效验 xiàoyàn; 收效 shōuxiào ¶약의 ~ 药的效力 2 【法】 效 xiào; 效力 xiàolì ¶~을 상실하다 失效 / ~이 발생하다 生效

효-모(酵母) 명 【植】 = 효모균

효-모-균(酵母菌) 명 【植】 酵母菌 jiàomǔjūn = 이스트1·효모

효-부(孝婦) 명 孝妇 xiàofù

효-성(孝誠) 명 孝顺 xiàoshùn; 孝心 xiàoxīn ¶~이 지극하다 孝心至极

효-소(酵素) 명 【化】 酵素 jiàosù; 酶 méi

효시(嚆矢) 명 1 嚆矢 hāoshǐ 2 嚆矢 hāoshǐ; 先河 xiānhé; 先声 xiānshēng; 鸣镝 míngdí; 响箭 xiǎngjiàn ¶이것이 국문 소설의 ~이다 这是国文小说的先河

효-심(孝心) 명 孝心 xiàoxīn ¶~이 지극하다 孝心至诚

효-용(效用) 명 1 效用 xiàoyòng; 效能 xiàonéng; 功能 gōngnéng; 功效 gōngxiào ¶약의 ~ 药的功效 2 功用 gōngyòng; 用处 yòngchu; 用途 yòngtú ¶다른 ~은 없다 没有其他的功用 3 效益 xiàoyì ¶경제적 ~ 经济效益

효-율(效率) 명 效率 xiàolǜ ¶~적 效率的/~이 좋은 기계 高效率的机器 / ~이 떨어지다 效率下降

효-자(孝子) 명 孝子 xiàozǐ

효-행(孝行) 명 孝行 xiàoxíng ¶~이 지극하다 极尽孝行

효-험(效驗) 명 效 xiào; 效验 xiàoyàn; 效果 xiàoguǒ; 效力 xiàolì ¶~이 없다 没有效力

후 [투허타] 噗 pū ¶~하고 담배 연기를 내뿜다 噗的一声出出烟气

후:(後) 명 1 后 hòu; 以后 yǐhòu; 之后 zhīhòu ¶한 시간 ~에 다시 그에게 전화를 걸다 一个小时后再给他打电话 2 = 추후 ¶~에 다시 연락하마 以后我再跟你联系吧

후각(嗅覺) 명 嗅觉 xiùjué ¶~을 자극하다 刺激嗅觉

후:견(後見) 명 【法】保护 bǎohù; 监护 jiānhù ¶~인 保护人

후:계(後繼) 명하타 后继 hòujì; 继承 jìchéng; 接班 jiēbān ¶~자 后继者

후광(後光) 명 1 【佛】光环 guānghuán; 圆光 yuánguāng; 佛光 fóguāng ¶~이 비치다 佛光普照 2 沾光 zhānguāng; 借光 jièguāng ¶그는 아버지의 ~으로 출세하였다 他沾了父亲的光, 出人头地了

후:궁(後宮) 명 后宫 hòugōng; 后妃 hòufēi; 妃嫔 fēipín; 妃子 fēizi

후:기(後記) 명하타 后记 hòujì ¶편집 ~ 编辑后记

후:기(後期) 명 后期 hòuqī ¶집권 ~ 掌权后期

후끈 부하 暖烘烘 nuǎnhōnghōng; 热呼呼 rèhūhū; 火辣辣 huǒlàlà ¶얼굴이 ~ 달아오르다 脸上火辣辣的

후끈-거리다 자 热烘烘 rèhōnghōng = 후끈대다 ¶방 안이 ~ 屋子里热烘烘的 후끈-후끈 부자타

후:년(後年) 명 后年 hòunián

후:다닥 부하타 一骨碌 yìgūlu; 匆匆 cōngcōng; 一股劲(儿) yīgǔjìn(r); 一溜烟(儿) yīliùyān(r) ¶~도망치다 一溜烟儿地逃跑了

후:대(後代) 명 后代 hòudài; 后世 hòushì ¶깨끗한 자연환경을 ~에 물려주어야 한다 应该把干净的自然环境留给后世

후:덕(厚德) 명하형 厚德 hòudé; 厚道 hòudao; 憨厚 hānhòu ¶마음이 선량하고 ~하다 心底善良厚道

후덥지근-하다 형 闷热 mēnrè; 焖躁 wùzao ¶오늘은 날씨가 ~ 今天天气闷热

후:두(後頭) 명 【生】后脑 hòunǎo; 后脑勺 hòunǎosháo

후두(喉頭) 명 【生】喉头 hóutóu ¶~염 喉头炎

후드득 부자타 1 哗哗剥剥 huāhuābōbō ¶솥 속에서 깨가 ~ 소리를 내며 튀기 시작했다 芝麻在锅里哗哗剥剥地开始爆了 2 劈里啪啦 pīlipālā ¶멀리서 폭죽 터지는 소리가 ~ 들려왔다 从远处传来劈里啪啦的爆竹声 3 哗啦哗啦 huālāhuālā; 滴滴嗒嗒 dīdādādā ¶빗방울이 떨어지다 哗啦哗啦地下起雨来了

후드득-거리다 자 1 哗哗剥剥地响 huāhuābōbōde xiǎng 2 劈里啪啦地响 pīlipālāde xiǎng 3 滴滴嗒嗒地响 dīdādādāde xiǎng ‖ = 후드득대다 후드득-후드득 부하자

후들-거리다 자타 发抖 fādǒu; 发软 fāruǎn; 颤抖 chàndǒu = 후들대다 ¶다리가 후들거려 걸을 수가 없다 两腿发软, 走不了路 후들-후들 부하자

후딱 부 很快地 hěnkuàide; 忽然 hūrán; 匆匆 cōngcōng ¶밥을 ~ 먹어치우다 匆匆把饭吃完

후딱-후딱 부 很快地 hěnkuàide; 匆匆 cōngcōng; 忽然 hūrán ¶일을 ~ 해치우다 匆匆把这事儿干完

후레-자식(一子息) 명 王八蛋 wángbādàn; 杂种 zázhǒng

후려-갈기다 타 鞭打 biāndǎ; 抽打 chōudǎ; 猛击 měngjī; 猛打 měngdǎ ¶홧김에 주먹으로 ~ 一生气就用拳头打

후려-치다 타 抽打 chōudǎ; 猛打 měngdǎ; 狠打 hěndǎ ¶그의 따귀를 ~ 抽打他的耳光

후련-하다 형 1 舒服 shūfu ¶토하고 나니 속이 ~ 吐了以后胃里舒服了 2 舒畅 shūchàng; 舒心 shūxīn; 畅快 chàngkuài; 爽快 shuǎngkuài; 轻松 qīngsōng ¶마음이 아주 ~ 心情格外舒畅

후:렴(後斂) 명 【音】副歌 fùgē

후루루 부하자 嘟嘟 dūdū; 嘟嘟嘟噜 dūlüdūlü ¶호루라기를 ~ 불다 把杏核哨儿嘟嘟地吹

후루룩 부하자타 1 扑棱棱 pūlēnglēng ¶산새가 한 마리 ~ 날아올랐다 一只山鸟扑棱棱地飞了起来 2 呼噜噜 hūlūlū; 呼噜呼噜 hūlūhūlū; 咕噜噜 gūlūlū; 稀里呼噜 xīlihūlū ¶국물을 단숨에 ~ 들이마시다 把汤汁儿咕噜噜地一口气喝了下去

후루룩-거리다 자타 1 扑棱棱地飞 pūlēnglēngde fēi 2 呼噜噜地喝 hūlūlüde hē ‖ = 후루룩대다 후루룩-후루룩

후:륜(後輪) 명 后轮 hòulún ¶~ 구동차 后轮驱动车

후리다 타 1 追赶 zhuīgǎn; 追逐 zhuīzhú; 追捕 zhuībǔ ¶수리가 병아리를 후리려 한다 老鹰要追逐小鸡 2 抽打 chōudǎ; 鞭打 biāndǎ ¶그의 몸을 세차게 ~ 狠狠地抽打他的身子 3 抢夺 qiǎngduó; 窃取 qièqǔ ¶그 지주는 남의 재물을 후려 먹었다 那个地主抢夺他人的财物 4 迷惑 míhuò; 诱骗 yòupiàn ¶여자를 ~ 诱骗妇女 5 割 gē; 削 xuē; 刨 bào ¶대패로 나무 모서리를

~ 用刨子刨去棱角

후：면(後面) 團 后面 hòumiàn; 后边 hòubiān

후：문(後門) 團 后门 hòumén

후：문(後聞) 團 传闻 chuánwén; 续闻 xùwén; 丑闻 chǒuwén ¶선거 결과가 조작이라는 ~이 나돌다 传出操纵选举结果的丑闻

후：미(後尾) 團 后尾儿 hòuyǐr; 末尾 mòwěi ¶행렬의 ~ 队伍的末尾

후미-지다 團 1 弯曲 wānqū 2 背静 bèijìng; 幽深 yōushēn; 深邃 shēnsuì; 僻静 pìjìng ¶후미진 골목 幽深的小巷

후-하다(厚朴─) 團 厚道 hòudào 朴实 pǔshí ¶후박한 시골 인심이 그립다 怀念乡村里厚道朴实的人情

후：반(後半) 團 后半 hòubàn; 下半 xiàbàn ¶19세기 ~ 十九世纪后半／삼십 대 ~ 三十多岁后半／~부 后半部／~전 下半场

후：발(後發) 團 1 后出发 hòuchūfā; 后起 hòuqǐ ¶~ 기업 后起企业 2 后射击 hòu shèjī

후：발-대(後發隊) 團 (后出发的) 队伍 duìwu; 后发队伍 hòufā duìwu

후：방(後方) 團 后方 hòufāng; 后勤 hòuqín ¶~ 근무 后勤工作

후：배(後輩) 團 1 后辈 hòubèi; 晚辈 wǎnbèi 2 学弟 xuédì; 学妹 xuémèi ¶대학 ~ 大学学弟

후보(候補) 團 1 (선거에서의) 候选人 hòuxuǎnrén 2 预备 yùbèi; 候补 hòubǔ; 替补 tìbǔ ¶~생 候补生／~ 선수 替补运动员 3 (상받을 때의) 候选人 hòuxuǎnrén; 提名 tímíng ¶우승 ~ 冠军候选人

후보-자(候補者) 團 候选人 hòuxuǎnrén

후：불(後拂) 團[하자] 后付 hòufù; 后付款 hòufùkuǎn

후비다 圁 1 抠 kōu; 掏 tāo; 挖 wā ¶코를 ~ 抠鼻子／귀를 ~ 掏耳 2 探究 tànjiū; 究根 jiūgēn

후：사(厚謝) 團[하자] 厚谢 hòuxiè; 重谢 zhòngxiè

후：사(後事) 團 1 (이후의) 事 shì; 事情 shìqing ¶~는 내가 책임지겠다 以后的事情, 由我来负责 2 后事 hòushì; 身后事 shēnhòushì ¶친구에게 ~를 부탁하다 把后事托给朋友

후：사(後嗣) 團 后嗣 hòusì; 后裔 hòuyì; 后代 hòudài

후：생(厚生) 團 福利 fúlì; 厚生 hòushēng ¶~비 福利费／~ 복지 사업 福利厚生之业

후：세(後世) 團 1 后世 hòushì; 后代 hòudài ¶~에 전하다 传给后代 2【佛】

후：속(後續) 團[하자] 后续 hòuxù; 接续 jiēxù ¶~ 조치 后续措施

후：손(後孫) 團 后裔 hòuyì; 后代 hòudài; 子孙 zǐsūn = 손(孫)·자손2·후예 ¶~에게 물려주다 传给子孙后代

후：송(後送) 團[하자] 后送 hòusòng ¶부상병을 병원으로 ~하다 把伤兵送往后方医院 2 以后送 yǐhòusòng; 过后送 guòhòusòng

후：식(後食) 團 1 后吃 hòuchī 2 尾食 wěishí; 甜点 tiándiǎn; 饭后甜点 fànhòu tiándiǎn; 饭后餐 fànhòucān

후：실(後室) 團 后室 hòushì; 后妻 hòuqī ¶~을 들이다 娶后妻

후：안-무치(厚顏無恥) 團[하형] 强颜 qiángyán; 无耻 wúchǐ; 皮赖 pílài; 没脸皮 méiliǎnpí; 死皮赖脸 sǐpíliàiliǎn; 没皮没脸 méipíméiliǎn; 厚脸皮 hòuliǎnpí ¶~한 녀석 死皮赖脸的家伙

후：예(後裔) 團 = 후손

후：원(後苑) 團 后苑 hòuyuàn; 御苑 yùyuàn ¶창덕궁 ~ 昌德宫后苑

후：원(後援) 團[하자] 后援 hòuyuán; 赞助 zànzhù; 援助 yuánzhù; 支援 zhīyuán ¶~회 后援会／재정적 ~를 받다 接受财政援助

후：원(後園) 團 后园 hòuyuán; 后花园 hòuhuāyuán

후：유-증(後遺症) 團 后遗症 hòuyízhèng

후：의(厚意) 團 厚意 hòuyì ¶친구의 ~에 감사하다 感谢朋友的一番厚意

후：의(厚誼) 團 厚谊 hòuyì; 深厚友谊 shēnhòu yǒuyì ¶~를 다지다 巩固深厚友谊

후：일(後日) 團 改日 gǎirì; 以后 yǐhòu; 日后 rìhòu; 后日 hòurì ¶~ 다시 만납시다 改日再见

후：일-담(後日談·後日譚) 團 回首叙述 huíshǒu xùshù

후：임(後任) 團 后任 hòurèn; 继任 jìrèn ¶~자 继任人

후：자(後者) 團 后者 hòuzhě ¶전자와 ~ 前者和后者

후：작(侯爵) 團 侯爵 hóujué

후줄근-하다 團 1 (纸张·布匹类潮湿后) 软塌塌 ruǎntātā; 湿漉漉 shīlùlù ¶옷이 비에 젖어 ~ 衣服被雨淋得湿漉漉的 2 疲乏无力 pífá wúlì; 疲软无力 píruǎn wúlì ¶계속되는 비로 기분이 ~ 雨连绵不断, 让人疲软无力 **후줄근-히** 團

후：진(後進) 團[하자] 1 后退 hòutuì; 倒退 dàotuì ¶~ 기어 后退齿轮／~할 때는 뒤쪽을 꼭 확인해야 한다 倒退车时一定要注意后方 2 落后 luòhòu; 不发达 bùfādá ¶~국 不发达国家／~성

落后性 / ~ 상태 落后状态 **3** 后入行者 hòurùhángzhě; 后辈 hòubèi; 晚辈 wǎnbèi; 后来者 hòuláizhě ¶~ 교육 对后入行者的教育

후：처(妻) 后妻 ¶~를 들이다 娶后妻

후：천 면·역 결핍증(後天免疫缺乏症) 【醫】艾滋病 àizībìng; 获得性免疫缺陷综合症 huòdéxìng miǎnyì quēxiàn zōnghézhèng = 에이즈

후：천-적(後天的) **1** 后天性(的) hòutiānxìng(de) ¶~인 습성 后天性的 习气 **2**【哲】后天性(的) hòutiānxìng(de); 经验性的 jīngyànxìngde

후추 胡椒 hújiāo ¶~나무 胡椒树

후추-가루 胡椒粉 hújiāofěn; 胡椒面儿 hújiāomiànr

후텁지근-하다 十分闷热 shífēn mēnrè; 闷热无比 mēnrè wúbǐ ¶후텁지근한 여름밤 闷热无比的夏夜 **후텁지근-히** 閉

후：퇴(后退) **1** 后退 hòutuì; 退出; 撤退 chètuì; 倒退 dàotuì ¶전략적 ~ 战略上的撤退 **2**【建】后屋 hòuwū

후：편(后篇) 后篇 hòupiān; 下集 xiàjí; 下册 xiàcè; 下卷 xiàjuàn ¶전편과 ~ 前篇和后篇

후：-하다(厚一) 圈 **1** 宽厚 kuānhòu; 敦厚 dūnhòu; 厚道 hòudao ¶인심이 ~ 人心很敦厚 **2** 厚 hòu; 厚实 hòushi **3** 丰厚 fēnghòu; 优厚 yōuhòu; 不吝啬 bùlìnsè ¶보수가 ~ 报酬很丰厚

후：학(後學) **1** 后学 hòuxué ¶~을 양성하다 培养后学 **2** 学问 xuéwèn

후：환(后患) 后患 hòuhuàn ¶~을 두려워하다 害怕后患

후：회(后悔) 圈他 悔 huǐ; 后悔 hòuhuǐ; 悔恨 huǐhèn ¶~막급 后悔莫及 / ~ 없는 삶을 살다 过了无悔的生活

후후-하다 圈 呼呼 hūhū ¶더운물을 ~ 불며 마시다 呼呼地吹着开水喝

후후-거리다 他 呼呼地 hūhūde = 후후대다 ¶뜨거운 차를 후후거리면서 마시고 있다 把热茶呼呼地吹着喝

후：-후년(後後年) 圈 = 내후년

훅 剧他 **1** 呼 hū; 噗 pū ¶촛불을 ~ 불어 끄다 噗的一声把烛火吹灭 **2** 呼噜 hūlū ¶국물을 ~ 들이키다 把汤汁呼噜一下子喝下去 **3** 嗖地 sōude; 迅速地 xùnsùde ¶방문을 열자 찬 바람이 ~ 불어왔다 一打开房门, 冷风就嗖地吹进来

훈：(訓) 圈 训 xùn

훈：계(訓戒) 圈他자타 训诫 xùnjiè; 教训 jiàoxùn ¶아버지의 ~를 마음에 새기다 把父亲的训诫铭记在心

훈：고-학(訓詁學) 圈 训诂学 xùngǔxué

훈기(薰氣) 圈 热乎气 rèhūqì; (暖烘烘) 气 qì ¶방 안의 ~ 屋里的热乎气

훈-김(薰一) 圈 **1** 热气 rèqì; (暖烘烘) 气 qì ¶주전자에서 ~이 새어 나오다 水壶里冒着热气 **2** 借光 jièguāng; 荫泽 yīnzé

훈：련(訓練·訓鍊) 圈他 **1** 训练 xùnliàn; 练习 liànxí; 演习 yǎnxí; 演练 yǎnliàn; 操练 cāoliàn ¶군사·军事训练 / 민방위 ~ 民防卫训练 / ~병 训练兵 / ~소 训练所 / 엄격하게 ~하다 严格地训练 **2** 培训 péixùn ¶직업 ~ 职业培训

훈：민-정음(訓民正音) 圈【語·書】训民正音 xùnmínzhèngyīn

훈：방(訓放) 圈他 训诫释放 xùnfàng; 训诫赦免 xùnjiè shèmiǎn ¶그 사건의 단순 가담자는 모두 ~되었다 那起事件的从犯都经过训诫被释放

훈：수(訓手) 圈他 **1** 支着儿 zhīzhāor; 支嘴儿 zhīzuǐr ¶장기니까 ~ 두지 마라 在下棋打赌, 你别支着儿 **2** 着数 zhāoshù

훈：시(訓示) 圈他자타 训示 xùnshì; 训导 xùndǎo; 教导 jiàodǎo; 告诫 gàojiè ¶교장 선생님은 그에게 ~했다 校长向他训示

훈연(燻煙) 圈他 烟熏 yānxūn ¶오징어를 ~하여 만든 제품 把鱿鱼烟熏后制成的食品

훈：육(訓育) 圈他 训育 xùnyù ¶학생을 ~하다 训育学生

훈：장(訓長) 圈 学堂老师 xuétáng lǎoshī

훈제(燻製) 圈他 熏制 xūnzhì ¶~품 熏制品 / ~ 연어 熏制鲑鱼

훈：화(訓話) 圈 训词 xùncí; 训话 xùnhuà ¶교장 선생님의 ~ 校长的训话

훈훈-하다(薰薰一) 圈 **1** 温馨 wēnxīn; 温煦 wēnxù; 温暖 wēnnuǎn; 暖融融 nuǎnróngróng; 暖烘烘 nuǎnhōnghōng; 暖洋洋 nuǎnyángyáng ¶방 안의 ~ 房间里暖烘烘的 **2** 欣慰 xīnwèi; 舒心 shūxīn; 暖融融的 nuǎnróngróngde ¶훈훈한 미소 欣慰的笑容 **훈훈-히** 閉

훌라후프(Hula-Hoop) 圈 呼拉圈 hūlāquān

훌렁 剧 **1** 光光的 guāngguāngde ¶이마가 ~ 벗어진 사내 额头秃掉得光光的男人 **2** 松松地 sōngsōngde ¶살이 빠져 반지가 손가락에 ~ 들어간다 瘦了, 戒指很松地套进了手指

훌륭-하다 圈 优秀 yōuxiù; 出色 chūsè; 卓越 zhuóyuè; 可观 kěguān; 了不起 liǎobuqǐ; 棒 bàng ¶훌륭한 업적을 거두다 取得卓越的业绩 **훌륭-히** 閉

홀쩍 剧 **1** 倏地 shūdì; 纵身 zòngshēnde

¶가볍게 ~ 도랑을 뛰어넘다 轻轻地纵身跳过了水沟 2〈喝光〉一下子 yīxiàzi; 一口气 yīkǒuqì ¶술을 ~ 들이키다 把酒一下子喝下去 3 呼噜 hūlū; 〈鼻涕〉抽 chōu; 吸溜 xīliu ¶콧물을 ~ 들이마시다 吸溜了一下鼻子 4 忽然 hūrán; 飘然 piāorán ¶어디론가 ~ 떠나고 싶다 想就此飘然离去

훌쩍-거리다 目圓 一口一口地喝 yīkǒuyīkǒude hē; 抽吸 chōuxī; 吸溜 xīliu ¶콧물을 ~ 抽咽鼻涕 圓抽搭 chōuda; 抽泣 chōuqì; 抽噎 chōuyē; 抽咽 chōuyè ¶얼굴을 가리고 계속 ~ 捂着脸不停地抽搭 ‖ 훌쩍대다 **훌쩍-훌쩍** 圓哭泣

훌쩍-이다 目圓 一口一口地喝 yīkǒuyīkǒude hē; 抽吸 chōuxī; 吸溜 xīliu 圓圓 抽搭 chōuda; 抽噎 chōuyē; 抽泣 chōuqì

훌:훌 圓 1 翩翩地 piānpiānde; 轻盈地 qīngyíngde ¶새가 하늘을 ~ 날아가다 鸟在天上翩翩地飞 2 刷刷地 shuāshuāde ¶씨앗을 ~ 뿌리다 刷刷地撒播种子 3 轻轻地 qīngqīngde ¶먼지를 ~ 털다 轻轻地掸掉灰尘 4 随便便地 suísuíbiànbiànde; 一件一件地 yījiànyījiànde ¶옷을 ~ 벗고 물속에 뛰어들었다 把衣服一件一件地脱掉, 跳进水里 5 咕嘟咕嘟地 gūdūgūdūde; 呼噜呼噜地 hūlūhūlūde ¶그녀는 물에 밥을 말아 ~ 들이켰다 她把饭泡在水里咕嘟嘟地喝了下去 6 呼呼地 hūhūde ¶~ 타오르다 劈柴呼呼地烧起来

훑다 目 1 捋 luō; 撸 lū 이삭을 ~ 捋稻穗 2 过目 guòmù; 浏览 liúlǎn ¶그는 신문의 내용을 처음부터 차근차근 훑어 내려갔다 他把报纸上的内容从头到尾一一浏览了一遍

훑어-보다 目 1 过目 guòmù; 浏览 liúlǎn ¶신문을 죽 ~ 把报纸浏览了一遍 2 打量 dǎliang; 端详 duānxiáng ¶심부름꾼의 위아래를 한번 ~ 对来人上下打量了一番

훔쳐-보다 目 偷看 tōukàn; 偷眼看 tōuyǎnkàn; 窥视 kuīshì ¶발밑치서 여인의 얼굴을 ~ 从远处窥视女人的脸

훔치다 目 1 拭 shì; 擦 cā; 揩 kāi ¶걸레로 방 안을 ~ 用抹布擦房间地板 2 偷 tōu; 窃取 qièqǔ; 偷窃 tōuqiè; 偷盗 tōudào ¶남의 지갑을 ~ 偷别人的钱包

훗:-날(後-) 圓 日后 rìhòu; 以后 yǐhòu; 后来 hòulái; 他日 tārì; 改天 gǎitiān ¶~을 기약하다 期以他日

훤칠-하다 圉 1 修长 xiūcháng; 颀长 qícháng ¶훤칠하게 생긴 남자 长得修长的男子 2 辽阔 liáokuò; 宽阔 kuān-

---

kuò ¶이마가 ~ 前额宽阔 **훤칠-히** 圓

훤-하다 圉 1 亮 liàng; 明亮 míngliàng; 发亮 fāliàng ¶동쪽 하늘이 ~ 东方的天色明亮 2 开阔 kāikuò; 广阔 guǎngkuò ¶훤하게 트인 들판 一片广阔的田野 3 熟 shú; 熟悉 shúxī; 熟知 shúzhī ¶그는 내부 사정에 ~ 他对内部的情况非常熟悉 4 五官端正 wǔguānduānzhèng; 长得好看 zhǎngde hǎokàn; 清秀 qīngxiù ¶훤하게 잘생긴 청년 长相清秀的青年 **훤-히** 圓

훨씬 圓 更 gèng; 更加 gèngjiā; …得多 …deduō; …得很 …dehěn; 远远 yuǎnyuǎn ¶이것이 ~ 낫다 这个倒省得多

훨훨 圓 1 翩翩 piānpiān; 翩然 piānrán; 轻盈地 qīngyíngde ¶학이 ~ 날다 鹤翩翩飞翔 2 呼扇呼扇地 hūshānhū-shānde ¶~ 부채질을 한다 呼扇呼扇地扇着扇子 3 轻松地 qīngsōngde; 敏捷地 mǐnjiéde; 呼啦呼啦地 hūlāhūlāde ¶옷을 ~ 벗어 던지다 呼啦呼啦地脱掉衣服 4 熊熊 xióngxióng ¶불이 ~ 타오르다 火熊熊燃烧起来

훼:-방(毁謗) 圓目 1 毁谤 huǐbàng; 诽谤 fěibàng ¶~꾼 诽谤者 / ~을 놓다 诽谤阻挠 2 妨碍 fáng'ài; 阻挡 zǔdǎng; 搅乱 dǎoluàn; 打扰 dǎrǎo; 打搅 dǎjiǎo; 阻挠 zǔnǎo ¶남의 일에 ~을 놓지 마라 不要妨碍别人的事

훼:-손(毁損) 圓目 1 毁损 huǐsǔn; 损害 sǔnhài; 损坏 sǔnhuài; 损伤 sǔnshāng; 破坏 pòhuài ¶자연을 ~하다 破坏自然 2 玷污 diànwū; 玷辱 diànrǔ; 污损 wūsǔn ¶명예를 ~ 玷辱别人名誉

휑뎅그렁-하다 圉 空荡荡 kōngdàngdàng; 空洞洞 kōngdòngdòng ¶급우들이 모두 돌아간 교실은 ~ 同学们都回家了, 教室里空荡荡的

휑-하다 圉 1 精通 jīngtōng; 通晓 tōngxiǎo; 谙熟 ānshú; 洞悉 dòngxī 2 畅通无阻 chàngtōngwúzǔ

휘 圓 1 呼 hū ¶바람이 ~ 불다 风呼呼地吹 2 嘘 xū; 呼 hū ¶한숨을 ~ 쉬다 嘘地一声叹了口气 3 环 huán; 绕 rào ¶주위를 ~ 한 번 돌아보다 环顾四周

휘-갈기다 目 1 乱抽 luànchōu; 抽打 chōudǎ ¶빰을 ~ 抽打耳光 2 乱扫射 luànsǎoshè ¶기관총을 ~ 机枪乱扫射 3 乱写 luànxiě ¶글씨를 휘갈겨 쓰다 乱写一气

휘-감다 目 缠 chán; 绕 rào; 缠绕 chánrào; 缭绕 liáorào; 围绕 wéirào; 萦绕 yíngrào ¶붕대로 팔을 ~ 用绷带缠着胳膊

휘-날리다 圓目 飘动 piāodòng; 飘扬 piāoyáng; 招展 zhāozhǎn ¶깃발이 바람에 ~ 旗子迎风飘扬 目 1 纷飞

fēnfēi; 飞舞 fēiwǔ; 挥舞 huīwǔ; 飞扬 fēiyáng ¶먼지가 ~ 尘土飞扬 2 (名)扬 yáng; 驰 chí ¶전국에 명성을 ~ 驰名全国 3 飘 piāo; 飘落 piāoluò; 飘洒 piāosǎ ¶하늘에서 눈송이가 ~ 天空飘洒着雪花

휘다 〔一자〕弯 wān; 打弯 dǎwān; 弯曲 wānqū ¶등이 휘도록 열심히 일했다 干活干得背都弯了 〔一타〕1 压弯 yāwān; 弄弯 nòngwān ¶댓살을 휘어 모형 비행기를 만들다 把竹片压弯了做飞机模型 2 使之屈服 shǐzhīqūfú

휘-돌다 〔자〕绕 rào; 蜿蜒 wānyán; 萦绕 yíngrào; 环绕 huánrào ¶강물이 산golf을 휘돌아 흐르다 江水绕过山弯蜿蜒流去

휘-두르다 〔타〕1 挥 huī; 挥动 huīdòng; 挥舞 huīwǔ; 抡 lūn; 抡动 lūndòng; 耍 shuǎ ¶주먹을 ~ 挥拳头 2 滥用 lànyòng; 强行 qiángxíng; 耍横 shuǎhèng ¶권력을 ~ 滥用权力

휘-둥그렇다 〔眼睛瞪得〕瞪圆 dèngyuán ¶놀라서 눈이 휘둥그렇게 되다 惊讶得瞪圆了眼睛

휘둥그레-지다 〔자〕睁大眼睛 zhēng dàyǎnjīng ¶그녀는 놀라서 눈이 휘둥그레졌다 她惊讶得睁大眼睛

휘-말다 〔타〕1 卷起 juǎnqǐ; 席卷 xíjuǎn ¶그는 돗자리를 둘둘 휘말아 들고 갔다 他卷起挂席, 拿了就走 2 弄湿弄脏 nòngshīnòngzāng

휘말-리다 〔자〕卷入 juǎnrù ¶염문에 ~ 被卷入艳闻事件

휘-몰아치다 〔자〕(风雨、风雪) 猛刮 měngguā; 吹打 chuīdǎ; 起 qǐ ¶눈보라가 ~ 刮起暴雪

휘발(揮發) 〔명하자〕挥发 huīfā ¶~성 挥发性

휘발-유(揮發油) 〔명〕【化】= 가솔린1

휘슬(whistle) 〔명〕= 호루라기 ¶~를 불다 吹哨子

휘어-잡다 〔타〕1 握住 wòzhù; 揪住 jiūzhù; 抓住 zhuāzhù ¶멱살을 ~ 揪住领口 2 控制 kòngzhì; 掌握 zhǎngwò; 制服 zhìfú; 管住 guǎnzhù; 扣紧 kòujǐn ¶민심을 ~ 控制民心 / 청중을 휘어잡는 아름다운 선율 扣紧听众心弦的美妙旋律

휘어-지다 〔자〕弯 wān; 打弯 dǎwān; 弯曲 wānqū ¶낚싯대가 ~ 钓鱼杆弯了

휘영청 〔부〕明朗 mínglǎng; 皎洁 jiǎojié; 溶溶 róngróng ¶달이 ~ 밝다 月光皎洁

휘장(揮帳) 〔명〕帷帐 wéizhàng; 幔帐 mànzhàng ¶~을 치다 挂帷帐

휘장(徽章) 〔명〕徽章 huīzhāng

휘-젓다 〔타〕1 搅动 jiǎodòng; 搅和 jiǎohuò; 搅拌 jiǎobàn ¶찻숟갈로 커피

를 ~ 用茶匙搅拌咖啡 2 挥 huī; 摇动 yáodòng; 甩 shuǎi ¶두 팔을 휘저으며 길을 걷다 甩着两个胳膊走路 3 弄乱 nòngluàn; 打乱 dǎluàn; 搅浑 jiǎohún

휘청-거리다 〔자〕1 踉跄 liàngqiàng; 蹒跚 pánshān; 打晃 dǎhuàng; 趔趄 lièqiè ¶취해서 발이 ~ 醉得脚步踉跄 2 颤动 chàndòng; 颤悠 chànyōu; 晃悠 huàngyōu ¶나뭇가지가 바람에 ~ 树枝在风中颤悠地摇摆着 ‖ ~ 휘청대다

휘청-휘청 〔부〕= 휘청거림

휘파람 〔명〕口哨(儿) kǒushào(r) ¶~을 불다 吹口哨儿

휘하(麾下) 〔명〕麾下 huīxià; 管下 guǎnxià ¶~의 장수 手下猛将 = 수하(手下)

휘호(揮毫) 〔명하타〕挥毫 huīháo; 挥笔 huībǐ ¶선생님이 난을 ~하다 老师挥笔画一幅兰

휘황찬란-하다(輝煌燦爛—) 〔형〕1 辉煌灿烂 huīhuángcànlàn; 辉煌明亮 huīhuángmíngliàng ¶휘황찬란한 조명 辉煌明亮的照明 2 招摇 zhāoyáo; 矫揉造作 jiǎoróuzàozuò ‖ = 휘황하다

휘황-하다(輝煌—) 〔형〕= 휘황찬란하다 ¶휘황-히 〔부〕

휘휘[1] 〔부〕1 一圈圈地 yīquānquānde 《萦绕的样子》 2 呼啦呼啦地 hūlāhūlā- de; 呼呼地 hūhūde 《挥动貌或搅动的样子》 ¶지팡이를 ~ 내두르다 呼呼地挥着拐杖

휘휘[2] 〔부〕呼呼 hūhū; 萧瑟 xiāosè ¶바람이 ~ 불다 风呼呼地吹

획 〔부〕1 迅速 xùnsù; 急 jí ¶고개를 ~ 돌리다 迅速转过头去 2 呼 hū ¶찬바람이 ~ 불다 冷风呼地一吹过来 3 嗖 sōu; 飕 sōu ¶칼을 ~ 잡아 뽑다 嗖地一声抽出一把刀来

획-획 〔부〕1 呼呼 hūhū ¶북풍이 ~ 몰아치다 北风呼呼地刮 2 一闪一闪地 yīshǎnyīshǎnde; 呼闪 hūshǎn ¶많은 사람들의 얼굴이 영화의 필름처럼 ~ 지나가다 许多人的脸像电影的胶片一样 ~ 地闪过而且

휠체어(wheelchair) 〔명〕轮椅 lúnyǐ ¶전동 ~ 电动轮椅

휩싸다 〔타〕1 吞噬 tūnshì; 裹住 guǒzhù; 围住 wéizhù ¶불길이 전체 건물을 火龙吞噬了整栋楼房 2 笼罩 lóngzhào ¶안개가 대지를 ~ 大雾笼罩着大地 / 불안한 생각이 마음을 ~ 一个不安的念头笼罩心头 3 掩盖 yǎngài; 掩饰 yǎnshì; 护庇 hùbì; 祖护 tánhù

휩싸-이다 〔자〕笼罩 lóngzhào ¶죽음의 공포에 ~ 笼罩着死亡的恐怖

휩-쓸다 〔타〕1 席卷 xíjuǎn ¶전염병이 도시를 ~ 传染病一下子席卷了整个城市 2 风靡 fēngmǐ ¶일세를 ~ 风靡一时 3 扫 sǎo; 横扫 héngsǎo ¶광złego

마당을 휩쓸고 지나갔다 狂风横扫了整个院落 **4** 独占 dúzhàn；席卷 xíjuǎn ¶영화상의 각 부문 상을 ~ 席卷了电影奖的全部奖项 **5** 横行 héngxíng；横行霸道 héngxíngbàdào ¶불량배들이 거리를 휩쓸고 다닌다 不良分子横行街头

휩쓸-리다 区 **1** 被席卷 bèixíjuǎn；被横扫 bèihéngsǎo ¶파도에 ~ 被波浪席卷 **2** 被卷进 bèijuǎnjìn；被连累 bèiliánlěi；被卷入 bèijuǎnrù ¶성가신 사건에 ~ 被卷入麻烦事件

휴가(休暇) 圀 休假 xiūjià；假 jià；假期 jiàqī ¶~철 休假期

휴강(休講) 圀하짜 停课 tíngkè；停讲 tíngjiǎng ¶하루를 ~하다 停课一天

휴게(休憩) 圀하짜 休憩 xiūqì；休息 xiūxī ¶~소 休息处／~실 休息室／~시설 休憩设施

휴경(休耕) 圀하짜 休耕 xiūgēng ¶~지 休耕地

휴관(休館) 圀하짜 闭馆 bìguǎn；休息 xiūxī；停止开放 tíngzhǐ kāifàng ¶도서관은 매주 월요일 ~이다 图书馆每逢星期一休息

휴교(休校) 圀하짜타 **1** 暂时停课 zànshí tíngkè ¶~ 조치를 취하다 决定暂时停课 **2** 罢课 bàkè ¶학생들이 동맹 ~를 했다 学生们联合罢课

휴대(携帶) 圀하짜 携带 xiédài；带 dài ¶~품 携带品／~가 간편하다 便于携带

휴대 전화(携帶電話) 【信】手机 shǒujī；移动电话 yídòng diànhuà；手提电话 shǒutí diànhuà ＝ 핸드폰·휴대폰

휴대-폰(携帶phone) 圀 【信】 ＝ 휴대 전화

휴머니스트(humanist) 圀 人道主义者 réndàozhǔyìzhě；人文主义者 rénwénzhǔyìzhě

휴머니즘(humanism) 圀 **1** ＝ 인도주의 **2** 【社】＝ 인문주의

휴면(休眠) 圀하짜 休眠 xiūmián ¶~계좌 休眠账户／~ 상태에 들어가다 进入休眠状态

휴무(休務) 圀하짜 休息 xiūxi；休业 xiūyè；工休 gōngxiū ¶토요일은 ~이다 周六休息

휴식(休息) 圀하짜 休息 xiūxi；休憩 xiūqì；歇息 xiēxi ¶~ 시간 休息时间／~이 필요하다 需要休息

휴양(休養) 圀하짜 休养 xiūyǎng；疗养 liáoyǎng；休养生息 xiūyǎngshēngxī；修生养息 xiūyǎngshēngxī ¶~ 시설 疗养设施／~지 休养地

휴업(休業) 圀하짜 休业 xiūyè；停业 tíngyè ¶임시 ~ 暂时停业

휴일(休日) 圀 休息日 xiūxirì；公休日 gōngxiūrì

휴전(休戰) 圀하짜 休战 xiūzhàn；停战 tíngzhàn；停火 tínghuǒ ¶~선 停战线／~ 협정 停战协定

휴정(休廷) 圀하짜 【法】 休庭 xiūtíng ¶30분간 ~합니다 休庭三十分钟

휴지(休止) 圀하짜 休止 xiūzhǐ；中断 zhōngduàn

휴지(休紙) 圀 **1** 废纸 fèizhǐ **2** 卫生纸 wèishēngzhǐ；手纸 shǒuzhǐ

휴지-통(休紙桶) 圀 垃圾箱 lājīxiāng；垃圾桶 lājītǒng；废纸篓 fèizhǐlǒu

휴직(休職) 圀하짜 休职 xiūzhí；停职 tíngzhí ¶작년에 임신한 후에 바로 ~했다 去年怀孕后就休职了

휴진(休診) 圀하짜 停诊 tíngzhěn

휴학(休學) 圀하짜 休学 xiūxué；停学 tíngxué ¶경제 사정으로 일 년 ~하다 因经济困难休学一年

휴항(休航) 圀하짜 (船) 停运 tíngyùn；(飞机) 停飞 tíngfēi ¶여객선이 태풍으로 ~하다 客轮因台风停运

흉 圀 **1** 伤痕 shānghén；伤疤 shāngbā；疤痕 bāhén ¶그는 얼굴에 ~이 있다 他脸上有一道伤疤 **2** 缺点 quēdiǎn；毛病 máobìng；瑕疵 xiácī；短处 duǎnchù ¶남 ~을 보지 마라 不要揭别人的短处

흉가(凶家) 圀 凶宅 xiōngzhái；凶房 xiōngfáng；鬼屋 guǐwū

흉계(凶計·兇計) 圀 阴谋 yīnmóu；诡计 guǐjì；把戏 bǎxì；鬼把戏 guǐbǎxì ¶~를 꾸미다 搞阴谋

흉금(胸襟) 圀 胸襟 xiōngjīn；胸怀 xiōnghuái；心胸 xīnxiōng；襟怀 jīnhuái ¶~을 털어놓다 坦白心胸

흉기(凶器) 圀 **1** 凶器 xiōngqì ¶~로 위협하다 用凶器威胁 **2** 丧用品 zhìsāng yòngpǐn

흉내 圀 模仿 mófǎng；仿效 fǎngxiào；效法 xiàofǎ；学 xué ¶남의 목소리를 ~ 내다 模仿别人的嗓音

흉년(凶年) 圀 荒年 huāngnián；灾荒 zāihuāng；凶年 xiōngnián；歉年 qiànnián

흉물(凶物·兇物) 圀 **1** 丑八怪 chǒubāguài **2** 阴险的人 yīnxiǎnde rén

흉물-스럽다(凶物一) 圀 **1** 狰狞 zhēngníng；狞恶 níngè；丑陋 chǒulòu ¶얼굴 생김새가 ~ 相貌狰狞 **2** 阴险 yīnxiǎn

흉물스레 児

흉-보다 타 说坏话 shuō huàihuà；揭短 jiēduǎn；取笑 qǔxiào ¶남을 ~ 说别人坏话

흉부(胸部) 圀 【生】胸部 xiōngbù

흉상(胸像) 圀 【美】胸像 xiōngxiàng；上半身像 shàngbànshēnxiàng；半身像 bànshēnxiàng

흉악(凶恶·兇恶) 명 <u>하얀</u> <u>히부</u> 1 凶恶 xiōng'è; 凶横 xiōnghèng; 凶狠 xiōnghěn ¶~한 강도 凶恶的强盗 2 凶相 xiōngxiàng; 狰狞 zhēngníng ¶~하게 생긴 얼굴 长得狰狞的面孔

흉악-범(凶恶犯) 명 凶犯 xiōngfàn

흉작(凶作) 명 歉收 qiànshōu; 荒歉 huāngqiàn

흉-잡다 타 揭短 jiēduǎn; 挑刺儿 tiāocìr; 找毛病 zhǎomáobìng; 挑不是 tiāobùshì ¶며느리를 ~ 挑儿媳的刺儿

흉조(凶兆) 명 凶兆 xiōngzhào; 恶兆 èzhào

흉조(凶鸟·兇鸟) 명 凶鸟 xiōngniǎo

흉측(凶测·兇测) 명 <u>하얀</u> 凶恶 xiōng'è; 丑恶 chǒu'è; 丑陋 chǒulòu; 歹毒 dǎidú ¶~한 웃음 凶恶的笑容

흉-터 명 伤疤 shāngbā; 伤痕 shānghén; 疤痕 bāhén

흉포-하다(凶暴·兇暴─) 형 凶暴 xiōngbào; 凶暴 cánbào; 凶悍 xiōnghàn ¶흉포한 사나이 凶悍的男子 **흉포-히** 부

흉-하다(凶─) 형 1 凶 xiōng; 不吉利 bùjílì ¶흉한 꿈을 꾸다 做不吉利的梦 2 丑 chǒu; 难看 nánkàn ¶꼴골이 아주 ~ 样子非常难看 3 凶恶 xiōng'è; 凶暴 xiōngbào

흉-허물 명 缺点 quēdiǎn; 错误 cuòwù

흉흉-하다(洶洶─) 형 1 汹汹 xiōngxiōng; 汹涌 xiōngyǒng 2 (人心) 惶惶 huánghuáng **흉흉-히** 부

흐-느끼다 자 抽泣 chōuqì; 抽搭 chōuda; 抽咽 chōuyè ¶비보를 듣고 ~ 听到不幸的消息抽咽了起来

흐느낌 명 抽泣 chōuqì; 抽搭 chōuda; 抽咽 chōuyè

흐느적-거리다 자 1 飘舞 piāowǔ; 颤悠 chànyōu; 摇摆 yáobǎi; 摇曳 yáoyè ¶버들이 바람에 ~ 柳枝迎风飘舞 2 扭 niǔ; 扭摆 niǔbǎi ¶그는 힘이 없는지 다리가 흐느적거렸다 他像是无力, 两腿扭来扭去 ‖ ~ 흐느적대다 **흐느적-하다** 부 <u>히</u>

흐드러-지다 형 1 令人喜爱 lìngrén xǐ'ài; 讨人喜欢 tǎorénxǐhuan; 舒心 shūxīn; 欣慰 xīnwèi ¶흐드러진 웃음소리 欣慰的笑声 2 朵朵争艳 duǒduǒzhēngyàn; 争相争艳 zhēngxiāngduóyàn ¶개나리가 흐드러지게 피었다 迎春花朵朵争艳

흐르다 자 1 流 liú; 流动 liúdòng; 流出 liúchū ¶땀이 ~ 流汗 2 流逝 liúshì; 流 ¶세월이 흘러 백발이 되었다 岁月流逝, 青丝变白发 3 游动 yóudòng; 飘游 piāoyóu; 飘动 piāodòng; 浮动 fúdòng ¶바람 따라 흐르는 흰 구름 随风飘游的白云 4 走偏向 zǒupiān-

xiàng; 陷入 xiànrù ¶화제가 점점 다른 곳으로 흐르다 话题渐渐走偏向别处 5 响вл) xiǎng기; 流淌 liútǎng ¶카페에는 조용한 음악이 흐르고 있다 咖啡屋里流淌着安静的音乐 6 油亮 yóuliàng; 发亮 fāliàng ¶피부에 윤기가 ~ 皮肤发亮 7 漏 lòu ¶자루 속의 쌀이 좀 흘렀다 袋子里的米漏了点儿 8 显得 xiǎnde; 呈现 chéngxiàn; 显现 xiǎnxiàn ¶옷차림에 촌티가 ~ 穿戴显得很土气 9 往下 흘려 wǎngxià diào; 掉下 diàoxià; 下坠 xiàzhuì ¶양말이 자꾸 ~ 袜子老往下掉 10 (전) 通 tōng ¶고압 전류가 ~ 通着高压电

흐름 명 1 流 liú; 流子 liúzi; 流淌 liútǎng ¶강물의 ~ 江水的流淌 2 潮流 cháoliú ¶역사의 ~ 历史的潮流

흐리다[1] 형 1 弄浑 nònghún; 弄浊 nòngzhuó; 搅浑 jiǎohún ¶물을 ~ 把水搅浑 2 模糊 móhu ¶말끝을 ~ 话尾模糊不清 3 抹黑 mǒhēi; 败坏 bàihuài; 玷污 diànwū ¶학교 분위기를 ~ 败坏学校风气 4 (얼굴) 沉下 chénxià ¶낯빛을 흐리며 말하다 沉下脸来说

흐리다[2] 형 1 模糊 móhu; 含糊 hánhu; 不清楚 bùqīngchu ¶기억이 ~ 记忆模糊 2 浑浊 húnzhuó ¶시냇물이 ~ 河水浑浊 3 昏暗 hūn'àn; 阴暗 ànàn ¶달빛이 ~ 月光暗淡 4 阴沉 yīnchén ¶얼굴빛이 ~ 脸色阴沉 5 阴沉 yīnchén; 暗淡 àndàn ¶날씨가 ~ 天气阴沉 6 模糊 hútu ¶셈이 흐린 사람 糊涂的人 7 昏花 hūnhuā ¶눈이 ~ 眼睛昏花

흐리멍덩-하다 형 1 模糊不清 móhubùqīng; 含糊不清 hánhubùqīng ¶기억이 ~ 记忆模糊不清 2 恍恍惚惚 huǎnghuǎnghūhū; 迷迷糊糊 mímíhūhū; 朦朦胧胧 méngménglónglóng; 昏昏沉沉 hūnhūnchénchén ¶정신이 ~ 精神迷迷糊糊的 3 糊涂 hútu; 昏头昏脑 hūntóuhūnnǎo; 稀里糊涂 xīlihútú ¶그는 일 처리가 ~ 他做事稀里糊涂的 **흐리멍덩-히** 부

흐리터분-하다 형 1 阴晦 yīnhuì; 昏暗 hūn'àn; 沉敏 chénmǐn ¶하늘이 ~ 天空昏昏暗暗的 不爽快 bùshuǎngkuai; 模棱两可 móléngliǎngkě; 龌龊 wòchuò; 拖泥带水 tuōnídàishuǐ ¶흐리터분한 성격 拖泥带水的性格 **흐리터분-히** 부

흐릿-하다 형 稍阴沉 shāo yīnchén; 有些模糊 yǒuxiē móhu; 稍浮淡 shāo húnzhuó; 隐隐 yǐnyǐn; 隐约 yǐnyuē ¶흐릿한 불빛 有些模糊的灯光

흐물-흐물 부 <u>하얀</u> 1 烂糊糊 lànhuhu ¶~해지도록 고기를 삶다 把肉煮得烂糊糊的 2 软软地 ruǎnruǎnde; 酥酥

sūsùde

흐뭇-이 男 满意地 mǎnyìde; 满足地 mǎnzúde ¶~ 바라보다 满意地看着

흐뭇-하다 厖 满足 mǎnzú; 满意 mǎnyì; 心满意足 xīnmǎnyìzú; 惬意 qièyì; 欣慰 xīnwèi ¶흐뭇한 미소 心满意足的 微笑

흐지-부지 男动他厖 不了了之地 bù-liǎoliǎozhīde; 含糊不清地 hánhùbù-qīngde ¶토론은 ~ 끝났다 讨论不了了之地结束了

흐트러-뜨리다 他 弄洒 nòngsǎ; 弄散 nòngsàn; 弄乱 nòngluàn = 흐트러뜨리다 ¶닭이 모이를 ~ 鸡把饲料弄洒了

흐트러-지다 圉 分散 fēnsàn; 散开 sànkāi; 四散 sìsàn; 散乱 sànluàn; 散 sàn ¶대오가 ~ 队伍散了 / 정신이 ~ 精神散乱

흐흐 男하모 嘿嘿 hēihēi; 嘻嘻 xīxī 《笑声》 ¶~하고 웃다 嘻嘻地笑

흑 男하모 哼 hēng 《抽泣声》

흑(黑) 名 = 검은색

흑-갈색(黑褐色) 名 黑褐色 hēihèsè

흑막(黑幕) 名 黑幕 hēimù; 内幕 nèimù ¶~을 폭로하다 暴露黑幕

흑-맥주(黑麦酒) 名 黑啤酒 hēipíjiǔ

흑발(黑髮) 名 黑发 hēifà

흑백(黑白) 名 1 黑白 hēibái ¶~ 사진 黑白照片 / ~ 영화 黑白电影 / ~텔레비전 黑白电视 2 是非 shìfēi; 好坏 hǎohuài ¶~이 분명하다 是非分明 / 법정에서 ~을 가리다 在法庭上辨明是非 3 黑人和白人 hēirén hé báirén

흑사-병(黑死病) 名 [医] = 페스트

흑-사탕(黑砂糖) 名 = 흑설탕

흑색(黑色) 名 = 검은색

흑-설탕(黑雪糖) 名 红糖 hóngtáng = 흑사탕

흑심(黑心) 名 黑心肠 hēixīncháng; 黑心 hēixīn ¶~을 품다 怀着黑心肠

흑연(黑鉛) 名 [矿] 黑铅 hēiqiān; 石墨 shímò

흑인(黑人) 名 黑人 hēirén

흑-인종(黑人种) 名 黑色人种 hēisè rénzhǒng; 黑人种 hēirénzhǒng

흑자(黑字) 名 1 (黑色的) 字 zì 2 盈余 yíngyú; 顺差 shùnchā ¶무역 수지 ~ 贸易顺差

흑점(黑點) 名 1 黑点 hēidiǎn 2 [天] (太阳) 黑子 hēizǐ; 日斑 rìbān

흑판(黑板) 名 = 칠판

흑흑 男하모 1 哼哼 hēnghēng; 哼哼叽叽 hēngjīngjī ¶~ 흐느끼다 哼哼叽叽地抽噎 2 呸呸 hèhè

흔들-거리다 圉他 摇晃 yáohuàng; 晃动 huàngdòng; 摇摆 yáobǎi = 흔들대다 ¶바람에 등잔불이 ~ 油灯火在风中晃动

흔들다 他 1 挥 huī; 摇动 yáodòng; 挥动 huīdòng; 挥舞 huīwǔ ¶손을 ~ 挥手 2 震撼 zhènhàn ¶학계를 흔들어 놓은 논문 震撼学界的论文 3 打动 dǎdòng; 动摇 dòngyáo; 扣动 kòudòng ¶민심을 ~ 动摇民心 4 操纵 cāozòng ¶정계를 마음대로 흔드는 권력자 随心所欲地操纵政界的权势人物

흔들-리다 圉 摇动 yáodòng; 颠簸 diānbǒ; 动摇 dòngyáo ¶바람에 흔들리는 나뭇가지 被风吹得摇动的树枝 / 돈에 마음이 ~ 见钱心动

흔들-의자(-椅子) 名 摇椅 yáoyǐ

흔적(痕迹·痕跡) 名 痕迹 hénjì; 踪迹 zōngjì; 形迹 xíngjì; 印迹 yìnjì ¶~을 남기다 留下痕迹 / ~을 없애다 消除印迹

흔쾌-하다(欣快-) 厖 欣喜 xīnxǐ; 欣快 xīnkuài; 痛快 tòngkuài; 爽快 shuǎngkuài ¶그는 나의 요구를 흔쾌하게 받아들였다 他痛快地答应了我的要求

흔쾌-히 男

흔-하다 厖 常见 chángjiàn; 多得很 duōdehěn; 有的是 yǒudeshì; 不稀罕 bùxīhǎn; 常有 chángyǒu ¶흔한 이름 常见的名字 / 요즘은 딸기가 ~ 最近草莓多得很 흔-히 男

흘겨-보다 他 斜视 xiéshì; 斜眼看 xiéyǎn kàn; 也斜 miēxié ¶남의 얼굴을 ~ 斜眼看人家的脸

흘금 男하모 (眼睛) 悄悄一瞟 qiāoqiāo yīpiǎo ¶~ 돌아보다 悄悄一瞟地回头看

흘금-거리다 他 悄悄地瞟 qiāoqiāode piǎo = 흘금대다 ¶여자를 ~ 悄悄地瞟了女子 흘금-흘금 男하모

흘긋 男하모 1 瞟 piǎo ¶옆자리에 앉은 사람을 ~ 보다 瞟了坐在旁边的人一眼 2 (在眼中) 一现 yīxiàn; 一闪 yīshǎn

흘긋-거리다 他 一瞟一瞟 yīpiǎoyī-piǎo; 一瞥一瞥 yīpiēyīpiē = 흘긋대다 흘긋-흘긋 男하모

흘기다 他 斜视 xiéshì; 斜睨 xiéní; 白瞪 báidèng; 瞪 ¶그녀는 나한테 눈을 흘겼다 她斜睨着我

흘깃-거리다 他 一瞟一瞟 yīpiǎoyī-piǎo; 一瞥一瞥 yīpiēyīpiē = 흘깃대다 흘깃-흘깃 男하모

흘끔 男하모 悄悄地瞟 qiāoqiāode piǎo ¶~ 곁눈질하여 보다 悄悄地瞟一下

흘끔-거리다 他 瞟 piǎo; 斜眼看 xié-yǎnkàn = 흘끔대다 ¶그녀가 곁눈질로 나를 흘끔거렸다 她偷偷地瞟了我几下 흘끔-흘끔 男하모

흘끗 男하모 1 瞟 piǎo ¶~ 한 번 쳐다보다 瞟了一眼 2 一闪 yīshǎn; 一现

yīxiàn ¶그의 뒷모습을 ~ 보았다 看见 他的背影一闪

흘끗-거리다 匣 一瞥一瞥 yīpiáoyī-piǎo = 흘끗대다 흘끗-흘끗 [里하다]

흘낏-거리다 匣 一瞥一瞥 yīpiáoyī-piǎo = 흘낏대다 흘낏-흘낏 [里하다]

흘러-가다 困 1 流 liú; 流走 liúzǒu ¶강물이 바다로 ~ 河水流向大海 2 流走 liúzǒu ¶구름이 ~ 云流走了 3 流逝 liúshì; 流走 liúzǒu; 过去 guòqù ¶시간이 ~ 时间流走 ¶세월이 ~ 岁月流逝 4 走漏 zǒulòu; 泄漏 xièlòu ¶비밀이 인터넷상으로 ~ 机密在网上走漏

흘러-나오다 困 1 流出 liúchū ¶바위틈에서 샘물이 ~ 泉水从岩石缝里流出来 2 传出 chuánchū ¶라디오에서 아름다운 음악이 ~ 从广播里传出美妙的乐曲

흘러-내리다 困 1 流下 liúxià; 往下流 wǎngxià liú; 往下淌 wǎngxià tǎng ¶눈물이 주르륵 ~ 泪水哗哗地流下 2 滑下 huáxià; 往下掉 wǎngxià diào ¶바지가 자꾸 자꾸 흘러내린다 裤子太大, 老是往下掉

흘러-넘치다 困困 1 溢 yì; 漾 yàng; 溢出 yìchū ¶강물이 댐에서 ~ 河水溢出水坝 2 充满 chōngmǎn; 洋溢 yángyì ¶기백이 ~ 充满气魄

흘려-듣다 匣 当耳旁风 dāng'ěrpáng-fēng; 当耳边风 dāng'ěrbiānfēng ¶내 말을 흘려듣지 마라 不要把我的话当耳边风

흘리다 匣 1 流 liú ¶피를 ~ 流血 2 撒 sǎ; 洒 sǎ ¶물을 ~ 水洒 3 丢 diū; 丢失 diūshī; 遗失 yíshī ¶돈을 자주 ~ 常常丢钱 4 潦草地写 liáocǎode xiě; 写得 túxiě ¶진료 기록에 몇 마디 흘려 쓰다 在病历上潦草地写几句 5 当耳旁风 dāng'ěrpángfēng; 当耳边风 dāng'ěrbiānfēng ¶내 말을 흘려듣지 말고 귀담 아들어라 别把我的话当耳旁风, 好好记在心上 6 分多次付 fēnduōcìfù ¶집값을 흘려서 갚다 分多次付房款 7 走漏 zǒulòu; 泄露 xièlòu; 走漏 zǒulòu ¶정보를 ~ 走漏风声 8 [美] (笔触) 淡化 dànhuà

흘림 몡 [藝] = 초서 ¶~체 草书字体

흙 몡 土 tǔ ¶황토 ~ 黄土 / 찰 ~ 黏土 / ~더미 土堆 / ~구덩이 土坑 / 덩어리 土块 / ~먼지 土灰 / ~벽 土壁 / ~벽돌 土砖 / ~빛 土色

흙-장난 몡하困 玩泥 wánní; 玩土 wántǔ ¶~은 이제 그만 해라 不要再玩泥土了

흙탕-물 (一湯—) 몡 泥水 níshuǐ; 污泥 wūní

흠 囝 1 哼 hēng ¶~, 나쁜 놈 哼, 混蛋 2 嗯 ňg ¶~, 이번에도 일등을 했

구나 嗯, 这次又得了第一

흠: (欠) 몡 1 缺损 quēsǔn; 口子 kǒuzi; 疵点 cídiǎn; 疤 bā ¶아이들이 가구에 ~을 내었다 孩子们把家具弄了个口子 2 瑕疵 xiácī; 污点 wūdiǎn ¶이 물건은 비싼 게 ~이다 这东西污点就是太贵 3 缺点 quēdiǎn; 缺陷 quēxiàn ¶~이 없는 사람은 없다 没有人没有缺点

흠모 (欽慕) 몡하困 钦慕 qīnmù; 敬慕 jìngmù; 仰慕 yǎngmù; 景仰 jǐngyǎng ¶선생님에 대한 ~ 对老师的敬慕

흠뻑 囝 1 充分地 chōngfènde; 足足地 zúzúde; 充足地 chōngzúde ¶화분에 물을 ~ 주다 给花盆浇充足地水 2 淋透 líntòu; 湿透 shītòu; 淋湿 línshī; 浸湿 chénjìn ¶비에 옷이 ~ 젖었다 衣服被雨淋透了

흠씬 囝 1 充足地 chōngzúde; 充分地 chōngfènde; 足足地 zúzúde; 深深地 shēnshēnde ¶맑은 공기를 ~ 들이마셨다 深深地吸了一口新鲜的空气 2 痛…痛 tòng; …透 …tòu ¶~ 두들겨 맞다 被人痛打一顿

흠:-잡다 (欠一) 匣 挑毛病 tiāomáobìng; 挑剔 tiāotī ¶흠잡을 데가 전혀 없는 인물 无可挑剔的人物

흠:-집 (欠一) 몡 1 伤疤 shāngbā; 疤痕 bāhén; 伤痕 shānghén; 瑕疵 xiácī ¶얼굴에 ~이 생기다 脸上留下了伤疤

흠칫 囝困困 1 一缩 yīsuō; 一跳 yītiào; 一抖 yīdǒu; 一震 yīzhèn; 一激灵 yījīling ¶놀라서 몸을 ~ 하다 吓了一跳

흠사 (恰似) 몡하부 恰似 qiàsì; 恰便似 qiàbiànsì; 恰如 qiàrú ¶저녁노을이 ~ 한 폭의 그림 같다 晚霞恰如一幅图画

흡수 (吸收) 몡하困 1 吸 xī; 吸收 xīshōu; 吸取 xīqǔ; 摄取 shèqǔ ¶~력 吸收力 / ~성 吸收性 / 수분을 ~하다 吸收水分 2 吸收 xīshōu; 接收 jiēshōu ¶자금을 ~하다 吸收资金 3 [物] 吸收 xīshōu 4 [生] 吸收 xīshōu

흡연 (吸煙) 몡하困 吸烟 xīyān; 抽烟 chōuyān ¶~실 吸烟室 / ~은 몸에 해롭다 吸烟对身体有害

흡인 (吸引) 몡하困 吸引 xīyǐn ¶~력 吸引力

흡입 (吸入) 몡하困 吸入 xīrù ¶~구 入口 / ~기 吸入器 / ~ 장치 吸入装置 / 유독성 기체를 ~하다 吸入有毒性气体

흡족 (洽足) 몡하부 充足 chōngzú; 足够 zúgòu ¶마음이 ~하다 心情充足

흡착 (吸着) 몡하困 1 吸附 xīfù; 附着 fùzhuó ¶~력 附着力 / ~제 吸附剂 2 [化] 吸附 xīfù

흡혈 (吸血) 몡하困 吸血 xīxuè ¶~ 곤

충 吸血昆虫

흡혈-귀(吸血鬼) 명 吸血鬼 xīxuèguǐ

흥 甼 哼 hēng ¶코를 ~ 풀다 擤鼻涕 hēng

흥:(興) 명 兴 xìng; 兴致 xìngzhì; 兴头 xìngtou; 兴趣 xìngqù ¶~을 깨뜨리다 扫兴 / ~을 돋구다 助兴 / ~이 나다 起兴

흥건-하다 형 淋漓 línlí ¶땀이 ~ 大汗淋漓 흥건-히 甼

흥:-겹다(興一) 형 高兴 gāoxìng; 愉快 yúkuài; 兴致勃勃 xìngzhìbóbó; 兴高采烈 xìnggāocǎiliè ¶일이 아주 ~ 事情感到非常高兴

흥망(興亡) 명 兴亡 xīngwáng; 兴衰 xīngshuāi ¶~성쇠 兴亡盛衰

흥:-미(興味) 명 兴味 xìngwèi; 兴致 xìngzhì; 兴趣 xìngqù

흥:-미-롭다(興味一) 형 有兴味 yǒu xìngwèi; 有兴致 yǒu xìngzhì; 感兴趣 gǎn xìngqù ¶경기가 ~ 比赛有兴味

흥:-미진진-하다(興味津津一) 형 津津有味 jīnjīnyǒuwèi; 饶有兴致 ráoyǒuxìngzhì; 兴味盎然 xìngwèiàngrán; 兴致勃勃 xìngzhìbóbó ¶공연을 보다 津津有味地看演出

흥분(興奮) 명하자 1 兴奋 xīngfèn; 激动 jīdòng ¶~을 가라앉히다 消失兴奋 2 [生] 兴奋 xīngfèn

흥성(興盛) 명 兴盛 ¶가업이 점차 ~하기 시작하다 家业逐渐兴隆起来

흥얼-거리다 자타 1 哼 hēng ¶경쾌한 노래를 ~ 哼着轻快的歌 2 自言自语 zìyánzìyǔ ‖ = 흥얼대다 흥얼-흥얼 甼하자타

흥정 명하타 1 买卖 mǎimài; 生意 shēngyi; 交易 jiāoyì ¶최고 가격에 ~되다 买卖最高价格 2 (价钱) 讨价还价 tǎojiàhuánjià; 要价还价 yàojiàhuánjià ¶~을 벌이다 进行讨价还价

흥청-거리다 자 1 兴致勃勃 xìngzhì-bóbó; 兴味盎然 xìngwèiàngrán; 趾高气扬 zhǐgāoqìyáng ¶먹고 마시며, 밤새도록 ~ 边吃边喝, 整夜兴致勃勃 2 挥霍 huīhuò; 大手大脚 dàshǒudàjiǎo ¶挥金如土 huījīnrútǔ ¶흥청거리며 돈을 쓰다 大手大脚花钱 3 颤动 chàndòng; 颤悠 chànyōu ‖ = 흥청대다 흥청-흥청 甼

흥청-망청 甼하자 1 兴致勃勃地 xìngzhìbóbóde ¶~ 먹고 마시며 놀다 兴致勃勃地吃喝着玩 2 挥霍地 huīhuòde; 大手大脚地 dàshǒudàjiǎode ¶~ 돈을 쓰다 挥霍地花钱

흥:-취(興趣) 명 兴趣 xìngqù; 兴致 xìngzhì; 兴味 xìngwèi

흥-하다(興一) 자 兴盛 xīngshèng; 昌盛 chāngshèng; 繁荣 fánróng ¶사업이 ~ 事业昌盛

흥행(興行) 명하타 演出 yǎnchū; 上映 shàngyìng; 卖艺 màiyì ¶~에 실패하다 演出失败

흩-날리다 자타 飘 piāo; 纷飞 fēnfēi; 飞散 fēisàn; 飘洒 piāosǎ ¶눈송이가 ~ 雪花儿飘

흩다 타 散开 sànkāi ¶곡식을 ~ 谷物散开

흩-뜨리다 타 1 散 sàn ¶머리카락을 등에 ~ 让头发散披于背 2 (态度、心态、姿势等) 不正 bùzhèng; 不端正 bùduānzhèng ¶자세를 ~ 端正不端正

흩-뿌리다 자타 1 (雨、雪等) 散布 sànbù; 散播 sànbō ¶간간이 눈이 흩뿌리고 있다 零星的雪散布着 2 散播 sànbō; 散发 sànfā ¶전단을 ~ 散发传单

흩어-지다 자 散 sàn; 分散 fēnsàn; 散开 sànkāi; 飘散 piāosàn; 散布 sànbù ¶나의 가족은 전국에 흩어져 있다 我的家族分散在全国

희곡(戱曲) 명 [文] 1 戏剧 xìjù; 剧本 jùběn; 脚本 jiǎoběn 2 戏剧 xìjù ¶~ 예술 戏剧艺术

희귀-종(稀貴種) 명 稀有品种 xīyǒu pǐnzhǒng; 珍稀品种 zhēnxī pǐnzhǒng

희귀-하다(稀貴一) 형 稀有 xīyǒu; 稀奇 xīqí; 珍贵 zhēnguì ¶희귀한 동물 稀奇的动物

희극(喜劇) 명 1 [演] 喜剧 xǐjù; 滑稽剧 huájījù 2 闹剧 nàojù ¶어제의 모든 것은 그야말로 ~이다 昨天的一切简直就是一个闹剧 ‖ = 코미디

희극 배우(喜劇俳優) [演] 喜剧演员 xǐjù yǎnyuán = 코미디언

희끄무레-하다 형 1 白净 báijìng ¶희끄무레한 얼굴 白净的脸 2 泛白 fànbái; 昏黄 hūnhuáng; 微白 wēibái; 白濛濛 báiméngméng ¶달빛이 ~ 月色昏黄

희끗-희끗 甼하형 斑白 bānbái; 花白 huābái ¶양쪽 귀밑머리가 ~하다 两鬓花白

희다 형 白 bái; 皓白 hàobái; 白色 báisè ¶흰 눈 白雪 / 흰 이빨 皓齿 / 피부가 ~ 皮肤很白

희로애락(喜怒哀樂) 명 喜怒哀乐 xǐnù'āilè

희롱(戱弄) 명하타 戏弄 xìnòng; 戏耍 xìshuǎ; 玩弄 wánnòng ¶그를 ~하다 把他戏弄了一番 / ~을 당하다 被玩弄

희망(希望) 명하자타 1 希望 xīwàng; 愿望 yuànwàng ¶~을 품다 怀着希望 / ~에 부풀다 充满了愿望 2 希望 xīwàng; 期望 qīwàng; 期待 qīdài; 盼望 pànwàng ¶~이 없다 没希望 / ~이

있다 有期望

희망-적(希望的) **관명** 有希望的 yǒu xīwàngde ¶우리의 미래는 아직 ~이 다 我们的未来还是有希望的

희-멀겋다 **형 1** 白净 báijìng; 白皙 báixī ¶희멀건 얼굴 白净的脸 **2** 稀 xī; 稀溜溜 xīliūliū ¶죽이 ~ 稀饭稀溜溜

희미-하다(稀微一) **형 1** 模糊 móhu ¶의식이 ~ 意识模糊 **2** 模糊 móhu; 微茫 wēimáng; 朦胧 ménglóng; 隐约 yǐnyuē ¶달빛이 ~ 月光微茫

희박-하다(稀薄一) **형 1** 稀薄 xībó ¶산소가 ~ 氧气稀薄 **2** 淡薄 dànbó; 薄弱 bóruò; 缺乏 quēfá ¶안전 의식이 ~ 安全意识淡薄 **3** 小 xiǎo ¶비가 올 가능성은 매우 ~ 下雨可能性很小

희번덕-거리다 **타 1** 直翻眼白 zhífānyǎnbái ¶눈을 부릅뜨고 ~ 瞪大眼睛直翻眼白 **2** 直翻眼睛 zhífānténg ‖ ~ 희번덕대다 **희번덕-희번덕** **부하타**

희-뿌옇다 **형** 灰白 huībái ¶희뿌연 연기 灰白的烟

희비(喜悲) **명** 喜悲 xǐbēi; 悲喜 bēixǐ

희사(喜捨) **명하타 1** 捐款 juānkuǎn; 捐赠 juānzèng; 施舍 shīshě ¶사회 공익 사업에 거액을 ~하다 社会公益事业捐款巨额 **2** 喜舍 xǐshě; 施舍 shīshě ¶자비로 ~하는 마음 慈悲喜舍的心

희색(喜色) **명** 喜色 xǐsè; 喜气 xǐqì; 悦色 yuèsè ¶~이 넘쳐흐르다 洋溢着喜气

희생(犧牲) **명하자타** 牺牲 xīshēng; 献身 xiànshēn; 捐躯 juānqū; 捐身 juānshēn ¶~물 牺牲物 / ~자 牺牲者 / ~정신 牺牲精神 / 국난을 위해 ~하다 捐躯赴国难

희석(稀釋) **명하타** 【化】 稀释 xīshì; 冲淡 chōngdàn ¶농약에 물을 넣어 ~시키다 农药加点水冲淡

희소(稀少) **명** 稀少 xīshǎo ¶~가치 稀少价值 / ~성 稀少性

희-소식(喜消息) **명** 好消息 hǎo xiāoxi; 喜讯 xǐxùn; 喜信 xǐxìn

희열(喜悅) **명** 喜悦 xǐyuè ¶~을 느끼다 感到喜悦

희한-하다(稀罕一) **형** 稀罕 xīhan; 稀奇 xīqí; 罕有 hǎnyǒu; 罕见 hǎnjiàn ¶희한한 일 罕有的事

희희-낙락(喜喜樂樂) **명하자** 欣欣喜喜 xīnxīnxǐxǐ; 欢欢喜喜 huānhuānxǐxǐ; 喜喜乐乐 xǐxǐlèlè ¶~하며 설을 쇠다 欢欢喜喜过大年

흰-개미 **명** 【蟲】 白蚁 báiyǐ

흰-곰 **명** 【動】 北极熊

흰-나비 **명** 【蟲】 白蝴蝶 báihúdié

흰-떡 **명** 大米年糕 dàmǐ niángāo

흰-말 **명** = 백마

흰-머리 **명** 白发 báifà

흰-밥 **명** 白米饭 báimǐfàn = 백반(白飯)1

흰-소리 **명하자** 大话 dàhuà; 胡话 húhuà; 吹牛 chuīniú ¶~를 늘어놓다 说大话

흰-쌀 **명하자** 大米 dàmǐ; 白米 báimǐ = 백미(白米)

흰-옷 **명** 白衣 báiyī; 素服 sùfú = 백의1

흰-자 **명** = 흰자위

흰-자위 **명 1** 蛋清 dànqīng; 蛋白 dànbái; 卵白 luǎnbái ¶~와 노른자위 蛋清和蛋黄 **2** 【生】 白眼珠 báiyǎnzhū ‖ = 흰자

흰-죽(一粥) **명** = 쌀죽

흰-쥐 **명** 【動】 白鼠 báishǔ

히 **일부** 嘻 xī 《无聊иск笑的声音》 **二갑** 嘿 hēi 《冷笑声》

히로뽕(일一hiropon) **명** 【藥】 = 필로폰

히스테리(독Hysterie) **명** 【醫】 癔病 yìbìng; 歇斯底里 xiēsīdǐlǐ ¶~를 일으키다 癔病发作

히아신스(hyacinth) **명** 【植】 风信子 fēngxìnzi; 洋水仙 yángshuǐxiān

히죽 **부하자** 咧嘴 liězuǐ 《满意地微笑的样子》 ¶히죽이 ~ 웃다 咧着嘴笑

히죽-거리다 **자** 一直咧嘴笑 yīzhí liězhezuǐ xiào ¶그는 바보처럼 끊임없이 히죽거린다 他像个傻瓜一样一直咧着嘴笑个不停 **히죽-히죽** **부하자**

히죽-이 **부** = 히죽

히치하이크(hitchhike) **명** 搭便车 dābiànchē; 搭便车旅行 dābiànchē lǚxíng

히터(heater) **명** 暖气 nuǎnqì; 取暖器 qǔnuǎnqì ¶~를 켜다 打开暖气

히트(hit) **명 1** 成功 chénggōng ¶이것은 ~ 상품이다 这是件成功的商品 **2** 【體】 = 안타

히프(hip) **명** = 엉덩이

힌두-교(Hindu教) **명** 【宗】 印度教 yìndùjiào

힌트(hint) **명** 暗示 ànshì; 示意 shìyì; 提示 tíshì

힐끔 **부하타** 一瞟 yīpiào 《瞟的样子》

힐끔-거리다 **타** 一瞟一瞟 yīpiàoyīpiào = 힐끔대다 **힐끔-힐끔** **부하타**

힐긋 **부하타 1** 一闪 yīshǎn ¶~ 보다 看一闪 **2** 一瞟 yīpiào ¶몸을 돌려 ~ 보다 转身一瞟

힐긋-거리다 **타** 一瞟一瞟 yīpiàoyīpiào = 힐긋대다 **힐긋-힐긋** **부하타**

힐난(詰難) **명하타** 诘难 jiénàn; 责难 zénàn ¶~을 받다 遭到诘难

힐책(詰責) **명하타** 诘责 jiézé; 责骂 zémà ¶~을 당하다 受到责骂

힘 〖명〗 **1** 力 lì; 劲(儿) jìn(r); 力量 lìliàng; 力气 lìqì ¶~이 없다 没有劲儿 / 전신의 ~을 쏟아내다 使出全身的力气 **2** 帮助 bāngzhù ¶여러분의 ~이 필요하다 需要得到大家的帮助 **3** 力量 lìliàng; 力气 lìqì; 能力 nénglì ¶~을 발휘하다 发挥力量 **4** 势力 shìlì; 权力 quánlì; 实力 shílì ¶정치적인 ~ 政治权力 **5** 力 lì; 力量 lìliàng; 效力 xiàolì ¶약의 ~에 의지하다 依靠药力 **6** 力量 lìliàng; 力气 lìqì ¶아는 것이 ~이다 知识就是力量 **7** 武力 wǔlì; 暴力 bàolì ¶반드시 ~으로 빼앗긴 땅을 되찾아야 한다 一定要用武力收复失地 **8** 限度 xiàndù ¶~이 되는 한 자신의 잠재력을 발휘하다 最大限度发挥出自己的潜力 **9** 〖物〗 力 lì ¶전기의 ~ 电力

힘-겹다 〖형〗力不胜任 lìbùshèngrèn ¶힘겨운 일 力不胜任的活

힘-껏 〖부〗尽力 jìnlì; 用力 yònglì ¶~밀다 用力地推

힘-내다 〖자〗用力 yònglì; 使劲 shǐjìn; 加油 jiāyóu ¶힘내라고 외치다 叫喊加油

힘-닿다 〖자〗力所能及 lìsuǒnéngjí ¶힘닿는 데까지 일하다 做些力所能及的事情

힘-들다 〖형〗 **1** 费力 fèilì; 费劲 fèijìn; 吃力 chīlì ¶걷기가 ~ 走路费力 **2** 难 nán ¶아픔은 참기 ~ 疼痛难耐 **3** 费事 fèishì; 麻烦 máfan ¶이 임무는 너무 ~ 这种任务太费事

힘-들이다 〖자〗 **1** 用力 yònglì; 努力 nǔ-

lì ¶너무 힘들여 써서 종이가 찢어졌다 写得太用力, 把纸划破了 **2** 用心 yòngxīn; 努力 nǔlì ¶이런 작은 일들에 힘들이지 마세요 别在这些小事上用心

힘-세다 〖형〗力气大 lìqì dà; 劲头儿大 jìntóur dà; 劲头儿 lìliàng dà ¶그는 키는 작지만, 힘은 세다 他个子小, 劲头儿大

힘-쓰다 〖자〗 **1** 努力 nǔlì ¶공부하는 데 ~ 努力学习 **2** 帮助 bāngzhù ¶그를 위해 모두들 힘써주세요 为了他大家应该帮助 **3** 尽力 jìnlì; 竭力 jiélì ¶임무에 ~ 竭力任务

힘-없다 〖형〗 **1** 无力 wúlì; 没劲儿 méijìnr; 乏力 fálì ¶온몸에 힘이 없다 浑身没劲儿 **2** 无能 wúnéng; 无能为力 wúnéngwéilì; 没有能力 méiyǒu nénglì ¶힘없는 자 无能的人 **힘없이**-이 〖부〗

힘-입다 〖자〗借助 jièzhù; 得益 déyì ¶행운은 노력에 힘입어야 비로소 효과가 나타난다 运气要借助于努力才能生效

힘-주다 〖자〗 **1** 用力 yònglì; 使劲 shǐjìn; 用劲 yòngjìn ¶힘주어 머리를 감다 用力地洗头发 **2** 着重 zhuózhòng; 强调 qiángdiào ¶힘주어 지적하다 着重指出

힘-줄 〖명〗〖生〗 **1** 筋 jīn; 腱 jiàn **2** 血管 xuèguǎn **3** 纤维 xiānwéi

힘-차다 〖형〗充满力量 chōngmǎn lìliàng; 雄强 xióngqiáng; 雄纠纠 xióngjiūjiū ¶힘찬 발걸음 充满力量地脚步 / 필치가 ~ 笔力雄健

부 록

세계 각 국가 및 수도명

국가명		수도명	
한국어 (영어)	중국어	한국어 (영어)	중국어
가나 (Ghana)	加纳 Jiānà	아크라 (Accra)	阿克拉 Ākèlā
가봉 (Gabon)	加蓬 Jiāpéng	리브르빌 (Libreville)	利伯维尔 Lìbówéi'ěr
가이아나 (Guyana)	圭亚那 Guīyànà	조지타운 (Georgetown)	乔治敦 Qiáozhìdūn
감비아 (Gambia)	冈比亚 Gāngbǐyà	반줄 (Banjul)	班珠尔 Bānzhū'ěr
과테말라 (Guatemala)	危地马拉 Wēidìmǎlā	과테말라 (Guatemala)	危地马拉城 Wēidìmǎlāchéng
그레나다 (Grenada)	格林纳达 Gélínnàdá	세인트조지스 (Saint George's)	圣乔治 Shèngqiáozhì
조지아[그루지야] (Georgia)	格鲁吉亚 Gélǔjíyà	트빌리시 (Tbilisi)	第比利斯 Dìbǐlìsī
그리스 (Greece)	希腊 Xīlà	아테네 (Athens)	雅典 Yǎdiǎn
기니 (Guinea)	几内亚 Jǐnèiyà	코나크리 (Conakry)	科纳克里 Kēnàkèlǐ
기니비사우 (Guinea-Bissau)	几内亚比绍 Jǐnèiyàbǐshào	비사우 (Bissau)	比绍 Bǐshào
나미비아 (Namibia)	纳米比亚 Nàmǐbǐyà	빈트후크 (Windhoek)	温得和克 Wēndéhékè
나우루 (Nauru)	瑙鲁 Nǎolǔ	야렌 (Yaren)	亚伦 Yàlún
나이지리아 (Nigeria)	尼日利亚 Nírìlìyà	아부자 (Abuja)	阿布贾 Ābùjiǎ
남아프리카 공화국 (Republic of South Africa)	南非共和国[南非] Nánfēi Gònghéguó [Nánfēi]	프리토리아 (Pretoria)	比勒陀利亚 Bǐlètuólìyà
네덜란드 (Netherlands)	荷兰 Hélán	암스테르담 (Amsterdam)	阿姆斯特丹 Āmǔsītèdān
네팔 (Nepal)	尼泊尔 Níbó'ěr	카트만두 (Kathmandu)	加德满都 Jiādémǎndū
노르웨이 (Norway)	挪威 Nuówēi	오슬로 (Oslo)	奥斯陆 Àosīlù
뉴질랜드 (New Zealand)	新西兰 Xīnxīlán	웰링턴 (Wellington)	惠灵顿 Huìlíngdùn
니제르 (Niger)	尼日尔 Nírì'ěr	니아메 (Niamey)	尼亚美 Níyàměi

니카라과 (Nicaragua)	尼加拉瓜 Níjiālāguā	마나과 (Managua)	马那瓜 Mǎnàguā
대한민국 (Korea)	大韩民国[韩国] Dàhánmínguó [Hánguó]	서울 (Seoul)	首尔[汉城] Shǒu'ěr [Hànchéng]
덴마크 (Denmark)	丹麦 Dānmài	코펜하겐 (Copenhagen)	哥本哈根 Gēběnhāgēn
도미니카 (Dominica)	多米尼克 Duōmíníkè	로조 (Roseau)	罗索 Luósuǒ
도미니카 공화국 (Dominican Republic)	多米尼加共和国 Duōmǐníjiā Gònghéguó	산토도밍고 (Santo Domingo)	圣多明各 Shèngduōmínggè
독일 (Germany)	德国 Déguó	베를린 (Berlin)	柏林 Bólín
동티모르 (East Timor)	东帝汶 Dōngdìwén	딜리 (Dili)	帝力 Dìlì
라오스 (Laos)	老挝 Lǎowō	비엔티안 (Vientiane)	万象 Wànxiàng
라이베리아 (Liberia)	利比里亚 Lìbǐlǐyà	몬로비아 (Monrovia)	蒙罗维亚 Ménluówéiyà
라트비아 (Latvia)	拉脱维亚 Lātuōwéiyà	리가 (Riga)	里加 Lǐjiā
러시아 (Russia)	俄罗斯 Éluósī	모스크바 (Moscow)	莫斯科 Mòsīkē
레바논 (Lebanon)	黎巴嫩 Líbānèn	베이루트 (Beirut)	贝鲁特 Bèilǔtè
레소토 (Lesotho)	莱索托 Láisuǒtuō	마세루 (Maseru)	马塞卢 Mǎsāilú
루마니아 (Rumania)	罗马尼亚 Luómǎníyà	부카레슈티 (Bucharest)	布加勒斯特 Bùjiālèsītè
룩셈부르크 (Luxemburg)	卢森堡 Lúsēnbǎo	룩셈부르크 (Luxemburg)	卢森堡 Lúsēnbǎo
르완다 (Rwanda)	卢旺达 Lúwàngdá	키갈리 (Kigali)	基加利 Jījiālì
리비아 (Libya)	利比亚 Lìbǐyà	트리폴리 (Tripoli)	的黎波里 Dílíbōlǐ
리투아니아 (Lithuania)	立陶宛 Lìtáowǎn	빌뉴스 (Vilnius)	维尔纽斯 Wéi'ěrniǔsī
리히텐슈타인 (Liechtenstein)	列支敦士登 Lièzhīdūnshìdēng	파두츠 (Vaduz)	瓦杜兹 Wǎdùzī
마다가스카르 (Madagascar)	马达斯加 Mǎdájiāsījiā	안타나나리보 (Antananarivo)	塔那那利佛 Tǎnànàlìfó
마셜 제도 (Marshall Islands)	马绍尔群岛 Mǎshào'ěr Qúndǎo	마주로 (Majuro)	马朱罗 Mǎzhūluó

부록

마케도니아 (Macedonia)	马其顿 Mǎqídùn	스코페 (Skopje)	斯科普里 Sīkēpǔlǐ
말라위 (Malawi)	马拉维 Mǎlāwéi	릴롱궤 (Lilongwe)	利隆圭 Lìlóngguī
말레이시아 (Malaysia)	马来西亚 Mǎláixīyà	쿠알라룸푸르 (Kuala Lumpur)	吉隆坡 Jílóngpō
말리 (Mali)	马里 Mǎlǐ	바마코 (Bamako)	巴马科 Bāmǎkē
멕시코 (Mexico)	墨西哥 Mòxīgē	멕시코시티 (Mexico City)	墨西哥城 Mòxīgēchéng
모나코 (Monaco)	摩纳哥 Mónàgē	모나코 (Monaco)	摩纳哥城 Mónàgēchéng
모로코 (Morocco)	摩洛哥 Móluògē	라바트 (Rabat)	拉巴特 Lābātè
모리셔스 (Mauritius)	毛里求斯 Máolǐqiúsī	포트루이스 (Port Louis)	路易港 Lùyìgǎng
모리타니 (Mauritanie)	毛里塔尼亚 Máolǐtǎníyà	누악쇼트 (Nouakchott)	努瓦克肖特 Nǔwǎkèxiāotè
모잠비크 (Mozambique)	莫桑比克 Mòsāngbǐkè	마푸투 (Maputo)	马普托 Mǎpǔtuō
몬테네그로 (Montenegro)	黑山共和国 Hēishān Gònghéguó	포드고리차 (Podgorica)	波德戈里察 Bōdégēlǐchá
몰도바 (Moldova)	摩尔多瓦 Mó'ěrduōwǎ	키시너우 (Kishinev)	基希讷乌 Jīxīnèwū
몰디브 (Maldives)	马尔代夫 Mǎ'ěrdàifū	말레 (Male)	马累 Mǎlèi
몰타 (Malta)	马耳他 Mǎ'ěrtā	발레타 (Valletta)	瓦莱塔 Wǎláitǎ
몽골 (Mongol)	蒙古 Měnggǔ	울란바토르 (Ulan Bator)	乌兰巴托 Wūlánbātuō
미국 (United States of America)	美国 Měiguó	워싱턴 (Washington D.C.)	华盛顿 Huáshèngdùn
미얀마 (Myanmar)	缅甸 Miǎndiàn	네피도 (Naypyidaw)	内比都 Nèibǐdū
미크로네시아 (Micronesia)	密克罗尼西亚 Mìkèluóníxīyà	팔리키르 (Palikir)	帕利基尔 Pàlìjī'ěr
바레인 (Bahrain)	巴林 Bālín	마나마 (Manama)	麦纳麦 Màinàmài
바베이도스 (Barbados)	巴巴多斯 Bābāduōsī	브리지타운 (Bridgetown)	布里奇敦 Bùlǐqídūn
바티칸 시국 (Vatican City State)	梵蒂冈城国[梵蒂冈] Fàndìgāngchéng- guó[Fàndìgāng]	바티칸시티 (Vatican City)	梵蒂冈城 Fàndìgāngchéng

바하마 (Bahamas)	巴哈马 Bāhāmǎ	나소 (Nassau)	拿骚 Násāo
방글라데시 (Bangladesh)	孟加拉国 Mèngjiālāguó	다카 (Dacca)	达卡 Dákǎ
베냉 (Benin)	贝宁 Bèiníng	포르토노보 (Porto Novo)	波多诺伏 Bōduōnuòfú
베네수엘라 (Venezuela)	委内瑞拉 Wěinèiruìlā	카라카스 (Caracas)	加拉加斯 Jiālājiāsī
베트남 (Vietnam)	越南 Yuènán	하노이 (Hanoi)	河内 Hénèi
벨기에 (Belgium)	比利时 Bǐlìshí	브뤼셀 (Brussels)	布鲁塞尔 Bùlǔsāi'ěr
벨라루스 (Belarus)	白俄罗斯 Bái'éluósī	민스크 (Minsk)	明斯克 Míngsīkè
벨리즈 (Belize)	伯利兹 Bólìzī	벨모판 (Belmopan)	贝尔莫潘 Bèi'ěrmòpān
보스니아 헤르체고비나 (Bosnia and Herzegovina)	波斯尼亚和黑塞 哥维那 [波黑] Bōsīníyà hé Hēi- sàigēwéinà[Bōhēi]	사라예보 (Sarajevo)	萨拉热窝 Sàlārèwō
보츠와나 (Botswana)	博茨瓦纳 Bócíwǎnà	가보로네 (Gaborone)	哈博罗内 Hābóluónèi
볼리비아 (Bolivia)	玻利维亚 Bōlìwéiyà	수크레 (Sucre)	苏克雷 Sūkèléi
부룬디 (Burundi)	布隆迪 Bùlóngdí	부줌부라 (Bujumbura)	布琼布拉 Bùqióngbùlā
부르키나파소 (Burkina Faso)	布基纳法索 Bùjīnàfǎsuǒ	와가두구 (Ouagadougou)	瓦加杜古 Wǎjiādùgǔ
부탄 (Bhutan)	不丹 Bùdān	팀푸 (Thimphu)	廷布 Tíngbù
북마리아나 제도 (Northern Mariana Islands)	北马里亚纳群岛 Běimǎlǐyànà Qúndǎo	사이판 섬 (Saipan Island)	塞班岛 Sàibāndǎo
북한 (North Korea)	朝鲜[北韩] [北朝鲜] Cháoxiǎn[Běihán] [Běicháoxiān]	평양 (Pyongyang)	平壤 Píngrǎng
불가리아 (Bulgaria)	保加利亚 Bǎojiālìyà	소피아 (Sofia)	索非亚 Suǒfēiyà
브라질 (Brazil)	巴西 Bāxī	브라질리아 (Brasilia)	巴西利亚 Bāxīlìyà
브루나이 (Brunei)	文莱 Wénlái	반다르스리브가완 (Bandar Seri Begawan)	斯里巴加湾市 Sīlǐbājiāwānshì

부록

사모아[서사모아] (Samoa)	萨摩亚 Sàmóyà	아피아 (Apia)	阿皮亚 Āpíyà
사우디아라비아 (Saudi Arabia)	沙特阿拉伯 Shātè'ālābó	리야드 (Riyadh)	利雅得 Lìyǎdé
산마리노 (San Marino)	圣马力诺 Shèngmǎlìnuò	산마리노 (San Marino)	圣马力诺 Shèngmǎlìnuò
상투메 프린시페 (Sao Tome and Principe)	圣多美和普林西比 Shèngduōměi hé Pǔlínxībǐ	상투메 (Sao Tome)	圣多美 Shèngduōměi
세네갈 (Senegal)	塞内加尔 Sàinèijiā'ěr	다카르 (Dakar)	达喀尔 Dákā'ěr
세르비아 (Serbia)	塞尔维亚 Sài'ěrwéiyà	베오그라드 (Beograd)	贝尔格莱德 Bèi'ěrgéláidé
세이셸 (Seychelles)	塞舌尔群岛 Sàishé'ěr Qúndǎo	빅토리아 (Victoria)	维多利亚 Wéiduōlìyà
세인트루시아 (St. Lucia)	圣卢西亚 Shènglúxīyà	캐스트리스 (Castries)	卡斯特里 Kǎsītèlǐ
세인트빈센트 그레나딘 (Saint Vincent and the Grenadines)	圣文森特和 格林纳丁斯 Shèngwénsēntè hé Gélínnàdīngsī	킹스타운 (Kingstown)	金斯敦 Jīnsīdūn
세인트키츠 네비스 (Saint Kitts and Nevis)	圣基茨和尼维斯 Shèngjīcí hé Níwéisī	바스테르 (Basseterre)	巴斯特尔 Bāsītè'ěr
소말리아 (Somalia)	索马里 Suǒmǎlǐ	모가디슈 (Mogadishu)	摩加迪沙 Mójiādíshā
솔로몬 제도 (Solomon Islands)	所罗门群岛 Suǒluómén Qúndǎo	호니아라 (Honiara)	霍尼亚拉 Huòníyàlā
수단 (Sudan)	苏丹 Sūdān	하르툼 (Khartoum)	喀土穆 Kātǔmù
수리남 (Suriname)	苏里南 Sūlǐnán	파라마리보 (Paramaribo)	帕拉马里博 Pàlāmǎlǐbó
스리랑카 (Sri Lanka)	斯里兰卡 Sīlǐlánkǎ	콜롬보 (Colombo)	科伦坡 Kēlúnbō
스와질란드 (Swaziland)	斯威士兰 Sīwēishìlán	음바바네 (Mbabane)	姆巴巴内 Mǔbābānèi
스웨덴 (Sweden)	瑞典 Ruìdiǎn	스톡홀름 (Stockholm)	斯德哥尔摩 Sīdégē'ěrmó
스위스 (Switzerland)	瑞士 Ruìshì	베른 (Bern)	伯尔尼 Bó'ěrní
스페인[에스파냐] (Spain)	西班牙 Xībānyá	마드리드 (Madrid)	马德里 Mǎdélǐ
슬로바키아 (Slovakia)	斯洛伐克 Sīluòfákè	브라티슬라바 (Bratislava)	布拉迪斯拉发 Bùlādísīlāfā

부록

슬로베니아 (Slovenia)	斯洛文尼亚 Sīluòwénníyà	류블랴나 (Ljubljana)	卢布尔雅那 Lúbù'ěryǎnà
시리아 (Syria)	叙利亚 Xùlìyà	다마스쿠스 (Damascus)	大马士革 Dàmǎshìgé
시에라리온 (Sierra Leone)	塞拉利昂 Sàilālì'áng	프리타운 (Freetown)	弗里敦 Fúlǐdūn
싱가포르 (Singapore)	新加坡 Xīnjiāpō	싱가포르 (Singapore)	新加坡城 Xīnjiāpōchéng
아랍 에미리트 (Arab Emirates)	阿拉伯联合酋长国 Ālābó Liánhé Qiúzhǎngguó	아부다비 (Abu Dhabi)	阿布扎比 Ābùzhābǐ
아르메니아 (Armenia)	亚美尼亚 Yàměiníyà	예레반 (Erevan)	埃里温 Āilǐwēn
아르헨티나 (Argentina)	阿根廷 Āgēntíng	부에노스아이레스 (Buenos Aires)	布宜诺斯艾利斯 Bùyínuòsī'àilìsī
아메리칸사모아 (American Samoa)	美属萨摩亚 [东萨摩亚] Měishǔsàmóyà [Dōngsàmóyà]	파고파고 (Pogo Pago)	帕果帕果 Pàguǒpàguǒ
아이슬란드 (Iceland)	冰岛 Bīngdǎo	레이캬비크 (Reykjavik)	雷克雅未克 Lèikèyǎwèikè
아이티 (Haiti)	海地 Hǎidì	포르토프랑스 (Port-au-Prince)	太子港 Tàizǐgǎng
아일랜드 (Ireland)	爱尔兰 Ài'ěrlán	더블린 (Dublin)	都柏林 Dūbólín
아제르바이잔 (Azerbaidzhan)	阿塞拜疆 Āsàibàijiāng	바쿠 (Baku)	巴库 Bākù
아프가니스탄 (Afghanistan)	阿富汗 Āfùhàn	카불 (Kabul)	喀布尔 Kābù'ěr
안도라 (Andorra)	安道尔 Āndào'ěr	안도라라베야 (Andorra-la- Vella)	安道尔城 Āndào'ěrchéng
알바니아 (Albania)	阿尔巴尼亚 Ā'ěrbāníyà	티라나 (Tirana)	地拉那 Dìlānà
알제리 (Algeria)	阿尔及利亚 Ā'ěrjílìyà	알제 (Algiers)	阿尔及尔 Ā'ěrjí'ěr
앙골라 (Angola)	安哥拉 Āngēlā	루안다 (Luanda)	罗安达 Luó'āndá
앤티가 바부다 (Antigua and Barbuda)	安提瓜和巴布达 Āntíguā hé Bābùdá	세인트존스 (Saint John's)	圣约翰 Shèngyuēhàn
에스토니아 (Estonia)	爱沙尼亚 Àishāníyà	탈린 (Tallinn)	塔林 Tǎlín
에콰도르 (Ecuador)	厄瓜多尔 Èguāduō'ěr	키토 (Quito)	基多 Jīduō

에리트레아 (Eritrea)	厄立特里亚 Èlìtèlǐyà	아스마라 (Asmara)	阿斯马拉 Āsīmǎlā
에티오피아 (Ethiopia)	埃塞俄比亚 Āisài'ébǐyà	아디스아바바 (Addis Ababa)	亚的斯亚贝巴 Yàdìsīyàbèibā
엘살바도르 (El Salvador)	萨尔瓦多 Sà'ěrwǎduō	산살바도르 (San Salvador)	圣萨尔瓦多 Shèngsà'ěrwǎduō
영국 (Britain)	英国 Yīngguó	런던 (London)	伦敦 Lúndūn
예멘 (Yemen)	也门 Yěmén	사나 (Sanaa)	萨那 Sànà
오만 (Oman)	阿曼 Āmàn	무스카트 (Muscat)	马斯喀特 Mǎsīkātè
오스트레일리아 [호주] (Australia)	澳大利亚 Àodàlìyà	캔버라 (Canberra)	堪培拉 Kānpéilā
오스트리아 (Austria)	奥地利 Àodìlì	빈 (Vienna)	维也纳 Wéiyěnà
온두라스 (Honduras)	洪都拉斯 Hóngdūlāsī	테구시갈파 (Tegucigalpa)	特古西加尔巴 Tègǔxījiā'ěrbā
요르단 (Jordan)	约旦 Yuēdàn	암만 (Amman)	安曼 Ānmàn
우간다 (Uganda)	乌干达 Wūgāndá	캄팔라 (Kampala)	坎帕拉 Kǎnpàlā
우루과이 (Uruguay)	乌拉圭 Wūlāguī	몬테비데오 (Montevideo)	蒙得维的亚 Méngdéwéidìyà
우즈베키스탄 (Uzbekistan)	乌兹别克斯坦 Wūzībiékèsītǎn	타슈켄트 (Tashkent)	塔什干 Tǎshígān
우크라이나 (Ukraina)	乌克兰 Wūkèlán	키예프 (Kiev)	基辅 Jīfǔ
이라크 (Iraq)	伊拉克 Yīlākè	바그다드 (Baghdad)	巴格达 Bāgédá
이란 (Iran)	伊朗 Yīlǎng	테헤란 (Teheran)	德黑兰 Déhēilán
이스라엘 (Israel)	以色列 Yǐsèliè	예루살렘 (Jerusalem)	耶路撒冷 Yēlùsālěng
이집트 (Egypt)	埃及 Āijí	카이로 (Cairo)	开罗 Kāiluó
이탈리아 (Italia)	意大利 Yìdàlì	로마 (Rome)	罗马 Luómǎ
인도 (India)	印度 Yìndù	뉴델리 (New Delhi)	新德里 Xīndélǐ
인도네시아 (Indonesia)	印度尼西亚 Yìndùníxīyà	자카르타 (Jakarta)	雅加达 Yǎjiādá
일본 (Japan)	日本 Rìběn	도쿄 (Tokyo)	东京 Dōngjīng

부록

자메이카 (Jamaica)	牙买加 Yámǎijiā	킹스턴 (Kingston)	金斯敦 Jīnsīdūn
잠비아 (Zambia)	赞比亚 Zànbǐyà	루사카 (Lusaka)	卢萨卡 Lúsà
적도 기니 (Equatorial Guinea)	赤道几内亚 Chìdào Jǐnèiyà	말라보 (Malabo)	马拉博 Mǎlābó
중국 (China)	中国 [中华人民共和国] Zhōngguó[Zhōng- huá Rénmín Gònghéguó]	베이징 (Beijing)	北京 Běijīng
중앙아프리카 공화국 (Central African Republic)	中非共和国[中非] Zhōngfēi Gònghéguó [Zhōngfēi]	방기 (Bangui)	班吉 Bānjí
지부티 (Djibouti)	吉布提 Jíbùtí	지부티 (Djibouti)	吉布提市 Jíbùtíshì
짐바브웨 (Zimbabwe)	津巴布韦 Jīnbābùwéi	하라레 (Harare)	哈拉雷 Hālāléi
차드 (Chad)	乍得 zhàdé	은자메나 (N' Djamena)	恩贾梅纳 Ēnjiǎméinà
체코 (Czech)	捷克 Jiékè	프라하 (Praha)	布拉格 Bùlāgé
칠레 (Chile)	智利 Zhìlì	산티아고 (Santiago)	圣地亚哥 Shèngdìyàgē
카메룬 (Cameroon)	喀麦隆 Kāmàilóng	야운데 (Yaunde)	雅温得 Yǎwēndé
카보베르데 (Cabo Verde)	佛得角 Fódéjiǎo	프라이아 (Praia)	普拉亚 Pǔlāyà
카자흐스탄 (Kazakhstan)	哈萨克斯坦 Hāsàkèsītǎn	아스타나 (Astana)	阿斯塔纳 Āsītànà
카타르 (Qatar)	卡塔尔 Kǎtǎ'ěr	도하 (Doha)	多哈 Duōhā
캄보디아 (Cambodia)	柬埔寨 Jiǎnpǔzhài	프놈펜 (Phnom Penh)	金边 Jīnbiān
캐나다 (Canada)	加拿大 Jiānádà	오타와 (Ottawa)	渥太华 Wòtàihuá
케냐 (Kenya)	肯尼亚 Kěnníyà	나이로비 (Nairobi)	内罗比 Nèiluóbǐ
코모로 (Comoros)	科摩罗 Kēmóluó	모로니 (Moroni)	莫罗尼 Mòluóní
코스타리카 (Costa Rica)	哥斯达黎加 Gēsīdálíjiā	산호세 (San Jose)	圣何塞 Shènghésài
코트디부아르 (Cote d'Ivoire)	科特迪瓦 Kētèdíwǎ	야무수크로 (Yamoussoukro)	亚穆苏克罗 Yàmùsūkèluó

콜롬비아 (Colombia)	哥伦比亚 Gēlúnbǐyà	보고타 (Bogota)	波哥大 Bōgēdà
콩고 (Congo)	刚果 Gāngguǒ	브라자빌 (Brazzaville)	布拉柴维尔 Bùlācháiwéi'ěr
콩고 민주 공화국 (Democratic Republic of the Congo)	刚果民主共和国 Gāngguǒ Mínzhǔ Gònghéguó	킨샤사 (Kinshasa)	金沙萨 Jīnshāsà
쿠바 (Cuba)	古巴 Gǔbā	아바나 (Habana)	哈瓦那 Hāwǎnà
쿠웨이트 (Kuwait)	科威特 Kēwēitè	쿠웨이트 (Kuwait)	科威特城 Kēwēitèchéng
쿡 제도 (Cook Islands)	库克群岛 Kùkè Qúndǎo	아바루아 (Avarua)	阿瓦鲁阿 Āwǎlǔ'ā
크로아티아 (Croatia)	克罗地亚 Kèluódìyà	자그레브 (Zagreb)	萨格勒布 Sàgélèbù
키르기스스탄 [키르기스] (Kirgizstan)	吉尔吉斯斯坦 Jí'ěrjísīsītǎn	비슈케크 (Bishkek)	比什凯克 Bǐshíkǎikè
키리바시 (Kiribati)	基里巴斯 Jīlǐbāsī	타라와 (Tarawa)	塔拉瓦 Tǎlāwǎ
키프로스 (Kypros)	塞浦路斯 Sàipǔlùsī	니코시아 (Nicosia)	尼科西亚 Níkēxīyà
타이[태국] (Thailand)	泰国 Tàiguó	방콕 (Bangkok)	曼谷 Màngǔ
타지키스탄 (Tadzhikistan)	塔吉克斯坦 Tǎjíkèsītǎn	두샨베 (Dushanbe)	杜尚别 Dùshàngbié
탄자니아 (Tanzania)	坦桑尼亚 Tǎnsāngníyà	도도마 (Dodoma)	多多马 Duōduōmǎ
터키 (Turkey)	土耳其 Tǔ'ěrqí	앙카라 (Ankara)	安卡拉 Ānkǎlā
토고 (Togo)	多哥 Duōgē	로메 (Lome)	洛美 Luòměi
통가 (Tonga)	汤加 Tāngjiā	누쿠알로파 (Nukualofa)	努库阿洛法 Nǔkù'āluòfǎ
투르크메니스탄 (Turkmenistan)	土库曼斯坦 Tǔkùmànsītǎn	아슈하바트 (Ashkhabad)	阿什哈巴德 Āshíhābādé
투발루 (Tuvalu)	图瓦卢 Túwǎlú	푸나푸티 (Funafuti)	富纳富提 Fùnàfùtí
튀니지 (Tunisia)	突尼斯 Tūnísī	튀니스 (Tunis)	突尼斯市 Tūnísīshì
트리니다드 토바고 (Trinidad and Tobago)	特立尼达和多巴哥 Tèlìnídá hé Duōbāgē	포트오브스페인 (Port of Spain)	西班牙港 Xībānyágǎng
파나마 (Panama)	巴拿马 Bānámǎ	파나마 (Panama)	巴拿马城 Bānámǎchéng

파라과이 (Paraguay)	巴拉圭 Bālāguī	아순시온 (Asuncion)	亚松森 Yàsōngsēn
파키스탄 (Pakistan)	巴基斯坦 Bājīsītǎn	이슬라마바드 (Islamabad)	伊斯兰堡 Yīsīlánbǎo
파푸아 뉴기니 (Papua New Guinea)	巴布亚新几内亚 Bābùyà Xīnjǐnèiyà	포트모르즈비 (Port Moresby)	莫尔兹比港 Mò'ěrzībǐgǎng
페루 (Peru)	秘鲁 Bìlǔ	리마 (Lima)	利马 Lìmǎ
포르투갈 (Portugal)	葡萄牙 Pútáoyá	리스본 (Lisbon)	里斯本 Lǐsīběn
폴란드 (Poland)	波兰 Bōlán	바르샤바 (Warsaw)	华沙 Huáshā
푸에르토리코 (Puerto Rico)	波多黎各 Bōduōlígè	산후안 (San Juan)	圣胡安 Shènghú'ān
프랑스 (France)	法国 Fǎguó	파리 (Paris)	巴黎 Bālí
프랑스령 폴리네시아 (French Polynesia)	法属波利尼西亚 Fǎshǔ Bōlìníxīyà	파페에테 (Papeete)	帕皮提 Pàpítí
피지 (Fiji)	斐济 Fěijì	수바 (Suva)	苏瓦 Sūwǎ
핀란드 (Finland)	芬兰 Fēnlán	헬싱키 (Helsinki)	赫尔辛基 Hè'ěrxīnjī
필리핀 (Philippines)	菲律宾 Fēilǜbīn	마닐라 (Manila)	马尼拉 Mǎnílā
헝가리 (Hungary)	匈牙利 Xiōngyálì	부다페스트 (Budapest)	布达佩斯 Bùdápèisī

*수도 및 우리나라 지명 제외

가와사키(Kawasaki) 川崎 Chuānqí

가자(Gaza) 加沙 Jiāshā

갈릴리(Galilee) 加利利 Jiālìlì

갠지스 강(Ganges江) 恒河 Hénghé

고베(Kobe) 神户 Shénhù

고비 사막(Gobi沙漠) 戈壁 Gēbì

괌 섬(Guam-) 关岛 Guāndǎo

광저우(Guangzhou) 广州 Guǎngzhōu

교토(Kyoto) 京都 Jīngdū

규슈(Kyushu) 九州 Jiǔzhōu

그랜드 캐니언(Grand Canyon) 大峡谷 Dàxiágǔ

그리니치(Greenwich) 格林威治 Gélínwēizhì

그린란드(Greenland) 格陵兰岛 Gélínglándǎo

나가노(Nagano) 长野 Chángyě

나가사키(Nagasaki) 长崎 Chángqí

나고야(Nagoya) 名古屋 Mínggǔwū

나이아가라 폭포(Niagara瀑布) 尼亚加拉瀑布 Níyàjiālā pùbù

나일 강(Nile江) 尼罗河 Níluóhé

나폴리(Napoli) 那不勒斯 Nàbùlèsī

난징(Nanjing) 南京 Nánjīng

네바다 주(Nevada州) 内华达州 Nèihuádázhōu

노르망디(Normandie) 诺曼底 Nuòmàndǐ

노스캐롤라이나 주(North Carolina州) 北卡罗来纳州 Běikǎluóláinàzhōu

뉴멕시코 주(New Mexico州) 新墨西哥州 Xīnmòxīgēzhōu

뉴올리언스(New Orleans) 新奥尔良 Xīn'ào'ěrliáng

뉴욕(New York) 纽约 Niǔyuē

뉴저지 주(New Jersey州) 新泽西州 Xīnzéxīzhōu

뉴칼레도니아 섬(New Caledonia-) 新喀里多尼亚 Xīnkālǐduōníyà

뉴햄프셔 주(New Hampshire州) 新罕布什尔州 Xīnhǎnbùshí'ěrzhōu

니스(Nice) 尼斯 Nísī

댈러스(Dallas) 达拉斯 Dálāsī

덴버(Denver) 丹佛 Dānfó

디트로이트(Detroit) 底特律 Dǐtèlǜ

라스베이거스(Las Vegas) 拉斯维加斯 Lāsīwéijiāsī

라싸(Lasa) 拉萨 Lāsà

라인 강(Rhein江) 莱茵河 Láiyīnhé

로드아일랜드 주(Rhode Island州) 罗得岛州 Luódédǎozhōu

로스앤젤레스(Los Angeles) 洛杉矶 Luòshānjī

로잔(Lausanne) 洛桑 Luòsāng

로키 산맥(Rocky山脈) 落基山脉 Luòjī Shānmài

로테르담(Rotterdam) 鹿特丹 Lùtèdān

루이지애나 주(Louisiana州) 路易斯安那州 Lùyìsī'ānnàzhōu

리버풀(Liverpool) 利物浦 Lìwùpǔ

리비아 사막(Libya沙漠) 利比亚沙漠 Lìbǐyà Shāmò

리옹(Lyon) 里昂 Lǐ'áng

리우데자네이루(Rio de Janeiro) 里约热内卢 Lǐyuērènèilú

리치먼드(Richmond) 里士满 Lǐshìmǎn

마르세유(Marseille) 马赛 Mǎsài

마리아나 제도(Mariana諸島) 马里亚纳群岛 Mǎlǐyànà Qúndǎo

마이애미(Miami) 迈阿密 Mài'āmì

마카오(Macao) 澳门 àomén

마케도니아(Macedonia) 马其顿 Mǎqídùn

매사추세츠 주(Massachusetts州) 马萨诸塞州 Mǎsàzhūsàizhōu

맨체스터(Manchester) 曼彻斯特 Mànchèsītè

맨해튼(Manhattan) 曼哈顿 Mànhādùn

메릴랜드 주(Maryland州) 马里兰州 Mǎlǐlánzhōu

메카(Mecca) 麦加 Màijiā

메콩 강(Mekong江) 湄公河 Méigōnghé

멜버른(Melbourne) 墨尔本 Mò'ěrběn

멤피스(Memphis) 孟菲斯 Mèngfēisī

몬태나 주(Montana州) 蒙大拿州 Méngdànázhōu

몬테카를로(Monte Carlo) 蒙特卡洛 Méngtèkǎluò

몬트리올(Montreal) 蒙特利尔 Méng-
tèlì'ěr

뮌헨(München) 慕尼黑 Mùníhēi

미네소타 주(Minnesota州) 明尼苏达州
Míngnísūdázhōu

미시간 주(Michigan州) 密歇州根州 Mì-
xiēgēnzhōu

미시시피 주(Mississippi州) 密西西比州
Mìxīxībǐzhōu

미주리 주(Missouri州) 密苏里州 Mì-
sūlǐzhōu

밀라노(Milano) 米兰 Mǐlán

밀워키(Milwaukee) 密尔沃基 Mì'ěr-
wòjī

바덴바덴(Baden Baden) 巴登巴登
Bādēngbādēng

바르샤바(Warszawa) 华沙 Huáshā

바르셀로나(Barcelona) 巴塞罗那 Bā-
sàiluónà

발리 섬(Bali-) 巴厘岛 Bālídǎo

발칸 반도(Balkan半島) 巴尔干半岛
Bā'ěrgàn Bàndǎo

밴쿠버(Vancouver) 温哥华 Wēngēhuá

버뮤다 제도(Bermuda諸島) 百慕大群岛
Bǎimùdà Qúndǎo

버밍엄(Birmingham) 伯明翰 Bómíng-
hàn

버지니아 주(Virginia州) 弗吉尼亚州 Fú-
jíníyàzhōu

버클리(Berkeley) 伯克利 Bókèlì

베니스(Venice) 威尼斯 Wēinísī

베들레헴(Bethlehem) 伯利恒 Bólìhéng

베르사유(Versailles) 凡尔赛 Fán'ěrsài

보스턴(Boston) 波士顿 Bōshìdùn

본(Bonn) 波恩 Bō'ēn

볼티모어(Baltimore) 巴尔的摩 Bā'ěr-
dìmó

브로드웨이(Broadway) 百老汇 Bǎi-
lǎohuì

브루클린(Brooklyn) 布鲁克林 Bùlǔ-
kèlín

브뤼셀(Brussel) 布鲁塞尔 Bùlùsāi'ěr

브리즈번(Brisbane) 布里斯班 Bùlǐsī-
bān

블라디보스토크(Vladivostok) 符拉迪沃
斯托克 Fúlādíwòsītuōkè; 海参崴
Hǎicānwǎi

사우스캐롤라이나 주(South Carolina州)

남카로来나納주 Nánkǎluóláinázhōu

사이판 섬(Saipan-) 塞班岛 Sàibāndǎo

사하라 사막(Sahara沙漠) 撒哈拉沙漠
Sāhālā Shāmò

사할린(Sakhalin) 库页岛 Kùyèdǎo;
萨哈林岛 Sàhālíndǎo

삿포로(Sapporo) 札幌 Zháhuǎng

상파울루(São Paulo) 圣保罗 Shèng-
bǎoluó

상하이(Shanghai) 上海 Shànghǎi

샌디에이고(San Diego) 圣迭戈 Shèng-
diégē

샌프란시스코(San Francisco) 旧金山
Jiùjīnshān; 三藩市 Sānfānshì; 圣
弗朗西斯科 Shèngfúlǎngxīsīkē

선전(Shenzhen) 深圳 Shēnzhèn

세부(Cebu) 宿务 Sùwù

세인트루이스(Saint Louis) 圣路易斯
Shènglùyìsī

센 강(Seine江) 塞纳河 Sāinàhé

센트럴 파크(Central Park) 中央公园
Zhōngyāng Gōngyuán

소렌토(Sorrento) 索伦托 Suǒlúntuō

수에즈(Suez) 苏伊士 Sūyīshì

스칸디나비아 반도(Scandinavia半島)
斯堪的纳维亚半岛 Sīkāndìnàwéiyà
Bàndǎo

스코틀랜드(Scotland) 苏格兰 Sūgélán

시드니(Sydney) 悉尼 Xīní

시베리아(Siberia) 西伯利亚 Xībólìyà

시안(Xian[西安]) 西安 Xī'ān

시애틀(Seattle) 西雅图 Xīyǎtú

시칠리아(Sicilia) / 시실리(Sicily) 西西
里岛 Xīxīlǐdǎo

시카고(Chicago) 芝加哥 Zhījiāgē

신시내티(Cincinnati) 辛辛那提 Xīn-
xīnnàtí

실리콘 밸리(Silicon Valley) 硅谷 Guī-
gǔ

쓰시마 섬(Tsushima-) 对马岛 Duì-
mǎdǎo

아라비아 사막(Arabia沙漠) 阿拉伯沙漠
Ālābó Shāmò

아마존 강(Amazon江) 亚马孙河 Yà-
mǎsūnhé

아비뇽(Avignon) 阿维尼翁 Āwéiní-
wēng

아이다호 주(Idaho州) 爱达荷州 Àidá-

부록

hézhōu

아이오와 주(Iowa州) 艾奥瓦州 Àiˊàowǎzhōu; 爱荷华州 Àihéhuázhōu

아칸소 주(Arkansas州) 阿肯色州 Ākěnsèzhōu

안나푸르나(Annapurna) 安纳布尔纳峰 Ānnàbùˊěrnàfēng

안데스 산맥(Andes山脈) 安第斯山脉 Āndìsī Shānmài

알래스카 주(Alaska州) 阿拉斯加州 Ālāsījiāzhōu

알프스 산맥(Alps山脈) 阿尔卑斯山脉 Āˊěrbēisī Shānmài

애리조나 주(Arizona州) 亚利桑那州 Yàlìsāngnàzhōu

애틀랜타(Atlanta) 亚特兰大 Yàtèlándà

앨라배마 주(Alabama州) 亚拉巴马州 Yàlābāmǎzhōu

얄타(Yalta) 雅尔塔 Yǎˊěrtǎ

양쯔 강(Yangzi江) 长江 Chángjiāng

에게 해(Aegean海) 爱琴海 Àiqínhǎi

에든버러(Edinburgh) 爱丁堡 Àidīngbǎo

에베레스트 산(Everest山) 珠穆朗玛峰 Zhūmùlǎngmǎfēng

에인트호벤(Eindhoven) 埃因霍温 Āiyīnhuòwēn

오리건 주(Oregon州) 俄勒冈州 Élègāngzhōu

오사카(Oosaka) 大阪 Dàbǎn

오클라호마 주(Oklahoma州) 俄克拉何马州 Ékèlāhémǎzhōu

오클랜드(Oakland) 奥克兰 Àokèlán

오키나와 섬(Okinawa-) 冲绳岛 Chōngshéngdǎo

오하이오 주(Ohio州) 俄亥俄州 Éhàiézhōu

오호츠크 해(Okhotsk海) 鄂霍次克海 Èhuòcìkèhǎi

옥스퍼드(Oxford) 牛津 Niújīn

올림포스 산(Olympos山) 奥林匹斯山 Àolínpǐsīshān

요코하마(Yokohama) 横滨 Héngbīn

요하네스버그(Johannesburg) 约翰内斯堡 Yuēhànnèisībǎo

우랄 산맥(Ural山脈) 乌拉尔山脉 Wūlāˊěr Shānmài

월 가(Wall街) 华尔街 Huáˊěrjiē

웨스트버지니아 주(West Virginia州) 西弗吉尼亚州 Xīfújíníyàzhōu

위스콘신 주(Wisconsin州) 威斯康星州 Wēisīkāngxīngzhōu

윈체스터(Winchester) 温切斯特 Wēnqièsītè

유타 주(Utah州) 犹他州 Yóutāzhōu

유프라테스 강(Euphrates江) 幼发拉底河 Yòufālādǐhé

이과수 폭포(Iguaçú瀑布) 伊瓜苏大瀑布 Yīguāsū Dàpùbù

인더스 강(Indus江) 印度河 Yìndùhé

인도차이나 반도(Indo China半島) 中南半岛 Zhōngnán Bàndǎo

인디애나 주(Indiana州) 印第安纳州 Yìndìˊānnàzhōu

일리노이 주(Illinois州) 伊利诺斯州 Yīlìnuòsīzhōu

잉글랜드(England) 英格兰 Yīnggélán

자바(Java-) 爪哇岛 Zhǎowādǎo

잘츠부르크(Salzburg) 萨尔茨堡 Sàˊěrcíbǎo

제네바(Geneva) 日内瓦 Rìnèiwǎ

제노바(Genova) 热那亚 Rènàyà

조지아 주(Georgia州) 佐治亚州 Zuǒzhìyàzhōu

주룽 반도(Jiulong半島) 九龙半岛 Jiǔlóng Bàndǎo

찰스턴(Charleston) 查尔斯顿 Cháˊěrsīdùn

체르노빌(Chernobyl) 切尔诺贝利 Qiēˊěrnuòbèilì

취리히(Zürich) 苏黎世 Sūlíshì

카리브 해(Carib海) 加勒比海 Jiālèbǐhǎi

카사블랑카(Casablanca) 卡萨布兰卡 Kǎsàbùlánkǎ

칸(Cannes) 戛纳 Jiánà

캄차카 반도(Kamchatka半島) 堪察加半岛 Kānchájiā Bàndǎo

캔자스 주(Kansas州) 堪萨斯州 Kānsàsīzhōu

캘거리(Calgary) 卡尔加里 Kǎˊěrjiālǐ

캘리포니아 주(California州) 加利福尼亚州 Jiālìfúníyàzhōu; 加州 Jiāzhōu

컬럼비아(Columbia) 哥伦比亚 Gēlúnbǐyà

부록

케이프타운(Cape Town) 开普敦 Kāipǔdūn

케임브리지(Cambridge) 剑桥 Jiànqiáo

켄터키 주(Kentucky州) 肯塔基州 Kěntǎjīzhōu

코르시카 섬(Corsica-) 科西嘉岛 Kēxījiādǎo

콜로라도 주(Colorado州) 科罗拉多州 Kēluólāduōzhōu

쾰른(Köln) 科隆 Kēlóng

쿠스코(Cuzco) 库斯科 Kùsīkē

쿤룬 산맥(Kunlun山脈) 昆仑山脉 Kūnlún Shānmài

퀘벡(Quebec) 魁北克 Kuíběikè

크림 반도(Krym半島) 克里米亚半岛 Kèlǐmǐyà Bàndǎo

클리블랜드(Cleveland) 克里夫兰 Kèlǐfūlán

킬리만자로 산(Kilimanjaro山) 乞力马扎罗山 Qǐlìmǎzhāluóshān

테네시 주(Tennessee州) 田纳西州 Tiánnàxīzhōu

텍사스 주(Texas州) 得克萨斯州 Dékèsàsīzhōu

템스 강(Thames江) 泰晤士河 Tàiwùshìhé

톈진(Tianjin) 天津 Tiānjīn

토론토(Toronto) 多伦多 Duōlúnduō

토리노(Torino) 都灵 Dūlíng

티그리스 강(Tigris江) 底格里斯河 Dǐgélǐsīhé

티베트(Tibet) 西藏 Xīzàng

파미르 고원(Pamir高原) 帕米尔高原 Pàmǐ'ěr Gāoyuán

팔레스타인(Palestine) 巴勒斯坦 Bālèsītǎn

페루자(Perugia) 佩鲁贾 Pèilǔjiǎ

페르시아 만(Persia灣) 波斯湾 Bōsīwān

펜실베이니아 주(Pennsylvania州) 宾夕

法尼亚州 Bīnxīfǎníyàzhōu

포츠담(Potsdam) 波茨坦 Bōcítǎn

포틀랜드(Portland) 波特兰 Bōtèlán

폴리네시아(Polynesia) 波利尼西亚 Bōlìníxīyà

프랑크푸르트(Frankfurt) 法兰克福 Fǎlánkèfú

프린스턴(Princeton) 普林斯顿 Pǔlínsīdùn

플로리다 주(Florida州) 佛罗里达州 Fóluólǐdázhōu

피닉스(Phoenix) 菲尼克斯 Fēiníkèsī

피렌체(Firenze) 佛罗伦萨 Fóluólúnsà; 翡冷翠 Fěilěngcuì

피츠버그(Pittsburgh) 匹兹堡 Pǐzībǎo

필라델피아(Philadelphia) 费拉德尔菲亚 Fèilādé'ěrfēiyà; 费城 Fèichéng

하얼빈(Harbin) 哈尔滨 Hà'ěrbīn

하와이(Hawaii) 夏威夷 Xiàwēiyí

하이델베르크(Heidelberg) 海德堡 Hǎidébǎo

할리우드(Hollywood) 好莱坞 Hǎoláiwù

함부르크(Hamburg) 汉堡 Hànbǎo

항저우(Hangzhou) 杭州 Hángzhōu

헤이그(Hague) 海牙 Hǎiyá

호놀룰루(Honolulu) 火奴鲁鲁 Huǒnúlǔlǔ; 檀香山 Tánxiāngshān

호치민(Ho Chi Minh) 胡志明市 Húzhìmíngshì

홋카이도(Hokkaido) 北海道 Běihǎidào

홍콩(Hong Kong) 香港 Xiānggǎng

황허 강(Huanghe江) 黄河 Huánghé

후지 산(Huji山) 富士山 Fùshìshān

후쿠시마(Fukushima) 福岛 Fúdǎo

후쿠오카(Fukuoka) 福冈 Fúgāng

휴스턴(Houston) 休斯敦 Xiūsīdùn

히로시마(Hiroshima) 广岛 Guǎngdǎo

히말라야 산맥(Himalaya山脈) 喜马拉雅山脉 Xǐmǎlāyǎ Shānmà

세계 주요 인명

간디(Gandhi)　甘地 Gāndì

갈릴레이(Galilei)　伽利略 Gālìluè

고갱(Gauguin)　高更 Gāogēng

고흐(Gogh)　梵高 Fàngāo

괴테(Goethe)　歌德 Gēdé

그리그(Grieg)　格里格 Gélǐgé

그림 형제(Grimm兄弟)　格林兄弟 Gélín xiōngdì

나이팅게일(Nightingale)　南丁格尔 Nándīnggé'ěr

나폴레옹(Napoléon)　拿破仑 Nápòlún

네로(Nero)　尼禄 Nílù

노벨(Nobel)　诺贝尔 Nuòbèi'ěr

누르하치(Nurhachi)　努尔哈赤 Nǔ'ěrhāchì

뉴턴(Newton)　牛顿 Niúdùn

니체(Nietzsche)　尼采 Nícǎi

닉슨(Nixon)　尼克松 Níkèsōng

다빈치(da Vinci)　达·芬奇 Dá fēnqí

다윈(Darwin)　达尔文 Dá'ěrwén

단테(Dante)　但丁 Dàndīng

데카르트(Descartes)　笛卡儿 Díkǎ'ér

도스토예프스키(Dostoevskii)　陀思妥耶夫斯基 Tuósītuǒyēfūsījī

도요토미 히데요시(Toyotomi Hideyoshi)　丰臣秀吉 Fēngchén xiùjí

도플러(Doppler)　多普勒 Duōpǔlè

디즈니(Disney)　迪斯尼 Dísīní

디킨스(Dickens)　狄更斯 Dígēngsī

라이트 형제(Wright兄弟)　莱特兄弟 Láitè xiōngdì

라파엘로(Raffaello)　拉法埃洛 Lāfǎ'āiluò

랭보(Rimbaud)　兰波 Lánbō

레닌(Lenin)　列宁 Lièníng

레마르크(Remarque)　雷马克 Léimǎkè

렘브란트(Rembrandt)　伦布兰特 Lúnbùlántè

로댕(Rodin)　罗丹 Luódān

록펠러(Rockefeller)　洛克菲勒 Luòkèfēilè

루소(Rousseau)　卢梭 Lúsuō

루스벨트(Roosevelt)　罗斯福 Luósīfú

루터(Luther) / 마틴 루터(Martin Luther)　路德 Lùdé

르누아르(Renoir)　雷诺阿 Léinuò'ā

링컨(Lincoln)　林肯 Línkěn

마르코 폴로(Marco Polo)　马可·波罗 Mǎkě bōluó

마르크스(Marx)　马克思 Mǎkèsī

마호메트(Mahomet)　穆罕默德 Mùhǎnmòdé

만델라(Mandela)　曼德拉 Màndélā

맥아더(MacArthur)　麦克阿瑟 Màikè'āsè

멘델(Mendel)　孟德尔 Mèngdé'ěr

멘델스존(Mendelssohn)　门德尔松 Méndé'ěrsōng

모네(Monet)　莫奈 Mònài

모딜리아니(Modigliani)　莫迪利安尼 Mòdílì'ānní

모스(Morse)　莫尔斯 Mò'ěrsī

모차르트(Mozart)　莫扎特 Mòzhātè

몬드리안(Mondriaan)　蒙得里安 Mēngdélǐ'ān

무솔리니(Mussolini)　墨索里尼 Mòsuǒlǐní

미켈란젤로(Michelangelo)　米开朗基罗 Mǐkāilǎngjīluó

바그너(Wagner)　瓦格纳 Wǎgénà

바흐(Bach)　巴赫 Bāhè

베르디(Verdi)　威尔第 Wēi'ěrdì

베토벤(Beethoven)　贝多芬 Bèiduōfēn

벨(Bell)　贝尔 Bèi'ěr

브람스(Brahms)　勃拉姆斯 Bólāmǔsī

비발디(Vivaldi)　维瓦尔第 Wéiwǎ'ěrdì

비스마르크(Bismarck)　俾斯麦 Bǐsīmài

빌 게이츠(Bill Gates)　比尔·盖茨 Bǐ'ěr gàicí

생텍쥐페리(Saint Exupéry)　圣-埃克苏佩里 Shèng-āikèsūpèilǐ

샤갈(Chagall)　夏卡尔 Xiàkǎ'ěr

세르반테스(Cervantes)　塞万提斯 Sàiwàntísī

셰익스피어(Shakespeare)　莎士比亚 Shāshìbǐyà

소크라테스(Socrates)　苏格拉底 Sūgélādǐ

솔로몬(Solomon)　所罗门 Suǒluómén

쇼팽(Chopin)　肖邦 Xiàobāng

쇼펜하우어(Schopenhauer)　叔本华 Shūběnhuá

슈만(Schumann)　舒曼 Shūmàn

슈바이처(Schweitzer)　施韦泽 Shīwéizé

슈베르트(Schubert)　舒伯特 Shūbótè

스탈린(Stalin)　斯大林 Sīdàlín

스탕달(Stendhal)　司汤达 Sītāngdá

스티브 잡스(Steve Jobs)　史蒂夫·乔布斯 Shǐdìfū qiáobùsī

스피노자(Spinoza)　斯宾诺莎 Sībīnnuòshā

시저(Caesar)　凯撒 Kǎisā

아라파트(Arafat)　阿拉法特 Ālāfǎtè

아르키메데스(Archimedes)　阿基米德 Ājīmǐdé

아리스토텔레스(Aristoteles)　亚里士多德 Yàlǐshìduōdé

아보가드로(Avogadro)　阿伏加德罗 Āfújiādéluó

아이젠하워(Eisenhower)　艾森豪威尔 Àisēnháowēi'ěr

아인슈타인(Einstein)　爱因斯坦 Àiyīnsītǎn

안데르센(Andersen)　安徒生 Āntúshēng

에디슨(Edison)　爱迪生 Àidíshēng

엥겔(Engel)　恩格尔 Ēngé'ěr

오이디푸스(Oedipus)　俄狄浦斯 Édípǔsī

워싱턴(Washington)　华盛顿 Huáshèngdùn

이솝(Aesop)　伊索 Yīsuǒ

이토 히로부미(Ito Hirobumi)　伊藤博文 Yīténg bówén

잔 다르크(Jeanne dArc)　(圣女)贞德 (shèngnǚ)Zhēndé

차이코프스키(Tchaikovsky)　柴可夫斯基 Cháikěfūsījī

찰리 채플린(Charles Chaplin)　查理·卓别林 Chálí zhuóbiélín

처칠(Churchill)　邱吉尔 Qiūjí'ěr

칭기즈 칸(Chingiz Khan)　成吉思汗 Chéngjísīhàn

카네기(Carnegie)　卡内基 Kǎnèijī

카뮈(Camus)　加缪 Jiāmiù

카프카(Kafka)　卡夫卡 Kǎfūkǎ

칸트(Kant)　康德 Kāngdé

칼뱅(Calvin)　加尔文 Jiā'ěrwén

케네디(Kennedy)　肯尼迪 Kěnnídí

케플러(Kepler)　开普勒 Kāipǔlè

코페르니쿠스(Copernicus)　哥白尼 Gēbáiní

콜럼버스(Columbus)　哥伦布 Gēlúnbù

쿠빌라이(Khubilai)　忽必来 Hūbìlái

퀴리 부인(Curie夫人)　居里夫人 Jūlǐ fūren

테레사 수녀(Teresa修女)　特蕾莎修女 Tèlěishā xiūnǚ

파브르(Fabre)　法布尔 Fǎbù'ěr

파스칼(Pascal)　帕斯卡 Pàsīkǎ

파스퇴르(Pasteur)　巴斯德 Bāsīdé

페스탈로치(Pestalozzi)　裴斯塔洛齐 Péisītǎluòqí

푸슈킨(Pushkin)　普希金 Pǔxījīn

퓰리처(Pulitzer)　普里策 Pǔlìcè

프로이트(Freud)　弗洛伊德 Fúluòyīdé

플라톤(Platon)　柏拉图 Bólātú

피카소(Picasso)　毕加索 Bìjiāsuǒ

피타고라스(Pythagoras)　毕达哥拉斯 Bìdágēlāsī

하이든(Haydn)　海顿 Hǎidùn

헤겔(Hegel)　黑格尔 Hēigé'ěr

헤르만 헤세(Hermann Hesse)　赫尔曼·黑塞 Hè'ěrmàn hēisāi

헤밍웨이(Hemingway)　海明威 Hǎimíngwēi

헨델(Händel)　亨德尔 Hēngdé'ěr

헬렌 켈러(Helen Keller)　海伦·凯勒 Hǎilún kǎilè

히치콕(Hitchcock)　希区柯克 Xīqūkēkè

히틀러(Hitler)　希特勒 Xītèlè

히포크라테스(Hippocrates)　希波克拉底 Xībōkèlādǐ

각종 스포츠 명칭

검도　剑道 jiàndào
게이트볼　门球 ménqiú
경마　赛马 sàimǎ
골프　高尔夫球 gāo'ěrfūqiú
권투[복싱]　拳击 quánjī
근대 오종 경기　现代五项 xiàndài wǔxiàng
노르딕 경기　北欧两项 běi'ōu liǎngxiàng
농구　篮球 lánqiú
다이빙　跳水 tiàoshuǐ
당구　台球 táiqiú
댄스 스포츠　体育舞蹈 tǐyù wǔdǎo
등산　登山 dēngshān
럭비　橄榄球 gǎnlǎnqiú
래프팅[급류타기]　漂流 piāoliú
레슬링　摔跤 shuāijiāo
롤러스케이트　轮滑 lúnhuá
루지　无舵雪橇 wúduò xuěqiāo
미식축구　美式橄榄球 měishì gǎnlǎnqiú
바둑　围棋 wéiqí
바이애슬론　冬季两项 dōngjì liǎngxiàng; 现代冬季两项 xiàndài dōngjì liǎngxiàng
배구　排球 páiqiú
배드민턴　羽毛球 yǔmáoqiú
번지 점프　蹦极跳 bèngjítiào; 蹦极 bèngjí
보디빌딩　健美运动 jiànměi yùndòng
볼링　保龄球 bǎolíngqiú
봅슬레이　有舵雪橇 yǒuduò xuěqiāo; 雪车 xuěchē
비치 발리볼　沙滩排球 shātān páiqiú
사격　射击 shèjī
사이클　自行车赛 zìxíngchēsài
산악자전거(MTB)　山地车 shāndìchē
세팍타크로　藤球 téngqiú
소프트볼　垒球 lěiqiú
쇼트 트랙　短道速滑 duǎndào sùhuá
수구　水球 shuǐqiú
수상 스키　滑水 huáshuǐ
수영　游泳 yóuyǒng

- 배영　仰泳 yǎngyǒng
- 자유형　自由泳 zìyóuyǒng
- 접영　蝶泳 diéyǒng
- 평영　蛙泳 wāyǒng
- 혼영　混合泳 hùnhéyǒng
수중 발레[싱크로나이즈드스위밍]　花样游泳 huāyàng yóuyǒng; 水上芭蕾 shuǐshàng bālěi
스노보드　单板滑雪 dānbǎn huáxuě
스카이다이빙　跳伞运动 tiàosǎn yùndòng
스켈레톤　俯式冰橇 fǔshì bīngqiāo
스쿼시　壁球 bìqiú
스키　滑雪 huáxuě
- 스키 점프　跳台滑雪 tiàotái huáxuě
- 알파인 스키　高山滑雪 gāoshān huáxuě
- 크로스컨트리(스키)　越野滑雪 yuèyě huáxuě
- 프리스타일 스키　自由式滑雪 zìyóushì huáxuě
스케이트보드　滑板 huábǎn
스케이팅　滑冰 huábīng
- 스피드 스케이팅　速度滑冰 sùdù huábīng
- 피겨 스케이팅　花样滑冰 huāyàng huábīng
스킨 다이빙　轻装潜水 qīngzhuāng qiánshuǐ; 潜泳 qiányǒng
승마　马术 mǎshù
아이스하키　冰球 bīngqiú
암벽 등반[록클라이밍]　攀岩 pānyán
야구　棒球 bàngqiú
양궁　射箭 shèjiàn
역도　举重 jǔzhòng
- 용상　挺举 tǐngjǔ
- 인상　抓举 zhuājǔ
오토바이 경주　摩托车赛 mótuōchēsài
요트　帆船 fānchuán
우슈　武术 wǔshù
윈드서핑　风帆冲浪 fēngfān chōnglàng; 帆板 fānbǎn
유도　柔道 róudào

육상　田径 tiánjìng
- 경보　竞走 jìngzǒu
- 계주[이어달리기]　接力跑 jiēlìpǎo
- 높이뛰기　跳高 tiàogāo
- 단거리 달리기　短距离赛跑 duǎnjùlí sàipǎo; 短跑 duǎnpǎo
- 마라톤　马拉松 mǎlāsōng
- 멀리뛰기　跳远 tiàoyuǎn
- 삼단뛰기　三级跳远 sānjí tiàoyuǎn
- 십종 경기　十项全能 shíxiàng quánnéng
- 원반던지기[투원반]　铁饼 tiěbǐng
- 장거리 달리기　长距离赛跑 chángjùlí sàipǎo; 长跑 chángpǎo
- 장대높이뛰기　撑杆跳高 chēnggān tiàogāo
- 장애물 달리기　障碍赛跑 zhàng'ài sàipǎo
- 중거리 달리기　中距离赛跑 zhōngjùlí sàipǎo; 中跑 zhōngpǎo
- 창던지기[투창]　标枪 biāoqiāng
- 포환던지기[투포환]　铅球 qiānqiú
- 해머던지기[투해머]　链球 liànqiú
- 허들　跨栏 kuàlán; 跨栏跑 kuàlánpǎo

인라인스케이트　直排轮滑 zhípái lúnhuá
자동차 경주[카레이스]　赛车 sàichē
장기　象棋 xiàngqí; 中国象棋 zhōngguó xiàngqí
조정[경정]　赛艇 sàitǐng
체스　国际象棋 guójì xiàngqí
체조　体操 tǐcāo

- 도마　跳马 tiàomǎ
- 리듬 체조　艺术体操 yìshù tǐcāo; 韵律体操 yùnlǜ tǐcāo
- 링　吊环 diàohuán
- 마루 운동　自由体操 zìyóu tǐcāo
- 안마　鞍马 ānmǎ
- 이단 평행봉　高低杠 gāodīgàng
- 철봉　单杠 dāngàng
- 평균대　平衡木 pínghéngmù
- 평행봉　双杠 shuānggàng
축구　足球 zúqiú
카누　划艇 huátǐng
카약　皮艇 pítǐng
컬링　冰壶 bīnghú
크로스컨트리　越野赛跑 yuèyě sàipǎo
크리켓　板球 bǎnqiú
킥복싱　泰拳 tàiquán; 泰国拳 tàiguóquán
탁구　乒乓球 pīngpāngqiú
태권도　跆拳道 táiquándào
테니스　网球 wǎngqiú
트라이애슬론[철인 레이스; 철인 삼종 경기]　铁人三项 tiěrén sānxiàng
파도타기[서핑]　冲浪运动 chōnglàng yùndòng
패러글라이딩　滑翔伞 huáxiángsǎn
펜싱　击剑 jījiàn
폴로　马球 mǎqiú
필드하키[하키]　曲棍球 qūgùnqiú
핸드볼　手球 shǒuqiú
행글라이딩　悬挂滑翔 xuánguà huáxiáng; 悬挂式滑翔 xuánguàshì huáxiáng

부록

한어 병음 자모와 한글 대조표

성 모 (聲母)				운 모 (韻母)			
한어병음자모	한글	한어병음자모	한글	한어병음자모	한글	한어병음자모	한글
b	ㅂ	j	ㅈ	a	아	yai	야이
p	ㅍ	q	ㅊ	o	오	yao (iao)	야오
m	ㅁ	x	ㅅ				
f	ㅍ	zh [zhi]	ㅈ [즈]	e	어	you (ou, iu)	유
d	ㄷ	ch [chi]	ㅊ [츠]	ê	에	yan (ian)	옌
t	ㅌ	sh [shi]	ㅅ [스]	yi (i)	이	yin (in)	인
n	ㄴ	r [ri]	ㄹ [르]	wu (u)	우	yang (iang)	양
l	ㄹ	z [zi]	ㅉ [쯔]	yu (u)	위	ying (ing)	잉
g	ㄱ	c [ci]	ㅊ [츠]	ai	아이	wa (ua)	와
k	ㅋ	s [si]	ㅆ [쓰]	ei	에이	wo (uo)	워
h	ㅎ			ao	아오	wai (uai)	와이
				ou	어우	wei (ui)	웨이 (우이)
				an	안	wan (uan)	완
				en	언	wen (un)	원 (운)
				ang	앙	wang (uang)	왕
				eng	엉	weng (ong)	웡 (웅)
				er (r)	얼	yue (ue)	웨
				ya (ia)	야	yuan (uan)	위안
				yo	요	yun (un)	윈
				ye (ie)	예	yong (iong)	융

[ ]는 단독 발음될 경우의 표기임.
( )는 자음이 선행할 경우의 표기임.
ㅈ, ㅉ, ㅊ으로 표기되는 자음(j, zh, z, q, ch, c) 뒤의 ㅑ, ㅖ, ㅛ, ㅠ 음은 ㅏ, ㅓ, ㅗ, ㅜ로 적는다.
<예> jia 쟈 →자 jie 졔 →제

MINJUNG'S
POCKET
KOREAN-CHINESE
DICTIONARY

포켓 한중사전

2012년 1월 10일 초 판 발행
2025년 1월 10일 제14쇄 발행

편 자 민중서림편집국
발행인 김 철 환

발행처 사전 전문 **民衆書林**

⎡10881⎦ 경기도 파주시 회동길 37-29
(파주출판문화정보산업단지)
전화 (영업) 031) 955-6500~6 (편집) 031) 955-6507
Fax (영업) 031) 955-6525 (편집) 031) 955-6527
E-mail editmin@minjungdic.co.kr (편집)
홈페이지 http: // www.minjungdic.co.kr
등록 1979. 7. 23. 제2-61호

정가 32,000원

* 파본은 교환해 드립니다.
* 상호(商號)에 대한 주의 요망 *
  사전의 명문 민중서림은 유사 민중○○
  들과 다른 회사입니다.
  구매에 착오 없으시기 바랍니다.